ISBN 978-2-278-04632-4

Imprimé en France

Conception

Jean Binon
Serge Verlinde
(Groupe de recherche en lexicographie pédagogique (GRELEP) -
Institut interfacultaire des langues vivantes, K.U.Leuven)

Rédaction

Jean Binon
Serge Verlinde
Jan Van Dyck (Université d'Anvers - Ufsia)
Ann Bertels (Institut interfacultaire des langues vivantes, K.U.Leuven)
avec l'aide de An Martens, Nathalie Van Impe, Barbara Pauwels et Sylvia Desenne

Collaborateurs

Gloria Ariztegui Huarte (Escuela oficiál de idiomas de Bilbao)
Jeanne Dancette (Université de Montréal)
Zélie Guével (Université Laval)
Reinhilde Haest (Université d'Anvers - Ufsia)
Carole Lambelet
Clair Pickworth
Lorenzo Pompeï
Franz Schneider (Westsächsische Hochschule, Zwickau)
Ahmed Silem (ERSICO, Université Lyon III)

Remerciements

Henri Béjoint
Marie-Hélène Corréard
Monique Crenn
Fabienne Cusin-Berche
Michel Danilo
Danièle Flament-Boistrancourt
Philippe Humblé
Michèle Lenoble-Pinson
Michèle Maldonado
Corinne Mirande
Philippe Noble
Stéphane Ostyn
Jean-Luc Penfornis
Willy Rotsaert
Bénédicte Saouter
André Verlinde
et tous nos collègues de l'Institut interfacultaire des langues vivantes de la K.U.Leuven et d'ailleurs

Ce dictionnaire a été publié avec l'aide de la
Délégation culturelle et pédagogique de l'Ambassade de France en Flandre

Préfaces

Robert GALISSON
Université de la Sorbonne Nouvelle

On ne préface que ce qu'on aime ! Personne ne sera donc surpris si, d'entrée de jeu, j'affirme l'excellence de ce *Dictionnaire d'apprentissage du français des affaires* (DAFA).

Tout éducateur sait que l'utopie, portée par une inflexible détermination, peut devenir, avec le temps, une fabuleuse machine à produire du réel. Il y a une douzaine d'années, je rêvais (tout haut[1]) d'intéresser la didactique des langues à la dictionnairique scolaire, pour mettre en oeuvre un modèle de dictionnaire qui ne serait plus banalement de dépannage, mais d'apprentissage (ou plus exactement d'auto-apprentissage, puisque la vocation naturelle de cet outil est de permettre la consultation individuelle – sans médiation directe de l'enseignant). Donc un dictionnaire qui ne proposerait pas seulement de l'information, mais de la connaissance et même du savoir. Bref, un ouvrage ne visant pas à l'érudition mais à la réflexion – dans la mesure où le savoir procède d'une (re)construction personnalisée de la connaissance -. Or ce dictionnaire, sorti des limbes, existe bel et bien aujourd'hui : c'est le *DAFA*.

Il comble mes attentes : d'abord parce qu'il renouvelle les lois du genre et pourrait donner naissance à une autre génération de dictionnaires dans le secteur complexe (et ô combien démuni à cet égard) du français langue étrangère, langue seconde et aussi langue de scolarité[2] (désormais siglé FLESS) ; ensuite parce qu'il réalise un projet qui me tenait à coeur, mais que je n'ai pas su conduire moi-même.

Il faut, en effet, beaucoup de courage, de ténacité, d'abnégation... et de panache pour embrasser un aussi vaste projet et le mener à terme. Ce travail, extrêmement chronophage, laisse peu de temps pour d'autres tâches quand le dictionnariste est tout à la fois maître d'oeuvre, rédacteur et enseignant. Il devient alors monomane par la force des choses. C'est son destin et sa grandeur. C'est aussi pourquoi j'ai la plus vive estime pour les mousquetaires de cette aventure collective de longue haleine (qui sont quatre, ... évidemment : Jean Binon, Serge Verlinde, Jan Van Dyck, Ann Bertels). En tant qu'acteur du domaine, je leur suis très reconnaissant d'être allés jusqu'au bout de cette ambition considérable, sans se laisser distraire, sans se désunir, sans concession à la facilité. Ils ont su faire de leur équipe (internationale, à géométrie variable, éclatée dans l'espace) un laboratoire digne... des sciences exactes. Je les envie.

Pour ne pas jouer l'averti à bon compte en pillant l'argumentaire des auteurs avant qu'ils ne l'exposent eux-mêmes, ou l'Aristarque malvenu en passant l'ouvrage au peigne fin, je me contenterai d'évoquer, en guise d'apéritif, quelques aspects de l'outil qui ont particulièrement éveillé mon intérêt : • soit qu'ils confirment des intuitions ou des propositions

---

1. Dans un article intitulé *De la lexicographie de dépannage à la lexicographie d'apprentissage. Pour une politique de rénovation des dictionnaires monolingues de FLE à l'école* (*Cahiers de lexicologie 51*, 1987). D'autres textes suivirent, où je développais la même idée.
2. Là où le français n'est ni langue maternelle, ni langue seconde, mais langue étrangère de grande diffusion, choisie comme véhicule d'accès aux disciplines scientifiques et techniques à l'intérieur de l'institution scolaire et universitaire. Sur ce terrain et précisément parce que le statut de langue de scolarité est souvent instable (c'est le cas du français au Maghreb et en Afrique noire francophone), ce précieux renfort dictionnairique arrive à point nommé.

miennes en matière de dictionnairique d'apprentissage ; • soit qu'ils s'en démarquent, au contraire, et jalonnent des espaces que je n'avais pas, ou pas suffisamment prospectés.

Au titre des analogies de point de vue, j'observe que le *DAFA*, en tant que dictionnaire d'apprentissage, est un produit remarquable du croisement de la dictionnairique scolaire (ou plutôt institutionnelle[1], en l'occurrence) et de la didactique des langues, c'est-à-dire le résultat d'une prise en compte affichée du sujet (l'apprenant) face à l'objet (la langue à apprendre). Dans la mesure où la perspective sujet vient équilibrer la perspective objet au cours de l'élaboration du dictionnaire, celui-ci change de statut. Jusqu'alors, le sujet était un consultant occasionnel et indifférencié ; le *DAFA* lui dessine un profil. De consultant occasionnel, le sujet devient apprenant fidèle. Sa fidélisation passe par l'analyse de ses besoins et la mise en oeuvre de réponses appropriées, en matière de choix, de description et de mode de présentation du lexique. L'action stimulante exercée sur l'utilisateur (cf. la fidélisation) modifie le fonctionnement de l'outil et fait de lui davantage un concurrent qu'un complément des méthodes et des manuels. Il propose, en effet, une entrée dans la langue par les mots, comme les méthodes proposent des entrées : par la phonétique, par la grammaire, par les dialogues fabriqués, par les documents authentiques, par la littérature, etc.

De ce point de vue, le *Dictionnaire d'apprentissage du français des affaires* est très proche du *Dictionnaire des noms de marques courants. Essai de lexiculture ordinaire*[2] et je ne saurais que m'en réjouir. L'alliance des dictionnaristes, des didacticiens et didactologues, au sein d'une lexicographie institutionnelle ouverte, est le gage d'un changement qui devrait marquer une étape importante dans l'histoire de ces disciplines, jusqu'alors trop ignorantes les unes des autres.

Je suis d'autant plus sensible à l'option résolument didactique des auteurs du *DAFA* qu'elle conforte, dans l'institution, le parti, toujours menacé, des pédagogistes, qui privilégie le sujet, croit en l'obligation d'approprier le savoir aux profils multiples des apprenants (en particulier les plus démunis) et lutte contre le parti, toujours renaissant, des disciplinaristes, lequel privilégie l'objet, prétend que le savoir va au « mérite », se suffit à lui-même, s'acquiert sans artifice pédagogique et soutient que l'égalité passe par le même traitement pour tous, quels que soient l'origine et le milieu de chacun.

J'ai également noté avec satisfaction que le *DAFA* se distingue exemplairement de la plupart des dictionnaires de spécialité, qui s'attachent surtout à définir les référents (les objets du monde, les concepts, désignés par les termes). Il échappe à cette dérive encyclopédique pour décrire, avec le plus grand soin, l'usage et l'emploi de ces termes dans le discours des locuteurs qui en maîtrisent le fonctionnement et pour se constituer de la sorte en authentique dictionnaire de langue.

Il m'a été agréable aussi de découvrir que les auteurs du *DAFA* adoptent des concepts forgés et mis à l'essai, depuis longtemps, dans mes publications de lexico- ou de didacto- (-logie, -graphie). Je pense, en particulier, au micro-système conceptuel des 3 C : « cooccurrents », « corrélés », « collatéraux ». Cet emploi d'un même métalangage, qui ne passe pas tel quel dans les classes mais oriente les pratiques et fluidifie l'échange entre les acteurs du domaine, atteste que les choses bougent en profondeur et qu'une discipline s'est constituée, à la frontière de la didactique et de la dictionnairique.

1. Dans mon jargon, la dictionnairique institutionnelle appelle tous les niveaux d'enseignement, universitaire compris, alors que la dictionnairique scolaire ne désigne que les enseignements primaire et secondaire.
2. Par Robert Galisson et Jean-Claude André. Paris : CNRS (INaLF)/Didier Érudition. 1998.

En ce qui concerne les différences de point de vue (qu'il ne faut pas confondre avec des divergences), la plus évidente réside sans doute dans la traduction finale de la nomenclature du *DAFA* en cinq langues (allemand, anglais, espagnol, italien, néerlandais), qui confère à celui-ci une dimension multilingue, alors que mon « modèle » de 1987 se voulait un plaidoyer en faveur du monolingue. Le choix, souvent approximatif, donc discutable, de l'équivalent lexical pour passer d'une langue à une autre était au centre de mon argumentation. En l'occurrence, le problème n'est plus exactement le même puisque la langue décrite n'est pas le français général, mais un français de spécialité. J'imagine que le choix de l'équivalent terme à terme est alors plus restreint, donc plus rigoureux et que l'objectif des auteurs, sur ce point précis, est modestement de jouer les aiguilleurs auprès des usagers, d'apporter un complément qui peut toujours rendre service, mais ne s'imposait pas du point de vue de l'homogénéité de l'ouvrage (cf. le mélange des genres).

Une autre variante entre le dictionnaire (virtuel) d'apprentissage (modèle 1987) et le *Dictionnaire* (réel) *d'apprentissage du français des affaires* (modèle 2000) réside dans le sens qu'ils attribuent au concept même d'apprentissage, c'est-à-dire dans l'importance qu'ils accordent l'un et l'autre à certaines fonctions constitutives de l'outil. En 1987, je plaidais en faveur de blocs d'informations → connaissances → savoirs plus cohérents, plus substantiels, plus fonctionnels, autour de la construction de micro-systèmes lexicaux susceptibles de pousser au développement de la saine curiosité de comprendre, plutôt que de l'avaricieuse envie de thésauriser. En 2000, les auteurs du *DAFA* ne négligent évidemment pas l'organisation de la matière à traiter et de la manière de le faire, mais, pour des raisons qui leur sont propres et dont j'admets le bien-fondé, ils oeuvrent davantage au développement de la fonction d'encodage de l'outil. Chez eux, le traitement de l'information sert de base à la mise en place d'une remarquable conduite d'accès à la production. Je ne connais aucun dictionnaire institutionnel de français qui ait aussi minutieusement balisé ses multiples emplois. Les 14 fonctions qu'il propose, dûment étiquetées, fléchées manifestent, dans leur exceptionnel déploiement, le souci des auteurs de centrer leurs efforts sur l'écoute, l'auscultation attentive d'un apprenant désireux d'accéder à une compétence de locuteur à part entière, donc de producteur habile.

Toujours à propos des sens latents du concept d'apprentissage en lexicographie, il me paraît nécessaire d'élargir le débat et de mobiliser un peu d'histoire, en vue d'éclairer la position et le choix des divers protagonistes du domaine.

Première observation : la dictionnairique d'apprentissage n'est pas propre au français langue étrangère, seconde ou de scolarité. Les spécialistes du français langue maternelle (FLM) l'ont expérimentée les premiers, bien plus tôt et à plus grande échelle, parce que le besoin d'un dictionnaire de français pour l'école se faisait et se fait toujours plus massivement sentir en France qu'à l'étranger (c'est naturel) ; de sorte que le bénéfice escompté sur la vente d'un ouvrage de ce genre est mathématiquement plus prometteur à l'intérieur qu'à l'extérieur de l'hexagone. L'histoire de la dictionnairique d'apprentissage est donc plus longue et plus riche en FLM qu'en FLESS. Jean Pruvost[1] fait remonter : • la première à Pierre Larousse, dont *Le nouveau dictionnaire de la langue française* (1856) gagna assez vite l'école primaire pour s'y installer durablement ; • la seconde à Georges Gougenheim, dont *Le Français fondamental* (1954)[2] eut un impact con-

1. Dans un article intitulé *Les dictionnaires d'apprentissage monolingues de la langue française (1856-1999). Problèmes et méthodes* (*Études de linguistique appliquée* 116, 1999).
2. Il faut savoir que l'Ecole Supérieure de Préparation des Professeurs de Français à l'Étranger (ESPPFE, Sorbonne), premier organisme universitaire de ce type, ne date que de 1920 et le CREDIF, né dans la mouvance du « Français fondamental », que de 1959.

sidérable sur la méthodologie (audio-visuelle) de l'époque et sur la dictionnairique ultra-sélective qui en résulta.

Seconde observation : l'étiquette « dictionnaire d'apprentissage » n'est venue qu'assez tard – en 1985 pour le FLE, sans doute après pour le FLM (?) – coiffer des travaux pour la plupart très antérieurs. Compte tenu : • du temps qui sépare la publication de ces ouvrages ; • des lieux de leur production (didactique du FLE et didactique du FLM constituent des disciplines qui ont historiquement peu de points communs), on peut supposer que cette étiquette recouvre des contenus non homogènes. Hypothèse que l'histoire vérifie.

Pendant une centaine d'années, le « dictionnaire d'apprentissage » du FLM n'existe qu'en référence aux dictionnaires à l'intention de publics adultes (plus ou moins lettrés), dont il est la version réduite pour l'école. En 1949, il se libère de la tutelle des grands aînés, pour devenir l'objet d'une recherche expérimentale et l'outil heuristique qui permet à l'élève de construire plus commodément son propre savoir (toujours d'après J. Pruvost).

De son côté, le « dictionnaire d'apprentissage » du FLE suit un autre itinéraire, mais qui n'est pas sans rappeler le précédent. Pendant une vingtaine d'années, de 1954 au début de l'approche communicative, il est délibérément et exclusivement sélectif, déconnecté d'avec la lexicographie et la dictionnairique françaises en général : sous le règne sans partage du structuralisme en méthodologie, le lexique, réduit au minimum, n'est que le faire-valoir de la grammaire. Vers le milieu des années 80, une lexicographie institutionnelle émerge en FLE, dont l'objectif est d'infiltrer un maximum de didactique ou de didactologie au coeur de la dictionnairique. Le mouvement de renouveau s'apparente à celui du FLM et devient heuristique à son tour, mais avec une coloration singulière : il est beaucoup moins inféodé aux lexicographes et dictionnaristes de profession. À l'image de Jean Binon ou de votre serviteur, les dictionnaristes institutionnels sont généralement des transfuges, c'est-à-dire des pédagogues, des didacticiens ou des didactologues convertis à la lexicographie. Sous leur impulsion, au fur et à mesure que s'affinent le profil de l'apprenant-utilisateur, ses besoins linguistiques et psychologiques, s'affinent en même temps la forme et le contenu du dictionnaire d'apprentissage, pour donner naissance à un ouvrage convivial, plus proche de « l'outil symbolique d'autonomie », que le dictionnaire en général a toujours eu vocation d'incarner.

Ces quelques réflexions indiquent assez que l'étiquette « dictionnaire d'apprentissage » est plus emblématique (et générique) que pratique, dans la mesure où elle ne saurait rendre compte de modèles qui peuvent être soit réductifs, soit sélectifs, soit heuristiques et où le modèle heuristique FLESS lui-même se décompose en variantes, établies sur des choix opératoires nettement différenciés (cf. le modèle Galisson 1987 et le modèle *DAFA* 2000). Cependant, il faut convenir qu'elle est à l'origine de l'image novatrice et transdisciplinaire que nous connaissons de la dictionnairique institutionnelle. À charge pour celle-ci d'imposer une vision plus lisible de son dynamisme et de sa complexité.

En conclusion, sans donner dans l'hyperbole gratuite, je soutiens que les auteurs du *Dictionnaire d'apprentissage du français des affaires* ont beaucoup apporté à tous ceux qui, de près ou de loin, participent ou s'intéressent à la lexicographie et à la dictionnairique. Afin de confirmer mes dires, reste aux utilisateurs potentiels à plébisciter le *DAFA*. On sait que de remarquables dictionnaires n'ont obtenu que des succès d'estime, pour avoir déstabilisé le gros des consultants grégaires en troublant leurs habitudes d'emploi. Tout laisse à penser que risque pareil est ici conjuré : pédagogues avertis, les auteurs ont fait en sorte que le « désordre » alphabétique au plan de la présentation (cf. le classement des mots-vedettes, choisi pour ne pas oblitérer les repères d'entrée habituels) se transforme en « ordre » logique au plan des tâches d'apprentissage (à l'intérieur de chaque article). Pour ma part, je ne doute pas que les utilisateurs découvrent très vite les qualités maîtresses de l'outil : sérieux, complétude, agrément, professionnalisme et qu'ils le « bombarderont » alors de questions. C'est pourquoi je suggère à l'(heureux) éditeur de prévoir une couverture solide, pour résister aux manipulations intenses dont ce dictionnaire de « grand usage » ne manquera pas d'être l'objet !

À présent que les jeux sont faits pour le *DAFA*, reste aux membres de l'équipe à pousser leur avantage jusqu'au bout : • produire d'autres ouvrages du même type, dans d'autres domaines du français spécialisé, comme la langue juridique, par exemple ; • et surtout réaliser le *Dictionnaire d'apprentissage du français langue étrangère ou seconde* (DAFLES), qui devrait être un aboutissement. Après une aussi longue période de stérilité dictionnairique dans le secteur[1], on est impatient de savoir ce que la lexicographie institutionnelle est en mesure de proposer (au niveau de la macrostructure en particulier : le champ à prospecter étant beaucoup plus vaste que pour un dictionnaire spécialisé, l'établissement d'une nomenclature de français général est aussi beaucoup plus complexe). Compte tenu de l'expérience acquise avec le *DICOFE*[2], puis le *DAFA*, on ne peut être qu'optimiste. En attendant, les lexicographes et dictionnaristes institutionnels de France et de Navarre sont au pied du mur : avant de se poser la question de savoir comment faire mieux que leurs collègues de Louvain, il faut déjà qu'ils s'exercent à faire aussi bien !

De mon côté, je suis fier d'avoir été choisi pour tenir ce nouveau-né prometteur sur les fonts baptismaux de la lexicographie institutionnelle.

P.S. : si j'ai beaucoup parlé de moi, c'était pour mieux parler d'eux, les auteurs du *DAFA*, pour confronter nos expériences. Puisse le lecteur trouver dans ce « dialogue » matière a nourrir sa réflexion sur l'ouvrage et motif de le mettre à l'épreuve.

1. Le dernier ouvrage du genre remonte au *Dictionnaire Larousse du français langue étrangère*, sous la direction de Jean Dubois, publié entre 1977 (niveau 1) et 1979 (niveau 2).
2. *Dictionnaire contextuel du français économique* : voir la bibliographie, pages XXXV-XXXVII.

Jean Marie ALBERTINI

Directeur de Recherche émérite au CNRS

Ce dictionnaire n'est pas simplement une avancée de la lexicographie qui passionnera les hommes de l'art, il est un formidable outil d'initiation économique et d'apprentissage du français des affaires et de l'économie.

Chaque science, chaque technique a un langage qui lui est propre.

Il permet de transmettre une information avec précision et d'éviter les interprétations abusives. Plus le codage est précis, plus les spécialistes peuvent se comprendre, moins les non-spécialistes les comprennent. L'économie ne fait pas exception, mais la difficulté d'un texte économique est paradoxale. La plupart des termes économiques qu'on y trouve appartiennent au langage courant. Pourtant le non-initié a bien du mal à comprendre leur sens, la plupart de ces termes ont des significations différentes de celles qu'habituellement il leur attribue. Si vous n'êtes pas économiste, faites une expérience, feuilletez ce dictionnaire, il y a bien peu de termes qui ne vous sont pas familiers, lisez quelques-unes des définitions les plus spécifiquement économiques, souvent elles vous étonneront. Je vous conseille en particulier de consulter l'article consacré au terme *profit*, vous en tirerez le plus grand profit.

Le désarroi du non-économiste, l'homme normal, risque d'être d'autant plus grand que l'économie n'est pas un champ unifié et qu'il existe plusieurs langages économiques.

Depuis un siècle, les progrès de la science économique ont été importants, mais elle n'a pu surmonter la pluralité de ses paradigmes. Si les économistes semblent souvent dire des choses contradictoires, c'est qu'ils ne cherchent pas la même chose et n'observent pas l'économie du même endroit. Cette parcellisation des théories économiques, se traduit notamment par la dichotomie entre la « Micro-économie » et la « Macro-économie », les mêmes mots y ont des acceptions différentes. De même la plus-value de Karl Marx a peu de chose en commun avec celle du monde des affaires. Là encore cette situation n'est pas spécifique à l'économie. Par suite des enjeux sociaux et politiques plus aisément perceptibles, elle y est seulement plus visible. Cela rend très difficile, et toujours contestée, la détermination de la connaissance économique minimale à diffuser.

En outre, avant d'être une science, l'économie est une pratique. Les progrès de la science économique se sont aussi concrétisés au travers du développement d'outils. Ils permettent de mieux appréhender tel ou tel phénomène dans le cadre de pratiques particulières. Il y a ainsi bien des rapports entre le marketing (en bon français, la mercatique) et l'analyse théorique du comportement des consommateurs, mais le marketing demeure une technique très largement empirique, il n'a de sens que par rapport aux objectifs qu'il permet d'atteindre. Il en va de même en ce qui concerne les techniques de la gestion, de la comptabilité ou encore dans le domaine bancaire et financier. Le français des affaires, tout en reprenant des termes de l'économie savante, s'enracine essentiellement dans ces pratiques. Le même terme emprunté au langage courant peut avoir ainsi des significations différentes suivant le champ théorique ou celui des pratiques dans lequel il est employé.

Dans tous les cas, il ne faut pas non plus oublier qu'il n'existe pas « des handicapés » de l'économie. Toute personne normalement constituée a une pratique économique. Dans les sociétés de l'Est comme de l'Ouest, du Sud comme du Nord, tout individu fait presque en permanence des choix que les économistes situent dans le champ de leur discipline. Il a donc besoin dans sa vie de tous les jours de se forger une grille à partir de laquelle il pourra intégrer les informations qu'il reçoit, les ordonner, assimiler des éléments nouveaux ou si l'on préfère acclimater l'étrange et, finalement, décider le comportement économique qui lui paraîtra le plus adéquat à sa situation. Les représentations que chacun a de l'économie sont donc déterminantes dans l'interprétation des faits économiques et influencent directement les comportements. Elles constituent une sorte « d'idéologie pratique ». Même si l'économiste trouve que ces bricolages intellectuels ont peu de chose à voir avec sa science, ils constituent une forme de connaissance qui n'est pas dénuée d'efficacité dans la vie quotidienne et qui, en tout cas, conditionne les apprentissages. Nous ne sommes pas en présence de têtes pleines (celles des économistes ou des enseignants) face à des têtes vides (les non-économistes), mais de têtes remplies de manières différentes. La compréhension du langage économique suppose aussi que l'on traite le choc entre des modalités différentes de connaissances.

On comprend que dans ces conditions, le mystère du langage économique, déjà grand pour un francophone, devient insondable pour ceux dont le français est une langue étrangère ou seconde.

Plus que dans la plupart des langages spécialisés, les termes utilisés sont étroitement liés à des pratiques sociales et à un environnement culturel qui diffèrent d'un pays à un autre. En outre l'économie est un domaine où la prégnance de la terminologie anglo-saxonne est des plus grandes. À la domination économique britannique du XIXeme siècle a succédé celle des Etats-Unis appuyée par son réseau de transnationales. Chaque année, le vent d'Amérique amène un peu partout dans le monde un lot de mots nouveaux liés à des développements pratiques ou théoriques. Chaque pays les transpose et les intègre à des usages qui reflètent sa spécificité culturelle et économique. La recherche d'équivalents français est parfois rendue délicate car les auteurs anglo-saxons n'hésitent pas à utiliser analogies et images tandis que les spécialistes français recherchent un terme ou une expression permettant de décrire de manière précise une situation ou un phénomène. Ainsi vous découvrirez dans ce dictionnaire que la traduction officielle de *junk bond* n'est pas *obligation pourrie* mais *obligation à haut risque*. Cela fait plus sérieux, mais prévient moins l'épargnant sur la nature de son placement. Il est vrai que ce type d'obligation assortie d'un taux d'intérêt proche de l'usure n'est pourrie qu'au moment où son émetteur ne peut assurer ses engagements. Dans le cas contraire, elle n'est qu'une obligation à haut rendement.

Par son parti pris méthodologique, ce dictionnaire permet de surmonter une grande partie des difficultés que nous venons d'énumérer.

Le lecteur n'y trouvera pas simplement des définitions mais plus de 3000 « phrases-exemples » des divers usages de chaque mot dans le français des affaires et de l'économie. Les mots et expressions retenus ont été sélectionnés à partir de listes et de bases de données comprenant plusieurs millions de mots de textes économiques tant scientifiques que journalistiques. Les usages pris en compte ne se bornent pas à ceux des spécialistes mais ils comprennent ceux de la pratique courante des affaires, voire les expressions utilisées par le grand public. Ce dictionnaire se distingue ainsi très nettement de la plupart des dictionnaires économiques encyclopédiques qui accumulent un plus grand nombre de définitions de substantifs. À une approche quantitative qui est souvent frustrante pour le non-spécialiste, il substitue une approche qualitative mettant l'accent sur les verbes et les adjectifs qui accompagnent les mots retenus et les règles qui en déterminent l'usage.

Quand certains de ces usages lui sont familiers, le lecteur francophone peut ainsi mieux situer un terme dans ses divers contextes. Quant au lecteur non francophone, au-delà d'une initiation économique, il est ainsi convié à un apprentissage du français qui dépasse largement le français des affaires et de l'économie. Il apprend comment un mot se combine avec un autre et les adjectifs et les verbes qui en précisent ou modifient le sens. Il bénéficie aussi d'informations linguistiques sur la prononciation et les pluriels, absentes de tous les autres dictionnaires d'économie. Cet apprentissage est facilité par la traduction en cinq langues (allemand, anglais, espagnol, italien et néerlandais) des 3200 mots ainsi définis. L'index inversé qu'il trouvera en fin de volume lui permettra de retrouver facilement le terme français à partir du mot utilisé dans sa propre langue.

L'entrée dans le champ de l'économie et du français des affaires est aussi rendue plus aisée par la combinaison de l'ordre alphabétique à un ordre thématique organisé à partir de 135 familles de mots. Ce regroupement permet au lecteur d'aborder le langage du français des affaires et de l'économie à partir du thème qui lui est le plus utile ou le plus habituel. Il lui évite de le reconstituer en faisant du saute-mouton dans une présentation purement alphabétique. Toutefois chaque mot est aussi présenté dans une liste alphabétique de 3200 termes qui renvoie à un ou plusieurs articles thématiques.

La francophonie possède enfin un dictionnaire de la langue du français des affaires et de l'économie, alors que la langue anglaise en possède depuis longtemps plusieurs, notamment le *Longman* et l'*Oxford Dictionary of Business English*.

Bien entendu un dictionnaire d'apprentissage n'est pas un dictionnaire encyclopédique. Les objectifs pédagogiques de ce dictionnaire ont imposé des choix. Les termes appartenant plus étroitement à une théorie ou à une technique particulière ne sont qu'exceptionnellement retenus. En d'autres termes, leurs spécialistes n'y retrouveront pas toujours les mots qu'ils chérissent le plus, par contre les autres ne seront pas égarés par une profusion terminologique dont ils ne voient pas l'utilité. Naturellement, en voulant faire de ce dictionnaire celui du français des affaires et de l'économie tel qu'on le parle, les auteurs ont été amenés à écarter les mots dont les usages ne sont pas encore établis ou répandus, même si des effets de modes peuvent momentanément les multiplier. Certains le regretteront. Si les usages de ces mots se diffusent durablement, ils apparaîtront dans les futures éditions de ce dictionnaire. En effet, son utilité est telle pour tous ceux qui ont besoin de faire l'apprentissage du français des affaires et de l'économie que cette édition sera sans doute la première d'une longue série de rééditions. J'en fais le pari.

Table des matières

Présentation du dictionnaire XV
Structure du dictionnaire XVII
Comment utiliser le dictionnaire ? XXIV
Signes et notations conventionnelles XXXIII
Notation phonétique XXXIV
Bibliographie XXXV

Dictionnaire d'apprentissage du français des affaires – articles thématiques

ACHAT 2
ACTIF 8
ACTION 10
AFFAIRE 17
AGENCE 20
ALLOCATION 24
AMORTISSEMENT 27
ARGENT 32
ASSURANCE 38
AUDIT 45
BALANCE 49
BANQUE 51
BÉNÉFICE 57
BIEN 62
BILAN 64
BOURSE 68
BUDGET 73
CADRE 79
CAISSE 80
CAPITAL 84
CHANGE 91
CHARGE 93
CHÈQUE 97
CHÔMAGE 100
CLIENTÈLE 105
COMMANDE 110
COMMERCE 113
COMPÉTITIVITÉ 122
COMPTABILITÉ 125
COMPTE 127
CONCURRENCE 133
CONJONCTURE 137
CONSOMMATION 141
CONTRAT 147
CONTRIBUTION 151
COTISATION 154
COURBE 156
COÛT 158
CRÉANCE 161
CRÉDIT 164
CROISSANCE 168
CYCLE 171
DÉBIT 173
DÉFICIT 177
DEMANDE 181
DÉPENSE 184
DÉPÔT 188
DETTE 194
DIRECTION 200
DISTRIBUTION 204
ÉCONOMIE 210
EFFET 218
EMBAUCHE 222
EMPLOI 224
EMPRUNT 229
ENTREPRISE 234
ÉPARGNE 240
EXCÉDENT 247
EXPORTATION 251
FABRICATION 253
FACTURE 256
FAILLITE 259
FINANCE 263
FISCALITÉ 269
FLUCTUATION 273
FLUX 285
FONDS 287
FOURNITURE 291
FRAIS 292
GESTION 298
GRÈVE 303
IMPORTATION 309
IMPÔT 311
INDICATEUR 318
INDICE 319
INDUSTRIE 322
INFLATION 325
INNOVATION 329
INTÉRÊT 330
INVESTISSEMENT 334
LICENCIEMENT 342
LIQUIDITÉ 345
LIVRAISON 347
LOCATION 349
MAGASIN 354
MAIN-D'OEUVRE 356
MANAGEMENT 358
MARCHANDISE 361
MARCHÉ 364
MARKETING/MERCATIQUE 372
MONNAIE 379
MONTANT 385
OBLIGATION 389
OFFRE 392
OUVRIER 398
PAIEMENT 400
PASSIF 408
PATRONAT 409
PERFORMANCE 413
PERTE 414
PLACEMENT 419
PLUS-VALUE 422
PRÊT 428
PRIX 431
PRODUCTION 438
PRODUCTIVITÉ 449
PROFESSION 452
PROFIT 456
PROMOTION 458
PUBLICITÉ 463
RECETTE 470
REMBOURSEMENT 476
RÉMUNÉRATION 478
RENDEMENT 481
RENTABILITÉ 484
RENTE 486
RESSOURCES 489
REVENU 492
SALAIRE 498
SECTEUR 504
SERVICE 507
SOCIÉTÉ 513
SOLDE 521
STOCK 525
SUBVENTION 529
SYNDICAT 532
TARIF 537
TAUX 540
TAXE 542
TRANSPORT 550
TRAVAIL 553
VALEUR 563
VENTE 569
VERSEMENT 576
VIREMENT 577

Index inversés
- allemand-français 583
- anglais-français 611
- espagnol-français 639
- italien-français 663
- néerlandais-français 687

Présentation du dictionnaire

Le *Dictionnaire d'apprentissage du français des affaires* (DAFA) est à la fois

un **dictionnaire de compréhension** destiné à tous ceux, francophones et non-francophones, professionnels, traducteurs, étudiants, secrétaires, ... qui désirent mieux comprendre le français du monde des affaires et de l'économie et

un **dictionnaire de production** destiné tout particulièrement aux apprenants du français langue étrangère ou seconde afin de les aider à mieux utiliser le langage du monde des affaires et de l'économie dans des situations de communication réelle.

Le *DAFA* se compose de **135 articles thématiques** consacrés chacun à une **famille de mots** (COMMERCE : *le commerce, la commercialisation, un commerçant, un commercial, commerçant, commercial, ...*).
Ces familles de mots constituent le **vocabulaire de base du français des affaires et de l'économie**, tel qu'il a été établi à partir du recoupement de quatre listes[1] et de l'avis de spécialistes du domaine.
Ces familles de mots sont insérées dans des réseaux sémantiques (*commerce → vente, achat, marché, marketing*).
Plusieurs **mots-outils** (vocabulaire des fluctuations, *contrat, indice, ...*) sont également traités.

À ces familles de mots sont associés des **mots à sens voisin** (des (para)synonymes, des hyperonymes, des hyponymes, des antonymes) qui représentent une extension de ce vocabulaire de base (*commercial* : *marchand, mercantile, ...*).

Chaque article constitue donc en quelque sorte la description d'un champ sémantique.

Quelque **3200 mots** différents sont ainsi non seulement définis de façon claire et précise, mais également présentés dans leurs **contextes d'emploi** (combinaisons de mots ou collocations) les plus significatifs (*commercial : des échanges commerciaux, un bail commercial, ...*).
Ces contextes ont été relevés dans une base de données représentative[2] et dans les dictionnaires et les ouvrages d'initiation au français des affaires et au français économique[3].

Le tout est illustré de **plus de 3000 phrases-exemples** inspirées des textes inclus dans notre base de données et de **notes d'usage** qui attirent l'attention sur certaines particularités du langage des affaires. Il a également été tenu compte des **variantes géographiques** propres à quatre communautés linguistiques : la Belgique, la France, le Québec et la Suisse.

Chaque mot du *DAFA* est accompagné de sa **traduction en cinq langues** (l'allemand, l'anglais, l'espagnol, l'italien et le néerlandais).

Les **index alphabétiques inversés** allemand-français, anglais-français, espagnol-français, italien-français, néerlandais-français en fin de volume permettent de retrouver

1. 1. Liste établie par Guével (1995). – 2. Liste de fréquence lemmatisée établie pour un corpus de 4 millions de mots de textes économiques scientifiques et journalistiques. – 3. Liste établie par Van Dyck (1995[2]). – 4. Compilation des index des quatre tomes du *Dictionnaire contextuel du français économique* (DICOFE).
2. Base de données de 24,3 millions de mots constituée de textes économiques scientifiques et journalistiques.
3. Voir la bibliographie, pages XXXIII-XXXIV.

aisément dans le corps du dictionnaire le mot français à partir du mot allemand, anglais, espagnol, italien ou néerlandais correspondant.

La langue décrite et les phrases-exemples reflètent l'usage actuel du français des affaires tel qu'il est attesté dans notre base de données.

Notre **approche descriptive** plutôt que normative justifie la présence d'anglicismes pour lesquels nous donnons toutefois systématiquement les équivalents français officiels.

Les auteurs

Sur le site de notre groupe de recherche (http://www.kuleuven.ac.be/grelep), on trouvera de plus amples informations sur la méthodologie, le concept du *DAFA* ainsi que les références à nos publications scientifiques. Une version électronique du *DAFA* est consultable à l'adresse suivante : http://www.projetdafa.net.

Structure du dictionnaire

(extraits)

LISTE ALPHABÉTIQUE
DU FRANÇAIS DES AFFAIRES

- mots (*économie*, *entreprise*)
- combinaisons de mots courants qui prennent un sens économique (*niveau de vie*)
- sigles (*ANPE*, *UEM*)

indication de fréquence du mot
(****: 25% des mots des affaires les plus fréquents, ...,
*: 25% des mots des affaires les moins fréquents)

(catégorisation grammaticale)
(voir p. XXVII)

description simplifiée du sens du mot

renvoi à la page du *DAFA* où est traité le mot

ARTICLE THÉMATIQUE
(construit autour d'**une famille de mots)**

membres de la famille de mots
par colonne : nom de concept
nom de personne
adjectif / *adverbe*
verbe

renvoi à l'entrée de l'article thématique où le membre de la famille de mots est traité

ENTRÉE

[prononciation] (voir p. XXVIII)
(catégorisation grammaticale)
(voir p. XXVII)

SENS de l'entrée
1.x.: sens économiques;
2.x.: sens non économiques

indication d'usage

☞: renvoi à une autre rubrique de l'entrée

phrase-exemple

V.: renvoi à un autre article thématique
(V. page à consulter - article, numéro de l'entrée)

ÉCONOMICO-FINANCIER, -IÈRE (adj.) (*) 1. Qui se rap

1. (217)	Wirtschafts- und Finanz-wirtschaftlich und finanziell	economic and financial	eco

ÉCONOMICO-POLITIQUE (adj.) (*) 1. Qui se rapporte à

1. (217)	wirtschaftspolitisch	economic and political	eco

ÉCONOMICO-SOCIAL, -IALE ; -IAUX, -IALES (adj.) (*

1. (217)	wirtschaftlich und sozial	economic and social	eco

ÉCONOMIE (n.f.) (****) 1. Ensemble des activités de proc
vise à réduire les dépenses. 4. (plur.) Partie du revenu réserv

1. (210)	die Wirtschaft die Ökonomie	economy	la e
2. (210)	die Wirtschaftswissenschaft(en) die Ökonomie	economics	la e
3. (210)	die Wirtschaftlichkeit die Sparsamkeit	saving economy	el a la e
4. (210)	die Ersparnisse die Einsparungen	saving(s)	los las

ÉCONOMIE

1 l'économie **4** les déséconomies **4** la micro-économie **4** la macro-économie **4** l'économique **4** l'économisme **4** l'économétrie **4** un économat **4** un économiseur	**4** un économiste, une économist **4** un économe, une économe

1 l'ÉCONOMIE - [ekɔnɔmi] - (n.f.)

1.1. Ensemble des activités des personnes, des g
la production, la distribution et la consomm
besoins.
La fragilité structurelle de notre économie s

1.2. (emploi au sing.) Science qui étudie l'écono
L'économie n'est pas une science exacte : l
imprévisible.

1.3. (emploi au sing. et au plur.) Gestion d'un
technique qui a pour but de réduire les dépe
Syn. : (☞ 214 Pour en savoir plus, Écon
dilapidation.
Le plan de restructuration doit permettre de

1.4. (emploi au plur.) Partie du revenu d'un agent
un État) obtenue grâce à une économie (sens
de biens ou de services mais qui est réser
rémunération), à la thésaurisation ou à l'inve
Syn. : (V. 242 épargne, 1).
J'ai déposé mes petites économies auprès de

nie et à la finance.
economico-finan-ziario economisch en financieel

a politique.
economico-politico economisch en politiek

orte à l'économie et aux aspects sociaux.
socio-economico socio-economisch

bution et de consommation. 2. Science. 3. Gestion qui

l'economia (f.) de economie (f.)

l'economia (f.) de economische wetenschappen (plur.)
le scienze econo-miche de staathuishoudkunde (f.)
il risparmio de spaarzaamheid (f.)
l'economia (f.) de zuinigheid (f.)
i risparmi de spaargelden (plur.)
de gespaarde sommen (plur.)

➠ épargne

ti)économique	3 économiser
cro-économique	
cro-économique	
nome	
nométrique	
nomico-...	
cio-économique	
nomiquement	

rsonnes ou des organismes qui se rapportent à ns et de services dans le but de satisfaire leurs

r le vieillissement de notre industrie.

1.)

nent du consommateur reste en grande partie

mique (un particulier, une entreprise - X) ou nt, de temps, d'énergie, ... - Y).
1.3.) et synonyme) ; Ant. : le gaspillage, la

e économie de 10 millions d'euros.

e (un particulier, une entreprise, un organisme, st pas consacrée à la consommation immédiate cement à des conditions déterminées (durée,

.

TRADUCTION des mots du *DAFA* EN CINQ LANGUES
allemand, anglais, espagnol, italien, néerlandais

← mot à plusieurs sens

traduction spécifique pour chaque sens

← ➠ : renvoi à un ou plusieurs articles qui traitent un concept apparenté (réseau sémantique)

mention "*mot-outil*" : il s'agit d'un mot du français général mais qui s'utilise fréquemment en français des affaires (p. ex. un effet, un taux)

(sens 1.x) : renvoi à un des sens de l'entrée

X, Y, Z : identification des principaux actants, repris dans la rubrique + verbe : qui fait quoi ?

Syn. : synonyme : mot qui a un sens équivalent, analogue
Ant. : antonyme : mot qui a un sens contraire, opposé

EXPRESSIONS, PROVERBES

(sens 1.x.): renvoi à un des sens de l'entrée

informations pragmatiques: sujet-type à employer avec l'expression

COMBINAISONS DE MOTS
(collocations)

1. classification selon la **forme**: entrée + adjectif, + nom, + adverbe, + verbe
2. regroupement selon le **sens** à l'aide de repères sémantiques *TYPE* (concept technique), *CARACTÉRISATION* (évaluation), *NIVEAU* (quantité), *LOCALISATION* (lieu), *MESURE* (dimension)

combinaisons de mots qui se rapportent au sens 1.x. (ou 2.x.) de l'entrée

juxtaposition de mots
à sens analogue (,) et donc librement substituables (une économie libérale = une économie décentralisée)
ou à sens différent (;) et donc non librement substituables (l'économie classique ≠ l'économie marxiste)

combinaison de mots ou collocation

indication de la fréquence d'emploi d'un mot ou d'une expression

expressions

(sens 1.1.)

(Quand) économie rime avec écologie. *nomie rime avec écologie : le procédé O est un moyen de traitement des ordures m gères dont les objectifs sont la valoris maximale de la matière organique et la pr tion de l'environnement.*

(sens 1.3.)

• (Une personne) **faire l'économie de qq** éviter d'utiliser qqch. (Syn. : **faire l'imp de**). *En portant cette lettre moi-même, je l'économie d'un timbre-poste.*

+ adjectif

TYPE D'ÉCONOMIE (sens 1.1. et 1.2.)

L'économie classique ; marxiste ; keynés ne ; néo-classique : grandes écoles de pe économique et leur application concrète.

L'économie publique : ensemble des acti exercées par le secteur public et son étude *finances publiques déterminent toute l'éc mie publique : amélioration de la répart sociale des revenus, régulation macro-éc mique, ...*

TYPE D'ÉCONOMIE (sens 1.1.)

Une économie libérale, décentrali (☞ 213 + nom). >< **Une économie plani centralisée, dirigée, étatisée.**

L'économie capitaliste : économie qui se ractérise par l'existence d'un marché, d'un s riat et de la propriété privée de biens. *Le g problème de l'économie capitaliste n'est pa produire, mais de trouver des consommate*

>< **L'économie socialiste (centralen planifiée), collectiviste** : économie qu caractérise par l'existence d'un marché et salariat. *Comme le marché n'intervient en économie socialiste, le mode hiérarch d'organisation s'impose de lui-même.*

+ nom

(sens 1.1.)

• **La (bonne >< mauvaise) santé de l'éco mie, le (bon >< mauvais) fonctionnemen l'économie**. *Les chiffres du chômage tra sent la bonne santé de l'économie américa*
Le bulletin de santé de l'économie.

La faiblesse de l'économie. *La faibless l'économie doit être combattue par une ba des taux courts.*

Les indicateurs de l'économie. (Syn. : (fréq.) **les indicateurs économiques**). *Les dicateurs de l'économie sont dans le rouge niveau d'endettement des entreprises est portant, les faillites sont nombreuses et le*

ıe personne) **faire qqch. à l'économie** : avec minimum de dépenses (d'argent, d'éner-, ...).

e/des économie(s) de bouts de chan-le : économie insignifiante. (Ant. : **des éco-nies substantielles, importantes**). *Les syn-ats ont rejeté ce qu'ils appellent une "demi-sure", qui équivalait en fait à une économie bout de chandelle.*

'y a pas de petites économies : tout effort pargner de l'argent vaut la peine d'être fait.

E D'ÉCONOMIE (sens 1.2.)

conomie monétaire : branche des sciences nomiques étudiant les phénomènes moné-res et de crédit (Silem).

ACTÉRISATION DE L'ÉCONOMIE s 1.1.)

>< **Une économie fermée** : économie qui ne pratique pas ou très peu d'échanges avec les utres pays et qui vit en **autosuffisance autosuffisant**}. (Syn. : **une autarcie autarcique**}).

EAU DE L'ÉCONOMIE (sens 1.3.)

s économies substantielles, importantes, oins fréq.) **une économie substantielle** : s importante. (Ant. : **des économies de ut de chandelle** (☞ 211 expressions).

ALISATION DE L'ÉCONOMIE (sens 1.1.)

conomie + adjectif qui désigne un (groupe) pays. L'économie mondiale ; européenne ; nçaise.

conomie nationale, (peu fréq.) **intérieure**. **L'économie internationale**.

chômage a atteint un niveau record.

ı moteur de l'économie. *Les investissements nstituent un moteur de l'économie en ce sens 'ils soutiennent à la fois la demande et la pacité de croissance de l'économie.*

s perspectives de l'économie. *Malgré le ômage, les perspectives de l'économie res-nt très bonnes.*

s 1.2.)

, S) **Une licence en économie** : diplôme uni-rsitaire d'études en économie. **Être licencié ı économie**.

référence bibliographique (voir pp. XXXIII-XXXIV)

signes conventionnels (voir pp. XXXIII-XXXIV)

☞ : renvoi à une autre rubrique de l'entrée

variantes géographiques : usage propre à la/au *(B)* Belgique, *(F)* France, *(Q)* Québec, *(S)* Suisse

combinaisons avec verbe qui se rapportent au sens 1.x. de l'entrée

verbe + compléments essentiels

→ : construction croisée : *une mesure ralentit l'économie → l'économie (se) ralentit à cause de cette mesure*

indications sur le sens du verbe signes conventionnels (voir pp. XXXIII-XXXIV)

informations pragmatiques : sujet-type à utiliser avec le verbe (X, Y, Z : voir rubrique : sens de l'entrée

verbes qui s'enchaînent dans une suite (chrono)logique (une évolution)

POUR EN SAVOIR PLUS
informations complémentaires :
- entrée *ET SYNONYME(S)* : ensemble de mots à sens équivalent, analogue
- entrée *ET ANTONYME(S)* : ensemble de mots à sens contraire, opposé
- *NOTE D'USAGE :* informations sur les particularités d'un mot, d'une combinaison de mots et sur les difficultés grammaticales et lexicales
- Sous des titres variés, informations complémentaires sur le français des affaires

en fin de volume
INDEX INVERSÉS

allemand		
anglais	>	liste alphabétique
espagnol		du français des
italien		affaires (suivi de
néerlandais		l'indication du sens)

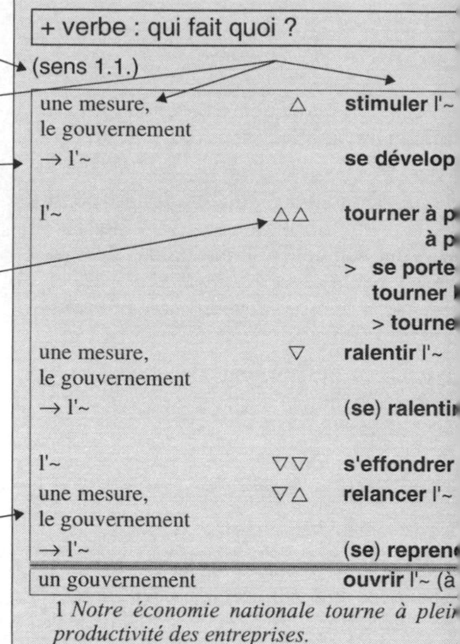

+ verbe : qui fait quoi ?

(sens 1.1.)

une mesure, le gouvernement	△	**stimuler** l'~
→ l'~		**se dévelop**
l'~	△△	**tourner à p** **à p** > **se porte** **tourner** > **tourne**
une mesure, le gouvernement	▽	**ralentir** l'~
→ l'~		**(se) ralenti**
l'~	▽▽	**s'effondrer**
une mesure, le gouvernement	▽△	**relancer** l'~
→ l'~		**(se) repren**
un gouvernement		**ouvrir** l'~ (à

1 *Notre économie nationale tourne à plei productivité des entreprises.*
2 *Malgré les prêts importants accordés pa quelques mois.*

(sens 1.1.)

une personne	×	**faire** des ~
une personne		**déposer** se auprès d'
une personne		**vivre** de ses

1 *Une enquête a démontré que de plus e économies, tellement leur pouvoir d'achat s'*

Pour en savoir plus

ÉCONOMIE (sens 1.3.) ET SYNONYME
L'économie.
La parcimonie : syn. de 'économie', utilis plus souvent dans l'expression **avec parci**

Index inversé English - français

ability **CAPACITÉ**, 1
abode (person of no fixed ~) **SDF**
about (to be ~) **AVOISINER**, 1
abrupt **BRUSQUE**, 1
abruptly **BRUSQUEMENT**, 1
absence **ABSENCE**, 1
absent **ABSENT, -ENTE**, 1
absenteeism **ABSENTÉISME**, 1
absorb (to ~) **ABSORBER**, 2; **ÉPONGER**, 1
absorption **ABSORPTION**, 2
accelerate (to ~) **ACCÉLÉRER**, 1
acceleration **ACCÉLÉRATION**, 1
acceptance **RÉCEPTION**, 1
accessory **ACCESSOIRE**, 1
account **COMPTE**, 1; 2; 3; **LIQUIDATION**, 3
account details **RIB**
account (deposit ~) **COMPTE-ÉPARGNE**, 1

adjust (to
RÉAJU
REVAL
adjustmer
GNEME
RÉAMÉ
SATION
adjustmer
4
adman **PU**
administe
administra
GESTIC
administra
administra
TÉ, 2
administra
administra
1; **GEST**
administra

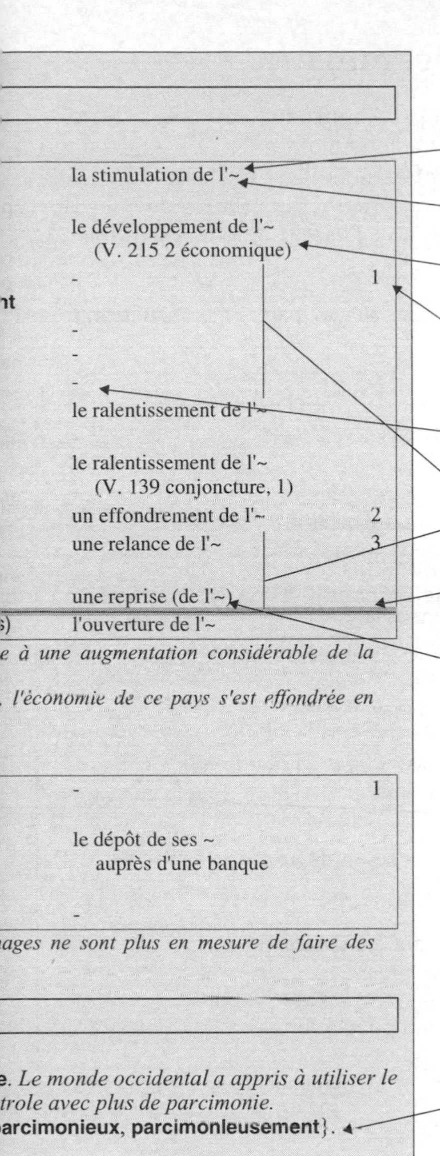

la stimulation de l'~

le développement de l'~
(V. 215 2 économique)

- 1

nt

-

-

-

le ralentissement de l'~

le ralentissement de l'~
(V. 139 conjoncture, 1)

un effondrement de l'~ 2

une relance de l'~ 3

une reprise (de l'~)

s) l'ouverture de l'~

e à une augmentation considérable de la

. l'économie de ce pays s'est effondrée en

- 1

le dépôt de ses ~
auprès d'une banque

-

ages ne sont plus en mesure de faire des

e. *Le monde occidental a appris à utiliser le* *trole avec plus de parcimonie.*

arcimonieux, parcimonieusement}.

substantif dérivé du verbe

~ : remplace l'entrée

V. : renvoi à une autre entrée de l'article (V. page à consulter numéro de l'entrée, entrée)

1, 2, ...: renvoi aux exemples sous le tableau

- : absence de substantif dérivé du verbe

ensembles de verbes à sens voisin

délimitation des ensembles de verbes à sens ou à construction différents

(complément facultatif)

{...} : autres membres de la famille de mots éventuellement suivis d'une définition entre (...)

GNER, 1; **AGER**, 1; **ER**, 2
1; **ALI-** **MENT**, 1; **VALORI-**
SEMENT,
TION, 1;
STION, 2 **LECTIVI-**
CTION, 3 **TIF, -IVE**,
~) **POLI-**

agency (export ~) **COMPTOIR**, 2
agency (poster advertising ~) **AFFICHEUR**, 1
agenda **ORDRE**, 2
agent **AGENT**, 1; **COMMISSIONNAIRE**, 1; **COURTIER, COURTIÈRE**, 1
agent with power of attorney **FONDÉ DE POUVOIR**, 1
agent (authorized ~) **MANDATAIRE**, 1
agent (commission ~) **MANDATAIRE**, 1
agent (employment ~) **PLACEUR, PLACEUSE**, 2
agent (managing ~) **GÉRANT, GÉRANTE**, 4; **SYNDIC**, 1
agent (sales ~) **REPRÉSENTANT, REPRÉSENTANTE**, 1
agent (shipping ~) **CHARGEUR**, 1
agent (sole ~) **CONCESSIONNAIRE**, 1
agent (travel ~) **VOYAGISTE**, 1

Comment utiliser le dictionnaire?

Le *Dictionnaire d'apprentissage du français des affaires* (DAFA) offre une réponse à de nombreuses questions concernant la langue des affaires. La consultation du *DAFA* se fait en partant du français (1. Recherches à partir du français), mais il est également possible d'accéder à l'information recherchée par le biais du vocabulaire des affaires de l'une des cinq langues suivantes : l'allemand, l'anglais, l'espagnol, l'italien et le néerlandais (2. Recherches à partir d'une langue étrangère).

Dans les pages suivantes, nous vous suggérons quelques pistes à suivre en fonction des problèmes que vous voulez résoudre :

question		page
1. Recherches à partir du français		XXV
1. L'**orthographe** d'un mot ?	Accise, axcise ou acsise ?	XXV
2. La **catégorisation grammaticale** d'un mot ?	Un ou une accis e?	XXV
3. La **prononciation** d'un mot ?	[fly], [flys] ou [flyks] ?	XXV
4. Le **dérivé** d'un mot ?	Importer → importeur ou importateur ?	XXV
5. Le **sens** d'un *mot* ?	Que veut dire accise ?	XXV
6. La **fréquence d'utilisation** d'un mot ? *Accise* est-il un mot utilisé fréquemment ou non ?		XXVII
7. Le **sens** d'une *expression* ? Lorsque quelqu'un est 'près de son argent', qu'est-ce que cela veut dire ?		XXVII
8. Le **sens** d'une *combinaison de mots* (une *collocation*) ? Que veut dire *un prix démarqué* ?		XXVIII
9. Comment **formuler une idée, une phrase** en utilisant **les mots appropriés** (distinction de synonymes) ? *un chômeur, un sans-emploi* ou *un demandeur d'emploi* ?		XXIX
10. Comment **formuler une idée, une phrase** en utilisant **les structures appropriées** ? "Donner un chèque pour payer"		XXX
11. La **traduction** en allemand, anglais, espagnol, italien ou néerlandais d'un mot en français ?		XXXI
2. Recherches à partir d'une langue étrangère		XXXI
1. La **traduction** en français d'un mot allemand, anglais, espagnol, italien ou néerlandais ?		XXXI
2. Les **informations** sur un mot que vous ne connaissez qu'en allemand, anglais, espagnol, italien ou néerlandais ?		XXXI
3. La **traduction** en français d'**un mot composé**, d'**une expressio n**?		XXXII
3. Recherche d'une traduction en langue étrangère		XXXII
1. La **traduction** en allemand, en anglais, en espagnol, en italien ou en néerlandais d'un mot français ?		XXXII

1. Recherches à partir du français

1. L'**orthographe** d'un mot ? Accise, axcise ou acsise ?

→ Consultez la liste alphabétique des mots.

ACCISE (n.f.) (***) 1. Impôt indirect

1. (315)	die Verbrauch(s)steuer die Akzise	excise excise duty	el impuesto indirecto	l'imposta (f.) sul consumo	de accijns (m.) de accijnsheffing (f.)

2. La **catégorisation grammaticale** d'un mot ? Un ou une accis e?

→ Consultez la liste alphabétique des mots.

ACCISE (n.f.) (***) 1. Impôt indirect.

1. (315)	die Verbrauch(s)steuer die Akzise	excise excise duty	el impuesto indirecto	l'imposta (f.) sul consumo	de accijns (m.) de accijnsheffing (f.)

3. La **prononciation** d'un mot ? [ekonomi] ou [ekɔnɔmi] ?

→ Regardez à droite de l'entrée.

1 l'ÉCONOMIE - [ekɔnɔmi] - (n.f.)

Pour les autres mots cités dans le texte, la prononciation n'est notée que si elle présente une difficulté : [maɲa] ou [magna] ?

Un magnat (**de** + nom qui désigne une branche d'activité) [magna] : propriétaire d'un empire économique. *Les magnats de l'audiovisuel s'intéressent de plus en plus au sport.*

4. Le **dérivé** d'un mot ? Importer → importeur ou importateur ?

→ Consultez les tableaux de dérivation présentés en début d'article.

1 une importation **3** l'import **3** l'import-export	**2** un importateur, une importatrice	**3** importateur, -trice **3** importable	**3** importer

5. Le **sens** d'un *mot* ? Que veut dire accise ?

→ Consultez la liste alphabétique des mots.

ACCISE (n.f.) (***) 1. Impôt indirect

1. (315)	die Verbrauch(s)steuer die Akzise	excise excise duty	el impuesto indirecto	l'imposta (f.) sul consumo	de accijns (m.) de accijnsheffing (f.)

Prenez la page où est traité le mot.

S'il s'agit d'un mot à plusieurs sens, une indication sommaire de ces sens est donnée dans la liste alphabétique. Pour plus de détails, reportez-vous à la page où est traité le mot.

ÉCONOMIE (n.f.) (****) 1. Ensemble des activités de production, de distribution et de consommation. 2. Science. 3. Gestion qui vise à réduire les dépenses. 4. (plur.) Partie du revenu réservée au placement

1. (210)	die Wirtschaft die Ökonomie	economy	la economía	l'economia (f.)	de economie (f.)
2. (210)	die Wirtschaftswis-senschaft(en) die Ökonomie	economics	la economía	l'economia (f.) le scienze economiche	de economische wetenschappen (plur.) de staathuishoudkunde (f.)
3. (210)	die Wirtschaftlichkeit die Sparsamkeit	saving economy	el ahorro la economía	il risparmio l'economia (f.)	de spaarzaamheid (f.) de zuinigheid (f.)
4. (210)	die Ersparnisse die Einsparungen	saving(s)	los ahorros las economías	i risparmi	de spaargelden (plur.) de gespaarde sommen (plur.)

Les définitions des entrées présentent toutes la même structure. Vous pouvez donc facilement comparer ces définitions afin de saisir les différences de sens entre des mots à sens voisin. Ces différences sont mises en évidence par l'italique dans l'exemple suivant.

COÛT
Somme d'argent que *représentent* des fournitures livrées, des travaux exécutés, des services rendus, des avantages accordés, *des biens produits ou un sacrifice consenti* (X) par un agent économique (un commerçant, une entreprise - Y) à un autre agent économique (un particulier, un commerçant, une entreprise - Z) *ou manque à gagner dû à une action déterminée.*

DÉPENSE
Somme(s) d'argent qu'un agent économique (*un particulier,* une entreprise, *un organisme, un État* - X) *donne ou verse* à un autre agent économique (un particulier, une entreprise, un organisme, un État) en échange de fournitures livrées, de travaux exécutés, de services rendus ou d'avantages accordés (Y).

Dans les définitions figurent tous les actants essentiels qui interviennent dans le sens du mot. Ils sont mis en italique dans l'exemple.

COMMANDE
Ordre, oral ou écrit, par lequel *un agent économique (un client : un particulier, une entreprise, l'État* - X) demande *à un autre agent économique (un commerçant, une entreprise - Y) de lui remettre une marchandise ou de lui fournir un service (Z) contre paiement d'une somme d'argent et à certaines conditions* (prix, règlement, délai d'exécution).

Certains de ces actants sont accompagnés d'une variable (X, Y, Z). Ces variables se retrouvent dans la rubrique de l'entrée consacrée aux combinaisons du mot avec verbe (rubrique + verbe : qui fait quo i?).

X **passer commande** (de/pour Z) (à Y)

Ces informations facilitent la production de phrases :

X	passer commande	(de/pour Z)	(à Y)
un client	passer commande	de marchandises	à une entreprise
La société Sofina	a passé commande	de 25 ordinateurs	à notre succursale de Lyon.

Si un sens vous intéresse tout particulièrement, repérez dans l'entrée les sections précédées du numéro du sens retenu pour parcourir toutes les combinaisons de mots et toutes les informations qui se rapportent à ce sens.

ARGENT
1.1. Instrument de mesure de la valeur d'un bien et moyen de paiement.

TYPE D'ARGENT (sens 1.1.)
L'argent liquide : argent qui est immédiatement disponible. (Syn. : **le liquide**). *Je n'ai pas d'argent liquide sur moi. Il ne me reste qu'un chèque et ma carte bancaire.* (V. 283 paiement, 1).

Si vous êtes à la recherche de mots appartenant au même domaine que celui de l'entrée, reportez-vous aux entrées associées à l'entrée consultée.

EXCEDENT ➠ **solde - déficit**

Vous trouverez également des informations dans la rubrique <u>*Pour en savoir plus*</u>, où sont présentés les synonymes (voir 9.), mais également toutes sortes d'extensions du vocabulaire, sous des titres variés.

LE COMMERCE ET LES INTERMÉDIAIRES

Un, une intermédiaire : personne qui établit un rapport entre un vendeur et un acheteur ou un consommateur, et qui prend part ou non à la transaction de vente. *La publicité adore exploiter l'image de l'intermédiaire, le plus souvent une star qui renforcera l'attraction et le besoin de fusion du consommateur avec le produit.*
{**l'intermédiation**}.

Un, une concessionnaire : commerçant intermédiaire qui a reçu d'un producteur un droit exclusif de vente de son produit pour une région particulière. *Renault vient d'accorder une concession exclusive à ce garagiste : il devient le nouveau concessionnaire Renault pour sa région.* (V. 312 production, 1).
{**une concession**}.

...

LE COMMERCE INTERNATIONAL

Le libre-échange : politique économique qui préconise la liberté des échanges commerciaux internationaux. **L'Association de libre-échange nord-américaine (l'ALENA).**
{**le libre-échangisme, libre-échangiste**}.
>< **Le protectionnisme :** politique économique qui protège de la concurrence les entreprises à l'aide de mesures diverses :
le contingentement : limitation de l'importation d'un produit à un nombre, une quantité donnée. {**un contingent** (Syn. : **un quota**), **contingenter**} ;
l'établissement de **normes** {**la normalisation, normaliser**} ;

...

LES TERMES COMMERCIAUX INTERNATIONAUX

Les termes commerciaux internationaux (les TCI) : conventions qui fixent les conditions de vente (le moment et l'endroit où la responsabilité du vendeur prend fin et où celle de l'acheteur commence (Wagner)) dans le cadre du commerce international.

FAB (franco à bord) : mode de calcul des exportations, dans lequel le prix des marchandises exportées est évalué lors de leur passage à la frontière (Wagner). *Le prix mentionné est le prix FAB.*

...

6. La **fréquence d'utilisation** d'un mot ? Accise est-il un mot utilisé fréquemment ou non ?

→ Consultez la liste alphabétique des mots.

ACCISE (n.f.) (***) 1. Impôt indirect					
1. (315)	die Verbrauch(s)steuer die Akzise	excise excise duty	el impuesto indirecto	l'imposta (f.) sul consumo	de accijns (m.) de accijnsheffing (f.)

****	utilisation très fréquente : le mot appartient aux 25% des mots les plus fréquents du français des affaires,
***	utilisation fréquente,
**	utilisation peu fréquente,
*	utilisation occasionnelle : le mot appartient aux 25% des mots les moins fréquents du français des affaires.

7. Le **sens** d'une *expression* ? Lorsque quelqu'un est 'près de son argent', qu'est-ce que cela veut dire ?

→ Consultez la liste alphabétique des mots pour y repérer le mot central (économique) de l'expression.

ARGENT (n.m.) (****) 1. Moyen de paiement. 2. Somme. 3. Métal précieux.					
1. (32)	das Geld	money	el dinero	il denaro	het geld de cash (m.)
2. (32)	die Geldmittel	funds	el dinero	il denaro	de geldmiddelen (plur.)
	das Kapital	capital			de fondsen (plur.)
3. (32)	das Silber	silver	la plata	l'argento (m.)	het zilver

Référez-vous à la page où est traité le mot. Si ce mot fait l'objet d'une entrée, vous trouvez les expressions dans la rubrique <u>*expressions*</u>.

expressions

(sens 1.1.)

- (Une personne) **être sans argent, être à court d'argent.**
- (Une personne) **jeter l'argent par les fenêtres, dépenser un argent fou** : dépenser énormément d'argent.
  >< **Etre près de son argent** : être économe, avare.

Si le mot n'est pas traité sous la forme d'une entrée, les expressions sont reprises dans le paragraphe consacré au mot.

8. Le **sens** d'une *combinaison de mots* (une *collocation*) ? Que veut dire *un prix démarqu é*?

→ Consultez la liste alphabétique des mots pour y repérer le mot central (économique) de la combinaison.

PRIX (n.m.) **** 1. Somme d'argent qui représente la valeur d'un bien.

1. (430)	der Preis	price	el precio	il prezzo	de prijs (m.)

Référez-vous à la page où est traité le mot. Si ce mot fait l'objet d'une entrée, vous trouvez les combinaisons de mots classées en fonction du type de combinaison : mot + adjectif ; + nom ; + adverbe ; + verbe.

Démarqué est un adjectif. Reportez-vous donc à la rubrique <u>+ *adjectif*</u>.

+ adjectif

Dans cette rubrique, ainsi que dans les rubriques <u>*+ nom*</u> et <u>*+ adverbe*</u>, les collocations sont, dans la mesure du possible, classées en fonction du sens :

TYPE DE mot :	combinaisons de mots qui renvoient à des concepts techniques. Il s'agit d'une classification. La combinaison ne peut pas être modifiée : on ne dit pas *un prix* (très, tout à fait) *démarqué* ;
CARACTÉRISATION DE mot	combinaisons de mots qui donnent une évaluation du mot (traits qualitatifs). La combinaison peut souvent être modifiée à l'aide de *très, tout à fait* : *un prix* très *concurrentiel* ;
NIVEAU DE mot	combinaisons de mots qui indiquent la quantité, l'importance (traits quantitatifs) : *un prix élevé* ;
LOCALISATION DE mot	combinaisons qui renvoient à un lieu (fictif ou réel) où se produit le concept : *le marché intérieur, national* ;
MESURE DE mot	combinaisons qui renvoient à une mesure, une dimension (le temps, le volume, ...) : *le volume de la production*.

Cette classification peut vous aider à cibler votre recherche.

Vous retrouvez la collocation *prix démarqué* sous TYPE DE PRIX parce qu'il s'agit d'un concept techniqu e:

• TYPE DE PRIX

Un prix démarqué : prix inférieur au prix de vente initialement marqué afin de stimuler la vente. (Syn. : **un prix promotionnel**). *Ce distributeur offre cette semaine des prix démarqués sur les vin s: il y a de bonnes affaires à faire.*
>< **Un prix majoré.** (☞ 434 + verbe).

N'hésitez pas quant au mot à choisir pour orienter votre recherche (p. ex. la collocation *prix de vente* : à chercher sous *prix* ou sous *vente* ?) : vous trouverez la collocation aussi bien sous *prix* que sous *vente*. À l'entrée *vente*, vous êtes orienté vers l'entrée *prix*, où vous trouvez les informations relatives à la collocation.

Les indications de sens doivent également vous permettre de cibler votre recherche lorsque vous voulez formuler une idée (production). Ainsi, toutes les combinaisons de mots servant à exprimer le niveau d'un *prix* se retrouvent sous cette étiquette dans les rubriques *+ adjectif* et *+ nom*.

+ adjectif

NIVEAU DU PRIX (sens 1.1.)

Le prix minimum (les prix minima). (Syn. : **le prix(-)plancher**). < **Le prix moyen**. < **Le prix maximum (les prix maxima)** (Syn. : **le prix(-) plafond**).

Un prix imbattable, sacrifié, dérisoire, bradé, gâché. (Syn. : (fam.) **c'est donné**). *Les producteurs d'acier doivent vendre une part de leur production à des prix sacrifiés, comportant une importante marge bénéficiaire négative.* < **Un prix avantageux, réduit, intéressant, attractif, bas, modique, spécial**. *Opération "coup de cœur", prix cadeaux, prix spéciaux, les bonnes occasions se succèdent.* < **Un prix abordable, raisonnable, normal, honnête, modéré.** < **Un prix élevé, excessif.** < **Un prix prohibitif, exorbitant.** (Syn. : (fam.) **c'est pas donné, c'est le coup de fusil, c'est le coup de barre**). *Les dernières places de la finale de la coupe du monde de football se sont vendues à des prix prohibitifs.* (☞ + verbe).

Un prix fou. 1. Prix très bas (du point de vue du commerçant). *La compagnie maritime annonce des prix fous pour la traversée de la Manche pendant le mois de mai.* - 2. Prix très élevé (du point de vue du consommateur). *J'ai payé un prix fou pour l'achat de cette œuvre d'art.*

+ nom

NIVEAU DU PRIX (sens 1.1.)

Le niveau des prix. *La Belgique connaît un mécanisme, l'indexation, qui ajuste régulièrement les salaires au niveau des prix, assurant ainsi une relative paix sociale.*

Un prix choc : très bas.

9. Comment **formuler une idée, une phrase** en utilisant **les mots appropriés** (distinction de synonymes) ?

un chômeur, un sans-emploi ou *un demandeur d'emploi* ?

Le DAFA vous offre de nombreuses indications quant au choix du mot précis à utiliser dans un contexte déterminé.
Les synonymes sont traités ensemble et distingués de façon pré cise:

CHÔMEUR ET SYNONYMES

Un chômeur : terme courant. C'est le terme usuel pour désigner la catégorie de personnes sans emploi appartenant à la population active et qui figure dans les statistiques. Le mot s'emploie parfois avec une connotation négative.

Un demandeur d'emploi : souligne la volonté de la personne de trouver un emploi.

Une femme demandeur d'emploi, une demandeuse d'emploi.

Un sans-emploi : terme technique et invariable.

Un chercheur d'emploi, un sans-travail. Ces deux mots ne varient pas au pluriel.

Les signes conventionnels (><, >, < : voir pp. XXXIII-XXXIV) offrent également des indications précieuses pour choisir le mot ou la combinaison de mots qui convient (voir 8., les différentes combinaisons de mots utilisables pour indiquer le niveau du prix).

Dans l'article *FLUCTUATION*, plusieurs dizaines de mots traduisant des mouvements de hausse ou de baisse sont répertoriés. Ce répertoire doit vous aider à choisir le terme exact en fonction du sens à exprimer et en fonction du contexte dans lequel le mot doit être utilisé.

Sens : (une mesure, une entreprise, (parfois) une ou plusieurs personnes, le gouvernement)

AMÉLIORER (un phénomène économique, une variable) APRÈS UNE ÉVOLUTION, UNE PÉRIODE MOINS POSITIVE.

→ (un phénomène économique, une variable) S'AMÉLIORER APRÈS UNE ÉVOLUTION, UNE PÉRIODE MOINS POSITIVE

-

→ l'activité économique, l'économie, l'inflation, la croissance, la consommation
(se) reprendre

-

→ une monnaie (le dollar, ...), le(s) prix
le(s) taux, le(s) cours **remonter**

relancer l'activité économique, la consommation, l'inflation, la demande, l'emploi

→ -

Vous disposez d'indications sur les variantes propres à quatre communautés linguistiques (la Belgique (B), la France (F), le Québec (Q) et la Suisse (S)). Ces indications permettent de choisir un mot ou une combinaison de mots en fonction de votre interlocuteur.

PAIEMENT DE L'IMPÔT SUR LES REVENUS DES PERSONNES PHYSIQUES

En Belgique, le **précompte professionnel**, dont le montant varie en fonction du salaire et de la situation familiale, est prélevé sur le salaire mensuel avec un décompte en fin d'exercice d'imposition.

En France, ce paiement est effectué grâce à trois **tiers provisionnels** avec un décompte en fin d'exercice d'imposition, ou grâce à des **prélèvements mensuels**.

10. Comment **formuler une idée, une phrase** en utilisant **les structures appropriée s**?
"Donner un chèque pour payer"

Référez-vous aux rubriques + *verbe* et *Pour en savoir plus* où sont énumérées les constructions phrastiques à utiliser, p. ex. pour *chèque* :

+ verbe : qui fait quoi ?

X	**tirer** un ~ sur Y
X	**émettre** un ~ (de + montant/en + nom d'une monnaie)
	établir
	faire
	libeller
X	**régler** (un achat, un commerçant - Z) **par** ~
	payer (un achat, un commerçant - Z) **par** ~

Dans bon nombre de cas, les combinaisons de mots à sens équivalent sont regroupées. Ce regroupement offre la possibilité de varier le style, les formes d'expression.
De nombreux exemples sont proposés. Ils illustrent l'emploi de la combinaison de mots dans des phrases-exemples inspirées de phrases authentiques.
X, Y et Z sont des actants essentiels qui ont été identifiés dans la définition :

1.1. Moyen de paiement que le titulaire d'un compte en banque (le tireur - X) émet et qui donne l'ordre à une banque (le tiré - Y) de payer à vue la somme mentionnée à un bénéficiaire (Z).

Dans la rubrique *Pour en savoir plus*, les informations relatives aux constructions de phrase se retrouvent essentiellement sous le titre *Note d'usage*.

• NOTE D'USAGE

Emploi de la préposition après 'travailler' (sens 1.1.):

travailler	chez/pour	IBM
	à/pour	son (propre) compte
	pour	le compte de qqn
	dans	le secteur de qqch. ; une filiale
	en	équipe(s), indépendant
	à	domicile ; la chaîne ; la banque ; aux éditions Didier ; au service après-vente ; au rendement.

Emploi de la préposition après 'travailler' (sens 2.1.)

	à	ma présentation (activité ponctuelle)
	sur	un dossier, un rapport, le dernier bilan (activité suivie dans un domaine déterminé)

Sous *Note d'usage* sont également regroupées des formules de communication toutes faites.

NOTES D'USAGE

Je dois 29 euros au restaurant. Le garçon me demande si j'ai l'appoint.

- Je donne 29 euro s: ça fait l'appoint.
- J'ai 25 euros. Ma copine ajoute les 4 euros qui manquen t: elle fait l'appoint.
- Je donne 50 euro s: le garçon me rend la monnaie sur 50 euros.
- Je laisse 30 euros au garço n: il peut garder la monnaie.

Je n'ai pas de pièces de monnaie.

- Je demande au garçon de me faire la monnaie de 100 euros ou de me donner la monnaie de 100 euros. Vous avez la monnaie de 100 euros ?

11. La **traduction** en allemand, anglais, espagnol, italien ou néerlandais d'un mot en français ?

→ Consultez la liste alphabétique des mots.

ACCISE (n.f.) (***) 1. Impôt indirect

1. (315)	die Verbrauch(s)steuer die Akzise	excise excise duty	el impuesto indirecto	l'imposta (f.) sul consumo	de accijns (m.) de accijnsheffing (f.)

2. Recherche à partir d'une langue étrangère

1. La **traduction** en français d'un mot allemand, anglais, espagnol, italien ou néerlandais ?

→ Consultez un des index inversés allemand, anglais, espagnol, italien, néerlandais-français en fin de dictionnaire.

Index inversé English-français

ability **CAPACITÉ**, 1
abode (person of no fixed ~) **SDF**
about (to be ~) **AVOISINER**, 1

2. Les **informations** sur un mot que vous ne connaissez qu'en allemand, anglais, espagnol, italien ou néerlandais ?

→ Consultez un des index inversés allemand, anglais, espagnol, italien, néerlandais-français en fin de dictionnaire.

Index anglais-français

ability **CAPACITÉ**, 1
abode (person of no fixed ~) **SDF**
about (to be ~) **AVOISINER**, 1

Reportez-vous au mot français dans la liste alphabétique du corps du dictionnaire. Vous y serez orienté vers la page où le mot en question est traité (voir sous 1. Recherches à partir du français).

3. La **traduction** en français d'**un mot composé**, d'**une expression** ?

→ Identifiez le mot central (économique) du mot composé ou de l'expression.
Consultez un des index inversés allemand, anglais, espagnol, italien, néerlandais-français en fin de dictionnaire.
Reportez-vous au mot français dans la liste alphabétique du corps du dictionnaire. Vous y serez orienté vers la page où le mot en question est traité.
La structure des entrées vous aide à cibler votre recherche (voir sous 1. Recherches à partir du français).

3. Recherche d'une traduction en langue étrangère

1. La **traduction** en allemand, en anglais, en espagnol, en italien ou en néerlandais d'un mot français ?

→ Reportez-vous au mot français dans la liste alphabétique du corps du dictionnaire. Les traductions sont données pour chaque sens du mot.

ACCISE (n.f.) (***) 1. Impôt indirect.

1. (315)	die Verbrauch(s)steuer	excise	el impuesto indirecto	l'imposta (f.) sul consumo	de accijns (m.)
	die Akzise	excise duty			de accijnsheffing (f.)

Il est souhaitable de contrôler l'emploi de la traduction donnée dans un dictionnaire monolingue de la langue cible ou dans un dictionnaire bilingue. Des contraintes éditoriales expliquent la limitation du nombre de traductions à 2 par sens et la simple mention des formes canoniques.

Signes et notations conventionnelles

renvois	☞	renvoi à une rubrique du présent article
	V.	- renvoi à une entrée d'un autre article (V. page article, numéro de l'entrée) *(V. 000 économie, 1)*
		- renvoi à une autre entrée du présent article (V. page numéro de l'entrée, entrée) *(V. 000 2 économique)*
catégorisation grammaticale	n.	nom pouvant être employé au masculin et au féminin
	n.m.	nom masculin
	n.f.	nom féminin
	adj.	adjectif
	adv.	adverbe
	art. (in)déf.	article (in)défini
	v.tr.dir.	verbe transitif direct (suivi d'un complément sans préposition) : *acheter un produit*
	v.tr.indir.	verbe transitif indirect (suivi d'un complément avec préposition) : *coopérer avec un organisme*
	v.intr.	verbe intransitif (sans complément): *les cours fluctuent*
	v.pron.	verbe pronominal (avec 'se') : *les ménages s'endettent*
nombre	sing.	singulier
	plur.	pluriel
	invar.	invariable
niveau de langue :	fam.	langue familière
	pop.	langue populaire
type de langue	fr. gén.	français général : langue courante, non économique
types d'emploi	péj.	sens péjoratif
	fig.	sens figuré
	iron.	emploi ironique
sens	Syn.	synonyme, mot/combinaison qui présente un sens équivalent, analogue
	Ant. ou ><	antonyme, mot/combinaison qui présente un sens opposé, contraire
	>	mot/expression qui suit exprime une idée moins forte/positive que celle du mot ou de l'expression qui précède une quantité moins élevée, une extension moins importante
	<	mot/expression qui suit exprime une idée plus forte/positive que celle du mot ou de l'expression qui précède une quantité plus élevée, une extension plus importante
actants	X, Y, Z	(dans les définitions) principales composantes du sens d'un mot qui se retrouvent dans la rubrique + *verbe : qui fait quo i?*
variantes géographiques		emplois de mots/expressions propres aux différentes communautés linguistiques
	(B), (F), (Q), (S)	Belgique, France, Québec, Suisse
	(GB), (US)	Grande-Bretagne, Etats-Unis
	(NL)	Pays-Bas
	(Am. du Sud)	Amérique du Sud
fréquence	(peu, plus, moins, ...) fréq.	intensité d'emploi d'un mot, d'une expression, ...

famille de mots	{...}	autres membres d'une famille de mots
dans une suite de combinaisons de mots :		
	,	relie des mots/combinaisons synonyme s: la *pénurie*, le *manque* de capital
	;	relie des combinaisons appartenant au même domaine, mais à sens différent : la productivité du *travail* ; la productivité du *capital*
	/	sépare deux mots (prépositions, ...) qui peuvent être employés indifféremment une taxe *à la/de* consommation
rubrique + *verbe : qui fait quoi ?*		le verbe indique un/une
	✓	apparition, création, définition (début)
	×	présence, réalisation
	○	disparition (fin)
	△	hausse, amélioration
	△△	forte hausse, amélioration
	▽	baisse, détérioration
	▽▽	forte baisse, détérioration
	▽△	rétablissement
	△▽	dégradation
	△=	arrêt d'une hausse
	▽=	arrêt d'une baisse
	=△	reprise d'une hausse
	=▽	reprise d'une baisse
	=	statu quo ou "est égal à"
	≠	modification (hausse ou baisse)
	+	situation positive
	-	situation négative
	✔	verbes qui s'enchaînent dans une suite (chrono)logique (une évolution)
	%	pour cent
	p. ex.	par exemple
	qqch.	quelque chose
	qqn	quelqu'un

Notation phonétique

voyelles

[i]	*i*l
[e]	donn*er*, donn*é*
[ɛ]	l*es*, f*ai*re, m*è*re
[a]	l*a*
[ɔ]	p*o*rt
[o]	m*o*t, g*au*che, b*eau*, ch*ô*mer
[u]	b*ou*t
[y]	p*u*r
[ø]	p*eu*
[œ]	p*eu*r, s*œu*r
[ə]	l*e*, pr*e*mier
[ɛ̃]	f*in*, bi*en*
[ɑ̃]	d*an*s, v*en*t
[ɔ̃]	b*on*
[œ̃]	l*un*di

semi-consonnes

[j]	p*i*ed
[w]	*ou*i
[ɥ]	l*u*i

consonnes

[p]	*p*as
[t]	*t*a
[k]	*c*as, *qu*e
[b]	*b*as
[d]	*d*u
[g]	*g*rand, va*gu*e
[f]	*f*il, *ph*ase
[s]	*s*a, pa*ss*e, *ç*a, *c*ela, por*t*ion
[ʃ]	*ch*ien
[v]	*v*a
[z]	*z*éro, mai*s*on
[ʒ]	*j*e, *g*enre
[l]	*l*a
[R]	fai*r*e
[m]	*m*a
[n]	*n*e
[ɲ]	si*gn*e
[ŋ]	camp*ing* (mots anglais)

Bibliographie

Dictionnaires et études sur le vocabulaire des affaires

Antoine, J. 1991[4]. *Dictionnaire thématique de la comptabilité*. Bruxelles : De Boeck.

APFA. 1992. *700 mots d'aujourd'hui pour les affaires*. Paris : Foucher.

(B&C) = Bernard, Y. et J.C. Colli. 1996. *Dictionnaire économique et financier*. Paris : Seuil.

(Beitone) = Beitone, A. e.a. 1995. *Dictionnaire des sciences économiques*. Paris : Colin

Blériot, J. e.a. 1990. *Larousse Business*. Teddington, Paris : Peter Collin, Larousse.

Bölcke, J. e.a. 1989. *Dictionnaire économique, commercial et financier allemand-français/français-allemand*. Paris : Presses Pocket.

(Bourachot) = Bourachot, H. 1992. *Dictionnaire des sciences économiques et sociales*. Paris : Bordas.

(B&P) = Brassart, U. et J.M. Panazol. 1992. *Lexique de marketing et techniques commerciales*. Paris : Hachette.

(B&G) = Brémond, J. et A. Gélédan. 1990[4]. *Dictionnaire économique et social*. Paris : Hatier.

(Broquet) = Broquet, H. 1995. *Vocabulaire de l'économie en Belgique. Pour une pédagogie de la citoyenneté*. Bruxelles : Édition Vie ouvrière.

(C&G) = Capul, J.-Y. et O. Garnier. 1996. *L'économie et les sciences sociales de A à Z*. Paris : Hatier.

(Capul) = Capul, J.-Y. 1989. *Le petit Retz de l'économie*. Paris : Éditions Retz.

CENECO 1993. *Dixeco du marketing et de la vente*. Paris : Dunod.

CENECO 1993. *Dixeco du management*. Paris : Dunod.

Chapron, J. et P. Gerboin. 1988. *Dictionnaire économique, commercial et financier espagnol français/français-espagnol*. Paris : Presses Pocket.

(Clerc) = Clerc, D. 1992. *Déchiffrer l'économie*. Paris : Syros/Alternatives.

Cohen, B. 1986. *Lexique de cooccurrents. Bourse - conjoncture économique*. Montréal : Linguatech.

Colignon, J.-P. 1994. *La cote des mots*. Paris : Le Monde-Éditions.

Cornu, G. 1990. *Vocabulaire juridique*. Paris : PUF.

Cusin-Berche, F. 1998. *Le management par les mots*. Paris : l'Harmattan.

(Darbelet) = Darbelet, M. ; L. Izard et M. Scaramuzza. 1993. *Économie d'entreprise*. Paris : Foucher.

(DC) = Académie des sciences commerciales. 1987. *Dictionnaire commercial*. Paris : CILF et Entreprise Moderne d'Édition.

(DÉ) = Bialès, C. ; M. Bialès ; R. Leurion et J.L. Rivaud. 1996. *Dictionnaire d'économie et des faits économiques et sociaux contemporains*. Paris : Foucher.

(DEBD) = Dancette, J. et Chr. Réthoré. À paraître. *Dictionnaire encyclopédique bilingue de la distribution*.

(DG) = Burland, A. ; J.Y. Eglem et P. Mykata. 1995. *Dictionnaire de gestion. Comptabilité, finance, contrôle*. Paris : Foucher.

(DM) = Gilardi, J.C. ; M. Koehl et J.L. Koehl. 1995. *Dictionnaire de mercatique. Études, stratégies, actions commerciales*. Paris : Foucher.

(DICOFE) = Verlinde, S. ; J. Binon et J. Van Dyck. 2000[2]. *Dictionnaire contextuel du français économique. Tome A : L'entreprise*. Leuven : Garant.

Verlinde, S. ; J. Folon ; J. Binon et J. Van Dyck. 2000[2]. *Dictionnaire contextuel du français économique. Tome B : Le commerce*. Leuven : Garant.

Verlinde, S. ; J. Folon ; J. Binon et J. Van Dyck. 1995. *Dictionnaire contextuel du français économique. Tome C : Les finances*. Leuven : Garant.

Verlinde, S. ; J. Folon ; J. Binon et J. Van Dyck. 1996. *Dictionnaire contextuel du français économique. Tome D : L'emploi*. Leuven : Garant.

Dictionnaire des termes officiels. 1994. Paris : Direction des journaux officiels.

(Didier) = Didier, M. 1992. *Économie : les règles du jeu*. Paris : Economica.

(DixecoÉc) = CENECO 1991[5]. *Dixeco de l'économie*. Paris : Dunod.

(DixecoEn) = CENECO 1991[5]. *Dixeco de l'entreprise*. Paris : Dunod.

(Dubreuil) = Dubreuil, R. 1989. *Lexique d'économie*. Paris : Vuibert.

Foltête, I. 1994. *L'expression de la mesure dans la langue du marketing*. Thèse de doctorat non publiée. Université de Paris VII.

(Gaeng) = Gaeng, P.A. 1993[3]. *Le monde de l'entreprise française. Initiation au langage des affaires.* Wilhelmsfeld : Egert.

Galisson, R. et J.-Cl. André. 1998. *Dictionnaire de noms de marques courants. Essai de lexiculture ordinaire*. Paris : CNRS (INaLF)/Didier Érudition.

(Géhanne) = Géhanne, J.-Cl. 1995. *Dictionnaire thématique des sciences économiques et sociales. I. Principes et théories. II. Croissance et déséquilibre*. Paris : Dunod.

(GL) = Guilbert, L. ; R. Lagane et G. Niobey. 1973. *Grand Larousse de la langue française en six volumes*. Paris : Larousse.

Grégory, P. 1994. *Marketing. Publicité (avec glossaire français-anglais)*. Paris : Dalloz.

Guével, Z. 1995. *La lexicographie française des affaires. Représentation lexicale d'une langue de spécialité*. Thèse de doctorat inédite. Université Paris XIII.

Guillien, R. et J. Vincent. 1995[10]. *Termes juridiques*. Paris : Dalloz.

Hänsch, G et Y. Desportes. 1994. *Français/allemand. Terminologie économique. Vocabulaire systématique avec deux index alphabétiques*. Ismaning : Max Hueber Verlag.

(L&M) = Levêque, M. et O. Messonet. 1987. *Petit dictionnaire de l'entreprise de A à Z*. Paris : Foucher.

Lassègue, P. 1993[3]. *Lexique de comptabilité*. Paris : Dalloz.

Le Bris, A. 1994. *L'économie et les affaires. Dizionario fraseologico francese-italiano/italiano-francese dei termini dell'economia e del commercio*. Bologna : Zanichelli.

Le Duff, R. e.a. 1999. *Encyclopédie de la gestion et du management*. Paris : Dalloz.

Lenoble-Pinson, M. 1991. *Anglicismes et substituts français*. Paris, Louvain-la-Neuve : Duculot.

Lenoir, R. et L. Saravas. 1989. *La langue des affaires. The language of business. Dictionnaire commercial et économique bilingue (français-anglais, anglais-français)*. Paris : Economica.

(Lexis) = Dubois, J. e.a. 1988. *Lexis. Dictionnaire de la langue française*. Paris : Larousse.

(M&S) = Martinet, A.-Ch. et A. Silem (sous la direction de). 1996[4]. *Gestion*. Paris : Dalloz.

(Mahrer) = Mahrer, Ph. 1992. *Guide du management*. Paris : Seuil.

(Ménard) = Ménard, L. 1994. *Dictionnaire de la comptabilité et de la gestion financière*. Toronto, Montréal : Institut Canadien des Comptables Agréés.

Millet, J.-G. ; J. Favry e.a. 1993. *Langage du manager*. Paris : Éditions Liaisons.

(Moulinier) = Moulinier, R. 1997. *Les 500 mots-clés de la vente*. Paris : Dunod.

Munsters, W. e.a. 1988. *Vocabulaire commercial et économique*. Groningen : Wolters-Noordhoff.

Péron, M. e.a. 1992. *Le Robert & Collins du management*. Paris : Dictionnaires Le Robert.

Peyrard, J. 1999. *Dictionnaire de finance*. Paris : Vuibert.

(PL) = *Petit Larousse illustré*. Paris : Larousse.

(PR) = Rey, A. et J. Rey-Debove (sous la rédaction de). 1992. *Le Petit Robert 1. Dictionnaire alphabétique et analogique de la langue française*. Paris : Le Robert.

(Référis) = Lehmann, P.-J. et P. Macqueron. 1995. *Le Référis. Dictionnaire pluridisciplinaire de la langue des affaires*. Paris : Maxima.

(RM) = Rey-Debove, J. (sous la direction de). 1982. *Le Robert méthodique. Dictionnaire méthodique du français actuel*. Paris : Le Robert.

(RQ) = Rey-Debove, J. (éd.). 1996. *Le Robert quotidien*. Paris : Dictionnaires Le Robert.

Schneider, F. 1998. *Studien zur kontektuellen Fachlexicographie. Das deutsch-französische Wörterbuch der Rechnungslegung*. Tübingen : Niemeyer. (Lexicographica, Series maior, 83).

Servotte, J.V. 1993. *Dictionnaire commercial (en quatre langues)*. Antwerpen : Standaard Uitgeverij.

(Silem) = Silem, A. (sous la direction de). 1994. *Encyclopédie de l'économie et de la gestion*. Paris : Hachette.

Silem, A. et J.M. Albertini (sous la direction de). 1995[5]. *Économie*. Paris : Dalloz.

(Sousi-Roubi) = Sousi-Roubi, Bl. 1997. *Banque et bourse*. Paris : Dalloz.

Tamames, R. et S. Gallego. 1998. *Diccionario de economía y finanzas*. Alianza Editorial.

Utard, J.M. 1992. *Lexique de publicité et communication d'entreprise*. Paris : Hachette.

Van Dyck, J. 1995[2]. *Vocabulaire économique français*. Antwerpen : Universitas.

(Wagner) = Wagner, H. et K. Morgenroth. 1995. *Wirtschaftslexikon Französisch. Definitionen. Übersetzungshilfen. Glossare*. Ismaning : Max Hueber Verlag.

Lexiques sur le Web

On trouve une liste très complète des dictionnaires électroniques consacrés au français des affaires sur le site de l'University of Tennessee : *http://globegate.utm.edu/french/globegate_mirror/dicoeco.html.*

3X8 (le ~) (*) 1. Travail en équipes.

1. (554)	die Schichtarbeit	shift work	el trabajo por turno	il lavoro a turni	de ploegenarbeid (m.)
			el trabajo a turnos		

A

ABAISSEMENT (n.m.) (***) 1. Diminution.

1. (279)	die Herabsetzung	decrease	la reducción	la riduzione	de verlaging (f.)
	die Senkung	fall	la baja		

ABAISSER (v.tr.dir.) (***) 1. Diminuer.

1. (279)	senken	to reduce	rebajar	abbassare	verlagen
	ermässigen	to lower	bajar	ridurre	

ABATTEMENT (n.m.) (**) 1. Réduction fiscale. 2. Réduction.

1. (438)	der Freibetrag	tax relief	la desgravación	la riduzione	de belastingaftrek (m.)
(315)	der Steuerfreibetrag	(tax) allowance	la deducción	l'abbassamento (m.)	
2. (438)	der Abschlag	reduction	la rebaja	la riduzione	de reductie (f.)
	der Preisnachlass	discount	la deducción	lo sconto	

ABONDANCE (n.f.) (***) 1. Richesse, grand nombre, grande quantité.

1. (247)	der Überfluss	wealth	la abundancia	l'abbondanza (f.)	de overvloed (m.)
(516)		affluence	la opulencia		de weelde (f.)

ABONDANT, -ANTE (adj.) (***) 1. Riche, nombreux.

1. (393)	reichlich	affluent	abundante	abbondante	overvloedig
		plentiful			weelderig

ABSENCE (n.f.) (****) 1. Situation de qqn ou de qqch. qui n'est pas présent.

1. (541)	die Abwesenheit	absence	la ausencia	l'assenza (f.)	de afwezigheid (f.)
	die Fehlzeit				

ABSENT, -ENTE (adj.) (***) 1. Qui n'est pas présent.

1.	abwesend	absent	ausente	assente	afwezig

ABSENTÉISME (n.m.) (**) 1. Absence d'un salarié.

1. (541)	die Fehlzeiten	absenteeism	el absentismo	l'assenteismo (m.)	het absenteïsme
	das Fernbleiben von der Arbeit				

ABSORBER (v.tr.dir.) (****) 1. Racheter le capital d'une entreprise. 2. Faire disparaître.

1. (239)	übernehmen	to take over	absorber	acquistare	overnemen
(281)	eingliedern				
2.	schlucken	to absorb	absorber	assorbire	opslorpen
	einverleiben			assimilare	

ABSORPTION (n.f.) (***) 1. Rachat du capital d'une entreprise. 2. Fait de faire disparaître.

1. (239)	die Übernahme	takeover	la absorción	l'assorbimento (m.)	de overname (f.)
2. (281)	die Einverleibung	absorption	la adquisición	l'assorbimento (m.)	de opslorping (f.)

ACCALMIE (n.f.) (**) 1. Diminution des fluctuations, des opérations.

1. (284)	die (Geschäfts)Flaute	lull	la calma	(il periodo di) calma	de kalmte (f.)
	der Rückgang der Geschäfte	slack period		(il periodo di) quiete	de rust (f.)

ACCÉLÉRATION (n.f.) (***) 1. Augmentation.

1. (275)	die Beschleunigung	acceleration	la aceleración	l'accelerazione (f.)	de acceleratie (f.)
(170)		stepping up			de versnelling (f.)

ACCÉLÉRER (~, s'~) (v.tr.dir., v.pron.) (****) 1. Augmenter.

1. (275)	beschleunigen	to speed up	acelerar (se)	accelerare	versnellen
(170)		to accelerate			

ACCENTUATION (n.f.) (**) 1. Augmentation.

1. (275)	die Zunahme	a marked increase	la acentuación	l'accentuazione (f.)	verhoging (f.)
	die Akzentuierung				

ACCENTUER (~, s'~) (v.tr.dir., v.pron.) (***) 1. Augmenter.

1. (275)	erhöhen	to increase	acentuar (se)	accentuare	verhogen
	verstärken	to intensify			

ACCESSOIRE (adj.) (***) 1. Non principal, non important.

1. (453)	zusätzlich	secondary	accesorio	accessorio	bijkomstig
(271)	nebensächlich	incidental		secondario	

ACCESSOIRE (n.m.) (***) 1. Pièce non indispensable (PR).

1.	das Zubehör	accessory	el accesorio	accessorio	het accessoire
	ein Zusatzteil	non essentials (pluriel uniquement)			

ACCISE (n.f.) (***) 1. Impôt indirect.

1. (315)	die Verbrauch(s)steuer	excise	el impuesto indirecto	l'imposta (f.) sul consumo	de accijns (m.)
	die Akzise	excise duty			de accijnsheffing (f.)

ACCORD (n.m.) (****) 1. Entente.

1. (150)	der Vertrag	agreement	el acuerdo	l'accordo (m.)	het akkoord
(455)	die Abmachung	settlement	el convenio		de overeenkomst (f.)

ACCORDER (~, s'~ sur qqch.) (v.tr.dir., v.pron.) (****) 1. Donner. 2. S'entendre sur qqch.

1. (26)	gewähren	to grant (a discount, a benefit)	conceder (se)	concedere	toekennen
	bewilligen	to give	otorgar (se)	accordare	toegeven
2. (150)	sich abstimmen	to agree	acordar	accordarsi	overeenkomen
	übereinkommen		ponerse de acuerdo		akkoord gaan met

ACCROISSEMENT (n.m.) (****) 1. Augmentation.

1. (275)	die Zunahme	increase	el incremento	l'aumento (m.)	de toename (f.)
	der Zuwachs	rise	el aumento	la crescita	

ACCROÎTRE (~, s'~) (v.tr.dir., v.pron.) (****) 1. Augmenter.

1. (275)	(an)wachsen	to increase	aumentar	aumentare	(doen) toenemen
	zuhnehmen	to raise	incrementar (se)		

ACCUMULATION (n.f.) (***) 1. Réunion en quantité importante.

1. (196)	die Anhäufung	accumulation	la acumulación	l'accumulazione (f.)	de accumulatie (f.)
	die Ansammlung				de opeenhoping (f.)

ACCUMULER (~, s'~) (v.tr.dir., v.pron.) (***) 1. Réunir en quantité importante.

1. (196)	anhäufen	to accumulate	acumular (se)	accumulare	accumuleren
	ansammlen	to build up			opeenhopen

ACHALANDAGE (n.m.) (*) 1. Clientèle potentielle. 2. Marchandises, stock.

1. (106)	der Kundenkreis	customers	la clientela potencial	la clientela potenziale	de klantenkring (m.)
	die Kundschaft	clientele		l'avviamento (m.)	het cliënteel
2. (106)	das reichhaltige Warenangebot	goods	las mercancías	lo stock	de goederen (plur.)
				l'assortimento (m.)	de stock (m.)

ACHALANDÉ, -ÉE (adj.) (*) 1. (bien ~) Qui a beaucoup de clients. 2. (bien ~) Qui est bien approvisionné.

1. (107)	mit einem grossen Kundenkreis	well patronized	con muchos clientes	ben avviato	goed beklant
			con amplia clientela		
2. (107)	mit reichhaltigem Warenangebot	well stocked	bien aprovisionado	ben fornito	goed bevoorraad
			bien surtido		

ACHAT (n.m.) (****) 1. Acquisition. 2. (plur.) Choses acquises.

1. (2)	der Kauf	purchase	la compra	l'acquisto (m.)	het aankopen
	der Ankauf	purchasing	la adquisición		het inkopen
2. (2)	der Kauf	purchase	la compra	gli acquisti (m.plur.)	de inkopen (plur.)
	der Ankauf		la adquisición		de boodschappen (plur.)

ACHAT

➠ **vente - commerce**

1 un achat **5** un rachat **5** le télé(-)achat	**2** un acheteur, une acheteuse **5** un racheteur, une racheteuse	**3** acheteur, -euse **5** achetable **5** rachetable	**4** acheter **4** s'acheter **5** racheter

1 un ACHAT - [aʃa] - (n.m.)

1.1. Opération par laquelle un agent économique (un particulier, une entreprise, une administration - X) reçoit un bien, une valeur ou un droit (Y) d'un autre agent économique (un particulier, une entreprise, une administration - Z) ou bénéficie d'un service (Y) contre paiement d'une somme d'argent.

Syn. : (☞ 4 Pour en savoir plus, Achat (sens 1.1.) et synonymes) ; Ant. : une vente ; une cession ; une adjudication (V. 572 vente, 1).

Les pouvoirs publics ont investi dans l'achat et l'équipement de quelque 600 hectares de terrains industriels qui seront mis en location dès la fin de l'année.

1.2. (emploi au plur.) Ensemble des biens dont un particulier (X) est entré en possession contre paiement d'une somme d'argent.

Syn. : (☞ 4 Pour en savoir plus, Achats (sens 1.2.) et synonymes).

La carte à puce permet de payer tous les achats portant sur de petits montants.

+ adjectif

TYPE D'ACHAT (sens 1.1.)

Un achat rationnel. >< **Un achat impulsif** : achat provoqué par une envie irrésistible d'entrer en possession d'un bien. (Syn. : **un achat d'impulsion**). *En temps de basse conjoncture, le processus d'achat est sensiblement plus long et les achats impulsifs sont nettement plus rares dans le comportement de consommation.*

Un achat planifié : qui porte sur des biens qu'on achète rarement et dont le prix est assez élevé.

Un achat groupé : achat effectué par des commerçants regroupés dans une centrale d'achat, p. ex. afin d'obtenir de meilleures conditions des fournisseurs.

Un achat informatisé. *Wall Street est repassé au-dessus du seuil des 3 900 points grâce à une vague d'achats informatisés en fin de séance.*

Des achats liés : achats de biens et services différents mais néanmoins en rapport les uns avec les autres : p. ex. une nouvelle voiture et une assurance.

CARACTÉRISATION DE L'ACHAT (sens 1.1.)

Un bon achat : achat d'une chose utile à un prix intéressant. *Pour les investisseurs qui ont une vue à long terme, les valeurs cotées à New York restent un bon achat.*

Un gros achat : achat d'un bien de grande valeur.

Un achat spéculatif. *La monnaie nippone a gagné 1 %, soutenue par des achats spéculatifs d'origine asiatique, tablant sur une appréciation supplémentaire du yen par rapport au dollar.*

Un achat régulier. >< **Un achat occasionnel.**

NIVEAU DE L'ACHAT (sens 1.1.)

Un achat massif : achat en grande quantité. *La presse a révélé l'existence d'un vaste trafic de blanchiment d'argent sale par l'achat massif d'articles de luxe.*

+ nom

(sens 1.1.)

- **Le directeur des achats.** (V. 202 direction, 2).

  Le service achat, le département achat : ensemble des personnes qui s'occupent de l'approvisionnement d'une entreprise (= **la fonction (d')achat** de l'entreprise). *Durant une période relativement longue, la fonction d'achat a été considérée comme secondaire au regard des fonctions de production et de vente* (B&C).
- **Une centrale d'achat** : organisme qui centralise les achats de ses adhérents (p. ex. les grandes chaînes de distribution) dans le but d'obtenir de meilleures conditions de la part des producteurs ou des fournisseurs.

  Un groupement d'achat : fonctionne comme une centrale d'achat, mais avec des membres qui sont essentiellement des détaillants.
- **Le prix d'achat.** (Ant. : **le prix de vente**). (V. 433 prix, 1).

  Les frais d'achat : dépenses nécessaires (le transport, la manutention, ...) pour mettre la marchandise en état d'être vendue (Gaeng)

  Le coût d'achat : le prix d'achat + les frais d'achat.
- **Une convention d'achat** : document provisoire qui atteste l'accord entre l'acheteur et le vendeur. (Ant. : **un compromis de vente, une convention de vente**).

  Un contrat d'achat. (Ant. : **un contrat de vente**). *American Airlines s'est réservé la possibilité de ne pas renouveler son contrat d'achat avec Boeing après chaque tranche de 15 appareils livrés.*
- **Le pouvoir d'achat** : quantité de biens et de services qu'un consommateur peut se procurer avec son revenu. *En cas de baisse du pouvoir d'achat, quelles dépenses les ménages réduiraient-ils en premier ?*
- **Une stratégie d'achat.** *De nombreuses études ont été réalisées sur les stratégies d'achat des consommateurs en période de difficultés économiques.*

  Le comportement d'achat. *Le comportement d'achat des Français en matière de biens de consommation courante a fait l'objet d'une étude à grande échelle dans tout le pays.*

  Une décision d'achat. *Les consommateurs sont plus rationnels : les décisions d'achat impulsives et émotionnelles ont tendance à diminuer.*

  Les personnes responsables d'achat (les PRA) : personnes, généralement les femmes et les enfants, dont on estime qu'elles déterminent les achats effectués par une famille ou un ménage.
- **Un cycle d'achat** : périodicité d'achat d'un produit : d'un jour (un pain, un journal, ...) à plusieurs années (une voiture, ...).
- **Un ordre d'achat.** *Le léger repli du dollar face au mark s'explique par un important ordre d'achat de marks contre des dollars intervenu en début de matinée.* (Ant. : **un ordre de vente**). < **Une vague d'achats** : nombre important d'ordres d'achat. (V. 69 bourse, 1).

  Une opération d'achat : exécution d'un ordre d'achat.

  Une option d'achat (portant) sur + nom d'un produit financier. (Syn. : (angl.) **un call**). *L'acquéreur d'une option d'achat peut décider durant toute la vie de l'option de se porter acheteur au cours de référence ou d'abandonner l'opération.*

  Une offre d'achat. (Syn. : **une offre de rachat**). (Ant. : **une offre de vente**). (V. 394 offre, 1).

  Une offre publique d'achat. (V. 393 offre, 1).

  Un bon d'achat. 1. Bon d'une certaine valeur nominale émis par une entreprise ou un établissement de crédit au profit d'un client et qui peut être remis pour payer des commerçants reconnus par l'organisme émetteur. - 2. Bon de commande émis par un agent économique pour l'achat de certaines fournitures.

TYPE D'ACHAT (sens 1.1.)

Un achat d'espace : achat et gestion par un annonceur ou une agence de publicité d'espaces ou de temps publicitaires dans les différents médias. *Plusieurs groupes de publicité ont annoncé la création d'un nouveau réseau d'achat d'espace publicitaire international.*

Un achat (en) ferme : achat que l'on ne peut plus annuler.

Un achat de remplacement : achat d'un bien destiné à venir prendre la place d'un bien usé. *Actuellement, les ménages diffèrent surtout les achats de remplacement dans l'aménagement du logement (meubles, électroménager, ...) et dans l'automobile.*
Un achat au comptant. (V. 571 vente, 1). >< **Un achat à crédit**. **Un achat à terme**. **Un achat à tempérament**.
Un achat en gros. >< **Un achat au détail**. (V. 571 vente, 1).
Un achat sur catalogue ; **sur échantillon** ; **par correspondance**. (V. 571 vente, 1).
Un achat d'impulsion. (☞ 2 + adjectif).

+ verbe : qui fait quoi ?

(sens 1.1.)

X (un particulier, une entreprise)	**effectuer** un ~ de Y	-	
	faire l'~ de Y	-	
	procéder à l'~ de Y	-	
la publicité et la promotion	**inciter** X **à** l'~	l'incitation à l'~	1
Z (un commerçant)	**pousser** X **à** l'~	-	
Z (un commerçant)	**centraliser** ses ~	la centralisation des ~	2

1 *La vente par correspondance dispose de nombreux moyens d'incitation à l'ach a t: cadeaux, jeux, ...*
2 *La centralisation des achats permet d'écraser les coûts et d'abaisser encore des prix déjà comprimés par la vente en grandes surfaces, donc en grandes quantités.*

(sens 1.2.)

X (un particulier)	**faire** des (ses) ~	-	
	↓		
X (un particulier)	**régler** ses ~	le règlement de ses ~	1

1 *Le statut international du dollar permet aux Américains de régler leurs achats à l'étranger dans leur propre monnaie.*

Pour en savoir plus

ACHAT (sens 1.1.) ET SYNONYMES
Un achat.
Une acquisition : terme plus général que 'achat'. Le mot s'applique à tout ce dont on devient propriétaire, par achat, par don ou par échange. Le mot s'emploie surtout pour désigner l'achat de choses de valeur : p. ex. une maison. **La valeur d'acquisition**. (V. 565 valeur, 1). **Le prix d'acquisition**. (V. 434 prix, 1). {**un acquéreur, une acquéreuse, acquéreur, acquérir**}. *Ce jeune agriculteur s'est porté acquéreur d'une vieille ferme et des 17 hectares attenants, afin de rendre son exploitation plus rentable.* **Se porter acquéreur de** qqch.
L'arbitrage. (V. 92 change, 1).

ACHATS (sens 1.2.) ET SYNONYMES
Les achats, **les courses** et **les commissions** : s'utilisent pour désigner des achats quotidiens de biens de consommation courante (le pain, le journal, la nourriture, ...). *Chaque jour, je fais mes courses chez les petits commerçants de mon quartier.* **Faire une course** ; **ses courses**.

Les emplettes (n.f., généralement plur.). 1. Achats effectués lors d'occasions particulières, p. ex. en fin d'année. *Ces nouveaux riches ont pris l'avion pour faire leurs emplettes à New York.* **Faire l'emplette** d'un livre. - 2. Ensemble de ces achats.

Le shopping : s'utilise pour désigner le fait de regarder les vitrines des magasins et, éventuellement, d'acheter certains biens. *On parle de shopping bancaire depuis que le consommateur choisit ses produits d'épargne chez la banque la plus offrante.*

Le magasinage. (V. 355 magasin, 2).

2 un ACHETEUR, une ACHETEUSE - [aʃtœʀ, aʃtøz] - (n.)

1.1. Agent économique (un particulier, une entreprise, une administration) qui reçoit un bien, une valeur ou un droit d'un autre agent économique (un particulier, une entreprise, une administration), ou bénéficie d'un service contre paiement d'une somme d'argent.

Syn. : (☞ 5 Pour en savoir plus, Acheteur (sens 1.1.) et synonymes) ; Ant. : un vendeur.
Dans le cadre du marché unique européen, un acheteur est libre d'aller acheter hors taxe une voiture dans n'importe quel pays.

1.2. Membre du personnel d'une entreprise industrielle ou commerciale responsable de l'achat de biens et de services.

L'acheteur doit évaluer et sélectionner les fournisseurs, négocier avec eux, commander et assurer le suivi de la commande.

+ adjectif

TYPE D'ACHETEUR (sens 1.1.)

Un acheteur potentiel : pourrait acheter le produit dans le futur.

CARACTÉRISATION DE L'ACHETEUR (sens 1.1.)

Un acheteur régulier. >< **Un acheteur occasionnel**.

LOCALISATION DE L'ACHETEUR (sens 1.1.)

Un acheteur étranger.

+ nom

TYPE D'ACHETEUR (sens 1.2.)

Un acheteur d'espace. (V. 3 1 achat).

Pour en savoir plus

ACHETEUR (sens 1.1.) ET SYNONYMES

Un acheteur : terme technique.

Un preneur dans l'expression familière : (une personne) **être preneur**. *Si vous pouvez me fournir des machines plus rapides et plus efficaces, je suis preneur.*

Un acquéreur. (V. 4 1 achat).

Un client ; **un consommateur**. (V. 107 clientèle, 2).

Un importateur : achète des biens à l'étranger. (V. 310 importation, 2).

3 ACHETEUR, -EUSE - [aʃtœʀ, -øz] - (adj.)

1.1. (un agent économique : un particulier, une entreprise, un État - X) Qui désire recevoir ou qui reçoit un bien, une valeur ou un droit d'un autre agent économique (un particulier, une entreprise, une administration), ou qui désire bénéficier ou bénéficie d'un service (Y) contre paiement d'une somme d'argent.

Ant. : vendeur.

Une réunion a eu lieu entre la direction et la partie acheteuse pour discuter les modalités du rachat de la filiale allemande de l'entreprise.

1.2. Qui se rapporte à l'achat (sens 1.1).

+ nom

(sens 1.2.)

- **Un courant acheteur.** *La Bourse d'Amsterdam a encore bénéficié du large courant acheteur envers les actions Philips.*
- **Le cours acheteur.** *Je me suis informé auprès de 4 banques pour connaître leur cours acheteur du dollar afin de récupérer un maximum d'argent de la revente de mes dollars.*

LOCALISATION DE L'ACHETEUR (sens 1.1.)

Un pays acheteur.

+ verbe : qui fait quoi ?

(sens 1.1.)

X	×	**se porter** ~ de Y **être** ~ de Y	- -	1

1 *L'acquéreur de l'option d'achat peut décider durant toute la durée de l'option de se porter acheteur au cours de référence ou d'abandonner l'opération.*

4 (S')ACHETER - [(s)aʃte] - (v.tr.dir., v.pron.)

1.1. Un agent économique (un particulier, une entreprise, un État - X) reçoit un bien, une valeur ou un droit (Y) d'un autre agent économique (un particulier, une entreprise, une administration - Z) ou bénéficie d'un service (Y) contre paiement d'une somme d'argent.

Syn. : (☞ 6 Pour en savoir plus, Acheter (sens 1.1.) et synonymes) ; Ant. : (☞ 6 Pour en savoir plus, Acheter (sens 1.1.) et antonymes).

En achetant des viandes moins chères et en mangeant moins de viande, le consommateur a réduit considérablement ses dépenses d'alimentation.

2.1. Qqn (une personne, une entreprise) obtient la complicité de qqn grâce au versement d'une somme d'argent.

Syn. : (fr. gén.) corrompre qqn, graisser la patte à qqn, donner (verser) des pots-de-vin, donner (verser) des dessous-de-table. (V. 480 rémunération, 1).

Cet homme politique s'est laissé acheter pour pouvoir financer sa campagne électorale.

expressions

(sens 1.1.)

(Un investisseur) **Acheter** qqch. **au son du canon** : acheter une valeur contre la tendance générale, p. ex. lorsque de mauvaises nouvelles s'accumulent. (Ant. : **vendre au son du violon**).

+ adjectif

(sens 1.1.)

Acheter + adj. (employé comme adverbe) qui désigne un pays : acheter des produits fabriqués dans ce pays. *Si les Américains refusent d'acheter américain, comment peut-on espérer vendre aux Japonais les automobiles de Detroit ?*

+ nom

TYPE D'ACHAT (sens 1.1.)

(B) **Acheter** (une maison) **clé sur porte** : entièrement aménagée.
(F) **Acheter** (une usine) **clé(s) en main** : permettant un fonctionnement immédiat.
Acheter un appartement sur plan.
Acheter sur catalogue ; **sur échantillon** ; **par correspondance**. (V. 571 vente, 1).
Acheter au comptant ; **à crédit** ; **à terme** ; **à tempérament** ; **en gros** ; **au détail**. (V. 571 vente, 1).

qui fait quoi ?

(sens 1.1.)

X (un particulier, une entreprise, un État)	**acheter** Y à Z	l'achat de Y	
X (un particulier)	**s'acheter** Y	l'achat de Y	
→ Y	**s'acheter**		1

1 *Il n'est pas vrai que tout s'achète.*

Pour en savoir plus

ACHETER (sens 1.1.) ET SYNONYMES

Acheter : terme courant.
Acquérir, se porter acquéreur de qqch. : terme plus général que 'acheter'. (V. 4 1 achat).
Importer : acheter à l'étranger.
Se procurer : obtenir qqch. avec certaine difficulté, sans nécessairement devoir payer une somme d'argent. *Certaines entreprises japonaises risquent d'être handicapées par la difficulté de se procurer des ressources pour financer leurs investissements.*
S'offrir, (fam.) **se payer** : s'acheter sous forme de cadeau. *Ce repreneur d'entreprises s'est déjà offert plusieurs sociétés pour un franc symbolique.*

ACHETER (sens 1.1.) ET ANTONYMES

Acheter.
Troquer qqch. **contre** qqch. {**le troc** (V. 116 commerce, 1)} ; **échanger** qqch. **contre** qqch. (qqch. **s'échanger contre** qqch.) {**un échange, échangeable**} : céder qqch. contre qqch. de valeur analogue. *Il a troqué son vieux blouson en cuir contre une paire de chaussures neuves.*
Vendre.

NOTES D'USAGE

Le complément de lieu où s'effectue l'achat est introduit par diverses prépositions :

acheter	sur	le marché international
	en/dans	un(e)
		magasin, grande surface, librairie
	en	bourse, vente publique
	dans	le commerce
	au	marché (V. 574 vente, 3).

On emploie indifféremment 'acheter Y 100 euros' et 'acheter Y pour 100 euros'. (V. 574 vente, 3).

5 AUTRES DÉRIVÉS OU COMPOSÉS

- **Un rachat** [ʀaʃa] (n.m.). 1. Action d'acquérir un bien qui a été vendu auparavant. *L'entreprise a trouvé un souffle nouveau après le rachat de l'usine par le groupe Schneider.* **Le rachat d'une entreprise par ses cadres** (Syn. : (angl.) **le management buyout, le MBO**). *À l'occasion d'une opération de management buyout, il est devenu, voici une dizaine d'années, président du conseil d'administration d'une petite entreprise active dans le secteur graphique.* **Le rachat d'une entreprise par ses salariés. Une offre de rachat** (V. 394 offre, 1). - 2. Action de se libérer d'une servitude par le paiement d'une indemnité. *Les banques commerciales ont accepté l'option proposée par la Pologne pour le rachat de sa dette.* **Le prix de rachat** (V. 434 prix, 1). **La valeur de rachat.** (V. 565 valeur, 1).
- **Le télé(-)achat** [teleaʃa] (n.m.) (plur. : les **télé(-)achats**) **:** achat de biens ou de services par téléphone après que ceux-ci ont été montrés dans un spot publicitaire (un article ménager,

une assurance, ...) ou lors d'une émission (l'aménagement du logement, les vêtements, ...). (Syn. : **le téléshopping**). *Les émissions de télé-achat voient des animateurs de télévision connus inciter les téléspectateurs à acheter des produits dont ils viennent de vanter les mérites.*

- **Un racheteur, une racheteuse** [ʀaʃtœʀ, ʀaʃtøz] (n.) : (peu fréq.) personne qui effectue un rachat.
- **Achetable** [aʃtabl(ə)] (adj.) : (peu fréq.) qui peut être acheté.
- **Racheter** [ʀaʃte] (v.tr.dir.). 1. Acheter de nouveau un produit dont on avait déjà acheté une quantité. *Lorsque tu fais tes courses ce soir, rachète du pain.* - 2. Acquérir un bien qui a été vendu auparavant. *Les cadres ont racheté leur entreprise déclarée en faillite.* - 3. Se libérer (d'une servitude) par le paiement d'une indemnité. *L'endettement des pays dont les dettes ont été rachetées a diminué de 15 milliards de dollars.*
- **Rachetable** [ʀaʃtabl(ə)] (adj.) : (peu fréq.) qui peut être racheté (sens 1.2.).

ACHETABLE (adj.) (*) 1. Qui peut être acquis.

1. (7)	was mann (ein)kaufen kann	purchasable	que se puede comprar	acquistabile	(aan)koopbaar
	käuflich		adquirible		

ACHETER (~, s'~) (v.tr.dir., v.pron.) (****) 1. Acquérir.

1. (5)	kaufen	to buy	comprar (se)	acquistare	(aan)kopen
	einkaufen	to purchase	adquirir (se)	comprare	

ACHETEUR, ACHETEUSE (n.) (****) 1. Acquéreur. 2. Acquéreur professionnel.

1. (4)	der Käufer	buyer	el comprador	l'acquirente (m.)	de (aan)koper (m.)
	der Erwerber	purchaser		il compratore	
2. (4)	der Einkäufer	purchaser	el comprador	l'acquirente (m.)	de inkoper (m.)
		buyer		il compratore	

ACHETEUR, -EUSE (adj.) (***) 1. Qui veut acquérir qqch. 2. Qui se rapporte à l'acquisition de qqch.

1. (5)	jemand, der kauft oder kaufbereit ist	buying	comprador	acquirente	aankoop-
				compratore	
2. (5)	was mit dem Kaufen zu tun hat	buying	comprador	acquirente	kopers-
				compratore	

ACIER (n.m.) (****) 1. Métal.

1. (322)	der Stahl	steel	el acero	l'acciaio (m.)	het staal

ACIÉRIE (n.f.) (***) 1. Lieu de transformation de l'acier.

1.	das Stahlwerk	steelworks	la acería	l'acciaieria (f.)	de staalfabriek (f.)
	die Stahlhütte	steelplant (US)			

ACOMPTE (n.m.) (***) 1. Paiement anticipé.

1. (402)	die Anzahlung	deposit	el anticipo	l'acconto (m.)	het voorschot
(315)		down payment	el depósito		de aanbetaling (f.)

ACQUÉREUR, ACQUÉREUSE (n.) (***) 1. Acheteur.

1. (4)	der Käufer	buyer	el comprador	l'acquirente (m.)	de koper (m.)
	der Erwerber	purchaser	el adquirente	il compratore	

ACQUÉREUR, -EUSE (adj.) (**) 1. Qui veut acheter.

1. (4)	Anschaffungs-	buying	comprador	acquirente	koper
	Kauf-			compratore	

ACQUÉRIR (v.tr.dir.) (****) 1. Acheter.

1. (4)	erwerben	to buy	adquirir	acquistare	verwerven
	anschaffen	to purchase	comprar		

ACQUISITION (n.f.) (****) 1. Achat.

1. (4)	der Erwerb	acquisition	la adquisición	l'acquisto (m.)	de verwerving (f.)
	die Anschaffung		la compra		de aankoop (m.)

ACQUIT (n.m.) (*) 1. Reconnaissance écrite de paiement.

1. (405)	die Quittung	receipt	el recibo	la ricevuta	de kwitantie (f.)
	die Empfangsbestätigung		el recibí	la quietanza	

ACQUITTEMENT (n.m.) (*) 1. Paiement.

1. (406)	die Zahlung	payment	el pago	il pagamento	de betaling (f.)
	die Entrichtung	settlement	el desembolso		

ACQUITTER (~, s'~ de qqch.) (v.tr.dir., v.pron.) (***) 1. Payer.

1. (405)	bezahlen	to pay	saldar	pagare	betalen
	zahlen	to settle	pagar	saldare	voor voldaan tekenen

ACTEUR (n.m.) (****) 1. Intervenant, opérateur. 2. Artiste qui joue des rôles.

1. (367)	der Marktteilnehmer	player	el operador	l'operatore (m.) del mercato	de marktspeler (m.)
	der (Markt)Akteur	operator	el protagonista		de agent (m.)
2.	der Schauspieler	actor	el actor	l'attore (m.)	de acteur (m.)

ACTIF (n.m.) (****) 1. Ensemble des biens et créances. 2. Partie du bilan. 3. Personne au travail.

1. (8)	der Aktivbestand	assets	el activo	l'attivo (m.)	het actief
	die Aktiva				

2. (8)	die Aktivseite einer Bilanz	the assets	el activo	l'attivo (m.)	het actief
3. (8)	die Erwerbstätigen	member of the working population	el empleado	le persone impiegate	het lid van de actieve bevolking
	die Erwerbspersonen	employed person	el trabajador		

ACTIF, -IVE (adj.) (****) 1. Travaillant.

1. (10)	erwerbstätig aktiv	working	activo	attivo operativo	actief werkzaam

ACTIF

➠ **passif - bilan**
➠ **travail**

1 un actif	2 un inactif 2 les non-actifs	2 actif, -ive	

1 un ACTIF - [aktif] - (n.m.)

1.1. (emploi fréquent au pluriel) Ensemble des biens et des créances que détient un agent économique (un particulier, une entreprise, une organisation - X) à une date donnée, qui lui appartiennent ou qui lui ont été cédés par d'autres agents économiques (un investisseur) et qui sont inscrits conventionnellement dans la partie gauche du bilan.
Syn. : les emplois (V. 224 emploi, 1), le patrimoine (V. 35 argent, 1) ; Ant. : le passif, les ressources.
L'intégralité du patrimoine de la société, incluant la totalité de son actif et de son passif, sera reprise par le groupe.

1.2. Partie gauche du bilan.
Ant. : le passif.
Les biens immobiliers acquis par l'entreprise sont inscrits à l'actif du bilan.

1.3. Personne qui exerce (un salarié, un travailleur indépendant) ou qui cherche à exercer (un chômeur) une activité professionnelle rémunérée.
Syn. : (ensemble de ces personnes) la population active, (moins fréq.) la main-d'œuvre; Ant. : un inactif ((ensemble de ces personnes) les non-actifs, les inactifs, la population inactive).
Les titulaires de professions libérales représentent une partie non négligeable des actifs.

expressions

- (Une personne) **avoir** qqch. **à son actif** : compter qqch. qu'une personne a réalisé comme un succès, une réussite. *Il a à son actif la restructuration réussie de plusieurs entreprises dans le secteur de l'industrie lourde.*
- (Une personne) **mettre** qqch. **à l'actif de** qqn : attribuer une chose positive à qqn. (Ant. : **mettre** qqch. **au passif de** qqn).

(sens 1.3.)

(Une personne) **entrer dans la vie active** : entrer dans la vie professionnelle.

+ adjectif

TYPE D'ACTIF (sens 1.1.)

Les actifs immobilisés (peu fréq. : **l'actif immobilisé**) : biens qui sont destinés à être utilisés sur une longue période (Wagner). (Syn. : **les immobilisations**). *Il faut peu de matériel pour démarrer une agence de publicité : les actifs immobilisés sont donc peu importants.*

On distingu e:

les immobilisations incorporelles : le fonds de commerce, les brevets, les droits. (Syn. : **les actifs immobilisés incorporels**).

les immobilisations corporelles : les bâtiments et les terrains (**les actifs immobiliers**), les machines. (Syn : **les actifs immobilisés corporels**).

les immobilisations financières : les actions, les prêts. (Syn. : **les valeurs immobilisées**).

>< **L'/Les actif(s) circulant(s)** : stocks, créances à court terme et liquidités (**les actifs liquides**) dont dispose une entreprise et qui ne sont pas destinés à être conservés de manière durable.

Un actif fictif (peu fréq. : **les actifs fictifs**) : partie de l'actif qui ne représente aucune valeur réelle d'usage ou de revente, p. ex. les frais d'établissement, les frais de recherche et de développement.

>< **Les actifs réels** (peu fréq. : **un actif réel**) : p. ex. les machines, les bâtiments, les terrains. *L'or est le seul actif réel facilement négociable un peu partout dans le monde et à un prix connu.*

L'actif net : valeur comptable de l'ensemble des biens que possède une entreprise, diminuée des provisions et des dettes. (Syn. : **la valeur comptable d'une entreprise**).

>< **L'actif brut** : ensemble des droits et des biens de l'entreprise.

Les actifs financiers (peu fréq. : **un actif financier**) : valeurs mobilières, créances qui font l'objet de transactions en bourse. *Une crise financière se caractérise entre autres par des fluctuations importantes des prix des actifs financiers.* (☞ 9 + nom).

Les actifs industriels. *Le groupe a repris tous les actifs industriels nécessaires à la continuation de l'exploitation.*

Un actif amortissable : ensemble des biens que possède une entreprise et qui peuvent être amortis.

L'actif disponible : ensemble des éléments les plus liquides de l'actif, p. ex. un dépôt bancaire. (Syn. : **les valeurs disponibles**).

L'actif réalisable : créances sur la clientèle, prêts à moins d'un an, chèques et coupons à encaisser, ... (Ant. : **un/les actif(s) d'exploitation**).

CARACTÉRISATION DE L'ACTIF (sens 1.1.)

Les actifs stratégiques. (Syn. : **les joyaux (de la couronne)**). >< **Les actifs non stratégiques**. *Le plan stratégique du groupe prévoit notamment la cession dans un futur proche de certains actifs non stratégiques pour financer d'importants investissements dans des secteurs prioritaires.*

MESURE DE L'ACTIF (sens 1.1.)

Les actifs totaux, l'actif total.

+ nom

(sens 1.1.)

- **Un élément d'actif**. *Les amortissements sont la reconnaissance comptable de la diminution de valeur de certains éléments de l'actif de l'entreprise.*
- **Un portefeuille d'actifs**. *Le portefeuille d'actifs est composé de huit immeubles dont deux en construction.*
  La répartition des actifs. *La loi prévoit une répartition des actifs obligatoires de sorte que les gestionnaires sont obligés de diversifier leur portefeuille.*
- **La liquidité d'un actif**. (V. 346 liquidité, 1).
- **La réalisation d'actifs** : conversion d'actifs en espèces. (☞ 9 + verbe).

(sens 1.2.)

L'actif (du bilan). (Ant. : **le passif (du bilan)**).

TYPE D'ACTIF (sens 1.1.)

Un/les actif(s) d'exploitation : ensemble des actifs qu'une entreprise utilise pour exercer ses activités par opposition aux autres biens qu'elle possède, p. ex. des titres de placement (Ménard). (Syn. : **les valeurs d'exploitation**). (Ant. : **l'actif réalisable**).

MESURE DES ACTIFS (sens 1.1.)

Le total de l'actif, le total des actifs.
La valeur des actifs, de l'actif.
Des actifs (financiers) à court terme. < **Des actifs (financiers) à moyen terme**. < **Des actifs (financiers) à long terme**.

+ verbe : qui fait quoi?

(sens 1.1.)

X	×	**détenir** des ~	la détention d'~	
X		**vendre** des ~	la vente d'~	
		céder des ~	une cession d'~	1
		réaliser des ~	la réalisation d'~ (☞ 9 + nom)	2
>< un autre X		**racheter** les ~	le rachat des ~	3
		reprendre les ~	la reprise des ~	
un agent économique (un investisseur, une banque)	✓	**gérer** des/un ~	la gestion d'(un) ~	4
un agent économique (un investisseur, une banque)		**investir** **placer** des ~ (financiers) + indication de lieu en + nom d'une monnaie en + type de placement à (court, moyen, long) terme	l'investissement d'~ le placement d'~	
les ~ immobilisés, ...	=	**représenter** ... % des ~	-	

1 *Les résultats exceptionnels que réalise l'entreprise s'expliquent par des plus-values réalisées par la cession d'actifs immobilisés.*
2 *Le bénéfice avant impôts a augmenté de 6 % grâce à des plus-values sur réalisation d'actifs immobilisés.*
3 *Un groupe de cadres a racheté les actifs de l'entreprise et a redémarré la production et la commercialisation.*
4 *Il existe de par le monde plusieurs milliers d'organismes de placement qui représentent plus de 2 000 milliards de dollars d'actifs gérés.*

(sens 1.2.)

un comptable	✓	**porter** (une créance, ...) **à** l'~	-	
→ une créance, ...	×	**être inscrite à** l'~	-	
		figurer à l'~	-	1

1 *L'actif net représente le total de l'actif tel qu'il figure au bilan, déduction faite des provisions et dettes.*

2 AUTRES DÉRIVÉS OU COMPOSÉS

- **Un inactif** [inaktif] (n.m.) : une personne qui n'exerce pas d'activité professionnelle rémunérée. (Ant. : **un actif**). **Les inactifs**.
- **Les non-actifs** [nɔnaktif] (n.m.plur.) : ensemble des personnes qui n'exercent pas d'activité professionnelle rémunérée.
- **Actif, -ive** [aktif, -iv] (adj.) (Ant. : **inactif**). **Une personne (in)active**.
La population (in)active. (V. 557 travail, 1).

ACTION (n.f.) (****) 1. Valeur mobilière. 2. Baisse de prix.

1. (10)	die Aktie der Anteilschein	share (GB) stock (US)	la acción	l'azione (f.)	het aandeel
2. (10)	die Niedrigpreisaktion die Billigpreisaktion	a fall (in prices)	la acción	la promozione	de speciale aanbieding (f.)

ACTION

➠ valeur - société

1 un action **3** un actionnariat	**2** un actionnaire, une actionnaire **4** un coactionnaire, une coactionnaire		

1 une ACTION - [aksjɔ̃] - (n.f.)

1.1. Titre de propriété ou valeur mobilière, émis par une société de capitaux (l'émetteur - X), que l'on peut échanger (un titre négociable) et qui donne à son détenteur (un particulier, une société, un investisseur - Y) la propriété d'une partie du capital de cette société avec certains droits attachés à cette propriété (versement d'un dividende, droit de vote lors de l'assemblée des actionnaires, ... selon le type).

Syn. : (☞ 13 Pour en savoir plus, Action (sens 1.1.) et synonymes).
Depuis des mois, les analystes boursiers annoncent que bon nombre d'actions sont trop chères.

1.2. (S) Opération de baisse du prix par laquelle un agent économique (un commerçant, un supermarché) attire l'attention de sa clientèle et cherche à la fidéliser.

expressions

(sens 1.1.)
Ses actions montent. >< **Ses actions baissent** : (fam.) se dit d'une personne qui a plus ou moins de chances de réussir qqch., qui a plus ou moins de crédit auprès de qqn.

(sens 1.2.)
(Un article) **être (offert) en action**. *La Migros offre aujourd'hui des bananes en action.*

+ adjectif

TYPE D'ACTION (sens 1.1.)

Une action + adjectif qui désigne le type d'activité de la société. Une action aurifère (d'une mine d'or) ; bancaire ; technologique.

Une action ordinaire : donne un droit de vote au porteur lors de l'assemblée générale des actionnaires.

Une action privilégiée : donne droit au porteur de participer prioritairement à la répartition des bénéfices et à la répartition du capital social lors d'une liquidation. *Seule une partie des actionnaires bénéficiera des bénéfices réalisés par le groupe chimique puisque seules les actions privilégiées du groupe se verront verser un dividende de 5 euros.*

Une action nominative : action sur laquelle figure le nom du propriétaire et qui est inscrite dans le registre de la société. (Ant. : **une action au porteur**).

Une action cyclique : action d'une société dont le chiffre d'affaires et le bénéfice sont liés à la conjoncture économique.

Une action gratuite. *Si l'attribution d'une action gratuite pour dix détenues correspond bien à la création d'actions nouvelles, cette augmentation de capital se fait par incorporation de réserves. Cela veut dire que les actionnaires qui en bénéficient ne font aucun apport de capital à la société.*

Une action cotée (en bourse). (☞ 12 + verbe). >< **Une action non cotée (en bourse)**.

Une action ancienne. *Le dividende versé par la société pourra être payé en espèces ou en actions, à raison d'une action nouvelle pour 25 actions anciennes.*

>< **Une action nouvelle.** *Les actions nouvelles provenant de l'augmentation de capital donnent droit à un superdividende s'ajoutant au dividende ordinaire.*

CARACTÉRISATION DE L'ACTION (sens 1.1.)

Une action intéressante.

Une action défensive. >< **Une action spéculative.** (☞ 11 + nom).

NIVEAU DE L'ACTION (sens 1.1.)

Une action chère, surcotée. >< **Une action bon marché, décotée.**

LOCALISATION DE L'ACTION (sens 1.1.)

Une action + adjectif qui désigne un pays. Une action suisse, allemande.

+ nom

(sens 1.1.)

- **Le marché des actions.** (V. 368 marché, 1).
  Le cours d'une action : valeur d'une action telle qu'elle est déterminée sur le marché des actions en fonction de la loi de l'offre et de la demande. (Syn. : **le cours d'une valeur, la cote d'une valeur**, (peu fréq.) **la cote d'une action, la valeur d'une action**).
- **Un portefeuille d'actions** : ensemble d'actions de sociétés diverses que détient une personne physique ou morale pour en tirer un revenu direct ou une plus-value. (Syn. : (moins fréq.) **un portefeuille de valeurs**). *Cet investisseur s'est constitué un portefeuille d'actions composé à plus de 80 % d'actions de sociétés vertes.* **Mettre des actions en portefeuille. La constitution d'un portefeuille. Des actions détenues en portefeuille. La composition d'un portefeuille. Un portefeuille est investi en** (actions, obligations, ...). **La diversification d'un portefeuille. Rentabiliser un portefeuille. Un gros portefeuille.**
  Un portefeuille obligataire. (V. 391 obligation, 2).
  Un paquet d'actions. *Son paquet d'actions représente moins de 1 % du capital de la société.*
  Un panier d'actions. *Cet indice boursier est calculé en fonction d'un panier d'actions de télécommunications diversifié internationalement.*
  Un détenteur d'actions, un porteur d'actions, un titulaire d'actions, un propriétaire d'actions : personne physique ou morale qui détient des actions pour en tirer un revenu direct ou une plus-value.
- **Le rendement d'une action.** (V. 482 rendement, 1).
  Un bénéfice par action. (V. 58 bénéfice, 1).
- **Un fonds (commun) de placement** (en actions, en obligations). (V. 288 fonds, 1).
- **La valeur comptable d'une action.** (V. 564 valeur, 1).
- (Q) **Une société par actions.** (V. 515 société, 1).

TYPE D'ACTION (sens 1.1.)

Une action + nom de la société. Une action Eurotunnel.

Une action de + nom d'un indice boursier. Une action du CAC40.

Une action au porteur : action librement négociable. (Syn. : **un titre au porteur**). (Ant. : **Une action nominative**).

Une action de capitalisation : sans distribution de revenu en cours d'année, le dividende étant réinvesti.

>< **Une action de distribution** : le paiement d'un ou plusieurs dividendes intervient en cours d'année.

Une action de capitalisation d'une sicav. (V. 87 capital, 3).

Une action de croissance. (Syn. : **une valeur de croissance**). (V. 565 valeur, 1).

Une action de rendement : action d'une société dont le chiffre d'affaires et le bénéfice augmentent de manière modérée ou satisfaisante.

Une action avec/à droit de vote : action qui donne un droit de vote au porteur lors de l'assemblée générale des actionnaires.

>< **Une action sans droit de vote.**

CARACTÉRISATION DE L'ACTION (sens 1.1.)

Une action de/pour (bon) père de famille, de premier ordre, (angl.) **un blue chip** : action d'une société à bonne réputation dont le cours ne subit pas de fortes fluctuations et qui garantit un rendement limité. (Syn. : **une action défensive, une valeur de (bon) père de famille, une valeur de premier ordre, une valeur défensive**).

>< **Une action à haut risque** : action à haut revenu potentiel, mais à risque élevé. (S yn.: **une action spéculative, une valeur spéculative**). *Une action à haut risque peut rapporter gros, mais les risques sont très élevés.*

Une action de qualité. (Syn. : **une valeur de qualité**).

+ verbe : qui fait quoi ?

(sens 1.1.)

X	✓	**émettre** des ~	une émission d'~ une société émettrice d'~	1
		créer des ~ ✓	une création d'~	

Y	✓	**souscrire à** des ~	une souscription (à) de nouvelles ~ (à) des ~ nouvelles un souscripteur à ...	1
		(r)acheter des ~	un (r)achat d'~	
		placer son argent en ~	un placement en ~	2
		investir en ~ ↓	un investissement en ~ un investisseur en ~	
Y	×	**détenir** des ~ ↓	la détention d'~ un détenteur d'~	
Y		**conserver** des ~ ↓	-	
Y	O	**vendre** des ~ (à perte >< avec bénéfice) (à + indication de prix)	une vente d'~	
		négocier des ~ (à perte >< avec bénéfice) (à + indication de prix)	la négociation d'~ une ~ négociable	
Y		**céder** des ~ (à perte >< avec bénéfice) (à + indication de prix)	une cession d'~ une ~ cessible	
→ des ~		**se vendre** (à perte >< avec bénéfice) (à + indication de prix)	une vente d'~	
		se négocier (à perte >< avec bénéfice) (à + indication de prix)	la négociation d'~ une ~ négociable	
Y		**convertir** des ~ en argent liquide	la conversion d'~ en argent liquide	
Y		**échanger** une ~ contre une autre ~	l'échange d'une ~ contre une autre ~	3
une ~		**être cotée** en bourse sur le marché ...	la cotation (d'une ~) en bourse la cote (Syn. : (plus fréq.) le cours) d'une ~	3
		être inscrite en bourse à la cote officielle	une inscription en bourse	
>< la bourse		**radier** (de la cotation/de la cote) les ~ de + nom d'une société ↓	la radiation d'une ~	
une ~		**être négociée** en bourse	la négociation d'une ~ en bourse	
		être traitée en bourse	le traitement d'une ~ en bourse	4
		afficher un cours de + montant	-	
(le cours d')une ~	△	**(être) en hausse** **monter**	la hausse (du cours) d'une ~ la montée (du cours) d'une ~	5
(le cours d')une ~	△△	**monter en flèche**	la montée en flèche (du cours) d'une ~	
(le cours d')une ~	▽	**(être) en baisse** **baisser**	la baisse (du cours) d'une ~	
(le cours d')une ~	▽▽	**chuter**	la chute (du cours) d'une ~	
(le cours d')une ~	=	**rester inchangé** **être inchangé**	- -	5
(le cours d')une ~		**être surévalué** **>< être sous-évalué**	la surévaluation d'une ~ la sous-évaluation d'une ~	
X		**convertir** une dette, des obligations **en** ~	la conversion d'une dette en ~ une dette convertible en ~	

1 *KLM a annoncé son projet d'émettre 5 millions d'actions nouvelles afin de financer ses investissements. Les banques disposent de la possibilité de souscrire à ces actions jusqu'au 18 avril.*
2 *Les placements en actions ont largement conservé la faveur de l'épargnant.*
3 *Est-il possible d'échanger les actions Elf Aquitaine cotées à Bruxelles contre celles cotées à Pari s?*
4 *Plusieurs centaines de milliers d'actions ont été traitées dans une atmosphère nerveuse.*
5 *Les actions en hausse ont été toutefois plus nombreuses que les baisses et 662 actions sont restées inchangées.*

Pour en savoir plus

ACTION (sens 1.1.) ET SYNONYMES

Une action : part de propriété dans une société de capitaux.
L'action est un type de **valeur mobilière**. (V. 564 valeur, 1).

Une part sociale : part de propriété dans une société à responsabilité limitée ou en nom collectif.

Un titre. (V. 567 valeur, 1).

Une part de fondateur : action remise aux fondateurs de la société en raison de leurs mérites ou pour rémunérer leur apport de connaissances, de relations, ...

Un certificat d'investissement : action qui donne droit aux dividendes, mais non au droit de vote lors de l'assemblée des actionnaires.

NOTE D'USAGE

Dans la revue boursière, les actions de sociétés sont souvent désignées par le type d'activité de la société. *Contrairement à la tendance du marché, les bancaires/les banques ont perdu du terrain.*
Un ensemble d'actions différentes se trouve souvent regroupé sous la forme d'un complément introduit par 'aux (valeurs) ...'. *Quelques belles hausses ont été enregistrées aux (valeurs) étrangères, sud-africaines en particulier.*

ACTION ET VALEUR MOBILIÈRE

La valeur nominale d'une action. >< **La valeur boursière**. (V. 564 valeur, 1).

ACTION ET REVENUS

Le dividende : part des bénéfices qu'une entreprise décide de verser à l'actionnaire d'une société de capitaux en proportion des actions que celui-ci détient. Le dividende peut être touché par l'actionnaire contre la remise d'**un coupon** (vignette rattachée au **manteau** de la valeur mobilière avec mention de l'émetteur, du type et du numéro de la valeur mobilière) à une date précise (**la date du coupon**). **Détacher un coupon. Le détachement d'un coupon. Encaisser un coupon. L'encaissement d'un coupon.**
Le dividende versé dépend des bénéfices réalisés et est donc une valeur mobilière à revenu variable, contrairement à l'obligation qui est une valeur mobilière à revenu fixe.

(Une société) **distribuer, verser un dividende. La distribution d'un dividende, le versement d'un dividende.** >< (Un actionnaire) **toucher un dividende.**

L'encaissement en espèces du dividende. >< **Un dividende optionnel** : formule qui permet aux actionnaires de transformer leurs coupons en nouvelles actions.

Un dividende exceptionnel : dividende versé ponctuellement pour faire profiter les actionnaires d'une plus-value importante dégagée par la société.

Un super(-)dividende : dividende qui s'ajoute au dividende prévu par les statuts.

(angl.) **Le return** : somme d'argent que représente la différence de cours d'une action sur une année (**la plus-value** ou **les plus-values**, si la différence est positive ; **la moins-value** ou **les moins-values**, si la différence est négative) augmentée du dividende versé lors de cette année (**le rendement immédiat**). (Syn. : (pour tous les types de valeurs) **le rendement global**). (V. 482 rendement, 1).

Un bonus : attribution d'actions gratuites aux actionnaires. *Notre société procède actuellement à un bonus d'une action pour dix détenues.*

UNE ACTIO N: QUI FAIT QUO I?

Qqn souscrit à des actions émises par une société (**l'émetteur**) : il devient **détenteur d'actions, porteur d'actions** ou **actionnaire** de la société. Il détient une partie du capital social de la société. (☞ 12 + verbe).

Un petit porteur. (V. 14 2 actionnaire).

2 un ACTIONNAIRE, une ACTIONNAIRE - [aksjɔnɛʀ] - (n.)

1.1. Détenteur (une personne, une société, un investisseur - X) d'un titre de propriété ou d'une valeur mobilière émis par une société de capitaux (l'émetteur - Y), qui peut être échangé et qui donne au détenteur la propriété d'une partie du capital de cette société avec tous les droits attachés à cette propriété (versement d'un dividende, droit de vote lors de l'assemblée des actionnaires, ... selon le type).
Syn. : (☞ 14 Pour en savoir plus, Actionnaire et synonymes).
Une bonne gestion de la société a pour but de maximiser la richesse des actionnaires, autrement dit la valeur de leurs actions et ainsi la valeur de la société.

+ adjectif

TYPE D'ACTIONNAIRE

Un actionnaire majoritaire, dominant : actionnaire qui détient plus de 50 % des actions avec droit de vote.
>< **Un actionnaire minoritaire.**

Les actionnaires familiaux (parfois au singulier) : (personne ou) groupe de personnes actionnaires appartenant à la famille du fondateur de la société. *Les actionnaires familiaux ont vendu plus de 200 000 actions aux investisseurs institutionnels.*

Les actionnaires privés : propriétaires d'une société privée qui font partie de l'actionnariat d'une autre société.
>< **Les (actionnaires) institutionnels** : établissements financiers (les banques et les compagnies d'assurances, les SICAV, ...) qui investissent de fortes sommes en valeurs mo-

bilières. (Syn. : (fam.) **les zinzins**). *Les plus grands investisseurs restent cependant ceux qu'on appelle les zinzins, c'est-à-dire les investisseurs institutionnels. Au premier rang desquels on trouve les compagnies d'assurances.*

Les anciens actionnaires. Les actionnaires actuels. Les actionnaires potentiels.

CARACTÉRISATION DE L'ACTIONNAIRE

Un petit actionnaire : actionnaire qui détient une ou un tout petit nombre d'actions et qui a donc très peu de pouvoir. (Syn. : **un petit porteur**).

Un gros actionnaire. < **L'actionnaire principal.**

Un actionnaire stable. (☞ 14 + nom).

+ nom

- **Une assemblée générale des actionnaires** : réunion que la société de capitaux doit convoquer chaque année pour informer les actionnaires de la politique de la société et où sont prises certaines décisions importantes. Ils doivent disposer d'une part importante (variable en fonction du droit appliqué) des actions pour disposer d'une minorité de blocage contre certaines décisions. *Les petits porteurs sont invités à l'assemblée générale des actionnaires, à laquelle ils n'ont rien à dire, alors que c'est pourtant l'unique occasion qui leur est offerte chaque année d'avoir un rapport direct avec ceux qui dirigent l'entreprise dont ils sont copropriétaires.* (V. 513 société, 1).

  Une assemblée extraordinaire des actionnaires.
- **Un pacte d'actionnaires** : groupe d'actionnaires (importants) qui décide de s'unir pour mieux contrôler une société. *Tout mouvement de réaménagement de l'actionnariat est rendu impossible par le pacte d'actionnaires qui oblige tout membre vendeur d'actions à proposer d'abord ses titres aux autres membres du syndicat et ceci jusqu'en 2010.*
- **Un noyau dur d'actionnaires, un noyau d'actionnaires stables** : ensemble d'actionnaires importants et qui désirent s'engager pour une longue période. *La société ne dispose d'aucun noyau dur d'actionnaires. Au contraire, l'actionnariat de l'entreprise est extrêmement dispersé entre une foule de petits porteurs.*
- **Une association de défense des actionnaires (minoritaires) ; une société de défense des actionnaires (minoritaires).** *Cette société de défense des actionnaires a entamé une longue série de procès afin de restaurer l'égalité de traitement entre actionnaires.*

TYPE D'ACTIONNAIRE

(B, F, S) **Un actionnaire de référence** : détient de 15 % à 20 % au moins du capital d'une société.

+ verbe : qui fait quoi ?

X	**être ~ à hauteur de ... %**	-	1
Y	**convoquer** l'assemblée des ~	la convocation de l'assemblée des ~	
Y	**distribuer un dividende** (à X) **verser un dividende** (à X) ↓	la distribution d'un dividende le versement d'un dividende	
l'~	**détacher ses coupons** (V. 13 1 action) ↓	le détachement de coupons	
l'~	**toucher un dividende** **toucher ses coupons**	- -	2

1 *Le principal actionnaire est Elf Aquitaine, à hauteur de 29,22 %.*

2 *De nombreux petits porteurs vont toucher leurs coupons à l'étranger pour échapper aux impôts qui frappent les revenus de capital chez eux.*

Pour en savoir plus

ACTIONNAIRE ET SYNONYMES

Un actionnaire, un détenteur d'actions, un porteur d'actions.

Un petit porteur. (Syn. : **un petit actionnaire**).

3 un ACTIONNARIAT - [aksjɔnaʀja] - (n.m.)

1.1. Ensemble des détenteurs (une personne, une société, un investisseur) d'un titre émis par une société de capitaux (l'émetteur), qui peut être échangé et qui donne la propriété d'une partie du capital de cette société avec tous les droits attachés à cette propriété (versement d'un dividende, droit de vote lors de l'assemblée des actionnaires, ... selon le type).

Notre société dispose d'un actionnariat quelque peu morcelé entre quatre à cinq actionnaires de valeur sensiblement égale.

+ adjectif

TYPE D'ACTIONNARIAT

L'actionnariat majoritaire. >< **L'actionnariat minoritaire.** (V. 13 2 actionnaire).

Un actionnariat familial. *Parmi les grandes entreprises du secteur, l'actionnariat familial reste bien représenté malgré l'intégration d'un certain nombre d'unités de production au sein de grands groupes étrangers.* (V. 13 2 actionnaire).

CARACTÉRISATION DE L'ACTIONNARIAT

Un actionnariat stable. (V. 14 2 actionnaire).

+ nom

- **La structure de l'actionnariat.** *L'entrée du nouvel actionnaire ne remet pas en cause la structure de l'actionnariat qui devrait rester dominé par les salariés.*
- **L'actionnariat des salariés** : régime d'intéressement où les salariés de sociétés de capitaux peuvent, sous certaines conditions, devenir actionnaires et, en certains cas, participer à la gestion (Ménard).

+ verbe : qui fait quoi ?

l'~	**se stabiliser**	la stabilisation de l'~	1

1 *Un des objectifs de la société de développement économique est de contribuer à la stabilisation de l'actionnariat des entreprises, c'est-à-dire d'accompagner leurs gestionnaires pendant une phase de croissance.*

4 AUTRES DÉRIVÉS OU COMPOSÉS

- **Un coactionnaire, une coactionnaire** [kɔaksjɔnɛʀ] (n.). *En rachetant 15 % des actions de cette société, le premier groupe pétrolier français est devenu un coactionnaire de taille.*

ACTIONNAIRE (n.) (****) 1. Détenteur d'une valeur mobilière.

1. (13)	der Aktionär der Aktieninhaber	shareholder stockholder (US)	el accionista	l'azionista (m.)	de aandeelhouder (m.)

ACTIONNARIAT (n.m.) (***) 1. Ensemble des détenteurs de valeurs mobilières.

1. (14)	die Aktionäre die Anteilseigner	shareholding stockholding (US)	el accionariado	l'azionariato (m.)	het aandeelhouderschap

ACTIVITÉ (n.f.) (****) 1. Ensemble d'actions, de travaux.

1. (215)	die Aktivität	business	la actividad	l'attività (f.)	de activiteit (f.)
(453)	die Tätigkeit	field			

ACTUALISATION (n.f.) (**) 1. Valorisation à l'époque actuelle (PR).

1. (482)	die Aktualisierung	updating present value method	la actualización	l'attualizzazione (f.)	de actualisering (f.)

ACTUARIEL, -IELLE (adj.) (***) 1. Valorisé à l'époque actuelle.

1. (482)	abgezinst Gegenwartswert (von einer Sache)	updated actuarial	actualizado	attuariale	actuarieel

ADDITION (n.f.) (***) 1. Ajout. 2. Note de restaurant.

1. (386)	die Hinzurechnung	addition	la suma la adición	l'addizione (f.)	de optelling (f.)
2. (258)	die Rechnung	bill check (US)	la cuenta	il conto	de rekening (f.)

ADDITIONNEL, -ELLE (adj.) (***) 1. Qui vient s'ajouter.

1. (570)	zusätzlich Zusatz-	additional	adicional	addizionale	bijkomend toegevoegd

ADDITIONNER (~, s'~) (v.tr.dir., v.pron.) (**) 1. Ajouter.

1. (386)	addieren zusammenrechnen	to add up to tot up	sumar (se) añadir (se)	addizionare sommare	optellen samentellen

ADHÉRENT, ADHÉRENTE (n.) (***) 1. Membre.

1. (536)	der Anhänger das Mitglied	member	el miembro el adherente	il socio il membro	het lid de aanhanger (m.)

ADHÉRENT, -ENTE (adj.) (**) 1. Qui est membre.

1.	jemand, der Anhänger einer Idee, Sache, Gruppe ist	member	adherente	membro	aangesloten

ADHÉRER (~ à qqch.) (v.tr.indir.) (***) 1. Devenir membre.

1. (536)	einer Gruppe / Partei angehören	to join	afiliarse	aderire	lid worden
		to become a member	adherirse	associarsi	aansluiten bij

ADHÉSION (n.f.) (***) 1. Fait de devenir membre.

1. (533)	die Zugehörigkeit	membership	la afiliación	l'adesione (f.)	het lidmaatschap
		joining	la adhesión		

ADJOINT, ADJOINTE (n.) (***) 1. Personne qui est associée et qui aide.

1. (202)	der Stellvertreter	assistant	el adjunto	vice-	de adjunct (m.)
		deputy		co-	de assistent (m.)

ADJOINT, -OINTE (adj.) (**) 1. Qui est associé et qui aide.

1.	Aushilfs-	assistant	adjunto	vice-	hulp-
	Hilfs-			co-	onder-

ADJUDICATAIRE (n.) (*) 1. Personne qui bénéficie d'une vente au plus offrant.

1. (572)	der Ersteigerer	highest bidder	el adjudicatario	l'aggiudicatario (m.)	de hoogste bieder (m.)
	der Ersteher	successful bidder			

ADJUDICATEUR, ADJUDICATRICE (n.) (*) 1. Personne qui met un bien en vente au plus offrant.

1. (572)	der Versteigerer	adjudicator	el adjudicador	l'aggiudicatore (m.)	de aanbesteder (m.)
	der Auktionator	awarder			

ADJUDICATION (n.f.) (***) 1. Vente au plus offrant.

1. (572)	die Versteigerung	sale by auction	la adjudicación	l'aggiudicazione (f.)	de aanbesteding (f.)
	die Ausschreibung	by order of court	la subasta	l'asta (f.)	

ADJUGER (v.tr.dir.) (***) 1. Vendre au plus offrant.

1. (572)	den Zuschlag erteilen	to auction	adjudicar	aggiudicare	toewijzen
	dem Meistbietenden zusprechen	to knock down	subastar		

ADMINISTRATEUR(-)DÉLÉGUÉ ; ADMINISTRATEURS(-)DÉLÉGUÉS (n.m.) (***) 1. Dirigeant de société.

1. (513)	der Geschäftsführer	Managing Director	el consejero delegado	l'amministratore delegato (m.)	de directeur (m.)
			el director gerente		de gedelegeerd bestuurder (m.)

ADMINISTRATEUR, ADMINISTRATRICE (n.) (****) 1. Dirigeant (d'une société anonyme p. ex.).

1. (301)	der Vorsitzende des "Verwaltungsrats" einer französischen AG	board member	el administrador	l'amministratore delegato (m.)	de directeur (m.)
(66)		administrator	el director (ejecutivo)		de beheerder (m.)

ADMINISTRATIF, -IVE (adj.) (****) 1. Relatif à la gestion d'affaires.

1. (519)	Verwaltungs-	administrative	administrativo	amministrativo	administratief
	administrativ				

ADMINISTRATION (n.f.) (****) 1. Gestion d'affaires. 2. Service public, ensemble des fonctionnaires qui en sont chargés.

1. (513)	die Verwaltung	management	la administración	l'amministrazione (f.)	het beheer
	die Behörde	administration		la gestione	
2. (270)	die Verwaltungsbediensteten	government services	la administración	il settore pubblico	de administratie (f.)
	der öffentliche Dienst	Civil Service			

ADMINISTRER (v.tr.dir.) (**) 1. Gérer des affaires.

1. (301)	leiten	to manage	administrar	amministrare	beheren
	führen	to run			besturen

ADRESSE (n.f.) (****) 1. Localisation.

1. (454)	die Adresse	address	la dirección	l'indirizzo (m.)	het adres
	die Anschrift				

ADRESSER (~ qqch. à qqn) (v.tr.dir.) (****) 1. Envoyer.

1.	schicken	to send	enviar	indirizzare	sturen
	senden	to address	mandar	spedire	zenden

AÉRIEN, -IENNE (adj.) (****) 1. Qui concerne l'aviation.

1. (550)	Luft-	air	aéreo	aereo	lucht-
(519)	Flug-				

AÉRONAUTIQUE (adj.) (***) 1. Qui se rapporte à la navigation aérienne.

1. (322)	Luftfahrt-	aeronautical	aeronáutico	aeronautico	luchtvaart-

AÉRONAUTIQUE (n.f.) (***) 1. Science de la navigation aérienne.

1.	die Aeronautik	aeronautics	la aeronáutica	l'aeronautica (f.)	de luchtvaart (m./f.)
	die Luftfahrt(kunde)				

AÉROPORT (n.m.) (****) 1. Installation pour accueillir le trafic aérien.

1.	der Flughafen	airport	el aeropuerto	l'aeroporto (m.)	de luchthaven (m./f.)
		air terminal			

AEX (le ~) (**) (71) indice de la Bourse d'Amsterdam.

AFB (l'~ (f.)) (*) (54) Association française des banques.

AFFACTURAGE (n.m.) (*) 1. Cession de créance à un établissement financier.

1. (258)	das Factoring	factoring	el factoring	il factoring	de factoring (f.)
	das Factoring-Geschäft				de factoring(s)maatschappij (f.)

AFFAIBLIR (~, s'~) (v.tr.dir., v.pron.) (***) 1. Diminuer.

1. (278)	(sich) abschwächen	to weaken	debilitar (se)	indebolirsi	afzwakken

	dämpfen	to reduce	disminuir		verminderen

AFFAIBLISSEMENT (n.m.) (***) 1. Diminution.

1. (278)	das Abflauen	weakening	el debilitamiento	l'indebolimento (m.)	de reductie (f.)
	die Abschwächung	reduction	la disminución		de vermindering (f.)

AFFAIRE (n.f.) (****) 1. Opération économique. 2. (plur.) Ensemble des opérations économiques. 3. Entreprise.

1. (17)	der Handel	deal	el negocio	l'affare (m.)	de transactie (f.)
	der Abschluss	transaction	la transacción		de zaak (m./f.)
2. (17)	die Geschäfte	business	los negocios	gli affari (m.plur.)	de zaken (plur.)
3. (17)	das Geschäft	company	la empresa	il business	de zaak (m./f.)
	das Handelsgeschäft	firm	el negocio	l'attività commerciale (f.)	de handel (m.)

AFFAIRE

➡ entreprise - société
➡ commerce

1 une affaire **2** l'affairisme	**2** un affairiste	**2** affairiste **2** affairé	

1 une AFFAIRE - [afɛʀ] - (n.f.)

1.1. (emploi au sing.) Activité industrielle, opération de vente-achat, transaction financière ou marché conclu ou à conclure entre deux agents économiques (un particulier, une entreprise, une banque - X, Y).
Ces industriels ont dû négocier longtemps avant que l'affaire ait pu être conclue.

1.2. (emploi au plur.) Ensemble des affaires (sens 1.1).
Syn. : (angl.) le business [biznɛs], (pour les activités de base d'une entreprise) le core business [kɔʀ].
Cette PME fait de bonnes affaires avec une aciérie allemande.

1.3. (emploi au sing.) (fam.) Entreprise industrielle, commerciale ou de services.
Syn. : une entreprise, une société, un commerce.
Au total, ils sont déjà 14 membres de la famille à travailler dans l'affaire.

2.1. (emploi au plur. avec un art. déf.) Ensemble de scandales politico-financiers qui touchent les mandataires publics (les hommes politiques, les magistrats, ...) ou les hommes d'affaires.
Les affaires de ces derniers mois ont touché de nombreux hommes politiques, qu'ils soient de gauche ou de droite.

expressions

- (Une personne) **avoir affaire à** qqn ; qqch., (moins fréq.) **avoir à faire à** qqn ; qqch. *Nous avons affaire à une concurrence acharnée sur les vols transatlantiques.*
- (iron.) **La belle affaire** ! : exclamation d'indignation.
- (Qqch.) **faire l'affaire** : convenir. *Pour ce travail, un ordinateur bas de gamme fera largement l'affaire.*

(sens 1.1.)

- (Une personne) **faire une bonne affaire, réaliser une bonne affaire** : profiter d'une occasion exceptionnelle. *J'ai fait une bonne affaire : je viens d'acheter une nouvelle voiture avec près de 10 % de réduction.*
- (Une personne) **assurer le suivi d'une affaire** : suivre une transaction ou une opération du début jusqu'à la fin et voir si tout se passe bien.
- **C'est une affaire en or** : exceptionnelle, qui permet de gagner beaucoup d'argent.
- **L'affaire est dans le sac** : l'affaire est réglée, le marché est conclu.
- **C'est une affaire de gros sous** : où l'enjeu financier est très important. *La privatisation de cette société est plus une affaire de gros sous qu'une opportunité stratégique de développement.*

(sens 1.2.)

- (Une personne) **avoir le sens des affaires** : avoir un don (inné) pour les affaires.
- (Une personne) **être dur en affaires** : intransigeant, sans pitié.
- (Une personne) **être rompu aux affaires** : avoir beaucoup d'expérience en affaires.
- **Les affaires sont les affaires** : il faut avant tout (et uniquement) penser au succès (commercial) ou à la rentabilité d'une transaction.

+ adjectif

CARACTÉRISATION DE L'AFFAIRE
(sens 1.1.)

Une bonne affaire. < **Une grosse affaire**. < **Une affaire en or.**

>< **Une mauvaise affaire**. < **Une affaire véreuse** : suspecte, louche.

CARACTÉRISATION DE L'AFFAIRE
(sens 1.3.)

Une affaire rentable. < **Une affaire florissante**.

+ nom

(sens 1.1.)

- **Un plan d'affaires** : dossier qui présente un projet chiffré de création ou de développement d'entreprise. (Syn. : **un plan de développement**, (angl.) **un business plan**).

(sens 1.2.)

- **Le monde des affaires**, **les affaires**, **les milieux d'affaires**, (peu fréq.) **le milieu des affaires** : monde économique.
- **Un homme d'affaires** ; **une femme d'affaires** ; **les gens d'affaires** : qui se livre(nt) à des opérations de vente-achat, des transactions financières, ...
  Une relation d'affaires : personne avec qui l'on traite dans le monde des affaires.
- **Un voyage d'affaires**. (☞ 18 + verbe).
- **La classe affaires** : sièges dans un avion, situés entre la première classe et la classe touriste ou économique.
- **Une lettre d'affaires** : lettre échangée dans le monde des affaires.
- **Un repas d'affaires** ; **un déjeuner d'affaires**. *Tous mes repas d'affaires me sont remboursés par mon employeur.*
- **Un bureau d'affaires**. *Les bureaux d'affaires doivent donner une information objective et un avis impartial concernant toutes les possibilités de placement.*
- **Le français** ; **l'anglais des affaires** : langue utilisée dans le monde des affaires.
- **Un agent d'affaires**. (V. 22 agence, 2).

TYPE D'AFFAIRE (sens 1.3.)

Une affaire de + nom d'un produit ou d'un service. Une affaire de textile. *Il est l'héritier d'une affaire de sucre.*

MESURE DES AFFAIRES (sens 1.2.)

Un chiffre d'affaires : somme totale des ventes de biens et de services réalisées par une entreprise durant un exercice fiscal, le plus souvent une année. (Syn. : (peu fréq.) **le chiffre de(s) vente(s)**). *La société a réalisé sur le marché suisse un chiffre d'affaires de 460 millions, en progression de 3,4 % par rapport à l'année dernière.* (☞ 19 + verbe).

Un chiffre d'affaires consolidé (V. 64 bilan, 1) ; **annuel** ; ... **Le chiffre d'affaires critique**. (V. 484 rentabilité, 1).

Le(s) volume(s) d'affaires : en bourse, somme totale des échanges de valeurs mobilières effectués. *Les volumes d'affaires largement inférieurs à la moyenne montrent l'indécision des investisseurs.*

+ verbe : qui fait quoi ?

(sens 1.1.)

X		**traiter** une ~ (avec Y)	le traitement d'une ~ (avec Y)	
		négocier une ~ (avec Y)	la négociation d'une ~ (avec Y)	
		↓		
X		**conclure** une ~ (avec Y)	la conclusion d'une ~ (avec Y)	
		enlever une ~	-	1

1 *Le négociateur a dû accorder une remise d e 5% pour enlever cette affaire.*

(sens 1.2.)

X	✓	**se lancer dans** les ~	-	1
		>< **se retirer des** ~	le retrait des ~	
		↓		
X	×	**être dans** les ~	-	
X	×	**faire** des ~ (avec Y)	-	2
X		**conduire** des ~	la conduite des ~ (par X)	3
X et Y		**parler** ~	-	
X		**voyager** pour ~	un voyage d'~	
les ~	△	**aller bien**	-	
		marcher bien	la (bonne) marche des ~	
		prospérer	-	
les ~	-	**aller mal**	-	
		marcher mal	-	
les ~	▽△	**reprendre**	la reprise des ~	4
X (une entreprise)	×	**réaliser** un chiffre d'~ de ... euros	la réalisation d'un chiffre d'~ de ... euros	
		afficher un chiffre d'~ de ... euros	-	
		enregistrer un chiffre d'~ de ... euros	-	
		générer un chiffre d'~ de ... euros	-	

le chiffre d'~	=	**atteindre** ... euros	-	
le chiffre d'~	△	**progresser** (de ... % ; euros)	la progression du chiffre d'~ (de ... % ; euros)	
		-	la hausse du chiffre d'~ (de ... % ; euros)	
		augmenter (de ... % ; euros)	l'augmentation du chiffre d'~ (de ... % ; euros)	
le chiffre d'~	▽	**baisser** (de ... % ; euros)	la baisse du chiffre d'~ (de ... % ; euros)	
		diminuer (de ... % ; euros)	la diminution du chiffre d'~ (de ... % ; euros)	
le chiffre d'~	△=	**stagner** (à + un montant)	la stagnation du chiffre d'~	5

1 *Ce compositeur a abandonné sa carrière de musicien pour se lancer dans les affaires en créant sa propre maison de production.*
2 *Pour qui veut faire des affaires en France, Paris est incontournable.*
3 *Le président américain de cette société est mécontent de la conduite des affaires par l'investisseur japonais. Il a menacé de démissionner.*
4 *Les indicateurs conjoncturels font apparaître une légère reprise des affaires, et ceci après plusieurs mois de récession.*
5 *Nous prévoyons une certaine stagnation de notre chiffre d'affaires, le marché global étant négatif.*

(sens 1.3.)

une personne	✓	**démarrer** une ~	le démarrage d'une ~	1
		lancer une ~	le lancement d'une ~	
		✓		
une personne		**diriger** une ~	la direction d'une ~ un directeur d'~	
		gérer une ~	la gestion d'une ~ le gérant d'une ~	
une personne		**céder** une ~	la cession d'une ~	2
		>< **reprendre** une ~	la reprise d'une ~	2
→ une ~		**à céder**		

1 *Au démarrage de son affaire, il était seul. Deux ans après, il compte plus de 100 employés.*
2 *Ce gros industriel vient de céder son affaire à son fils qui, lui, était content de pouvoir la reprendre.*

2 AUTRES DÉRIVÉS OU COMPOSÉS

- **L'affairisme** [afeʀism(ə)] (n.m.) : tendance à ne s'occuper que d'affaires particulièrement lucratives à base de spéculation (PR). L'affairisme conduit parfois à **la corruption.** (V. 480 rémunération, 1). *Certains spéculateurs se livrent à un affairisme parasitaire et multinational qui constitue une grave menace pour les cours des métaux.*
- **Un affairiste** [afeʀist(ə)] (n.m.) : homme d'affaires peu scrupuleux qui est préoccupé avant tout par le profit (PR). (Syn. : (plus fréq.) **un spéculateur**). (V. 71 bourse, 1).
- **Affairiste** [afeʀist(ə)] (adj.) : qui porte avant tout sur le profit. *Il faut à tout prix éviter une coopération affairiste : il convient d'aider ce pays à se relever.*
- **Affairé, -ée** [afeʀe] (adj.) : (une personne) qui est surchargée d'affaires, très occupée (RQ).

AFFAIRÉ, -ÉE (adj.) (*) 1. Qui est très occupé.

1. (19)	sehr beschäftigt	very busy	muy ocupado	affaccendato	druk bezet

AFFAIRISME (n.m.) (**) 1. Traitement d'affaires lucratives.

1. (19)	das Geschäftsfieber	wheeling and dealing	el mercantilismo	l'affarismo (m.)	de speculatiezucht (f.)

AFFAIRISTE (adj.) (*) 1. Qui porte sur le profit.

1. (19)	in geschäftlichen Dingen skrupellos	wheeler-dealer	especulador especulativo	affarista	speculatief

AFFAIRISTE (n.m.) (*) 1. Homme d'affaires peu scrupuleux.

1. (19)	der skrupellose Geschäftemacher	wheeler-dealer	el especulador	l'affarista (m.)	de speculant (m.)

AFFECTATION (n.f.) (***) 1. Destination.

1. (59)	die Zuweisung	allocation	la asignación	lo stanziamento	de toewijzing (f.)
(76)	die Zuteilung	allotment	el destino	l'assegnazione (f.)	

AFFECTER (~ qqch. à qqch.) (v.tr.dir.) (****) 1. Destiner.

1. (59)	zuweisen	to allocate	asignar	allocare	toewijzen aan
(76)	bestimmen	to allot	destinar		

AFFICHAGE (n.m.) (***) 1. Action de faire savoir par une grande feuille imprimée portant un message (publicitaire).

1. (464)	das Anschlagen das Aushängen	bill-posting billing	la fijación de anuncios la fijación de carteles	l'affissione (f.)	het aanplakken de affichering (f.)

AFFICHE (n.f.) (****) 1. Grande feuille imprimée portant un message (publicitaire).

1. (464)	das Plakat der Anschlag	poster bill board	el cartel el anuncio	il cartellone pubblicitario il manifesto	de affiche (m./f.) het aanplakbiljet

AFFICHER (v.tr.dir.) (****) 1. Faire savoir par une grande feuille imprimée portant un message (publicitaire).

1. (464)	anschlagen aushängen	to put up to post	anunciar	affiggere ostentare	aanplakken afficheren

AFFICHETTE (n.f.) (*) 1. Petite feuille imprimée portant un message (publicitaire).

1. (464)	der Werbezettel	flyer shelf talker (dans un magasin)	el pequeño cartel el cartelito	la locandina il manifestino	het (klein) raambiljet het (klein) aanplakbiljet

AFFICHEUR (n.m.) (**) 1. Société qui vend des surfaces d'affichage. 2. Dispositif de visualisation. 3. Personne qui pose des affiches.

1. (464)	die Firma für Aussenwerbung	poster advertising agency	la empresa de publicidad exterior	la società di spazi pubblicitari	de firma (m./f.) die aanplakoppervlakte verkoopt
2. (464)	die Rollenanzeige	rotorboard	el visualizador	il display	de wieltrommel-display (m./f.)
3. (464)	der Plakatkleber	bill-sticker	el cartelero	l'attacchino (m.)	de aanplakker (m.)

AFFICHISTE (n.) (*) 1. Créateur d'affiches.

1. (464)	der Plakatentwerfer der Plakatmaler	poster artist poster designer	el cartelista	il cartellonista	de affichetekenaar (m.) de graficus (m.)

AFFILIATION (n.f.) (**) 1. Fait de devenir, d'être membre.

1. (82) (533)	der Beitritt die Zugehörigkeit	affiliation membership	la afiliación	l'iscrizione (f.) l'affiliazione (f.)	de aansluiting (f.)

AFFILIÉ, AFFILIÉE (n.) (**) 1. Membre, adhérent.

1. (536)	das Mitglied	affiliated member affiliated company	el afiliado	l'affiliato (m.) l'aderente (m.)	het lid

AFFILIER (s'~ à qqch.) (v.pron.) (***) 1. Devenir membre.

1. (82) (533)	Mitglied werden beitreten	to become affiliated to affiliate to	afiliar (se)	affiliarsi	(zich) aansluiten bij

AFFLUX (n.m.) (**) 1. Déplacement d'une quantité importante vers qqn ou qqch.

1. (85)	der Zustrom der Zufluss	influx flood	la afluencia el aflujo	l'afflusso (m.)	de toevloeiing (f.) de toestroming (f.)

AFFRÈTEMENT (n.m.) (*) 1. Mise à disposition d'un moyen de transport.

1. (363)	die Vermietung der Verleih	hiring (tout véhicule) chartering (un avion ou un bateau)	el fletamento el flete	il noleggio	de bevrachting (f.)

AFFRÉTER (v.tr.dir.) (*) 1. Louer un moyen de transport.

1. (363)	mieten chartern	to hire to charter	fletar	noleggiare prendere a nolo	bevrachten

AFFRÉTEUR, AFFRÉTEUSE (n.) (*) 1. Personne qui prend en location un moyen de transport.

1. (363)	der Mieter der Charterer	charterer	el fletador	il noleggiatore	de bevrachter (m.)

AGENCE (n.f.) (****) 1. Entreprise de services. 2. Établissement bancaire.

1. (20)	die Agentur das Büro	office agency	la agencia	l'agenzia (f.)	het (bij)kantoor het bureau
2. (20)	die Zweigstelle (einer Bank) die Bankniederlassung	branch	la oficina la agencia	l'agenzia (f.) la filiale	het agentschap

AGENCE

➠ commerce

1 une agence **3** une agence-conseil	**2** un agent		

1 une AGENCE - [aʒɑ̃s] - (n.f.)

1.1. Personne morale (une entreprise, une société) qui offre ses services (financiers, commerciaux,...) comme intermédiaire à une personne physique ou morale.
Peugeot a fait appel à plusieurs agences publicitaires pour créer la campagne de lancement de son nouveau modèle.

1.2. Établissement commercial sans personnalité juridique créé par une banque ou une compagnie d'assurances et qui dispose d'une certaine autonomie par rapport à celle-ci sans en être juridiquement distinct.
Syn. : (☞ 21 Pour en savoir plus, Agence (sens 1.2.) et synonymes).

+ adjectif

TYPE D'AGENCE (sens 1.1.)

Une agence immobilière : organisme qui assure les opérations d'achat, de vente et de location de biens immobiliers qui appartiennent à une autre personne contre paiement d'une commission.

Une agence matrimoniale : organisme indépendant qui met en rapport, contre paiement d'une commission, des personnes qui désirent se marier.

Une agence publicitaire. (☞ 21 + nom).

TYPE D'AGENCE (sens 1.2.)

Une agence (bancaire). (Syn. : **une succursale,** (Q) **une succursale bancaire, une succursale de banque**). *Ordinateurs, vitres blindées, guichets sécurisés, alarmes sophistiquées, grilles, ... on y retrouve tout ce qui caractérisait nos agences bancaires classiques.*

CARACTÉRISATION DE L'AGENCE (sens 1.1. et 1.2.)

Une agence spécialisée dans + nom d'une activité. Une agence spécialisée dans le crédit ; dans la communication événementielle. *Le fameux bon de réduction fait vivre nombre d'agences spécialisées dans la promotion des ventes.*

+ nom

(sens 1.2.)

Un réseau d'agences : ensemble des agences appartenant à une même banque ou une même compagnie d'assurances. *Cette banque assure à sa clientèle un service de premier ordre sur le plan international, notamment grâce à un réseau étendu d'agences établies dans le monde entier.*

TYPE D'AGENCE (sens 1.1.)

Une agence de voyage(s) : organisme indépendant qui organise des voyages ou vend des voyages organisés proposés par **les voyagistes** (ou **les tour-opérateurs**). *Il ne reste plus, sur le marché, que 5 à 6 000 places auprès des agences de voyages qui ont bâti des programmes autour de la coupe du monde de football.*

Une agence de pub(licité). (Syn. : (peu fréq.) **une agence publicitaire, un bureau de publicité**) : société de services qui vend à des annonceurs des conseils en communication ou en stratégie marketing, des créations originales de messages et, parfois des espaces publicitaires.

(F) **L'Agence nationale pour l'emploi (l'ANPE).** (V. 225 emploi, 1).

(B) **Une Agence locale pour l'emploi (une ALE)**. (V. 225 emploi, 1).

Une agence de travail temporaire, (B) **une agence d'intérim (privée >< publique)** : organisme indépendant qui loue pour une durée déterminée des travailleurs à un employeur moyennant une commission payée par l'employeur.

Une agence de presse : organisme indépendant qui rassemble, met en forme et commercialise des informations, des reportages, ... destinés aux médias. *L'agence Reuter et l'Agence France Presse ont confirmé cette information.*

Une agence de location de + nom d'un bien. Une agence de location de voitures.

Une agence en douane : entreprise spécialisée dans les opérations douanières.

+ verbe : qui fait quoi ?

(sens 1.1. et 1.2.)

une personne	✓	**créer** une ~ (V. 516 société, 1 pour d'autres combinaisons avec verbe)	la création d'une ~
une ~		**embaucher** (du personnel) (V. 518 société, 1 pour d'autres combinaisons avec verbe)	l'embauche de personnel
une personne		**diriger** une ~	la direction d'une ~ un directeur d'~

Pour en savoir plus

AGENCE (sens 1.2.) ET SYNONYMES

Une agence. Une succursale (un magasin à succursales multiples). (V. 355 magasin, 1).

Une filiale. (V. 520 société, 1).

2 un AGENT - [aʒɑ̃] - (n.m.)

1.1. Personne physique (un particulier) ou morale (une entreprise, une société) qui offre ses services (financiers, commerciaux, ...) comme intermédiaire à une personne physique ou morale. (V. 116 commerce, 1).

Syn. : (☞ 22 Pour en savoir plus, Agent (sens 1.1.) et synonymes).

L'agent immobilier joue le rôle d'intermédiaire entre le propriétaire et les acheteurs potentiels.

2.1. Phénomène qui a des effets sur l'économie ou sur la vie en général.
Syn. : un facteur.
Le vieillissement de la population est un agent qui pèse de plus en plus sur le budget de la sécurité sociale.

+ adjectif

TYPE D'AGENT (sens 1.1.)

Un agent économique. 1. Personne, groupe de personnes ou organisme (un particulier, un ménage, un commerçant, une entreprise, une banque, une administration, l'État, ...) qui prennent des décisions économiques : consommer, produire. (Syn. : **une unité économique**). *Tous les agents économiques sont reliés les uns aux autres par des échanges de biens, de services ou de capitaux.* - 2. (sens technique) Une des cinq catégories suivantes : les ménages, les entreprises, les administrations (publiques et privées), les établissements de crédit/les institutions financières et l'étranger. (☞ 22 Pour en savoir plus, Le ménage et la famille).

Un agent commercial. (V. 116 commerce, 1).

Un agent immobilier. (Syn : (F) **un marchand de biens**). (V. 21 1 agence).

Un agent indépendant : qui travaille pour son propre compte. *Cette banque se caractérise par le fait que l'essentiel de son réseau de distribution est constitué d'agents indépendants.*

(B, F) **Un agent statutaire** : agent des services publics titularisé. *La possibilité de remplacement d'agents statutaires de l'État par des intérimaires ouvre d'intéressantes perspectives pour les bureaux de travail intérimaire.* >< **Un (agent) contractuel** : non titulaire, temporaire.

Un agent contractuel : agent non-fonctionnaire coopérant à un service public (PR).

+ nom

TYPE D'AGENT (sens 1.1.)

Un agent de voyage(s). (V. 21 1 agence).

Un agent du fisc : fonctionnaire chargé de faire respecter la législation fiscale. *Le contribuable a trop tendance à voir les agents du fisc comme des monstres qui ne lâchent jamais leur proie.*

Un agent de change : intermédiaire qui avait le monopole de l'exécution des ordres d'achat et de vente de valeurs mobilières en bourse jusqu'à la création des sociétés de bourse. La dénomination actuelle est **'un membre de société de bourse'**. *Avec les réformes entreprises sur l'ensemble des marchés financiers, on a vu disparaître les maisons d'agents de change au profit des sociétés de bourse.*

Un agent de l'État. (Syn. : **un fonctionnaire**, (B) **un agent des services publics**, (F, Q) **un agent public**). *Les diverses réglementations relatives au statut des agents de l'État limitent de manière assez stricte les cas où un fonctionnaire peut être privé de son emploi.*

{**la fonction publique**, **le fonctionnarisme**, **un, une fonctionnaire**, **fonctionnariser** : termes se rapportant aux personnes employées dans les administrations publiques}.

(F) **Un agent de maîtrise** : salarié qui est chargé de diriger et de contrôler le travail d'un certain nombre d'employés ou d'ouvriers, comme p. ex. un contremaître, un chef d'équipe ou un chef de bureau.

Un agent d'affaires : personne qui se livre à des activités industrielles, commerciales, financières ou agricoles pour le compte d'autrui.

Un agent d'assurances. (V. 116 commerce, 1).

Pour en savoir plus

AGENT (sens 1.1.) ET SYNONYMES

Selon les contextes, l'agent peut être **un représentant**, **un délégué**, **un fondé de pouvoir**, **un mandataire**, etc. Le terme 'fondé de pouvoir' ou 'représentant de société' désigne la personne qui a le pouvoir d'engager une société à l'égard des tiers.
(V. 116 commerce, 1).

NOTE D'USAGE

Le mot 'agent' s'emploie généralement de façon absolue et anaphorique, c'est-à-dire sans adjectif ou sans complément pour renvoyer à un agent particulier dont il a déjà été question.

LE MÉNAGE ET LA FAMILLE

Les ménages : ensemble des personnes qui partagent le même logement, qu'elles aient ou non un lien de parenté (INSEE). **L'épargne des ménages**. (V. 242 épargne, 1). {**une ménagère, ménager**}. **Les déchets ménagers**. **Le panier de la ménagère**. 1. (Syn. : **les dépenses courantes**). (V. 185 dépense, 1). - 2. Biens qui entrent dans le calcul de l'indice des prix à la consommation.

Une famille : ensemble des personnes qui partagent le même logement et qui ont un lien de parenté (couple, marié ou non, avec ou sans enfants, ou un seul parent avec au moins un enfant (une famille monoparentale)) (INSEE). {**familial**}.

Une famille conjugale : famille qui réunit les seuls parents et les enfants non mariés.

3 AUTRES DÉRIVÉS OU COMPOSÉS

- **Une agence-conseil** [aʒɑ̃skɔ̃sɛj] (n.f.) (plur. : **des agences-conseils**). **Une agence-conseil en** + nom d'une activité. Une agence-conseil en communication.

AGENCE-CONSEIL ; AGENCES-CONSEILS (n.f.) (*) 1. Entreprise de services qui fait des recommandations.

1. (23)	die beratende Agentur	consultancy	la asesoría	la società di consulenza	het consultatiebureau
		consulting agency			

AGENT (n.m.) (****) 1. Intermédiaire qui offre ses services.

1. (21)	der Agent	agent	el agente	l'agente (m.)	de agent (m.)
	der (Geschäfts)vermittler	officer			

AGGRAVATION (n.f.) (***) 1. Augmentation.

1. (275)	die Verschärfung	worsening	la agravación	l'aggravamento (m.)	de verergering (f.)
	die Verschlimmerung	aggravation	el agravamiento		de verslechtering (f.)

AGGRAVER (~, s'~) (v.tr.dir., v.pron.) (***) 1. Augmenter.

1. (275)	sich verschärfen	to make something worse	agravar (se)	aggravare	verergeren
	sich verschlimmeren	to aggravate		aggravarsi	verslechteren

AGIO (n.m.) (*) 1. Frais d'escompte.

1. (166)	das Agio	bank charge	el agio	la commissione bancaria	het agio
	das Bankagio	bank commission	la comisión bancaria		

AGRÉGAT (n.m.) (**) 1. Grandeur synthétique.

1. (125)	die aggregierte Grösse	aggregate	el agregado	l'aggregato (m.)	het aggregaat
	die (algebraische) Summe				het totaal

AGRICOLE (adj.) (****) 1. Qui concerne la culture du sol.

1. (505)	Landwirtschafts-	agricultural	agrícola	agrario	landbouw-
	agrarisch		agrario	agricolo	agrarisch

AGRICULTEUR, AGRICULTRICE (n.) (***) 1. Personne qui cultive le sol.

1. (505)	der (selbständiger) Landwirt	farmer	el agricultor	l'agricoltore (m.)	de landbouwer (m.)
	der Bauer	agriculturist (US)	el labrador		

AGRICULTURE (n.f.) (****) 1. Culture du sol.

1. (505)	die Landwirtschaft	agriculture	la agricultura	l'agricoltura (f.)	de landbouw (m.)
		farming			

AGROALIMENTAIRE (adj.) (***) 1. Qui concerne l'industrie de transformation des produits agricoles en aliments.

1.	Lebensmittel-	farm and food sector	agroalimentario	agroalimentare	voedings-
	Nahrungsmittel-	food division			

AGROALIMENTAIRE (n.m.) (**) 1. Industrie qui transforme les produits agricoles en aliments.

1.	die Nahrungsmittelindustrie	food industry	la industria agroalimentaria	l'industria agroalimentare (f.)	de voedingsindustrie (f.)
	die Lebensmittelindustrie	food processing industry			

AIDE (n.f., n.) (****) 1. (n.f.) Apport d'argent. 2. (n.) Assistant.

1. (529)	die (finanzielle) Unterstützung	subsidy	la ayuda	il sussidio	de subsidie (f.)
(266)	die (finanzielle) Hilfe	grant	la subvención	la sovvenzione	de bijstand (m.)
2. (558)	die Hilfskraft	assistant	el asistente	l'aiutante (m.)	de hulp(kracht) (m.)
	die Hilfe		el ayudante	l'assistente (m.)	

AIDER (v.tr.dir.) (****) 1. Apporter de l'argent.

1.	helfen	to assist financially	ayudar	aiutare	helpen
	understützen	to help		sovvenzionare	tegemoetkomen

AISÉ, -ÉE (adj.) (*) 1. Riche.

1. (35)	wohlhabend	well-off	acomodado	agiato	bemiddeld
	vermögend	comfortably off			vermogend

AJUSTEMENT (n.m.) (***) 1. Augmentation ou diminution pour se rapprocher d'une valeur de référence.

1. (281)	die Angleichung	adjustment	el ajuste	l'assestamento (m.)	de aanpassing (f.)
	die Anpassung			l'adeguamento (m.)	de correctie (f.)

AJUSTER (~ qqch. à qqch., s'~ à) (v.tr.dir., v.pron.) (***) 1. Augmenter ou diminuer pour se rapprocher d'une valeur de référence.

1. (281)	angleichen	to adjust	ajustar	aggiustare	aanpassen
	anpassen				corrigeren

ALE (une ~) (*) (225) Agence locale pour l'emploi.

ALENA (l'~ (f.)) (*) Association de libre-échange nord-américaine.

(116)	Nord-Amerikanisches Freihandelsabkommen	North American Free Trade Agreement (NAFTA)	Tratado de Libre Comercio de América del Norte (TLCAN)	North American Free Trade Agreement (NAFTA)	Noordamerikaanse Vrijhandelsovereenkomst (NAFTA)

ALIGNEMENT (n.m.) (**) 1. Augmentation ou diminution pour se rapprocher d'une valeur de référence.

1. (281)	die Angleichung	(re)alignment	el ajuste	l'allineamento (m.)	de aanpassing (f.)

	die Anpassung	adjustment	la alineación		

ALIGNER (~ qqch. sur qqch., s'~ sur) (v.tr.dir., v.pron.) (***) 1. Augmenter ou diminuer pour se rapprocher d'une valeur de référence.

1. (281)	angleichen anpassen	to bring into alignment to adjust	ajustar (se) alinear (se)	allineare allinearsi	afstemmen op aanpassen

ALIMENT (n.m.) (***) 1. Nourriture.

1. (145)	das Lebensmittel das Nahrungsmittel	foodstuff food	el alimento	l'alimento (m.)	het voedingsmiddel

ALIMENTAIRE (adj.) (****) 1. Qui se rapporte à la nourriture.

1. (145) (487)	Lebensmittel- Ernährungs-	food	alimentario	alimentare	voedings-

ALIMENTATION (n.f.) (****) 1. Nourriture.

1. (145)	das Nahrungsmittel die Nahrung	food feed (pour les animaux)	la alimentación	l'alimentazione (f.)	het voedsel

ALIMENTER (~, s'~) (v.tr.dir., v.pron.) (****) 1. (Se) nourrir. 2. Déposer de l'argent sur un compte.

1. (145)	ernähren speisen	to feed to supply	alimentar (se) abastecer	alimentare	voeden
2. (130)	ein Konto auffüllen	to pay money in	ingresar en cuenta	alimentare un conto	de rekening (f.) van middelen voorzien
	einem Konto Mittel zuführen	to provision			

ALLÉGEMENT ou **ALLÈGEMENT** (n.m.) (***) 1. Diminution.

1. (277) (271)	die Erleichterung die Ermässigung	reduction easing	la desgravación la reducción	la riduzione	de verlichting (f.) de reductie (f.)

ALLÉGER (~, s'~) (v.tr.dir., v.pron.) (***) 1. Diminuer.

1. (277)	erleichtern ermässigen	to reduce to ease	desgravar recortar (gastos)	ridurre	verlichten reduceren

ALLIANCE (n.f.) (****) 1. Association (de sociétés p. ex.).

1. (519) (466)	die Allianz das Bündnis	alliance	la unión la alianza	l'alleanza (f.)	de alliantie (f.) de verbintenis (f.)

ALLIÉ, ALLIÉE (n.) (***) 1. Personne, organisation avec qui une autre personne, organisation mène une action.

1. (519)	der Verbündete der Partner	partner	el aliado	l'alleato (m.) il partner	de bondgenoot (m.) de partner (m.)

ALLIER (s'~ (à)) (v.pron.) (****) 1. S'associer.

1. (519)	sich zusammenschliessen	to become partners	unir (se)	allearsi	zich verbinden
	eine Allianz schliessen	to enter into partnership	aliar (se)		

ALLOC (n.f.) (*) 1. Somme d'argent accordée dans le cadre de la sécurité sociale.

1. (24)	die Unterstützung die Zuwendung	allowance benefit	el subsidio la asignación	il sussidio l'indennità (f.)	de toekenning (f.) de toelage (m./f.)

ALLOCATAIRE (n.) (*) 1. Bénéficiaire d'une somme d'argent dans le cadre de la sécurité sociale.

1. (26)	der Leistungsberechtigte	recipient of social security benefit	el beneficiario de la seguridad social	il percettore di prestazioni sociali	de uitkeringsgerechtigde (m.)
	der Beihilfeempfänger	welfare recipient	el beneficiario de un subsidio	il beneficiario di prestazioni sociali	

ALLOCATION (n.f.) (****) 1. Somme d'argent accordée dans le cadre de la sécurité sociale.

1. (24)	die Unterstützung die Zuwendung	allowance benefit	el subsidio la asignación	il sussidio l'indennità (f.)	de tegemoetkoming (f.) de toelage (m./f.)

ALLOCATION

➠ **revenu - cotisation**

1 une allocation **1** une alloc **2** une réallocation **2** une allocation(-) chômage	**2** un allocataire, une allocataire		**2** allouer **2** réallouer

1 une ALLOCATION, (fam.) **une ALLOC** - [al(l)ɔkasjɔ̃, al(l)ɔk] - (n.f.)

1.1. (emploi fréq. au plur.) Somme d'argent ou un avantage en nature que la sécurité sociale ou un organisme similaire accorde à un agent économique (l'allocataire : un particulier, un ménage, un service, un organisme, une administration - X) dans le but de compléter les ressources financières de cet agent économique ou pour réduire les inégalités sociales.
Syn. : (☞ 25 Pour en savoir plus, Allocation (sens 1.1.) et synonymes); Ant. : une cotisation.
Une étude a démontré qu'un pourcentage important des allocations de maladie et d'invalidité sert à financer du chômage déguisé.

2.1. Action de destiner une ressource (une somme d'argent, une matière première, ...) à un emploi déterminé.
Les deux experts proposent une allocation toute différente des ressources financières dont dispose l'entreprise.

+ adjectif

TYPE D'ALLOCATION (sens 1.1.)

Les allocations sociales. (☞ 25 Pour en savoir plus, Allocation (sens 1.1.) et synonymes).

Les allocations familiales : allocations versées aux ménages qui ont des enfants. (fam.) **Toucher les allocs**.

Une allocation forfaitaire : allocation dont le montant invariable a été fixé à l'avance.

CARACTÉRISATION DE L'ALLOCATION (sens 2.1.)

Une allocation optimale des ressources : tentative des entreprises ou des particuliers de maximiser leurs profits et leurs ressources.

MESURE DE L'ALLOCATION (sens 1.1.)

Une allocation mensuelle.

+ nom

TYPE D'ALLOCATION (sens 1.1.)

Les allocations de chômage, (moins fréq.) **une allocation de chômage**, (peu fréq.) **une/les allocation(s)(-)chômage**. (Syn. : **une/des indemnité(s) de chômage**). (V. 101 chômage, 1).

(B) **Les allocations d'interruption de carrière**, (moins fréq.) **une allocation d'interruption de carrière**, (F) **une allocation pour garde d'enfant** : allocations accordées à certaines conditions à une personne qui désire temporairement arrêter de travailler.

Une/les allocation(s) (de) logement : allocation accordée pour financer un logement. *Les salariés qui verront baisser de 3 % leur revenu net obtiendront une compensation de l'État sous forme d'allocations logement par exemple.*

Les allocations d'études. (Syn. : (plus fréq.) **une bourse d'études**).

Une allocation de/à la naissance : allocation accordée aux parents lors de la naissance d'un enfant.

TYPE D'ALLOCATION (sens 2.1.)

L'allocation des ressources : choix de la destination de moyens rares pour atteindre des objectifs déterminés qui font eux-mêmes l'objet de choix. *La libéralisation des marchés de capitaux a eu des résultats positifs puisqu'elle a permis une allocation plus efficace des ressources financières disponibles.* (☞ 25 + adjectif).

+ verbe : qui fait quoi ?

(sens 1.1.)

X		**avoir droit à** une ~ ⋎	un ayant droit à une ~ (personne qui a droit à une ~)	1
une caisse de sécurité sociale	✓	**octroyer** une ~ >< **suspendre** une ~	l'octroi d'une ~ la suspension d'une ~	2
X		**bénéficier d'**une ~ ⋎	un bénéficiaire d'une ~	3
une caisse de sécurité sociale	×	**verser** une ~ **payer** une ~ ⋎	le versement d'une ~ le paiement d'une ~	
→ X		**percevoir** une ~ (fam.) **toucher** une ~	la perception d'une ~ -	

1 *Un salarié licencié par son employeur a droit aux allocations de chômage.*
2 *Dans la plupart des pays, l'assurance chômage octroie des allocations supérieures au revenu minimum garanti.*
3 *Les indépendants ne peuvent pas bénéficier d'allocations de chômage.*

Pour en savoir plus

ALLOCATION (sens 1.1.) ET SYNONYMES

Une/des allocation(s) (sociale(s)), (fam.) **une alloc**, (peu fréq.) **une rente**.

Les prestations sociales, les revenus secondaires, les revenus de transfert : ensemble des allocations. On distingue **les prestations d'assurances sociales** (maladie, invalidité, assurance maternité), **les prestations familiales** (allocations familiales, aide au logement), et **les prestations d'assurances d'accidents de travail**.

Une indemnité. 1. Synonyme de allocation. **Le montant d'une indemnité**. **Une indemnité de chômage**. (V. 101 chômage, 1). **Une indemnité complémentaire.** *Le montant de l'indemnité complémentaire aux allocations de chômage à laquelle a droit un travailleur durant une période limitée après son licenciement a été augmenté de 2 %.* - 2. Somme d'argent accordée à qqn en réparation d'un dommage ou d'un préjudice subi. (Syn. : **des dommages et intérêts**, (peu fréq.) **des dommages-intérêts,**

(V. 331 intérêt, 1)). **Une indemnité forfaitaire. Une indemnité de rupture (de contrat). Une/des indemnité(s) de licenciement.** (B, F) **Une indemnité de préavis** : indemnité que doit verser la partie (l'employeur ou l'employé) qui ne respecte pas le délai que l'on doit observer pour signifier à l'autre partie son intention de rompre le contrat de travail. (V. 343 licenciement, 1). **Le montant d'une indemnité. Payer, verser une indemnité. Le bénéficiaire d'une indemnité.** (V. 60 bénéfice, 2).
{**une indemnisation** (action d'indemniser), **un, une indemnitaire** (personne qui reçoit un dédommagement), **indemnitaire** (qui représente une indemnisation), **indemniser**}.

Une pension. 1. Allocation périodique que la sécurité sociale ou un agent économique (une entreprise) accorde à une personne dans le but de lui procurer des ressources financières ou de les compléter. **Une (pension de) retraite (légale)**, (Q) **une pension de vieillesse** : dans le cadre du régime de la sécurité sociale. >< **Une pension extra(-)légale. Une pension de survie** : versée par le régime de la sécurité sociale à un veuf ou une veuve. **Une pension alimentaire.** (V. 487 rente, 1). **Une pension gratuite** : versée par une entreprise à un cadre. - 2. (B) Période qui suit la vie professionnelle. (Syn. : **la retraite**).
{**un pensionné, une pensionnée**}.

2 AUTRES DÉRIVÉS OU COMPOSÉS

- **Une réallocation** [ʀeal(l)ɔkasjɔ̃] (n.f.) : nouvelle répartition de ressources (p. ex. sur la base de nouveaux critères). *La flexibilité implique une réallocation des ressources tant au niveau de l'entreprise que du secteur et de l'économie nationale.*
  {**réallouer** [ʀealwe] (v.tr.dir.)}.
- **Une/les allocation(s)(-)chômage** [al(l)ɔkasjɔ̃ʃomaʒ] (n.f.) (V. 101 chômage, 1).
- **Un allocataire, une allocataire** [al(l)ɔkatɛʀ] (n.) : agent économique (un particulier, un ménage, un service, un organisme, une administration) qui reçoit une somme d'argent ou un avantage en nature de la sécurité sociale ou d'un organisme similaire dans le but de compléter ses ressources financières ou pour réduire les inégalités sociales. (Syn. : **un prestataire**). *Le plan du gouvernement a pour objectif de remplacer toutes les allocations sociales par une seule allocation calculée en fonction des besoins de l'allocataire et de sa famille.* **Les allocataires sociaux.**
- **Allouer** [alwe] (v.tr.dir.). 1. Une caisse de sécurité sociale ou un organisme similaire accorde une somme d'argent ou un avantage en nature à un agent économique (l'allocataire : un particulier, un ménage, un service, un organisme, une administration) dans le but de compléter les ressources financières de cet agent économique ou pour réduire les inégalités sociales. - 2. Un agent économique (une entreprise) destine une somme d'argent à qqch. (Syn. : fr. gén. : **accorder, attribuer, octroyer**). **Allouer un montant à** + nom qui indique une destination. Allouer un montant au budget ; allouer une rémunération à un salarié.

ALLOCATION(-)CHÔMAGE ; ALLOCATIONS(-)CHÔMAGE (n.f.) (*) 1. Indemnité payée à un chômeur.

1. (101)	das Arbeitslosengeld	unemployment benefit	el subsidio de paro el subsidio de desempleo	il sussidio di disoccupazione	de werkloosheidsuitkering (f.)

ALLOUER (~ qqch. à qqn) (v.tr.dir.) (***) 1. Accorder une somme d'argent dans le cadre de la sécurité sociale. 2. Accorder.

1. (26)	zahlen	to allocate to grant	asignar conceder	allocare stanziare	toekennen toestaan
2. (26)	gewähren bewilligen	to grant to allocate	asignar	accordare concedere	toekennen

ALOURDIR (~, s'~) (v.tr.dir., v.pron.) (***) 1. Augmenter.

1. (275)	erhöhen	to increase (the burden of) to become heavy	aumentar gravar (se)	aggravare	verzwaren

ALOURDISSEMENT (n.m.) (**) 1. Augmentation.

1. (275)	die Erhöhung (der -last)	increase	el aumento	l'aggravamento (m.)	de verzwaring (f.)

ALUMINIUM (n.m.) (****) 1. Métal.

1.	das Aluminium	aluminium	el aluminio	l'alluminio (m.)	het aluminium

AMÉLIORATION (n.f.) (****) 1. Augmentation.

1. (275) (140)	die Verbesserung	improvement	la mejora	il miglioramento	de verbetering (f.)

AMÉLIORER (~, s'~) (v.tr.dir., v.pron.) (****) 1. Augmenter.

1. (275)	verbessern	to improve	mejorar (se)	migliorare	verbeteren

AMÉNAGEMENT (n.m.) (****) 1. Façon d'organiser.

1. (557) (355)	die Einrichtung die Anordnung	planning organization	el acondicionamiento la organización	la sistemazione	de ordening (f.) de inrichting (f.)

AMÉNAGER (v.tr.dir.) (***) 1. Organiser.

1. (556)	einrichten anordnen	to plan to organize	acondicionar organizar	sistemare attrezzare	inrichten exploiteren (mijn- / bosbouw)

AMONT (en ~) (***) 1. Qui se situe avant un point de référence dans la production.

1. (440)	stromaufwärts	upstream	río arriba sector de cabecera	a monte	stroomopwaarts in een vroeger stadium

AMORTIR (v.tr.dir.) (***) 1. Mettre des fonds en réserve pour prendre en compte une perte de valeur. 2. Rembourser. 3. Récupérer de l'argent.

1. (29)	amortisieren	to reserve to put aside	amortizar	ammortizzare	afschrijven
2. (29)	zurückzahlen (eine Schuld) tilgen	to pay off to redeem	amortizar	estinguere rimborsare	aflossen delgen
3. (29)	abschreiben amortisieren	to write off to recoup the costs	amortizar	ammortizzare	afschrijven

AMORTISSABLE (adj.) (**) 1. Pouvant être mis en réserve pour prendre en compte une perte de valeur. 2. Remboursable. 3. Récupérable.

1. (29)	abschreibungsfähig sein kann abgeschrieben werden	depreciable amortizable	amortizable	ammortizzabile	afschrijfbaar
2. (29)	tilgbar zurückzahlbar	redeemable	amortizable	rimborsabile redimibile	aflosbaar
3. (29)	abschreibbar	recoverable	amortizable	ammortizzabile	afschrijfbaar

AMORTISSEMENT (n.m.) (****) 1. Mise en réserve de fonds pour prendre en compte une perte de valeur. 2. Remboursement. 3. Récupération d'une somme.

1. (27)	die Abschreibung	provision for depreciation reserve	la amortización	l'ammortamento (m.)	de afschrijving (f.)
2. (27)	die Tilgung die Löschung	redemption paying off	la amortización	l'ammortamento (m.) il rimborso	de aflossing (f.) de delging (f.)
3. (27)	die Amortisierung die Amortisation	recoupment recovery	la amortización	l'ammortamento (m.)	de afschrijving (f.) de waardevermindering (f.)

AMORTISSEMENT

➠ investissement - charge

1 un amortissement		3 (non) amortissable	2 amortir

1 un AMORTISSEMENT - [amɔʀtismɑ̃] - (n.m.)

1.1. (comptabilité) Opération par laquelle un agent économique (un comptable, une entreprise) inscrit une somme d'argent, portée en diminution de l'actif du bilan et comme charge au compte de résultat, pour prendre en compte la perte de valeur irréversible de l'actif immobilisé d'un particulier ou d'une entreprise (un équipement : une machine, un ordinateur ou des bâtiments - X) dans le but de prévoir le remplacement de cet actif immobilisé.
Le fisc refuse d'admettre comme dépenses professionnelles l'amortissement de mon PC et les frais de cours de langue.
Syn. : (☞ 28 Pour en savoir plus, Amortissement (sens 1.1.) et synonyme).

1.2. Action par laquelle un agent économique (le débiteur : un particulier, une entreprise, un État - X) rend de façon échelonnée à un autre agent économique (le créancier : un particulier, une entreprise, un État) une somme d'argent (Y) que celui-ci lui avait prêtée.
Syn. : (☞ 29 Pour en savoir plus, Amortissement (sens 1.2.) et synonyme).
Un amortissement accéléré du capital d'un emprunt fait que les mensualités, élevées au départ, ont tendance à se réduire au fil des années.

1.3. Action par laquelle un agent économique (un particulier) récupère une somme d'argent grâce à un investissement.
Grâce aux économies d'énergie qu'elle réalise, l'amortissement de la nouvelle chaudière doit pouvoir se faire en moins de 10 ans.

+ adjectif

TYPE D'AMORTISSEMENT (sens 1.1.)

Un amortissement (comptable).

Un amortissement linéaire, constant : amortissement où les annuités comptabilisées restent égales sur toute la durée de vie du bien. *L'amortissement linéaire prévoit un rythme d'amortissement de 3 % l'an pour les nouveaux bâtiments résidentiels, commerciaux ou de bureaux.*

Un amortissement dégressif, décroissant : amortissement où les annuités comptabilisées diminuent sur la durée de vie du bien en fonction d'un coefficient donné.

Un amortissement progressif : amortissement où les annuités comptabilisées augmentent sur la durée de vie du bien.

Un/les amortissement(s) exceptionnel(s) : amortissement supplémentaire autorisé par la loi pour favoriser l'investissement. *Dans notre pays, un amortissement exceptionnel de 10 %*

par an est prévu pendant 4 ans sur le prix d'acquisition d'un bâtiment neuf.

Un amortissement économique, macroéconomique : perte de valeur subie par l'ensemble des biens de production d'une nation (Silem). (Syn. : **la consommation de capital fixe, un/des investissement(s) de renouvellement, un/des investissement(s) de remplacement**).

Un amortissement fonctionnel, technique, industriel : étalement de la dépense initiale d'investissement sur la durée de vie probable du bien de production (Silem).

TYPE D'AMORTISSEMENT (sens 1.2.)

Un amortissement (financier).

Un amortissement linéaire, constant : amortissement où le capital emprunté est remboursé en mensualités égales tout au long de la durée de l'emprunt. Les mensualités à payer diminuent lentement parce que les charges d'intérêt diminuent lentement. *En amortissement constant, l'emprunteur déboursera 200 euros, soit sensiblement plus que dans le cadre de l'annuité constante de l'amortissement progressif.*

Un amortissement dégressif, décroissant, accéléré : amortissement où le capital emprunté est remboursé prioritairement au début afin de réduire plus rapidement les charges d'intérêt. *À partir d'un certain moment, le montant de l'amortissement dégressif est inférieur à celui qui serait calculé dans le système linéaire.*

Un amortissement progressif : amortissement où la part de capital remboursée est plus limitée au début afin de conserver des mensualités égales tout au long de la durée du prêt.

CARACTÉRISATION DE L'AMORTISSEMENT (sens 1.1.)

Un amortissement accéléré : amortissement à un taux plus élevé afin d'effectuer le remboursement plus rapidement.

+ nom

(sens 1.1.)

Un plan d'amortissement : tableau qui indique la réduction de la valeur d'un bien par tranches successives sur la durée de vie du bien.

(sens 1.2.)

Un tableau d'amortissement : tableau qui indique, pour chaque période de l'amortissement, le capital et les intérêts déjà remboursés et à rembourser.

TYPE D'AMORTISSEMENT (sens 1.1.)

L'amortissement de + nom d'un bien. L'amortissement d'un ordinateur ; d'une machine.

TYPE D'AMORTISSEMENT (sens 1.2.)

L'amortissement d'un emprunt. *L'amortissement d'un emprunt se fait selon un plan qui précise les échéances et les sommes à payer et qui est communiqué à l'emprunteur au moment de contracter l'emprunt.*

L'amortissement d'une obligation, d'un emprunt obligataire.

L'amortissement d'une dette ; l'amortissement de la dette publique.

MESURE DE L'AMORTISSEMENT (sens 1.1. et 1.2.)

La durée de l'amortissement. Un amortissement sur... ans.

Le taux d'amortissement. *Un élément d'actif qui est normalement amorti sur trois ans a un taux d'amortissement arrondi de 33 %.*

+ verbe : qui fait quoi ?

(sens 1.1. et 1.2.)

l'~ (de X)	**se faire en** ... ans/mois	-	
	s'échelonner sur ... ans/mois	l'échelonnement d'un ~ (sur ...)	

(sens 1.2.)

X	**effectuer** l'~ de Y	-	
	procéder à l'~ de Y	-	1
X	< **accélérer** un ~	une accélération de l'~ un ~ accéléré	1

1 *Dans le cadre de sa politique de prudence, l'entreprise procède à des amortissements accélérés et à des provisions pour risques et pertes.*

Pour en savoir plus

AMORTISSEMENT (sens 1.1.) ET SYNONYME

Un amortissement.

Une provision. 1. Somme d'argent réservée par une entreprise pour couvrir des risques et charges (p. ex. pour couvrir des risques éventuels de litiges, des amendes,...) ou des pertes (p. ex. une réduction de valeur des stocks) éventuelles. **Les provisions pour risques et charges**. {**provisionnel** (V. 315 impôt, 1), **provisionner**}. - 2. Somme d'argent disponible sur un compte en banque. **Un chèque sans provision**. (V. 98 chèque, 1). {**approvisionner, provisionner**}. (V. 291 fourniture, 1). - 3. Somme d'argent versée comme acompte. (V. 402 paiement, 1). (Un agent économique) **verser une provision**.

Les deux mots sont souvent employés ensemble au pluriel. *La dégradation de la situation économique a entraîné une forte hausse des amortissements et provisions sur les crédits accordés tant aux entreprises qu'aux particuliers.*

AMORTISSEMENT (sens 1.2.)
ET SYNONYME

Un amortissement : se fait de façon échelonnée selon des échéances convenues d'avance.

Un remboursement : peut se faire en une fois ou de façon échelonnée.

PERTE DE VALEUR

L'obsolescence : vieillissement d'un équipement industriel dû à l'apparition d'un matériau nouveau, de meilleure qualité ou plus performant (C&G). (Syn. : **la dépréciation économique**). *Un matériel frappé d'obsolescence ne signifie pas qu'il est techniquement usé, inutilisable, mais qu'il est économiquement dépassé* (C&G).
{**obsolète**}.
Une dévaluation. (V. 92 change, 1). {**dévaluer**}.

2 AMORTIR - [amɔʀtiʀ] - (v.tr.dir.)

1.1. (comptabilité) Un agent économique (un comptable, une entreprise - X) inscrit une somme d'argent en diminution de l'actif du bilan et comme charge au compte de résultat pour prendre en compte la perte de valeur irréversible de l'actif immobilisé d'un particulier ou d'une entreprise (un équipement : une machine, un ordinateur ou des bâtiments - Y) dans le but de prévoir le remplacement de cet actif immobilisé.
Syn. : (pour les charges ou les pertes) provisionner. (V. 28 1 amortissement).
Une entreprise qui pratique le mode dégressif plutôt que le mode linéaire pour amortir ses immobilisations pourra être amenée à s'endetter dans des proportions moindres.

1.2. Un agent économique (le débiteur : un particulier, une entreprise, un État - X) rend de façon échelonnée à un autre agent économique (le créancier: un particulier, une entreprise, un État) une somme d'argent (Y) que celui-ci lui avait prêtée.
Les crédits accordés par d'importantes banques américaines et japonaises doivent permettre au pays d'amortir une dette contractée il y a une dizaine d'années.

1.3. Un agent économique (un particulier - X) récupère une somme d'argent (Y) grâce à un investissement.
Compte tenu du coût élevé des matériaux d'isolation, je ne suis pas sûr de pouvoir rapidement amortir mon investissement.

qui fait quoi ?

(sens 1.1., 1.2. et 1.3.)

X	**amortir** Y (sur... ans)	l'amortissement de X (sur... ans)

3 AUTRES DÉRIVÉS OU COMPOSÉS

- **Amortissable** [amɔʀtisabl(ə)] (adj.) : (un élément d'actif ou une dette) qui peut être amorti (sens 1.1., 1.2. et 1.3.). **Un (élément d')actif amortissable.** (Une somme, une dette) **amortissable sur** ... ans/mois.

>< **Non amortissable** [nɔnamɔʀtisabl(ə)] (adj.). *Un terrain constitue un actif non amortissable.*

AMPUTATION (n.f.) (**) 1. Diminution.

1. (279)	die Kürzung die Verminderung	cutback drastic reduction	la reducción drástica	l'amputazione (f.) la riduzione	de besnoeiing (f.) de inkrimping (f.)

AMPUTER (v.tr.dir.) (***) 1. Diminuer.

1. (279)	drastisch kürzen mindern	to cut back to reduce drastically	reducir drásticamente	amputare	besnoeien inkrimpen

ANALYSTE (n.) (****) 1. Spécialiste financier, économique.

1. (266)	der (Finanz)analyst	financial analyst economic analyst	el analista	l'analista (m.)	de analist (m.)

ANALYTIQUE (adj.) (**) 1. Détaillé.

1. (125)	analytisch	analytical	analítico	analitico	analytisch

ANCIENNETÉ (n.f.) (***) 1. Temps écoulé depuis la nomination.

1. (498)	die (Dauer der) Betriebszugehörigkeit die (Anzahl der) Berufsjahre	seniority years of service	la antigüedad	l'anzianità (f.)	de anciënniteit (f.)

ANCRAGE (n.m.) (***) 1. Enracinement (d'un agent économique) dans le tissu économique et social d'une région, d'un pays.

1. (517) (237)	die Verankerung	anchoring	el anclaje	l'inserimento (m.) l'ancoraggio (m.)	de verankering (f.)

ANNEXE (adj.) (***) 1. Qui est ajouté à qqch.

1. (74)	der Anhang	appended (documents) covering (lettre)	anejo anexo	allegato	toegevoegd in bijlage

ANNEXE (n.f.) (**) 1. Élément ajouté à qqch.

1. (125)	der Anhang	appendix (document)	el anexo	l'allegato (m.)	de bijlage (m./f.)
	der Zusatz(artikel)	extension (bâtiment)			

ANNONCE (n.f.) (**) 1. Publicité 2. Avis par lequel on fait savoir qqch. (PR).

1. (463)	die Annonce	advertisement	el anuncio	l'inserzione (f.)	de advertentie (f.)
	die Anzeige			la pubblicità	
2. (219)	die Ankündigung	announcement (oral)	el aviso	l'avviso (m.)	de aankondiging (f.)
(225)		sign (écrit)	la publicación	l'annuncio (m.)	het bericht

ANNONCEUR (n.m.) (****) 1. Agent économique qui passe, commande une annonce.

1. (463)	der Inserent	advertiser	el anunciante	l'inserzionista (m.) (journaux)	de adverteerder (m.)
				l'advertiser (m.)	

ANNUAIRE (n.m.) (***) 1. Liste de numéros de téléphone. 2. Recueil d'informations.

1. (119)	das Telefonbuch	telephone directory	la guía telefónica	l'elenco telefonico (m.)	het telefoonboek
		phone book			de telefoongids (m.)
2.	das Jahrbuch	yearbook	el anuario	l'annuario (m.)	het jaarboek
		almanac			

ANNUEL, -ELLE (adj.) (****) 1. Qui se produit chaque année.

1. (64)	jährlich	annual	anual	annuale	jaarlijks
	Jahres-				eenjaarlijks

ANNUELLEMENT (adv.) (***) 1. Chaque année.

1.	jährlich	annually	anualmente	annualmente	jaarlijks
		yearly			

ANNUITÉ (n.f.) (**) 1. Paiement annuel.

1. (576)	die Jahresrate	annual payment	la anualidad	l'annualità (f.)	de annuïteit (f.)
(195)	die jährliche Zahlung	yearly payment			

ANNULATION (n.f.) (***) 1. Décision qui rend qqch. sans effet, invalidation.

1. (111)	die Annullierung	cancellation	la anulación	l'annullamento (m.)	de annulering (f.)
	die Aufhebung		la cancelación		de nietigverklaring (f.)

ANNULER (v.tr.dir.) (***) 1. Rendre qqch. sans effet, invalider.

1. (111)	annullieren	to cancel	anular	annullare	annuleren
	aufheben		cancelar		nietig verklaren

ANPE (l'~ (f.)) (**) (225) Agence nationale pour l'emploi.

ANTICAPITALISTE (adj.) (*) 1. Qui s'oppose au capitalisme.

1. (88)	antikapitalistisch	anti-capitalist	anticapitalista	anticapitalista	antikapitalistisch

ANTICIPATION (n.f.) (***) 1. Exécution (d'un paiement, d'un acte, ...) avant la date déterminée.

1. (219)	die Vorauszahlung	anticipation	la anticipación	l'anticipazione (f.)	de anticipatie (f.)
		advance (GB)	el adelanto		het voorschot

ANTICIPER (v.tr.dir.) (****) 1. Exécuter (un paiement, un acte, ...) avant la date déterminée.

1. (400)	vorauszahlen	to anticipate	anticipar	anticipare	anticiperen
(476)		to advance (GB)			voorschieten

ANTICONCURRENTIEL, -IELLE (adj.) (*) 1. Qui fausse la concurrence.

1. (136)	wettbewerbsschädigend	unfair (trade) practice	competencia desleal	concorrenza sleale	concurrentiebeperkend

ANTIÉCONOMIQUE (adj.) (*) 1. Cher.

1. (214)	wirtschaftsfeindlich	uneconomical	antieconómico	antieconomico	oneconomisch

ANTI-INFLATIONNISTE (adj.) (**) 1. Qui empêche une hausse du taux d'inflation.

1. (328)	antiinflationistisch	anti-inflationary	antiinflacionista	antiinflazionistico	anti-inflationistisch
	inflationshemmend	counter-inflationary			

ANTIQUAIRE (n.) (***) 1. Commerçant en objets anciens.

1. (118)	der Antiquitätenhändler	antique dealer	el anticuario	l'antiquario (m.)	de antiekhandelaar (m.)
					de antiquair (m.)

ANTIQUITÉS (n.f.plur.) (***) 1. Objet ancien.

1. (118)	die Antiquitäten	antique (objet de valeur)	las antigüedades	le antichità	de antiquiteiten (plur.)
		antiquities		gli oggetti di antiquariato	

ANTISYNDICAL, -ALE ; -AUX, -ALES (adj.) (*) 1. Qui est opposé aux syndicats.

1. (536)	antigewerkschaftlich	anti-trade-union	antisindical	antisindacale	anti-syndicaal

APG (une ~) (*) (40) assurance perte de gain.

APPAREIL (n.m.) (****) 1. Instrument, machine. 2. (l'~ de production) Ensemble d'éléments qui poursuivent un même but.

1. (442)	der Apparat	appliance	el aparato	l'apparecchio (m.)	het toestel
	das Gerät	device			het apparaat
2. (439)	der Apparat	machinery	el aparato (productivo)	l'apparato (produttivo) (m.)	het productieapparaat
	der (Produktions) Apparat	equipment			

APPAREILLAGE (n.m.) (**) 1. Ensemble des appareils.

1. (442)	die Geräte	installations	las instalaciones	l'apparecchiatura (f.)	het instrumentarium

		equipment	el aparellaje	l'attrezzatura (f.)	de apparatuur (f.)

APPOINT (n.m.) (**) 1. Complément d'une somme en petite monnaie (PR).

1. (381)	das Wechselgeld	the right change	la moneda suelta	i soldi contati	het wisselgeld
	das Kleingeld		el importe exacto		de pasmunt (m./f.)

APPOINTEMENTS (n.m.plur.) (*) 1. Rémunération d'un employé.

1. (480)	das Gehalt	salary	el salario	il salario	het salaris
	die Bezüge	wage	el sueldo	gli emolumenti	de bezoldiging (f.)

APPORT (n.m.) (****) 1. Don.

1. (266)	die (Gesellschafts) einlage	contribution	la aportación	il conferimento	de inbreng (m.)
(86)	die Einlage der Gesellschafter	a cash injection	el aporte	l'apporto (m.)	de bijdrage (m./f.)

APPORTER (v.tr.dir.) (****) 1. Donner, fournir.

1. (86)	einbringen (in die Gesellschaft)	to contribute	aportar	conferire	inbrengen in de vennootschap
(289)	zuführen			apportare	

APPORTEUR (n.m.) (**) 1. Personne qui donne.

1. (86)	der Einleger	contributor	el prestamista	il (socio) conferitore	de inbrenger (m.)
(289)			el aportador	l'apportatore (m.)	

APPRÉCIABLE (adj.) (***) 1. Élevé.

1. (283)	beachtlich	appreciable	apreciable	notevole	aanzienlijk
	beträchtlich	noticeable		apprezzabile	

APPRÉCIATION (n.f.) (****) 1. Augmentation de valeur.

1. (275)	die Wertsteigerung	increase in value	la apreciación	l'apprezzamento (m.)	de waardestijging (f.)
(382)		rise in value	la plusvalía		de waardevermeerdering (f.)

APPRÉCIER (s'~) (v.pron.) (***) 1. Augmenter en valeur.

1. (275)	aufwerten	to increase in value	apreciar (se)	apprezzarsi	in waarde verhogen
		to rise in value			een meerwaarde krijgen

APPRENDRE (v.tr.dir.) (****) 1. Acquérir des connaissances professionnelles.

1.	lernen	to learn	aprender	apprendere	(aan)leren

APPRENTISSAGE (n.m.) (***) 1. Fait d'acquérir des connaissances professionnelles.

1. (157)	das Lernen	learning	el aprendizaje	l'apprendimento (m.)	het (aan)leren
(236)	die Lehre	apprenticeship		il tirocinio	

APPROVISIONNEMENT (n.m.) (***) 1. Fourniture. 2. Ravitaillement. 3. Dépôt d'argent sur un compte.

1. (291)	die Belieferung	supply	el abastecimiento	la fornitura	de voorziening (f.)
	die Zufuhr	supplying	el aprovisionamiento	l'approvvigionamento (m.)	de toevoer (m.)
2. (291)	die Versorgung	procurement	el aprovisionamiento	l'approvvigionamento (m.)	de bevoorrading (f.)
	die Beschaffung	supply	el abastecimiento		
3. (291)	das Auffüllen eines Kontos	paying money (into)	el aprovisionamiento	la copertura (del conto)	het plaatsen van geld op een rekening
	ein Konto mit Geld versorgen	deposit			

APPROVISIONNER (~ qqn/qqch. en qqch., s'~ en qqch.) (v.tr.dir., v.pron.) (***) 1. Fournir. 2. (Se) ravitailler. 3. Déposer de l'argent sur un compte.

1. (291)	beliefern	to supply	abastecer (se) proveer (se)	fornire	voorzien van
2. (291)	versorgen (mit)	to stock up	aprovisionar (se)	approvvigionare	bevoorraden
	sich mit etwas eindecken	to get one's supplies	abastecer (se)	rifornirsi	
3. (291)	ein Konto auffüllen	to credit an account	aprovisionar	alimentare un conto	geld op een rekening plaatsen
	ein Konto mit Geld versorgen	to pay money in			

APPROXIMATIF, -IVE (adj.) (**) 1. Qui approche de qqch.

1.	annähernd	approximate	aproximado	approssimato	benaderend
	ungefähr	rough			approximatief

APPROXIMATION (n.f.) (**) 1. Estimation.

1.	die ungefähre Schätzung	(rough) estimate	la aproximación	l'approssimazione (f.)	de benadering (f.)
	der Näherungswert	approximation			

APPROXIMATIVEMENT (adv.) (**) 1. À peu près.

1.	ungefähr	approximately	aproximadamente	approssimativamente	ongeveer
	etwa	roughly (speaking)		circa	bij benadering

APRÈS-VENTE (n.m.) (***) 1. Ce qui se rapporte à tout ce qui suit la vente.

1. (575)	der Kundendienst	after-sales service	la pos(t)venta	l'assistenza (f.) alla clientela	de naverkoop-

APUREMENT (n.m.) (**) 1. Vérification définitive d'un compte.

1. (130)	der (Rechnungs) abschluss	auditing	la intervención	la verifica di un conto	het nazien en in orde bevinden van een rekening
(408)	die Rechnungsprüfung	audit	la verificación	la liquidazione	

APURER (v.tr.dir.) (**) 1. Vérifier définitivement un compte.

1. (130)	bereinigen	to audit	comprobar	verificare	nazien en in orde bevinden van een rekening
(408)	für richtig erkennen	to discharge	intervenir	liquidare	

AQUACOLE (adj.) (*) 1. Qui se rapporte à la culture sur eau.

1. (506)	die Aquakultur betreffend	aquacultural	referente a la acuicultura	dell'aquacoltura	van de aquacultuur

AQUACULTEUR, AQUACULTRICE (n.) (*) 1. Personne qui cultive sur eau.

1. (506)	der in der Aquakultur tätige Unternehmer	(sea-)fish farmer	el acuicultor	l'aquacoltore (m.)	de aquacultuurbeoefenaar (m.)

AQUACULTURE (n.f.) (*) 1. Culture sur eau.

1. (506)	die Aquakultur	(sea-)fish farming aquaculture	la acuicultura	l'aquacoltura (f.)	de aquacultuur (f.)

ARBITRAGE (n.m.) (****) 1. Opération financière sur les différences de cours.

1. (92)	die Devisenarbitrage die Zinsarbitrage	arbitration	el arbitraje	l'arbitraggio (m.)	de valuta-arbitrage (f.) de (effecten)arbitrage (f.)

ARBITRAGISTE (n.) (*) 1. Personne qui réalise des opérations financières sur les différences de cours.

1. (92)	der Arbitrageur	arbitrager	persona que efectúa un arbitraje	l'arbitraggista (m.)	de arbitrageant (m.)
	der Arbitragehändler	arbitrageur			de arbitrageur (m.)

ARGENT (n.m.) (****) 1. Moyen de paiement. 2. Somme. 3. Métal précieux.

1. (32)	das Geld	money	el dinero	il denaro	het geld de cash (m.)
2. (32)	die Geldmittel das Kapital	funds capital	el dinero	il denaro	de geldmiddelen (plur.) de fondsen (plur.)
3. (32)	das Silber	silver	la plata	l'argento (m.)	het zilver

ARGENT

➠ monnaie - finance

1 l'argent	**2** un argentier	**2** argenté **2** désargenté	

1 l'ARGENT - [aʀʒɑ̃] - (n.m.)

1.1. Instrument de mesure de la valeur d'un bien et moyen de paiement.
Syn. : (☞ 34 Pour en savoir plus, Argent (sens 1.1.) et synonymes).
La pauvreté n'est pas seulement un problème d'argent, c'est aussi un problème de cœur.

1.2. Somme (importante) qui permet à un agent économique (une entreprise) de produire de nouveaux biens ou services.
Cet industriel a su attirer l'argent nécessaire pour développer les activités de son entreprise.

1.3. Métal précieux.

expressions

(sens 1.1.)

- (Une personne) **être sans argent**, **être à court d'argent**.
- (Une personne) **jeter l'argent par les fenêtres, dépenser un argent fou** : dépenser énormément d'argent.
  >< (Une personne) **être près de son argent** : être économe, avare.
- (Une personne) **avoir de l'argent**. 1. Posséder de l'argent. - 2. Être riche. *Ils ne donnent jamais d'argent aux œuvres de bienfaisance et pourtant, ils ont assez d'argent.*
- (Une personne) **avoir de l'argent sur soi**. *Il va falloir que je paie par chèque, car je n'ai pas d'argent sur moi.*
- (Une personne) **mettre de l'argent de côté**. (Syn. : **faire des économies** (V. 214 économie, 1), **épargner** (V. 243 épargne, 3), (peu fréq.) **économiser** (V. 216 économie, 3), **capitaliser** (V. 87 capital, 4)). (Ant. : **dépenser** < **gaspiller**).
- (Une personne) **faire le plein d'argent** : recharger une carte à mémoire.
- (Une personne) **en vouloir pour son argent** : désirer recevoir qqch. qui est en proportion de la somme d'argent donnée ou de l'effort effectué.
- (Une personne) **en avoir pour son argent** : recevoir qqch. qui est en proportion de la somme d'argent donnée ou de l'effort effectué.
- (Une personne) **ne plus savoir que faire de son argent** : être extrêmement riche.
- (Une personne) **faire argent de tout** : employer tous les moyens pour se procurer de l'argent.
- (Une personne) **en être pour son argent** : perdre son argent dans une affaire.
- (Une personne) **prendre qqch. pour argent comptant** : croire naïvement.

- (Faire qqch.) **pour de l'argent** : contre paiement d'une somme d'argent.
- **L'argent ne fait pas le bonheur** : l'argent ne garantit pas le bonheur d'une personne.
- **Le temps, c'est de l'argent** : il ne faut pas perdre de temps.
- **L'argent n'a pas d'odeur** : l'argent ne garde pas la marque de sa provenance (malhonnête) (PR).
- **L'argent lui fond dans les mains** : cette personne n'est pas capable de garder son argent.
- **Vous ne verrez pas la couleur de son argent** : vous ne serez pas payé.
- **L'argent est le maître du monde** : il n'y a que l'argent qui compte.
- **L'argent est un bon serviteur, mais un mauvais maître** : l'argent doit nous être utile et non pas nous dicter sa loi.
- **L'argent va toujours aux riches. L'argent appelle l'argent. L'argent va à l'argent.**
- **Le beurre et l'argent du beurre** : combinaison de plusieurs avantages. *Quant à ceux qui veulent à la fois le beurre et l'argent du beurre, ils opteront pour une formule de prêt hypothécaire qui ne fait jouer la variabilité de taux que dans le sens de la baisse.*

+ adjectif

TYPE D'ARGENT (sens 1.1.)

L'argent liquide : argent qui est immédiatement disponible. (Syn. : **le liquide**). *Je n'ai pas d'argent liquide sur moi. Il ne me reste qu'un chèque et ma carte bancaire.* (V. 401 paiement, 1).

L'argent comptant : argent en espèces. (V. 401 paiement, 1).

L'argent noir, sale : argent obtenu de façon frauduleuse (p. ex. par le trafic de drogue, la prostitution, ...).

TYPE D'ARGENT (sens 1.2.)

L'argent frais : apport (important) d'argent de la part d'une banque ou d'un actionnaire au profit d'une entreprise pour financer un projet. (Syn. : **les capitaux frais**). *On sait qu'Accor est demandeur d'argent frais pour financer ses projets de développement.*

CARACTÉRISATION DE L'ARGENT (sens 1.1.)

L'argent facile : argent (apparemment) gagné facilement.

L'argent bon marché : situation dans laquelle il est possible d'emprunter des capitaux à un faible taux d'intérêt.

>< **L'argent cher**. *L'argent est redevenu plus cher mais mieux rémunéré à cause de la hausse des taux d'intérêt.*

CARACTÉRISATION DE L'ARGENT (sens 1.2.)

L'argent improductif, l'argent qui dort : argent qui ne rapporte rien. < **L'argent mort**.

+ nom

(sens 1.1.)

- **Une somme (d'argent)** : une quantité d'argent.
  La valeur en argent : syn. peu fréquent du mot prix.
- **Le marché de l'argent.** (V. 367 marché, 1).
- **Le loyer de l'argent**. (V. 332 intérêt, 1).
- **Un homme d'argent ; une femme d'argent** : personne qui sait faire rapporter l'argent (p. ex. un investisseur, un banquier).
  Une puissance d'argent : un groupe financier, une banque.
- **Les difficultés d'argent** : les problèmes financiers. (Syn. : **les difficultés pécuniaires**)
- **Les rentrées d'argent**. (V. 470 recette, 1).

TYPE D'ARGENT (sens 1.1.)

L'argent de poche : argent destiné à de petites dépenses personnelles.

+ verbe : qui fait quoi ?

(sens 1.1.)

un particulier, un commerçant	✓	**recevoir** de l'~ (fam.) **toucher** de l'~	- -
un particulier, un commerçant		**gagner** de l'~ (fam.) **se faire** de l'~	un gain -
→ l'~		**rentrer** ⋎	une rentrée d'~
un particulier, un commerçant	×	**avoir** de l'~ >< **manquer** d'~ ⋎	- un manque d'~
un particulier, un commerçant		**dépenser** de l'~ - < **gaspiller** de l'~	une dépense une sortie d'~ le gaspillage d'~
un particulier, un commerçant		**devoir** de l'~ (à qqn)	-

Sujet	Verbe	Nom	Ex.
un particulier, un commerçant, une entreprise	O **perdre** de l'~	une perte d'~	
une activité, un métier	**rapporter** de l'~	-	
	brasser de l'~ (Syn. : **rapporter gros**)	-	1
une personne	**brasser** de l'~	-	2
l'~	**circuler**	la circulation de l'~	3
	>< **dormir**	-	
un particulier, un commerçant	**épargner** de l'~	l'épargne	
un particulier, un commerçant	**placer** de l'/son ~ (sur un compte)	un placement	
	déposer de l'~ (sur un compte)	un dépôt d'~	
	faire fructifier son ~	-	
	>< **immobiliser** son ~	l'immobilisation de l'~	
un particulier, un commerçant	**verser** de l'~ (à qqn, à/sur un compte)	un versement	
	>< **retirer** de l'~ (de son compte)	un retrait	4
une banque	**transférer** de l'~ (d'un compte à un autre)	un transfert	
	virer de l'~ (à qqn, à/sur un compte)	un virement	3
une banque	**prêter** de l'~ (à qqn)	un prêt	
	avancer de l'~ (à qqn)	une avance	
>< un particulier, un commerçant, une entreprise	**emprunter** de l'~ (à une banque)	un emprunt	

1 *Beaucoup d'amateurs de musique se lancent pour le moment dans ce métier parce qu'ils sont persuadés qu'il brasse énormément d'argent.*
2 *Cet homme d'affaires est impliqué dans d'importantes transactions financières. Il brasse énormément d'argent.*
3 *L'argent circule par un simple jeu d'écriture interne à la banqu e: on parle d'un virement.*
4 *Les cartes bancaires permettent des retraits d'argent dans des guichets automatiques de banques et des paiements chez les commerçants* (C&G).

(sens 1.2.)

Sujet	Verbe	Nom
un particulier, une entreprise, un investisseur professionnel	**investir** de l'~ (dans une affaire)	un investissement
	faire travailler/fructifier son ~	-
	placer de l'/son ~ (dans une affaire)	un placement (d'argent)

Pour en savoir plus

ARGENT (sens 1.1.) ET SYNONYMES

L'argent : terme courant. (Syn. : (fam.) **les sous**, (pop.) **le fric, le pognon, l'oseille, le pèze**).

Les espèces, **le liquide**, (angl.) **le cash** [kaʃ], (moins fréq.) **le numéraire** : argent immédiatement disponible. (V. 401 paiement, 1).

Le capital, **les capitaux** : biens (ou sommes d'argent) qui peuvent procurer un revenu à un agent économique ou qui lui permettent de produire de nouveaux biens ou services.

Les capitaux : ensemble des sommes d'argent disponibles ou en circulation. (V. 84 capital, 1)

Les moyens (financiers), **les finances**, **les ressources financières** : somme totale de l'argent dont dispose une personne, une entreprise ou un État. **Une personne sans ressources**. (V. 490 ressource, 1).

C'est au-dessus de ses moyens. (Une personne) **avoir de petits >< gros moyens (financiers)**.

Une monnaie : moyen de paiement utilisé dans un (groupe de) pays (pièces de monnaie et billets de banque). (Syn. : **une devise**).

Les devises : moyens de paiement libellés en monnaie étrangère (billets de banque, chèques de voyage,...). **Une eurodevise** : avoir en monnaie convertible déposé hors du pays émetteur (PR).

Les fonds : sommes d'argent mises à la disposition par un agent économique (un particulier, une entreprise, une banque) et destinées à financer les activités d'un autre agent économique (une entreprise, un organisme).

Une trésorerie : ensemble des moyens de financement liquides d'un agent économique (une entreprise, une organisation). *Cette entreprise a demandé un report d'échéance parce qu'elle doit faire face à des difficultés de trésorerie.* **Un flux de trésorerie**. (V. 285 flux, 1). (Un agent économique) **avoir des difficultés**

de trésorerie. (V. 402 paiement, 1). **Un placement de trésorerie**. (V. 420 placement, 1). (B) **Un certificat de trésorerie**, (F, Q) **un bon du Trésor** : titre représentatif d'un emprunt à moyen ou long terme émis par le Trésor public. {**le Trésor**, **un trésorier**, **une trésorière** (personne qui gère et comptabilise les moyens financiers d'une entreprise ou d'une organisation)}. (F) **Le Trésor public** : service public qui effectue les opérations financières de l'État et qui gère la dette publique. **Un trésorier-payeur**. (V. 406 paiement, 7). **Les trésors** : ensemble important de biens (argent, propriétés) dont dispose une personne.

Les liquidités (**monétaires**) : somme d'argent dont un agent économique (un particulier, une entreprise) peut disposer rapidement. (Syn. : **les disponibilités** (**monétaires**)).

Une provision : somme d'argent disponible sur un compte en banque. *Celui qui émet un chèque sans provision risque des poursuites judiciaires.* (V. 28 amortissement, 1).

Un avoir, **les avoirs**, (fam.) **les biens** : l'argent et **le patrimoine** (les biens mobiliers et immobiliers) que possède une personne ou une entreprise à un moment donné.

Un avoir fiscal (V. 272 fiscalité, 3). **Un patrimoine financier**; **un patrimoine immobilier**, **foncier**.

Une fortune : patrimoine ou somme d'argent importants.
{**fortuné**}.

'Argent', 'fortune', 'liquide', 'numéraire', 'provision', 'trésorerie' : toujours au sing. 'Biens', 'espèces', 'fonds', 'moyens', 'liquidités' : toujours au plur.

RICHESSE ET PAUVRETÉ

Le bien-être : sentiment de satisfaction non quantifiable procuré par des biens et services marchands ou non marchands. On parle d'**État (-)providence** lorsque l'État mène une politique de solidarité et d'égalité entre les citoyens en fournissant les biens collectifs, une aide aux catégories sociales les plus défavorisées, ... *Les habitants de ce pays bénéficient d'un État-providence qui fournit pratiquement à tous les citoyens un emploi gouvernemental et la gratuité de l'éducation et des soins de santé.* **L'économie du bien-être**. (V. 213 économie, 1).

La richesse. 1. (emploi au sing.) Abondance de biens (argent, propriétés) dont dispose une personne. {(fam.) **un richard**, **une richarde**, **un enrichissement**, **richissime**, **s'enrichir** (Syn. : (fam.) **faire son beurre de** qqch.)}. - 2. (emploi au plur.) Produit de l'activité économique d'une collectivité nationale (Silem). - 3. (emploi au plur.) Éléments (les ressources naturelles, la main-d'œuvre et le capital) qui ont une valeur économique. **Les richesses naturelles**. (V. 490 ressources, 1).

Un riche, **une riche** : personne qui a beaucoup d'argent. (Syn. : (péj.) **les nantis**). (Ant. : **un déshérité**). *Les réductions d'impôt ont profité aux plus riches, l'écart entre nantis et pauvres ne faisant que se creuser.*

Riche. 1. Qui a beaucoup d'argent. (Syn. : **aisé**, **nanti**). (Ant. : **pauvre**, (moins fréq.) **déshérité**, **démuni**). 2. Qui contient beaucoup d'éléments (des produits de la nature p. ex.) qui ont une valeur économique.

La pauvreté : situation d'une personne ou d'un ménage qui ne disposent pas de ressources suffisantes pour participer réellement, dans une société donnée, à la vie sociale (C&G).
{**un**, **une pauvre**, **pauvre**}. (Syn. : (moins fréq.) **un déshérité**). **Les** (**pays**, ...) **pauvres**. (Syn. : (moins fréq.) **déshérité**, **démuni**). (Ant. : **riche**, **aisé**, **nanti**).

La paupérisation : abaissement continu du niveau de vie, diminution du pouvoir d'achat d'une (partie de la) population. **Le niveau de vie** est une notion quantitative qui repose sur le montant des revenus, alors que **la qualité de la vie** est une notion qualitative qui se rapporte à l'environnement, la vie sociale, ... **Le mode de vie** est également une notion qualitative qui désigne la manière dont un ménage ou une population gère sa vie en matière d'activités, de consommation et d'occupation du temps (Bourachot).

Le paupérisme : état permanent de pauvreté.

OPÉRATIONS FINANCIÈRES ILLÉGALES

Blanchir de l'argent (**sale**) : une personne, une organisation introduit de l'argent noir dans le circuit légal. **Le blanchiment d'argent** (**sale**).

Détourner de l'argent : une personne s'approprie de l'argent de façon frauduleuse. **Le détournement d'argent**.

Extorquer de l'argent à qqn : une personne, une organisation obtient de l'argent de qqn par la menace, par la force ou par la violence. *Cet escroc a réussi à extorquer plusieurs millions à la compagnie d'assurances.* **L'extorsion d'argent**.

2 AUTRES DÉRIVÉS OU COMPOSÉS

- **Un argentier** [aʀʒɑ̃tje] (n.m.) dans l'expression **le grand argentier** : (peu fréq.) le ministre des Finances.
- **Argenté**, **-ée** [aʀʒɑ̃te] (adj.) : (peu fréq.) qui a de l'argent.
  >< **Désargenté**, **-ée** [desaʀʒɑ̃te] (adj.) : (peu fréq.) pauvre.

ARGENTÉ, -ÉE (adj.) (*) 1. Qui a de l'argent.

1. (35)	viel Geld haben reich	well off comfortably off	adinerado	denaroso agiato	welstellend

ARGENTIER (le grand ~) (**) 1. Ministre des Finances.

1. (35)	der Finanzminister	Minister of Finance	el Ministro de Hacienda	il Ministro delle Finanze	de minister van Financiën (m.)

		Chancellor (of the Exchequer) (GB)			

ARGUMENTAIRE (n.m.) (**) 1. Liste d'arguments de vente.

1. (570)	der Salesfolder	sales talk	los argumentos de venta	l'argomentario (m.)	de lijst (m./f.) met verkoopsargumenten
	das Verzeichnis mit Verkaufsargumenten	sales pitch			

ARMATEUR (n.m.) (**) 1. Personne qui se livre à l'exploitation commerciale d'un navire (RQ).

1. (552)	der Reeder	ship owner	el armador el naviero	l'armatore (m.)	de reder (m.)

ARRÉRAGES (n.m.plur.) (*) 1. Montant échu d'une rente (RQ).

1. (486)	die Zinsrückstände	arrears	los atrasos	gli arretrati	de achterstallige interest (m.)
	die rückständigen Zahlungen	back interest	los intereses atrasados		

ARRÊTÉ (n.m.) (*) 1. Règlement définitif (d'un compte).

1. (129)	der Erlass	settlement clearance	el cierre la cancelación	il saldo (di un conto)	het saldo het afsluiten van een rekening

ARRHES (n.f.plur.) (*) 1. Paiement partiel à la commande.

1. (402)	die Anzahlung	deposit earnest money	la señal las arras	l'acconto (m.) la caparra	de aanbetaling (f.) het voorschot

ARRIÉRÉ (n.m.) (**) 1. Retard de paiement.

1. (401)	die ausstehende Zahlung	overdue payment	el pago pendiente	l'arretrato (m.)	de achterstallige schuld (m./f.)
(331)		outstanding payments	el pago vencido		

ARRIÈRE-BOUTIQUE (n.f.) (*) 1. Pièce qui se trouve en arrière d'une boutique.

1. (573)	das Hinterzimmer	back shop	la trastienda	la retrobottega	de achterwinkel (m.)

ARRONDI (n.m.) (*) 1. Chiffre ajusté au chiffre le plus proche.

1. (386)	abgerundet	a rounded up (/ down) figure	el redondeado	l'arrotondamento (m.)	het afgerond cijfer

ARRONDIR (v.tr.dir.) (**) 1. Ajuster au chiffre le plus proche.

1. (386)	abrunden aufrunden	to round up to round down	redondear	arrotondare	afronden

ARTICLE (n.m.) (****) 1. Objet d'une famille de produits. 2. Élément du bilan.

1. (446)	der Artikel die Ware	item article	el artículo	l'articolo (m.)	het artikel
2.	der Posten	item	la partida	la voce la posta	de post (m.)

ARTISAN, ARTISANE (n.) (***) 1. Personne qui produit manuellement des biens.

1. (325)	der Handwerker	artisan skilled worker	el artesano	l'artigiano (m.)	de ambachtsman (m.)

ARTISANAL, -ALE ; -AUX, -ALES (adj.) (***) 1. Qui est produit manuellement.

1. (325) (254)	Handswerks- handwerklich	small scale craft	artesanal	artigianale	ambachtelijk

ARTISANALEMENT (adv.) (*) 1. Manuellement.

1. (325)	handwerklich	on a small scale	artesanálmente	artigianalmente	ambachtelijk op ambachtelijke wijze

ARTISANAT (n.m.) (**) 1. Ensemble des artisans et de leurs activités.

1. (325)	das Handwerk die Handwerkerschaft	cottage industry craft industry	el artesanado la artesanía	l'artigianato (m.)	de kunstnijverheid (f.) de ambachtskunst (f.)

ASBL (une ~) (**) association sans but lucratif.

(518)	der gemeinnützige Verein	non-profit-making association (GB)	la Entidad sin ánimo de lucro	l'associazione non-profit (f.)	de vereniging (f.) zonder winstoogmerk (v.z.w.)
	die Gesellschaft ohne Erwerbscharakter	not-for-profit-association (US)	la Asociación sin fines de lucro	l'associazione senza scopo lucrativo (f.)	de vereniging (f.) zonder winstgevend doel

ASCENDANT, -ANTE (adj.) (***) 1. Qui représente une augmentation.

1. (156)	(an)steigend (auf)steigend	ascending	ascendente	ascendente	stijgend opklimmend

ASCENSION (n.f.) (***) 1. Augmentation, développement.

1. (276)	der Anstieg	increase rise	la subida	l'ascensione (f.)	de klim (m.) de stijging (f.)

ASSAINIR (v.tr.dir.) (***) 1. Rendre plus conforme à une norme.

1. (75) (238)	sanieren stabilisieren	to make healthier to stabilize	sanear reorganizar	risanare riorganizzare	saneren

ASSAINISSEMENT (n.m.) (****) 1. Fait de rendre plus conforme à une norme.

1. (77) (238)	die Sanierung die Stabilisierung	stabilization restoration	el saneamiento	il risanamento	de sanering (f.)

ASSÈCHEMENT (n.m.) (*) 1. Fait de ne plus approvisionner.

1. (370)	die Trockenlegung	drying up draining	la desecación el corte de suministros	il prosciugamento	de drooglegging (f.)

ASSÉCHER (v.tr.dir.) (**) 1. Ne plus approvisionner.

1. (370)	trockenlegen	to dry up	desecar	prosciugare	droogleggen
		to drain	cortar suministros		

ASSEMBLAGE (n.m.) (***) 1. Action de mettre ensemble des pièces.

1. (441)	der Zusammenbau	assembly	el ensamblaje	l'assemblaggio (m.)	de assemblage (f.)
(253)	die Montage		el montaje	il montaggio	

ASSEMBLÉE (n.f.) (****) 1. Réunion.

1. (14)	die Versammlung	meeting	la asamblea	l'assemblea (f.)	de (algemene) vergadering (f.)
(558)		board meeting	la reunión		

ASSEMBLER (v.tr.dir.) (***) 1. Mettre ensemble des pièces.

1. (441)	zusammenbauen	to assemble	ensamblar	assemblare	assembleren
	zusammensetzen		montar		monteren

ASSEMBLEUR, ASSEMBLEUSE (n.) (**) 1. Ouvrier, machine, entreprise, ... qui assemble des pièces.

1. (441)	der Monteur (technique)	fitter (ouvrier)	el montador	l'assemblatore (m.)	de assembleur (technique) (m.)
	der Assembler (informatique)	assembler (machine)			het assembleerprogramma (informatique)

ASSIETTE (n.f.) (***) 1. Base de calcul d'un impôt.

1. (316)	die (Steuer)bemessungsgrundlage	(tax) assessment	la base imponible	la base imponibile	de belastinggrondslag (m.)
	die Berechnungsgrundlage	tax base	la base liquidable		de belastingbasis (f.)

ASSOCIATIF, -IVE (adj.) (**) 1. Qui se rapporte à un groupement organisé de personnes.

1.	Vereins-	associative	asociativo	associativo	verenigings-

ASSOCIATION (n.f.) (****) 1. Groupement organisé de personnes.

1. (518)	der Verein	association	la asociación	l'associazione (f.)	de associatie (f.)
(454)	der (Dach)Verband	partnership			

ASSOCIÉ, ASSOCIÉE (n.) (***) 1. Personne qui met en commun son argent, ses activités dans une société.

1. (135)	der Gesellschafter	partner	el socio	il socio	de vennoot (m.)
(513)	der Teilhaber	associate	el asociado	l'associato (m.)	

ASSOCIÉ-GÉRANT, ASSOCIÉE-GÉRANTE ; ASSOCIÉS-GÉRANTS (n.) (**) 1. Associé qui dirige une entreprise.

1. (301)	der geschäftsführende Gesellschafter	managing partner	el socio gestor	il socio amministratore	de beherende vennoot (m.)
			el socio gerente		

ASSOCIER (~ qqn à qqch., s'~) (v.tr.dir., v.pron.) (***) 1. Former une société, un groupement.

1.	jemand beteiligt jemanden an etwas	to form an association	asociar (se)	associarsi	vennootschap aangaan met
	sich zusammentun	to join together			

ASSORTI (adj.) (*) 1. (bien ~) Qui est bien approvisionné.

1. (444)	mit reichhaltigem Warenangebot	well stocked	bien aprovisionado	ben fornito	goed bevoorraad
			bien surtido	ben avviato	

ASSORTIMENT (n.m.) (***) 1. Produits vendus dans un commerce.

1. (444)	das Sortiment	product range	el surtido	l'assortimento (m.)	het assortiment
	die Auswahl	assortment			

ASSUJETTI, ASSUJETTIE (n.) (**) 1. Contribuable.

1. (313)	der Steuerpflichtige	taxable person	el sujeto	il contribuente	de belastingplichtige (m.)
(544)			el obligado		

ASSUJETTIR (~ qqn à qqch.) (v.tr.dir.) (***) 1. Soumettre (à un impôt).

1. (313)	steuerpflichtig sein	to tax	sujetar	assoggettare	aan belastingheffing onderwerpen
(544)	Steuern zahlen müssen	to make liable to	someter a impuestos	sottomettere	

ASSUJETTISSEMENT (n.m.) (**) 1. Soumission (à un impôt).

1. (313)	die Steuerpflicht	(tax) liability	la sujeción	l'assoggettamento (m.)	de belastingverplichting (f.)
			la obligación		

ASSURABLE (adj.) (*) 1. Qui peut être couvert par un contrat d'indemnisation.

1. (43)	kann versichert werden	insurable	asegurable	assicurabile	verzekerbaar
	versicherungsfähig				

ASSURANCE (n.f.) (****) 1. Engagement pour indemniser un sinistre ou un dommage. 2. Contrat d'indemnisation. 3. Société qui commercialise les contrats d'indemnisation. 4. Branche d'activité qui regroupe ces sociétés. 5. Prime payée dans le cadre d'un contrat d'indemnisation.

1. (38)	die Versicherung	insurance	el seguro	l'assicurazione (f.)	de verzekering (f.)
2. (38)	die Versicherung	insurance policy	el contrato de seguro	il contratto di assicurazione	de (het) verzekering (scontract)
			el seguro		de assurantie (f.)
3. (38)	die Versicherung	insurance company	la compañía de seguros	la società di assicurazione	de verzekeringsmaatschappij (f.)
4. (38)	die Versicherung	insurance (industry)	los seguros	il comparto assicurativo	de verzekeringsbranche (m./f.)

5. (38)	die Versicherungs-prämie	insurance premium	la prima de seguro el seguro	il premio di assicu-razione	de verzekeringspremie (f.)

ASSURANCE

1 une assurance **4** une assurance(-) auto(mobile) **4** une assurance(-) chômage **4** une assurance(-) crédit **4** une assurance(-) décès **4** une assurance(-) dirigeant **4** une assurance(-) dommages **4** l'assurance(-) emploi **4** une assurance(-) épargne **4** une assurance(-) groupe **4** une assurance(-) incendie **4** une assurance(-) invalidité **4** une assurance(-) maladie **4** une assurance(-) pension **4** une assurance-vie **4** une assurance(-) vieillesse **4** une assurance(-) voyage **4** la bancassurance **4** la réassurance **4** une coassurance **4** une contre-assurance	**2** un assureur **4** un assuré, une assurée **4** un assureur(-)crédit **4** un assureur-vie **4** un assuré-vie **4** un bancassureur **4** un réassureur **4** un coassureur	**4** assurable	**3** (s')assurer **4** (se) réassurer **4** coassurer

1 une ASSURANCE - [asyʀɑ̃s] - (n.f.)

1.1. Opération par laquelle un agent économique (l'assureur : une compagnie d'assurances, une mutuelle, un particulier) s'engage, contre paiement d'une somme d'argent (une prime d'assurance), à verser une somme (une indemnité) déterminée à un autre agent économique (l'assuré (un particulier, une entreprise) ou le bénéficiaire (un particulier) - X) ou à leur fournir une prestation de service pour indemniser un sinistre ou un dommage survenu à une personne ou à un bien dont les assurés sont responsables.

En assurance de personnes, l'âge, la profession, l'état de santé et les pratiques sportives déterminent depuis longtemps la prime à payer.

1.2. Contrat qui fixe les modalités de l'assurance (sens 1.1.).

Syn. : un contrat d'assurance, (moins fréq.) une police d'assurance.

J'ai contracté une assurance qui prévoyait que la compagnie me rembourserait la valeur marchande du véhicule en cas d'accident.

1.3. (fam.) Société qui se charge de la commercialisation d'assurances (sens 1.2.).

Syn. : une compagnie d'assurances.

Voilà plus d'un an que l'accident a eu lieu et l'assurance ne nous a toujours pas indemnisés.

1.4. (emploi avec art. déf.) Branche d'activité du secteur tertiaire qui regroupe l'ensemble des compagnies d'assurances (sens 1.3.).

Après une carrière de plus de vingt ans dans l'assurance, il connaît très bien ce petit monde.

1.5. (fam., emploi avec art. déf.) Somme d'argent qu'un agent économique paie à une compagnie d'assurances dans le cadre d'une assurance (sens 1.2.).

Syn. : une prime d'assurance.

Chaque année nous payons plusieurs milliers d'euros d'assurances.

2.1. Promesse, garantie.
(formule de politesse finale, courrier d'entreprise). *Veuillez agréer, Madame, Monsieur, l'assurance de mes sentiments dévoués.*

expressions

(sens 1.1. et 1.2.)
- **Dans le cadre d'une assurance.**
- **En matière d'assurance(s)** : en ce qui concerne une/les assurance(s).

(sens 1.4.)
(Une personne) **être dans les assurances** : travailler dans ce secteur.

+ adjectif

TYPE D'ASSURANCE (sens 1.2.)

Les assurances générales. >< **Les assurances spécialisées.**

L'assurance sociale : protège les salariés contre la maladie, les accidents du travail, le chômage, ... *Nous devrons passer à un système d'assurance sociale où chacun recevra la même allocation en cas de besoin et non une somme proportionnelle à la cotisation, comme c'est le cas actuellement.*

Une assurance familiale : couvre les dommages causés involontairement à une autre personne par l'assuré ou un des membres de sa famille. *Vous pouvez même assurer votre femme de ménage ou la baby-sitter dans votre assurance familiale.*

Une assurance complémentaire : assurance qui couvre davantage de risques que l'assurance sociale classique p. ex.

Une assurance individuelle : est limitée aux risques d'accidents que court l'assuré.

L'assurance directe : vente de contrats d'assurance sans faire appel à un intermédiaire (un courtier). *En France, l'assurance directe représente plus de la moitié des assurances automobiles.*

Une assurance maritime : couvre les risques des dommages matériels subis pendant le transport sur mer. *Le calcul des résultats d'une compagnie d'assurances maritime ne peut pas se faire trop rapidement : un navire disparu peut en effet réapparaître.*

CARACTÉRISATION DE L'ASSURANCE (sens 1.2.)

Une assurance obligatoire. >< **Une assurance volontaire.**

MESURE DE L'ASSURANCE (sens 1.2.)

Une assurance temporaire : couvre un risque pendant une période limitée.

+ nom

(sens 1.1.)

Une caisse d'assurance sociale. (V. 81 caisse, 1).

(sens 1.2.)
- **Un contrat d'assurance**, (moins fréq.) **une police d'assurance** (moins fréq. : **d'assurances**) : document écrit, signé par l'assureur et le souscripteur, et qui précise, en particulier, la nature et la limite des risques couverts, le capital assuré ainsi que le montant et la périodicité de paiement de la prime (Ménard). (Syn. : **une assurance** (sens 1.2.)). (☞ 41 Pour en savoir plus, L'assurance et ses modalités).

Une prime (d'assurance) (moins fréq. : **d'assurances**) : somme d'argent que le souscripteur du contrat d'assurance verse à l'assureur pour que celui-ci prenne en charge un risque. (Syn. : **une cotisation**). *La prime d'assurance est fixée selon le capital à assurer et l'âge de l'assuré.*

Un preneur d'assurance : personne physique ou morale (une entreprise) qui souscrit une assurance. (Syn. : (moins fréq.) **un souscripteur d'assurance**). *Le contrat couvre la responsabilité du preneur d'assurance et de toutes les personnes qui habitent en permanence chez lui (le conjoint, les enfants, des parents, ...).*

Un courtier d'assurances (moins fréq. : **d'assurance**). (V. 116 commerce, 1). (Syn. : **un agent d'assurance**).

- **La branche assurance-vie, assurance-auto, ...** : ensemble des contrats d'assurance qui s'appliquent à ce domaine.
- **Le marché de l'assurance.**

Un produit d'assurance (moins fréq. : **d'assurances**) : type de contrat d'assurance. *Plusieurs banques se sont servies des données qu'elles possédaient sur leurs clients pour prospecter en vue de vendre à ces clients leurs propres produits d'assurance.*

L'ensemble des produits d'assurance d'une compagnie d'assurances constitue **le portefeuille d'assurances.**

Une formule d'assurance.

Un bon d'assurance. *Le bon d'assurance est une réplique des assureurs au succès phénoménal que les banquiers ont enregistré avec les bons de caisse : le premier est toutefois nominatif, mais comporte une couverture décès.*

- **L'activité d'assurance.** *Le résultat lié à l'activité d'assurance, c'est-à-dire le résultat du métier d'assureur, est devenu négatif pour la première fois dans l'histoire du secteur.*

(sens 1.3.)

Le secteur de l'assurance, des assurances.

Un groupe d'assurances (moins fréq. : **d'assurance**).

Une compagnie d'assurances (moins fréq. : **d'assurance**). (Syn. : (moins fréq.) **une entreprise d'assurances, une société d'assurances**). *Les résultats des compagnies d'assurances traitant la branche 'transports' ont à nouveau été déficitaires.*

TYPE D'ASSURANCE (sens 1.2.)

Une assurance contre + nom qui désigne le risque couvert par l'assurance. Une assurance contre le chômage ; une assurance contre les accidents du travail.

Une assurance + nom qui désigne le risque couvert par l'assurance. Une assurance(-)chômage ; une assurance(-)voyage. Dans la majorité des cas, on met un trait d'union. (V. 42 4 autres dérivés ou composés).

Une assurance de personnes : couvre les risques que court l'assuré (p. ex. le chômage) et, dans certains cas, les personnes dont il est responsable (p. ex. ses enfants en cas de maladie).

Une assurance soins de santé, une assurance hospitalisation : assurance complémentaire qui rembourse les frais médicaux, hospitaliers et pharmaceutiques qui ne sont pas pris en charge par la sécurité sociale.

L'assurance maladie-invalidité.

Une assurance protection juridique. *Une assurance protection juridique permet de s'offrir un avocat à bon compte.*

Une assurance de dommages. (V. 42 4 autres dérivés ou composés).

Une assurance de responsabilité : couvre les dommages causés à une autre personne par l'assuré ou une des personnes dont il est responsable. **Une assurance (de) responsabilité civile** : assurance qui couvre les risques de dommages corporels ou décès lors d'un accident de voiture. *Il y a au moins un point sur lequel tous les Européens sont égaux : l'obligation de souscrire une assurance de responsabilité civile quand ils roulent en voiture.*

Une assurance non-vie. (V. 43 4 autres dérivés ou composés).

Une assurance multirisque, tous risques : couvre tous les dommages que peut causer ou subir l'assuré, sauf ceux qui sont expressément exclus de la police d'assurance.

Une assurance de voyage. *Mon assurance de voyage couvre l'ensemble des frais en cas d'accident à l'étranger.*

Une assurance dégâts des eaux : assurance qui couvre les dégâts causés par une rupture de conduite d'eau.

(B) **Une (assurance) omnium**, (S) **une assurance casco** : assurance qui couvre les dégâts à votre propre véhicule après un accident, même si vous êtes dans votre tort. Le montant d'une franchise est toutefois déduit.

(B) **Une assurance solde restant dû**, (F, S) **une assurance (au) décès**. *La technique bancaire impose la conclusion d'une assurance solde restant dû qui garantit au prêteur qu'il sera remboursé en cas de décès de l'emprunteur.*

(S) **Une assurance vieillesse et survivants (une AVS)** : assurance de rente (retraite, veuvage et orphelins) obligatoire pour tous les actifs (salariés et indépendants).

(S) **Une assurance perte de gain (une APG)** : assurance étatique dont le fond de commerce permet de verser une solde aux soldats en service actif.

(S) **Une assurance ménage** : assurance combinée comprenant généralement la responsabilité civile des membres du ménage (Syn .: **une assurance familiale**), le vol, les dégâts d'eau, le bris de glace et, parfois, l'incendie.

(S) **Une assurance de chose(s)**. (V. 42 4 autres dérivés ou composés).

+ verbe : qui fait quoi ?

(sens 1.1. et 1.2.)

X	✓	**souscrire** une ~/un contrat d'~	la souscription	d'une ~ d'un contrat d'~	1
		contracter une ~	-		
		signer un contrat d'~	la signature d'un contrat d'~		
		(fam.) **prendre** une ~	-		
		>< **résilier** une ~/un contrat d'~	la résiliation	d'une ~ d'un contrat d'~	2
X		**payer** une prime d'~	le paiement d'une prime d'~		
l'~		**couvrir** un risque, un dégât, ...	la couverture d'un risque, ...		3
→ X		**se couvrir contre** un risque, un dégât, ...	-		

1 *Avant de partir en voyage, il est bon de penser à souscrire une assurance médicale couvrant les soins de santé ou le rapatriement, où que vous vous trouviez.*

2 *Seul l'assuré a la possibilité de résilier son contrat d'assurance chaque année à la date d'échéance de la prime.*

3 *Cette assurance couvre aussi bien les lésions corporelles que les dégâts matériels.*

Pour en savoir plus

L'ASSURANCE ET SES MODALITÉS

Un sinistre. 1. Événement (un décès, un incendie, un accident, un vol, ...) qui oblige l'assureur à verser **une indemnité (d'assurance)**, **des dommages-intérêts**, **un dédommagement** à l'assuré ou au bénéficiaire. *Surévaluer le montant d'un sinistre mineur est une forme de fraude.* {**un sinistré, une sinistrée**}. - 2. Perte qui provient d'un événement catastrophique sans tenir compte du fait que celui-ci donne droit oui ou non à une indemnisation pour les dommages subis (Ménard).

Un dommage : sinistre qui entraîne une perte de bien ou de situation professionnelle, ... (**un dommage matériel**) ou une souffrance (p. ex. une atteinte au respect de la vie privée : **un dommage moral**).

Une franchise : montant des dommages en dessous duquel un assureur ne rembourse pas. *La prime à payer pour une assurance est inversement proportionnelle à la franchise retenue.*

Un avenant : clause ajoutée à un contrat (d'assurances) pour en modifier le contenu (dans le cas d'une assuranc e: les conditions de couverture, le risque couvert, ...).

Un bonus : réduction sur le montant d'une prime d'assurance automobile, accordée au conducteur qui n'a pas eu d'accident. (Ant. : **un malus**). *La compagnie d'assurances a décidé d'accorder un bonus substantiel aux conducteurs n'ayant pas eu d'accident au cours des cinq dernières années.*

Une police (d'assurance) + nom qui désigne le type d'assurance dont il s'agit. Une police incendie ; une police vacances.

Une perte totale. (V. 415 perte, 1).

2 un ASSUREUR - [asyRœR] - (n.m.)

1.1. Agent économique (l'assureur : une compagnie d'assurances, une mutuelle, un particulier) qui s'engage, contre paiement d'une somme d'argent (une prime d'assurance), à verser une somme (une indemnité) déterminée à un autre agent économique (l'assuré : un particulier, une entreprise) ou le bénéficiaire (un particulier) ou à leur fournir une prestation de service pour indemniser un sinistre ou un dommage survenu à une personne ou un bien dont les assurés sont responsables.

Ant. : un assuré.

Il vaut mieux grouper les différentes assurances auprès du même assureur et en une seule police pour optimiser la couverture des risques.

+ nom

Le métier d'assureur. *Le métier d'assureur est sensiblement différent de celui de banquier.*

+ verbe : qui fait quoi ?

un ~	×	**conclure** un contrat d'assurance	la conclusion d'un contrat d'assurance	
		>< **résilier** un contrat d'assurance	la résiliation d'un contrat d'assurance	
		↓		
un ~		**encaisser** une prime d'assurance	l'encaissement d'une prime d'assurance	
un ~		**s'engager à** faire qqch.	un engagement	1
		↓		
un ~		**rembourser** les frais de ... les dommages en cas de décès, ...	le remboursement des frais de ...	
		prendre en charge les frais de ...	la prise en charge des frais de ...	
		> **intervenir dans** les frais de ...	une intervention dans les frais de ...	2
un ~		**dédommager** l'assuré	le dédommagement de l'assuré	
		indemniser l'assuré	l'indemnisation de l'assuré	
un ~		**verser** un capital à l'assuré au bénéficiaire	le versement d'un capital à ...	3

1 *L'assureur s'engage à payer dans les 8 jours de l'accident une somme de 10 000 euros.*
2 *L'assureur ne peut intervenir dans les frais qu'à concurrence de 75 %.*
3 *L'assureur ne verse un capital que si l'assuré est encore en vie au terme du contrat.*

3 (S')ASSURER - [(s)asyRe] - (v.tr.dir., v.pron.)

1.1. (v.tr.dir.) Un ou plusieurs agents économiques (l'assureur : une compagnie d'assurances, une mutuelle,

un particulier - X) s'engagent, contre paiement d'une somme d'argent (une prime d'assurance), à verser une somme (une indemnité) déterminée à un autre agent économique (l'assuré (un particulier, une entreprise) ou le bénéficiaire (un particulier) ou à leur fournir une prestation de service pour indemniser un sinistre ou un dommage survenu à une personne ou à un bien dont les assurés sont responsables.
Une compagnie d'assurances propose d'assurer les risques que l'entreprise fait courir à l'environnement.

1.2. (v.pron.) Un agent économique (un particulier, une entreprise - X) couvre un risque à l'aide d'une assurance (sens 1.2.).
La loi oblige les transporteurs routiers de s'assurer contre les risques de retard.

2.1. Une personne prévoit qqch., fait le nécessaire pour qqch.

expressions

(sens 2.1.)

- (Une personne) **assurer ses vieux jours** : mettre de l'argent de côté pour avoir des ressources suffisantes après la vie active.

qui fait quoi ?

(sens 1.1.)

X	**assurer** qqn/qqch. (contre un vol, un incendie) (sur la vie)	une assurance contre le vol une assurance-incendie une assurance-vie	1

1 *La plupart des gens assurent très bien leur voiture, mais pas assez leur femme et leurs enfants.*

(sens 1.2.)

X	**s'assurer** (contre un vol, un incendie) (sur la vie)	une assurance contre le vol une assurance-incendie une assurance-vie

4 AUTRES DÉRIVÉS OU COMPOSÉS

- Il existe de nombreux types d'assurances en fonction du risque qu'elles couvrent.

Une assurance(-)auto(mobile) [asyʀɑ̃sɔtɔ(mɔbil)] (n.f.) (plur. : des **assurances(-)auto(mobile)**) : assurance de responsabilité que chaque automobiliste doit obligatoirement souscrire et qui rembourse les dommages qu'il pourrait causer à des tiers.

Une assurance(-)chômage [asyʀɑ̃sʃomaʒ] (n.f.) (plur. : **des assurances(-)chômage**) : composante du système de la sécurité sociale qui indemnise le salarié qui a perdu son emploi. (Syn. : (Q) **une assurance(-)emploi**). L'assurance chômage est rendue possible grâce aux cotisations personnelles et patronales. *Le fait que l'assurance-chômage n'a pratiquement pas de limite dans le temps peut réduire l'incitation à se porter sur le marché du travail.*

Une assurance(-)crédit [asyʀɑ̃skʀedi] (n.f.) (plur. : **des assurances(-)crédit(s)**) : protège le créancier contre le risque d'insolvabilité de ses débiteurs.

{**un assureur(-)crédit** [asyʀœʀkʀedi] (n.m.) (plur. : **des assureurs(-)crédit(s)**)}.

Une assurance(-)décès [asyʀɑ̃sdesɛ] (n.f.) (plur. : **des assurances(-)décès**), **une assurance en cas de décès** : assurance au terme de laquelle un assureur s'engage à payer à la mort de l'assuré une somme d'argent au bénéficiaire désigné dans le contrat. (B) **Une assurance-décès solde restant dû** : assurance souscrite avec un emprunt afin de payer le solde de l'emprunt si l'assuré meurt avant d'avoir remboursé la somme empruntée.

Une assurance(-)dirigeant [asyʀɑ̃sdiʀiʒɑ̃] (n.f.) (plur. : **des assurances(-)dirigeant**) : assurance qui offre à un chef d'entreprise une pension de retraite complémentaire.

Une assurance(-)dommages [asyʀɑ̃sdɔmaʒ] (n.f.) (plur .: **des assurances(-)dommages**) : couvre les risques que court le patrimoine de l'assuré. (Syn. : (moins fréq.) **une assurance de dommages,** (S) **une assurance de chose(s)**).

(Q) **Une assurance(-)emploi** [asyʀɑ̃sɑ̃plwa] (n.f.) (plur. : **des assurances(-)emploi**) : assurance-chômage.

(B) **Une assurance(-)épargne** [asyʀɑ̃sepaʀɲ(ə)] (n.f.) (plur. : **des assurances(-)épargne**) : assurance souscrite auprès d'une compagnie d'assurances et qui garantit à l'assuré un taux d'intérêt minimum auquel peut s'ajouter une participation aux bénéfices.

Une assurance(-)groupe [asyʀɑ̃sgʀup] (n.f.) (plur. : **des assurances(-)groupe**) : plan de prévoyance collectif qu'un employeur souscrit auprès d'une compagnie d'assurance-vie en faveur (d'une partie) des membres de son personnel . (Syn. : **une assurance de groupe**).

Une assurance(-)incendie [asyʀɑ̃sɛ̃sɑ̃di] (n.f.) (plur. : **des assurances(-)incendie**). *L'assurance dégâts des eaux, souvent liée à une assurance incendie, ne couvre pas les dégâts occasionnés par des inondations.*

Une assurance(-)invalidité [asyʀɑ̃sɛ̃validite]

(n.f.) (plur. : **des assurances(-)invalidité**) : prévoit le versement d'une indemnité si l'assuré est frappé d'une invalidité totale ou partielle.
Une assurance(-)maladie [asyʀɑ̃smaladi] (n.f.) (plur. : **des assurances(-)maladies**) : couvre une partie ou l'ensemble des dépenses de maladie, d'accident et de maternité de l'assuré(e) et de ses ayants droit (personnes qui ont les mêmes droits) et la perte de revenu suite à la maladie, ...
(B) **Une assurance(-)pension** [asyʀɑ̃spɑ̃sjɔ̃] (n.f.) (plur. : **des assurances(-)pension**) ; (F, Q, S) **une assurance(-)vieillesse** [ɑsyʀɑ̃svjɛjɛs] (n.f.) (plur. : des **assurances(-)vieillesse**) : garantit le versement d'une pension de retraite à la personne qui a cotisé et qui a atteint l'âge de la retraite.
Une assurance-vie [asyʀɑ̃svi] (n.f.) (plur. : **des assurances-vie**) : assurance au terme de laquelle un assureur s'engage à payer une somme d'argent à l'assuré ou au bénéficiaire en cas de vie de l'assuré à un moment déterminé dans le contrat. **Une assurance en cas de vie** : garantit le versement d'une somme d'argent en cas de survie de la personne au-delà d'une date déterminée. (S) **Une assurance-vie à prime unique** : assurance-vie dont le capital assuré est versé en une seule fois par l'assuré, au moment de la conclusion du contrat.
{**un assureur-vie** [asyʀœʀvi] (n.m.) (plur. : **des assureurs-vie**), **un assuré-vie** [asyʀevi] (n.m.) (plur. : **des assurés-vie**).}
>< **Une assurance non-vie** : désigne tous les contrats d'assurance autres que les assurances-vie.
Une assurance(-vie) mixte : assurance au terme de laquelle l'assureur s'engage à payer un montant déterminé, soit au décès de l'assuré, si ce décès se produit dans le délai fixé dans le contrat, soit à l'expiration de ce délai si l'assuré est encore en vie. *Si les deux pensions de retraite sont combinées pour former une assurance-vie unique, on parle d'une assurance-vie mixte et on retrouve le rapport entre le capital versé en cas de décès ou en cas de vie dans la dénomination du contrat.*
Une assurance(-)voyage [asyʀɑ̃svwajaʒ] (n.f.) (plur. : des **assurances(-)voyage**) : contrat d'indemnisation qui couvre les risques encourus lors d'un voyage.
• **La bancassurance** ; **un bancassureur** (V. 55 banque, 3).
• **La réassurance** [ʀeasyʀɑ̃s] (n.f.) : opération par laquelle une compagnie d'assurances, après avoir assuré un client pour une somme très importante, se couvre elle-même d'une partie du risque en se faisant assurer à son tour par une ou plusieurs autres compagnies (Lexis).
{**un réassureur** [ʀeasyʀœʀ] (n.m.), **(se) réassurer** [s(ə) ʀeasyʀe] (v.tr.dir., v.pron.)}.
• **Une coassurance** [kɔasyʀɑ̃s] (n.f.) : contrat d'assurance souscrit par plusieurs agents économiques.
{**un coassureur** [kɔasyʀœʀ] (n.m.) (compagnie d'assurances qui assure un risque en collaboration avec une ou plusieurs autres compagnies d'assurances), **coassurer** [kɔasyʀe] (v.tr.dir.)}.
• **Une contre-assurance** [kɔ̃tʀasyʀɑ̃s] (n.f.). 1. Assurance qui en garantit une autre ou en limite les risques. - 2. Assurance qui garantit l'assuré contre les frais de justice éventuels engagés en vue d'obtenir l'indemnisation des dommages subis en cas d'accident (Lexis).
• **Un assuré**, **une assurée** [asyʀe] (n.) : agent économique (un particulier, une entreprise) couvert par un contrat d'assurance et qui n'est pas nécessairement le souscripteur ou le bénéficiaire. (Ant. : **un assureur**). (Un assuré) **souscrire une assurance**. (V. 40 1 assurance).
• **Assurable** [asyʀabl(ə)] (adj.) : (un risque) qui peut être assuré. **Un risque assurable**.

ASSURANCE(-)AUTO(MOBILE) ; ASSURANCES(-)AUTO(MOBILE) (n.f.) (**) 1. Contrat d'indemnisation pour voitures.

1. (42)	die KFZ-Versicherung	car insurance	el seguro de automóvil	l'assicurazione auto (RC Auto)	de autoverzekering (f.)
	die Kraftfahrzeugversicherung				

ASSURANCE(-)CHÔMAGE ; ASSURANCES(-)CHÔMAGE (n.f.) (**) 1. Contrat d'indemnisation pour perte d'emploi.

1. (42)	die Arbeitslosenversicherung	unemployment insurance	el seguro de desempleo	l'assicurazione contro la disoccupazione	de werkloosheids verzekering (f.)

ASSURANCE(-)CRÉDIT ; ASSURANCES(-)CRÉDIT(S) (n.f.) (**) 1. Contrat d'indemnisation pour insolvabilité.

1. (42)	die Kreditversicherung	credit insurance	el seguro de crédito	l'assicurazione sul credito	de kredietverzekering (f.)

ASSURANCE(-)DÉCÈS ; ASSURANCES(-)DÉCÈS (n.f.) (**) 1. Contrat d'indemnisation pour décès.

1. (42)	die Versicherung auf den Todesfall	life assurance	el seguro de muerte	l'assicurazione caso morte	de overlijdensverzekering (f.)
	die Risikolebensversicherung	life insurance			

ASSURANCE(-)DIRIGEANT ; ASSURANCES(-)DIRIGEANT (n.f.) (**) 1. Contrat d'indemnisation pour retraite complémentaire.

1. (42)	die Geschäftsführerversicherung	executive pension scheme	el seguro de pensiones	l'assicurazione complementare per dirigente	de bedrijfsleiderverzekering (f.)

ASSURANCE(-)DOMMAGES ; ASSURANCES(-)DOMMAGES (n.f.) (*) 1. Contrat d'indemnisation pour couverture de patrimoine.

1. (42)	die Schadenversicherung die Sachversicherung	possessions insurance	el seguro contra daños el seguro de daños	l'assicurazione sui danni	de schadeverzekering (f.)

ASSURANCE(-)EMPLOI ; ASSURANCES(-)EMPLOI (n.f.) (*) 1. Contrat qui indemnise un salarié qui a perdu son emploi.

1. (42)	die Lohnausfallversicherung	insurance against redundancy	el seguro de empleo	l'assicurazione per l'impiego	de werkverzekering (f.)

ASSURANCE(-)ÉPARGNE ; ASSURANCES(-)ÉPARGNE (n.f.) (*) 1. Contrat d'indemnisation qui garantit un taux d'intérêt.

1. (42)	die Zinsausfallversicherung	savings insurance	el seguro de ahorro	l'assicurazione di risparmio	de spaarverzekering (f.)

ASSURANCE(-)GROUPE ; ASSURANCES(-)GROUPE (n.f.) (**) 1. Contrat de prévoyance collective.

1. (42)	die Gruppenversicherung	group insurance	el seguro colectivo el seguro de grupo	l'assicurazione di gruppo	de groepsverzekering (f.)

ASSURANCE(-)INCENDIE ; ASSURANCES(-)INCENDIE (n.f.) (**) 1. Contrat d'indemnisation pour couverture d'incendie.

1. (42)	die Feuerversicherung die Brandversicherung	fire insurance	el seguro contra incendios	l'assicurazione contro incendio	de brandverzekering (f.)

ASSURANCE(-)INVALIDITÉ ; ASSURANCES(-)INVALIDITÉ (n.f.) (*) 1. Contrat d'indemnisation pour protection contre l'invalidité.

1. (42)	die Invalididätsversicherung	invalidity insurance disability insurance	el seguro de invalidez	l'assicurazione per invalidità	de invaliditeitsverzekering (f.)

ASSURANCE(-)MALADIE ; ASSURANCES(-)MALADIES (n.f.) (**) 1. Contrat d'indemnisation pour protection contre dépenses de maladie.

1. (43)	die Krankenversicherung	health insurance sickness insurance (US)	el seguro de enfermedad	l'assicurazione malattia	de ziekteverzekering (f.)

ASSURANCE(-)PENSION ; ASSURANCES(-)PENSION (n.f.) (*) 1. Contrat d'indemnisation qui garantit une retraite.

1. (43)	die Rentenversicherung	a pension scheme	el seguro de jubilación	l'assicurazione pensionistica	de pensioensverzekering (f.)

ASSURANCE(-)VIEILLESSE ; ASSURANCES(-)VIEILLESSE (n.f.) (*) 1. Contrat d'indemnisation qui garantit une retraite.

1. (43)	die Rentenversicherung die Altersversicherung	state pension	el seguro de jubilación	l'assicurazione pensionistica	de ouderdomsverzekering (f.)

ASSURANCE(-)VOYAGE ; ASSURANCES(-)VOYAGE (n.f.) (*) 1. Contrat d'indemnisation qui couvre les risques encourus lors de voyages.

1. (43)	die Reiseversicherung	travel insurance	el seguro de asistencia en viaje	l'assicurazione di viaggio	de reisverzekering (f.)

ASSURANCE-VIE ; ASSURANCES-VIE (n.f.) (****) 1. Contrat d'indemnisation qui garantit un paiement en cas de vie.

1. (43)	die Lebensversicherung	life assurance life insurance	el seguro de vida	l'assicurazione sulla vita	de levensverzekering (f.)

ASSURÉ, ASSURÉE (n.) (***) 1. Personne qui est couverte par un contrat d'indemnisation.

1. (43)	der Versicherte	policyholder insured person	el asegurado	l'assicurato (m.)	de verzekerde (m.)

ASSURER (~ qqn/qqch. contre qqch., s'~ contre qqch.) (v.tr.dir., v.pron.) (****) 1. Couvrir par un contrat d'indemnisation. 2. Se couvrir par un contrat d'indemnisation.

1. (41)	versicheren	to insure to cover	asegurar	assicurare	verzekeren
2. (41)	sich versichern	to take out an insurance to insure oneself (against)	asegurar (se)	assicurarsi	zich verzekeren

ASSUREUR (n.m.) (****) 1. Organisme qui offre des contrats d'indemnisation.

1. (41)	der Versicherer die Versicherungsgesellschaft	insurance company insurance broker	la compañía de seguros la empresa aseguradora	l'assicuratore (m.)	de verzekeraar (m.) het verzekeringsorganisme

ASSUREUR(-)CRÉDIT ; ASSUREURS(-)CRÉDIT(S) (n.m.) (*) 1. Organisme qui assure contre l'insolvabilité.

1. (42)	der Kreditversicherer	underwriter	la empresa aseguradora de crédito	l'assicuratore sul credito	de kredietverzekeraar (m.)

ASSUREUR-VIE ; ASSUREURS-VIE (n.m.) (*) 1. Organisme qui garantit un paiement en cas de vie.

1. (43)	der Lebensversicherer	life assurer	la empresa aseguradora de vida	l'assicuratore sulla vita	de levensverzekeraar (m.)

ASSURÉ-VIE ; ASSURÉS-VIE (n.m.) (**) 1. Personne qui bénéficie d'une assurance-vie.

1. (43)	der Lebensversicherte	life assurance policy holder	el asegurado de vida	l'assicurato sulla vita	de levensverzekerde (m.)

ATELIER (n.m.) (****) 1. Partie d'une usine destinée à un travail particulier.

1. (557)	die Werkstatt die Werkstätte	workshop (plus petit) factory floor (grande usine)	el taller	l'officina (f.) il reparto	het atelier de werkplaats (m./f.)

ATS (**) (382) Autriche - shilling.

ATTACHÉ, ATTACHÉE (n.) (**) 1. Membre d'un service.

1. (200)	der Attaché	attaché	el agregado	l'addetto (m.)	de attaché (m.)
(119)		representative			de adjunct (m.)

ATTEINDRE (v.tr.dir.) (****) 1. Parvenir à un niveau.

1. (274)	erreichen	to reach	alcanzar	raggiungere	bereiken
		to arrive at	conseguir	conseguire	

AUD (***) (382) Australie - dollar.

AUDIOVISUEL (n.m.) (***) 1. Ensemble des chaînes de télévision (RQ).

1. (380)	die audiovisuelle Technik	the audiovisual press	audiovisual	l'industria televisiva	de geluids- en beeldmedia
	die audiovisuellen Arbeitsmittel	the audiovisual industry			

AUDIOVISUEL, -ELLE (adj.) (***) 1. Qui se rapporte à la télévision, au cinéma.

1.	audiovisuell	audiovisual	audiovisual	audiovisivo	audiovisueel

AUDIT (n.m.) (****) 1. Contrôle de gestion. 2. Contrôleur de gestion.

1. (45)	die Revision	audit(ing)	la auditoría	l'auditing (m.)	de audit (m.)
	die Rechnungsprüfung			la revisione contabile	de (accountants)controle (m./f.)
2. (45)	der (Rechnungs) Prüfer	auditor	el auditor	il sindaco	de accountant (m.)
	der Revisor			il controllore della gestione	de (bedrijfs)revisor (m.)

AUDIT

➠ **comptabilité - gestion**

1 un audit	**2** un auditeur, une auditrice		**3** auditer

1 un AUDIT - [odit] - (n.m.)

1.1. Contrôle ou évaluation de la gestion (comptabilité, situation sociale,... - X) d'un agent économique (une entreprise, une banque - Y) ou d'une organisation (Y) par une personne ou un organisme interne ou externe (Z).
Syn. : le contrôle (des comptes), le contrôle de gestion, l'expertise comptable ; (Q) une vérification.
Un plan de restructuration a été élaboré à partir des conclusions tirées d'un audit.

1.2. (peu fréq.) Personne chargée d'un audit (sens 1.1).
Syn. : (V. 46 2 auditeur).
Un audit indépendant est chargé de remettre un rapport à la direction d'ici trois semaines.

+ adjectif

TYPE D'AUDIT (sens 1.1.)

Un audit + adjectif qui désigne le domaine sur lequel porte l'audit. Un audit financier ; social.

Un audit interne : réalisé par une personne ou un service de l'entreprise ou de l'organisation. (Syn. : (Q) **une vérification interne**).

>< **Un audit externe** : réalisé par un organisme étranger à l'entreprise ou à l'organisation. (Syn. : (Q) **une vérification externe**). *Après deux rapports d'audit interne faisant état d'irrégularités dans la gestion, la direction a commandé un audit externe pour obtenir la confirmation de ces conclusions.*

Un audit légal : audit imposé par la loi.

TYPE D'AUDIT (sens 1.1. et 1.2.)

Un audit indépendant.

CARACTÉRISATION DE L'AUDIT (sens 1.1.)

Un audit approfondi.

+ nom

(sens 1.1.)

- **Un cabinet d'audit, une société d'audit.** *Afin de préparer la privatisation de cette entreprise, le gouvernement a fait appel à un consultant, en l'occurrence le cabinet d'audit international Arthur D. Little.*
- **Un rapport d'audit**, (Q) **de vérification**, **du vérificateur**.

+ verbe : qui fait quoi ?

(sens 1.1.)

Y		**commander** un ~ (à Z)	la commande d'un ~ (à Z)
		↓	
>< Z	×	**réaliser** un ~ (sur/de Y)	la réalisation d'un ~ (sur/de Y)
		effectuer un ~ (sur/de Y)	-

	procéder à un ~ (sur/de Y)	-
l'~	**porter sur** X	-

2 un AUDITEUR, une AUDITRICE - [oditœʀ, oditʀis] - (n.)

1.1. Personne (interne ou externe) chargée du contrôle ou de l'évaluation de la gestion (comptabilité, situation sociale,...) d'un agent économique (une entreprise, une banque) ou d'une organisation.
Syn. : un audit ; (contrôle de la gestion) un contrôleur de gestion ; (contrôle des comptes) (B) un (commissaire-)réviseur, (F) un commissaire aux comptes, (Q, S) un vérificateur.
Les auditeurs n'ont pu obtenir aucune justification relative aux heures supplémentaires effectuées et aux frais facturés.

1.2. (F) Haut fonctionnaire de la Cour des comptes.

+ adjectif

TYPE D'AUDITEUR
Un auditeur interne. >< **Un auditeur externe**. *L'auditeur externe a mis à jour d'importantes irrégularités dans la comptabilité.* (V. 45 1 audit). (Q) **Un vérificateur interne** >< **externe**. **Un auditeur social** : personne chargée de l'évaluation de la politique sociale d'un agent économique.

+ nom

TYPE D'AUDITEUR
(B) **Un auditeur du travail** : contrôleur du ministère du Travail qui est chargé de veiller au respect des lois sociales par les travailleurs. *Un auditeur du travail peut prendre l'initiative de poursuivre un chômeur en justice.*

3 AUTRES DÉRIVÉS OU COMPOSÉS

- (B,F) **Auditer** [odite] (v.tr.dir.) : une personne ou un organisme interne ou externe effectue le contrôle de la comptabilité et de la gestion d'un agent économique (une entreprise, une banque) ou d'une organisation. (Syn. : **soumettre** (une entreprise) **à un audit** ; (pour le contrôle des comptes) **réviser**, **vérifier**). *Après avoir découvert une facture suspecte, le juge d'instruction a fait auditer les comptes de cette association.*

AUDITER (v.tr.dir.) (**) 1. Contrôler la gestion.

1. (46)	prüfen eine Prüfung durchführen	to audit	verificar auditar	fare un auditing certificare (un bilancio)	controleren

AUDITEUR, AUDITRICE (n.) (***) 1. Contrôleur de gestion. 2. Haut fonctionnaire.

1. (46)	der Revisor der Prüfer	auditor	el auditor	il controllore di gestione il revisore contabile	de accountant (m.)
2. (46)	der Auditor	official	el Auditor	l'uditore (m.) (alla Corte dei Conti)	de auditeur (m.)

AUGMENTATION (n.f.) (****) 1. Accroissement.

1. (275)	die Erhöhung die Zunahme	increase rise	el incremento el aumento	l'aumento (m.) l'accrescimento (m.)	de toename (m./f.) de vermeerdering (f.)

AUGMENTER (v.tr.dir., v.intr.) (****) 1. Accroître.

1. (275)	erhöhen steigern	to increase to rise	aumentar incrementar	aumentare accrescere	toenemen vermeerderen

AURIFÈRE (adj.) (***) 1. (une action ~) Qui se rapporte à une mine d'or.

1. (564)	Gold-	gold-bearing	las acciones de concesión aurífera	il valore indicizzato all'oro	de goudaandelen (plur.)
(10)			el valor indicado en oro	il titolo indicizzato all'oro	

AUSTÉRITÉ (n.f.) (***) 1. Rigueur.

1. (77)	die Strenge die Härte	austerity stringency	la austeridad	l'austerità (f.)	de bezuiniging (f.)

AUTARCIE (n.f.) (*) 1. Autosuffisance.

1. (212)	die Autarkie	(economic) self-sufficiency	la autarcía	l'autarchia (f.)	de autarkie (f.)
	die Selbstversorgung	autarky	la autarquía		de autarchie (f.)

AUTARCIQUE (adj.) (*) 1. Qui est autosuffisant.

1. (212)	autark	self-sufficient autarkical	autárquico	autarchico	autarkisch

AUTOBUS (n.m.) (**) 1. Grand véhicule de transport de personnes.

1.	der (Auto)bus	bus	el autobús	l'autobus (m.) (en ville)	de autobus (m./f.)

AUTOCAR (n.m.) (**) 1. Grand véhicule de transport de personnes.

1.	der Reisebus	coach (GB) bus (US)	el autocar	il pullman (extra-urbain) la corriera	de (reis)bus (m./f.)

AUTOCONSOMMATION (n.f.) (*) 1. Utilisation de ses propres produits.

1. (146)	der Selbstverbrauch der Eigenverbrauch	in-house consumption	el autoconsumo el consumo propio	l'autoconsumo (m.) il consumo diretto	de zelfconsumptie (f.) het eigen verbruik

AUTOCONSOMMER (v.tr.dir.) (*) 1. Utiliser ses propres produits.

1. (146)	selbst verbrauchen	to use one's own products	autoconsumir	autoconsumare	zelf verbruiken

AUTOFINANCEMENT (n.m.) (**) 1. Utilisation de ses propres ressources financières.

1. (268)	die Innenfinanzierung die Selbstfinanzierung	self-financing internal financing	la autofinanciación el autofinanciamiento	l'autofinanziamento (m.)	de zelffinanciering (f.) de autofinanciering (f.)

AUTOFINANCER (v.tr.dir.) (*) 1. Utiliser ses propres ressources financières.

1. (268)	aus Eigenmitteln finanzieren	to be self-financing	autofinanciar	autofinanziare	met eigen middelen financieren

AUTOGÉRER (v.tr.dir.) (*) 1. Diriger par les salariés.

1. (301)	selbstverwalten	to self-manage to be self-managing	autogestionar	autogestire	zelf beheren

AUTOGESTION (n.f.) (**) 1. Gestion par les salariés. 2. Travail en équipe autonome.

1. (301)	die Selbstverwaltung die Arbeiterselbstverwaltung	self-management joint worker-management control	la autogestión	l'autogestione (f.)	het zelfbestuur het zelfbeheer
2. (301)	die Arbeit in autonomen Gruppen	self-management	la autogestión	l'autogestione (f.) l'equipe autonoma	de arbeid (m.) in afzonderlijke ploegen

AUTOMATE (n.m.) (***) 1. Machine qui fonctionne automatiquement.

1.	der Automat	automaton	el autómata	l'automa (m.)	de automaat (m.)

AUTOMATION (n.f.) (**) 1. Fait de faire fonctionner qqch. de lui-même.

1. (442)	die Automatisierung die Automation	automation	la automación	l'automazione (f.)	de automatisering (f.)

AUTOMATIQUE (adj.) (****) 1. Qui fonctionne de lui-même.

1. (442)	(voll)automatisch	automatic	automático	automatico	automatisch

AUTOMATIQUEMENT (adv.) (****) 1. Sans intervention extérieure.

1. (442)	automatisch	automatically	automáticamente	automaticamente	automatisch

AUTOMATISATION (n.f.) (***) 1. Fait de faire fonctionner qqch. de lui-même.

1. (442)	die Automatisierung die Automation	automatization automation	la automatización	l'automazione (f.)	de automatisering (f.) de automatie (f.)

AUTOMATISER (v.tr.dir.) (***) 1. Faire fonctionner qqch. de lui-même.

1. (442)	automatisieren	to automate to automatize (US)	automatizar	automatizzare	automatiseren

AUTOMATISME (n.m.) (**) 1. Fonctionnement sans intervention extérieure.

1. (442)	der Automatismus	automatism automatic operation	el automatismo	l'automatismo (m.)	het automatisme

AUTOMOBILE (adj.) (****) 1. Qui se rapporte aux voitures.

1. (322) (447)	automobile Automobil-	car... automobile...	del automóvil	automobile	auto(mobiel)-

AUTOMOBILE (n.f.) (****) 1. (une auto(mobile)) Voiture, petit véhicule de transport de personnes. 2. Secteur de la construction et de la vente de voitures.

1.	das Auto der (Kraft)wagen	car	el auto(móvil) el coche	l'automobile (f.) la macchina	de wagen (m.) de auto (m.)
2. (505)	die Automobilindustrie die Automobilbranche	car industry automobile industry	la industria automovilística	l'industria automobilistica	de automobielsector (m.)

AUTOROUTE (n.f.) (***) 1. Voie de circulation rapide. 2. (les ~ de l'information) Réseau de télécommunication.

1.	die Autobahn	motorway (GB) highway (US)	la autopista	l'autostrada (f.)	de autosnelweg (m.)
2. (550)	die Datenautobahn	information (super)highway	las autopistas	l'autostrada (f.) dell'informazione	de infosnelweg (m.)

AUTOROUTIER, -IÈRE (adj.) (**) 1. Qui se rapporte à une voie de circulation rapide.

1.	Autobahn-	motorway- (GB) freeway- (US)	de autopista	autostradale	van de autosnelweg

AUTOSUFFISANCE (n.f.) (**) 1. Capacité de satisfaire à ses propres besoins.

1. (212)	die finanzielle Autonomie die 100-prozentige Selbstversorgung	self-sufficiency	la autosuficiencia económica la autarcía	l'autarchia (f.)	de autarkie (f.)

AUTOSUFFISANT, -ANTE (adj.) (*) 1. Qui est capable de satisfaire ses propres besoins.

1. (212)	kann / können sich selbst versorgen autark	self-sufficient	autosuficiente autárquico	autarchico	autarkisch

AVAL (en ~) (***) 1. Qui se situe après un point de référence dans la production.

1. (440)	stromabwärts	downstream	después de	a valle	stroomafwaarts in een verder stadium

AVANCE (n.f.) (**) 1. Paiement partiel à la commande.

1. (402)	die Anzahlung	advance	el adelanto	l'anticipo (m.)	het voorschot
(164)	der Vorschuss		el anticipo		

AVANCER (v.tr.dir.) (**) 1. Prêter (de l'argent).

1. (34)	vorstrecken	to lend	adelantar	avanzare	voorschieten
	auslegen	to advance	anticipar	anticipare	

AVANTAGE (n.m.) (****) 1. Qqch. qui profite à qqn. 2. (un ~ comparatif) Avance déterminante. 3. (un ~ en nature) Rémunération en objets réels.

1. (266)	der Vorteil	advantage	la ventaja	il vantaggio	het voordeel
(123)	die Vergünstigung	benefit	el beneficio		
2. (124)	der Wettbewerbsvorteil	comparative advantage	la ventaja competitiva	il vantaggio comparato	het comparatief voordeel
3. (498)	die Naturalleistungen	benefits in kind	la remuneración en especies	le retribuzioni in natura	de voordelen (plur.) in natura
		fringe benefits			

AVANTAGEUX, -EUSE (adj.) (***) 1. Qui offre un profit à qqn.

1. (432)	vorteilhaft	profitable	ventajoso	vantaggioso	voordelig
(457)	günstig	advantageous	favorable	favorevole	

AVARE (adj.) (*) 1. Qui ne veut pas dépenser d'argent.

1. (188)	geizig	mean (with money)	avaro	avaro	gierig
		miserly	tacaño		

AVARE (n.) (*) 1. Personne qui ne veut pas dépenser d'argent.

1. (188)	der Geizhalz	miser	el avaro	l'avaro (m.)	de gierigaard (m.)
			el tacaño		de vrek (m.)

AVARICE (n.f.) (*) 1. Attachement excessif à l'argent (RQ).

1. (188)	der Geiz	meanness	la avaricia	l'avarizia (f.)	de gierigheid (f.)
			la tacañería		

AVARIE (n.f.) (*) 1. Dommage survenu à un navire ou aux marchandises qu'il transporte (RQ).

1. (417)	der Schaden	average (navire)	la avería	l'avaria (f.)	de averij (f.)
	die Havarie	damage (en général)	el daño		de schade (m./f.)

AVARIÉ, -IÉE (adj.) (*) 1. Qui a subi un dommage, qui est détérioré.

1. (417)	beschädigt	damaged	averiado	avariato	beschadigd
	havariert		dañado		bedorven (voedingswaren)

AVENANT (n.m.) (**) 1. Clause ajoutée à un contrat.

1. (41)	der Nachtrag	additional clause	la cláusula adicional	la clausola addizionale	het aanhangsel
	der Zusatz	endorsement		la clausola aggiuntiva	

AVERTISSEMENT-EXTRAIT DE RÔLE ; AVERTISSEMENTS-EXTRAITS DE RÔLE (n.m.) (**) 1. Formulaire de décompte des impôts à payer.

1. (315)	der Steuerbescheid	tax notice	el apercibimiento	l'avviso (m.) dell' erario notificante l'importo del debito fiscale e le modalità di pagamento	het aanslagbiljet
			el aviso		

AVERTISSEUR (n.m.) (*) 1. Indicateur conjoncturel d'alerte.

1. (318)	das Warnsignal	warning sign	el indicador	l'indicatore (m.)	de indicator (m.)

AVIATION (n.f.) (***) 1. Circulation aérienne.

1.	die Luftfahrt	aviation	la aviación	l'aviazione (f.)	de luchtvaart (m./f.)

AVICOLE (adj.) (*) 1. Qui se rapporte à l'élevage de volailles.

1. (506)	Geflügel-	poultry-	avícola	avicolo	pluimvee- gevogelte-

AVICULTEUR, AVICULTRICE (n.) (*) 1. Personne qui élève des volailles.

1. (506)	der Geflügelzüchter	poultry farmer	el avicultor	l'avicoltore (m.)	de pluimveekweker (m.)

AVICULTURE (n.f.) (*) 1. Élevage de volailles.

1. (506)	die Geflügelzucht	poultry farming	la avicultura	l'avicoltura (f.)	de pluimveehouderij (f.) de pluimveekwekerij (f.)

AVION (n.m.) (****) 1. Moyen de transport aérien.

1.	das Flugzeug	(aero)plane (GB)	el avión	l'aereo (m.)	het vliegtuig
		(air)plane (US)		l'aeroplano (m.)	

AVOIR (n.m.) (***) 1. Argent et patrimoine.

1. (35)	das (Bank) Guthaben	resources (en général)	el haber	il deposito	het bezit
	das Haben	capital (en général)		l'avere (m.)	het vermogen

AVOISINER (v.tr.dir.) (***) 1. Être proche de.

1. (275)	erreichen fast	to be close to	aproximar	avvicinare	benaderen
	betragen fast	to be about	acercar	essere prossimo a	ongeveer bedragen

AVS (une ~) (*) (40) assurance vieillesse et survivants.

AYANT DROIT ; AYANTS DROIT (n.m.) (**) 1. Personne qui possède des droits sur qqch.

1. (25)	der Berechtigte	legal claimant	el derechohabiente	l'avente diritto (m.)	de rechthebbende (m.)
(43)		assigner			

B

BABY(-)BOOM (n.m.) (*) 1. Forte augmentation des naissances.

1. (168)	der Babyboom	baby-boom	el babyboom	il baby-boom	de babyboom (m.)

BAIL ; BAUX (n.m.) (****) 1. Contrat de location.

1. (350)	der Mietvertrag	lease	el arrendamiento	(il contratto di) affitto (per cosa produttiva)	de (het) huur(contract) (m./f.)
	der Pachtvertrag	tenancy agreement	el alquiler	(il contratto di) locazione (per cosa non produttiva)	de verpachting (f.)

BAILLEUR, BAILLERESSE (n.) (***) 1. Personne qui donne en location. 2. (un ~ de fonds) Personne qui fournit de l'argent.

1. (350)	der Vermieter	landlord	el arrendador	il locatore	de verhuurder (m.)
	der Verpächter	lessor		il concedente	
2. (350)	der Geldgeber	financial backer	el proveedor de fondos	il finanziatore	de geldschieter (m.)
	der Kapitalgeber	sleeping partner	el socio capitalista		

BAISSE (n.f.) (****) 1. Diminution.

1. (277)	der Rückgang	fall	la baja	la diminuzione	de verlaging (f.)
	das Fallen	drop	el descenso		de daling (f.)

BAISSER (v.tr.dir., v.intr.) (****) 1. Diminuer.

1. (277)	senken	to lower	bajar	abbassare	verlagen
	herabsetzen	to fall	descender	diminuire	dalen

BAISSIER, -IÈRE (adj.) (***) 1. Qui est orienté à la baisse.

1. (366)	mit fallender Tendenz	downward	bajista	(trend) ribassista	neerwaarts
		bearish (Bourse uniquement)	a la baja	al ribasso	baisse-

BALANCE (n.f.) (****) 1. Document comptable qui récapitule des opérations.

1. (49)	die Bilanz	balance	el balance la balanza	il bilancio	de balans (m./f.)

BALANCE

➠ compte

1 une balance			

1 une BALANCE - [balɑ̃s] - (n.f.)

1.1. Document comptable qu'un agent économique (une entreprise, un pays) établit à la fin d'une période (souvent un an) et qui récapitule les différents types d'opérations entre cet agent économique et d'autres agents économiques et qui dégage un solde.
Le FMI est un organisme chargé entre autres d'apporter une aide financière aux pays en déséquilibre de balance des paiements.

+ adjectif

TYPE DE BALANCE

Une balance partielle : regroupement sous forme de compte d'une ou plusieurs rubriques de la balance des paiements, comme p. ex. la balance commerciale, la balance des transactions courantes ou la balance des mouvements (non) monétaires.

La balance commerciale : balance partielle qui récapitule les importations et les exportations de marchandises qui sont intervenues entre un (groupe de) pays (ou d'un secteur) et un (groupe de) ou tous les autres pays. *La balance commerciale permet de calculer le solde commercial et le taux de couverture, qui représente le rapport en pourcentage entre la valeur des exportations et des importations.*

La balance courante (des paiements). (☞ 50 + nom).

NIVEAU DE LA BALANCE

Une balance excédentaire. >< **Une balance déficitaire**. (☞ 50 + nom).

MESURE DE LA BALANCE

Une balance journalière.

Une balance mensuelle.

+ nom

- **Le solde de la balance commerciale** ; **le solde de la balance des capitaux** ; ...

TYPE DE BALANCE

La balance des paiements (**courants**) : document comptable qui récapitule l'ensemble des entrées et sorties de marchandises, de services et de capitaux qui sont intervenues pendant une période (une année en général) entre un pays et les autres pays. La balance des paiements peut être décomposée en balances partielles. (Syn. : (moins fréq.) **les comptes extérieurs**). *La balance des paiements est un indicateur de la performance d'un pays dans les échanges internationaux.* (V. 125 comptabilité, 1 pour les opérations à l'intérieur d'un pays).

La balance des services : balance partielle qui récapitule les importations et les exportations de services qui sont intervenues entre un (groupe de) pays et un (groupe de) ou tous les autres pays.

La balance des transferts (**unilatéraux**) : balance partielle qui récapitule les envois de parts de salaire de travailleurs à leurs familles qui vivent à l'étranger et l'aide accordée dans le cadre de la coopération entre États, sans contrepartie.

La balance des invisibles : balance partielle qui regroupe la balance des services et la balance des transferts.

La balance des transactions courantes, la balance des opérations courantes : balance partielle regroupant la balance commerciale et celle des services. Ajoutée à la balance des capitaux elle constitue la balance des paiements.

La balance des capitaux (**à long terme** > **à court terme**), **la balance des mouvements de capitaux** : balance partielle qui récapitule les entrées et sorties de capitaux (les crédits, les prêts, les investissements).

La balance des mouvements monétaires : balance partielle qui récapitule des mouvements de capitaux à court terme (maximum un an) des banques et des autorités monétaires (la banque centrale).

NIVEAU DE LA BALANCE

Une balance en équilibre, **l'équilibre de la balance** (**commerciale**, ...). *L'équilibre de la balance commerciale a été rétabli sans recours à des mesures protectionnistes.* (☞ 50 + verbe).

>< **Une balance en déséquilibre, le déséquilibre de la balance** (**commerciale**, ...) : **un déficit de la balance** (**commerciale**, ...). (Syn. : **un déficit commercial,** (moins fréq.) **une balance** (**commerciale, ...**) **déficitaire, en déficit**). *Nous enregistrons une diminution du déficit de la balance commerciale grâce aux excellentes performances à l'exportation de nos entreprises.* >< **Un excédent de la balance** (**commerciale**, ...) : (Syn. : **un excédent commercial**, (moins fréq.) **une balance** (**commerciale**, ...) **excédentaire**). *Pendant des années, l'excédent de la balance commerciale japonaise a été beaucoup trop important.* (☞ 50 + verbe).

+ verbe : qui fait quoi ?

la ~ (commerciale, ...)	△	**dégager** un excédent **présenter** un excédent	-	
la ~ (commerciale, ...)	-	**accuser** un déficit **enregistrer** un déficit	- -	
un gouvernement tente d'	=	**équilibrer** la ~ (commerciale, ...)	l'équilibrage de la ~ (commerciale, ...) l'équilibre de la ~ (commerciale, ...)	
la ~ (commerciale, ...)	△▽	**se détériorer**	la détérioration de la ~ (commerciale, ...)	1
la ~ (commerciale, ...)	▽△	**s'améliorer**	l'amélioration de la ~ (commerciale, ...)	
		se redresser	le redressement de la ~ (commerciale, ...)	

1 *La détérioration rapide de la balance commerciale américaine promet de peser sur le dollar dans les mois qui viennent.*

Pour en savoir plus

NOTE D'USAGE

Ne confondez pas 'balance' et 'bilan'.

BALANCER (v.tr.dir.) (*) 1. Licencier.

1. (344)	feuern rauswerfen	to sack	echar	licenziare	ontslaan aan de deur zetten

BANCABLE (adj.) (*) 1. (un titre ~) Qui peut être accepté par une banque centrale. 2. (une place ~) Où une banque est présente.

1. (55)	diskontfähig	discountable bankable	aceptable en banca	scontabile bancabile	discontabel (ver)disconteerbaar
2. (55)	Sitz einer Bank Standort einer Bank	where a bank has a branch	donde hay una banca	dove è presente una banca	waar zich een bank bevindt

BANCAIRE (adj.) (****) 1. Qui se rapporte à la banque.

1. (54)	Bank- bankküblich	bank- banking	bancario	bancario	van het bankwezen

BANCARISATION (n.f.) (*) 1. Développement du secteur bancaire.

1. (55)	der Ausbau des Banksektors	extension of banking services	el desarrollo bancario	la bancarizzazione	de groeiende invloed (m.) van de banken

BANCARISER (v.tr.dir.) (*) 1. Développer le secteur bancaire.

1. (55)	den Banksektor ausbauen	to extend banking services	desarrollar el sector bancario	bancarizzare	de banksector ontwikkelen

BANCASSURANCE (n.f.) (***) 1. Vente d'assurances par une banque.

1. (55)	die Allfinanz	insurance services provided by a bank	el seguro bancario	la bancassicurazione	Bank en Verzekeringen

BANCASSUREUR (n.m.) (*) 1. Banque qui vend aussi des assurances.

1. (55)	der Allfinanzdienst- leister	a bank providing insurance services	el banco asegurador	la bancassicurazione	de bankverzekeraar (m.)

BANCOMAT (n.m.) (**) 1. Distributeur de billets de banque.

1. (55)	der Bankomat	cash dispenser	el cajero automático	il Bancomat	de bankautomaat (m.)
(206)	der Banknotenautomat	hole-in-the-wall		lo sportello automatico	de geldautomaat (m.)

BANDEAU ; BANDEAUX (n.m.) (*) 1. Petit espace publicitaire (sur Internet p. ex.).

1. (461)	das Banner	banner streamer	el banner	il banner (internet) lo striscione	het opschrift de banner (m.)

BANDEROLE (n.f.) (*) 1. Espace publicitaire.

1. (463)	die Bandenwerbung das Transparent	banner	la marquesina desplazante	lo striscione	de spandoek (m.) de wimpel (m.)

BANQUABLE (adj.) (*) 1. (un titre ~) Qui peut être accepté par une banque centrale. 2. (une place ~) Où une banque est présente.

1. (55)	diskontfähig	discountable bankable	aceptable en banca	scontabile	discontabel (ver)disconteerbaar
2. (55)	Sitz einer Bank Standort einer Bank	where a bank has a branch	donde hay una banca	dove è presente una banca	waar zich een bank bevindt

BANQUE (n.f.) (****) 1. Organisme d'intermédiation financière. 2. Lieu où s'effectue cette intermédiation.

1. (51)	das Bankwesen	bank	la banca la institución bancaria	la banca il settore bancario	de bank(instelling) (f.)
2. (51)	die Bank das Geldinstitut	bank	el banco	la banca	de bank (m./f.)

BANQUE

➠ finance

1 une banque **3** une banqueroute **3** la bancassurance **3** la banque-assurance **3** la bancarisation **3** la télébanque	**3** un banquier, une banquière **3** un bancassureur	**2** bancaire **3** interbancaire **3** bancable **3** banquable	**3** bancariser

1 une BANQUE - [bɑ̃k] - (n.f.)

1.1. Agent économique dont la fonction principale est de servir d'intermédiaire lors des transactions financières (les paiements, les dépôts, les prêts, les opérations de change, ...) des autres agents économiques (les particuliers, les entreprises et l'État - X).
Syn. : (☞ 53 Pour en savoir plus, Banque (sens 1.1.) et synonymes).
Une banque fait le commerce de l'argent.

1.2. Lieu où s'effectuent les transactions financières des agents économiques.
Syn. : une agence (bancaire), une succursale.

2.1. (en combinaison avec un substantif) Ensemble de données ; service médical qui recueille des organes, du sang, ...

2.2. Somme d'argent que l'un des joueurs tient devant lui pour payer ceux qui gagnent (PR).

expressions

(sens 1.1.)

- **La haute banque** : aristocratie financière groupée dans d'importantes banques d'affaires.
- **La banque des banques** : prêteur en dernier ressort, la banque centrale.

(sens 2.2.)

(Une personne) **faire sauter la banque** : gagner tout l'argent que le banquier a mis en jeu (PR).

+ adjectif

TYPE DE BANQUE (sens 1.1.)

Une banque centrale : banque qui fait fonction de banque de l'État (émission de billets de banque et contrôle de la masse monétaire, suivi de l'évolution des taux d'intérêt et du cours de la monnaie nationale, gestion des réserves d'or et de devises) et de banque des banques (règlement des créances que les unes ont sur les autres). À la tête d'une banque centrale se trouve un **gouverneur**.

Dénominations : (B) **la Banque Nationale de Belgique** (**la BNB**) ; (F) **la Banque de France** ; (Canada) **la Banque du Canada** ; (S) **la Banque Nationale Suisse** (**la BNS**) ; (États-Unis) **la Réserve fédérale** (**la Fed**) ; (Allemagne) **la Bundesbank** (**la Buba**).

La Banque centrale européenne (**la BCE**). *Dès sa création, la Banque centrale européenne a dû prendre les mesures nécessaires pour introduire la monnaie unique, l'euro, dans un certain nombre de pays de l'Union européenne.*

Une banque commerciale. *Il y a un équilibre difficile à trouver entre le besoin d'indépendance des banques commerciales et la nécessité d'une surveillance de leur gestion par la Banque centrale.*

La Banque mondiale. *La Banque mondiale a été conçue en 1944 pour financer, dans les États les moins favorisés, des projets de développement économique.* (Syn. : **la Banque internationale pour la reconstruction et le développement** (**la BIRD**)).

Une banque privée. >< **Une banque publique** : banque dont la majorité des actions est détenue par l'État. *Cette célèbre banque publique figure sur la liste des sociétés privatisables du gouvernement.*

Une banque coopérative. *Certaines banques coopératives proposent à leur clientèle des parts de coopérateurs semblables à des actions.* (Syn. : (Q) **une caisse populaire**).

Une banque créancière, (peu fréq.) **créditrice** : banque qui est en droit d'exiger le remboursement de l'argent qu'elle a prêté. *Les banques créancières ont accepté le plan de sauvetage proposé par la direction.*

Une banque universelle : banque qui offre tous les services bancaires à l'ensemble de sa clientèle.

CARACTÉRISATION DE LA BANQUE (sens 1.1.)

La première banque : la banque la plus importante. *Plusieurs banques japonaises se disputent le titre de première banque commerciale du monde.*

Une grande banque. *Les grandes banques n'offrent pas nécessairement les meilleures conditions.*

>< **Une petite banque.**

LOCALISATION DE LA BANQUE (sens 1.1.)

Une banque nationale. >< **Une banque étrangère.** *Les banques japonaises sont bien présentes parmi les banques étrangères implantées dans notre pays.*

+ nom

(sens 1.1.)

- **Un billet de banque.** (V. 380 monnaie, 1).
- **Un compte en banque.** (Syn. : **un compte bancaire**). (V. 128 compte, 1).
- **Un consortium de banques.** (V. 519 société, 1).
- **La liquidité d'une banque.** (V. 346 liquidité, 1).
- **Un découvert** (**en banque**). (Syn. : **un découvert bancaire**). (V. 196 dette, 1).
- (Q) **Une succursale de banque.** (V. 21 agence, 1).

TYPE DE BANQUE (sens 1.1.)

Une banque d'affaires : banque qui effectue des acquisitions, des fusions et qui gère des portefeuilles de valeurs.

Une banque d'épargne. (☞ 54 Pour en savoir plus, Classification des banques).

Une banque de dépôt. (☞ 54 Pour en savoir plus, Classification des banques).

La Banque des règlements internationaux (**la BRI**) : organisme de coordination des politiques monétaires. *Dans le cadre de la BRI, les gouverneurs des banques centrales échangent leurs points de vue sur l'évolution financière et monétaire internationale.*

La Banque européenne pour la reconstruction et le développement (**la BERD**). *La BERD a pour objectif de faciliter la transition des pays de l'Europe de l'Est vers l'économie de marché.*

La Banque européenne d'investissement (**la BEI**) : organisme de l'Union européenne qui a pour but de garantir le développement équilibré des pays membres. *La BEI vient d'accorder d'importants prêts pour le développement des infrastructures de communication et environnementale.*

La Banque internationale pour la reconstruction et le développement (**la BIRD**). (☞ 52 + adjectif).

Une banque d'investissement. *Le rôle d'une banque d'investissement consiste à offrir des prêts à des taux relativement bas aux secteurs privé et public.*

La banque à domicile. (V. 55 2 bancaire).

TYPE DE BANQUE (sens 2.1.)

Une banque de données : bibliothèque, ensemble d'informations sur un sujet, centralisées, traitées par ordinateur et tenues à la disposition des usagers (PR). À distinguer d'**une base de données**, qui constitue également un ensemble d'informations traitées par ordinateur et exploitables à l'aide de logiciels spécialisés, mais qui n'est pas mis à la disposition des usagers. (Syn. : **un corpus**).

+ verbe : qui fait quoi ?

(sens 1.1.)

une ~ ×	**collecter** l'épargne (de X)	la collecte de l'épargne	1
	récolter des fonds	la récolte de fonds	
	recevoir de l'argent **en dépôt**	le dépôt d'argent auprès d'une ~	
>< X	**avoir de l'argent à** la ~	-	
X, une ~	**effectuer** un placement	-	
une ~	**faire fructifier** l'argent des déposants	-	2
	gérer un portefeuille de valeurs	la gestion d'un portefeuille de valeurs	
une ~	**débiter** le compte d'un client	-	3
	>< **créditer** le compte d'un client (d'un montant de ... euros)	-	
X, une ~	**effectuer** un virement (pour le compte d'un client)	-	
X, une ~	**encaisser** un chèque	l'encaissement d'un chèque	
X, une ~	**vendre** des devises	la vente de devises	
	>< **acheter** des devises	l'achat de devises	
une ~	**émettre** des bons de caisse	une émission de bons de caisse un émetteur de bons de caisse	
une ~	**effectuer** une opération de change	-	
une ~	**prêter** des capitaux	le prêt de capitaux	
	consentir un prêt, un crédit	-	
	octroyer un crédit, un prêt	l'octroi d'un crédit	4
une ~	**louer** un coffre	la location de coffres	
une ~	**escompter** une traite	l'escompte d'une traite (V. 54 2 bancaire)	
une ~	**recouvrer un effet de commerce**	le recouvrement d'un effet de commerce	
une ~	**recourir au marché monétaire**	le recours au marché monétaire	
	intervenir sur le marché monétaire	une intervention sur le marché monétaire	
le gouvernement	**privatiser** une ~	la privatisation d'une ~	5
	>< **nationaliser** une ~	la nationalisation d'une ~	

1 *La collecte de l'épargne effectuée par les banques est en hausse de 3,5 % par rapport à l'exercice précédent.*
2 *Cette banque propose à ses clients de faire fructifier leur épargne pendant 10 ans au moins à des conditions particulièrement intéressantes.*
3 *Ma banque a débité mon compte d'un montant nettement supérieur au montant qui figure sur le bulletin de virement.*
4 *Aucune banque ne s'est déclarée prête à octroyer les crédits nécessaires pour la réalisation de ce projet.*
5 *La privatisation de cette banque publique aide le gouvernement à équilibrer davantage le budget de l'État.*

Pour en savoir plus

BANQUE (sens 1.1.) ET SYNONYMES

Une banque, (peu fréq.) **une institution bancaire, un établissement bancaire**.

Une institution financière, (moins fréq.) **un organisme financier, un établissement financier** : tout organisme qui est impliqué dans le commerce de l'argent (les banques, les agents de change, les compagnies d'assurances). *Du point de vue économique, la tâche essentielle des banques et des autres établissements financiers est de servir d'intermédiaire dans le transfert de l'épargne vers les investissements et la consommation.*

NOTE D'USAGE

L'emploi de la préposition 'auprès' avec 'banque' :

(une personne)

ouvrir un compte auprès d'une banque
échanger de l'argent
effectuer des dépôts
placer ses fonds
obtenir des crédits
contracter un emprunt/
emprunter de l'argent
s'endetter
escompter une traite
souscrire à une sicav
...

CLASSIFICATION DES BANQUES

Selon le pays, les banques sont classées de façon différent e:
(B) Les trois types de banques ont désormais le même statut légal :
les banques de dépôt,
les banques d'épargne,
les institutions publiques de crédit (les IPC) (F)
les banques dites banques AFB, membres de l'Association française des banques (p. ex. la BNP),
les caisses d'épargne et de prévoyance,
les banques mutualistes et coopératives (p. ex. le Crédit Agricole),
les sociétés financières (p. ex. le Crédit foncier de France),
les institutions financières spécialisées (p. ex. les sociétés d'affacturage).
(S) On distingue :
les grandes banques (p. ex. le Crédit Suisse Group),
les banques cantonales,
les banques Raiffeisen (banques d'origine rurale, mais qui s'implantent de plus en plus sur tout le territoire),
les banques privées (spécialisées dans la gestion de fortune).

ÉVOLUTION DANS LE SECTEUR BANCAIRE

La désintermédiation : opération par laquelle les entreprises et l'État s'adressent directement au marché financier (les particuliers et les investisseurs institutionnels) plutôt que de recourir au crédit des banques.

2 BANCAIRE - [bɑ̃kɛʀ] - (adj.)

1.1. Qui se rapporte à l'agent économique dont la fonction principale est de servir d'intermédiaire lors des transactions financières (les paiements, les dépôts, les prêts, les opérations de change, ...) des autres agents économiques (les particuliers, les entreprises et l'État) ou aux transactions elles-mêmes.
La faillite de cette grosse banque américaine risque de déstabiliser le système bancaire et d'avoir une influence néfaste sur le développement économique du pays.

+ nom

- **Le système bancaire.** *La survie de l'ensemble du système bancaire dépend en premier lieu de la confiance des épargnants et des investisseurs.*
- **Le secteur bancaire** (V. 504 secteur, 1), (moins fréq.) **le monde bancaire, les milieux bancaires.**
  Un syndicat bancaire, un pool bancaire. (Syn. : **un syndicat financier, un pool financier**). (V. 533 syndicat, 1).
  Un groupe bancaire : ensemble de banques qui ont la même direction.
  Une institution bancaire, un établissement bancaire. (Syn. : **une banque**).
  Une agence bancaire, une succursale, (Q) **une succursale bancaire.** (V. 21 agence, 1).
  Un réseau bancaire. *Avec ses 2 900 agences, cette banque dispose du deuxième réseau bancaire du pays.*
- **Un pôle bancaire.** *Au sein de ce holding, le pôle bancaire prend de plus en plus d'importance.*
- **L'/les activité(s) bancaire(s).** *Ce holding s'intéresse à cette petite banque régionale pour renforcer et diversifier ses activités bancaires.*
- **Un service bancaire.** *Les associations de consommateurs plaident pour une gratuité des services bancaires et contre la tarification excessive pratiquée par les banques.* (V. 508 service, 1).
  Un produit bancaire. (V. 443 production, 2).
  Un compte bancaire. (Syn. : **un compte en banque**). (V. 128 compte, 1).
  Une carte bancaire : carte magnétique ou munie d'une puce qui permet d'effectuer des transactions financières à des guichets automatiques (retraits d'argent, virements, sortie des extraits de compte, ...) et de payer chez les commerçants ayant un terminal de paiement. La somme payée est immédiatement débitée du compte. (Syn. : **une carte de débit**). (Ant. : **une carte de crédit** avec paiement différé (p. ex. une carte Visa, American Express, ...)).
  Un/les dépôt(s) bancaire(s). (V. 189 dépôt, 1).
  Un virement bancaire. (V. 577 virement, 1).
  Un chèque bancaire. (V. 97 chèque, 1).
  Un prêt bancaire. (V. 428 prêt, 1).
  Un document bancaire. *Cette personne n'est pas en mesure de fournir un document bancaire attestant l'origine de ces fonds.*
- **Les frais bancaires.** (V. 294 frais, 1).
- **Un crédit bancaire.**
  Un découvert (bancaire). (Syn. : **un découvert en banque**). (V. 196 dette, 1).
  Un escompte bancaire : opération par laquelle une banque de dépôt remet immédiatement le montant d'un effet de commerce à son bénéficiaire, sans attendre le terme, mais en prélevant une rémunération, appelée escompte (Lassègue).
- **Une garantie bancaire.** *Cette société doit fournir une garantie bancaire pour assurer le vendeur qu'elle est bien en mesure de présenter les*

3 millions d'euros nécessaires pour reprendre 10 % des actions qu'il détient.

- **Le secret bancaire** : secret professionnel auquel est tenue toute personne qui, à un titre quelconque, participe à la direction ou à la gestion d'un établissement de crédit ou qui est employée par celui-ci (Référis). *Après de nombreuses démarches, la justice a obtenu la levée du secret bancaire pour trois comptes numérotés dont elle estime qu'ils auraient servi au blanchiment d'argent sale.* **Un secret bancaire limité.** >< **Un secret bancaire absolu. Lever le secret bancaire. La levée du secret bancaire. Une opération bancaire.** *Les banques dépensent des sommes importantes afin de garantir la sécurité des opérations bancaires réalisées par les particuliers et les entreprises à partir d'un micro-ordinateur relié à l'ordinateur de l'institution financière.*
- **Le ratio de liquidité bancaire, le coefficient de liquidité bancaire, l'indice de liquidité bancaire**. (V. 346 liquidité, 1).
- **Le financement bancaire**. (V. 264 finance, 2).
- (F) **Un relevé d'identité bancaire (un RIB)** : pièce d'identité du titulaire d'un compte. *Le titulaire peut se servir de ses RIB dans tous les cas où il a besoin de produire ses références bancaires* (Wagner).

Pour en savoir plus

OÙ EFFECTUER SES OPÉRATIONS BANCAIRES ?

Une agence (bancaire), une succursale.
Un guichet. Un guichet automatique. {**un guichetier, une guichetière**}.
Un distributeur automatique de billets. (Syn. : (F) **une billetterie**, (S) **un bancomat**).

À domicile (**la banque à domicile**, (angl.) **le homebanking**), par les moyens de communication modernes (**la télébanque**, (angl.) **le télébanking**) : le téléphone ((angl.) **le phonebanking**), le minitel ou le réseau télématique ((angl.) **le PC-banking**).

3 AUTRES DÉRIVÉS OU COMPOSÉS

- **Une banqueroute** [bɑ̃kʀut] (n.f.). (Syn. : (plus fréq.) **une faillite**). (V. 260 faillite, 1). **Faire banqueroute ; être en banqueroute.**
- **La bancassurance** [bɑ̃kasyʀɑ̃s] (n.f.) vente d'assurances par une banque. (Syn. : (peu fréq.) **la banque-assurance**). *Les revenus qui proviennent de la bancassurance sont limités par rapport à l'ensemble des revenus de notre banque.*
  {**un bancassureur** [bɑ̃kasyʀœʀ] (n.m.)}.
- **La bancarisation** [bɑ̃kaʀizasjɔ̃] (n.f.) : développement du secteur bancaire. **Le taux de bancarisation** : pourcentage des ménages qui ont au moins un compte en banque. (Syn. : **l'indice de bancarisation**).
  {**bancariser** [bɑ̃kaʀize] (v.tr.dir.)}.
- **La télébanque** [telebɑ̃k] (n.f.) : réalisation d'opérations bancaires à distance par les moyens de communication modernes. (V. 55 2 bancaire).
- **Un banquier, une banquière** [bɑ̃kje, bɑ̃kjɛʀ] (n.). 1. Personne qui possède ou dirige une banque, et, par extension, la personne avec qui qqn a un contact régulier à l'intérieur de la banque. *Mon banquier m'a suggéré d'investir une petite partie de mon capital dans des placements à haut risque.* **Un banquier véreux** : banquier suspect, voire malhonnête. **Le métier de banquier.** *C'est tout le métier de banquier qui change : les clients deviennent de plus en plus exigeants et demandent des produits de plus en plus sophistiqués.* (Syn. : **un bailleur de fonds**). (V. 288 fonds, 1).
- **Interbancaire** [ɛ̃tɛʀbɑ̃kɛʀ] (adj.) : qui se rapporte aux transactions entre banques. **Le taux interbancaire** : taux d'intérêt que les banques offrent pour leurs prêts à des banques de premier rang sur une place financière donnée dans un domaine et pour une échéance définis (Ménard). *La banque centrale américaine a porté le taux interbancaire au jour le jour de 4,25 à 4,7 5%.*
  Le marché interbancaire. (V. 366 marché, 1).
  Le crédit interbancaire. (V. 165 crédit, 1).
- **Bancable** [bɑ̃kabl(ə)] (adj.) (peu fréq. : **banquable**). **Un titre bancable** : qu'une banque centrale est susceptible d'admettre en garantie de ses avances. **Une place bancable** : ville qui possède au moins un siège permanent de banque (Silem).

BANQUE-ASSURANCE (n.f.) (*) 1. Vente d'assurances par une banque.

1. (55)	das Allfinanzunternehmen	insurance services provided by a bank	el seguro bancario	la bancassicurazione	Bank en Verzekeringen

BANQUEROUTE (n.f.) (**) 1. Faillite accompagnée de délits.

1. (55)	der betrügerische Bankrott	bankruptcy	la bancarrota	bancarotta	het bankroet

BANQUIER, BANQUIÈRE (n.) (****) 1. Personne qui possède ou dirige une banque. 2. Personne qui fournit de l'argent.

1. (55)	der Bankier der Banker	banker	el banquero	il banchiere	de bankier (m.)
2. (55)	der Geldgeber der Finanzier	banker financier	el banquero	il banchiere	de bankier (m.)

BAR (n.m.) (***) 1. Lieu où sont vendues des boissons.

1. (118)	die Wirtschaft die Kneipe	bar	el bar	il bar	de bar (m./f.) het café

BARÈME (n.m.) (***) 1. Tableau des salaires, des tarifs.

1. (271)	der Tarif die -sätze	scale table	la tarifa el baremo	la tabella dei salari il listino dei prezzi	de loonschaal (m./f.) de prijstabel (m./f.)

BARÉMIQUE (adj.) (**) 1. Qui se rapporte au tableau des salaires, des tarifs.

1.	Tarif-	scale table	tarifario	tariffario	volgens de loonschaal

BARIL (n.m.) (***) 1. Tonneau. 2. Unité de mesure du pétrole.

1. (363)	das Fass	drum	el tonel el barril	il barile	het vat
2.	das Barrel	barrel	el barril	il barile	de barrel (m.)

BARMAID ; BARMAIDS (n.f.) (*) 1. Serveuse dans un bar.

1. (511)	die Bedienung die Kellnerin	barmaid	la camarera	la barista	het barmeisje

BARMAN ; BARMANS ou **BARMEN** (n.m.) (*) 1. Serveur dans un bar.

1. (511)	die Bedienung der Kellner	barman bartender	el barman el camarero	il barista	de barman (m.)

BAROMÈTRE (n.m.) (***) 1. Évaluation de la situation (économique).

1. (140)	das Wirtschaftsbarometer das Konjunkturbarometer	barometer indicator	el barómetro	il barometro	de barometer (m.)

BARQUETTE (n.f.) (*) 1. Petit contenant (pour des fruits p. ex.).

1. (363)	das Körbchen	sleeve pack (sous plastique) punnet (fruits)	el cestillo	la vaschetta	het mandje

BARRE (n.f.) (****) 1. Limite, seuil.

1. (284) (280)	die Grenze die Schwelle	limit threshold	el umbral el listón	la soglia il tetto	de lat (m./f.) de grens (m./f.)

BAS DE LAINE (un ~) (**) 1. Cachette où l'on mettait l'argent épargné. 2. Sommes épargnées.

1. (242)	der Sparstrumpf	nest egg savings	el calcetín	il materasso	de spaarkous (m./f.)
2. (242)	die Ersparnisse das Ersparte	savings	los ahorros	i risparmi	de spaarcenten (plur.)

BAS, BASSE (adj.) (****) 1. De faible niveau.

1. (284)	niedrig gering	low	bajo inferior	basso	laag

BASE (n.f.) (*) 1. Ensemble des membres d'un syndicat.

1. (534)	die Gewertschaftsbasis	rank and file	la base sindical	la base	de basis (f.)

BASE DE DONNÉES (une ~) (***) 1. Ensemble d'informations informatisées.

1. (53)	die Datenbank die Datenbasis	data base	la base de datos	il data base	de gegevensbank (f.) de databank (f.)

BATEAU ; BATEAUX (n.m.) (***) 1. Moyen de transport de personnes ou de marchandises sur l'eau.

1.	das Schiff das Boot	ship (transport) boat	el barco	la nave la barca	de boot (m./f.)

BÂTIMENT (n.m.) (****) 1. Construction. 2. Branche d'activité.

1. (505)	das Gebäude der Bau	building	el edificio	l'edificio (m.)	het gebouw
2. (505)	das Baugewerbe die Bauwirtschaft	building trade building industry	la construcción	l'edilizia (f.)	de bouw(nijverheid) (m.(f.))

BÂTIR (v.tr.dir.) (****) 1. Construire (une maison, un immeuble).

1. (505)	bauen errichten	to build	construir edificar	costruire edificare	bouwen

BÂTISSEUR, BÂTISSEUSE (n.) (**) 1. Personne qui fait construire (une maison, un immeuble).

1. (505)	der Bauherr	builder	el constructor	il costruttore	de bouwer (m.) de ontwerper (m.)

BÂTON (n.m.) (*) (437) Somme de 10 000 FRF.

BATTAGE (n.m.) (**) 1. Publicité exagérée.

1. (465)	der Werberummel	hard selling hoop(-)la (US)	la publicidad de bombo la publicidad a bombo y platillo	la pubblicità martellante	de schreeuwerige reclame (m./f.)

BATTANT, BATTANTE (n.) (*) 1. Chef d'entreprise très combatif.

1. (228)	der Kämpfer die Kämpfernatur	fighter	el ganador	il combattivo	de vechter (m.)

BAUX, voir **BAIL**

BCE (la ~) (**) Banque centrale européenne.

(52)	Europäische Zentralbank (EZB)	European Central Bank (ECB)	Banco Central Europeo (BCE)	Banca centrale europea (BCE)	Europese Centrale Bank (ECB)

BEF (****) (382)Belgique - franc.

BEI (la ~) (***) Banque européenne d'investissement.

(52)	Europäische Investitionsbank (EIB)	European Investment Bank (EIB)	Banco Europeo de Inversiones (BEI)	Banca europea per gli investimenti (BEI)	Europese Investeringsbank (EIB)

BEL(-)20 (le ~) (****) (71) indice de la Bourse de Bruxelles.

BELFOX (le ~) (***) (368) Belgian Futures and Options Exchange.

BÉNEF (n.m.) (*) 1. Avantage financier. 2. Surplus des produits sur les charges.

1. (57)	der Profit	profit	el beneficio	l'utile (m.) il profitto	de winst (f.)
2. (57)	der Profit	profit returns	el beneficio	l'utile (m.)	de winst (f.)

BÉNÉFICE (n.m.) (****) 1. Avantage financier. 2. Surplus des produits sur les charges.

1. (57)	der Gewinn	profit	el beneficio	l'utile (m.) il profitto	de winst (f.)
2. (57)	der Gewinn	profit returns	el beneficio	l'utile (m.)	de winst (f.)

BÉNÉFICE

➠ **profit - perte - rentabilité**

1 un bénéfice	2 un bénéficiaire, une bénéficiaire	3 bénéficiaire	

1 un BÉNÉFICE, (pop.) un BÉNEF - [benefis, benɛf] - (n.m.)

1.1. Avantage financier qu'un agent économique (un particulier, une entreprise, une banque, un investisseur - X) tire d'une transaction commerciale (lorsque le prix de vente est supérieur au coût de revient) (Y) ou financière (lorsqu'un placement procure un revenu) (Y).
Syn. : (☞ 59 Pour en savoir plus, Bénéfice (sens 1.1.) et synonymes); Ant. : une perte (V. perte, 1).
C'était une bonne affaire : j'en ai dégagé un bénéfice qui s'élève à plus de 100 000 euros.

1.2. (emploi au sing. et au plur.) Surplus des produits sur les charges (les produits/charges d'exploitation, financiers et exceptionnels) en fin d'exercice comptable qui vient augmenter la richesse d'un agent économique (une entreprise, une banque - X) et qui apparaît au compte de résultat et au bilan.
Syn. : un/des profit(s) ; Ant. : une/des perte(s), (moins fréq.) un déficit.
Le premier constructeur automobile européen Volkswagen a annoncé des pertes nettes consolidées de 194 millions d'euros, contre un bénéfice de 14 7millions d'euros l'année passée.

expressions

(sens 1.1.)

(C'est) tout bénéfice (pour qqn) : c'est un avantage financier que l'on obtient facilement. (Syn. : **(c'est) tout profit (pour** qqn)). *Dès que les parcs d'attraction voient du monde, ils pensent que c'est tout bénéfice. Or, les frais d'entretien sont énormes, surtout pour garantir la sécurité des visiteurs.*

(sens 1.2.)

Un bénéfice à deux chiffres : un bénéfice supérieur à 10 %.

+ adjectif

TYPE DE BÉNÉFICE (sens 1.2.)

Un bénéfice (comptable) : bénéfice établi dans les comptes de l'entité (Ménard). (Ant. : **une perte comptable**).

(emploi au sing.) **Le bénéfice courant, global,** (S) **le bénéfice hors charges exceptionnelles** : excédent des produits d'exploitation et financiers sur les charges d'exploitation et financières, sans tenir compte des produits et charges exceptionnels. (Ant. : **la/les perte(s) courante(s)**). *Le groupe a fait bondir son bénéfice courant de plus de 35 % dans un contexte économique difficile.*

(emploi au sing., parfois au plur.) **Le bénéfice brut** : excédent du total des produits d'un exercice sur le total des charges pour une entreprise.

>< (emploi au sing., parfois au plur.) **Le bénéfice net** : bénéfice brut moins certaines charges supportées par l'entreprise, les amortissements et les provisions. (Syn. : **le profit net**).

Le bénéfice net avant impôt(s) : avant déduction de l'impôt dû sur le bénéfice réalisé.

>< **Le bénéfice net après impôt(s)**.

(emploi au sing.) **Le bénéfice imposable** (Syn. : (moins fréq.) **le résultat fiscal, le revenu imposable**). *Si le bénéfice imposable est de 500 000 euros, tandis que le taux de l'impôt sur les bénéfices est de 40 %, le montant de l'impôt sur les sociétés sera de 500 000 x 0,4 = 200 000 euros* (C&G).

(emploi au sing.) **Le bénéfice consolidé** : bénéfice d'un groupe (société-mère et filiales) calculé comme s'il s'agissait d'une seule entité.

Le(s) bénéfice(s) distribué(s) : p. ex. sous forme de dividende aux actionnaires.

>< **Le(s) bénéfice(s) non distribué(s)**, non répartis, tels **les bénéfices mis en réserve** et **les bénéfices réinvestis** dans l'entreprise. (☞ 59 + verbe).

Le(s) bénéfice(s) reporté(s) (de l'exercice précédent) : bénéfice qui est mis en réserve et qui sera incorporé dans le résultat à affecter de l'exercice suivant. *La société Fidisco a clôturé son exercice par un bénéfice net de 4millions d'euros. En y ajoutant le bénéfice reporté, le montant à répartir est de 5 millions d'euros.*

Les bénéfices industriels et commerciaux (les BIC) : bénéfices provenant d'une profession commerciale ou artisanale, c'est-à-dire les commerçants, les artisans et les sociétés qui ne relèvent pas de l'impôt sur les sociétés.

Les bénéfices non commerciaux (les BNC) : bénéfices des professions libérales, des charges et offices dont les titulaires n'ont pas la qualité de commerçant, de toutes occupations et exploitations lucratives et de sources de profits divers (M&S).

NIVEAU DU BÉNÉFICE (sens 1.1. et 1.2.)

Un/de petit(s) bénéfice(s), un/de maigre(s) bénéfice(s). < **Un/de gros bénéfice(s), un/d'important(s) bénéfice(s), un/des bénéfice(s) substantiel(s)**. < **Un/de plantureux bénéfice(s)**. *Les filiales étrangères qui réalisent de plantureux bénéfices dans les pays en voie de développement empêchent souvent le développement d'initiatives locales.* < **Un/des bénéfice(s) record(s)**.

+ nom

(sens 1.1. et 1.2.)

Une source de bénéfice(s). (Syn. : **une source de profit(s)**). (V. 456 profit, 1) .

(sens 1.1.)

Une prise de bénéfice(s) : réalisation de plus-values par la vente de valeurs mobilières. (☞ 59 + verbe).

(sens 1.2.)

- **L'intéressement aux bénéfices** : forme de rémunération variable des salariés qui dépend des résultats de l'entreprise et qui constitue une sorte d'incitant. *Au salaire peut venir s'ajouter une prime qui représente une forme d'intéressement aux bénéfices de l'entreprise.* (☞ 59 + verbe).

La participation aux bénéfices. 1. Répartition entre les salariés de la partie du bénéfice de l'entreprise qui se trouve dans la réserve spéciale de participation, dont le montant est calculé après la clôture des comptes. (Syn. : **une participation bénéficiaire**). *Lorsque les salaires sont bloqués, certaines entreprises accordent des augmentations déguisées sous forme de fourniture de biens, de paiements anticipés ou de participation aux bénéfices.* (☞ 59 + verbe). - 2. Répartition entre les assurés d'une part des bénéfices réalisés par la compagnie d'assurances sous différentes formes (p. ex. une **ristourne** sur la prime d'assurance ou une augmentation de la couverture d'assurance). (Syn. : **une participation bénéficiaire**).

- **L'impôt (sur les bénéfices) des sociétés**. (V. 313 impôt, 1).

TYPE DE BÉNÉFICE (sens 1.2.)

(emploi au sing.) **Un bénéfice d'exploitation** : excédent du produit d'exploitation sur les charges d'exploitation (les activités commerciales), sans tenir compte des produits et charges financiers et exceptionnels. (Syn. : **le résultat d'exploitation général**). (Ant. : **une/des perte(s) d'exploitation**, (moins fréq.) **un déficit d'exploitation**).

MESURE DU BÉNÉFICE (sens 1.1. et 1.2.)

Un bénéfice de ... euros, ... euros de bénéfice(s). *La croissance de cette société est foudroyante : pas loin de 150 millions d'euros de bénéfices ont été engrangés ... par mois.*

MESURE DU BÉNÉFICE (sens 1.2.)

Un bénéfice par action (un BPA) : bénéfice net d'une société calculé par action.

+ verbe : qui fait quoi ?

(sens 1.1.et 1.2.)

X		**attendre** un/des ~ (de ... euros)	-	
		s'attendre à un/des ~ (de ... euros)		1
		↓		
X	✓	**réaliser**	la réalisation d'un/de ~	
		enregistrer	-	
		dégager	-	
		générer	-	
		afficher	-	
		engranger	-	2

		un/des ~ (de ... euros)/ ... euros de ~		
le ~ (de X)	=	**s'élever à** + un montant	-	
		atteindre + un montant	-	
le ~ (de X)	△	**être en hausse**	une hausse du ~ (de X)	
		progresser (de ... %)	une progression du ~ (de X)	3
		augmenter (de ... %)	une augmentation du ~ (de X)	
		croître (de ... %)	une croissance du ~ (de X)	
		grimper (de ... %)	-	
le ~ (de X)	▽	**baisser** (de ... %)	une baisse du ~ (de X)	
		reculer (de ... %)	un recul du ~ (de X)	
le ~ (de X)	▽▽	**chuter**	une chute du ~ (de X)	

1 *La première banque américaine s'attend à un bénéfice de 575 millions de dollars pour le prochain exercice.*
2 *Si le groupe industriel allemand Siemens parvient à engranger un bénéfice en légère hausse, c'est parce qu'il a réalisé une vente exceptionnelle.*
3 *Le bénéfice du groupe a progressé de 14% à 15,4 milliards d'euros.*

(sens 1.1.)

X (une entreprise), une personne	**vendre** Y avec un (adjectif) ~	la vente avec un ~	1
	vendre Y avec un ~ de ... euros		
	⋎		
	faire un ~ (de ... euros)	-	
	faire ... euros de ~		
X (un investisseur)	**prendre** son ~	une prise de ~	2

1 *Nous suggérons de vendre cette action maintenant ... avec un joli bénéfice.*
2 *La tendance à la Bourse de Paris s'est rapidement dégradée, les opérateurs préférant prendre leurs bénéfices réalisés la veille.*

(sens 1.2.)

X	**clôturer** un exercice sur/avec/ par un ~ (de + un montant)	la clôture d'un exercice avec/par un ~ (de +montant)	
→ un exercice	**se clôturer** par un ~ (de + un montant)	la clôture d'un exercice avec/par un ~ (de + un montant)	
X	**renouer** avec le/les ~	-	1
X	**affecter** un/des ~ **à** qqch.	l'affectation du/des ~ à qqch.	2
	⋎		
X	**mettre** un/des ~ **en réserve**	la mise en réserve du/des ~	
X	**réinvestir** un/des ~	le réinvestissement du/des ~	3
X	**distribuer** un/des ~	la distribution d'un/de ~	
	répartir un/des ~	la répartition d'un/de ~	
X	**intéresser** les salariés **aux** ~	l'intéressement aux ~	
→ les salariés	**participer aux** ~	la participation aux ~	

1 *Ford bénéficie du redémarrage de l'économie et espère en profiter pour renouer avec les bénéfices après des années difficiles.*
2 *Chaque année, le Conseil des ministres belge affecte les bénéfices de la Loterie nationale entre autres à diverses institutions privées, à la coopération et au développement.*
3 *Nous réinvestissons systématiquement une part importante de nos bénéfices dans l'outil et l'équipement.*

Pour en savoir plus

BÉNÉFICE (sens 1.1.) ET SYNONYMES

Un bénéfice, (pop.) **un bénef** : terme courant.

Un profit : terme technique. Le mot peut avoir une connotation péjorative. *Il ne pense qu'au profit.*

Un excédent, **un boni** : termes plus généraux qui s'appliquent également à un budget ou une balance.

Un gain. 1. Tout avantage qu'une personne peut tirer d'une situation. *Cette nouvelle technique permet de réaliser un important gain de temps.* - 2. (comptabilité) Avantage qu'un agent économique réalise lors d'opérations qu'il n'effectue que sporadiquement, p. ex. les cessions d'immobilisations ou de titres négociables dans le cas d'une entreprise commerciale ou industrielle (Ménard).

La valeur ajoutée. (V. 563 valeur, 1).

Une marge (bénéficiaire) : bénéfice réalisé lors d'une transaction commerciale.

Un dividende. (V. 13 action, 1).

Un intérêt. (V. 330 intérêt, 1).

Une plus-value. (V. 422 plus-value, 1).

Les réserves. 1. Ensemble des fonds ou valeurs conservés par l'agent économique en prévision de besoins éventuels ou pour des raisons légales ou contractuelles (Silem). - 2. Bénéfices des années antérieures qui n'ont pas été distribués.

(angl.) **Un goodwill**. 1. Valeur d'une entreprise qui est estimée supérieure à la valeur des éléments qui apparaissent dans son bilan. (Syn. : (moins fréq.) **la survaleur**). (Ant. : **la sous-valeur**). - 2. Rente, plus-value, gain lié à la bonne image de l'entreprise, au climat de confiance réciproque entre acheteur et vendeur, à la paix sociale dans l'entreprise, ... (Syn. : (moins fréq.) **le survaloir**).

2 un BÉNÉFICIAIRE, une BÉNÉFICIAIRE - [benefisjɛʀ] - (n.)

1.1. Agent économique (un particulier, une entreprise) qui reçoit qqch. (une somme d'argent, un chèque, un avantage, une indemnité, un droit, ...) comme paiement ou comme compensation (p. ex. dans le cadre d'un contrat d'assurance).

Syn. : (☞ 60 Pour en savoir plus, Bénéficiaire (sens 1.1.) et synonymes) ; Ant. : (☞ Pour en savoir plus, Bénéficiaire (sens 1.1.) et antonymes).

+ adjectif

TYPE DE BÉNÉFICIAIRE

Le bénéficiaire principal.

+ nom

TYPE DE BÉNÉFICIAIRE

Le bénéficiaire d'un chèque, d'un effet de commerce, d'une créance, d'une indemnité, ...

+ verbe : qui fait quoi ?

le ~	**endosser un chèque** (☞ 60 Pour en savoir plus, Bénéficiaire (sens 1.1.) et synonymes)	l'endossement d'un chèque

Pour en savoir plus

BÉNÉFICIAIRE (sens 1.1.) ET SYNONYMES

Il existe des termes spécifiques pour désigner le bénéficiaire en fonction de ce qu'il reço it:

un créancier reçoit une créance

un endossataire reçoit un chèque
un effet de commerce

{**un endossement** (transmission par une personne d'un effet de commerce ou d'un chèque à une autre personne, qui en obtiendra le paiement), **un endosseur** (personne qui transmet par endossement un effet de commerce ou un chèque à une autre personne), **l'endossataire**, **endosser**}.

un donataire reçoit un don (d'un donateur) {**un don**, **une donation**, **un donateur**, **une donatrice**}.

un allocataire reçoit une allocation.

BÉNÉFICIAIRE (sens 1.1.) ET ANTONYMES

Un bénéficiaire.

Le souscripteur d'une assurance sur la vie est la personne qui conclut le contrat ; le bénéficiaire est la personne qui reçoit le capital versé par l'assureur en cas de décès du souscripteur. {**une souscription**, **souscrire** une assurance ; un contrat ; un plan d'épargne ; **à** un emprunt ; **à** des valeurs mobilières}.

Le tireur ou **le détenteur** pour un chèque.

L'endosseur pour un chèque ou un effet de commerce.

Le donateur pour un don.

3 BÉNÉFICIAIRE - [benefisjɛʀ] - (adj.)

1.1. Qui donne un avantage financier à un agent économique (une entreprise, une banque, un investisseur) lors d'une transaction commerciale (lorsque le prix de vente est supérieur au coût de revient) ou financière (lorsqu'un placement procure un revenu).

L'approvisionnement en boissons à des prix qui laissent une certaine marge bénéficiaire s'avère de plus en plus difficile.

1.2. Qui présente ou a la capacité de dégager un surplus des produits sur les charges (les produits/charges d'exploitation, financiers et exceptionnels) en fin d'exercice comptable, qui vient augmenter la richesse de l'entreprise et qui s'inscrit au passif du bilan.

Syn. : (sens plus large) excédentaire, rentable ; Ant. : déficitaire.

Cette entreprise, fortement bénéficiaire jusqu'à présent, enregistre des pertes assez importantes cette année.

1.3. (peu fréq.) (un compte, une balance) Qui présente un solde positif.

Syn. : (plus fréq.) excédentaire ; Ant. : déficitaire.

Je tiens à ce que mon compte en banque présente un solde bénéficiaire.

+ nom

(sens 1.1. et 1.2.)

La croissance bénéficiaire : augmentation des bénéfices (sens 1.1 et 1.2). *Le plan de restructuration indique la voie à suivre vers une croissance bénéficiaire en augmentant sensiblement la productivité.*

(sens 1.1.)

- **Une marge bénéficiaire** : bénéfice réalisé lors d'une transaction commerciale. (V. 60 1 bénéfice). *La concurrence acharnée que se livrent certaines entreprises les oblige à comprimer au maximum leurs marges bénéficiaires.*
- **Une participation bénéficiaire**. (Syn. : (plus fréq.) **la participation aux bénéfices**). (V. 58 1 bénéfice).

(sens 1.2.)

La capacité bénéficiaire : ensemble des indices permettant, à un moment donné, d'estimer par anticipation le niveau des bénéfices d'une entreprise (B&C). *La valeur d'une entreprise est fondamentalement liée à sa capacité bénéficiaire ou, plus exactement, à sa capacité de générer de la richesse.*

Une société bénéficiaire, une entreprise bénéficiaire.

(sens 1.3.)

Un solde bénéficiaire, un bilan bénéficiaire. (V. 521 solde, 1). (V. 64 bilan, 1).

Un exercice bénéficiaire, une année bénéficiaire.

Pour en savoir plus

NOTE D'USAGE

Bénéficier de qqch. (v.tr.indir.). {**un bénéficiaire, bénéficiaire**}. 1. Une personne tire un avantage de qqch. (Syn. : **profiter de** qqch.). - 2. Une personne jouit de qqch. (Syn. : **profiter de** qqch.). *Les habitants de Monaco bénéficient de nombreux avantages fiscaux.* - 3. (**Bénéficier à** qqn) qqch. profite à qqn ou à qqch. *L'augmentation du revenu minimum bénéficie à une petite partie de la population.*
Le verbe n'a pas de sens économique strict.

BÉNÉFICIAIRE (adj.) (****) 1. Qui donne un avantage financier. 2. Qui présente un surplus de produits sur les charges. 3. Qui présente un excédent.

1. (60)	Gewinn-	profit making profitable	beneficiario	profittevole	winstgevend
2. (60)	Gewinn	surplus	beneficiario excedente	eccedente	batig
3. (60)	Gewinn-	surplus	beneficiario excedente	beneficiario	batig

BÉNÉFICIAIRE (n.) (****) 1. Personne qui reçoit qqch. en paiement.

1. (60)	der Begünstigte der Bezieher	beneficiary payee	el beneficiario	il beneficiario	de begunstigde (m.)

BÉNÉFICIER (~ de qqch.) (v.tr.indir.) (****) 1. Tirer avantage de qqch. 2. Jouir de qqch.

1. (61)	profitieren (von einer Sache)	to benefit by / from to profit from	sacar beneficio	trarre beneficio	verkrijgen
2. (61)	profitieren (von einer Sache)	to have to enjoy	beneficiarse con / de	beneficiare di qualche cosa godere	genieten van krijgen

BÉNÉVOLAT (n.m.) (**) 1. Situation d'une personne qui effectue un travail volontairement, sans rémunération.

1.	die ehrenamtliche Tätigkeit das Ehrenamt	voluntary work	el voluntariado	il volontariato	het vrijwilligerssysteem het voluntariaat

BÉNÉVOLE (adj.) (**) 1. Volontaire, non rémunéré

1. (480) (554)	ehrenamtlich unbezahlt	voluntary unpaid	voluntario	volontario	vrijwillig onbezoldigd

BÉNÉVOLE (n.) (**) 1. Personne qui effectue un travail volontairement, sans rémunération.

1. (500)	der ehrenamtlich Tätige der freiwillige Helfer	volunteer	el voluntario	il volontario	de vrijwilliger (m.) de onbezoldigde werknemer (m.)

BÉNÉVOLEMENT (adv.) (*) 1. Volontairement, sans rémunération.

1.	unentgeltlich ehrenamtlich	voluntarily	voluntariamente	gratuitamente	vrijwillig

BEP (un ~) (**) Brevet d'études professionnelles.

(454)	das Berufsausbildungszeugnis	General National Vocational Qualification (GNVQ)	el diploma de formación profesional	il diploma di studi professionali	het diploma secundair beroepsonderwijs

BERD (la ~) (***) Banque européenne pour la reconstruction et le développement.

(52)	Europäische Bank für Wiederaufbau und Entwicklung (EBWE)	European Bank for Reconstruction and Development (EBRD)	Banco Europeo de Reconstrucción y Desarrollo (BERD)	Banca europea per la ricostruzione e lo sviluppo (BERS)	Europese Bank voor Wederopbouw en Ontwikkeling (EBWO)

BESOGNE (n.f.) (**) 1. Travail pénible.

1. (557)	die schwere Arbeit	hard job chore	la labor la tarea penosa	il lavoro oneroso la bisogna	het labeur

BESOIN (n.m.) (****) 1. Tendance à considérer qqch. comme nécessaire.

1. (182)	der Bedarf	need necessity	la necesidad	il (fab)bisogno	de behoefte (f.)

BÉTAIL (n.m.) (**) 1. Ensemble des bêtes dans une ferme.

1. (118)	das Vieh	livestock cattle (bovin)	el ganado	il bestiame	de veestapel (m.)

BEUC (le ~) (**) Bureau européen des unions de consommateurs.

(144)	das Europabüro der Verbraucherschutzverbände (EBV)	European Bureau of Consumer Groups (EBCU)	Oficina Europea de la Unión de Consumidores (OEUC)	Ufficio Europeo dei Consumatori (UEUC)	Europese Verbruikersorganisatie Europese Consumentenorganisatie (BEUC)

BIC (les ~ (m.)) (*) (58)bénéfices industriels et commerciaux.

BIDON (n.m.) (*) 1. Contenant (pour des liquides p. ex.).

1. (363)	der Kanister	can drum	el bidón	il bidone	de bus (m./f.)

BIEN (n.m.) (****) 1. Objet matériel ou immatériel.

1. (62)	das Gut das Vermögen	asset goods	el bien	il bene	het (de) goed(eren) (plur.)

BIEN

➠ **service**

1 un bien			

1 un BIEN - [bjɛ̃] - (n.m.)

1.1. (emploi fréq. au plur.) Objet matériel ou immatériel réalisé par un agent économique (une entreprise - X) et qui sert à la production (p. ex. une machine) ou qui est destiné à la satisfaction des besoins des consommateurs et des entreprises (Y) (p. ex. un téléviseur).
Syn. : (V. 446 production, 2).
Certaines décisions du gouvernement tendent à diminuer les prix des biens et des services pour éviter la hausse de l'indice des prix.

2.1. (emploi au plur.) Richesse.
Syn. : (V. 35 argent, 1).

expressions

(sens 2.1.)

- (Une personne) **avoir des biens au soleil** : avoir mis des richesses de côté.

+ adjectif

TYPE DE BIEN

Un bien libre : qui est disponible dans la nature (p. ex. l'air, le soleil).

>< **Un bien économique, rare** : objet réalisé par un agent économique. (Syn. : **un bien**).

Un bien durable. (☞ 63 + nom).

Un bien intermédiaire : bien intégré dans un autre bien lors de sa fabrication (p. ex. une puce dans un ordinateur).

>< **Un bien final** (plur. : **finals** et **finaux**) : bien utilisable sans transformation lors de la production (p. ex. un robot) (Syn. : **un bien d'équipement**) ou de la consommation (Syn. : **les biens de consommation**) (Silem).

Un bien immobilier : bien qui ne peut être déplacé (p. ex. des terres, des terrains, des bâtiments). *On assiste à une réduction de l'écart des prix des biens immobiliers situés en ville et de ceux situés en périphérie.*

>< **Un bien mobilier** : p. ex. des valeurs (mobilières). *Notre patrimoine est constitué principalement de biens mobiliers tels que des dépôts bancaires, des obligations et des actions.*

Un bien matériel : bien qui peut être stocké.

>< **Un bien immatériel** : bien qui ne peut pas être stocké : la production et la consommation sont simultanées. (Syn. : (plus fréq.) **un service**). *Les économies des pays industrialisés sont aujourd'hui dominées par les biens immatériels tels que les services.*

Un bien public : bien produit par un pouvoir public (un État, une commune, ...). *Il n'y a pas de développement sans création de biens publics (l'éducation, l'infrastructure et la santé).*

Un bien collectif : bien mis à la disposition du consommateur par un État (p. ex. les routes) ou par une société privée aux conditions définies par les pouvoirs publics (p. ex. le réseau des autoroutes en France) et qui est supposé être accessible à tous. (Syn. : **un équipement collectif**). *De par leur nature, les biens collectifs ne peuvent pas être fournis par les mécanismes du marché.*
Un bien complémentaire : bien nécessaire pour l'utilisation d'un autre bien (**le bien de base**) : p. ex. l'essence pour une voiture.
>< **Un bien indépendant**.
Un bien substituable : bien qui peut être remplacé par un autre.
Un bien contingent : bien associé à la réalisation d'un événement, p. ex. l'assurance-décès et le décès.
Un bien inférieur : bien dont la consommation diminue lorsque le revenu augmente ou que le prix baisse, p. ex. les pâtes alimentaires.
Un bien consomptible. (Syn. : **un bien (de consommation) non durable**).
Un bien marchand : bien qu'il faut payer.
>< **Un bien non marchand**.
Un bien industriel. (☞ 63 + nom).

+ nom

- **La libre circulation des biens** : commerce des biens sans entraves (p. ex. à l'intérieur de l'Union européenne).
- **La compétitivité des biens d'équipement**.
- **Les flux de biens.** *Les circuits d'échange comportent deux flux: un flux réel de biens et de services qui va du vendeur à l'acheteur et un flux monétaire dont le sens est inverse.*
- (F) **Un marchand de biens**. (Syn. : **un agent immobilier**).

TYPE DE BIEN

Les biens d'équipement, **d'investissement**, **de production** : biens durables utilisés pour la production d'autres biens ou services (p. ex. les machines-outils, le matériel électronique, ...) et qui font partie du capital technique (V. 84 capital, 1). (Syn. : **les biens industriels**). *Plusieurs facteurs sont avancés pour expliquer les performances en matière de commerce international : les biens de production sont d'un type nouveau, il s'agit d'investissements de productique, conception assistée par ordinateur, ateliers flexibles pour les biens fabriqués en grandes séries.*
>< **Les biens de consommation** : biens qui satisfont les besoins des consommateurs. *Les revenus du travail procurent aux salariés de l'argent qu'ils retransfèrent aux entreprises lorsqu'ils achètent des biens de consommation.*
Un bien (de consommation) durable : bien qui peut être utilisé un grand nombre de fois, jusqu'à ce qu'il soit usé (p. ex. une voiture). *Dans les pays anciennement industrialisés, la demande des ménages en biens de consommation durables a évolué en une simple demande de remplacement.* > **Un bien (de consommation) semi-durable** : bien qui se dégrade par une utilisation régulière (p. ex. un stylo). > **Un bien (de consommation) non durable**. (Syn. : **un bien consomptible**).
Un bien de consommation courante, **un bien de grande consommation** : bien qui présente un taux de rotation élevé, qui est acheté et vendu constamment (p. ex. les denrées alimentaires et, en moindre mesure, les produits d'entretien). (Syn. : **un produit de consommation courante, un produit de grande consommation**, (peu fréq.) **un article de consommation courante**). *La production de biens de consommation courante augmente en dehors des pays industrialisés.*
Un bien de consommation intermédiaire : bien transformé lors du processus de production ou détruit après son utilisation (p. ex. les matières premières).
Un bien de substitution : bien qui satisfait le même besoin qu'un autre bien. *Les sociétés qui détiennent un monopole ne peuvent pas pratiquer n'importe quel prix, car la demande pourrait se déplacer vers des biens de substitution: p. ex. la voiture plutôt que les transports en commun trop chers.*
Un bien de base. (☞ 63 + adj.).

+ verbe: qui fait quoi?

X	✓	**produire** un ~	la production d'un ~ un producteur de biens	
		vendre un ~ **offrir** un ~	la vente d'un ~ l'offre de/en biens	
	✓			
Y		**demander** un ~	la demande d'un ~	
Y		**acheter** un ~ **acquérir** un ~	l'achat d'un ~ l'acquisition d'un ~	
Y		**consommer** un ~	la consommation de/en biens un consommateur de biens	1
X		**exporter** un ~	l'exportation d'un ~ un exportateur de biens	

	>< **importer** un ~	l'importation d'un ~ un importateur de biens

1 *Les catégories de revenus élevés consomment plus de biens importés que les catégories de revenus modestes.*

Pour en savoir plus

NOTE D'USAGE

On associe souvent les mots 'bien(s)' (ou 'produit(s)') et 'service(s)' qui désignent les résultats de l'activité économique.

BIEN-ÊTRE (n.m.) (***) 1. Sentiment de satisfaction.

1. (35)	der Wohlstand	well-being	el bienestar	il benessere	het welzijn
(213)		welfare (de la population)			

BILAN (n.m.) (****) 1. Document comptable de synthèse.

1. (64)	die Bilanz der Abschluss	balance sheet statement of account	el balance	il bilancio	de balans (m./f.)

BILAN

➠ **actif - passif - comptabilité**

1 un bilan		2 bilanciel, -ielle 2 bilantaire	

1 un BILAN - [bilɑ̃] - (n.m.)

1.1. Document comptable qu'établit la direction comptable d'une entreprise à la fin d'une période d'un an (en fin d'exercice comptable) et qui fait l'inventaire de l'actif et du passif de l'entreprise.
Syn. : (peu fréq.) un bilan annuel.
Le bilan, qui résume le passé, s'oppose au budget, qui prévoit l'avenir.

2.1. Résultat d'une opération ou d'une évaluation.
La foire agricole a fermé ses portes lundi soir sur un bilan que les organisateurs qualifiaient de largement satisfaisant.

expressions

(sens 1.1.)

- (Une activité, une opération) **hors bilan** : une activité, une opération qui n'est pas reprise dans le bilan d'une entreprise. *L'importance des produits financiers dérivés dans l'activité des banques est mal connue puisqu'ils sont noyés dans les activités hors bilan.*

(sens 2.1.)

- (Une personne) **dresser le bilan, faire le bilan** : faire l'évaluation d'une action, d'une série d'événements. *Une centaine de chefs d'entreprise se sont rencontrés hier pour faire le bilan de leurs activités et pour réfléchir à l'avenir des PME.*

+ adjectif

TYPE DE BILAN (sens 1.1.)

Un bilan consolidé : bilan du groupe auquel appartient une entreprise. (☞ 65 + verbe).

Un bilan social. 1. Document qui, chaque année, synthétise les informations concernant entre autres l'emploi (les effectifs, l'embauche, les départs, ...), les rémunérations et les conditions de travail (les accidents du travail, le temps de travail, ...) dans une entreprise. - 2. (B) Document permettant d'évaluer l'impact des mesures d'aide à l'emploi accordées par le gouvernement aux entreprises.

Un bilan prévisionnel : état anticipé de la situation de l'entreprise telle qu'elle devrait se présenter dans le futur, établi en fonction des objectifs et des contraintes de l'entreprise.

Un bilan intérimaire : bilan élaboré entre un bilan d'entrée et un bilan de clôture. (☞ 65 + nom).

CARACTÉRISATION DU BILAN (sens 2.1.)

Un bilan flatté, gonflé.

NIVEAU DU BILAN (sens 1.1.)

Un bilan déficitaire, négatif. < **Un bilan équilibré**. (☞ 65 + nom). < **Un bilan bénéficiaire, positif**.

MESURE DU BILAN (sens 1.1. et 2.1.)

Un bilan annuel ; **semestriel** ; **trimestriel**.

+ nom

(sens 1.1.)

- **Le dépôt de bilan**. (☞ 66 Pour en savoir plus, Le dépôt de bilan et la faillite).
- **Un poste du bilan** : sous-rubrique d'un bilan.

- **La Centrale des Bilans** de la Banque de France, de la Banque Nationale de Belgique : centralise les bilans des entreprises.
- **Le bas de bilan** : opération de financement à court terme.
  >< **Le haut de bilan** : opération de financement à long terme.

TYPE DE BILAN (sens 1.1.)

Le bilan d'entrée : bilan établi par une nouvelle société avant d'entreprendre son exploitation. (Syn. : **un bilan d'ouverture, un bilan initial**).
  >< **Un bilan de clôture.**

TYPE DE BILAN (sens 2.1.)

Un bilan de compétence : résultat de l'identification des capacités personnelles et professionnelles d'un employé.

NIVEAU DU BILAN (sens 1.1.)

L'équilibre du bilan. *Le nouveau plan d'entreprise a pour but de garantir l'équilibre du bilan de la société nationale des chemins de fer.* (☞ 64 + adjectif).

MESURE DU BILAN (sens 1.1.)

Le total du bilan : somme des postes du bilan. (Syn. : **le total bilanciel**). *Le groupe présente une solide assise financière puisque 65 % du total du bilan est constitué de capitaux propres.*

+ verbe : qui fait quoi ?

(sens 1.1.)

un comptable	✓	**faire figurer** un poste **au** ~	-	
→ un poste		**figurer au** ~	-	1
un comptable		**porter** une dette ; une créance **au** ~	-	2
→ une dette, une créance		**être inscrite au** ~ **figurer au** ~	- -	
un comptable		**établir** le ~ **dresser** le ~	l'établissement du ~ -	
le chef comptable		**clôturer** le bilan	la clôture du ~	3
le chef comptable		**consolider** le ~ (☞ 64 + adjectif)	la consolidation du ~	4
le ~	=	**s'élever à** ... euros	-	
le conseil d'administration		**arrêter** le ~ **approuver** le ~	l'arrêt du ~ l'approbation du ~	
un commissaire aux comptes (V. 46 audit, 2)		**contrôler** le ~ **vérifier** le ~	le contrôle du ~ la vérification du ~	
un commissaire aux comptes, l'assemblée générale		**approuver** le ~	l'approbation du ~	
une banque, ...		**analyser** le ~	l'analyse du ~	
un comptable malhonnête		**falsifier** le ~ **truquer** le ~ **maquiller** le ~ **habiller** le ~	la falsification du ~ le trucage du ~ le maquillage du ~ l'habillage du ~	5
un chef d'entreprise, le conseil d'administration		**déposer** le ~ (auprès du tribunal de commerce) (☞ 66 Pour en savoir plus, Le dépôt de bilan et la faillite)	le dépôt de ~	6

1 *Les opérations internationales représentaient plus de la moitié du volume des opérations figurant au bilan du secteur bancaire.*
2 *En comptabilité, les actifs ne peuvent être portés au bilan qu'à leur coût d'acquisition ou de production.*
3 *La comptabilisation des opérations en devises permet d'évaluer les avoirs et les dettes en devises de l'entreprise à la date de clôture du bilan.*
4 *Cet expert-comptable a toutes les peines à consolider le bilan de la Croix-Rouge, constitué d'entités comptables et d'activités juxtaposées.*
5 *Pour impressionner les actionnaires, l'expert-comptable n'a pas hésité à maquiller le bilan.*
6 *La seule manière d'éviter le dépôt de bilan : restructurer la compagnie aérienne en lui fixant des objectifs plus modestes avec une flotte d'avions plus réduite.*

(sens 2.1.)

une activité	**se solder par** un ~ positif/négatif -

Pour en savoir plus

NOTE D'USAGE

Ne confondez pas 'bilan' et 'balance'.

LES COMPTES ANNUELS

Les **comptes annuels** comportent **le compte de résultat(s)** (V. 129 compte, 1), **le bilan**, l'annexe à ces deux documents et le rapport de gestion. La direction comptable d'une entreprise prépare ces documents pour aider à élaborer la gestion future de l'entreprise et à remplir ses obligations légales. Ces comptes permettent également de rendre compte de la gestion aux actionnaires et de la solvabilité aux banques.

LE DÉPÔT DE BILAN ET LA FAILLITE

Lorsqu'une société, un commerçant, un indépendant n'est plus capable de payer ses fournisseurs, on dit qu'il est devenu **insolvable** ou qu'il est **en cessation de paiements** (V. 401 paiement, 1). La société doit **déposer le bilan** au tribunal de commerce. Le tribunal (B, S) rend **un jugement déclaratif de faillite** ; (F) engage une procédure de **règlement judiciaire**, (Q) rend **une ordonnance de séquestre**. La société faillie tombe sous la direction (B) d'**un curateur** {**la curatelle**. *L'aveu de faillite sera vraisemblablement prononcé aujourd'hui. La curatelle se chargera de remettre les préavis au personnel, accompagnés des primes de départ.*}, (F) d'**un administrateur judiciaire**, (Q) d'**un syndic de faillite** ou (S) d'**un administrateur de la faillite**. (V. 536 syndicat, 5).

Le tribunal peut décider d'engager des procédures de **redressement judiciaire** {**un redresseur d'entreprise, redresser une entreprise (en difficulté)**} grâce à un plan de redressement de la société ou à un plan de cession au profit d'un éventuel **repreneur d'entreprise** {**une reprise, reprendre**} ou d'un concurrent, de **concordat judiciaire** {**concordataire**}, qui accorde au débiteur un délai de paiement ou une remise (partielle) des dettes ou de **liquidation judiciaire** {**un liquidateur judiciaire, une liquidatrice judiciaire**}, qui entraîne la vente de tout l'actif pour rembourser les créanciers.

2 AUTRES DÉRIVÉS OU COMPOSÉS

- (B) **Bilantaire** [bilɑ̃tɛʀ], (F, Q, S) **bilanciel, -ielle** [bilɑ̃sjɛl] (adj.) : qui se rapporte à un bilan. *Les ratios d'endettement et la structure bilancielle tiennent lieu de carte de visite aux entreprises.* **Le total bilanciel** (V. 65 1 bilan).

BILANCIEL, -IELLE (adj.) (***) 1. Qui se rapporte à un bilan.

1. (66)	Bilanz-	balance sheet	de balance	del bilancio	(van de) balans

BILANTAIRE (adj.) (***) 1. Qui se rapporte à un bilan.

1. (66)	Bilanz-	balance sheet	de balance	del bilancio	(van de) balans

BILLET (n.m.) (****) 1. (un ~ de banque). 2. (un ~ à ordre) Effet de commerce. 3. Petit morceau de papier qui donne entrée quelque part ou qui permet de participer à qqch. 4. Titre de transport.

1. (380) (382)	die Banknote	note bill (US)	el billete de banco	la banconota	het (bank)biljet
2. (114)	der Wechsel das Schuldschein	promissory note bill	el pagaré	il pagherò	het orderbriefje de wissel (m.)
3.	das Lotterielos die Eintrittkarte	ticket	el billete la entrada	il biglietto	het lot
4.	das Fahrschein das Flugschein	ticket	el billete	il biglietto (d'ingresso)	het kaartje het ticket

BILLETTERIE (n.f.) (*) 1. Distributeur de billets de banque.

1. (55) (206)	der Geldautomat	cash dispenser hole-in-the-wall	el cajero automático	il Bancomat lo sportello automatico	de bankautomaat (m.) de geldautomaat (m.)

BIRD (la ~) (**) Banque internationale pour la reconstruction et le développement.

(52)	Internationale Bank für Wiederaufbau und Entwicklung (IBRD)	International Bank for Reconstruction and Development (IBRD)	Banco Internacional para la Reconstrucción y el Desarrollo (BIRD)	la Banca internazionale per la ricostruzione e lo sviluppo (BIRS)	Internationale Bank voor Heropbouw en Ontwikkeling (IBHO)

BISCUITIER (n.m.) (*) 1. Producteur de biscuits.

1. (448)	der Biskuithersteller	biscuit factory (GB) cookie factory (US)	el fabricante de galletas	il produttore di biscotti	de koekjesfabrikant (m.)

BISTRO(T) (n.m.) (**) 1. Lieu où sont vendues des boissons.

1. (118)	die Kneipe	café bistro (chic)	la taberna la tasca	il bar	het café

BIT (le ~) (***) Bureau international du travail.

	DE	EN	ES	IT	NL
(555)	Internationales Arbeitsamt (IAA)	International Labour Office (ILO)	Oficina Internacional del Trabajo (OIT)	Ufficio Internazionale del Lavoro (UIL)	Internationaal Arbeidsbureau (IAB)

BLANCHIMENT (n.m.) (***) 1. Introduction d'argent noir dans le circuit légal.

	DE	EN	ES	IT	NL
1. (35)	die Geldwäsche	(money) laundering	el blanqueo	il riciclaggio (di denaro sporco)	het witwassen

BLANCHIR (v.tr.dir.) (**) 1. Introduire de l'argent noir dans le circuit légal.

	DE	EN	ES	IT	NL
1. (35)	Geld waschen	to launder	blanquear	riciclare denaro	witwassen

BLÉ (n.m.) (***) 1. Céréale servant à l'alimentation.

	DE	EN	ES	IT	NL
1.	der Weizen	wheat	el trigo	il grano	het graan
		corn			

BLISTER (n.m.) (*) 1. Petit contenant (pour de la viande p. ex.).

	DE	EN	ES	IT	NL
1. (363)	die Klarsichtverpackung	blister pack	el blister	il blister	de blisterverpakking (f.)

BLOCAGE (n.m.) (**) 1. Maintien au même niveau.

	DE	EN	ES	IT	NL
1. (281)	der Stopp	freeze (prix, salaires)	el bloqueo	il congelamento	het blokkeren
	die Sperre		la congelación		

BLOQUER (v.tr.dir.) (**) 1. Maintenir au même niveau.

	DE	EN	ES	IT	NL
1. (281)	stoppen	to freeze (prix, salaires)	bloquear	congelare (i prezzi)	blokkeren
	sperren		congelar		

BLUE CHIP ; BLUE CHIPS (n.m.) (**) 1. Valeur de croissance.

	DE	EN	ES	IT	NL
1. (11)	der Standardwert	blue chip	el valor estrella	il blue-chip	de goudgerande waarde (f.)
	die erstklassige Aktie		el blue chip	il titolo a forte rendimento	het primafonds

BNB (la ~) (***) (52)Banque Nationale Belge.

BNC (les ~ (m.)) (*) (58)bénéfices non commerciaux.

BNS (la ~) (***) (52)Banque Nationale Suisse.

BOISSON (n.f.) (***) 1. Liquide qui se boit (RQ).

	DE	EN	ES	IT	NL
1. (145)	das Getränk	drink	la bebida	la bevanda	de drank (m.)

BOÎTE (n.f.) (***) 1. Contenant en carton. 2. Lieu de travail.

	DE	EN	ES	IT	NL
1. (363)	die Schachtel	box	la caja	la scatola	de doos (m./f.)
(216)	die Dose				
2. (519)	die Firma	company	la empresa	l'ufficio (m.)	het bedrijf
	der Betrieb	firm		l'azienda (f.)	

BOMBE (n.f.) (*) 1. Contenant en métal qui permet de pulvériser.

	DE	EN	ES	IT	NL
1. (363)	die Sprühdose	aerosol	el spray	la bombola spray	de spray (m.)
		spray	el vaporizador	il vaporizzatore	

BON (n.m.) (****) 1. (Petit) document qui prouve que qqn peut exiger qqch., qu'il détient qqch.

	DE	EN	ES	IT	NL
1. (81)	der Gutschein	slip	el bono	il buono	de bon (m.)
(111)	der Bon	note	el recibo		de promesse (f.)

BON, BONNE (adj.) (****) 1. Important.

	DE	EN	ES	IT	NL
1. (283)	gut	large	bueno	grande	goed
	ordentlich				

BOND (n.m.) (***) 1. Progression importante.

	DE	EN	ES	IT	NL
1. (277)	der Sprung	leap	el bote	il balzo	de sprong (m.)
	der Fortschritt	jump	el salto		

BONDIR (v.intr.) (***) 1. Progresser de façon importante.

	DE	EN	ES	IT	NL
1. (277)	einen grossen Sprung (nach vorne) machen	to jump	saltar	balzare	(vooruit)springen

BONI (n.m.) (***) 1. Excédent. 2. Économie de dépense.

	DE	EN	ES	IT	NL
1. (248)	der Überschuss	profit	el exceso	il residuo	het boni
	der Reingewinn	surplus	el beneficio	l'attivo (m.)	
2. (242)	der Mehrbetrag	bonus	el superávit	l'avanzo (m.)	het batig saldo
	das Guthaben				

BONIFICATION (n.f.) (**) 1. Réduction.

	DE	EN	ES	IT	NL
1.	die Vergütung	discount	la bonificación	l'abbuono (m.)	de bonificatie (f.)
	der Bonus	bonus (assurance)	la rebaja	lo sconto	het rabat

BONIFIER (v.tr.dir.) (**) 1. Réduire.

	DE	EN	ES	IT	NL
1. (428)	vergüten	to allow	bonificar	abbuonare	crediteren
	gutschreiben	to credit			

BONUS (n.m.) (***) 1. Attribution d'actions gratuites. 2. Réduction de prime d'assurance. 3. Rémunération supplémentaire.

	DE	EN	ES	IT	NL
1. (13)	die Gratisaktie	share allotted free of charge	el bono	l'azione gratuita (f.)	het gratisaandeel
	die Freiaktie	stock allotted free of charge		il dividendo supplementare	het bonusaandeel
2. (41)	der Schadenfreiheitsrabatt	no-claims bonus	la bonificación	il bonus	de bonus (m.)
			el bonus		
3. (498)	der Bonus	bonus	la prima gratificación	la gratifica	de premie (f.)
	die Erfolgsprämie				

BOOM (n.m.) (***) 1. Augmentation importante.

1. (277)	der wirtschaftliche Aufschwung die Hochkonjunktur	(economic) boom	el boom el crecimiento repentino	il boom (economico)	de hausse (f.)

BORDEREAU ; BORDEREAUX (n.m.) (**) 1. Relevé détaillé.

1. (576)	die Aufstellung das Verzeichnis	slip note	la nota el albarán	la distinta il documento di trasporto	het borderel het formulier

BOSS (n.m.) (**) 1. Patron.

1. (228)	der Chef der Boss	boss	el patrón el jefe	il padrone il principale	de boss (m.) de chef (m.)

BOSSER (v.intr.) (*) 1. Travailler.

1. (559)	arbeiten	to work to swot up	trabajar currar	lavorare	(hard) werken

BOSSEUR, BOSSEUSE (n.) (*) 1. Personne qui travaille beaucoup.

1.	der Workaholic	hard-worker workaholic (extrême)	muy trabajador	il gran lavoratore	de harde werker (m.)

BOUCHE À OREILLE (le ~) (**) 1. Publicité faite par le consommateur.

1. (465)	die Mund-zu-Mund-Reklame	word of mouth	de boca en boca	il passaparola	de mond aan mond reclame (m./f.)

BOUCHER, BOUCHÈRE (n.) (**) 1. Marchand de viande au détail.

1. (453)	der Metzger der Fleischer	butcher	el carnicero	il macellaio	de slager (m.)

BOUCHERIE (n.f.) (**) 1. Commerce de viande au détail.

1. (572)	die Metzgerei die Fleischerei	butcher's (shop) butchery	la carnicería	la macelleria	de slagerij (f.)

BOULANGER, BOULANGÈRE (n.) (**) 1. Personne dont le métier est de faire du pain (RQ). 2. Propriétaire d'une boulangerie.

1. (144)	der Bäcker	baker	el panadero	il panettiere	de bakker (m.)
2.	der Bäcker	baker	el panadero	il fornaio	de bakker (m.)

BOULANGERIE (n.f.) (**) 1. Commerce de pain et de pâtisserie au détail.

1. (572)	die Bäckerie	baker's (shop) bakery	la panadería panificadora	la panetteria	de bakkerij (f.)

BOULOT (n.m.) (***) 1. Emploi.

1. (556)	der Job die Arbeit	job	el curro el trabajo	il lavoro	de job (m./f.) de baan (m./f.)

BOURSE (n.f.) (****) 1. Marché de valeurs mobilières. 2. Échanges effectués sur le marché des valeurs mobilières. 3. Lieu d'échange d'idées. 4. Somme d'argent donnée. 5. Porte-monnaie.

1. (68)	die Börse	stock exchange (GB) Stock Market (US)	la bolsa (de valores)	la Borsa	de (effecten)beurs (m./f.)
2. (68)	die Börse	(stock exchange) transactions	la bolsa	la borsa	de beurs (m./f.)
3. (68)	die Ideenbörse	(trade) fair	la bolsa	la fiera il salone	het salon de (jaar)beurs (m./f.)
4. (68)	das Stipendium die Studienbeihilfe	(student) grant scholarship	la beca	la borsa (di studio)	de (studie)beurs (m./f.)
5. (68)	der Geldbeutel	purse (femme) wallet (homme)	la bolsa	il portamonete il borsellino	de geldbeugel (m.)

BOURSE

➠ valeur - marché

1 une bourse **3** le boursicotage	**3** un boursier, une boursière **3** un boursicoteur, une boursicoteuse	**2** boursier, -ière **3** boursicotier, -ière	**3** boursicoter **3** débourser

1 une BOURSE - [buʀs(ə)] - (n.f.)

1.1. (avec art. défini; généralement avec majuscule si l'on désigne une bourse particulière) Marché, lieu d'échanges où se rencontrent des professionnels qui vendent et achètent au comptant ou à terme des valeurs mobilières, des marchandises ou des matières premières.
Syn. : (moins fréq.) une place financière, une place boursière; (salle circulaire où s'effectuent les transactions boursières) la corbeille.
Le gouvernement a pris de nouvelles mesures pour attirer l'épargne vers la bourse et les entreprises, afin de permettre à celles-ci d'accroître leurs fonds propres.

1.2. (avec art. défini ; généralement avec majuscule si l'on désigne une bourse particulière) Ensemble des échanges effectués lors d'une séance de la bourse (sens 1.1.).
Personne ne s'explique l'effondrement soudain de la bourse après la publication des statistiques relatives au déficit extérieur américain.

1.3. Lieu d'échange où se rencontrent des personnes pour échanger des idées, des services, des offres et des demandes d'emploi, ...

Une trentaine d'entreprises sont attendues à notre première bourse de l'emploi.

1.4. Somme d'argent mise à la disposition d'une personne (généralement un étudiant) par une autre personne ou un organisme.
Le soutien aux jeunes entrepreneurs comporte entre autres l'octroi de 24 bourses de soutien à la formation de spécialistes à l'exportation.

1.5. Terme ancien pour désigner un porte-monnaie.

expressions

(sens 1.1.)

- (Une transaction) **hors bourse** : sans passer par le marché régulier, p. ex. le Nasdaq à New York. *Certaines actions sont négociées hors bourse, c'est-à-dire partout et nulle part en particulier, par exemple dans le cadre de contrats de gré à gré entre institutions financières et grandes entreprises.*
- (Une personne) **jouer en bourse** : acheter et vendre des valeurs mobilières en spéculant sur les cours. *Une association vient de lancer un concours qui vous permet de jouer en bourse sans risquer le moindre euro, et ceci durant une période de trois mois.*
- (Une personne) **réaliser un coup de bourse** : réaliser des bénéfices sur une valeur mobilière en spéculant sur les cours. *Il a peu de chances de réaliser avec un de ses holdings un coup de bourse à cause de leur forte décote boursière.*

(sens 1.5.)

- (Une personne) **tenir les cordons de la bourse** : gérer les moyens financiers et décider de leur emploi.
- (Une personne, une organisation) **délier les cordons de la bourse** : donner de l'argent. *L'Union européenne a annoncé au début de cette semaine qu'elle était prête à délier les cordons de la bourse dans le cadre d'une aide alimentaire.*

  >< (Une personne, une organisation) **resserrer les cordons de la bourse.**
- **Sans bourse délier** : sans dépenser de l'argent. *Le contrat passé entre l'annonceur et la chaîne de télévision permet à l'annonceur d'avoir accès à des écrans publicitaires à des tarifs sans concurrence et la chaîne peut remplir ses cases de programmation sans bourse délier.*

+ nom

(sens 1.1.)

- **L'ouverture** (**de la Bourse de** + nom de ville, **du marché à** + nom de ville).

  >< **La clôture** (**de la Bourse de** + nom de ville, **du marché à** + nom de ville), **la fermeture** (**de la Bourse de** + nom de ville, **du marché à** + nom de ville). Entre l'ouverture et la clôture se tient **une séance (boursière)**. (V. 71 2 boursier). *La séance de vendredi à la Bourse de Londres s'est terminée sur une note légèrement positive à la suite d'un redressement d'ultime fin de séance.* (☞ 70 + verbe).
- **La cotation en bourse** : fixation quotidienne des cours des valeurs mobilières par la confrontation des offres et des demandes exprimées pendant la séance boursière. *La cotation en bourse de cette entreprise est trop récente pour que la valeur ait fait ses preuves comme placement.*

  {**la cote** (1. Indication du cours d'une valeur mobilière. - 2. Liste ou tableau qui indique les cours des valeurs mobilières), **une décote** (V. 93 change, 1), **coter**}. **La cote officielle**. (V. 370 marché, 1).

  Le cours (**de bourse**) : valeur d'une action telle qu'elle a été définie par le jeu de l'offre et de la demande. (Syn. : **la cote**). *Faut-il craindre une chute des cours de bourse et une remontée irrésistible des taux d'intérêt ? Rien n'est moins sûr.*

  Le cours d'ouverture. >< **Le cours de clôture.**

  Les fluctuations des cours.

  Une flambée des cours. > **Une hausse des cours.**

  Un effritement des cours : une majorité des valeurs est en légère baisse. *L'effritement des cours à Wall Street, combiné à une baisse du dollar, a mis les bourses européennes sous pression.* {**s'effriter**}. < **Un tassement des cours, un fléchissement des cours.** *Malgré un tassement des cours dû à des prises de bénéfice, le potentiel de hausse du marché n'est pas épuisé.* {**se tasser**}. {**fléchir**}. < **Une baisse des cours** : lorsque la diminution atteint 2 % à 3 %. < **Une chute des cours**. < **Un krach** (**boursier**). (V. 71 bourse, 2).

  Un cours indicatif : cours fictif attribué à une action au moment de son introduction en bourse ou après une longue absence de cotation p. ex.
- **Une société de bourse/Bourse**. (V. 516 société, 1).

  Un ordre de bourse : demande formulée à un intermédiaire financier de vendre (**un ordre de vente**) ou d'acheter (**un ordre d'achat**) une valeur mobilière. **Passer un ordre en bourse.**

  Une opération de bourse : une transaction (une vente ou un achat) effectuée en bourse. (Syn. : **une opération boursière**).
- **La taxe sur les opérations de bourse**. (V. 543 taxe, 1).

TYPE DE BOURSE (sens 1.1.)

La bourse des valeurs (mobilières). (Syn. : **le marché boursier**).

La bourse des options.

La bourse de(s) marchandises.

Une bourse de croissance : bourse destinée aux entreprises, le plus souvent relativement jeunes, qui sont en croissance rapide et qui attirent surtout du capital à risque.

TYPE DE BOURSE (sens 1.3.)

(F) **La Bourse du travail** : réunion des syndicats pour la défense de leurs intérêts et l'organisation de services d'intérêt collectif (RQ).

TYPE DE BOURSE (sens 1.4.)

Une bourse d'études. (Syn. : (moins fréq.) **des allocations d'études**).

LOCALISATION DE LA BOURSE (sens 1.1. et 1.2.)

La Bourse de + nom d'une ville. La Bourse de New York (Wall Street, New York Stock Exchange); de Tokyo; de Londres; de Toronto.

+ verbe : qui fait quoi ?

(sens 1.1.)

une société		**demander son introduction** en ~ ↓	une demande d'introduction en ~	
une société	✓	**être introduite** en ~	l'introduction en ~	1
une valeur mobilière		**faire son entrée** en ~ **entrer** en ~	l'entrée en ~	
>< la ~		**radier** une valeur mobilière (de la cotation) ↓	la radiation d'une valeur mobilière	2
une valeur mobilière	×	**être négociée** en ~	une valeur mobilière négociable	
une société, une valeur mobilière		**être cotée** en ~ (☞ 69 + nom) au marché au comptant **être inscrite** en ~ au marché au comptant	la cotation en ~ au marché au comptant l'inscription en ~ au marché au comptant	
un investisseur		**investir** en ~	un investissement en ~	3
un investisseur		**spéculer** en ~	la spéculation en ~	4
un agent de change		**opérer** en ~ (☞ 69 + nom)	une opération de ~ un opérateur	

1 *Une entreprise cherche souvent un accès au marché des capitaux à travers une introduction en bourse. Cela n'est évidemment possible que si l'entreprise est mûre pour la bourse, c'est-à-dire lorsque la difficile période de démarrage est passée.*
2 *La Bourse a décidé de radier du marché à terme les actions ordinaires TTZ à dater du premier janvier.*
3 *Une importante société a annoncé sa volonté d'investir en bourse un montant qui peut atteindre 3 000 milliards de yens.*
4 *Les banquiers, dirigeants ou collaborateurs d'une firme, qui utiliseraient des informations confidentielles pour spéculer en bourse, risquent une peine de prison.*

(sens 1.2.)

la ~	△	**être en hausse** **progresser**	une hausse de la ~ une progression de la ~	
la ~	△△	**s'envoler**	une envolée de la ~	1
la ~	▽	**baisser**	une baisse de la ~	
la ~	▽▽	**chuter** **s'effondrer**	une chute de la ~ un effondrement de la ~ (Syn : **un krach (boursier)**)	
la ~		**afficher** + indication d'un résultat, d'une fluctuation	-	2
la ~		**clôturer** + indication d'un niveau (en hausse >< en baisse)	la clôture de la ~	

1 *La Bourse s'est envolée après la publication par le gouvernement de son plan budgétaire.*
2 *La Bourse de Paris affiche une performance très honorable comparée aux autres places financières européennes.*

Pour en savoir plus

LA BOURSE : SES FONCTIONS

La bourse permet aux entreprises de se procurer des ressources financières en faisant appel à l'épargne et aux investisseurs qui reçoivent en échange des valeurs mobilières. La bourse garantit également la négociabilité de ces valeurs et détermine leur prix en fonction de la loi de l'offre et de la demande.

LA BOURSE : SES MÉCANISMES

Les différents marchés. (V. 365 marché, 1).

La spéculation : opération qui consiste à profiter des fluctuations du marché pour réaliser des bénéfices.
{**un spéculateur, une spéculatrice, spéculatif, spéculer**}.

Un délit d'initié : infraction que commet une personne qui possède des informations privilégiées encore inconnues du public en réalisant à son avantage des opérations boursières.

INACTIVITÉ DE LA BOURSE

La trêve des confiseurs : période du 24 décembre au premier janvier pendant laquelle les opérateurs boursiers sont pour la plupart absents des marchés financiers. *Du côté des émissions internationales, après la traditionnelle trêve des confiseurs, l'activité a repris avec animation en ce début d'année.*

2 BOURSIER, -IÈRE - [buʀsje, -jɛʀ] - (adj.)

1.1. Qui se rapporte à la bourse (sens 1.1. et 1.2).
Le marché boursier a terminé l'année de très triste manière en affichant un recul de 7,1 3%.

+ nom

- **Une place boursière**. (V. 68 bourse, 1).
- **Un marché boursier**. (V. 365 marché, 1).
- **Une séance (boursière)**. (V. 69 bourse, 1).
  Une séance boursière morne. *Wall Street a connu une séance morne jeudi : quelque 256 millions de titres seulement ont été échangés dans une atmosphère peu active.* < **Une séance boursière calme.** < **Une séance boursière animée.** < **Une séance boursière nerveuse, agitée.**
- **Un indice boursier** : mesure de la valeur d'un panier d'actions. Considéré sur une période, il donne une indication de l'évolution du marché. (Syn. : (moins fréq.) **un indicateur de tendance**). (☞ 71 Pour en savoir plus, Les indices boursiers).
  Une option sur indice boursier. (V. 320 indice, 1).
  Un ratio boursier : mesure de la valeur d'une action. *L'action se traite à des ratios boursiers parmi les plus attrayants du secteur : ainsi le rapport cours/bénéfice s'élève à 15,5.*
- **Une correction boursière** : diminution des cours anormalement élevés des valeurs mobilières.
  Un krach (boursier) [kʀak] (plur. : **les krachs**) : brusque effondrement des cours des valeurs mobilières (et de l'activité économique en général). *La crainte d'un véritable krach boursier s'est dissipée. Les principales places boursières européennes ont en effet retrouvé une orientation positive après un début de journée largement négatif.*
- **Le climat boursier**. *Partout en Europe, le climat boursier frise l'euphorie avec des hausses de plus de 4 %.*
- **Une opération boursière**. (V. 69 1 bourse).
  Un opérateur boursier. (Syn. : (plus fréq.) **un opérateur financier**). (V. 266 finance, 3).
- **Les autorités boursières**.
- **Les milieux boursiers**. *Les milieux boursiers ont accueilli très fraîchement l'annonce de l'augmentation de capital de cette société.*
- **La capitalisation boursière**. (V. 87 capital, 3).
- (B) **La quinzaine boursière** : période de deux semaines entre deux journées successives de liquidation des transactions à terme à la Bourse de Bruxelles. D'autres places financières procèdent à des liquidations mensuelles (**la liquidation boursière**). *À Bruxelles, la nouvelle quinzaine boursière, qui a débuté vendredi au marché à terme, a vu les actions belges consolider leurs positions dans un marché toujours fort animé.*
  {**liquider**}.
- **La taxe boursière,** (moins fréq.) **la taxe sur les opérations boursières**. (V. 543 taxe, 1).
- **La valeur boursière**. (V. 564 valeur, 1).
- **Une/des plus-value(s) boursière(s)**. (V. 422 plus-value, 1).

Pour en savoir plus

LES INDICES BOURSIERS

Les principaux indices boursiers :
Le Dow Jones : indice de la Bourse de New York
Le Nikkei : Tokyo
Le DAX : Francfort
Le CAC(-)40 [kak] : Paris
(Cotation assistée en continu)
L'Euro Stoxx 50. *L'Euro Stoxx 50 reflète l'évolution de 50 valeurs vedettes européennes.*
Le Footsie : Londres
Le BEL(-)20 [bɛl] : Bruxelles
Le XXM : Montréal
Le SMI, le SPI : Zurich
Le AEX : Amsterdam
Le Hang Seng : Hong Kong

Le TSE300 : Toronto
Le nom des indices peut être précédé du mot 'indice' : **l'indice Dow Jones**. **L'indice (Dow Jones, Nikkei, ...) des valeurs vedettes**. (V. 567 valeur, 1). La valeur des indices est exprimée en points.

3 AUTRES DÉRIVÉS OU COMPOSÉS

- **Le boursicotage** [buʀsikɔtaʒ] (n.m.) : réalisation de petites opérations boursières.
{**un boursicoteur**, **une boursicoteuse** [buʀsikɔtœʀ, buʀsikɔtøz] (n.), **boursicotier, -ière** [buʀsikɔtje, -jɛʀ] (adj.), **boursicoter** [buʀsikɔte] (v.intr.)}.
- **Un boursier, une boursière** [buʀsje, buʀsjɛʀ] (n.). 1. Personne qui a obtenu une bourse d'études. - 2. Professionnel de la bourse. *Les boursiers se sont trompés sur les évolutions du marché.*
- **Débourser** [debuʀse] (v.tr.dir.) : (fam.) payer. *Chacun des 100 exposants a déboursé quelque 1 000 euros pour chaque m² de surface d'exposition.*

BOURSICOTAGE (n.m.) (*) 1. Petites opérations boursières.

1. (72)	die kleinen Börsengeschäfte	dabbling on the stock exchange	el menudeo	la piccola operazione speculativa di Borsa	de kleine speculaties

BOURSICOTER (v.intr.) (*) 1. Réaliser de petites opérations boursières.

1. (72)	ein bisschen an der Börse spekulieren	to dabble on the stock exchange	jugar flojo	giocare in Borsa	in het klein speculeren
		to scalp (US)	menudear		

BOURSICOTEUR, BOURSICOTEUSE (n.) (*) 1. Personne qui réalise de petites opérations boursières.

1. (72)	der kleine Börsenspekulant	dabbler in stocks	bolsista que juega pequeñas cantidades	il piccolo risparmiatore	de kleine speculant (m.)
		scalper (US)	el barandillero	il piccolo speculatore	

BOURSICOTIER, -IÈRE (adj.) (*) 1. Qui se rapporte à de petites opérations boursières.

1. (72)	Börsen-	dabbling on the stock exchange	de menudeo	piccolo operatore	kleine speculant
	Spekulation-				

BOURSIER, BOURSIÈRE (n.) (*) 1. Personne qui a obtenu une bourse d'études. 2. Professionnel de la bourse.

1. (72)	der Stipendiumempfänger	(student) grant-holder	el becario	il borsista	de bursaal (m.)
					de beursstudent (m.)
2. (72)	der Börsianer	stockbroker	el corredor de bolsa	l'operatore di borsa (m.)	de beursmakelaar (m.)
	der Börsenjobber	stock exchange operator	el bolsista		de beursspeculant (m.)

BOURSIER, -IÈRE (adj.) (****) 1. Qui se rapporte au marché des valeurs mobilières. 2. Qui se rapporte aux échanges effectués sur le marché des valeurs mobilières.

1. (71)	Börsen-	stock exchange	bursátil	borsistico	beurs-
		stock market		di borsa	
2. (71)	Börsen-	stock exchange	bursátil	borsistico	beurs-
		stock market		di borsa	

BOUTEILLE (n.f.) (****) 1. Contenant en verre.

1. (363)	die Flasche	bottle	la botella	la bottiglia	de fles (m./f.)

BOUTIQUE (n.f.) (***) 1. Petit magasin spécialisé.

1. (573)	das Geschäft	boutique (plus chic)	la boutique	la boutique (di lusso)	de boetiek (f.)
	der Laden	shop	la tienda	il negozio	

BOUTIQUIER, BOUTIQUIÈRE (n.) (*) 1. Personne qui tient un petit magasin spécialisé.

1. (573)	der Ladeninhaber	shopkeeper	el tendero	il negoziante	de boetiekhouder (m.)
	der Ladenbesitzer			il commerciante	

BOUTS (avoir du mal à joindre les deux ~) (*) 1. Avoir des difficultés de paiement.

1. (403)	mit seinem Geld nicht / knapp auskommen	to have difficulties making ends meet	tener justo para vivir al día	avere difficoltà a sbarcare il lunario	moeite hebben om de eindjes aan mekaar te knopen
			andar justo		

BPA (le ~) (*) bénéfice par action.

(58)	der Gewinn pro Aktie	earnings per share	el beneficio por acción	il reddito per azione	de winst (f.) per aandeel

BRADAGE (n.m.) (*) 1. Réduction.

1. (435)	der Ausverkauf	selling-off	la venta de saldos	la svendita	het van de hand doen
			la liquidación	la liquidazione	

BRADER (v.tr.dir.) (***) 1. Vendre à prix avantageux.

1. (574)	zu Niedrigstpreisen verkaufen	to sell off	saldar	svendere	goedkoop van de hand doen
(435)	zu Sonderpreisen verkaufen	to sell cheaply	liquidar	vendere a basso prezzo	

BRADERIE (n.f.) (**) 1. Vente à prix avantageux.

1. (574)	die Billigpreisaktion	clearance sale	la venta de saldos	la svendita	de braderie (f.)

	die Sonderpreisaktion	jumble sale	la liquidación		de uitverkoop (m.)

BRADEUR, BRADEUSE (n.) (*) 1. Commerçant qui vend à prix avantageux.

1. (574)	der Billigpreisanbieter	price cutter	el vendedor de saldos el saldista	il (lo) (s)venditore	de (uit)verkoper (m.)

BRANCHE (n.f.) (****) 1. Secteur.

1. (504)	die Branche der Industriezweig	branch	el sector (de actividad) la rama / el ramo	la branca il settore	de (bedrijfs)tak (m.) de sector (m.)

BRASSER (v.tr.dir.) (**) 1. Fabriquer (de la bière). 2. Manier en faisant des affaires. 3. Rapporter.

1. (557)	brauen	to brew	fabricar cerveza	fabbricare birra	brouwen
2. (34)	grosse Geschäfte machen	to wheel and deal	manejar	trafficare	omgaan met (geld)
3. (34)	Gewinn abwerfen	to deal to handle	manejar	fruttare	opbrengen

BRASSERIE (n.f.) (****) 1. Fabrique de bière.

1. (557)	die Brauerei	brewery	la cervecería	l'industria della birra (f.)	de brouwerij (f.)

BRASSEUR, BRASSEUSE (n.) (***) 1. Personne, entreprise qui fabrique de la bière.

1. (557)	der Bierbrauer	brewer	el cervecero	il produttore di birra	de brouwer (m.)

BREVET (n.m.) (***) 1. Diplôme. 2. Titre qui accorde un droit d'exploitation.

1. (454)	das Diplom	certificate	el título	il diploma (scolastico)	het diploma
	das Zeugnis	diploma	el diploma	il brevetto (non scolastico)	het brevet
2. (190) (8)	das Patent	patent	la patente	il brevetto	het octrooi

BRI (la ~) (**) Banque des règlements internationaux.

(52)	Bank für Internationalen Zahlugsausgleich (BIZ)	Bank for International Settlements (BIS)	Banco de Reglamentos Internacionales (BRI)	Banca dei regolamenti internazionali (BRI)	Bank voor Internationale Betalingen (BIB)

BRIQUE (n.f.) (*) 1. Somme de 10 000 FRF. 2. Contenant (pour du lait p. ex.).

1. (437)					
2. (363)	der Tetra Pak	tetra pack carton	la caja	il bricco	het tetrapak

BROCHURE (n.f.) (***) 1. Petit ouvrage imprimé et relié.

1. (459)	die Broschüre	brochure booklet	el folleto	l'opuscolo (m.)	de brochure (m./f.)

BROKER (n.m.) (****) 1. Intermédiaire qui agit au nom d'une société.

1. (116)	der Handelsmakler der -makler	broker	el broker el corredor	l'intermediario (m.) il mediatore	de (effecten)makelaar (m.)

BROUILLARD (n.m.) (*) 1. Livre de commerce (RQ).

1. (81)	die Kladde	daybook cashbook	el libro borrador	la prima nota	het kladboek

BRUSQUE (adj.) (**) 1. Imprévu et/ou rapide.

1. (282)	plötzlich überstürzt	abrupt sudden	brusco	brusco	bruusk

BRUSQUEMENT (adv.) (***) 1. De façon imprévue et/ou rapide.

1. (282)	plötzlich überstürzt	suddenly abruptly	bruscamente	bruscamente	bruusk

BRUT, BRUTE (adj.) (****) 1. Dont aucune somme n'a été déduite.

1. (498) (443)	brutto	gross	bruto	lordo	bruto

BRUTAL, -ALE ; AUX, -ALES (adj.) (**) 1. Très important.

1. (282)	sehr schwer sehr hart	sharp sudden	considerable	considerevole	zeer aanzienlijk

BUBA (la ~) (***) (52)die Bundesbank.

BUDGET (n.m.) (****) 1. Prévision des recettes et dépenses. 2. Somme d'argent dont on peut disposer.

1. (74)	der Haushaltsplan	budget	el presupuesto	il budget il bilancio previsionale	de begroting (f.)
2. (74)	der Haushalt das Budget	budget	el presupuesto	il budget	het budget

BUDGET

➠ fiscalité - compte
➠ finance

1 un budget **3** la budgétisation **3** la débudgétisation		**2** budgétaire **3** budgétivore **3** *budgétairement*	**3** budgétiser **3** budgéter **3** débudgétiser

1 un BUDGET - [bydʒɛ] - (n.m.)

1.1. Prévision chiffrée des recettes et des dépenses à réaliser au cours d'une période donnée (un an en général) par un agent économique (un particulier, un ménage, un organisme, une entreprise, un État).

Le budget de notre région a supporté l'année dernière plus de cent millions d'euros d'investissement et de frais de fonctionnement d'installations d'épuration d'eaux usées.

1.2. Somme d'argent dont peut disposer un agent économique (un particulier, un ménage, un organisme, un département d'une entreprise, un État) pour couvrir une ou plusieurs dépenses précises (p .ex .dans le cadre d'un programme d'action) au cours d'une période donnée.

Syn. : des crédits, une enveloppe (budgétaire), (pour un service, un établissement d'utilité publique) une dotation.
Le budget publicitaire prévu pour soutenir le lancement de ce nouveau produit s'élève à plusieurs millions d'euros.

expressions

(sens 1.1. et 1.2.)

- (Une personne) (**être**) **en charge d'un budget** : être responsable d'un budget. *On vient de licencier la personne qui était en charge du budget publicitaire pour la nouvelle campagne publicitaire de Peugeot.*
- (Une dépense) (**être**) **à charge d'un budget** : être comptée parmi les dépenses d'un budget ou devant être soustraite d'une somme d'argent prévue. *Les aides aux entreprises représentent plusieurs millions d'euros à charge du budget de l'État.*

+ adjectif

TYPE DE BUDGET (sens 1.1. et 1.2.)

Un budget familial : relatif aux personnes qui vivent sous le même toit. (Syn. : **le budget du/des ménage(s)**). *Le loyer occupe toujours la même part du budget familial alors que les remboursements d'un emprunt pèseront de moins en moins.*

Le budget initial : budget dont on dispose au départ. *Le budget initial de l'exposition est dépassé, mais les rentrées attendues et l'appui des sponsors devraient le mettre en équilibre.*

TYPE DE BUDGET (sens 1.1.)

Un budget économique : compte qui donne une prévision cohérente de l'ensemble de l'économie nationale. *Parmi les hypothèses macroéconomiques retenues dans le budget économique du gouvernement, il est à noter que celui-ci compte sur un rétablissement de la compétitivité.*

Le budget social : regroupement des recettes (cotisations patronales et salariales, ...) et dépenses (prestations sociales) des organisations sociales ou administrations qui assurent les transferts sociaux dans le cadre de la sécurité sociale.

(F) **Le budget annexe** : élément du budget de l'État classé à part parce qu'il jouit de l'autonomie de gestion et est toujours voté en équilibre. Il retrace les dépenses et les recettes des différents services de l'État dont l'activité consiste à produire des biens et des services collectifs marchands (p. ex. les monnaies et médailles).

Le budget fonctionnel : document annexé au budget de l'État qui répartit les crédits inscrits entre les principaux domaines d'intervention de l'État (p. ex. culture, santé, ...).

TYPE DE BUDGET (sens 1.2.)

Un budget publicitaire : somme d'argent qu'une entreprise décide d'investir dans des actions publicitaires. (Syn. : (moins fréq.) **un budget publicité**).

CARACTÉRISATION DU BUDGET(sens 1.1. et 1.2.)

Un budget serré : qui ne permet pas de dépenses trop importantes. *Les architectes développent parfois les meilleures idées lorsqu'ils sont tenus par un budget serré.* Dans le contexte du budget de l'État, on parlera d'**un budget d'austérité**.

CARACTÉRISATION DU BUDGET (sens 1.1.)

Un budget flexible : budget établi en fonction de plusieurs niveaux d'activité. *Comme le budget flexible peut être modifié automatiquement en fonction de l'évolution d'une variable, l'entreprise peut s'adapter rapidement aux circonstances.*

NIVEAU DU BUDGET (sens 1.1. et 1.2.)

Un budget équilibré. (☞ 75 + nom). (☞ 76 + verbe).

NIVEAU DU BUDGET (sens 1.2.)

Un petit budget. >< **Un gros budget**, **un budget lourd**. < **Un budget colossal, faramineux.**
Un budget limité. >< **Un budget illimité**.

MESURE DU BUDGET (sens 1.1. et 1.2.)

Le budget total, global. *Le budget global de l'éducation nationale devra augmenter de 2 % par an durant les trois prochaines années.*

Un budget hebdomadaire. < **Un budget mensuel**. < **Un budget annuel**.

+ nom

TYPE DE BUDGET (sens 1.1. et 1.2.)

Le budget du/des ménage(s). (☞ 74 + adjectif).

TYPE DE BUDGET (sens 1.1.)

Le budget de l'État : ensemble de comptes qui décrivent pour l'année à venir les recettes et les dépenses de l'État. *Dans le budget de l'État, toutes les mesures de réduction des dépenses ont aussi une influence sur les recettes.* Le budget est fixé par (F) **la loi de finances** : lois qui déterminent la nature, le montant et l'affectation des charges de l'État, compte tenu d'un équilibre économique et financier qu'elles définissent (Géhanne). *La loi de finances annonce un renforcement de certains programmes de lutte contre la pauvreté.*

Le ministère ; **le ministre du Budget.** (V. finance, 1).

Le budget de + nom d'un ministère. Le budget de la Défense nationale ; de la Justice.

Le budget des dépenses : prévision des dépenses d'un gouvernement pour l'exercice à venir, présentée au Parlement pour approbation (Ménard).

Le budget (à) base zéro : principe et méthode de construction budgétaire qui consiste à justifier chaque poste budgétaire.

Le budget de trésorerie : instrument de prévision financière à court terme qui permet de connaître mois par mois l'évolution de la trésorerie d'une entreprise et qui vise à déterminer qu'on pourra investir ou devra emprunter.

Le budget de fonctionnement : prévisions des crédits dont disposera un organisme public pour assurer son fonctionnement au cours du prochain exercice budgétaire (Ménard).

TYPE DE BUDGET (sens 1.2.)

Un budget + nom qui désigne le poste auquel il sera affecté. Un budget logement ; un budget voyage.

Un budget de fonctionnement : somme d'argent dont peut disposer un organisme pour couvrir les dépenses liées à son fonctionnement.

Un budget publicité. (☞ 74 + adjectif). **Un budget marketing. Un budget (de) promotion.**

Un budget (de) recherche ; **un budget (de) formation.**

CARACTÉRISATION DU BUDGET (sens 1.1. et 1.2.)

Un budget d'austérité. (☞ 74 + adjectif).

NIVEAU DU BUDGET (sens 1.1. et 1.2.)

Un budget en équilibre : où le total des recettes est égal au total des dépenses. (Syn. : **un budget équilibré**). (☞ 76 + verbe).

>< **Un budget en déséquilibre** : dans ce cas, le **budget** peut être **en déficit** (Syn. : **un budget déficitaire**), avec plus de dépenses, ou **en excédent** (Syn. : **un budget excédentaire**), avec plus de recettes. (V. 77 2 budgétaire).

MESURE DU BUDGET (sens 1.1.)

Le solde (positif >< négatif) du budget. (Syn. : **le solde budgétaire**).

+ verbe : qui fait quoi ?

(sens 1.1.)

la direction, le gouvernement	✓ **établir** le ~	l'établissement du ~	
	élaborer le ~	l'élaboration du ~	
	préparer le ~	la préparation du ~	
	boucler le ~	-	1
	↓		
la direction	**présenter** le ~ (aux actionnaires,...)	la présentation du ~	
le gouvernement	**présenter** le ~ au Parlement		
	déposer le ~	le dépôt du ~	
	↓		
les dirigeants, les actionnaires ; le Parlement	**examiner** le ~	l'examen du ~	
	↓		
les dirigeants,	**approuver** le ~	l'approbation du ~	2
les actionnaires ; le Parlement	**adopter** le ~	l'adoption du ~	
le Parlement	**voter** le ~	le vote du ~	
la direction, le gouvernement	**gérer** le ~	la gestion du ~	
le gouvernement	**exécuter** le ~	l'exécution du ~	3
le gouvernement	**assainir** le ~	l'assainissement du ~	
	< **faire des coupes sombres dans un** ~	-	4

le gouvernement		**équilibrer** le ~	l'équilibrage du ~ l'équilibre du ~	
une dépense imprévue		**peser** (lourd) **sur** un ~ **grever** un ~	- -	5

1 *Le gouvernement a bouclé son budget en se basant sur un taux de croissance très optimiste de 2 ,5%.*
2 *L'approbation du budget à la Chambre des députés a eu un effet positif sur le marché boursier.*
3 *L'exécution du budget par le gouvernement doit être soumis au contrôle démocratique du Parlement.*
4 *Le président a utilisé son veto contre les coupes sombres dans le budget fédéral.*
5 *Le conflit social sans fin qui touche notre entreprise a déjà tant grevé notre budget que nous risquons d'être confrontés à des difficultés financières.*

(sens 1.2.)

un particulier, la direction	✓	**établir** un ~ **élaborer** un ~ **préparer** un ~	l'établissement d'un ~ l'élaboration d'un ~ la préparation d'un ~	
la direction		**boucler** un ~	-	
la direction		**débloquer** un ~	le déblocage d'un ~	1
une personne	×	**disposer** d'un ~	avoir un ~ à sa disposition	
la direction		**consacrer** un ~ **à** qqch. **affecter** un ~ **à** qqch. **allouer** un ~ **à** qqch.	- l'affectation d'un ~ à qqch. l'allocation d'un ~ à qqch.	 2
un ~	=	**atteindre** + indication d'une somme, d'un pourcentage	-	
la direction	▽	**réduire** le ~ (de + un montant)	une réduction du ~ (de + un montant)	
la direction	△	**augmenter** le ~ (de + un montant)	une augmentation du ~ (de + un montant)	

1 *Cette multinationale vient de débloquer un budget marketing de plusieurs milliers d'euros pour relancer une de ses marques moins connues.*
2 *Dans le cadre du plan de restructuration, un budget important sera affecté à des activités de formation, de recyclage et de reconversion des employés.*

Pour en savoir plus

NOTE D'USAGE

Le nombre d'expressions imagées utilisées lorsque l'on parle du budget de l'État est très important : le gouvernement **concocte un budget** (en secret) ; **ficelle le budget** (avec peu de sérieux) ; **accouche d'un budget** (après avoir surmonté de nombreuses difficultés). On trouve tout autant d'expressions qui se rapportent au sens 1.2. de budget : la direction **ampute un budget**, **rabote un budget** (une réduction importante). Une dépense imprévue **engloutit le budget** prévu.

2 BUDGÉTAIRE - [bydʒetɛʀ] - (adj.)

1.1. Qui se rapporte à la prévision chiffrée des recettes et des dépenses à réaliser au cours d'une période donnée (un an en général) par un agent économique (un particulier, un ménage, un organisme, une entreprise, un État).
Aucune donnée économique, monétaire ou budgétaire ne permet à l'heure actuelle de prévoir une flambée des taux d'intérêt.

1.2. Qui se rapporte à la somme d'argent dont peut disposer un agent économique (un particulier, un ménage, un organisme, un département d'une entreprise, un État) pour couvrir une dépense précise.
La Commission européenne a décidé de prolonger le programme d'investissement et de le doter d'une enveloppe budgétaire de 3 millions d'euros.

+ nom

(sens 1.1.)

• **Une politique budgétaire** : décisions prises par le gouvernement concernant le budget (sens 1.1.) dans le cadre de sa politique économique globale.
Le laxisme budgétaire. *Après une période de laxisme budgétaire pendant laquelle le déficit budgétaire a atteint un niveau intolérable, notre pays a dû mener pendant de nombreuses années une politique d'austérité budgétaire impopulaire.*
>< **La discipline budgétaire**. < **La rigueur budgétaire** : politique budgétaire caractérisée par des **contraintes budgétaires** (limitations imposées) ; **des économies budgétaires** ; **des efforts budgétaires**. *Après des*

années de rigueur budgétaire, le pays est à nouveau placé sur la voie d'une croissance importante. < **L'austérité budgétaire** : réduction maximale des dépenses.

L'assainissement budgétaire : mesures prises par le gouvernement pour réduire le déficit budgétaire. L'assainissement budgétaire entraîne le plus souvent des mesures de **restrictions budgétaires** (diminution des dépenses) ou des mesures pour augmenter les recettes. (Syn. : (peu fréq.) **un assainissement financier**).

- **La gestion budgétaire**.
- **Une mesure budgétaire**.
- **Un contrôle budgétaire** : vérification du budget établi en fonction des données dont le gouvernement, une direction disposait à un moment donné.
- **Les prévisions budgétaires** : chiffres qui figurent dans un budget.
- **Un poste budgétaire** : composante d'un budget. *Chez les jeunes aussi, des réductions de dépenses touchent tous les postes budgétaires, sauf les loisirs, les sorties et les vacances.*
- **Les dépenses budgétaires**. (V. 185 dépense, 1).
- (B) **Le conclave budgétaire** ; (F) **les conférences budgétaires** : réunion du gouvernement au cours de laquelle est élaboré le budget.

(sens 1.2.)

- **Une enveloppe (budgétaire)** : somme d'argent dont peut disposer une entité administrative pour sa gestion.

CARACTÉRISATION DU BUDGET (sens 1.1.)

Un dépassement budgétaire : augmentation importante des dépenses qui entraîne un déséquilibre du budget. < **Un dérapage budgétaire** : augmentation imprévue et incontrôlée. *Le Premier ministre a annoncé un important programme d'investissements, qui sera cependant accompagné de diverses mesures d'assainissement pour éviter un dérapage budgétaire.*

NIVEAU DU BUDGET (sens 1.1. et 1.2.)

Un équilibre budgétaire. >< **Un déséquilibre budgétaire** : **un déficit budgétaire** (surplus de dépenses sur les recettes dans le cadre du budget de l'État). (Syn. : (moins fréq.) **un déficit des finances publiques**, (B) **un solde net à financer**) >< **un excédent budgétaire**. (V. 75 1 budget).

MESURE DU BUDGET (sens 1.1.)

Le solde budgétaire. (Syn. : **le solde du budget**).

Un exercice budgétaire : en général, période d'une année, mais qui ne correspond pas nécessairement à l'année civile. (Syn. : **une année budgétaire**).

3 AUTRES DÉRIVÉS OU COMPOSÉS

- **Budgétivore** [bydʒetivɔʀ] (adj.) qui demande la dépense de sommes importantes d'un budget.
- **Budgétairement** [bydʒetɛʀmɑ̃] (adv.). 1. Du point de vue de la prévision des recettes et dépenses. *Une gigantesque opération d'assainissement budgétairement et financièrement indispensable a été lancée par le gouvernement de droite.* - 2. Du point de vue de la somme d'argent dont on peut disposer.
- **Budgétiser** [bydʒetize] **budgéter** [bydʒete] (v.tr.dir.) : une personne inscrit une somme au budget (sens 1.1.). *La moitié des travaux budgétés n'ont pas pu être effectués cette année.* {**la budgétisation** [bydʒetizasjɔ̃] (n.f.)}
- **Débudgétiser** [debydʒetize] (v.tr.dir.) : supprimer une dépense d'un budget (sens 1.1.). {**la débudgétisation** [debydʒetizasjɔ̃] (n.f.) (technique comptable qui consiste à reporter une dépense sur une autre institution ou sur un autre exercice (Broquet), p. ex. par le versement des salaires de décembre au début de l'année suivante)}.

BUDGÉTAIRE (adj.) (****) 1. Qui se rapporte à la prévision des recettes et dépenses. 2. Qui se rapporte à la somme d'argent dont on peut disposer.

1. (76)	Haushalts-	budget budgetary	presupuestario	budgetario del bilancio	budgettair
2. (76)	Budget- Etat-	budget budgetary	presupuestario	budgetario del bilancio	budgettair

BUDGÉTAIREMENT (adv.) (*) 1. Du point de vue de la prévision des recettes et dépenses. 2. Du point de vue de la somme d'argent dont on peut disposer.

1. (77)	haushaltsplanmässig	budgetwise	presupuestáriamente	stando al budget	budgettair
2. (77)	Budget- Etat-	budgetwise	presupuestáriamente	stando al budget	budgettair

BUDGÉTER (v.tr.dir.) (*) 1. Inscrire à la prévision des recettes et dépenses. 2. Inscrire comme somme dont on peut disposer.

1. (77)	einen Haushaltsplan aufstellen budgetieren	to budget for to include in the budget	presupuestar	inserire nel budget	budgetteren opnemen in de begroting
2. (77)	(in den Haushaltsplan) einstellen	to budget	presupuestar	inserire nella previsione di spesa	begroten

BUDGÉTISATION (n.f.) (*) 1. Inscription à la prévision des recettes et dépenses. 2. Inscription comme somme dont on peut disposer.

1. (77)	die Veranschlagung im Haushaltsplan	budgeting	la inclusión en el presupuesto	l'inserimento nel budget (m.)	de budgettering (f.)

	die Hereinnahme in den Haushaltsplan				de opneming (f.) in de begroting
2. (77)	die Einstellung (in den Haushaltsplan)	budgeting	el establecimiento de un presupuesto	l'inserimento (m.) nella previsione di spesa	het begroten

BUDGÉTISER (v.tr.dir.) (*) 1. Inscrire à la prévision des recettes et dépenses. 2. Inscrire comme somme dont on peut disposer.

1. (77)	einen Haushaltsplan aufstellen	to budget for	presupuestar	inserire nel budget	budgetteren
	budgetieren	to include in the budget			opnemen in de begroting
2. (77)	(in den Haushaltsplan) einstellen	to budget	presupuestar	inserire nella previsione di spesa	begroten

BUDGÉTIVORE (adj.) (*) 1. Qui demande une dépense importante.

1. (77)	(etwas, das) Löcher in den Haushalt reisst	eating into the budget	que se come el presupuesto	richiedente grandi somme del budget	budgetverslindend

BUNDESBANK (n.f.) (****) (52).

BUREAU ; BUREAUX (n.m.) (****) 1. Société, succursale. 2. Lieu de travail. 3. Service, département. 4. Table de travail. 5. Pièce où est placée la table de travail. 6. Comité restreint.

1. (570)	das Geschäft	branch	la agencia	la filiale	het bijkantoor
(92)	die (Zweig)Niederlassung	office	la oficina		het filiaal
2. (557)	das Büro	office (au travail)	el despacho	l'ufficio (m.)	het bureau
(291)	das Arbeitszimmer	study (à domicile)	la oficina		het kantoor
3.	die Abteilung	department	la oficina	l'ufficio (m.)	het bureau
	das Amt	division	el negociado	la sede	het departement
4.	der Schreibtisch	desk	el escritorio	la scrivania	het bureau
			la mesa de trabajo		
5.	der Büroraum	office	la oficina	l'ufficio (m.)	het bureau
			el despacho		het kantoor
6.	der Geschäftsfürender	committee	la delegación	il comitato	het bureau
	der Ausschuss	board	el comité permanente		het dagelijks bestuur

BUREAUCRATE (n.) (**) 1. Fonctionnaire qui se croit important et abuse de son pouvoir.

1. (557)	der Bürokrat	bureaucrat	el burócrata	il burocrate	de bureaucraat (m.)

BUREAUCRATIE (n.f.) (**) 1. Influence excessive de l'administration.

1. (557)	die Bürokratie	red-tape	la burocracia	la burocrazia	de bureaucratie (f.)
		bureaucracy			

BUREAUCRATISATION (n.f.) (*) 1. Développement de l'influence excessive de l'administration.

1. (557)	die Bürokratisierung	bureaucratization	la burocratización	la burocratizzazione	de bureaucratisering (f.)

BUREAUCRATISER (v.tr.dir.) (*) 1. Transformer en administration excessive.

1. (557)	bürokratisieren	bureaucratize	burocratizar	burocratizzare	bureaucratiseren

BUREAUTIQUE (n.f.) (***) 1. Informatique au bureau.

1. (557)	die Büroautomatisierung	office automation (OA)	la ofimática	la burotica	de kantoorautomatisering (f.)
	die Bürokommunikation	bureautics			

BUS (n.m.) (***) 1. Grand véhicule de transport de personnes.

1.	der (Auto)Bus	bus	el autobús	l'autobus (m.)	de (auto)bus (m./f.)

BUSINESS (n.m.) (****) 1. Affaires.

1. (17)	das Geschäft	business	los negocios	il business	de bedrijfswereld (m./f.)
	das Business			gli affari	de zakenwereld (m./f.)

BUVETTE (n.f.) (*) 1. Lieu où sont vendues des boissons.

1. (145)	der Getränkestand	refreshment area	el chiringuito	il bar	het drankstalletje
				la cantina	de bar (m./f.)

BUVEUR, BUVEUSE (n.) (*) 1. Personne qui boit beaucoup d'alcool.

1. (145)	der Trinker	heavy drinker	el bebedor	il gran bevitore	de drinker (m.)
	der Säufer				

C

C4 (un ~) (*) (344).

CABINET (n.m.) (****) 1. Lieu de travail. 2. Société.

1. (557)	die Praxis	office	el despacho	lo studio	het kabinet
	die Kanzlei	practice	el gabinete		de studio (m.)
2. (45)	das Büro	company	el gabinete	l'ufficio (m.) (di consulenza)	het adviesbureau
		firm		lo studio (di consulenza)	het bureau

CAC(-)40 (le ~) (****) (71) cotation assistée en continu, indice de la Bourse de Paris.

CACHET (n.m.) (*) 1. Rémunération.

1. (480)	das Honorar	fee	la remuneración	la retribuzione	de gage (m./f.)
	die Gage		la retribución	il compenso	het honorarium

CAD (****) (382) Canada - dollar.

CADRE (n.m.) (****) 1. Salarié à responsabilités. 2. Chercheur, technicien.

1. (79)	der leitende Angestellte executive die Führungskraft	el ejecutivo el cuadro	il quadro il dirigente	het kader(lid) het leidinggevend personeelslid
2. (79)	der leitende Angestellte expert die Führungskraft	el experto el técnico	l'esperto (m.) il perito	de expert (m.)

CADRE

➠ **management - direction**

2 un encadrement	1 un cadre		2 encadrer

1 un CADRE - [kadʀ(ə)] - (n.m.) (☞ 79 Pour en savoir plus, Note d'usage)

1.1. Salarié (X) qui exerce un poste de responsabilité dans une entreprise, un organisme ou dans la fonction publique.
Syn. : (pour l'ensemble des cadres) l'encadrement, le personnel d'encadrement ; Ant. : (V. 501 salaire, 2).
Les relations entre le management d'une part, les cadres, employés et travailleurs d'autre part, sont un facteur clé de santé et de dynamisme pour la société.

1.2. Salarié associé aux cadres (sens 1.1.) parce qu'il présente un niveau de compétence élevé dans un domaine particulier (p .ex.un chercheur ou un technicien).

+ adjectif

TYPE DE CADRE (sens 1.1. et 1.2.)

Un cadre supérieur : cadre qui occupe une position importante au sein de la direction d'une entreprise ou d'un organisme (Ménard). (Syn. : **un cadre dirigeant**) (V. 228 direction, 1). > **Un cadre moyen** : cadre qui exerce des fonctions de direction sous la responsabilité d'un cadre supérieur. (Syn. : **un cadre intermédiaire**). > **Un cadre inférieur**.
>< **Un employé**. (V. 501 salaire, 2).

Un cadre administratif ; **technique** ; **commercial**.

Un jeune cadre, **un cadre débutant** : cadre en début de carrière, sans ancienneté.

Un cadre temporaire, **intérimaire** : cadre engagé pour une durée limitée. *Cette race de cadres particuliers loue ses services afin de gérer des changements importants qui touchent les entreprises : restructurations, fusions, ...*

+ nom

(sens 1.1. et 1.2.)

- **Le rachat d'une entreprise par ses cadres**. (V. 6 achat, 5).
- **La Confédération générale des cadres** (**la CGC**). (V. 534 syndicat, 1).

CARACTÉRISATION DU CADRE (sens 1.1. et 1.2.)

Un cadre de haut niveau. *Certaines sociétés n'hésitent pas à débaucher des cadres de haut niveau dans les entreprises concurrentes.*

+ verbe : qui fait quoi ?

(sens 1.1. et 1.2.)

X	✓	**être promu** ~ (fam.) **être passé** ~	une promotion -	1
X	×	**être** ~ **travailler comme** ~	- -	

1 *Les ventes exceptionnelles qu'il a réalisées ces dernières années lui valent d'être promu cadre et de diriger ainsi un groupe de 20 commerciaux.*

Pour en savoir plus

NOTE D'USAGE

Le mot 'cadre' s'emploie comme apposition dans les combinaisons **une femme cadre** et **un poste cadre**.

2 AUTRES DÉRIVÉS OU COMPOSÉS

- **Un encadrement** [ɑ̃kadʀəmɑ̃] (n.m.). 1. Le fait d'assurer la formation du personnel, de l'assister et de le diriger ainsi que de lui offrir un cadre de travail. - 2. Ensemble des personnes qui assurent la formation, l'assistance, la direction du personnel. (Syn. : **les cadres**). - 3. **L'encadrement du crédit**. (V. 165 crédit, 1).
- **Encadrer** [ɑ̃kadʀe] (v.tr.dir.) : un groupe de personnes (la direction et les cadres) assure la formation du personnel, assiste et dirige le personnel et lui offre un cadre de travail. **Encadrer le personnel**.

CAF (*) coût, assurance, fret.

(117)	Kosten, Versicherung und Fracht (CIF)	cost, insurance, freight (CIF)	coste, seguro, flete (CIF)	cost, insurance, freight (CIF)	prijs, verzekering, vracht (c.i.f.)

CAFÉ (n.m.) (****) 1. Lieu où sont vendues des boissons.

1. (118)	die (Gast)Wirtschaft die Kneipe	café bar	el café	il bar	het café

CAGEOT (n.m.) (*) 1. Contenant en bois (pour des fruits p. ex.).

1. (363)	die Steige die Lattenkiste	crate hamper	la caja / el cajón la barca	la cassetta	de (het) kist(je) (m./f.) de (het) mand(je) (m./f.)

CAGNOTTE (n.f.) (*) 1. Sommes épargnées. 2. Somme accumulée. 3. Somme à gagner.

1. (242)	der Notgroschen	nest egg	el depositado en la hucha los ahorros	il risparmio	de (spaar)pot (m.) het spaargeld
2. (242)	die gemeinsame Kasse	kitty	el bote	la cassa comune	de (gezamenlijke) pot (m.)
3. (242)	der Jackpot	jackpot	el premio	la posta (in gioco) il jackpot	de pot (m.) de inzet (m.)

CAISSE (n.f.) (****) 1. Appareil enregistreur. 2. Somme d'argent. 3. Lieu de paiement. 4. Organisme financier. 5. Lieu de dépôt d'argent. 6. Contenant.

1. (80)	die Kasse	till cash register	la caja	la cassa	de kassa (m./f.)
2. (80)	der Kasseninhalt	fund	la caja	la cassa	de kassa-inhoud (m.)
3. (80)	die Kasse	cash desk checkout (supermarché)	la caja	la cassa	de kassa (m./f.)
4. (80)	die Bank	Bank	la Caja	la Cassa il Banco	de Kas (m./f.)
5. (80)	die Kasse die Bank	bank	la caja el banco	la cassa il banco	de kas (m./f.) de bank (f.)
6. (363)	der Kasseninhalt	case crate	la caja	la cassa	de kassa (m./f.)

CAISSE

➠ recette

1 une caisse 3 un tiroir-caisse 3 une encaisse 3 un encaissement 3 un décaissement	3 un caissier, une caissière	3 encaissable	2 encaisser 3 décaisser

1 une CAISSE - [kɛs] - (n.f.)

1.1. Appareil qui sert à enregistrer les mouvements de fonds (les entrées et sorties d'argent) dans un magasin, à un guichet, dans un service ainsi que, éventuellement, les opérations qui ont provoqué ces mouvements de fonds.
Un ordinateur couplé à une caisse peut assurer une très grande efficacité en matière de gestion des stocks et des prix.

1.2. Somme d'argent qui se trouve en caisse (sens 1.1.).
Syn. : les encaisses (moins fréq. : une encaisse).
J'ai compté et recompté la caisse, mais il me manque toujours 14 euros.

1.3. Lieu (un guichet, un bureau, un service) où s'effectuent les paiements ou les versements.
Vous pouvez payer à la caisse qui se trouve à gauche, au fond du couloir.

1.4. Organisme (financier) qui gère des sommes d'argent que les agents économiques (les particuliers, les entreprises, l'État) lui confient et qui distribue éventuellement ces sommes aux ayants droit.
La caisse d'épargne s'est effondrée en laissant un trou de quelque 3 milliards de dollars.

1.5. Lieu réel (un coffre, une boîte, ...) ou imaginaire (p .ex .les caisses de l'État) où est déposé de l'argent en espèces.
Trois hommes armés ont accompagné le transfert de la caisse.

1.6. Contenant en bois ou en métal. (V. 363 marchandise, 1).

+ adjectif

TYPE DE CAISSE (sens 1.1.)

Une caisse (enregistreuse).

Une caisse électronique : caisse où une partie des opérations (le fait de devoir entrer les prix p. ex.) sont effectuées automatiquement (p. ex. par la lecture optique des codes-barres (**un code(-)barres, un code à barres, un code à lecture optique**) qui se trouvent sur les (emballages des) produits). *Grâce au scanning aux caisses électroniques et en rayon, on peut immédiatement connaître l'impact des campagnes de promotion et les rendre mesurables.*

TYPE DE CAISSE (sens 1.2.)

Une caisse noire : fonds qui n'apparaissent pas dans la comptabilité d'une entreprise et qui servent à financer certaines activités ou à distribuer des pots-de-vin. *Grâce à une série d'opérations boursières réussies avec l'argent de son* *entreprise, le PDG s'était constitué une petite caisse noire avec laquelle il se payait régulièrement des voyages, des articles de luxe, ...*

TYPE DE CAISSE (sens 1.3.)

Une caisse rapide, (angl.) **express** : dans un magasin, caisse réservée aux clients qui ont acheté un petit nombre d'articles.

TYPE DE CAISSE (sens 1.4.)

(Q) **Une caisse populaire**. (V. 52 banque, 1).

CARACTÉRISATION DE LA CAISSE (sens 1.5.)

Les caisses vides. (☞ 82 + verbe). *Les hommes politiques connaissent toutes les ficelles pour remplir les caisses vides du Trésor public.*

+ nom

(sens 1.1.)

- **Un ticket de caisse** : reçu délivré par une caisse enregistreuse et qui mentionne les articles achetés et leur prix.

  Un brouillard de caisse : document justificatif de recettes ou de dépenses, p .ex .les rouleaux de la caisse enregistreuse.
- **Un article de caisse**. (V. 446 production, 2).

(sens 1.2.)

- **Une/des facilité(s) de caisse** : découvert de très courte durée, généralement quelques jours, utilisé par une entreprise pour faire face aux paiements de charges périodiques (salaires, échéances des fournisseurs) (M&S). (Une banque) **accorder des facilités de caisse** (à un client).

  Un crédit de caisse. (V. 166 crédit, 1).
- **Une opération de caisse** : opération de sortie ou de rentrée d'argent dans une caisse.

  Une différence de caisse, un écart de caisse (**positif** >< **négatif**) : écart entre le total de l'argent effectivement en caisse et le montant qui devrait s'y trouver selon les documents comptables, les ventes, ...
- **Un livre de caisse, un journal de caisse** : livre dans lequel sont notées les entrées (les encaissements) et les sorties d'argent (les décaissements).
- **Un contrôle de caisse, une vérification de caisse** : contrôle du journal des encaissements et des décaissements d'un exercice.
- **Un escompte de caisse**. (V. 437 prix, 1).
- **Les fonds de caisse**. (V. 288 fonds, 1).

(sens 1.3.)

Un service de caisse. (V. 509 service, 1).

(sens 1.4.)

Un bon de caisse : valeur mobilière dont la durée et la rémunération sont fixées d'avance par l'institution financière et dont le montant est remboursé à son échéance. (Syn. : **un bon d'épargne**). *Le prêt est rémunéré par un intérêt fixé d'avance et qui dépend de l'échéance du bon de caisse.*

TYPE DE CAISSE (sens 1.2.)

Une caisse d'amortissement. (V. 288 fonds, 1).

TYPE DE CAISSE (sens 1.4.)

Dans chaque pays il existe toute une série d'organismes financiers qui portent le nom 'caisse' dans leur dénomination : (B) la Caisse Générale d'Épargne et de Retraite, ... ; (F) la Caisse d'épargne et de prévoyance, la Caisse des Dépôts et Consignations, ... ; (Q) la Caisse populaire ; (S) la Caisse d'Épargne et de Crédit.

Une caisse d'épargne. (V. 54 banque, 1).

Les caisses de sécurité sociale, une caisse d'assurance sociale : p. ex. **une caisse de retraite**. (V. 288 fonds, 1).

(S) **La caisse (de) chômage**. (V. 101 chômage, 1).

TYPE DE CAISSE (sens 1.5.)

Les caisses de l'État : fonds dont dispose l'État. *La reprise de l'économie a fait affluer dans les caisses de l'État nettement plus d'argent que prévu.*

+ verbe : qui fait quoi ?

(sens 1.1.)

un commerçant	×	**avoir** de l'argent **en** ~	-	
→ l'argent		**être en** ~	-	
une personne		**tenir** la ~	-	1

1 *Je n'ai confiance en personne, je préfère tenir la caisse moi-même.*

(sens 1.2.)

un commerçant	**faire** la ~	-	1
une personne malhonnête	**partir avec** la ~	-	2

1 *Chaque soir, je dois faire la caisse pour connaître exactement le chiffre d'affaires de la journée.*

2 *Après trois mois à peine, son nouvel associé est parti avec la caisse sans laisser la moindre trace : cela provoquera inévitablement la faillite de l'entreprise.*

(sens 1.3.)

un client	**payer à** la ~ **passer à** la ~	le paiement à la ~ le passage à la ~	1

1 *Je passe à la caisse payer mes achats.*

(sens 1.4.)

une personne, une entreprise	**s'affilier à** une ~ (d'assurance sociale)	l'affiliation à une ~ (d'assurance sociale)	1

1 *La loi déclare que les sociétés sont en principe obligées de s'affilier à une caisse de sécurité sociale.*

(sens 1.5.)

une mesure	**vider** les ~ (de l'État, ...)	les ~ vides	
	>< **remplir** les ~ (de l'État, ...)	le remplissage des ~ (de l'État, ...)	
	> **permettre de renflouer** les ~ (de l'État, ...)	le renflouement des ~ (de l'État, ...)	1
	permettre d'alimenter les ~ (de l'État, ...)	-	

1 *Le gouvernement souhaite privatiser prochainement deux banques et renflouer ainsi les caisses de l'État.*

2 ENCAISSER - [ɑ̃kɛse] - (v.tr.dir.)

1.1. Un agent économique (un particulier, un commerçant, une entreprise, un État) reçoit une somme d'argent d'un autre agent économique (un particulier, un commerçant, une entreprise, un État) en contrepartie d'un bien ou d'une valeur vendus, d'un service offert ou pour s'acquitter d'une obligation (p. ex. un impôt, une amende, ...).
Syn. : percevoir, (fam.) toucher ; (pour une créance, un impôt) recouvrer ; Ant .: (V. 405 payer, 6).
La société offre à ses actionnaires le choix d'encaisser leurs dividendes en espèces ou de les transformer en actions.

1.2. Un agent économique (un particulier, un commerçant, une entreprise) reçoit la valeur en argent d'un effet de commerce, d'un coupon, d'une valeur mobilière.
Il vaut mieux se contenter d'encaisser son coupon tous les six mois et d'attendre patiemment la date d'échéance sans se préoccuper des cours.

+ nom

TYPE D'ENCAISSEMENT (sens 1.1.)
Encaisser + nom qui désigne le type de revenu dont il s'agit. Encaisser une prime ; une plus-value.

TYPE D'ENCAISSEMENT (sens 1.2.)
Encaisser + nom qui désigne le type d'effet de commerce, ... Encaisser un coupon (V. 13 action, 1) ; un chèque ; un dividende.

3 AUTRES DÉRIVÉS OU COMPOSÉS

- **Un tiroir-caisse** [tiʀwaʀkɛs] (n.m.) (plur. : **des tiroirs-caisses**) : caisse (sens 1.1.) où l'argent est renfermé dans un tiroir qu'un mécanisme peut ouvrir lorsqu'un crédit est enregistré (PR).
- **Une encaisse** [ɑ̃kɛs] (n.f.) : quantité de monnaie détenue en caisse. (Syn. (plus fréq.) **une recette, une trésorerie** (V. 34 argent, 1)). (V. 470 recette, 1).
- **Un encaissement** [ɑ̃kɛsmɑ̃] (n.m.) {**encaisser** [ɑ̃kɛse] (v.tr.dir.)}. 1. Action par laquelle un agent économique (un particulier, un commerçant, une entreprise, un État) reçoit une somme d'argent d'un autre agent économique (un particulier, un commerçant, une entreprise, un État) en contrepartie d'un bien ou d'une valeur vendus, d'un service offert ou comme acquittement d'une obligation (p. ex. un impôt, une amende, ...). (Ant. : **le paiement, le décaissement**). **L'encaissement d'une prime**. - 2. Action par laquelle un agent économique (un particulier, un commerçant, une entreprise) reçoit la valeur en argent d'un effet de commerce, d'un coupon, d'une valeur mobilière. (Syn. : (pour les deux sens) **la perception**, (pour une créance, un impôt) **le recouvrement**).
L'encaissement d'un coupon. (V. 13 action, 1). **Les frais d'encaissement**. **Le total des encaissements**. (Un agent économique) **remettre à l'encaissement** (un chèque, un effet de commerce). **La remise à l'encaissement.**
- **Un décaissement** [dekɛsmɑ̃] (n.m.) : action de retirer de l'argent d'une caisse. (Syn. : (V. 402 paiement, 1)). (Ant. : **l'encaissement**).
{**décaisser** [dekese] (v.tr.dir.)}.
- **Un caissier, une caissière** [kesje, kesjɛʀ] (n.) : personne qui a la responsabilité d'une caisse (sens 1.1. ou 1.3.). *Les caissières de grandes surfaces ont également leur maladie*

typique : l'inflammation du poignet causée par la manutention des marchandises qui défilent sans arrêt devant elles.

• **Encaissable** [ɑ̃kɛsabl(ə)] (adj.) : (une somme, un chèque, ...) qui peut être encaissé (sens 1.1 et 1.2).

CAISSIER, CAISSIÈRE (n.) (**) 1. Personne responsable d'un appareil enregistreur ou d'un lieu de paiement.

1. (82)	der Kassierer	cashier checkout assistant (supermarché)	el cajero	il cassiere	de kassier (m.)

CALCUL (n.m.) (****) 1. Opération numérique.

1. (386)	die Berechnung das Rechnen	calculation computation	el cálculo	il calcolo	de berekening (f.)

CALCULATEUR (n.m.) (**) 1. Ordinateur.

1. (386)	der Rechner	computer	la calculadora la computadora	il calcolatore il computer	de computer (m.)

CALCULATRICE (n.f.) (**) 1. Machine qui réalise des opérations numériques.

1. (386)	der Rechner der Taschenrechner (de poche)	(pocket) calculator	la calculadora	la calcolatrice	de rekenmachine (f.)

CALCULER (v.tr.dir.) (****) 1. Réaliser des opérations numériques.

1. (386)	(be)rechnen kalkulieren	to work out to calculate	calcular	calcolare	(be)rekenen uitrekenen

CALCULETTE (n.f.) (**) 1. Petite machine qui réalise des opérations numériques.

1. (386)	der Taschenrechner	pocket calculator	la calculadora	la calcolatrice	het zakrekenmachientje

CALL (n.m.) (****) 1. Option d'achat.

1. (3)	die Kaufoption	call (option)	la opción de compra	il call l'opzione call	de call-optie (f.) het recht van koop

CAMBISTE (n.) (**) 1. Employé de banque spécialiste des opérations de change.

1. (92)	der Devisenhändler der Wechselmakler	foreign exchange dealer foreign exchange broker	el cambista	il cambiavalute	de (wissel)makelaar (m.) de valutahandelaar (m.)

CAMELOTE (n.f.) (*) 1. Marchandise de mauvaise qualité.

1. (363)	die billige Ramschware	shoddy goods	la baratija	la merce scadente	de spullen (plur.)
	der Ramsch	junk	la pacotilla		de prullaria (plur.)

CAMEMBERT (n.m.) (*) 1. Représentation graphique sous forme de cercle.

1. (284)	das Kreisdiagramm	pie chart	el gráfico de tarta / de quesitos	il diagramma a settori circolari	het cirkeldiagram
		cake chart	el gráfico circular		het schijfdiagram

CAMION (n.m.) (***) 1. Grand véhicule de transport de marchandises.

1.	der Lastwagen der LKW	lorry (GB) truck (US)	el camión	il camion l'autocarro (m.)	de camion (m.) de vrachtwagen (m.)

CAMPAGNE (n.f.) (****) 1. Ensemble d'actions (publicitaires).

1. (465)	die Kampagne die Aktion	campaign	la campaña	la campagna	de campagne (m./f.)

CANAL ; CANAUX (n.m.) (****) 1. (un ~ de distribution) Agent ou moyen de distribution ou de transmission. 2. Voie navigable artificielle.

1. (205)	der Vertriebsweg	channel of distribution	el canal de distribución el medio de distribución	il canale di distribuzione	het distributiekanaal
2.	der Kanal	canal	el canal	il canale navigabile	het kanaal

CANARD BOITEUX (un ~) (*) 1. Entreprise en difficulté.

1. (235)	ein angeschlagenes Unternehmen	lame duck	la empresa en apuros	l'impresa (f.) in difficoltà	het kwakkelbedrijf
	ein Unternehmen mit Schlagseite	laggard	la compañía poco competitiva		

CANDIDAT, CANDIDATE (n.) (****) 1. Personne qui postule une place, un poste, un titre (RQ).

1. (222) (227)	der Kandidat der Bewerber	applicant candidate	el candidato	il candidato	de kandidaat (m.)

CANDIDATURE (n.f.) (***) 1. Fait de postuler une place, un poste, un titre.

1. (411)	die Kandidatur die Bewerbung	application candidature	la candidatura	la candidatura	de kandidaatstelling (f.)

CAN(N)ETTE (n.f.) (**) 1. Petit contenant en métal (pour une boisson rafraîchissante p. ex.).

1. (363)	die Flasche die Dose	can	la lata	la lattina	het blik(je)

CAO (la ~) (***) création assistée par ordinateur.

(254)	das Computer-aided-Design (CAD) das computergestützte Konstruieren	Computer Aided Design (CAD)	diseño asistido por ordenador (CAD)	Computer Aided Design (CAD)	Computerondersteund ontwerp (CAD)

CAP (n.m.) (***) 1. Limite.

1.	die Grenze	limit boundary	el límite	la soglia la barra	de grens (m./f.) de limiet (m./f.)

CAP (un ~) (*) (454) (398) Certificat d'aptitude professionnelle.

CAPACITÉ (n.f.) (****) 1. Aptitude à faire qqch.

1. (440) (268)	die Kapazität die Fähigkeit	ability capacity	la capacidad los recursos	la capacità	de capaciteit (f.) de bekwaamheid (f.)

CAPITAL ; CAPITAUX (n.m.) (****) 1. Bien qui procure un revenu. 2. (plur.) Argent en circulation. 3. Facteur de production.

1. (84)	das Kapital das Vermögen	capital asset(s)	el capital los recursos	il capitale	het kapitaal het vermogen
2. (84)	das Geld die Geldmittel	money	el capital el dinero	il capitale il denaro	het kapitaal het geld
3. (84)	das Kapital die Gelder	capital funds	el capital los fondos	il capitale	het kapitaal

CAPITAL

➡ revenu - fonds

1 le capital ; les capitaux **5** le capital(-)risque **2** le capitalisme **3** la capitalisation **5** une recapitalisation	**5** un capitaliste, une capitaliste	**5** (anti)capitaliste **5** capitalistique **5** capitalisable	**4** capitaliser **5** recapitaliser

1 le CAPITAL - [kapital] - (n.m.) - (plur. : **les CAPITAUX**)

1.1. Bien(s) ou (importante) somme d'argent qui peuvent procurer un revenu à un agent économique (un particulier, une entreprise, un investisseur, un État - X) ou qui permettent à un agent économique (une entreprise - Y) de produire de nouveaux biens ou services.
Certains pays limitent les participations étrangères dans le capital de leurs entreprises.

1.2. (emploi au plur.) Ensemble des sommes d'argent disponibles ou en circulation.
Syn. : (V. 34 argent, 1).
Quatre mille personnes ont payé 500 euros pour participer à cette action : imaginez les capitaux mobilisés !

1.3. (emploi au sing.) Facteur de production qui comprend l'argent, les outils, les matières premières, ...
Il est bien connu que le revenu des agriculteurs serait nettement plus élevé si leur capital et leur travail étaient rémunérés comme ils le sont en moyenne dans l'ensemble de l'économie.

expressions

(sens 1.1.)

- (Une personne) **entamer son capital** : utiliser ses moyens financiers de telle façon qu'ils diminuent.
- (Une personne) **manger son capital** : dépenser l'argent susceptible de rapporter un intérêt.

+ adjectif

TYPE DE CAPITAL (sens 1.1.)

Le capital social, **juridique** : moyens financiers, travail, valeur des biens apportés à une société lors de sa création par les propriétaires ou les actionnaires.

Le capital technique, **matériel** : ensemble des éléments (les machines, les bâtiments, les matières premières, les stocks, ...) qui, combinés au travail, permettent d'obtenir des biens d'une plus grande valeur ou utilité. (Syn. : **les moyens de production, les biens de production**). Le capital technique est composé du **capital fixe** (éléments qui sont utilisables durant plusieurs cycles de production, p. ex. le four du boulanger) et du **capital circulant** (éléments qui ne s'utilisent que durant un cycle de production, p. ex. les matières premières). **La consommation de capital fixe**. (V. 28 amortissement, 1).

>< **Le capital immatériel** : les services, **le capital humain** (l'homme envisagé comme facteur de production (V. 336 investissement, 1)), ...

Les capitaux propres. (Syn. : **les fonds propres**). (V. 287 fonds, 1)

>< **Les capitaux étrangers**. (Syn. : **les fonds extérieurs, les fonds de tiers**). (V. 287 fonds, 1).

Les capitaux permanents : ressources permanentes de l'entreprise qui figurent au passif du bilan et qui comprennent les capitaux propres, les provisions pour risques et charges à plus d'un an et les dettes à long terme.

Le capital comptable : ensemble des valeurs que la pratique de l'amortissement rend constant.

Les capitaux frais. (Syn. : **l'argent frais**). (V. 33 argent, 1).

Le capital financier. (Syn. : **la capitalisation boursière**). (V. 87 3 capitalisation).

Le grand capital : ensemble des personnes ou des organismes qui possèdent des biens (patrimoine et importantes sommes d'argent) qui peuvent leur procurer un revenu. *Comme toujours les mesures gouvernementales frapperont le plus fort les contribuables moyens, mais ne toucheront pas le grand capital.*

TYPE DE CAPITAUX (sens 1.2.)

Les capitaux privés : capitaux provenant de personnes, d'organismes privés.

>< **Les capitaux publics** : capitaux provenant des pouvoirs publics. *La région injecterait-elle des capitaux publics dans cette entreprise en difficulté pour sauver l'emplo i?*

Les capitaux fébriles, flottants : capitaux placés à court terme qui se déplacent d'un pays à un autre et donc d'une devise à une autre à des fins spéculatives (B&C). (Syn. : (angl.) **hot money**).

CARACTÉRISATION DU CAPITAL (sens 1.1.)

Un capital productif. >< **Un capital improductif**. (V. 451 productivité, 2).

+ nom

(sens 1.1.)

- **Une augmentation de capital** : émission d'actions nouvelles par une société afin d'attirer des capitaux frais. *Notre holding cherche un partenaire pour participer à l'augmentation de capital de cette société à hauteur de 100 à 150 millions d'euros.*

  Une dotation en capital : apport d'argent sans que des actions ou des titres de créance soient reçus en échange. *L'État a accordé une dotation en capital de plus de 500 millions d'euros à cette compagnie aérienne pour l'aider à surmonter ses difficultés financières.*
- **La productivité du capital**. (V. 450 productivité, 1).
- **L'intensité de capital**. *La métallurgie, le verre et le ciment sont des biens semi-finis qui font appel à des procédés de production à forte intensité de capital.* (V. 88 5 autres dérivés ou composés).
- **Un stock de capital**. (V. 526 stock, 1).
- **La rémunération du capital** (V. 494 revenu, 1) ; **les revenus du capital/de(s) capitaux**. (V. 494 revenu, 1).
- **L'impôt sur le capital**. (V. 313 impôt, 1).
- **Une société de capitaux**. (V. 515 société, 1).
- **Le compte de capital**. (V. 129 compte, 1).

(sens 1.2.)

- **Les mouvements de capitaux, les transferts de capitaux, le flux de capitaux.** *Il y a eu ces dernières années des mouvements de capitaux importants vers des zones comme l'Amérique latine, l'Asie ou plus récemment vers l'Europe de l'Est.*

  Un afflux de capitaux, les entrées de capitaux : mouvement de capitaux vers un pays. *C'est à Washington de remonter les taux d'intérêt à un niveau suffisamment élevé pour augmenter l'afflux de capitaux vers les États-Unis.*

  >< **Un reflux de capitaux ; les sorties de capitaux** : retrait de capitaux d'un pays. *La balance des paiements de juin a enregistré une perte importante suite au reflux des capitaux étrangers vers le Luxembourg et la Suisse.* Certaines sorties de capitaux correspondent à des réalités économiques. D'autres ont pour but d'éluder l'impôt. Dans ce cas, on parle d'une **fuite de(s) capitaux**. *Il y a un risque de fuite de capitaux hors d'un pays si la fiscalité frappant les revenus du capital est plus élevée dans ce pays que dans les autres.* >< **Le rapatriement de capitaux**.

  La balance des capitaux. (V. 50 balance, 1).
- **La libre circulation des capitaux** : mouvements de capitaux sans entraves (p. ex. à l'intérieur de l'Union européenne).
- **Le marché des capitaux**. (V. 367 marché, 1).
- **Les sorties de capitaux**. (V. 470 recette, 1).

TYPE DE CAPITAL (sens 1.1.)

Un capital de départ : capital avec lequel qqn démarre une affaire, finance un projet. *L'Association européenne des investisseurs individuels organise un concours d'investissement où tout participant reçoit un capital de départ pour se constituer un portefeuille d'actions.*

La formation brute de capital fixe : biens acquis par une entreprise dans le but de produire d'autres biens. (Syn. : (moins fréq.) **l'investissement brut**).

>< **La formation nette de capital fixe** : formation brute de capital fixe moins les amortissements. (Syn. : (moins fréq.) **l'investissement net**).

Le capital à risque. (V. 88 5 autres dérivés ou composés).

Un investissement en capital à risque.

Un capital en nature : capital constitué de terres, de bâtiments, de machines, de matériel.

MESURE DU CAPITAL (sens 1.1.)

Un besoin en capitaux. < **Un manque de capitaux, une pénurie de capitaux**. >< **Une abondance de capitaux**.

+ verbe : qui fait quoi ?

(sens 1.1.)

Y (une entreprise)		**ouvrir** son ~ (à un investisseur, ...)	l'ouverture du ~ (à un investisseur, ...)	1
		désirer augmenter son ~ ↓	une augmentation de ~ (☞ + nom)	
X (un particulier, un investisseur, ...)	✓	**apporter** des ~ (à Y)	un apport de/en ~ un apporteur de ~ (Syn. : **un bailleur de fonds**)	2
		fournir des ~ (à Y)	un fournisseur de ~	
		investir des ~ (dans Y)	un investissement	
		engager des ~ (dans Y)	-	
		injecter des ~ (dans Y)	une injection de ~ (dans Y)	
		entrer dans le ~ de Y ↓	faire son entrée dans le ~ de Y	3
X (un particulier, un investisseur, ...)	×	**participer dans** le ~ /**au** ~ de Y	une participation dans le ~/au ~ de Y	4
		détenir le ~ pour ... % à concurrence de ... % ... % du ~	un détenteur de ~	
X (un particulier, un investisseur)	×	**détenir** des ~ ↓	un détenteur de ~	5
X (un particulier, un investisseur)		**faire fructifier** son ~	-	6
X (un particulier, un investisseur)		**placer** son ~	un placement	
		>< **immobiliser** son ~	l'immobilisation d'un ~ un ~ immobilisé	
Y		**emprunter** un ~ ↓	un emprunt un emprunteur	
Y		**rembourser** le ~ et les intérêts	le remboursement du ~	

1 *L'ouverture du capital de cette société au public et aux investisseurs devra se faire avant la fin de l'année, mais il n'est pas question de la privatiser.*
2 *Nos actionnaires nous apportent des capitaux frais à d'excellentes conditions.*
3 *Le groupe français a fait entrer dans son capital de nouveaux partenaires stratégiques comme la Générale des Eaux et France Télécom.*
4 *La participation de cet investisseur ne devrait pas dépasser la moitié de la participation au capital détenue par The Walt Disney Company.*
5 *Les détenteurs de capitaux ont préféré investir leurs liquidités dans les métaux précieux pour se protéger contre les incertitudes politiques.*
6 *J'essaie de faire fructifier mon capital au maximum en le plaçant aux meilleures conditions.*

(sens 1.2.)

une banque	**attirer** des ~	-	
	mobiliser des ~	la mobilisation de ~	
	drainer des ~	le drainage de ~	
un malfaiteur	**blanchir** des ~	le blanchiment de ~	1

1 *Certains proposent de réduire les règlements en espèces comme mesure préventive contre le blanchiment des capitaux provenant du trafic de drogues.*

Pour en savoir plus

NOTE D'USAGE

On associe souvent les mots 'travail' et 'capital', qui désignent les deux principaux facteurs de production.

Il en va de même pour 'capital' et 'intérêt' dans le cadre d'un emprunt.

2 le CAPITALISME - [kapitalism(ə)] - (n.m.)

1.1. Système économique où les personnes privées, les banques, les investisseurs qui apportent des capitaux aux entreprises sont propriétaires des moyens de production et peuvent en tirer des revenus.
Syn. : l'économie de marché ; Ant. : (☞ 87 Pour en savoir plus, Capitalisme (sens 1.1.) et antonymes).

1.2. Doctrine des partisans du capitalisme (sens 1.1.).

1.3. Ensemble des partisans du capitalisme (sens 1.1.).

+ adjectif

TYPE DE CAPITALISME (sens 1.1.)

Le capitalisme financier : domination de l'économie par les banques.

Le capitalisme sauvage. *Grâce à la prise de conscience des problèmes de l'environnement, le "capitalisme vert" l'emporte de plus en plus sur le capitalisme sauvage.*

+ nom

TYPE DE CAPITALISME (sens 1.1.)

Le capitalisme monopoliste d'État : capitalisme dans lequel l'État est au service des grandes entreprises.

Le capitalisme d'État : système économique dans lequel l'État est propriétaire d'une part très importante des moyens de production. (Syn. : **l'étatisme**).

Pour en savoir plus

CAPITALISME (sens 1.1.) ET ANTONYMES

Le capitalisme.

Le socialisme : système économique qui tend à éliminer l'apport de capitaux privés aux entreprises. *Les idéologies ne font plus recette : le socialisme était déjà pratiquement mort avant que le communisme ne s'effondre. L'économie de marché s'impose comme une évidence.* {**un, une socialiste, socialiste**}.

Le communisme : système économique où tous les moyens de production et les biens de consommation sont mis en commun et où la propriété privée est absente. (Syn. : **le collectivisme**) {**collectiviste**}).
{**un, une communiste, communiste**}.

3 la CAPITALISATION - [kapitalizasjɔ̃] - (n.f.)

1.1. Opération qui a pour but d'ajouter à un capital (une somme d'argent, un titre) les revenus (une rente, un intérêt, un dividende) que celui-ci a procurés.
Dans un système de capitalisation, les cotisations des participants sont rassemblées et placées.

1.2. (comptabilité) Action de porter une dépense au débit d'un compte d'actif plutôt qu'à un compte de résultat.

+ adjectif

TYPE DE CAPITALISATION (sens 1.1.)

La capitalisation boursière : méthode d'estimation de la valeur d'une entreprise obtenue en multipliant le cours des actions cotées en bourse par le nombre des actions de la société. (Syn. : (moins fréq.) **la valeur boursière, le capital financier**). *La compagnie des postes et téléphones hollandaise représente la troisième capitalisation boursière d'Amsterdam après Royal Dutch Shell et Unilever.*

+ nom

(sens 1.1.)

- **Un système de capitalisation** : les revenus produits par un capital (les intérêts, les dividendes ou les rentes) sont ajoutés à ce capital.

  >< **Un système de répartition** : les revenus sont répartis immédiatement. *Les systèmes de retraite peuvent être organisés selon deux systèmes : celui de la capitalisation et celui de la répartition, comme en France.*
- **Une sicav de capitalisation**. *Comme son nom l'indique, une sicav de capitalisation ne distribue pas de dividende, elle réinvestit les coupons encaissés sur ses participations.*

Une capitalisation des intérêts.

Un emprunt de capitalisation. (V. 230 emprunt, 1).

MESURE DE LA CAPITALISATION (sens 1.1.)

Le taux de capitalisation : taux d'intérêt ou de rendement utilisé pour calculer la valeur d'un capital, d'un bien ou d'une entreprise à partir des revenus ou des bénéfices qu'il ou elle a produits (Ménard).

4 CAPITALISER - [kapitalize] - (v.tr.dir., v.intr.)

1.1. (v.tr.dir.) Qqn (un particulier, une institution financière - X) ajoute à un capital (une somme d'argent, un titre) les revenus (une rente, un intérêt, un dividende - Y) que celui-ci a procurés.
Le nouvel emprunt d'État s'adresse aux épargnants qui ne souhaitent pas percevoir les intérêts annuels mais préfèrent les capitaliser au même taux de 7 %.

1.2. (v.intr.) Un agent économique (un particulier, une entreprise, un organisme, un État) réserve la partie de son revenu disponible qui n'est pas consacrée à la consommation immédiate de biens ou de services au placement à des conditions déterminées (durée, rémunération), à la thésaurisation ou à l'investissement.

Syn. : (plus fréq.) épargner, faire des économies, mettre de l'argent de côté, (moins fréq.) économiser ; Ant. : dépenser < gaspiller.
Ce couple n'a fait que capitaliser. Maintenant qu'ils sont tous les deux à la retraite, il est temps qu'ils profitent de l'argent qu'ils ont accumulé.

1.3. (v.tr.dir.) (comptabilité) Qqn (un comptable) porte une dépense au débit d'un compte d'actif plutôt qu'à un compte de résultat.

qui fait quoi ?		

(sens 1.1.)

X (une personne)	**capitaliser** Y	la capitalisation de Y

5 AUTRES DÉRIVÉS OU COMPOSÉS

- **Le capital(-)risque** [kapitalʀisk] (n.m.) (plur. : **les capitaux(-)risque**) : argent investi dans une entreprise dont les bénéfices sont très incertains. (Syn. : **le capital à risque**). < **Le capital à haut risque**.
  Une société de capital(-)risque : société de capital qui s'associe avec une entreprise innovatrice afin d'en financer l'innovation (B&C).
- **Une recapitalisation** [ʀəkapitalizasjɔ̃] (n.f.). (V. 268 finance, 4).
  {**recapitaliser** [ʀəkapitalize] (v.tr.dir.)}.
- **Un capitaliste, une capitaliste** [kapitalist(ə)] (n.) : personne qui apporte des capitaux aux entreprises. *De nombreux pays disposent d'une législation sur les investissements en provenance de l'extérieur qui intéresse vivement les capitalistes étrangers.*
  Un (gros) capitaliste : (péj.) personne très riche.
- **Capitaliste** [kapitalist(ə)] (adj.) : qui défend les principes du système économique. Les personnes privées qui apportent des capitaux aux entreprises sont propriétaires des moyens de production et peuvent en tirer des revenus. (Ant. : **anticapitaliste, socialiste, communiste**). **Un pays capitaliste. Un régime capitaliste. Une économie capitaliste.**
- **Capitalistique** [kapitalistik] (adj.). 1. Qui se rapporte à un processus de production qui utilise le facteur capital dans des proportions importantes. (Syn. : **à forte intensité de capital, à haut degré capitalistique**). (Ant. : **travaillistique, à forte intensité de main-d'œuvre**). *Nous assistons à une expansion rapide de la production de demi-produits à forte intensité capitalistique dans les pays industrialisés.* - 2. Qui se rapporte au capital (sens 1.1.). *Un partenariat capitalistique doit toujours commencer par des accords technologiques.*
- **Capitalisable** [kapitalizabl(ə)] (adj.) : qui peut être ajouté à un capital. *Les revenus d'une SICAV sont capitalisables.*

CAPITAL(-)RISQUE ; CAPITAUX(-)RISQUE (n.m.) (**) 1. Argent investi à bénéfices incertains.

1. (88)	das Risiko-Kapital	venture capital risk capital	el capital riesgo	il capitale di rischio il venture capital	het risicokapitaal

CAPITALISABLE (adj.) (*) 1. Qui peut être ajouté à un capital.

1. (88)	kapitalisierbar	capitalizable convertible into fixed assets	capitalizable	capitalizzabile	kapitaliseerbaar

CAPITALISATION (n.f.) (****) 1. Ajout de revenus à un capital. 2. Report d'une dépense au débit d'un compte.

1. (87)	die Kapitalbildung	capitalization	la capitalización	la capitalizzazione	de kapitalisatie (f.)
2. (87)	die Übertragung	balance brought forward	la transferencia	il rinvio il riporto	de overdracht (m./f.) (comptabilité)

CAPITALISER (v.tr.dir., v.intr.) (***) 1. Ajouter des revenus à un capital. 2. Placer de l'argent. 3. Porter une dépense au débit d'un compte.

1. (87)	Kapital bilden Zinsen zum Kapital schlagen	to capitalize	capitalizar	capitalizzare	kapitaliseren
2. (87)	anlegen investieren	to invest	invertir capitalizar	collocare investire	beleggen investeren
3. (87)	übertragen	to carry forward to bring forward	transferir	riportare	overdragen (comptabilité)

CAPITALISME (n.m.) (***) 1. Système économique avec propriété privée. 2. Doctrine. 3. Partisans de la doctrine.

1. (86)	der Kapitalismus	capitalism	el capitalismo	il capitalismo	het kapitalisme
2. (86)	der Kapitalismus	capitalism	el capitalismo	il capitalismo	het kapitalisme
3. (86)	der Kapitalismus	capitalism	el capitalismo	il capitalismo	het kapitalisme

CAPITALISTE (adj.) (***) 1. Qui se rapporte au système économique avec propriété privée.

1. (88)	kapitalistisch	capitalist	capitalista	capitalista	kapitalistisch

CAPITALISTE (n.) (**) 1. Personne qui apporte des capitaux aux entreprises.

1. (88)	der Kapitalist	capitalist	el capitalista	il capitalista	de kapitalist (m.)

CAPITALISTIQUE (adj.) (**) 1. Qui se rapporte à l'utilisation du facteur capital. 2. Qui se rapporte au partage de capital entre deux entreprises.

1. (88)	kapitalintensiv	capital	referente al capital	a forte intensità di capitale	kapitaalintensief
2. (88)	Kapital-	capital	referente al capital	capitalistico	kapitaal-

CAPITAUX, voir **CAPITAL**

CARBURANT (n.m.) (***) 1. Combustible.

1. (142)	der Kraftstoff	fuel	el carburante	combustibile	de brandstof (m./f.)
	der Treibstoff				

CARGAISON (n.f.) (**) 1. Marchandises transportées par navire.

1. (363)	die Ladung	cargo	la carga	il carico	de (scheeps)lading (f.)
	die Fracht	freight	el cargamento		

CARGO (n.m.) (**) 1. Navire pour le transport de marchandises en vrac.

1. (550)	das Frachtschiff	freighter	el carguero	la nave da carico	het vrachtschip
	der Frachter	cargo boat	el buque de carga	il mercantile	

CARRÉ MAGIQUE (le ~) (*) 1. Représentation graphique des objectifs de la politique économique.

1. (215)	das magische Viereck	magic square	el "cuadrado mágico"	il quadrato magico	het magisch vierkant
			el gráfico de objetivos económicos		

CARRIÈRE (n.f.) (****) 1. Progression dans une profession.

1. (454)	die Laufbahn	career	la carrera	la carriera	de loopbaan (m./f.)
(299)	die Karriere				de carrière (m./f.)

CARRIÉRISTE (n.) (*) 1. Personne qui veut à tout prix réussir son parcours professionnel.

1. (454)	der Karrieremacher	careerist	el trepa	il carrierista	de carrièrejager (m.)
	der Karrierist			il manager in carriera	de streber (m.)

CARTE (n.f.) (****) 1. Petit rectangle en carton ou en plastique.

1. (402)	die Karte	card	la tarjeta	la carta (di credito)	de kaart (m./f.)
(460)	der Ausweis			la tessera (Bancomat)	

CARTEL (n.m.) (***) 1. Alliance de sociétés.

1. (519)	das Kartell	cartel	el cártel	il cartello	het kartel
		combine			

CARTON (n.m.) (***) 1. Feuille assez épaisse, faite de pâte à papier (RQ). 2. Contenant (pour des marchandises p. ex.).

1.	der Karton	cardboard	el cartón	il cartone	het karton
	die Pappe	paper board			
2. (363)	der Karton	box	(la caja de) cartón	il cartone	het karton
	die Schachtel				de doos (m./f.)

CARTOUCHE (n.f.) (***) 1. Contenant (pour des paquets de cigarettes, de l'encre p. ex.).

1. (363)	die Stange	carton (cigarettes)	el cartón (cigarettes)	la stecca (di sigarette)	de slof (m.) (cigarettes)
		cartridge (encre)	el cartucho (encre)	la cartuccia (di inchiostro)	de (inkt)vulling (f.)

CASH (adv.) (**) 1. Immédiatement.

1. (131)	bar	cash down	al contado	in contanti	cash
		cash on the nail (GB)		a pronti	contant

CASH (n.m.) (***) 1. Argent immédiatement disponible.

1. (34)	das Bargeld	cash	el dinero efectivo	il denaro contante	het baar geld
	die flüssigen Mittel				

CASH(-)FLOW ; CASH(-)FLOWS (n.m.) (****) 1. Marge brute d'autofinancement.

1. (268)	der Cash-flow	cashflow	el flujo de caja	il flusso di cassa	de cashflow (m.)
	der Zahlungsmittelüberschuss		el cash flow	il cash flow	de kasstroom (m.)

CASSER (v.tr.dir.) (**) 1. Réduire de façon importante.

1. (279)	radikal senken	to slash (prices)	bajar	ridurre	aanzienlijk reduceren
		to undercut the competitors	abaratar	sminuire	

CATALOGUE (n.m.) (****) 1. Brochure présentant des produits à vendre (RQ).

1. (571)	der Katalog	catalogue (GB)	el catálogo	il catalogo	de cataloog (m.)
(434)		catalog (US)			

CAUTION (n.f.) (**) 1. Contrat qui garantit l'exécution d'une obligation. 2. Personne qui s'engage à garantir l'exécution d'une obligation. 3. Somme d'argent qui sert de garantie.

1. (175)	der Bürgschaftsvertrag	guarantee	la fianza	la cauzione	de borg (m.)
	die Bürgschaftsurkunde				
2. (175)	der Bürge	guarantor	la fianza	il garante	de borg(steller) (m.)
				il fideiussore	
3. (175)	die Kaution	deposit (commerce)	la fianza	la cauzione	de waarborg (m.)
	die Bürgschaftssumme	guarantee (banque)	la caución	la garanzia	

CAUTIONNÉ, CAUTIONNÉE (n.) (*) 1. Personne qui s'est engagée à exécuter une obligation.

1. (175)	der Bürge	guarantor	el garante	il garante	de borg (m.)
				il fideiussore	

CAUTIONNEMENT (n.m.) (*) 1. Action de se porter garant.

1. (175)	die Bürgschaft	guarantee security	la garantía la fianza	la fideiussione	de borgstelling (f.)

CAUTIONNER (v.tr.dir.) (**) 1. Se porter garant de qqch.

1. (175)	bürgen	to guarantee	garantizar	portarsi come fideiussore	borg staan voor
		to stand surety for somebody	salir fiador de		

CCC (la ~) (*) (152) contribution complémentaire de crise.

CCP (un ~) (**) compte chèque postal.

(129)	das Postscheckkonto	Post office account	la cuenta corriente postal	il conto corrente postale	de postchequerekening (f.)
		Giro account (GB)	la cuenta corriente caja postal		de girorekening (f.)

CCT (une ~) (**) convention collective de travail.

(554)	der Tarifvertrag	collective agreement	el convenio colectivo	il contratto collettivo di lavoro	de collectieve arbeidsovereenkomst (f.) (CAO)

CDD (un ~) (*) (554) contrat de travail à durée déterminée.

CDI (un ~) (**) (554) contrat de travail à durée indéterminée.

CD-ROM (n.m.) (****) 1. Support informatique.

1. (527)	die CD-ROM	CD-ROM	el CD-ROM	il CD-ROM	de cd-rom (m.)

CÉDANT, CÉDANTE (n.) (*) 1. Personne qui vend un droit.

1. (572)	der Abtretende	assignor	el cedente	il cedente	de overdragende partij (f.)
(161)	der Veräusser	transferor	el cesionista	l'alienante (m.)	

CÉDER (v.tr.dir.) (****) 1. Vendre. 2. Donner gratuitement. 3. Perdre.

1. (572)	überlassen verkaufen	to sell to dispose of	ceder vender	cedere vendere	verkopen
2. (572)	abgeben	to give away	ceder dar	dare cedere	geven afstaan
3. (278)	zulegen zusetzen	to lose to give in / up	ceder perder	perdere	verliezen toegeven

CÉDÉROM (n.m.) (*) 1. Support informatique.

1. (527)	die CD-ROM	CD-ROM	el CD-ROM	il CD-ROM	de cd-rom (m.)

CELLULE (n.f.) (****) 1. Petit groupe de personnes.

1. (507)	die Gruppe die Zelle	committee think-tank	la célula el grupo	il gruppo la cellula (di crisi)	de cel (m./f.) de kern (m./f.)

CENT (n.m.) (***) 1. Centième d'un euro.

1. (382)	der Cent	cent	el céntimo	il centesimo	de (euro)cent (m.)

CENT (un pour ~) (***) 1. Pour cent unités, dans une proportion, un pourcentage (RQ).

1. (542)	das Prozent	percentage	por ciento	per cento	het percent

CENTIME (n.m.) (***) 1. Centième d'un franc.

1. (382)	der Centime	centime	el céntimo	il centesimo	de centiem (m.)

CENTRALE (n.f.) (***) 1. Organisme.

1. (535) (3)	die Zentrale	group	la central	la centrale	de centrale (m./f.) het organisme

CENTRE (n.m.) (****) 1. Lieu d'activité.

1. (120) (267)	das Zentrum	unit centre (GB)	el centro	il centro	het centrum de entiteit (f.)

CÉRÉALE (n.f.) (***) 1. Plante qui sert de base à l'alimentation.

1.	das Getreide	cereal	el cereal	il cereale	het (de) graan(gewassen)

CÉRÉALIER, -IÈRE (adj.) (**) 1. Qui se rapporte aux plantes qui servent de base à l'alimentation.

1.	Getreide-	cereal	cerealista	cerealicolo	graan-

CERTIFICAT (n.m.) (****) 1. Diplôme. 2. Valeur mobilière.

1. (454)	das Zeugnis das Zertifikat	certificate diploma	el certificado el diploma	il titolo il certificato	het diploma het certificaat
2. (189) (13)	das (Investment)Zerti-fikat	certificate	el título valor	il certificato recibo	het certificaat

CESSIBILITÉ (n.f.) (*) 1. Qualité d'une chose qui peut être vendue.

1. (572)	die Möglichkeit zur Veräusserung die Veräusserbarkeit	transferability	la cesibilidad	la cedibilità	de overdraagbaarheid (f.)

CESSIBLE (adj.) (*) 1. Qui peut être vendu.

1. (572)	veräusserbar kann veräussert werden	transferable assignable	cesible	cedibile	overdraagbaar

CESSION (n.f.) (****) 1. Vente. 2. Don gratuit.

1. (572)	die Veräusserung	transfer	la cesión	la cessione	de overdracht (m./f.)
2. (572)	die Überlassung die Abgabe	gift	la cesión la donación	la donazione il dono	de gift (m./f.)

CESSIONNAIRE (n.) (*) 1. Personne à qui un droit de vente a été accordé.

1. (572)	der Erwerber (eines Rechts)	transferee	cesionario	il cessionario	de begunstigde (m.)
(161)	der Zessionar	assignee			de cessionaris (m.)

CFA (la ~) (**) (382) Communauté financière africaine.

CFC (un ~) (**) (454) Certificat fédéral de capacité.

CFDT (la ~) (***) (534) Confédération française démocratique du travail.

CFP (la ~) (*) (382) Communauté financière du Pacifique.

CFTC (la ~) (***) (534)Confédération française des travailleurs chrétiens.

CGC (la ~) (***) (534) Confédération générale des cadres.

CGSLB (la ~) (***) (534) Centrale générale des syndicats libéraux de Belgique.

CGT (la ~) (***) (534) Confédération générale du travail.

CHAÎNE (n.f.) (****) 1. Société de commerce de détail. 2. Société qui émet des programmes télévisés. 3. Ensemble d'activités de production.

1. (204)	die Kette	chain (of shops) (GB)	la cadena	la catena	de keten (m./f.)
(354)		chain (of stores) (US)			
2. (119)	das Programm	(television) channel	el canal	la rete	het kanaal
(264)	der Kanal		la cadena		het televisiestation
3. (439)	die Kette	production line	la línea	la catena di montaggio	de keten (m./f.)
(555)		chain	la cadena		

CHALAND, CHALANDE (n.) (**) 1. Client.

1. (107)	der Kunde	customer	el cliente	il cliente	de klant (m.)
			el comprador	l'avventore (m.)	

CHALANDISE (n.f.) (*) 1. (une zone de ~) Clientèle.

1. (107)	das Einzugsgebiet	catchment area	la zona operacional	la zona di clientela potenziale	het klantenareaal
			la zona de clientela		het invloedsgebied

CHAMBRE (n.f.) (****) 1. Organisme.

1. (114)	die Kammer	chamber	la cámara	la camera	de kamer (m./f.)
(535)					

CHANGE (n.m.) (****) 1. Échange de monnaies. 2. Prix d'une monnaie.

1. (91)	der Wechsel	exchange	el cambio	il cambio	het wisselen
2. (91)	der Wechselkurs	exchange rate	el tipo de cambio	il (tasso di) cambio	de wisselkoers (m.)

CHANGE

➠ monnaie

1 le change	**3** un changeur, une changeuse		**2** (s') (é)changer

1 le CHANGE - [ʃɑ̃ʒ] - (n.m.)

1.1. Opération par laquelle un agent économique (une banque) remet un certain montant de monnaie d'un pays contre un montant de valeur équivalente d'une autre monnaie à un autre agent économique (une banque, une entreprise, un particulier).
Syn. : une opération de change.

1.2. Prix d'une monnaie exprimé en une autre monnaie et déterminé en fonction de l'offre et de la demande sur le marché des changes.
Syn. : le taux de change, le cours de change.
Les fluctuations de change ont tendance à gêner le commerce international.

expressions

(sens 1.1.)

- (Une personne) **y gagner au change** : faire un échange avantageux. *L'accord prévoyait un dédommagement d'un million d'euros ; le président obtient finalement deux millions : il y gagne au change.*

>< (Une personne) **y perdre au change.**

- **Sur le front des changes**. (Syn. : **sur le marché des changes**). *Le calme est revenu provisoirement sur le front des changes au terme d'une semaine marquée principalement par la reprise du dollar.*

+ adjectif

TYPE DE CHANGE (sens 1.1.)

Le change manuel. *Un touriste qui se procure des billets de banque étrangers réalise une opération de change manuel.*

+ nom

(sens 1.1.)

- **Une opération de change**.

- **Le marché des changes** (peu fréq. : **le marché de change**), (V. 368 marché, 1).
- **Les réserves de change** : Or et devises dont dispose chaque État. *De nombreux pays ont des réserves de change insuffisantes, parfois inférieures à la valeur de trois mois d'importations : ils doivent soit restreindre leurs importations, alors qu'ils ont des besoins urgents, soit faire appel aux marchés des capitaux pour emprunter à des taux prohibitifs.*
- **Le contrôle des changes** : régime dans lequel le commerce de devises est soumis au contrôle de l'État afin d'éviter une dépréciation monétaire. *La principale organisation patronale s'est prononcée pour la suppression du contrôle des changes afin de stimuler les investissements étrangers.*
  Une politique de change. *L'économie européenne peut compter sur des taux de change fixes pour une grande partie de ses transactions commerciales. Un pays ne pourra donc plus utiliser sa politique de change pour devenir ou rester compétitif.*
- **Un risque de change** : risque lié aux variations de cours que peuvent subir les monnaies. *Investir en actions et en obligations étrangères implique de prendre un risque de change.*
  La couverture du risque de change. *Une couverture de risque de change est nécessaire dès que le paiement est stipulé dans une monnaie autre que celle de l'exportateur.*
  Une perte de change : perte d'argent due à des variations de cours que peuvent subir les monnaies. *La chute du cours du dollar australien représente une perte de change de plus de 10 %.*
- **Un bureau de change** : bureau où l'on peut effectuer des opérations de change.
- **Une lettre de change**. (V. 114 commerce, 1).
- **Un agent de change**. (V. 22 agent, 2).

(sens 1.2.)

- **Les fluctuations (du taux) de change, les variations (du taux) de change**. *Les fluctuations excessives des taux de change peuvent être dangereuses pour une croissance économique stable.*
  >< **La stabilité du/des taux de change**.
- **Un cours de change au comptant** : achat ou vente de devises au cours du jour avec une livraison immédiate.
  >< **Un cours de change à terme** : achat ou vente de devises au cours du jour avec une livraison et un paiement à une échéance déterminée (Référis).

TYPE DE CHANGE (sens 1.1.)

Le change à l'incertain : technique de cotation dans laquelle le nombre d'unités de monnaie nationale correspond à une unité de monnaie étrangère (1 dollar = 0,9 euro). >< **Le change au certain** : technique de cotation dans laquelle le nombre d'unités de monnaie étrangère correspond à une unité de monnaie nationale (1 euro = 1,11 dollar).

CARACTÉRISATION DU CHANGE (sens 1.2.)

Un (taux de) change favorable. >< **Un (taux de) change défavorable**.

MESURE DU CHANGE (sens 1.2.)

Un taux de change (fixe >< flottant), un cours de change (fixe >< flottant). (☞ 92 Pour en savoir plus, Les variations de taux de change).

Pour en savoir plus

QUI FAIT QUOI?

Un, une cambiste est un employé de banque spécialisé dans les opérations de change pour d'autres personnes. *Plusieurs cambistes soulignent qu'il n'y a aucune logique derrière la chute actuelle du dollar et la hausse des taux d'intérêt à long terme.*

Une opération d'arbitrage est une opération financière qui a pour but de tirer des bénéfices de la différence de cours d'une monnaie (ou d'une marchandise) à deux endroits différents par des opérations d'achat et de vente.
{**un, une arbitragiste**}.

LES VARIATIONS DE TAUX DE CHANGE

La valeur d'une monnaie par rapport à une autre monnaie à un moment donné s'appelle **le taux de change** (par rapport à une autre monnaie). (Syn. : **le cours d'une monnaie**). *En une semaine, le cours du dollar a progressé de plus de 5 %.*
Le change : action de changer un montant d'une monnaie en un montant de valeur équivalente d'une autre monnaie en fonction du taux de change. **Le taux de change** indique le prix d'une monnaie exprimé en une autre monnaie en fonction de l'offre et de la demande sur le marché. *Les taux de change ne peuvent pas être entièrement contrôlés par les banques centrales.*
Le taux de change peut être **fixe**, s'il reste invariable, ou **flottant** (**une monnaie flottante**, **le flottement d'une monnaie**), s'il dépend de l'offre et de la demande sur **le marché des changes** (V. 368 marché, 1). *Certains affirment que depuis l'instauration de taux de change flottants, les fluctuations du dollar et du yen ont ralenti la croissance économique.* Le taux de change d'une monnaie peut également être modifié par **une dévaluation** (baisse volontaire de la valeur d'une monnaie décidée par un gouvernement (Syn. : **un réajustement monétaire**)) ou **une réévaluation** de cette monnaie. **Une dévaluation compétitive**. (V. 123 compétitivité, 2). Dans certains cas, on peut parler d'**une surévaluation** (valeur trop élevée d'une monnaie ou d'une valeur mobilière) d'une monnaie.
{**dévaluer**}.
{**réévaluer**}.
{**surévaluer**}.
La parité des monnaies : valeur d'échange officielle et égale des monnaies de deux pays dans chacun de ces deux pays. *La parité entre le*

dollar et l'euro ne connaît pratiquement pas de variations et s'est stabilisée autour de 1 euro pour 1 dollar.

Le cours(-)pivot : la parité officielle d'une monnaie (p. ex. au sein de l'ancien Système monétaire européen (V. 383 monnaie, 2)). (Syn. : **le taux(-)pivot**). *Comme les monnaies ne peuvent fluctuer que dans des marges limitées au-dessus ou en dessous d'un cours pivot, les banques centrales sont obligées d'intervenir lorsque cette limite se rapproche.*

Le cours plancher : le cours le plus bas. (Syn. : **le taux plancher**). *Le dollar a poursuivi sa chute et il est retombé à proximité de son cours plancher de l'après-guerre vis-à-vis du yen.*

>< **Le cours plafond** : le cours le plus élevé. (Syn. : **le taux plafond**).

Une décote : diminution de valeur (d'une monnaie ou d'une valeur mobilière). *L'euro n'a presque pas bougé, avec une décote de 0,2 % par rapport au dollar, tandis que la prime par rapport au yen était de 0,6 %.*

2 (S') (É)CHANGER - [(s) (e)ʃɑ̃ʒe] - (v.tr.dir., v.pron.)

1.1. Un agent économique (une banque - X) remet un certain montant de monnaie d'un pays contre un montant de valeur équivalente d'une autre monnaie à un autre agent économique (une banque, une entreprise, un particulier).

Après mon voyage au Canada, j'ai échangé mes dollars canadiens contre des yens puisque je pars au Japon le mois prochain.

qui fait quoi?			
X	**(é)changer** une monnaie contre une autre monnaie	-	
une monnaie	**s'échanger** contre + une quantité d'une autre monnaie	-	1
	s'échanger à + une quantité d'une autre monnaie	-	2

1 *Le dollar s'échange contre 0,925 euro.*

2 *L'Amérique redevient progressivement plus chère puisque le dollar s'échange maintenant à plus de 1 euro contre 0,985 euro il y a quelques semaines.*

3 AUTRES DÉRIVÉS OU COMPOSÉS

- **Un changeur, une changeuse** [ʃɑ̃ʒœʀ, ʃɑ̃ʒøz] (n.) : personne indépendante qui effectue clandestinement des opérations de change dans la rue. *Les petits changeurs du marché noir commencent à offrir des taux de change de 15 % plus élevés que ceux du marché officiel.* **Un changeur de monnaie :** machine qui échange des billets de banque ou des pièces de monnaie contre d'autres billets ou pièces.

CHANGER (~ qqch. contre qqch.) (v.tr.dir.) (*) 1. Remettre un montant contre un montant équivalent d'une autre monnaie.

1. (93)	(aus)wechseln	to (ex)change	cambiar	cambiare	wisselen

CHANGEUR, CHANGEUSE (n.) (*) 1. Personne qui effectue des opérations de change clandestines.

1. (93)	der Geldwechsler	money changer	el cambista	il cambiavalute clandestino	de (geld)wisselaar (m.)

CHANTIER (n.m.) (****) 1. Lieu de travail en plein air.

1. (557)	die Baustelle	site yard	la obra	il cantiere	de (bouw)werf (m./f.)

CHARBON (n.m.) (***) 1. Combustible.

1. (551)	die Kohle	coal	el carbón	il carbone	de steenkool (m./f.)

CHARGE (n.f.) (****) 1. Perte de richesse comptable. 2. Marchandises transportées.

1. (93)	die Aufwendungen der Aufwand	charges	la carga	gli oneri	de last (m.)
2. (93)	die Kosten	cost expense	el coste la carga	il costo la spesa	de kost(en) (m.) de uitgave (m./f.)

CHARGE

➠ **compte - produit**
➠ **coût**

1 une charge 2 un chargement 2 un déchargement	2 un chargé, une chargée 2 un chargeur		2 charger 2 décharger

1 une CHARGE - [ʃaʀʒ(ə)] - (n.f.)

1.1. (emploi fréq. au plur.) (comptabilité) Perte de richesse (somme d'argent ou valeur) qu'un agent économique (un particulier, une entreprise - X) subit pour la production ou l'achat de biens ou de

services, ou à cause d'une obligation que cet agent économique doit remplir. Cette perte de richesse figure au compte de résultat (pour une entreprise). (V. 129 compte, 1).
Syn. : (V. 187 dépense, 1) ; Ant. : un produit.
Les mesures fiscales prises par le gouvernement ont pour objectif d'alléger les charges supportées par les entreprises.

1.2. Marchandises transportées par avion, par chemin de fer ou par camion.
Syn. : un chargement.

2.1. Obligation qui entraîne généralement des frais, des soins ou une attention particulière pour une personne ou une chose et qui constitue une limitation du droit de propriété (p. ex. une servitude, une hypothèque).
Les taxes sont à charge du consommateur.

2.2. Quantité de qqch. imposée à ou qui pèse sur une personne.
Une bonne gestion de la charge de travail garantit une bonne productivité des salariés.

expressions

(sens 1.1.)

(Un montant) **hors charges** (d'intérêt, financières, ...): charges non comprises.

(sens 2.1.)

- (Une personne) **prendre qqn/qqch. en charge** : faire le nécessaire pour régler qqch., pour soigner qqn. *Les frais occasionnés par cet accident sont pris en charge par la sécurité sociale.* **La prise en charge de qqn/de qqch.** (☞ 95 + nom).
(Une personne) (**être**) **en charge d'un budget**. (V. 74 budget, 1).
(Une personne) **avoir qqn à charge** : s'occuper de qqn.
>< (Une personne) (**être**) **à** (**la**) **charge de qqn**. *Un enfant ne peut plus être considéré à la charge de ses parents s'il gagne une certaine somme d'argent par an.*
- (Une chose : un paiement, un dossier, ...) (**être**) **à charge de qqn** : qqch. incombe à une personne. *Le complément mensuel au salaire est à charge de l'employeur.*

+ adjectif

TYPE DE CHARGE (sens 1.1.)

Une/les charge(s) + adjectif qui désigne un genre de frais, de dépenses. Les charges publicitaires ; promotionnelles.

Une/les charge(s) financière(s) : charges d'une entreprise qui se rapportent aux financement de son exploitation (p. ex. les charges d'intérêt, les escomptes accordés,...) plutôt qu'à la fabrication, la vente, la gestion (Ménard). (Syn. : **les frais financiers**). (Ant. : **un/les produit(s) financier(s)**). *La déductibilité fiscale des charges financières favorise l'endettement.*

Une/les charge(s) exceptionnelle(s) : perte de richesse due aux transactions particulières (p. ex. le parrainage d'une manifestation, une amende encourue) d'une entreprise et qui figurent au compte de résultat. (Ant. : **un/les produit(s) exceptionnel(s)**).

Les charges salariales. (Syn. : (plus fréq.) **les coûts salariaux, les charges de personnel**). (V. 501 salaire, 3).

Les charges sociales. (Syn. : **les cotisations sociales**). (V. 154 cotisation, 1).

Une/les charge(s) fiscale(s). >< **Une/les charge(s) parafiscale(s)**. (V. 271 fiscalité, 3).

Les charges professionnelles. (Syn. : **les frais professionnels, une/les dépense(s) professionnelle(s)**). (V. 293 frais, 1).

Les charges forfaitaires : dont le montant ou le taux est fixé à l'avance. *Le propriétaire est imposé sur le montant du loyer brut moins les charges forfaitaires, qui sont établies à 40 %.*

Les charges fixes : sont fonction de la structure de l'entreprise, indépendamment de la quantité de biens produits, p. ex. les loyers, les intérêts des emprunts, ... (Syn. : **les charges de structure**). *Les vols européens coûtent beaucoup en charges fixes : consommation de carburant à l'atterrissage et au décollage, détours fréquents, ...*

>< **Les charges variables** : dépendent de la quantité produite, p. ex. les salaires.

Les charges directes : charges qui peuvent être intégrées directement, sans calcul intermédiaire, dans le prix d'un produit (p. ex. les matières premières).

>< **Les charges indirectes** : charges qui nécessitent un calcul intermédiaire avant d'être affectées au coût d'un produit (p. ex. les coûts de recherche et de développement).

Les charges incorporables : dont la prise en compte dans le calcul des coûts et du prix de revient est jugée raisonnable (DG).

>< **Les charges non incorporables** : charges à caractère exceptionnel ou purement fiscal et qu'il n'est pas souhaitable d'incorporer dans le calcul des coûts (DG).

Les charges supplétives : charges qui n'apparaissent pas en comptabilité générale mais que la recherche de coûts normaux et économiques comparables avec ceux d'autres entreprises, exerçant le même type d'activité, exige de retenir (M&S).

Les charges calculées : charges qui ne correspondent pas à des flux monétaires (p. ex. les dotations aux amortissements ou aux provisions) (DG).

Les charges constatées d'avance : charges enregistrées au cours de l'exercice mais qui correspondent à des achats de biens ou de services dont la fourniture ou la prestation doit intervenir plus tard (DG).

Les charges locatives : charges relatives à l'entretien, aux impôts, aux réparations d'un bien immobilier que doit payer un locataire en plus de son loyer.

CARACTÉRISATION DE LA CHARGE (sens 1.1., 2.1. et 2.2.)

Une charge supplémentaire. *Les nouvelles technologies coûtent cher en période de crise économique et constituent une lourde charge supplémentaire pour les entreprises.*

NIVEAU DE LA CHARGE (sens 1.1., 2.1. et 2.2.)

Une/de lourde(s) charge(s).

NIVEAU DE LA CHARGE (sens 1.1.)

Des charges élevées.

MESURE DE LA CHARGE (sens 1.1., 2.1. et 2.2.)

Une/les charge(s) mensuelle(s).

+ nom

(sens 1.1.)

Les provisions pour risques et charges. (V. 28 amortissement, 1).

(sens 2.1.)

- **Un cahier des charges** : ensemble des conditions imposées à l'agent économique qui désire exécuter un travail proposé par un autre agent économique.
- **Une prise en charge** : prix forfaitaire minimal compté par un chauffeur de taxi lorsqu'il prend un client.

TYPE DE CHARGE (sens 1.1.)

Une/les charge(s) de + nom qui désigne un genre de dépenses ou de perte de richesses. Les charges de publicité ; d'entretien.

Une/les charge(s) d'exploitation : sorties d'argent dues aux activités commerciales d'une entreprise et qui figurent au compte de résultat. (Ant. : **un/les produit(s) d'exploitation**).

Les charges de personnel. (V. 501 salaire, 3).

Les charges d'intérêt(s). (V. 331 intérêt, 1).

Les charges de structure. (☞ 94 + adjectif).

TYPE DE CHARGE (sens 2.1.)

La charge de la dette. (V. 195 dette, 1).

TYPE DE CHARGE (sens 2.2.)

La charge de travail. *À cause des licenciements massifs, la charge de travail a sérieusement augmenté pour les salariés de l'entreprise.*

MESURE DE LA CHARGE (sens 1.1., 2.1. et 2.2.)

Le poids d'une/des charge(s). *En plus du poids excessif des charges sociales et fiscales, les PME doivent faire face à des problèmes accrus de recouvrement de créances : il n'est pas exceptionnel que les délais de paiement dépassent deux mois.*

MESURE DES CHARGES (sens 1.1.)

Le montant des charges.

+ verbe : qui fait quoi ?

(sens 1.1.)

X		**supporter** une ~ ↓	-	1
une ~		**peser sur** X	-	2
X		**déduire** une/des ~ d'un montant, d'une variable	la déduction d'une/des ~ une/des ~ déductibles la déductibilité des ~	
X ; un montant		**couvrir** les ~	la couverture des ~	3
un comptable	✓	**porter** une somme d'argent **en** charges **passer** une somme d'argent **en** charges	- -	4
une ~		**être liée à** une restructuration, un investissement, la croissance interne, un entretien, ...	-	
une mesure	△	**augmenter** la/les ~ **alourdir** la/les ~	une augmentation de la/des ~ un alourdissement de la/des ~	
→ la/les ~		**augmenter**	une augmentation de la/des ~	
une mesure	▽	**réduire** la/les ~ **alléger** la/les ~ **diminuer** la/les ~	une réduction de la/des ~ un allégement de la/des ~ une diminution de la/des ~	
→ la/les ~		**diminuer**	une diminution de la/des ~	

1 *Le secteur bancaire, les entreprises de distribution et les consommateurs supportent la charge du prix du paiement électronique.*

2 *Les récentes mesures budgétaires du gouvernement font peser une charge de plus de 30 milliards sur les entreprises.*

3 *Les premiers mois d'existence de notre entreprise, nous étions bien contents de couvrir nos charges.*

4 *Doll fera passer en charges exceptionnelles 75 millions de dollars pour couvrir les frais liés à la restructuration de ses activités européennes.*

Pour en savoir plus

CHARGES À PAYER ET À RÉPARTIR

Les charges à payer : charges d'un exercice correspondant à une dette certaine mais dont l'échéance et/ou le montant est incertain et qui doivent être évaluées et enregistrées à la clôture de l'exercice (Référis).

Les charges à répartir : charges d'un exercice, non répétitives, qui donnent naissance à des produits dans le futur et qui, en raison de leur montant, peuvent être étalées sur plusieurs exercices (p. ex. une importante campagne de publicité) (Référis).

2 AUTRES DÉRIVÉS OU COMPOSÉS

- **Un chargement** [ʃaʀʒəmɑ̃] (n.m.). {**charger** [ʃaʀʒe] (v.tr.dir.)}. 1. Action de mettre des marchandises sur un moyen de transport (un camion, un train, un avion, ...). (Ant. : **un déchargement** [deʃaʀʒəmɑ̃] (n.m.), **décharger** [deʃaʀʒe] (v.tr.dir.)). - 2. Marchandises transportées par avion, par chemin de fer ou par camion. (Syn. : **une charge**). - 3. Introduction dans la mémoire d'un ordinateur d'une série d'instructions ou d'autres informations. **Le chargement d'un fichier ; d'un logiciel.**
- **Un chargeur** [ʃaʀʒœʀ] (n.m.) : personne qui remet à un transporteur maritime des marchandises à transporter (Référis).
- **Un chargé, une chargée** (toujours suivi d'un complément) [ʃaʀʒe] (n.) : responsable, représentant auprès de qqn. **Un chargé d'affaires** : agent diplomatique, représentant d'un État auprès d'un souverain ou chef d'État. **Un chargé de mission** : personne engagée pour effectuer une tâche, une action déterminée.

CHARGÉ, CHARGÉE (n.) (**) 1. Responsable, représentant.

1. (96)	der Verantwortliche der Beauftragte	manager representative	el encargado el responsable	l'incaricato (m.)	de zaakgelastigde (m.) de verantwoordelijke (m.)

CHARGEMENT (n.m.) (***) 1. Placement de marchandises sur un moyen de transport. 2. Marchandises transportées. 3. Mise en mémoire d'ordinateur.

1. (96)	das Beladen das Laden	loading	el cargamento la carga	il carico	het laden
2. (96)	die Ladung die Fracht	freight load	la carga	il carico	de vracht (m./f.)
3. (96)	das Laden	loading	la carga	il caricamento	het (op)laden

CHARGER (v.tr.dir.) (**) 1. Placer des marchandises sur un moyen de transport. 2. Mettre en mémoire d'ordinateur.

1.	laden beladen	to load	cargar	caricare	(op)laden
2.	laden	to load	cargar	caricare	(op)laden

CHARGEUR (n.m.) (**) 1. Personne qui remet à un transporteur maritime des marchandises à transporter.

1. (96)	der Verladespediteur der Befrachter	shipping agent	el cargador	il caricatore il spedizioniere	de verlader (m.) de (scheeps)bevrachter (m.)

CHARTER (n.m.) (***) 1. Avion affrété (RQ).

1. (519)	die Chartermaschine das Charterflugzeug	charter flight chartered plane	el vuelo charter	il (aereo) charter l'aereo noleggiato	het charter

CHASSEUR DE TÊTES, CHASSEUSE DE TÊTES (un, une ~) (**) 1. Personne qui embauche des cadres de haut niveau.

1. (223)	der Kopfjäger der Headhunter	headhunter	el cazatalentos	il cacciatore di teste	de koppensneller (m.) de headhunter (m.)

CHEF (n.m.) (****) 1. Personne qui dirige.

1. (228)	der Chef	head	el jefe	il capo	het (dienst)hoofd (m.)
(509)	der Leiter	boss			de directeur (m.)

CHEMINOT (n.m.) (**) 1. Ouvrier salarié d'une société de chemins de fer.

1. (228)	der Eisenbahner	railwayworker (GB) railroad worker (US)	el ferroviario	il ferroviere	de spoorwegarbeider (m.)

CHÈQUE (n.m.) (***) 1. Moyen de paiement.

1. (97)	der Scheck	cheque (GB) check (US)	el cheque (bancario) el talón	l'assegno (m.)	de cheque (m.)

CHÈQUE

➡ paiement

1 un chèque **2** un chéquier **2** un chèque-repas **2** un chèque-restaurant **2** un chèque(-)service **2** un chèque emploi (-)service **2** un chèque(-)cadeau(x) **2** un chèque(-)surprise **2** un chèque(-)carburant **2** un chèque(-)vacances **2** un eurochèque **2** un traveller's cheque/chèque			

1 un CHÈQUE - [ʃɛk] - (n.m.)

1.1. Moyen de paiement que le titulaire d'un compte en banque (le tireur - X) émet et qui donne l'ordre à une banque (le tiré - Y) de payer à vue la somme mentionnée à un bénéficiaire (Z).
Le paiement par chèque commence à devenir marginal, laissant de plus en plus la place au paiement électronique.

expressions

(Qqn signe, dispose d') **un chèque en blanc** : donner à qqn le droit de faire qqch., de prendre les mesures nécessaires sans avoir à en rendre compte à qqn. (Syn. : **donner, avoir carte blanche**). (☞ 97 + nom).

+ adjectif

TYPE DE CHÈQUE

Un chèque bancaire : chèque tiré sur un établissement bancaire.

>< (B, F, S) **Un chèque postal** : chèque tiré sur l'Administration des Postes.

Un chèque barré : chèque sur lequel figurent deux lignes parallèles. Il ne peut être encaissé que par le versement de la somme sur un compte bancaire. (Ant. : **un chèque non barré**).

Un chèque certifié : chèque dont la provision est certifiée par la banque puisque la somme inscrite sur le chèque par le tireur est bloquée sur le compte du tireur.

Un chèque nominatif : chèque payable uniquement à la personne dont le nom se trouve sur le chèque. (Syn. : **un chèque à ordre**).

Un chèque endossé : chèque transmis par le premier bénéficiaire du chèque à une autre personne. (☞ 98 + verbe).

Un chèque couvert. (☞ 98 + nom).

Un faux chèque. *La police a enfin arrêté l'escroc qui avait réussi à encaisser des sommes importantes auprès de plusieurs banques grâce à l'émission d'une série de faux chèques.*

Un chèque périmé : chèque dont la banque refuse le paiement parce qu'il a été présenté après la période de paiement légale.

+ nom

- (B, F, S) **Un compte chèque postal** (**un CCP**) (plur. : **des comptes chèques postaux**). (V. 129 compte, 1).
- **Un carnet de chèques**.
- **Le bénéficiaire d'un chèque**. (V. 60 bénéfice, 2).

TYPE DE CHÈQUE

Un chèque au porteur : chèque qui ne porte pas le nom du bénéficiaire et qui est donc payable à toute personne qui le présente à une banque. Il est donc transmissible de la main à la main (sans signature ni formalités).

Un chèque à ordre : chèque payable à la personne dont le nom se trouve sur le chèque ou qui peut être transmis à une autre personne. (Syn. : **un chèque nominatif**).

Un chèque en blanc : chèque que le tireur a signé mais sur lequel ne figurent pas le nom du bénéficiaire ou la somme à payer.

Un chèque de banque : chèque dont le titulaire est la banque qui est tirée. Il est garanti par la banque et son usage est payant.

Un chèque de voyage. (Syn. : **un traveller's**

cheque). (V. 99 2 autres dérivés ou composés).

CARACTÉRISATION DU CHÈQUE

Un chèque sans provision : chèque tiré sur un compte qui est insuffisamment alimenté. (Syn. : (fam.) **un chèque en bois**). (Ant. : **un chèque couvert**).

MESURE DU CHÈQUE

Un chèque d'un montant de + une somme, **un chèque d'une valeur de** + une somme. *Ce commerçant ne veut pas que je fasse un chèque d'un montant supérieur à 175 euros.*

+ verbe : qui fait quoi?

X	×	**tirer** un ~ sur Y	le tireur d'un ~	
X		**émettre** un ~ (de + montant/en + nom d'une monnaie)	l'émission d'un ~ (de + montant/en + nom d'une monnaie) l'émetteur d'un ~	
X		**établir** un ~ (de + montant/en + nom d'une monnaie) (à l'ordre de Z)	l'établissement d'un ~ (en + nom d'une monnaie) (à l'ordre de Z)	
		faire un ~ (de + montant/en + nom d'une monnaie) (à l'ordre de Z)	-	
		libeller un ~ (de + montant/en + nom d'une monnaie) (à l'ordre de Z) ↓	-	
X		**régler** (un achat, un commerçant (Z)) **par** ~	un règlement par ~	
		payer (un achat, un commerçant (Z)) **par** ~	un paiement par ~ payable par ~	
X		**barrer** un ~ (☞ 97 + adjectif)	le barrement d'un ~	
X, Y		**faire opposition à** un ~	l'opposition à un ~	1
X		**endosser** un ~ (à qqn) (☞ 97 + adjectif)	l'endossement d'un ~ (à qqn) l'endossataire d'un ~	2
Y, Z		**accepter** un ~ (en paiement)	l'acceptation d'un ~	3
Y		>< **refuser** le paiement d'un ~	le refus d'un ~	
Y		**honorer** un ~	-	4
Y		**certifier** un ~ (☞ 97 + adjectif)	-	
Z		**présenter** un ~ (à une banque, ...)	la présentation d'un ~ (à une banque, ...)	5
		remettre un ~ (à une banque, ...) ↓	la remise d'un ~ (à une banque, ...)	
Z		**encaisser** un ~ (auprès d'une banque)	l'encaissement d'un ~ (auprès d'une banque)	
		(fam.) **toucher** un ~	-	
un ~		**être porté en compte**	-	

1 *Elle a fait savoir à sa banque qu'elle faisait opposition à tous les chèques signés qui lui avaient été volés.*
2 *Le bénéficiaire peut endosser le chèque au profit d'un nouveau propriétaire en apposant sa signature au dos du chèque.*
3 *Dans certains cas, il est prudent de téléphoner à la banque avant d'accepter un chèque.*
4 *La banque a refusé d'honorer mon chèque parce qu'il était périmé.*
5 *Un chèque présenté avec au verso la mention de la carte de garantie sera toujours payé à concurrence du montant maximum garanti.*

Pour en savoir plus

LE CHÈQUE : QUI FAIT QUOI ?

Le tireur (le titulaire d'un compte en banque) **tire** un chèque sur **le tiré** (la banque qui paie la somme mentionnée sur le chèque) au profit du **bénéficiaire** du chèque.

2 AUTRES DÉRIVÉS OU COMPOSÉS

- **Un chéquier** [ʃekje] (n.m.) : ensemble de chèques (reliés). (Syn. : **un carnet de chèques**).
- **Un chèque-repas** [ʃɛkʀəpa] (n.m.) (plur. : **des chèques(-)repas**) : chèque donné par un em-

ployeur à ses salariés comme complément du salaire et qui permet de payer un repas ou de la nourriture en général. (Syn.: **un ticket-restaurant, un chèque-restaurant, un ticket-repas**).

- **Un chèque-restaurant** [ʃɛkʀɛstɔʀɑ̃] (n.m.) (plur. : **des chèques-restaurant**). (Syn. : **un chèque-repas**).
- (B, F) **Un chèque(-)service** [ʃɛksɛʀvis] (n.m.) (plur. : **des chèques(-)service(s)**) : chèque qui permet de rémunérer le travail (les travaux ménagers, les travaux de jardinage, ...) exécuté par un chômeur. (Syn. : **un chèque emploi(-) service**). *L'objectif du chèque service est d'encourager le développement des services de proximité en rendant ceux-ci moins chers pour les bénéficiaires et plus rentables pour les prestataires qui peuvent accéder à la sécurité sociale.*
- **Un chèque emploi(-)service** [ʃɛkɑ̃plwasɛʀvis] (n.m.) (plur. : **des chèques emploi(-) service**). (Syn. : **Un chèque(-)service**)
- **Un chèque-cadeau(x)** [ʃɛkkado] (n.m.) (plur. : **des chèques(-)cadeaux**). Sur ce modèle sont construits d'autres mots composés qui désignent des chèques donnant droit à d'autres services ou produits.
- **Un chèque(-)surprise** [ʃɛksyʀpʀiz] (n.m.) (plur. : **des chèques(-)surprise**).
- **Un chèque(-)carburant** [ʃɛkkaʀbyʀɑ̃] (n.m.) (plur. : **des chèques(-)carburant**).
- **Un chèque(-)vacances** [ʃɛkvakɑ̃s] (n.m.) (plur. : **des chèques(-)vacances**) : chèque donné par un employeur à ses salariés comme complément du salaire et qui permet de payer auprès de certaines entreprises de tourisme.
- **Un eurochèque** [øʀoʃɛk] (n.m.) : chèque bancaire uniforme émis par de nombreuses banques et qui peut être utilisé comme moyen de paiement dans la plupart des pays européens. Les eurochèques sont accompagnés d'une carte de garantie : **la carte eurochèque** (ou **la carte EC**). *Nous conseillons à nos clients qui vont à l'étranger de se procurer de l'argent liquide avec leur carte eurochèque et de réserver les cartes de crédit pour les paiements à l'hôtel, au restaurant et aux péages autoroutiers, p. ex.*
- (angl.) **Un traveller's cheque** (ou **un traveller's chèque**) [tʀavələʀʃɛk] (n.m.) : chèque d'un montant déterminé vendu par une banque à l'usage de touristes qui se rendent à l'étranger et qui est libellé en dollars, en marks, ... (Syn. : **un chèque de voyage**).

CHÈQUE EMPLOI(-)SERVICE ; CHÈQUES EMPLOI(-)SERVICE (n.m.) (*) 1. Moyen de paiement pour le travail d'un chômeur.

1. (99)	der Gutschein für Arbeitslose	home service payment voucher	el cheque de pago por prestación de un parado	il blocco di assegni per la rimunerazione di un lavoratore alternati a bollettini per i contributi sociali	de dienstencheque (m.)

CHÈQUE(-)CADEAU(X) ; CHÈQUES(-)CADEAUX (n.m.) (*) 1. Moyen de paiement pour l'achat de cadeaux.

1. (99)	der Geschenkgutschein	gift voucher gift-token	el cheque de regalo	il buono regalo	de cadeaubon (m.) de geschenkbon (m.)

CHÈQUE(-)CARBURANT ; CHÈQUES(-)CARBURANT (n.m.) (*) 1. Moyen de paiement pour l'achat de carburant.

1. (99)	der Benzingutschein	petrol coupon (GB) petrol voucher (GB)	el cheque de gasolina	il buono benzina	de benzinebon (m.)

CHÈQUE(-)SERVICE ; CHÈQUES(-)SERVICE(S) (n.m.) (**) 1. Moyen de paiement pour le travail d'un chômeur.

1. (99)	der Gutschein für Arbeitslose	home service payment voucher	el cheque de pago por prestación de un parado	il blocco di assegni per la rimunerazione di un lavoratore alternati a bollettini per i contributi sociali	de dienstencheque (m.)

CHÈQUE(-)SURPRISE ; CHÈQUES(-)SURPRISE (n.m.) (*) 1. Moyen de paiement qui permet l'achat de biens de son choix.

1. (99)	der Überraschungs-gutschein	gift voucher gift-token	el cheque "sorpresa"	il buono sorpresa	de verrassingsbon (m.) de geschenkbon (m.)

CHÈQUE(-)VACANCES ; CHÈQUES(-)VACANCES (n.m.) (*) 1. Moyen de paiement auprès d'entreprises de tourisme.

1. (99)	der Feriengutschein	holiday gift voucher	el bono de vacaciones	il buono vacanze	de vakantiecheque (m.)

CHÈQUE-REPAS ; CHÈQUES-REPAS (n.m.) (**) 1. Moyen de paiement pour des aliments.

1. (98)	der Essensgutschein der Essensbon	luncheon voucher	el bono de comida	il ticket restaurant	de maaltijdcheque (m.) de maaltijdbon (m.)

CHÈQUE-RESTAURANT ; CHÈQUES-RESTAURANT (n.m.) (*) 1. Moyen de paiement pour des aliments.

1. (99)	der Essensgutschein der Essensbon	luncheon voucher	el bono de comida	il ticket restaurant	de maaltijdcheque (m.) de maaltijdbon (m.)

CHÉQUIER (n.m.) (*) 1. Ensemble de chèques.

1. (98)	der Scheckheft der Scheckbuch	cheque book (GB) check book (US)	el talonario	il libretto (di) assegni	het chequeboek

CHER, CHÈRE (adj., adv.) (****) 1. Qui entraîne une dépense importante.

1. (437)	teuer	expensive costly	caro	caro	duur kostbaar

CHEVALIER BLANC (un ~) (*) 1. Société qui défend une société victime d'une tentative de prise de contrôle.

1. (395)	der weisse Ritter	white knight	el "caballero blanco"	il cavaliere bianco	de witte ridder (m.)

CHEVALIER NOIR (un ~) (*) 1. Société qui désire prendre le contrôle d'une autre société.

1. (395)	der Raider der Raubritter	black knight	el "caballero negro"	il cavaliere nero	de zwarte ridder (m.)

CHF (****) (382) Confédération helvétique - franc.

CHIFFRE (n.m.) (****) 1. Chacun des caractères qui représentent les nombres. 2. (un ~ d'affaires) Somme totale des ventes.

1. (386)	die Ziffer die Zahl	figure number	la cifra	la cifra	het cijfer
2. (18)	die Umsatzzahlen	turnover sales	la cifra de negocios el volumen de facturación / de ventas	il fatturato il giro d'affari	de omzet (m.)

CHIFFRER (~, se ~ à) (v.tr.dir., v.pron.) (***) 1. Évaluer en chiffres (RQ). 2. Équivaloir à.

1. (471)	beziffern	to work out to calculate	cifrar (se) calcular	valutare calcolare	becijferen berekenen
2. (257)	betragen gehen in	to amount to to add up to	valorar cifrar	ammontare a	bedragen belopen

CHIMIE (n.f.) (****) 1. Science de la constitution des divers corps (RQ).

1.	die Chemie	chemistry	la química	la chimica	de chemie (f.) de scheikunde (f.)

CHIMIQUE (adj.) (****) 1. Qui se rapporte à la science de la constitution des divers corps.

1. (322) (504)	chemisch	chemical	químico	chimico	chemisch scheikundig

CHÔMAGE (n.m.) (****) 1. Situation d'une personne sans activité professionnelle. 2. Régime social.

1. (100)	die Erwerbslosigkeit	unemployment	el desempleo el paro	la disoccupazione	de werkloosheid (f.)
2. (100)	die Arbeitslosigkeit	unemployment benefit (on the) dole	el paro el desempleo	la disoccupazione	de werkloosheid (f.)

CHÔMAGE

➠ **emploi - travail**

1 le chômage **4** une assurance(-) chômage **4** une allocation(-) chômage	**2** un chômeur, une chômeuse	**4** chômeur, -euse	**3** chômer

1 le CHÔMAGE - [ʃomaʒ] - (n.m.)

1.1. Situation où une personne (X) qui fait partie de la population active, n'exerce pas d'activité professionnelle (physique ou intellectuelle) parce qu'elle a été licenciée par son employeur (Y) ou parce qu'elle n'a pas encore trouvé d'emploi.
Syn. : une cessation d'activité ; An t.: le travail, un emploi, l'activité.
Malgré tous les plans d'embauche lancés dans différents pays, on n'a encore jamais trouvé de véritable solution au chômage.

1.2. Régime social qui procure une indemnité aux chômeurs.
Comme elle vient de perdre son emploi, sa femme a dû s'inscrire au chômage.

+ adjectif

TYPE DE CHÔMAGE (sens 1.1.)

Le chômage technique : dû à une interruption du processus de production à la suite d'une grève ou d'une panne. *L'incendie qui a détruit les ateliers entraîne le chômage technique de 300 ouvriers pendant trois semaines.*

Le chômage technologique : dû aux progrès techniques (l'automatisation, l'informatisation et la robotisation). *Le chômage technologique, qui frappe en particulier la main-d'œuvre peu qualifiée, ne peut être éliminé par la seule flexibilité.*

Le chômage économique : dû à la mauvaise conjoncture économique (Syn. : **le chômage conjoncturel**).

>< **Le chômage structurel** : dû à l'impossibilité des entreprises de créer durablement des emplois, p. ex. à cause du vieillissement de l'appareil de production ou de la mauvaise situation de l'entreprise. *Le personnel est mis en chômage économique dans l'attente de sa reconversion.*

Le chômage partiel : dû à la fermeture temporaire de l'entreprise ou à la réduction des heures de travail.

>< **Le chômage complet**.

Le chômage permanent, **chronique**. *La grande majorité des personnes licenciées de plus de 45 ans sont irrémédiablement condamnés au chômage permanent.*

>< **Le chômage transitoire**, **rotatif**. *La direction veut coller à la demande au risque de provoquer des surcharges de travail tempo-*

raires et de devoir par la suite augmenter les jours de chômage rotatif.

Le chômage saisonnier : lié à certaines périodes de l'année (p. ex. pour le tourisme, l'agriculture).

Le chômage masculin. >< **Le chômage féminin**.

Le chômage involontaire. >< **Le chômage volontaire** : dû au refus de l'emploi proposé parce qu'il n'est pas assez rémunéré ou pas assez valorisant. *Le chômage volontaire apparaît dans les pays où les indemnités accordées aux chômeurs sont suffisamment importantes pour compenser leur perte de salaire.*

Le chômage frictionnel : dû à des insuffisances de mobilité de la main-d'œuvre ou à des décalages entre les qualifications disponibles et demandées (Brémond).

Le chômage déguisé, **larvé** : mise au travail de plus de personnes que nécessaire. *Le phénomène de chômage déguisé a pratiquement disparu dans les entreprises à cause des exigences de compétitivité.*

Le chômage classique : situation correspondant à un excès d'offre de travail par insuffisance des capacités de production (Silem).

>< **Le chômage keynésien** : situation correspondant à une demande de biens inférieure à l'offre produite par les entreprises.

NIVEAU DU CHÔMAGE (sens 1.1.)

Un chômage massif, **endémique**. **Un fort chômage**.

MESURE DU CHÔMAGE (sens 1.1.)

Le chômage réel : nombre effectif de chômeurs.

>< **Le chômage apparent** : nombre de chômeurs inscrits.

+ nom

(sens 1.1.)

- **Une/les indemnité(s) de chômage**, (moins fréq.) **les allocations de chômage**, **une allocation de chômage**, (peu fréq.) **une/des allocation(s)(-)chômage** ; (Q) **les prestations d'assurance-chômage** : somme d'argent versée aux chômeurs dans le cadre du système de la sécurité sociale. *Une loi sur l'inactivité prévoit le droit d'être sans travail, le droit aux allocations de chômage et le droit aux stages de formation.*
- (B, F) **Le bureau de chômage** : bureau où les chômeurs doivent régulièrement aller se présenter. *Depuis la faillite de cette entreprise, la file au bureau de chômage s'est considérablement allongée.*
- (S) **La caisse (de) chômage** : guichet qui gère les prestations financières dues aux chômeurs dans le cadre de l'assurance chômage.

TYPE DE CHÔMAGE (sens 1.1.)

Le chômage des jeunes.

Le chômage (pour) intempéries : chômage involontaire dû au mauvais temps (p. ex. dans le bâtiment).

NIVEAU DU CHÔMAGE (sens 1.1.)

Un taux de chômage élevé. < **Un taux de chômage record**.

MESURE DU CHÔMAGE (sens 1.1.)

Le taux de chômage : rapport entre le nombre de demandeurs d'emploi et la population active.

Les chiffres du chômage, **les statistiques du chômage** : données concernant la situation de l'emploi : p. ex. le taux de chômage, le nombre de créations d'emplois.

Le chômage (de) longue durée : supérieur à un an. *Le gouvernement a élaboré un plan afin de lutter contre le chômage de longue durée et de faciliter l'insertion des jeunes dans la vie active.*

L'ampleur du chômage.

+ verbe : qui fait quoi ?

(sens 1.1.)

Y	✓	**mettre** X **en/au** ~	la mise en/au ~	1
		< **réduire** X **au** ~	-	
		↓		
X	×	**être en** ~ (Syn. : **être sans travail**)	-	2
		se trouver en ~	-	
		↓		
X		**s'inscrire au** ~	l'inscription au ~	
		↓		
X	×	**être au** ~	-	2
		se retrouver au ~	-	
le ~	×	**toucher** ... % de la population, une catégorie de personnes	-	3
		frapper ... % de la population, une catégorie de personnes	-	
		atteindre ... % de la population	-	

>< une catégorie de personnes	O	**échapper au ~**	-	4
le ~	△	**augmenter** (de ... % ; unités)	une augmentation du ~ (de ... % ; unités)	
		-	une hausse du ~ (de ... % ; unités)	5
		s'accroître (de ... % ; unités)	un accroissement du ~ (de ... % ; unités)	
		croître	la croissance du ~	
		s'aggraver	l'aggravation du ~	
le ~	△=	**se stabiliser** (à ... unités)	la stabilisation du ~ (à ... unités)	6
le ~	▽	**baisser** (de ...% ; unités)	une baisse du ~ (de ...% ; unités)	
		se réduire (de ...% ; unités)	une réduction du ~ (de ...% ; unités)	
		diminuer (de ...% ; unités)	une diminution du ~ (de ...% ; unités)	
		reculer	le recul du ~	7
le gouvernement		**lutter contre** le ~	la lutte contre le ~	8
		combattre le ~	-	
		↓		
la volonté du gouvernement de		**faire reculer** le ~	-	
	O	< **résorber** le ~	la résorption du ~	9
>< le ~	×	**persister**	la persistance du ~	10

1 *La direction veut mettre au chômage définitif quelques centaines de travailleurs d'une région déjà lourdement touchée par le chômage.*
2 *Quarante salariés sont en chômage économique de longue durée à la suite du non-renouvellement d'un contrat. Ils viendront s'ajouter aux 15 000 personnes qui sont au chômage et qui touchent des allocations de chômage.*
3 *Le chômage touche 14, 3% de la population active, soit le taux le plus élevé des pays de l'OCDE.*
4 *Contrairement à ce que certains croient, les travailleurs immigrés n'échappent pas du tout au chômage.*
5 *Depuis le début de l'année, nous enregistrons une hausse du chômage continue : + 0,6 % en janvier, + 0,2 % en février et + 0,3 % en mars.*
6 *La stabilisation du chômage indique que le pays remonte la pente après deux ans de récession.*
7 *Malgré un net recul du chômage, l'expansion économique française semble se ralentir depuis le début de l'année.*
8 *Le gouvernement a débloqué d'importants moyens financiers pour lutter contre le chômage des jeunes.*
9 *Selon le ministre, la reprise économique est beaucoup trop faible pour résorber le chômage.*
10 *Le Bureau international du travail a publié un document qui détaille les causes du chômage qui persiste malgré la croissance de l'économie mondiale.*

Pour en savoir plus

LES REMÈDES AU CHÔMAGE

Un plan social : plan destiné à éviter les licenciements ou en limiter le nombre, à faciliter le reclassement du personnel dont le licenciement pour raisons économiques ne peut être évité. *Le plan social contient un système de primes pour les départs volontaires, l'installation d'un service outplacement et des dispositions pour la formation, les primes de fermeture et les délais de préavis.*

La reconversion. 1. Affectation ou adaptation d'une personne qui risque de perdre son emploi à un nouvel emploi qui demande un changement de métier, d'activité professionnelle. - 2. Adaptation d'une activité économique, d'un secteur, d'une entreprise, d'un marché à de nouvelles conditions. *Ce centre offre aux entreprises textiles un large éventail d'activités en matière de formation, de recyclage et de reconversion des travailleurs menacés de licenciement.* **La reconversion industrielle. Un fonds de reconversion.**

Reconvertir. *De plus en plus de pays reconvertissent leurs industries militaires à des fins civiles pour éviter le licenciement des nombreux salariés qui travaillent dans cette branche.*

Se reconvertir. *Les vendeurs se reconvertissent en conseillers et se spécialisent dans un segment du marché.* (Une personne) **se reconvertir** ; **se reconvertir dans** + nom qui désigne un secteur d'activité (se reconvertir dans l'informatique) ; **se reconvertir en** + nom qui désigne une profession (se reconvertir en vendeur).

Le reclassement : affectation par un employeur d'un salarié qui a perdu son emploi à un autre emploi du même type à l'intérieur ou à l'extérieur de l'entreprise. *Les syndicats ont demandé à la direction de dresser une liste des*

possibilités de reclassement au sein du groupe en Europe.
{**reclasser**}.
Le replacement (**externe**) : opération par laquelle un employeur essaie de trouver un nouvel emploi à un salarié qui risque de perdre ou a perdu son emploi en faisant appel à une agence spécialisée, un bureau de replacement ou un bureau d'outplacement. (Syn. : (plus fréq.) (angl.) **l'outplacement** {**un outplaceur, outplacer**}). *Pour 320 travailleurs qui ne pourraient bénéficier de la préretraite à 52 ans, des négociations sont en cours sur le partage du temps de travail, le replacement chez des fournisseurs et la formation.*
{**un replaceur, replacer** (Syn. : (fam.) **recaser**)}.
Le recyclage. 1. Formation professionnelle complémentaire qui a pour but de faciliter l'adaptation des personnes actives aux évolutions de leur secteur d'activité. **Suivre un stage de recyclage**. {**se recycler**}. - 2. Traitement des matières ou des produits usés ou périmés pour créer de nouvelles matières ou de nouveaux produits (p. ex. le recyclage du papier). {**recycler**}.

2 un CHÔMEUR, une CHÔMEUSE - [ʃomœʀ, ʃomøz] - (n.)

1.1. Personne qui fait partie de la population active et qui n'exerce pas d'activité professionnelle (physique ou intellectuelle) parce qu'elle a été licenciée par son employeur ou parce qu'elle n'a pas encore trouvé d'emploi. Cette personne est à la recherche d'un emploi rémunéré et est immédiatement disponible.

Syn. : (☞ 103 Pour en savoir plus, Chômeur et synonymes).

La différence entre le revenu du chômage et le revenu du travail n'est pas toujours suffisante pour motiver un chômeur à chercher du travail.

+ adjectif

TYPE DE CHÔMEUR

Un chômeur complet. >< **Un chômeur partiel**. (V. 100 1 chômage).

Un chômeur indemnisé : qui touche une allocation de chômage.

Un chômeur complet indemnisé.

CARACTÉRISATION DU CHÔMEUR

Un jeune chômeur. >< **Un chômeur âgé**.

+ nom

Le nombre de chômeurs. *Alors que le nombre de chômeurs complets avait encore augmenté de 60 000 unités l'année passée, la progression n'a été "que" de 24 000 unités cette année.*

TYPES DE CHÔMEUR

Un chômeur de longue durée. (V. 101 1 chômage).

Un chômeur demandeur d'emploi. >< **Un chômeur de luxe** : qui ne cherche pas vraiment un emploi. *Les chômeurs de luxe se contentent de profiter des allocations de chômage.*

Un chômeur en fin de droits : catégorie de chômeurs qui n'a plus droit à l'assurance-chômage.

+ verbe : qui fait quoi ?

un ~	**recevoir** une allocation de chômage	-	
	(fam.) **toucher** une allocation de chômage	-	
le gouvernement prend une mesure pour	**réinsérer** un ~ dans la vie professionnelle, dans le circuit du travail	la réinsertion d'un ~ dans la vie professionnelle, dans le circuit du travail	1
un pays, une région	**compter** ... chômeurs ... % de chômeurs	-	

1 *Il s'avère difficile de réinsérer certains chômeurs dans le circuit du travail sans le secours de formules "artificielles" de mise à l'emploi.*

Pour en savoir plus

CHÔMEUR ET SYNONYMES

Un chômeur : terme courant. C'est le terme usuel pour désigner la catégorie de personnes sans emploi appartenant à la population active et qui figure dans les statistiques. Le mot s'emploie parfois avec une connotation négative.

Un demandeur d'emploi : souligne la volonté de la personne de trouver un emploi. Ce terme constitue la désignation officielle. **Une femme demandeur d'emploi**, (moins fréq.) **une demandeuse d'emploi**.

Un sans-emploi : terme technique.

Un chercheur d'emploi, un sans-travail.

Les mots 'sans-emploi' et 'sans-travail' sont invariables.

3 CHÔMER - [ʃome] - (v.intr., v.tr.dir.)

1.1. (v.intr.) Une personne (X), qui fait partie de la population active, n'exerce pas d'activité professionnelle (physique ou intellectuelle) parce qu'elle a été licenciée par son employeur ou parce qu'elle n'a pas encore trouvé d'emploi.
Syn. : être en chômage, être inactif ; Ant. : être employé, travailler.
Jusqu'à hier, j'ai travaillé dans une petite entreprise du quartier. Depuis, je chôme.

1.2. (v.intr.) Un agent économique (un salarié, une entreprise) arrête ses activités à cause d'un jour férié ou par manque de travail.
Tous les ouvriers chôment à cause d'une rupture d'approvisionnement en matières premières.

1.3. (v.tr.dir.) (peu fréq.) Un agent économique (une entreprise) célèbre une fête en ne travaillant pas.

expressions

(sens 1.2.)
(Une personne) **ne pas chômer** : travailler beaucoup. *Il n'a pas chômé aujourd'hui : il a conclu pas moins de trois gros contrats.*

+ nom

(sens 1.3.)
Un jour chômé. (Syn. : (plus fréq.) **un jour férié**). *Rarement le mois de mai aura été aussi intéressant pour les salariés : avec 12 jours chômés, on se reposera pratiquement un jour sur deux.*

qui fait quoi ?

(sens 1.1.)

X	**chômer**	-

(sens 1.2.)

X	**chômer**	-

4 AUTRES DÉRIVÉS OU COMPOSÉS

- **Une assurance(-)chômage** [asyRɑ̃sʃomaʒ] (n.f.) (plur. : **des assurances(-)chômage**). (V. 42 assurance, 4).
- **Une allocation(-)chômage** [al(l)ɔkasjɔ̃ʃomaʒ] (n.f.) (plur. : **des allocations(-)chômage**). (V. 101 1 chômage).
- (peu fréq.) **Chômeur, -euse** [ʃomœR, -øz] (adj.). **Un ouvrier chômeur. Une femme chômeuse**.

CHÔMER (v.intr., v.tr.dir.) (**) 1. Ne pas exercer d'activités professionnelles. 2. Arrêter ses activités. 3. Célébrer une fête.

1. (104)	arbeitslos sein	to be unemployed	estar desocupado	essere disoccupato	werkloos zijn zonder werk zijn
2. (104)	nicht arbeiten	to be out of work	estar en paro estar parado	non lavorare	stilliggen stoppen met werken
3. (104)	krankfeiern blaumachen	to take a day off	descansar	essere in ferie	verlof nemen

CHÔMEUR, CHÔMEUSE (n.) (****) 1. Personne sans activités professionnelles.

1. (103)	der Arbeitslose	unemployed person jobless person	el parado	il disoccupato	de werkloze (m.)

CHÔMEUR, -EUSE (adj.) (*) 1. Qui n'exerce pas d'activités professionnelles.

1. (104)	arbeitslos ohne Arbeit	unemployed jobless	parado	disoccupato	werkloos

CHUTE (n.f.) (****) 1. Baisse importante.

1. (279)	der Sturz der Fall	fall drop	la caída el derrumbamiento	la caduta il calo	de sterke daling (f.) de ineenstorting (f.)

CHUTER (v.intr.) (***) 1. Baisser de façon importante.

1. (279)	abstürzen absacken	to fall to drop	caer hundirse	cadere	sterk dalen

CIBLE (n.f.) (***) 1. Ensemble de clients ou consommateurs potentiels.

1. (108) (371)	die Zielgruppe	target objective	el objetivo el mercado / la clientela elegido/a	il target	de doelgroep (m./f.)

CIBLER (v.tr.dir.) (***) 1. Déterminer en tant que clients ou consommateurs potentiels.

1. (108)	eine Zielgruppe ansprechen	to target	prever el objetivo / el mercado	determinare il target	de doelgroep bepalen
(371)	sich an eine Zielgruppe wenden		elegir un mercado / una clientela		

CIGARETTIER (n.m.) (**) 1. Producteur de cigarettes.

1. (448)	der Zigarettenhersteller	cigarette manufacturer	el fabricante de cigarrillos	il produttore di sigarette	de sigarettenfabrikant (m.)

CIMENT (n.m.) (***) 1. Matière qui sert à la construction.

1. (85) (551)	der Zement	cement	el cemento	il cemento	de (m.) / het cement

CINÉMA (n.m.) (***) 1. Projection d'images. 2. Forme d'art. 3. Salle de spectacle pour la projection d'images.

1.	der Kinofilm	cinema	el cine	il cinema	de cinema (m.) de projectie (f.)
2.	die Filmkunst	cinema film industry	el cine	il cinema	de cinema (m.) de film (m.)
3.	das Kino	cinema (GB) movie theatre (US)	el cine	il cinema	de bioscoop (m.)

CINÉMATOGRAPHIQUE (adj.) (**) 1. Qui se rapporte à la projection d'images. 2. Qui se rapporte à la forme d'art. 3. Qui se rapporte à la salle de spectacle pour la projection d'images.

1. (322)	Film-	film movie (US)	cinematográfico	cinematografico	cinematografisch
2.	Film-	film movie (US)	cinematográfico	cinematografico	cinematografisch
3.	Film-	film movie (US)	cinematográfico	cinematografico	cinematografisch

CIRCULAIRE (n.f.) (***) 1. Lettre administrative.

1. (152)	das Rundschreiben der Runderlass	circular	la circular	la (lettera) circolare	de omzendbrief (m.)

CITERNE (n.f.) (**) 1. Grand contenant (pour un liquide p. ex.).

1. (363)	die Zisterne	tank	la cisterna el aljibe	la cisterna	de tank (m.)

CLASSES MOYENNES (les ~ (f.)) (***) 1. Indépendants.

1. (452)	der Mittelstand die Mittelschicht	middle classes	la clase media	la classe media	de middenstand (m.)

CLAUSE (n.f.) (****) 1. Stipulation particulière d'un accord.

1. (150)	die Klausel die Bestimmung	clause	la cláusula	la clausola	de clausule (m./f.)

CLE (les ~ (m.)) (**) (225) Centres locaux d'emploi.

CLEF SOUS LE PAILLASSON (mettre la ~) (**) 1. Fermer une entreprise.

1. (260)	die Unternehmung stillegen die Fabrik stillegen	to shut up shop to close down a firm	cerrar una empresa	chiudere bottega	een onderneming sluiten

CLIENT, CLIENTE (n.) (****) 1. Personne qui achète un bien.

1. (106)	der Kunde der Gast	customer client	el cliente	il cliente	de klant (m.)

CLIENT, -ENTE (adj.) (*) 1. Qui achète un bien.

1. (108)	Kunden-	customer client	cliente	cliente	klant

CLIENT-CIBLE ; CLIENTS-CIBLES (n.m.) (*) 1. Personne qui peut acheter un bien.

1. (108)	die Zielkundschaft	target customer	el cliente elegido	il cliente-obiettivo	de beoogde klant (m.)

CLIENTÈLE (n.f.) (****) 1. Ensemble des personnes qui achètent un bien.

1. (105)	die Kundschaft die Kunden	clientele customers	la clientela	la clientela	het cliënteel

CLIENTÈLE

➠ achat - commerce

1 la clientèle 3 le clientélisme 3 la clientèle-type 3 la clientèle-cible	2 un client, une cliente 3 un client-type 3 un client-cible	3 client, -ente 3 clientéliste	

1 la CLIENTÈLE - [klijɑ̃tɛl] - (n.f.)

1.1. Ensemble des agents économiques (un particulier, un commerçant, une entreprise) qui achètent un bien ou un service à un agent économique (un commerçant, une entreprise - X) ou qui font appel aux services d'un membre d'une profession libérale.

Syn. : (☞ 106 Pour en savoir plus, Clientèle et synonyme).

Les banques offrent par téléphone à leur clientèle la plupart des services traditionnellement disponibles aux guichets.

+ adjectif

TYPE DE CLIENTÈLE

Une clientèle potentielle.

Une clientèle homogène. >< **Une clientèle hétérogène** : présente des caractéristiques variables en fonction de l'âge, de la profession et de son comportement d'achat.

CARACTÉRISATION DE LA CLIENTÈLE

Une clientèle fidèle. (V. 107 2 client).

Une grosse clientèle : beaucoup de clients.

+ nom

- **Le service à la clientèle**. (V. 509 service, 1).
- **La clientèle d'affaires** : clientèle constituée d'hommes et de femmes d'affaires.

+ verbe : qui fait quoi ?

X (une entreprise, un commerçant)		**cibler** la ~	la clientèle cible	1
		viser la ~	-	
		↓		
X (une entreprise)		**prospecter** la ~	la prospection de la ~	
		démarcher la ~	le démarchage de la ~	
		↓		
X (une entreprise, un commerçant)		**attirer** la ~	-	
		↓		
X (une entreprise, un commerçant)	✓	**se faire** une ~	-	
		(se) constituer une ~	la constitution d'une ~	
		↓		
X (une entreprise, un commerçant)		**satisfaire** la ~	la satisfaction de la ~	
		fidéliser la ~	la fidélisation de la ~ la fidélité de la ~	

1 *La politique commerciale de Cartier, concentrée un certain temps sur la clientèle ciblée du golf, a été abandonnée lorsqu'il est apparu que ce sport s'adressait à un public de plus en plus diversifié.*

Pour en savoir plus

CLIENTÈLE ET SYNONYME

La clientèle : terme courant.

L'achalandage (n.m.) : syn. peu fréquent de 'clientèle'. On utilise ce mot pour identifier les clients qu'un commerce est en mesure d'attirer, opposé à 'clientèle', utilisé pour désigner les clients habituels. Ce mot est également employé pour désigner l'ensemble des marchandises destinées à attirer le client. (V. 107 2 client).

NOTE D'USAGE

Le mot 'clientèle' est parfois employé au pluriel avec le même sens que le singulier. *Cette banque représente la tradition bancaire familiale depuis 240 ans et est principalement orientée vers les clientèles privées des PME à qui elle veut offrir un service moderne et complet.*

2 un CLIENT, une CLIENTE - [klijɑ̃, klijɑ̃t] - (n.)

1.1. Agent économique (un particulier, un commerçant, une entreprise, un État) qui achète un bien ou un service à un autre agent économique (un commerçant, une entreprise, un État - X) ou qui fait appel aux services d'un membre d'une profession libérale.

Syn. : (☞ 107 Pour en savoir plus, Client et synonymes) ; Ant. : un commerçant, un fournisseur.

Un nouveau service est offert au client : la garantie du meilleur prix. Si le consommateur trouve moins cher ailleurs un produit identique, on lui rembourse la différence.

expressions

- (Prix fixé, conditions définies, ...) **à la tête du client** : selon le type de client. *Il est impossible de prévoir le prix que demandera ce commerçant puisqu'il est fixé à la tête du client.*
- **Le client (est) roi** : le client peut poser ses exigences aux commerçants. *Pour une société de services, le client est roi, et nous devons savoir répondre à tous ses besoins.*

+ adjectif

TYPE DE CLIENT

Un client actuel : achète le produit chez un commerçant, à une entreprise.

>< **Un client potentiel** : pourrait acheter le produit dans le futur chez un commerçant, à une entreprise. *La publicité informe le client potentiel de l'existence d'un produit.*

Le client final (plur. : **finals** et **finaux**) : client qui utilise lui-même le produit ou le service. (Syn. : **un (consommateur) utilisateur, l'acheteur final**).

Un client captif : client que l'on a d'office, sans devoir le conquérir. *S'il n'existait qu'un seul médicament contre la migraine, tous les pa-*

tients atteints par cette maladie seraient des clients captifs de la firme pharmaceutique productrice de ce médicament.

Un client interne : utilisateur de produits ou de services qui sont mis à disposition à l'intérieur de l'entreprise.

CARACTÉRISATION DU CLIENT

Un client occasionnel : achète qqch. par hasard à l'endroit où il se trouve. (Syn. : **un client de passage**).

>< **Un client fidèle** : achète qqch. souvent au même endroit. (Syn. : **un habitué**). *Nous avons choisi de réduire le nombre de nos visiteurs tout en ciblant mieux nos clients fidèles.*

Un gros client. *Un gros client d'Airbus Industries vient de passer une commande de 15 appareils.* < **Le principal client**. *Le principal client d'Airbus a plus de 100 appareils en commande.*

Un client satisfait. >< **Un client mécontent.**

+ nom

- **Les besoins du client.**
  Les désirs du client.
- **Le service client** : service d'une entreprise qui s'occupe des réclamations des clients.
- **Un compte clients**. (V. 129 compte, 1).

+ verbe : qui fait quoi ?

X (une entreprise, un commerçant)		**cibler** les ~ (potentiels) ↓	-	
X (une entreprise)		**prospecter** les ~ (potentiels) ↓	la prospection des ~	1
X (une entreprise, un commerçant)		**attirer** les ~ (potentiels) ↓	-	
X (une entreprise, un commerçant)		**satisfaire** un ~	la satisfaction du ~	2
X (une entreprise, un commerçant)		**fidéliser** un ~	la fidélisation d'un ~ la fidélité d'un ~	3
X (une entreprise, un commerçant)		**relancer** un ~ ↓	la relance d'un ~	4
X (une entreprise, un commerçant)	△	**gagner** des ~	-	
X (une entreprise, un commerçant)	▽	>< **perdre** un ~	la perte d'un ~	
X (une entreprise, un commerçant)		**informer** le ~ **conseiller** le ~ **servir** le ~	l'information au ~ les conseils au ~ le service au ~	5

1 *C'est lors d'une visite de prospection de nouveaux clients en Russie que les premiers contacts se sont établis.*
2 *Ce chef d'entreprise plaide pour une plus grande ouverture dans l'organisation interne de l'entreprise dans le but d'une meilleure satisfaction des besoins du client.*
3 *Certains magasins tentent de fidéliser leurs clients en accordant des ristournes importantes.*
4 *Le mailing sert à relancer des clients devenus inactifs.*
5 *Le commerçant est tenu à conseiller ses clients concernant le produit vendu.*

Pour en savoir plus

CLIENT ET SYNONYMES

Un acheteur. (V. 4 achat, 2).

Un acquéreur. (V. 4 achat, 1).

Un client : acheteur considéré du point de vue de la personne qui vend. *Les clients (et non les acheteurs) de ce commerçant sont mécontents.* Le mot 'client' réfère parfois à une collectivité, comme un (groupe de) pays p. ex. *La France compte parmi nos principaux clients.* (Syn. : (peu fréq.) **un chaland**).
{**un achalandage** (V. 106 1 clientèle), (**bien, fort, suffisamment**) **achalandé** (1. Qui a beaucoup de clients. - 2. Qui est bien approvisionné. (Syn. : (**bien**) **assorti**). (V. 444 production, 2)), **une zone de chalandise** (zone géographique qui couvre la clientèle potentielle d'un commerce)}.

Le terme 'client' peut être précisé :

le consommateur : client pour autant qu'il consomme le produit qu'il achète (V. 143 consommation, 2) ;

le prospect [pʀɔspɛ] : client potentiel qui représente une cible prioritaire. *Pour transformer les prospects en acheteurs actifs, la vente par correspondance fait appel à deux modes de communication : l'écrit et l'oral.* (Syn. : **un client-cible**).

{**la prospection, un prospecteur, une prospectrice, prospecter**} ;

un usager. (V. 144 consommation, 2) ;
un habitué, une habituée : client fidèle.
Une cible : ensemble des consommateurs potentiels d'un produit ou des clients potentiels d'une entreprise en termes de marketing.
{**cibler**}.

3 AUTRES DÉRIVÉS OU COMPOSÉS

- **Le clientélisme** [klijɑ̃telism(ə)] (n.m.) : attitude de certains hommes politiques qui consiste à essayer par tous les moyens de gagner la sympathie des électeurs.

  {**clientéliste** [klijɑ̃telist(ə)] (adj.)}.
- **Un client-type** [klijɑ̃tip] (n.m.) (plur. : **des clients-types**). *Le petit investisseur, le client-type de cette banque de taille moyenne, a l'habitude de mettre en jeu des sommes limitées.*

  {**la clientèle-type** [klijɑ̃tɛltip] (n.f.)}.

NOTES D'USAGE

Il est possible de combiner le mot 'client' avec le nom d'un produit ou d'un service. *Soixante et un pour cent des clients de la télédistribution sont satisfaits des services qui leur sont offerts.*
Je suis client chez ce commerçant : c'est mon fournisseur habituel. Dans les autres cas : être client de qqn.

- **Un client-cible** [klijɑ̃sibl(ə)] (n.m.) (plur. : **des clients-cibles**). (Syn. : **un prospect**). (V. 107 2 client).

  {**la clientèle-cible** [klijɑ̃tɛlsibl(ə)] (n.f.)}.
- **Client, -ente** [klijɑ̃, -ɑ̃t] (adj.) : qui achète un bien ou un service à un agent économique (un commerçant, une entreprise) ou qui fait appel aux services d'un membre d'une profession libérale. *Cette agence de voyage a la possibilité de faire émettre des billets d'avion jusque dans les bureaux de certaines grandes entreprises clientes.*

CLIENTÈLE-CIBLE (n.f.) (*) 1. Ensemble des personnes qui peuvent acheter un bien.

1. (108)	die Zielkundschaft	target group	la clientela elegida	il gruppo obiettivo	het doelcliënteel

CLIENTÈLE-TYPE (n.f.) (*) 1. Ensemble des personnes caractéristiques qui achètent un bien.

1. (108)	die typische Kundschaft	average customers	la clientela tipo	la clientela-tipo	het doorsneecliënteel

CLIENTÉLISME (n.m.) (**) 1. Attitude d'hommes politiques.

1. (108)	die Gefälligkeitspolitik	vote-catching	el clientelismo	il clientelismo	het cliëntelisme

CLIENTÉLISTE (adj.) (*) 1. Qui se rapporte à l'attitude d'hommes politiques.

1. (108)	stimmenfängerisch	vote-catching	clientelista	clientelare	cliëntelistisch

CLIENT-TYPE ; CLIENTS-TYPES (n.m.) (*) 1. Personne caractéristique qui achète un bien.

1. (108)	der typische Kunde	average customer	el cliente tipo	il cliente-tipo il cliente medio	de doorsneeklant (m.)

CLIGNOTANT (n.m.) (**) 1. Indicateur.

1. (318)	das Warnsignal	warning sign indicator	el indicador (económico)	l'indicatore economico la spia	de indicator (m.)

CLÔTURE (n.f.) (***) 1. Fermeture, fin. 2. Action de clore un compte en établissant un solde.

1. (69)	die Beendigung der Abschluss	closing closure	el cierre la clausura	la chiusura	de (af)sluiting (f.)
2. (130) (59)	der (Bilanz)abschluss	closure closing	el cierre la cancelación	il saldo	de afsluiting (f.)

CLÔTURER (v.tr.dir., v.intr.) (****) 1. Fermer, terminer. 2. Clore un compte en établissant un solde.

1. (70)	beenden	to close	cerrar	chiudere	sluiten
2. (130) (59)	abschliessen	to close	cerrar cancelar	saldare	afsluiten

CNPF (le ~) (***) (534) Conseil national du patronat français.

CO(-)ENTREPRISE (n.f.) (**) 1. Société créée pour mettre en commun des ressources.

1. (514)	das Gemeinschaftsunternehmen	joint venture	la asociación de empresas la unión de empresas	il joint venture	de joint venture (f.) de gezamenlijke onderneming (f.)

COACTIONNAIRE (n.) (*) 1. Actionnaire associé à d'autres.

1. (15)	der Mitaktionär	joint shareholder	el co-accionista	il coazionista	de medeaandeelhouder (m.)

COASSURANCE (n.f.) (*) 1. Contrat souscrit par plusieurs agents économiques.

1. (43)	die Mitversicherung	co-insurance mutual insurance	el coaseguro	la coassicurazione	de medeverzekering (f.)

COASSURER (v.tr.dir.) (*) 1. Assurer à plusieurs compagnies d'assurances.

1. (43)	mitversicheren	to co-insure	coasegurar	coassicurare	medeverzekeren

COASSUREUR (n.m.) (*) 1. Compagnie d'assurances qui assure avec d'autres compagnies d'assurances.

1. (43)	der Mitversicherer	co-insurers	el coasegurador	il coassicuratore	de medeverzekeraar (m.)

COBRANDING (n.m.) (**) 1. Association de produits dans un but commercial.

1. (466)	cobranding	cobranding	el cobranding	il cobranding	de cobranding (f.)

COCONTRACTANT, COCONTRACTANTE (n.) (**) 1. Agent économique qui s'engage avec d'autres agents économiques.

1. (150)	der Vertragspartner	by-contractor	el co-contratante	il cocontraente	de medecontractant (m.)

		contracting party	el copartícipe		

CODE(-)BARRE(S) ; CODES(-)BARRE(S) (n.m.) (**) 1. Identification apposée sur des produits.

1. (80)	der Strichkode	bar code	el código de barras	il codice a barre	de streepjescode (m.) de balkencode (m.)

COEFFICIENT (n.m.) (***) 1. Nombre qui rend un rapport.

1. (542)	der Koeffizient	coefficient	el coeficiente	il coefficiente	de coëfficiënt (m.)

COFFRE(-FORT) ; COFFRES(-FORTS) (n.m.) (***) 1. Caisse, casier destiné à garder de l'argent.

1. (130)	der Safe der Geldschrank	safe	la caja de caudales la caja fuerte	il cassaforte	de brandkast (m./f.)

COFINANCEMENT (n.m.) (*) 1. Action de fournir de l'argent en commun.

1. (268)	die Kofinanzierung	cofinancing	el cofinanciamiento la cofinanciación	il cofinanziamento	de cofinanciering (f.)

COFINANCER (v.tr.dir.) (*) 1. Fournir de l'argent en commun.

1. (268)	kofinanzieren	to cofinance	cofinanciar	cofinanziare	cofinancieren

COGÉRANCE (n.f.) (*) 1. Direction conjointe d'une entreprise.

1. (301)	die gemeinsame Geschäftsführung	joint management	la cogerencia la cogestión	la cogestione	het medebeheer het gemeenschappelijk beheer

COGÉRANT, COGÉRANTE (n.) (*) 1. Personne qui dirige une entreprise avec d'autres.

1. (301)	der Mitgeschäfts-führer	joint manager	cogerente	il cogestore	de medebeheerder (m.)

COGÉRER (v.tr.dir.) (*) 1. Diriger conjointement une entreprise.

1. (301)	gemeinsam führen gemeinsam leiten	to manage jointly	llevar en cogestión cogestionar	cogestire	medebeheren

COGESTION (n.f.) (**) 1. Direction conjointe d'une entreprise.

1. (301)	die gemeinsame Geschäftsführung die Mitbestimmung	joint management	la cogestión	la cogestione	het medebeheer

COGRIFFAGE (n.m.) (*) 1. Association de produits dans un but commercial.

1. (466)	die Vertreibung eines Produktes unter einem gemeinsamen Namen	cobranding	la asociación de productos con fin comercial	il cobranding	de associatie (f.) van merknamen

COLIS (n.m.) (***) 1. Objet, produit emballé destiné à être expédié et remis à qqn (RQ).

1. (294) (551)	das Paket	parcel	el paquete	il pacco	het pakket

COLLABORATEUR, COLLABORATRICE (n.) (****) 1. Personne qui aide une autre dans son travail.

1.	der Mitarbeiter	colleague associate	el colaborador	il collaboratore	de medewerker (m.)

COLLABORATION (n.f.) (****) 1. Travail en commun. (RQ).

1. (560)	die Mitarbeit die Zusammenarbeit	cooperation association	la colaboración	la collaborazione	de medewerking (f.)

COLLABORER (~ avec qqn/à qqch.) (v.tr.indir.) (***) 1. Travailler en commun.

1.	mitarbeiten zusammenarbeiten	to work with (someone) to cooperate	colaborar	collaborare	medewerken

COLLECTE (n.f.) (***) 1. Action de rassembler.

1. (242) (289)	das Sammeln die Sammlung	collection	la colecta	la raccolta la colletta	de inzameling (f.) de ophaling (f.)

COLLECTER (v.tr.dir.) (***) 1. Rassembler.

1. (242) (289)	(ein)sammeln	to collect to bring together	recolectar recaudar	raccogliere	inzamelen verzamelen

COLLECTIVISME (n.m.) (*) 1. Système économique sans propriété privée.

1. (87)	der Kollektivismus	collectivism	el colectivismo	il collettivismo	het collectivisme

COLLECTIVISTE (adj.) (*) 1. Qui se caractérise par l'absence de propriété privée.

1. (87)	kollektivistisch	collectivist	colectivista	collettivista	collectivistisch

COLLECTIVITÉ (n.f.) (***) 1. Groupe de personnes. 2. Circonscription administrative.

1.	die Gemeinschaft die Gruppe	community group	la colectividad	la collettività	de gemeenschap (f.) de groep (m./f.)
2.	die Körperschaft	local administration	la colectividad	gli enti locali / amministrativi la circoscrizione amministrativa	de administratieve entiteit (f.)

COLLÈGUE (n.) (****) 1. Personne qui travaille avec d'autres.

1.	der Berufskollege der Arbeitskollege	colleague	el colega	il collega	de collega (m.)

COLOCATAIRE (n.) (*) 1. Personne qui loue un bien avec d'autres.

1. (352)	der Mitmieter der Mitbewohner	joint tenant co-tenant	el coinquilino	il coinquilino	de medehuurder (m.)

COLOCATION (n.f.) (*) 1. Location d'un bien à plusieurs personnes.

1. (352)	die Vermietung an eine Mietgemeinschaft	co-tenancy	coalquiler	la collocazione	gezamenlijk huren

		joint tenancy			

COLPORTAGE (n.m.) (*) 1. Commerce ambulant.

1. (573)	das Hausieren	hawking peddling	la venta ambulante	vendita ambulante vendita a domicilio	het leuren het colporteren

COLPORTER (v.tr.dir.) (*) 1. Pratiquer le commerce ambulant.

1. (573)	hausieren	to hawk to peddle	practicar la venta ambulante	smerciare	leuren colporteren

COLPORTEUR, COLPORTEUSE (n.) (*) 1. Personne qui pratique le commerce ambulant.

1. (573)	der Hausierer	hawker peddler	el vendedor ambulante	il venditore a domicilio	de leurder (m.) de colporteur (m.)

COLS BLANCS (les ~ (m.)) (**) 1. Ouvriers.

1. (228)	die Angestellten	white-collar worker(s)	los técnicos	i colletti bianchi	de bedienden (plur.)

COLS BLEUS (les ~ (m.)) (*) 1. Employés.

1. (228)	die Arbeiter	blue-collar worker(s)	los obreros	i colletti blu	de arbeiders (plur.)

COMBUSTIBLE (n.m.) (***) 1. Produit utilisé pour produire de la chaleur ou de l'énergie.

1. (363)	die Brennstoff das Heizmaterial	fuel combustibles	el combustible	il combustibile	de brandstof (m./f.)

COMESTIBLE (adj.) (*) 1. Bon pour la consommation.

1. (145)	essbar	edible	comestible	commestibile	eetbaar

COMESTIBLES (n.m.plur.) (*) 1. Denrées alimentaires.

1. (145)	die Esswaren die Lebensmittel	foodstuffs food	los comestibles	le derrate alimentari i generi alimentari	de levensmiddelen (plur.)

COMITÉ (n.m.) (****) 1. Groupement de personnes.

1. (200) (235)	das Komitee der Ausschuss	committee	el comité	il comitato	het comité

COMMANDE (n.f.) (****) 1. Ordre. 2. Document qui concrétise l'ordre. 3. Marchandises remises.

1. (110)	die Bestellung der Auftrag	order	el pedido el encargo	l'ordine (m.) le ordinazioni	de bestelling (f.)
2. (110)	das Bestellformular die Bestellung	order form	el pedido	l'ordine (m.)	het bestelformulier
3. (110)	die Bestellung	goods delivery	el pedido	l'ordine (m.)	de bestelling (f.)

COMMANDE

➠ achat - livraison

1 une commande			2 commander 2 décommander

1 une COMMANDE - [kɔmɑ̃d] - (n.f.)

1.1. Ordre, oral ou écrit, par lequel un agent économique (un client : un particulier, une entreprise, l'État - X) demande à un autre agent économique (un commerçant, une entreprise - Y) de lui remettre une marchandise ou de lui fournir un service (Z) contre paiement d'une somme d'argent et à certaines conditions (prix, règlement, délai d'exécution).
Le temps qui s'écoule entre la commande et la livraison devrait être ramené à un mois, alors qu'il est de 43 jours actuellement.

1.2. Document qui concrétise une commande (sens 1.1.) et les conditions d'achat.
Syn. : (plus fréq.) bon de commande.
La commande est un document qui engage le fournisseur vis-à-vis du client.

1.3. (emploi au sing. et au plur.) Ensemble des marchandises qu'un agent économique (un commerçant, une entreprise) remet ou fournit à un autre agent économique (un client : un particulier, une entreprise, l'État - X) sur ordre oral ou écrit et contre paiement d'une somme d'argent et à certaines conditions (prix, règlement, délai d'exécution).
La commande de 12 bouteilles de champagne est enfin arrivée.

expressions

(sens 1.1.)

- (Un agent économique livre une marchandise ; fournit un service) **sur commande** : sur ordre d'un client. *Nous n'avons qu'un stock limité de produits finis : c'est pratiquement sur commande que nous approvisionnons nos distributeurs.*
- (Un agent économique fabrique un produit) **à la commande** : au fur et à mesure que l'on reçoit les ordres.
- (Un article) **être en commande** : pour lequel l'ordre a été passé.

+ adjectif

TYPE DE COMMANDE (sens 1.1.)

Une commande ferme : commande où l'acheteur s'engage à respecter les conditions de vente. *Une compagnie aérienne a passé une commande ferme pour huit avions et a pris une option sur quatre avions supplémentaires.*

TYPE DE COMMANDE (sens 1.3.)

- **Les commandes publiques :** commandes passées par l'État. *Dans la plupart des pays, les commandes publiques vont de préférence aux entreprises nationales.*
- **Les commandes militaires** : commandes de matériel militaire. *McDonnell Douglas tire profit de la richesse et de la diversité de ses commandes militaires.*

CARACTÉRISATION DE LA COMMANDE (sens 1.1.)

Une commande urgente. *Les commandes urgentes venues de Grande-Bretagne, pour un total de 1 200 véhicules, ont amené la direction à faire appel à des volontaires pour travailler durant la première semaine de fermeture de l'usine.*

NIVEAU DE LA COMMANDE (sens 1.1.)

Une grosse commande. < **Une commande record**. *Notre société a passé une commande record d'un million d'euros pour la fourniture d'une dizaine de véhicules lourds.*

LOCALISATION DE LA COMMANDE (sens 1.1.)

Une commande étrangère.

+ nom

(sens 1.1.)

- **Un carnet de commandes** (moins fréq. : **commande**). 1. Petit cahier de poche sur lequel sont notées les commandes enregistrées (p. ex. par les représentants). - 2. Volume des commandes qu'une entreprise a reçues et qui restent encore à exécuter ou à livrer. *Nos résultats s'annoncent bons et nous pouvons compter sur un carnet de commandes bien rempli pour de nombreux mois encore.* **Un carnet de commandes bien rempli, garni**.
- **La production sur/à la commande**. (V. 440 production, 1).
- **Un acompte à la commande**. (V. 402 paiement, 1).

(sens 1.2.)

Un bon de comman de: document rempli lors d'une commande et qui précise les conditions (le produit, la quantité, le prix, le délai de livraison, ...) tout en engageant l'acheteur par rapport au fournisseur.

TYPE DE COMMANDE (sens 1.1.)

Une commande de + nom qui désigne un type de produits. Une commande de machines ; d'avions.

Une commande en souffrance : commande non exécutée à la date convenue. (Syn. : **une commande en retard**).

TYPE DE COMMANDE (sens 1.3.)

Les commandes à + nom qui désigne un secteur d'activité. Les commandes à l'industrie.

MESURE DE LA COMMANDE (sens 1.1.)

Le volume de la commande. *Les cartes coûtent entre 2 et 4 euros selon le volume de la commande et le message imprimé.*

+ verbe : qui fait quoi ?

(sens 1.1.)

X	✓	**passer** ~ (de/pour Z) (à Y) (☞ 112 Pour en savoir plus, Notes d'usage)	-	
un représentant, une entreprise		**placer** une commande (de/pour Z) (auprès de X) ⋎	le placement d'une ~	1
X		**confirmer** une ~ (de/pour Z) (à Y)	la confirmation d'une ~	
		>< **annuler** une ~ (de/pour Z)	l'annulation d'une ~	2
X		**payer** (comptant) à la ~ ⋎	un paiement à la ~ payable à la ~	
Y	×	**enregistrer** une ~	l'enregistrement d'une ~	3
		décrocher une ~	-	
		(fam.) **empocher** une ~	-	
		>< **perdre** une ~	la perte d'une ~	
les ~		**entrer**	l'entrée des ~	4
		< **affluer** ⋎	l'affluence des ~	5

Y		**honorer** une ~	-	
		exécuter une ~	l'exécution d'une ~	6
Y		**livrer** une ~	la livraison d'une ~	
		↓		
les ~	▽	**(être) en baisse**	une baisse des ~	7
les ~	▽▽	**chuter**	une chute des ~	
les ~	▽△	**reprendre**	une reprise des ~	
X	▽	**réduire** ses ~	une réduction des ~	
le garçon de café	×	**noter** une ~	-	
		prendre une ~	la prise d'une ~	8

1 *Le grand exportateur de céréales a placé une grosse commande à l'étranger après la récolte ratée de l'année passée.*
2 *Une rupture de stock, c'est souvent l'annulation d'une commande, et c'est la perte d'un client.*
3 *Notre filiale vient d'enregistrer une commande pour l'installation d'un réseau câblé optique.*
4 *Les entrées de commandes dans l'industrie confirme que le creux de la conjoncture est probablement atteint, sinon dépassé.*
5 *Malgré l'embauche de 20 personnes supplémentaires, nous ne pouvons faire face aux commandes qui affluent de partout.*
6 *Avant l'exécution de cette importante commande, nous traversons une période creuse.*
7 *Les PME souffrent d'un endettement excessif, de commandes en baisse et de débiteurs défaillants.*
8 *En prenant la commande de notre table, le garçon a oublié un café.*

(sens 1.3.)

X	×	**recevoir** une ~	la réception d'une ~

Pour en savoir plus

NOTES D'USAGE

L'expression 'passer (une) commande' est suivie de préférence d'un complément introduit par la préposition 'de' lorsque la commande porte sur un bien matériel. *Air France a passé commande de deux nouveaux avions à Airbus.* La préposition 'pour' s'emploie plutôt dans les autres cas : passer commande pour la conception d'un nouveau pont ; pour l'extension du réseau ferroviaire ; pour la fourniture de trois camions.

Ne pas confondre 'passer une commande' (commander) et 'placer une commande' (vendre un bien ou un service).

2 AUTRES DÉRIVÉS OU COMPOSÉS

- **Commander** [kɔmɑ̃de] (v.tr.dir.) : un agent économique (un client : un particulier, une entreprise, l'État) donne ordre (oralement ou par écrit) à un autre agent économique (un commerçant, une entreprise) de lui remettre une marchandise ou de lui fournir un service contre paiement d'une somme d'argent et à certaines conditions (prix, règlement, délai d'exécution). (Ant. : **décommander, annuler une commande**). *On peut dire que sur 100 personnes qui reçoivent une invitation, huit se déplacent au show-room et une seule commande une voiture.*
  Commander à distance. *La vidéo à la carte offre un choix de films, de dessins animés, de documentaires et d'autres émissions que l'on commande à distance et que l'on regarde comme une vidéo, sans magnétoscope, mais avec toutes ses fonctions.*
- **Décommander** [dekɔmɑ̃de] (v.tr.dir.). (Syn. : **annuler une commande**). (Ant. : **commander**).

COMMANDER (v.tr.dir.) (***) 1. Donner ordre.

1. (112)	bestellen in Auftrag geben	to order	pedir encargar	ordinare	bestellen

COMMANDITAIRE (n.) (**) 1. Personne qui apporte des capitaux. 2. Donneur d'ordre. 3. Sponsor.

1. (515)	der Kommanditist	limited partner	el socio comanditario	il (socio) accomandatario	de (stille) vennoot (m.)
		sleeping partner	el socio capitalista		de commanditaris (m.)
2. (150)	der Auftraggeber	active partner acting partner	el comanditario el socio capitalista	l'ordinante (m.)	de opdrachtgever (m.)
3. (373)	der Geldgeber der Finanzierer	sponsor	el patrocinador	lo sponsor	de sponsor (m.)

COMMANDITE (n.f.) (**) 1. Société constituée par deux sortes d'associés. 2. Subvention d'une activité.

1. (515)	die Kommanditgesellschaft (KG)	limited partnership	la comandita	la società in accomandita	de (stille) vennootschap (f.) de commanditaire vennootschap (f.)

2. (373)	der Geldzuschuss die Kommanditeinlage	sponsorship	la comandita	la sponsorizzazione	de financiële ondersteuning (f.)

COMMANDITÉ, COMMANDITÉE (n.) (*) 1. Personne mandatée pour diriger une société.

1. (515)	der Komplementär	general partner	el mandatario	l'amministratore mandatario	de beherende vennoot (m.)

COMMANDITER (v.tr.dir.) (**) 1. Apporter des capitaux. 2. Subventionner une activité.

1.	finanzieren Kapital in ein Unternehmen einbringen	to finance to provide funds for	comanditar	finanziare	geld steken in
2. (373)	finanzieren	to sponsor	comanditar financiar	sponsorizzare	financieel ondersteunen

COMMERÇANT, -ANTE (adj.) (**) 1. Où le commerce de détail est présent. 2. Qui achète et vend des marchandises.

1. (118)	Geschäfts- Handels-	commercial	comerciante	commerciale	handels- winkel-
2. (118)	handeltreibend	commercial trading	comerciante	commerciante	handels-

COMMERÇANT, COMMERÇANTE (n.) (****) 1. Personne dont l'activité est d'acheter et de vendre.

1. (117)	der Geschäftsmann der Händler	tradesman shopkeeper	el comerciante	il commerciante	de handelaar (m.)

COMMERCE (n.m.) (****) 1. Achat et vente. 2. Ensemble des commerçants. 3. Éléments corporels et incorporels.

1. (113)	der Handel	trade commerce	el comercio el negocio	il commercio	de handel (m.)
2. (113)	die Geschäftsleute die Kaufleute	traders tradespeople	el comercio	il commercio	de handelaars (plur.)
3. (113)	die Handelsunternehmen das Handelsgewerbe	commerce trade	el comercio el negocio	il commercio	de handel (m.)

COMMERCE

➡ vente - achat - marché
➡ marketing

1 le commerce **2** la commercialisation **6** le commercial	**3** un commerçant, une commerçante **6** un commercial, une commerciale	**4** commerçant, -ante **5** commercial, -iale ; -iaux, -iales **6** commercialisable **6** *commercialement*	**6** commercer **6** commercialiser

1 le COMMERCE - [kɔmɛʀs(ə)] - (n.m.)

1.1. Activité (de service) d'un agent économique (un commerçant, une entreprise, parfois un État - X) qui consiste soit à acheter des marchandises ou des valeurs (Y) pour les (re)vendre ou les louer à un client (Z) sans y apporter de transformation matérielle, soit à proposer des services (Y).
Syn. : (☞ 116 Pour en savoir plus, Commerce (sens 1.1.) et synonymes).
Le commerce naît lorsque les produits bruts ou transformés font l'objet d'échanges: produits contre produits, produits contre valeurs ou valeurs contre valeurs (Gaeng).

1.2. Ensemble des agents économiques qui font du commerce (sens 1.1.).
Les ménages ont réduit sensiblement leurs dépenses: le commerce traverse une période difficile.

1.3. Ensemble d'éléments corporels (les marchandises, le stock, le mobilier, ...) et incorporels (l'enseigne, la valeur de la clientèle, le nom commercial, les brevets, ...) qui servent à l'exploitation d'une activité de distribution de produits (X) ou de prestation de services.
Syn. : un fonds de commerce.
La formule du centre commercial ou shopping center est un succès: les commerces y font des chiffres d'affaires beaucoup plus élevés qu'ailleurs.

expressions

(sens 1.1.)

- (Une personne) **avoir la bosse du commerce** : être très habile en affaires.
- (Une personne) **être de bon commerce** : être sociable.

+ adjectif

TYPE DE COMMERCE (sens 1.1.)

Le commerce électronique : commerce à l'aide de la télématique (combinaison de l'informatique et des moyens de communication). *Lorsque l'on parle de commerce électronique, on pense généralement au World Wide Web, mais le courrier électronique peut également devenir un média privilégié pour commercer sur le Net.*

Le commerce sédentaire : se caractérise par un point de vente fixe.

>< **Le commerce non sédentaire**, comme p. ex. **le commerce ambulant** : commerçants présents sur les marchés ou les foires.

TYPE DE COMMERCE (sens 1.2.)

Le commerce indépendant, le petit commerce : commerce de détail caractérisé par une indépendance financière et juridique, mais qui peut être affilié à une centrale d'achat p. ex. *La FEDIS (Fédération Belge des Entreprises de Distribution) regroupe des associations représentatives du commerce indépendant, tant alimentaire qu'à assortiments multiples ou spécialisés.* **Le commerce indépendant isolé** : commerce individuel tenu par un propriétaire unique (p. ex. l'épicier du quartier). **Le commerce indépendant associé** : ensemble de commerçants indépendants qui se sont associés (p. ex. dans une centrale d'achat) afin de s'approvisionner en commun et d'obtenir des conditions avantageuses de leurs fournisseurs.

>< **Le commerce intégré, le grand commerce** : grandes chaînes de magasins (en France : Auchan, Casino, ...) qui cumulent les fonctions de gros et de détail et, éventuellement, une fonction de production (des produits génériques p. ex.). (Syn. : **la grande distribution, les grandes surfaces**). (V. 204 distribution, 1).

Le commerce spécialisé : se caractérise par la vente d'une seule famille de produits ou de familles de produits apparentées (p. ex. l'électroménager et la hi-fi).

>< **Le commerce multiple.**

CARACTÉRISATION DU COMMERCE (sens 1.1.)

Un commerce lucratif : qui rapporte beaucoup.

LOCALISATION DU COMMERCE (sens 1.1.)

Le commerce mondial.

Le commerce extérieur, international : achat (l'importation) et vente (l'exportation) de produits entre pays différents. (Syn. : **les échanges (commerciaux) entre** un pays **et** un autre pays). *Les petits pays dépendent plus du commerce extérieur que les grands pays en raison de la moindre diversification de leurs productions.* (☞ 116 Pour en savoir plus, Le commerce international). (☞ 117 Pour en savoir plus, Les termes commerciaux internationaux).

>< **Le commerce intérieur, national, domestique** : achat et vente de produits à l'intérieur d'un pays.

+ nom

(sens 1.1.)

- **Un représentant de commerce**. (V. 120 6 autres dérivés ou composés).
- **Une maison de commerce** : entreprise commerciale traditionnelle, souvent familiale. *La maison de commerce japonaise Sumitomo a pris une participation de 20 % dans le capital de Hamilton Standard Space Systems International, un groupe américain spécialisé dans les technologies spatiales.*
- **Le code de commerce** : ensemble des lois et des règlements qui s'appliquent au commerce. *Le code de commerce exige que, dès le début de son activité commerciale, tout commerçant demande son immatriculation au Registre du Commerce et des Sociétés auprès du greffe du Tribunal de Commerce compétent* (Gaeng).

  (B) **Le Registre de/du Commerce (le RC)**, (F) **le Registre du Commerce et des Sociétés (le RCS)**, (S) **Le Registre du Commerce (le RC)** : registre où sont centralisées certaines informations sur les entreprises et les sociétés commerciales (Wagner). *Cette semaine, quinze nouvelles sociétés ont demandé leur immatriculation au Registre du Commerce.*

  Le tribunal de commerce : traite les contestations entre commerçants.
- **Un effet de commerce** : tout document par lequel un tireur (un créancier) donne l'ordre à un tiré (un débiteur) de payer le bénéficiaire à l'échéance de la dette (p. ex. une lettre de change, une traite (**tirer une traite sur qqn**) ; un billet à ordre). (V. 402 paiement, 1). **Un bénéficiaire d'un effet de commerce**. (V. 60 bénéfice, 2). **Un effet de complaisance, de cavalerie**. (V. 219 effet, 1).

  Le protêt est l'acte authentique par lequel le porteur d'un effet de commerce fait constater que cet effet n'a pas été accepté par le tiré ou qu'il n'a pas été payé à l'échéance (RQ).
- **Les livres (de commerce)**. (Syn. : **les documents comptables**). (V. 126 comptabilité, 2).
- **Une chambre de commerce et d'industrie** : établissement public autonome, géré par les représentants élus des entreprises du secteur commercial et industriel et qui représente leurs intérêts.
- **Le ministère du Commerce extérieur ; le ministre du Commerce extérieur.**

  L'Organisation mondiale du commerce (l'OMC) : organisation internationale créée pour gérer l'accord général sur les tarifs douaniers et le commerce. (☞ 116 Pour en savoir plus, Le commerce international).
- **Une école (supérieure) de commerce.**

(sens 1.2.)

L'Union suisse du commerce et de l'industrie (le Vorort). (V. 534 syndicat, 1).

(sens 1.3.)

Un fonds de commerce. *Le patrimoine de l'entreprise comprend d'une part les terrains et bâtiments professionnels et, d'autre part, le fonds de commerce, y compris l'exploitation commerciale ou industrielle complète, la clientèle, ...*

TYPE DE COMMERCE (sens 1.1.)

Le commerce de + nom qui désigne une marchandise ou une valeur. Le commerce du bois, du charbon.

Le commerce (mondial) des marchandises. (V. 362 marchandise, 1).

Le commerce des services.

Le commerce de gros : commerce qui consiste à acheter des marchandises par quantités importantes et à les vendre à des revendeurs, détaillants ou grossistes. *La flotte d'agents commerciaux qui représentent le commerce de gros sont les gros utilisateurs des nouvelles technologies de communication.*

{**un, une grossiste**}.

>< **Le commerce de détail** : commerce qui consiste à acheter des marchandises pour les revendre au consommateur ou à l'utilisateur final, en général par petites quantités (Gaeng). (Syn. : **la distribution**). *Les difficultés de circulation dans les villes et les difficultés de stationnement limitent le développement du commerce de détail.*

{**un détaillant, une détaillante, détailler**}.

Le commerce (de gros) en libre-service : commerce où la vente se pratique dans un entrepôt de gros et où le client se sert lui-même.

Le commerce de dépôt-vente : commerce où les marchandises sont déposées par des particuliers et vendues par le commerçant, qui perçoit une commission sur le prix de vente.

LOCALISATION DU COMMERCE (sens 1.2.)

Le commerce de proximité : commerce de détail proche de sa clientèle.

MESURE DU COMMERCE (sens 1.1.)

Le volume du commerce. *L'essor économique rapide des pays asiatiques a beaucoup contribué à la croissance du volume du commerce mondial des produits manufacturés.*

+ verbe : qui fait quoi?

(sens 1.1.)

X (une entreprise)		**faire** (le) ~ **de** Y (**avec** Z)	-	1
X (une entreprise, un État)		**faire du** ~ **avec** Z (Z : souvent un État)	-	2
une mesure politique, un accord		**stimuler** le ~ (**de** X) **avec** Z/**entre** X **et** Z	la stimulation du ~ (de X) avec Z/entre X et Z	3
		encourager le ~ (**de** X) **avec** ...	-	
		>< **entraver** le ~ (**de** X) **avec** ... (X, Z : un État)	une entrave au ~ (de X)	
une mesure politique, un accord		**libéraliser** le ~ (de Y)	la libéralisation du ~ (de Y)	4
		>< **réglementer** le ~ (de Y)	la réglementation du ~ (de Y)	
le commerce (de Y)	△	**se développer**	le développement du ~ (de Y)	
		connaître une croissance	la croissance du ~ (de Y)	
le commerce (de Y)	△△	**être en pleine expansion**	une expansion du ~ (de Y)	5
le commerce (de Y)	△=	**stagner**	la stagnation du ~ (de Y)	6
le commerce (de Y)	▽	**régresser**	la régression du ~ (de Y)	
le commerce (de Y)	▽▽	**s'effondrer**	un effondrement du ~ (de Y)	7

1 *Un négociant doit posséder une carte de négociant-manipulant pour obtenir le droit de faire le commerce de champagne.*
2 *Pour des raisons politiques, certains pays font moins de commerce avec la Chine.*
3 *L'instauration d'un code de concurrence loyale permettrait de stimuler le commerce entre les pays industrialisés et certains pays en développement.*
4 *L'Organisation mondiale du commerce doit mettre fin au protectionnisme économique et veiller à la libéralisation du commerce mondial.*
5 *Les importations massives pour éviter la sous-alimentation sont un des facteurs déterminants de la vigoureuse expansion du commerce international de denrées alimentaires.*
6 *Le commerce international a stagné une première fois de façon significative au début des années 80.*
7 *Certaines informations alarmantes concernant la qualité de la viande ont causé un effondrement du commerce de la viande.*

(sens 1.2.)

un produit	✓	**se trouver dans** le ~	-

(sens 1.3.)

un commerçant	×	**ouvrir** un ~ (de X)	l'ouverture d'un ~ (de X)
		monter un ~ (de X)	-
		✓	
un commerçant		**avoir** un ~ (de X)	-
		tenir un ~ (de X)	-
		✓	

un commerçant		**gérer** son ~	la gestion d'un ~	
		développer son ~	le développement d'un ~	
		⋎		
un commerçant	O	**fermer** son ~	la fermeture d'un ~	
un commerçant		**céder** son ~	la cession d'un ~	1
		>< **reprendre** un ~	la reprise d'un ~	
→ un ~		**à céder**		

1 *Le droit traite en détail tous les aspects de la cession de fonds de commerce et du transfert de sociétés en difficulté.*

Pour en savoir plus

COMMERCE (SENS 1.1.) ET SYNONYMES

Le troc : échange de qqch. contre qqch. de valeur analogue.
{**troquer** qqch. **contre** qqch.}.
>< **Le commerce** : vente et achat de biens ou de valeurs contre une somme d'argent.

Le négoce : commerce important de gros ou commerce particulier comme **le négoce diamantaire** ; **d'antiquités**.
{**un négociant, une négociante**}. (V. 118 3 commerçant).

Le trafic : commerce illégal de drogues, d'armes, ... *À Paris, la police a démantelé un trafic de blanchiment d'argent sale.*
{**un trafiquant**, **une trafiquante**, **trafiquer** (1. Pratiquer le commerce illégal. - 2. Se livrer à diverses manipulations sur un objet, un produit en vue de tromper l'acheteur sur la marchandise (PR)), (fam.) **traficoter**}. **Trafiquer un vin.**

La traite : commerce illégal de prostituées (**la traite des femmes**) ou d'esclaves.

LE COMMERCE ET LES INTERMÉDIAIRES

Un, une intermédiaire : personne qui établit un rapport entre un vendeur et un acheteur ou un consommateur, et qui prend part ou non à la transaction de vente. *La publicité adore exploiter l'image de l'intermédiaire, le plus souvent une star qui renforcera l'attraction et le besoin de fusion du consommateur avec le produit.*
{**l'intermédiation**}.

Un distributeur, **une distributrice** : terme général qui désigne un intermédiaire dans le secteur du commerce.

Un, une concessionnaire : commerçant intermédiaire qui a reçu d'un producteur un droit exclusif de vente de son produit pour une région particulière. *Renault vient d'accorder une concession exclusive à ce garagiste: il devient le nouveau concessionnaire Renault pour sa région.*
{**une concession**}. (V. 442 production, 1).

Un franchisé, **une franchisée** : commerçant possédant un point de vente dans lequel il vend une gamme de produits d'un fabricant (le franchiseur). Ce commerçant profite de l'enseigne du fabricant ainsi que de son assistance commerciale en échange d'une somme d'argent (un droit d'entrée, un pourcentage sur le chiffre d'affaires, ...). *Un autre service que rend le franchiseur à son franchisé, c'est la distribution de dépliants publicitaires qui paraissent régulièrement pour promouvoir l'enseigne.* **Prendre un commerce en franchise.**
{**le franchisage** ou **la franchise** ou **le franchising** [fʀɛnʃɑjziŋ], **le franchiseur**, **franchiser**}.

Un, une commissionnaire : indépendant qui négocie et conclut des achats, des ventes, ... en son propre nom, mais sur ordre d'une société en échange d'une somme d'argent (la commission).
{**une commission**}.

Un agent (**commercial**) : indépendant qui négocie et conclut des achats, des ventes, ... au nom et pour le compte d'une société.

Un délégué, **un fondé de pouvoir**, **un mandataire**. (V. 22 agence, 2).

Un courtier, **une courtière**, (angl.) **un broker**, (angl.) **un trader** : intermédiaire qui agit au nom d'une société dans le secteur des assurances (**un courtier d'assurance(s)**). (Syn. : **un agent d'assurances**), **le courtage d'assurances**). *Les courtiers d'assurances subissent de plein fouet la concurrence de l'assurance directe, c'est-à-dire la vente de polices d'assurance sans intermédiaire.*

Un courtier d'/en information : s'occupe des activités de diffusion d'informations en fonction de la demande.
{**le courtage**}. **Une maison de courtage**. (V. 516 société, 1).

Un placier, **une placière** : intermédiaire qui travaille pour le compte d'une maison de commerce qu'il représente.

Un commercial, **un représentant de commerce**. (V. 120 6 autres dérivés ou composés).

LE COMMERCE INTERNATIONAL

Le libre-échange : politique économique qui préconise la liberté des échanges commerciaux internationaux. **L'Association de libre-échange nord-américaine** (**l'ALENA**).
{**le libre-échangisme, libre-échangiste**}.
>< **Le protectionnisme** : politique économique qui protège de la concurrence les entreprises à l'aide de mesures diverses :
le contingentement : limitation de l'importation d'un produit à un nombre, une quantité donnée. {**un contingent** (Syn. : **un quota**), **contingenter**} ;
l'établissement de **normes**. {**la normalisation, normaliser**} ;
l'instauration de **barrières douanières** : mesures protectionnistes tarifaires (**les barrières tarifaires**) comme p. ex. les (**sur**)**taxes** et

les **droits de douane**. *Le gouvernement a instauré un quota d'importations de chaussures pour défendre le maintien de l'industrie nationale de la chaussure.*

{**protectionniste**}.

LES TERMES COMMERCIAUX INTERNATIONAUX, LES INCOTERM(E)S

Les termes commerciaux internationaux (**les TCI**) : conventions qui fixent les conditions de vente (le moment et l'endroit où la responsabilité du vendeur prend fin et où celle de l'acheteur commence (Wagner)) dans le cadre du commerce international. De nombreuses conventions (employées en apposition) sont définies, entre autres :

EXW (**en usine, à l'usine**) : la responsabilité s'arrête au départ de l'usin e;
FOR (**franco de rail**) : la responsabilité s'arrête au chargement du wagon ;
FOQ (**franco le long du quai, franco de quai**) : le chargement du wagon ou du bateau n'est pas à la charge de l'expéditeur ;
FAB (**franco à bord**), (angl.) **FOB** : mode de calcul des exportations, dans lequel le prix des marchandises exportées est évalué lors de leur passage à la frontière (Wagner). *Le prix mentionné est le prix FAB ;*
CAF (**coût, assurance, fret**) : mode de calcul des importations, dans lequel le coût des marchandises importées est majoré du prix du transport et de l'assurance.

2 la COMMERCIALISATION - [kɔmɛʀsjalizasjɔ̃] - (n.f.)

1.1. Ensemble des activités (études de marché, promotion, publicité, service après-vente, ...) d'un agent économique (une entreprise, une banque - X) qui a pour but de mettre en vente aux meilleures conditions un produit ou une valeur (Y).
(☞ 117 Pour en savoir plus, Aspects de la commercialisation).
Faute de commercialisation efficace, les activités industrielles de Jenoptik sont toujours déficitaires, et seules les activités de services permettent d'équilibrer ses comptes.

+ nom

Une licence de commercialisation. *La licence de commercialisation concède à une entreprise un droit d'exclusivité pour la fabrication, la distribution et les ventes d'un produit d'une autre entreprise.*

+ verbe : qui fait quoi ?

X (une entreprise)	**assurer** la ~ de Y (sur un marché)	-	1

1 *Le New Zealand Kiwifruit Board assure la commercialisation du kiwi sur le marché européen depuis le port d'Anvers.*

Pour en savoir plus

ASPECTS DE LA COMMERCIALISATION
V. distribution, fournisseur, livraison, marketing, promotion, publicité, service.

3 un COMMERÇANT, une COMMERÇANTE - [kɔmɛʀsɑ̃, kɔmɛʀsɑ̃t] - (n.)

(☞ 118 Pour en savoir plus, Note d'usage)

1.1. Personne qui, dans le cadre de ses activités professionnelles, achète des marchandises ou des valeurs pour les (re)vendre ou les louer à un client sans y apporter de transformation matérielle, ou qui propose des services.
Syn. : (☞ 118 Pour en savoir plus, Commerçant et synonymes) ; Ant .: un client, un fournisseur.
Le commerçant s'efforce de trouver des fournisseurs fiables pour pouvoir mieux se concentrer sur son savoir-faire: la vente.

+ adjectif

TYPE DE COMMERÇANT
Un commerçant ambulant. (V. 114 1 commerce).

CARACTÉRISATION DU COMMERÇANT
Un commerçant indépendant, un petit commerçant. (V. 114 1 commerce).
>< **Un gros commerçant.**

+ nom

- **Une association de commerçants.**
- **Un commerçant en** qqch. Un commerçant en textiles ; bois.

TYPE DE COMMERÇANT
Un commerçant de nuit. *Pour les commerçants de nuit associés aux stations-service situées le long des autoroutes, la vente autorisée de produits pétroliers est le prétexte à la vente d'autres produits.*

Pour en savoir plus

COMMERÇANT ET SYNONYMES

Un commerçant : terme général pour désigner toute personne qui fait du commerce (sens 1.1.).

Un grossiste, un détaillant. (V. 115 1 commerce).

Un marchand, une marchande : s'emploie dans certaines combinaisons fixes, comme p. ex. **un marchand de tabac ; de journaux ; de glaces ; de bière ; des quatre-saisons** (commerçant ambulant de fruits et de légumes) ; **de bétail ; de ferraille. Un marchand d'antiquités ; d'art** : terme négatif pour **un antiquaire, un négociant en antiquités ; en œuvres d'art.**

Un négociant, une négociante. *Les grands magasins et les supermarchés achètent leur vin en bouteilles auprès des négociants, mais ils achètent également en vrac par l'intermédiaire de courtiers pour embouteiller en Belgique.* **Un négociant en vin ; en fruits.**

{**le négoce**}. (V. 116 1 commerce).

Un débitant, une débitante : commerçant vendant du tabac et, surtout, des boissons au détail. *Les débitants de tabac et les concessionnaires en automobiles, rémunérés à la commission, ne sont pas des commerçants détaillants : ils peuvent être considérés comme des agents des producteurs.*

{**un (débit de) tabac ; un débit de boissons** (Syn. : **un café, un bar, un bistro(t)**) (V. 173 débit, 1), **débiter** (V. 574 vente, 3)}.

(angl.) **Un discounter**, (peu fréq.) **un discompteur** : chaîne de distribution qui propose des biens ou des services à des prix réduits.

(angl.) **Le discount**, (peu fréq.) **le discompte.** 1. Méthode de vente pratiquée par un discounter. - 2. (Syn. : **un (magasin) minimarge**). (V. 354 magasin, 1). - 3. (Syn. : (plus fréq.) **une réduction**). (V. 437 prix, 1). **À prix discount, discompte** : à prix bas grâce à un prix de revient peu élevé ou à une réduction consentie sur le prix original (DEBD).

{**discounter**, (peu fréq.) **discompter**}.

Un vendeur : terme technique qui peut être appliqué à tous les types de commerçants cités ci-dessus. (V. 573 vente, 2).

NOTE D'USAGE

L'emploi du féminin 'commerçante' est rare.

4 COMMERÇANT, -ANTE - [kɔmɛʀsɑ̃, -ɑ̃t] - (adj.)

1.1. (un lieu) Où le commerce de détail est présent.

Syn. : commercial.

Les riches artères commerçantes d'Argentine rivalisent avec le chic des capitales occidentales.

1.2. (très peu fréquent) (une personne, un État) Qui achète des marchandises ou des valeurs pour les (re)vendre ou les louer à un client sans y apporter de transformation matérielle, ou qui propose des services.

Syn. : (V. 120 5 commercial).

Les règles commerciales mondiales continuent à être déterminées principalement par les grandes nations commerçantes.

\+ nom

LOCALISATION DU COMMERCE (sens 1.2.)

Une nation commerçante.

LOCALISATION DU COMMERCE (sens 1.1.)

Un quartier commerçant. > **Une artère commerçante.** > **Une rue commerçante.**

5 COMMERCIAL, -IALE ; -IAUX, -IALES - [kɔmɛʀsjal, -jal; -jo, -jal] - (adj.)

1.1. Qui se rapporte aux activités (études de marché, promotion, publicité, service après-vente, ...) d'un agent économique (une entreprise, une banque) qui ont pour but de mettre en vente aux meilleures conditions un produit ou une valeur.

Les décisions commerciales portent principalement sur le produit lui-même (que produire et à quel prix), sur la distribution et sur la politique publicitaire.

1.2. Qui se rapporte à l'achat de marchandises ou de valeurs pour les (re)vendre ou les louer à un client sans y apporter de transformation matérielle, ou à l'offre de services.

Syn. : (☞ 120 Pour en savoir plus, Commercial (sens 1.2.) et synonymes).

Il est nécessaire d'améliorer le système commercial international afin que l'insertion des pays du tiers monde dans l'économie mondiale stimule leur développement.

1.3. (un lieu) Où le commerce de détail est présent.

Syn. : commerçant.

Une galerie commerciale de luxe avec vingt magasins exclusifs vient d'ouvrir ses portes dans la capitale.

1.4. (un produit) Qui est réalisé pour rapporter un maximum d'argent en plaisant au plus grand public.

La recette des films commerciaux est bien connue : de l'action et du sexe.

+ nom

(sens 1.1.)

- **La politique commerciale** : ensemble de mesures prises pour développer les ventes d'un produit ou les marchés d'un pays. *La politique commerciale de bon nombre de pays continue à être dominée par une volonté protectionniste.*
- **Une puissance commerciale.** *Les États-Unis, le Japon et l'Union européenne sont les trois plus grandes puissances commerciales dans le monde.*
- **Le directeur commercial** : responsable des objectifs et de la politique de vente (= **la gestion commerciale**) d'une entreprise. Avec les commerciaux (V. 120 6 autres dérivés ou composés), il occupe les **fonctions commerciales** (V. 557 travail, 1) dans l'entreprise.

  Le service commercial, **le département commercial** : ensemble des personnes qui s'occupent du suivi de la commercialisation des produits de l'entreprise (= **la fonction commerciale** de l'entreprise).

  Une fonction commerciale: emploi dans le cadre des activités commerciales d'une entreprise.
- **Le nom commercial**. (V. 519 société, 1).
- **Un réseau commercial.** *Le pacte EMI-Renault prévoyait qu'EMI pouvait bénéficier de l'appui du réseau commercial de Renault pour assurer la promotion de ses espaces mobiles.* (Syn. : (plus fréq.) **un réseau de distribution**). (V. 205 distribution, 1).
- **Un agent commercial**. (V. 116 1 commerce).
- **Un attaché commercial** : fonctionnaire rattaché à une ambassade et chargé d'aider les industries du pays dont il défend les intérêts. *Les attachés commerciaux européens à Caracas pensent qu'il est opportun pour les entreprises européennes de s'implanter dans le pays.*
- **Une dette commerciale**. (V. 194 dette, 1).

(sens 1.2.)

- **Un partenaire commercial** : personne, pays avec qui on fait du commerce. *La France compte parmi les principaux partenaires commerciaux de la Belgique.* Deux pays entretiennent **des relations commerciales, des échanges commerciaux**. (Syn. : **des échanges économiques**). *Les relations commerciales entre la Suisse et le Yemen étant limitées, il est d'autant plus difficile de passer de l'un à l'autre marché avec ses produits.*

  Les négociations commerciales : discussions entre vendeur et acheteur afin de conclure un contrat de vente.

  Un contrat commercial. *Dans cet accord sont fixées les conditions auxquelles pourront être financés les contrats commerciaux entre exportateurs suisses et la Chine.*
- **Une transaction commerciale**, **une opération commerciale** : activité de commerce. *La nouvelle loi adoptée par le parlement vise à garantir une concurrence loyale dans les transactions commerciales et à assurer l'information et la protection du consommateur.*

  Un/les flux commercial/commerciaux. *Dans ce secteur, les flux commerciaux entre la France et la Belgique sont particulièrement importants.*
- **Un accord commercial** entre pays. *Des semaines de négociations ont enfin mené à la conclusion d'un accord commercial entre les États-Unis et le Japon.*

  >< **Un différend commercial** entre pays. *Le différend commercial entre les États-Unis et le Japon a affaibli le dollar.* < **Une guerre commerciale** entre pays. *Les constructeurs automobiles américains et européens vivent en guerre commerciale et vendent leur production à des prix défiant toute concurrence.*

  Des barrières commerciales. *Le gouvernement américain dénonce les importantes barrières commerciales mises en place par le Japon contre l'importation de produits américains.* (V. 116 1 commerce). < **Des sanctions commerciales** contre un pays: suite à une condamnation d'un pays par l'ONU p. ex. <**Un embargo commercial** contre un pays.
- **La balance commerciale** d'un pays (V. 49 balance, 1).

  Un solde commercial (V. 521 solde, 1).

  Un excédent, **surplus commercial**. (V. 247 excédent, 1). > **Un équilibre commercial**. > **Un déficit commercial**. (V. 178 déficit, 1).
- **Le droit commercial**. *La définition du commerçant donnée par le droit commercial est beaucoup plus large que celle retenue dans le langage courant* (L&M).
- **Un bail (des baux) commercial** : contrat de location d'un local à usage commercial.
- **Un annuaire commercial** : part de l'annuaire des téléphones consacrée aux entreprises commerciales. (Syn. : (B, Q) **les Pages jaunes**).
- **Une entreprise commerciale**. (V. 234 entreprise, 1). **Une société commerciale**. (V. 514 société, 1). **Une banque commerciale**. (V. 52 banque, 1).

  Une chaîne (de télévision) commerciale. *La chaîne commerciale française TF1 est la chaîne la plus regardée en Europe.*
- **La performance commerciale**.
- (B) **Un ingénieur commercial** : diplômé universitaire en économie.
- **Les termes commerciaux**. (V. 117 1, commerce).
- **Les créances commerciales**. (V. 162 créance, 1).

LOCALISATION DU COMMERCE (sens 1.2.)

Une implantation commerciale. *La loi limitant les implantations commerciales est une* *concession faite au petit commerce pour limiter autant que possible la concurrence par d'autres formes de distribution.*

LOCALISATION DU COMMERCE (sens 1.3.)
Un centre commercial : regroupement dans un point de vente de différents types de commerces : grandes surfaces, petits **magasins spécialisés** et services (poste, banque) donnant sur un parc de stationnement. ((B, S) (angl.) **Un shopping center**). *Au-delà des mots, il y a dans ce domaine une école française (le centre commercial est greffé sur un hypermarché) et une école anglo-saxonne (le shopping center est bâti autour d'un ensemble d'activités).* (V. 572 vente, 1). **Un centre jardinier**. **Un centre-auto**.

Pour en savoir plus

COMMERCIAL (sens 1.2.) ET SYNONYMES
Commercial : terme courant.
Commerçant : très peu fréquent.
Marchand, -ande : s'emploie dans certaines combinaisons fixes : **un produit marchand** ; **une galerie marchande** (V. 364 marchandise, 2) ; **le secteur marchand** >< **le secteur non marchand** (Syn. : **le non-marchand**).
Mercantile : (péj.) (attitude) qui a pour seul objectif de réaliser des profits. *À l'instauration d'un label de qualité correspond un souci permanent de la promotion d'un produit de qualité qui doit prévaloir sur tout esprit mercantile.* {**le mercantilisme, mercantiliste**}.

6 AUTRES DÉRIVÉS OU COMPOSÉS

- **Le commercial** [kɔmɛʀsjal] (n.m.) : tout ce qui touche au domaine du commerce. *Une culture d'entreprise basée sur le commercial fait d'Yves Rocher une société dynamique, à l'ambiance conviviale.*
- **Un commercial, une commerciale** [kɔmɛʀsjal] (n.). (Syn. : **un représentant de commerce, un représentant commercial, un délégué commercial,** (F) **un VRP** (**un voyageur, représentant, placier**)). *La presse économique titre : "Commercial, une denrée très recherchée ; les rémunérations sont à la hausse".* Les VRP sont exclusifs (représentent une seule entreprise) ou multicartes (représentent plusieurs entreprises). L'ensemble des commerciaux d'une entreprise représente **la force de vente** de cette entreprise. (V. 570 vente, 1).
- **Commercialisable** [kɔmɛʀsjalizabl(ə)] (adj.) : qui peut être mis en vente aux meilleures conditions.
- **Commercialement** [kɔmɛʀsjalmɑ̃] (adv.) : du point de vue commercial (sens 1.1. et 1.2.). *Le numéro un de la construction en Suisse raisonne en termes de rentabilité et de gestion commercialement justifiées.*
- **Commercer** [kɔmɛʀse] (v.intr.) : un agent économique (généralement un État) achète des marchandises ou des valeurs pour les (re)vendre à un client sans y apporter de transformation matérielle. (Syn. : (beaucoup plus fréq.) **faire du commerce, échanger**). *Beaucoup de pays d'Amérique centrale et d'Amérique du Sud commercent entre eux.* (Un État) **commercer avec** (un autre État).
- **Commercialiser** [kɔmɛʀsjalize] (v.tr.dir.) : un agent économique (une entreprise, une banque) met en vente aux meilleures conditions un produit ou une valeur grâce à un ensemble d'activités (études de marché, promotion, publicité, service après-vente, ...). (Syn. : **lancer sur le marché**). *Le groupe VAG, qui commercialise les marques Audi et VW, a couvert le pays de panneaux publicitaires.*

COMMERCER (v.intr.) (**) 1. Acheter et vendre.

1. (120)	Handel treiben handeln	to trade	comerciar	commerciare	handel drijven

COMMERCIAL, -IALE ; -IAUX, -IALES (adj.) (****) 1. Concernant les stratégies de vente. 2. Concernant l'achat et la vente. 3. Où le commerce de détail est présent. 4. Qui rapporte gros.

1. (118)	Handels-	sales commercial	comercial	commerciale	handels-
2. (118)	Handels- geschäftlich	trade commercial	comercial	commerciale	commercieel
3. (118)	(Einzel)Handels-	shopping centre	comercial	commerciale	handels-
4. (118)	kommerziell	profitable lucrative	mercantil comercial	lucrativo	winstgevend

COMMERCIAL, COMMERCIALE ; COMMERCIAUX (n.) (**) 1. Personne chargée des relations commerciales dans une entreprise. 2. (le ~) Tout ce qui touche au domaine de l'achat et de la vente.

1. (120)	der freie Handelsvertreter	sales person marketing man	el comercial	il commerciale	de commerciëlen (plur.) de marketeers (plur.)
2. (120)	Geschäfts- Einkaufs- und Verkaufs-	commercial	el comercial	commerciale	handels-

COMMERCIALEMENT (adv.) (**) 1. Du point de vue de l'achat et de la vente.

1. (120)	unter geschäftlichen Gesichtspunkten	commercially	comercialmente	commercialmente	vanuit commercieel oogpunt

COMMERCIALISABLE (adj.) (**) 1. Qui peut être mis en vente.

1. (120)	kann vermarktet werden	marketable	comercializable	commerciabile	commercialiseerbaar
	kann in den Handel gebracht werden	tradable			dat men op de markt kan brengen

COMMERCIALISATION (n.f.) (****) 1. Activités qui se rapportent à la mise en vente.

1. (117)	die Vermarktung	merchandising	la comercialización	la commercializzazione	het op de markt brengen
		marketing			het in de handel brengen

COMMERCIALISER (v.tr.dir.) (****) 1. Mettre en vente.

1. (120)	vermarkten	to market	comercializar	commercializzare	op de markt brengen
	vertreiben				in de handel brengen

COMMISSAIRE (n.m.) (****) 1. Personne chargée de fonctions spéciales et temporaires (RQ).

1. (129)	der Beauftragte	commissioner	el comisario	il commissario	de commissaris (m.)
		commission member			

COMMISSAIRE-PRISEUR ; COMMISSAIRES-PRISEURS (n.m.) (**) 1. Personne qui se charge d'une vente aux enchères.

1. (436)	der Auktionator	auctioneer	el tasador	il banditore d'asta giudiziaria	de veilingmeester (m.)
					de taxateur (m.)

COMMISSAIRE-RÉVISEUR ; COMMISSAIRES-RÉVISEURS (n.m.) (**) 1. Personne qui contrôle les comptes d'une société.

1. (46)	der Bilanzprüfer	auditor	el censor jurado	il revisore (dei conti)	de (bedrijfs)revisor (m.)
	der Abschlussprüfer		el auditor		de controleur (m.)

COMMISSION (n.f.) (****) 1. Groupe de personnes qui ont reçu une tâche particulière. 2. Rémunération variable. 3. (plur.) Achats quotidiens.

1.	die Kommission	commission	la comisión	la commissione	de commissie (f.)
	der Ausschuss	committee			
2. (480)	die Provision	commission	la comisión	la commissione	de commissie (f.)
(116)	die Vermittlungsgebühr	percentage			
3. (4)	die Einkäufe	shopping	la compra	le compere	de inkopen (plur.)
	die Besorgungen		los encargos		de boodschappen (plur.)

COMMISSIONNAIRE (n.) (**) 1. Intermédiaire.

1. (116)	der Geschäftsvermittler	agent	el comisionista	il commissionario	de commissionair (m.)
	der Kommissionär	broker	el agente		

COMMUNICATEUR, COMMUNICATRICE (n.) (**) 1. Spécialiste de la communication.

1.	der Kommunikationsexperte	communicator	el comunicador	il comunicatore	de communicatiedeskundige (m.)

COMMUNICATION (n.f.) (****) 1. Action de faire connaître des informations.

1. (464)	die Kommunikation	communication	la comunicación	la comunicazione	het meedelen

COMMUNIQUER (v.tr.dir.) (****) 1. Faire connaître des informations.

1.	mitteilen	to communicate	comunicar	comunicare	communiceren

COMMUNISME (n.m.) (***) 1. 1. Système économique où l'État possède et gère les moyens de production.

1. (87)	der Kommunismus	communism	el comunismo	il comunismo	het communisme

COMMUNISTE (adj.) (***) 1. Qui se caractérise par l'absence de propriété privée.

1. (87)	kommunistisch	communist	comunista	comunista	communistisch

COMMUNISTE (n.) (***) 1. Partisan d'un système économique qui se caractérise par l'absence de propriété privée.

1. (87)	der Kommunist	communist	comunista	il comunista	de communist (m.)

COMPAGNIE (n.f.) (****) 1. Société.

1. (519)	die Gesellschaft	company	la compañía	la società	de maatschappij (f.)
	die Firma	firm		la compagnia	het bedrijf

COMPARTIMENT (n.m.) (****) 1. Composante.

1. (515)	das Fach	component	el compartimento	il compartimento	het compartiment
	das Abteil	compartment		il comparto	

COMPENSATION (n.f.) (****) 1. Avantage donné afin d'équilibrer un effet.

1. (416)	der Ausgleich	compensation	la compensación	la compensazione	de compensatie (f.)
(148)	die Entschädigung	indemnification (assurance)			

COMPENSATOIRE (adj.) (***) 1. Qui se rapporte à un avantage donné pour équilibrer un effet.

1. (312)	kompensatorisch	compensatory	compensatorio	compensatorio	compensatoir
(222)	Kompensations-	counterbalancing			compenserend

COMPENSER (v.tr.dir.) (****) 1. Donner un avantage afin d'équilibrer un effet.

1. (416)	kompensieren	to compensate	compensar	compensare	compenseren
	ausgleichen				

COMPÉTITEUR, COMPÉTITRICE (n.) (*) 1. Concurrent.

1. (124)	der Konkurrent	competitor	el competidor	il concorrente	de concurrent (m.)
	der Mitbewerber				

COMPÉTITIF, -IVE (adj.) (****) 1. Qui peut vaincre la concurrence. 2. Où la libre concurrence est possible.

1. (123)	wettbewerbsfähig	competitive	competitivo	competitivo	competitief
	konkurrenzfähig				
2. (123)	Wettbewerbs-	competitive	competitivo	competitivo	concurrerend

COMPÉTITIVITÉ (n.f.) (****) 1. Capacité de vaincre la concurrence.

1. (122)	die Wettbewerbs-fähigkeit die Konkurrenz-fähigkeit	competitiveness	la competitividad	la competitività	de competitiviteit (f.) het concurrentievermogen

COMPÉTITIVITÉ

➠ **concurrence - société - entreprise**

1 la compétitivité **3** la compétitivité-prix **3** la compétitivité-coût	**3** un compétiteur, une compétitrice	**2** compétitif, -ive	

1 la COMPÉTITIVITÉ - [kɔ̃petitivite] - (n.f.)

1.1. Capacité d'un agent économique (une entreprise, un secteur, l'ensemble des entreprises - X) à faire face à, à vaincre la concurrence effective ou potentielle sur un marché.
Syn. : (☞ 123 Pour en savoir plus, Compétitivité et synonyme).
Ne faut-il pas mettre l'accent sur l'énorme effort d'investissement des entreprises, grâce à une compétitivité et une rentabilité retrouvées ?

+ adjectif

TYPE DE COMPÉTITIVITÉ

La compétitivité structurelle : ensemble des raisons qui expliquent pourquoi un produit occupe une position dominante sur le marché (p. ex. grâce à la réduction des coûts par la réalisation d'économies d'échelle, à la qualité des produits, ...).

La compétitivité technologique : compétitivité liée à la présence de technologies de pointe. *L'insuffisance de coopération des entreprises européennes dans le domaine de la recherche a pesé sur le niveau de compétitivité technologique.*

LOCALISATION DE LA COMPÉTITIVITÉ

La compétitivité internationale.

+ nom

- **Un indicateur de compétitivité** : variable entrant dans la définition du niveau de compétitivité. *Pour la Belgique, le prix de gros ne peut pas être utilisé comme un indice de compétitivité parce que la Belgique a peu d'influence sur les prix des marchés mondiaux.*
- **La norme (légale) de compétitivité** : évaluation de la compétitivité des entreprises en tenant compte principalement des coûts salariaux. *La détermination d'une norme légale de compétitivité est très importante dans le contexte des mesures à prendre pour le gouvernement en matière de compétitivité.*
- **Le cercle vertueux de la compétitivité** : situation dans laquelle la compétitivité augmente de plus en plus.

  >< **Le cercle vicieux de la compétitivité.**
- **Un facteur de compétitivité.**

  Une clé fondamentale de la compétitivité, un élément clé de la compétitivité : facteur essentiel de la compétitivité. *La logistique est devenue une des clés fondamentales de la compétitivité des entreprises.*

  Un handicap de compétitivité.

TYPE DE COMPÉTITIVITÉ

La compétitivité de + nom qui désigne une branche d'activité, un bien, ... La compétitivité de l'économie ; d'une entreprise ; d'un secteur ; de l'industrie ; des biens d'équipement ; des prix. *Les indicateurs de la compétitivité des prix comparent l'évolution des prix à l'intérieur du pays avec la même évolution à l'étranger, en tenant compte des variations des taux de change.*

NIVEAU DE LA COMPÉTITIVITÉ

Le niveau de compétitivité.

LOCALISATION DE LA COMPÉTITIVITÉ

Un pôle de compétitivité : centre d'attraction de compétitivité. *L'implantation de plusieurs entreprises utilisant des technologies de pointe a transformé cette région en pôle de compétitivité.*

+ verbe : qui fait quoi ?

X (une entreprise), une mesure	△	**améliorer** sa ~/son niveau de ~	une amélioration de sa ~
une mesure		**renforcer** la ~ de X	un renforcement de la ~ de X

		accroître la ~ de X	un accroissement de la ~ de X	
		augmenter la ~ de X	une augmentation de la ~ de X	
→ la ~ de X		**augmenter**	une augmentation de la ~ de X	
		-	un gain de ~	1
X (une entreprise)	▽	**perdre** de sa ~	une perte de ~	
→ la ~ de X		**se détériorer**	une détérioration de sa ~	
X (une entreprise), une mesure	▽△	**rétablir** sa ~	un rétablissement de sa ~	2
une mesure		**restaurer** la ~ de X	-	
		redresser la ~ de X	un redressement de la ~ de X	
→ la ~ de X		**se rétablir** (grâce à une mesure prise)		
		se redresser (grâce à une mesure prise)		
X (une entreprise)	=	**maintenir** sa ~	le maintien de sa ~	3
une mesure		**sauvegarder** la ~	la sauvegarde de la ~	
→ la ~ de X		**se maintenir** (grâce à une mesure prise)		

1 *Si les gains de compétitivité réalisés les années précédentes ont été perdus cette année, c'est dû à la revalorisation inattendue de la monnaie américaine.*
2 *Est-ce que l'Europe doit passer par une réduction du coût du travail pour rétablir sa compétitiv ité?*
3 *L'augmentation du chômage est due à l'incapacité de l'Europe occidentale à maintenir sa compétitivité et à organiser la coordination des politiques économiques de ses différents membres.*

Pour en savoir plus

COMPÉTITIVITÉ ET SYNONYME
La compétitivité.
La concurrence : confrontation libre entre un certain nombre de vendeurs et d'acheteurs. (V. 133 concurrence, 1).

2 COMPÉTITIF, -IVE - [kɔ̃petitif,-iv] - (adj.)

1.1. (un agent économique : une entreprise, un secteur, l'ensemble des entreprises ; une mesure ; un produit - X) Qui a ou donne la capacité de faire face à, de vaincre la concurrence effective ou potentielle (Y) sur un marché (Z).
Syn. : (☞ 124 Pour en savoir plus, Compétitif (sens 1.1.) et synonyme) ; Ant.: non compétitif.
Le nouveau micro haut de gamme Digital sera commercialisé à un prix très compétitif par rapport aux prix de référence du marché.

1.2. (un lieu) Qui se caractérise par la possibilité d'avoir une libre concurrence.
Une politique active de la concurrence favorisera l'établissement d'un environnement général plus compétitif.

+ nom

(sens 1.1.)

- **Une stratégie compétitive** : ensemble de décisions prises par une entreprise pour vaincre la concurrence.
  La force compétitive. *On a trop longtemps surestimé la force compétitive des pays européens : cela a servi d'alibi pour ne pas agir sur le niveau des coûts salariaux.*
  Un avantage compétitif : succès d'une entreprise grâce à une plus grande compétence ou un meilleur positionnement. (Syn. : **un avantage concurrentiel**). *L'avantage compétitif de Microsoft dans l'industrie du logiciel se traduira par des résultats financiers largement supérieurs à ceux de ses principaux concurrents.*
  Un prix compétitif. (V. 432 prix, 1).
  Une entreprise compétitive.
- **Une dévaluation compétitive**. *Ce pays est prêt à abandonner sa politique de monnaie forte afin de profiter d'une dévaluation compétitive à la veille des vacances d'été.*

+ adverbe

NIVEAU DE LA COMPÉTITIVITÉ (sens 1.1.)
Hautement compétitif.

+ verbe : qui fait quoi ?

(sens 1.1.)

une mesure	✓	**rendre** X ~ (sur Z)	-	1

X (un produit, une entreprise)	×	**être** ~ (face à Y sur Z)	-	
	↘			
X (un produit, une entreprise)		**rester** ~ (sur Z)	-	2

1 *La réévaluation du yen a rendu les produits étrangers plus compétitifs sur le marché japonais.*
2 *Pour rester compétitives sur le marché intérieur et extérieur, les entreprises graphiques doivent constamment équiper leur parc de machines des technologies les plus avancées.*

Pour en savoir plus

COMPÉTITIF (sens 1.1.) ET SYNONYME
Compétitif.
Concurrentiel : qui est en mesure de soutenir la confrontation libre entre un certain nombre de vendeurs et d'acheteurs. (V. 135 concurrence, 3).

3 AUTRES DÉRIVÉS OU COMPOSÉS

- **La compétitivité-prix** [kɔ̃petitivitepʀi] (n.f.) : consiste à être compétitif en vendant moins cher que les concurrents. *Si notre monnaie est dévaluée, la compétitivité-prix de nos produits s'améliorera.*
- **La compétitivité-coût** [kɔ̃petitiviteku] (n.f.) : consiste à être compétitif en compensant des coûts de production plus élevés que chez les concurrents (C&G). La technologie, l'étendue du marché, l'efficacité des commerciaux sont d'autres facteurs qui déterminent le niveau de compétitivité d'une entreprise d'un pays. Chacun de ces facteurs peut constituer **un avantage comparatif**. *Les pays les plus avancés technologiquement disposent d'un avantage comparatif dans l'exportation des biens dont la fabrication nécessite la mise en œuvre d'une technologie de pointe.* (Silem).
- **Un compétiteur, une compétitrice** [kɔ̃petitœʀ, kɔ̃petitʀis] (n.). (Syn. : (plus fréq.) **un concurrent**). *Faire l'Europe du transport aérien, cela veut dire permettre à nos entreprises de faire face à nos grands compétiteurs américains et asiatiques, qui ont les dents longues.*

COMPÉTITIVITÉ-COÛT (n.f.) (*) 1. Capacité de vaincre la concurrence par la compensation des coûts.

1. (124)	der Kostenwettbewerb	cost competitiveness	la competitividad en costes	la competitività sui costi	de kostencompetitiviteit (f.)

COMPÉTITIVITÉ-PRIX (n.f.) (*) 1. Capacité de vaincre la concurrence par une réduction du prix.

1. (124)	der Preiswettbewerb	price competitiveness	la competitividad por precios	la competitività sul prezzo	de prijzencompetitiviteit (f.)

COMPLEXE (n.m.) (***) 1. Lieu qui réunit un ensemble d'activités complémentaires.

1. (366)	der (Gebäude)Komplex	complex	el complejo	il complesso	het bedrijvencomplex
	der (Industrie)Komplex	estate			het industriecomplex

COMPRESSION (n.f.) (***) 1. Réduction.

1. (279)	der Abbau	reduction	la compresión	la riduzione	de reductie (f.)
(343)	die Reduzierung	cutback	la reducción	il contenimento	

COMPRIMER (v.tr.dir.) (***) 1. Réduire.

1. (279)	reduzieren	to cut down on	comprimir	ridurre	reduceren
	abbauen	to cut back	reducir	contenere	beperken

COMPTA (n.f.) (*) 1. Service qui établit les comptes.

1. (125)	die Buchhaltung	accounts department	la contabilidad	la contabilità	de boekhouding (f.)

COMPTABILISABLE (adj.) (*) 1. Qui peut être inscrit dans les comptes.

1. (127)	kann gebucht werden	which can be posted	contabilizable	contabilizzabile	opneembaar in de boekhouding
	kann verbucht werden	which can be entered into the accounts			

COMPTABILISATION (n.f.) (**) 1. Inscription dans les comptes. 2. Enregistrement de qqch.

1. (127)	die Buchung	posting	la contabilización	la contabilizzazione	de boeking (f.)
	die Verbuchung				
2. (127)	die Erfassung	recording	la contabilización	la contabilizzazione	de registratie (f.)

COMPTABILISER (v.tr.dir.) (***) 1. Inscrire dans les comptes. 2. Enregistrer qqch.

1. (127)	(ver)buchen	to post	contabilizar	contabilizzare	boeken
	bilanzieren	to enter into the accounts			
2. (127)	erfassen	to record	contabilizar	contabilizzare	registreren

COMPTABILITÉ (n.f.) (****) 1. Établissement de comptes. 2. Documents comptables. 3. Service qui établit les comptes. 4. Lieu où se trouve le service qui établit les comptes. 5. Science qui étudie les comptes.

1. (125)	die Buchführung	accounting	la contabilidad	la contabilità	de boekhouding (f.)
	die Buchhaltung	bookkeeping	la teneduría de libros		
2. (125)	die Buchhaltung	accounts	la contabilidad	la contabilità	de boekhouding (f.)
3. (125)	die Buchhaltung	accounts department	la contabilidad	la contabilità	de boekhouding (f.)
4. (125)	die Buchhaltung	accounts department	la contaduría	la contabilità	de boekhouding (f.)

5. (125) die Bilanzlehre | accountancy | la contabilidad | la contabilità | de boekhoudkunde (f.) de comptabiliteit (f.)

COMPTABILITÉ

➠ **compte - bilan - balance**

1 la comptabilité **1** la compta **3** la comptabilisation	**3** un comptable, une comptable **3** un expert-comptable	**2** comptable **3** comptabilisable	**3** comptabiliser

1 la COMPTABILITÉ - [kɔ̃tabilite] - (n.f.)

1.1. Établissement (suivant certaines règles) de comptes qui synthétisent l'activité (les transactions, p. ex. les achats et les ventes, les importations et les exportations, et les transferts, p. ex. les entrées et les sorties de fonds) d'un agent économique (une entreprise, une administration publique, un État).

Le recours au leasing facilite la comptabilité, puisqu'il peut y avoir une facture de location trimestrielle.

1.2. Ensemble de livres et documents comptables d'une entreprise ou d'un particulier (Silem).

La comptabilité doit conserver son rôle central dans l'information des observateurs extérieurs en réduisant les marges d'appréciation subjective des opérations d'une entreprise.

1.3. Service chargé d'établir les comptes.

Syn. : (fam.) la compta, le service de la comptabilité.
De la comptabilité à la direction générale, tout le monde est invité à revoir à la baisse les frais généraux.

1.4. Lieu où les membres du service de comptabilité (sens 1.1.) exercent leur travail.

Les bureaux de la comptabilité viennent d'être refaits complètement.

1.5. Science qui a pour objet l'étude des comptes.

Pierre vient de terminer ses études de comptabilité avec une mention très bien.

+ adjectif

TYPE DE COMPTABILITÉ (sens 1.1.)

La comptabilité journalière : enregistrement quotidien de toutes les opérations comptables d'une entreprise.

TYPE DE COMPTABILITÉ (sens 1.2.)

La comptabilité générale : enregistre selon des règles strictes toutes les opérations à l'actif et au passif qui modifient le patrimoine de l'entreprise. Elle produit des documents de synthèse (le bilan, le compte de résultat, l'annexe et le rapport de gestion). (☞ 125 + nom).

La comptabilité analytique : comptabilité qui a pour but d'établir les coûts des activités de production et de distribution de biens et de services d'une entreprise et d'établir des prévisions d'exploitation. (☞ 125 + nom).

La comptabilité publique : traite les opérations financières de l'État.

>< **La comptabilité nationale** : ensemble des comptes présentant les données chiffrées de l'activité économique nationale au cours des années précédentes. (Syn. : (moins fréq.) **les comptes de la Nation**). (V. 50 balance, 1 pour les transactions entre pays). (☞ 125 + nom). Les opérations sont synthétisées sous forme d'**agrégats**, comme p. ex. **le produit national brut**. (V. 443 production, 2).

CARACTÉRISATION DE LA COMPTABILITÉ (sens 1.2.)

Une comptabilité bien tenue : conforme aux règles.

>< **Une comptabilité mal tenue**.

+ nom

(sens 1.2.)

Les livres de comptabilité : documents sur lesquels sont enregistrées les opérations.

(sens 1.3.)

(**Le service de**) **la comptabilité**.

TYPE DE COMPTABILITÉ (sens 1.2.)

La comptabilité d'entreprise : se compose de **la comptabilité générale** et de **la comptabilité analytique**. (☞ 125 + adjectif). (Ant. : **la comptabilité publique, la comptabilité nationale**).

Une comptabilité en partie double : enregistre chaque opération deux fois, une fois au débit et une fois au crédit. (Syn. : **la double écriture**).

>< **Une comptabilité en partie simple** : enregistre chaque opération chronologiquement dans un seul livre.

+ verbe : qui fait quoi ?

(sens 1.1. et 1.2.)

un comptable	**tenir** la ~ (Syn. : **tenir les livres (de commerce)**)	la tenue d'une ~ / la tenue des livres (de commerce)	1
un commissaire aux comptes	**contrôler** la ~ / **examiner** la ~	le contrôle de la ~ / l'examen de la ~	
un réviseur d'entreprise (V. 46 audit, 2)	**vérifier** la ~	la vérification de la ~	
un comptable malhonnête	**falsifier** la ~	la falsification de la ~	2

1 *La tenue d'une comptabilité par un titulaire de profession libérale est obligatoire.*
2 *À l'aide de nombreuses factures fictives, la comptabilité de cette entreprise avait été complètement falsifiée.*

Pour en savoir plus

OPÉRATIONS COMPTABLES

Une imputation : enregistrement d'une recette ou d'une dépense en compte ou à un poste du budget. *Les frais de déplacement doivent être imputés au budget du département commercial.*

{**imputable**, **imputer** une somme **à** un poste (Syn. : **porter en compte**), **imputer** une somme **sur** un impôt ; un prix ; un client}.

LE CONTRÔLE LÉGAL DE LA COMPTABILITÉ

est effectué par (B) **un (commissaire-)réviseur**, (F) **un commissaire aux comptes**, (Q, S) **un vérificateur**. *En notre qualité de vérificateur de votre société, nous avons vérifié, conformément aux dispositions légales, les comptes annuels de Nestlé S.A.* (V. 46 audit, 2).

2 COMPTABLE - [kɔ̃tabl(ə)] - (adj.)

1.1. Qui se rapporte à l'établissement (suivant certaines règles) de comptes qui synthétisent l'activité (les transactions, p. ex. les achats et les ventes, les importations et les exportations, et les transferts, p .ex. les entrées et les sorties de fonds) d'un agent économique (une entreprise, une administration publique, un État).

Syn. : financier.

Selon le rapport établi par les inspecteurs de l'autorité monétaire, 40 % du trou laissé par la faillite de la banque proviennent de maquillages comptables.

1.2. Qui est conforme aux règles de la comptabilité.

Les principes comptables, notamment le principe de prudence, ont été strictement respectés dans l'établissement du bilan.

+ nom

(sens 1.1.)

- (S) **Une créance comptable**. (V. 390 obligation, 1).
- **La valeur comptable**. (V. 564 valeur, 1).
  La valeur comptable d'une entreprise. (Syn. : **l'actif net**). (V. 8 actif, 1).
  La valeur comptable d'une action. (V. 564 valeur, 1).
- **Un exercice (comptable)** : période, généralement de 12 mois, entre deux bilans successifs. *Les résultats pour l'exercice comptable clôturé fin septembre n'incitent pas à l'optimisme quant à la santé de l'entreprise.*
  L'exercice (comptable) écoulé. >< **L'exercice (comptable) en cours**.
- **Une perte (comptable)**. >< **Un bénéfice (comptable)**.

(sens 1.2.)

- **Un plan comptable**, **une norme comptable** : liste ordonnée des comptes nécessaires à l'enregistrement de toutes les opérations d'une entreprise. *Pour la première fois, le budget de la chaîne de télévision publique a été présenté selon le plan comptable en vigueur dans les entreprises privées.*

  (F) **Le Plan comptable général (le PCG)** : liste qui donne les principes et règles recommandés par l'État en matière de comptabilité des entreprises.

  Les règles comptables, **la réglementation comptable**.

  Une méthode comptable.
- **Un document comptable** : pièce qui fait partie de la comptabilité (p. ex. le bilan, le compte de résultat).
- **Une expertise comptable**. (Syn. : **un audit**).
- **Un amortissement (comptable)**. (V. 27 amortissement, 1).
- **Le stock comptable**. (V. 526 stock, 1).

3 AUTRES DÉRIVÉS OU COMPOSÉS

- **La comptabilisation** [kɔ̃tabilizasjɔ̃] (n.f.). 1. Acte par lequel une personne inscrit un poste ou une somme dans les comptes. *Les pertes enregistrées par le groupe sont dues en grande partie à la comptabilisation de charges exceptionnelles de restructuration.* - 2. Enregistrement de qqch. (des points p. ex.). *Avec un ordinateur, la comptabilisation des résultats ne demande que quelques secondes.* {**comptabilisable** [kɔ̃tabilizabl(ə)] (adj.)}.
- **Un comptable**, **une comptable** [kɔ̃tabl(ə)] (n.) : personne salariée qui établit (suivant certaines règles) des comptes qui synthétisent l'activité d'un agent économique (une entreprise, une administration publique, un État). *Le gouvernement et l'armée de comptables, d'avocats et de policiers qui travaillent sur le dossier comptent récupérer le maximum de fonds détournés des caisses de retraite du groupe.*

Un chef comptable : cadre supérieur responsable du service de la comptabilité dans une entreprise.

- **Un expert-comptable**, **une experte-comptable** [ɛkspɛʀkɔ̃tabl(ə)] (n.) (plur. : **les expert(e)s-comptables**) : indépendant titulaire d'un diplôme dont la profession consiste dans l'organisation et la vérification contractuelle de la comptabilité des entreprises. Il donne également des conseils de gestion.
- **Comptabiliser** [kɔ̃tabilize] (v.tr.dir.). 1. Une personne inscrit une dette ou une créance dans les comptes. *Il faut comptabiliser les loyers comme frais généraux.* **Comptabiliser une somme à l'actif** >< **Comptabiliser une somme au passif**. - 2. Une personne, un ordinateur enregistre qqch. (des points p. ex.).

COMPTABLE (adj.) (****) 1. Qui se rapporte à l'études des comptes. 2. Conforme aux règles de la comptabilité.

1. (126)	Buchungs- Bilanz-	accounting	contable	contabile	boekhoudkundig
2. (126)	nach den Regeln ordnungsmässiger Buchführung	accounting bookkeeping	contable	contabile	boekhoudkundig

COMPTABLE (n.) (***) 1. Personne qui établit les comptes.

1. (127)	der (Bilanz)Buchhalter	accountant bookkeeper	el contable el tenedor de libros	il contabile	de boekhouder (m.)

COMPTANT (n.m., adj., adv.) (***) 1. Paiement immédiat. 2. Comptable immédiatement. 3. Immédiatement. 4. (le marché au ~) Avec paiement à la conclusion du contrat.

1. (131)	Bar- bar	cash	contante	contante	contant
2. (131)	Bar- bar	cash	efectivo	contante	in contanten
3. (131)	Bar- bar	cash	al contado	in contanti	contant
4. (131)	Bezahlung bei Vertragsabschluss	cash-on-delivery	a la finalización del contrato	il mercato a pronti	de contantmarkt (m./f.)

COMPTE (n.m.) (****) 1. Instrument pour transactions financières. 2. Tableau de débit et crédit. 3. Facture.

1. (127)	das Konto	account	la cuenta	il conto	de rekening (f.)
2. (127)	das Konto	account	la cuenta	il conto	de rekening (f.)
3. (127)	die Rechnung	account invoice	la cuenta	il conto	de rekening (f.) de factuur (f.)

COMPTE

➠ banque
➠ débit - crédit
➠ facture

1 un compte **2** (au) comptant **3** un compte-épargne **3** un compte-titres **3** un acompte **3** un décompte **3** un précompte **3** un comptoir **3** un laissé-pour-compte		**2** comptant **2** *comptant*	**3** compter **3** décompter **3** précompter

1 un COMPTE - [kɔ̃t] - (n.m.)

1.1. Instrument proposé par un établissement financier grâce auquel les agents économiques (les particuliers, les entreprises - X) peuvent effectuer leurs transactions financières (virements, versements, épargne).

Je me charge de la gestion des comptes des différents membres de la famille.

1.2. (emploi fréq. au plur.) Tableau à deux colonnes (le débit et le crédit) qui enregistre les transactions (p. ex. les achats et les ventes, les importations et les exportations) et les transferts (p. ex. les entrées et sorties de fonds) d'un agent économique (une entreprise, un État - X) au cours d'une période donnée. *Une entreprise doit se tenir strictement à toute une série de règles lors de l'établissement d'un compte.*

1.3. Document par lequel un agent économique (le vendeur : un particulier, un commerçant) fait connaître à un autre agent économique (le client, l'acheteur : un particulier, un commerçant) la somme qu'il devra payer pour un produit qu'il lui a vendu ou un service qu'il lui a rendu.
Syn. : (V. 258 facture, 1).
Mon plombier m'a fait parvenir un compte où figurait uniquement le montant global des réparations ; j'ai exigé une facture.

expressions

- (Une personne) (faire qqch. ; obtenir qqch. ; ...) **à (très) bon compte** : à bas prix. **À meilleur compte.** (Une personne) **en être quitte à bon compte, s'en tirer à bon compte** : sans trop de dommages. *Il s'en tire à bon compte avec un simple redressement fiscal.*
- (Une personne) **y trouver son compte** : obtenir un avantage ou un bénéfice. *Les placements à l'étranger sont une chose courante. Malheureusement, le fisc n'y trouve pas son compte : les caisses de l'État se remplissent moins facilement.*
- (Qqch.) **faire le compte de qqn** : être à l'avantage, au bénéfice de qqn. *La fusion des deux géants de la sidérurgie ne fait pas le compte de leurs concurrents.*
- (Une personne) **être loin du compte** : se tromper beaucoup.
- (Une personne) **s'établir, s'installer, se mettre à son (propre) compte** : fonder un commerce, une entreprise à soi. *Après avoir travaillé comme comptable dans plusieurs sociétés, il décide de fonder sa propre société, de s'installer à son propre compte.* (Une personne) **travailler à/pour son (propre) compte**.
  >< (Une personne) **travailler pour le compte de qqn ; d'autrui**.
- (Une personne) **(re)prendre qqch. à son compte**. 1. Assumer les dépenses de qqch. *Notre sponsor a repris à son compte l'achat d'un nouvel équipement pour l'ensemble des joueurs.* - 2. Emprunter (une idée, un procédé,...) à qqn d'autre, généralement à son propre avantage. *Le ministre a repris à son compte le plan de réforme de la sécurité sociale de son prédécesseur.*
- (Une personne) **faire ses comptes** : faire un état de la situation. *En tant que créateur d'entreprise, il ne suffit pas de travailler jour et nuit. De temps en temps, il faut dresser le bilan et faire ses comptes.*
- **Le compte y est, le compte est bon** : le résultat correspond à l'attente.
  >< **Le compte n'y est pas.**
- (On est, nous sommes, une évolution est, ...) **(encore) loin du compte**. *Nous voulons faire de notre Bourse une place financière de qualité. Mais nous sommes encore loin du compte.*
- **Cela fait un compte rond** : sans fraction.
- **Les bons comptes font les bons amis** : la transparence financière est une garantie de bonnes relations.

+ adjectif

TYPE DE COMPTE (sens 1.1.)

Un compte (courant) bancaire : compte qu'une banque ou un établissement de crédit ouvre au nom d'un particulier ou d'une entreprise. (Syn. : **un compte en banque**).

Un compte personnel, individuel, particulier, (S) **privé**. >< **Un compte collectif** : compte ouvert au nom de plusieurs personnes, p. ex. **un compte joint** (compte ouvert au nom de deux personnes). *Lorsque l'un des titulaires d'un compte collectif vient à décéder, les autres deviennent titulaires de sa part.*

Un compte bloqué : compte bancaire dont le solde est rendu indisponible.

Un compte numéroté, (S) **numérique** : compte dont le titulaire n'est connu que par quelques employés d'une banque. *Certaines banques acceptent les opérations sous un compte numéroté ou un prête-nom, derrière le double écran d'un avocat et d'une société fiduciaire, dont elles ne veulent connaître ni l'origine ni la destination.*

TYPE DE COMPTE (sens 1.2.)

Les comptes annuels. (V. 66 bilan, 1).
Les comptes consolidés : comptes qui enregistrent les transactions de plusieurs sociétés ou d'une société mère et de ses filiales en annulant les transactions que ces sociétés ont effectuées entre elles.
Les comptes extérieurs. (Syn. : (plus fréq.) **la balance des paiements**).
Les comptes nationaux. (Syn. : **la comptabilité nationale**).
Le compte financier. (☞ 129 + nom).

CARACTÉRISATION DU COMPTE (sens 1.1.)

Les grands comptes : comptes bancaires à dépôt très important.

NIVEAU DU COMPTE (sens 1.1.)

Un compte créditeur : compte dont le solde est positif.

>< **Un compte débiteur, rouge**. (Syn. : **un compte à découvert**).

MESURE DU COMPTE (sens 1.2.)

Un compte mensuel. < **Un compte trimestriel**. < **Un compte annuel**.

+ nom

(sens 1.1.)

- **Le titulaire d'un compte** : particulier ou entreprise propriétaire d'un compte.
- **Un numéro de compte**.
- **Un relevé de compte** : document envoyé par une institution financière à ses clients et qui récapitule toutes les opérations bancaires effectuées sur un compte à une certaine date. *Le relevé de compte constitue une preuve écrite convaincante d'une opération effectuée au guichet d'une banque ou à un guichet automatique.*

  Un extrait de compte : document qui donne périodiquement un aperçu de l'état d'un compte, p. ex. pour une carte de crédit. *Le titulaire d'une carte de crédit a tout intérêt à conserver les bordereaux de paiement jusqu'à la réception de l'extrait de compte mensuel.*
- **L'arrêté de compte** : opération qui permet de déterminer le solde d'un compte.

  Le solde d'un compte, un solde de compte. (V. 521 solde, 1).
- **Le rendement d'un compte**.

(sens 1.2.)

- (F) **Un commissaire aux comptes** : personne chargée du contrôle comptable et financier d'une société (B & C). (V. 46 audit, 2).
- **Un livre de compte(s)** : tout document de comptabilité dans lequel sont enregistrées les transactions d'un agent économique. *À cause des scandales financiers auxquels elle a été mêlée, la banque a dû ouvrir ses livres de compte.*
- **Le dépôt des comptes annuels**. (V. 189 dépôt, 1).

TYPE DE COMPTE (sens 1.1.)

Un compte en banque. (☞ 128 + adjectif).

Un compte à vue, un compte de dépôt(s) : compte bancaire où les fonds déposés peuvent être retirés à tout moment.

>< **Un compte à terme** : compte bancaire dont les fonds sont bloqués jusqu'à une échéance et ceci en contrepartie d'une rémunération déterminée à l'ouverture du compte.

Un compte d'épargne : compte bancaire ouvert au nom d'un particulier ou d'une entreprise qui y déposent les sommes d'argent qu'ils ont épargnées en contrepartie du paiement d'un intérêt, sans pouvoir les employer pour des transactions financières courantes (virement, paiement, ...). (Syn. : **un livret d'épargne, un carnet de dépôt(s), un carnet d'épargne, un compte-épargne**). *Il y a de fortes chances pour qu'un jour, comptes en banques et comptes d'épargne soient fusionnés.* **Un compte d'épargne-logement**. (V. 244 épargne, 4).

Un compte (de) chèques : compte bancaire sur lequel le titulaire peut tirer des chèques.

Un compte chèque postal (**un CCP**) (plur. : **des comptes chèques postaux**) : compte ouvert auprès de l'administration postale et qui remplit les mêmes fonctions qu'un compte bancaire.

Un compte à haut rendement : compte d'épargne qui rapporte un taux d'intérêt plus élevé que la moyenne si certaines conditions sont remplies (montant déposé, limitation du montant du retrait). *Cette banque n'a pas inventé le compte à haut rendement, mais le génie de la banque a été de le faire savoir avec une importante campagne publicitaire.*

TYPE DE COMPTE (sens 1.2.)

Le compte de résultat(s), (Q) **l'état des résultats** : compte qui présente le résultat des activités d'une entreprise au cours de l'exercice écoulé : l'ensemble des produits et des charges (d'exploitation, financières et exceptionnelles) et le bénéfice ou la perte qui en découlent. Le compte de résultat(s) comprend plusieurs **postes**. (V. 66 bilan, 1)

Les comptes de flux : en comptabilité nationale, comptes dans lesquels sont décrites pour une période déterminée les variations en volume ou en valeur relative d'un ou de plusieurs secteurs institutionnels et de branches (B & C). Il existe six types de comptes de flux :

le compte de production décrit la formation de la valeur ajoutée ;

le compte d'exploitation indique comment se répartit la valeur ajoutée ;

le compte de revenu montre comment se forme le revenu disponible brut après redistribution et opérations de répartition des revenus de la propriété ;

le compte d'utilisation du revenu montre comment le revenu disponible brut se répartit entre consommation finale et épargn e;

le compte de capital retrace les investissements réalisés par les secteurs institutionnels ;

le compte financier retrace les variations des créances et des dettes.

Un compte clients : compte qui fait apparaître l'ensemble des dettes des clients vis-à-vis d'une entreprise (DixecoEn).

>< **Un compte fournisseurs** : compte qui fait apparaître l'ensemble des dettes d'une entreprise vis-à-vis de ses fournisseurs pour les marchandises vendues ou les services rendus.

Les comptes de bilan : comptes qui permettent de mettre à jour les postes du bilan.

Le compte de capital : compte dans lequel figurent les capitaux investis, le plus souvent de

façon permanente, dans l'entité (Ménard).
Le compte de gestion : compte rendu des opérations effectuées entre deux agents économiques, établi par l'un à l'intention de l'autre.
Le compte de régularisation : compte qui enregistre les charges ou les produits comptabilisés dans l'exercice actuel, mais qui se rapportent à l'exercice suivant.
Les comptes de la Nation. (Syn. : (plus fréq.) **la comptabilité nationale**). (V. 125 comptabilité, 1).
La Cour des comptes : administration judiciaire qui effectue la vérification de la régularité des recettes et des dépenses de l'Union européenne, d'un État ou des entreprises publiques.

NIVEAU DU COMPTE (sens 1.1.)

Un compte à découvert. (☞ 129 + adjectif).

+ verbe : qui fait quoi ?

(sens 1.1.)

X	✓	**ouvrir** un ~ (auprès d'une banque)	l'ouverture d'un ~	1
		⋎		
X		**avoir** un ~ (auprès d'une banque)	-	
		être titulaire d'un ~ (auprès d'une banque)	le titulaire d'un ~ (auprès d'une banque)	
		⋎		
X		**déposer de l'argent sur** un ~	le dépôt d'argent sur un ~	
		créditer un ~ (d'une somme d'argent)	-	
		approvisionner un ~	l'approvisionnement d'un ~	
		alimenter un ~	-	2
X		>< **débiter** un ~ (d'une somme d'argent)	le débit d'un ~	
		retirer de l'argent **d'**un ~	le retrait d'argent d'un ~	
X		**verser** une somme **à/sur** un ~	le versement d'une somme à/sur un ~	
X		**virer** une somme **à/sur** un ~	le virement d'une somme à/sur un ~	
X		(fam.) **toucher** des intérêts (sur un ~)	-	
un ~		**être rémunéré** (à un taux d'intérêt de . . .%)	- la rémunération d'un ~	3
une banque		**bloquer** un ~ (☞ 128 + adjectif)	le blocage d'un ~	
		⋎		
X		**apurer** (le découvert d')un ~	l'apurement d'un ~	4
		⋎		
X		**clôturer** un ~	la clôture d'un ~	5
		liquider un ~	la liquidation d'un ~	
		solder un ~ (☞ 131 Pour en savoir plus, Clôture d'un compte)	-	

1 *Chaque conjoint peut, en son nom et sans l'autorisation de son partenaire, ouvrir un compte en banque et louer un coffre-fort.*
2 *Mon compte est régulièrement alimenté par les virements qu'effectuent mes parents.*
3 *Le compte à vue est rémunéré à un taux d'intérêt de moins de 1 ,5%.*
4 *Les sommes d'argent qu'il a reçues doivent lui permettre d'apurer le découvert de son compte.*
5 *Comme je ne suis pas satisfait du service que m'offre ma banque, j'ai décidé de clôturer tous mes comptes et d'en ouvrir un auprès d'une banque concurrente.*

(sens 1.2.)

un comptable	✓	**porter** une somme d'argent **en** ~	-	1
		inscrire une somme d'argent au (débit >< crédit) d'un ~	l'inscription d'une somme d'argent au (débit >< crédit) d'un ~	
un poste		**figurer** au ~ de résultat	-	
		⋎		
un comptable	×	**établir** les ~ (de X)	l'établissement des ~ (de X)	2
		tenir les ~ (de X)	la tenue des ~ (de X)	

	faire les ~ (de X)	-	
	dresser les ~ (de X)	-	
	↓		
le chef comptable	**consolider** les ~ (☞ 128 + adjectif)	la consolidation des ~	
le conseil d'administration	**arrêter** les ~	l'arrêté des ~ (☞ 129 + nom)	3
un commissaire aux comptes (V. 46 audit, 2)	**contrôler** les ~ (de X)	le contrôle des ~ (de X)	
	vérifier les ~ (de X)	la vérification des ~ (de X)	
	↓		
un commissaire aux comptes (V. 46 audit, 2)	**certifier** les ~ (de X)	la certification des ~ (de X)	4
	↓		
l'assemblée générale	**approuver** les ~ (de X)	l'approbation des ~ (de X)	
une société	**déposer** les ~ annuels	le dépôt des ~ annuels (V. 189 dépôt, 1)	
X, une mesure	**équilibrer** un ~	-	
un comptable malhonnête	**falsifier** les ~	la falsification des ~	

1 *Le fisc effectue un contrôle très strict afin de découvrir des voyages fictifs à l'étranger portés en compte.*
2 *L'obligation d'établir des comptes annuels touche toute société commerciale individuellement, indépendamment de l'obligation de comptes consolidés.*
3 *Le conseil d'administration vient d'arrêter les comptes de l'exercice, et tous les indicateurs sont en hausse.*
4 *Le commissaire aux comptes a refusé de certifier les comptes annuels parce qu'il avait de sérieuses réserves sur plusieurs transactions financières.*

Pour en savoir plus

CLÔTURE D'UN COMPTE

Un débet : somme qui reste due après la clôture d'un compte.

2 COMPTANT - [kɔ̃tɑ̃] - (n.m., adj., adv.)

1.1. (n.m., dans l'expression 'au comptant') Paiement immédiat en espèces.
Le volume de transactions réalisées au comptant a augmenté de 10% la dernière semaine.

1.2. (adj.) Que l'on (peut) compte(r) immédiatement.
Mon père m'a donné 20 euros en argent comptant pour faire le plein de carburant.

1.3. (adv.) Immédiatement.
Syn. : (angl.) cash [kaʃ].
Nous accordons un rabais de 3 % si vous payez comptant.

1.4. (n.m.) (peu fréq.) Le marché au comptant.

expressions

(sens 1.1.)
Au comptant. (Ant. : **à crédit**). (V. 571 vente, 1).

(sens 1.2.)
(Une personne) **prendre qqch. pour argent comptant** : croire naïvement.

+ nom

(sens 1.1.)
- **Le marché au/du comptant**. (V. 368 marché, 1). (Syn. : (peu fréq.) **le comptant**).
- **Le paiement (au) comptant**. (V. 401 paiement, 1).
- **Un cours de change au comptant**. (V. 92 change, 1).

+ verbe : qui fait quoi ?

(sens 1.1.)

un particulier, un commerçant, une entreprise	**acheter** qqch. au ~	l'achat au ~
	>< **vendre** qqch. au ~	la vente au ~
	↓	
un particulier, un commerçant, une entreprise	**payer** au ~	la paiement au ~
	régler au ~	le règlement au ~

(sens 1.3)

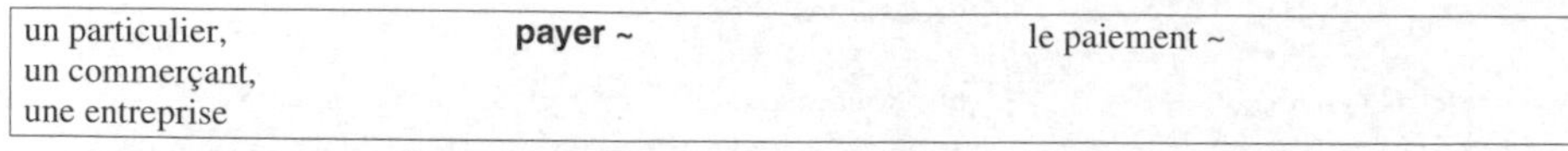

un particulier, un commerçant, une entreprise	**payer ~**	le paiement ~

3 AUTRES DÉRIVÉS OU COMPOSÉS

- **Un compte-épargne** [kɔ̃tepaʀɲ(ə)] (n.m.) (plur. : **des comptes-épargne**). (Syn. : **un compte d'épargne**).
- **Un compte-titres** [kɔ̃ttitʀ(ə)] (n.m.) (plur. : **des comptes-titres**) : compte sur lequel figurent des valeurs mobilières en dépôt. *Un compte-titres fonctionne comme un compte à vue mais les dépôts inscrits sont des valeurs mobilières.*
- **Un acompte** [akɔ̃t] (n.m.). (V. 402 paiement, 1)
- **Un décompte** [dekɔ̃t] (n.m.). 1. Somme d'argent qui est à déduire d'une somme à payer. *Après décompte de mes frais personnels, je communique à la comptabilité la somme que mon employeur doit me rembourser.* {**décompter** [dekɔ̃te] (v.tr.dir.)}. - 2. Décomposition d'une somme globale en ses éléments, p .ex. la part de chacun dans une addition au restaurant.
- **Un précompte** [pʀekɔ̃t] (n.m.) {**précompter** [pʀekɔ̃te] (v.tr.dir.)}. 1. (B) Somme retenue sur un revenu professionnel, immobilier ou sur une valeur mobilière et servant de paiement anticipé d'un impôt. (B) **Le précompte professionnel** (Syn. : **une/des retenue(s) à la source, sur le salaire**). (V. 315 impôt, 1) ; **immobilier** (V. 493 revenu, 1) ; **mobilier**. *Les actions nouvelles sont précomptées au taux de 15 %.* - 2. (F) Impôt spécial prélevé dans le cadre de l'impôt sur les sociétés.
- **Un comptoir** [kɔ̃twaʀ] (n.m.). 1. Support long et étroit sur lequel un commerçant reçoit l'argent et montre les marchandises. *Dans les cafés parisiens, les consommations sont moins chères au comptoir qu'en salle. Quatorze vendeurs derrière le comptoir, et malgré cela on faisait la file le week-end à la boucherie.* **Un comptoir d'accueil**. - 2. Installation commerciale d'une entreprise privée ou publique dans un pays éloigné (RQ).
- **(Un) laissé(-)pour(-)compte** [lesepuʀkɔ̃t] (adj., n.m.) (plur. : **des laissés(-)pour(-)compte**). (Syn. : **un invendu**). (V. 575 vente, 4).

  Une marchandise laissée-pour-compte.
- **Compter** [kɔ̃te] (v.tr.dir., v.intr.) : déterminer (une quantité) par le calcul (RQ). **Dépenser sans compter.** (V. 187 dépense, 2).

COMPTE-ÉPARGNE ; COMPTES-ÉPARGNE (n.m.) (*) 1. Compte bancaire.

1. (132)	das Sparkonto	savings account deposit account	la cuenta de ahorro	il conto di risparmio	de spaarrekening (f.)

COMPTER (v.tr.dir., v.intr.) (****) 1. Déterminer (une quantité) par le calcul (RQ).

1. (132)	zählen berechnen	to count	contar	contare	tellen (be)rekenen

COMPTE-TITRES ; COMPTE-TITRES (n.m.) (*) 1. Compte bancaire où sont inscrites des valeurs mobilières.

1. (132)	das Wertpapierkonto	property account real account	la cuenta de valores	il conto titoli	de effectenrekening (f.)

COMPTOIR (n.m.) (***) 1. Long support à l'intérieur du magasin où sont présentées des marchandises. 2. Établissement commercial à l'étranger.

1. (132)	der Ladentisch der Verkaufstisch	counter	el mostrador la barra	il banco il bancone	de toonbank (m./f.) de balie (f.)
2. (132)	die Handelsniederlassung	branch	el enclave comercial	la filiale commerciale all'estero	de (handels)nederzetting (f.)
		export agency		ufficio di vendita all'esportazione	het verkoopkantoor voor export

CONCENTRATION (n.f.) (***) 1. Regroupement d'activités, d'entreprises.

1. (239)	die Konzentration der Zusammenschluss	concentration	la concentración la integración	la concentrazione l'integrazione (f.)	de concentratie (f.)

CONCENTRER (v.tr.dir.) (**) 1. Regrouper ses activités.

1.	konzentrieren zusammenlegen	to concentrate to merge	concentrar	concentrare	concentreren

CONCEPTION (n.f.) (****) 1. Création.

1. (445)	die Konzeption	conception	la concepción	la progettazione	het ontwerp
(254)	die Entwicklung	design	el proyecto	la concezione	het plan

CONCESSION (n.f.) (***) 1. Droit exclusif de fabrication ou de vente. 2. Droit exclusif d'exploitation.

1. (442)	die Konzession	concession	la concesión	la concessione di vendita	de concessie (f.)
		franchise			
2. (442)	die Alleinvertretung	exclusive franchise	la concesión	la concessione	het verlenen van exclusieve exploitatierechten
	der Alleinvertrieb				

CONCESSIONNAIRE (n.) (***) 1. Agent économique qui a obtenu un droit exclusif de vente.

1. (116)	der Vertragshändler	dealer (sole) agent	concesionario	il concessionario di vendita il titolare di una concessione di vendita	de concessionaris (m.)

CONCEVOIR (v.tr.dir.) (***) 1. Créer.

1. (445)	konzipieren entwerfen	to design to conceive	concebir diseñar	concepire	opvatten uitdenken

CONCORDAT (n.m.) (***) 1. Accord écrit à caractère de compromis (RQ).

1. (66)	der Vergleich	composition legal settlement	el convenio el acuerdo	il concordato	het concordaat het akkoord

CONCORDATAIRE (adj.) (*) 1. Qui se rapporte à un accord écrit à caractère de compromis.

1. (66)	Vergleichs-	certified certificated	concordatario	concordatario	concordatair

CONCURRENCE (n.f.) (****) 1. Confrontation de vendeurs et acheteurs. 2. Autres vendeurs ou acheteurs.

1. (133)	die Konkurrenz der Wettbewerb	competition	la competencia	la concorrenza	de concurrentie (f.)
2. (133)	die Konkurrenz	competition	la competencia	la concorrenza	de concurrentie (f.)

CONCURRENCE

➠ **compétitivité - marché**

1 la concurrence **5** la non-concurrence	**2** un concurrent, une concurrente	**3** concurrentiel, -ielle **5** concurrent, -ente **5** anticoncurrentiel, -ielle **5** hyper(-) concurrentiel, -ielle	**4** (se) concurrencer

1 la CONCURRENCE - [kɔ̃kyʀɑ̃s] - (n.f.)

1.1. Confrontation libre entre un certain nombre de vendeurs ou d'acheteurs (un commerçant, une entreprise - X, Y) pour n'importe quel bien, service ou capital (matières premières, travail, biens d'équipement, prêt) sur un marché ou dans un secteur (Z).
Syn. : (☞ 135 Concurrence (sens 1.1.) et synonymes).
La concurrence, c'est d'abord la liberté des prix, qui permet aux consommateurs de repérer le fournisseur le moins cher, et qui encourage les producteurs à rechercher un accroissement de clientèle en comprimant les coûts (Didier).

1.2. Ensemble des vendeurs ou des acheteurs qui sont en concurrence (sens 1.1.).
La direction doit prendre des mesures pour ramener les charges à un niveau comparable à celui de la concurrence.

expressions

- **À concurrence de** + un montant, un chiffre : à raison de. *Le fromage conditionné dans cette région est exporté à concurrence de 98 %.*
- **Jusqu'à concurrence de** + un montant, un chiffre : jusqu'à la limite maximale de. *Les frais de déplacement seront remboursés jusqu'à concurrence de 100 euros.*

(sens 1.1.)

(Un prix, des conditions, ...) **défiant toute concurrence** : (un prix, ...) extrêmement bas ; (des conditions) extrêmement avantageuses.

+ adjectif

TYPE DE CONCURRENCE (sens 1.1.)

La libre concurrence : politique économique où le gouvernement n'intervient que pour garantir le libre jeu des lois du marché. (Syn .: **le libre jeu de la concurrence**). *La libre concurrence est l'une des caractéristiques principales de l'économie de marché et du capitalisme.*

Une concurrence pure et parfaite : concurrence sans contrainte (grand nombre de vendeurs et d'acheteurs, de produits ; information parfaite). *Faute de concurrence parfaite, les prix d'une entreprise publique doivent être égaux aux coûts marginaux de production.*

>< **Une concurrence impure et imparfaite** : lorsqu'une des conditions de la concurrence pure et parfaite n'est pas satisfaite.

Une concurrence directe : concurrence qui porte sur des produits proches (choix entre voitures de marque différente).

>< **Une concurrence indirecte** : concurrence qui provient de produits substituables (usage du train au lieu de l'avion).

Une concurrence monopolistique : absence de concurrence sur le plan local. (☞ 135 Pour en savoir plus, Situations de concurrence réduite).

Une concurrence potentielle, **virtuelle** : concurrence qui ne se manifeste pas encore parce que la situation du marché n'est pas favorable à l'apparition de concurrents.

CARACTÉRISATION
DE LA CONCURRENCE (sens 1.1.)

Une concurrence loyale, **une saine concurrence** : qui convient aux conditions de la concurrence pure et parfaite.

>< **Une concurrence déloyale, malsaine.** *Les mesures visent à éliminer les distorsions de prix causées par les monopoles et d'autres formes de concurrence malsaine.*

Une forte concurrence, **une vive concurrence** : très importante. *La concurrence acharnée entre les compagnies aériennes les oblige à offrir toujours plus de services et de qualité pour des prix toujours plus bas.* < **Une concurrence accrue** : plus importante qu'avant.

Une concurrence destructrice, **acharnée**, **exacerbée, sévère** : concurrence extrême qui a pour conséquence probable la disparition d'un ou plusieurs concurrents. < **Une concurrence sauvage** : concurrence extrême qui recourt même à des moyens illicites. *Il faut s'armer contre la concurrence sauvage provoquée par le dumping social.*

LOCALISATION
DE LA CONCURRENCE (sens 1.1. et 1.2.)

La concurrence étrangère, internationale. >< **La concurrence locale.**

+ nom

(sens 1.1.)

La pression de la concurrence sur X : force menaçante de la concurrence. *La pression de la concurrence sur les PME les oblige à innover.*

TYPE DE CONCURRENCE (sens 1.1.)

La concurrence du grand nombre : concurrence caractérisée par la présence d'un grand nombre de vendeurs ou de producteurs.

>< **La concurrence du petit nombre.**

CARACTÉRISATION
DE LA CONCURRENCE (sens 1.1.)

L'imperfection de la concurrence : situation de concurrence imparfaite.

NIVEAU DE LA CONCURRENCE (sens 1.1.)

Une concurrence à mort : très importante.

+ verbe : qui fait quoi ?

(sens 1.1.)

X	✓	**entrer en** ~ avec Y (sur/dans Z)	-	1
X	×	**être en** ~ avec Y (sur/dans Z)	-	2
		se trouver en ~ avec Y (sur/dans Z)	-	
		subir la ~ de Y (sur/dans Z)	-	
		faire ~ à Y (sur/dans Z)	-	
X et Y		**se livrent** une ~ (sur/dans Z)	-	
X		< **faire face à** la ~ (de Y) (sur/dans Z)	-	3
		affronter la ~ (de Y) (sur/dans Z)	l'affrontement de la ~ (sur/dans Z)	
		résister à la ~ (de Y) (sur/dans Z)	la résistance à la ~ (sur/dans Z)	
le gouvernement		**garantir** la libre ~	-	
une politique économique		< **favoriser** la ~	-	4
		renforcer la ~	un renforcement de la ~	
une mesure		**intensifier** la ~	une intensification de la ~	
une mesure		>< **fausser** la ~	-	5
		limiter la ~	une limitation de la ~	
		entraver la ~	une entrave à la ~	
la ~ (entre X et Y)		**jouer**	le jeu de la ~	6
		se jouer sur qqch.		7

1 *Selon la commission européenne deux grands groupes européens ont accepté tacitement de ne pas entrer en concurrence sur les prix de leurs produits respectifs.*
2 *Il est très difficile pour une entreprise privée de survivre quand elle est en concurrence avec un groupe qui reçoit une aide importante de l'Etat.*
3 *Goodyear et Michelin ont des positions dominantes respectivement en Amérique du Nord et en Europe, mais ils doivent faire face à une concurrence importante qui les oblige à avoir des prix extrêmement compétitifs.*
4 *Une des vertus de l'économie de marché et de la publicité est de favoriser la concurrence et l'innovation.*

5 *La Commission européenne ouvre régulièrement des enquêtes pour s'assurer que les aides publiques ne faussent pas la concurrence entre les entreprises des États membres de l'Union européenne.*
6 *Le Royaume-Uni, l'Irlande et les Pays-Bas sont des pays où les compagnies d'assurances déterminent librement leurs prix et où la concurrence joue donc à fond.*
7 *La concurrence ne se jouera pas sur le prix mais sur la qualité et la capacité d'innovation.*

(sens 1.2.)

un commerçant, une entreprise	**faire face à** la ~ (sur un marché/ dans un secteur)	-
	affronter la ~ (sur un marché/ dans un secteur)	l'affrontement de la ~ (sur ...)
	résister à la ~ (sur un marché/ dans un secteur)	la résistance à la ~ (sur ...)

Pour en savoir plus

CONCURRENCE (sens 1.1.) ET SYNONYMES

La concurrence. (Syn. : (fr. gén.) **une rivalité, une lutte, une compétition**).

La compétitivité : aptitude d'une entreprise à faire face à la concurrence (V. 122 compétitivité, 1).

SITUATIONS DE CONCURRENCE RÉDUITE

Un partenariat, un consortium, une alliance, un pool, une entente, une association momentanée, (F) **un groupement d'intérêt économique (un GIE)**. (V. 519 société, 1).

Un monopole : il n'y a qu'un seul vendeur sur le marché.

{**la monopolisation, un monopoleur, une monopoleuse, monopolistique, monopoliser**}.

Un oligopole : il n'y a que quelques vendeurs sur le marché. {**oligopolistique**}.

2 un CONCURRENT, une CONCURRENTE - [kɔ̃kyʀɑ̃, kɔ̃kyʀɑ̃t] - (n.)

1.1. Vendeur ou acheteur (un commerçant, une entreprise) en confrontation libre avec un autre vendeur ou acheteur (un commerçant, une entreprise) sur un marché ou dans un secteur (X).
Syn. : (fr. gén.) un rival, un adversaire, (moins fréq.) un compétiteur ; Ant. : un associé, un partenaire.
En l'absence de concurrents, l'entreprise pourrait en effet fixer librement ses prix.

+ adjectif

TYPE DE CONCURRENT

Un concurrent direct. *En ce qui concerne l'immatriculation de véhicules neufs, Renault dépasse son concurrent direct Volkswagen d'un peu plus de 200 véhicules.* (V. 133 1 concurrence).

>< **Un concurrent indirect.**

Un concurrent effectif : véritable.

>< **Un concurrent potentiel.**

CARACTÉRISATION DU CONCURRENT

Un concurrent négligeable : peu important.

>< **Un concurrent redoutable** : dangereux.

LOCALISATION DU CONCURRENT

Un concurrent étranger. >< **Un concurrent local.**

Les nouveaux concurrents : essentiellement les pays nouvellement industrialisés ou les pays en développement. *Le secteur de l'aluminium, confronté à de nouveaux concurrents des ex-pays de l'Est, connaît une crise structurelle.*

+ verbe : qui fait quoi ?

un ~	✓	**entrer** sur/dans X	l'entrée d'un ~ sur/dans X	1
		arriver sur/dans X	l'arrivée d'un ~ sur/dans X	
	O	><**sortir** de X	la sortie d'un ~ de X	
		se retirer de X	le retrait d'un ~ de X	
une entreprise	O	**éliminer** un ~	l'élimination d'un ~	

1 *L'entrée de nouveaux concurrents étrangers sur le marché des télécommunications devrait mener à une baisse des prix.*

3 CONCURRENTIEL, -IELLE - [kɔ̃kyʀɑ̃sjɛl] - (adj.)

1.1. (un vendeur ou un acheteur : un commerçant, une entreprise - X) Qui est en mesure ou permet de soutenir la confrontation libre avec d'autres vendeurs ou acheteurs (un commerçant, une entreprise) sur un marché ou dans un secteur (Y).
Syn. : (☞ 136 Pour en savoir plus, Concurrentiel (sens 1.1.) et synonyme) ; Ant.: anticoncurrentiel.

1.2. (un lieu) Où la concurrence est possible.
La très forte concentration industrielle en électronique grand public est absolument nécessaire sur un marché rendu très concurrentiel par la présence japonaise.

+ nom

- **La pression concurrentielle** : poids de la concurrence. *Les constructeurs français ont pu résister à la forte pression concurrentielle étrangère grâce à la productivité de la main-d'œuvre.*
- **La capacité concurrentielle**. *Nous enregistrons une dégradation spectaculaire de notre capacité concurrentielle face à nos plus grands partenaires commerciaux.*

  Un avantage concurrentiel. (V. 123 compétitivité, 2).
- **La position concurrentielle** : situation d'une entreprise dans un environnement concurrentiel où elle doit tenir compte des exigences des **forces concurrentielles** (clients, fournisseurs et concurrents).
- **Un prix concurrentiel**. (V. 432 prix, 1).
- **Une rémunération concurrentielle**. (V. 479 rémunération, 1).

LOCALISATION
DE LA CONCURRENCE (sens 1.2.)

Un environnement concurrentiel : situation de confrontation entre vendeurs ou acheteurs. *Les modifications récentes dans l'environnement concurrentiel ont incité un certain nombre d'entrepreneurs à quitter la sphère productive pour limiter leur activité au domaine commercial.*

Un marché (hyper-)concurrentiel : marché où la confrontation entre vendeurs ou acheteurs joue (de façon extrêmement importante). (Syn. : **un marché ouvert**). *Les entreprises publiques en voie de privatisation doivent se préparer à évoluer dans un marché concurrentiel.*

+ verbe : qui fait quoi ?

(sens 1.1.)

X (une entreprise)	×	**être** ~ sur/dans Y

Pour en savoir plus

CONCURRENTIEL (sens 1.1.)
ET SYNONYME

Concurrentiel.

Compétitif : qui est capable de survivre et de prospérer dans une situation de concurrence. (V. 123 compétitivité, 2).

4 (SE) CONCURRENCER - [(s(ə)) kɔ̃kyʀɑ̃se] - (v.tr.dir., v.pron.)

1.1. Un vendeur ou acheteur (un commerçant, une entreprise - X) entre en confrontation libre avec un autre vendeur ou acheteur (un commerçant, une entreprise - Y) pour n'importe quel bien, service ou capital sur un marché ou dans un secteur (Z).

Le champagne concurrence de plus en plus les vins mousseux.

Les établissements de crédit et les compagnies d'assurance(s) se concurrencent sur un certain nombre de produits de placement.

qui fait quoi ?

X (une entreprise)	**concurrencer** Y (sur un marché/ dans un secteur)	la concurrence entre X et Y (sur Z)
X et Y (deux entreprises)	**se concurrencer** (sur un marché/ dans un secteur/ sur un produit)	la concurrence entre X et Y (sur Z)

5 AUTRES DÉRIVÉS OU COMPOSÉS

- **La non-concurrence** [nɔ̃kɔ̃kyʀɑ̃s] (n.f.).

  Une clause de non-concurrence : clause d'un contrat de travail des commerciaux prévoyant qu'en cas de départ de l'entreprise l'ancien salarié s'interdit toute activité professionnelle concurrente de celle de son ancien employeur (Moulinier). *Le contrat de travail contient une clause de non-concurrence par laquelle le salarié s'engage lors de son départ de l'entreprise à ne pas exercer des activités similaires pour le compte d'un employeur concurrent.*
- **Concurrent, -ente** [kɔ̃kyʀɑ̃, -ɑ̃t] (adj.) : (un vendeur ou un acheteur : un commerçant, une entreprise) qui entre en confrontation libre avec d'autres vendeurs ou acheteurs (un commerçant, une entreprise) sur un marché ou dans un secteur. *Les deux firmes pensaient avoir réussi un beau coup publicitaire. Manque de chance, la firme concurrente avait pensé à la même chose au même moment.*
- **Anticoncurrentiel, -ielle** [ɑ̃tikɔ̃kyʀɑ̃sjɛl] (adj.) : (mesure, pratique) qui fausse la concurrence. *Une entente sur les prix est considérée comme une pratique anticoncurrentielle et est interdite.*

• **Hyper(-)concurrentiel, -ielle** [ipɛʀkɔ̃kyʀɑ̃sjɛl] (adj.) : qui est très concurrentiel (sens 1.1. et 1.2.). *Dans un environnement hyperconcurrentiel et de crise, il faut motiver les vendeurs en fixant des mini-objectifs, ce qui leur permet de se créer des mini-succès.* **Un marché hyper-concurrentiel.** (V. 136 3 concurrentiel) .

CONCURRENCER (~, se ~) (v.tr.dir., v.pron.) (***) 1. Mettre en confrontation avec d'autres vendeurs ou acheteurs.

1. (136)	Konkurrenz machen konkurrieren	to compete with	competir con hacer competencia a	mettersi in concorrenza	concurreren

CONCURRENT, CONCURRENTE (n.) (****) 1. Vendeur ou acheteur en confrontation avec d'autres vendeurs ou acheteurs.

1. (135)	der Konkurrent der Mitbewerber	competitor	el competidor	il concorrente	de concurrent (m.)

CONCURRENT, -ENTE (adj.) (***) 1. Qui entre en confrontation avec d'autres vendeurs ou acheteurs.

1. (136)	konkurrierend Konkurrenz-	competing	competidor	concorrente	concurrerend

CONCURRENTIEL, -IELLE (adj.) (****) 1. Qui peut soutenir la confrontation avec d'autres vendeurs ou acheteurs. 2. Où la confrontation avec d'autres vendeurs ou acheteurs est possible.

1. (135)	konkurrenzfähig wettbewerbsfähig	competitive	competidor competitivo	concorrenziale	competitief
2. (135)	Wettbewerbs- mit starkem Wettbewerb	competitive	competitivo	concorrenziale	concurrerend

CONDITIONNEMENT (n.m.) (***) 1. Emballage dans sa fonction informative. 2. Action d'emballer.

1. (363)	die Aufmachung die Verpackung	packaging	el acondicionamiento el embalaje	il confezionamento	de packaging (f.)
2. (363)	das Verpacken	packing	el embalaje	l'imballaggio (m.)	de verpakking (f.)

CONDITIONNER (v.tr.dir.) (**) 1. Emballer.

1. (363)	verpacken präsentieren (in etw.)	to package to pack	embalar empaquetar	imballare confezionare	verpakken

CONFÉDÉRATION (n.f.) (***) 1. Organisme.

1. (535) (534)	der Gesamtverband der Spitzenverband	confederation	la confederación	la confederazione	de centrale (m./f.) de overkoepelende organisatie (f.)

CONGÉ (n.m.) (***) 1. Vacances d'un salarié.

1. (405)	der Urlaub die Ferien	holiday (GB) vacation (US)	las vacaciones el descanso	le ferie la vacanza	het verlof de vakantie (f.)

CONGÉDIEMENT (n.m.) (*) 1. Licenciement.

1. (343)	die Entlassung	dismissal discharge	el despido	il licenziamento	het ontslag

CONGÉDIER (v.tr.dir.) (**) 1. Licencier.

1. (344)	entlassen kündigen	to dismiss to discharge	despedir licenciar	congedare licenziare	afdanken ontslaan

CONGÉ-FORMATION ; CONGÉS-FORMATION (n.m.) (*) 1. Période de dispense de travail pour suivre des cours.

1. (557)	der Bildungsurlaub	training period	el permiso de formación	(il periodo di) formazione	het vormingsverlof

CONGLOMÉRAT (n.m.) (***) 1. Société à activités très diversifiées.

1. (519)	das Konglomerat	conglomerate	el conglomerado	il conglomerato	het conglomeraat

CONJOINT, CONJOINTE (n.) (***) 1. Personne liée à une autre par le mariage.

1. (494) (487)	der Ehegatte die Eheleute (plur.)	spouse	el esposo el cónyuge	il coniuge	de echtgenoot (m.)

CONJONCTURE (n.f.) (****) 1. Situation économique. 2. Technique d'étude de la situation économique.

1. (137)	die Konjunktur die Wirtschaftslage	economic situation	la coyuntura	la congiuntura	de conjunctuur (f.)
2. (137)	die Konjunktur-forschung	economic analysis market analysis	el análisis coyuntural	l'analisi congiunturale (f.)	de conjunctuuranalyse (f.)

CONJONCTURE

➠ croissance - économie

1 la conjoncture	**3** un conjoncturiste, une conjoncturiste	**2** conjoncturel, -elle	

1 la CONJONCTURE - [kɔ̃ʒɔ̃ktyʀ] - (n.f.)

1.1. Situation économique d'un secteur, d'une branche d'activité, d'une région ou d'un pays à un moment donné, telle qu'elle est définie par un ensemble de facteurs (la croissance, l'inflation, le chômage, ...). *La conjoncture profite des taux d'intérêt historiquement bas.*

1.2. Technique d'étude de la situation économique et de son évolution à court terme dans le but d'effectuer des prévisions et de déterminer la politique économique à suivre.

Dans son dernier rapport de conjoncture, l'Economic Planning Agency a utilisé le terme 'reprise' pour la première fois depuis le début de cette année.

2.1. Situation sociale, politique, démographique, ... à un moment donné, telle qu'elle est définie par un ensemble de facteurs.
La conjoncture politique actuelle n'est pas très favorable pour les partis traditionnels.

expressions

(sens 1.1. et 2.1.)
Dans la conjoncture actuelle : dans le contexte (économique, social, politique, ...) du moment. *Dans la conjoncture actuelle, la flexibilité de l'emploi est considérée comme un facteur important pour maintenir des emplois.*

+ adjectif

TYPE DE CONJONCTURE (sens 1.1.)
La conjoncture (économique) ; boursière.

TYPE DE CONJONCTURE (sens 2.1.)
La conjoncture sociale.

CARACTÉRISATION DE LA CONJONCTURE (sens 1.1.)
Une haute conjoncture, une conjoncture favorable, une bonne conjoncture. *En période de haute conjoncture, l'approvisionnement peut être compromis lorsque plusieurs entreprises placent soudain d'importantes commandes auprès du même fournisseur.* < **Une conjoncture médiocre, morose, maussade. Une conjoncture hésitante.** < **Une mauvaise conjoncture, une basse conjoncture, une faible conjoncture, une conjoncture difficile, une conjoncture défavorable.** *Rares sont les secteurs qui ne souffrent pas de la basse conjoncture.*

LOCALISATION DE LA CONJONCTURE (sens 1.1.)
La conjoncture internationale, mondiale.
La conjoncture nationale, domestique.

+ nom

(sens 1.1.)
L'évolution de la conjoncture, les fluctuations de la conjoncture.

(sens 1.2.)
- **Un institut de conjoncture.** *Les principaux instituts de conjoncture tablent sur une croissance moyenne qui ne devrait pas dépasser les 2 %.*
  Un rapport de conjoncture. Une note de conjoncture.
- **Les prévisions de conjoncture.**

CARACTÉRISATION DE LA CONJONCTURE (sens 1.1.)
Une période de (haute >< basse) conjoncture. *L'industrie de l'automobile est très cyclique : à une période de haute conjoncture succèdent quelques années de stagnation, voire de recul des ventes.* **En période de (haute >< basse) conjoncture.**

NIVEAU DE LA CONJONCTURE (sens 1.1.)
La faiblesse de la conjoncture.

Le sommet de la conjoncture. *L'entrepreneur de transport a eu la bonne idée de vendre fort cher son entreprise au sommet de la conjoncture.*

Une embellie (de la conjoncture). (☞ 139 Pour en savoir plus, Le cycle conjoncturel).

+ verbe : qui fait quoi ?

(sens 1.1.)

une mesure, les autorités politiques, monétaires		**soutenir** la ~	le soutien de la ~	1
la demande, un secteur		**être sensible à** la ~	la sensibilité à la ~	2
la ~	▽△ ou △▽	**se retourner**	un retournement de la ~	3
la ~	△	**(être) en hausse**	une hausse de la ~	
la ~	▽	**ralentir**	un ralentissement de la ~	
		se détériorer	une détérioration de la ~	
		-	une baisse de la ~ la ~ en baisse	
		se dégrader	une dégradation de la ~	4
		s'affaiblir	un affaiblissement de la ~	
la ~	▽△	**s'améliorer**	une amélioration de la ~	
		se reprendre	une reprise de la ~	

se redresser	un redressement de la ~	5
se rétablir	un rétablissement de la ~	

1 *Pour soutenir la conjoncture, les banques centrales manipulent régulièrement les taux d'intérêt.*
2 *La production industrielle est très sensible à la conjoncture.*
3 *En Europe, contrairement aux États-Unis, le retournement de la conjoncture n'a pas fait flamber la demande de logiciels.*
4 *Influencée par la dégradation de la conjoncture internationale, notre croissance économique restera au-dessous des prévisions.*
5 *La conjoncture se redresse : la croissance est plus forte que prévue.*

Pour en savoir plus

LE CYCLE CONJONCTUREL

La croissance (économique) (moins fréq. : **de l'économie**), **l'expansion (économique)**, (moins fréq.) **l'essor**. < **Une surchauffe (économique)**. (V. 170 croissance, 1).

Une crise (économique). 1. Passage brutal d'une période d'expansion à une période de récession. *Une crise peut être due à un simple fléchissement de la croissance qui provoque un effondrement de la demande de biens d'équipement.* **Une crise frappe** (un pays, un secteur, une catégorie de personnes) **(de plein fouet)**. - 2. Période prolongée lors de laquelle l'activité économique se dégrade.

Une récession (économique, de l'économie (+ adjectif qui désigne un (groupe de) pays)), **un ralentissement (économique, de l'économie** (+ adjectif qui désigne un (groupe de) pays)) : faible baisse de l'activité économique, généralement de courte durée. *Pour éviter un accroissement massif du chômage, il faut éviter la récession.* < **Une dépression** : forte baisse de l'activité économique de durée prolongée.

Un krach [kʀak] (plur. : **les krachs**) : brusque effondrement des cours des valeurs mobilières et de l'activité économique en général. *Le krach qui a frappé le pays a traumatisé le marché au point que les investisseurs ont quitté le pays.*

Une reprise (économique) (moins fréq. : **de l'économie**), **une relance (économique)** (moins fréq. : **de l'économie**), **un redressement (économique, de l'économie** (+ adjectif qui désigne un (groupe de) pays)), **une embellie (de la conjoncture)** : redémarrage de l'activité économique après une période de récession. *La banque centrale américaine cherche à ralentir l'inflation qui accompagne la reprise.*

Un tableau de bord (V. 319 indicateur, 1).

(angl.) **Stop and go** : mouvement de l'activité économique fait d'une succession de phases de relance et de stabilisation, résultant de politiques d'expansion et de politiques de restriction.

2 CONJONCTUREL, -ELLE - [kɔ̃ʒɔ̃ktyʀɛl] - (adj.)

1.1. Qui se rapporte à la situation économique d'un secteur, d'une branche d'activité, d'une région ou d'un pays à un moment donné, telle qu'elle est définie par un ensemble de facteurs (la croissance, l'inflation, le chômage, ...).
Ant. : (☞ 170 Pour en savoir plus, Conjoncturel et antonyme).

+ nom

- **Les fluctuations conjoncturelles, les variations conjoncturelles, les mouvements conjoncturels.**
- **L'évolution conjoncturelle.**
- **Les perspectives conjoncturelles**. *Les perspectives conjoncturelles actuelles sont un peu moins sombres qu'il y a un an.*

  Un cycle conjoncturel : succession de phases d'expansion et de ralentissement de la conjoncture (sens 1.1. et 2.1.). *Selon les conjoncturistes, le cycle conjoncturel ne se retournera pas dans les mois à venir : aucun indicateur ne révèle un risque de récession.* (V. 139 1 conjoncture).
- **Un indicateur conjoncturel.** *Les principaux indicateurs conjoncturels sont : la croissance, la demande intérieure, les relations extérieures, la politique économique et les indicateurs régionaux.*
- **Le climat conjoncturel, la situation conjoncturelle, le contexte conjoncturel, la tendance conjoncturelle.** *L'amélioration du climat conjoncturel est exclusivement due à l'industrie manufacturière.*
- **La politique conjoncturelle.** *Le développement économique du pays est réalisé grâce à la politique conjoncturelle volontariste menée par le gouvernement.*
- **Un déficit conjoncturel** (V. 178 déficit, 1).
- **Le chômage conjoncturel** (V. 100 chômage, 1).
- **La sous-traitance conjoncturelle** (V. 442 production, 1).

CARACTÉRISATION DE LA CONJONCTURE

Un retournement conjoncturel. *Le retournement conjoncturel était prévisible après deux ans de stagnation économique, mais son effet est plus important que prévu.*

Un ralentissement conjoncturel, un recul conjoncturel, une décélération conjoncturelle, un affaiblissement conjoncturel, une dégradation conjoncturelle, une détérioration conjoncturelle. *La décélération conjoncturelle va obliger les autorités monétaires à soutenir fermement l'économie.*

>< **Une reprise conjoncturelle, un redressement conjoncturel, une amélioration conjoncturelle, une embellie conjoncturelle, une expansion conjoncturelle, une hausse conjoncturelle.** *Au début de l'expansion conjoncturelle, la reprise des investissements des entreprises a décollé plus vite et a été plus marquée que prévu.*

La faiblesse conjoncturelle. *La faiblesse conjoncturelle pèse sur les résultats de notre société.*

NIVEAU DE LA CONJONCTURE

Un creux conjoncturel, une crise conjoncturelle : période de basse conjoncture. *La plupart des indicateurs économiques s'accordent pour dire que le creux conjoncturel est derrière nous.*

>< **Un sommet conjoncturel.**

Un décalage conjoncturel : différence de conjoncture entre un pays et ses principaux partenaires commerciaux (C&G).

MESURE DE LA CONJONCTURE

Un baromètre conjoncturel. *Le baromètre conjoncturel japonais n'est pas encore au beau fixe puisque la reprise n'a pas encore atteint certains secteurs de l'industrie lourde.*

Pour en savoir plus

CONJONCTUREL ET ANTONYME

Conjoncturel.

Structurel : qui se rapporte aux structures d'une entreprise, d'un secteur, d'un pays.

Un ajustement structurel. *Les économistes comprennent de mieux en mieux que l'ajustement structurel ne marche que s'il est soutenu dans le temps : les thérapies de choc ont donc peu de chances de succès.* **Une réforme structurelle. Une crise structurelle. Le chômage structurel** (V. 100 chômage, 1). **La compétitivité structurelle** (V. 122 compétitivité, 1). **Un déficit structurel** (V. 178 déficit, 1). **Les fonds structurels européens** (V. 288 fonds, 1). **Une inflation structurelle** (V. 326 inflation, 1). **La sous-traitance structurelle** (V. 442 production, 1).

{**structurellement**}.

3 AUTRES DÉRIVÉS OU COMPOSÉS

- **Un conjoncturiste, une conjoncturiste** [kɔ̃ʒɔ̃ktyʀist(ə)] (n.) : spécialiste des problèmes de l'analyse et de la prévision de l'évolution de la conjoncture économique.

CONJONCTUREL, -ELLE (adj.) (****) 1. Qui se rapporte à la situation économique.

1. (139)	konjunkturell konjunkturbedingt	cyclical	coyuntural	congiunturale	conjunctureel

CONJONCTURISTE (n.) (**) 1. Spécialiste de la situation économique.

1. (140)	der Konjunkturexperte	economy watcher	el analista coyuntural	l'analista congiunturale (m.)	de conjunctuuranalist (m.)
	der Konjunktur-forscher	economic analyst			

CONSEIL (n.m.) (****) 1. Réunion de personnes. 2. Personne qui fait des suggestions à une autre.

1. (200)	der Rat	board	el consejo	il consiglio	de Raad (m.)
(513)	die Versammlung	committee			
2. (272)	der Berater	consultant adviser	el consejero el asesor	il consigliere il consulente	de raadsman (m.) de raadgever (m.)

CONSEILLER (v.tr.dir.) (****) 1. Faire des suggestions

1.	beraten	to advise to recommend	aconsejar asesorar	consigliare	raadgeven adviseren

CONSEILLER, CONSEILLÈRE (n.) (****) 1. Personne qui fait des suggestions à une autre.

1. (272)	der Ratgeber	consultant	el asesor	il consigliere	de raadgever (m.)
(266)	der Berater	adviser	el consejero	il consulente	

CONSIDÉRABLE (adj.) (****) 1. Important.

1. (282)	bedeutend beträchtlich	substantial considerable	considerable importante	considerevole	aanzienlijk

CONSIDÉRABLEMENT (adv.) (****) 1. De façon importante.

1. (282)	erheblich beträchtlich	considerably	considerablemente	considerevolmente	aanzienlijk drastisch

CONSIGNATAIRE (n.) (*) 1. Personne qui reçoit qqch. en dépôt.

1. (190)	der Konsignator der Verkaufs-kommissionär	consignee	el consignatario	il depositario	de ontvanger (m.) de consignatiehouder (m.)

CONSIGNATION (n.f.) (**) 1. Dépôt de qqch. à titre de garantie. 2. Remise d'une marchandise à vendre. 3. Action de facturer un emballage.

1. (190)	die Konsignation	consignment deposit (somme)	la consignación	la consegna	de consignatie (f.) het deposito
2. (190)	die Hinterlegung die Konsignation	consignment	la consignación	il deposito a garanzia	de bewaargeving (f.)
3. (190)	die Berechnung eines Pfands	charging a deposit on container	la facturación del embalaje la consignación	fatturare il vuoto	het aanrekenen van statiegeld

CONSIGNE (n.f.) (**) 1. Somme que représente la valeur d'un emballage lorsqu'il est repris par le vendeur.

1. (190)	das Pfand	deposit	el importe embalaje devuelto	la somma rimborsata alla resa del vuoto	het statiegeld
	der Pfandbetrag	refundable charge on returnable container	el precio del casco		

CONSIGNER (v.tr.dir.) (**) 1. Déposer qqch. à titre de garantie. 2. Facturer un emballage.

1. (190)	hinterlegen	to deposit	depositar	depositare	in consignatie geven
	zur Aufbewahrung geben	to put a deposit on	dejar en consigna		in bewaring geven
2. (190)	(ein) Pfand berechnen	to charge a deposit on (a container)	consignar	far pagare il vuoto a rendere	als borgsom aanrekenen
			facturar el embalaje		

CONSOLIDATION (n.f.) (***) 1. Technique de présentation des comptes globaux d'un groupe (RQ).

1. (65)	die Konsolidierung	consolidation	la consolidación	il consolidamento	de consolidering (f.)
(131)	die Konsolidation				de consolidatie (f.)

CONSOLIDER (v.tr.dir.) (****) 1. Présenter les comptes globaux d'un groupe.

1. (65) (131)	konsolidieren	to consolidate	consolidar	consolidare	consolideren

CONSOMMABLE (adj.) (*) 1. Qui peut être employé pour satisfaire un besoin.

1. (144)	essbar geniessbar	consumable	consumible	consumabile	voor consumptie geschikt

CONSOMMATEUR, CONSOMMATRICE (n.) (****) 1. Agent économique qui emploie un bien ou un service. 2. Client dans un restaurant ou un café.

1. (143)	der Konsument der Verbraucher	consumer	el consumidor	il consumatore	de verbruiker (m.)
2. (143)	der Gast	customer client	el consumidor el cliente	l'avventore (m.)	de verbruiker (m.)

CONSOMMATEUR, -TRICE (adj.) (**) 1. Qui emploie un bien ou un service.

1. (146)	Verbraucher- Konsumenten-	consumer-	consumidor	consumatore	verbruiker

CONSOMMATION (n.f.) (****) 1. Opération d'achat pour satisfaire un besoin. 2. Utilisation de carburant. 3. Boisson ou aliment commandé dans un restaurant ou un café.

1. (141)	der Verbrauch der Konsum	consumption	la consumición	il consumo	het verbruik
2. (141)	der Verbrauch	consumption	el consumo	il consumo	het verbruik
3. (141)	das Essen das Getränk	drink (boisson)	la consumición	la consumazione	het verbruik

CONSOMMATION

➠ bien - service

1 la consommation 5 le consumérisme 5 l'autoconsommation 5 la sous-consommation	2 un consommateur, une consommatrice	5 consommateur, -trice 3 (in)consommable 5 consumériste 5 consomptible	4 (se) consommer 5 autoconsommer

1 la CONSOMMATION - [kɔ̃sɔmasjɔ̃] - (n.f.)

1.1. Opération par laquelle un agent économique (un particulier, une entreprise, un État) utilise une partie de son revenu disponible à l'achat de biens et de services (X) dans le but de satisfaire un besoin et qui a pour conséquence la destruction immédiate ou progressive du bien ou du service.
Syn. : (☞ 143 Pour en savoir plus, Consommation (sens 1.1.) et synonyme) ; Ant. : (☞ 143 Pour en savoir plus, Consommation (sens 1.1.) et antonymes).
L'Union européenne a pris des mesures pour encourager la consommation de produits sidérurgiques fabriqués dans l'Union dans les grands projets d'infrastructure.

1.2. Opération par laquelle une machine (X) utilise du carburant ou une autre source d'énergie pour son fonctionnement et qui a pour conséquence la destruction immédiate ou progressive du carburant.
La consommation des voitures a été réduite de façon spectaculaire ces dernières années.

1.3. Boisson ou aliment commandé par une personne (le client - X) dans un restaurant ou un café.
Syn. (pour boisson) : (sens plus large) une boisson, (sens plus restreint) un rafraîchissement.
Le garçon n'a pas compté les deux dernières consommations que nous avons commandées.

+ adjectif

TYPE DE CONSOMMATION (sens 1.1.)

La consommation privée : consommation des entreprises et des ménages. *La consommation privée est freinée par le taux de chômage important et la stagnation des revenus.*

>< **La consommation publique** : ensemble des biens et des services achetés par les pouvoirs publics (l'État, les régions, ...). (Syn. : **la consommation de l'État**).

La grande consommation : consommation de produits de consommation courante ou de grande consommation. *En grande consommation, on détecte très rapidement si un produit marche ou non par une analyse visant à évaluer la satisfaction des clients.*

Les consommations intermédiaires : biens et services consommés et utilisés au cours du processus de production. (Syn. : **les emplois intermédiaires**).

>< **La consommation finale** : bien ou service utilisé pour satisfaire directement un besoin. (Syn. : **les emplois finals**).

La consommation quotidienne, courante : consommation qui se fait chaque jour. *Dans notre pays, la consommation quotidienne de pain a diminué fortement.*

La consommation marchande : bien acheté en échange d'une somme d'argent.

>< **La consommation non marchande** : biens qui ne doivent pas être achetés, p. ex. l'autoconsommation (V. 146 5 autres dérivés ou composés) et **les consommations collectives** (services collectifs non marchands fournis par les administrations publiques, p. ex. les routes, la justice, l'enseignement).

NIVEAU DE LA CONSOMMATION (sens 1.1. et 1.2.)

Une faible consommation. *Philips a investi beaucoup d'argent dans le développement de lampes à faible consommation d'énergie.* (☞ 142 + nom).

>< **Une forte consommation**.

LOCALISATION DE LA CONSOMMATION (sens 1.1.)

La consommation intérieure : consommation à l'intérieur d'un pays. (Syn. : **la consommation nationale**). *Le recul de la consommation intérieure nous impose une activité plus soutenue sur les marchés extérieurs.* < **La consommation mondiale**. *Les ressources prouvées de pétrole couvrent près de 60 ans de la consommation mondiale actuelle et les lieux de production sont largement répartis dans le monde.*

MESURE DE LA CONSOMMATION (sens 1.1. et 1.2.)

La consommation totale, globale.

La consommation annuelle.

+ nom

(sens 1.1.)

- **Un produit de consommation courante, de grande consommation**. (V. 63 bien, 1).

  Les biens de consommation. (V. 63 bien, 1).
- **Le prix à la consommation. L'indice des prix à la consommation**. (V. 434 prix, 1).
- **Les dépenses de consommation**. (V. 186 dépense, 1).
- **Les habitudes de consommation**. *Une étude des habitudes de consommation démontre que la part des dépenses consacrées aux produits de première nécessité, comme la nourriture, diminue au profit de celle affectée aux biens moins indispensables.*
- **Le droit de la consommation** : ensemble de lois qui protègent le consommateur lorsqu'il utilise un produit ou un service.
- **La société de consommation**. (V. 516 société, 1).
- **Le crédit à la consommation**. (V. 428 prêt, 1).
- **Une taxe à la/de consommation, un impôt sur la/à la/de consommation**. (V. 313 impôt, 1).

TYPE DE CONSOMMATION (sens 1.1.)

La consommation de biens (durables ; semi-durables ; ...). (V. 63 bien, 1).

La consommation de + nom qui désigne un type de produits. La consommation d'énergie ; d'électricité ; de vin.

La consommation de capital fixe. (V. 28 amortissement, 1).

La consommation de masse : consommation en grandes quantités par l'ensemble de la population. *La consommation de masse dans les principaux pays industriels de l'Occident depuis de nombreuses années est prodigieuse et consternante.*

La consommation des ménages. *La consommation des ménages représente les achats de biens et de services que font les particuliers pour leur usage personnel.*

TYPE DE CONSOMMATION (sens 1.2.)

La consommation (de carburant).

La consommation de + nom qui désigne le type de carburant. La consommation d'essence; de diesel.

NIVEAU DE LA CONSOMMATION (sens 1.1. et 1.2.)

Le niveau de (la) consommation. *La volonté de maintenir un certain niveau de consommation incite les ménages à épargner un peu moins.*

La faiblesse de la consommation. (☞ 142 + adjectif).

MESURE DE LA CONSOMMATION (sens 1.1.)

La consommation par tête (d'habitant). *Les eaux ont vu leur consommation par tête augmenter de 8 %.*

+ verbe : qui fait quoi ?

(sens 1.1. et 1.2.)

une mesure, une évolution	△	**accroître** la ~ (de X)	un accroissement de la ~ (de X)	
		faire progresser la ~ (de X)	une progression de la ~ (de X)	1
→ la ~ (de X)		**croître**	une croissance de la ~ (de X)	2
		augmenter	une augmentation de la ~ (de X)	
		être en hausse	une hausse de la ~ (de X)	
		progresser	une progression de la ~ (de X)	
une mesure, une évolution, une personne	▽	**réduire** la ~ (de X)	une réduction de la ~ (de X)	3
→ la ~ (de X)		**se réduire**	une réduction de la ~ (de X)	
		baisser	une baisse de la ~ (de X)	
		diminuer	une diminution de la ~ (de X)	
		se ralentir	un ralentissement de la ~ (de X)	

1 *Une légère baisse du prix du pétrole fait progresser la consommation de pétrole de façon importante.*
2 *Depuis plusieurs années, la consommation d'énergie continue à croître de 4 à 5%.*
3 *Le gouvernement a présenté sa nouvelle campagne qui a pour but de réduire la consommation de tabac chez les 14-18 ans.*

(sens 1.1.)

une mesure, une évolution	▽△	**relancer** la ~ (de X)	une relance de la ~ (de X)	1
→ la ~ (de X)		**reprendre**	une reprise de la ~ (de X)	
la ~ (de X)	△=	**stagner**	une stagnation de la ~ (de X)	2
		se stabiliser	une stabilisation de la ~ (de X)	
la ~ (de X)	▽=	**se stabiliser**	une stabilisation de la ~ (de X)	3
le gouvernement, la publicité		**stimuler** la ~ (de X)	la stimulation de la ~ (de X)	4
		soutenir la ~ (de X)	le soutien de la ~ (de X)	
		encourager la ~ (de X)	l'encouragement de la ~ (de X)	
		>< **décourager** la ~ (de X)	le découragement de la ~ (de X)	

1 *La baisse importante des taux d'intérêt arrive à point pour relancer la consommation alors que les ménages hésitent à faire des dépenses.*
2 *L'activité économique a subi un certain ralentissement suite à la stagnation de la consommation de biens durables par les ménages.*
3 *Après une longue période de régression de la demande, la consommation se stabilise autour de 45 litres par habitant.*
4 *Le vieillissement de la population peut stimuler la consommation de moquettes, car les personnes âgées craignent les glissades et les chutes sur sols durs.*

(sens 1.3.)

X	**commander** une ~	la commande
→ le garçon de café	**prendre** une ~	-
	↓	
X	**payer** une ~	le paiement d'une ~
	régler une ~	le règlement d'une ~

Pour en savoir plus

CONSOMMATION (sens 1.1.) ET SYNONYME

La consommation.
Le gaspillage : consommation excessive. (V. 188 dépense, 2).

CONSOMMATION (sens 1.1.) ET ANTONYMES

La consommation.
La production. (V. 439 production, 1). **La distribution**. (V. 204 distribution, 1).
L'épargne. (V. 240 épargne, 1).

2 un CONSOMMATEUR, une CONSOMMATRICE - [kɔ̃sɔmatœʀ, kɔ̃sɔmatʀis] - (n.)

1.1. Un agent économique (un particulier, une entreprise, un État) qui utilise un bien ou un service dans le but de satisfaire un besoin. Cet emploi a pour conséquence la destruction immédiate ou progressive du bien ou du service.
Syn. : (☞ 144 Pour en savoir plus, Consommateur (sens 1.1.) et synonymes) ; Ant. : (☞ 144 Pour en savoir plus, Consommateur (sens 1.1.) et antonymes).
Entrer à l'université, c'est apprendre à vivre seul et donc à devenir un consommateur à part entière.

1.2. Personne (le client) qui prend une boisson ou un aliment dans un restaurant ou un café.
Le consommateur au bar a commandé une deuxième bière.

expressions

(sens 1.1.)

- **Du producteur au consommateur**. (V. 447 production, 3).

+ adjectif

TYPE DE CONSOMMATEUR (sens 1.1.)

Un consommateur final (plur. : **finaux et finals**) : personne qui utilise un bien ou un service pour satisfaire directement un besoin. *La TVA est un impôt de consommation qui frappe le consommateur final.*

>< **Un consommateur intermédiaire** : personne qui utilise un bien ou un service dans un processus de production, p. ex. le boulanger qui emploie de la farine pour faire du pain.

NIVEAU DE LA CONSOMMATION (sens 1.1.)

Un gros consommateur de + nom d'un bien ou d'un service, **un grand consommateur de** + nom d'un bien ou d'un service. *Seul désavantage, le nouveau modèle de ce constructeur est un gros consommateur de carburant.*

>< **Un petit consommateur de** + nom d'un bien ou d'un service. *Avec 17 litres par personne et par an, le Belge n'est qu'un petit consommateur de jus, comparé à l'Allemand par exemple (40 litres).*

LOCALISATION DU CONSOMMATEUR (sens 1.1.)

Le consommateur + adjectif qui désigne un (groupe de) pays. Un consommateur français; européen.

+ nom

(sens 1.1.)

- **Un panel (de consommateurs)** : groupe de consommateurs utilisé régulièrement par une entreprise pour obtenir des informations concernant le marché, la perception d'un produit,...
- **La confiance du consommateur**. *Après les importants problèmes d'approvisionnement survenus dans l'ensemble de ses points de vente, le distributeur doit regagner la confiance du consommateur.* **L'indice de confiance des consommateurs**.
- **Une association de consommateurs**, **une organisation de consommateurs**, **une union de consommateurs**.
  Le Bureau européen des unions de consommateurs (le BEUC). *Le Bureau européen des unions de consommateurs a déposé plainte devant la Commission européenne contre trois constructeurs automobiles pour publicité mensongère.*
- **Le marché des consommateurs**. (V. 368 marché, 1).

+ verbe : qui fait quoi ?

(sens 1.1.)

une entreprise, une association de consommateurs	**informer** le ~	l'information du ~	1
une association de consommateurs	**protéger** le ~ **défendre** le ~	la protection du ~ la défense du ~	1

1 *La loi sur l'information et la protection du consommateur stipule que toute publicité qui comporte des comparaisons trompeuses est interdite.*

Pour en savoir plus

CONSOMMATEUR (sens 1.1.) ET SYNONYMES

Un consommateur.
Un client. (V. 106 clientèle, 2).
Un acheteur. (V. 4 achat, 2).
Un usager : personne qui utilise une route, les moyens de transport (p. ex. le train, le métro, l'ascenseur), des moyens de télécommunication (p. ex. le téléphone) ou les services de l'État. *Les usagers faibles de la route (les piétons, les cyclistes) sont souvent impliqués dans des accidents de la route graves.* **L'usager d'un service**. {**un usage**}.

CONSOMMATEUR (sens 1.1.) ET ANTONYMES

Un consommateur.
Un producteur. (V. 446 production, 3). **Un intermédiaire**. (V. 116 commerce, 1). **Un distributeur**. (V. 205 distribution, 2).

3 CONSOMMABLE - [kɔ̃sɔmabl(ə)] - (adj.)

1.1. (un bien, un service) Qui peut être utilisé par un agent économique (un particulier, une entreprise) dans le but de satisfaire un besoin et qui est détruit immédiatement ou progressivement.
Syn. : (☞ 145 Pour en savoir plus, Consommable et synonymes) ; Ant. : inconsommable.
Ce grand distributeur vend de plus en plus de vins consommables tout de suite.

Pour en savoir plus

CONSOMMABLE ET SYNONYMES

Lorsqu'il s'agit de denrées alimentaires : **consommable** : bon pour la consommation. (Ant. : **inconsommable**) ; **comestible** : bon pour la consommation et sans danger pour la santé. (Ant. : **non comestible**) ; {(peu fréq.) **les comestibles**. (Syn. : **les denrées alimentaires**)} ; **mangeable** : qui convient à peine au goût du consommateur et qui n'a rien d'appétissant. (Ant. : **immangeable** (aliment qui a un mauvais goût)).

{**un mangeur, une mangeuse, manger**}. **Un petit** >< **gros mangeur**. **Un grand mangeur** de qqch.

4 (SE) CONSOMMER - [(s(ə)) kɔ̃sɔme] - (v.tr.dir., v.intr., v.pron.)

1.1. (v.tr.dir., v.intr., v.pron.) Un agent économique (un particulier, une entreprise, un État - X) utilise une partie de son revenu disponible à l'achat de biens et de services (Y) dans le but de satisfaire un besoin, ce qui a comme conséquence la destruction immédiate ou progressive du bien ou du service.
Syn. : (☞ 145 Pour en savoir plus, Consommer (sens 1.1. et 1.3.) et synonymes) ; Ant. : produire ; (☞ 145 Pour en savoir plus, Notes d'usage).
Si le consommateur ne consomme plus, les entreprises hésitent à investir.

1.2. (v.tr.dir, v.intr.) Une machine (X) utilise du carburant ou une autre source d'énergie (Y) pour son fonctionnement, avec comme conséquence la destruction immédiate ou progressive du carburant.
Le nouveau modèle Renault consomme moins de 3 litres de carburant.

1.3. (v.tr.dir. et v.intr.) Une personne (le client) prend une boisson ou un aliment dans un restaurant ou un café.
Syn. : (☞ 145 Pour en savoir plus, Consommer (sens 1.1. et 1.3.) et synonymes).
Consommer (une boisson) au comptoir revient moins cher qu'en salle.

expressions

(sens 1.3.)

À consommer avec modération : à boire ou à manger en petites quantités.

+ nom

(sens 1.1.)

La propension à consommer : tendance à consommer. *La propension à consommer dépend fortement de la santé financière des ménages.*

+ adverbe

NIVEAU DE LA CONSOMMATION (sens 1.2.)

Consommer moins. >< **Consommer plus**. *Ma nouvelle voiture consomme moins que la précédente.*

Consommer peu. >< **Consommer beaucoup**.

qui fait quoi ?

(sens 1.1.)

X	**consommer** Y des aliments	la consommation de Y
→ un aliment, une boisson	**se consommer** frais dans les 2 jours	

(sens 1.2.)

X	**consommer** beaucoup (de Y)	la consommation de Y

Pour en savoir plus

CONSOMMER (sens 1.1. et 1.3.)
ET SYNONYMES

Consommer.

Lorsqu'il s'agit de denrées alimentaires : **manger** (V. 145 3 consommable), **(se) nourrir** {**la nourriture, nourrissant**}, **(s')alimenter** {**l'alimentation, un aliment, alimentaire**}.

Lorsqu'il s'agit d'une boisson : **boire** {**une boisson, une buvette** (petit local ou comptoir installé dans les gares, ... où l'on sert à boire), **un buveur, une buveuse** (personne qui boit de grandes quantités de boissons alcoolisées)}.

Gaspiller. (V. 188 dépense, 2).

NOTES D'USAGE

Au sens 1.1, le verbe '(se) consommer' peut être

employé dans un sens figuré en combinaison avec des mots qui désignent une somme d'argent : **consommer son capital** ; **le budget se consomme**. *C'est dans les hôpitaux que se consomme plus de la moitié du budget de l'assurance maladie.*
Ne pas confondre 'consommer' et 'consumer' (le feu détruit qqch.). *Le feu consume le bois.*

5 AUTRES DÉRIVÉS OU COMPOSÉS

- **Le consumérisme** [kɔ̃symeʀism(ə)] (n.m.) : ensemble d'actions et d'idées qui ont pour but la défense du consommateur (p. ex. le droit de la consommation, les associations de consommateurs, les journaux de consommateurs, etc.). *Le consumérisme s'est développé en Europe grâce au plan Marshall qui prévoyait que quelque chose soit fait en faveur du consommateur.*
{**consumériste** [kɔ̃symeʀist(ə)] (adj.)}.
Une association consumériste. (Syn. : **une association de consommateurs**). **Un discours consumériste.**
- **L'autoconsommation** [ɔtɔkɔ̃sɔmasjɔ̃] (n.f.) : consommation de biens et de services que l'on a produits soi-même.
{**autoconsommer** [ɔtɔkɔ̃sɔme] (v.tr.dir.)}.
- **La sous-consommation** [sukɔ̃sɔmasjɔ̃] (n.f.) : consommation inférieure à la normale (PR).
- **Consommateur, -trice** [kɔ̃sɔmatœʀ, -tʀis] (adj.) : (une personne, une entreprise, une machine) qui utilise un bien ou un service (et un carburant pour une machine) dans le but de satisfaire un besoin.
- **Consomptible** [kɔ̃sɔ̃ptibl(ə)] (adj.) : (bien) qui est détruit ou que l'on cède en l'utilisant. *L'essence et la monnaie sont des biens consomptibles.*

CONSOMMER (~, se ~) (v.tr.dir., v.intr., v.pron.) (****) 1. Acheter pour satisfaire un besoin. 2. Utiliser du carburant. 3. Prendre une boisson ou un aliment dans un restaurant ou un café.

1. (145)	verbrauchen konsumieren	to consume	consumir	consumare	verbruiken
2. (145)	verbrauchen	to use to consume	consumir	consumare	verbruiken
3. (145)	essen (aliments) trinken (boisson)	to eat (aliments) to drink (boisson)	consumir	consumare	verbruiken

CONSOMPTIBLE (adj.) (*) 1. Qui est détruit ou que l'on cède en utilisant.

1. (146)	konsumierbar verbrauchbar	consumable	consumible	consumabile	consumeerbaar

CONSORTIUM (n.m.) (***) 1. Alliance de sociétés.

1. (519)	das Konsortium	consortium	el consorcio	il consorzio	het consortium

CONSTANT, -ANTE (adj.) (****) 1. À rythme, vitesse uniforme.

1. (282) (431)	konstant	constant regular	constante	costante	constant

CONSTRUCTEUR (n.m.) (****) 1. Agent économique qui fabrique.

1. (447)	der Konstrukteur der Hersteller	manufacturer maker	el constructor	il fabbricante il costruttore (automobilistico)	de constructeur (m.) de fabrikant (m.)

CONSTRUCTEUR, -TRICE (adj.) (*) 1. Qui fabrique.

1. (441)	Hersteller- herstellende	manufacturer maker	constructor empresa constructora	fabbricante costruttore (automobilistico)	constructeur fabrikant

CONSTRUCTION (n.f.) (****) 1. Fabrication.

1. (441)	der Bau	building construction	la construcción la edificación	la costruzione la fabbricazione	de constructie (f.) de bouw (m.)

CONSTRUIRE (v.tr.dir.) (****) 1. Fabriquer.

1. (441)	bauen errichten	to build to construct	construir edificar	costruire fabbricare	bouwen fabriceren

CONSULTANT, CONSULTANTE (n.) (****) 1. Agent économique qui fait des suggestions.

1. (272)	der Berater der Consultant	consultant adviser	el asesor el consejero	il consulente	de raadgever (m.) de consulent (m.)

CONSUMÉRISME (n.m.) (**) 1. Action pour défendre le consommateur.

1. (146)	der Verbraucherschutz	consumerism	el movimiento de consumidores la defensa del consumidor	il movimento dei consumatori	de consumentenvereniging (f.) de verbruikersvereniging (f.)

CONSUMÉRISTE (adj.) (*) 1. Qui défend le consommateur.

1. (146)	Verbraucherschutz- zum Schutz des Verbrauchers	consumerist	defensa del consumidor del movimiento de consumidores	del movimento dei consumatori	consumentenverenigings-

CONTENEUR (n.m.) (***) 1. Contenant (pour piles ou pour marchandises p. ex.).

1. (363) (550)	der Container	container	el contenedor	il contenitore la cassa mobile	de container (m.)

CONTENEURISATION (n.f.) (*) 1. Chargement de marchandises en grandes caisses métalliques.

1.	die Verladung im Container	containerization	la carga en contenedores	il mettere in container la containerizzazione	de containerisatie (f.)

CONTENEURISER (v.tr.dir.) (*) 1. Mettre des marchandises en grandes caisses métalliques.

1. (550)	in Containern verladen in Containern transportieren	to containerize	cargar en contenedores	mettere in container containerizzare	in containers opslaan in containers laden

CONTINGENT (n.m.) (**) 1. Quantité de marchandises.

1. (116)	das (Waren)Kontingent	quota	el contingente	il contingente	het contingent
(309)			la cuota		de quota (m./f.)

CONTINGENTEMENT (n.m.) (**) 1. Limitation de la quantité de marchandises importables.

1. (116) (310)	die Kontingentierung	quota system	la contingentación	il contingentamento	de contingentering (f.)

CONTINGENTER (v.tr.dir.) (*) 1. Limiter la quantité de marchandises importables.

1. (116) (310)	kontingentieren	to apply quotas on to fix quotas on	contingentar fijar cupos	contingentare	contingenteren

CONTINU, -UE (adj.) (***) 1. Constant.

1. (282)	andauernd durchgehend	continuous	continuo	continuo	continu doorlopend

CONTINUELLEMENT (adv.) (***) 1. De façon constante.

1. (282)	ständig ununterbrochen	continuously	continuamente constantemente	continuamente	onafgebroken aanhoudend

CONTRACTANT, -ANTE (adj.) (*) 1. Qui s'engage par contrat.

1. (150)	vertragschliessend Vertrags-	contracting	contrayente contratante	(parte) contraente	contracterende (partij) verdragsluitende (partij)

CONTRACTANT, CONTRACTANTE (n.) (**) 1. Agent économique qui prend un engagement par contrat.

1. (150)	der Vertragspartner	contracting party	la parte contratante el contratante	la parte contraente	de contractant (m.)

CONTRACTER (~, se ~) (v.tr.dir., v.pron.) (***) 1. S'engager par contrat. 2. Se réduire.

1. (150)	(einen Vertrag) abschliessen	to contract	contratar	contrarre (un'obbligazione)	een contract afsluiten
			contraer		een verbintenis aangaan
2. (278)	schwinden schrumpfen	to shrink	contraerse	contrarsi	krimpen

CONTRACTION (n.f.) (***) 1. Réduction, diminution. 2. Baisse de l'activité économique.

1. (278)	die Verringerung die Kürzung	shrinking tightening	la contracción la reducción	il ritiro	de reductie (f.) de inkrimping (f.)
2. (171)	der Rückgang	slowdown	la reducción la contracción	la contrazione il ribasso	de achteruitgang (m.)

CONTRACTUEL, CONTRACTUELLE (n.) (**) 1. Fonctionnaire avec contrat provisoire. 2. Personne recrutée pour une mission ponctuelle.

1. (150)	der Angestellte im öffentlichen Dienst	contract worker	el contractual	il precario	de contractuele werknemer (m.) de tijdelijke werknemer (m.)
2. (150)	der Angestellte mit Zeitvertrag	contract employee	el contractual	il lavoratore a tempo determinato	de contractuele werknemer (m.) de tijdelijke werknemer (m.)

CONTRACTUEL, -ELLE (adj.) (***) 1. Qui se rapporte à un contrat.

1. (150)	vertraglich vertragsmässig	contractual	contractual	contrattuale	contractueel

CONTRACTUELLEMENT (adv.) (**) 1. Par contrat.

1. (150)	vertraglich	contractually by contract	contractualmente	contrattualmente	contractueel

CONTRAT (n.m.) (****) 1. Convention par laquelle une personne s'engage à (ne pas) faire qqch. 2. Acte qui enregistre cette convention.

1. (148)	der Vertrag	contract agreement	el contrato	il contratto	het contract de verbintenis (f.)
2. (148)	der Vertrag die (Vertrags)Urkunde	contract agreement	el contrato	il contratto	de akte (m./f.)

CONTRAT

mot-outil

1 un contrat **2** un contrat(-)type	**2** un contractant, une contractante **2** un cocontractant, une cocontractante **2** un contractuel, une contractuelle	**2** contractuel, -elle **2** contractant, -ante **2** *contractuellement*	**2** contracter

1 un CONTRAT - [kɔ̃tʀa] - (n.m.)

1.1. Convention écrite ou orale par laquelle une ou plusieurs personnes physiques ou morales (X) s'engagent envers une ou plusieurs autres personnes physiques ou morales (Y) à transférer une propriété, à faire ou ne pas faire qqch. (p .ex .couvrir un risque).

Syn. : (☞ 150 Pour en savoir plus, Contrat (sens 1.1.) et synonymes).
Une relation d'agence se définit comme un contrat par lequel une personne a recours au service d'un tiers pour accomplir en son nom et pour son compte une certaine tâche.

1.2. Acte qui enregistre le contrat (sens 1.1.).
Le feu a détruit tous les contrats conservés dans les archives.

expressions

(sens 1.1.)

- **En matière de contrat(s)**. *En matière de contrat de travail, la faute grave pourra justifier le renvoi de l'intéressé sans préavis ni indemnité.*
- **En vertu du contrat** : selon les dispositions du contrat. *La rémunération comprend non seulement le salaire proprement dit mais aussi les avantages acquis en vertu du contrat (13e mois, allocation patronale d'assurance-groupe, ...).*
- **Au terme du contrat** : à l'expiration du contrat.

+ adjectif

TYPE DE CONTRAT (sens 1.1. et 1.2.)

Un contrat exclusif. (☞ 148 + nom).

TYPE DE CONTRAT (sens 1.1.)

Un contrat unilatéral : où une seule partie s'engage envers l'autre.
>< **Un contrat bilatéral** : où les deux parties s'engagent l'une vis-à-vis de l'autre.

Un contrat individuel : contrat signé en faveur d'une seule personne.
>< **Un contrat collectif**. *Le contrat collectif est par nécessité incomplet ; il laisse aux parties prenantes le soin d'apprécier si des lacunes existent dans cette description et si elles doivent être comblées.*

Un contrat nul : contrat sans validité juridique.

Un contrat commercial. (V. 119 commerce, 5).

Un contrat ferme. (V. 366 marché, 1).

CARACTÉRISATION DU CONTRAT (sens 1.1.)

Un gros contrat, un important contrat, un énorme contrat (moins fréq. : **un contrat important, un contrat énorme**).

Un contrat provisoire. >< **Un contrat définitif**.

+ nom

(sens 1.1.)

- **Les termes d'un contrat, les modalités d'un contrat**.
- **La validité d'un contrat**.
- (Q) **Le marché des contrats à terme**. (V. 368 marché, 1).

TYPE DE CONTRAT (sens 1.1. et 1.2.)

Un contrat de + nom qui indique l'objet de l'accord. Un contrat de franchise ; de sous-traitance.

Un contrat de travail : contrat par lequel le salarié s'engage à mettre à certaines conditions (durée, ...) son activité à la disposition de l'employeur en contrepartie d'une rémunération. (Syn. : **un contrat de louage de services**). (Ant. : **un contrat de louage d'industrie, de louage d'ouvrage**). (V. 350 location, 1). *Toute l'opération de rupture d'un contrat de travail s'entoure d'un formalisme dont le but est de protéger les droits des deux parties, mais avant tout de la partie par définition la plus faible, à savoir le travailleur.*

Un contrat de travail à durée déterminée (**un CDD**). >< **Un contrat de travail à durée indéterminée** (**un CDI**). (Syn. : (moins fréq.) **un contrat d'emploi**).

Un contrat d'employé.

Un contrat d'assurance. (V. 39 assurance, 1).

Un contrat de location. (V. 350 location, 1).

Un contrat d'achat. (V. 3 achat, 1).
>< **Un contrat de vente**. (V. 570 vente, 1).

Un contrat de licence : contrat par lequel le titulaire d'un droit de propriété industrielle (un brevet, une marque, ...) accorde à un tiers, en tout ou en partie, la jouissance de son droit d'exploitation et ceci à certaines conditions.

Un contrat de distribution. (V. 570 distribution, 1).

Un contrat d'exclusivité : contrat signé avec un seul ou un nombre limité de parties. (Syn. : (moins fréq.) **un contrat exclusif**). *Le constructeur automobile allemand a signé un contrat d'exclusivité avec plusieurs clubs de football prestigieux en Europe.*

Un contrat de gestion. (V. 299 gestion, 1).

Un contrat de fourniture.

Un contrat de compensation. *Dans un contrat de compensation, un exportateur s'engage à acheter des biens dans le pays où il exporte pour un montant équivalent à un pourcentage convenu de la valeur du contrat de vente.*

Un contrat d'entreprise. (V. 236 entreprise, 1).

Un contrat à terme.

MESURE DU CONTRAT (sens 1.1.)
La durée du contrat.
Un contrat à durée déterminée. >< **Un contrat à durée indéterminée.**
Un contrat à court terme. >< **Un contrat à long terme.**

+ verbe : qui fait quoi ?

(sens 1.1.)

X et Y		**négocier** un ~	la négociation d'un ~	
X et Y	✓	**signer** un ~	la signature d'un ~	
		conclure un ~	la conclusion d'un ~	1
Y (X)		**passer** un ~ avec X (Y)	-	2
X		**décrocher** un ~	-	3
		obtenir un ~	l'obtention d'un ~	
		remporter un ~	-	
X		**placer** un ~ auprès de Y	-	4
Y		**souscrire** un ~ d'assurance (auprès de X)	la souscription d'un ~ d'assurance (auprès de X)	
X	×	**exécuter** un ~	l'exécution d'un ~	5
		(fam., souvent fig.) **remplir** son ~	-	
un salarié		**être sous** ~	-	
X et Y		**renégocier** un ~	la renégociation d'un ~	
X et Y		**renouveler** un ~	le renouvellement d'un ~	
		reconduire un ~	la reconduction d'un ~	6
X, Y	O	**rompre** un ~	la rupture d'un ~	
		résilier un ~	la résiliation d'un ~	7
un ~		**expirer** + indication d'une date	l'expiration du ~	
un ~		**porter sur** qqch.	-	8
un ~		**stipuler** qqch. / que ...	-	9
→ qqch.		**être stipulé par** ~	-	
un ~		**couvrir** qqch.	la couverture de qqch. par un ~	
		garantir qqch. / que ...	-	
→ qqch.		**être garanti par** ~	-	
un ~		**lier** les parties (contractantes), X (Y) à Y (X)	-	6
un ~		**obliger** les parties (contractantes) **à** qqch./ **à** (ne pas) faire qqch.	l'obligation de (ne pas) faire qqch.	
un	=	**s'élever à** ... euros	-	
		se chiffrer à ... euros	-	
		porter sur ... euros	-	

1 *Les termes du contrat conclu entre le donneur d'ordre et le sous-traitant n'ont pas été correctement respectés par le sous-traitant.*
2 *Peu d'assurés sont disposés à passer un contrat d'assurance avec une compagnie étrangère.*
3 *Nous avons pu décrocher le contrat parce que nous nous sommes équipés d'une toute nouvelle machine à commande numérique.*
4 *Plusieurs groupes ont déjà créé des filiales au Luxembourg pour placer des contrats d'assurance-vie auprès des clients étrangers.*
5 *Malgré les difficultés financières de l'entreprise, la direction a assuré que tous les contrats allaient être exécutés.*
6 *Le gouvernement a décidé de reconduire le contrat qui le lie à la plus importante société pétrolière norvégienne.*
7 *Cet accord prévoit notamment un délai de réflexion pour l'acheteur afin de pouvoir résilier le contrat.*
8 *Le contrat porte sur la mise en place d'un nouveau réseau de télécommunications intelligent.*
9 *Le contrat stipule enfin la durée sur laquelle portent l'accord et les règles régissant son terme.*

(sens 1.2.)

X, Y	**établir** un ~	l'établissement d'un ~	1
	rédiger un ~	la rédaction d'un ~	

1 *La répartition des frais supplémentaires dépendra des rapports de force entre les deux parties lors de l'établissement du contrat.*

Pour en savoir plus

CONTRAT (sens 1.1.) ET SYNONYMES

Un contrat.

Une convention : syn. de 'contrat' dans le langage courant. Le mot 'convention' a toutefois un sens plus large que 'contrat' : il s'applique à toutes sortes de règles, dispositions, obligations, ... définies entre deux parties (des agents économiques, des États, ...) dans toutes sortes de domaines.

{**conventionnel**}.

Un accord : entente entre deux parties sans que l'une ait la possibilité de contraindre l'autre à exécuter sa promesse.

{**s'accorder**}.

Un avenant. (V. 41 assurance, 1).

DISPOSITIONS D'UN CONTRAT

Une clause (**contractuelle**) : stipulation particulière d'un acte juridique, d'un accord.

Une clause abusive : clause imposée à une partie par abus de puissance de l'autre partie, qui en tire un avantage.

Une clause restrictive : clause qui limite les droits d'une des parties contractantes. *Au cas où les clauses restrictives ne seraient pas respectées, le remboursement anticipé des sommes prêtées peut être exigé.*

Une clause de + nom qui désigne l'objet de la stipulation particulière. Une clause de garantie ; de remboursement.

Une clause de non-concurrence. (V. 136 concurrence, 5).

Une clause d'exclusivité : interdit au travailleur toute activité autre que celle faisant l'objet du contrat.

Une clause d'essai. *Lorsqu'une clause d'essai est prévue dans un contrat de travail, cet essai sera d'un mois minimum.*

La clause de la nation la plus favorisée : stipulation dans un accord commercial entre deux pays selon laquelle un pays garantit à l'autre les mêmes dispositions réglementant les importations que celles accordées à d'autres pays.

La clause de sauvegarde : autorise des mesures protectionnistes temporaires si un pays est touché par une brusque hausse des importations qui a des conséquences négatives pour l'économie nationale. *Les producteurs ont demandé de prolonger de toute urgence la clause de sauvegarde afin de reporter jusqu'au premier semestre de l'année prochaine toute nouvelle importation d'ail chinois.*

Une clause de remboursement. (V. 477 remboursement, 1).

Une clause stipule que ...

2 AUTRES DÉRIVÉS OU COMPOSÉS

- **Un contrat(-)type** [kɔ̃tʀatip] (n.m.) (plur. : **des contrats(-)types**) : modèle de contrat recommandé ou imposé par les pouvoirs publics ou les groupements professionnels dans le but d'uniformiser et/ou de clarifier les conditions offertes.
- **Un contractant, une contractante** [kɔ̃tʀaktɑ̃, kɔ̃tʀaktɑ̃t] (n.) : agent économique (un particulier, une entreprise) qui prend un engagement par contrat. *L'entreprise a été choisie comme principal contractant pour fournir 11 millions d'euros d'équipements en services interactifs.* Lorsque le contrat requiert l'exécution de travaux ou d'une tâche, le contractant qui demande l'exécution est appelé **le donneur d'ordre** ou **le commanditaire**. Le contractant qui exécute les travaux est appelé **le preneur d'ordre**.
  {**contractant, -ante** [kɔ̃tʀaktɑ̃, -ɑ̃t] (adj.)}. **Les parties contractantes.**
- **Un cocontractant, une cocontractante** [kokɔ̃tʀaktɑ̃, kokɔ̃tʀaktɑ̃t] (n.) : agent économique (un particulier, une entreprise) qui prend un engagement par contrat avec un ou plusieurs autres agents économiques.
- **Un contractuel, une contractuelle** [kɔ̃tʀaktɥɛl] (n.). 1. Personne recrutée par un organisme public avec un contrat provisoire et qui n'a donc pas la stabilité du statut d'un fonctionnaire. - 2. Spécialiste hautement qualifié recruté par un organisme public pour des missions ponctuelles et à qui on accorde une rémunération supérieure à celle d'un fonctionnaire.
- **Contractuel, -elle** [kɔ̃tʀaktɥɛl, -ɛl] (adj.) : qui concerne ce qui est fixé dans un contrat. **Une/des relation(s) contractuelle(s).** *Dans une lettre, il demande à son employeur de pouvoir cesser les relations contractuelles le 31 août.* **Une obligation contractuelle. Un agent contractuel.** (V. 22 agence, 2).
- **Contractuellement** [kɔ̃tʀaktɥɛlmɑ̃] (adv.) : par contrat.
- **Contracter** [kɔ̃tʀakte] (v.tr.dir.). **Contracter un emprunt** (auprès d'une banque).

CONTRAT(-)TYPE ; CONTRATS(-)TYPES (n.m.) (*) 1. Modèle de contrat recommandé ou imposé.

1. (150)	der Einheitsvertrag	standard agreement	el contrato tipo	il contratto-tipo	het typecontract
	der Mustervertrag	skeleton contract		il contratto standard	het standaardcontract

CONTRE(-)PRODUCTIF, -IVE (adj.) (*) 1. Qui produit un effet contraire.

1. (451)	kontraproduktiv	counterproductive	contraproducente	controproduttivo	contraproductief

CONTRE-ASSURANCE (n.f.) (*) 1. Seconde assurance qui en garantit une première. 2. Assurance qui garantit contre les frais de justice.

1. (43)	die Rückversicherung	reinsurance	el reaseguro	la contrassicurazione	de tegenverzekering (f.)
2. (43)	die Rechtsschutzversicherung	insurance for legal charges	el seguro de defensa jurídica	l'assicurazione per le spese processuali	de rechtsbijstandsverzekering (f.)

CONTREFAÇON (n.f.) (**) 1. Action de reproduire sans autorisation. 2. Bien reproduit frauduleusement.

1. (255)	das Fälschen	counterfeiting pirating	la falsificación	la contraffazione la falsificazione	de namaak (m.) de nadruk (m.)
2. (255)	die Fälschung	imitation fake	la falsificación	l'imitazione (f.)	de vervalsing (f.)

CONTREFACTEUR (n.m.) (*) 1. Personne qui reproduit sans autorisation.

1. (255)	der Fälscher	forger counterfeiter	el falsificador	il contraffattore	de namaker (m.) de nadrukker (m.)

CONTREFAIRE (v.tr.dir.) (*) 1. Reproduire sans autorisation.

1. (255)	fälschen	to forge to counterfeit	falsificar	contraffare	namaken nadrukken

CONTREMAÎTRE, CONTREMAÎTRESSE (n.) (**) 1. Chef d'équipe.

1. (22)	der (Werk)Meister der Vorabeiter	foreman	el contramaestre el jefe de equipo	il caposquadra il capomastro	de ploegbaas (m.) de werkmeester (m.)

CONTRE-OFFRE (n.f.) (*) 1. Offre en réponse à une offre précédente.

1. (395)	das Gegenangebot	counter-bid	la contraoferta	la controfferta	het tegenbod

CONTRE-OPA (n.f.) (*) 1. Action de se défendre contre une tentative de prise de contrôle.

1. (394)	die angefochtene Übernahme	counter-bid counter-offer	la contraoferta pública de adquisición	la controfferta pubblica di acquisto	het tegenbod

CONTRE-PERFORMANCE (n.f.) (**) 1. Non-accomplissement d'un objectif.

1. (414)	eine schlechte Leistung	substandard performance disappointing performance	el mal resultado	il risultato deludente la cattiva performance	het slecht resultaat

CONTRE-PUBLICITÉ (n.f.) (*) 1. Publicité négative.

1. (466)	die Gegenwerbung	adverse publicity	la contrapublicidad la publicidad negativa	la pubblicità contro	de antireclame (m./f.)

CONTRE-VALEUR (n.f.) (**) 1. Valeur équivalente en une autre devise.

1. (567)	der Gegenwert	exchange value	el contravalor	il controvalore	de tegenwaarde (f.)

CONTRIBUABLE (n.) (****) 1. Personne qui paie des impôts.

1. (152)	der Steuerzahler der Steuerpflichtige	taxpayer	el contribuyente	il contribuente	de belastingplichtige (m.)

CONTRIBUER (~ à qqch.) (v.tr.indir.) (***) 1. Donner un apport financier.

1. (152)	beitragen	to contribute	contribuir	contribuire	een financiële bijdrage leveren financieel bijdragen

CONTRIBUTIF, -IVE (adj.) (**) 1. Qui se rapporte à un impôt.

1. (152)	Steuer- Beitrags-	contributory	contributivo	contributivo	op een bijdrage berustend belasting-

CONTRIBUTION (n.f.) (****) 1. Apport financier. 2. Impôt. 3. (plur.) Fisc.

1. (151)	der Beitrag der Beitragszahlung	contribution	la contribución la aportación	il contributo	de bijdrage (m./f.)
2. (151)	die Steuer die Abgabe	taxes	la contribución el impuesto	i contributi	de belasting (f.)
3. (151)	die indirekten Steuern	the Inland Revenue (GB) the Internal Revenue (US)	las contribuciones	l'erario (m.)	de fiscus (m.)

CONTRIBUTION

➠ impôt - fiscalité

1 une contribution	2 un contribuable, une contribuable	2 contributif, -ive	2 contribuer

1 une CONTRIBUTION - [kɔ̃tʀibysjɔ̃] - (n.f.)

1.1. (emploi au sing.) Somme d'argent qu'un agent économique (un particulier, une entreprise, un État - X) paie à un autre agent économique (un particulier, une entreprise, un État) pour couvrir une charge ou une dépense ou pour financer une œuvre commune.
Syn. : une quote-part, une contribution financière.
Les banques devront apporter leur contribution au plan de redressement de l'emploi.

1.2. (emploi fréq. au plur.) Somme d'argent que les agents économiques (les contribuables : les particuliers, les entreprises) doivent payer aux pouvoirs publics (l'État, les régions ou les collectivités locales) pour financer les dépenses de l'État, des régions ou des collectivités locales et pour donner aux pouvoirs publics la possibilité de réguler l'activité économique.
Syn. : (V. 314 impôt, 1).
Il a été poursuivi en justice parce qu'il avait refusé de payer ses contributions.

1.3. (emploi au plur.) Administration qui est chargée d'appliquer l'ensemble des lois et des règlements (la législation fiscale) qui se rapportent à l'application et à la perception de l'impôt et des taxes imposées par les pouvoirs publics (l'État et les collectivités locales).
Syn. : (plus fréq.) le fisc; l'administration fiscale.
Jusqu'à il y a quelques années, les contributions pénalisaient le refinancement d'un premier emprunt hypothécaire.

2.1. (emploi au sing.) Collaboration qu'une personne apporte à un livre, à une manifestation, à un projet, ...
Une vingtaine de contributions présentées lors de ce séminaire international sur l'emploi ont été regroupées et publiées.

+ adjectif

TYPE DE CONTRIBUTION (sens 1.2.)
Les contributions directes. (Syn. : **les impôts directs**). >< **Les contributions indirectes**. (Syn. : (plus fréq.) **les impôts indirects**).
(F) **La contribution sociale généralisée (la CSG)**. (V. 154 cotisation, 1).

+ nom

(sens 1.2.)
- **L'administration des contributions**. (Syn. : **l'administration fiscale**). *Dans une circulaire, le directeur général de l'administration des contributions directes demande un contrôle plus sévère des déclarations d'impôts.*
- **Un contrôleur des contributions**. (V. 270 fiscalité, 2).
- **Un receveur des contributions**. (V. 270 fiscalité, 2).

TYPE DE CONTRIBUTION (sens 1.2.)
(S) **La contribution de solidarité**. (V. 154 cotisation, 1).

+ verbe : qui fait quoi ?

(sens 1.1. et 2.1.)

X	**apporter** une/sa ~ à qqch./qqn	-

Pour en savoir plus

CONTRIBUTIONS EN TOUS GENRES
Le terme 'contribution' est utilisé dans différents pays pour désigner certains impôts supplémentaires destinés à financer entre autres la sécurité sociale : (B) **la contribution complémentaire de crise (la CCC)** ; (F) **la contribution sociale généralisée (la CSG)**.

2 AUTRES DÉRIVÉS OU COMPOSÉS

- **Un contribuable, une contribuable** [kɔ̃tʀibɥabl(ə)] (n.) : agent économique (une personne physique ou un particulier, une personne morale ou une entreprise) qui est légalement obligé de payer une somme d'argent aux pouvoirs publics (l'État, les régions ou les collectivités locales) pour financer leurs dépenses et leur donner la possibilité de réguler l'activité économique. (Ant. : **le fisc** ; **un percepteur**). *Le contribuable qui n'est pas d'accord avec l'impôt qui a été établi, peut introduire une réclamation auprès du directeur régional.*
- **Contributif, -ive** [kɔ̃tʀibytif, -iv] (adj.). **La capacité contributive**. *La nouvelle réforme fiscale tient davantage compte de la capacité contributive de chaque contribuable ; en effet, les classes défavorisées devront payer moins d'impôts.*
- **Contribuer** [kɔ̃tʀibɥe] (v.tr.indir.) : un agent économique paie une somme d'argent pour couvrir une charge ou une dépense ou pour financer une œuvre commune. *Toutes les radios devront contribuer à un fonds de création radiophonique.*

CONVENTION (n.f.) (****) 1. Contrat.

1. (150)	die Übereinkunft	agreement	el convenio	la convenzione	de conventie (f.)
(554)	die Konvention	contract	la convención		de overeenkomst (f.)

CONVENTIONNEL, -ELLE (adj.) (**) 1. Qui se rapporte à une convention.

1. (150)	vertraglich	contractual	convencional	convenzionale	conventioneel

	vertragsgemäss				conform aan de overeenkomst

CONVERSION (n.f.) (***) 1. Action de donner une autre forme à qqch.

1. (381)	die Umwandlung	conversion	la conversión	la conversione	de omschakeling (f.)
(12)		redeployment			de omzetting (f.)

CONVERTIBILITÉ (n.f.) (**) 1. Possibilité de donner une autre forme à qqch.

1. (381)	die Konvertibilität	convertibility	la convertibilidad	la convertibilità	de converteerbaarheid (f.)
	die Konvertierbarkeit				

CONVERTIBLE (adj.) (***) 1. À qui peut être donné une autre forme.

1. (380)	konvertierbar	convertible	convertible	convertibile	converteerbaar
(390)	umtauschbar				

CONVERTIR (~ qqch. en qqch.) (v.tr.dir.) (***) 1. Donner une autre forme à qqch.

1. (381)	konvertieren	to convert into	convertir	convertire	omrekenen
(12)	umrechnen	to change into		monetizzare	omschakelen

CONVOYEUR, CONVOYEUSE (n.) (**) 1. Personne qui accompagne un transport.

1. (288)	der Begleiter	person in charge of a convoy	la escolta	l'agente di scorta	de (be)geleider (m.)
		security guard (fonds)		il portavalori (de fonds)	

COOPÉRATEUR, COOPÉRATRICE (n.) (**) 1. Membre d'une société constituée pour réduire les coûts.

1. (513)	der Genosse	cooperator	el cooperador	il consorziato	het lid van een coöperatie
	das Mitglied einer Genossenschaft			il socio di cooperativa	

COOPÉRATIF, -IVE (adj.) (***) 1. Qui est fondé sur le modèle d'une société constituée pour réduire les coûts.

1. (513)	kooperativ	cooperative	cooperativo	cooperativo	coöperatief
(52)	genossenschaftlich				

COOPÉRATION (n.f.) (****) 1. Travail en commun avec qqn.

1. (215)	die Kooperation	cooperation	la cooperación	la cooperazione	de coöperatie (f.)
	die Mitarbeit	collaboration			de samenwerking (f.)

COOPÉRATIVE (n.f.) (***) 1. Société constituée pour réduire les coûts.

1. (513)	die Genossenschaft	cooperative society	la cooperativa	la società cooperativa	de coöperatieve vereniging (f.)
		co-op			

COOPÉRER (~ avec qqn) (v.tr.indir.) (**) 1. Travailler en commun avec qqn.

1.	kooperieren	to cooperate	cooperar	cooperare	samenwerken
	zusammenarbeiten	to collaborate			

COPROPRIÉTAIRE (n.) (*) 1. Personne qui possède un bien avec d'autres personnes.

1. (536)	der Miteigentümer	joint owner	el copropietario	il comproprietario	de mede-eigenaar (m.)
		co-owner			

COPROPRIÉTÉ (n.f.) (**) 1. Possession d'un bien avec d'autres personnes.

1. (536)	das Miteigentum	joint ownership	la copropiedad	il condominio	het gemeenschappelijke eigendom
		co-ownership		la comproprietà	

CORBEILLE (n.f.) (**) 1. Lieu où s'effectuent les transactions boursières.

1. (68)	das Parkett (des Börsensaales)	trading floor	el corro	il parterre della Borsa	de beursvloer (m.)
		trading pit		il recinto delle contrattazioni	

CORPORATION (n.f.) (*) 1. Ensemble de personnes qui exercent la même profession.

1. (453)	der Berufsverband	corporate body	la corporación	l'ordine (m.)	de corporatie (f.)
	der berufliche Interessenverband	profession		la corporazione	

CORPORATISME (n.m.) (**) 1. Doctrine qui favorise les groupements professionnels.

1. (453)	der Korporatismus	corporatism	el corporativismo	il corporativismo	het corporatisme
	die berufliche Interessenvertretung				

CORPORATISTE (adj.) (**) 1. Qui se rapporte à la doctrine qui favorise les groupements professionnels.

1. (453)	korporatistisch	sectional	corporativista	corporativista	corporatistisch

CORRESPONDANCE (n.f.) (***) 1. Échange de lettres entre deux personnes. 2. Ensemble de lettres.

1. (571)	die Korrespondenz	correspondence	la correspondencia	la corrispondenza	de correspondentie (f.)
	der Briefwechsel				de briefwisseling (f.)
2.	die Post	mail	el correo	la corrispondenza	de correspondentie (f.)
	die Korrespondenz	post	la correspondencia		de briefwisseling (f.)

CORRESPONDANT, CORRESPONDANTE (n.) (**) 1. Personne avec qui on échange des lettres.

1.	der Korrespondent	correspondent	el correspondiente	il corrispondente	de correspondent (m.)
	der Briefpartner				

CORRESPONDRE (~ avec qqn) (v.tr.indir.) (*) 1. Échanger des lettres avec qqn.

1.	korrespondieren	to correspond	corresponder	corrispondere	corresponderen
	einen Briefwechsel führen		cartearse		briefwisseling voeren

CORROMPRE (v.tr.dir.) (**) 1. Payer qqn pour faire un acte illicite.

1. (480)	bestechen	to bribe	corromper	corrompere	omkopen
(5)			cohechar		

CORRUPTEUR, CORRUPTRICE (n.) (*) 1. Personne qui paie qqn pour faire un acte illicite.

1. (480)	der Bestecher	briber	el corruptor	il corruttore	de omkoper (m.)

CORRUPTIBLE (adj.) (*) 1. Qui peut être payé pour faire un acte illicite.

1. (480)	bestechlich	corruptible	corruptible	corruttibile	omkoopbaar

CORRUPTION (n.f.) (***) 1. Action de payer qqn pour faire un acte illicite.

1. (480)	die Korruption	corruption	la corrupción	la corruzione	de corruptie (f.)
	die Bestechung	bribery	el cohecho		de omkoperij (f.)

COTATION (n.f.) (****) 1. Fixation d'un cours.

1. (69)	die (Börsen)notierung	quotation	la cotización	la quotazione	de (beurs)notering (f.)
(370)					

COTE (n.f.) (****) 1. Valeur d'une valeur mobilière. 2. Liste des cours des valeurs mobilières.

1. (69)	die (Kurs)notierung	quotation	la cotización	la quotazione	de (beurs)notering (f.)
(370)	der Kurs	quoted value			
2. (69)	die Notierung der Wertpapiere	(stock exchange) list	la cotización	il listino	de koerslijst (m./f.)
			tipo de cambio oficial		

COTER (v.tr.dir.) (***) 1. Fixer un cours.

1. (69)	notieren	to quote	cotizar	quotare	noteren
(370)	ein Kurs bestimmen	to rate			

COTISANT, COTISANTE (n.) (**) 1. Personne qui verse une somme d'argent à la sécurité sociale. 2. Personne qui verse une somme d'argent pour devenir membre. 3. Personne qui verse une somme d'argent pour couvrir une dépense commune.

1. (155)	der Beitragszahler	contributor	el cotizante	il contribuente	de bijdragebetaler (m.)
2. (155)	der Beitragszahler	fee-paying member	el cotizante	il socio contribuente	de bijdragebetaler (m.)
3. (155)	der Beitragszahler	contributor participant	el cotizante	il socio contribuente	de bijdragebetaler (m.)

COTISATION (n.f.) (****) 1. Somme d'argent versée à la sécurité sociale. 2. Somme d'argent versée pour devenir membre.

1. (154)	der Sozialversicherungsbeitrag	contribution	la cuota	i contributi sociali	de bijdrage (m./f.)
			la cotización		
2. (154)	der Beitrag	subscription	la cotización	il contributo associativo	de bijdrage (m./f.)
		contribution			

COTISATION

➠ allocation - salaire

1 une cotisation	3 un cotisant, une cotisante		2 (se) cotiser

1 une COTISATION - [kɔtizasjɔ̃] - (n.f.)

1.1. Somme d'argent qu'un salarié (une part du salaire) et son employeur (une part de la masse salariale) ou un indépendant (une part de son revenu) (X) versent à la sécurité sociale (Y).
Ant. : (V. 25 allocation, 1).
Par leurs cotisations, les salariés aident à couvrir les retraites, les allocations familiales, les allocations de chômage, etc.

1.2. Somme d'argent, généralement forfaitaire, qu'une personne (un adhérent, un affilié - X) verse annuellement à une association professionnelle, une organisation ou un club (Y) dans le but d'en être membre.
Comme nous disposons de réserves financières assez importantes, il ne sera pas nécessaire d'augmenter la cotisation de nos membres pour cette année.

+ adjectif

TYPE DE COTISATION (sens 1.1.)

Les cotisations (sociales) : versement à caractère obligatoire effectué au profit des organismes de sécurité sociale ou des régimes d'avantages sociaux et de l'État, en contrepartie des droits aux prestations sociales (Silem). (Syn. : **les charges sociales**). Elles comprennent :

les cotisations patronales (cotisations versées par l'employeur) (Syn. : (moins fréq.) **les charges patronales**)

et **les cotisations salariales, la part salariale**, (B) **les cotisations personnelles** (cotisations versées par le salarié).

Une cotisation spéciale : cotisation additionnelle imposée dans le but de financer un projet particulier ou pour faire face à des difficultés temporaires (p. ex. un déficit de la sécurité sociale). Ces cotisations reçoivent des dénominations variées de pays à pays : (B) **la cotisation de crise, la cotisation de solidarité**, (F) **la contribution sociale généralisée (la CSG)** (contribution instaurée pour obtenir un financement plus large de la sécurité sociale (Capul)) , (S) **la contribution de solidarité**.

Les cotisations de retraite complémentaire.

La cotisation due. *La cotisation due pour l'année passée peut encore être recouvrée cette an-*

née par l'administration.

TYPE DE COTISATION (sens 1.2.)

Les cotisations (personnelles). *Les cotisations personnelles à l'assurance-groupe ont été majorées de 2 %.*

Une cotisation syndicale : somme d'argent versée par une personne en tant que membre d'un syndicat.

+ nom

TYPE DE COTISATION (sens 1.1.)

(B) **La cotisation de crise, la cotisation de solidarité**. (☞ 154 + adjectif).

MESURE DE LA COTISATION (sens 1.1. et 1.2.)

Le montant d'une cotisation.

+ verbe : qui fait quoi ?

(sens 1.1. et 1.2.)

X		**payer** une ~ (à Y) **verser** une ~ (à Y)	le paiement d'une ~ (à Y) le versement d'une ~ (à Y)	
une organisation, le gouvernement		**déplafonner** les ~ >< **replafonner** les ~	le déplafonnement des ~ le replafonnement des ~	1
une organisation, le gouvernement	△	**augmenter** la ~ **majorer** la ~	une augmentation de la ~ une majoration de la ~	
une organisation, le gouvernement	▽	**réduire** la ~ **diminuer** la ~	une réduction de la ~ une diminution de la ~	

1 *Le gouvernement a annoncé qu'il allait procéder au déplafonnement des cotisations des personnes qui jouissent de hauts revenus afin d'augmenter sensiblement leur contribution au système de la sécurité sociale.*

(sens 1.1.)

l'État	**prélever** une ~ **retenir** une ~	**sur le salaire** **à la source**	le prélèvement d'une ~ la retenue d'une ~	sur le salaire à la source	1

1 *Le ministre des Affaires sociales propose de prélever une cotisation spéciale sur le salaire de tout salarié qui n'accepterait pas le principe du partage du travail.*

2 (SE) COTISER - [(s(ə)) kɔtize] - (v.tr.indir., v.intr., v.pron.)

1.1. (v.tr.indir., v.intr.) Un salarié ou un indépendant (X) verse une part de son salaire ou de son revenu au régime de la sécurité sociale.
Un indépendant doit s'affilier et cotiser à une caisse d'assurances sociales pour indépendants.

1.2. (v.intr.) Une personne (X) verse annuellement une somme d'argent, généralement forfaitaire, à une association professionnelle, une organisation ou un club dans le but d'en être membre.
Les membres de familles nombreuses cotisent moins.

1.3. (v.pron.) Plusieurs personnes réunissent une somme d'argent dans le but de couvrir une dépense commune (p. ex. l'achat d'un cadeau).
Les collègues se cotisent pour acheter un cadeau de mariage.

qui fait quoi ?

(sens 1.1. et 1.2.)

X	**cotiser**	-
X	**cotiser** à la sécurité sociale à un parti à une association professionnelle	la cotisation à ...

3 AUTRES DÉRIVÉS OU COMPOSÉS

- **Un cotisant, une cotisante** [kɔtizɑ̃, kɔtizɑ̃t] (n.) personne qui cotise (sens 1.1., 1.2. et 1.3.).

COTISER (~ à qqch., se ~) (v.tr.indir., v.intr., v.pron.) (**) 1. Verser une somme d'argent à la sécurité sociale. 2. Verser une somme d'argent pour devenir membre. 3. Verser une somme d'argent pour couvrir une dépense commune.

1. (155)	seinen Sozialversicherungsbeitrag bezahlen	to contribute	cotizar pagar una cuota	versare i contributi	bijdragen bijdrage(n) betalen
2. (155)	seinen Beitrag bezahlen	to pay one's subscription to contribute	cotizar pagar una cuota	versare il contributo associativo	bijdragen bijdrage(n) betalen

3. (155)	seinen Beitrag bezahlen	to contribute	pagar una cuota	contribuire	bijdragen
	Geld sammeln	to club together	cotizar		bijdrage(n) betalen

COUP DE BARRE (c'est le ~) (*) 1. C'est un prix très élevé.

1. (432)	eine sehr teure Rechnung	it's exorbitant	una cuenta exagerada	un prezzo molto elevato	de gepeperde rekening (f.)
			un precio exagerado		

COUP DE FUSIL (c'est le ~) (*) 1. C'est un prix très élevé.

1. (432)	eine sehr teure Rechnung	it's exorbitant	una cuenta exagerada	un prezzo molto elevato	de gepeperde rekening (f.)
			un precio exagerado		

COUPES SOMBRES (procéder à/faire des ~) (**) 1. Réaliser une réduction importante.

1. (75)	drastische Einsparungsmassnahmen treffen	to cut back on	reducciones drásticas	dei tagli drastici (plur.)	bezuinigen
(344)			tomar medidas de ahorro drásticas		schrappen

COUPLE (n.m.) (****) 1. Personnes liées par le mariage.

1. (22)	das Paar	(married) couple	la pareja	la coppia	het koppel het paar

COUPON (n.m.) (****) 1. Vignette d'une valeur mobilière.

1. (13)	der Zinsschein	coupon	el cupón	la cedola	de coupon (m.)
(390)	der Coupon				

COUPON-RÉPONSE ; COUPONS-RÉPONSES (n.m.) (*) 1. Vignette à remplir et à renvoyer.

1. (464)	der Antwortschein	reply-coupon	el cupón de respuesta	il tagliando di risposta	de antwoordcoupon (m.)

COUPURE (n.f.) (**) 1. Billet de banque.

1. (380)	der Geldschein	banknote (GB)	el billete	la banconota di piccolo taglio	de coupure (m./f.)
	die Banknote	bill (US)			

COURBE (n.f.) (****) 1. Représentation graphique.

1. (156)	die Kurve	curve graph	la curva	la curva	de curve (m./f.) de kromme (m./f.)

COURBE

mot-outil

1 une courbe			

1 une COURBE - [kuʀb(ə)] - (n.f.)

1.1. Représentation graphique par une ligne continue de la relation ou de l'évolution entre deux ou plusieurs variables (Silem).

Ant. : une droite.

La courbe ascendante que suivent les investissements depuis quelques mois confirme la reprise de l'activité économique.

+ adjectif

TYPE DE COURBE

Une courbe synthétique : courbe qui représente une combinaison de plusieurs variables. *La Banque nationale de Belgique publie chaque mois une courbe synthétique qui est l'indicateur de conjoncture des entreprises.*

Une courbe inversée. (☞ 156 + nom).

Une courbe normale : courbe en forme de cloche, parfaitement symétrique par rapport à la moyenne. (Syn. : **une courbe de Gauss**).

Une courbe ascendante : courbe qui représente une variable qui augmente. *La croissance soutenue que nous connaissons depuis quelque temps a inversé la courbe ascendante que le nombre de chômeurs suivait depuis trois ans.*

>< **Une courbe descendante**.

Une courbe lissée : courbe qui représente l'évolution moyenne d'une variable qui a tendance à varier fortement en peu de temps. *Malgré les mouvements de hausse récents, la tendance fondamentale fournie par la courbe lissée demeure orientée à la baisse.*

Une courbe plate, plane. (Syn. : **une droite**). *L'épargne présente une courbe de rendement plane puisque le rendement ne diffère quasiment pas en fonction de la durée.*

+ nom

- **La forme d'une courbe**.
  L'évolution d'une courbe.
- **L'inversion d'une courbe**. *L'inversion de la courbe des taux visualise le fait que les taux à court terme, qui sont normalement inférieurs aux taux à long terme, deviennent supérieurs aux taux longs.* (☞ 156 + adjectif).

TYPE DE COURBE

La courbe des taux d'intérêt.

La courbe du taux de chômage.

La courbe des prix. (V. 433 prix, 1).

La courbe (de vie) d'un produit. (V. 444 production, 2).

La courbe de rendement. (V. 482 rendement, 1).

La courbe de la demande. *La courbe de la demande de nos entreprises sur le marché de l'emploi se déplace de plus en plus vers des emplois qualifiés.*

Une courbe de + nom de la personne qui est à l'origine de la loi (économique, ...). Une courbe de Gauss ; de Laffer ; de Phillips. (☞ 156 + adjectif).

La courbe d'expérience : visualise l'expérience accumulée par un agent économique dans la production et la commercialisation d'un bien.

La courbe d'apprentissage : visualise le gain de temps qui résulte d'une meilleure adaptation de l'ouvrier sur un poste de travail donné à la suite de son expérience.

La courbe d'indifférence : exprime la relation entre deux "paniers" qui procurent au consommateur le même niveau d'utilité à tel point qu'il n'a pas de préférence pour l'un d'eux (Silem).

CARACTÉRISATION DE LA COURBE

Une courbe en + indication de la forme de la courbe. Une courbe en U ; en S ; en J.

Une courbe en dents de scie : courbe très irrégulière (avec de fortes hausses et baisses).

+ verbe : qui fait quoi?

grâce à une procédure statistique, un organisme	**lisser** une ~ (☞ 156 + adjectif)	-	1
une variable	**suivre** une ~ (ascendante, ...)	-	2
→ une ~	**suivre** une pente (ascendante, ...)	-	

1 *Pour neutraliser les variations extrêmes, la banque lisse systématiquement la courbe des revenus.*
2 *Les progrès fulgurants du secteur ont permis aux performances de suivre une courbe exponentielle qui a entraîné une chute spectaculaire des prix.*

COURONNE (n.f.) (****) 1. Monnaie danoise, norvégienne et suédoise.

1. (382)	die Krone	crown	la corona	la corona	de kroon (m./f.)

COURRIEL (n.m.) (**) 1. Message électronique.

1. (551)	die elektronische Post	electronic mail	el correo electrónico	il messaggio di posta elettronica	de e-mail (m.)
	die elektronische Nachricht	(e)mail	el E-mail (el emilio)	l'e-mail (m.)	de elektronische post (m.)

COURRIER (n.m.) (****) 1. Ensemble de documents envoyés entre différentes personnes. 2. Transport de documents.

1. (508)	die Post	mail	el correo	la corrispondenza	de briefwisseling (f.)
	die Briefe	post	la correspondencia	la posta	
2. (113)	die Post	courier service	el correo	la posta	de post (m.)
	die Postsendung				

COURRIER(-)EXPRESS (n.m.) (**) 1. Transport rapide de documents.

1. (551)	die Eilpost	express mail	el correo urgente	il corriere espresso	de expreskoerier(dienst) (m.)
	die Eilsendung			il corriere prioritario	de snelkoerier(dienst) (m.)

COURS (n.m.) (****) 1. Valeur de qqch. (titre, matière première etc.).

1. (69)	der Kurs	price	el precio	la quotazione	de koers (m.)
(93)	der Kurswert	rate	el cambio	il corso	de wisselkoers (m.)

COURSES (n.f.plur.) (**) 1. Achats.

1. (4)	die Einkäufe	shopping	las compras	le compere	de inkopen (plur.)
				gli acquisti	de boodschappen (plur.)

COURTAGE (n.m.) (***) 1. Intermédiation dans une transaction commerciale. 2. Rémunération d'un intermédiaire dans une transaction commerciale.

1. (116)	die Kurtage	brokerage	el corretaje	l'intermediazione commerciale	de makelaarsbemiddeling (f.)
				il brokeraggio	
2. (480)	die Maklergebühr	broker's commission	los gastos de corretaje	la commissione	de commissie (f.)
		brokerage fee			het makelaarsloon

COURTIER, COURTIÈRE (n.) (****) 1. Intermédiaire dans une transaction commerciale.

1. (116)	der Makler	agent	el corredor	il mediatore	de agent (m./f.)
		broker		il broker	

COÛT (n.m.) (****) 1. Somme d'argent que représente qqch. 2. Évaluation des efforts qu'implique un acte économique.

1. (158)	die Kosten	cost	el (los) costo(s)	il costo	de kost(en) (m.)
2. (158)	die Kosten	cost	el coste	i costi	de kost(en) (m.)

COÛT

➠ frais - dépense

1 un coût 3 un surcoût		3 coûteux, -euse 3 coûtant	2 coûter

1 le COÛT - [ku] - (n.m.)

1.1. (comptabilité ; emploi au sing. ou au plur., souvent en fonction du contexte) Somme d'argent que représentent des fournitures livrées, des travaux exécutés, des services rendus, des avantages accordés, des biens produits ou un sacrifice consenti (X) par un agent économique (un commerçant, une entreprise - Y) à un autre agent économique (un particulier, un commerçant, une entreprise - Z) ou manque à gagner dû à une action déterminée.
Syn. : (V. 187 dépense, 1).
Le coût de main-d'œuvre plus faible dans certains pays incite les entreprises à rechercher en permanence des créneaux porteurs sur lesquels elles ont moins à craindre la concurrence.

1.2. (emploi au sing. ou au plur., souvent en fonction du contexte) Évaluation (subjective) des efforts ou sacrifices qu'implique un acte économique (DC).
Pour évaluer le coût de la fermeture de cette filiale, il faut tenir compte non seulement des indemnités à verser aux employés, mais aussi des répercussions négatives sur l'image de marque.

expressions

(sens 1.1. et 1.2.)

(Produire, construire, ... ; une opération) **au meilleur coût** : au prix le plus bas. < (Produire, construire, ... une opération) **à moindre coût**. *La confection suppose moins de technicité qu'autrefois de sorte que les opérations les plus simples ont été délocalisées vers les pays à moindre coût salarial.*

(sens 1.1.)

Coût, assurance, fret (CAF). (V. 117 commerce, 1).

+ adjectif

TYPE DE COÛT (sens 1.1.)

Les coûts salariaux ((moins fréq.) **le coût salarial**). (V. 501 salaire, 3).

Les coûts fixes. >< **Le(s) coût(s) variable(s)**. (V. 293 frais, 1).

Le(s) coût(s) réel(s) : coûts qui donnent lieu à un décaissement (p. ex. une dépense, mais non un amortissement) ou à une dette envers un tiers. *La tarification aérienne reflète moins les coûts réels que l'offre et la demande.*

Le(s) coût(s) direct(s), les coûts opérationnels : coûts nécessaires au maintien de l'activité d'une entreprise, p. ex. pour l'achat de matières premières ou de nouvelles machines, ... (Syn.: **les frais d'exploitation, les coûts d'exploitation,** (moins fréq.) **les dépenses d'exploitation**). *Un niveau d'activité soutenu ajouté à la bonne maîtrise des coûts opérationnels a permis une forte progression des bénéfices.*

>< **Le(s) coût(s) indirect(s)** : qui se rapportent à la production en général, p. ex. les amortissements, la publicité. Le coût salarial se décompose en un coût direct (salaire net et cotisations sociales salariés) et un coût indirect (l'ensemble des charges acquittées par l'employeur). Cette structure des coûts est très différente d'un pays à l'autre et dépend du mode de financement de la protection sociale.

Les coûts sociaux : dépenses pour faire face aux besoins sociaux. *L'évolution démographique de l'Europe ne reste pas sans influence sur l'économie, en raison notamment des coûts sociaux résultant du poids du vieillissement de la population.*

Les coûts cachés : coûts dus à des dysfonctionnements d'une entreprise ou d'une organisation, p. ex. les coûts causés par l'absentéisme.

Le coût moyen, unitaire : coût d'une unité produite.

Le(s) coût(s) marginal (marginaux) : coût de la dernière unité produite.

TYPE DE COÛT (sens 1.2.)

Le coût social : coûts supportés par l'ensemble de la population à la suite de dommages causés par une action déterminée. La croissance économique peut p. ex. s'accompagner de pollution, d'épuisement des ressources naturelles, d'inégalités. *La stabilité monétaire exigée par le FMI se solde dans certains pays par un coût social très élevé: croissance du chômage, détérioration de la santé publique, diminution de la qualité de l'enseignement.*

NIVEAU DU COÛT (sens 1.1. et 1.2.)

Un faible coût, un coût bas. < **Un coût élevé, important**. < **Un coût excessif, exorbitant.** *Le coût de l'énergie est jugé excessif, mais s'explique par le fait qu'une seule société détient le monopole des sources d'approvisionnement.*

MESURE DU COÛT (sens 1.1. et 1.2.)

Le coût total, global : ensemble des dépenses engagées pour produire des biens ou des services. *Le coût global de la construction des voies et du matériel roulant a été estimé à près d'un milliard d'euros.*

Le coût horaire ; **annuel**.

+ nom

(sens 1.1.)

- **La structure de(s) coûts**. *Les salaires représentent une part prépondérante dans la structure des coûts des sociétés de service.*
- **Une analyse coûts-avantages, coûts-efficacité** : analyse qui permet de choisir le programme dont le coût est le plus faible pour une efficacité donnée ou le programme le plus efficace pour un coût donné. *Une analyse coûts-avantages sur laquelle on se base pour produire à moindre coût mais en polluant ou épuisant des biens non renouvelables peut se révéler désastreuse à long terme.*

(sens 1.2.)

Le coût de la vie. (V. 433 prix, 1).

TYPE DE COÛT (sens 1.1.)

Le(s) coût(s) de production : somme d'argent que représente un bien fabriqué (**le coût d'achat** des matières premières, **le coût de fabrication** (les machines, les salaires) et **le coût de distribution**). (Syn. : **le prix à la production**). *Une entreprise doit calculer ses coûts de production de façon très précise afin de maximiser son profit et de ne pas être éliminée par la concurrence.*

Le coût de revient : somme d'argent que représente un bien fabriqué (**les coûts de production**) et prêt à être vendu (**les coûts de distribution** : les coûts relatifs au stockage, au transport, à la publicité, ...). (Syn. : **le prix coûtant, le prix de revient**). *Sans la publicité commerciale, le coût de revient de cette revue s'élève à plusieurs milliers d'euros le numéro.*

Les coûts d'exploitation. (☞ 158 + adjectif).

Le coût de (la) main-d'œuvre, le coût du travail ((moins fréq.) **les coûts de (la) main-d'œuvre, les coûts du travail**) : somme d'argent donnée au personnel (y compris les charges et les cotisations sociales). (Syn. : **les frais de (la) main-d'œuvre**). *Les principales causes du sous-emploi semblent être le coût excessif du travail et l'insuffisance des investissements.*

Les coûts des matières premières et des biens intermédiaires.

Le coût d'un investissement : somme d'argent que représente un investissement effectué.

Les coûts des machines-outils.

Le coût d'opportunité : revenu auquel on renonce pour une opération alternative. *En imposant le service militaire aux jeunes gens, l'État ne tenait pas compte du coût d'opportunité, c'est-à-dire de ce qu'ils ne gagnaient pas en perdant une année professionnelle.*

Le coût d'achat. (V. 3 achat, 1).

Les coûts de transport. (V. 293 frais, 1).

Les coûts de fonctionnement. (V. 293 frais, 1).

NIVEAU DU COÛT (sens 1.1.)

Le niveau des coûts.

La faiblesse des coûts. >< **La hauteur des coûts**. *Notre économie souffre du mode de financement de la sécurité sociale et de la hauteur de nos coûts salariaux.*

+ verbe : qui fait quoi?

(sens 1.1.)

X (un service, la production)	✓	**engendrer** des ~	-	1
		entraîner des ~	-	
		occasionner des ~	-	
		↙		
le(s) ~	=	**s'élever à** ... euros	-	
		se monter à ... euros	-	
		se chiffrer à ... euros	-	
		↙		
Z (un particulier, ...)		**supporter** les ~ (de X, liés à X)	-	
Z (une entreprise)		**maîtriser** les ~ (de X, liés à X)	la maîtrise des ~ (de X, liés à X)	
		< **économiser** des ~	une/des économie(s) de ~	2
Y (un commerçant, une entreprise)		**répercuter** le(s) ~ (de X, liés à X) **sur** le consommateur **dans** le prix	la répercussion du/des ~ (de X, liés à X) sur le consommateur	3
		intégrer le(s) ~ (de X, liés à X) **dans** le prix	l'intégration du/des ~ (de X, liés à X) dans le prix	4
une mesure, une décision	▽	**réduire** le(s) ~ (de X)	une réduction du/des ~ (de X)	
		diminuer le(s) ~ (de X)	une diminution du/des ~ (de X)	
		comprimer le(s) ~ (de X)	une compression du/des ~ (de X)	5
		(a)baisser le(s) ~ (de X)	une baisse du/des ~ (de X) un abaissement du/des ~ (de X)	
→ le(s) ~ (de X)		**diminuer**		

Z	▽▽	**minimiser** le(s) ~ (de X)	la minimisation du/des ~ (de X)	
une mesure,	△	**augmenter** le(s) ~ (de X)	une augmentation du/des ~ (de X)	
une décision		**accroître** le(s) ~ (de X)	un accroissement du/des ~ (de X)	
→ le(s) ~ (de X)		-	une hausse du/des ~ (de X)	
		augmenter	une augmentation du/des ~ (de X)	
		croître	une croissance du/des ~ (de X)	
le(s) ~ (de X)	≠	**évoluer**	l'évolution du/des ~ (de X)	
un revenu		**couvrir** les ~ (de X, liés à X)	la couverture des ~ (de X, liés à X)	6

1 *La société avait constitué une provision exceptionnelle de 12 millions de dollars pour couvrir les coûts engendrés par la perte d'un procès.*
2 *Cette société affirme pouvoir économiser jusqu'à 50 % des coûts énergétiques grâce à son système de gestion énergétique.*
3 *Les banques répercutent le coût du paiement électronique sur les consommateurs.*
4 *L'intégration des coûts environnementaux dans le prix d'un litre de carburant est mal accueillie par les consommateurs.*
5 *L'accès au marché mondial, qui permet de produire sur une grande échelle, a permis à cette entreprise de comprimer fortement ses coûts.*
6 *La production et le chiffre d'affaires doivent atteindre un volume suffisant pour couvrir les coûts de développement et de commercialisation des produits.*

(sens 1.2.)

le(s) ~	=	**s'élever à** ... euros	-
		se monter à ... euros	-

2 COÛTER - [kute] - (v.intr.)

1.1. Des fournitures livrées, des travaux exécutés, des services rendus, des avantages accordés ou des biens produits (X) par un agent économique (un commerçant, une entreprise) pour un autre agent économique (un particulier, un commerçant, une entreprise) ou une valeur mobilière représentent une somme d'argent.

Syn. : (pour une fourniture ou un bien) valoir, (fam., pour des objets courants) faire.
L'essence coûte aujourd'hui nettement plus cher que le mois dernier: en cause, la hausse de la fiscalité sur les produits pétroliers.

expressions

- (fam.) (Qqch.) **coûter les yeux de la tête, coûter la peau des fesses** : coûter très cher. *Par rapport à un spot publicitaire classique, les coûts de production d'un infomercial sont plus élevés, mais il ne coûte pas nécessairement les yeux de la tête.*
- (fam.) (Qqch.) **coûter ...** euros **et des poussières** : coûter un peu plus de ... euros. *Cette chaîne stéréo coûte 1 000 euros et des poussières.*
- (Qqn veut qqch.) **coûte que coûte**. (Syn. : (plus fréq.) **à tout prix**). (V. 431 prix, 1).

+ nom

Coûter de l'argent, **beaucoup d'argent** : coûter une somme assez importante. (Syn.: (fam.) **c'est pas donné**). < **Coûter une fortune**, **coûter la bagatelle de** + un montant. *Ce nouvel aéroport prestigieux a coûté une fortune à l'un des pays les plus pauvres de la planète.*

+ adverbe

NIVEAU DU COÛT

Coûter cher. (Syn. : (peu fréq.) **valoir cher**). *La production de sucre en Europe coûte très cher. Toutefois, les producteurs de sucre européens ont une part du marché mondial de près de 20 %. Cela est impossible sans d'importants subsides.* > **Coûter peu**. > **Ne rien coûter**. (Syn. : **c'est gratuit**). (V. 437 prix, 1). *Les employeurs sont disposés à accueillir des jeunes en stage dans leurs entreprises pour autant que cela ne leur coûte rien.*

qui fait quoi?

X	**coûter** + un montant	le coût de X s'élève à + un montant	1

1 *Un abonnement à ce nouvel hebdomadaire financier coûte 50 euros.*

3 AUTRES DÉRIVÉS OU COMPOSÉS

- **Un surcoût** [syʀku] (n.m.) : coût supplémentaire. *L'intervention d'un intermédiaire dans le domaine des assurances justifie-t-elle un surcoût de l'ordre de 20 à 30 % de votre prime?*
- **Coûtant** [kutɑ̃] (adj. masculin utilisé dans des expressions fixes). **Le prix coûtant**. (Syn. : (plus fréq.) **le prix à la production**). ((Re)vendre qqch. ; payer qqch.) **à/au prix coûtant** : au prix à la production ou de l'achat. *Nous faisons payer l'eau au prix coûtant. Ce sont surtout les taxes qui sont importantes.*
- **Coûteux, -euse** [kutø, -øz] (adj.) : qui entraîne une dépense importante. (Syn. : (plus fréq.) **cher**, (moins fréq.) **onéreux**). (Ant. : **économique** ; **bon marché** > **gratuit**). (V. 437 prix, 1). *Nous achetons directement aux paysans du Sud sans passer par de coûteux intermédiaires, ce qui nous permet de leur payer un prix juste.*

COÛTANT (adj.m.) (*) 1. (un prix ~) Coût de revient. 2. (un prix ~) Prix d'achat.

1. (161) (432)	Selbstkostenpreis	cost (price)	coste (el precio de ~)	(il prezzo di) costo	kost-
2. (432)	Einkaufs(preis)	cost (price)	coste (el precio de ~)	il prezzo d'acquisto	aankoop-

COÛTER (v.intr.) (****) 1. Représenter une somme d'argent.

1. (160)	kosten	to cost	costar	costare	kosten

COÛTEUX, -EUSE (adj.) (****) 1. Qui entraîne une dépense importante.

1. (161)	teuer kostspielig	expensive costly	costoso	costoso	kostelijk duur

COUTURE (n.f.) (**) 1. Confection de vêtements.

1. (519)	die Konfektion	dressmaking	la confección	la sartoria	de confectie (f.)
(535)		sewing	la costura		

COUTURIER (n.m.) (**) 1. Personne qui dirige une société qui confectionne des vêtements.

1. (535)	der Modeschöpfer	dress-maker	el modisto	il stilista	de couturier (m.)
(255)	der Couturier	dress designer		il sarto	de modeontwerper (m.)

COUTURIÈRE (n.f.) (*) 1. Personne qui confectionne des vêtements.

1.	die Modeschöpferin	dress-maker	la modista	la stilista	de modeontwerpster (f.)
	die (Damen / Herren)Schneiderin	dress designer	la costurera	il sarto	

COUVERTURE (n.f.) (****) 1. Garantie d'un risque. 2. Compensation de qqch. par qqch. d'autre.

1. (40)	die Deckung	cover	la cobertura	la copertura	de dekking (f.)
(92)	die Sicherheit	coverage		l(o)'hedging	
2. (541)	die Deckung	coverage	la cobertura	la copertura	de dekking (f.)

COUVRIR (se ~ contre qqch., ~) (v.pron., v.tr.dir.) (****) 1. Garantir un risque. 2. Compenser qqch. par qqch. d'autre.

1. (40)	(ab)decken	to cover (oneself)	cubrir (se)	coprire	dekken
(149)	(ab)sichern	to hedge (bourse)		compensare	
2. (186)	decken	to cover	cubrir (se)	coprire	dekken
(294)	vergüten		compensar	compensare	compenseren

CPQ (le ~) (***) (534) Conseil du patronat du Québec.

CRÉANCE (n.f.) (****) 1. Droit d'exiger une somme d'argent. 2. Titre qui constate ce droit. 3. Somme d'argent qui peut être exigée.

1. (161)	der Anspruch	debt claim	el crédito la deuda	il credito	de (schuld)vordering (f.)
2. (161)	die (Schuld)forderung	evidence of indebtedness	el crédito la deuda	il titolo di credito	het bewijs van vordering
3. (161)	die Aussenstände die Forderungen	dues	el crédito	il credito	de schulden (plur.)

CRÉANCE

➠ dette

1 une créance	2 un créancier, une créancière	3 créancier, -ière	

1 une CRÉANCE - [kʀeɑ̃s] - (n.f.)

1.1. Droit que possède un agent économique (le créancier: un particulier, une entreprise, une banque, un État - X) d'exiger une somme d'argent d'un autre agent économique (le débiteur: un particulier, une entreprise, une banque, un État).
Ant. : une dette, une obligation.
La cession d'une créance permet au propriétaire de la créance (le cédant) de percevoir immédiatement une partie de la somme d'argent qui lui est due. La différence est perçue par l'acheteur (le cessionnaire) comme une rémunération pour le risque qu'il prend.

1.2. Titre qui constate la créance (sens 1.1.).
Syn. : un titre de créance.
La faillite de cette société, dont l'activité consistait à racheter des créances à des entreprises, s'explique par le fait que bon nombre de créances étaient falsifiées.

1.3. Somme d'argent qu'un agent économique (le créancier: un particulier, une entreprise, une banque, un État - X) peut exiger comme créance (sens 1.1.) d'un autre agent économique (le débiteur : un particulier, une entreprise, une banque, un État) en contrepartie des biens que le créancier lui a vendus, des services qu'il lui a fournis ou de l'argent qu'il lui a prêté.
Syn. : (☞ 163 Pour en savoir plus, Créance (sens 1.3.) et synonymes) ; Ant. : une dette.
Notre pays a décidé que 20 % des créances sur la plupart des pays africains ne devront pas être remboursées.

+ adjectif

TYPE DE CRÉANCE (sens 1.1. et 1.2.)
Une créance cessible. (☞ 162 + nom).

TYPE DE CRÉANCE (sens 1.2. et 1.3.)
Une créance irrecouvrable, irrécouvrable : créance définitivement perdue. *Certaines banques doivent supporter tant de créances irrecouvrables qu'elles ne peuvent plus fournir de nouveaux prêts.*
>< **Une créance recouvrable**. (☞ 163 + verbe).
Une créance liquide : créance dont le montant est rapidement disponible.
Une créance hypothécaire : créance garantie par un droit (une hypothèque) détenu par un agent économique (le créancier) sur un bien immobilier du débiteur.
Les créances commerciales : créances qui sont le résultat d'une transaction commerciale. *Les créances commerciales de notre entreprise représentent près d'un cinquième de notre actif.*
Une créance exigible : créance dont l'exécution peut être réclamée immédiatement.
>< **Une créance non exigible**.
Une créance privilégiée : créance qui bénéficie d'un droit exclusif ou prioritaire accordé par la loi à certains ayants droit ou créanciers.

TYPE DE CRÉANCE (sens 1.2.)
(S) **Une créance comptable**. (V. 390 obligation, 1).

CARACTÉRISATION DE LA CRÉANCE (sens 1.2.)
Une créance douteuse : créance dont le recouvrement est incertain. *La solvabilité de certaines banques est mise en cause par l'accumulation de créances douteuses.*
>< **Une créance certaine, sûre**.

+ nom

(sens 1.1., 1.2. et 1.3.)
Le bénéficiaire d'une créance. (V. 60 bénéfice, 2).

(sens 1.1. et 1.2.)
Une cession de créance. 1. Transfert d'une créance d'un agent économique (le cédant) à un autre (le cessionnaire). - 2. Transfert d'une créance d'une entreprise à une banque comme garantie pour les crédits que la banque lui accorde. (☞ 162 + adjectif).

(sens 1.2.)
- **Un titre de créance**. (Syn. : **une créance**).
- **La liquidité d'une créance**. (V. 346 liquidité, 1).

TYPE DE CRÉANCE (sens 1.1.)
Une créance sur + nom qui désigne le débiteur ou l'instance débitrice. Une créance sur les fonds de retraite; sur les compagnies d'assurances. **Détenir une créance sur**. (☞ 162 + verbe).
Les créances clients : sommes à recouvrer suite à la vente de biens ou de services ou au consentement d'un prêt. *La négligence dans le recouvrement des créances clients compte parmi l'une des importantes fautes de gestion.*

MESURE DE LA CRÉANCE (sens 1.1.)
Une créance à court terme. >< **Une créance à long terme**.

+ verbe : qui fait quoi?

(sens 1.1. et 1.2.)

X	×	**avoir** une ~ (sur qqn)	-	
		détenir une ~ (sur qqn)	la détention d'une ~ (sur qqn) un détenteur d'une ~ (sur qqn)	1
		⋎		
X	O	**céder** une ~	la cession d'une ~ une ~ cessible	2
		>< **récupérer** une ~	la récupération d'une ~	
une ~		**venir à échéance**	une ~ échue	3
		⋎		
X		**honorer** une ~	-	3

1 *Le détenteur d'une créance sur un pays en situation de rééchelonnement de sa dette pourra s'en servir afin d'acheter ou de prendre des participations dans les entreprises locales.*

2 *Le propriétaire d'une créance peut la céder à quelqu'un d'autre dans le but de percevoir immédiatement une partie du montant de la créance.*
3 *Le fait de devoir attendre qu'une créance vienne à échéance comporte des risq u es: le débiteur peut, à l'échéance, ne plus être en mesure d'honorer sa créance.*

(sens 1.2. et 1.3.)

X	**recouvrer** une ~ (sur qqn)	le recouvrement d'une ~ (sur qqn) une ~ recouvrable	1

1 *Nous avons décidé de renoncer provisoirement au recouvrement de nos créances sur ce client pour lui laisser le temps de surmonter ses difficultés financières.*

Pour en savoir plus

CRÉANCE (sens 1.3.) ET SYNONYMES
Une créance.
Une somme due, (peu fréq.) **un dû**. (V. 196 dette, 1) : toute somme d'argent qu'un agent économique doit à un autre (p. ex. le prix d'un service, une dette, ...).
Un débet [debɛ] : somme qui reste due après la clôture d'un compte.

2 un CRÉANCIER, une CRÉANCIÈRE - [kʀeɑ̃sje, kʀeɑ̃sjɛʀ] - (n.)

1.1. Agent économique (un particulier, une entreprise, une banque, un État - X) titulaire d'un droit d'exiger une somme d'argent d'un autre agent économique (le débiteur: un particulier, une entreprise, une banque, un État - Y).
Syn. : un prêteur, (moins fréq.) un créditeur ; Ant. : un débiteur.
Comme n'importe quel créancier, le fisc dispose de pouvoirs plus ou moins étendus pour récupérer son dû : obligation de communiquer tous les documents nécessaires, accès aux locaux, ...

+ adjectif

TYPE DE CRÉANCIER
Un créancier privilégié : qui détient une créance dont le remboursement est prioritaire. (Syn. : **un créancier chirographaire**).
>< **Un créancier ordinaire, non privilégié**.

+ verbe : qui fait quoi?

X	×	**être** ~ de Y	-	
Y		**satisfaire** ses ~	la satisfaction des ~	1

1 *Cette entreprise doit d'urgence trouver quelque 10 millions d'euros pour satisfaire ses créanciers et relancer ses activités.*

3 AUTRES DÉRIVÉS OU COMPOSÉS

- **Créancier, -ière** [kʀeɑ̃sje, -jɛʀ] (adj.) : (un agent économique : un particulier, une entreprise, une banque, un État) qui est titulaire d'un droit d'exiger une somme d'argent d'un autre agent économique (le débiteur : un particulier, une entreprise, une banque, un État). (Syn. : **prêteur**, (moins fréq.) **créditeur**). (Ant. : **débiteur**). **La banque créancière.** *Les banques créancières ont accepté le plan de restructuration qui a été élaboré par la direction.*

CRÉANCIER, CRÉANCIÈRE (n.) (***) 1. Agent économique qui est titulaire d'un droit d'exiger une somme d'argent.

1. (163)	der Gläubiger	creditor	el acreedor	il creditore	de schuldeiser (m.) de crediteur (m.)

CRÉANCIER, -IÈRE (adj.) (***) 1. Qui est titulaire d'un droit d'exiger une somme d'argent.

1. (163)	Gläubiger-	creditor	acreedor	creditore	schuldeiser crediteur

CRÉATEUR, CRÉATRICE (n.) (***) 1. Auteur d'une chose nouvelle (RQ).

1. (441)	der Schöpfer	designer creator	el creador	il creatore	de ontwerper (m.) de schepper (m.)

CRÉATEUR, -TRICE (adj.) (***) 1. Qui est l'auteur d'une chose nouvelle.

1. (441) (226)	Schöpfer-	creative	creador	creatore	creatief scheppend

CRÉATIF (n.m.) (**) 1. Personne qui conçoit et réalise une campagne publicitaire.

1. (441)	der Werbeagent	designer	el creativo	il creatore pubblicitario	de ontwerper (m.)
	der Kreativmanager	member of the design staff	el publicista		

CRÉATIF, -IVE (adj.) (***) 1. Qui est inventif.

1. (441)	kreativ schöpferisch	creative innovative	creativo	creativo	creatief scheppend

CRÉATION (n.f.) (****) 1. Invention d'une chose nouvelle.

	DE	EN	ES	IT	NL
1. (441)	die Schöpfung die Schaffung	designing development	la creación	la creazione	de creatie (f.) het ontwerpen

CRÉATIVITÉ (n.f.) (***) 1. Capacité d'invention d'une chose nouvelle.

	DE	EN	ES	IT	NL
1. (441)	die Kreativität	creativity creativeness	la creatividad	la creatività	de creativiteit (f.) de vindingrijkheid (f.)

CRÉDI(T)RENTIER, CRÉDI(T)RENTIÈRE (n.) (*) 1. Personne qui reçoit une rente viagère.

	DE	EN	ES	IT	NL
1. (487)	der Empfänger einer Leibrente	creditor of a life annuity	el acreedor de una renta vitalicia	il creditore di una rendita vitalizia	de schuldeiser (m.) van een lijfrente

CRÉDIT (n.m.) (****) 1. Mise à disposition d'une somme d'argent. 2. Somme d'argent mise à disposition. 3. (plur.) Budget. 4. Délai de paiement. 5. Colonne de droite d'un compte.

	DE	EN	ES	IT	NL
1. (164)	der Kredit das Guthaben	credit loan	el crédito	il credito	het krediet
2. (164)	der Kredit	credit loan	el crédito	il credito la somma stanziata	de lening (f.)
3. (164)	der Kredit das Budget	budget	el crédito	il credito	het budget
4. (164)	die Zahlungsfrist das Zahlungsziel	term of payment	la moratoria	la dilazione di pagamento	het betalingsuitstel
5. (164)	die Habenseite	credit(side)	el saldo acreedor	l'avere (m.)	de kredietzijde (m./f.)

CRÉDIT

➡ prêt
➡ budget
➡ paiement
➡ débit - compte

1 un crédit **2** le crédit-bail **2** un crédit(-)pont une assurance(-) crédit (V. 42 assurance, 4)	**2** un créditeur, une créditrice un crédi(t)rentier, une crédi(t)rentière (V. 487 rente, 1)	**2** créditeur, -trice	**2** créditer

1 un CRÉDIT - [kʀedi] - (n.m.)

1.1. Opération par laquelle un agent économique (le créditeur : un particulier, une banque, un État - X) met à la disposition d'un autre agent économique (le débiteur : un particulier, une entreprise, un État - Y) une somme d'argent que le débiteur doit rembourser dans un délai déterminé avec le paiement d'un intérêt.
Syn. : un prêt, (moins fréq.) une avance ; Ant. : un emprunt.
Le mouvement haussier des taux d'intérêt à long terme a pour conséquence que le crédit devient plus cher.

1.2. Somme d'argent qu'un agent économique (le créditeur : un particulier, une banque, un État - X) met à la disposition d'un autre agent économique (le débiteur : un particulier, une entreprise, un État - Y) et que le débiteur doit rembourser dans un délai déterminé avec, généralement, le paiement d'un intérêt.
Syn. : un prêt, (moins fréq.) une avance ; Ant. : une dette, un endettement, (peu fréq.) un débit.
L'annulation d'un crédit de plusieurs millions d'euros a rendu très précaire la situation financière de cette entreprise.

1.3. (emploi au plur.) Somme d'argent dont peut disposer un agent économique (un organisme, un département d'une entreprise, un État - X) pour couvrir une ou plusieurs dépenses précises.
Syn. : un budget.
La direction a mis d'importants crédits à la disposition d'une agence de publicité pour améliorer l'image de marque de la société.

1.4. Délai de paiement accordé par un agent économique (un commerçant, une entreprise, une banque - X) à un autre agent économique (un particulier, un commerçant, une entreprise, une banque - Y).
Nous faisons assez facilement crédit à nos bons clients.

1.5. (en comptabilité en partie double, emploi avec l'art. déf.) Colonne de droite d'un compte qui enregistre la ressource d'une opération, en contrepartie de l'enregistrement de l'emploi dans la colonne de gauche (le débit) du compte.
Ant. : le débit.
Un règlement par chèque bancaire est enregistré au crédit du compte en banque.

expressions

(sens 1.4.)

- **À crédit**. (Ant. : **au comptant**). **Vendre à crédit; acheter à crédit**. (V. 574 vente, 3).
- **La maison ne fait pas de crédit** : phrase par laquelle un commerçant annonce à son client qu'il ne désire pas lui accorder de crédit.

+ adjectif

TYPE DE CRÉDIT (sens 1.1.)

Un crédit foncier ; hypothécaire ; immobilier. (V. 428 prêt, 1).

Un crédit bancaire.

Un crédit croisé : échange temporaire entre banques centrales d'un certain montant de leurs monnaies respectives qui vise à soutenir le cours de l'une de ces monnaies (Ménard).

Le crédit documentaire : crédit à l'exportation qui permet à l'entreprise exportatrice de ne pas courir le risque d'insolvabilité de son client étranger et d'être payée dès l'expédition des marchandises.

Un crédit différé : formule de crédit dans laquelle l'octroi du prêt est subordonné à la constitution préalable d'une épargne au cours d'une période d'attente.

Le crédit permanent, renouvelable, automatique : crédit d'un montant déterminé, valable pour des opérations successives d'utilisation et de remboursement, tant que l'accord de crédit n'est pas dénoncé (DC). (Syn. : (angl.) **le revolving credit, le crédit revolving**).

Le crédit interbancaire : argent que se prêtent les banques les unes aux autres. *Le crédit interbancaire coûte à présent 5,45 % contre 5,55 % la semaine passée.*

TYPE DE CRÉDITS (sens 1.3.)

Des crédits (budgétaires) : sommes d'argent accordées à une administration publique pour la réalisation de son programme d'action au cours d'une période donnée (Ménard).

CARACTÉRISATION DU CRÉDIT (sens 1.1.)

Les crédits douteux. *La plus grande banque du pays a annoncé qu'elle devra constituer moins de provisions pour les crédits douteux, qui avaient lourdement pesé sur les résultats l'année passée.*

CARACTÉRISATION DES CRÉDITS (sens 1.3.)

Des crédits provisoires : crédits accordés en attendant leur approbation définitive.

NIVEAU DU CRÉDIT (sens 1.1.)

Le crédit (est) cher : crédit à taux d'intérêt élevé.

>< **Le crédit gratuit** : crédit accordé sans charges d'intérêt.

+ nom

(sens 1.1.)

- **Un établissement de crédit, un organisme de crédit, une société de crédit**. *Que doit faire le consommateur lorsque le prêt consenti par l'établissement de crédit ne respecte pas les conditions légales ?*

  Les institutions publiques de crédit. (V. 54 banque, 1).
- **Les formes de crédit**. *Les grandes banques ont décidé de réduire de 0,50 % le tarif de base d'un certain nombre de leurs formes de crédit.*
- **L'offre de crédit**. (V. 393 offre, 1). >< **La demande de crédit**. (V. 182 demande, 1).
- **Un dossier de crédit** : ensemble de documents comptables et financiers qui accompagne une demande de crédit formulée auprès d'un établissement financier.

  Les conditions de crédit. *Nous avons recours au crédit parce que les conditions de crédit sont très favorables actuellement.*

  Les facilités de crédit : formule de crédit qui offre une plus grande flexibilité à l'emprunteur (p. ex. **la facilité de caisse**). (V. 81 caisse, 1). *Les facilités de crédit ont été multipliées en faveur des pays les plus endettés.*

  Une ligne de crédit : montant maximal qui peut être utilisé dans le cadre de la convention d'ouverture de crédit. (Syn. : **un plafond de crédit,** (Q) **une marge de crédit**).
- **Les risques de crédit**. *En Belgique, l'Office national du Ducroire a pour mission de favoriser l'exportation par l'octroi de garanties propres à diminuer les risques inhérents à celle-ci, spécialement les risques de crédit.*

  Une cote de crédit : résultat de l'évaluation de la solvabilité d'une entreprise ou d'un client. (Syn. : **une cote de solvabilité**).
- **Une lettre de crédit** : document remis par un banquier pour permettre à son client de disposer de fonds dans une de ses succursales ou chez un autre banquier (DC).
- **L'encadrement du crédit** : politique budgétaire qui vise le contrôle de l'augmentation de la masse de crédits offerts par les banques. < **Le resserrement du crédit** : contrainte imposée par la banque centrale d'un pays aux autres établissements financiers pour limiter la progression des crédits qu'ils accordent et l'expansion de la masse monétaire (Ménard). *Les investisseurs craignent que le resserrement du crédit ne finisse par provoquer un ralentissement de la croissance économique.*

(sens 1.2.)

L'/Les encours de crédit : montant des crédits accordés mais non encore échus.

(sens 1.4.)

Une carte de crédit. (V. 54 banque, 2).

(sens 1.5.)

Une note de crédit : document établi par l'entreprise pour aviser son client qu'elle a réduit le solde de son compte en raison d'un rabais, d'un retour ou de l'annulation d'une opération (Ménard). (Syn. : **une facture d'avoir**).

TYPE DE CRÉDIT (sens 1.1.)

Le crédit à la consommation. (V. 428 prêt, 1).

Un crédit d'/à l'investissement. *Il n'est pas certain que la baisse des taux d'intérêt à court terme entraînera une reprise des crédits d'investissement.*

Un crédit d'équipement : crédit accordé pour l'achat de biens d'équipement à usage professionnel.

Un crédit fournisseurs : crédit accordé à son client par un fournisseur qui accepte de retarder la date de règlement de la facture.

Un crédit clients : créance d'une entreprise sur un client.

Un crédit à l'exportation : crédit accordé par une institution financière à une entreprise pour faciliter ses exportations.

Un crédit acheteur : technique particulière du crédit à l'exportation dans laquelle le crédit est attribué directement à l'acheteur étranger par les banques du pays exportateur.

Un crédit à vue, un crédit de caisse : prêt remboursable au moment voulu par le prêteur, au prix d'un taux d'intérêt plus élevé. *Avec un crédit à vue, l'entreprise peut disposer de liquidités par un découvert jusqu'à concurrence du montant convenu.*

Le crédit d'escompte : opération par laquelle un effet de commerce soumis par une entreprise est payé par un banquier avant sa date d'échéance, en contrepartie de certains frais, appelés **agios** ou **frais d'escompte**.

Un crédit relais : somme d'argent mise à la disposition d'un agent économique par les autorités pour assurer son fonctionnement et en attendant une décision définitive. (Syn. : (B) **un crédit(-)pont, un crédit de soudure**).

Un crédit en blanc : crédit accordé sans demande de garantie à l'emprunteur.

TYPE DE CRÉDIT (sens 1.4.)

Un crédit d'impôt. (V. 313 impôt, 1).

MESURE DU CRÉDIT (sens 1.2.)

La durée du crédit. Un crédit à durée limitée. >< **Un crédit à durée illimitée.**

Un crédit à long terme. >< **Un crédit à court terme.** (Syn. : **une avance**).

Le montant du crédit.

+ verbe : qui fait quoi ?

(sens 1.1.et 1.2.)

Y		**demander** un ~ (à X)	la demande de ~ le demandeur de ~	
		solliciter un ~ (auprès de X)	la sollicitation de ~	
		↓		
X	✓	**octroyer** un ~ (à Y)	l'octroi d'un ~ (à Y)	
		accorder un ~ (à Y)	-	1
		consentir un ~ (à Y)	-	
		ouvrir un ~	l'ouverture d'un ~	2
>< Y		**se faire ouvrir** un ~	l'ouverture d'un ~	
		obtenir un ~	l'obtention d'un ~	
		↓		
Y		**rembourser** un ~ (à X)	le remboursement d'un ~ (à X)	
les autorités		**encadrer** le ~ (☞ 165 + nom)	l'encadrement du ~	
		< **resserrer** le ~ (☞ 165 + nom)	le resserrement du ~	
		>< **assouplir** le ~	l'assouplissement du ~	3

1 *Les banques commerciales sont invitées à accorder de nouveaux crédits pour soutenir la reprise de l'activité dans les pays débiteurs.*

2 *Les banquiers ont refusé de lui ouvrir un crédit parce qu'il ne présentait pas suffisamment de garanties.*

3 *Nous espérons que le gouvernement va assouplir le crédit, ce qui faciliterait le règlement des problèmes d'endettement.*

(sens 1.3.)

la direction, un organisme	✓	**octroyer** des ~ (à X)	l'octroi de ~ (à X)	
		accorder des ~	-	
		consentir des ~	-	
>< X		**obtenir** des ~	l'obtention de ~	
		↓		
X	×	**disposer** de ~	avoir des ~ à sa disposition	
X		**affecter** des ~ **à** qqch.	l'affectation de ~ à qqch.	1
		allouer des ~ **à** qqch.	l'allocation de ~ à qqch.	
		consacrer des ~ **à** qqch.	-	

1 *D'importants crédits, qui devraient être affectés aux programmes de développement, sont détournés et employés pour l'achat d'armes.*

(sens 1.4.)

X	**faire** ~ (à Y)	
	vendre à ~	la vente à ~
>< Y	**acheter** à ~	l'achat à ~

(sens 1.5.)

un client,	✓	**porter** une somme **au** ~ de qqn	-
un comptable		**verser** une somme **au** ~ de qqn	le versement d'une somme au ~ de qqn
un comptable	✓	**inscrire** une somme **au** ~ (d'un compte)	l'inscription d'une somme au ~ (d'un compte)

2 AUTRES DÉRIVÉS OU COMPOSÉS

- **Le crédit-bail** [kʀedibaj] (n.m.). (Syn. : (plus fréq.) (angl.) **le leasing**). *Quoique plus cher que le crédit normal, le crédit-bail offre de nombreux avantages techniques et fiscaux pour les indépendants et les entreprises.* (V. 350 location, 1).
- (B) **Un crédit(-)pont** [kʀedipɔ̃] (n.m.) (plur. : **des crédits(-)ponts**). (Syn. : **un crédit relais**). (V. 166 1 crédit).
- **Un créditeur, une créditrice** [kʀeditœʀ, kʀeditʀis] (n.) : agent économique (un particulier, une banque, un État) qui met à la disposition d'un autre agent économique (le débiteur : un particulier, une entreprise, un État) une somme d'argent que celui-ci doit rembourser dans un délai déterminé avec, généralement, le paiement d'un intérêt. (Syn. : (plus fréq.) **un prêteur, un créancier**). (Ant. : **un débiteur**).
- **Créditeur, -trice** [kʀeditœʀ, -tʀis] (adj.). (Ant. : **débiteur**). 1. Qui se rapporte au crédit (sens 1.1.). **Un taux (d'intérêt) créditeur** : taux qui s'applique aux capitaux pour lesquels un créancier reçoit un intérêt. (Ant. : **un taux débiteur**). *Les banques se plaignent du fait que, ces dernières années, leur marge entre taux débiteurs et taux créditeurs a fondu.* **Les intérêts créditeurs**. (V. 331 intérêt, 1). **Un pays créditeur.** - 2. (un compte) Qui est positif. **Un compte créditeur. Le solde créditeur (d'un compte)**.
- **Créditer** [kʀedite] (v.tr.dir.) : un agent économique (un particulier, une entreprise) inscrit, porte une somme d'argent au crédit (sens 1.5.) de son compte ou d'un compte d'un autre agent économique. (Ant. : **débiter**). **Créditer un compte de ... euros.**

CRÉDIT(-)PONT ; CRÉDITS(-)PONTS (n.m.) (*) 1. Somme d'argent destinée à assurer le fonctionnement.

1. (167)	der Überbrückungskredit	bridging loan	el crédito puente	il finanziamento ponte	het overbruggingskrediet

CRÉDIT-BAIL (n.m.) (*) 1. Location de biens à des conditions spécifiques.

1. (167)	das Leasing	leasing	el arrendamiento financiero	il leasing operativo	de leasing (f.)
	das Leasen		el leasing	il leasing finanziario	

CRÉDITER (v.tr.dir.) (**) 1. Inscrire au crédit d'un compte.

1. (167)	gutschreiben (banque)	to credit	abonar en cuenta	accreditare	crediteren
	im Haben verbuchen (bilan)		hacer efectivo el ingreso en cuenta		

CRÉDITEUR, CRÉDITRICE (n.) (*) 1. Agent économique qui met à disposition une somme d'argent.

1. (167)	der Gläubiger	creditor	el acreedor	il creditore	de crediteur (m.)

CRÉDITEUR, -TRICE (adj.) (**) 1. Qui se rapporte à la mise à disposition d'une somme d'argent. 2. Qui est positif.

1. (167)	Kreditoren- Gutschrift-	credit	acreedor	creditore	krediet-
2. (167)	Haben- Guthaben-	in credit with a credit balance	saldo acreedor	attivo	creditsaldo

CRÉER (v.tr.dir.) (****) 1. Inventer une chose nouvelle.

1. (441)	schaffen	to design	crear	creare	creëren
(236)	herstellen	to invent			

CRÉNEAU (n.m.) (****) 1. Marché de petite taille. 2. Marché pour lequel il n'existe aucun produit ou service satisfaisant.

1. (371)	die Marktlücke	niche	el segmento (de mercado)	la nicchia	de niche (m./f.)
2. (371)	die Marktnische	market opportunity opening	el hueco (de mercado)	lo sbocco	het te exploiteren marktsegment

CREUSEMENT (n.m.) (*) 1. Augmentation.

1. (275)	die Vergrösserung die Zunahme	a widening gap increase	el incremento	l'aumento (m.)	de toename (m./f.)

CREUSER (~, se ~) (v.tr.dir., v.pron.) (**) 1. Augmenter.

1. (275)	sich vergrössern	to widen	incrementar (se)	aumentare	toenemen

CREVER (v.tr.dir.) (*) 1. Passer au-delà d'une limite.

1. (280)	sich vergrössern	to widen	incrementar (se)	aumentare	een drempel overschrijden

CRISE (n.f.) (****) 1. Passage à une période de récession. 2. Période prolongée de dégradation économique.

1. (139) (383)	die Krise	recession crisis	la crisis	la crisi	de crisis (f.)
2. (139)	die Krise	depression	la crisis	la depressione	de crisis (f.)

CROISSANCE (n.f.) (****) 1. Augmentation du niveau de l'activité économique. 2. Deuxième phase du cycle de vie d'un produit. 3. Augmentation.

1. (168)	das Wachstum	growth	el crecimiento	la crescita	de groei (m.)
2. (168)	die Wachstumphase	period of growth	la fase de crecimiento la expansión	l'espansione (f.)	de expansie (f.)
3. (168)	das Anwachsen	expansion growth	el crecimiento	la crescita	de groei (m.)

CROISSANCE

➠ conjoncture

1 la croissance			2 croître

1 la CROISSANCE - [kʀwasɑ̃s] - (n.f.)

1.1. Augmentation durable du niveau d'activité de l'économie (inter)nationale (en termes de produit national réel par tête d'habitant), d'un secteur, d'un marché ou d'une entreprise (en termes de chiffre d'affaires, de nombre de salariés, ...) (X).
Syn. : (☞ 170 Pour en savoir plus, Croissance (sens 1.1.) et synonymes).
Avec la régression des exportations, la contribution du commerce extérieur à la croissance a été nulle.

1.2. Deuxième phase dans le cycle de vie d'un produit. (V. 444 production, 2).
Le leasing est un produit financier en pleine croissance.

1.3. Syn. : augmentation, hausse. (V. 276 fluctuation, 1).

expressions

(sens 1.1.)

(L'économie, un secteur, une entreprise) (**Être**) **en pleine croissance**. (Syn. : **(être) en pleine expansion, (être) en plein essor**). *Le mouvement écologiste a transformé le secteur des déchets en un secteur en pleine croissance.*

+ adjectif

TYPE DE CROISSANCE (sens 1.1.)

La croissance économique. (☞ 170 Pour en savoir plus, Croissance (sens 1.1.) et synonymes). **La croissance interne** : croissance durable qu'une entreprise réalise par ses propres moyens : son expérience, son **savoir-faire** (Syn. : (angl.) **le know(-)how**), ...

>< **La croissance externe** : croissance durable qu'une entreprise réalise par le rachat d'autres entreprises, par des prises de participation, ... *Dans le cas d'une croissance externe, l'entreprise élargit très rapidement son éventail de produits et ses débouchés.*

Une croissance équilibrée : régulière, basée sur une économie stable. *Le secteur industriel et le secteur des services dépendent l'un de l'autre et sont tous deux indispensables à la croissance équilibrée d'une économie moderne.*

>< **Une croissance déséquilibrée** : irrégulière, basée sur un seul secteur de l'économie, causée par une seule mesure ponctuelle p. ex. < **Une croissance sauvage**.

La croissance endogène : croissance causée par des facteurs économiques internes : le progrès technique p. ex.

>< **La croissance exogène** : croissance causée par des facteurs économiques externes : la croissance démographique p .ex.

La croissance nominale = **la croissance réelle** + l'inflation.

TYPE DE CROISSANCE (sens 2.1.)

La croissance démographique : augmentation de la population au cours d'une période donnée. **Le baby(-)boom** : forte augmentation des naissances. **Le papy(-)boom** : forte augmentation du nombre de personnes âgées.
{**la démographie** (science qui étudie et mesure les phénomènes de population : l'espérance de vie, la pyramide des âges, ... (Bourachot))}.

CARACTÉRISATION DE LA CROISSANCE (sens 1.1.)

Une croissance rapide. *Il ne faut pas confondre vitesse et stades de développement. Toute croissance rapide porte en elle les germes d'un inévitable plafonnement.*

>< **Une croissance lente.**

La croissance attendue. (☞ 169 + verbe).

NIVEAU DE LA CROISSANCE (sens 1.1.)

Une croissance négative : situation où l'activité économique diminue. < **Une croissance nulle**. (Syn. : **une stagnation (de l'économie)**). < **Une faible croissance** ((moins fréq.) **une croissance faible**), **une croissance ralentie, une légère croissance.** < **Une croissance modérée.** < **Une forte croissance, une croissance vigoureuse.** < **Une croissance specta-**

culaire. < **Une croissance exponentielle, explosive**.

Une croissance continue, régulière, constante. *Le profit est une condition nécessaire à la croissance continue d'une entreprise.* < **Une croissance accélérée**.

Une croissance soutenue : constamment élevée. *Le gouvernement américain et la Réserve fédérale poursuivent les mêmes object i f s: une croissance soutenue et une faible inflation.*

La croissance potentielle : taux d'augmentation maximum de la production nationale en tenant compte des moyens disponibles. *Selon les hypothèses, la croissance potentielle de l'économie française d'ici l'an 2010 serait supérieure à 3 % par an.*

MESURE DE LA CROISSANCE (sens 1.1.)

Une croissance annuelle de + indication d'un pourcentage. *L'Organisation mondiale du tourisme prédit une croissance annuelle de 3 % en moyenne du tourisme mondial dans les années à venir.*

Une croissance moyenne de + indication d'un pourcentage.

Une croissance durable. >< **Une croissance éphémère**.

+ nom

(sens 1.1.)

- **Une économie en croissance**.
- **Un potentiel de croissance, les possibilités de croissance**. *Les nombreuses entreprises qui datent du siècle dernier sont concentrées dans des secteurs à faible potentiel de croissance.*
- **Les perspectives de croissance, les prévisions de croissance**. *Des grèves de longue durée risqueraient d'hypothéquer les perspectives de croissance de notre entreprise.*
- **Le moteur de la croissance**. *Les exportations sont souvent considérées comme le moteur de la croissance.*

  Un pôle de croissance : endroit ou secteur qui favorise la croissance de l'économie ou d'une entreprise. *Les loyers autour de l'université sont légèrement plus élevés qu'ailleurs. La présence d'un pôle de croissance justifie cette différence.*
- **Une stratégie de croissance**. *La maîtrise de l'inflation est un préalable à toute stratégie de croissance.*
- **Un retour à la croissance ; le retour à une croissance** (+ adjectif ; nom). *La compression du personnel doit donner lieu à un retour à la croissance de l'entreprise.*
- **Le salaire minimum interprofessionnel de croissance (le SMIC)**. (V. 499 salaire, 1).
- **Une valeur de croissance**. (Syn. : **une action de croissance**). (V. 565 valeur, 1).
- **Une entreprise de croissance**. (V. 236 entreprise, 1).

Un secteur de croissance. (V. 505 secteur, 1).

TYPE DE CROISSANCE (sens 1.1.)

La croissance de + nom qui désigne l'entité qui se développe. La croissance d'une entreprise ; d'une société ; d'un secteur ; d'un marché.

La croissance de l'économie. (☞ 170 Pour en savoir plus, Croissance (sens 1.1.) et synonymes).

Une croissance à deux chiffres. *Après le boom des années 80, le marché de l'informatique qui avait connu des taux de croissance à deux chiffres commence à s'essouffler.*

NIVEAU DE LA CROISSANCE (sens 1.1.)

Une croissance zéro : expression utilisée pour désigner la politique économique qui propose un freinage de la production nécessaire pour des raisons matérielles (épuisement des ressources matérielles p. ex.).

MESURE DE LA CROISSANCE (sens 1.1.)

Le taux de croissance, (moins fréq.) **les chiffres de croissance**. *Pendant les Trente Glorieuses, c'est-à-dire entre 1945 et 1975, le taux de croissance en France était aux alentours de 5 %.*

Le rythme de croissance. *L'expansion de la production alimentaire a été considérable durant ces trois dernières décennies avec un rythme de croissance deux fois plus élevé que précédemment.*

+ verbe : qui fait quoi?

(sens 1.1.)

X	×	**connaître** une ~	-	1
		enregistrer une ~	-	
		afficher une ~	-	
		réaliser une ~	-	
		+ adjectif, nom (de . . .%)		
		< **être en pleine** ~	-	
X (une entreprise),		**prévoir** une ~ (de ... %)	la prévision d'une ~ (de ... %)	
les analystes		**s'attendre à** une ~ (de ... %)	les attentes de ~ (de ... %)	2
		tabler sur une ~ (de ... %)	-	3
une mesure,	△	**soutenir** la ~ (de X)	un soutien à la ~ (de X)	4

un fait économique		**assurer** la ~ (de X)	-	
		stimuler la ~ (de X)	une stimulation de la ~ (de X)	1
la ~ (de X)	=	**se maintenir**	le maintien de la ~ (de X)	
une mesure,	▽	**ralentir** la ~ (de X)	un ralentissement de la ~ (de X)	
un fait économique		**freiner** la ~ (de X)	un (coup de) frein à la ~ (de X)	5
une mesure, un fait économique	▽△	**relancer** la ~ (de X)	une relance de la ~ (de X)	6
la ~	=	**atteindre** ... %	-	
le taux de croissance		**être de** ... %	-	
la ~	△△	**s'accélérer**	une accélération de la ~	7
la ~	△	**être en hausse**	une hausse de la ~	
la ~	=	**se maintenir**	le maintien de la ~	
la ~	▽	**se ralentir**	un ralentissement de la ~	8
		baisser	une baisse de la ~	
		s'essouffler	un essoufflement de la ~	
la ~	▽△	**reprendre**	une reprise de la ~	
la ~		**se poursuivre**	une poursuite de la ~	9

1 *Toutes les activités du groupe stimulent la croissance que connaît le secteur de l'électricité.*

2 *La société s'attend à une croissance bénéficiaire de l'ordre de 10 % pour l'ensemble de l'année prochaine.*

3 *L'économie américaine n'a progressé que de 1,4 %, alors que les spécialistes tablaient sur une croissance de 2 %.*

4 *L'argent qui dort ne vient pas alimenter l'activité ; il ne soutient pas la croissance.*

5 *Les mesures de réduction des dépenses de santé pourraient être un frein à la croissance du secteur pharmaceutique.*

6 *Pour le gouvernement, les mesures fiscales en faveur des entreprises sont un moyen de relancer la croissance économique.*

7 *On observe une accélération de la croissance du secteur non marchand, probablement sous les effets de la politique de lutte contre le chômage.*

8 *Le président américain s'est prononcé contre une hausse du coût du crédit, qui risque selon lui de ralentir la croissance de l'économie américaine.*

9 *La croissance devrait se poursuivre dans les années à venir et provoquer une augmentation des revenus de la population.*

Pour en savoir plus

CROISSANCE (sens 1.1.) ET SYNONYMES

La croissance (**économique**, (moins fréq.) **de l'économie**).

L'expansion (**économique**). **Une forte expansion, une rapide expansion**. **Une stratégie d'expansion**. (L'économie, une entreprise) **être en pleine expansion**. (V. 139 conjoncture, 1).

{**l'expansionnisme** (politique économique qui favorise systématiquement l'expansion économique), **un, une expansionniste** (partisan de l'expansionnisme), **expansionniste**}.

(moins fréq.) **L'essor**. (L'économie, une entreprise) **être en plein essor** ; **connaître un nouvel essor**. *Le commerce multimédia est un secteur en plein essor.* À la base de la croissance économique se trouve le **développement économique** (évolution durable des mentalités et des structures, qui est à l'origine du phénomène de croissance et de sa prolongation dans le temps (Silem)).

Une surchauffe (**de l'économie, économique**) : expansion trop rapide et trop violente avec un risque élevé d'inflation. (Syn. : **un emballement** (**de l'économie**)). *La banque centrale américaine a relevé ses taux à court terme afin de lutter contre la surchauffe de l'économie et contre un emballement des prix.* (V. 139 conjoncture, 1).

Un atterrissage en douceur (**de l'économie**). *Pour lutter contre l'inflation, les autorités américaines ont commencé à organiser un atterrissage en douceur de l'économie, c'est-à-dire un freinage progressif de la croissance.*

Les Trente Glorieuses : période de 1945 à 1975 pendant laquelle les économies occidentales ont connu un taux de croissance tout à fait exceptionnel.

2 AUTRES DÉRIVÉS OU COMPOSÉS

- **Croître** [kʀwatʀ(ə)] (v.intr.). 1. Qqch. augmente. - 2. Le niveau d'activité de l'économie (inter)nationale, d'un secteur ou d'une entreprise (en termes de chiffre d'affaires, de nombre de salariés, ...) avec ou sans changement dans les structures économiques augmente de façon durable. *L'Asie du Sud-Est constitue un pôle de croissance important même si l'économie US croît à nouveau fortement depuis le début de l'année.*

CROÎTRE (v.intr.) (****) 1. Augmenter. 2. Amélioration durable du niveau de l'activité économique.

1. (276)	zunehmen	to grow to increase	crecer aumentar	crescere	toenemen
2. (170)	wachsen gedeihen	to grow	crecer	crescere durevolmente	groeien

CRT (la ~) (***) (534) Confédération romande du travail.

CSC (la ~) (***) (534) Confédération des syndicats chrétiens (de Suisse).

CSG (la ~) (*) (152) contribution sociale généralisée.

CSN (la ~) (***) (534) Confédération des syndicats nationaux.

CUISINIER, CUISINIÈRE (n.) (***) 1. Personne qui a pour profession de préparer des repas.

1.	der Koch	chef cook	el cocinero	il cuoco	de kok (m.)

CUIVRE (n.m.) (***) 1. Métal rouge.

1. (380)	das Kupfer	copper	el cobre	il rame	het koper

CULMINER (~ à) (v.tr.indir.) (**) 1. Atteindre un maximum.

1. (280)	den Spitzenwert erreichen	to peak	culminar	culminare	culmineren
	den höchsten Wert erreichen	to reach a peak			uitsteken boven

CULTIVATEUR, CULTIVATRICE (n.) (**) 1. Personne qui travaille la terre.

1. (399)	der Landwirt	farmer	el cultivador	il coltivatore	de landbouwer (m.)

CULTIVER (v.tr.dir.) (**) 1. Travailler la terre.

1. (447)	anbauen bebauen	to farm to cultivate	cultivar	coltivare	bebouwen

CUMUL (n.m.) (**) 1. Exercice de plusieurs activités professionnelles. 2. Addition.

1. (453)	die Ämterhäufung	plurality of offices	el cúmulo la acumulación	il cumulo	de cumulatie (f.)
2. (496)	die Hinzurechnung	accumulation	la suma	l'addizione (f.)	de optelling (f.)
(179)	das Hinzuschlagen	addition	la adición		

CUMULARD, CUMULARDE (n.) (*) 1. Personne qui exerce plusieurs activités professionnelles.

1. (453)	eine Person, die mehreren Beschäftigungen nachgeht	multiple office holder	el pluriempleado	il cumulista	de baantjesjager (m.)
	eine Person, die mehrere Tätigkeiten ausübt	holder of various mandates			

CUMULER (v.tr.dir.) (***) 1. Exercer plusieurs activités professionnelles. 2. Additionner.

1. (453)	kumulieren	to hold concurrently	acumular	cumulare	cumuleren
	Doppelverdiener sein	to combine (functions)			bijbaantjes hebben
2. (496)	zusammenzählen	to accumulate	adicionar	cumulare	optellen
(179)			sumar		accumuleren

CURATELLE (n.f.) (**) 1. Gestion d'une société faillie.

1. (66)	die (Amts)Pflegschaft der Beistand	legal guardianship	la gestión de una sociedad en quiebra	la curatela fallimentare	de curatele (m./f.)

CURATEUR, CURATRICE (n.) (***) 1. Personne chargée de la gestion d'une société faillie.

1. (66)	der Beistand	administrator	el comisario de la quiebra	il curatore fallimentare	de curator (m.)
(408)	der Pfleger	trustee			

CURE D'AMAIGRISSEMENT (une ~) (**) 1. Réduction des effectifs.

1. (343)	die Schlankheitskur	staff cutbacks reducing treatment (US)	la reducción de efectivos	la cura dimagrante	de afslankingskuur (m./f.)

CYCLE (n.m.) (****) 1. Succession de hausses et de baisses. 2. Durée d'existence d'un phénomène.

1. (171)	der Zyklus	cycle	el ciclo	il ciclo	de cyclus (m.)
2. (171)	der Zyklus	life-cycle	el ciclo	il ciclo	de cyclus (m.)

CYCLE — mot - outil

1 un cycle 2 un hypercycle 2 un hypocycle		2 cyclique	

1 un CYCLE - [sikl(ə)] - (n.m.)

1.1. Variations successives de hausses et de baisses de l'activité économique (avec une amplitude plus ou moins régulière) et qui se répètent dans le temps.
Le cycle comprend quatre phase s: l'expansion, la crise, la contraction ou la dépression et la reprise.

1.2. Durée d'existence d'un phénomène (économique).

Le pays s'engage dans un cycle de baisse des taux d'intérêt, de raffermissement de l'activité économique et de hausse des cours des actions.

2.1. Division de certains programmes d'études ou de formation.
Après avoir terminé son second cycle à l'université, cet étudiant s'est spécialisé en informatique de gestion en suivant des cours de troisième cycle.

+ adjectif

TYPE DE CYCLE (sens 1.1.)

Le cycle conjoncturel. (V. 139 conjoncture, 2). (V. 139 conjoncture, 1).

Un cycle économique. (V. 215 économie, 2).

Le cycle majeur : cycle conjoncturel le plus courant de 6 à 12 ans.

TYPE DE CYCLE (sens 2.1.)

Un premier cycle ; **un second cycle** ; **un troisième cycle** : une ou plusieurs années qui constituent les composantes du cursus de l'enseignement secondaire ou supérieur.

CARACTÉRISATION DU CYCLE (sens 1.1. et 1.2.)

Un cycle infernal : période très néfaste pour un phénomène (économique), un pays, ... (Syn. : (plus fréq.) **la spirale (inflationniste, de l'augmentation des revenus, de l'endettement, déficitaire, montante des prix**, ...)). *Le cycle infernal de l'inflation galopante, de la détérioration de nos finances publiques et de l'augmentation du déficit de notre balance des paiements n'a été rompu qu'après une longue période de politique d'austérité.*

MESURE DU CYCLE (sens 1.1., 1.2. et 2.1.)

Un cycle long. >< **Un cycle court**.

Un cycle complet.

+ nom

(sens 1.1., 1.2. et 2.1.)

Le début d'un cycle. >< **La fin d'un cycle**.

(sens 1.1.)

- **Une phase d'un cycle**.
- **Le creux d'un cycle**. *Le creux du cycle conjoncturel semble déjà dépassé, mais la vraie reprise se fait toujours attendre.*
  >< **Le sommet d'un cycle**. *Il faut vendre aussi près que possible du sommet du cycle et acheter lorsqu'on a de bonnes raisons de croire que les actions sont au plus bas.*

(sens 1.2.)

Un cycle de vie : rapport entre les niveaux du revenu, de la consommation et de l'épargne et les phases de la vie active et de la retraite.

Le cycle (de vie) d'un produit. (V. 444 production, 2).

Un cycle de production, de fabrication. (V. 439 production, 1).

TYPE DE CYCLE (sens 2.1.)

Un cycle de formation. *L'institut organise des cycles de formation en télécommunication destinés à des spécialistes.*

MESURE D'UN CYCLE (sens 1.1., 1.2. et 2.1.)

La durée d'un cycle. **Un cycle de longue durée**. >< **Un cycle de courte durée**.

+ verbe : qui fait quoi ?

(sens 1.1.)

un ~	**atteindre** un creux un sommet	-

2 AUTRES DÉRIVÉS OU COMPOSÉS

- **Un hypercycle** [ipɛʀsikl(ə)] (n.m.) : cycle de 18 à 22 ans qui se rencontre p. ex. dans le bâtiment et les transports.
- **Un hypocycle** [ipɔsikl(ə)] (n.m.) : cycle faible de 30 à 40 mois qui se rencontre p. ex. dans les emballages et les stocks.
- **Cyclique** [siklik] (adj.) : (un phénomène) qui se répète dans le temps. *L'évolution cyclique de l'inflation et des taux d'intérêt ne sera pas conforme aux prévisions.*

CYCLIQUE (adj.) (****) 1. Qui se répète dans le temps.

1. (172)	zyklisch	cyclical	cíclico	ciclico	cyclisch

D

DAX (le ~) (***) (71) indice de la Bourse de Francfort.

DÉBAUCHAGE (n.m.) (*) 1. Incitation à un salarié de quitter son employeur actuel. 2. Licenciement.

1. (223)	die Abwerbung	poaching	la incitación a la huelga	l'incitazione (f.) alle dimissioni	het wegkopen

	das Abwerben	hiring away	la incitación a dejar el trabajo		
2. (223)	die Entlassung	dismissing (faute professionnelle)	el despido	il licenziamento	het ontslaan
	der Abbau (von Personal)	laying off (raison financière)			

DÉBAUCHER (v.tr.dir.) (*) 1. Faire quitter un employeur à un salarié. 2. Licencier.

1. (223)	abwerben	to poach to hire away	incitar a cesar el trabajo	far dimettere	wegkopen
2. (223)	entlassen	to dismiss (faute professionnelle)	despedir	licenziare	ontslaan
	abbauen	to lay off (raison financière)			

DÉBENTURE (n.f.) (*) 1. Obligation à paiement non garanti par l'État.

1. (390)	eine nicht pfandrecht-lich gesicherte Schuldverschreibung	obligation of payment which is not guaranteed by the state	la obligación de pago sin garantía del Estado	l'obbligazione non garantita dallo Stato	de betalingsverplichting (f.) welke niet door de Staat gedekt is

DÉBET (n.m.) (*) 1. Somme qui reste due après la clôture d'un compte.

1. (131)	das Sollsaldo	debit balance	el debe	il debito	het debet
(163)	das Debetsaldo		el saldo deudor	l'arretrato (m.)	het tegoed

DÉBI(T)RENTIER, DÉBI(T)RENTIÈRE (n.) (*) 1. Personne qui verse une rente viagère.

1. (487)	der Schuldner einer Leibrente	debtor of a life annuity	el deudor de una renta vitalicia	debitore di una rendita vitalizia	de schuldenaar van een lijfrente

DÉBIT (n.m.) (**) 1. Opération par laquelle on obtient de l'argent. 2. Somme d'argent obtenue. 3. Colonne de gauche d'un compte. 4. Vente au détail. 5. Lieu où se fait la vente au détail.

1. (173)	das Soll	debit	el debe el débito	il debito	de schuld (m./f.) het debet
2. (173)	das Sollsaldo das Debetsaldo	debit	el débito	il debito	het bedrag van de schuld
3. (173)	das Soll die Sollseite	debit side	el debe el saldo deudor	il dare	de debetzijde (m./f.)
4. (173)	der Absatz	retail selling	el comercio al por menor	il commercio al dettaglio	de kleinhandel (m.)
		retail trade		il commercio al minuto	
5. (173)	der Laden das Geschäft	shop establishment	el despacho el estanco	lo spaccio	het verkooppunt

DÉBIT

➠ crédit - compte
➠ commerce
➠ dette

1 un débit	2 un débiteur, une débitrice 3 un débitant, une débitante un débi(t)rentier, une débi(t)rentière (V. 487 rente, 1)	3 débiteur, -trice	3 débiter

1 un DÉBIT - [debi] - (n.m.)

1.1. Opération par laquelle un agent économique (le débiteur : un particulier, une entreprise, une banque, un État) obtient d'un autre agent économique (le créditeur : un particulier, une banque, un État) une somme d'argent à certaines conditions.
Le chargement de la carte bancaire à puce se fait avec débit automatique du compte bancaire.

1.2. (peu fréq.) Somme d'argent qu'un agent économique (un débiteur : un particulier, une entreprise, une banque, un État) a obtenue d'un autre agent économique (un créditeur : un particulier, une banque, un État) et qu'il doit rembourser dans un délai déterminé avec, généralement, le paiement d'un intérêt.
Syn. : (plus fréq.) une dette, un endettement ; Ant. : un prêt, un crédit, (moins fréq.) une avance.
J'ai reçu une lettre peu aimable de ma banque parce que je dépasse assez régulièrement ma limite de débit d'une somme dérisoire.

1.3. (en comptabilité en partie double, emploi avec l'art. déf.) Colonne de gauche d'un compte qui enregistre l'emploi d'une opération, en contrepartie de l'enregistrement de la ressource dans la colonne de droite (le crédit) du compte.
Ant. : le crédit.
L'encaissement d'un chèque bancaire est enregistré au débit du compte en banque (Référis).

1.4. Opération par laquelle un agent économique (un commerçant) écoule continuellement des marchandises par la vente au détail. (V. 118 commerce, 3).

Nous sommes leader du marché européen des équipements pour le débit de bière et de limonade.

1.5. Lieu qui sert à écouler continuellement certaines marchandises par la vente au détail. (V. 118 commerce, 3)

Faute de clients, deux débits de boissons ont fermé leurs portes dans le quartier.

2.1. Quantité enregistrée (p. ex. lors de la production, lors du passage de données, ...) par unité de temps.

Les nouvelles lignes téléphoniques autorisent la transmission à haut débit de données informatiques.

expressions

(sens 2.1.)

À faible débit. *Les standards utilisés actuellement encore sont à faible débit et ne peuvent pas véhiculer données ou signaux vidéo.* >< **À haut débit**.

+ adjectif

TYPE DE DÉBIT (sens 1.1.)

Un débit immédiat : possibilité offerte par un système informatique en ligne de débiter le compte du client au moment même où se réalise la transaction chez le commerçant.

CARACTÉRISATION DU DÉBIT (sens 1.4.)

Un bon débit. >< **Un faible débit**. *Comme ces articles sont d'un faible débit, nous n'arrivons pas à écouler notre stock.*

+ nom

(sens 1.1.)

- **Une carte de débit.** (V. 54 banque, 2).
- **Une note de débit** : document établi par le fournisseur à l'intention d'un client pour informer celui-ci que son compte sera réduit en raison d'un rabais accordé par le fournisseur, d'une marchandise qui a été rendue ou de l'annulation d'une opération. (Syn. : **un avis de débit**).

TYPE DE DÉBIT (sens 1.5.)

Un débit de boissons. *Dans la plupart des parcs d'attraction, on trouve des pizzerias, des salons de thé, des friteries, des débits de boissons, ...* (V. 118 commerce, 3).

(F) **Un débit de tabac**.

+ verbe : qui fait quoi ?

(sens 1.3.)

un comptable	**inscrire** une somme **au** ~ (d'un compte)	l'inscription d'une somme au ~ (d'un compte)
	porter une somme **au** ~ (d'un compte)	-

2 un DÉBITEUR, une DÉBITRICE - [debitœʀ, debitʀis] - (n.)

1.1. Agent économique (un particulier, une entreprise, une banque, un État) qui a obtenu une somme d'argent d'un autre agent économique qu'il doit rembourser au créditeur dans un délai déterminé avec, généralement, le paiement d'un intérêt.

Ant. : un créancier, un prêteur, (peu fréq.) un créditeur.

Certains grands débiteurs n'ont plus les moyens de rembourser leurs dettes.

+ adjectif

TYPE DE DÉBITEUR

Un débiteur douteux : débiteur qui n'aura probablement pas la possibilité de rembourser ses dettes envers ses créanciers. < **Un débiteur insolvable** : débiteur qui ne peut pas rembourser ses créanciers.

Un débiteur défaillant : débiteur qui manque à ses engagements envers ses créanciers. (Syn. : **un débiteur en défaut**).

+ nom

TYPE DE DÉBITEUR

Un débiteur en défaut. (☞ 174 + adjectif).

CARACTÉRISATION DU DÉBITEUR

La qualité du débiteur ; **un débiteur de qualité** : degré de solvabilité du débiteur, évalué à l'aide d'**une notation**, (angl.) **un rating** (une évaluation selon des normes internationales). *Les débiteurs de qualité présentent un rating AAA.*

Pour en savoir plus

DÉPÔT DE GARANTIE

La caution. 1. Contrat par lequel une personne (**la caution**) s'engage à garantir l'exécution d'une obligation prise par une autre personne (**le cautionné**) envers une troisième personne (**le bénéficiaire**). - 2. Personne qui s'engage à garantir l'exécution d'une obligation. - 3. Somme d'argent qui sert de garantie (par exemple lors de la location d'un bien immobilier ou d'un véhicule). {**le cautionnement** (action de se porter garant), **un cautionné, une cautionnée, cautionner**}.

Le nantissement : contrat par lequel un débiteur remet un bien mobilier ou immobilier à son créancier pour garantir l'acquittement d'une dette. *Les institutions financières du pays se retrouvent en si mauvaise posture parce que l'immobilier qui leur a été confié en nantissement a perdu parfois plus de la moitié de sa valeur.*

3 AUTRES DÉRIVÉS OU COMPOSÉS

- **Un débitant, une débitante** [debitɑ̃, debitɑ̃t] (n.). (V. 118 commerce, 3).
- **Débiteur, -trice** [debitœʀ, -tʀis] (adj.). 1. (un compte) Qui est négatif. (Ant. : **créditeur**). **Un taux (d'intérêt) débiteur**. **Les intérêts débiteurs.** (V. 331 intérêt, 1). **Un compte débiteur. Un solde débiteur.** - 2. (un agent économique) Qui doit de l'argent à un autre agent économique. **Un pays débiteur**.
- **Débiter** [debite] (v.tr.dir.). 1. Un agent économique (un particulier, une entreprise) inscrit, porte une somme d'argent au débit (sens 1.3.) de son compte ou d'un compte d'un autre agent économique. (Ant. : **créditer**). **Débiter un compte de ... euros.** - 2. Un agent économique (un commerçant) écoule des marchandises par la vente au détail. (Syn .: (V. 574 vente, 3)). *Il est possible d'acheter des rubans en petites quantités puisqu'on les débite au mètre.*

DÉBITANT, DÉBITANTE (n.) (*) 1. Personne qui tient un lieu où se fait la vente au détail.

1. (118)	der Einzelhändler	retailer	el detallista	il dettagliante	de kleinhandelaar (m.)
		retail dealer	el vendedor	l'esercente (m.)	de detaillist (m.)

DÉBITER (v.tr.dir.) (**) 1. Inscrire une somme d'argent au débit d'un compte. 2. Vendre au détail.

1. (175)	ein Konto belasten (banque)	to debit	adeudar en cuenta	addebitare	debiteren
	ins Soll buchen (bilan)		cargar en cuenta		
2. (175)	verkaufen	to retail	vender	vendere al dettaglio	in kleine hoeveelheden verkopen
		to sell	despachar		

DÉBITEUR, DÉBITRICE (n.) (****) 1. Agent économique qui a reçu une somme d'argent.

1. (174)	der Schuldner	debtor	el deudor	il debitore	de schuldenaar (m.) de debiteur (m.)

DÉBITEUR, -TRICE (adj.) (**) 1. Qui est négatif. 2. Qui doit de l'argent à qqn.

1. (175)	Soll-	debit	deudor	debitore	met een negatief saldo overgedisponeerd
2. (175)	Schuldner	debtor	deudor	debitore	schuldenaar- debiteur-

DÉBOUCHÉ (n.m.) (****) 1. Marché. 2. Avenir professionnel.

1. (365)	der Absatzmarkt	market	el mercado	il mercato di sbocco	de afzetmarkt (m./f.)
(368)		outlet	la salida		het afzetgebied
2.	die Berufsaussichten	prospect	las perspectivas	le prospettive professionali	de toekomstmogelijkheden (plur.)
		opening	la salida		

DÉBOURSER (v.tr.dir.) (***) 1. Payer.

1. (72)	(be)zahlen	to pay out	desembolsar	sborsare	neertellen
	ausgeben	to spend			betalen

DÉBRAYAGE (n.m.) (*) 1. Arrêt de travail

1. (305)	die Arbeitsniederlegung	walk out	el paro	la cessazione del turno	de staking (f.)
	der Ausstand	stoppage	el cese del trabajo	lo sciopero improvviso di breve durata	

DÉBRAYER (v.intr.) (*) 1. Arrêter le travail.

1. (305)	die Arbeit niederlegen	to walk out	parar	staccare il turno	staken
	in den Ausstand treten	to down tools	cesar el trabajo	scioperare improvvisamente	het werk neerleggen

DÉBUDGÉTISATION (n.f.) (*) 1. Report d'une dépense.

1. (77)	die Streichung eines Postens im Haushalt	debudgeting	el retiro del presupuesto	lo storno di una voce di spesa dal bilancio dello Stato	de debudgettering (f.)
	die Streichung einer Haushaltsstelle		la retirada de una partida presupuestaria		

DÉBUDGÉTISER (v.tr.dir.) (*) 1. Supprimer une dépense d'un budget.

1. (77)	eine Haushaltsstelle / einen Haushalts-posten streichen	to debudget	retirar del presupuesto	stornare una voce di spesa dal bilancio dello Stato	debutgetteren
			retirar una partida presupuestaria		

DÉCAISSEMENT (n.m.) (*) 1. Retrait d'argent d'une caisse.

1. (82)	die Auszahlung	payment	la salida de caja	l'erogazione (f.)	de uitbetaling (f.)
		disbursement	el desembolso	l'esborso (m.)	

DÉCAISSER (v.tr.dir.) (**) 1. Retirer de l'argent d'une caisse.

1. (82)	auszahlen	to pay out	pagar de la caja	erogare	het uit de kas betalen
		to disburse	desembolsar		

DÉCALAGE (n.m.) (***) 1. Différence (conjoncturelle).

1. (140)	die Verschiebung	gap	el desfase	il gap	de discrepantie (f.)
		discrepancy		lo scarto	

DÉCÉLÉRATION (n.f.) (**) 1. Ralentissement (conjoncturel).

1. (139)	die Verlangsamung der Konjunktur	slowdown	la desaceleración	la decelerazione	de vertraging (f.)
		deceleration	el retraso	il rallentamento congiunturale	

DÉCHARGEMENT (n.m.) (**) 1. Action de retirer des marchandises d'un moyen de transport.

1. (96)	das Entladen	unloading	la descarga	scarico	de lossing (f.)
	das Abladen				de uitlading (f.)

DÉCHARGER (v.tr.dir.) (**) 1. Retirer des marchandises d'un moyen de transport.

1. (96)	entladen	to unload	descargar	scaricare	lossen
	ausladen				uitladen

DÉCHET (n.m.) (****) 1. Résidu inutilisable ou non consommable.

1. (324)	der Abfall	waste	el residuo	i rifiuti	de afval(stoffen) (m.)
(22)	der Müll	loss	el desecho		

DÉCIDEUR, DÉCIDEUSE (n.) (***) 1. Dirigeant.

1. (228)	der Entscheidungs-träger	decision-maker	el responsable	il responsabile decisore	de verantwoordelijke beleidsmaker (m.)
	der Entscheidungsbe-richtigte		el decisor		de beslisser (m.)

DÉCISIONNAIRE (n.) (*) 1. Dirigeant.

1. (228)	der Entscheidungs-träger	decision-maker	responsable	il responsabile decisore	de verantwoordelijke beleidsmaker (m.)
	der Entscheidungsbe-richtigte		decisor		

DÉCLIN (n.m.) (***) 1. Phase de recul (p. ex. dans le cycle de vie d'un produit).

1. (323)	der Abschwung	decline	la decadencia	il declino	het verval
(444)	das Nachlassen		el declive		de achteruitgang (m.)

DÉCLINER (v.intr.) (**) 1. Commencer à régresser.

1.	nachlassen	to decline	decaer	regredire	vervallen
	abnehmen	to go downhill	declinar		achteruitgaan

DÉCOLLAGE (n.m.) (**) 1. Développement (économique).

1. (215)	das Anziehen	take-off	el despegue (de la economía)	il decollo (economico)	de ontwikkelingsfase (f.)
	der Aufschwung	take-off stage (phase de ...)			de startfase (f.)

DÉCOLLER (v.intr.) (**) 1. Se développer économiquement.

1.	anziehen	to take off	despegar	decollare (economicamente)	zich (langzaam) economisch ontwikkelen
	in Schwung kommen				

DÉCOMMANDER (v.tr.dir.) (*) 1. Annuler un ordre.

1. (112)	abbestellen	to cancel (an order for)	anular	disdire un ordine	afbestellen
			cancelar	annullare un ordine	afzeggen

DÉCOMPTE (n.m.) (**) 1. Somme d'argent à payer. 2. Décomposition d'une somme globale.

1. (132)	der Abzug	balance due	el descuento	il saldo debitore	de mindering (f.) de korting (f.)
2. (132)	die Abrechnung	breakdown	el detalle de una cuenta	il dettaglio	de nauwkeurige afrekening (f.)
	die Aufschlüsselung	detailed account		il computo	

DÉCOMPTER (v.tr.dir.) (*) 1. Soustraire une somme d'argent. 2. Décomposer une somme globale.

1. (132)	abziehen	to deduct	deducir	scontare	aftrekken
			descontar	dedurre	in mindering brengen
2. (132)	aufzählen auszählen	to break down	detallar	dettagliare un conto	verrekenen

DÉCOTE (n.f.) (***) 1. Diminution de valeur.

1. (93)	der Abschlag	below par rating	el descuento	l'abbattimento (m.)	de waardevermindering (f.)
	die Ermässigung	discount on the parity rate	la reducción	lo sgravio	

DÉCOTÉ, -ÉE (adj.) (*) 1. Diminué de valeur.

1. (11)	herabgesetzt ermässigt	at a discount with a discount	disminuido rebajado	ridotto	in waarde verminderd

DÉCOUVERT (n.m.) (**) 1. Solde négatif d'un compte en banque.

1. (196)	die Kontoüberziehung	overdraft	descubierto	scoperto	de overdisponering (f.)
(130)				conto in rosso	het ongedekt krediet

DÉCROISSANT, -ANTE (adj.) (**) 1. Qui diminue.

1. (27)	abnehmend	decreasing	decreciente	decrescente	afnemend dalend

DÉCROÎTRE (v.intr.) (**) 1. Diminuer.

1. (278)	sinken abnehmen	to decrease to decline	decrecer disminuir	decrescere	afnemen dalen

DÉCRUE (n.f.) (**) 1. Diminution.

1. (278)	der Rückgang die Abnahme	decline drop	la disminución el descenso	la diminuzione	de vermindering (f.) de daling (f.)

DÉDOMMAGEMENT (n.m.) (**) 1. Paiement d'une somme d'argent suite à une perte, un tort.

1. (406)	die Entschädigung	compensation	la compensación	l'indennizzazione (f.)	de schadevergoeding (f.)
(41)			la indemnización	il risarcimento	de vergoeding (f.)

DÉDOMMAGER (v.tr.dir.) (**) 1. Payer une somme d'argent suite à une perte, un tort.

1. (406)	entschädigen	to compensate to indemnify	compensar indemnizar	indennizzare risarcire	vergoeden schadeloos stellen

DÉDUCTIBILITÉ (n.f.) (***) 1. Possibilité de retrancher d'une somme.

1. (186)	die Abzugsfähigkeit	deductibility	la posibilidad de deducción	la deducibilità	de aftrekbaarheid (f.)
(271)				la detraibilità	

DÉDUCTIBLE (adj.) (****) 1. Qui peut être retranché d'une somme.

1. (186)	abzugsfähig	deductible	deducible	deducibile	aftrekbaar
(385)	absetzbar			detraibile	

DÉDUCTION (n.f.) (****) 1. Soustraction.

1. (271)	der Abzug	deduction personal allowance (impôts)	la deducción	la deduzione la detrazione	de aftrek (m.)

DÉDUIRE (v.tr.dir.) (****) 1. Soustraire.

1. (186)	abziehen	to deduct	deducir	dedurre	aftrekken
(385)	absetzen (déduire fiscalement)	to take off	descontar	detrarre	in mindering brengen

DÉFAUT (n.m.) (***) 1. Détail irrégulier, partie imparfaite, défectueuse (RQ).

1. (254)	der Fehler	defect	el defecto	il difetto	het defect
(299)	der Defekt	flaw	la falta	il vizio	het gebrek

DÉFECTUEUX, -EUSE (adj.) (**) 1. Qui présente des irrégularités, des imperfections.

1. (444)	fehlerhaft mangelhaft	faulty defective	defectuoso	difettoso	foutief gebrekkig

DÉFICIT (n.m.) (****) 1. Solde négatif d'un budget. 2. Nombre moins important que prévu.

1. (177)	das Defizit der Fehlbetrag	deficit	el déficit	il deficit	het deficit het (balans)tekort
2. (177)	das Defizit	shortfall gap	el déficit	il deficit	het tekort het onvoldoende aantal

DÉFICIT

➠ solde - excédent

1 un déficit		2 déficitaire	

1 un DÉFICIT - [defisit] - (n.m.)

1.1. Solde négatif du budget (d'un État, d'une collectivité locale ou d'un organisme - X), d'une balance (commerciale, des services, des paiements, ... - X) ou d'un compte de résultat (d'une entreprise - X), c'est-à-dire lorsqu'il y a une insuffisance des entrées de capitaux par rapport aux sorties de capitaux, des exportations par rapport aux importations ou des produits par rapport aux charges.
Syn. : (B) un mali, (uniquement pour un compte de résultat) (plus fréq.) une/des perte(s) ; Ant. : un excédent, un boni, (uniquement pour un compte de résultat) un bénéfice, un profit, un gain.
Le déficit américain vis-à-vis du Japon s'est encore creusé pour atteindre un des plus mauvais résultats de ces dernières années.

1.2. Nombre moins important que prévu ou fixé de biens (X) ou de services produits (X).
Syn. : (insuffisance importante) une pénurie ; Ant. : un surplus; une abondance.
Le déficit de production de café devrait persister encore plusieurs années.

+ adjectif

TYPE DE DÉFICIT (sens 1.1.)

Un déficit budgétaire : lorsque les ressources fiscales sont inférieures aux dépenses au cours d'une période donnée. (Syn. : **le déficit public,**

le déficit du budget), (B) **le solde net à financer**). (Ant. : **un excédent budgétaire**). *En alourdissant la fiscalité pour contenir le déficit budgétaire, notre pays a augmenté le prix du travail. Ceci a provoqué une montée du chômage.*

Un déficit commercial, extérieur : lorsque les importations de marchandises sont supérieures aux exportations d'un (groupe de) pays au cours d'une période donnée. (Ant. : **un excédent commercial**). (V. 49 balance, 1).

Un déficit courant : lorsque les importations de marchandises et de services sont supérieures aux exportations d'un (groupe de) pays au cours d'une période donnée. (Ant. : **un excédent courant**). (V. 50 balance, 1). *Un déficit courant signifie que, globalement, une nation dépense davantage qu'elle ne produit.*

Un déficit structurel : lorsque le déficit est provoqué volontairement par la politique économique.

>< **Un déficit conjoncturel** : lorsqu'une faible activité économique réduit les recettes fiscales attendues (C&G).

CARACTÉRISATION DU DÉFICIT (sens 1.1. et 1.2.)

Un déficit chronique : lorsque ce déficit se présente année après année. *Nombreux sont les pays occidentaux qui sont confrontés à un déficit chronique des soins de santé.*

NIVEAU DU DÉFICIT (sens 1.1. et 1.2.)

Un déficit limité. >< **Un énorme déficit**. (Syn. : **un trou financier**). < **Un déficit record**. (Syn. : **un gouffre financier**). (V. 266 finance, 3).

LOCALISATION DU DÉFICIT (sens 1.1.)

Le déficit + adjectif qui désigne un pays. Le déficit américain.

MESURE DU DÉFICIT (sens 1.1.)

Un déficit annuel.

Un déficit cumulé : somme de déficits antérieurs ou de déficits d'origines différentes. (☞ 179 + verbe).

+ nom

(sens 1.1.)

Un budget en déficit ; **une balance en déficit**.

TYPE DE DÉFICIT (sens 1.1.)

Un déficit de la balance (**commerciale**, ...). (V. 49 balance, 1).

Le déficit de la sécurité sociale.

Un déficit d'exploitation : déficit du produit d'exploitation sur les charges d'exploitation (les activités commerciales), sans tenir compte des produits et charges financières et exceptionnelles. (Syn. : (plus fréq.) **une/des perte(s) d'exploitation**). (Ant. : **un bénéfice d'exploitation**). *Même si elles accusent un léger déficit d'exploitation, les assurances voitures se redressent.*

>< **Un déficit financier** : déficit du produit financier sur les charges financières.

Un déficit de trésorerie : situation où les recettes de l'exploitation normale ne sont pas suffisantes pour faire face aux dépenses courantes.

(angl.) **Le déficit spending** : politique qui consiste à remédier au manque de dépenses ou d'investissements privés par une augmentation des dépenses publiques, en acceptant donc le déficit budgétaire (Silem). *Compte tenu de la situation très satisfaisante en matière de dette publique, le gouvernement peut se permettre un gros déficit spending.*

MESURE DU DÉFICIT (sens 1.1.)

L'ampleur du déficit : importance du déficit.

+ verbe : qui fait quoi?

(sens 1.1. et 1.2.)

le ~ (de X)	=	**atteindre** + un montant	-	
une mesure	△	**aggraver** le ~ (de X)	une aggravation du ~ (de X)	
		creuser le ~ (de X)	un creusement du ~ (de X)	1
		augmenter le ~ (de X)	une augmentation du ~ (de X)	
→ le ~ (de X)		**s'aggraver**	une aggravation du ~ (de X)	
		se creuser	un creusement du ~ (de X)	
		augmenter	une augmentation du ~ (de X)	
		croître	une croissance du ~ (de X) un ~ croissant	
une mesure	▽	**réduire** le ~ (de X)	une réduction du ~ (de X)	
		diminuer le ~ (de X)	une diminution du ~ (de X)	
→ le ~ (de X)		**se réduire**	une réduction du ~ (de X)	
		diminuer	une diminution du ~ (de X)	

1 *Le creusement du déficit commercial américain a eu un impact négatif sur le cours du billet vert.*

(sens 1.1.)

X	×	**enregistrer** un ~ (de + montant)	l'enregistrement d'un ~	1
		afficher un ~ (de + montant)	-	

		accuser un ~ (de + montant)	-	
X		**être en** ~	-	2
un État, une entreprise		< **(ac)cumuler** les ~	l'accumulation des ~ le cumul des ~	3
l'année ...		**se solder par** un ~ Y	-	
un État, une entreprise		**financer** son ~	le financement de son ~	4
		combler son ~ Y	(peu fréq.) le comblement de son ~	
un État, une entreprise	▽	**ramener** le ~ à + un montant un niveau Y	-	5
un État, une entreprise	O	**résorber** son ~	la résorption de son ~	6

1 *La balance commerciale enregistre un nouveau déficit élevé à cause de la forte hausse des importations.*
2 *La société qui se charge de la distribution d'eau est en déficit de façon permanente et réduit donc l'entretien du réseau et la qualité de l'eau.*
3 *La dette des pays en développement s'explique essentiellement par la longue accumulation d'importants déficits de leur balance des paiements.*
4 *Avec l'Union monétaire, le gouvernement n'aura plus la possibilité de faire tourner la planche à billets pour financer son déficit budgétaire.*
5 *L'objectif du gouvernement est de ramener le déficit budgétaire à moins de 0, 5% du PNB.*
6 *Le gigantesque projet de privatisation lancé par le gouvernement permettra de résorber une bonne partie du déficit budgétaire.*

2 DÉFICITAIRE - [defisitɛʀ] - (adj.)

1.1. (un budget, une balance, un compte de résultat) Qui présente un solde négatif, c'est-à-dire lorsqu'il y a une insuffisance des entrées de capitaux par rapport aux sorties de capitaux, des exportations par rapport aux importations ou des produits par rapport aux charges.
Syn. : (être, se retrouver, ...) dans le rouge ; Ant. : excédentaire, (pour un compte de résultat) bénéficiaire, (sens plus large) rentable.
Notre balance commerciale était légèrement déficitaire cette année.

1.2. (biens ou services produits) Qui présentent un nombre ou une quantité moins importants que prévus ou fixés.
Ant. : excédentaire.
La récolte de blé dans notre région est largement déficitaire cette année.

+ nom

(sens 1.1.)
- **Une balance (commerciale, ...) déficitaire** : lorsque les importations sont supérieures aux exportations d'un (groupe de) pays. (V. 49 balance, 1).

Un pays déficitaire : pays dont la balance des paiements accuse un déficit.
- **Un budget déficitaire.**

Un exercice déficitaire : année qui se solde par un déficit.

+ adverbe

NIVEAU DU DÉFICIT (sens 1.1. et 1.2.)
Légèrement déficitaire. >< **Largement**, **lourdement déficitaire.** *Le secteur acier de ce grand groupe allemand est lourdement déficitaire ces dernières années.*

DÉFICITAIRE (adj.) (***) 1. Qui présente un solde négatif. 2. Qui présente un nombre moins important que prévu.

1. (179)	Verlust-defizitär	adverse negative	deficitario	deficitario	deficitair
2. (179)	defizitär unzureichend	deficient insufficient	deficitario malo	deficitario scarso	onvoldoende in aantal

DÉFISCALISATION (n.f.) (**) 1. Fait de ne pas soumettre à un impôt.

1. (272)	die Steuerbefreiung	exemption from taxation	la exoneración	la defiscalizzazione	de belastingvrijstelling (f.)
			la exención	l'esenzione fiscale (f.)	

DÉFISCALISER (v.tr.dir.) (**) 1. Ne pas soumettre à un impôt.

1. (272)	von einer Steuer befreien	to exempt from taxation	exonerar	defiscalizzare	vrijstellen van belastingen
			eximir		

DÉFLATION (n.f.) (***) 1. Baisse généralisée des prix.

1. (328)	die Deflation	deflation	la deflación	la deflazione	de deflatie (f.)

DÉFLATIONNISTE (adj.) (**) 1. Qui se rapporte à une baisse généralisée des prix.

1. (328)	deflationistisch	deflationary	deflacionario	deflazionista	deflationistisch
	deflationär		deflacionista		

DÉFLATOIRE (adj.) (*) 1. Qui se rapporte à une baisse généralisée des prix.

1. (328)	deflationistisch	deflationary	deflacionario	deflazionista	deflatoir
	deflationär		deflacionista		

DEFM (les ~ (f.)) (*) demandes d'emploi non satisfaites en fin de mois.

(225)	vom Arbeitsamt monatlich veröffentliche Zahl der Stellengesuche	unsuccessful job applications at the end of the month	las solicitudes de empleo no atendidas a finales del mes	le domande di lavoro non soddisfatte alla fine del mese	de vacatures (f.) die op het einde van de maand niet ingevuld zijn

DÉFRAIEMENT (n.m.) (*) 1. Remboursement de frais.

1. (294)	die Erstattung	reimbursement	el reembolso	il rimborso	het vrijhouden
(476)	die Rückzahlung	refund			het betalen van iemands kosten

DÉFRAYER (v.tr.dir.) (*) 1. Rembourser des frais.

1. (294)	erstatten	to pay expenses	reembolsar	rimborsare	vrijhouden
(477)	zurückzahlen	to settle expenses			kosten betalen

DÉGÂT (n.m.) (***) 1. Dommage.

1. (40)	der Schaden	damage	el daño	il danno	de schade (m./f.)
(294)	die Schäden		el desperfecto		de beschadiging (f.)

DÉGRADATION (n.f.) (***) 1. Diminution. 2. Ralentissement (conjoncturel).

1. (278)	der Rückgang	decrease	la baja	la diminuzione	de vermindering (f.)
			la degradación		de daling (f.)
2. (139)	die Verschlechterung	deterioration	la degradación	la degradazione	de verslechtering (f.)
		weakening	el empeoramiento	il peggioramento	de verergering (f.)

DÉGRADER (se ~) (v.pron.) (***) 1. Diminuer.

1. (278)	sich verschlechtern	to deteriorate	degradar (se)	degradarsi	verslechteren
	sinken	to grow weaker	empeorar	peggiorare	

DÉGRAISSAGE (n.m.) (**) 1. (un ~ des effectifs) Licenciement.

1. (343)	der Personalabbau	downsizing	la reducción de plantilla	il taglio occupazionale	de afslanking (f.)
		cutting back labour	el despido	la riduzione di personale	de afvloeiing (f.)

DÉGRAISSER (v.tr.dir.) (**) 1. (~ les effectifs) Licencier.

1. (344)	(Personal) abbauen	to shed	reducir plantilla	ridurre il personale	personeel doen afvloeien
	(Personal) reduzieren	to make workers redundant	despedir		

DÉGRESSIF, -IVE (adj.) (**) 1. Qui diminue.

1. (27)	degressiv	degressive	decreciente	decrescente	degressief
(312)	abnehmend				afnemend

DÉGRIFFÉ, -ÉE (adj.) (*) 1. Vendu sans marque.

1. (255)	ohne Markenzeichen	off-label goods	sin etiqueta	senza marca	zonder merk(naam)
	kein Markenartikel sein	unmarked articles	sin marca		

DÉGRINGOLADE (n.f.) (**) 1. Baisse importante.

1. (279)	der Preissturz	plunge	la caída	il tracollo	de sterke daling (f.)
		sharp drop	el hundimiento	la caduta	de ineenstorting (f.)

DÉGRINGOLER (v.intr.) (***) 1. Baisser de façon importante.

1. (279)	stark fallen	to plunge	hundirse	cadere	sterk dalen
	purzeln	to take a tumble	caer	piombare	een duik nemen

DÉLAI (n.m.) (****) 1. Temps accordé. 2. Prolongation accordée

1. (401)	die Frist	deadline	el plazo	il termine	de termijn (m.)
(348)	die Zeit(spanne)	time limit			
2. (66)	der Zahlungsaufschub	extension of time	la prórroga	la proroga	het uitstel
	die Stundung				

DÉLÉGATION (n.f.) (***) 1. Ensemble de représentants.

1. (535)	die Delegation	delegation	la delegación	la delegazione	de delegatie (f.)
(410)	die Vertretung	body of delegates			de vertegenwoordiging (f.)

DÉLÉGUÉ, DÉLÉGUÉE (n.) (****) 1. Personne qui représente une autre personne.

1. (535)	der Delegierte	delegate	delegado	il delegato	de afgevaardigde (m.)
(22)	der Beauftragte	representative			

DÉLIT D'INITIÉ (un ~) (**) 1. Utilisation d'informations priviliégiées pour réaliser une opération boursière.

1. (71)	der Insider-Vergehen	insider trading	el delito de uso de información privilegiada	l'insider trading (m.)	het voorkennisdelict

DÉLOCALISATION (n.f.) (***) 1. Action de déplacer une activité vers un autre pays, une autre région.

1. (440)	die Auslagerung	relocation	el traslado de empresa	la delocalizzazione	de delocalisatie (f.)
(323)	die Verlagerung (ins Ausland)				de uitvlagging (f.)

DÉLOCALISER (v.tr.dir.) (***) 1. Déplacer une activité vers un autre pays, une autre région.

1. (440)	auslagern	to relocate	trasladar una empresa	delocalizzare	delocaliseren
(323)	(ins Ausland) verlagern				uitvlaggen

DEM (****) (382) Allemagne - mark.

DEMANDE (n.f.) (****) 1. Quantité de biens qu'un agent économique est disposé à acheter.

1. (181)	die Bitte das Gesuch	demand	la demanda	la domanda la richiesta	de vraag (m./f.)

DEMANDE

➠ **offre - marché**

1 une demande	2 un demandeur, une demandeuse		2 demander

1 une DEMANDE - [dəmɑ̃d] - (n.f.)

1.1. Quantité de biens ou de services qu'un agent économique (un particulier, un commerçant, une entreprise, un organisme) est disposé à acheter à un certain prix et à un certain moment à un autre agent économique (un particulier, un commerçant, une entreprise, un organisme - X).

Ant. : une offre.

Compte tenu du niveau relativement bas des taux d'intérêt, la demande de crédits devrait s'accroître.

expressions

- **(La loi de) l'offre et (de) la demande. L'équilibre entre l'offre et la demande.** >< **Le déséquilibre entre l'offre et la demande.** (V. 392 offre, 1).
  Du côté de la demande. (Ant. : **du côté de l'offre**). (V. 393 offre, 1).
- **Suite à votre demande** : (formule figée, lettres d'affaires) en réponse à votre demande.

Conformément à votre demande : (formule figée, lettres d'affaires) comme vous l'avez demandé. *Conformément à votre demande, nous vous envoyons une documentation complète sur nos produits.*

- **Sur (simple) demande.** *Une version anglaise du catalogue est disponible sur simple demande.*

+ adjectif

TYPE DE DEMANDE

La demande finale : demande qui provient d'un consommateur final. *La consommation privée représente pratiquement les deux tiers de la demande finale de nos produits.*

La demande privée : demande qui provient des personnes privées (**la demande des ménages**) ou des entreprises (**la demande des entreprises**). *Autre composante de la demande privée, la consommation des ménages semble se redresser quelque peu en novembre.*

>< **La demande publique** : demande qui provient de l'État, des régions ou des collectivités locales.

Une demande potentielle : qui est possible. *La demande potentielle de logements augmente encore sous l'effet de l'évolution démographique, mais il n'est pas sûr que ce besoin potentiel se traduira par une demande effectivement plus élevée.*

Une demande solvable : demande de biens qui vient d'un client qui dispose des moyens financiers de les payer. *L'industrie automobile russe, qui satisfait 90 % des besoins, s'effondre avec la baisse de la demande solvable en Russie.*

Une demande satisfaite : qui est comblée par l'offre. >< **Une demande insatisfaite, non satisfaite.**

CARACTÉRISATION DE LA DEMANDE

Une demande soutenue : demande importante et continue. *La demande soutenue en fuel domestique à cause des températures extrêmes que nous connaissons depuis plusieurs semaines a épuisé une bonne part des réserves nationales.*

NIVEAU DE LA DEMANDE

Une faible demande, une demande insuffisante. *La demande insuffisante a influencé négativement notre chiffre d'affaires.* < **Une demande excédentaire.** (☞ 182 + verbe). < **Une forte demande.**

Une demande croissante : demande qui augmente. *Nous sommes confrontés à une insuffisance de l'épargne face à la demande croissante en investissements.*

LOCALISATION DE LA DEMANDE

La demande locale : demande limitée à une région particulière. *Nous fabriquons sur place les produits adaptés à la demande locale.*

La demande intérieure, (peu fréq.) **la demande interne.** *Les entreprises, confrontées à la faiblesse de la demande intérieure, se sont davantage orientées vers les marchés extérieurs.*

>< **La demande extérieure**, (peu fréq.) **la demande étrangère.**

La demande mondiale. *La demande mondiale de pétrole a repris.*

MESURE DE LA DEMANDE

La demande globale, (moins fréq.) **totale**. *Dans notre pays, la demande globale d'électricité pourrait encore augmenter de plusieurs dizaines de points de pourcentage dans les années à venir.*

+ nom

- **Un formulaire de demande**. *Pour obtenir un catalogue, il faut remplir un formulaire de demande et l'envoyer au siège de l'entreprise.*
- **L'élasticité (prix) de la demande** : influence des modifications de prix sur la quantité de biens ou de services demandés par les consommateurs. (Ant. : **l'inélasticité (prix) de la demande**). *D'après les prévisions faites quant à l'élasticité prix de la demande pour les différents produits, les baisses de prix sont censées stimuler les ventes de toute la gamme.*

TYPE DE DEMANDE

Une demande de (moins fréq. : **en**) + nom qui indique le bien ou le service demandé. Une demande de biens de consommation ; de crédit ; de capitaux ; de pétrole ; de logements ; de main-d'œuvre ; de monnaie. *La demande de logements neufs réagit fortement et rapidement aux variations des taux d'intérêt.*

Une demande de travail. Une demande d'emploi. (V. 225 emploi, 1).

La demande des ménages. (☞ 181 + adjectif).

La demande des entreprises.

NIVEAU DE LA DEMANDE

L'expansion de la demande. *La croissance économique s'est accompagnée d'une expansion importante de la demande en transport.*

La faiblesse de la demande, l'insuffisance de la demande. (☞ 181 + adjectif).

+ verbe : qui fait quoi ?

X, un produit		**répondre à** une ~	une réponse à une ~	1
		satisfaire une ~	la satisfaction d'une ~ une ~ satisfaite (☞ 181 + adjectif)	
la ~		**excéder** l'offre	un excédent de la ~ une ~ excédentaire	2
		être supérieure à l'offre	-	
		dépasser l'offre	-	
		>< **être inférieure à** l'offre	-	
une mesure, une action	△	**augmenter** la ~	une augmentation de la ~	
		accroître la ~	un accroissement de la ~	
→ la ~		**augmenter**	une augmentation de la ~	
		s'accroître	un accroissement de la ~	
		progresser	une progression de la ~	
une mesure, une action		**stimuler** la ~	une stimulation de la ~	3
une mesure, une action	▽	**diminuer** la ~	une diminution de la ~	
→ la ~		**diminuer**	une diminution de la ~	
		s'affaiblir	un affaiblissement de la ~	
		se contracter	une contraction de la ~	
la ~	▽▽	**chuter**	une chute de la ~	
la ~	△=	**stagner**	une stagnation de la ~	4
une mesure, une action	▽△	**relancer** la ~	une relance de la ~	5
→ la ~		**reprendre**	une reprise de la ~	

1 *Le nouveau modèle a tellement de succès que le constructeur automobile a du mal à répondre à la demande.*
2 *La demande d'ingénieurs et d'informaticiens excède largement l'offre.*
3 *Une baisse considérable de l'épargne serait donc nécessaire pour stimuler la demande intérieure.*
4 *À cause de la hausse spectaculaire des prix des appartements, la demande s'est mise à stagner.*
5 *La relance de la demande par la seule intervention de l'État est loin de résoudre les problèmes.*

Pour en savoir plus

LES BESOINS

Le besoin : sentiment de privation qui porte à désirer un bien ou un service. La satisfaction des besoins constitue le but de l'activité économique (Silem). *Le marketing ne crée pas de besoins, mais suscite des désirs pour des produits susceptibles de satisfaire des besoins* (Silem).

Les besoins de première nécessité : l'alimentation, le logement et l'habillement.
Les besoins secondaires : le transport et l'équipement.
Les besoins d'accomplissement : le travail, les loisirs et la culture.

Les besoins individuels. >< **Les besoins collectifs.**
(Qqch.) **satisfaire un besoin. La satisfaction d'un besoin.**

2 AUTRES DÉRIVÉS OU COMPOSÉS

- **Un demandeur, une demandeuse** [dəmɑ̃dœʀ, dəmɑ̃døz] (n.) : un agent économique (un particulier, un commerçant, une entreprise, un organisme) qui est disposé à acheter une quantité de biens ou de services à un certain prix à un certain moment. *Il y avait tellement de demandeurs pour les actions de ce groupe que la Bourse a décidé de suspendre la cotation de l'action.* **Un demandeur d'emploi, une demandeuse d'emploi.** (V. 103 chômage, 2). (Une personne, une organisation) **être demandeur.** *Les syndicats sont demandeurs d'une revalorisation des barèmes pour tous les cheminots.*
- **Demander** [dəmɑ̃de] (v.tr.dir.) : un agent économique (un particulier, un commerçant, une entreprise, un organisme) désire acheter une quantité de biens ou de services à un certain prix à un certain moment. *Tant d'entreprises demandent des informaticiens que les jeunes diplômés sont pratiquement sûrs d'avoir du travail avant même d'avoir décroché leur diplôme.*

DEMANDER (v.tr.dir.) (**) 1. Être disposé à acheter.

1. (183)	bitten (um) verlangen	to want to require	pedir	domandare richiedere	vragen (naar)

DEMANDEUR, DEMANDEUSE (n.) (***) 1. Qui est disposé à acheter.

1. (183)	der Interessent der Anfrager	a person looking for a person in demand of	el demandante	l'acquirente (m.) il richiedente	de vrager (m.) de koper (m.)

DÉMARCHAGE (n.m.) (**) 1. Prospection à domicile ou à distance.

1. (573)	die Haustürwerbung	door-to-door selling	la venta a domicilio	la vendita a domicilio	de huis-aan-huisverkoop (m.)
(106)	die Kundenwerbung (durch Vertreterbesuche)	doorstep-selling			de leurhandel (m.)

DÉMARCHER (v.tr.dir., v.intr.) (**) 1. Vendre à domicile.

1. (573)	Haustürwerbung betreiben	to canvass	practicar la venta a domicilio	vendere a domicilio	huis-aan-huisverkopen
(106)	Vertreterbesuche machen	to sell door-to-door	vender a domicilio		

DÉMARCHEUR, DÉMARCHEUSE (n.) (*) 1. Personne qui vend à domicile ou à distance.

1. (573)	der Vertreter (von Haus zu Haus)	door-to-door sales representative	el corredor	il piazzista	de klantenbezoeker (m.)
	der Klinkenputzer	canvasser	el vendedor a domicilio		de leurder (m.)

DÉMARQUAGE (n.m.) (*) 1. Baisse (de prix).

1. (435)	das Herabsetzen eines Preises	mark-down	la rebaja	l'abbassamento (m.) (dei prezzi)	de afprijzing (f.)
		drop-tag(ging) (US)		il ribasso (dei prezzi)	

DÉMARQUER (v.tr.dir.) (*) 1. Baisser (le prix).

1. (435)	(einen Preis von etwas) herabsetzen	to mark down	rebajar	abbassare il prezzo	afprijzen
		to drop-tag (US)	saldar		

DÉMATÉRIALISATION (n.f.) (**) 1. Suppression du support matériel de qqch.

1. (381)	die Entmaterialisierung	dematerialization	la desmaterialización	la dematerializzazione	de dematerialisatie (f.)

DÉMATÉRIALISÉ, -ÉE (adj.) (**) 1. Qui a perdu son support matériel.

1. (347)	entmaterialisiert	dematerialized	desmaterializado	dematerializzato	gedematerialiseerd

DEMI-PRODUIT ; DEMI-PRODUITS (n.m.) (**) 1. Produit qui doit être transformé pour devenir un produit fini.

1. (449)	das Halbfabrikat	semi-processed product	el producto semielaborado el semiproducto	il prodotto semilavorato	het halffabrikaat het half afgewerkt product

DÉMISSION (n.f.) (***) 1. Fait de quitter une entreprise. 2. Licenciement

1. (343)	der Rücktritt die Demission	resignation	la dimisión	la dimissione	het ontslag
2. (343)	die Entlassung	dismissal (pour faute grave) laying off (raison économique / financière)	la dimisión	il licenziamento	het ontslag

DÉMISSIONNAIRE (adj.) (**) 1. Qui a quitté une entreprise.

1. (344)	zurückgetreten ausgeschieden	person who has resigned	dimisionario dimitente	dimissionario	ontslagnemend

DÉMISSIONNER (v.intr., v.tr.dir.) (***) 1. Quitter une entreprise. 2. Licencier.

1.	(343) zurücktreten	to resign to hand in one's notice	dimitir	dimettersi dare le dimissioni	ontslag nemen
2.	(343) entlassen	to give sb his cards to give his pink slip (US)	despedir licenciar	licenziare	ontslaan

DEMI-TARIF ; DEMI-TARIFS (n.m.) (*) 1. Tarif réduit de moitié.

1.	(539) der halbe Preis	half price half fare	a mitad de precio media tarifa	a metà prezzo	tegen halve prijs

DÉMOGRAPHIE (n.f.) (**) 1. Science qui étudie les populations et leurs variations.

1.	(168) die Demographie	demography	la demografía	la demografia	de demografie (f.) de bevolkingsleer (m./f.)

DÉMOGRAPHIQUE (adj.) (***) 1. Qui se rapporte à la science qui étudie les populations et leurs variations.

1.	(168) (218) demographisch	demographic	demográfico	demografico	demografisch

DÉMONOPOLISATION (n.f.) (*) 1. Passage d'une entreprise d'un secteur protégé à un secteur concurrentiel.

1.	(504) die Aufhebung des Monopols	breaking up of monopolies	la desmonopolización	la demonopolizzazione	de opheffing (f.) van monopolies

DÉMONSTRATION (n.f.) (***) 1. Présentation d'un produit dans le but de le vendre.

1.	die Vorführung die -demonstration	demonstration	la demostración	la dimostrazione	de demonstratie (f.) de demo (m.)

DÉMUNI, -IE (adj.) (**) 1. Sans argent.

1.	(35) mittellos ohne Geld	impoverished underprivileged	desprovisto privado	(persona) indigente (persona) meno abbiente	arm onbemiddeld

DENIERS (de ses ~) (*) 1. Avec son propre argent.

1.	(404) von seinem Geld	with one's (own) money	(con su) dinero	di tasca propria	met zijn (eigen) geld

DENIERS PUBLICS (les ~ (m.)) (**) 1. Recettes des pouvoirs publics.

1.	(471) die öffentliche Gelder	public funds	los fondos públicos	i fondi dello Stato	de publieke fondsen (plur.) de staatsgelden (plur.)

DÉNOMINATION SOCIALE (la ~) (*) 1. Nom d'une société de capitaux.

1.	(519) die (Gesellschafts) firma	corporate name	la denominación social la razón social	la denominazione sociale	de handelsnaam (m.) de firmanaam (m.)

DENRÉE (n.f.) (***) 1. Produit qui sert de nourriture.

1.	(363) die Essware	foodstuff	el producto (alimenticio)	il prodotto alimentare	de voedingswaren (plur.)
	(145) die Lebensmittel (plur.)	food	la mercancía		

DENTS DE SCIE ((une évolution) en ~) (**) 1. Fluctuation avec (fortes) hausses et baisses.

1.	(284) die Auf- und Abwärts-bewegungen	to see-saw	(en) diente de sierra	l'evoluzione incostante	de evolutie (f.) met pieken en dalen

DÉPANNEUR (n.m.) (*) 1. Épicerie ouverte au-delà des heures d'ouverture des autres commerces (RQ).

1.	(573) (n'existe pas)	late-night grocery store	la tienda nocturna	l'alimentari aperto di notte	de gemakswinkel (m.)

DÉPART VOLONTAIRE (le ~) (*) 1. Démission.

1.	(344) der freiwillige Abgang	resignation	la salida voluntaria	le dimissioni volontarie	het vrijwillig vertrek

DÉPARTEMENT (n.m.) (****) 1. Service dans une entreprise.

1.	(507) die Abteilung der Geschäftsbereich	department division	el departamento	il dipartimento l'ufficio (m.)	het departement

DÉPASSEMENT (n.m.) (***) 1. Fait de passer au-delà d'une limite.

1.	(280) die Überschreitung	(cost) overrun	el rebasamiento la superación	il superamento il sorpasso	het overtreffen het overstijgen

DÉPASSER (v.tr.dir.) (****) 1. Passer au-delà d'une limite.

1.	(280) überschreiten übertreffen	to exceed to go over	rebasar superar	superare eccedere	overtreffen overstijgen

DÉPENSE (n.f.) (****) 1. Somme d'argent donnée pour un bien. 2. Fait de donner une somme d'argent pour un bien. 3. (plur.) Ensemble des sommes d'argent données pour un bien.

1.	(185) die Ausgabe die Kosten	expense outlay	el gasto	la spesa	de uitgave (m./f.)
2.	(185) die Ausgabe die Kosten	spending	el gasto	la spesa	de uitgave (m./f.) het uitgeven
3.	(185) die Ausgabe die Kosten	expenditure	los gastos	le spese	de uitgaven (plur.)

DÉPENSE

➠ **recette - coût**

1 une dépense		**3** dépensier, -ière	**2** (se) dépenser

1 une DÉPENSE - [depɑ̃s] - (n.f.)

1.1. (emploi fréq. au plur.) Somme(s) d'argent qu'un agent économique (un particulier, une entreprise, un organisme, un État - X) donne ou verse à un autre agent économique (un particulier, une entreprise, un organisme, un État) en échange de fournitures livrées, de travaux exécutés, de services rendus ou d'avantages accordés (Y).
Syn. : (☞ 187 Pour en savoir plus, Dépense (sens 1.1.) et synonymes) ; Ant. : un revenu, une recette ; (budget de l'État) les ressources.
En ces temps de crise, l'industrie pèse ses dépenses. Un nombre croissant de tâches productives sont dès lors confiées à des spécialistes en dehors de l'entreprise.

1.2. Opération par laquelle un agent économique (un particulier, une entreprise, un organisme, un État) donne ou verse une somme d'argent à un autre agent économique (un particulier, une entreprise, un organisme, un État) en échange de fournitures livrées, de travaux exécutés, de services rendus ou d'avantages accordés.
Pour un jeune couple, la dépense d'une telle somme d'argent pour l'acquisition d'un terrain constitue un investissement important.

1.3. (emploi au pluriel) Ensemble des dépenses (sens 1.1.).
Syn. : les sorties ; Ant. : les recettes, (moins fréq.) les rentrées de fonds, les rentrées d'argent, les rentrées financières, les encaisses.

2.1. Usage, emploi, consommation.
Quelle dépense d'énergie lui a-t-il fallu pour sauvegarder son entreprise de la faillite.

expressions

(sens 1.1.)
• (Une personne) **ne pas regarder à la dépense** : ne pas être économe.

+ adjectif

TYPE DE DÉPENSE (sens 1.1.)

Les dépenses + adjectif qui désigne une affectation particulière. Les dépenses militaires ; publicitaires.

Les dépenses publiques : ensemble des sommes d'argent qu'un gouvernement, une collectivité locale, une administration doit payer pour financer la production de biens et de services collectifs, les transferts sociaux, les subventions, le service de la dette, ... (Syn. : (moins fréq.) **les dépenses de l'État, les dépenses budgétaires**). *Les dépenses publiques ont connu une croissance explosive que n'ont pu suivre les recettes, et ceci malgré un alourdissement sensible de la fiscalité.*

>< **Les dépenses privées**. (Syn. : (plus fréq.) **les dépenses des ménages**). *L'industrie est avant tout axée sur la demande intérieure et subit donc la faiblesse des dépenses privées.*

Les dépenses courantes. 1. Dépenses du ménage destinées à satisfaire les besoins quotidiens : l'alimentation, le transport, les loisirs, ... (Syn. : **le panier de la ménagère**). - 2. Dépense effectuée par une administration avec les recettes de l'exercice (Ménard).

Une/les dépense(s) professionnelle(s) : que l'on fait pour son travail. (Syn. : **les frais professionnels, les charges professionnelles**). *Les honoraires versés pour remplir une déclaration d'impôt sont-ils considérés par le fisc comme une dépense professionnelle ?*

>< **Une dépense personnelle**.

Les dépenses sociales : dépenses dans le cadre du système de la sécurité sociale. (Syn. : **les dépenses de protection sociale, de la sécurité sociale**).

Les dépenses intérieures : somme des consommations intérieures finales en biens et services.

Les dépenses engagées : dont le règlement est déjà effectué ou inévitable.

Les dépenses fiscales : perte de recettes fiscales que l'État subit en accordant une déduction fiscale à certaines catégories de contribuables. (Ant. : **les dépenses non fiscales, les recettes fiscales, les rentrées fiscales**).

Les dépenses publicitaires. *De nombreux managers financiers ont des doutes quant aux résultats générés par toutes les dépenses publicitaires.*

Les dépenses déductibles. (☞ 186 + verbe).

Les dépenses réelles.

CARACTÉRISATION DE LA DÉPENSE (sens 1.1.)

Une dépense exceptionnelle : que l'on ne fait pas régulièrement : p. ex. l'achat d'une voiture.

Une dépense imprévue : que l'on ne pouvait pas prévoir : p. ex. pour le médecin, pour une réparation.

NIVEAU DE LA DÉPENSE (sens 1.1. et 1.2.)

Une dépense moyenne de + somme. *Le parc d'attraction enregistre une dépense moyenne de 50 euros par personne.*

Une dépense excessive. > **Une grosse dépense, une lourde dépense**. *Nombreux sont ceux qui hésitent avant d'effectuer la plus grosse dépense de leur vie : l'achat ou la construction d'un bien immobilier.* > **Les menues dépenses**. *L'argent liquide est très souvent le seul moyen de paiement pour certaines menues dépenses (le taxi, l'entrée dans un musée, la petite restauration).*

+ nom

(sens 1.1.)

- **Un poste de dépenses**. *Les pensions et la santé comptent parmi les postes de dépenses les plus importants de la sécurité sociale.*
- **Le budget des dépenses**. (V. 75 budget, 1).

TYPE DE DÉPENSE (sens 1.1.)

Les dépenses de, en, pour + nom qui désigne un poste de dépense. (☞ 187 Pour en savoir plus, Note d'usage).

Les dépenses des ménages. (☞ 185 + adjectif).

Les dépenses de consommation. *Les impôts directs et les achats de biens immobiliers ne sont pas considérés comme des dépenses de consommation.*

Les dépenses de protection sociale, de la sécurité sociale. (☞ 185 + adjectif).

Les dépenses de fonctionnement. (V. 293 frais, 1).

Les dépenses d'investissement(s). *Dans le cadre de leur politique d'austérité budgétaire, les pouvoirs publics ont réduit les dépenses d'investissement pendant de nombreuses années.*

Les dépenses d'exploitation. (V. 158 coût, 1).

NIVEAU DE LA DÉPENSE (sens 1.1.)

Le niveau des dépenses. *Pour maintenir le niveau des dépenses consacrées aux loisirs, on économise sur la nourriture et les vêtements en achetant moins cher.*

+ verbe : qui fait quoi ?

(sens 1.1.)

Y	✓	**entraîner** une/des ~	-	
X		**effectuer** une/des ~	-	
		faire une/des ~	-	1
		engager une/des ~ (☞ 185 + adjectif)	-	
les ~	=	**s'élever à** ... euros	-	
X (une entreprise)		**financer** une ~ (de/en Y) (☞ 187 Pour en savoir plus, Note d'usage)	le financement d'une ~ (de/en Y)	
X (une entreprise)		**contrôler** les ~ (de/en Y)	le contrôle des ~ (de/en Y)	
X (une entreprise)		**maîtriser** les ~ (de/en Y)	la maîtrise des ~ (de/en Y)	2
les recettes		**couvrir** les ~	la couverture des ~ par les recettes	3
X (un particulier)		**déduire** ses ~ d'une facture / de ses revenus imposables	la déduction des ~ / la déductibilité des ~ / des ~ déductibles	4
X, une mesure	△	**augmenter** les ~ (de/en Y)	une augmentation des ~ (de/en Y)	
→ les ~ (de/en Y)		**croître**	une croissance des ~	5
		être en hausse	une hausse des ~	
		s'accroître	un accroissement des ~	
		progresser	une progression des ~	
X, une mesure	▽	**réduire** les ~ (de/en Y)	une réduction des ~ (de/en Y)	6
X		**diminuer** les ~ (de/en Y)	une diminution des ~ (de/en Y)	
		limiter les ~ (de/en Y)	une limitation des ~ (de/en Y)	
		comprimer les ~ (de/en Y)	une compression des ~ (de/en Y)	
→ les ~ (de/en Y)		**diminuer**	une diminution des ~ (de/en Y)	

1 *Les dépenses engagées pour la rénovation du siège de la banque sont énormes.*
2 *Grâce à une meilleure rotation de nos stocks, nous maîtrisons mieux nos dépenses.*
3 *À cause du nombre limité de spectateurs, nos recettes ne permettront pas de couvrir nos dépenses.*
4 *Le revenu imposable est obtenu en déduisant les dépenses des revenus nets.*
5 *La rapide croissance des dépenses en recherche et développement montre qu'il s'agit là d'un des éléments clés de la compétitivité internationale.*
6 *En temps de crise, les consommateurs essaient de réduire leurs dépenses par tous les moyens.*

(sens 1.3.)

un agent économique	△= ou ▽=	**équilibrer** les recettes et les ~	un équilibre entre les recettes et les ~	1
→ les recettes et les ~		**s'équilibrer**		

1 *Grâce au plan de restructuration, nous espérons pouvoir atteindre un équilibre entre les recettes et les dépenses dès le prochain exercice.*

Pour en savoir plus

DÉPENSE (sens 1.1.) ET SYNONYMES

Une dépense. Les frais. Dans les deux cas, il y a un décaissement effectif. Si l'on est contraint de faire effectuer des travaux, de faire appel à des services, le terme 'frais' sera utilisé généralement pour indiquer les dépenses occasionnées. Le terme s'emploie donc pour désigner des dépenses involontaires, c'est-à-dire occasionnées par des réparations, des accidents, des rénovations. *J'ai eu des frais importants à la toiture de ma maison après la tempête du mois passé.*

Le mot 'dépense' peut s'appliquer à un contexte plus large (p. ex. les dépenses publiques).

Dans les contextes où l'on peut utiliser à la fois 'frais' ou 'dépenses' (p. ex. les frais/dépenses professionnel(le)s ; déduire ses frais/dépenses de ses revenus imposables), 'frais' est utilisé plus fréquemment.

Les emplois : dans le cadre du budget de l'État.

Une facture : ensemble des dépenses occasionnées par un événement public, une manifestation (une foire, un salon) ou un incident (une inondation p. ex.).

Une charge : (dans le contexte de la comptabilité d'une entreprise) toutes les dépenses sont des charges, mais le contraire n'est pas vrai. Il y a des charges qui ne donnent pas lieu à des dépenses (p. ex. les amortissements ou les réductions de valeur).

Un coût : représente en termes de comptabilité, l'ensemble des charges (les charges d'exploitation, les charges d'intérêt, ...). Dans le langage courant, ce terme s'utilise souvent pour désigner la somme d'argent que représente un bien ou un service. *Le coût du carburant ne cesse d'augmenter.*

Un prix : le prix qui doit être payé pour un bien ou un service entraîne pour la personne qui achète le bien ou le service une dépense, des frais, des charges ou un coût.

NOTE D'USAGE

Lorsque 'dépenses' est suivi d'un nom qui désigne un poste de dépenses, on emploie 'de', 'en' ou 'pour'.

'Pour' s'emploie dans tous les cas, mais est peu fréquent.

L'emploi de 'de' ou 'en' dépend probablement du complément : les dépenses de logement ; d'alimentation ; de loisirs ; d'éducation ; de chômage ; d'investissement(s), mais les dépenses en recherche et développement ; en produits alimentaires ; en biens d'équipement ; en personnel ; en capital. *La part des dépenses en produits alimentaires dans le budget des ménages diminue au fil des années.*

Les dépenses pour + nom d'un destinataire (une personne ou un animal). Les dépenses pour les enfants ; pour le chat.

2 (SE) DÉPENSER - [(s(ə)) depɑ̃se] - (v.intr., v.tr.dir., v.pron.)

1.1. (v.intr., v.tr.dir., v.pron.) Un agent économique (un particulier, une entreprise, un organisme, un État - X) donne ou verse une somme d'argent (Y) à un autre agent économique (un particulier, une entreprise, un organisme, un État) en échange de fournitures livrées, de travaux exécutés, de services rendus ou d'avantages accordés (Z).

Syn. : (☞ 188 Pour en savoir plus, Dépenser (sens 1.1.) et synonymes) ; Ant. : épargner, faire des économies, (moins fréq.) économiser.

Les chaînes de restauration rapide, qui permettent de se restaurer sans dépenser des sommes folles, ont profité de l'effet de crise.

2.1. (v.pron.) Une personne fait beaucoup d'efforts.

Au lieu de se dépenser à faire de la publicité, ce patron ferait mieux de chercher à réduire ses coûts dans l'ensemble de la structure.

expressions

(sens 1.1.)

(Une personne) **dépenser un argent fou**. (V. 32 argent, 1), **dépenser sans compter**. *Les amateurs ne sont prêts à dépenser sans compter que si l'œuvre est vraiment exceptionnelle.*

>< (Une personne) **dépenser** (de l'argent) **avec parcimonie** : de façon économe.

qui fait quoi ?

(sens 1.1.)

X	**dépenser** Y (pour/en faveur de Z) (Y = de l'argent, une fortune, un pourcentage de son revenu, ...)	la dépense de Y (pour/en faveur de Z)	1
→ l'argent, une fortune	**se dépenser** facilement		
X	**dépenser** peu, beaucoup, ...		2

1 *Certains collectionneurs sont prêts à dépenser des sommes folles pour acquérir des pièces qui leur manquent.*

2 *En utilisant davantage le crédit, les ménages sont parvenus à stabiliser leur patrimoine tout en dépensant plus.*

Pour en savoir plus

DÉPENSER (sens 1.1.) ET SYNONYMES
Dépenser.
(fam.) **Casser sa tirelire.**
{**une tirelire** (petit récipient avec une fente par où on introduit des pièces de monnaie pour les conserver)}.
Gaspiller : dépenser, consommer de façon excessive. (Syn. : (peu fréq.) **dilapider** {**la dilapidation, un dilapidateur, une dilapidatrice**}). *L'opposition reproche à la majorité de gauche de gaspiller de l'argent dans des projets inutiles.*
{**le gaspillage, un gaspilleur, une gaspilleuse**}.

3 AUTRES DÉRIVÉS OU COMPOSÉS

- **Dépensier, -ière** [depɑ̃sje, -jɛʀ] (adj.) : (une personne) qui donne facilement une somme d'argent ou trop d'argent pour acquérir un bien ou un service. (Ant. : **économe** < **avare** {**l'avarice, un, une avare**}). *Les plus dépensiers sont les Américains. L'an dernier, ils ont consacré plus de 40 milliards de dollars aux voyages.*

DÉPENSER (v.tr.dir., v.intr.) (****) 1. Donner une somme d'argent pour un bien.

1. (187)	ausgeben aufwenden	to spend to use	gastar	spendere	uitgeven

DÉPENSIER, -IÈRE (adj.) (**) 1. Qui donne facilement une somme d'argent pour un bien.

1. (188)	ausgabefreudig verschwenderisch	spendthrift	gastador	spendaccione sprecone	verkwistend

DÉPLAFONNEMENT (n.m.) (*) 1. Fait d'enlever la limite supérieure.

1. (155)	die Herabsetzung der Höchstgrenze	removal of the ceiling	la supresión del límite superior	la soppressione del limite superiore	de deplafonnering (f.) de afschaffing (f.) van het plafond

DÉPLAFONNER (v.tr.dir.) (*) 1. Enlever la limite supérieure.

1. (155)	die Höchstgrenze herabsetzen	to lift the ceiling (from) to raise the ceiling (from)	suprimir el límite superior	sopprimere il limite superiore	deplafonneren het plafond afschaffen

DÉPLIANT (n.m.) (**) 1. Document composé de plusieurs feuilles pliées.

1. (466)	der / das Faltprospekt das Faltblatt	leaflet brochure	el folleto el despegable	il depliant l'opuscolo (m.)	de folder (m.) de brochure (m./f.)

DÉPOSANT, DÉPOSANTE (n.) (**) 1. Agent économique qui effectue un dépôt.

1. (191)	der Anleger der Sparer	depositor	el depositante el imponente	il depositante	de houder (m.) de inlegger (m.)

DÉPOSER (v.tr.dir.) (**) 1. Don d'argent à un agent économique qui s'engage à le remettre. 2. Conserver des marchandises.

1. (190)	einzahlen	to deposit	depositar	depositare	op de bank zetten inleggen
2. (190)	lagern abstellen	to leave to drop off	depositar almacenar	consegnare (in custodia)	bewaren in bewaring hebben

DÉPOSITAIRE (n.) (**) 1. Agent économique qui a reçu de l'argent et qui s'engage à le remettre. 2. Personne qui reçoit des marchandises en dépôt.

1. (191)	der Verwahrer	depository trustee	el depositario	il depositario	de bewaarder (m.)
2. (191)	der Vertragshändler	holder	el depositario	il depositario	de bewaarder (m.)

DÉPÔT (n.m.) (****) 1. Action de donner de l'argent à un agent économique qui s'engage à le remettre. 2. Lieu où sont conservées des marchandises.

1. (189)	das Einlegen von Geld die Tätigung einer Einlage	deposit depositing	el depósito	il deposito	de storting (f.) het deponeren
2. (189)	das Lager das Depot	depot warehouse	el depósito el almacén	il magazzino il deposito	de (m.) / het depot de opslagplaats (m./f.)

DÉPÔT

➠ **versement - placement**

1 un dépôt	**3** un déposant, une déposante **3** un dépositaire, une dépositaire		**2** déposer

1 un DÉPÔT - [depo] - (n.m.)

1.1. Action par laquelle un agent économique (le déposant : un particulier, un commerçant, une entreprise - X) donne de l'argent, des titres ou des biens (Y) à un autre agent économique (le dépositaire : une entreprise, une banque - Z) qui s'engage à remettre cet argent, ces titres ou ces biens lorsque le déposant les demandera, et argent, titres ou biens donnés.

Le dépôt peut vous rapporter un peu plus d e 4% sur 12 mois.

1.2. Lieu où un agent économique (un commerçant, une entreprise) stocke des marchandises ou d'autres objets pour les conserver (et, généralement, pour pouvoir les vendre plus tard).

Syn. : (V. 355 magasin, 1).

Après les fêtes de fin d'année, nos dépôts sont vides.

2.1. Action par laquelle un agent économique (un particulier, une entreprise) fait enregistrer la cessation de paiement, une nouvelle invention, une plainte contre qqn, ... par un organisme officiellement reconnu.

+ adjectif

TYPE DE DÉPÔT (sens 1.1.)

Un/les dépôt(s) bancaire(s) : somme d'argent qu'un agent économique donne à une banque dans le but de la porter à son compte.

TYPE DE DÉPÔT (sens 2.1.)

Le dépôt légal : obligation de remettre à un organisme dépositaire (Bibliothèque nationale, administration, ...) un exemplaire des documents écrits ou audiovisuels qui viennent de paraître.

+ nom

(sens 1.1.)

- **Un certificat de dépôt** : titre indiquant qu'un investisseur a confié une somme précise à une banque ou à un autre établissement financier pour un temps déterminé, ne dépassant généralement pas les cinq ans, en contrepartie d'un intérêt versé au déposant (Ménard).
- **Un compte de dépôt(s)**. (V. 129 compte, 1).
- **Une banque de dépôt**. (V. 54 banque, 1).

Un carnet de dépôt(s). (V. 129 compte, 1).

(sens 1.2.)

Le commerce de dépôt-vente. (V. 115 commerce, 1).

TYPE DE DÉPÔT (sens 1.1.)

Un/les dépôt(s) à vue : somme d'argent versée par un déposant auprès d'un établissement financier. Le déposant peut disposer à tout moment de l'argent, mais le dépôt est très faiblement rémunéré.

>< **Un/les dépôt(s) à terme** : somme d'argent versée par un déposant auprès d'un établissement financier. Le déposant ne peut disposer de la somme qu'à une certaine échéance, mais le dépôt est rémunéré. (Syn. : **un dépôt à échéance fixe**). *Les épargnants craignent de bloquer leurs capitaux sur des dépôts à terme peu lucratifs.*

Les dépôts d'épargne : somme d'argent versée par un déposant auprès d'un établissement financier à titre d'épargne. *Les dépôts d'épargne constituent une source de financement bon marché pour les banques.*

Un dépôt de garantie : somme d'argent ou titres donnés à qqn pour garantir l'exécution d'un contrat ou sous forme de caution. Le propriétaire ne peut récupérer cette somme ou ces titres que si le résultat satisfait à certaines conditions.

TYPE DE DÉPÔT (sens 1.2.)

Un dépôt de + nom qui désigne le type de biens stockés. Un dépôt de marchandises; de produits pétroliers.

TYPE DE DÉPÔT (sens 2.1.)

Le dépôt de bilan. (V. 66 bilan, 1).

Le dépôt des comptes annuels : publication et remise obligatoire des comptes annuels d'une société de capitaux ou d'une société à responsabilité limitée à une instance publique (un tribunal de commerce, la banque nationale, ...).

Le dépôt de marque : enregistrement auprès d'un organisme officiellement reconnu du nom d'une marque afin de conserver légalement l'usage exclusif du nom. Le nom devient alors **une marque déposée**. Le nom d'une marque déposée est suivi de l'abréviation^{TM}, de l'anglais "trademark". *La fermeture Éclair, marque déposée par la société Éclair Prestil, est devenue un nom générique, à l'image de Bic ou de Frigidaire.*

Le dépôt d'un modèle. Un modèle déposé.

MESURE DU DÉPÔT (sens 1.1.)

Un dépôt à court terme. >< **Un dépôt à long terme**.

+ verbe : qui fait quoi ?

(sens 1.1.)

X	✓	**mettre** Y **en** ~	la mise en ~ (de Y) auprès de ...	
		auprès d'une banque au Crédit lyonnais chez un intermédiaire financier sur un compte		
		effectuer un ~ (de Y) auprès de .../au .../chez .../sur ...	-	
>< une banque, ...		**recevoir** Y **en** ~	-	
		↓		
Y	×	**être en** ~ auprès de .../au .../chez .../sur ...	-	1
→ Z		**avoir** Y **en** ~	-	
		↓		
Y		**rester en** ~ auprès de .../au .../chez .../sur ...	-	
		↓		
Z		**gérer** les ~	la gestion des ~	

1 *Si vos actions sont en dépôt chez votre intermédiaire financier, il peut en effectuer l'échange lorsque cela est opportun.*

Pour en savoir plus

DÉPÔT ET CONSIGNATION

La consignation. 1. Dépôt d'espèces, de titres ou de choses à titre de garantie ou entre les mains d'une personne chargée de les remettre à ceux qui y ont droit. *Traditionnellement, la garantie locative revêt diverses formes : la plus courante est la garantie en espèces, qui consiste en la consignation d'une somme d'argent.* {**un, une consignataire** (personne qui reçoit une somme d'argent, une marchandise en consignation), **consigner**}. - 2. Remise d'une marchandise à un agent économique afin qu'il la vende pour le compte du fournisseur. {**un, une consignataire** (personne qui reçoit une marchandise en consignation) (Syn. : **un dépositaire**)}. - 3. Action de facturer un emballage en s'engageant à le reprendre ou à le rembourser. {**une consigne** (somme que représente la valeur d'un emballage à sa reprise par le vendeur), **consigner**}. **Un emballage consigné** >< **un emballage perdu**. (V. 417 perte, 2). **Une marchandise consignée**. (V. 361 marchandise, 1).

2 DÉPOSER - [depoze] - (v.tr.dir.)

1.1. Un agent économique (le déposant : un particulier, un commerçant, une entreprise - X) donne de l'argent, des titres ou des biens (Y) à un autre agent économique (le dépositaire : une entreprise, une banque - Z) qui s'engage à remettre cet argent, ces titres ou ces biens lorsque le déposant les demandera.

Il ne veut pas déposer son argent à la banque parce que les banques ne lui inspirent pas confiance.

1.2. Un agent économique (un commerçant, une entreprise) stocke des marchandises ou d'autres objets dans un lieu (un dépôt) pour les conserver (et, généralement, pour les vendre plus tard).

2.1. Un agent économique (un particulier, une entreprise) fait enregistrer la cessation de paiement, une nouvelle invention, une plainte contre qqn, ... par un organisme officiellement reconnu.

+ nom

(sens 2.1.)

- **Déposer le bilan**. (V. 65 bilan, 1).
- **Déposer une marque**. **Une marque déposée**. (V. 189 1 dépôt).
- **Déposer un brevet** : faire enregistrer auprès d'un organisme officiellement reconnu une invention industrielle pour profiter pendant une certaine période de l'exclusivité de l'exploitation de cette invention. *Le brevet de la carte à puce a été déposé en 1975 par le Français Roland Moreno, mais les premières applications de cette invention n'ont été lancées qu'en 1983.*
- **Déposer une offre**. *Trois groupes ont déposé une offre auprès des conseillers financiers de l'État pour le rachat de 50 % du capital détenu par l'État dans cette banque.*

qui fait quoi ?

(sens 1.1.)

X	**déposer** Y auprès d'une banque à la Société générale chez un intermédiaire financier sur un compte	le dépôt de Y auprès de ...

3 AUTRES DÉRIVÉS OU COMPOSÉS

- **Un déposant, une déposante** [depozɑ̃, depozɑ̃t] (n.) : agent économique qui effectue un dépôt (sens 1.1.). *Pour rester anonymes, un certain nombre de déposants font appel à un avocat ou à une société-écran dont les banques ne désirent pas connaître l'origine.*
- **Un, une dépositaire** [depozitɛʀ] (n.). 1. Agent économique (un établissement financier) qui a reçu de l'argent, des titres ou des biens en dépôt et qui s'engage à les remettre à leurs propriétaires (les déposants) au moment où ceux-ci les réclament. **La banque dépositaire.** - 2. Personne qui reçoit des marchandises en dépôt dans le but de les revendre au nom de leur propriétaire. (Syn. : **un consignataire**). *Il a été reconnu comme dépositaire officiel des produits de la Loterie nationale.*

DÉPRÉCIATION (n.f.) (**) 1. Perte de valeur.

1. (278)	die Wertminderung	depreciation	la depreciación	il deprezzamento	de depreciatie (f.)
	die Wertverlust	loss in value			de waardevermindering (f.)

DÉPRÉCIER (~, se ~) (v.tr.dir., v.pron.) (***) 1. Perdre de la valeur.

1. (278)	an Wert verlieren	to depreciate	depreciar (se)	deprezzare	depreciëren
	eine Wertminderung erleiden	to lose value			in waarde verminderen

DÉPRESSION (n.f.) (***) 1. Forte baisse de l'activité économique.

1. 139	die Rezession	slump	la depresión económica	la depressione economica	de economische depressie (f.)
	die Flaute	depression		la congiuntura sfavorevole	de laagconjunctuur (f.)

DÉRAPAGE (n.m.) (***) 1. Forte augmentation.

1. (276)	der Rutsch	upward drift	el derrapaje	lo slittamento	het uit de hand lopen
	das Schleudern	upward swing	el despegue	la deriva	het slippen

DÉRAPER (v.intr.) (**) 1. Augmenter fortement.

1. (276)	zusammenbrechen	to jump	despegar	slittare	uit de hand lopen
	einstürtzen	to increase dramatically	derrapar		slippen

DÉRÉGLEMENTATION (n.f.) (***) 1. Libéralisation.

1. (370)	die Deregulierung	deregulation	la desregulación	la deregolamentazione	de deregulering (f.)
	die Entstaatlichung		la liberalización	la deregulation	

DÉRÉGLEMENTER (v.tr.dir.) (*) 1. Libéraliser.

1. (370)	deregulieren	to deregulate	desregular	deregolamentare	dereguleren
	entstaatlichen		liberalizar		

DÉRÉGULATION (n.f.) (***) 1. Libéralisation.

1. (370)	die Deregulierung	deregulation	la desregulación	la deregolamentazione	de deregulering (f.)
	die Entstaatlichung		la liberalización	la deregulation	

DÉRÉGULER (v.tr.dir.) (**) 1. Libéraliser.

1. (370)	deregulieren	to deregulate	desregular	deregolamentare	dereguleren
	entstaatlichen				

DÉRISOIRE (adj.) (***) 1. Très bas.

1. (284)	lächerlich	derisory	ridículo	derisorio	belachelijk laag
		paltry	irrisorio		

DÉSALARISATION (n.f.) (*) 1. Diminution de la part du salariat.

1. (502)	die Verminderung des Anteils der abhängig Beschäftigten	decrease of the number of wage earners	la disminución de la parte del salariado	la diminuzione della quota salariale	het dalend aandeel van de loontrekkenden

DÉSARGENTÉ, -ÉE (adj.) (**) 1. Pauvre.

1. (35)	mittellos	hard up	sin dinero	indigente	arm
	ohne Geld	penniless	pobre	meno abbiente	onbemiddeld

DESCENDANT, -ANTE (adj.) (*) 1. Qui représente une diminution.

1. (156)	abnehmend	downward	decreciente	discendente	dalend
			descendiente		

DESCENDRE (v.intr.) (***) 1. Diminuer

1. (278)	abnehmen	to come down	descender	scendere	dalen
	sinken	to decline	disminuir		zakken

DÉSÉCONOMIES (n.f.plur.) (*) 1. Augmentation du prix à cause de l'augmentation des quantités de facteurs de production.

1. (216)	die Verbundnachteile die Aufhebung von Synergieeffekten	diseconomies	las deseconomías de escala	la diseconomia	de schaalnadelen (plur.)

DÉSENDETTEMENT (n.m.) (**) 1. Remboursement progressif de dettes.

1. (198)	die Entschuldung	debt reduction degearing (GB)	el pago de deudas el desendeudamiento	il disindebitamento	het betalen van zijn schuld het voldoen van zijn schuld

DÉSENDETTER (se ~) (v.pron.) (*) 1. Rembourser progressivement des dettes.

1. (198)	seine Schulden bezahlen seine Schulden abtragen	to pay off part of one's debts to reduce one's debt load	pagar sus deudas quedar libre de deudas	liberarsi dai debiti	zijn schulden terugbetalen

DÉSENGAGEMENT (n.m.) (**) 1. Licenciement.

1. (343)	die Entlassung	dismissal (pour faute professionnelle) firing (pour faute professionnelle)	el despido	il licenziamento	het ontslaan

DÉSENGAGER (v.tr.dir.) (**) 1. Licencier.

1. (343)	entlassen	to dismiss to fire	despedir	licenziare	ontslaan

DÉSÉPARGNE (n.f.) (*) 1. Utilisation du revenu pour la consommation.

1. (244)	das Entsparen die negative Spartätigkeit	dissaving	el desahorro (público)	il risparmio negativo	de ontsparing (f.)

DÉSÉQUILIBRE (n.m.) (***) 1. Absence d'égalité.

1. (75) (50)	das Ungleichgewicht das gestörte Gleichgewicht	imbalance disequilibrium	el desequilibrio	lo squilibrio	het onevenwicht de onevenwichtigheid (f.)

DÉSÉQUILIBRER (v.tr.dir.) (**) 1. Faire perdre l'égalité.

1.	das Gleichgewicht stören	to throw off balance	desequilibrar	squilibrare	uit evenwicht brengen

DÉSHÉRITÉ, DÉSHÉRITÉE (n.) (**) 1. Personne qui manque de qqch. (souvent d'argent).

1. (35)	der Arme der Bedürftige	the have-nots the underprivileged	el desheredado	l'indigente (m.) il povero	de arme persoon (m.) de onbemiddelde persoon (m.)

DÉSHÉRITÉ, -ÉE (adj.) (**) 1. Pauvre.

1. (35)	bedürftig benachteiligt	underprivileged poor	desheredado	diseredado	arm onbemiddeld

DESIGN (n.m.) (***) 1. Esthétique industrielle.

1. (324)	das Design	design	el diseño el proyecto	il design	het design de industriële vormgeving (f.)

DÉSINDEXATION (n.f.) (*) 1. Suppression de la relation avec un indice.

1. (433)	die Aufhebung der Indexbindung	deindexation	la desindexación	la deindicizzazione	de desindexatie (f.) de desindexering (f.)

DÉSINDEXER (v.tr.dir.) (*) 1. Supprimer la relation avec un indice.

1. (433)	die Indexbindung aufheben	to deindex	desindexar	deindicizzare	desindexeren de indexering opheffen

DÉSINDUSTRIALISATION (n.f.) (**) 1. Réduction des activités industrielles.

1. (325)	die Deindustrialisierung	deindustrialization	la desindustrialización	la deindustrializzazione	de desindustrialisering (f.)

DÉSINDUSTRIALISER (~, se ~) (v.tr.dir., v.pron.) (*) 1. Réduire les activités industrielles.

1. (325)	deindustrialisieren	deindustrialize	desindustrializar	deindustrializzare	desindustraliseren

DÉSINFLATION (n.f.) (**) 1. Ralentissement du rythme de la hausse des prix.

1. (328)	der Rückgang der Inflation die Desinflation	disinflation	la desinflación	la disinflazione	de desinflatie (f.)

DÉSINFLATIONNISTE (adj.) (*) 1. Qui produit un ralentissement du rythme de la hausse des prix.

1. (328)	desinflationistisch	disinflationary	desinflacionista	disinflazionistica	desinflatoir

DÉSINTERMÉDIATION (n.f.) (*) 1. Fait de s'adresser directement aux marchés financiers.

1. (54)	der direkte Rückgriff auf die Finanzmärkte	disintermediation	la desintermediación	la disintermediazione	de desintermediatie (f.)

DÉSINVESTIR (v.intr., v.tr.indir.) (**) 1. Ne pas remplacer le capital usé, cesser d'investir.

1. (339)	desinvestieren	to disinvest	desinvertir	disinvestire	desinvesteren niet meer beleggen

DÉSINVESTISSEMENT (n.m.) (**) 1. Fait de ne pas remplacer le capital usé, de cesser d'investir.

1. (339)	die Desinvestition	disinvestment divestment	la desinversión	il disinvestimento	de desinvestering (f.)

DESSOUS(-)DE(-)TABLE (n.m.) (*) 1. Somme d'argent donnée en surplus pour obtenir qqch.

1. (5)	das Schmiergeld	under-the-counter payment	el unte	la tangente	het smeergeld
		sweetener	el dinero bajo manga	la bustarella	

DESTINATAIRE (n.) (***) 1. Personne qui reçoit qqch.

1.	der Empfänger	addressee	el destinatario	il destinatario	de bestemmeling (m.)
	der Adressat	recipient			de geadresseerde (m.)

DESTINATION (n.f.) (****) 1. Lieu vers lequel une chose doit être acheminée.

1. (362)	der Bestimmungsort	destination	la destinación el destino	la destinazione	de bestemming (f.)

DÉSTOCKAGE (n.m.) (**) 1. Action de retirer une marchandise du stock.

1. (528)	der Abbau der Lagerbestände	destocking	el uso de existencias	la liquidazione delle scorte	de voorraadvermindering (f.)
	der Abbau der Vorräte	stock decumulation	la salida de almacén	l'eliminazione (f.) delle scorte	

DÉSTOCKER (v.tr.dir.) (*) 1. Retirer une marchandise du stock.

1. (528)	die Lagerbestände abbauen	to run down stocks	sacar del almacén	mettere in vendita le giacenze	de voorraad verkleinen
	die Vorräte verringern	to destock		eliminare dallo stock	uit de voorraad (weg)nemen

DÉSYNDICALISATION (n.f.) (*) 1. Diminution du nombre de personnes affiliées à un syndicat.

1. (536)	das Sinken des gewerkschaftlichen Organisierungsgrades	deunionization	la reducción de afiliados a un sindicato	la desindacalizzazione	de desyndicalisatie (f.)

DÉTAIL (n.m.) (***) 1. Livraison, vente de marchandises en petites quantités.

1. (571) (115)	der Einzelhandel	retail	el comercio al por menor	il commercio al dettaglio	de kleinhandel (m.)

DÉTAILLANT, DÉTAILLANTE (n.) (***) 1. Commerçant qui vend en petites quantités.

1. (115)	der Einzelhändler	retailer	el minorista	il dettagliante	de kleinhandelaar (m.)
		retail dealer	el detallista	l'esercente (m.)	de detaillist (m.)

DÉTAILLER (v.tr.dir.) (*) 1. Vendre en petites quantités.

1. (115)	einzeln / stückweise verkaufen	to retail	vender al por menor	vendere al dettaglio	in kleine hoeveelheden verkopen
		to sell retail			

DÉTAXATION (n.f.) (*) 1. Action de diminuer ou de supprimer une taxe.

1. (545)	die Steuerbefreiung	tax-freeing	la desgravación	la detassazione	de belastingontheffing (f.)
	die Steuerermässigung	remission of tax	la exención fiscal	lo sgravio fiscale	de detaxering (f.)

DÉTAXER (v.tr.dir.) (*) 1. Diminuer ou supprimer une taxe.

1. (545)	von einer Steuer befreien	to reduce the tax (on)	desgravar	detassare	detaxeren
	eine Steuerermässigung gewähren	to take the tax off	eximir	sgravare	van belasting ontheffen

DÉTENDRE (~, se ~) (v.tr.dir., v.pron.) (**) 1. Diminuer.

1. (278)	lockern	to relax	aflojar (se)	diminuire	dalen
		to ease off (personne)	relajar (se)		

DÉTENTE (n.f.) (***) 1. Diminution.

1. (278)	die Lockerung	relaxation an easing-off	la distensión	la distensione	de daling (f.)

DÉTENTEUR, DÉTENTRICE (n.) (***) 1. Personne qui possède qqch.

1. (11)	der Besitzer	owner	el poseedor	il detentore	de houder (m.) van effecten
(86)	der Inhaber	holder	el tenedor		de bezitter (m.)

DÉTÉRIORATION (n.f.) (***) 1. Dégradation.

1. (277)	die Verschlechterung	deterioration	el deterioro	il deterioramento	de verslechtering (f.)
		worsening	la deterioración	il peggioramento	

DÉTÉRIORER (~, se ~) (v.tr.dir., v.pron.) (***) 1. (Se) dégrader.

1. (277)	verschlechtern	to damage	deteriorar (se)	deteriorarsi	verslechteren
		to deteriorate	estropear (se)	peggiorarsi	

DÉTOURNEMENT (n.m.) (***) 1. Action de s'approprier qqch. de façon frauduleuse.

1. (289)	die Veruntreuung	embezzlement	la desviación	l'appropriazione indebita (di fondi)	de verduistering (f.)
(35)	die Unterschlagung	misappropriation of funds	la malversación		

DÉTOURNER (v.tr.dir.) (***) 1. Se rendre propriétaire de façon frauduleuse.

1. (289)	veruntreuen	to embezzle	desviar	sottrarre indebitamente	verduisteren
(35)	unterschlagen	to misappropriate	malversar		

DETTE (n.f.) (****) 1. Devoir de rembourser une somme d'argent. 2. Somme d'argent à rembourser. 3. (plur.) Poste du passif.

1. (194)	die Schuld	debt	la deuda el débito	il debito	de schuld (m./f.)
2. (194)	die Schuld	debt	la deuda	il debito	de schuld (m./f.)
3. (194)	die Verbindlichkeit	accounts payable debts due by us	la(s) deuda(s)	il debito	de (schuld)vordering (f.)

DETTE

➠ emprunt - créance

1 une dette 2 un endettement 4 le surendettement 4 le désendettement	4 un endetté, une endettée		3 (s')endetter 4 se surendetter 4 se désendetter

1 une DETTE - [dɛt] - (n.f.)

1.1. (emploi au sing.) Devoir qu'a un agent économique (un débiteur : un particulier, une entreprise, une banque, un État - X) de rembourser une somme d'argent à un autre agent économique (un créancier : un particulier, une entreprise, une banque, un État - Y) (p. ex .suite à un prêt accordé par le créancier) à une date ultérieure.

Syn. : une obligation ; Ant. : une créance.

La réduction de la dette publique passe par une gestion active de la dette.

1.2. (emploi fréq. au plur.) Somme d'argent qu'un agent économique (un débiteur : un particulier, une entreprise, une banque, un État - X) a obtenu d'un autre agent économique (un créancier : un particulier, une entreprise, une banque, un État - Y) (p. ex. suite à un prêt accordé par le créancier) et qu'il doit rembourser dans un délai déterminé avec, généralement, le paiement d'un intérêt.

Syn. : (☞ 196 Pour en savoir plus, Dette (sens 1.2.) et synonymes) ; Ant. : une créance.

L'État reprend à la fois les bâtiments et la dette de 40 millions d'euros de cette association, qui connaît depuis un certain temps de graves problèmes financiers.

1.3. (emploi au plur. et avec l'art. déf.) L'un des postes principaux du passif du bilan.

2.1. Devoir qu'a une personne envers une autre à cause d'un engagement qu'elle a fait ou d'un service qu'elle lui a rendu.

Syn. : une obligation.

Cet enfant a une lourde dette envers ses parents adoptifs, qui lui ont donné toutes les chances.

expressions

(sens 1.2.)

(Une personne) **être criblé de dettes, avoir des dettes par-dessus la tête** : avoir énormément de dettes. (☞ 196 + verbe).

+ adjectif

TYPE DE DETTE (sens 1.2.)

La dette (publique) : ensemble des emprunts contractés par l'État pour financer le déficit budgétaire d'un exercice budgétaire. (Syn. : **la dette de l'État**). *Les déficits budgétaires font gonfler la dette publique et réduisent la marge de manœuvre pour le gouvernement.* **Le ratio dette publique/PIB** (produit intérieur brut). *Dans notre pays, le ratio dette/PIB a tendance à diminuer depuis quelques années, mais ce rapport dépasse encore la barre des 10 0%.*

La dette flottante : ensemble des dettes à court terme de l'État dont les créanciers peuvent demander le remboursement sans préavis (p. ex. les bons du Trésor ou les certificats de trésorerie) (Silem).

Une dette consolidée : dette de l'État sous la forme de titres à court terme (avec risque de remboursement rapide) transformée en emprunt à long terme. (☞ 195 + verbe).

Une dette amortissable : dette remboursable à terme fixe ou par annuités. Elle comprend notamment les emprunts à long terme et les emprunts obligataires de plus de 10 ans (Silem).

Une/les dette(s) commerciale(s) : dette qui résulte de l'achat de biens ou de services par un pays ou une entreprise.

Les dettes financières : dettes d'une entreprise envers les établissements de crédit et les bailleurs de fonds. *Certaines entreprises ont des dettes financières qui représentent trois fois le montant des fonds propres, alors que d'autres ont un taux d'endettement (emprunts/fonds propres) qui ne dépasse pas 50 %.*

Une dette bancaire : ensemble des dettes d'une personne ou d'un organisme envers les banques ou autres établissements similaires (Ménard).

Une dette fiscale : dette due au fisc.

Une dette exigible : dette dont un créancier peut demander le remboursement au débiteur.

>< **Une dette remboursable** : dette qu'un débiteur doit rembourser à son créancier. (☞ 196 + verbe).

Une dette liquide.

NIVEAU DE LA DETTE (sens 1.2.)

Une dette réduite. < **Une dette énorme, une lourde dette**. < **Une dette gigantesque**.

LOCALISATION DE LA DETTE (sens 1.2.)

La dette extérieure, (moins fréq.) **externe** : ensemble des dettes d'un pays (État et entreprises) envers des créanciers étrangers.

>< **La dette intérieure**, (moins fréq.) **interne**. (Syn. : **l'endettement intérieur**) : dette de l'État à l'égard du reste des agents économiques internes. *La dette intérieure est aux mains des institutions financières nationales et des citoyens.*

MESURE DE LA DETTE (sens 1.2.)

Une dette perpétuelle : dont le capital ne doit pas être remboursé. Seuls les intérêts doivent être payés.

+ nom

(sens 1.2.)

- **La dette de l'État.** (☞ 194 + adjectif).
- **Le (capital) principal (d'une dette)** : somme d'argent que représente une dette.
  >< **Les intérêts (d'une dette).**
- **Le service de la dette.** 1. Remboursement des sommes empruntées aux échéances et paiement des intérêts. (Syn. : **la charge de la dette**). *Cette société a décidé une suspension du service de la dette. Autrement dit, les intérêts relatifs aux obligations ne seront plus payés.* - 2. Somme que le débiteur doit verser annuellement (remboursement partiel du capital emprunté et paiement des intérêts). (Syn. : **l'annuité de la dette**).
  Le poids de la dette, le fardeau de la dette. *Une augmentation des taux d'intérêt alourdirait encore plus le poids de la dette des pays du tiers monde et mettrait en danger l'équilibre financier international.*
- **L'échéance de la dette** : date à laquelle le remboursement de la dette doit être effectué. (☞ 195 + verbe). (V. 476 remboursement, 1).
- **Le réaménagement de la dette** : renégociation des conditions globales (le délai, le taux d'intérêt, ...) de remboursement de la dette.
  Le rééchelonnement de la dette : fait de permettre le remboursement d'une dette sur une période plus longue que celle prévue initialement.
- **L'encours de la dette** : ensemble des dettes qui n'ont pas encore été remboursées.
- **L'effet boule de neige (des intérêts) de la dette** : accroissement continu et cumulatif des charges d'intérêt de la dette publique.

TYPE DE DETTE (sens 1.2.)

Les dettes d'exploitation : dettes d'une entreprise envers ses fournisseurs, son personnel et l'État.

LOCALISATION DE LA DETTE (sens 1.2.)

La dette de + (groupe de) pays. La dette du tiers-monde ; de la Belgique.

MESURE DE LA DETTE (sens 1.2.)

Le montant de la dette. *Le montant de la dette publique s'élève à plus de 10 0% du PIB.*

Une dette à vue : dette dont le créancier peut exiger le remboursement immédiat. < **Une dette à court terme.** < **Une dette à long terme.**

Une dette à + indication de temps. Une dette à vingt ans.

+ verbe : qui fait quoi ?

(sens 1.1.)

X	**avoir** une ~ (envers Y)	-	
	⋎		
une ~	**arriver à échéance**	-	1
	échoir (participe : échu) (☞ 195 + nom)	l'échéance de la ~	
	⋎		
Y (une banque, un État)	**rééchelonner** la ~ (de X) (X : généralement un État) (☞ 195 + nom)	le rééchelonnement d'une ~	
	réaménager la ~ (de X) (☞ 195 + nom)	le réaménagement d'une ~	
→ X (un État)	**consolider** une ~ (☞ 194 + adjectif)	la consolidation d'une ~	

1 *Ce sont principalement des banques américaines qui détiennent les 43 milliards de dollars de dettes en intérêt et en principal arrivant à échéance prochainement.*

(sens 1.2.)

X	✓	**faire** des ~	-
		contracter des ~	-
		⋎	
X	×	**avoir** des ~ (envers qqn)	-
→ sa/ses ~		**s'élever à** un montant de ... euros	-
X		**reconnaître** ses ~	une reconnaissance de ses ~
X		**gérer** une/ses ~	la gestion d'une ~
		⋎	
X	▽	**réduire** ses ~	la réduction de ses ~

X	△	**accumuler** les ~	l'accumulation des ~	
un emprunt		**(venir) gonfler** la ~ (publique)	le gonflement de la ~ (publique)	1
X	△△	**être criblé** de ~	-	2
		être surendetté (V. 198 4 autres dérivés ou composés) ↓	le surendettement une personne surendettée	
X	O	**rembourser** ses ~ (à Y)	le remboursement de ses ~ (à Y)	3
		payer ses ~ (à Y)	le paiement de ses ~ (à Y)	
		régler une/ses ~	le règlement d'une ~	
		acquitter une/ses ~	l'acquittement d'une ~	
		s'acquitter d'une/de ses ~		
		apurer une/ses ~	l'apurement d'une ~	
		se libérer d'une ~	-	
		(fam.) **éponger** une/ses ~	-	4
X		**amortir** une ~ (☞ 194 + adjectif)	l'amortissement d'une ~	5
Y (une entreprise, un État)		**convertir** une ~ (en obligations) (en actions)	la conversion d'une ~ (en ...)	6
Y, une mesure	▽	**réduire** la ~ (de X)	une réduction de la ~	
		alléger la ~ (de X)	un allégement de la ~	
Y	O	**remettre** la ~ (de X)	une remise de ~	7
		annuler une ~ (de X)	une annulation d'une ~	
		libérer X d'une ~	la libération d'une ~	
		(fam.) **éponger** la ~ (de X)	-	

1 *Les importants déficits budgétaires de ces dernières années viennent gonfler encore davantage notre dette publique déjà énorme.*
2 *Les entreprises locales, criblées de dettes, mal gérées, pauvres en capitaux, ont dû fermer leurs portes ou se sont fait absorber par de grands groupes industriels.*
3 *Si un client n'arrive pas à rembourser ses dettes, c'est très souvent à cause de difficultés financières passagères.*
4 *Certains hommes politiques réclament un impôt unique sur la fortune afin d'éponger l'essentiel de notre dette publique.*
5 *Cette société mexicaine a entamé des négociations avec des banques européennes, américaines et japonaises sur un crédit d'un milliard de dollars, qui doit lui permettre d'amortir une dette contractée il y a 10 ans.*
6 *La technique comptable consiste à convertir la dette en actions sur des entreprises existantes.*
7 *Une remise de dette peut être accordée, mais elle pourra être annulée si le débiteur redevient solvable.*

Pour en savoir plus

DETTE (sens 1.2.) ET SYNONYMES

Une dette, (moins fréq.) **un endettement, le débit** (V. 173 débit, 1).
Une somme due, (peu fréq.) **un dû** : toute somme d'argent qu'un agent économique doit à un autre (p. ex. le prix d'un service, une dette, ...). *L'État compte demander le remboursement du subside illégitime accordé à cette entreprise. La somme due s'élève à un million d'euros.* **Payer son dû. Réclamer son dû.**

Un débet. (V. 131 compte, 1).
Un découvert (**bancaire, en banque**). 1. Possibilité accordée par une banque à son client titulaire d'un compte en banque d'avoir un solde débiteur pendant une période donnée et qui est limité par un **seuil d'autorisation**. - 2. Solde négatif d'un compte en banque. *J'ai un découvert de 100 euros.* **Un compte à découvert**. (V. 129 compte, 1).

2 un ENDETTEMENT - [ɑ̃dɛtmɑ̃] - (n.m.)

1.1. Engagement d'un agent économique (un débiteur : un particulier, une entreprise, une banque, un État - X) à rembourser une somme d'argent à un autre agent économique (un créancier : un particulier, une entreprise, une banque, un État - Y) (p. ex. suite à un prêt accordé par le créancier).

L'État préfère recourir à l'endettement plutôt que de réduire une partie de ses activités.

1.2. Somme d'argent qu'un agent économique (un débiteur : un particulier, une entreprise, une banque, un État) doit rembourser à un autre agent économique (un créancier : un particulier, une entreprise, une banque, un État) (p. ex. suite à un prêt accordé par le créancier).

Syn. : (plus fréq.) une dette.
Ce grand constructeur d'autocars connaît actuellement des difficultés financières avec un endettement qui dépasse le million d'euros.

+ adjectif

TYPE D'ENDETTEMENT (sens 1.1.)

L'endettement public. (V. 194 1 dette).
L'endettement consolidé. (V. 194 1 dette).
L'endettement financier. (V. 194 1 dette).
L'endettement bancaire. (V. 194 1 dette).

CARACTÉRISATION DE L'ENDETTEMENT (sens 1.1. et 1.2.)

Un endettement optimal. < **Un endettement lourd**. < **Un endettement excessif**.

NIVEAU DE L'ENDETTEMENT (sens 1.1. et 1.2.)

Un endettement croissant, grandissant.

LOCALISATION DE L'ENDETTEMENT (sens 1.1.)

L'endettement extérieur : endettement dû au déficit commercial.

L'endettement intérieur. (V. 194 1 dette).

L'endettement international : montant total des dettes contractées par tous les pays qui ont fait appel à des capitaux étrangers. *L'endettement international constitue un drame pour les pays débiteurs et risque de conduire les créanciers à la catastrophe.*

+ nom

(sens 1.1.)

- **L'endettement de** qqn. L'endettement des ménages.
- **Une économie d'endettement** : politique d'une entreprise qui constitue à se financer principalement en recourant au crédit bancaire et non à des augmentations de capital ou à des emprunts sur le marché financier, ou d'une banque à se financer auprès de la banque centrale et non sur le marché monétaire. (Ant. : **une économie de marchés des capitaux**).

La spirale de l'endettement : endettement toujours croissant. < **La crise de l'endettement** : incapacité de rembourser ses dettes. *Toutes les parties ont une part de responsabilité dans la crise de l'endettement qui touche ce pays : le pays même, en demandant trop de crédits, et les banques internationales, en les accordant trop facilement.*

- **La réduction de l'endettement** : technique permettant à une société d'éliminer une dette de son bilan sans la payer, en la transférant dans des conditions précises à une autre société, spécialement créée à cet effet (Référis).

MESURE DE L'ENDETTEMENT (sens 1.1.)

Le ratio d'endettement, le taux d'endettement, le niveau d'endettement : rapport entre la part des capitaux propres et celle des capitaux empruntés dans un bilan. *Certains avantages fiscaux sont liés à l'endettement. Toutefois, la dette devient risquée dès que le taux d'endettement dépasse un certain seuil.*

L'endettement à court terme. >< **L'endettement à long terme**.

La capacité d'endettement. *Le couple dispose d'une capacité d'endettement bien supérieure à celle de deux personnes isolées.*

+ verbe : qui fait quoi ?

(sens 1.1.)

X	✓	**recourir à** l'~	le recours à l'~	1
Y,	▽	**réduire** l'~ (de X)	une réduction de l'~ (de X)	
une mesure		**diminuer** l'~ (de X)	une diminution de l'~ (de X)	
l'~	△	**augmenter**	une augmentation de l'~	
		s'accroître	un accroissement de l'~	2

1 *Deux sources de financement sont clairement distinguées : l'une se rapporte au recours à l'endettement auprès du secteur bancaire, l'autre se rapporte au financement auprès des actionnaires.*
2 *L'accroissement de l'endettement de l'ensemble des ménages n'est synonyme de surendettement que pour une petite minorité d'entre eux.*

3 (S')ENDETTER - [(s)ɑ̃dɛte] - (v.tr.dir., v.pron.)

1.1. (v.tr.dir., peu fréq.) Qqch. (un achat, un emprunt, une dépense) engage un agent économique (un débiteur : un particulier, une entreprise, une banque, un État - X) à rembourser une somme d'argent à un autre agent économique (un créancier : un particulier, une entreprise, une banque, un État).

Il n'est pas raisonnable d'endetter davantage l'Union européenne au moment où tous les pays tentent de maintenir leur déficit au niveau le plus bas.

1.2. (v.pron.) Un agent économique (un débiteur : un particulier, une entreprise, une banque, un État - X) s'engage à rembourser une somme d'argent à un autre agent économique (un créancier : un particulier, une entreprise, une banque, un État - Y).

Un pays s'endette lorsqu'il consomme ou investit plus qu'il ne produit.

expressions

(sens 1.2.)
(Une personne) **S'endetter jusqu'au cou** : s'endetter lourdement, jusqu'à la limite du raisonnable.

+ adverbe

(sens 1.2.)
S'endetter lourdement, fortement.

qui fait quoi ?

(sens 1.1.)

un achat, un emprunt	**endetter** X	la dette de X l'endettement de X

(sens 1.2.)

X	**s'endetter** (envers Y)	la dette de X (envers Y) l'endettement de X (envers Y)

4 AUTRES DÉRIVÉS OU COMPOSÉS

- **Le surendettement** [syʀɑ̃dɛtmɑ̃] (n.m.) : situation d'un particulier ou d'un ménage pour qui la charge de la dette est supérieure à ses possibilités de remboursement.
  {**se surendetter** [s(ə) syʀɑ̃dɛte] (v.pron.)}.
  Une entreprise surendettée : qui fait trop appel aux capitaux d'emprunt. **Une personne surendettée.**
- **Un endetté, une endettée** [ɑ̃dɛte] (n.) : personne qui a des dettes (sens 1.2.).
- **Se désendetter** [s(ə) desɑ̃dɛte] (v.pron.) : rembourser progressivement les dettes contractées.
  {**le désendettement** [desɑ̃dɛtmɑ̃] (n.m.)}.

DÉVALORISATION (n.f.) (**) 1. Perte de valeur.

1. (568)	die Entwertung die Wertverminderung	depreciation loss in value	la desvalorización	il deprezzamento	de waardevermindering (f.)

DÉVALORISER (~, se ~) (v.tr.dir., v.pron.) (**) 1. (Faire) perdre de la valeur.

1. (568)	entwerten	to lower the prestige (of a job) to depreciate	desvalorizar (se)	deprezzare	in waarde (doen) verminderen

DÉVALUATION (n.f.) (****) 1. Perte de valeur d'une monnaie.

1. (92)	die (Geld)abwertung die Devaluation	devaluation	la devaluación	la svalutazione	de devaluatie (f.)

DÉVALUER (v.tr.dir.) (***) 1. Faire perdre de la valeur à une monnaie.

1. (92)	abwerten	to devalue to devaluate (US)	devaluar	svalutare	devalueren

DEVANTURE (n.f.) (*) 1. Partie du magasin donnant sur la rue où sont exposées des marchandises.

1. (355)	das Schaufenster die Auslage	shop window shop front	el escaparate	la vetrina	het uitstalraam

DÉVELOPPEMENT (n.m.) (****) 1. Croissance.

1. (215) (329)	die Entwicklung die Förderung	expansion development	el desarrollo la expansión	lo sviluppo	de ontwikkeling (f.)

DÉVELOPPER (~, se ~) (v.tr.dir., v.pron.) (****) 1. (Faire) croître.

1. (213) (323)	(sich) entwickeln ausbauen	to expand to develop	desarrollar (se)	sviluppare svilupparsi	(zich) ontwikkelen

DEVISE (n.f.) (****) 1. Moyen de paiement.

1. (34) (380)	die Devise die Valuta	currency	la divisa la moneda extranjera	la valuta la divisa	de deviezen (plur.) de buitenlandse valuta (plur.)

DIAMANT (n.m.) (***) 1. Pierre précieuse.

1. (423)	der Diamant	diamond	el diamante	il diamante	de diamant (m.)

DIAMANTAIRE (adj.) (**) 1. Qui se rapporte à la taille ou à la vente de diamants.

1. (116)	Diamanten- des Diamanten	diamond-	diamantista	inerente alla vendita di diamanti	diamant-

DIAMANTAIRE (n.) (**) 1. Personne qui taille ou vend des diamants (RQ).

1.	der Diamantschleifer (qui taille)	diamond cutter (qui taille)	el diamantista	il tagliatore di diamanti	de diamantair (m.)

	der Diamanthändler (qui vend)	diamond merchant (qui vend)		il mercante di diamanti	

DIESEL (n.m.) (***) 1. Carburant.

1.	der Diesel(treibstoff)	diesel	el Diesel	il gasolio	de dieselolie (m./f.) de diesel (m.)

DIFFUSER (v.tr.dir.) (***) 1. Distribuer des écrits.

1. (205)	verteilen	to distribute	difundir	diffondere	verspreiden
	vertreiben	to hand out	propagar	distribuire	distribueren

DIFFUSEUR (n.m.) (**) 1. Société qui distribue des écrits, principalement des livres.

1. (205)	der Vertreiber	editor	el distribuidor	l'editore (m.)	de distributeur (m.)
	der Vertriebshändler		el difusor	il distributore	

DIFFUSION (n.f.) (***) 1. Distribution de produits audiovisuels et d'écrits, principalement des livres.

1. (205)	der Vertrieb	distribution	la difusión	la diffusione	de distributie (f.)
		handing out (autres que livres)	la propagación		de verspreiding (f.)

DILAPIDATEUR, DILAPIDATRICE (n.) (*) 1. Personne qui gaspille.

1. (188)	der Verschwender	spendthrift	el derrochador	lo sprecone	de verspiller (m.)
		squanderer	el dilapidador	il dilapidatore	de verkwister (m.)

DILAPIDATION (n.f.) (*) 1. Gaspillage.

1. (188)	die Verschleuderung	squandering	la dilapidación	lo spreco	de verkwisting (f.)
(210)	die Verschwendung	wasting		la dissipazione	de verspilling (f.)

DILAPIDER (v.tr.dir.) (**) 1. Gaspiller.

1. (188)	verschleudern	to squander	dilapidar	dilapidare	verkwisten
	verschwenden	to waste	malgastar	sprecare	verspillen

DIMINUER (v.tr.dir., v.intr.) (****) 1. Baisser.

1. (277)	(ver)mindern	to reduce	disminuir	diminuire	verminderen
	verringern	to lower	rebajar	ridurre	reduceren

DIMINUTION (n.f.) (****) 1. Baisse.

1. (277)	die Verminderung	reduction	la disminución	la diminuzione	de vermindering (f.)
	die Senkung	decrease	la rebaja		de reductie (f.)

DIPLÔME (n.m.) (***) 1. Acte qui atteste un grade, une formation.

1. (213)	das Diplom	diploma	el diploma	il diploma	het diploma
	das Zeugnis	degree (licence)	el título (académico)		

DIPLÔMÉ, DIPLÔMÉE (n.) (***) 1. Personne qui a obtenu un acte qui atteste un grade, une formation.

1. (225)	Person mit einem Abschluss	graduate (université)	el diplomado	il diplomato	de gediplomeerde (m.)
(201)		holder of a diploma		il laureato	de houder van een diploma (m.)

DIPLÔMÉ, -ÉE (adj.) (***) 1. Qui a obtenu un acte qui atteste un grade, une formation.

1.	Person mit einem Abschluss	qualified	diplomado	diplomato	gediplomeerd
	der Absolvent	certified	titulado	laureato	houder van een diploma

DIRECTEUR(-)ADJOINT, DIRECTRICE(-)ADJOINTE ; DIRECTEURS(-)ADJOINTS (n.) (*) 1. Proche collaborateur de la personne qui dirige les activités d'une entreprise.

1. (202)	der stellvertretende Leiter / Direktor	assistant manager	el director adjunto	il vice-dirigente	de adjunct-directeur (m.)
		deputy manager		il vice-manager	

DIRECTEUR, DIRECTRICE (n.) (****) 1. Personne qui dirige les activités d'une entreprise. 2. Fonctionnaire d'une administration.

1. (201)	der Leiter	director	el director	il manager	de (bedrijfs)leider (m.)
	der Chef	manager		il dirigente	de manager (m.)
2. (201)	der Verwaltungsleiter	head director	el director	il direttore	de directeur (m.) het afdelingshoofd (m.)

DIRECTEUR, -TRICE (adj.) (***) 1. Qui fait fonction de point de référence.

1. (203)	des Leiters	leading	directivo	direttivo	directeur-
	Chef-	main	director		leidend

DIRECTION (n.f.) (****) 1. (Ensemble de) personne(s) qui dirige(nt) les activités d'une entreprise. 2. Mode de gestion. 3. Fonction de directeur. 4. Subdivision d'un ministère.

1. (200)	die Unternehmensleitung	management	la dirección	la dirigenza	het management
	die Geschäftsführung				de directie (f.)
2. (200)	die Leitung	management	la dirección	la direzione	het management
	die Geschäftsführung	running			
3. (200)	die Leitungsfunktion	managership	la dirección	la direzione	de directiefunctie (f.)
	die Führungsfunktion	directorship			de managementfunctie (f.)
4. (200)	die Abteilung	department	la dirección general	la direzione	het departement
	das Referat	division	el departamento		de afdeling (f.)

DIRECTION

➠ gestion - société - entreprise

1 la direction **3** un directoire **3** une directive **3** le dirigisme	**2** un directeur, une directrice **3** un directeur(-) adjoint, une directrice(-)adjointe **3** un dirigeant, une dirigeante	**3** directeur, -trice **3** directorial, -iale ; -iaux, -iales **3** dirigiste	**3** diriger

1 la DIRECTION - [diʀɛksjɔ̃] - (n.f.)

1.1. Personne ou ensemble de personnes qui coordonnent l'élaboration de la politique et de la stratégie d'une entreprise industrielle ou commerciale, d'une société, d'une banque, d'un institut, d'un organisme, d'un hôpital, ...
Syn. : le management (sens 1.2.) ; Ant. : (☞ 201 Pour en savoir plus, Direction (sens 1.1.) et antonymes).
Les postiers refusent de faire encore des heures supplémentaires avant que la direction générale se dise prête à examiner les exigences des syndicats.

1.2. Mode de gestion qu'adopte une personne ou un ensemble de personnes en coordonnant l'élaboration de la politique et de la stratégie d'une entreprise industrielle ou commerciale, d'une société, d'une banque, d'un institut, d'un organisme, d'un hôpital, ...
La direction autoritaire du nouveau patron a été fort critiquée par les syndicats.

1.3. Fonction, poste de directeur (sens 1.1.).
Il vient d'être nommé à la direction des achats.

1.4. Subdivision d'un ministère, d'une administration, placée sous l'autorité d'un directeur (sens 1.2.) (PL).
Il travaille à la direction du Trésor.

expressions

(sens 1.2.)
- (Travailler, placer qqn) **sous la direction de qqn**. *Ces deux départements seront placés sous la direction du nouveau patron de la division moteurs.*

+ adjectif

TYPE DE DIRECTION (sens 1.1.)

La direction générale, (moins fréq.) **la haute direction** : niveau supérieur de la direction qui regroupe les directeurs des différents services et le PDG. (Syn. : **les cadres supérieurs, dirigeants**). *Au contraire du contrôle interne, mené par des salariés de l'entreprise pour le compte de la direction générale, le contrôle externe confié aux auditeurs est effectué pour le compte des actionnaires.*

La direction administrative ; **commerciale** ; **financière** ; **technique**.

CARACTÉRISATION DE LA DIRECTION (sens 1.2.)

Une direction forte. *Un investisseur préfère une direction forte proposant une idée moyenne à un projet brillant présenté par une direction faible.*

>< **Une direction faible**.

LOCALISATION DE LA DIRECTION (sens 1.1.)

La direction régionale de + nom qui désigne une entreprise, une activité. La direction régionale d'IBM.

+ nom

(sens 1.1.)
- **Un membre de la direction**.

  Un attaché de direction. *Juriste, il avait débuté sa carrière professionnelle comme attaché de direction.*

  (Q) **Le chef de direction.** (V. 202 2 directeur).
- **Une secrétaire de direction.**

(sens 1.2.)

Les organes de direction : ensemble des cadres qui assurent la gestion d'une société. *La refonte des organes de direction de la banque a été adoptée par le directoire et sera proposée aux actionnaires.*

Le comité de direction : comité des membres de la direction responsable de la gestion de l'entreprise et de l'organisme devant le conseil d'administration. (Syn. : **le conseil de direction**). *L'ensemble des 800 agents indépendants de la banque sont gérés par un comité de direction composé de quatre directeurs et d'un président.* **Le président du comité de direction.**

La présidence du comité de direction. *Nathalie Dubois a été nommée à la présidence du comité de direction du groupe.*

L'équipe de direction. *Le nouveau patron du groupe s'est donné trente jours pour mettre en place une nouvelle équipe de direction et fixer la nouvelle organisation du groupe.*

TYPE DE DIRECTION (sens 1.1.)

La direction des ressources humaines (la

DRH), **la direction du personnel**. (Syn. : (dans une petite entreprise) **le service du personnel**). (V. 202 2 directeur).

CARACTÉRISATION DE LA DIRECTION (sens 1.2.)

Une direction par objectifs (**la DPO**) : mode de gestion qui consiste à fixer des objectifs, généralement quantifiables, aux responsables de différents secteurs, programmes ou activités (Ménard). (Syn. : **la gestion par objectifs**).

Une direction par clignotants, **une direction par exceptions** : mode de gestion qui consiste à attirer l'attention de la direction sur les écarts entre les résultats réels et les prévisions (Ménard).

+ verbe : qui fait quoi ?

(sens 1.1.)

les syndicats	**formuler** des revendications	la formulation de revendications	
	émettre des revendications vis-à-vis de la ~	-	
	↡		
la ~ et les syndicats	**négocier**	les négociations entre la ~ et les syndicats	
	se concerter	la concertation entre la ~ et les syndicats	
	↡		
la ~	**faire des concessions**	-	
la ~ et les syndicats	**signer un protocole d'accord** avec les syndicats	la signature d'un protocole d'accord les signataires du protocole	
	signer une convention collective de travail (V. 554 travail, 1)	la signature d'une convention collective de travail les signataires de la convention	
la ~	**mettre en place** qqch.	la mise en place de qqch.	1

1 *La tension sociale à l'intérieur de l'entreprise s'explique par la mise en place par la direction d'un nouveau système de rémunération sans concertation préalable.*

(sens 1.3.)

une personne	✓	**(re)prendre** la ~ de + nom d'une entreprise	la reprise de la ~ de ...	
		↡		
une personne	×	**présider à** la ~ de + nom d'une entreprise	-	1
		assumer la ~ de + nom d'une entreprise	-	
		↡		
une personne	O	**quitter** la ~ de + nom d'une entreprise	-	
le directoire		**confier** la ~ d'un département, d'une filiale **à** qqn	-	2

1 *Isabelle Martin préside à la direction d'Andros, la branche confection homme-femme du groupe textile.*

2 *La direction de toutes les filiales européennes du puissant groupe américain a été confiée à un jeune diplômé français qui avait fait preuve d'énormes capacités au sein du service commercial.*

Pour en savoir plus

DIRECTION (sens 1.1.) ET ANTONYMES

La direction.

Le personnel, ou toute autre désignation de celui-ci : les salariés, les ouvriers, ... (V. 501 salaire, 2). *Les engagements de la direction concernant les mesures d'accompagnement pour les nombreux licenciés ont été complètement honorés par la direction de l'entreprise.*

Les syndicats.

Les actionnaires. (V. action, 2).

2 un DIRECTEUR, une DIRECTRICE - [diʀɛktœʀ, diʀɛktʀis] - (n.)

1.1. Personne (X) qui coordonne l'élaboration de la politique et de la stratégie d'une entreprise industrielle ou commerciale, d'une société, d'une banque, d'un institut, d'un organisme, d'un hôpital, ... ou les activités d'un service.

Syn. : (☞ 202 Pour en savoir plus, Directeur (sens 1.1.) et synonymes).

Cet hebdomadaire vient de se doter d'une directrice de choc : elle a immédiatement annoncé d'importantes restrictions budgétaires.

1.2. Fonctionnaire d'une administration (X) qui occupe le poste le plus élevé dans la hiérarchie.

+ adjectif

TYPE DE DIRECTEUR (sens 1.1. et 1.2.)

Le directeur général : personne qui se charge de la gestion quotidienne d'une société et qui doit justifier sa gestion devant le conseil d'administration. ((Q) **le chef de direction**). *Le directeur dirige un domaine fonctionnel dans une entreprise moyenne et rend compte au directeur général.*

Le directeur administratif ; **commercial** (V. 119 commerce, 5) ; **financier** (V. 265 finance, 3) ; **technique**. *Le directeur technique est venu expliquer les nouvelles méthodes de production aux travailleurs.*

CARACTÉRISATION DU DIRECTEUR (sens 1.1. et 1.2.)

L'ancien directeur. *L'ancien directeur est parti chez la concurrence en emportant toute une série de documents confidentiels.*

>< **Le directeur actuel.**

Le nouveau directeur.

LOCALISATION DU DIRECTEUR (sens 1.1. et 1.2.)

Le directeur régional de + nom qui désigne une entreprise, une activité. Le directeur régional des ventes.

+ nom

(sens 1.1. et 1.2.)

Un poste de directeur. *Lorsque l'on m'a proposé le poste de directeur financier dans cette entreprise, je n'ai pas hésité : j'ai tout de suite dit oui.*

(sens 1.1.)

Le directeur de + nom d'une entreprise.

Un directeur de banque ; **d'usine**.

TYPE DE DIRECTEUR (sens 1.1.)

(F) **Le Président-directeur général** (**le PDG**, **le P-DG** ou (peu fréq.) **le Pdg**) : président du conseil d'administration qui se charge de la gestion quotidienne d'une société et qui doit justifier sa gestion devant le conseil d'administration. *Le nouveau PDG de Canal+ a présenté à la presse les comptes de la chaîne de télévision cryptée.* (V. 513 société, 1). (☞ 202 Pour en savoir plus, Note d'usage).

Le directeur des ressources humaines (**le DRH**) : responsable de la gestion du personnel dans une entreprise. (Syn. : (dans une petite entreprise) **le directeur du personnel**). *Les DRH s'occupent du recrutement, du salaire, de la formation et des promotions et mutations du personnel.*

Le directeur des ventes : responsable de la gestion des ventes (contact avec les clients, ...) dans une entreprise.

Le directeur des achats : responsable de la gestion des achats (contact avec les fournisseurs, évaluation de leur offre, négociation des conditions de vente, ...) dans une entreprise.

Le directeur (**du**) **marketing.**

+ verbe : qui fait quoi ?

(sens 1.1. et 1.2.)

X	✓	**être nommé** ~	la nomination de X au poste de ~
		être promu ~ (V. 461 promotion, 4)	la promotion de X au poste de ~

Pour en savoir plus

DIRECTEUR (sens 1.1.) ET SYNONYMES

Un directeur, **un patron**, **un dirigeant**, **un employeur**. (V. 227 emploi, 2).

NOTE D'USAGE

Les féminins **une Présidente-directrice générale** et **une pédégère** sont attestés, mais peu fréquents.

3 AUTRES DÉRIVÉS OU COMPOSÉS

- **Une directive** [diʀɛktiv] (n.f.). 1. (souvent au plur.) Ligne de conduite plus ou moins permanente fixée par la direction générale d'une entreprise ou d'un organisme. - 2. Obligation imposée par l'Union européenne aux pays membres. Les pays sont libres de choisir le moyen utilisé pour répondre à cette exigence. *Une directive européenne impose à chaque chaîne de télévision de diffuser une majorité de programmes d'origine européenne.* Un **règlement**, par contre, s'applique tel quel dans chaque pays de l'Union.
- **Un directeur**(-)**adjoint**, **une directrice**(-)**adjointe** [diʀɛktœʀadʒwɛ̃, diʀɛktʀisadʒwɛ̃t] (n.) (plur. : **les directeurs**(-)**adjoints**) : cadre qui a une compétence comparable à celle du directeur avec qui il collabore et qu'il remplace parfois.
- **Un dirigeant**, **une dirigeante** [diʀiʒɑ̃, diʀiʒɑ̃t] (n.) (V. 228 emploi, 2).

{**le dirigisme** [diʀiʒism(ə)] (n.m.), **dirigiste** [diʀiʒist(ə)] (adj.), **diriger** [diʀiʒe] (v.tr.dir.)}.

- **Un directoire** [diʀɛktwaʀ] (n.m.). (V. 513 société, 1).
- **Directeur, -trice** [diʀɛktœʀ, -tʀis] (adj.) : qui fait fonction de point de référence. **Un taux (d'intérêt) directeur** : taux d'intérêt de référence appliqué par une banque centrale lors de transactions entre banques. *Dès l'annonce de la baisse du taux directeur de la Banque d'Angleterre, la Bourse de Londres a récupéré la majeure partie de ses pertes de la veille provoquées par la hausse des taux américains.*
- **Directorial, -iale ; -iaux, -iales** [diʀɛktɔʀjal, -jal, -jo, -jal] (adj.) : qui se rapporte au directeur. *Le nouveau statut supprime de nombreuses fonctions directoriales au bénéfice de la décentralisation des responsabilités.*

DIRECTIVE (n.f.) (****) 1. Ligne de conduite. 2. Obligation imposée par l'Union européenne.

1. (202)	die Weisung die Richtlinie	directive order	la directriz la directiva	la direttiva	de richtlijn (m./f.) de leidraad (m.)
2. (202)	die Direktive die Richtlinie	directive	la directiva la directriz	la direttiva	de order (m./f.)

DIRECTOIRE (n.m.) (***) 1. Organe chargé de la gestion d'une société anonyme.

1. (513)	der Vorstand	executive board board of directors	el consejo de administración el directorio	il direttorio	de directoire (m.) het besturend college

DIRECTORIAL, -IALE ; -IAUX, -IALES (adj.) (*) 1. Qui se rapporte à la personne qui dirige les activités d'une entreprise.

1. (203)	Leitungs- Führungs-	managerial	directorial directoral	direttivo manageriale	directeurs- directie-

DIRIGEANT, DIRIGEANTE (n.) (****) 1. Personne qui mène les activités d'une entreprise.

1. (228)	der Unternehmer der Leiter des Unternehmens	director manager	el dirigente	il dirigente	de leidinggevende (m.) de (bedrijfs)leider (m.)

DIRIGER (v.tr.dir.) (****) 1. Mener les activités d'une entreprise.

1. (228) (301)	leiten führen	to run to manage	dirigir mandar	dirigere	leiding geven managen

DIRIGISME (n.m.) (**) 1. Système économique dans lequel l'État assume la direction des mécanismes économiques.

1. (228)	die Planwirtschaft die Wirtschaftslenkung	state intervention state control	el dirigismo el intervencionismo	il dirigismo	het dirigisme

DIRIGISTE (adj.) (*) 1. Qui se rapporte au système économique dans lequel l'État assume la direction des mécanismes économiques.

1. (228)	dirigistisch	interventionist	dirigista intervencionista	dirigista	dirigistisch

DISCOMPTE (n.m.) (*) 1. Méthode de vente à prix réduits. 2. Magasin minimarge. 3. Réduction.

1. (118)	der Diskount	discount	el discount el descuento	il discount	de discount (m.)
2. (118)	das Diskountgeschäft der Diskounter	discount store (US) discount shop (GB)	la tienda de descuento	il negozio discount	de discountzaak (m./f.) de kortingzaak (m./f.)
3. (118)	der Rabatt der Preisnachlass	discount	la rebaja el descuento	il ribasso lo sconto	de reductie (f.) de prijsverlaging (f.)

DISCOMPTER (v.tr.dir.) (*) 1. Vendre à prix réduits. 2. Réduire.

1. (118)	verkaufen zu herabgesetzten Preisen	to discount	vender con descuento vender a precio reducido	praticare (forti) sconti	verkopen tegen lage prijzen
2. (118)	reduzieren vermindern	to reduce to diminish	reducir rebajar	ridurre diminuire	verlagen reduceren

DISCOMPTEUR (n.m.) (*) 1. Chaîne de distribution qui vend à prix réduits.

1. (118)	die Diskountladenkette	chain of discount stores	cadena de tiendas de descuento	la catena di discount	de keten (m./f.) (van) kortingzaken

DISCONTINU, -UE (adj.) (*) 1. Qui n'est pas constant.

1. (282)	nicht kontinuierlich mit Unterbrechungen	discontinuous intermittent	discontinuo	discontinuo	discontinu

DISCOUNT (n.m.) (***) 1. Méthode de vente à prix réduits. 2. Magasin minimarge. 3. Réduction.

1. (118)	der Diskount	discount	el discount	(la vendita) discount	de discount (m.)
2. (118)	das Diskountgeschäft der Diskounter	discount shop (GB) discount store (US)	la tienda de descuento	il negozio discount	de discountzaak (m./f.) de kortingzaak (m./f.)
3. (118)	der Rabatt der Preisnachlass	discount	la rebaja el descuento	il ribasso lo sconto	de reductie (f.) de prijsverlaging (f.)

DISCOUNTER (n.m.) (**) 1. Chaîne de distribution qui vend à prix réduits.

1. (118)	die Diskountladenkette	chain of discount stores	cadena de tiendas de descuento	la catena di discount	de keten (m./f.) (van) kortingzaken

DISCOUNTER (v.tr.dir.) (*) 1. Vendre à prix réduits.

1. (118)	verkaufen zu herabgesetzten Preisen	to discount	vender con descuento vender a precio reducido	vendere a prezzi scontati	verkopen tegen lage prijzen

DISPONIBILITÉS (n.f.plur.) (**) 1. Somme d'argent, ... dont on peut disposer rapidement.

1. (35)	die Geldmittel die flüssigen Mittel	liquid assets available funds	las disponibilidades	le disponibilità l'attivo (m.) di cassa	de liquide middelen (plur.) het gereed geld

DISTRIBUABLE (adj.) (*) 1. Qui peut être versé (aux actionnaires p.ex.).

1. (206)	ausschüttbar ausschüttungsfähig	distributable	distribuible	distribuibile	beschikbaar uitkeerbaar

DISTRIBUER (v.tr.dir.) (****) 1. Amener des biens à proximité des consommateurs.

1. (206)	vertreiben vermarkten	to distribute	distribuir comercializar	distribuire	verdelen distribueren

DISTRIBUTEUR, DISTRIBUTRICE (n.) (****) 1. Agent économique qui amène des biens à proximité des consommateurs. 2. (un ~) Appareil qui met des biens à la disposition du consommateur.

1. (205)	der Händler der Vertreiber	distributor	el distribuidor	il distributore	de distributeur (m.) de verdeler (m.)
2. (205)	der Verkaufsautomat	distributor	el distribuidor automático el dispensador	il distributore automatico	de automaat (m.) de verdeler (m.)

DISTRIBUTEUR, -TRICE (adj.) (**) 1. Qui met des biens à la disposition des consommateurs.

1. (206)	die Vertriebsgesellschaft der Händler	distributor	distribuidor	distributore	distributie-

DISTRIBUTION (n.f.) (****) 1. Activité d'amener des biens à proximité des consommateurs. 2. Ensemble des entreprises qui participent à cette activité.

1. (204)	der Vertrieb der Absatz	distribution	la distribución	la distribuzione	de distributie (f.)
2. (204)	die Vertreiber die Vertriebsgesellschaften	distribution	la distribución la distribuidora	la distribuzione	de distributie (f.)

DISTRIBUTION

➡ **commerce**

1 la distribution **3** la télédistribution **3** la redistribution **3** un présentoir (-distributeur)	**2** un distributeur, une distributrice **3** un télédistributeur	**3** distributeur, -trice **3** distribuable **3** redistributeur, -trice **3** redistributif, -ive	**3** distribuer **3** redistribuer

1 la DISTRIBUTION - [distʀibysjɔ̃] - (n.f.)

1.1. Activité (de service) par laquelle un agent économique (une entreprise - X) amène ses biens ou ses services (Y), ou ceux d'un autre agent économique, à proximité de l'ensemble des agents économiques (un particulier, une entreprise) dans un magasin.

Syn. : (☞ 205 Pour en savoir plus, Distribution (sens 1.1.) et synonyme) ; Ant. : (☞ Pour en savoir plus, Distribution (sens 1.1.) et antonymes).
La distribution de carburant se fait de plus en plus difficilement à cause d'une grève de la quasi-totalité des pompistes.

1.2. Ensemble des entreprises commerciales qui procèdent à la distribution (sens 1.1.).

Syn. : le commerce de détail.
Depuis quelques années, plusieurs géants de la distribution s'attaquent à notre marché.

+ adjectif

TYPE DE DISTRIBUTION (sens 1.1.)

La distribution exclusive : distribution réservée à une société particulière pour un territoire défini. *Nous assurons la distribution exclusive de ces machines en France.* < **La distribution sélective**. *Les constructeurs automobiles pratiquent la distribution sélective, c'est-à-dire qu'ils réservent la vente de leurs voitures à des concessionnaires et agents exclusifs.* < **La distribution intensive** : distribution dans le plus grand nombre de points de vente possible.

TYPE DE DISTRIBUTION (sens 1.2.)

La grande distribution : représente l'ensemble des grandes **chaînes de distribution** (ou **groupes de distribution**, **entreprises de distribution**) qui offrent à la vente un important assortiment de produits alimentaires et, en moindre mesure, de produits non alimentaires. (Syn. : (peu fréq.) **la distribution de masse,** (B) (peu fréq.) **la distribution intégrée**). *Sous la pression de la grande distribution, les petits commerçants sont forcés de baisser leurs prix.* (V. 114 commerce, 1).

La distribution spécialisée : magasin qui offre à la vente un type de produit particulier : l'électroménager, la décoration, ...

+ nom

(sens 1.1.)

- **Un canal de distribution** : ensemble des agents économiques qui interviennent pour amener un bien ou un service à proximité du consommateur. Il n'y en a qu'un (le producteur) dans le cas de la vente directe ; il y en a plusieurs (le producteur, un grossiste, un détaillant) dans le cas de la vente indirecte. (V. 569 vente, 1). *Les canaux de distribution sont parfois très courts : le producteur livre directement à l'utilisateur en raison du nombre limité de clients et de l'ampleur limitée de la transaction.*

  Le circuit de distribution : ensemble des canaux de distribution d'un produit. *Les principaux circuits de distribution du livre sont les libraires traditionnels, les grandes surfaces, la formule club et la vente par correspondance.*

  Un réseau de distribution : ensemble des commerçants qui mettent en vente un bien précis, p. ex. une marque de produits. (Syn. : (moins fréq.) **un réseau commercial, un réseau de vente**). *Dans le secteur pétrolier, le réseau de distribution Elf est certainement l'un des plus denses.*
- **Un centre de distribution** : endroit d'où s'opère la distribution. *Au départ de ses trois centres de distribution, Unigral approvisionne plus de 1 000 magasins à travers tout le pays.*
- **Un géant de la distribution** : importante chaîne de distribution. *Le géant de la distribution est fier d'annoncer qu'il compte plus de 30 000 collaborateurs.*
- **Un contrat de distribution** : accord commercial écrit entre un industriel ou un importateur et un distributeur dans le but d'assurer la vente des produits.
- **Une chaîne de distribution, un groupe de distribution, une entreprise de distribution (commerciale)**. (☞ 204 + adjectif).

(sens 1.2.)

Une marque de distribution. (V. 206 2 distributeur).

TYPE DE DISTRIBUTION (sens 1.1.)

La distribution de + nom d'un type de produits. Une société de distribution d'eau, de gaz et d'électricité. La distribution de services financiers.

La distribution de masse. (☞ 204 + adjectif).

+ verbe : qui fait quoi ?

(sens 1.1.)

X	×	**assurer** la ~ (de Y)	-	1

1 *Un contrat de cinq ans a été signé entre les deux entreprises pour assurer la distribution du nouveau produit aux États-Unis.*

Pour en savoir plus

DISTRIBUTION (sens 1.1.) ET SYNONYME

La distribution.

La diffusion : s'utilise lorsque les biens distribués sont des produits audiovisuels (**la diffusion de programmes** ; **de films**) ou des écrits (**la diffusion d'un livre** ; **d'un hebdomadaire**). {**un diffuseur, diffuser**} . Les termes 'diffuseur' et 'diffuser' ne s'emploient que pour des écrits. Pour des produits audiovisuels, on utilise les termes 'distributeur' et 'distribuer'. *L'éditeur Didier est le diffuseur de notre livre.*

DISTRIBUTION (sens 1.1.) ET ANTONYMES

La distribution.

La production. (V. 439 production, 1). **La consommation**. (V. 141 consommation, 1).

2 un DISTRIBUTEUR, une DISTRIBUTRICE - [distʀibytœʀ, distʀibytʀis] - (n.)

1.1. Agent économique (une entreprise) qui amène ses biens ou ses services, ou ceux d'un autre agent économique, à proximité de l'ensemble des agents économiques (un particulier, une entreprise) dans un magasin.
Syn. : (V. 205 1 distribution), (V. 116 commerce, 1) ; Ant. : (☞ 206 Pour en savoir plus, Distributeur (sens 1.1.) et antonymes).
Certains distributeurs s'efforcent de vendre des PC au cours de présentations à domicile.

1.2. Appareil qui met des biens à la disposition du consommateur à toute heure de la journée sans intervention humaine.
Avec une capacité de présentation de 200 produits différents et une possibilité de stockage de plus de 3 000 articles, Shop 24 est un des distributeurs automatiques les plus grands du monde.

+ adjectif

TYPE DE DISTRIBUTEUR (sens 1.1.)

Un distributeur exclusif. *Cette société française est le distributeur exclusif de la plus grande société spécialisée en techniques de compression vocale pour l'Europe.* (V. 204 1 distribution).

Un distributeur agréé : commerçant détaillant signalé par le producteur à la clientèle finale comme étant doté des matériels et des connaissances techniques nécessaires pour assurer, dans les meilleures conditions, la vente de ses produits et les services qui s'y rattachent (DC).

TYPE DE DISTRIBUTEUR (sens 1.2.)

Un distributeur automatique de + nom d'un type de produits. Un distributeur de fleurs ; de pain.

Un distributeur (automatique) de billets : terminal informatisé qui permet à un client d'une banque de retirer de l'argent de son compte à l'aide d'une carte personnalisée. (Syn. : (F) **une billetterie,** (S) **un bancomat**). *Une enquête sur le fonctionnement des distributeurs automatiques de billets révèle que 77 % des tentatives de retrait ont abouti.*

CARACTÉRISATION DU DISTRIBUTEUR (sens 1.1.)

Le premier (deuxième, ...) distributeur : le plus important.

LOCALISATION DU DISTRIBUTEUR (sens 1.1.)

Un distributeur local. >< **Un distributeur mondial**.

+ nom

(sens 1.1.)

- **Un distributeur de** + nom d'un type de produits. Un distributeur de produits pétroliers.
- **Un réseau de distributeurs**. (V. 205 1 distribution).
- **Une marque de distributeur** : marque d'un produit qui est propre à une chaîne de distribution. (Syn. : **une marque de distribution**). *Le phénomène de marque de distributeur n'est pas nouveau, il a même toujours existé : le boucher ou le boulanger ont toujours su fidéliser leur clientèle par leurs fabrications artisanales.*

Pour en savoir plus

DISTRIBUTEUR (sens 1.1.) ET ANTONYMES

Un distributeur.

Un producteur. (V. 446 production, 3). **Un intermédiaire**. (V. 116 commerce, 1). **Un consommateur**. (V. 143 consommation, 2).

3 AUTRES DÉRIVÉS OU COMPOSÉS

- **La télédistribution** [teledistʀibysjɔ̃] (n.f.) : procédé de diffusion de programmes télévisés par câbles ou par relais hertziens, utilisé pour la retransmission d'enregistrements vidéo en circuit fermé à l'intention d'un réseau d'abonnés, de plusieurs salles de projection, etc. (PR). *Contre paiement, le télédistributeur propose à ses abonnés des programmes thématiques en supplément et s'oriente ainsi vers la télévision à la carte.*
  {**un télédistributeur** [teledistʀibytœʀ] (n.m.)}.
- **La redistribution** [ʀ(ə)distʀibysjɔ̃] (n.f.). 1. Nouvelle répartition (RQ). - 2. Transfert de revenus vers les classes les plus défavorisées.
- **Un présentoir(-distributeur)** [pʀesɑ̃twaʀdistʀibytœʀ] (n.m.) (plur. : **des présentoirs(-distributeurs)**) : meuble conçu pour permettre la vente en libre-service ou en libre choix des articles qu'il contient (DC). *Nous comptons placer en ville des présentoirs avec des brochures touristiques et vendre aux annonceurs ce nouvel espace publicitaire.*
- **Distributeur, -trice** [distʀibytœʀ, -tʀis] (adj.) : qui met des biens à la disposition du particulier. *Il s'agit d'un nouveau système distributeur de gélules médicales tout à fait hygiénique et dont le coût de fabrication est peu élevé.*
- **Distribuable** [distʀibɥabl(ə)] (adj.) : (comptabilité) (somme d'argent) qui peut être versée aux actionnaires, p. ex. **un bénéfice distribuable.** *La crise boursière entraînera certainement des moins-values qui viendront entamer le bénéfice distribuable.* (V. 58 bénéfice, 1).
- **Distribuer** [distʀibɥe] (v.tr.dir.) : un agent économique (une entreprise) amène ses biens ou ses services, ou ceux d'un autre agent économique, à proximité de l'ensemble des agents économiques (un particulier, une entreprise), p. ex. dans un magasin ou par un catalogue. *Nous sommes à la recherche d'un partenaire commercial pour distribuer notre produit.*
- **Redistributeur, -trice** [ʀ(ə)distʀibytœʀ, -tʀis] (adj.) : qui permet de transférer des revenus des classes sociales aisées aux classes les plus défavorisées.

  Un effet redistributeur, redistributif. *La récente réforme fiscale aura un effet redistributeur dont profiteront surtout les smicards.*

  {**redistributif, -ive** [ʀ(ə)distʀibytif, -iv] (adj.), **redistribuer** [ʀ(ə)distʀibɥe] (v.tr.dir.)}.

DIVERSIFICATION (n.f.) (****) 1. Variation (des activités, des composantes).

1. (11) (506)	die Diversifikation	diversification	la diversificación	la diversificazione	de diversificatie (f.)

DIVERSIFIER (~, se ~) (v.tr.dir., v.pron.) (****) 1. Varier ses activités.

1. (440) (394)	diversifizieren	to diversify	diversificar (se)	diversificare	diversifiëren

DIVIDENDE (n.m.) (****) 1. Part des bénéfices distribués.

1. (13)	die Dividende der Gewinnanteil	dividend	el dividendo	il dividendo	het dividend

DIVISER (v.tr.dir.) (***) 1. Partager en quantités plus petites.

	DE	EN	ES	IT	NL
1. (386)	teilen	to divide	dividir	dividere	verdelen
		to split			

DIVISION (n.f.) (****) 1. Action de partager en quantités plus petites. 2. Toute entité d'une entreprise.

	DE	EN	ES	IT	NL
1. (386)	die Teilung	division	la división	la divisione	de (ver)deling (f.)
		sharing out			
2. (238)	die Abteilung	division	el departamento	la divisione	de afdeling (f.)
(507)		department	la división		het departement

DKK (***) (382) Danemark - couronne.

DOLLAR (n.m.) (****) 1. Monnaie de plusieurs pays (Australie, Canada, États-Unis).

	DE	EN	ES	IT	NL
1. (382)	der Dollar	dollar	el dólar	il dollaro	de dollar (m.)

DOMICILE FIXE (les sans ~ (m.)) (*) 1. Personnes qui n'ont pas de logement fixe.

	DE	EN	ES	IT	NL
1. (494)	ohne festen Wohnsitz	homeless person	sin domicilio fijo	senza fissa dimora	zonder vaste verblijfplaats

DOMICILIATION (n.f.) (**) 1. Ordre donné à une banque de payer une facture. 2. Ordre de verser le salaire sur un compte.

	DE	EN	ES	IT	NL
1. (402)	der Zahlungsauftrag	domiciliation	la domiciliación	la domiciliazione bancaria	de domiciliëring (f.)
2. (402)	die Angabe des Gehaltskontos / Lohnkontos	domiciliation	la domiciliación	la domiciliazione bancaria	de domiciliëring (f.)

DOMICILIER (v.tr.dir.) (*) 1. Donner l'ordre à une banque de payer une facture. 2. Donner l'ordre de verser le salaire sur un compte.

	DE	EN	ES	IT	NL
1. (402)	einen Zahlungsauftrag erteilen	to domicile	domiciliar	domiciliare	domiciliëren
	einen Überweisungs-auftrag erteilen				
2. (402)	die Nummer des Gehaltskontos / Lohnkontos angeben	to domicile	domiciliar	domiciliare	domiciliëren

DOMMAGE (n.m.) (****) 1. Sinistre qui entraîne une perte ou une souffrance.

	DE	EN	ES	IT	NL
1. (41)	der Schaden	damage	el daño	il danno	de schade (m./f.)
	die Beschädigung	loss	el perjuicio		

DOMMAGES-INTÉRÊTS (n.m.plur.) (*) 1. Somme versée en réparation d'un préjudice.

	DE	EN	ES	IT	NL
1. (331)	der Schaden(s)ersatz	damages	los daños y perjuicios	i danni	de schade(vergoeding) (m./f. (f.)) en interesten (plur.)
	die Entschädigung				

DON (n.m.) (***) 1. Somme d'argent ou bien offerts sans contrepartie.

	DE	EN	ES	IT	NL
1. (60)	die Spende	donation	la donación	la donazione	de schenking (f.)
(529)	die gespendete Summe	gift	el donativo		de gift (m./f.)

DONATAIRE (n.) (**) 1. Personne qui reçoit une somme d'argent ou un bien sans contrepartie.

	DE	EN	ES	IT	NL
1. (60)	der Spendenempfänger	donee	el donatario	il donatario	de begiftigde (m.)
	der Gesponserte	grantee			de donataris (m.)

DONATEUR, DONATRICE (n.) (**) 1. Personne qui offre une somme d'argent ou un bien sans contrepartie.

	DE	EN	ES	IT	NL
1. (60)	der Spender	donor	el donador	il donatore	de schenker (m.)
	der Stifter	grantor	el donante		de donateur (m.)

DONATION (n.f.) (***) 1. Offre d'une somme d'argent ou d'un bien sans contrepartie.

	DE	EN	ES	IT	NL
1. (60)	das Spenden	donation	la donación	la donazione	de schenking (f.)
	die Spendung				

DONNANT DONNANT ((un) ~) (*) 1. Marque le caractère réciproque dans l'échange de services.

	DE	EN	ES	IT	NL
1. (429)	einen Tausch machend	fair's fair	toma y daca	nulla in cambio di nulla	niets voor niets
				do ut des	

DONNÉ (c'est pas ~) (*) 1. C'est un prix très élevé.

	DE	EN	ES	IT	NL
1. (432)	das kostet mehr als man erwartet hätte	they're not exactly giving it away	no es muy barato	non è regalato	het is niet gratis

DONNÉE (n.f.) (****) 1. Parcelle d'information qui peut être traitée.

	DE	EN	ES	IT	NL
1. (528)	ein Faktum	data	el dato	il dato (i dati)	het gegeven
(52)	eine Gegebenheit				

DONNEUR, DONNEUSE (n.) (*) 1. Agent économique qui donne un bien en location.

	DE	EN	ES	IT	NL
1. (352)	der Geber	guarantor	el donador	il locatore	de gever (m.)
	der Spender	surety	el donante	il datore	de verlener (m.)

DOSSIER (n.m.) (****) 1. Ensemble des pièces relatives à une affaire et placées dans une chemise (RQ). 2. Ensemble des informations qui se rapportent à un problème, une affaire.

	DE	EN	ES	IT	NL
1.	die Akte	file	el legajo	il fascicolo	het dossier
	das Dossier	dossier	el dossier	il dossier	
2. (294)	die Unterlagen	dossier	el dossier	la cartella	het dossier
(560)	die Akten		el expediente	il dossier	het geval

DOTATION (n.f.) (***) 1. Budget attribué à un service, à un établissement d'utilité publique.

	DE	EN	ES	IT	NL
1. (74)	die Zuweisungen	subsidy	la dotación	la dotazione	de dotatie (f.) (van middelen)
(529)	die Dotierung	grant			de toewijzing (f.) (van middelen)

DOTER (~ qqch. de qqch., se ~ de qqch.) (v.tr.dir., v.pron.) (**) 1. (S')offrir une somme d'argent ou un bien, avec une contrepartie exigée.

1. (76)	dotieren	to fund	dotar	dotare	een dotatie toekennen
(235)	mit Geld ausstatten	to endow			

DOUANE (n.f.) (***) 1. Administration qui contrôle les échanges aux frontières.

1. (315)	der Zoll	customs	la aduana	la dogana	de douane (m./f.)
(21)	die Zollbehörde				

DOUANIER, DOUANIÈRE (n.) (**) 1. Fonctionnaire qui est chargé du contrôle des échanges aux frontières.

1. (315)	der Zollbeamter	customs officer	aduanero	il doganiere	de douanier (m.)
	der Zöllner	customs official			de douanebeambte (m.)

DOUANIER, -IÈRE (adj.) (***) 1. Qui se rapporte au contrôle des échanges aux frontières.

1. (315)	Zoll-	customs	aduanero	doganale	douane-
	zollamtlich				tol-

DOUBLE (adj.) (****) 1. Deux fois plus importante qu'à l'origine.

1. (494)	zweifach	double	doble	doppio	dubbel
(315)	doppelt	twofold (prix)			tweevoudig

DOUBLE (n.m.) (***) 1. Quantité deux fois plus importante qu'à l'origine. 2. Second original ou texte reproduit (RQ).

1. (538)	das Doppelte	double	el doble	il doppio	het dubbele
	das Zweifache	twofold	el duplicado		het tweevoud
2.	das Doppel	copy	la copia	la copia	de kopie (f.)
	die Kopie		el duplicado	il doppione	

DOUBLEMENT (adv.) (**) 1. De deux manières, pour une double raison (RQ).

1.	zweifach	doubling	dos veces	doppiamente	dubbel
	doppelt	twice	doblemente		

DOUBLEMENT (n.m.) (**) 1. Multiplication par deux.

1.	die Verdoppelung	doubling	la duplicación	il raddoppio	de verdubbeling (f.)
				il raddoppiamento	

DOUBLER (v.tr.dir.) (***) 1. Rendre deux fois plus important qu'à l'origine.

1.	verdoppeln	to double (in value)	doblar	raddoppiare	verdubbelen
		to increase twofold	duplicar	duplicare	vertweevoudigen

DOULOUREUSE (n.f.) (*) 1. Addition à payer.

1. (258)	die Rechnung	bill	la dolorosa	il conto	de gepeperde rekening (f.)

DOW JONES (le ~) (****) (71) indice de la Bourse de New York.

DPO (la ~) (*) direction par objetifs.

(201)	die Führung durch Zielvereinbarung	management by objectives (MBO)	la dirección por objetivos	il management per obiettivi	het doelgericht management
	das Management by Objectives				

DRACHME (n.f.) (**) 1. Monnaie grecque.

1. (382)	die Drachme	drachma	la dracma	la dracma	de drachme (m./f.)

DRAGONS (les ~ (m.)) (**) pays asiatiques émergents.

(325)	der Drache	the tigers	los cuatro dragones	le tigri asiatiche	de Aziatische Tijgers (plur.)

DRH (la ~) (*) direction des ressources humaines.

(201)	die Personalführung	Human Resources Management	la dirección de recursos humanos	la direzione delle risorse umane	het human resources management
	das Personalmanagement				

DRH (le ~) (*) directeur des ressources humaines.

(202)	der Leiter der Personalabteilung	Human Resources Manager	el director de recursos humanos	il direttore delle risorse umane	de human resources manager (m.)
	der Personaldirektor			il direttore del personale	

DÛ (n.m.) (**) 1. Somme d'argent qui doit être remboursée.

1. (196)	die zu zahlende Summe	due	lo debido	il debito	het verschuldigde (bedrag)
	der geschuldete Betrag		lo que se debe		

DÛMENT REMPLI (*) 1. Tout à fait complété.

1. (577)	ordnungsgemäss ausgefüllt	duly completed	debidamente cumplimentado	debitamente	behoorlijk ingevuld

DUMPING (n.m.) (***) 1. Vente à l'étranger à un prix moins élevé que sur le marché national.

1. (434)	das Dumping	dumping	el dumping	il dumping	de dumping (f.)
(416)	die Preisunterbietung				

DYSFONCTIONNEMENT (n.m.) (**) 1. Mauvais fonctionnement.

1. (158)	die Funktionsstörung	malfunctioning	el disfuncionamiento	la disfunzione	de dysfunctie (f.)
					het slecht functioneren

E

EAP (une ~) (*) entreprise d'apprentissage professionnel.

(236)	die Lehrwerkstatt	professional training organization	la empresa de aprendizaje profesional	l'impresa (f.) di tirocinio professionale	de professionele vormingsfirma (m./f.)
	die Übungsfirma		la empresa de formación profesional		

EC (*) eurochèque.

(99)	Euroscheck	Eurocheque	el eurocheque	l'Eurocheque (m.)	de eurocheque (m.)

ÉCHANGE (n.m.) (****) 1. Cession de qqch. contre qqch. d'autre.

1. (6)	der Umtausch	exchange	el intercambio	l'(inter)scambio	de uitwisseling (f.)
(394)	der Austausch	swap			de ruil (m.)

ÉCHANGEABLE (adj.) (*) 1. Qui peut être cédé contre qqch. d'autre.

1. (6)	umtauschbar	exchangeable	intercambiable	scambiabile	uitwisselbaar
(391)	austauschbar			intercambiabile	omruilbaar

ÉCHANGER (~ qqch. contre qqch., s'~ contre qqch.) (v.tr.dir., v.pron.) (**) 1. Céder qqch. contre qqch. d'autre.

1. (93)	umtauschen	to exchange	intercambiar	scambiare	(uit)wisselen
(6)	austauschen	to swap	trocar	cambiare	ruilen

ÉCHANTILLON (n.m.) (***) 1. Spécimen d'un bien.

1. (563)	das Muster	sample	la muestra	il campione	het monster
(460)	das Probestück			il saggio	het staal

ÉCHÉANCE (n.f.) (****) 1. Date à laquelle expire un délai. 2. Délai.

1. (477)	die Fälligkeit	deadline	el vencimiento	la scadenza	de vervaldatum (m.)
(284)	der Verfall	expiry date (aliments)	la fecha de vencimiento		
2. (477)	der Zahlungstermin	(short / long) term	el término	il termine	de termijn (m.)
	der Fälligkeitstermin		el vencimiento del plazo		

ÉCHÉANCIER (n.m.) (**) 1. Document où figurent chronologiquement les dates auxquelles expirent des délais.

1. (477)	das Fälligkeitsverzeichnis	bill book	el registro de vencimientos	lo scadenziario	het tijdschema
	das Verfallbuch	maturity tickler (US)	el calendario de vencimientos		

ÉCHELONNEMENT (n.m.) (*) 1. Répartition dans le temps.

1. (402)	die Staffelung	staggering	el escalonamiento	la rateizzazione	de spreiding (f.)
(28)	die Abstufung	spreading (out)	el espaciamiento	la rateazione	

ÉCHELONNER (~, s'~) (v.tr.dir., v.pron.) (**) 1. (Se) répartir dans le temps.

1. (402)	staffeln	to stagger	escalonar	scaglionare	spreiden
(28)	abstufen	to spread (out)	espaciar	rateizzare	

ÉCO (***) 1. Abréviation de 'économique'. 2. Abréviation de 'écologique'.

1. (215)	ökonomisch	economic	económico	economico	economisch
	wirtschaftlich	economical			
2.	ökologisch	ecological	ecológico	ecologico	ecologisch
	umweltfreundlich				

ÉCOLO (n.) (***) 1. Partisan du mouvement de protection de la nature.

1.	der Umweltschützer	environmentalist	el ecologista	l'ecologista (m.)	de ecologist (m.)
	der Grüner				de milieuactivist (m.)

ÉCOLOGIE (n.f.) (***) 1. Étude des milieux où vivent les êtres vivants (RQ). 2. Mouvement de protection de la nature.

1.	die Ökologie	ecology	la ecología	l'ecologia (f.)	de ecologie (f.)
2. (211)	der Umweltschutz	environmentalism	la ecología	l'ecologia (f.)	de ecologie (f.)
					het milieubehoud

ÉCOLOGIQUE (adj.) (****) 1. Qui se rapporte à l'étude des milieux où vivent les êtres vivants. 2. Qui se rapporte à la protection de la nature.

1.	ökologisch	ecological	ecológico	ecologico	ecologisch
2. (464)	umweltfreundlich	environmental	ecológico	ecologico	milieu-
(543)	umweltbewusst				

ÉCOLOGISTE (adj.) (**) 1. Qui se rapporte à la protection de la nature .

1. (168)	ökologisch	ecological	ecologista	ecologista	ecologisch
	Umweltschutz-				

ÉCOLOGISTE (n.) (***) 1. Spécialiste de l'étude des milieux où vivent les êtres vivants. 2. Partisan du mouvement de protection de la nature.

1.	der Ökologe	ecologist	el ecologista	l'ecologo (m.)	de ecoloog (m.)
2.	der Umweltschutzer	environmentalist	el ecologista	l'ecologista (m.)	de milieuactivist (m.)
	der Grüne				

ÉCONOMAT (n.m.) (*) 1. Service chargé de la gestion de matériel dans un établissement non marchand.

1. (216)	die Materialverwaltung	bursar's office	el economato	l'economato (m.)	het economaat
		treasurer's office			

ÉCONOME (adj.) (**) 1. Qui évite les dépenses inutiles.

1. (217)	sparsam	thrifty	ahorrador	economo	economisch
	wirtschaftlich	economical			zuinig

ÉCONOME (n.) (*) 1. Personne qui dirige le service chargé de la gestion du matériel dans un établissement non marchand.

1. (216)	der (Material)Verwalter	bursar	el ecónomo	l'economo (m.)	de econoom (m.) de magazijnchef (m.)

ÉCONOMÉTRIE (n.f.) (*) 1. Étude mathématique et statistique des phénomènes économiques.

1. (216)	die Ökonometrie	econometrics	la econometría	l'econometria (f.)	de econometrie (f.)

ÉCONOMÉTRIQUE (adj.) (**) 1. Qui se rapporte à l'étude mathématique et statistique des phénomènes économiques.

1. (216)	ökonometrisch	econometric	econométrico	econometrico	econometrisch

ÉCONOMICO- (adj. invar.) (**) 1. Qui se rapporte à l'ensemble des activités de production, de distribution et de consommation.

1. (217)	Wirtschafts- wirtschaftlich	economic	económico	economico-	economisch

ÉCONOMICO-FINANCIER, -IÈRE (adj.) (*) 1. Qui se rapporte à l'économie et à la finance.

1. (217)	Wirtschafts- und Finanz- wirtschaftlich und finanziell	economic and financial	económico-financiero	economico-finanziario	economisch en financieel

ÉCONOMICO-POLITIQUE (adj.) (*) 1. Qui se rapporte à l'économie et à la politique.

1. (217)	wirtschaftspolitisch	economic and political	económico-politico	economico-politico	economisch en politiek

ÉCONOMICO-SOCIAL, -IALE ; -IAUX, -IALES (adj.) (*) 1. Qui se rapporte à l'économie et aux aspects sociaux.

1. (217)	wirtschaftlich und sozial	economic and social	económico-social	socio-economico	socio-economisch

ÉCONOMIE (n.f.) (****) 1. Ensemble des activités de production, de distribution et de consommation. 2. Science. 3. Gestion qui vise à réduire les dépenses. 4. (plur.) Partie du revenu réservée au placement.

1. (210)	die Wirtschaft die Ökonomie	economy	la economía	l'economia (f.)	de economie (f.)
2. (210)	die Wirtschaftswissenschaft(en) die Ökonomie	economics	la economía	l'economia (f.) le scienze economiche	de economische wetenschappen (plur.) de staathuishoudkunde (f.)
3. (210)	die Wirtschaftlichkeit die Sparsamkeit	saving economy	el ahorro la economía	il risparmio l'economia (f.)	de spaarzaamheid (f.) de zuinigheid (f.)
4. (210)	die Ersparnisse die Einsparungen	saving(s)	los ahorros las economías	i risparmi	de spaargelden (plur.) de gespaarde sommen (plur.)

ÉCONOMIE

➠ **épargne**

1 l'économie **4** les déséconomies **4** la micro-économie **4** la macro-économie **4** l'économique **4** l'économisme **4** l'économétrie **4** un économat **4** un économiseur	**4** un économiste, une économiste **4** un économe, une économe	**2** (anti)économique **4** macro-économique **4** micro-économique **4** économe **4** économétrique **4** économico-... **4** socioéconomique **4** *économiquement*	**3** économiser

1 l'ÉCONOMIE - [ekɔnɔmi] - (n.f.)

1.1. Ensemble des activités des personnes, des groupes de personnes ou des organismes qui se rapportent à la production, la distribution et la consommation de biens et de services dans le but de satisfaire leurs besoins.

La fragilité structurelle de notre économie s'explique par le vieillissement de notre industrie.

1.2. (emploi au sing.) Science qui étudie l'économie (sens 1.1.).

L'économie n'est pas une science exacte : le comportement du consommateur reste en grande partie imprévisible.

1.3. (emploi au sing. et au plur.) Gestion d'un agent économique (un particulier, une entreprise - X) ou technique qui a pour but de réduire les dépenses (d'argent, de temps, d'énergie, ... - Y).

Syn. : (☞ 214 Pour en savoir plus, Économie (sens 1.3.) et synonyme) ; Ant. : le gaspillage, la dilapidation.

Le plan de restructuration doit permettre de réaliser une économie de 10 millions d'euros.

1.4. (emploi au plur.) Partie du revenu d'un agent économique (un particulier, une entreprise, un organisme, un État) obtenue grâce à une économie (sens 1.3.) qui n'est pas consacrée à la consommation immédiate de biens ou de services mais qui est réservée au placement à des conditions déterminées (durée, rémunération), à la thésaurisation ou à l'investissement.

Syn. : (V. 242 épargne, 1).

J'ai déposé mes petites économies auprès de ma banque.

expressions

(sens 1.1.)

(Quand) économie rime avec écologie. *Économie rime avec écologie : le procédé Orvert est un moyen de traitement des ordures ménagères dont les objectifs sont la valorisation maximale de la matière organique et la protection de l'environnement.*

(sens 1.3.)

- (Une personne) **faire l'économie de qqch.** : éviter d'utiliser qqch. (Syn. : **faire l'impasse de**). *En portant cette lettre moi-même, je fais l'économie d'un timbre-poste.*
- (Une personne) **faire qqch. à l'économie** : avec un minimum de dépenses (d'argent, d'énergie, ...).
- **Une/des économie(s) de bouts de chandelle** : économie insignifiante. (Ant. : **des économies substantielles, importantes**). *Les syndicats ont rejeté ce qu'ils appellent une "demi-mesure", qui équivalait en fait à une économie de bout de chandelle.*
- **Il n'y a pas de petites économies** : tout effort d'épargner de l'argent vaut la peine d'être fait.

+ adjectif

TYPE D'ÉCONOMIE (sens 1.1. et 1.2.)

L'économie classique ; **marxiste** ; **keynésienne** ; **néo-classique** : grandes écoles de pensée économique et leur application concrète.

L'économie publique : ensemble des activités exercées par le secteur public et son étude. *Les finances publiques déterminent toute l'économie publique : amélioration de la répartition sociale des revenus, régulation macro-économique, ...*

TYPE D'ÉCONOMIE (sens 1.1.)

Une économie libérale, décentralisée. (☞ 213 + nom). >< **Une économie planifiée, centralisée, dirigée, étatisée**.

L'économie capitaliste : économie qui se caractérise par l'existence d'un marché, d'un salariat et de la propriété privée de biens. *Le grand problème de l'économie capitaliste n'est pas de produire, mais de trouver des consommateurs.*

>< **L'économie socialiste (centralement planifiée), collectiviste** : économie qui se caractérise par l'existence d'un marché et d'un salariat. *Comme le marché n'intervient pas, en économie socialiste, le mode hiérarchique d'organisation s'impose de lui-même.*

Une économie mixte : économie où coexistent des entreprises publiques et privées. *Notre économie mixte n'est pas entièrement capitaliste puisqu'elle est corrigée par des considérations sociales.*

L'économie officielle : économie dont les activités sont reprises dans la comptabilité nationale.

>< **L'économie souterraine, parallèle, informelle** : activité économique non déclarée, comme p. ex. les activités non marchandes (les activités domestiques), les activités marchandes non déclarées (le travail au noir, la fraude fiscale) et les activités marchandes illicites (le trafic de drogues). *Le pays connaît une économie souterraine florissante : un quart à un tiers des chômeurs travaillent au noir tout en recevant des allocations de chômage.*

Une économie industrielle, industrialisée : économie où les activités industrielles représentent une forte proportion du PIB.

Une économie développée : économie à forte activité tertiaire qui a franchi le stade de l'économie industrielle (Silem).

>< **Une économie sous-développée** : économie où le revenu par tête d'habitant est inférieur au revenu médian. Le quart des pays dont le revenu par tête d'habitant est le moins élevé est désigné par le terme **le Quart-Monde** (aussi : **quart(-)monde**). *Il convient de soutenir les pays du Quart-Monde pour qu'ils prennent leur destinée en main.*

Une économie concertée(-contractuelle) : économie dans laquelle les différents partenaires sociaux et économiques et l'État établissent un dialogue permanent.

L'économie sociale : secteur ni capitaliste, ni étatique, qui comprend les coopératives, les mutuelles, ... *Le secteur de l'économie sociale est susceptible de contribuer à la création de nombreux emplois et de répondre en même temps à des besoins sociaux importants comme la santé, l'aide aux personnes âgées, ...*

L'économie rurale : ensemble des activités exercées à la campagne.

Une économie monétaire. (☞ 213 + nom).

L'économie réelle : expression métaphorique utilisable dans de nombreux contextes pour souligner l'opposition entre production et finances (l'économie financière), l'économie officielle et l'économie souterraine, ... *Véritable plaie de l'économie réelle, la contrefaçon représente un chiffre d'affaires de plusieurs milliards d'euros à l'échelle mondiale.*

TYPE D'ÉCONOMIE (sens 1.2.)

L'économie (politique) : science qui étudie la production, la répartition, la distribution et la consommation de biens matériels et immatériels pour satisfaire les besoins des agents économiques. (Syn. : **l'économique**).

L'économie appliquée : branche des sciences économiques qui se caractérise par une démarche de nature empirique, historique et inductive afin de traiter des problèmes concrets.

>< **L'économie pure** : branche des sciences économiques qui se caractérise par une démarche abstraite basée sur des hypothèses et des déductions.

L'économie mathématique : branche des sciences économiques fortement formalisée qui développe des théories de logique pure, sans rechercher une validation empirique, p. ex. l'école de Lausanne (Silem).

L'économie monétaire : branche des sciences économiques étudiant les phénomènes monétaires et de crédit (Silem).

L'économie financière : branche des sciences économiques étudiant les finances publiques dans leurs conséquences politiques.

L'économie industrielle : branche des sciences économiques qui étudie les stratégies des entreprises sur le marché.

L'économie quantitative. (Syn. : **l'économétrie**).

TYPE D'ÉCONOMIE (sens 1.3.)

Des économies + adjectif qui indique le bien, la ressource dont les dépenses ont été ou vont être réduites, (moins fréq.) **une économie** ... Des économies budgétaires.

Des économies internes : économies qui proviennent d'une réorganisation des structures de l'entreprise.

>< **Des économies externes** : économies qui proviennent de l'environnement (p. ex. une adaptation du réseau routier, une nouvelle technique, ...). (Ant. : **des déséconomies externes, des externalités négatives** (conséquences défavorables ou nuisibles de l'action d'un agent économique sur un autre (Silem)). *Les déséconomies externes que sont la pollution et le bruit entraînent des dépenses médicales et d'insonorisation pour ceux qui en sont les victimes.*

CARACTÉRISATION DE L'ÉCONOMIE (sens 1.1.)

Une économie ouverte : économie d'un pays qui pratique des échanges avec les autres pays.

>< **Une économie fermée** : économie qui ne pratique pas ou très peu d'échanges avec les autres pays et qui vit en **autosuffisance** {**autosuffisant**}. (Syn. : **une autarcie** {**autarcique**}).

Une économie sociale : économie dans laquelle l'amélioration de la condition des salariés est une priorité. *Dans une économie sociale, l'efficacité du système ne constitue pas un but en soi, mais un moyen pour assurer une société harmonieuse.*

Une économie émergente : économie qui est sur le point de se développer.

Une économie dominante : économie d'un pays qui influence fortement l'économie mondiale.

>< **Une économie périphérique** : économie d'un pays qui ne joue qu'un rôle secondaire.

NIVEAU DE L'ÉCONOMIE (sens 1.3.)

Des économies substantielles, importantes, (moins fréq.) **une économie substantielle** : très importante. (Ant. : **des économies de bout de chandelle** (☞ 211 expressions)).

LOCALISATION DE L'ÉCONOMIE (sens 1.1.)

L'économie + adjectif qui désigne un (groupe de) pays. L'économie mondiale ; européenne ; française.

L'économie nationale, (peu fréq.) **intérieure**. >< **L'économie internationale**.

L'économie régionale. > **L'économie locale**. *L'économie locale a souffert énormément de la fermeture des mines.*

+ nom

(sens 1.1.)

- **La (bonne >< mauvaise) santé de l'économie, le (bon >< mauvais) fonctionnement de l'économie**. *Les chiffres du chômage traduisent la bonne santé de l'économie américaine.*

  Le bulletin de santé de l'économie.

  La faiblesse de l'économie. *La faiblesse de l'économie doit être combattue par une baisse des taux courts.*

  Les indicateurs de l'économie. (Syn. : (plus fréq.) **les indicateurs économiques**). *Les indicateurs de l'économie sont dans le rouge : le niveau d'endettement des entreprises est important, les faillites sont nombreuses et le taux de chômage a atteint un niveau record.*
- **Un moteur de l'économie.** *Les investissements constituent un moteur de l'économie en ce sens qu'ils soutiennent à la fois la demande et la capacité de croissance de l'économie.*
- **Les perspectives de l'économie**. *Malgré le chômage, les perspectives de l'économie restent très bonnes.*
- **Un secteur de l'économie**. (V. 505 secteur, 1).

  Un pan de l'économie : (ensemble de) secteur(s) ou (de) branche(s) d'activité de l'économie nationale. *Le tourisme constitue un pan essentiel de notre économie : il importe donc que notre pays jouisse d'une image positive.*
- **Le ministère ; le ministre de l'Économie**.
- **La compétitivité de l'économie**. (V. 122 compétitivité, 1).

  Les performances de l'économie. (V. 413 performance, 1).
- **La croissance (de l'économie), l'expansion (de l'économie)**. (V. 170 croissance, 1).

  La surchauffe (de l'économie). (V. 170 croissance, 1).

(sens 1.2.)

Un diplôme en économie. (Syn. : **un diplôme en sciences économiques**, (fam.) **un diplôme en sciences éco**).

(B, S) **Une licence en économie** : diplôme universitaire d'études en économie. **Être licencié en économie**.

(sens 1.3.)

Une mesure d'économie.

TYPE D'ÉCONOMIE (sens 1.1.)

Une économie de marché (libre) : économie dans laquelle le marché détermine entièrement l'activité économique par la libre confrontation de l'offre et de la demande (DixecoÉc). L'État ne peut intervenir que pour assurer la libre concurrence. (Syn. : (moins fréq.) **une économie libérale, marchande**). *Les gouvernements des pays de l'Union européenne s'efforcent de mettre en place une économie libérale basée entre autres sur le libre-échange et sur des taux de change fixes.* **La transition, le passage vers une économie de marché. Une économie sociale de marché** : doctrine économique néo-libérale qui combine la liberté, à travers les mécanismes de marché, et l'égalité sociale, à travers l'intervention de l'État (DÉ). *L'économie sociale de marché est l'approche la plus apte à concilier la dynamique de la concurrence et la solidarité et le consensus.*

>< **Une économie de plan** : économie dans laquelle l'État intervient systématiquement et autoritairement pour orienter l'économie selon un plan préétabli. (Syn. : (plus fréq.) **une économie planifiée**).

Une économie de l'offre : économie dans laquelle l'offre de biens et de services joue un rôle déterminant et crée la demande.

Une économie d'abondance : économie qui se caractérise par une quantité importante de main-d'œuvre, de capitaux et de biens.

L'économie du bien-être : économie qui recherche les conditions et les moyens de réalisation d'une satisfaction maximale des besoins des individus d'une nation (Silem).

Une économie de troc : économie basée sur l'échange de biens et de services, sans recours à une monnaie. (Ant. : **une économie monétaire**).

Une économie d'endettement. (V. 197 dette, 2).

TYPE D'ÉCONOMIE (sens 1.2.)

L'économie d'entreprise : branche des sciences économiques qui s'occupe de la préparation des décisions que doivent prendre les dirigeants de l'entreprise.

L'économie de transport(s) : branche des sciences économiques qui étudie les problèmes des différents moyens de transport de personnes et de marchandises.

TYPE D'ÉCONOMIE (sens 1.3.)

Des économies de + nom qui indique le bien, la ressource pour lesquels les dépenses ont été ou vont être réduites, (moins fréq.) **une économie de** ... Des économies d'énergie ; de/sur les coûts ; de temps.

Une économie d'impôt : réduction des impôts qui résulte du fait qu'une charge est déductible fiscalement (Ménard).

Des économies d'échelle, (moins fréq.) **une économie d'échelle** : diminution du prix de revient d'un bien ou d'un service grâce à un volume de production élevé, ce qui permet de répartir les coûts fixes sur plus de biens ou de services produits. (Ant. : **des déséconomies d'échelle** (augmentation du prix de revient d'un bien à cause de l'augmentation de la quantité des facteurs de production)).

CARACTÉRISATION DE L'ÉCONOMIE (sens 1.1.)

Une économie en (pleine) croissance, expansion. >< **Une économie en (pleine) crise**.

+ verbe : qui fait quoi ?

(sens 1.1.)

une mesure, le gouvernement	△	**stimuler** l'~	la stimulation de l'~	
→ l'~		**se développer**	le développement de l'~ (V. 215 2 économique)	
l'~	△△	**tourner à plein régime** **à plein rendement**	-	1
		> **se porter bien**	-	
		tourner bien, rond	-	
		> **tourner au ralenti**	-	
une mesure, le gouvernement	▽	**ralentir** l'~	le ralentissement de l'~	
→ l'~		**(se) ralentir**	le ralentissement de l'~ (V. 139 conjoncture, 1)	
l'~	▽▽	**s'effondrer**	un effondrement de l'~	2
une mesure, le gouvernement	▽△	**relancer** l'~	une relance de l'~	3

→ l'~		**(se) reprendre**	une reprise (de l'~)	
		se redresser	un redressement de l'~ (V. 139 conjoncture, 1)	
		redémarrer	un redémarrage de l'~	
l'~	△=	**stagner**	une stagnation de l'~	4
un gouvernement		**ouvrir** l'~ (à certains biens) (☞ 212 + adjectif)	l'ouverture de l'~	
l'~		**se mondialiser**	la mondialisation de l'~	
		se globaliser	la globalisation de l'~	
		s'internationaliser	l'internationalisation de l'~	
une ~		**émerger** (☞ 212 + adjectif)	l'émergence d'une ~	
deux ou plusieurs ~		**converger**	la convergence de plusieurs ~	5
			la convergence économique (entre plusieurs pays)	

1 *Notre économie nationale tourne à plein régime grâce à une augmentation considérable de la productivité des entreprises.*
2 *Malgré les prêts importants accordés par les banques, l'économie de ce pays s'est effondrée en quelques mois.*
3 *Le plan de relance de l'économie est basé principalement sur une importante baisse des impôts.*
4 *L'économie continue de stagner, mais un retour à la croissance est annoncé pour le premier semestre de l'année prochaine.*
5 *La convergence des économies est une condition à la réussite d'une union économique entre plusieurs pays.*

(sens 1.2.)

un étudiant	×	**faire** de l'~	-
		étudier l'~	les études d'~

(sens 1.3.)

X, une mesure, une technique	×	**réaliser** des ~ (moins fréq. : une ~) de Y	la réalisation d'~ (d'une ~) de Y	1
		faire l'~ de Y	-	

1 *Le nouveau moteur réalise des économies de carburant de l'ordre de 1 2%.*

(sens 1.4.)

une personne	×	**faire** des ~	-	1
		➘		
une personne		**déposer** ses ~ auprès d'une banque	le dépôt de ses ~ auprès d'une banque	
		➘		
une personne		**vivre** de ses ~	-	

1 *Une enquête a démontré que de plus en plus de ménages ne sont plus en mesure de faire des économies, tellement leur pouvoir d'achat s'est réduit.*

Pour en savoir plus

ÉCONOMIE (sens 1.3.) ET SYNONYME

L'économie.
La parcimonie : syn. de 'économie', utilisé le plus souvent dans l'expression **avec parcimonie**. *Le monde occidental a appris à utiliser le pétrole avec plus de parcimonie.* {**parcimonieux, parcimonieusement**}.

2 ÉCONOMIQUE - [ekɔnɔmik] - (adj.)

1.1. Qui se rapporte à l'ensemble des activités des personnes, des groupes de personnes ou des organismes dans le domaine de la production, de la distribution et de la consommation de biens et de services dans le but de satisfaire leurs besoins.

Le contexte économique n'est pas favorable à la création de nouvelles entreprises.

1.2. Qui se rapporte à une gestion (sens 1.1.) d'un agent économique (un particulier, une entreprise) ou à une technique qui a pour but de réduire les dépenses (d'argent, de temps, d'énergie, ...).

Syn. : (pour un produit) bon marché < gratuit ; Ant. : cher, coûteux, (peu fréq.) onéreux, antiéconomique.
De nombreuses entreprises limitent les frais généraux en incitant leurs collaborateurs à voyager en classe économique plutôt qu'en classe affaires.

expression

(sens 1.1.)

- **Sur le plan économique** : en ce qui concerne l'économie. *Sur le plan économique, notre pays se porte bien : le chômage baisse et l'inflation est négligeable.*

+ nom

(sens 1.1.)

- **L'ordre économique** : organisation des activités économiques à l'échelle planétaire, dans un pays, ... *L'ordre économique dominant est la cause d'une série d'obstacles au développement.*
- **La politique économique**. *Le principal objectif de la politique économique de notre pays devrait être le développement des exportations.* Les objectifs de la politique économique sont illustrés à l'aide d'une représentation graphique appelée **carré magique** : croissance et emploi dans le respect de la stabilité des prix et des équilibres externes.
- **L'activité économique.**
  Le circuit économique : ensemble des flux de biens, de capitaux, ... créés par l'activité économique. (V. 286 flux, 1).
  Les échanges économiques. (Syn. : (plus fréq.) **les échanges commerciaux**).
- **La situation économique, la conjoncture économique, le contexte économique, l'environnement économique, le climat économique**.
- **Un cycle économique** : période pendant laquelle une économie connaît une alternance de croissance et de récession.
  La croissance (économique), l'expansion (économique), le développement économique. (Syn. : (moins fréq.) **la croissance de l'économie, le développement de l'économie**). < **Une surchauffe (économique)**. (V. 170 croissance, 1).
  Une récession (économique), un ralentissement (économique). (V. 139 conjoncture, 1).
  Une crise (économique). (V. 139 conjoncture, 1).
  Une reprise (économique), un redressement (économique), une relance (économique). (Syn. : (moins fréq.) **une reprise de l'économie, un redressement de l'économie, une relance de l'économie**). (V. 139 conjoncture, 1).
  Un miracle économique. *Le gouvernement affiche un optimisme proche de l'euphorie et annonce un nouveau miracle économique.*
- **Un agent économique**. (V. 22 agence, 2).
- **Les perspectives économiques, les prévisions économiques**. *Les perspectives économiques sont bonnes pour le premier semestre, mais les analystes prévoient une légère récession pour la fin de l'année.*
- **Les indicateurs économiques** : phénomènes économiques (p. ex. le taux de chômage) et variables (p. ex. le PIB) qui donnent des informations au sujet de la santé de l'économie. (Syn. : (moins fréq.) **les indicateurs de l'économie**). **Un indice composite des indicateurs économiques**. (V. 318 indicateur, 1).
- **Le tissu économique** : ensemble des entreprises d'une région, d'un pays, considéré du point de vue de leur interdépendance. *Les PME constituent l'essentiel du tissu économique de notre région.*
- **Une entité économique, une unité économique** : personne, groupe de personnes, organisme ou ensemble d'entreprises qui, du point de vue économique, constituent un centre de décision et d'action ou collaborent de façon plus ou moins intense.
- **Le décollage (économique)** : phase du processus de développement d'une économie à partir de laquelle on considère que le pays cesse d'appartenir aux pays économiquement faibles. (Syn. : (angl.) **le take-off** ou **takeoff**). *Il serait vain de chercher l'absence de décollage économique de l'Afrique dans une incapacité culturelle de ses habitants.*
- **Une aide économique.**
- **La dépréciation économique**. (V. 29 amortissement, 1).
- **Les** (moins fréq. : **la**) **science(s) économique(s)**.
  Un diplôme en sciences économiques, (fam.) **un diplôme en sciences éco**. (Syn. : **un diplôme en économie**).
- **La convergence économique**. (V. 214 1 économie).
- **La rentabilité économique**. (V. 484 rentabilité, 1).
- **Les** (moins fréq. **la**) **performance(s) économique(s)**. (V. 413 performance, 1).
- **Le chômage économique**. (V. 100 chômage, 1).
- **Un amortissement économique**. (V. 28 amortissement, 1).
- **L'Union économique et monétaire (l'UEM)** : regroupement de plusieurs pays européens dans le but de créer un marché unique avec libre circulation des biens, des personnes et des capitaux et caractérisé par l'emploi d'une monnaie unique : **l'euro**.
- **L'Organisation de coopération et de développement économiques (l'OCDE)** : organisation regroupant une vingtaine de pays (principalement européens avec l'Australie, le Canada, les États-Unis et le Japon) qui s'efforcent de coordonner leurs politiques économiques.
- (F) **Un groupement d'intérêt économique (un GIE)**. (V. 519 société, 1).
- (B) **Le ministère ; le ministre des Affaires économiques**.

- (S) **L'Office fédéral du développement économique et de l'emploi**. (V. 225 emploi, 1).

(sens 1.2.)

- **Une boîte** ; **un flacon** ; **un paquet** (ou tout type d'emballage) **économique** : boîte, flacon, ... qui contient une grande quantité d'un produit. *Cette poudre à lessiver se vend très bien en paquet économique de 10 kilos.*

La classe économique : places les moins chères dans un avion.

3 ÉCONOMISER - [ekɔnɔmize] - (v.tr.dir., v.intr.)

1.1. (v.tr.dir.) Un agent économique (un particulier, une entreprise - X) réduit les dépenses (d'argent, de temps, d'énergie, ...) grâce à une bonne gestion (sens 1.1.) ou à l'utilisation d'une bonne technique.
Ant. : gaspiller.
Grâce aux mesures prises, le gouvernement espère pouvoir économiser quelque 10 millions d'euros dans le budget de la sécurité sociale.

1.2. (v.tr.dir., v.intr.) Un agent économique (un particulier, une entreprise, un organisme, un État - X) réserve la partie de son revenu disponible qui n'est pas consacrée à la consommation immédiate de biens ou de services, au placement à des conditions déterminées (durée, rémunération), à la thésaurisation ou à l'investissement.
Syn. : (plus fréq.) épargner, faire des économies, mettre de l'argent de côté, (peu fréq.) capitaliser ; Ant. : dépenser. (V. 188 dépense, 2).
Il ne suffit pas d'économiser, encore faut-il trouver le bon placement pour faire fructifier son épargne.

qui fait quoi ?

(sens 1.1.)

X	**économiser** de l'énergie de l'argent	une/des économie(s) d'énergie ; d'argent	
X	**économiser** (un montant) **sur** les frais les charges les voyages	une/des économies (de + un montant) sur ...	1

1 *Toute entreprise qui économise sur l'échange d'informations électroniques commet une grave erreur.*

(sens 1.2.)

X	**économiser** de l'argent	des économies
X	**économiser** (beaucoup)	-

4 AUTRES DÉRIVÉS OU COMPOSÉS

- **Les déséconomies** [dezekɔnɔmi] (n.f.plur.). **Des déséconomies d'échelle.** (V. 213 1 économie). **Des déséconomies externes.** (V. 212 1 économie).
- **La micro-économie** [mikʀɔekɔnɔmi] (n.f.) : étude de l'activité économique des individus ou des groupes restreints (consommateurs, entreprises, marchés) (Dubreuil). *Le gouvernement s'occupe de la micro-économie ; la banque centrale de la macro-économie, en particulier du contrôle de l'inflation.*
  {**micro-économique** [mikʀɔekɔnɔmik] (adj.)}.
  >< **La macro-économie** [makʀɔekɔnɔmi] (n.f.) : étude de la vie économique d'une nation et des quantités globales qui l'expriment (produit national, revenu national, dépense nationale, investissement, ...) (Dubreuil).
  {**macro-économique** [makʀɔekɔnɔmik] (adj.)}. **Un amortissement macro-économique**. (V. 28 amortissement, 1).
- **L'économique** [ekɔnɔmik] (n.m., toujours avec l'art. déf.). (Syn. : **l'économie (politique)**). *L'économique est toujours lié au politique.*
- **L'économisme** [ekɔnɔmism(ə)] (n.m.) : tendance à privilégier l'interprétation et l'explication du comportement des agents économiques uniquement par les méthodes et les théories économiques. *L'économisme a trop tendance à considérer l'économie comme une simple machine à produire des objets : l'économie est un système qui produit du bien-être collectif.*
- **L'économétrie** [ekɔnɔmetʀi] (n.f.) : branche de la science économique qui étudie et représente des phénomènes économiques grâce à l'utilisation des mathématiques et des statistiques. (Syn. : **l'économie quantitative**).
  {**économétrique** [ekɔnɔmetʀik] (adj.)}.
- **Un économat** [ekɔnɔma] (n.m.) : service chargé de la gestion du matériel, des dépenses et des recettes dans un établissement du secteur marchand (un lycée, un hôpital, ...) et qui se trouve sous la direction d'**un économe** {**un, une économe** [ekɔnɔm] (n.)}.
- **Un économiseur** [ekɔnɔmizœʀ] (n.m.). 1. Appareil qui permet de réaliser des économies (sens 1.3.) d'énergie, d'eau, ... - 2. **Un économiseur d'écran** : programme qui a pour but de protéger un écran d'ordinateur et qui se déclenche après une certaine période d'inactivité.
- **Un, une économiste** [ekɔnɔmist] (n.) : spécialiste de l'économie (sens 1.1. et 1.2.).

- **Econome** [ekɔnɔm] (adj.) : (une personne) qui évite les dépenses inutiles. (Ant. : **dépensier**).
- **Economico-...** [ekɔnɔmiko] (adj.invar.) : premier élément de compositions telles que **économico-financier, économico-social, économico-politique** pour désigner qqch. qui touche à deux domaines en même temps. *Trois mondes composent notre économie : le secteur marchand, la sphère économico-financière et le système politico-administratif.*
- **Socioéconomique** [sɔsjɔekɔnɔmik] (adj.) : qui se rapporte aux relations entre les faits sociaux et les phénomènes économiques. **Le développement socioéconomique**.
- **Economiquement** [ekɔnɔmikmɑ̃] (adv.). 1. Du point de vue économique (sens 1.1.). *Il n'est plus possible économiquement parlant, de poursuivre ce genre d'activités dans notre pays.* **Les économiquement faibles**. - 2. Du point de vue économique (sens 1.2.). *Le licenciement d'un des deux conjoints oblige le ménage à vivre plus économiquement.*

ÉCONOMIQUE (adj.) (****) 1. Qui se rapporte à l'ensemble des activités de production, de distribution et de consommation. 2. Qui se rapporte à une gestion qui vise à réduire les dépenses.

1. (214)	ökonomisch	economic	económico	economico	economisch
2. (214)	kostengünstig sparsam	economical cost cutting	económico	economico	zuinig spaarzaam

ÉCONOMIQUE (n.m.) (**) 1. Domaine économique.

1. (216)	das Ökonomische der ökonomische Bereich	the economic sector	económico	il settore economico	de economie (f.)

ÉCONOMIQUEMENT (adv.) (***) 1. Du point de vue de l'ensemble des activités de production, de distribution et de consommation. 2. Du point de vue d'une gestion qui vise à réduire les dépenses.

1. (217)	ökonomisch	economically	económicamente desde el punto de vista económico	economicamente	economisch
2.	kostengünstig sparsam	economically	económicamente	economicamente	zuinig spaarzaam

ÉCONOMISER (v.tr.dir., v.intr.) (***) 1. Réduire les dépenses. 2. Réserver une partie du revenu au placement.

1. (216)	einsparen	to economize (on) to save (on)	ahorrar economizar	risparmiare economizzare	besparen de uitgaven beperken
2. (216)	sparen Geld zurücklegen	to save up to put aside	economizar invertir	risparmiare	(uit)sparen beleggen

ÉCONOMISEUR (n.m.) (**) 1. Appareil qui permet de réduire les dépenses. 2. (un ~ d'écran) Programme qui protège un écran d'ordinateur.

1.	die Sparvorrichtung	economizer economizing device	el economizador	l'economizzatore (m.)	het besparingstoestel de (brandstof)bespaarder (m.)
2. (216)	der Bildschirmschoner	screen saver	el protector de pantalla el salvapantallas	lo screen-saver	de screen saver (m.)

ÉCONOMISME (n.m.) (*) 1. Explication du comportement par des méthodes économiques.

1. (216)	der Ökonomismus	economism	el economismo	l'economicismo (m.)	het economisme

ÉCONOMISTE (n.) (****) 1. Spécialiste de l'ensemble des activités de production, de distribution et de consommation.

1. (216)	der Wirtschaftswissenschaftler der Wirtschaftsexperte	economist	el economista	l'economista (m.)	de econoom (m.)

ÉCOTAXES (n.f.plur.) (**) 1. Impôt qui frappe les produits nuisibles à l'environnement.

1. (545)	die Ökosteuer	environmental tax green levy	la ecotasa el ecoimpuesto	la tassa ecologica	de milieuheffing (f.) de groene belasting (f.)

ÉCOULEMENT (n.m.) (**) 1. Vente jusqu'à épuisement du stock.

1. (572)	der Absatz	selling off	el despacho	lo smaltimento	de afzet (m.)
(527)	der Verkauf	disposal	la venta	l'eliminazione (f.)	de verkoop (m.)

ÉCOULER (~, s'~) (v.tr.dir., v.pron.) (***) 1. (Se) vendre jusqu'à épuisement du stock.

1. (572)	verkaufen	to sell off	despachar (se)	smerciare	afzetten
(527)	absetzen	to move	vender (se)	smaltire	verkopen

ÉCRASEMENT (n.m.) (*) 1. Diminution importante.

1. (279)	die starke Preissenkung	slash reduction	la reducción el aplastamiento	lo schiacciamento la compressione	het drukken

ÉCRASER (v.tr.dir.) (*) 1. Diminuer de façon importante.

1. (279)	die Preise stark senken	to slash to reduce	aplastar	schiacciare	drukken

ÉCRITURE (la double ~) (*) 1. Comptabilité qui enregistre chaque opération deux fois.

1. (125)	die doppelte Buchführung	double-entry bookkeeping	la contabilidad por partida doble	la contabilità in partita doppia	de dubbele boekhouding (f.)

	die doppelte Eintragung		la doble contabilidad		

ÉDITER (v.tr.dir.) (***) 1. Publier et mettre en vente des écrits.

1. (575)	herausgeben verlegen	to publish to edit	editar publicar	pubblicare	uitgeven

ÉDITEUR (n.m.) (****) 1. Société qui publie et met en vente des écrits.

1. (575)	der Herausgeber der Verleger	publisher editor	el editor	l'editore (m.)	de uitgever (m.)

ÉDITION (n.f.) (****) 1. Action de publier et de mettre en vente des écrits.

1. (519)	die Ausgabe die Auflage	publishing edition	la edición la publicación	l'editoria (f.) l'edizione (f.)	de uitgave (m./f.) de publicatie (f.)

EFFACER (v.tr.dir.) (***) 1. Faire disparaître (des données d'un support informatique p. ex.).

1. (528)	löschen	to delete to erase	borrar	cancellare	(uit)wissen

EFFECTIF (n.m.) (***) 1. Nombre de personnes.

1. (502)	der Personalbestand	workforce	el personal	l'organico (m.)	de personeelsbezetting (f.)
(343)	die Belegschaft (sstärke)	(total) staff	la plantilla	il personale	

EFFET (n.m.) (****) 1. Conséquence. 2. (un ~ de commerce) Document par lequel est donné l'ordre de payer un bénéficiaire.

1. (218)	der Effekt die Wirkung	effect	el efecto	l'effetto (m.)	het effect het gevolg
2. (218)	der Wechsel	bill	el efecto (de comercio)	il cambiale (commerciale)	het handelspapier
	das Wechselpapier		la letra (de cambio)	il titolo di credito	de wissel (m.)

EFFET

mot-outil

1 un effet			

1 un EFFET - [efɛ] - (n.m.)

1.1. Conséquence, considérée comme automatique, d'une décision ou de l'évolution d'une variable (Silem). *Les analystes entrevoient une accélération modérée de la croissance grâce aux effets stimulants de la baisse continue des taux d'intérêt.*

1.2. (**un effet de commerce**) Document. (V. 114 commerce, 1).

expressions

(sens 1.1.)

- (Un fait) **être l'effet du hasard** : être inexplicable. **Par l'effet du hasard.** *Le consommateur a trop souvent l'impression qu'il peut gagner un objet ou un avantage par l'effet du hasard.*
- (Une mesure) **avoir, produire l'/les effet(s) escompté(s)** : entraîner les conséquences espérées.
- (Une mesure) **prendre effet (à un moment donné)** : entrer en vigueur. *La nouvelle réforme fiscale prendra effet à partir du premier janvier de l'année prochaine.*
- **Une relation de cause à effet.** *L'agriculture va mal. Relation de cause à effet : le secteur des machines agricoles prendra un méchant coup d'ici quelque temps.*

+ adjectif

TYPE D'EFFET (sens 1.1.)

Un/les effet(s) direct(s). *Pour certains produits, l'offre 4 + 1 gratuit n'a pas eu d'effet direct sur les ventes parce que les consommateurs avaient trop de doutes concernant la qualité des produits.*

>< **Un/les effet(s) indirect(s).**

Les effets secondaires : conséquences non prévues ou non désirées qui accompagnent une mesure, un phénomène. *La stagnation de la consommation est un des effets secondaires de la politique d'austérité budgétaire que mène le gouvernement.*

Un effet inverse : conséquence contraire à ce qui était prévu.

Un effet rétroactif : effet qui exerce une influence sur le passé. *Suite à la décision du juge, l'employé a été réintégré dans la société avec effet rétroactif le lendemain du jour de son licenciement.*

Un effet externe : conséquence négative ou positive de l'interdépendance des agents économiques, qui échappe au système d'appréciation du marché (Silem). (Syn. : **une externalité**). *Étant donné l'encombrement du réseau routier que connaît notre pays, les effets externes positifs du chemin de fer sont globalement supérieurs aux effets externes négatifs, comme p. ex. la destruction du paysage.*

Un/les effet(s) induit(s) : conséquence indirecte provoquée par une évolution ou une mesure particulière. *On peut conclure que l'effet induit de la baisse des prix énergétiques ne s'est fait sentir sur les autres prix à la consommation qu'avec retard et très graduellement.*

Un effet démographique : résultante du flux

d'entrée des jeunes sur le marché du travail et du flux de sortie des personnes qui prennent leur retraite.

Un effet redistributeur, redistributif. (V. 206 distribution, 3).

CARACTÉRISATION DE L'EFFET (sens 1.1.)

Un/les effet(s) positif(s), bénéfique(s), favorable(s). *Notre position extérieure a subi l'effet bénéfique de la baisse du dollar et du prix du pétrole.*

>< **Un/les effet(s) négatif(s)**. < **Un/les effet(s) néfaste(s), désastreux**. < **Un/les effet(s) catastrophique(s)**. *Certains pays mènent une politique d'investissement qui aura des effets catastrophiques pour l'environnement.*

Un effet pervers : conséquence négative non prévue ou contraire d'une mesure, d'un phénomène, d'une politique. *L'effet pervers de l'indexation automatique des salaires est apparu une fois de plus à l'occasion du bond que l'inflation a fait pendant les trois premiers mois de l'année.*

MESURE DE L'EFFET (sens 1.1.)

Un effet multiplicateur : réaction en chaîne par laquelle l'augmentation ou la diminution d'une variable, d'une mesure ou d'un phénomène se traduit par une forte augmentation ou une forte diminution d'une ou plusieurs autres variables, mesures ou phénomènes.

Un effet conjugué, combiné. *À cause de l'effet conjugué du manque de bonnes surfaces de bureaux et de la montée des loyers des bureaux neufs, on assiste de plus en plus au rachat de bâtiments plus anciens.*

Un/les effet(s) immédiat(s). *Une grève dans les mines d'or a un effet immédiat sur les cours des métaux précieux.*

Un/les effet(s) durable(s). *La hausse des produits pétroliers a des effets durables sur la consommation des particuliers et des entreprises.*

Un effet cumulatif. (☞ 219 + nom).

+ nom

TYPE D'EFFET (sens 1.1.)

Un effet sur + nom qui désigne le champ d'application de l'effet. Un effet sur l'économie, sur la croissance, sur la demande, sur la production.

Un effet de levier : utilisation de capitaux empruntés pour augmenter la rentabilité des capitaux propres. *Ce type de placement est à réserver aux investisseurs agressifs : l'effet de levier est important, mais le risque l'est tout autant.*

Un effet de substitution. *Si le prix d'un produit augmente trop, l'effet de substitution mènera le consommateur à chercher des alternatives à ce produit.*

Un effet d'entraînement : effet positif sur l'activité d'une entreprise, d'un secteur, d'un État grâce à l'augmentation de la production dans une autre entreprise, un autre secteur ou État. *Le Salon de l'Auto a un effet d'entraînement sur la vente de voitures neuves.*

Un effet de surprise. *La bonne tenue des cours des actions a provoqué un effet de surprise dans le monde boursier qui s'attendait plutôt à les voir en chute libre.*

L'effet d'annonce : réalisation d'un événement favorisée par la réaction du public à l'annonce de cet événement. *L'effet d'annonce provoqué par les grandes sociétés informatiques avec l'annonce du lancement soi-disant imminent de leur nouveau produit a tendance à geler le marché : elles ont le temps de mettre au point leur produit en évitant que le client aille voir chez la concurrence.*

Un effet (de) domino : phénomène par lequel une évolution entraîne automatiquement d'autres évolutions. *Il peut résulter de l'étroite connexion des banques sur le marché interbancaire un effet de domino, où les banques qui ont d'importantes créances sur des banques en difficulté sont elles-mêmes prises au piège.*

Un effet de cliquet : phénomène par lequel les prix, ... suivent systématiquement la tendance à la hausse, mais se maintiennent au même niveau quand ils devraient baisser. *De nombreux économistes défendent l'hypothèse d'une persistance du chômage, alors que les causes d'origine ont disparu : il y aurait une sorte d'effet de cliquet qui empêcherait un retour au plein-emploi.*

Un effet boule de neige. 1. Croissance exponentielle. (Syn. : **un effet cumulatif**). - 2. Situation où la dette publique a tendance à augmenter automatiquement à cause des emprunts qui doivent être contractés pour rembourser les intérêts sur la dette. *L'effet boule de neige a porté la dette publique à des montants effrayants en très peu de temps.* **Casser l'effet boule de neige.**

Un effet d'anticipation. *Par l'effet d'anticipation, les ménages font déjà plus d'achats que nécessaires à cause du climat de hausse des prix généralisée.*

Un effet de démonstration : répartition des dépenses dans certains groupes sociaux non conforme à la loi générale selon laquelle le revenu est consacré en priorité à la satisfaction des besoins de première nécessité (Silem).

TYPE D'EFFET (sens 1.2.)

Un effet de complaisance, de cavalerie : effet de commerce mis en circulation sans qu'aucune affaire réelle n'ait été conclue, en vue d'obtenir frauduleusement des fonds.

+ verbe : qui fait quoi ?

(sens 1.1.)

une mesure, un phénomène		**avoir pour** ~ **de** + infinitif	-	1
une mesure, un phénomène		**avoir** un ~ (sur qqch./qqn)	-	
		produire un ~ (sur qqch./qqn)	-	
		>< **être sans** ~	-	
		rester sans ~	-	2
→ qqch./qqn		**subir** un ~	-	3
→ qqch./qqn		**ressentir un** ~	-	4
un ~		**se faire sentir** (+ indication de temps)	-	5
une mesure, un phénomène	▽	**réduire** un ~	la réduction d'un ~	
		limiter un ~	la limitation d'un ~	
		diminuer un ~	la diminution d'un ~	
	O	< **neutraliser** un ~	la neutralisation d'un ~	
une mesure, un phénomène	△	**augmenter** un ~	l'augmentation d'un ~	
		accroître un ~	l'accroissement d'un ~	

1 *Un accroissement des taux d'intérêt pourrait avoir pour effet de rediriger les capitaux investis vers des formes d'épargne plus sûres au détriment de la bourse.*
2 *La hausse des taux d'intérêt à l'étranger ne devrait pas rester sans effet sur notre économie.*
3 *Nous subissons de plein fouet les effets de la concurrence des pays à bas salaire.*
4 *Les chômeurs de longue durée ressentent les effets des mesures gouvernementales en faveur de l'emploi.*
5 *L'effet d'entraînement dû à la hausse des ventes de voitures neuves se fait immédiatement sentir chez les sous-traitants.*

(sens 1.2.)

un agent économique	×	**détenir** un ~ de commerce	la détention d'un ~ de commerce
un agent économique		**négocier** un ~ de commerce	la négociation d'un ~ de commerce

EFFICACE (adj.) (****) 1. Qui produit l'effet attendu.

1. (450)	wirksam	effective (méthode)	eficaz	efficace	doeltreffend
(299)	wirkungsvoll	efficient (personne)		efficiente	

EFFICACITÉ (n.f.) (****) 1. Capacité de réaliser des objectifs.

1. (450)	die Wirksamkeit	efficiency	la eficacia	l'efficacia (f.)	de doeltreffendheid (f.)
	die Effizienz			l'efficienza (f.)	

EFFICIENCE (n.f.) (**) 1. Capacité de produire un maximum de résultats avec un minimum de moyens.

1. (450)	die Leistungsfähigkeit	efficiency	la eficiencia	il rendimento	de efficiëntie (f.)
	die Effizienz			l'efficienza (f.)	

EFFICIENT, -IENTE (adj.) (**) 1. Qui présente la capacité de produire un maximum de résultats avec un minimum de moyens.

1. (450)	effizient	efficient	eficiente	efficiente	efficiënt
	leistungsfähig				

EFFONDREMENT (n.m.) (***) 1. Baisse très importante.

1. (279)	der Sturz	collapse	el hundimiento	il crollo	de ineenstorting (f.)
(70)	das Einbrechen		el desmoronamiento	la caduta	

EFFONDRER (s'~) (v.pron.) (***) 1. Baisser de façon très importante.

1. (279)	stürzen	to collapse	derrumbarse	crollare	ineenstorten
(70)	einbrechen	to slump	hundirse		

EFFRITEMENT (n.m.) (**) 1. Baisse.

1. (278)	das Abbröckeln	crumbling	la debilidad	il deterioramento	de afbrokkeling (f.)
(69)		erosion	la debilitación	l'erosione (f.)	de vermindering (f.)

EFFRITER (s'~) (v.pron.) (***) 1. Baisser.

1. (278)	abbröckeln	to crumble away	desmoronar (se)	sgretolarsi	afbrokkelen
		to diminish	erosionar (se)	assottigliarsi	

ÉGAL, -ALE ; -AUX, -ALES (adj.) (****) 1. Qui est équivalent.

1. (385)	gleich	equal	igual	uguale	gelijk
(553)					

ÉGALER (v.tr.dir.) (**) 1. Être équivalent à.

1. (386)	gleich sein	to equal	igualar	uguagliare	gelijk zijn (aan)
		to compare with			

ÉGALITÉ (n.f.) (***) 1. Équivalence.

1. (213)	die Gleichheit	equality	la igualdad	l'uguaglianza (f.)	de gelijkheid (f.)

EGP (*) (382) Égypte - livre.

ÉLARGISSEMENT DES TÂCHES (un ~) (*) 1. Fait de procurer un travail plus varié.
1. (557) Erweiterung des Aufgabenbereichs | job enlargement | la diversificación del trabajo | un ampliamento dei compiti | de taakverruiming (f.)

ÉLASTICITÉ (n.f.) (**) 1. Faculté d'adaptation d'un phénomène à des influences extérieures (RQ).
1. (393) die Elastizität | flexibility | la elasticidad | l'elasticità (f.) | de elasticiteit (f.)
(182) die Flexibilität | elasticity

ÉLASTICITÉ-PRIX (n.f.) (*) 1. Mesure de la réaction de la consommation aux variations de prix.
1. (438) die Preiselastizität | price elasticity | la elasticidad-precio | l'elasticità del prezzo | de prijselasticiteit (f.)

ÉLECTRICIEN (n.m.) (**) 1. Producteur d'électricité.
1. (448) der Energieversorger | electricity producer | el electricista | il produttore di energia elettrica | de elektriciteitsproducent (m.)
der Energiebetreiber

ÉLECTRICITÉ (n.f.) (****) 1. Forme d'énergie.
1. (508) die Elektrizität | electricity | la electricidad | l'elettricità (f.) | de elektriciteit (f.)
(446) der Strom

ÉLECTRIQUE (adj.) (****) 1. Qui se rapporte à l'électricité.
1. (348) elektrisch | electric(al) | eléctrico | elettrico | elektrisch
(254) Elektrizitäts-

ÉLECTROMÉNAGER (adj.m.) (**) 1. Qui se rapporte aux appareils électriques ménagers.
1. (442) Elektro- | household appliance | electrodoméstico | elettrodomestico | elektrische huishoudapparaten
Bedarfsartikel- | domestic appliance

ÉLECTROMÉNAGER (n.m.) (**) 1. Ensemble des appareils électriques ménagers.
1. 114 die Elektrogeräte | household appliances | los electrodomésticos | gli elettrodomestici | de elektrische huishoudapparaten (plur.)
(573) die elektrischen Haushaltsgeräte | domestic appliances

ÉLECTROMÉNAGISTE (n.m.) (*) 1. Fabricant d'appareils électriques ménagers.
1. (448) der Haushaltsgerätehersteller | manufacturer of household appliances | el fabricante de electrodomésticos | il produttore di elettrodomestici | de fabrikant (m.) van elektrische huishoudapparaten
der (Haushalts)Elektrogeräthersteller

ÉLECTRONIQUE (adj.) (****) 1. Qui se rapporte à l'étude ou au comportement des électrons.
1. (401) elektronisch | electronic | electrónico | elettronico | elektronisch
(380)

ÉLECTRONIQUE (n.f.) (****) 1. Science qui étudie la production et le comportement des électrons.
1. (505) die Elektronik | electronics | la electrónica | l'elettronica (f.) | de elektronica (f.)

ÉLEVAGE (n.m.) (***) 1. Activité de garder des animaux à des fins économiques.
1. (505) die (Auf)zucht | breeding | la cría de ganado | l'allevamento | het fokken
die Züchtung | | la ganadería | | de (vee)teelt (m./f.)

ÉLEVÉ, -ÉE (adj.) (****) 1. Important.
1. (283) hoch | high | elevado | alto | hoog
erhöht

ÉLEVER (~, s'~ à) (v.tr.dir., v.pron.) (*) 1. Garder des animaux à des fins économiques. 2. Équivaloir à.
1. (505) züchten | to breed | criar | allevare | fokken
to rear
2. (274) sich belaufen auf | to add up to | elevar (se) | ammontare a | bedragen
to amount to

ÉLEVEUR, ÉLEVEUSE (n.) (**) 1. Personne qui garde des animaux à des fins économiques.
1. (505) der Züchter | breeder | el criador | l'allevatore (m.) | de (vee)teler (m.)
stock farmer | el ganadero

EMBALLAGE (n.m.) (****) 1. Contenant qui enveloppe une marchandise. 2. Opération d'enveloppement d'une marchandise.
1. (363) die Verpackung | packing | el embalaje | l'imballaggio (m.) | de verpakking (f.)
packaging
2. (363) das Verpacken | packing | el embalaje | l'imballo (m.) | het inpakken
das Einpacken | wrapping(-up) | el acondicionamiento | l'imballaggio (m.)

EMBALLAGE-BULLE ; EMBALLAGES-BULLES (n.m.) (*) 1. Contenant recouvert d'un film de cellophane/sous blister.
1. (363) die Zellophanpackung | bubble pack | el embalaje con burbuja de aire | l'imballaggio (m.) sotto cellofan | de blisterverpakking (f.)
die Klarsicht(ver)packung | | | l'imballaggio (m.) a bolle d'aria

EMBALLEMENT (n.m.) (**) 1. Développement très important.
1. (277) die konjunkturelle Überhitzung | boom | la aceleración | l'imballo (m.) | het op hol slaan
| | la expansión | l'impennata (m.) | het in oversnelheid gaan

EMBALLER (~, s'~) (v.tr.dir., v.pron.) (**) 1. Envelopper une marchandise pour la protéger etc. 2. Se développer de façon très importante.
1. (363) verpacken | to pack | embalar | imballare | inpakken
einpacken | to wrap (up) | empaquetar | impacchettare | verpakken
2. (277) überhitzt sein | to run away | embalar (se) | imballarsi | op hol slaan
to get out of control | acelerar (se) | impennarsi

EMBALLEUR, EMBALLEUSE (n.) (*) 1. Personne, machine qui enveloppe une marchandise.

1. (363)	der Verpacker	packer	el embalador el empaquetador	l'imballatore (m.)	de inpakker (m.) de verpakker (m.)

EMBARGO (n.m.) (**) 1. Interdiction qui frappe la libre circulation de marchandises, d'informations.

1. (119)	das Embargo die Handelssperre	embargo	el embargo	l'embargo (m.)	het embargo

EMBAUCHAGE (n.m.) (*) 1. Action d'offrir un emploi à qqn.

1. (223)	die Einstellung die Anstellung	taking on hiring	el ajuste la contratación	l'assunzione (f.) l'ingaggio (m.)	de aanwerving (f.) de indienstneming (f.)

EMBAUCHE (n.f.) (***) 1. Action d'offrir un emploi à qqn. 2. Possibilité de procéder à une offre d'emploi.

1. (222)	die Einstellung die Anstellung	taking on hiring	el ajuste la contratación	l'assunzione (f.) l'ingaggio (m.)	de aanwerving (f.) de indienstneming (f.)
2. (222)	die Beschäftigungs-möglichkeit	recruiting	el reclutamiento	il reclutamento	de rekrutering (f.)

EMBAUCHE

➠ licenciement - emploi

1 une embauche **3** un embauchage **3** le débauchage	**3** un embaucheur, une embaucheuse		**2** embaucher **3** débaucher

1 une EMBAUCHE - [ɑ̃boʃ] - (n.f.)

1.1. Action par laquelle un agent économique (un employeur : une entreprise, un État - X) offre à une personne (un employé - Y) une activité professionnelle (physique ou intellectuelle) qui a pour but de produire un bien ou un service contre paiement d'une somme d'argent.
Syn. : (☞ 222 Pour en savoir plus, Embauche (sens 1.1.) et synonymes) ; Ant. : un licenciement (V. 343 licenciement, 1).
Selon certains, l'embauche des femmes doit être favorisée pour les emplois et les statuts qu'elles souhaitent.

1.2. Possibilité de procéder à une embauche (sens 1.1.).
À cause de la crise économique, il n'y a plus d'embauche dans notre région.

+ adjectif

TYPE D'EMBAUCHE (sens 1.1.)

Une embauche compensatoire : embauche de personnel qui résulte de l'application d'une mesure (p. ex. une limitation des heures supplémentaires, une modération salariale). *La redistribution du temps de travail sur base volontaire avec obligation d'embauche compensatoire peut aboutir à une réduction significative du nombre de chômeurs.*

+ nom

(sens 1.1.)

- **Un plan d'embauche.**
- **L'embauche des jeunes.** *Le plan d'embauche des jeunes permet une réduction extrêmement importante des charges sociales pour l'employeur.*
- **Un entretien d'embauche** : lors de la procédure d'embauche, discussion que le candidat a avec l'employeur ou avec une personne qui le représente.
  Un questionnaire d'embauche : document qui permet de regrouper tous les renseignements concernant le candidat.
- **Une prime à l'embauche.** *D'importantes primes à l'embauche sont versées aux entreprises qui font un effort pour embaucher du personnel.*

+ verbe : qui fait quoi ?

(sens 1.1.)

X	**procéder à** l'~ de Y	-	1
une mesure	**favoriser** l'~ de Y	-	2
X	>< **limiter** l'~ de Y	une limitation de l'~ de Y	

1 *Cette année, notre entreprise procédera à l'embauche de 145 employés.*
2 *Pendant des années, la direction a favorisé l'embauche de jeunes pour comprimer les coûts salariaux.*

Pour en savoir plus

EMBAUCHE (sens 1.1.) ET SYNONYMES

Une embauche, (moins fréq.) **un engagement**. **Un recrutement** : processus qui va de la décision de créer un poste jusqu'à la décision d'embauche. **Un bureau de recrutement. Un entretien de recrutement. Un recrutement interne.** >< **Un recrutement externe.**
{**un recruteur, une recruteuse, recruter**}.

2 EMBAUCHER - [ɑ̃boʃe] - (v.tr.dir., v.intr.)

1.1. Un agent économique (un employeur : une entreprise, un État - X) offre à une personne (un employé) une activité professionnelle (physique ou intellectuelle) qui a pour but de produire un bien ou un service contre paiement d'une somme d'argent.
Syn. : recruter, engager ; Ant. : licencier (V. 344 licenciement, 2).

qui fait quoi ?				
X	✓	**embaucher** du personnel ... personnes un chômeur des ouvriers	l'embauche de personnel l'embauchage de ... personnes d'un chômeur d'ouvriers	
	✓	**embaucher**	l'embauche	1

1 *Dans un contexte de concurrence internationale accrue, tout entrepreneur pense d'abord à rationaliser avant d'embaucher.*

3 AUTRES DÉRIVÉS OU COMPOSÉS

- **Un embauchage** [ɑ̃boʃaʒ] (n.m.) : syn. peu fréq. d'embauche (sens 1.1.).
- **Le débauchage** [deboʃaʒ] (n.m.). 1. Action par laquelle une entreprise amène un salarié à quitter son employeur pour venir travailler chez elle. *Le débauchage de quelques cadres de notre entreprise par notre principal concurrent est une vraie catastrophe.* - 2. (peu fréq.) Licenciement.
- **Un embaucheur**, **une embaucheuse** [ɑ̃boʃœʀ, ɑ̃boʃøz] (n.) : personne qui embauche. (Syn. : (pour des cadres de haut niveau) **un chasseur de têtes**, **une chasseuse de têtes**).
- **Débaucher** [deboʃe] (v.tr.dir.). 1. Une entreprise amène un salarié à quitter son employeur pour venir travailler chez elle. (Un agent économique) **débaucher** qqn **de chez** + désignation d'un employeur. *Ce restaurant vient de débaucher le meilleur cuisinier de chez son concurrent.* - 2. Licencier. *Comme son carnet de commandes est moins bien garni, l'entreprise a décidé de débaucher une partie du personnel.*

EMBAUCHER (v.tr.dir.) (***) 1. Offrir un emploi à qqn.

1. (223)	einstellen anstellen	to take on to hire	ajustar contratar	assumere	aanwerven

EMBAUCHEUR, EMBAUCHEUSE (n.) (*) 1. Personne qui offre un emploi à qqn.

1. (223)	der Stellenanbieter das einstellende Unternehmen	employer recruitment specialist	el contratante	il datore di lavoro	de aanwerver (m.)

EMBELLIE (n.f.) (***) 1. Amélioration de la situation économique.

1. (139)	die konjunkturelle Aufheiterung die konjunkturelle Schönwetterperiode	upturn brighter period	la bonanza económica	la schiarita	de opklaring (f.)

EMBRAYER (v.intr.) (*) 1. Reprendre le travail.

1. (305)	wiederaufnehmen	to return to work	reanudar el trabajo	riprendere il lavoro	het werk hervatten

ÉMETTEUR, ÉMETTRICE (n.) (***) 1. Personne qui met (un chèque, une action) en circulation.

1. (10) (98)	der Aussteller der Emittent	issuer	el librador	l'emittente (m.) il traente (di cambiale)	de emittent (m.) de persoon die een cheque uitschrijft

ÉMETTEUR, -TRICE (adj.) (**) 1. Qui met en circulation (un chèque, une action).

1. (34) (11)	emittierend ausstellend	issuing	el emisor	emittente	emissie- uitgifte-

ÉMETTRE (v.tr.dir.) (***) 1. Mettre (un chèque, une action) en circulation.

1. (11) (98)	ausstellen emittieren	to issue (actions) to draw (chèque)	emitir	emettere	uitgeven uitschrijven

ÉMISSION (n.f.) (****) 1. Action de mettre (un chèque, une action) en circulation.

1. (11) (98)	die Emission die Ausgabe	issue / issuance (actions) drawing (chèque)	la emisión	l'emissione (f.)	de emissie (f.) de uitgifte (f.)

EMMAGASINAGE (n.m.) (*) 1. Action de mettre en réserve.

1. (356)	die (Ein)lagerung die Speicherung	storage warehousing	el almacenaje el almacenamiento	l'immagazzinamento (m.) lo stoccaggio	het opslaan

EMMAGASINER (v.tr.dir.) (*) 1. Mettre en réserve.

1. (356)	(ein)lagern (auf)speichern	to store to warehouse	almacenar	immagazzinare stoccare	opslaan stockeren

ÉMOLUMENTS (n.m.plur.) (*) 1. Rémunération dans l'administration.

1. (480)	die Bezüge das Gehalt	remuneration emolument	las retribuciones los emolumentos	la retribuzione la remunerazione	de emolumenten (plur.) de bezoldiging (f.)

EMPLETTES (n.f.plur.) (**) 1. Achats effectués lors d'une occasion particulière. 2. Ensemble des achats.

1. (4)	der Einkauf	purchase	la compra	l'acquisto (m.)	de boodschap (f.) de aankoop (m.)
2. (4)	die Einkäufe	purchases	las compras	le compere	de inkopen (plur.) de boodschappen (plur.)

EMPLOI (n.m.) (****) 1. Activité professionnelle. 2. Situation globale de l'activité professionnelle. 3. Poste de travail. 4. (plur.) Moyens financiers pour financer des activités.

1. (224)	die Beschäftigung	employment	el empleo	l'impiego (m.)	de tewerkstelling (f.)
2. (224)	die Beschäftigungs-lage die Stellensituation	employment	el empleo	l'impiego (m.) l'occupazione (f.)	de tewerkstelling (f.)
3. (224)	die Stelle die Beschäftigung	job position	el empleo el puesto de trabajo	l'impiego (m.) il posto di lavoro	de baan (m./f.) de job (m./f.)
4. (224)	die Mittelverwendung die Aktiva	assets	los activos	l'impiego (m.) la destinazione dei fondi	de bestedingen (plur.)

EMPLOI

➠ **travail**

1 un emploi **5** le plein(-)emploi **5** le sous-emploi **5** le suremploi une assurance-emploi (V. 42 assurance, 4)	**2** un employeur, une employeuse **3** un employé, une employée **5** un sans-emploi	**5** sous-employé, -ée	**4** employer

1 un EMPLOI - [ɑ̃plwa] - (n.m.)

1.1. (emploi au sing.) Activité professionnelle (physique ou intellectuelle) d'une personne (un employé - X) qui a pour but de produire un bien ou un service contre paiement d'une somme d'argent (payée par un agent économique (un employeur : une entreprise, un État)).
Syn. : (☞ 227 Pour en savoir plus, Emploi (sens 1.1.) et synonymes) ; Ant. : le chômage.
La justification économique première de l'emploi se trouve dans la nécessité de produire pour satisfaire des besoins.

1.2. (emploi au sing.) Situation globale de l'activité professionnelle (physique ou intellectuelle) rémunérée dans un territoire (un pays, une région) et pour une période donnée.
Dans toutes les économies modernes, la situation et l'évolution de l'emploi constituent des préoccupations fondamentales.

1.3. Poste de travail occupé par une personne employée (X) qui exerce une activité professionnelle (physique ou intellectuelle) dans le but de produire un bien ou un service contre paiement d'une somme d'argent (payée par un agent économique (un employeur : une entreprise, un État - Y)).
Syn. : un travail, un poste.
À cause de la baisse spectaculaire des ventes, ce sont 50 emplois qui sont menacés.

1.4. (emploi au plur.) (comptabilité) Moyens financiers dont dispose un agent économique (une entreprise) afin de financer ses activités.
Syn. : les actifs ; Ant. : le passif, les ressources.
En principe, la comptabilité débouche sur un équilibre entre les ressources et les emplois (Silem).

expressions

(sens 1.1.)

(Une personne) **avoir le physique de l'emploi** : avoir un aspect physique qui correspond à l'activité qu'on exerce.

(sens 1.2.)

En matière d'emploi : en ce qui concerne l'emploi. *En matière d'emploi, le niveau de formation est d'une importance capitale, car c'est lui qui détermine la capacité de reconversion des entreprises et de la main-d'œuvre qu'elles occupent.*

+ adjectif

TYPE D'EMPLOI (sens 1.1.)

Un emploi salarié : occupé par un salarié. *Le rythme de croissance de l'emploi salarié se ralentit en France alors qu'il progresse modérément au Royaume-Uni.* **Un emploi ouvrier** : occupé par un ouvrier. *L'usine de production de cigarettes va fermer. Ce sont 250 emplois, essentiellement ouvriers, qui seront perdus.*

>< **Un emploi indépendant** : qui n'est pas rémunéré par un employeur. *Pour avoir une plus grande stabilité financière, je préfère un emploi salarié à un emploi indépendant.*

Un emploi qualifié. *Le développement des investissements dans les pays en voie de développement entraîne la création d'emplois qualifiés et relativement bien rémunérés.*

>< **Un emploi non qualifié**.

Un emploi féminin : occupé par une femme. *La montée de l'emploi féminin est une des carac-*

téristiques les plus importantes de l'évolution de l'emploi de ces dernières décennies.

>< **Un emploi masculin**.

TYPE D'EMPLOI (sens 1.3.)

Un emploi vacant : qui est inoccupé. (Syn. : **un emploi à pourvoir, un poste à pourvoir, un poste vacant, une vacance**). *Il y a plusieurs emplois vacants dans cette firme. Les offres d'emploi seront bientôt publiées.*

TYPE D'EMPLOI (sens 1.4.)

Les emplois intermédiaires. (Syn. : **les consommations intermédiaires**). >< **Les emplois finals**. (Syn. : **la consommation finale**).

CARACTÉRISATION DE L'EMPLOI (sens 1.1.)

Un emploi stable. >< **Un emploi précaire, atypique** : emploi temporaire à durée déterminée n'offrant pas les mêmes garanties sociales et juridiques que les emplois à durée indéterminée (Géhanne). *Les femmes sont les plus représentées dans des emplois atypiques, en particulier le travail à durée déterminée, le travail saisonnier et le travail occasionnel.*

LOCALISATION DE L'EMPLOI (sens 1.3.)

Un emploi industriel : dans l'industrie.

MESURE DE L'EMPLOI (sens 1.1.)

Un emploi durable. *Des moyens financiers importants sont nécessaires pour attirer dans cette région des entreprises qui garantissent la création d'emplois durables et orientés vers l'avenir.*

>< **Un emploi temporaire**. ((B, S) **Un emploi intérimaire**).

+ nom

(sens 1.1.)

- **Les perspectives d'emploi**. *Les perspectives d'emploi demeurent sombres, à moins que la croissance économique soit nettement plus accentuée que prévue.*
- **La flexibilité de l'emploi** : formules d'emplois variées du point de vue de la durée et du statut (mi-temps, stage, emploi temporaire, etc.) en fonction de la conjoncture économique.

  La mobilité de l'emploi : disposition d'un employé à aller travailler là où il y a des emplois disponibles.
- **L'emploi des jeunes**. *En période de récession, l'emploi des jeunes est beaucoup plus touché que celui des adultes.*
- **Une sécurité de l'emploi, une stabilité de l'emploi, une garantie d'emploi**. *Malgré la crise très grave que traverse l'entreprise, les syndicats ont obtenu de la direction une garantie d'emploi pour tous les salariés, à durée indéterminée jusqu'à la fin de l'année prochaine.*
- **Le chèque emploi(-)service**. (V. 99 chèque, 2).
- **Un salon de l'emploi** : manifestation organisée pour faciliter le contact entre les employeurs et les jeunes diplômés à la recherche d'un emploi.
- (B) **L'Office national de l'Emploi (l'Onem), l'Office régional bruxellois de l'emploi (l'Orbem)** et **l'Office communautaire et régional de la formation professionnelle et de l'emploi (le Forem)** ; (F) **l'Agence nationale pour l'emploi (l'ANPE)** ; (Q) **les Centres locaux d'emploi (les CLE)** ; (S) **l'Office fédéral du développement économique et de l'emploi (l'OFDE)** : administration qui fait fonction d'intermédiaire entre le monde du travail et les chômeurs pour les aider à trouver un emploi.
- (B) **Une Agence locale pour l'emploi (une ALE)** : service communal qui peut obliger un chômeur à effectuer p. ex. des petits travaux ménagers.
- **Un contrat d'emploi**. (Syn. : (plus fréq.) **un contrat de travail**). (V. 554 travail, 1).

(sens 1.2.)

- **La politique de l'emploi** : 1. Mesures prises par le gouvernement pour améliorer l'emploi. *Le gouvernement mène une politique de l'emploi visant à redynamiser l'activité industrielle.* - 2. Stratégie d'une entreprise à moyen et long terme concernant l'évolution des effectifs en tenant compte des prévisions économiques. *La direction considère la réduction des coûts du travail comme un axe essentiel de sa politique de l'emploi.*

  Le ministère ; le ministre (du Travail et) de l'Emploi.
- **La situation de l'emploi**. *Le gouvernement se soucie enfin de la situation dramatique de l'emploi dans notre région : nous comptons actuellement 120 000 chômeurs, dont 70 000 demandeurs d'emploi.*

(sens 1.3.)

- **Le marché de l'emploi**. (V. 368 marché, 1).

  Une offre d'emploi. 1. Annonce parue dans la presse pour communiquer l'existence d'un emploi vacant. - 2. (au plur.) Ensemble des emplois vacants proposés par les employeurs. >< **La demande d'emploi.** (Syn. : (moins fréq.) **l'offre de travail** >< **la demande de travail**).

  Un (jeune) demandeur d'emploi. (Syn. : **un chômeur, un sans-emploi, un chercheur d'emploi, un sans-travail**). (V. 103 chômage, 2).

  Les demandes d'emploi non satisfaites en fin de mois (les DEFM).
- **Un pourvoyeur d'emplois** : personne, organisme, entreprise qui offre des emplois. *Les pouvoirs publics sont devenus au fil des années un gigantesque pourvoyeur d'emplois et producteur de services.*

LOCALISATION DE L'EMPLOI (sens 1.3.)

Un emploi de proximité : proche du domicile. *Les emplois de proximité permettent aux chômeurs d'effectuer des travaux dans la commune sous la direction et avec l'aide des ouvriers communaux : rénovation des logements sociaux, aide aux personnes âgées, etc.*

L'emploi dans le secteur adj./de + nom. L'emploi dans le secteur public ; dans le secteur de l'assurance.

MESURE DE L'EMPLOI (sens 1.1.)

Un emploi à temps plein. >< **Un emploi à temps partiel. Un emploi à mi-temps**. (V. 555 travail, 1).

Un emploi à vie. *L'emploi à vie pratiqué par les grandes firmes japonaises a fait place à des recrutements pour des contrats à durée limitée.*

MESURE DE L'EMPLOI (sens 1.2.)

Le volume de l'emploi : ensemble des postes de travail disponibles. *Le travail à mi-temps obligatoire n'augmentera pas le volume de l'emploi disponible.*

Les chiffres de l'emploi. *Les chiffres de l'emploi en avril font état de 190 000 créations d'emplois et d'un taux de chômage de 7,3 %.*

Le niveau de l'emploi (parfois **le niveau d'emploi**). *La répartition de l'emploi entre grandes et petites entreprises varie fort de pays à pays. L'Allemagne se caractérise par un niveau d'emploi de plus de 30 % dans les plus grosses entreprises ; en Espagne, ce niveau est atteint pour l'emploi dans les petites entreprises.*

+ verbe : qui fait quoi ?

(sens 1.1.)

X	O	**se retrouver sans** ~	-	1
		être sans ~	-	
		↓		
X		**chercher** un c (parfois **rechercher**)	la recherche d'un ~	
X		**s'inscrire comme demandeur** d'~ auprès de l'ANPE	une inscription comme... auprès de...	
		↓		
X		**répondre à** une offre d'~	une réponse à une offre d'~	
		solliciter un ~	la sollicitation d'un ~	
		postuler un ~	-	
		↓		
X	✓	**décrocher** un ~	-	2
		trouver un ~	-	
		↓		
X	×	**avoir** un ~	-	

1 *Des fautes de gestion commises dans le passé expliquent que 200 personnes se retrouvent sans emploi aujourd'hui.*

2 *De solides connaissances en langues et en informatique sont demandées pour avoir une chance de décrocher cet emploi.*

(sens 1.2.)

une mesure	△	**relancer** l'~	la relance de l'~	1
→ la situation de l'~		**s'améliorer**	une amélioration de la situation de l'~	
l'~		**croître**	la croissance de l'~	
		augmenter	une augmentation de l'~	
une mesure	=	**maintenir** l'~	le maintien de l'~	2
		préserver l'~	la préservation de l'~	3
l'~	▽	**diminuer**	une diminution de l'~	
		baisser	une baisse de l'~	
		reculer	le recul de l'~	1
la situation de l'~		**se dégrader**	une dégradation de la situation de l'~	

1 *La légère augmentation de l'activité économique ne sera pas suffisante pour relancer l'emploi qui devrait poursuivre son recul dans presque tous les secteurs.*

2 *L'emploi devrait être maintenu à son niveau actuel durant les deux prochaines années.*

3 *Le but principal en cas de restructuration est de favoriser le départ des salariés les plus âgés afin de préserver l'emploi des salariés plus jeunes.*

(sens 1.3.)

X	×	**occuper** un ~	l'occupation d'un ~	
X	O	**quitter** un ~	-	1
Y	✓	**créer** des ~	la création d'emplois parfois d'emploi) créateur d'emplois	2

		>< **supprimer** des ~	une suppression d'emplois (peu fréq. : d'emploi) (V. 343 licenciement, 1)	
→ X	O	**perdre** son ~	une perte d'~	
→ des ~		**se perdre**	une perte d'emplois	3
une mesure	O	**détruire** des ~	la destruction d'emplois destructeur d'emplois	4
		>< **sauver** des ~	le sauvetage d'emplois	

1 *Ouvrier pâtissier, il a quitté son emploi en janvier pour fonder sa propre pâtisserie.*
2 *La capacité à créer des emplois dépend largement de la capacité à innover et des efforts de recherche.*
3 *La récession actuelle entraîne bon nombre de pertes d'emplois pour les femmes, mais les hommes continuent d'être plus touchés encore.*
4 *Le ralentissement de la croissance économique provoque un processus de destruction d'emplois et donc une hausse sensible du chômage.*

Pour en savoir plus

EMPLOI (sens 1.1.) ET SYNONYMES

Un emploi, **un travail** : syn. au sens d'activité rémunérée. (fam.) **Un gagne-pain**.

Une profession, **un métier**, **une fonction**. (V. 557 travail, 1).

2 un EMPLOYEUR , une EMPLOYEUSE - [ɑ̃plwajœʀ, ɑ̃plwajøz] - (n.)

1.1. Agent économique (une entreprise, un État) qui paie une somme d'argent à une personne (un employé - X) pour son activité professionnelle (physique ou intellectuelle) qui a pour but de produire un bien ou un service.

Syn. : (☞ 227 Pour en savoir plus, Employeur et synonymes) ; Ant. : (☞ 228 Pour en savoir plus, Employeur et antonymes).

La GM Corporation est le premier employeur privé du monde avec plus de 600 000 employés.

+ adjectif

CARACTÉRISATION DE L'EMPLOYEUR

Un petit employeur. >< **Un gros employeur**. *Ford est le plus gros employeur de la région avec une usine d'assemblage qui fournit du travail à plus de 5 000 salariés.*

L'ancien employeur. *Son ancien employeur lui avait refusé une augmentation de salaire : c'est la raison pour laquelle il s'est porté candidat pour le poste que nous offrons.*
>< **L'employeur actuel**.

+ verbe : qui fait quoi ?

un ~	✓	**embaucher** X	l'embauche de X	
		engager X	l'engagement de X	
		>< **licencier** X	le licenciement de X	
	✓			
un ~	×	**occuper** X	-	1
		employer X	l'emploi de X	
un ~		**rémunérer** X	la rémunération de X	

1 *Plus de 90 % du total des employeurs occupent moins de 50 travailleurs et représentent ensemble environ 3 0% de l'emploi total.*

Pour en savoir plus

EMPLOYEUR ET SYNONYMES

Un employeur, **une employeuse** : s'applique à tout type d'agent économique (personne, État) et à tout type d'activité (production de biens et de services). 'Employeur' est avant tout un terme administratif, juridique qui désigne la personne qui signe un contrat de travail, alors que les termes qui suivent insistent plutôt sur l'autorité, l'aspect de direction, de commandement.

Un patron, **une patronne** : personne qui coordonne l'élaboration de la politique et de la stratégie d'une entreprise industrielle ou commerciale et qui désigne pour les employés la personne qui les emploie. (V. 410 patronat, 2).

Un fabricant, **une fabricante** : personne (propriétaire) qui coordonne l'élaboration de la politique et de la stratégie d'une entreprise industrielle. (V. 255 fabrication, 2).

Un manager : syn. de 'patron'. (V. 359 management, 2). Lorsque la personne désignée (généralement un cadre supérieur) s'occupe d'un aspect spécifique de l'élaboration de la stratégie (les finances, les aspects commerciaux,...). Dans ce sens, le mot se rencontre souvent dans des combinaisons empruntées à l'anglais : **le marketing manager**, **le product manager**. En France, c'est plutôt le mot 'directeur' qui est alors employé : **le directeur commercial**, ... (V. 202 direction, 2).

Un dirigeant, **une dirigeante** : syn. peu fréquent de 'patron'. Le mot se retrouve principalement en combinaison avec 'cadre' : les cadres et les dirigeants, les cadres dirigeants. (V. 79 cadre, 1).
Le mot 'dirigeant' s'applique également à d'autres domaines : un dirigeant politique ; syndical.
Le féminin est très peu fréquent.
{**le dirigisme** (système économique dans lequel l'État assume la direction des mécanismes économiques, d'une manière provisoire et en conservant les cadres de la société capitaliste (à la différence du socialisme) (PR)), **dirigiste**, **diriger**}.
Diriger une entreprise ; **un service** ; **une équipe**.
Un décideur, **une décideuse** : syn. peu fréquent de 'dirigeant'. *Les syndicats veulent pouvoir rencontrer les décideurs réels du groupe afin d'entamer de véritables négociations.*
(angl.) (fam.) **Le** (**big**) **boss** : syn. de 'patron'. *C'est le big boss lui-même qui a annoncé le licenciement de quelque 20 000 collaborateurs pour ramener l'effectif total du groupe à 65 000 salariés.*
Un chef d'entreprise : personne qui coordonne l'élaboration de la politique et de la stratégie d'une entreprise industrielle. (Syn. : **un dirigeant** (**d'entreprise**)).
Un battant, **une battante** : chef d'entreprise très combatif.
Un magnat (**de** + nom qui désigne une branche d'activité) [magna] : propriétaire d'un empire économique. *Les magnats de l'audiovisuel s'intéressent de plus en plus au sport.*
Un capitaine d'industrie, **un chef d'industrie** : personne qui coordonne l'élaboration de la politique et de la stratégie d'une entreprise industrielle de grande dimension.
Un directeur, **une directrice** : personne qui coordonne l'élaboration de la politique et de la stratégie d'une société, d'une banque, d'un institut, d'un organisme ou d'un hôpital. Ce terme se retrouve souvent dans les combinaisons **Président-directeur général**, **directeur des ressources humaines**, ... (V. 202 direction, 2).
Un administrateur, **une administratrice**. (V. 513 société, 1).
Un, **une gestionnaire**. (V. 301 gestion, 4).
(peu fréq.) **Un**, **une décisionnaire**. *Le décisionnaire peut être paralysé par la peur ou par sa responsabilité devant le changement.*
(péj.) **Un négrier** : 1. Employeur qui traite ses employés comme des esclaves. (Syn. : **un exploiteur**, **une exploiteuse**). - 2. (B, F) Employeur (pourvoyeur de main-d'œuvre) qui exploite les chômeurs et les travailleurs migrants en se faisant rémunérer pour leur offrir du travail clandestin.
(emploi au plur.) **Les employeurs** : ensemble des employeurs. (Syn. : **le patronat**).

EMPLOYEUR ET ANTONYMES

Un employeur.
Un employé.
Un salarié, **un travailleur**, **un ouvrier**. (V. 501 salaire, 2).
(emploi au plur.) **Les employeurs**. Ant. : **le syndicat** ; **les salariés**, (moins fréq.) **le salariat**.

3 un EMPLOYÉ , une EMPLOYÉE - [ɑ̃plwaje] - (n.)

1.1. Personne qui exerce une activité professionnelle (physique ou intellectuelle) qui a pour but de produire un bien ou un service contre paiement d'une somme d'argent (payée par un agent économique (un employeur : une entreprise, un État - X)).
Syn. : (V. 501 salaire, 2) ; Ant. : un employeur, un patron, ... (V. 227 2 employeur).
La demande de responsabilités devient de plus en plus pressante chez les employés très ouverts à l'idée des formules participatives.

1.2. Personne qui effectue un travail intellectuel dans un bureau.
Syn. : (désignant la catégorie) les cols blancs ; Ant. : un ouvrier, (désignant la catégorie) les cols bleus.
Les ouvriers sont plus exposés aux accidents de travail que les employés.

+ nom

(sens 1.1. et 1.2.)
- **Un contrat d'employé**.

TYPE D'EMPLOYÉ (sens 1.1. et 1.2.)

Un employé de + nom qui désigne un secteur d'activité. Un employé de bureau ; de banque ; de chemin de fer (Syn. : **un cheminot**).

TYPE D'EMPLOYÉ (sens 1.1.)

Un employé de maison : personne qui effectue les travaux ménagers. *Il existe encore beaucoup de dépenses déductibles. C'est le cas notamment des rémunérations payées à des employés de maison.*

+ verbe : qui fait quoi ?

(sens 1.1. et 1.2.)

X	✓	**embaucher** un ~ >< **licencier** un ~ ↓	l'embauche d'un ~ le licenciement d'un ~
X	✓	**occuper** un ~	l'occupation d'un ~
X (un employeur)		**rémunérer** un ~	la rémunération d'un ~

4 EMPLOYER - [ɑ̃plwaje] - (v.tr.dir.)

1.1. Un agent économique (un employeur : une entreprise, un État - X) fait exercer à une personne (Y) une activité professionnelle (physique ou intellectuelle) qui a pour but de produire un bien ou un service contre paiement d'une somme d'argent.
Syn. : occuper, mettre au travail.
Cette entreprise emploie plus d'un millier d'ouvriers spécialisés, 200 ouvriers qualifiés et 120 ouvriers hautement qualifiés.

qui fait quoi ?			
X	✓	**employer** Y, du personnel, des cadres, ...	l'emploi de Y, de cadres,....

5 AUTRES DÉRIVÉS OU COMPOSÉS

- **Le plein(-)emploi** [plɛnɑ̃plwa] (n.m.) : situation où tous les travailleurs disponibles ont un emploi. *Pour assurer le plein emploi, il est essentiel que les entreprises aient des perspectives de demande suffisantes.* **Mener une politique de plein-emploi.** *Dans le contexte de la mondialisation de l'économie, le gouvernement a de plus en plus de difficultés à mener une politique de plein-emploi.*
>< **Le sous-emploi** [suzɑ̃plwa] (n.m.). 1. Emploi d'une partie seulement de la main-d'œuvre disponible. *Avec un taux de chômage de plus de 10 %, le sous-emploi est considérable.* - 2. Emploi de la main-d'œuvre à un niveau inférieur à sa qualification. *Si un ingénieur informaticien doit travailler comme programmeur, on parle de sous-emploi.*
{**sous-employé, -ée** [suzɑ̃plwaje] (adj.)}.
- **Le suremploi** [syʀɑ̃plwa] (n.m.) : emploi de personnel en surnombre dans une entreprise, une administration. *Si le suremploi est important, cela implique une baisse des salaires élevés et moyens pour payer les salariés en surnombre.*
- **Un sans-emploi** [sɑ̃zɑ̃plwa] (n.m.invar.). (V. 225 1 emploi). (V. 103 chômage, 2).

EMPLOYÉ, EMPLOYÉE (n.) (****) 1. Personne qui exerce une activité professionnelle. 2. Personne qui effectue un travail intellectuel dans un bureau.

1. (228)	der Angestellte	employee	el empleado	il dipendente	de werknemer (m.)
2. (228)	der Büroangestellte	white collar worker	el administrativo el oficinista	l'impiegato (m.)	de bediende (m.)

EMPLOYER (v.tr.dir.) (***) 1. Faire exercer une activité professionnelle.

1. (229)	beschäftigen	to employ	emplear dar trabajo	impiegare	tewerkstellen

EMPLOYEUR, EMPLOYEUSE (n.) (****) 1. Agent économique qui paie pour l'activité professionnelle d'une personne.

1. (227)	der Arbeitgeber	employer	el empleador el empresario	il datore di lavoro	de werkgever (m.)

EMPRUNT (n.m.) (****) 1. Contrat par lequel un bien est reçu provisoirement. 2. Somme d'argent reçue provisoirement.

1. (229)	das Darlehen	borrowing	el empréstito el préstamo	il prestito il mutuo	het opnemen van een lening
2. (229)	das Darlehen	loan	el préstamo	il prestito	de lening (f.)

EMPRUNT

➠ prêt - créance - dette

1 un emprunt	2 un emprunteur, une emprunteuse	2 emprunteur, -euse	2 emprunter

1 un EMPRUNT - [ɑ̃pʀœ̃] - (n.m.)

1.1. Contrat par lequel un agent économique (l'emprunteur : un particulier, une entreprise, un État - X) reçoit temporairement un bien, généralement une somme d'argent, d'un autre agent économique (le prêteur : un particulier, une banque, un État - Y) et s'engage à le lui restituer dans un délai déterminé avec le paiement d'un intérêt calculé à un taux convenu.
Ant. : un prêt.
Une politique de bas taux d'intérêt favorise le recours à l'emprunt plutôt qu'aux fonds propres.

1.2. Somme d'argent reçue provisoirement.
Un emprunt d'un million d'euros lui a été accordé pour le financement de la nouvelle installation.

+ adjectif

TYPE D'EMPRUNT (sens 1.1.)

Un emprunt hypothécaire : emprunt destiné à des investissements immobiliers d'un particulier et garanti par **une hypothèque**, c'est-à-dire le droit réel que détient un créancier sur le bien immobilier pour garantir le remboursement de son prêt. *Qui fait un emprunt hypothécaire pour construire ou acquérir un immeuble peut*

obtenir différents types d'avantages fiscaux.
Un emprunt public. (☞ 230 + nom).
Un emprunt classique : emprunt à long terme. *Les emprunts classiques coûtent cher au Trésor à cause, notamment, des commissions payées aux banques pour le paiement de coupon.*
Un emprunt obligataire : emprunt émis sur le marché financier et représenté par des titres négociables rémunérés par un intérêt, appelés obligations. (Syn. : **une émission obligataire**).
Un emprunt remboursable : emprunt qui peut être remboursé par versements échelonnés sur une période donnée. (☞ 230 + verbe).
Un emprunt garanti : emprunt qu'un établissement financier consent à un emprunteur à condition que celui-ci mette un bien à la disposition du prêteur à titre de garantie.
>< **Un emprunt non garanti**.

+ nom

(sens 1.1.)

- **Le rendement d'un emprunt**. (V. 482 rendement, 1).
- **Les conditions de l'emprunt** : modalités que prend l'emprunt : type, durée, taux d'intérêt (fixe >< variable), ...
- **La** (nouvelle, première, deuxième, ...) **tranche d'un emprunt**. *Le prix d'émission de la deuxième tranche de l'emprunt d'État a été fixé à 99,7 5% de la valeur nominale.*

TYPE D'EMPRUNT (sens 1.1.)

Un emprunt d'État : emprunt émis par les pouvoirs publics (un État, une région). (Syn. : (moins fréq.) **un emprunt public**).
Un emprunt de capitalisation. *Un emprunt de capitalisation s'adresse aux épargnants qui préfèrent réinvestir leurs rémunérations annuelles.*
Un emprunt à taux d'intérêt fixe. >< **Un emprunt à taux d'intérêt variable**.
Un emprunt de référence. *Le niveau du rendement de l'emprunt de référence du marché (l'obligation à 10 ans) s'établissait à 8 ,60%.*
Un emprunt grand public : emprunt auquel les particuliers peuvent également souscrire.

MESURE DE L'EMPRUNT (sens 1.1.)

La durée de l'emprunt. **Un emprunt à** (**moins de** >< **plus de**) ... **ans**. *Le nouvel emprunt d'État est un emprunt à neuf ans.*
Un emprunt à court terme. < **Un emprunt à moyen terme**. < **Un emprunt à long terme**.
Un emprunt à ... %.

MESURE DE L'EMPRUNT (sens 1.2.)

Le montant de l'emprunt. **Un emprunt d'un montant de** + indication d'une somme.

+ verbe : qui fait quoi ?

(sens 1.1.)

X	✓	**recourir à** un ~ **avoir recours à** un ~ **faire** un ~	le recours à un ~ -	1
X (l'État)	✓	**émettre** un ~ **lancer** un ~ ⋎	l'émission d'un ~ le lancement d'un ~	2
X (un investisseur, un épargnant)	×	**souscrire à** un ~	la souscription à un ~	3
X (une entreprise, un particulier)	×	**contracter** un ~ (auprès d'une banque) **obtenir** un ~	- l'obtention d'un ~	4
→ Y (une banque)		**accorder** un ~ >< **refuser** un ~ ⋎	- le refus d'un ~	
Y (une entreprise, un particulier)		**financer** qqch. à l'aide d'un ~	le financement de qqch. à l'aide d'un ~	
X		**rembourser** un ~ (en + indication d'une date) (à ... %)	le remboursement (anticipé) d'un ~ un ~ remboursable (en ... tranches, mensualités) (par versements) (à ... %)	5
→ un ~		**venir à échéance** en + indication d'une date	l'échéance d'un ~	6

1 *Le ministre des Finances ne désire pas recourir à l'emprunt pour financer le programme de grands travaux décidé par le gouvernement.*
2 *L'État se prépare à lancer un emprunt à taux révisable tous les trois ans et avec un minimum garanti sur toute la période.*
3 *La souscription à cet emprunt sera clôturée ce jeudi.*

4 *Vous ne faites pas une mauvaise affaire si vous pouvez contracter un emprunt sur 20 ans à 8% fixe si les taux grimpent à 1 0%.*
5 *L'émetteur s'engage à rembourser l'emprunt dans les délais prévus.*
6 *Le nouvel emprunt d'État vient à échéance en 2010.*

(sens 1.2.)

un emprunteur (un particulier, une entreprise)	**rembourser** un ~ (en + indication d'une date) (à ... %)	le remboursement (anticipé) d'un ~ un ~ remboursable (en ... tranches, mensualités) (par versements) (à ... %)

2 AUTRES DÉRIVÉS OU COMPOSÉS

- **Un emprunteur**, **une emprunteuse** [ɑ̃pʀœ̃tœʀ, ɑ̃pʀœ̃tøz] (n.) : personne qui bénéficie d'un emprunt. (Syn. : **un débiteur**). (Ant. : **un prêteur**). *Le plus gros emprunteur du marché financier est, et de loin, le secteur public.* **La solvabilité d'un emprunteur** : capacité de remboursement de la somme empruntée et des charges d'intérêt. **Un emprunteur solvable.**
- **Emprunteur**, **-euse** [ɑ̃pʀœ̃tœʀ, -øz] (adj.) : qui emprunte. (Ant. : prêteur). *Les banques font un maximum sur le plan des taux et des formules proposées de sorte que le candidat emprunteur est dans l'incapacité de procéder à des comparaisons valables.*
- **Emprunter** [ɑ̃pʀœ̃te] (v.tr.dir.). 1. Un agent économique (un emprunteur : un particulier, une entreprise, un État) reçoit un bien, généralement une somme d'argent, d'un autre agent économique (un prêteur : un particulier, une banque, un investisseur) et s'engage à le lui restituer dans un délai déterminé avec le paiement d'un intérêt calculé à un taux convenu. (Ant. : **prêter**). *Les entreprises peuvent déduire de leur revenu imposable les intérêts payés sur les sommes empruntées.* **Emprunter de l'argent** ; **un capital** ; **des fonds** ; **un montant à** qqn. - 2. Une personne utilise gratuitement un bien d'une autre personne. (Ant. : **prêter**). *J'ai emprunté le vélo de mon frère pour aller à la poste.*

EMPRUNTER (v.tr.dir.) (****) 1. Recevoir provisoirement un bien. 2. Utiliser gratuitement.

1. (231)	ein Darlehen aufnehmen	to borrow	pedir prestado	prendere in prestito	(ont)lenen
			tomar prestado	contrarre un mutuo	(geld) op hypotheek opnemen
2. (231)	ein Darlehen aufnehmen	to borrow	tomar	prendere in prestito	ontlenen
			coger	prendere in comodato	

EMPRUNTEUR, EMPRUNTEUSE (n.) (***) 1. Personne qui reçoit provisoirement un bien.

1. (231)	der Kreditnehmer der Darlehensnehmer	borrower	el prestatario	il mutuatorio chi prende in prestito	de ontlener (m.) de leningnemer (m.)

EMPRUNTEUR, -EUSE (adj.) (*) 1. Qui reçoit provisoirement un bien.

1. (231)	der Kreditnehmer der Darlehensnehmer	borrower	prestatario	mutuario	ontlener

ENCADREMENT (n.m.) (***) 1. Fait d'offrir un cadre de travail au personnel. 2. Ensemble des personnes qui assurent la direction du personnel. 3. Contrôle de l'augmentation de la masse de crédits.

1. (79)	die Betreuung	supervision	la dirección	l'inquadramento (m.)	de omkadering (f.)
2. (79)	das Führungspersonal	management	la dirección	il personale supervisore	de kaderleden (plur.)
	die leitenden Mitarbeiter	supervisory staff	los cuadros directivos		het leidinggevend personeel
3. (79)	die Kreditbewirtschaftung	credit control	la limitación del crédito	la stretta creditizia	het kredietplafond
	die Kreditbeschränkung	credit squeeze	la contención del crédito	la misura restrittiva del credito	

ENCADRER (v.tr.dir.) (***) 1. Diriger le personnel.

1. (79)	betreuen anleiten	to supervise	proveer de mandos dirigir	inquadrare allestire (una squadra)	omkaderen

ENCAISSABLE (adj.) (*) 1. Qui peut être reçu. 2. Qui peut être échangé pour de l'argent.

1. (83)	kassierbar	(en)cashable	cobrable	incassabile	inbaar
2. (83)	eintreibbar	(en)cashable	cobrable que se puede hacer efectivo	riscuotibile	inbaar invorderbaar

ENCAISSE (n.f.) (**) 1. Quantité de monnaie détenue en caisse.

1. (82)	der Kassenbestand	cash in hand	el saldo de caja	l'incasso (m.)	het kasgeld

	der Barbestand	cash balance	los fondos	il fondo cassa	het gereed geld

ENCAISSEMENT (n.m.) (***) 1. Action de recevoir une somme d'argent. 2. Action d'échanger un effet de commerce pour de l'argent.

1. (82)	der Einzug	collection	el cobro	l'incasso (m.)	de inning (f.)
	das Einkassieren	receipt	el ingreso	la riscossione	de incassering (f.)
2. (82)	das Inkasso	cashing	el cobro	l'incasso (m.)	de invordering (f.)
	das Einziehen	collection	el ingreso		

ENCAISSER (v.tr.dir.) (***) 1. Recevoir une somme d'argent. 2. Echanger un effet de commerce pour de l'argent.

1. (82)	kassieren	to collect	cobrar	incassare	innen
		to receive			
2. (82)	einlösen	to collect	cobrar	incassare	verzilveren
		to cash	hacer efectivo		

ENCANTEUR, ENCANTEUSE (n.) (*) 1. Commissaire-priseur.

1. (436)	der Versteigerer	auctioneer	el perito	il banditore d'asta	de veilingmeester (m.)
	der Auktionator		el tasador		de taxateur (m.)

ENCART (n.m.) (**) 1. Supplément ajouté dans un journal ou un magazine.

1. (466)	die Beilage	insert	el encarte	l'inserto (m.)	het inlegblad
		inset	el suplemento		het ingevoegd prospectus

ENCHÈRE (n.f.) (****) 1. Offre d'une somme supérieure à la mise à prix ou aux offres précédentes (RQ).

1. (571)	das Mehrgebot	higher bid	la puja	l'asta (f.)	het hoger bod
(436)	das höhere Gebot		la subasta	l'incanto (m.)	

EN(-)COURS (n.m.invar.) (***) 1. Ensemble des biens en cours de production. 2. Crédits non encore échus.

1. (439)	die unfertigen Erzeugnisse und Leistungen	work in progress	los productos en curso	prodotti in corso di lavorazione	de goederen (plur.) in bewerking
		semi-finished goods	los productos en proceso		de in productie zijnde eenheden (plur.)
2.	das Wechselobligo	outstanding liabilities	la deuda pendiente	le quote non ancora scadute	de (wissel)verplichtingen (plur.)
					de (wissel)verbintenissen (plur.)

ENDETTÉ, ENDETTÉE (n.) (*) 1. Personne qui doit encore rembourser une somme d'argent.

1. (198)	der Verschuldete	debtor	el endeudado	il debitore	de schuldenaar (m.)

ENDETTEMENT (n.m.) (****) 1. Engagement à rembourser une somme d'argent. 2. Somme d'argent à rembourser.

1. (196)	die Verschuldung	debt	el adeudo	l'indebitamento (m.)	de schuld(positie) (f.)
		indebtedness	el endeudamiento		
2. (196)	die Schuld	debt	la deuda	il debito	de schulden(last) (m.)
	die Schuldenlast				

ENDETTER (~, s'~) (v.tr.dir., v.pron.) (***) 1. Engager qqn à rembourser une somme d'argent. 2. S'engager à rembourser une somme d'argent.

1. (197)	in Schulden stürzen	to get into debt	endeudar	indebitare	met schulden overladen
			cargar de deudas		in schulden steken
2. (197)	sich verschulden	to get into debt	endeudar (se)	indebitarsi	schulden maken
	Schulden machen	to run into debt	llenar (se) de deudas		zich in de schulden steken

ENDOSSATAIRE (n.) (*) 1. Personne qui reçoit un chèque, un effet de commerce.

1. (60)	der Indossatar	endorsee	el endosatario	il giratario	de geëndosseerde (m.)
	der Giratar				

ENDOSSEMENT (n.m.) (*) 1. Transmission d'un chèque, d'un effet de commerce.

1. (60)	das Indossament	endorsement	el endoso	la girata	de endossering (f.)
	das Giro				

ENDOSSER (v.tr.dir.) (**) 1. Transmettre un chèque, un effet de commerce.

1. (60)	indossieren	to endorse	endosar	girare	endosseren
	girieren			trasferire mediante girata	

ENDOSSEUR (n.m.) (*) 1. Personne qui transmet un chèque, un effet de commerce.

1. (60)	der Indossant	endorser	el endosante	il girante	de endossant (m.)
	der Girant				

ÉNERGÉTIQUE (adj.) (***) 1. Qui se rapporte aux matières qui sont utilisées pour donner de la chaleur, pour faire tourner des machines.

1. (256)	Energie-	energy	energético	energetico	energie-
(490)					energetisch

ÉNERGIE (n.f.) (****) 1. Matière utilisée pour donner de la chaleur, pour faire tourner des machines.

1. (142)	die Energie	energy	la energía	l'energia (f.)	de energie (f.)
(213)					

ENGAGEMENT (n.m.) (**) 1. Action d'offrir un emploi à qqn. 2. Promesse de faire qqch.

1. (222)	die Anstellung	appointment	el ajuste	l'assunzione (f.)	de aanwerving (f.)
	die Einstellung	taking on	la contratación	l'ingaggio (m.)	
2. (41)	die Zusage	undertaking	promesa	l'obbligazione (f.)	de belofte (f.)
(570)	das Versprechen	commitment	el compromiso		de verbintenis (f.)

ENGAGER (~, s'~ dans qqch./à faire qqch.) (v.tr.dir., v.pron.) (***) 1. Offrir un emploi à qqn. 2. Promettre de faire qqch.

1. (223)	anstellen	to take on	contratar	assumere	aanwerven
	einstellen	to engage			

2. (41) | sich verpflichten | to commit oneself
to bind oneself | comprometer (se) | impegnarsi
inoltrarsi | zich verbinden

ENGINEERING (n.m.) (***) 1. Étude globale d'un projet industriel.
1. (442) | die technische Konzeption
die technische Entwicklung | engineering | la ingeniería | la concezione tecnica
l'engineering (m.) | de engineering (f.)

ÉNORME (adj.) (****) 1. Important.
1. (282) | enorm
riesig | enormous
huge | enorme
importante | enorme
grande | enorm
belangrijk

ÉNORMÉMENT (adv.) (***) 1. De façon importante.
1. (282) | enorm
sehr | enormously
hugely | enormemente | enormemente | enorm

ENREGISTRER (v.tr.dir.) (*) 1. Placer des données sur un support informatique.
1. (528) | eintragen
registrieren | to enter | registrar
grabar | registrare | invoeren

ENRICHIR (s'~) (v.pron.) (***) 1. Augmenter sa fortune.
1. (35) | sich bereichern
reicher werden | to get richer | enriquecer (se) | arricchirsi | zich verrijken

ENRICHISSEMENT (n.m.) (**) 1. Fait d'augmenter sa fortune. 2. Fait de donner plus de valeur à qqch.
1. (35) | das Reicherwerden
die Zunahme des Reichtums | enrichment | el enriquecimiento | l'arricchimento (m.) | de verrijking (f.)
2. (35) (557) | die Bereicherung | enrichment | el enriquecimiento | l'arricchimento (m.) | de verrijking (f.)

ENRÔLEMENT (n.m.) (**) 1. Perception.
1. (314) | die Erhebung | tax collection | la recaudación
el cobro | la percezione
la riscossione | de inning (f.)

ENRÔLER (v.tr.dir.) (*) 1. Percevoir.
1. (314) | erheben | to collect
to receive | cobrar
recaudar | percepire | innen

ENSEIGNE (n.f.) (***) 1. Désignation d'une entreprise. 2. Inscription, logo, panonceau.
1. (519) | der Firmenname | trade name
corporate name | la razón social | la ditta
il nome commerciale | de handelsnaam (m.)
de firmanaam (m.)
2. (519) | das Firmenschild | (shop) sign | el letrero | l'insegna (f.) | het uithangbord
(113) | das Geschäftsschild | logo | el rótulo

ENTENTE (n.f.) (***) 1. Accord entre agents économiques.
1. (519) | die Einigung | combine | el acuerdo | l'intesa (f.) | de (bindende) afspraak (m./f.)
(447) | die Verstandigung | | | | het kartel

ENTRÉE (n.f.) (***) 1. Fait de recevoir des marchandises, de l'argent. 2. Introduction de marchandises (dans un pays p. ex.). 3. Accès à un spectacle, une manifestation, une réunion (PR).
1. (85) | der Eingang
der Erhalt | receipt | el recibo
la entrada | la ricezione | de receptie (f.)
de ontvangst (f.)
2. (363) | die Einfuhr | import
entry | la importación
la entrada | l'importazione (f.) | de invoer (m.)
de import (m.)
3. (404) | das Eintrittsgeld
die Eintrittsgebühr | entrance fee | la entrada
el ingreso | l'ingresso (m.) | de toegang (m.)

ENTREPOSAGE (n.m.) (**) 1. Action de mettre des marchandises en dépôt.
1. (355) | die Lagerung | storing | el almacenaje | l'immagazzinamento (m.) | de opslag (m.)
| die Einlagerung | storage | el almacenamiento | lo stoccaggio | het opslaan

ENTREPOSER (v.tr.dir.) (**) 1. Mettre des marchandises en dépôt.
1. (355) | lagern | to store | almacenar | mettere in magazzino | opslaan
| einlagern | to put into storage | | mettere in deposito

ENTREPOSEUR (n.m.) (*) 1. Agent économique qui conserve des marchandises en entrepôt.
1. (355) | das Lagerhaus
der Lagerverwalter | storage operator
warehouse keeper | el almacenero | il depositario
il magazziniere | de entrepothouder (m.)

ENTREPÔT (n.m.) (***) 1. Lieu qui sert de dépôt pour des marchandises.
1. (355) | das Lager
die Lagerhalle | warehouse
entrepôt (dans un port) | el almacén
el depósito | il deposito
il magazzino | de opslagplaats (m./f.)
het entrepot

ENTREPRENANT, -ANTE (adj.) (**) 1. Qui a le goût de créer.
1. (239) | aktiv
dynamisch | enterprising | emprendedor
dinámico | intraprendente | ondernemend
dynamisch

ENTREPRENDRE (v.intr.) (**) 1. Démarrer une entreprise.
1. (240) | unternehmen | to start up | emprender | iniziare un'attività d'impresa | ondernemen
| | to set up | acometer

ENTREPRENEUR, ENTREPRENEUSE (n.) (****) 1. Personne qui dirige une entreprise. 2. Personne qui dirige une entreprise de construction.
1. (239) | der Unternehmer | entrepreneur | el empresario | l'imprenditore (m.) | de ondernemer (m.)

	der Manager	contractor			
2. (239)	der Bauunternehmer	building contractor	el contratista	l'imprenditore edile (m.)	de aannemer (m.)
					de bouwondernemer (m.)

ENTREPRENEURIAL, -IALE ; -IAUX, -IALES (adj.) (**) 1. Qui concerne l'entrepreneur ou la création d'entreprise.

1. (239)	unternehmerisch Unternehmer-	entrepreneurial	empresarial	imprenditoriale	met ondernemingszin

ENTREPRENEURIAT (n.m.) (*) 1. Statut et qualités d'un entrepreneur.

1. (239)	die Unternehmer- schaft	entrepreneurship	el empresariado	l'imprenditorialità (f.)	het entrepreneurship

ENTREPRENEURSHIP (n.m.) (*) 1. Statut et qualités d'un entrepreneur.

1. (239)	die Unternehmer- schaft	entrepreneurship	el empresariado	l'imprenditorialità (f.)	het entrepreneurship

ENTREPRISE (n.f.) (****) 1. Agent économique qui réalise des biens et des services. 2. Lieu où s'opère la production.

1. (234)	das Unternehmen	company	la empresa	l'impresa (f.)	de onderneming (f.)
	die Firma	firm		l'azienda (f.)	de firma (m./f.)
2. (234)	der Betrieb	company	la empresa	l'impresa (f.)	de onderneming (f.)
		firm		l'azienda (f.)	de firma (m./f.)

ENTREPRISE

➠ société

1 une entreprise 3 une co(-)entreprise 3 l'entrepreneuriat 3 l'entrepreneurship 3 l'intrapreneuriat 3 l'intrapreneurship	2 un entrepreneur, une entrepreneuse 3 un intrapreneur, une intrapreneuse	3 entrepreneurial, -iale ; -iaux, -iales 3 entreprenant, -ante 3 interentreprises	3 entreprendre 3 intraprendre

1 une ENTREPRISE - [ɑ̃tʀəpʀiz] - (n.f.)

1.1. Agent économique qui combine dans une structure et une organisation cohérente divers facteurs de production (le travail, le capital, les idées, les matières premières, ...) dans le but de réaliser des biens et des services destinés à la satisfaction des besoins des consommateurs et des autres entreprises.
Syn. : (☞ 238 Pour en savoir plus, Entreprise (sens 1.1.) et synonymes).
Je suis responsable des achats qui font tourner l'entrepri se: les matières premières, les machines, les produits en gros, ...

1.2. Lieu (unité de production, bureaux, ...) où est située l'entreprise (sens 1.1.).
1 900 emplois directs ont été créés dans cette nouvelle entreprise.

2.1. (Importante) opération qu'une personne ou un organisme s'engage à réaliser.
La conquête du marché chinois est une entreprise risquée pour une petite société comme la nôtre.

expressions

(sens 1.1.)

- **Au sein d'une entreprise** : dans une entreprise. *Après les actions syndicales, le salarié licencié a été réintégré sous contrat à durée déterminée au sein d'une entreprise du groupe.*
- **D'entreprise à entreprise**. (Syn. : (angl.) **le business to business**). >< **D'entreprise à particulier**. (Syn. : (angl.) **le business to retail**). (V. 368 marché, 1).

(sens 2.1.)

- (Une personne) **avoir l'esprit d'entreprise** : avoir le goût de créer, de commencer qqch. à partir de rien. (Syn. : **être entreprenant**). *Il nous faut des cadres imaginatifs et diplomates ayant l'esprit d'entreprise.*
- (C'est) **une entreprise de longue haleine** : travail qui exige beaucoup de temps et d'efforts.

+ adjectif

TYPE D'ENTREPRISE (sens 1.1.)

Une entreprise commerciale. 1. Toute entreprise qui a pour but de réaliser des bénéfices. *Sur 1,5 million d'entreprises industrielles et commerciales, quelques milliers tout au plus sont susceptibles d'accéder au marché des capitaux.* - 2. Entreprise du secteur de la distribution. Une entreprise de distribution commerciale. (V. 204 distribution, 1).

Une entreprise + adjectif qui désigne une branche d'activité. Une entreprise industrielle ; textile ; sidérurgique. (Syn. : **une société industrielle, textile, sidérurgique**). *Une entreprise industrielle a davantage besoin de capital qu'une simple société commerciale.*

Une entreprise spécialisée dans + nom d'une activité. Une entreprise spécialisée dans la fabrication de qqch. (moins fréq.) **Une entreprise spécialisée en** + nom d'une activité. Une entreprise spécialisée en gestion d'immeubles.

Une entreprise productrice de + nom qui désigne un type de produits.

Une entreprise privée : dont les propriétaires sont des personnes privées.

>< **Une entreprise publique** : dont les pouvoirs publics sont les seuls propriétaires du capital. Sous l'effet d'une privatisation (partielle), une entreprise publique peut devenir **une entreprise semi-publique**, (B) **une entreprise (publique) autonome** (dont des personnes privées et l'État sont actionnaires). *Une entreprise autonome n'est plus une simple administration : la vitesse d'exécution de certaines décisions est importante.*

Une entreprise (d'économie) mixte. (V. 515 société, 1).

Une entreprise para-étatique. (V. 515 société, 1).

Une entreprise sociétaire. (Syn. : (plus fréq.) **une société**). >< **Une entreprise individuelle** : entreprise qui appartient à une seule personne physique.

Une entreprise coopérative. (Syn. : **une société coopérative**). (V. 513 société, 1).

Une entreprise unipersonnelle à responsabilité limitée (une EURL) : entreprise à responsabilité limitée dans laquelle il n'y a qu'un associé. (Syn. : **une société unipersonnelle**).

Une entreprise familiale : entreprise dont le patrimoine appartient à une seule famille. (Syn. : **une société familiale**). *Une petite entreprise familiale florissante suscite inévitablement l'appétit des grands groupes.*

CARACTÉRISATION DE L'ENTREPRISE (sens 1.1.)

Une petite entreprise. >< **Une grosse entreprise**. *Une grosse entreprise a avantage à recruter ses cadres dans diverses universités et grandes écoles.* < **Une entreprise géante**. **Un géant de** + nom qui désigne un secteur d'activité. *Kraft-Jacobs-Suchard est un des géants de l'alimentation.*

Une jeune entreprise.

Une entreprise rentable. (V. 485 rentabilité, 2). (moins fréq.) **Une entreprise bénéficiaire**. (V. 61 bénéfice, 3).

Une entreprise compétitive. (V. 123 compétitivité, 2).

Une entreprise performante, florissante. *L'entreprise a su se doter des moyens nécessaires pour devenir une entreprise florissante aux multiples projets.* (Syn. : **une entreprise en bonne santé**). (Ant. : **une entreprise en difficulté, une entreprise en perte de vitesse, un canard boiteux, une entreprise qui bat de l'aile**). *Daviart est une entreprise en perte de vitesse avec un chiffre d'affaires en baisse de près de 10 %.*

Une entreprise apprenante : entreprise où chacun apporte sa contribution. *Dans une entreprise apprenante, la gestion des connaissances occupe une place aussi importante que l'exploitation optimale de la capacité de production.*

LOCALISATION DE L'ENTREPRISE (sens 1.1.)

Une (entreprise) multinationale. (Syn. : **une société multinationale**). (V. 514 société, 1).

>< **Une entreprise locale**. *Avant la guerre, BMW n'était qu'une petite entreprise locale qui fabriquait des avions et des motocyclettes.*

Une entreprise + adjectif qui désigne un (groupe de) pays. Une entreprise européenne ; suisse.

MESURE DE L'ENTREPRISE (sens 1.1.)

Une petite entreprise : emploie moins de 50 salariés. < **Une moyenne entreprise** : emploie entre 50 et 500 salariés. *La Sotraco est une moyenne entreprise qui emploie 135 personnes à temps plein.* **Les petites et moyennes entreprises (les PME)**. < **Une grande entreprise**.

+ nom

(sens 1.1.)

- **Les activités d'une entreprise**.
- **Une stratégie d'entreprise**.

  Un projet d'entreprise : objectifs quantitatifs et qualitatifs que se fixe une entreprise à plus ou moins long terme. *Le projet d'entreprise lancé l'année passée a permis en tout cas de motiver davantage le personnel et de renforcer l'appartenance au groupe.*
- **Un comité d'entreprise** : assemblée qui réunit les représentants des diverses catégories du personnel de l'entreprise et dont la fonction est d'améliorer les conditions de travail (DixecoEn). ((B) **Un conseil d'entreprise**).

  Un chef d'entreprise, un dirigeant d'entreprise. (V. 228 emploi, 2).
- **La concentration d'entreprises** : regroupement d'entreprises. (☞ 239 Pour en savoir plus, Concentration d'entreprises).
- **La culture d'entreprise** : ensemble de valeurs auxquelles la direction et le personnel d'une entreprise s'identifient.
- **Un journal d'entreprise, un bulletin d'entreprise** : publication informative destinée au personnel. *Le personnel était sous le choc après l'annonce dans le journal d'entreprise de l'intention de la direction de supprimer 1 900 emplois.*
- **Le potentiel de** + indication du type de potentiel **(d'une entreprise)**. *Le potentiel d'innovation de cette petite entreprise est étonnant et constitue la meilleure garantie de sa survie face à la concurrence.*
- **Le financement d'une entreprise**. (V. 265 finance, 2).
- **Les résultats d'une entreprise**. (V. 129 compte, 1).

La rentabilité d'une entreprise. (V. 484 rentabilité, 1).

- **La croissance d'une entreprise**. (V. 169 croissance, 1). (☞ 237 + verbe).
- **La compétitivité d'une entreprise**. (V. 122 compétitivité, 1).

La performance d'une entreprise. (V. 413 performance, 1).

- **La comptabilité d'entreprise**. (V. 125 comptabilité, 1).
- **La liquidité d'une entreprise**. (V. 346 liquidité, 1).
- **Une pépinière d'entreprises** : institution qui soutient (fourniture de services, de conseils financiers, ...) les jeunes entreprises durant la phase de démarrage. *Le parc scientifique est devenu une véritable pépinière d'entreprises à vocation de recherche et de développement.*
- **Un contrat d'entreprise** : contrat par lequel une personne se charge de faire un travail pour autrui en contrepartie d'une rémunération mais en conservant son indépendance dans l'exécution du travail. *Le contrat d'entreprise se distingue du louage de service par l'absence de toute subordination, mais s'accommode de directives générales données par le maître de l'ouvrage.*
- **La Fédération des entreprises de Belgique (la FEB)**. (V. 534 syndicat, 1).
- **La demande des entreprises**. (V. 181 demande, 1).
- **Un créateur d'entreprise.** (☞ 236 + verbe).
- **Un repreneur d'entreprise(s)**. (☞ 237 + verbe).
- **Un redresseur d'entreprise.** (☞ 238 + verbe).
- **La valeur comptable d'une entreprise**. (V. 8 actif, 1).
- **Le marché des entreprises**. (V. 368 marché, 1).

TYPE D'ENTREPRISE (sens 1.1.)

Une entreprise de + nom qui désigne une activité.

Une entreprise de distribution. (V. 204 distribution, 1).

Une entreprise (prestataire) de services. (V. 509 service, 1).

Une entreprise de transport(s). (V. 551 transport, 1).

Une entreprise d'assurances. (Syn. : (plus fréq.) **une compagnie d'assurances,** (moins fréq.) **une société d'assurances**).

Une entreprise de pointe : entreprise qui utilise de la technologie avancée dans son processus de fabrication. < **Une entreprise de haute technologie** : entreprise qui est le résultat de **l'essaimage** à partir d'un centre de recherche universitaire. (Syn. : (angl.) **un spin-off**). *Les entreprises de haute technologie connaissent un taux d'échec moins important que la moyenne.*

Une entreprise de croissance : qui connaît une période d'expansion. (Syn. : **une société de croissance**). *Les entreprises de croissance peuvent facilement faire face aux changements de leur environnement et prennent souvent l'initiative d'apporter certaines innovations sur leurs marchés.*

Une entreprise d'insertion, **une entreprise d'apprentissage professionnel** (**une EAP**) : entreprise dont la tâche est de réintroduire dans le circuit du travail des personnes en difficulté. *Une entreprise d'insertion bénéficie d'une large exonération de cotisations patronales et de certaines aides complémentaires pour créer des emplois durables à l'intention de travailleurs peu qualifiés.*

CARACTÉRISATION DE L'ENTREPRISE (sens 1.1.)

Une entreprise en difficulté. (Syn. : **un canard boiteux, une entreprise qui bat de l'aile, une société en difficulté**). >< **Une entreprise en bonne santé**. *Lorsque nous investissons dans une entreprise en difficulté, cela s'opère toujours sur la base d'un plan de restructuration important.* (☞ 235 + adjectif).

MESURE DE L'ENTREPRISE (sens 1.1.)

La taille, la dimension d'une entreprise.

+ verbe : qui fait quoi ?

(sens 1.1.)

un particulier, des associés	✓	**créer** une ~	la création d'une ~ un créateur d'~	
		fonder une ~	la fondation d'une ~	
		monter une/sa propre ~	-	1
		mettre sur pied une ~	la mise sur pied d'une ~	
l'~	×	**avoir la forme d**'une société (anonyme, ...)	-	
l'~		**être baptisée** + nom	-	
une ~		**s'établir** **à** + nom d'un lieu **dans** + nom d'une région	l'établissement d'une ~ à + nom d'un lieu dans + nom d'une région	

		(être) **établie**		
		à + nom d'un lieu		
		dans + nom d'une région		
		(être) **basée**	-	2
		à + nom d'un lieu		
		dans + nom d'une région		
		(être) **implantée**	l'implantation d'une ~ à/dans ...	
		à + nom de lieu		
		dans + nom d'une région		
		(juridique) (**être**) **sise à**	-	
		+ nom d'un lieu		
		↓		
une ~		**produire** qqch.	la production de qqch. une ~ productrice de qqch.	
		offrir des services	l'offre de services	
une ~		**exporter** (qqch.)	l'exportation de qqch. une ~ exportatrice	
		>< **importer** (qqch.)	l'importation de qqch.	
		↓	une ~ importatrice	
une ~		**se porter bien**	-	
		< **être en (pleine) croissance**	la croissance d'une ~	
		être en (pleine) expansion	l'expansion d'une ~	
		tourner à plein régime	-	
		>< **tourner au ralenti**	-	3
un agent économique (une société, un investisseur, un État, ...)		**investir** dans une ~ ↓	un investissement un investisseur	
une ~	△	**se développer**	le développement d'une ~	
		grandir	-	
		croître	la croissance d'une ~	4
		↓		
une ~		**peser** + chiffre d'affaires + nombre d'employés	-	5
		↓		
une ~		**acquérir** une autre ~	l'acquisition d'une ~ l'acquéreur d'une ~	
		reprendre une ~	la reprise d'une ~ le repreneur d'une ~	
		absorber une ~	l'absorption d'une ~	6
		racheter une ~	le rachat d'une ~ le racheteur d'une ~	
une ~		>< **céder** une filiale	la cession d'une filiale	7
une ~		**passer sous pavillon** étranger + adj. qui désigne la nationalité	le passage sous pavillon étranger + adj. qui désigne la nationalité	8
>< les actionnaires		**assurer**	-	
		défendre	la défense de l'ancrage ...	
		< **renforcer l'ancrage** régional + adj. qui désigne la nationalité de l'~	le renforcement de l'ancrage ...	
deux ~		**fusionner**	une fusion d'~	
		↓		
une ~		**s'endetter**	l'endettement d'une ~	
		↓		
une ~	▽	**être en difficulté**	les difficultés (financières) d'une ~	
		↓		
une ~		**faire faillite**	la faillite d'une ~ une ~ faillie	

une ~	>< **survivre**	la survie d'une ~	9
un chef d'~, le conseil d'administration	**déposer le bilan** (auprès du tribunal de commerce) ⋎	le dépôt de bilan	
l'administrateur judiciaire	**redresser** une ~	le redressement d'une ~ un redresseur d'~	
	restructurer une ~	la restructuration d'une ~	
	renflouer une ~	le renflouement d'une ~ le renflouage d'une ~	10
	assainir une ~	l'assainissement d'une ~	
le tribunal de commerce, l'assemblée générale	>< **dissoudre** l'~	la dissolution de l'~	
le tribunal de commerce, l'assemblée générale	**mettre** une ~ **en liquidation** ⋎	la mise en liquidation d'une ~	
un curateur, (F) un liquidateur (judiciaire)	**liquider** (le patrimoine d')une ~ ⋎	la liquidation (du patrimoine) d'une ~	
une ~ O	**disparaître**	la disparition d'une ~	
	fermer (ses portes)	la fermeture d'une ~	11
une ~	**embaucher** (du personnel) ⋎	l'embauche de personnel	
une ~	**employer ...** personnes	l'emploi de ... personnes dans une ~	
>< une ~	**licencier** une personne	le licenciement d'une personne	
→ une personne	**quitter** une ~	-	
une personne	**diriger** une ~	la direction d'une ~	
	gérer une ~	la gestion d'une ~	
	être à la tête d'une ~	-	
le gouvernement	**privatiser** une ~	la privatisation d'une ~	
	>< **nationaliser** une ~	la nationalisation d'une ~	

1 *Le programme de formation a pour objectif d'apprendre aux personnes sans emploi à monter leur propre entreprise.*
2 *L'entreprise de sous-traitance basée à Lyon a subi l'impact de la chute des ventes de voitures.*
3 *À cause de la grève des routiers, l'entreprise est forcée de tourner au ralenti depuis une semaine.*
4 *L'entreprise n'a pas cessé de croître pour former actuellement un véritable petit empire.*
5 *Après la fusion entre Suez et Lyonnaise des Eaux, la nouvelle entreprise pèse 30000 employés.*
6 *Depuis que l'entreprise a absorbé son principal concurrent, les affaires ont commencé à tourner mal.*
7 *Si notre entreprise avait voulu céder sa filiale alimentaire, il y aurait longtemps que ce serait fait.*
8 *Après de longues négociations, notre entreprise est finalement passée sous pavillon français.*
9 *Pour assurer la survie de l'entreprise, les cadres et la direction ont renoncé à une partie de leur 13e mois.*
10 *Deux banques importantes sont prêtes à contribuer pour 10 millions d'euros au renflouement de l'entreprise.*
11 *La logique économique aurait voulu que l'entreprise ferme ses portes ; le gouvernement, par contre, continue à refuser la fermeture.*

Pour en savoir plus

ENTREPRISE (sens 1.1.) ET SYNONYMES

Une entreprise. Une société. Entreprise et société peuvent désigner le même agent économique. Entreprise souligne davantage l'activité exercée, alors que société réfère plus au statut juridique.

Une firme : entreprise industrielle de grande dimension. *Pour comprimer les coûts, la firme a licencié plus de 3 000 personnes et lancé un vaste programme d'investissements.* **Une firme pharmaceutique**.

Un établissement : unité de production, commerciale, ... d'une entreprise, qui fonctionne de façon relativement indépendante sans avoir d'autonomie juridique. **Les Ets Durand** (= les établissements Durand). **Un établissement public**. (Syn. : **une entreprise publique**). **Un établissement industriel**. (Syn. : **une industrie**). (V. 322 industrie, 1). **Un établissement financier**. (V. 53 banque, 1). **Un établissement de crédit**. (V. 165 crédit, 1).

Une division : toute entité d'une entreprise (comprenant éventuellement plusieurs établissements), d'un groupe, sans personnalité juridique distincte. *La reprise de la division papier du groupe est estimée à plus de 22 millions d'euros.*

Une exploitation. 1. Unité de base en agriculture et dans l'industrie extractive. **Une exploitation agricole ; minière ; forestière. Rentabiliser une exploitation**. (V. 486 rentabilité, 3). {**un exploitant** (**les petits exploitants**), **une exploitante, exploitable, exploiter**} - 2. Mise en œuvre de tous les moyens disponibles pour réaliser des activités. **Les coûts d'exploitation, les frais d'exploitation** (V. 158 coût, 1). **Une**

société d'exploitation (V. 515 société, 1). **Un système d'exploitation**, *Le système d'exploitation Windows est quasiment incontournable puisqu'il équipe la majeure partie des micro-ordinateurs dans le monde.* - 3. (comptabilité) Activité normale d'une entreprise dont **les produits d'exploitation** et **les charges d'exploitation** figurent au compte de résultat. (V. 129 compte, 1). **Une perte d'exploitation, un déficit d'exploitation**. (V. 178 déficit, 1). >< **Un bénéfice d'exploitation**. (V. 58 bénéfice, 1). - 4. Abus de qqch. ou de qqn à son profit. {**exploiter**}.

Une industrie. (V. 322 industrie, 1).

Une compagnie, une maison, une agence, un conglomérat, un groupe, un partenariat, un consortium, une alliance, un pool, une entente, une association momentanée, un cartel, un holding, une filiale, une succursale. (V. 514 société, 1).

ORGANISATION D'UNE ENTREPRISE

L'organisation de l'entreprise est visualisée par **un organigramme**, qui indique la répartition des fonctions et la distribution du pouvoir.

On parle d'**une structure pyramidale**, qui met en évidence la distribution des pouvoirs, et d'**une structure fonctionnelle**, qui est basée sur une division selon les fonctions traditionnelles : production, vente, administration, ...

CONCENTRATION D'ENTREPRISES

Une concentration d'entreprises. **Une concentration verticale** : reprise d'une entreprise dont l'activité se situe en amont ou en aval.

>< **Une concentration horizontale** : reprise d'une entreprise qui exerce un type d'activité analogue.

Une fusion : regroupement de deux entreprises donnant naissance à une nouvelle société. {**une mégafusion** (fusion entre grosses entreprises), **fusionner**}. *Deux des plus grandes entreprises du secteur ont fusionné.*

Une absorption : une entreprise rachète tous les capitaux d'une ou de plusieurs autres entreprises, qui cesse(nt) d'exister. {**absorber**}.

Une prise de participation : opération financière par laquelle une entreprise s'assure le contrôle d'une autre entreprise en acquérant tout (**une prise de contrôle**) ou partie de son capital social (**une participation minoritaire** >< **majoritaire**).

Une participation croisée : opération financière qui accompagne souvent la création d'**une société conjointe**. (V. 514 société, 1).

2 un ENTREPRENEUR, une ENTREPRENEUSE - [ɑ̃tʀəpʀənœʀ, ɑ̃tʀəpʀənøz] - (n.)

1.1. Personne qui dirige une entreprise (sens 1.1.).
Syn. : (V. 447 production, 3).
L'entrepreneur n'est pas seulement innovateur et stimulateur, il est également attaché à son indépendance.

1.2. Personne qui dirige une entreprise (sens 1.1.) spécialisée dans la construction et les travaux publics.
L'entrepreneur a remporté l'important marché de modernisation de près d'un dixième du réseau autoroutier du pays.

+ adjectif

CARACTÉRISATION DE L'ENTREPRENEUR (sens 1.1. et 1.2.)

Un jeune entrepreneur.

+ nom

TYPE D'ENTREPRENEUR (sens 1.1.)

Un entrepreneur à domicile : dirigeant d'entreprise qui gère ses affaires à partir de son domicile.

TYPE D'ENTREPRENEUR (sens 1.1. et 1.2.)

Un entrepreneur de + nom qui désigne un type d'activité. Un entrepreneur de travaux (publics, de peinture, ...) ; un entrepreneur de pompes funèbres. *La faillite de plusieurs entrepreneurs de pompes funèbres s'explique par une baisse de la mortalité.*

3 AUTRES DÉRIVÉS OU COMPOSÉS

- **Une co(-)entreprise** [koɑ̃tʀəpʀiz] (n.f.). (V. 514 société, 1).
- **L'entrepreneuriat** [ɑ̃tʀəpʀənœʀja] (n.m.), **l'entrepreneurship** [ɑ̃tʀəpʀənœʀʃip] (n.m.) : statut et qualités d'un entrepreneur. *À cause des nombreux licenciements, l'entrepreneuriat est de plus en plus critiqué.*
- **Un intrapreneur, une intrapreneuse** [ɛ̃tʀapʀənœʀ, ɛ̃tʀapʀənøz] (n.) : cadre qui crée et développe des projets à l'intérieur d'une entreprise en bénéficiant d'une certaine autonomie. {**l'intrapreneuriat** [ɛ̃tʀapʀənœʀja] (n.m.), **l'intrapreneurship** [ɛ̃tʀapʀənœʀʃip] (n.m.), **intraprendre** [ɛ̃tʀapʀɑ̃dʀ(ə)] (v.intr.)}.
- **Entrepreneurial, -iale ; -iaux, -iales** [ɑ̃tʀəpʀənœʀjal, -jal ; -jo, -jal] (adj.) : qui concerne l'entrepreneur ou la création d'entreprise. *Je me sens bien dans ma nouvelle fonction : j'y suis davantage mon patron et l'aspect entrepreneurial me séduit.*
- **Entreprenant, -ante** [ɑ̃tʀəpʀənɑ̃, -ɑ̃t] (adj.). (Une personne) **être entreprenante.** (V. 234 1 entreprise)
- **Interentreprises** [ɛ̃tɛʀɑ̃tʀəpʀiz] (adj.invar.). *Des alliances technologiques interentreprises naissent dans le but de réduire les coûts de production.*

• **Entreprendre** [ɑ̃tʀəpʀɑ̃dʀ(ə)] (v.intr.) : un agent économique démarre une entreprise (sens 1.1.). *La liberté d'entreprendre constitue le moteur de l'économie libre.*

ENVELOPPE (n.f.) (***) 1. Contenant pour le courrier. 2. Montant d'un budget.

1.	der (Brief)umschlag	envelope	el sobre	la busta	de envelop(pe) (m./f.) de omslag (m.)
2. (74) (77)	ein (Haushalts)Betrag eine (Haushalts) Summe	budget sum	el presupuesto	il budget	de enveloppe (m./f.)

ENVIRONNEMENT (n.m.) (****) 1. Conditions dans lesquelles vivent les êtres vivants.

1. (299)	die Umwelt	environment	el medio ambiente	l'ambiente (m.)	het milieu

ENVIRONNEMENTAL, -ALE ; -AUX, -ALES (adj.) (***) 1. Qui se rapporte aux conditions dans lesquelles vivent les êtres vivants.

1. (359)	Umwelt-	environmental	medioambiental	ambientale	milieu-

ENVOI (n.m.) (***) 1. Colis, lettre que l'on fait parvenir à qqn.

1. (437) (476)	die Sendung	consignment shipment	el envío la expedición	la spedizione l'invio (m.)	de (ver)zending (f.)

ENVOL (n.m.) (**) 1. Hausse importante.

1. (277)	das Hochschnellen der Höhenflug	boom surge	la alza rápida el despegue	l'impennata (f.) la lievitazione	de snelle klim (m.)

ENVOLÉE (n.f.) (**) 1. Hausse importante.

1. (277)	das Hochschnellen der Höhenflug	boom surge	la alza rápida el despegue	l'impennata (f.) la lievitazione	de snelle klim (m.)

ENVOLER (s'~) (v.pron.) (**) 1. Augmenter de façon importante.

1. (277)	hochschnellen davonlaufen	to soar to (sky)rocket	alzar (se) rápidamente despegar (se)	andare alle stelle prendere il volo	de pan uit rijzen sterk verhogen

ENVOYER (v.tr.dir.) (****) 1. Faire parvenir un colis, une lettre à qqn.

1.	(ab)schicken (ab)senden	to send	enviar expedir	inviare spedire	(op)sturen (ver)zenden

ÉPARGNANT, ÉPARGNANTE (n.) (***) 1. Agent économique qui réserve une partie de son revenu au placement.

1. (243)	der Sparer	saver (petites sommes) investor (grosses sommes)	el ahorrador	il risparmiatore	de spaarder (m.)

ÉPARGNE (n.f.) (****) 1. Opération par laquelle un agent économique réserve une partie de son revenu au placement. 2. Somme d'argent réservée au placement.

1. (240)	das Sparen die Spartätigkeit	saving	el ahorro	il risparmio	het sparen de besparing (f.)
2. (240)	die Ersparnisse die Spargelder	savings	el ahorro	i risparmi	het spaargeld

ÉPARGNE

➠ **placement - investissement**

1 l'épargne **4** l'épargne-retraite **4** l'épargne-pension **4** l'épargne-logement **4** la désépargne une assurance(-) épargne (V. 42 assurance, 4)	**2** un épargnant, une épargnante		**3** épargner

1 l'ÉPARGNE - [epaʀɲ(ə)] - (n.f.)

1.1. (emploi le plus fréquent avec un article défini) Opération par laquelle un agent économique (un particulier, une entreprise, un organisme, un État - X) réserve la partie de son revenu disponible qui n'est pas consacrée à la consommation immédiate de biens ou de services pour la placer à des conditions déterminées (durée, rémunération), la thésauriser ou l'investir.
Syn. : (☞ 242 Pour en savoir plus, Épargne (sens 1.1.) et synonymes) ; Ant. : (☞ Pour en savoir plus, Épargne (sens 1.1.) et antonymes).
Les personnes âgées s'étonnent du faible effort d'épargne de la jeune génération.

1.2. (emploi au sing. et au plur.) Somme d'argent réservée à l'épargne (sens 1.1.).
Syn. : (☞ 242 Pour en savoir plus, Épargne (sens 1.2.) et synonymes).
Il a placé son épargne à long terme dans des obligations d'État.

2.1. Avantage qu'une personne tire d'une action.
Syn. : une économie, un gain.
La modernisation de la facturation a permis de réaliser une épargne de temps considérable.

expressions

(sens 1.1.)

L'épargne tue l'épargne : phénomène selon lequel l'épargne entraîne une diminution des ventes, puis de la production et, enfin, des revenus, suscitant une diminution de l'épargne.

+ adjectif

(sens 1.2.)

L'épargne constituée : somme d'argent épargnée. *Je peux bénéficier de l'épargne constituée dans les mêmes conditions que si mon époux était resté en vie.*

TYPE D'ÉPARGNE (sens 1.1.)

L'épargne populaire. (Syn. : (plus fréq.) **l'épargne des ménages**). < **L'épargne privée** : épargne des ménages, des entreprises et des institutions financières.

>< **L'épargne (forcée) publique** : épargne imposée aux agents économiques par la fiscalité (p. ex. les impôts). *Depuis des années, l'épargne publique s'investit en fonds publics nationaux plutôt qu'en investissements en capital à risque.*

L'épargne libre, volontaire : suite à une décision prise librement par l'agent économique. *Depuis que le fisc oblige les institutions financières à communiquer l'identité de tous les épargnants, l'épargne libre a chuté.*

>< **L'épargne forcée** : imposée aux agents économiques par une mesure du gouvernement (les impôts p. ex.), par l'inflation, ... *Dans un climat de méfiance et de fuite des capitaux, diverses mesures d'épargne forcée et de contrôle des mouvements de capitaux seront prises.*

L'épargne contractuelle : lorsqu'un agent économique s'engage par contrat à épargner une certaine somme d'argent pendant une période donnée, p. ex. par un plan d'épargne-logement.

L'épargne individuelle : part du revenu non consommée immédiatement (Silem). *À côté des deux premiers piliers de la vieillesse, les pensions légales et l'épargne individuelle, sous la forme d'assurance-vie individuelle ou d'épargne-pension, il existe aussi le régime de pension complémentaire constitué dans l'entreprise en faveur des salariés.*

>< **L'épargne collective** : partie du revenu national nécessaire au financement des investissements de l'État (Silem).

L'épargne institutionnelle : les pensions légales p. ex.

(B) **L'épargne prénuptiale**: épargne qui se fait avant le mariage à des conditions particulièrement avantageuses pour l'épargnant.

TYPE D'ÉPARGNE (sens 1.2.)

L'épargne brute. >< **L'épargne nette**.

L'épargne financière : épargne placée en valeurs mobilières et sur des comptes en banque. *La baisse prévue des taux d'intérêt accroît l'attrait des placements dans le secteur immobilier au détriment de l'épargne financière.*

CARACTÉRISATION DE L'ÉPARGNE (sens 1.2.)

Une épargne diversifiée : épargne constituée de divers types de placements.

L'épargne liquide : placée à vue ou à court terme. *Les rémunérations trop élevées de l'épargne liquide risquent de causer du tort au système financier.*

>< **L'épargne longue** : placée à long terme (obligations, sicav, assurance-vie) ou investie dans l'immobilier p. ex. (Syn. : **l'épargne à long terme**).

NIVEAU DE L'ÉPARGNE (sens 1.2.)

Une maigre épargne : peu importante. *La lutte contre l'inflation est en faveur des moins riches qui ne disposent pas de revenus mobiliers et dont la maigre épargne est formée de monnaie du pays.*

+ nom

(sens 1.1.)

- **Un instrument d'épargne**. *Le compte d'épargne reste un instrument d'épargne très populaire.*
  Un compte d'épargne, un livret d'épargne, un carnet d'épargne. (V. 129 compte, 1). **Un compte d'épargne à haut rendement**.
  Un bon d'épargne. (Syn. : **un bon de caisse**). (V. 81 caisse, 1).
- **Une formule d'épargne**. *Théoriquement, cette formule d'épargne n'est pas tout à fait conforme à la législation, mais l'administration ferme les yeux.*
  Un plan d'épargne : plan de placements systématiques qui permet à un particulier de constituer progressivement un capital par des versements périodiques.
- **Les dépôts d'épargne**. (V. 189 dépôt, 1).
- **La rémunération de l'épargne**. (V. 479 rémunération, 1).
- **Une banque d'épargne**. (V. 54 banque, 1).
- **Une caisse d'épargne**. (V. 54 banque, 1).
- **Une capacité d'épargne**. *Diverses études ont montré qu'il existe en milieu rural une réelle capacité d'épargne sous la forme de biens ou même de valeurs mobilières.*
- **Les revenus de l'épargne**. (V. 494 revenu, 1).
- **La fiscalité de l'épargne**. (V. 270 fiscalité, 1).

La propension à l'épargne. (Syn. : **la propension à épargner**). *La formation de dépôts a été favorisée par la propension générale à l'épargne financière des entreprises et des particuliers.*

TYPE D'ÉPARGNE (sens 1.1.)

L'épargne de + nom d'un agent économique. L'épargne des ménages (☞241 + adjectif) ; des particuliers ; des entreprises.

CARACTÉRISATION DE L'ÉPARGNE (sens 1.1.)

Une épargne de précaution : épargne réservée pour faire face aux risques de la vie: maladie, perte d'emploi, ... *Depuis le début de l'année, les ménages ont préféré constituer une épargne de précaution plutôt que de s'engager dans des dépenses importantes.*

NIVEAU DE L'ÉPARGNE (sens 1.1.)

Un faible taux d'épargne. < **Un taux d'épargne élevé**. < **Un taux d'épargne record**.

MESURE DE L'ÉPARGNE (sens 1.1.)

Le taux d'épargne, (peu fréq.) **le niveau d'épargne** : pourcentage du revenu disponible qu'un agent économique réserve à l'épargne. *Le commerce se félicite de la baisse du taux d'épargne des ménages.*

L'épargne à court terme. < **L'épargne à moyen terme**. < **L'épargne à long terme**. (☞ 241 + adjectif).

MESURE DE L'ÉPARGNE (sens 1.2.)

L'épargne à long terme.

Le volume de l'épargne. *Si l'on tient compte du volume de l'épargne, nous ne nous trouvons pas vraiment dans une période de récession.*

+ verbe : qui fait quoi ?

(sens 1.1.)

une entreprise	**faire (un) appel (public) à** l'~	un appel à l'~	1
le gouvernement, une mesure	**encourager** l'~ **stimuler** l'~ >< **décourager** l'~	l'encouragement de l'~ la stimulation de l'~ le découragement de l'~	2

1 *Cette société a confirmé son intention de faire un appel public à l'épargne sous la forme d'une augmentation de capital.*
2 *En accordant un avantage fiscal pour l'achat d'emprunts d'État, le gouvernement espère encourager l'épargne.*

(sens 1.2.)

les institutions financières, la bourse	**attirer** l'~ ⋎	-	
les institutions financières, la bourse	**collecter** l'~ **mobiliser** l'~ **drainer** l'~	la collecte de l'~ la mobilisation de l'~ le drainage de l'~	1
les institutions financières, X	< **accumuler** l'~	l'accumulation de l'~	2
X	**placer** son ~ **investir** son ~ ⋎	le placement de son ~ l'investissement de son ~	
les institutions financières	**rémunérer** l'~	la rémunération de l'~	
les institutions financières	**mettre** l'~ **à la disposition des** emprunteurs	la mise à la disposition de l'~	

1 *Le temps où le banquier se limitait à collecter l'épargne avant de prêter à des taux plus élevés est définitivement passé.*
2 *Les rentiers consomment pe u: ils accumulent l'épargne.*

Pour en savoir plus

ÉPARGNE (sens 1.1.) ET SYNONYMES

L'épargne.

L'autofinancement, **la capacité d'autofinancement** : mode de financement réalisé par une entreprise à l'aide de ses propres ressources au lieu de recourir à des ressources extérieures (l'emprunt, l'augmentation de capital) (Silem).

Un boni : économie de dépense par rapport aux prévisions (RQ).

ÉPARGNE (sens 1.1.) ET ANTONYMES

L'épargne.

La désépargne. (V. 244 épargne, 4).

Le gaspillage. (V. 188 dépense, 2).

La dilapidation. (V. 188 dépense, 2).

La consommation. (V. 141 consommation, 1).

ÉPARGNE (sens 1.2.) ET SYNONYMES

L'/les épargne(s), **les économies**. (V. 210 économie, 1).

Le bas de laine. 1. Cachette où l'on mettait l'argent épargné. - 2. Sommes épargnées.

Une cagnotte. 1. Sommes épargnées sur les dépenses courantes. - 2. Somme accumulée par les membres d'une association. - 3. Somme d'argent que l'on peut gagner lors d'un jeu à la radio ou à la télévision p .ex .

2 un ÉPARGNANT, une ÉPARGNANTE - [epaʀɲɑ̃, epaʀɲɑ̃t] - (n.)

1.1. Agent économique (un particulier, une entreprise, un organisme, un État) qui réserve la partie de son revenu disponible qui n'est pas consacrée à la consommation immédiate de biens ou de services pour la placer à des conditions déterminées (durée, rémunération), la thésauriser ou l'investir.
Ant. : un gaspilleur. (V. 188 dépense, 2).
L'épargnant est devenu plus sensible au niveau des taux d'intérêt en recherchant des placements à rendement élevé du côté des placements en devises.

+ adjectif

TYPE D'ÉPARGNANT

Un petit épargnant : qui économise et place des sommes modestes. *Les banques gèrent les fonds d'un grand nombre de petits épargnants, qui veulent éviter les risques de pertes.*

+ verbe : qui fait quoi ?

un ~	**faire des économies**	-	
	mettre de l'argent **de côté**	-	1
	↓		
un ~	**placer** son épargne	le placement de l'~	
un ~	**faire fructifier** son épargne	-	
	↓		
un ~	(fam.) **toucher** des intérêts	-	

1 *Lorsque de nouveaux impôts sont annoncés, les épargnants ont tendance à mettre plus d'argent de côté.*

3 ÉPARGNER - [epaʀɲe] - (v.tr.dir.)

1.1. Un agent économique (un particulier, une entreprise, un organisme, un État - X) réserve la partie de son revenu disponible qui n'est pas consacrée à la consommation immédiate de biens ou de services pour la placer à des conditions déterminées (durée, rémunération), la thésauriser ou l'investir.
Syn. : faire des économies, mettre de l'argent de côté, (moins fréq.) économiser, capitaliser, (fam.) garder une poire pour la soif ; Ant. : consommer, dépenser < gaspiller. (V. 188 dépense, 2).
Nos compatriotes épargnent près d'un cinquième de leur revenu.

2.1. Une personne utilise qqch., fait qqch. avec mesure, avec modération.
J'épargne mes forces pour l'épreuve suivante.

2.2. Une personne, une situation (X) fait que qqn ou qqch. ne subit pas une chose, ne se voit pas imposer qqch.
Le développement économique n'a pas épargné notre région : trafic, zones industrielles, pollution,...

+ nom

(sens 1.1.)

- **Épargner (de l'argent)**. *Il a épargné toute sa vie et il n'a toujours rien en poche.*
  Épargner (de l'argent) sur un livret d'épargne. *Ni le millionnaire, ni le richard, mais bien le citoyen modeste épargne sur un livret d'épargne.*
- **La propension à épargner** : tendance à épargner. (Syn. : **la propension à l'épargne**). *Le repli des taux d'intérêt a probablement amené une diminution de la propension à épargner des ménages.*

qui fait quoi ?

(sens 1.1.)

X	**épargner** de l'argent	l'épargne	
	épargner (de l'argent) sur qqch.		1

1 *Grâce à cette nouvelle technique, l'entreprise épargne 30 % sur les frais de montage.*

(sens 2.2.)

X	**épargner** qqch. **à** qqn (qqch. = qqch. de difficile, de désagréable)	-	1

1 *Tenant compte de tous nos problèmes familiaux, il nous a épargné cette épreuve difficile.*

4 AUTRES DÉRIVÉS OU COMPOSÉS

- **L'épargne-retraite** [epaʀɲ(ə)ʀ(ə)tʀɛt] (n.f.) : formule d'épargne constituée en vue de la retraite et que le gouvernement encourage par certaines mesures fiscales. *L'épargne-retraite sous la forme d'une assurance-vie n'est pas encore généralisée dans notre pays parce que la déductibilité fiscale n'est pas suffisamment intéressante.* ((B) **L'épargne-pension**, (Q) **le**

Régime enregistré d'épargne-retraite (le REÉR)).

- **L'épargne-logement** [epaʀɲ(ə)lɔʒmɑ̃] (n.f.) : formule d'épargne contractuelle grâce à laquelle le client constitue un capital qui lui donne droit à un prêt hypothécaire à un taux intéressant. **Un compte d'épargne-logement.**
- **La désépargne** [desepaʀɲ(ə)] (n.f.) : opération par laquelle un agent économique (un particulier, une entreprise, un organisme, un État) prélève sur une partie de son revenu disponible, des sommes destinées à la consommation de biens ou de services. (Ant. : **l'épargne**).

ÉPARGNE-LOGEMENT (n.f.) (**) 1. Formule d'épargne qui donne droit à un prêt hypothécaire avantageux.

1. (244)	das Bausparen	home saving plan	la cuenta ahorro vivienda	il risparmio immobiliare	het woonsparen

ÉPARGNE-PENSION (n.f.) (***) 1. Formule d'épargne en vue de la retraite.

1. (243)	das Rentensparen	retirement savings	los planes de pensiones	il fondo pensione individuale	het pensioensparen
	der Rentensparvertrag				

ÉPARGNER (v.tr.dir.) (***) 1. Réserver une partie de son revenu au placement.

1. (243)	(er)sparen	to save	ahorrar	risparmiare	sparen
	Geld zurücklegen	to put money aside			

ÉPARGNE-RETRAITE (n.f.) (***) 1. Formule d'épargne en vue de la retraite.

1. (243)	das Rentensparen	retirement savings	los planes de pensiones	il fondo pensione individuale	het pensioensparen
	der Rentensparvertrag				

ÉPICERIE (n.f.) (**) 1. Petit commerce de détail de biens de consommation courante.

1. (355)	das Lebensmittelgeschäft	grocer's shop	la tienda de comestibles	la drogheria	de kruidenierswinkel (m.)
(572)		grocery store	los ultramarinos	il negozio di alimentari	

ÉPICIER, ÉPICIÈRE (n.) (**) 1. Propriétaire d'un petit commerce de détail de biens de consommation courante.

1. (355)	der Lebensmittelhändler	grocer	el tendero	il droghiere	de kruidenier (m.)

ÉPONGER (v.tr.dir.) (**) 1. Faire disparaître.

1. (281)	beseitigen	to absorb	enjugar	cancellare	vereffenen
	decken (déficit, pertes)	to soak up	absorber	assorbire	delgen

ÉPOUSER (v.tr.dir.) (**) 1. S'unir par le mariage.

1.	heiraten	to marry	casarse	sposare	huwen
			contraer matrimonio		trouwen

ÉPOUX, ÉPOUSE (n.) (****) 1. Personne liée à une autre par le mariage.

1. (494)	der Gatte	husband	el esposo	lo sposo	de echtgenoot (m.)
		wife			

ÉPUISEMENT (n.m.) (**) 1. Situation où tout a été utilisé, où il ne reste plus rien.

1. (491)	die Erschöpfung	depletion	el agotamiento	l'esaurimento (m.)	de uitputting (f.)
(526)		exhaustion			

ÉPUISER (~, s'~) (v.tr.dir., v.pron.) (***) 1. (S')utiliser jusqu'à ce qu'il n'y ait plus rien.

1. (491)	aufbrauchen	to exhaust	agotar	esaurire	uitputten
	ausverkaufen	to use up		prosciugare (un conto)	

ÉQUILIBRAGE (n.m.) (**) 1. Fait de rendre égal.

1. (50)	das Ausgleichen	balancing	el equilibrado	il bilanciamento	het in evenwicht brengen
(76)	das Ausbalancieren	evening-up			

ÉQUILIBRE (n.m.) (****) 1. Égalité.

1. (75)	das Gleichgewicht	balance	el equilibrio	l'equilibrio (m.)	het evenwicht
(50)	die Ausgeglichenheit	equilibrium			

ÉQUILIBRER (v.tr.dir.) (***) 1. Rendre l'égalité.

1. (76)	ins Gleichgewicht bringen	to balance	equilibrar	equilibrare	in evenwicht brengen
(50)	ausgleichen	to even up			

ÉQUIPE (n.f.) (****) 1. Groupe de personnes unies dans une tâche commune (RQ).

1. (555)	die Mannschaft	team	el equipo	la squadra	de ploeg (m./f.)
(200)	das Team			il team	het team

ÉQUIPEMENT (n.m.) (****) 1. Tout ce qui est nécessaire à une activité.

1. (63)	die Ausrüstung	equipment	el equipo	l'impianto (m.)	de uitrusting (f.)
(183)			el equipamiento	l'attrezzatura (f.)	

ÉQUIPEMENTIER (n.m.) (**) 1. Fabricant des équipements électriques, électroniques pour l'industrie aéronautique, automobile (RQ).

1. (442)	der Zulieferer	parts manufacturer	el fabricante de equipos	il componentista	de producent (m.) van uitrustingsgoederen
		equipment manufacturer			

ÉQUIPER (~, s'~) (v.tr.dir., v.pron.) (****) 1. Fournir, acquérir tout ce qui est nécessaire à une activité.

1. (149)	ausrüsten	to equip	equipar	equipaggiare	uitrusten met
	ausstatten	to fit out	dotar	dotare	

ÉQUIVALENCE (n.f.) (**) 1. Fait d'être égal.

1.	die Gleichwertigkeit	equivalence	la equivalencia	la parità	de equivalentie (f.)
	die Äquivalenz				de gelijkwaardigheid (f.)

ÉQUIVALENT, -ENTE (adj.) (****) 1. Égal.

1. (385)	gleichwertig	equivalent	equivalente	equivalente	equivalent
	entsprechend	same			gelijkwaardig

ÉQUIVALOIR (~ à) (v.tr.indir.) (***) 1. Être égal à.

1.	entsprechen	to be equivalent	equivaler	equivalere	equivalent zijn
	gleichkommen	to amount to			gelijkwaardig zijn

ERGONOME (n.) (**) 1. Spécialiste de l'étude de l'amélioration des conditions de travail.

1. (557)	der Ergonom	ergonomist	el ergónomo	l'ergonomo (m.)	de ergonoom (m.)

ERGONOMIE (n.f.) (**) 1. Étude de l'amélioration des conditions de travail.

1. (557)	die Ergonomie	ergonomics	la ergonomía	l'ergonomia (f.)	de ergonomie (f.)
		human engineering			

ERGONOMIQUE (adj.) (**) 1. Qui se rapporte à l'étude de l'amélioration des conditions de travail.

1. (557)	ergonomisch	ergonomic	ergonómico	ergonomico	ergonomisch

ERGONOMISTE (n.) (*) 1. Spécialiste de l'étude de l'amélioration des conditions de travail.

1. (557)	der Ergonom	ergonomist	el ergonómico	l'ergonomo (m.)	de ergonoom (m.)

ÉROSION (n.f.) (***) 1. (l'~ monétaire) Diminution de valeur.

1. (383)	die Erosion	erosion	la erosión	l'erosione (f.)	de erosie (f.)
	die Entwertung				de ontwaarding (f.)

ESCOMPTABLE (adj.) (*) 1. Qui peut être échangé en faveur d'un crédit à court terme.

1. (437)	diskontierbar	discountable	descontable	scontabile	(ver)disconteerbaar
	diskontfähig				discontabel

ESCOMPTE (n.m.) (***) 1. Réduction pour paiement comptant. 2. Opération bancaire d'échange pour obtenir un crédit à court terme.

1. (437)	der Rabatt	discount	el descuento	lo sconto	de korting (f.)
	der Abzug			il ribasso	de reductie (f.)
2. (437)	der Diskont	discount	el descuento	lo sconto	het disconto
	das Diskontieren	prime lending rate			

ESCOMPTER (v.tr.dir.) (***) 1. Échanger en faveur d'un crédit à court terme.

1. (437)	diskontieren	to discount	descontar	scontare	verdisconteren

ESCOMPTEUR, ESCOMPTEUSE (n.) (*) 1. Agent économique qui pratique l'échange pour l'obtention d'un crédit à court terme.

1. (437)	der Diskontgeber	discounter	el agente que efectúa un descuento	lo (la banca) scontante	de disconteerder (m.)
	der Käufer des Wechsels	discount broker	el banquero que efectúa el descuento		de discontant (m.)

ESCOMPTEUR, -EUSE (adj.) (*) 1. Qui pratique l'échange pour l'obtention d'un crédit à court terme.

1. (437)	Diskont-	discounting	que efectúa el descuento	scontante	disconteerder
					discontant

ESP (***) (382) Espagne - peseta.

ESPÈCES (n.f.plur.) (***) 1. Argent immédiatement disponible.

1. (34)	das Bargeld	cash	efectivo	i liquidi	de speciën (plur.)
	die Barmittel	specie	metálico	i contanti	het baar geld

ESPÉRANCE DE VIE (une ~) (**) 1. Durée moyenne de la vie de qqch./qqn.

1. (168)	die Lebensverwartung	life expectancy	la esperanza de vida	la speranza di vita	de levensverwachting (f.)

ESSAIMAGE (n.m.) (*) 1. Développement d'entreprises à partir de centres de recherches universitaires et autres.

1. (236)	die Spin off Unternehmensgründung	spinning off	el vivero de empresas	la disseminazione	de spin off bedrijven (plur.)
		floating off		la proliferazione	

ESSENCE (n.f.) (****) 1. Carburant.

1. (433)	das Benzin	petrol (GB)	la gasolina	la benzina	de benzine (m./f.)
(146)		gas(oline) (US)			

ESSOR (n.m.) (***) 1. Développement.

1. (276)	der Aufschwung	rapid development	el desarrollo	l'incremento (m.)	de expansie (f.)
(505)	der Aufstieg	boom	el auge	il progresso	de (her)opleving (f.)

ESSOUFFLEMENT (n.m.) (**) 1. Arrêt d'un développement.

1. (280)	das Abflauen	faltering	la parada	l'affanno (m.)	het buiten adem raken
(170)	die Verlangsamung	running out of steam	la detención		de stagnatie (f.)

ESSOUFFLER (s'~) (v.pron.) (**) 1. Arrêter de se développer.

1. (280)	abflauen	to tail off	parar (se)	esaurire lo slancio	buiten adem raken
(170)	sich verlangsamen	to fall off	ahogar (se)	esaurirsi	

ÉTABLISSEMENT (n.m.) (****) 1. Unité de production, commerciale d'une entreprise. 2. Installation d'une entreprise.

1. (238)	der Betrieb	company	el establecimiento	lo stabilimento	de vestiging (f.)
	das Unternehmen	firm	la entidad	l'unità produttiva	de productie-eenheid (f.)
2. (236)	die Errichtung	setting up	el establecimiento	lo stabilimento	de vestiging (f.)
	die Gründung	establishment	la implantación	l'impianto (m.)	

ÉTAGÈRE (n.f.) (**) 1. Meuble avec des planches horizontales pour exposer des marchandises.

1. (373)	das Regal	shelf	la estantería	lo scaffale	het rek
(354)					

ÉTALAGE (n.m.) (**) 1. Partie du magasin donnant sur la rue où sont exposées des marchandises.

1. (355)	die (Schaufenster) Auslage	shop window	el escaparate	la vetrina	de etalage (f.)
	das Schaufenster	shop front			

ÉTAT (n.m.) (****) 1. Autorité souveraine s'exerçant sur l'ensemble d'un peuple et d'un territoire déterminés (RQ).

1.	der Staat	state	el Estado	lo Stato	de staat (m.)
				la Nazione	

ÉTATIQUE (adj.) (**) 1. Qui se rapporte à l'autorité souveraine s'exerçant sur l'ensemble d'un peuple et d'un terrtoire déterminés.

1. (211)	staatlich	state	estatal	statale	staats-
	Staats-				

ÉTATISER (v.tr.dir.) (*) 1. Faire passer sous le contrôle de l'État.

1. (211)	verstaatlichen	to bring under state control	nacionalizar	statalizzare	verstaatsen
			estatalizar		nationaliseren

ÉTATISME (n.m.) (*) 1. Système économique qui met l'accent sur le rôle de l'État.

1. (87)	der Etatismus	state control	el estatismo	lo statalismo	het etatisme
		statism			

ÉTAT-PATRON (n.m.) (*) 1. État considéré comme employeur.

1. (411)	der Staat als Arbeitgeber	state as an employer	el Estado empresario	lo Stato imprenditore	de staat (m.) als werkgever
	der staatliche Arbeitgeber		el Estado patrón		

ÉTAT-PROVIDENCE (l'~) (**) 1. État qui mène une politique de solidarité et d'égalité.

1. (35)	der Wohlfahrtstaat	welfare state	el Estado de bienestar	il welfare state	de verzorgingsstaat (m.)

ÉTOILE (n.f.) (*) 1. Produit à fort taux de croissance.

1. (446)	ein Produkt mit hohen Zuwachsraten	star	la estrella	la stella	het ster(product)
	der Star (voiture)				

ÊTRE (~ de) (v.tr.indir.) (***) 1. Équivaloir à.

1. (274)	betragen	to reach	hacer	equivalere	bedragen
	machen		ser		gelijk zijn aan

ETS (**) (238) établissements.

ÉTUDE (n.f.) (****) 1. Effort intellectuel pour acquérir des connaissances. 2. (plur.) Activités nécessaires pour acquérir certaines connaissances. 3. Examen d'un problème.

1.	das Studium	study	el estudio	lo studio	de (het) studie(werk) (f.)
	das Studieren	research			
2. (70)	das Lernen	study	el estudio	lo studio	de studie (f.)
(214)	das Studieren				
3. (367)	die Untersuchung	study	el estudio	la ricerca	de studie (f.)
(442)	die Studie	analysis	el análisis	l'analisi (f.)	het onderzoek

ÉTUDIANT, ÉTUDIANTE (n.) (****) 1. Personne qui fait des activités pour acquérir certaines connaissances.

1. (214)	der Student	student	el estudiante	lo studente	de student
(502)					

ÉTUDIER (v.tr.dir.) (****) 1. Acquérir des connaissances par une série d'activités. 2. Examiner un problème.

1. (214)	studieren	to study	estudiar	studiare	studeren
	lernen				
2. (452)	untersuchen	to examine	estudiar	studiare	bestuderen
	prüfen	to go into		esaminare	onderzoeken

EUR (****) (382) euro.

EURL (une ~) (*) entreprise unipersonnelle à responsabilité limitée.

(235))	die Einmann-GmbH	private limited company under sole ownership	la empresa unipersonal de responsabilidad limitada	l'impresa individuale a responsabilità limitata	éénmansbedrijf met beperkte aansprakelijkheid

EURO (n.m.) (****) 1. Monnaie de la zone euro.

1. (382)	der Euro	euro	el euro	l'euro (m.)	de euro (m.)

EURO STOXX 50 (l'~ (m.)) (**) (71) indice boursier européen.

EUROCENT (n.m.) (**) 1. Centième d'un euro.

1. (382)	der Eurocent	cent	el céntimo de euro	l'eurocent	de eurocent (m.)
				il centesimo (di euro)	

EUROCENTIME (n.m.) (***) 1. Centième d'un euro.

1. (382)	der Centime	centime	el céntimo de euro	il centesimo	de (euro)cent (m.)

EUROCHÈQUE (n.m.) (**) 1. Chèque bancaire uniforme.

1. (99)	der Euroscheck	Eurocheque	el eurocheque	l'Eurocheque (m.)	de Eurocheque (m.)

EURODEVISE (n.f.) (*) 1. Avoir en monnaie convertible déposé hors du pays émetteur (RQ).

1. (34)	die Eurodevise	Eurocurrency	la eurodivisa	l'eurodivisa (f.)	de Eurodeviezen (plur.)
				l'eurovaluta (f.)	de Eurovaluta's (plur.)

EURO-OBLIGATION (n.f.) (***) 1. Obligation émise en dehors du pays d'origine de la devise.

1. (391)	die Euroanleihen	Euro-bonds	la eurobligación	l'euro-obbligazione (f.)	de Euro-obligatie (f.)
				l'eurobond (m.)	

EXCÉDENT (n.m.) (***) 1. Solde positif. 2. Quantité plus importante que prévue.

1. (247)	der Überschuss	surplus	el excedente	l'avanzo (m.)	het overschot

	die Mehreinnahmen		el superávit	l'eccedenza (f.)	
2. (247)	der Überschuss	surplus excess (connotation péj.)	el excedente	l'eccedenza (f.)	het overschot

EXCÉDENT

➠ **solde - déficit**

1 un excédent		2 excédentaire	

1 un EXCÉDENT - [ɛksedɑ̃] - (n.m.)

1.1. Solde positif du budget (d'un État, d'une collectivité locale ou d'un organisme - X), d'une balance (commerciale, des services, des paiements, ... - X) ou d'un compte de résultat (d'une entreprise - X), c'est-à-dire lorsqu'il y a un surplus des entrées de capitaux par rapport aux sorties de capitaux, des exportations par rapport aux importations ou des produits par rapport aux charges.
Syn. : (☞ 248 Pour en savoir plus, Excédent (sens 1.1.) et synonymes) ; Ant.: un déficit, (B) un mali, (uniquement pour un compte de résultat) une (des) perte(s).
La diminution des commandes étrangères dans les entreprises explique en partie le recul de l'excédent de la balance commerciale.

1.2. Nombre ou quantité plus importants que prévus ou fixés de biens ou de services produits, de marchandises en stock, de poids, ...
Syn. : un surplus, une abondance, un supplément, (poids) une surcharge ; Ant. : un déficit, une insuffisance < une pénurie.
En trois années, on est passé d'un excédent de la production céréalière à un déficit.

expressions

(sens 1.2.)
(Un produit) **être en excédent** : être présent en surnombre. *Les sources de matières premières pour notre secteur sont en excédent.*

+ adjectif

TYPE D'EXCÉDENT (sens 1.1.)
Un excédent commercial : lorsque les exportations de marchandises sont supérieures aux importations d'un (groupe de) pays au cours d'une période donnée. (Ant. : **un déficit commercial**). *Le sénat américain a déposé une proposition de loi tendant à frapper d'une surtaxe de 25 % les produits importés de Corée du Sud et de Taiwan si ces pays ne prennent pas des mesures pour réduire leur excédent commercial avec les États-Unis.*
Un excédent budgétaire : lorsque les ressources fiscales sont supérieures aux dépenses au cours d'une période donnée. (Ant. : **un déficit budgétaire**). *Ce pays affiche une bonne santé avec un excédent budgétaire pour le quatrième exercice consécutif.*
Un excédent courant : lorsque les importations de marchandises et de services sont inférieures aux exportations d'un (groupe de) pays au cours d'une période donnée. (Ant. : **un déficit courant**).

NIVEAU DE L'EXCÉDENT (sens 1.1.)
Un excédent record.

LOCALISATION DE L'EXCÉDENT (sens 1.1.)
L'excédent + adjectif qui désigne un pays. L'excédent japonais.

MESURE DE L'EXCÉDENT (sens 1.1.)
Un excédent cumulé : somme d'excédents antérieurs ou d'excédents d'origines différentes. (☞247 + verbe).

+ nom

(sens 1.1.)
Un budget en excédent ; **une balance en excédent**. (V. 49 balance, 1).
Un excédent de main-d'œuvre. (V. 357 main-d'œuvre, 1).

TYPE D'EXCÉDENT (sens 1.1.)
Un excédent de la balance (**commerciale, ...**).

TYPE D'EXCÉDENT (sens 1.2.)
Un excédent de production ; **de stock**.

+ verbe : qui fait quoi ?

(sens 1.1.)

X	×	**enregistrer** un ~ **dégager** un ~	l'enregistrement d'un ~ -	
un État, une entreprise		< **(ac)cumuler** les ~ ↓	l'accumulation des ~	
X, l'exercice		**se solder par** un ~	l'~ du budget, de l'exercice	1

l'~ (de X)	=	**atteindre** + un montant	-	2
une mesure	△	**accroître** l' ~ (de X)	un accroissement de l'~ (de X)	
→ l' (de X)		**s'accroître** (de ...%)	un accroissement de l'~ (de X)	
une mesure		**réduire** l'~ (de X)	une réduction de l'~ (de X)	
→ l'~ (de X)	▽	**se réduire** (de ...%)	une réduction de l'~ (de X)	

1 *La balance commerciale de ce secteur s'est soldée par un excédent très important dans les échanges avec l'Italie.*
2 *Pour le premier trimestre, l'excédent atteint 70 milliards, contre 92 milliards au premier trimestre de l'année dernière.*

(sens 1.2.)

un commerçant	×	**avoir** un ~ de stock ➤	-	
un commerçant		**vendre** ses ~ de stock	la vente de ses ~ de stock	
		écouler ses ~ de stock	l'écoulement de ses ~ de stock	
		liquider ses ~ de stock	la liquidation de ses ~ de stock	1

1 *De nombreux commerçants organisent chaque année une action spéciale pour liquider leurs excédents de stock.*

Pour en savoir plus

EXCÉDENT (sens 1.1.) ET SYNONYMES

Un excédent, un boni (plur. : **des boni**). (Un budget, une balance, un compte) **être en boni, présenter un boni, afficher un boni.** *La balance commerciale de notre pays affiche un boni de 260 milliards.*

Un bénéfice, un profit, un gain : (plus fréq.) lorsqu'il s'agit d'un compte de résultats.

2 EXCÉDENTAIRE - [ɛksedɑ̃tɛʀ] - (adj.)

1.1. (un budget, une balance, un compte de résultat) Qui présente un solde positif, c'est-à-dire un surplus des entrées de capitaux par rapport aux sorties de capitaux, des exportations par rapport aux importations ou des produits par rapport aux charges.
Syn. : (peu fréq.) bénéficiaire ; Ant. : déficitaire.
Les analystes estiment que notre balance commerciale restera excédentaire dans les années à venir.

1.2. (biens ou services produits, marchandises en stock, poids, ...) Qui présente un nombre ou une quantité plus importants que prévus ou fixés.
Ant. : déficitaire.
Le faible coût d'installation de certaines activités est à l'origine d'une offre structurellement excédentaire qui entraîne souvent une guerre des prix.

+ nom

(sens 1.1.)

- **Une balance (commerciale, ...) excédentaire** : lorsque les exportations sont supérieures aux importations d'un (groupe de) pays. (V. 49 balance, 1).
- **Les liquidités excédentaires**. (V. 346 liquidité, 1).

(sens 1.2.)

- **Une/les capacité(s) excédentaire(s)**. *Les capacités excédentaires du secteur sidérurgique sont évaluées à près de 15 millions de tonnes.*
- **Une offre excédentaire**. (V. 393 offre, 1).

Pour en savoir plus

NOTE D'USAGE

Excéder (v.tr.dir.) : qqch. dépasse un nombre, une quantité, une valeur ou une durée. (Syn. : **dépasser, être supérieur à**). *Cette prime ne peut jamais excéder 2 000 euros.*

EXCÉDENTAIRE (adj.) (***) 1. Qui présente un solde positif. 2. Qui présente une quantité plus importante que prévue.

1. (248)	überschüssig Überschuss-	surplus	excedente excedentario	eccedente	batig
2. (248)	überschüssig	surplus- excess-	excedente	eccedente	overtollig

EXCÉDER (v.tr.dir.) (****) 1. Dépasser un nombre, une quantité.

1. (280) (182)	übersteigen überschreiten	to exceed	exceder sobrepasar	eccedere superare	overschrijden

EXCESSIF, -IVE (adj.) (****) 1. Exagéré.

1. (282)	übermässig übertrieben	excessive exaggerated	excesivo	eccessivo	buitensporig

EXCESSIVEMENT (adv.) (**) 1. De façon exagérée.

1. (282)	übermässig	excessively extremely	excesivamente	eccessivamente	overdreven

EXEMPTER (~ qqn de qqch.) (v.tr.dir.) (***) 1. Dispenser qqn de qqch.

1. (314)	befreien von	to exempt	librar eximir	esentare dispensare	vrijstellen van

EXEMPTION (n.f.) (***) 1. Dispense de qqch.

1. (314) (271)	die Befreiung	exemption	la exención	l'esenzione (f.) l'esonero (m.)	de vrijstelling (f.)

EXERCICE (n.m.) (****) 1. Période comprise entre deux inventaires, deux budgets (RQ).

1. (126)	das Rechnungsjahr	financial year	el ejercicio	l'esercizio (m.)	het boekjaar
(77)	das Geschäftsjahr	accounting period		l'anno contabile (m.)	het boekhoudkundig jaar

EXIGIBLE (adj.) (**) 1. Qui peut être réclamé immédiatement.

1. (162) (194)	fällig	payable due for payment	exigible	esigibile	opvraagbaar opvorderbaar

EXONÉRATION (n.f.) (***) 1. Dispense d'une obligation financière.

1. (271)	die Befreiung	exemption	la exención	l'esonero (m.)	de vrijstelling (f.)
(314)	der Erlass		la exoneración		

EXONÉRER (v.tr.dir.) (***) 1. Dispenser d'une obligation financière.

1. (314)	(von Steuern / Gebühren) befreien	to exempt from	eximir	esonerare	vrijstellen van
(271)			exonerar	esentare	

EXORBITANT, -ANTE (adj.) (***) 1. Très élevé.

1. (282)	übertrieben überhöht	exorbitant	exorbitante desorbitado	esorbitante esagerato	buitensporig

EXPANSION (n.f.) (****) 1. Développement (économique).

1. (170)	die Expansion	expansion	la expansión	l'espansione (f.)	de expansie (f.)
(237)	die Erweiterung	growth			

EXPANSIONNISME (n.m.) (*) 1. Politique économique qui favorise systématiquement le développement économique.

1. (170)	der Expansionismus	expansionism	el expansionismo	l'espansionismo (m.)	het expansionisme

EXPANSIONNISTE (adj.) (*) 1. Qui se rapporte à la politique économique qui favorise systématiquement le développement économique.

1. (170)	expansionistisch	expansionist	expansionista	espansionistico	expansionistisch

EXPANSIONNISTE (n.) (**) 1. Partisan d'une politique économique qui favorise systématiquement le développement économique.

1. (170)	der Anhänger einer Expansionspolitik	expansionist	el expansionista	l'espansionista (m.)	expansionistisch

EXPÉDIER (v.tr.dir.) (***) 1. Envoyer.

1. (362)	(ver)senden (ver)schicken	to send to post (GB)	expedir enviar	spedire inoltrare	sturen (ver)zenden

EXPÉDITEUR, EXPÉDITRICE (n.) (**) 1. Agent économique qui envoie qqch.

1. (362)	das versendende Unternehmen	sender	el expedidor	il mittente	de afzender (m.)
(437)	der Absender (lettre)	consignor	el remitente		de expediteur (m.)

EXPÉDITION (n.f.) (***) 1. Envoi.

1. (362)	der Versand das Absenden	dispatch shipment	el envío la expedición	la spedizione l'invio (m.)	de verzending (f.)

EXPÉRIENCE (n.f.) (****) 1. Connaissances accumulées.

1. (454) (157)	die Erfahrung	experience	la experiencia	l'esperienza (f.)	de ervaring (f.)

EXPÉRIMENTÉ, -ÉE (adj.) (**) 1. Qui a accumulé beaucoup de connaissances.

1. (455)	erfahren	experienced skilled	experimentado	esperto	ervaren

EXPERT, -ERTE (adj.) (*) 1. Qui se base sur ses connaissances accumulées.

1.	erfahren sachkundig	expert skilled	experto perito	esperto perito	deskundig bekwaam

EXPERT, EXPERTE (n.) (***) 1. Personne qui a accumulé beaucoup de connaissances dans un domaine.

1.	der Fachmann der Experte	expert	el experto el perito	l'esperto (m.) il perito	de deskundige (m.) de expert (m.)

EXPERT-COMPTABLE, EXPERTE-COMPTABLE ; EXPERT(E)S-COMPTABLES (n.) (***) 1. Personne dont la profession est de vérifier les comptes.

1. (127)	der Wirtschaftsprüfer	chartered accountant (GB)	el perito mercantil	il revisore contabile	de accountant (m.)
	der Buchprüfer	independent auditor	el censor jurado de cuentas	il (dottore) commercialista	

EXPERTISE (n.f.) (***) 1. Compétence d'une personne qui a accumulé beaucoup de connaissances. 2. Examen technique.

1. (413)	der Sachverstand das Expertenwissen	expertise know-how	la pericia	la perizia	de expertise (f.) de deskundigheid (f.)
2. (45)	das Gutachten die Expertise	expert valuation (GB) expert appraisal (US)	el peritaje la tasación pericial	la consulenza la perizia	de expertise (f.)

EXPIRATION (n.f.) (***) 1. Fin d'un délai, d'un contrat.

1. (149)	der (Vertrags)ablauf	expiry (GB)	la expiración	la scadenza	de afloop (m.) van een termijn
(350)	das Erlöschen	expiration	el vencimiento	il termine	

EXPIRER (v.intr.) (**) 1. Arriver à la fin.

1. (149)	ablaufen verfallen	to expire to terminate	expirar caducar	scadere	aflopen vervallen

EXPLOITABLE (adj.) (*) 1. Dont on peut tirer parti économiquement.

1. (238)	(unternehmerisch) verwertbar nutzbar	exploitable	explotable cultivable	coltivabile sfruttabile	winbaar ontginbaar

EXPLOITANT, EXPLOITANTE (n.) (***) 1. Agent économique qui dirige une unité de base en agriculture ou dans l'industrie extractive.

1. (238)	der Landwirt der Inhaber eines Steinbruchs / einer Sandgrub	farmer (agricole) manager (commercial)	el agricultor el jefe de la explotación	il coltivatore diretto l'imprenditore (m.)	de uitbater (m.) de exploitant (m.)

EXPLOITATION (n.f.) (****) 1. Unité de base en agriculture et dans l'industrie extractive. 2. Mise en œuvre de tous les moyens possibles pour réaliser des activités 3. Activité normale d'une entreprise. 4. Abus de qqch. ou de qqn à son profit.

1. (238)	der (landwirtschaftliche) Betrieb	holding	la explotación	l'impresa (f.)	het bedrijf
	das Abbauunternehmen	concern	la empresa	l'azienda (f.)	de onderneming (f.)
2. (238)	die Bewirtschaftung der Abbau	running operating	la explotación	la coltivazione l'esercizio (m.)	het uitbaten de ontginning (f.)
3. (238)	der Betrieb	running working	la explotación	lo sfruttamento aziendale	het functioneren
4. (238)	die Ausbeutung	exploitation	la explotación	lo sfruttamento eccessivo	de uitbuiting (f.)

EXPLOITER (v.tr.dir.) (****) 1. Tirer parti économiquement. 2. Abuser de qqch. ou de qqn à son profit.

1. (238)	bewirtschaften	to run	explotar	gestire	uitbaten
(491)	betreiben	to operate		condurre	ontginnen
2. (239)	ausbeuten	to exploit to take advantage of	explotar aprovecharse	sfruttare	uitbuiten

EXPLOITEUR, EXPLOITEUSE (n.) (*) 1. Employeur qui traite ses employés comme des esclaves.

1. (228)	der Ausbeuter	exploiter slave-driver	el explotador	lo sfruttatore	de uitbuiter (m.)

EXPLOSER (v.intr.) (***) 1. Augmenter de façon importante.

1. (276)	explodieren	to explode to sky-rocket (prix)	explotar estallar	esplodere balzare	exploderen

EXPLOSION (n.f.) (***) 1. Hausse importante.

1. (276)	die Explosion	explosion	la explosión	l'esplosione (f.) il balzo	de explosie (f.)

EXPONENTIEL, -IELLE (adj.) (**) 1. Qui augmente de façon extrêmement rapide.

1. (282)	exponenziell	exponential	exponencial	esponenziale	exponentieel

EXPORT (n.m.) (***) 1. Abréviation de 'exportation'.

1. (252)	die Ausfuhr der Export	export	la exportación el export	l'export (m.) l'esportazione (f.)	de export (m.) de uitvoer (m.)

EXPORTABLE (adj.) (**) 1. Qui peut être transporté vers un pays étranger pour y être vendu.

1. (252)	exportierbar exportfähig	exportable	exportable	esportabile	exporteerbaar uitvoerbaar

EXPORTATEUR, EXPORTATRICE (n.) (***) 1. Agent économique qui vend des biens à l'étranger. 2. Société qui en fait son activité principale.

1. (252)	der Exporteur der Exporthändler	exporter	el exportador	l'esportatore (m.)	de uitvoerder (m.) de exporteur (m.)
2. (252)	der Exporteur das Exportunternehmen	exporter	el exportador la empresa exportadora	l'esportatore (m.) l'azienda esportatrice	de exporteur (m.) de exportfirma (m./f.)

EXPORTATEUR, -TRICE (adj.) (***) 1. Qui vend des biens à l'étranger.

1. (252)	Ausfuhr- Export-	export exporting	exportador	esportatore	exporterend uitvoerend

EXPORTATION (n.f.) (****) 1. Vente de biens à l'étranger. 2. (plur.) Biens vendus à l'étranger.

1. (251)	die Ausfuhr der Export	export(ation)	la exportación	l'esportazione (f.)	de export (m.) de uitvoer (m.)
2. (251)	die exportierten Güter die ausgeführten Waren	export	las exportaciones	le merce d'esportazione	het (de) uitvoergoed(eren) (plur.) de uitvoerproducten (plur.)

EXPORTATION

➡ importation - commerce

1 une exportation 3 la réexportation 3 l'export l'import-export (V. 311 importation, 3)	2 un exportateur, une exportatrice	3 exportateur, -trice 3 exportable	3 exporter 3 s'exporter

1 une EXPORTATION - [ɛkspɔʀtasjɔ̃] - (n.f.)

1.1. Opération de vente de biens, de services ou de capitaux (X) dans un pays étranger par un agent économique (une entreprise, un État) d'un autre pays.
Ant. : une importation.
Les petits pays pétroliers et miniers font reposer leur développement sur l'exploitation et l'exportation de leurs ressources.

1.2. (emploi au plur.) Ensemble des biens, des services ou des capitaux (X) que les agents économiques (une entreprise, un État - Y) vendent à l'étranger.
Ant. : les importations.
Nos échanges commerciaux avec la Russie restent minimes : la Russie ne représente qu'un peu plus d'un % des exportations totales de notre pays.

2.1. Diffusion d'idées, de modes, de coutumes, ... à l'étranger.
L'exportation de la doctrine économique du capitalisme vers les pays de l'Est s'est faite très rapidement.

+ adjectif

TYPE D'EXPORTATIONS (sens 1.2.)

Les exportations + adjectif qui désigne un type de produits. Les exportations pétrolières ; agricoles.

Les exportations visibles. >< **Les exportations invisibles**. (V. 309 importation, 1).

CARACTÉRISATION DE L'EXPORTATION (sens 1.1.)

L'exportation illégale. *Les députés ont adopté un projet de loi visant à renforcer le contrôle des exportations illégales d'armes.*

LOCALISATION DE L'EXPORTATION

(sens 1.1.)

- (B) **La grande exportation** : exportations vers des pays lointains. *Si notre pays a apparemment réalisé de très bonnes performances à la grande exportation, le total des exportations sera bel et bien en recul, à cause de la chute des exportations vers les pays européens.*

LOCALISATION DES EXPORTATIONS (sens 1.2.)

Les exportations mondiales. *En volume, les exportations mondiales de marchandises n'ont augmenté que de 2,5 %, soit un rythme nettement inférieur à celui enregistré ces dernières années.*

+ nom

(sens 1.1.)

- **Les marchés d'exportation** (moins fréq. : **un marché d'exportation**).
- **Le prix à l'exportation**. (V. 434 prix, 1).
- **Une licence d'exportation** : droit d'exporter des marchandises sensibles (des armes ou de la technologie nucléaire p. ex.) accordé par un État.
- **Un produit d'exportation**. (V. 444 production, 2).
- **La performance à l'exportation**. (V. 413 performance, 1).
- **Les subventions à l'exportation**, (B) **les subsides à l'exportation**. (V. 530 subvention, 1).
- **Les recettes d'exportation**. (V. 471 recette, 1).

(sens 1.2.)

- **Les exportations de produits** + adjectif qui désigne un type de produits. Les exportations de produits manufacturés ; chimiques.
- **La promotion des exportations**. (V. 459 promotion, 1).

TYPE D'EXPORTATIONS (sens 1.2.)

Les exportations de + nom qui désigne un type de produits. Les exportations de textiles.

Les exportations de biens ; **de marchandises**.

LOCALISATION DE L'EXPORTATION (sens 1.1. et 1.2.)

L'/les exportation(s) vers + nom qui désigne un (groupe de) pays. *La quasi-totalité de la production est destinée à l'exportation vers quelque 110 pays.*

MESURE DES EXPORTATIONS (sens 1.2.)

Le volume des exportations. *On enregistre de nouveau une très forte croissance du volume des exportations de Hong Kong, de la république de Corée et de Taiwan.*

+ verbe : qui fait quoi ?

(sens 1.1.)

un État	**autoriser** l'/les ~ (de X)	une autorisation d'exporter (X)
	< **stimuler** l'/les ~ (de X)	la stimulation de l'/des ~ (de X)
	promouvoir l'/les ~ (de X)	la promotion de l'/des ~ (de X)
	favoriser l'/les ~ (de X)	-
	>< **interdire** l'/les ~ (de X)	une interdiction d'exporter (X)

(sens 1.2.)

Y	▽	**diminuer** les ~ (de X) **réduire** les ~ (de X)	une diminution des ~ (de X) une réduction des ~ (de X)
→ les ~ (de X)		**baisser**	une baisse des ~ (de X)
		diminuer	une diminution des ~ (de X)
		reculer	un recul des ~ (de X)
les ~ (de X)	▽▽	**chuter**	une chute des ~ (de X)
Y	△	**augmenter** les ~ (de X)	une augmentation des ~ (de X)
→ les ~ (de X)		**augmenter**	une augmentation des ~ (de X)
		être en hausse	une hausse des ~ (de X)
		croître	une croissance des ~ (de X)
les ~ (de X)	▽△	**reprendre**	une reprise des ~ (de X) 1

1 *Grâce à une demande plus forte de nos produits à l'étranger, nos exportations reprennent progressivement.*

2 un EXPORTATEUR , une EXPORTATRICE - [ɛkspɔʀtatœʀ, ɛkspɔʀtatʀis] - (n.)

1.1. Agent économique (une entreprise, un État) qui vend dans un pays étranger des biens, des services ou des capitaux.
Ant. : un importateur.
Notre pays est le premier exportateur mondial d'équipements de télécommunications par habitant.

1.2. Agent économique (une société) dont l'occupation principale est le commerce d'exportation.

+ adjectif

CARACTÉRISATION DE L'EXPORTATEUR (sens 1.1.)

Le premier exportateur. *Premier exportateur de verre de l'Union européenne, le secteur verrier apporte ainsi une contribution non négligeable à la balance commerciale.*

Un grand exportateur, **un gros exportateur**.

+ nom

TYPE D'EXPORTATEUR (sens 1.1.)

Un exportateur de + nom qui désigne un type de produits ou de services. Un exportateur de pétrole.

3 AUTRES DÉRIVÉS OU COMPOSÉS

- **La réexportation** [ʀeɛkspɔʀtasjɔ̃] (n.f.) : exportation de marchandises qui avaient été importées.
- **L'export** [ɛkspɔʀ] (n.m.) : abréviation d'exportation. *La direction craint que la dynamique à l'export ne soit cassée par la publicité négative dont a été victime le groupe.*
- **Exportateur, -trice** [ɛkspɔʀtatœʀ, -tʀis] (adj.) : (une entreprise, un État) qui exporte des biens, des services ou des capitaux. *Le gouvernement a proposé une série de mesures qui ont pour but de préserver la capacité exportatrice de nos entreprises.* **L'Organisation des pays exportateurs de pétrole (l'OPEP)**.
- **Exportable** [ɛkspɔʀtabl(ə)] (adj.) : qu'il est permis ou possible d'exporter.
- **Exporter** [ɛkspɔʀte] (v.tr.dir.) : Un agent économique vend dans un pays étranger des biens, des services ou des capitaux. (Ant. : **importer**).

  Exporter un produit vers + nom d'un (groupe de) pays.

  S'exporter [sɛkspɔʀte] (v.pron.) : Un bien, un service ou un capital se vend dans un pays étranger. *La production s'exporte bien : 90 000 tonnes sur les 120 000 tonnes produites sont vendues à l'étranger.* (Un bien, un service) **s'exporter vers** + nom d'un (groupe de) pays.

EXPORTER (~, s'~) (v.tr.dir., v.pron.) (****) 1. (Se) vendre à l'étranger.

1. (252)	ausführen exportieren	to export	exportar (se)	esportare	exporteren uitvoeren

EXPOSANT, EXPOSANTE (n.) (***) 1. Agent économique qui présente ses produits à un salon, une bourse.

1. (374)	der Aussteller der Ausstellungsteil-nehmer	exhibitor	el expositor	l'espositore (m.)	de exposant (m.)

EXPOSER (v.tr.dir.) (****) 1. Présenter ses produits à un salon, une bourse.

1. (362)	(zum Verkauf) ausstellen	to exhibit to show	exponer	esporre	tentoonstellen

EXPOSITION (n.f.) (****) 1. Présentation de produits.

1. (362)	die Ausstellung	exhibition	la exposición	l'esposizione (f.)	de expositie (f.)
(355)	die Messe	show	la feria	la mostra	de tentoonstelling (f.)

EXTERNALISATION (n.f.) (*) 1. Cession d'une activité à une autre entreprise.

1. (442)	die Vergabe von Auftragen nach draussen / an Subunternehmen	externalization	la externalización	l'esternalizzazione (f.)	het aan derden toever-trouwen van diensten
(510)				il subappalto	

EXTERNALISER (v.tr.dir.) (*) 1. Céder une activité à une autre entreprise.

1. (442)	Aufträge nach draussen vergeben	to contract out	externalizar	subappaltare	diensten aan derden toevertrouwen
(510)	Aufträge an Subunter-nehmen vergeben	to subcontract			

EXTERNALITÉ (n.f.) (*) 1. Effet externe.

1. (218)	die externen Effekte	externality	el efecto externo	l'esternalità (f.)	de externaliteit (f.)
(212)					

EXTORQUER (v.tr.dir.) (*) 1. Prendre qqch. à qqn sans son accord.

1. (35)	(Geld) erpressen	to extort from	arrancar	estorcere	afpersen
(289)			arrebatar		

EXTORSION (n.f.) (*) 1. Fait de prendre qqch. à qqn sans son accord.

1. (35)	die Erpressung	extortion	la extorsión	l'estorsione (f.)	de afpersing (f.)
(289)				il ricatto	

EXTRA-LÉGAL, -ALE ; -AUX, -ALES (adj.) (****) 1. En plus des dispositions légales.

1. (479)	ausserhalb des gesetz-lichen Rahmens	extra-legal	extralegal	extra-legale	extralegaal

EXTRA-PROFESSIONNEL, -ELLE (adj.) (*) 1. À côté de la profession principale.

1. (455)	nebenberuflich	extra-professional	extraprofesional	extra-professionale	extraprofessioneel

EXW (*) ex works.

(117)	ab Fabrik ab Werk	ex works ex factory	en fábrica	franco fabbrica la clausola 'fuori dal cancello'	af fabriek

F

FAB (*) franco à bord.

(117)	frei an bord	free on board (FOB)	franco a bordo	franco a bordo	vrachtvrij aan boord

FABRICANT, FABRICANTE (n.) (****) 1. Agent économique qui réalise des biens. 2. Personne qui dirige une entreprise.

1. (255)	der Hersteller	manufacturer	el fabricante	il produttore il fabbricante	de fabrikant (m.) de producent (m.)
2. (255)	der Fabrikant	plant manager	el fabricante	l'imprenditore (m.)	de bedrijfsleider (m.) de producent (m.)

FABRICATION (n.f.) (****) 1. Ensemble des opérations qui permettent la réalisation d'un bien.

1. (253)	die Herstellung die Fertigung	manufacture production	la fabricación la producción	la fabbricazione la produzione	de fabricage (f.) de vervaardiging (f.)

FABRICATION

➠ production

1 la fabrication **3** la préfabrication **3** le préfabriqué **3** une fabrique	**2** un fabricant, une fabricante		**3** fabriquer **3** préfabriquer

1 la FABRICATION - [fabrikasjɔ̃] - (n.f.)

1.1. Ensemble des opérations par lesquelles un agent économique (un fabricant: un artisan, une entreprise - X) réalise des biens de consommation ou d'équipement (Y), par transformation ou assemblage industriel ou artisanal de biens intermédiaires, destinés à la satisfaction des besoins des autres agents économiques.

Syn. : (V. 441 production, 1).

L'usine allemande n'a pas seulement été désignée pour la conception du nouveau modèle de Ford, mais elle est également chargée de la fabrication des premiers prototypes.

expressions

- (Un produit) **de fabrication** française ; artisanale ; ... *Les produits de fabrication suédoise ont une très bonne réputation chez nous.*
- (Un produit) **de ma ; ta ; ... fabrication.**

+ adjectif

TYPE DE FABRICATION

Les fabrications + adjectif qui désigne un type de bien réalisé. Les fabrications métalliques ; mécaniques ; électriques ; électroniques. *Le secteur du métal et des fabrications métalliques représente 60 % de l'activité de sous-traitance pour le secteur automobile.* **Le secteur des fabrications métalliques** ; ...

La fabrication industrielle. >< **La fabrication artisanale.** (Syn. : **la fabrication maison**). *Une production à l'échelle industrielle nous ferait perdre notre label de qualité : fabrication artisanale d'après une vieille recette familiale.*

La fabrication intégrée par ordinateur (la FIO) : ensemble des techniques qui concourent à la conception, à la mise en place et à l'animation des systèmes de production automatisés, telles que **la conception assistée par ordinateur (la CAO), la fabrication assistée par ordinateur (la FAO)** (ensemble des techniques utilisant un ordinateur dans les activités de production d'une entreprise industrielle (Ménard). (Syn. : **la production assistée par ordinateur**)), la robotique (V. 442 production, 1), la manutention automatique, ... (Ménard).

LOCALISATION DE LA FABRICATION

La fabrication + adjectif qui désigne un (groupe de) pays. La fabrication européenne ; canadienne.

+ nom

- **Un processus de fabrication** : ensemble des opérations techniques nécessaires à la fabrication d'un produit. *L'entreprise a modernisé son processus de fabrication tout en sauvegardant le contrôle de qualité de chaque pièce comme s'il s'agissait d'un travail d'artisan.*

  Un procédé de fabrication : opération technique particulière dans le processus de production. *Notre nouveau procédé de fabrication est fort respectueux de l'environnement.*
- **Une licence de fabrication.** *Nous avons acheté la licence de fabrication au niveau mondial d'une machine destinée à faciliter l'application de peinture au rouleau.*

  Un secret de fabrication. *Le secret de fabrication des chapeaux a été hérité d'une longue tradition familiale.*
- **Une chaîne de fabrication** : ensemble de différentes activités de production considérées dans leur déroulement chronologique. *Avant de mettre en service une chaîne de fabrication, une simulation sur ordinateur permet de déterminer son fonctionnement optimal.*
- **Un défaut (de fabrication).** *Plus de 100 000 voitures vont être rappelées afin de réparer un défaut de fabrication.*
- **Le coût de fabrication.** (V. 159 coût, 1).
- **Un cycle de fabrication.** (V. 439 production, 1).

TYPE DE FABRICATION

La fabrication de + nom qui désigne un type de biens. La fabrication de produits (chimiques ; textiles ; dérivés ; ...) ; de pièces ; de machines.

La fabrication en (grande >< **petite) série.** >< **La fabrication manuelle.** *En général, la fabrication en grande série est moins onéreuse que la fabrication manuelle.*

La fabrication maison. 1. (Syn. : **la fabrication artisanale**). (Ant. : **la fabrication industrielle**). *Ce chocolatier est renommé pour ses spécialités de fabrication maison.* - 2. Produit réalisé dans l'entreprise même. *Pour augmenter la productivité de nos machines, nous les avons équipées de commandes de fabrication maison beaucoup plus performantes que celles livrées par le fabricant.*

La fabrication pour le stock. >< **La fabrication sur commande.** (V. 440 production, 1).

LOCALISATION DE LA FABRICATION

Une unité de fabrication : atelier, usine, établissement qui permet de fabriquer un bien. *C'est la première unité de fabrication de cette société américaine en Europe.*

Une usine de fabrication. (Syn. : **une usine de production**).

Un atelier de fabrication. (Syn. : **un atelier de production**).

+ verbe: qui fait quoi ?

X, une usine, ...	✓	**se lancer dans** la ~ de Y	-	1
	↙			
Y	×	**être en cours de ~**	-	

X, une usine, ...	**se spécialiser dans** la ~ de Y	une spécialisation dans la ~ de Y	2
un bien intermédiaire	**être destiné à** la ~ de Y	-	
	entrer dans la ~ de Y	-	3

1 *Personne ne désire se lancer dans la fabrication de ces appareils aussi longtemps que leur fiabilité n'a pas été prouvée.*
2 *Procter and Gamble a annoncé la mise en vente d'une de ses filiales spécialisée dans la fabrication de produits chimiques.*
3 *L'abiénol est un arôme qui entre dans la fabrication de certains parfums et déodorants.*

Pour en savoir plus

- **La contrefaçon**. 1. Action de reproduire par imitation et de façon frauduleuse un bien, un service, un modèle, une marque, une œuvre artistique, ... - 2. Reproduction frauduleuse d'un bien, d'un modèle, d'une marque, ... *Bien qu'il s'agisse d'une contrefaçon, cette montre coûte presque autant que l'original.*
{**un contrefacteur, contrefaire**}.
Trafiquer. (V. 116 commerce, 1).

2 un FABRICANT, une FABRICANTE - [fabrikɑ̃, fabrikɑ̃t] - (n.)

1.1. Agent économique (un artisan, une entreprise) qui réalise des biens de consommation ou d'équipement, par transformation ou assemblage industriel ou artisanal de biens intermédiaires, destinés à la satisfaction des besoins des autres agents économiques.
Syn. : (V. 447 production, 3).
Les fabricants d'ordinateurs "blancs" arrivent malgré tout à se maintenir face aux grands fabricants que sont Digital, Compaq et autres IBM.

1.2. Personne qui dirige ou possède une entreprise qui réalise des biens de consommation ou d'équipement par transformation ou assemblage industriel ou artisanal de biens intermédiaires, destinés à la satisfaction des besoins des autres agents économiques.
Elle vient d'épouser le fils d'un riche fabricant de chaussures.

+ adjectif

CARACTÉRISATION DU FABRICANT
Un grand fabricant. *Une fois de plus, les deux grands fabricants de lessive se livrent une nouvelle bataille commerciale.*
>< **Un petit fabricant**.

+ nom

TYPE DE FABRICANT
Un fabricant de + nom qui désigne un type de produits. Un fabricant de produits (alimentaires ; pharmaceutiques ; ...) d'ordinateurs ; de pneus ; de meubles.

LOCALISATION DU FABRICANT
Un fabricant + adjectif qui désigne un (groupe de) pays. Un fabricant européen ; japonais.

3 AUTRES DÉRIVÉS OU COMPOSÉS

- **Une fabrique** [fabrik] (n.f.). 1. Établissement industriel de moyenne dimension et fortement mécanisé. (Syn. : (plus fréq.) **une usine**). (V. 557 travail, 1). *Les fabriques de montres suisses sont réputées pour leurs contrôles de qualité très sévères.* **Une marque (de fabrique)** : signe (nom, sigle, dessin ou logo) qui sert à distinguer les produits ou les services d'une entreprise. *La gendarmerie a découvert un stock important de tee-shirts portant la marque de fabrique Nike, fabriqués illégalement dans un petit atelier parisien.* Une marque personnelle sous forme de signature manuscrite est appelée **une griffe.** *Ce grand couturier a décidé de lancer sa propre griffe, baptisée Ambiance, une collection de prêt-à-porter féminin haut de gamme.* **Un article griffé.** >< **Un article dégriffé** : produit neuf vendu sans marque afin d'éliminer une fin de stock sans affecter l'image de marque du fabricant. {**le cogriffage** (V. 466 publicité, 2)}. - 2. (péj.) **Une fabrique à diplômes.** *L'université est souvent assimilée à une fabrique à diplômes.*
- **Fabriquer** [fabrike] (v.tr.dir.) : un agent économique (un fabricant: une entreprise) réalise des biens de consommation ou d'équipement par transformation ou assemblage industriel ou artisanal. **Fabriquer en (grande** >< **petite) série.**
(angl.) **Made in** + nom d'un (groupe de) pays (en anglais) ou (peu fréq.) + nom d'une entreprise [mɛdin] : fabriqué dans ce (groupe de) pays ; dans cette entreprise. *Les voitures made in Germany sont robustes.*
- **Préfabriquer** [prefabrike] (v.tr.dir.) : un agent économique réalise les éléments standardisés d'une construction (maison, navire, ...) qui seront assemblés plus tard sur un chantier. **Une maison préfabriquée.**
{**le préfabriqué** [prefabrike] (n.m.), **la préfabrication** [prefabrikasjɔ̃] (n.f.)}. **C'est du**

préfabriqué. 1. Bâtiment construit avec des éléments standardisés construits d'avance. - 2. C'est un bâtiment qui n'est pas aussi solide qu'une construction traditionnelle.

FABRIQUE (n.f.) (***) 1. Établissement industriel. 2. (une ~ à diplômes) Établissement scolaire qui délivre facilement des diplômes de peu de valeur.

1. (255)	die Fabrik	factory works	la fábrica la factoría	la fabbrica lo stabilimento	de fabriek (f.)
2. (255)	der Lieferant	(exam) factory	la fábrica	l'esamificio (m.)	de instelling (f.) die gemakkelijk diploma's aflevert
	der Produzent				

FABRIQUER (v.tr.dir.) (****) 1. Réaliser des biens.

1. (255)	herstellen anfertigen	to make to produce	fabricar producir	fabbricare produrre	fabriceren vervaardigen

FACTORING (n.m.) (**) 1. Opération de cession de créance à un établissement financier spécialisé.

1. (258)	das Factoring das Factoringgeschäft	factoring	el factoring	il factoring	de factoring (f.)

FACTURABLE (adj.) (*) 1. Pour lequel peut être établi une facture.

1. (258)	in Rechnung gestellt werden berechnet werden	billable	facturable	fatturabile	factureerbaar

FACTURATION (n.f.) (***) 1. Ensemble des opérations qui ont pour but la rédaction d'un document comptable sur le produit ou le service vendu. 2. Service qui se charge de l'établissement des documents comptables sur les produits vendus.

1. (258)	die (In)Rechnungstellung	invoicing	la facturación	la fatturazione	de facturering (f.)
	die Berechnung	billing			het opmaken van een factuur
2. (258)	die Rechnungsabteilung	invoicing department	el servicio de facturación	l'ufficio (m.) contabilità	de factureringsafdeling (f.)
		billing department		l'ufficio (m.) fatturazione	

FACTURE (n.f.) (****) 1. Document comptable sur un produit vendu. 2. Ensemble des dépenses occasionnées par un événement.

1. (256)	die Rechnung	invoice	la factura	la fattura	de factuur (f.)
2. (256)	die Rechnung	bill	la factura	la fattura	de rekening (f.) het conto

FACTURE

➠ commerce

1 une facture **3** une facturette **3** un facturier **2** la facturation **3** l'affacturage	**3** un facturier	**3** facturable	**3** facturer

1 une FACTURE - [faktyʀ] - (n.f.)

1.1. Document comptable daté par lequel un agent économique (le vendeur : un particulier, une entreprise, une administration - X) fait connaître à un autre agent économique (le client, l'acheteur : un particulier, une entreprise, une administration - Y) la quantité, la nature, la valeur et les conditions de paiement des produits qu'il lui a vendus ou des services qu'il lui a rendus.

Syn. : (☞ 258 Pour en savoir plus, Facture (sens 1.1.) et synonymes).

Le paiement de la facture se fait encore attendre.

1.2. Ensemble des dépenses occasionnées par un événement public, une manifestation (une foire, un salon, ...) ou un incident (une inondation p. ex.)

Syn. : (V. 187 dépense, 1).

Le feu d'artifice était très joli, mais qui va payer la facture ?

expressions

(sens 1.1.)

- (Une condition) **(être) garanti sur facture** : accordé définitivement : qui engage le vendeur ou le fournisseur.

+ adjectif

TYPE DE FACTURE (sens 1.1.)

La facture + adjectif qui désigne le type de produit, de service fourni. La facture énergétique ; pétrolière.

Une fausse facture : facture qui ne correspond pas à une transaction réelle ou aux conditions imposées par la loi. *Les contrôleurs du fisc ont découvert de très importantes irrégularités* *dans la comptabilité de l'entreprise : plusieurs fausses factures pour un montant de plus d'un million d'euros.*

Une facture impayée. (Syn. : **un impayé, une facture (restée) en souffrance**). *Le montant total des factures impayées représente 1,03 % du montant facturé par notre société.* Une facture impayée donne lieu à la rédaction d'**une lettre de rappel** ou **un rappel** qui doit inciter le client à payer sa facture.

Une facture originale. (☞ 257 + nom).

Une facture rectificative : facture qui corrige une facture antérieure.

Une facture domiciliée : facture à échéance fixe (gaz, électricité, téléphone) qu'un particulier ou une entreprise demande à la banque de payer automatiquement lorsqu'elle est présentée par le créancier. (V. 402 paiement, 1).

Une facture douanière : facture conforme aux normes fixées par l'administration des douanes des pays importateurs.

Une facture consulaire : document établi par le vendeur d'une marchandise pour fournir à la douane du pays importateur tous les éléments dont elle a besoin pour l'identification et la tarification des marchandises (DC).

Une facture protestable : facture qui permet le transfert de droits à un banquier : le droit d'obtenir la créance et, en cas de non-paiement, celui de se faire dresser un protêt.

NIVEAU DE LA FACTURE (sens 1.1.)

Une facture élevée. < **Une lourde facture**, (fam.) **une facture salée**.

MESURE DE LA FACTURE (sens 1.1.)

La facture mensuelle ; **annuelle.**

+ nom

(sens 1.1.)

- (B) **La domiciliation d'une facture**. (☞ 257 + adjectif).
- **Un prix de facture**. (V. 434 prix, 1).

TYPE DE FACTURE (sens 1.1.)

La facture de + nom qui désigne le type de produit, de service fourni. La facture de téléphone ; d'électricité ; de gaz.

Une facture pro forma : facture provisoire établie par le vendeur pour permettre au client de préparer toutes les formalités administratives de l'achat. (Syn. : (moins fréq.) **une facture pour la forme**). (Ant. : **une facture originale**).

Une facture (restée) en souffrance. (☞257 + adjectif).

Une facture d'avoir. (Syn. : **une note de crédit**).

MESURE DE LA FACTURE (sens 1.1.)

Le montant de la facture. *La hausse du dollar entraîne inévitablement la hausse du montant de notre facture pétrolière.*

+ verbe : qui fait quoi ?

(sens 1.1. et 1.2.)

la ~	=	**s'élever à**	-	
		atteindre	-	
		se chiffrer à	-	1
		+ indication d'un montant		

1 *La facture se chiffre à 7 milliards, soit 25 % de plus que prévu initialement.*

(sens 1.1.)

X	✓	**établir** une ~	l'établissement d'une ~	1
		dresser une ~ au nom de Y	-	
X		**libeller** une ~		2
		en + nom d'une monnaie		
		✓		
X		**délivrer** une ~ (à Y)	la délivrance d'une ~ (à Y)	
>< Y		**recevoir** une ~ (de X)	la réception d'une ~ (de X)	
		✓		
Y		**payer** une ~	le paiement d'une ~	
		régler une ~	le règlement d'une ~	
		acquitter une ~	l'acquittement d'une ~ pour acquit (V. 405 paiement, 6)	
		honorer une ~	-	3
qqch.	△	**augmenter** la ~	une augmentation de la ~	
		alourdir la ~	un alourdissement de la ~	4
		faire gonfler la ~	un gonflement de la ~	
→ la ~		**augmenter**	une augmentation de la ~	

	s'alourdir (de + indication d'un montant)	un alourdissement de la ~
X	(B) **domicilier** une ~ (☞257 + adjectif)	la domiciliation d'une ~

1 *La facture n'a été établie qu'un mois après la livraison des marchandises.*
2 *Les factures pétrolières sont libellées en dollars et représentent près de 10 % du commerce mondial.*
3 *Nous avons décidé de ne pas honorer la facture d'un service qui ne répond pas aux exigences.*
4 *La hausse du dollar alourdit sensiblement la facture pétrolière.*

Pour en savoir plus

FACTURE (sens 1.1.) ET SYNONYMES

Une facture.

Un compte : a la même fonction qu'une facture sans être un document comptable officiel.

Une note. 1. Syn. moins fréq. de facture. **Une note de gaz**. **Une note de frais**. (V. 293 frais, 1). - 2. Document sur lequel figurent les dépenses effectuées à l'hôtel. **Une note d'hôtel**. *Un chèque postal ne vous permet pas de payer votre note d'hôtel.*

Une addition : document sur lequel figurent les dépenses effectuées au restaurant. (Syn. : (fam.) **la douloureuse**). *Garçon, l'addition, s'il vous plaît.*

2 la FACTURATION - [faktyʀasjɔ̃] - (n.f.)

1.1. Établissement d'un document comptable par lequel un agent économique (le vendeur : un particulier, une entreprise, une administration) fait connaître à un autre agent économique (le client, l'acheteur : un particulier, une entreprise, une administration) la quantité, la nature, la valeur et les conditions de paiement des produits qu'il lui a vendus ou des services qu'il lui a rendus.
Si les réductions sont fixées individuellement, par type de client, le système de facturation doit être souple et détaillé.

1.2. Service chargé de l'établissement des factures.
Cela fait déjà 20 ans que cette employée travaille dans la facturation.

+ nom

(sens 1.1.)

- **La date de facturation.**
- **Un système de facturation.**

3 AUTRES DÉRIVÉS OU COMPOSÉS

- **Une facturette** [faktyʀɛt] (n.f.) : petit reçu qui atteste un paiement par carte bancaire. (Syn. : (S) **une quittance**).
- **Un facturier, une facturière** [faktyʀje, faktyʀjɛʀ] (n.). 1. Employé(e) de bureau chargé(e) d'établir les factures, de tenir les comptes (RQ). - 2. (n.m.) Classeur dans lequel sont rassemblées les factures. **Un facturier de sortie** >< **Un facturier d'entrée.**
- **L'affacturage** [afaktyʀaʒ] (n.m.) : opération par laquelle un créancier cède des créances à un établissement financier spécialisé, qui se charge de leur recouvrement. Cet établissement assume les risques de non-recouvrement éventuel des créances contre paiement d'une commission et des intérêts. (Syn. : (plus fréq.) **le factoring**). *Les sociétés d'affacturage se chargent d'encaisser les factures dans les délais, mais elles offrent aussi l'assurance-crédit.*
- **Facturable** [faktyʀabl(ə)] (adj.). *Le prix des travaux est facturable intégralement puisqu'ils n'ont pas été effectués au noir.*
- **Facturer** [faktyʀe] (v.tr.dir.) : un agent économique (le vendeur : un particulier, une entreprise, une administration) établit une facture. *Les nouveaux ordinateurs vous seront facturés aux anciens prix.*

  Facturer un bien ou **un service à** qqn (+ indication d'un montant ; en + nom d'une monnaie). *Le plombier m'a facturé 200 euros le remplacement de ces deux tuyaux.*

FACTURER (v.tr.dir.) (***) 1. Établir un document comptable sur un produit vendu.

1. (258)	berechnen in Rechnung stellen	to invoice to bill	facturar extender factura	fatturare far pagare	factureren (aan)rekenen

FACTURETTE (n.f.) (*) 1. Petit reçu qui atteste un paiement par carte bancaire.

1. (258)	der Zahlungsbeleg	credit card slip	el justificante	la ricevuta di pagamento con carta di credito	het betalingsbewijs het betaalbewijs

FACTURIER, FACTURIÈRE (n.) (*) 1. Employé qui établit les documents comptables sur les produits vendus. 2. (n.m.) Classeur qui rassemble des documents comptables.

1. (258)	der Fakturist	invoice clerk	el facturador el encargado de las facturas	il fatturista	de facturist (m.)

2. (258)	das Rechnungsbuch	invoice book invoice register	el libro registro de facturas	il registro delle fatture emesse	het factuurboek

FAIBLE (adj.) (****) 1. Limité.

1. (284)	schwach	weak	débil	basso	laag
(282)	gering	low (demande)	reducido	debole	zwak

FAIBLEMENT (adv.) (**) 1. De façon limitée.

1. (284)	schwach	slightly	débilmente	debolmente	weinig
(282)	gering	in a limited way		scarsamente	beperkt

FAIBLESSE (n.f.) (****) 1. Caractère limité, manque de vigueur.

1. (140)	die Schwäche	weakness	la debilidad	la debolezza	de zwakheid (f.)
(182)			la endeblez		

FAIBLIR (v.intr.) (**) 1. Diminuer.

1. (278)	schwächer werden	to weaken	debilitar	diminuire	verzwakken
	geringer werden	to slacken (off)	aflojar	indebolirsi	zwakker worden

FAIBLISSEMENT (n.m.) (*) 1. Diminution.

1. (278)	die Schwächung	weakening	la debilitación	l'indebolimento (m.)	de verzwakking (f.)
	die Verringerung	diminishing	el debilitamiento		de verlaging (f.)

FAILLI, FAILLIE (n.) (*) 1. Personne qui ne peut plus payer ses créanciers.

1. (260)	der Gemeinschuldner	bankrupt	el quebrado	il fallito	de failliet (m.)
			el fallido		de gefailleerde (m.)

FAILLI, -IE (adj.) (*) 1. Qui est en état de faillite.

1. (260)	in Konkurs sein	bankrupt	quebrado	fallito	gefailleerd

FAILLITE (n.f.) (****) 1. Situation d'un agent économique qui ne peut plus payer ses créanciers. 2. Procédure légale de règlement d'une situation où un agent économique ne peut plus payer ses créanciers.

1. (259)	der Konkurs	bankruptcy	la quiebra	il fallimento	het faillissement
	die Insolvenz		la bancarrota		
2. (259)	das Konkursverfahren	liquidation	la quiebra	il fallimento	de faillietverklaring (f.)

FAILLITE

➠ société - entreprise - bilan

1 une faillite	2 un failli, une faillie	2 failli, -ie	

1 une FAILLITE - [fajit] - (n.f.)

1.1. Situation juridique d'un agent économique (le débiteur : un commerçant, une entreprise, (parfois) un État - X) qui ne peut plus payer ses créanciers et dont la cessation des paiements a été constatée publiquement par une instance judiciaire.

Syn. : (☞ 260 Pour en savoir plus, Faillite (sens 1.1.) et synonymes).
Au total, les faillites de juin dernier ont entraîné la perte de plus de 2 000 emplois.

1.2. (emploi au sing.) Procédure légale de règlement de la faillite (sens 1.1.).

L'entreprise a dû déposer son bilan dans le cadre d'une procédure de faillite avec autorisation de poursuite de l'activité.

2.1. Échec complet d'une action, d'un système, d'une idée, d'une idéologie.

Syn. : (fr. gén.) une débâcle, une déconfiture, une ruine ; Ant. : un succès, un triomphe.
Le système judiciaire est en faillite, et ce qui en reste est complètement caduc.

+ adjectif

TYPE DE FAILLITE (sens 1.1.)

Une faillite personnelle : sanction qui frappe une personne physique ou parfois morale en cessation de paiements et soumise à une procédure destinée à permettre la sauvegarde de l'entreprise. *L'entrepreneur a mélangé ses patrimoines privé et professionnel. Le président du tribunal de commerce pourrait dès lors le déclarer en faillite personnelle.*

CARACTÉRISATION DE LA FAILLITE (sens 1.1.)

Une faillite (simple). >< **Une faillite frauduleuse** : faillite accompagnée de délits, p. ex. une comptabilité faussée volontairement. (Syn. : **une banqueroute**). *La faillite du groupe (qui fait l'objet d'une instruction judiciaire, avec éventualité d'inculpation pour faillite frauduleuse) avait été prononcée il y a deux mois.*

Une faillite imminente : qui va se produire bientôt.

Une faillite retentissante : dont on parle beaucoup. *Malgré plusieurs plans de redressement et la liquidation des plus belles usines du groupe, celui-ci se dirige vers une faillite retentissante et la perte de milliers d'emplois.*

+ nom

(sens 1.1.)

- (Une entreprise) (**être**) **en faillite**. *Les 500 travailleurs de l'entreprise de réparations navales en faillite se posent des questions sur l'avenir de l'entreprise.* (☞260 + verbe).
- **Le risque de faillite**. *Tant que la Poste était une société d'État, elle ne courait pas le moindre risque de faillite.* < **Le spectre de la faillite**. (Syn. : (une entreprise) **être au bord du gouffre financier**). *Le spectre de la faillite plane à nouveau au-dessus des chantiers navals européens.*
- (B) **Le jugement** (**déclaratif**) **de faillite** : constatation par le tribunal de commerce de l'état de cessation des paiements d'une entreprise. *Les activités de la société faillie cessent immédiatement et définitivement par la force même du jugement déclaratif de faillite, sauf si le tribunal de commerce autorise la reprise des activités.* (V. 66 bilan, 1).
- **Un aveu de faillite** : reconnaissance de la faillite par la direction. *Le personnel a retenu les membres de la direction afin de les empêcher d'aller au tribunal de commerce pour faire aveu de faillite.*
- **Un syndic de faillite**. (V. 536 syndicat, 5).

+ verbe : qui fait quoi ?

(sens 1.1.)

X		**être au bord de** la ~	-	1
		être en (état de) ~ virtuelle	-	2
		être virtuellement **en** ~	-	
		être acculé à la ~	-	
		↓		
X	×	**faire** ~	-	3
		tomber en ~	-	4
		être en (état de) ~	-	
		>< **éviter** la ~	-	5
le patron, la direction		**faire aveu de** ~ (☞ 260 + nom)	l'aveu de ~	
le tribunal de commerce		**déclarer** X en ~	la déclaration en ~ de X	
		prononcer la (mise en) ~ de X	-	
une mesure	×	**entraîner** la ~ de X	-	6
		mettre X en ~	la mise en ~ de X	

1 *Dans un contexte économique pareil, il n'est pas étonnant que cette aciérie, endettée jusqu'au cou, soit au bord de la faillite.*
2 *L'entreprise est en faillite virtuelle et ne tient que par des reports de paiements accordés par les créanciers.*
3 *Si le Mexique était une entreprise et non un État, il aurait fait faillite depuis longtemps.*
4 *La banque n'a évidemment aucun intérêt à ce que le client tombe en faillite, de sorte qu'elle s'efforcera jusqu'au bout de sauver l'entreprise.*
5 *Pour éviter la faillite, nous comptons fermer plusieurs chaînes de production déficitaires.*
6 *Si les actionnaires ne sont pas capables de présenter un chèque en bonne et due forme, cela entraînera automatiquement la faillite du groupe.*

Pour en savoir plus

FAILLITE (sens 1.1.) ET SYNONYMES

La faillite, (terminologie juridique) **le règlement judiciaire**, (faillite frauduleuse, moins fréq.) **la banqueroute**. (☞ 259 + adjectif).
Une fermeture d'usine : euphémisme pour faillite.
(fam.) Une entreprise a **mis la clef sous le paillasson**.

LE DÉPÔT DE BILAN ET LA FAILLITE
(V. 66 bilan, 1).

2 AUTRES DÉRIVÉS OU COMPOSÉS

- **Un failli, une faillie** [faji] (n.) : personne déclarée en état de faillite (sens 1.1.). *À la date du jugement, le failli est dessaisi de plein droit de l'administration de sa société.*
- **Failli, -ie** [faji, -i] (adj.) : (une personne ou une entreprise) qui est en état de faillite (sens 1.1.). *Il est prévu un transfert d'activités et de stocks de la société faillie à une nouvelle entité.*

FAMILIAL, -IALE ; -IAUX, -IALES (adj.) (****) 1. Qui se rapporte à l'ensemble de personnes qui partagent le même logement.
1. (22) Familien- family familiar familiare familie-
(74)

FAMILLE (n.f.) (****) 1. Ensemble de personnes qui partagent le même logement.

1. (22) (420)	die Familie	family	la familia	la famiglia	de familie (f.)

FAO (la ~) (*) fabrication assistée par ordinateur.

(254)	die computerunterstütze Steuerung und Überwachung der Produktion	computer aided manufacturing (CAM)	la fabricación asistida por ordenador	il computer aided manufacturing	de computerondersteunde fabricage (f.)

FARAMINEUX, -EUSE (adj.) (**) 1. Très élevé.

1. (282)	enorm wahnsinnig	exorbitant	exorbitante desorbitado	esorbitante esagerato	buitengewoon fantastisch

FAUX-MONNAYAGE (n.m.) (*) 1. Fabrication de fausse monnaie.

1. (384)	die Falschmünzerei	counterfeiting forgery	la falsificacción de moneda	la contraffazione di monete	valsmunterij (f.)

FAUX-MONNAYEUR (n.m.) (*) 1. Personne qui fabrique de la fausse monnaie.

2. (384)	der Falschmünzer	counterfeiter forger	el monedero	il falsario	de valsmunter (m.)

FAX (n.m.) (****) 1. Procédé de reproduction à distance de document. 2. Document reproduit. 3. Appareil qui permet de reproduire un document à distance.

1.	die Fernkopie	fax	el fax	il fax	de fax (m.)
2. (551)	das Fax	fax	el fax	il fax	het faxbericht
3.	das Faxgerät	fax	el fax	il fax	het faxapparaat

FAXER (v.tr.dir.) (**) 1. Envoyer par fax.

1. (551)	faxen	to fax	enviar un fax	spedire un fax	faxen

FCP (un ~) (*) fonds commun de placement.

(288)	der Investmentfonds	mutual funds investment funds	los fondos de inversión	il fondo comune d'investimento	het beleggingsfonds de beleggingsmaatschappij (f.)

FEB (la ~) (***) (534) Fédération des entreprises de Belgique.

FÉCOND, -ONDE (adj.) (*) 1. Qui produit beaucoup.

1. (450)	fruchtbar ergiebig	fertile	fértil fecundo	fertile fecondo	vruchtbaar

FED (la ~) (****) (52) Réserve fédérale (États-Unis).

FED (le ~) (*) Fonds européen de développement.

(288)	der Europäische Entwicklungsfonds (EEF)	European Development Fund (EDF)	el Fondo Europeo de Desarrollo (FED)	il Fondo europeo di Sviluppo (FES)	het Europees Ontwikkelingsfonds

FÉDÉRATION (n.f.) (****) 1. Organisme.

1. (410) (454)	der Zentralverband die Dachorganisation	federation	la federación	la federazione	de federatie (f.)

FER (n.m.) (****) 1. Métal commun.

1. (322)	das Eisen	iron	el hierro	il ferro	het ijzer

FÉRIÉ, -IÉE (adj.) (**) 1. Où il y a arrêt de travail pour célébrer une fête.

1. (104)	der Feiertag	(public) holiday bank holiday (GB)	festivo feriado	festivo	feest-

FERME (n.f.) (***) 1. Exploitation agricole.

1.	der (Bauern)Hof das Gehöft	farm	la explotación agrícola la granja	la azienda agricola la fattoria	de boerderij (f.)

FERMER (v.tr.dir.) (****) 1. Empêcher qqn d'entrer (après une certaine heure). 2. Arrêter ses activités.

1. (355)	(ver) schliessen zumachen	to close	cerrar	chiudere	(af)sluiten
2. (238) (116)	stillegen	to close down to shut down	cerrar	chiudere chiudere i battenti	(de deuren) sluiten

FERMETURE (n.f.) (****) 1. Action entreprise pour empêcher qqn d'entrer (après une certaine heure). 2. Arrêt des activités.

1. (355)	die Schliessung	closing closure	el cierre	la chiusura	de sluiting (f.)
2. (238) (116)	die Stillegung die Beendigung	closure shut-down	el cierre	la chiusura	de (bedrijfs)sluiting (f.)

FERMIER, FERMIÈRE (n.) (**) 1. Agriculteur.

1. (487)	der Bauer der Landwirt	farmer farm operator	el agricultor el labrador	l'agricoltore (m.) il fittavolo	de landbouwer (m.)

FERMIER, -IÈRE (adj.) (*) 1. Qui se rapporte à l'agriculture.

	landwirtschaftlich Agrar-	agricultural farm	agrícola agrario	agrario	landbouw- agrarisch

FERREUX, -EUSE (adj.) (**) 1. Qui contient du fer.

1. (572)	eisenhaltig	ferrous	ferroso	ferroso	ijzerhoudend ferro-

FERROVIAIRE (adj.) (***) 1. Qui se rapporte aux chemins de fer.

1. (550) (112)	(Eisen)bahn- Schienen-	rail(way) railroad	ferroviario	ferroviario	spoorweg(net)-

FERTILE (adj.) (**) 1. Qui produit beaucoup

1. (450)	fruchtbar	fertile	feraz fértil	fertile fecondo	vruchtbaar

FERTILITÉ (n.f.) (*) 1. Qualité de ce qui produit beaucoup.

1. (481)	die Fruchtbarkeit die Ergiebigkeit	fertility	la feracidad la fertilidad	la fecondità la fertilità	de vruchtbaarheid (f.)

FGTB (la ~) (***) (534) Fédération générale du travail de Belgique.

FIABILITÉ (n.f.) (***) 1. Capacité de qqch. de fonctionner parfaitement pendant un certain temps.

1. (255)	die Zuverlässigkeit die Betriebssicherheit	reliability accuracy	la fiabilidad	l'affidabilità (f.) la fiducia	de betrouwbaarheid (f.)

FIABLE (adj.) (***) 1. Qui présente la capacité de fonctionner parfaitement pendant un certain temps.

1. (559)	zuverlässig betriebssicher	reliable accurate	fiable	affidabile	betrouwbaar

FICHE (n.f.) (****) 1. Petite feuille cartonnée. 2. Feuille qui comporte des renseignements.

1.	die Karteikarte	index card slip (en papier)	la ficha la tarjeta	il cartoncino	de fiche (m./f.) de steekkaart (m./f.)
2. (403)	der Zettel das Blatt	sheet form (à remplir)	la ficha	la scheda	de fiche (m./f.)

FICHIER (n.m.) (****) 1. Ensemble de (petites) feuilles (cartonnées) qui comportent des renseignements. 2. Informations qu'un logiciel a regroupées sous un même nom.

1.	die Kartei	file	el fichero	lo schedario	het kaartsysteem de kaartenbak (m.)
2. (96)	die Datei	file	el fichero	il file l'archivio (m.)	het bestand

FIDÉLISATION (n.f.) (**) 1. Action de lier un agent économique à un commerce, à une entreprise.

1. (107)	die Förderung der Kundentreue die Bindung der Kundschaft	development of customer loyalty development of brand loyalty	la fidelización (de clientes)	l'azione volta a mantenere la clientela	de klantenbinding (f.)

FIDÉLISER (v.tr.dir.) (**) 1. Lier un agent économique à un commerce, à une entreprise

1. (107)	die Kundentreue fördern sich eine feste Kundschaft schaffen	to establish customer loyalty to develop customer loyalty	fidelizar	assicurarsi una clientela	aan klantenbinding doen

FIDÉLITÉ (n.f.) (***) 1. Caractéristique d'un agent économique qui est lié à un commerce, à une entreprise.

1. (107) (437)	die Treue	loyalty	la fidelidad	la fedeltà	de trouw (m./f.)

FILIALE (n.f.) (****) 1. Société placée sous le contrôle d'une société-mère.

1. (520)	die Tochtergesell-schaft die Tochter(firma)	subsidiary	la filial la sucursal	la filiale la succursale	de dochteronderneming (f.) de dochtermaatschappij (f.)

FILIALISATION (n.f.) (**) 1. Fait de donner le statut d'une société placée sous le contrôle d'une société-mère.

1. (520)	die Gründung weiterer Tochtergesell-schaften der Ausbau des Netzes der Tochtergesell-schaften	giving out to a subsidiary spinning off as a subsidiary	la creación de filiales	lo scorporo di un'impresa in filiali	de filialisering (f.)

FILIALISER (v.tr.dir.) (**) 1. Donner le statut d'une société placée sous le contrôle d'une société-mère.

1. (520)	weitere Tochtergesell-schaften gründen das Netz der Tochter-gesellschaften ausbauen	to transfer ... to a subsidiary to make ... a subsidiary	crear filiales	scorporare un' impresa in filiali	filialiseren

FILIÈRE (n.f.) (***) 1. Ensemble d'activités complémentaires pour passer d'une matière première à un produit fini.

1. (441)	der Fertigungsablauf der Produktionsablauf	processing chain	la cadena de transforma-ción la cadena de producción	la catena di trasfor-mazione la catena di attività	de productieketen (m./f.)

FIM (**) (382) Finlande - mark.

FINANCE (n.f.) (****) 1. (plur.) Sommes d'argent dont qqn dispose. 2. Ensemble des activités concernant les affaires d'argent. 3. (plur.) Administration. 4. (plur.) Science.

1. (263)	die Finanzen die Geldmittel	finances funds	las finanzas el dinero	le finanze i mezzi finanziari	de financies (plur.)
2. (263)	das Finanzgeschäft das Geldgeschäft	finance	las finanzas	la finanza	de financiën (plur.) het financiewezen
3. (263)	das Finanzministe-rium	Ministry of Finance Treasury (GB)	(el Ministerio de) Hacienda las finanzas	il ministero delle Finanze	het ministerie van Financiën

4. (263) die Finanzwissenschaft | finance | la finanza / la ciencia financiera | la scienza delle finanze | het financiewezen / de financiën (plur.)

FINANCE

➠ argent

1 la finance **2** le financement **4** l'autofinancement **4** le préfinancement **4** un refinancement **4** un cofinancement	**4** un financier, une financière	**3** financier, -ière économico-financier (V. 217 économie, 4) **4** *financièrement*	**4** financer **4** autofinancer **4** cofinancer

1 la FINANCE - [finɑ̃s] - (n.f.)

1.1. (emploi au plur.) Sommes d'argent dont dispose un agent économique (un particulier, un commerçant, une entreprise, une banque, un État - X) et leurs mouvements.
Syn. : (V. 34 argent, 1).
Il a été fait appel aux finances des pays de l'Union européenne pour soutenir un programme de grands travaux d'infrastructure.

1.2. (emploi au sing.) Ensemble des activités des agents économiques (une banque, la bourse, un financier (un spéculateur, ...)) qui traitent d'importantes affaires d'argent (le placement, l'investissement, le financement, les activités boursières et bancaires).
La finance est un métier passionnant parce qu'il évolue constamment.

1.3. (emploi au plur., avec majuscule) Administration du ministère des Finances.
J'ai quitté les Finances pour devenir conseiller financier dans une grande banque.

1.4. (emploi au plur.) Science qui a pour objet l'étude des finances (sens 1.1.).
Je n'ai pas vraiment appris beaucoup de choses lors des cours de finances à l'université.

expressions

(sens 1.1.)

- (Une personne fait qqch.) **moyennant finance** : en contrepartie d'une somme d'argent. *Un intermédiaire peut prendre en charge, moyennant finance, l'exploration d'un nouveau marché.*

+ adjectif

TYPE DE FINANCES (sens 1.1.)

Les finances (publiques). 1. Recettes et dépenses de l'État ou d'une collectivité locale. (Syn. : (moins fréq.) **les finances de l'État**). **Le déficit des finances publiques**. - 2. Activités qui se rapportent à la gestion du budget de l'État ou d'une collectivité locale.

Les finances privées : finances d'un particulier ou d'un ménage (**les finances personnelles**) et d'une entreprise. *Il existe sur le marché de nombreux logiciels d'aide à la gestion des finances privées.*

TYPE DE FINANCE (sens 1.2.)

La haute finance : ensemble de personnes ou de banques qui traitent de très importantes affaires d'argent. *La haute finance se nourrit de chiffres et cultive peu les sentiments, c'est bien connu.*

TYPE DE FINANCES (sens 1.4.)

Les finances publiques : science qui a pour objet l'analyse des dépenses et recettes de l'État.

LOCALISATION DES FINANCES (sens 1.1.)

Les finances locales : finances d'une collectivité locale (une région (**les finances régionales**), un département, une commune (**les finances** (B, S) **communales**, (F, Q) **municipales**)).
>< **Les finances internationales**.

+ nom

(sens 1.1.)

- **Le département finances, le service finances**. *Le département finances étudie si la reprise projetée ne va pas déstabiliser l'équilibre financier de l'entreprise.*
- **Le ministère des Finances** ; **le ministre des Finances**. (Syn. : (peu fréq.) **le grand argentier**). (B) Le ministre des Finances est chargé des recettes de l'État ; le ministre du Budget est chargé du contrôle des dépenses.
- **La loi de finances**. (V. 75 budget, 1).

(sens 1.2.)

(Le monde de) la finance. (Syn. : **le monde financier**).

(sens 1.3.)

L'administration des Finances.

L'inspection des Finances. Un inspecteur des Finances : fonctionnaire qui contrôle la gestion des services extérieurs du ministère et la gestion financière des collectivités ou organismes qui bénéficient de subventions de l'État.

TYPE DE FINANCES (sens 1.1.)
Les finances de l'État. (Syn. : (plus fréq.) **les finances publiques**).

+ verbe : qui fait quoi ?

(sens 1.1.)

X	**gérer** ses ~	la gestion des ~	
le gouvernement	**assainir** les ~ publiques	l'assainissement des ~ publiques	1
le parlement	**voter** la loi de finances	le vote de la loi de finances	

1 *L'assainissement des finances publiques a été nécessaire pour pouvoir accéder à l'euro.*

(sens 1.2.)

une personne	✓	**se lancer dans** la ~	-	1
une personne	×	**être dans** la ~	-	

1 *Après avoir terminé ses études, il s'est lancé dans la finance.*

2 le FINANCEMENT - [finɑ̃smɑ̃] - (n.m.)

1.1. Ensemble des méthodes et des moyens par lesquels un agent économique (un particulier, un commerçant, une entreprise, un organisme - X) se procure ou fournit à un autre agent économique (un particulier, un commerçant, une entreprise, un organisme - Z) l'argent nécessaire pour l'achat d'un bien, la réalisation d'un projet ou l'exercice d'une activité (Y).

La publicité est la principale source de financement possible pour une chaîne de télévision commerciale.

+ adjectif

TYPE DE FINANCEMENT

Le financement interne. (Syn. : **l'autofinancement**). >< **Le financement extérieur, externe** : ensemble des moyens de financement (le marché financier, le crédit bancaire) de l'entreprise autres que l'autofinancement. *Le recours permanent au financement extérieur pour des opérations courantes est le signe de difficultés de trésorerie.*

Le financement monétaire : création de ressources monétaires nouvelles par les banques.
>< **Le financement non monétaire** : transformation de l'épargne de certains agents économiques en financement pour d'autres agents économiques par les banques et les marchés de capitaux.

Le financement bancaire : financement assuré par une banque.

Le financement obligataire. (V. 391 obligation, 2).

Un financement immobilier. (V. 428 prêt, 1).

Un financement alternatif. *Les salariés et les employeurs ne peuvent pas continuer à supporter une grande part de la sécurité sociale : un financement alternatif devra être trouvé.*

Le financement occulte (des partis politiques, des campagnes électorales) : financement avec des sources de financement illégales.

+ nom

- **Une source de financement** : origine de l'argent obtenu pour l'achat de biens, ...
  Un mode, une formule de financement. *Nous n'avons pas encore déterminé le mode de financement le plus approprié à cette opération immobilière.*
  Un système de financement.
- **Les moyens, les possibilités, la capacité de financement** : ensemble des sommes d'argent disponibles pour l'achat d'un bien, le financement d'un projet, ... *Beaucoup de nos entreprises sont tombées entre des mains étrangères par manque de possibilités de financement.*
- **Les modalités, les conditions de financement** : façon dont le financement doit être effectué. *Les modalités de financement portent sur l'échéance, le taux d'intérêt et le montant.*
- **Un besoin de financement** : sommes d'argent (fonds propres et/ou dettes à long terme) nécessaires à une entreprise pour réaliser un investissement. *Une part du besoin de financement est assurée par de nouvelles lignes de crédits bancaires.* (Un agent économique) **couvrir un besoin de financement.**
  >< **Une capacité de financement** : sommes d'argent dont dispose une entreprise pour réaliser un investissement. (Un agent économique) **dégager une capacité de financement.**

- **Un plan de financement** : prévisions annuelles à long terme (en général cinq ans) regroupées dans un tableau, exercice par exercice, des ressources et des emplois d'une entreprise (Référis).
- **Un tableau de financement** : tableau qui permet de mesurer l'évolution des mouvements monétaires d'une entreprise au cours d'un exercice (Référis).

TYPE DE FINANCEMENT

Le financement de + nom qui désigne l'activité pour laquelle doit servir le financement. Le financement des travaux ; de la recherche ; d'un investissement.

Le financement de l'économie : ensemble des mécanismes par lesquels les agents économiques (les ménages, les entreprises, les administrations publiques) satisfont leurs besoins de financement (Beitone).

Le financement d'une entreprise. *Les ratios de solvabilité montrent l'importance relative des capitaux de tiers dans le financement de l'entreprise.*

Le financement du déficit budgétaire. *En empruntant très bon marché, le gouvernement peut atténuer la charge du financement du déficit budgétaire.*

Le financement de la sécurité sociale.

Le financement par fonds propres. (Syn. : **l'autofinancement**).

Le financement par (l')emprunt. *Le coût fiscal du financement des besoins des entreprises par fonds propres est nettement plus élevé que celui du financement par emprunt.*

MESURE DU FINANCEMENT

Un financement à court terme. < **Un financement à moyen terme.** < **Un financement à long terme.**

+ verbe : qui fait quoi ?

X, Z	×	**assurer** le ~ (de Y)	-	1
		⋎		
Z		**trouver** un ~ (pour Y)	-	2

1 *Aucune banque ne s'est portée candidate pour assurer le financement du projet.*
2 *Notre société connaît un moment difficile et n'est pas capable de trouver un financement pour ses investissements.*

3 FINANCIER, -IÈRE - [finɑ̃sje, -jɛʀ] - (adj.)

1.1. Qui se rapporte à la/aux somme(s) d'argent dont dispose un agent économique (un particulier, un commerçant, une entreprise, une banque, un État) et à leurs mouvements.
Syn. : (peu fréq.) pécuniaire.
Le marché financier forme un réseau extrêmement complexe dont chacune des composantes influence les autres.

1.2. Qui se rapporte aux activités des agents économiques (une banque, la Bourse, un financier (un spéculateur, ...)) qui traitent d'importantes affaires d'argent (le placement, l'investissement, le financement, les activités boursières et bancaires).
New York constitue sans conteste la place financière la plus importante au monde.

1.3. Qui se rapporte à l'établissement (suivant certaines règles) de comptes qui synthétisent l'activité d'un agent économique (une entreprise, une organisation, une administration publique, un État).
Syn. : comptable.
La relance de l'économie se fera pas à pas puisque les entreprises désirent garder une certaine orthodoxie financière en limitant au maximum la croissance des salaires et de l'emploi.

expressions

- **Sur le plan financier** : en ce qui concerne les finances. *La suprématie des États-Unis, tant sur le plan financier que sur le plan économique, a fait du dollar la principale monnaie de transaction et de placement.*

+ nom

(sens 1.1.)

- **La situation financière**, (moins fréq.) **l'environnement financier**. *L'environnement financier stable qui caractérise notre pays depuis plusieurs années séduit les investisseurs étrangers.*
  Une crise financière.
- **Le marché financier**. (V. 367 marché, 1).
  Le secteur financier. (V. 504 secteur, 1).
- **Les moyens (financiers)**, **les ressources financières**. (V. 34 argent, 1).

Les réserves financières : ensemble des fonds ou valeurs conservés par un agent économique en prévision de besoins éventuels ou pour des raisons légales (**les réserves légales**) ou contractuelles (**les réserves contractuelles**) (Silem). *Grâce à une gestion prudente, nos réserves financières se sont multipliées par deux.*

- **Le directeur financier** : responsable de la gestion financière d'une entreprise. **La direction financière**. **Le service financier, le département financier**.

- **La politique financière** : ensemble de décisions prises par une direction, un gouvernement dans le domaine financier. *La population n'a plus confiance dans la politique financière du gouvernement : cela explique pourquoi tant de personnes placent leur argent à l'étranger.*

Une politique de rigueur financière. *La monnaie unique impose une politique de rigueur financière aux différents États européens participants.*

- **La structure financière** : composition du financement de l'entreprise, incluant les crédits et emprunts à court terme, les dettes à long terme ainsi que les capitaux propres (Ménard). *Nous accusons un léger retard technologique, mais grâce à notre excellente gestion, notre société présente une très bonne structure financière.*
- **Les états financiers** : ensemble des documents de synthèse financiers, comme p. ex. **les comptes annuels**. (V. 66 bilan, 1).
- **Les résultats financiers** (moins fréq. : **le résultat financier**) : différence entre les produits financiers et les charges financières d'une entreprise.
- **Les revenus financiers**. (V. 493 revenu, 1).
- **Une/les charge(s) financière(s), les frais financiers**. (V. 94 charge, 1).

  >< **Un/les produit(s) financier(s)**. (V. 444 production, 2).

Les pertes financières. (V. 415 perte, 1).

- **La rentabilité financière**. (V. 484 rentabilité, 1).

La (bonne >< mauvaise) santé financière. *Le groupe continue d'afficher une santé financière insolente avec des bénéfices en hausse de plus de 20 %.*

- **La solidité financière, l'assise financière, la capacité financière, la surface financière** : ensemble des moyens et des ressources reconnus dont dispose une personne physique ou morale (DC). Si les moyens financiers sont suffisants pour faire face à ses engagements financiers, on dira que l'agent économique est **solvable** {**la solvabilité**}. *À cause de la concurrence et de l'obligation de vendre un maximum, beaucoup d'entreprises ne vérifient pas suffisamment la solidité financière de leurs clients.* (Un agent économique) **avoir de la surface financière** : offrir toute garantie de solvabilité.

La puissance financière. *La puissance financière joue largement en faveur des multinationales.*

- **Les immobilisations financières**. (V. 8 actif, 1).
- **Un intermédiaire financier** : agent économique (une banque, une société de bourse) qui gère les intérêts financiers d'un autre agent économique.

Un opérateur financier : personne qui effectue une transaction (une vente ou un achat) en bourse, p. ex. pour le compte d'une société de bourse.

Un conseiller financier : intermédiaire qui guide un agent économique dans la gestion de ses finances.

- **Un analyste financier**. *Les analystes financiers avaient prévu plusieurs mois à l'avance la hausse du dollar.*

Une analyse financière.

- **Une opération financière, une transaction financière** : action engagée par un agent économique sur le marché financier (achat ou vente d'actions, virements, ...).
- **Un instrument financier**. *La rentabilité d'un instrument financier se mesure également à sa négociabilité.*

Un produit (financier) dérivé : instrument financier créé à partir d'autres produits qui sont eux-mêmes traités sur un autre marché, comme p. ex. les options sur actions.

Un placement financier. (V. 419 placement, 1).

- **Un levier financier** : effet sur le bénéfice et le rendement des actions, d'un financement par emprunt plutôt que par autofinancement. **Un effet de levier**. (V. 219 effet, 1).
- **Un service financier**. *Les services financiers à domicile et à la télé : consulter des comptes, jouer en bourse, opérer des virements ou commander des chèques grâce à une simple télécommande.*
- **Les besoins financiers**. *Pour allier besoins financiers et stratégie de marketing, ce géant de la distribution vient de lancer un emprunt obligataire auquel sa clientèle pourra souscrire en priorité.* (Un agent économique) **couvrir ses besoins financiers**.
- **Une aide financière, un soutien financier**, (moins fréq.) **une intervention financière, un appui financier, un apport financier** : somme d'argent donnée par un agent économique à un autre agent économique, parfois sans demander d'intérêts ou de remboursement, dans le but de réaliser un projet, ... *Il nous faut d'urgence une importante aide financière pour poursuivre notre croissance sur le marché américain.*
- **Une participation financière** : répartition d'une portion du bénéfice d'une entreprise entre les salariés et les actionnaires.
- **Un effort financier** : dépense supplémentaire effectuée par un agent économique. (Un agent économique) **consentir un effort financier**. *La société devra consentir un gros effort financier pour moderniser ses moyens de production.*

Un avantage financier : mesure de faveur financière qui profite à un agent économique.

- **Les difficultés financières**. *La société traverse de graves difficultés financières, les pertes comptables s'accumulant d'année en année.*

Les dettes financières. Un endettement financier. (V. 194 dette, 1).

Un trou financier. < **Un gouffre financier** : important déficit. (Une entreprise être) **au bord du gouffre financier** : près de la faillite.

- **Le bras financier** (d'un organisme, d'une entreprise) : département, division d'une entreprise qui s'occupe du financement. *Ford Motor Credit, le bras financier du géant automobile américain, a levé plusieurs centaines de millions de dollars sur les marchés européen et asiatique.*
- **L'ingénierie financière** : ensemble des techniques qui exploitent toutes les possibilités offertes par la législation et qu'un agent économique peut utiliser pour obtenir un maximum de rendement, p. ex. de ses placements. *Le Premier ministre a avoué que le recours aux techniques de l'ingénierie fiscale a permis de réduire substantiellement la dette publique.*

  Un montage financier : ensemble de mesures, parfois illégales, qu'un agent économique utilise pour obtenir un maximum de rendement, p. ex. de ses placements. *Le montage financier mis au point pour sauver l'entreprise prévoit un subside de cent millions d'euros accordé par la région.*
- **La délinquance financière** : transactions financières illégales. *La crise a tendance à développer la petite délinquance financière chez le particulier et le petit entrepreneur.* < **La criminalité financière** : transactions financières illégales graves, souvent organisées.
- **Un scandale financier**. *Le scandale financier qui touche cette importante banque secoue toute l'économie nationale.*
- **Une bulle financière** : transactions financières importantes mais à (grand) risque. *La bulle financière des produits dérivés a pris de telles dimensions que son éclatement provoquerait certainement un krach.*
- **Les autorités financières**. *Les autorités financières craignent que le développement du marché ne soit plus maîtrisable jusqu'au moment de son éclatement, avec comme conséquence de nombreuses victimes.*
- **Le contrôle financier**. *Cette filiale mène une politique commerciale autonome, mais reste sous le contrôle financier de la maison-mère.*
- **Un risque financier**. *Le risque financier que nous avons pris était important puisque nous avons dû investir énormément avant de démarrer la production.*
- **Un partenaire financier**.
- **La presse financière**.

  Un quotidien financier : journal consacré spécifiquement aux informations financières, comme p. ex. les Échos, le Wall Street Journal.
- **Le jargon financier** : langue spécifique utilisée dans le monde financier.
- **La gestion financière**. (V. 298 gestion, 1).
- **L'épargne financière**. (V. 241 épargne, 1).
- **Une valeur financière**. (V. 564 valeur, 1).
- **Les rentrées financières**. (V. 470 recette, 1).
- **Le leasing financier**. (V. 350 location, 1).
- **Un investissement financier**. (V. 335 investissement, 1).
- **Une innovation financière**.
- **L'assainissement financier** : mesures prises par le gouvernement pour réduire le déficit budgétaire. (Syn. : (plus fréq.) **l'assainissement budgétaire**). (V. 77 budget, 2).

  Une restructuration financière : réorganisation de la structure financière d'une entreprise. *La restructuration financière a permis de réduire notre endettement et de dégager de l'argent pour la production.*
- **Un patrimoine financier**. (V. 35 argent, 1).
- **Les actifs financiers**. (V. 8 actif, 1).
- **Le capital financier**. (V. 87 capital, 3).
- **Un amortissement (financier)**. (V. 28 amortissement, 1).
- **Le compte financier**. (V. 129 compte, 1).

(sens 1.2.)

- **Le système financier** : ensemble d'agents économiques qui interviennent dans la finance et les transactions qu'ils effectuent.
- **Les milieux financiers, la communauté financière**. *La société tente de rétablir la confiance des milieux financiers avec son plan de redressement.*

  Le monde financier, (moins fréq.) **la sphère financière**. (Syn. : (**le monde de**) **la finance**).

  Le capitalisme financier. (V. 87 capital, 2).
- **Une place financière**. (V. 68 bourse, 1).

  Un centre financier : pays, ville qui compte d'importantes institutions financières et/ou places financières. *Le Grand-Duché du Luxembourg, centre financier de première importance, a développé un système de droit bancaire qui anticipe souvent la réglementation internationale.*
- **Une institution financière (spécialisée)**, (moins fréq.) **un organisme financier, un établissement financier**. *Une société d'affacturage peut être considérée comme une institution financière spécialisée.* (V. 53 banque, 1).
- **Un holding (financier), une société financière, un groupe financier**. (V. 515 société, 1).
- **Un syndicat financier**. (V. 533 syndicat, 1).

(sens 1.3.)

- **Un rapport financier**.
- **L'orthodoxie financière** : ensemble des règles qui permettent à une entreprise de maintenir l'équilibre de ses structures financières sans faire courir de risques à ses prêteurs ni à ses associés.

NIVEAU DES FINANCES (sens 1.3.)

Un équilibre financier : équilibre des recettes et des dépenses dans une entreprise, un groupe, le système de la sécurité sociale, ..., mais non du budget de l'État. Dans ce cas, on parle d'**un équilibre budgétaire**. (V. 77 budget, 2).

>< **Un déséquilibre financier**. *Le déséquilibre financier Nord-Sud reste difficile à gérer et inquiétant pour l'avenir.*

4 AUTRES DÉRIVÉS OU COMPOSÉS

- **L'autofinancement** [ɔtɔfinɑ̃smɑ̃] (n.m.) : financement de l'achat d'un bien, de la réalisation d'un projet à l'aide des ressources propres de l'entreprise ou du particulier. (Syn. : **le financement par fonds propres, le financement interne**). (angl.) **Le cash(-)flow, la marge brute d'autofinancement (la MBA), la capacité d'autofinancement**. (V. 484 rentabilité, 1). **Le taux d'autofinancement** : part de ses investissements qu'une entreprise finance avec sa propre épargne. *L'augmentation des bénéfices permettrait de faire croître les investissements tout en assurant un taux d'autofinancement élevé.*
{**autofinancer** [ɔtɔfinɑ̃se] (v.tr.dir.)}.
- **Le préfinancement** [pʀefinɑ̃smɑ̃] (n.m.) : financement provisoire d'un projet ou d'une activité, du fonctionnement d'une entreprise, dans l'attente d'un financement durable.
- **Un refinancement** [ʀəfinɑ̃smɑ̃] (n.m.). 1. Changement apporté à la composition des capitaux permanents d'une société (Ménard). (Syn. : **une recapitalisation**). *Pour renflouer l'entreprise, une tentative de recapitalisation a eu lieu par l'injection de capitaux frais provenant de bailleurs de fonds étrangers.* - 2. Opérations destinées à dégager des ressources pour financer les prêts consentis par les banques (Ménard).
- **Un cofinancement** [kɔfinɑ̃smɑ̃] (n.m.) : financement d'un projet par plusieurs partenaires. {**cofinancer** [kɔfinɑ̃se] (v.tr.dir.)}.
- **Un financier, une financière** [finɑ̃sje, finɑ̃sjɛʀ] (n.) : agent économique spécialiste de la gestion des finances publiques ou privées.
- **Financièrement** [finɑ̃sjɛʀmɑ̃] (adv.) : du point de vue des finances (sens 1.1.). *Nous refusons systématiquement tout débiteur non financièrement solide.* (Un agent économique) **soutenir financièrement** (un agent économique). *Les pays du G7 envisagent de soutenir financièrement plusieurs pays africains.* (Un agent économique) **intervenir financièrement dans** qqch.
- **Financer** [finɑ̃se] (v.tr.dir.) : un agent économique (un particulier, un commerçant, une entreprise, un organisme) fournit à un autre agent économique (un particulier, un commerçant, une entreprise, un organisme) l'argent nécessaire pour l'achat d'un bien, la réalisation d'un projet ou l'exercice d'une activité. (Un agent économique) **financer des investissements ; un projet ; une expansion ; un achat**. (B) **Un solde net à financer** (V. 77 budget, 2).

FINANCEMENT (n.m.) (****) 1. Ensemble des méthodes pour se procurer ou fournir de l'argent.

1. (264)	die Finanzierung	financing	la financiación el financiamiento	il finanziamento	de financiering (f.)

FINANCER (v.tr.dir.) (****) 1. Fournir de l'argent.

1. (268)	finanzieren	to finance to back (with) money	financiar	finanziare	financieren

FINANCIER, FINANCIÈRE (n.) (***) 1. Spécialiste de la gestion des finances.

1. (268)	der Finanzier	financier	financiero	il finanziere l'uomo d'affari	de financier (m.)

FINANCIER, -IÈRE (adj.) (****) 1. Qui se rapporte aux sommes d'argent dont qqn dispose. 2. Qui se rapporte à l'ensemble des activités concernant les affaires d'argent. 3. Qui se rapporte à l'établissement des comptes.

1. (265)	finanziell Geld-	financial	financiero	finanziario	financieel
2. (265)	finanziell Finanz-	financial	financiero	finanziario	financieel
3. (265)	Finanz-	financial	financiero	finanziario	financieel

FINANCIÈREMENT (adv.) (***) 1. Du point de vue des sommes d'argent dont qqn dispose.

1. (268)	finanziell (gesehen)	financially	financieramente	finanziarmente	financieel

FINS DE MOIS DIFFICILES (avoir des ~) (*) 1. Avoir des difficultés de paiement.

1. (403)	mit seinem Geld nicht auskommen mit seinem Geld knapp auskommen	to have difficulties making ends meet	no llegar a fin de mes	avere difficoltà a sbarcare il lunario	moeite hebben om de eindjes aan mekaar te knopen

FINS DE SAISON (les ~ (f.)) (*) 1. Articles démodés.

1. (572)	die Sonderangebote die Gelegenheitskäufe	end of range item remainder	fuera de temporada	gli articoli di fine stagione	de seizoenopruiming (f.)

FIO (la ~) (*) fabrication intégrée par ordinateur.

(254)	das Computer integrated Manufacturing (CIM)	computer integrated manufacturing (CIM)	Fabricación Integrada por Ordenador (CIM)	il computer integrated manufacturing	de computergestuurde productie (f.)

FIRME (n.f.) (****) 1. Entreprise industrielle ou commerciale de grande dimension.

1. (238) (373)	die Firma	company firm	la empresa la firma	l'impresa (f.) l'azienda (f.)	de firma (m./f.) het bedrijf

FISC (n.m.) (****) 1. Administration qui applique les lois relatives à l'impôt.

1. (270)	der Fiskus das Finanzamt	tax department tax authorities	el fisco la Hacienda	il fisco l'amministrazione fiscale	de fiscus (m.) de belastingen (plur.)

FISCAL, -ALE ; -AUX, -ALES (adj.) (****) 1. Qui se rapporte aux lois relatives à l'impôt.

1. (271)	steuerlich Steuer-	tax	fiscal tributario	fiscale tributario	fiscaal

FISCALEMENT (adv.) (***) 1. Du point de vue des lois relatives à l'impôt.

1. (272)	steuerlich (gesehen)	fiscally	fiscalmente	fiscalmente	fiscaal

FISCALISATION (n.f.) (*) 1. Soumission d'un revenu à un impôt.

1. (272)	die Besteuerung	making subject to tax taxing	la fiscalización la imposición	la fiscalizzazione la tassazione	het belastbaar maken de financiering (f.) door belastingen

FISCALISER (v.tr.dir.) (*) 1. Soumettre un revenu à un impôt.

1. (272)	steuerlich finanzieren	making subject to tax	fiscalizar	assoggettare a imposta	belastbaar maken
		taxing	gravar		financieren door belastingen

FISCALISTE (n.) (***) 1. Spécialiste du droit fiscal.

1. (272)	der Steuerexperte der Steuerfachmann	tax consultant tax adviser	el perito fiscal	il fiscalista	de fiscalist (m.) de fiscaal expert (m.)

FISCALITÉ (n.f.) (****) 1. Ensemble des lois relatives à l'impôt. 2. Charge qui est la conséquence des lois relatives à l'impôt.

1. (269)	die Steuergesetzgebung	tax system	la fiscalidad	il fisco	de fiscaliteit (f.)
	das Steuersystem		el régimen tributario	il regime fiscale	
2. (269)	die Steuern die Steuerlast	taxation	la tributación la fiscalidad	il fisco	de belastingdruk (m.)

FISCALITÉ

➡ impôt - taxe

1 la fiscalité **4** la parafiscalité **2** le fisc **4** la fiscalisation **4** la défiscalisation	**4** un fiscaliste, une fiscaliste	**3** fiscal, -ale ; -aux, -ales **4** parafiscal, -ale ; -aux, -ales **4** fiscalement	**4** fiscaliser **4** défiscaliser

1 la FISCALITÉ - [fiskalite] - (n.f.)

1.1. Ensemble des lois et des règlements (la législation fiscale) qui se rapportent à l'application et à la perception de l'impôt et des taxes imposées par les pouvoirs publics (l'État et les collectivités locales - X).

Syn. : la législation fiscale, le système fiscal.

Plus des trois quarts des sondés estiment que la fiscalité est beaucoup trop complexe.

1.2. Pression, charge fiscale qui est la conséquence de la fiscalité (sens 1.1.).

Les dépenses publiques ont connu une croissance explosive que n'ont pas pu suivre les recettes, malgré un alourdissement sensible de la fiscalité.

expressions

(sens 1.1.)

- **En matière de fiscalité** : en ce qui concerne la fiscalité. *Les communes disposent d'une large autonomie en matière de fiscalité locale.*

+ adjectif

TYPE DE FISCALITÉ (sens 1.1.)

La fiscalité directe : ensemble des impôts directs. *Les interventions de l'État en ce qui concerne la répartition des revenus s'opèrent au moyen de la fiscalité directe, de la parafiscalité et du système de sécurité sociale.*

>< **La fiscalité indirecte** : ensemble des impôts indirects.

La fiscalité immobilière : fiscalité qui touche les biens immobiliers. *Le secteur de la construction est menacé par la fiscalité immobilière et une mauvaise conjoncture.*

NIVEAU DE LA FISCALITÉ (sens 1.1. et 1.2.)

Une fiscalité avantageuse. *Le développement de cet instrument de placement a été stimulé par une fiscalité avantageuse.*

>< **Une lourde fiscalité.** *L'industrie du papier a perdu du terrain par rapport à ses concurrents étrangers. Les charges sociales élevées et la lourde fiscalité y ont joué un rôle déterminant.* < **Une fiscalité écrasante** : extrêmement lourde.

LOCALISATION DE LA FISCALITÉ (sens 1.1.)

La fiscalité locale : impôts perçus par une commune, un département ou une région.

(F) **La fiscalité départementale.**

La fiscalité régionale.

La fiscalité nationale.

La fiscalité européenne.

+ nom

(sens 1.1.)

- **Une réforme de la fiscalité**. *La réforme de la fiscalité consisterait en un allégement des impôts directs et en un alourdissement des impôts indirects.*
- **Le poids de la fiscalité**. (Syn. : (plus fréq.) **la pression fiscale**).

TYPE DE FISCALITÉ (sens 1.1.)
La fiscalité de/sur + nom qui désigne une source de revenus, un placement soumis à la fiscalité. La fiscalité de l'épargne ; des revenus ; du capital ; de l'assurance-vie. D'autres constructions sont possibles : la fiscalité relative aux, liée aux, qui pèse sur, qui frappe les revenus.

+ verbe : qui fait quoi ?

(sens 1.1.)

la ~	×	**frapper** un revenu une entreprise	-	1
X	△	**alourdir** la ~	un alourdissement de la ~	
		relever la ~	un relèvement de la ~	
→ la ~		**s'alourdir**	un alourdissement de la ~	
X	▽	**alléger** la ~	un allégement de la ~	
		réduire la ~	une réduction de la ~	
X		**harmoniser** la ~	une harmonisation de la ~	2

1 *Avant la dernière réforme, la fiscalité frappant les revenus du capital était nettement plus élevée dans notre pays que dans les pays voisins.*
2 *Une harmonisation totale de la fiscalité n'est pas une condition nécessaire pour le bon fonctionnement d'un espace économique et monétaire.*

2 le FISC - [fisk] - (n.m.)

1.1. Administration qui est chargée d'appliquer l'ensemble des lois et des règlements (la législation fiscale) qui se rapportent à l'application et à la perception de l'impôt et des taxes imposées par les pouvoirs publics (l'État et les collectivités locales).
Syn. : (moins fréq.) l'administration fiscale, l'administration des contributions ; Ant. : les contribuables.
Le fisc ne serait plus en mesure d'assimiler les réformes fiscales successives et serait donc dans l'impossibilité de les faire appliquer.

+ nom

- **Un agent du fisc** : agent de la fonction publique qui est chargé de la perception des impôts directs. *Les agents du fisc reçoivent chaque année des millions de déclarations de revenus dont une partie seulement est soumise à une vérification sérieuse.* (☞ 270 Pour en savoir plus, Le fisc et son administration).

+ verbe : qui fait quoi ?

le contribuable	**déclarer** ses revenus (au ~) ↓	la déclaration de(s) revenus	
le ~	**percevoir** les impôts	la perception des impôts un percepteur	1
le contribuable	**échapper au** ~	-	2
	frauder le ~	la fraude fiscale	3

1 *Une immense machinerie a été mise au point pour percevoir l'impôt des personnes physiques.*
2 *Un certain nombre de travailleurs ont élu domicile, du moins fictivement, en France pour échapper à un fisc particulièrement gourmand en Belgique.*
3 *Monsieur Durand est soupçonné d'avoir cherché à frauder le fisc en créant une société luxembourgeoise.*

Pour en savoir plus

LE FISC ET SON ADMINISTRATION

Un agent du fisc. (☞ 270 + nom).
Un inspecteur, une inspectrice du fisc : agent de la fonction publique qui est à la tête des contrôleurs. *Les inspecteurs du fisc évaluent la fraude à plusieurs millions d'euros.* {**l'inspection du fisc**}.
Un contrôleur, une contrôleuse (des impôts, des contributions) : agent de la fonction publique qui est chargé du contrôle des déclarations de revenus. (Syn. : (fam.) **un limier du fisc**).
Un receveur, une receveuse des contribu-

tions, un percepteur, une perceptrice, (S) **un préposé, une préposée** : agent de la fonction publique qui est chargé de la perception des impôts.

3 FISCAL, -ALE ; -AUX, -ALES - [fiskal, -al ; -o, -al] - (adj.)

1.1. Qui se rapporte à l'ensemble des lois et des règlements (la législation fiscale) en rapport avec l'application et la perception de l'impôt et des taxes imposées par les pouvoirs publics (l'Etat et les collectivités locales).

Certains pays offrent de nombreux avantages fiscaux pour l'organisation de manifestations artistiques.

+ nom

- **La législation fiscale, le système fiscal, la réglementation fiscale**. (Syn. : **la fiscalité**).
  Le législateur fiscal : gouvernement ou parlement qui édite les lois sur la fiscalité. *Le législateur fiscal ne veut pas attendre jusqu'à ce que le revenu du ménage soit connu pour calculer ensuite l'impôt. C'est pourquoi il a décidé de recourir à une retenue à la source.*
  Le droit fiscal.
  Une loi fiscale.
  Le régime fiscal : législation fiscale appliquée. *Les entreprises novatrices bénéficient d'un régime fiscal plus favorable.*
  Une disposition fiscale : règlement ou point précis de la législation fiscale.
- **La politique fiscale** : un des aspects de la politique budgétaire (Silem).
- **L'administration fiscale**. (Syn. : (plus fréq.) **le fisc, les contributions**).
  Un contrôle fiscal, une vérification fiscale.
  Un redressement fiscal, (S) **une reprise des éléments imposables** : remise en règle de la situation fiscale d'un contribuable. *Cet industriel fera l'objet d'un redressement fiscal pour avoir dissimulé une partie importante de ses revenus.*
- **Le traitement fiscal**. *Cette note donne des informations à propos du traitement fiscal réservé aux opérations en options traitées par des personnes physiques hors de toute activité professionnelle.*
- **La pression fiscale** : rapport entre les charges fiscales et le produit national. (Syn. : (moins fréq.) **le poids de la fiscalité**). *La pression fiscale et parafiscale étant déjà extrême, il est nécessaire de réduire le déficit budgétaire par une compression des dépenses publiques.*
  Une/les charge(s) fiscale(s) : poids de la fiscalité que doit porter le contribuable. (Ant. : **Une/les charge(s) parafiscale(s)** (fiscalité accessoire, supplémentaire que doit porter le contribuable sous la forme de taxes, de cotisations et de versements obligatoires)). *Les mesures gouvernementales limitent plus particulièrement la charge fiscale qui pèse sur les titulaires de faibles et moyens revenus.*
- **Le barème fiscal** : tarif sur lequel est basé le calcul de l'impôt. (Syn. : **le taux d'imposition, le taux de l'impôt, le barème de l'impôt**). *L'équité des barèmes fiscaux devrait consister à ne pas frapper les revenus modestes, à frapper faiblement les revenus moyens et fortement les revenus supérieurs.*
- **Une ponction fiscale, un prélèvement fiscal** : partie du revenu retenue comme impôt. *La construction de nouvelles installations sportives va augmenter la ponction fiscale dans les poches d'une population déjà lourdement endettée.*
- **Une exonération fiscale** {**exonérer** une somme ; un agent économique (d'un impôt ; d'un paiement)}, **une immunisation fiscale, une exemption fiscale, un abattement fiscal**, (moins fréq.) **un allégement fiscal** : mesure de faveur accordée à un contribuable sous la forme d'une partie du revenu qui n'est pas soumise à l'impôt.
  (B) **Un incitant fiscal**, (F) **une incitation fiscale**, (Q) **un stimulant fiscal, un encouragement fiscal** : mesure de faveur accordée à un contribuable sous la forme de sommes qui ne doivent pas être ajoutées au revenu soumis à l'impôt, p. ex. lors de l'achat de certains produits financiers, dans le but de stimuler certaines formes d'épargne ou d'investissement.
  Un avantage fiscal : mesure de faveur dont profite un contribuable.
  Une déduction fiscale : montant que le contribuable peut déduire du revenu soumis à l'impôt. *La déduction fiscale de la prime n'est pas admise.* **La déductibilité fiscale**. *La déductibilité fiscale des frais financiers favorise l'endettement.*
- **L'évasion fiscale** : ensemble de procédures licites et illicites (Syn. : **la fraude fiscale**) qu'un contribuable peut utiliser pour diminuer sa charge fiscale (Ménard). *Pour éviter l'évasion fiscale, on a besoin de lois claires et nettes prescrivant ce qui est permis et ce qui ne l'est pas.*
  La fraude fiscale : ensemble de procédures illicites qu'un contribuable peut utiliser pour diminuer sa charge fiscale p .ex .*Pour mettre un frein à la fraude fiscale, un État doit donner à son administration les moyens de la réprimer.*
  L'élusion fiscale : ensemble de procédures admises par la loi qu'un contribuable peut utiliser pour diminuer sa charge fiscale. (Syn. : **l'élusion de l'impôt**). *L'élusion fiscale consiste à refuser de faire des heures supplémentaires pour lesquelles la fiscalité est plus lourde.*
  L'ingénierie fiscale : ensemble des techniques qu'un fiscaliste ou un contribuable peut utiliser

pour échapper à l'impôt ou en payer le moins possible. *Dans le cadre de l'ingénierie fiscale, les entreprises ont recours à des constructions juridiques en apparence très propres.*

- **Un domicile fiscal** : endroit où l'on est soumis à l'imposition et où l'on doit payer ses impôts. *Les cadres non-résidents dans notre pays doivent garder leur domicile fiscal dans leur pays d'origine.*
- **Un paradis fiscal** : zone, région ou État qui ne taxe pas les revenus du contribuable ou ne les taxe que faiblement par rapport au tarif appliqué dans le pays d'origine.

  >< **Un enfer fiscal** : expression métaphorique utilisée par les contribuables pour dénoncer la pression fiscale trop lourde dans leur pays.
- **Une réforme fiscale**. *Une réforme fiscale doit favoriser le pouvoir d'achat du consommateur et donner une impulsion à la demande intérieure.*

  Une harmonisation fiscale : uniformisation de la législation fiscale. *Pour permettre une libre circulation des biens entre pays, une harmonisation fiscale de la TVA est indispensable.*

  Un conseiller fiscal, un conseil fiscal. (Syn. : **un fiscaliste,** (peu fréq.) **un consultant fiscal**). *Le gouvernement a pris de nouvelles initiatives dans le but de réglementer la profession de conseil fiscal.*
- **Le résultat fiscal** : revenu ou bénéfice pour une année d'imposition donnée, calculé conformément aux lois fiscales pertinentes (Ménard). (Syn. : (plus fréq.) **le revenu imposable, le bénéfice imposable**).
- **Un avoir fiscal** : crédit d'impôt que le fisc accorde aux particuliers qui ont reçu au cours de l'année d'imposition des dividendes de sociétés imposables.
- **La neutralité fiscale** : principe qui implique qu'une fiscalité optimale ne doit pas entraîner de déséquilibre dans le comportement des agents économiques.
- **La justice fiscale** : principe qui implique que la charge fiscale doit être répartie entre les contribuables en tenant compte de leur capacité contributive.
- **Le statut fiscal**. *Le carnet de dépôt, qui bénéficie d'un statut fiscal très avantageux puisque les intérêts sont exonérés d'impôts jusqu'à une somme assez importante, reste l'un des meilleurs choix pour le petit épargnant.*
- **Un timbre fiscal** : timbre que doivent porter certains documents officiels et qui donne lieu à la perception d'un droit au profit de l'État (RQ).
- **Une déclaration fiscale**. (V. 312 impôt, 1).
- **Les recettes fiscales, les rentrées fiscales**. (V. 471 recette, 1).
- **Une dette fiscale**. (V. 194 dette, 1).
- **La taxe fiscale**.
- **L'assiette fiscale**. (V. 316 impôt, 3).
- **Une année fiscale, un exercice fiscal**. (Syn. : **un exercice d'imposition**).

4 AUTRES DÉRIVÉS OU COMPOSÉS

- **La parafiscalité** [paʀafiskalite] (n.f.) : fiscalité accessoire qui comprend l'ensemble des taxes, des cotisations, des versements obligatoires qui touchent les contribuables et qui sont destinés au fonctionnement de la sécurité sociale, d'organisations professionnelles, ... *Les comparaisons internationales des pressions fiscales n'ont pas beaucoup de sens si l'on n'y inclut pas la parafiscalité.*

  {**parafiscal, -ale ; -aux, -ales** [paʀafiskal, -al, -o, -al] (adj.)}. **La pression parafiscale**. (V. 271 3 fiscal). **Une/les charge(s) parafiscale(s)**. (V. 271 3 fiscal).
- **Un fiscaliste, une fiscaliste** [fiskalist(ə)] (n.) : personne spécialisée dans le domaine du droit fiscal et qui travaille généralement comme conseiller pour le compte de particuliers ou d'entreprises. (Syn. : **un conseiller fiscal, un conseil fiscal**, (peu fréq.) **un consultant fiscal**).
- **Fiscaliser** [fiskalize] (v.tr.dir.) : l'État soumet un revenu à un impôt. *L'allocation familiale constitue un luxe un peu excessif pour les gens riches. De là l'idée de fiscaliser ces revenus.*

  {**la fiscalisation** [fiskalizasjɔ̃] (n.f.)}.

  >< **Défiscaliser** [defiskalize] (v.tr.dir.) : l'Etat ne soumet pas ou ne soumet plus un revenu à un impôt. *Certains contrats d'assurance-vie sont totalement défiscalisés.*

  {**la défiscalisation** [defiskalizasjɔ̃] (n.f.)}.
- **Fiscalement** [fiskalmɑ̃] (adv.). *Certains produits financiers sont fiscalement privilégiés puisqu'ils donnent lieu à des déductions fiscales.*

FIXE (adj.) (****) 1. Qui ne se modifie pas.

1. (281)	fest(stehend)	fixed	fijo	fisso	vast
	fix	permanent	estable	stabile	stabiel

FIXE (n.m.) (*) 1. Rémunération invariable.

1. (498)	das Fixum	fixed salary	el sueldo fijo	il (salario) fisso	het vast loon
	der Festbetrag	basic salary			

FLACON (n.m.) (**) 1. Petit contenant (pour du parfum p. ex.).

1. (363)	das Fläschen	small bottle	el frasco	la fialetta (med.)	het flesje
(216)	der Flakon	flask (autres que parfum)		la boccetta	de flacon (m.)

FLAMBÉE (n.f.) (**) 1. Hausse importante.

1. (276)	die Preisexplosion	up-surge	la llamarada	l'infiammata (f.)	de plotselinge stijging (f.)

	der starke Preisauftrieb	explosion		la vampata	de plotselinge klim (f.)

FLAMBER (v.intr.) (**) 1. Augmenter de façon importante.

1. (276)	in die Höhe schiessen nach oben schiessen	to surge to shoot up	subir bruscamente dispararse	salire lievitare	plotseling stijgen plotseling klimmen

FLÉCHIR (v.intr.) (***) 1. Diminuer.

1. (278)	nachgeben sich abschwächen	to fall off to drop	bajar ceder	calare subire una flessione	dalen zakken

FLÉCHISSEMENT (n.m.) (**) 1. Diminution.

1. (278)	der Rückgang die Abschwächung	falling off drop	el aflojamiento la baja	la flessione il cedimento	de daling (f.) de vermindering (f.)

FLEUR (n.f.) (***) 1. Partie coloriée d'une plante.

1. (505) (370)	die Blume	flower	la flor	il fiore	de bloem (m./f.)

FLEURISTE (n.) (**) 1. Personne qui cultive des fleurs pour les vendre (RQ).

1.	der Blumenhändler der Florist	florist	el florista	il fioraio il fiorista	de bloemist (m.) de bloemkweker (m.)

FLEUVE (n.m.) (**) 1. Cours d'eau.

1. (356)	der Fluss	river	el río	il fiume	de stroom (m.)

FLEXIBILITÉ (n.f.) (****) 1. Caractère de ce qui s'adapte facilement.

1. (225) (499)	die Flexibilität die Anpassungsfähigkeit	flexibility	la flexibilidad	la flessibilità	de flexibiliteit (f.)

FLEXIBLE (adj.) (***) 1. Qui s'adapte facilement.

1. (554) (74)	flexibel anpassungsfähig	flexible	flexible elástico	flessibile	flexibel

FLORIN (n.m.) (****) 1. Monnaie des Pays-Bas.

1. (382)	der Gulden	florin	el florín	il fiorino olandese	de gulden (m.)

FLOTTANT, -ANTE (adj.) (**) 1. Qui varie.

1. (281)	schwankend wechselhaft	floating	flotante	fluttuante	vlottend zwevend

FLOTTEMENT (n.m.) (**) 1. Variation.

1. (274)	das Schwanken das Floaten	floating	la flotación	la fluttuazione l'oscillazione (f.)	het vlotten het zweven

FLOTTER (v.intr.) (**) 1. Varier.

1. (274)	floaten	to float	flotar	fluttuare ondeggiare	zweven

FLUCTUATION (n.f.) (****) 1. Variation.

1. (273)	die Schwankungen	fluctuation	la fluctuación	la fluttuazione l'oscillazione (f.)	de fluctuatie (f.) de schommeling (f.)

FLUCTUATION

mot-outil

1 une fluctuation			2 fluctuer

1 une FLUCTUATION [flyktɥasjɔ̃] - (n.f.)

1.1. (emploi fréquent au pluriel) Variations successives de hausse et de baisse d'une variable économique, éventuellement par rapport à une moyenne.
Syn. : (série de fluctuations) une vague ; (fr. gén.) une variation.
Il existe des fluctuations entre les cours de change pratiqués par les différentes banques.

expressions

- (Un phénomène économique) **être sujet à des fluctuations** (de prix, ...), **être sensible à des fluctuations** (de prix, ...) : peut subir des fluctuations. *L'immobilier est toujours sujet à des fluctuations de prix, qui peuvent parfois être brutales.* **La sensibilité aux fluctuations** (de prix, ...).

+ adjectif

TYPE DE FLUCTUATIONS

Les fluctuations économiques. *Certains industriels continuent à défendre l'idée qu'il faut être actif dans plusieurs secteurs pour maîtriser les fluctuations économiques.*

Les fluctuations conjoncturelles. (V. 139 conjoncture, 2).

Les fluctuations monétaires. (V. 383 monnaie, 2).

Les fluctuations cycliques. *Il y a des fluctuations cycliques dans la distribution de dividendes, bien que la plupart des entreprises essaient de stabiliser leur dividende tout au long du cycle.*

CARACTÉRISATION DES FLUCTUATIONS

Des fluctuations saisonnières : fluctuations

liées à une période de l'année.
Des fluctuations temporaires.

NIVEAU DES FLUCTUATIONS
D'importantes fluctuations, de fortes fluctuations, de vives fluctuations. >< **De faibles fluctuations, de légères fluctuations**.

+ nom

- **La sensibilité aux fluctuations** (de prix, ...). (☞ 273 expressions).

TYPE DE FLUCTUATIONS
Les fluctuations de (moins fréq. : **la fluctuation de**) + nom qui désigne le phénomène ou la variable soumis aux fluctuations. Les fluctuations du cours de ... ; du taux de ... ; du/des prix. (Syn. : **la/les variation(s) du/des prix, du dollar, du marché**).

MESURE DES FLUCTUATIONS
Une marge de fluctuation : limite inférieure et supérieure de la variation d'une variable économique. (Syn. : (moins fréq.) **une bande de fluctuation**). *Le cours de l'once d'or a monté de 25 dollars en quelques semaines, sortant ainsi de la marge de fluctuation dans laquelle il se maintenait depuis plusieurs mois.* **Une marge de fluctuation étroite**. >< **Une large marge de fluctuation. Élargir les marges de fluctuation**. >< **Réduire les marges de fluctuation**.

+ verbe : qui fait quoi ?

un phénomène économique, une variable ×	**connaître** des ~	-	1
	subir des ~	-	
	enregistrer des ~	-	
	être sujet à des ~	-	

1 *Les taux d'intérêt risquent de connaître d'importantes fluctuations dans les mois à venir.*

Pour en savoir plus

VOCABULAIRE DES FLUCTUATIONS
Les phénomènes économiques (les prix, la croissance) et les variables (un taux, un montant) fluctuent sans cesse. Il existe de nombreux verbes, noms, adjectifs, adverbes et expressions souvent synonymes pour traduire ces fluctuations, qui sont tantôt quantitatives, tantôt qualitatives. Dans la description qui suit, les mots qui ont un sens voisin sont regroupés par cadre.
Les mots regroupés par cadre se distinguent les uns des autres par le fait qu'ils se combinent de préférence avec certains mots du français des affaires. Quelques combinaisons significatives sont données.
Les constructions syntaxiques des verbes sont présentées en détail.
Parfois le vocabulaire des fluctuations se retrouve dans des combinaisons figées : elles sont notées en gras.

VERBES (les verbes sont notés systématiquement à l'infinitif), NOMS

Sens : (une variable) VARIER, CONNAÎTRE DES HAUSSES ET DES BAISSES, DES HAUTS ET DES BAS.		≠
une/les marge(s), le(s) prix, une monnaie	**fluctuer**	une fluctuation
le(s) prix, le(s) taux, le(s) cours	**varier** (entre ... et ...)	une variation (entre ... et ...)
une monnaie le(s) taux	**flotter**	le flottement
les prix	**osciller** (entre ... et ...)	une oscillation (entre ... et ...)
Sens : (une variable) PARVENIR À UN MONTANT, UN POURCENTAGE.		=
(une variable)	**atteindre** un montant, un %	-
(une variable)	**être de** un montant, un %	-
(une variable)	**s'élever à** un montant, un %	-
(une variable)	(peu fréq.) **se monter à** un montant, un %	-
Sens : (une variable) PARVENIR À UN MONTANT, UN POURCENTAGE APPROXIMATIF.		=±
(une variable)	**osciller autour de** ...	**une oscillation** autour de ...

aux alentours de ...
(une variable) **avoisiner** -
+ indication d'une limite

Sens : (une mesure, une entreprise, (parfois) une ou plusieurs personnes, le gouvernement)
RENDRE (un phénomène économique, une variable) PLUS IMPORTANT.
→ (un phénomène économique, une variable) DEVIENT PLUS IMPORTANT. △

(très peu fréq.) **hausser** le(s) prix (de + nombre, de ... %) **une hausse**
le(s) taux (de ... %)
→ le(s) prix, le bénéfice, une monnaie
le(s) taux, le(s) cours, **être en hausse**,
un indice **connaître une hausse** (de ...)

augmenter (peu fréq. : **faire augmenter**) **une augmentation**
le prix, la production, le chiffre d'affaires, le bénéfice, **une augmentation de capital**.
le capital, (V. 85 capital, 1)
les ventes, la productivité (de + nombre, de ... %)
le(s) taux (de ... %)
→ le(s) prix, la production, ... **augmenter** (de ...)

accroître la productivité, la production, la demande **un accroissement**
(de + nombre, de ... %)
sa part de marché (de ... %)
la concurrence
→ la productivité, la production, ... **s'accroître** (de ...)
la concurrence
alourdir les charges, les coûts, les frais, la dette **un alourdissement**
(de + nombre, de ... %)
la fiscalité
→ les charges, les coûts, ... **s'alourdir** (de ...)
la fiscalité
améliorer la qualité, les résultats, la productivité, **une amélioration**
la rentabilité, le bénéfice
→ la qualité, les résultats, ... **s'améliorer**
la conjoncture
accélérer la croissance (économique), l'inflation **une accélération**
→ la croissance, l'inflation **s'accélérer** (moins fréq. : **accélérer**)
intensifier la concurrence, les échanges **une intensification**
→ la concurrence, les échanges **s'intensifier**
aggraver le chômage, le déficit **une aggravation**
→ le chômage, le déficit **s'aggraver**
raffermir une monnaie, une devise **un raffermissement**
→ une monnaie, une devise **se raffermir**
accentuer ses pertes **une accentuation**
→ ses pertes **s'accentuer**
creuser le déficit **un creusement**
→ le déficit **se creuser**

- **une appréciation**
→ une monnaie, une devise **s'apprécier**
- -
→ le(s) cours **se hisser à** + nombre

- **un gain**
→ une monnaie (le dollar, l'euro, ...) **gagner** ... %
le(s) cours, l'indice

faire croître la demande, une entreprise, l'économie (française, ...), la production (de ... %)	**une croissance**
→ la demande, une entreprise, ... le marché **croître** (de ... %)	
faire progresser le bénéfice, le chiffre d'affaires, les ventes (de ... %)	**une progression**
→ le bénéfice, le chiffre d'affaires, ... les cours, l'indice **progresser** (de ... %)	
faire grimper le(s) prix, le chiffre d'affaires, le bénéfice (de ... %) le(s) cours, le(s) taux (de ... %)	(très peu fréq.) **une grimpée**
→ le(s) prix, le(s) cours, le(s) taux, ... **grimper** (de ... %)	
faire monter le(s) prix, (de ... %) le(s) cours, le(s) taux (de ... %)	**une montée**
→ le(s) cours, le(s) prix, ... **monter** (de ... %)	
< **monter en flèche**	**une montée en flèche**
gonfler (peu fréq. : **faire gonfler**) (artificiellement) le prix, la dette, les stocks (de + nombre, de ... %)	**un gonflement**
→ -	
relever le(s) prix (de + nombre, de ... %) le(s) taux (de ... %)	**un relèvement**
→ -	
majorer l'impôt, le(s) prix, le revenu, une prime (de + nombre, de ... %) le(s) taux (de ... %)	**une majoration**
→ -	
renforcer la compétitivité, les fonds, la concurrence	**un renforcement**
→ -	
renchérir le coût, le prix	**un renchérissement**
→ -	
rehausser le(s) taux	**un rehaussement**
→ -	
-	**l'expansion** (d'un phénomène économique)
→ -	**l'expansion** (**économique**) (V. 139 conjoncture, 1)
-	**l'essor** (d'un phénomène économique)
→ -	(**être**) **en plein essor**
-	**l'ascension** (d'un phénomène économique, d'une variable)
→ -	(**être**) **en pleine ascension**

Sens : (une mesure, une entreprise, (parfois) une ou plusieurs personnes, le gouvernement)
RENDRE (un phénomène économique, une variable)
BEAUCOUP PLUS IMPORTANT. △△
→ (un phénomène économique, une variable)
DEVENIR BEAUCOUP PLUS IMPORTANT.

faire exploser le marché, la croissance, le(s) prix, le bénéfice le(s) cours	**une explosion**
→ le(s) cours, le marché **exploser**	
faire flamber le(s) prix le(s) cours, le(s) taux	**une flambée**
→ le(s) prix, le(s) cours **flamber**	
faire déraper les prix, l'inflation	**un dérapage**

→ les prix, l'inflation	**déraper**	**un dérapage budgétaire** (V. 77 budget, 2) **un dérapage inflationniste** (V. 327 inflation, 2)
faire bondir le chiffre d'affaires, le bénéfice (à + indication du niveau) (de + nombre, de ... %)		**un bond**
→ le chiffre d'affaires, le bénéfice	**bondir** (de + nombre, de ... %) **faire un bond**	
-		**un envol,**
→ les prix, une monnaie (le dollar, ...) le(s) cours, le(s) taux	**s'envoler**	**une envolée**
-		**un emballement** (de l'économie)
→ l'économie	**s'emballer**	(V. 170 croissance, 1)
-		**un boom**
→ un marché, un secteur	**connaître un boom**	(un phénomène économique) (**être**) **en plein boom**

Sens : (une mesure, une entreprise, (parfois) une ou plusieurs personnes, le gouvernement)
RENDRE (un phénomène économique, une variable) LE/LA PLUS IMPORTANT(E) POSSIBLE. △△△

maximiser le(s) profit(s)		**la maximisation**
maximaliser		**la maximalisation** **le maximum**

Sens : (une mesure, une entreprise, (parfois) une ou plusieurs personnes, le gouvernement)
RENDRE (un phénomène économique, une variable) MOINS IMPORTANT. ▽
→ (un phénomène économique, une variable) DEVENIR MOINS IMPORTANT.

baisser (moins fréq. : **faire baisser**)		**une baisse**
le(s) prix	(de + nombre, de ... %)	
le(s) taux, le(s) cours	(de ... %)	
→ le(s) taux, le(s) prix, ... une monnaie (le dollar, ...), le bénéfice	**baisser** (de ...)	
diminuer (très peu fréq. : **faire diminuer**)		**une diminution**
le(s) prix, le(s) coût(s), la production, la consommation, les frais	(de + nombre, de ... %)	
le(s) taux	(de ... %)	
→ le(s) prix, le(s) coûts, ...	**diminuer**	
réduire les coûts, le(s) prix, l'impôt, la production	(de nombre, de ... %) (à + nombre limite)	**une réduction**
le(s) taux	(de ... %)	
→ les coûts, le(s) prix, ...	**se réduire** (de ...) (à + nombre limite)	
limiter la production, les frais, les pertes	(à + nombre limite)	**une limitation**
→ la production, ...	**se limiter à** + nombre limite	
alléger la/les charge(s), la dette, la fiscalité, l'endettement	(de + nombre, de ... %)	**un allégement** (ou **un allègement**)
→ la/les charge(s), ... l'endettement, ...	**s'alléger** (de + nombre, de ... %)	
détériorer les résultats, la balance		**une détérioration**
→ les résultats, la balance	**se détériorer**	**une détérioration économique**

la conjoncture, le marché, la compétitivité		(V. 139 conjoncture, 2)
affaiblir une monnaie (le dollar), une devise		**un affaiblissement**
→ une monnaie, une devise	**s'affaiblir**	**un affaiblissement conjoncturel**
la demande, la conjoncture, un marché		(V. 139 conjoncture, 2)
déprécier une monnaie (le dollar, ...), une devise		**une dépréciation**
→ une monnaie, une devise	**se déprécier**	**la dépréciation monétaire** (V. 383 monnaie, 2)
		la dépréciation économique (V. 29 amortissement, 1)
resserrer le crédit		**un resserrement**
→ le crédit	**se resserrer**	
resserrer la politique monétaire (V. 383 monnaie, 2)		
restreindre l'offre		**une restriction**
→ l'offre	**se restreindre**	
détendre le(s) taux		**une détente**
→ le(s) taux	**se détendre**	

-		**un repli**
→ le(s) taux, le(s) cours, une monnaie (le dollar, ...)	**se replier**	(un indice, le(s) cours) (**être**) **en repli**
-		**une dégradation**
→ un marché, la situation économique, la conjoncture	**se dégrader**	
-		**un tassement**
→ le(s) cours, la demande	**se tasser**	
-		**une contraction**
→ le marché	**se contracter**	
-		**un effritement**
→ une monnaie (le dollar, ...), un marché, le(s) cours	**s'effriter**	
-		**un rétrécissement**
→ le marché, une marge	**se rétrécir**	

-		**une perte**
→ une monnaie (le dollar, l'euro, ...) le(s) cours, l'indice	**perdre** ... %	
-		-
→ le(s) cours, l'indice	**céder** ... %	
-		(peu fréq.) **un faiblissement**
→ la demande	**faiblir**	
-		**une décrue**
→ le(s) taux	(peu fréq.) **décroître**	

ralentir la croissance (économique), l'activité, l'inflation, la conjoncture		**un ralentissement**
→ la croissance, l'activité, ...	**ralentir** (moins fréq. : **se ralentir**)	

faire reculer le bénéfice, le chiffre d'affaires, les ventes		(de ... %)	**un recul**
le(s) taux		(de ... %)	
→ le bénéfice, le(s) taux	**reculer**	(de ...)	(un indice, le(s) cours) (**être**) **en recul**
faire fléchir le bénéfice, le chiffre d'affaires, les ventes		(de ... %)	**un fléchissement**
le(s) cours, le(s) taux		(de ... %)	
→ le(s) cours, le(s) taux	**fléchir**	(de ...)	
faire (re)descendre le(s) prix		(de ... %)	-

le(s) taux, le(s) cours (de ... %)
→ le(s) prix **(re)descendre** (de ... %)
le(s) taux, le(s) cours (de ... %)
souvent avec indication de la limite atteinte :
descendre à + %, à + nombre
(très peu fréq.) **faire régresser** le chiffre d'affaires, le rendement (de ... %) — **une régression**

→ le(s) cours, le chômage, les ventes, le marché **régresser** (de ... %)

abaisser le(s) prix, le(s) coût(s) (de ... %) — **un abaissement**
le(s) taux (de ... %)
→ -
amputer un dividende (de ... %) — **une amputation**
→ -
freiner la croissance, les dépenses, la consommation, les investissements, le(s) taux — **le freinage**, **mettre un frein à**
→ - — **une modération**
modérer la croissance, l'inflation, le(s) prix, les salaires, le(s) taux — **une modération salariale** (V. 501 salaire, 3)
→ -
comprimer le(s) coût(s), le(s) prix, les frais, les dépenses — **une compression**
→ -

Sens : (une mesure, une entreprise, (parfois) une ou plusieurs personnes, le gouvernement)
RENDRE (un phénomène économique, une variable) BEAUCOUP MOINS IMPORTANT. ▽▽
→ (un phénomène économique, une variable) DEVENIR BEAUCOUP MOINS IMPORTANT.

faire chuter le(s) prix, le bénéfice, la production, les ventes (de + nombre, de ... %) — **une chute**
le(s) cours, le(s) taux (de ... %) — (un phénomène économique, une variable) (**être**) **en chute libre**
→ le(s) prix, le(s) cours, ... **chuter**
faire dégringoler le(s) prix (de + nombre, de ... %) — **une dégringolade**
le(s) cours (de ... %) — (un phénomène économique, une variable) (**être**) **en pleine dégringolade**
→ le(s) prix, le(s) cours **dégringoler**
faire tomber une monnaie, un cours, le(s) taux (à + indication du niveau) — -
→ une monnaie, un cours **tomber** (à + indication du niveau)
faire plonger le(s) cours — **un plongeon**
→ le(s) cours **plonger**

- — **un effondrement**
→ le marché, le(s) prix **s'effondrer**

écraser le(s) prix — **un écrasement**
→ -
casser le(s) prix — -
→ -

Sens : (une mesure, une entreprise, (parfois) une ou plusieurs personnes, le gouvernement)
RENDRE (un phénomène économique, une variable) LE/LA MOINS IMPORTANT(E) POSSIBLE. ▽▽▽

minimiser les coûts — **la minimisation**, **le minimum**

Sens : (un phénomène économique, une variable)
ARRÊTER D'AUGMENTER, DE SE DÉVELOPPER. △=

le marché, la consommation, le chiffre d'affaires, les ventes, — **une stagnation**
la croissance, la production, l'économie — **une stagnation de l'économie**
le(s) cours **stagner** — (V. 214 économie, 1)

le(s) prix, le marché, le chômage — **une stabilisation**
le(s) taux, le(s) cours **se stabiliser**
le marché, l'économie **s'essouffler** — **un essoufflement**

Stagner : arrêter d'augmenter (pour un phénomène considéré comme positif). *La consommation stagne.*

Se stabiliser : 1. Arrêter d'augmenter (pour un phénomène considéré comme négatif). *Le chômage se stabilise.* - 2. Arrêter de fluctuer. *Le marché se stabilise.*

Sens : (une mesure, une entreprise, (parfois) une ou plusieurs personnes, le gouvernement)
AMÉLIORER (un phénomène économique, une variable)
APRÈS UNE ÉVOLUTION, UNE PÉRIODE MOINS POSITIVE. ▽△
→ (un phénomène économique, une variable)
S'AMÉLIORER APRÈS UNE ÉVOLUTION,UNE PÉRIODE MOINS POSITIVE.

\- — **une reprise**
→ l'activité économique, l'économie, l'inflation, la croissance, la consommation **(se) reprendre**
\- — **une remontée**
→ une monnaie (le dollar, ...), le(s) prix, le(s) taux, le(s) cours **remonter**

relancer l'activité économique, la consommation, l'inflation, la demande, l'emploi — **une relance**
→ -

(peu fréq.) **redresser** l'économie, le marché, une monnaie (le dollar, ...), la conjoncture — **un redressement**
→ l'économie, le marché, ... le(s) cours, le(s) taux **se redresser**
rétablir la compétitivité, la rentabilité — **un rétablissement**
→ la compétitivité, la rentabilité le marché **se rétablir**

faire redémarrer l'économie, la croissance, le marché, l'activité économique — **un redémarrage**
→ l'économie, ... **redémarrer**

Sens : (une mesure, une entreprise, (parfois) une ou plusieurs personnes, le gouvernement)
FAIRE AUGMENTER EN FAISANT PARVENIR
(un phénomène économique, une variable) À UNE LIMITE MAXIMALE. ⊼
→ (un phénomène économique, une variable) AUGMENTER ET PARVENIR À UNE LIMITE MAXIMALE.

plafonner la production — **le plafonnement**
→ la production **plafonner à** + nombre — **un plafond**

\- — -
→ l'inflation **culminer à** + nombre

Sens : (un phénomène économique, une variable)
AUGMENTER ET PASSER AU-DELÀ D'UNE LIMITE. ⊼

le chiffre d'affaires, le(s) prix le(s) taux, le(s) cours **dépasser** + indication d'une limite — **un dépassement**
le cap, la barre, le seuil de + nombre — **un dépassement budgétaire** (V. 77 budget, 2)
l'offre, la demande un montant **excéder** + indication d'une limite — -
un indice **franchir** le cap, la barre, le seuil de + nombre — -
un indice **crever** un plafond >< un plancher — -

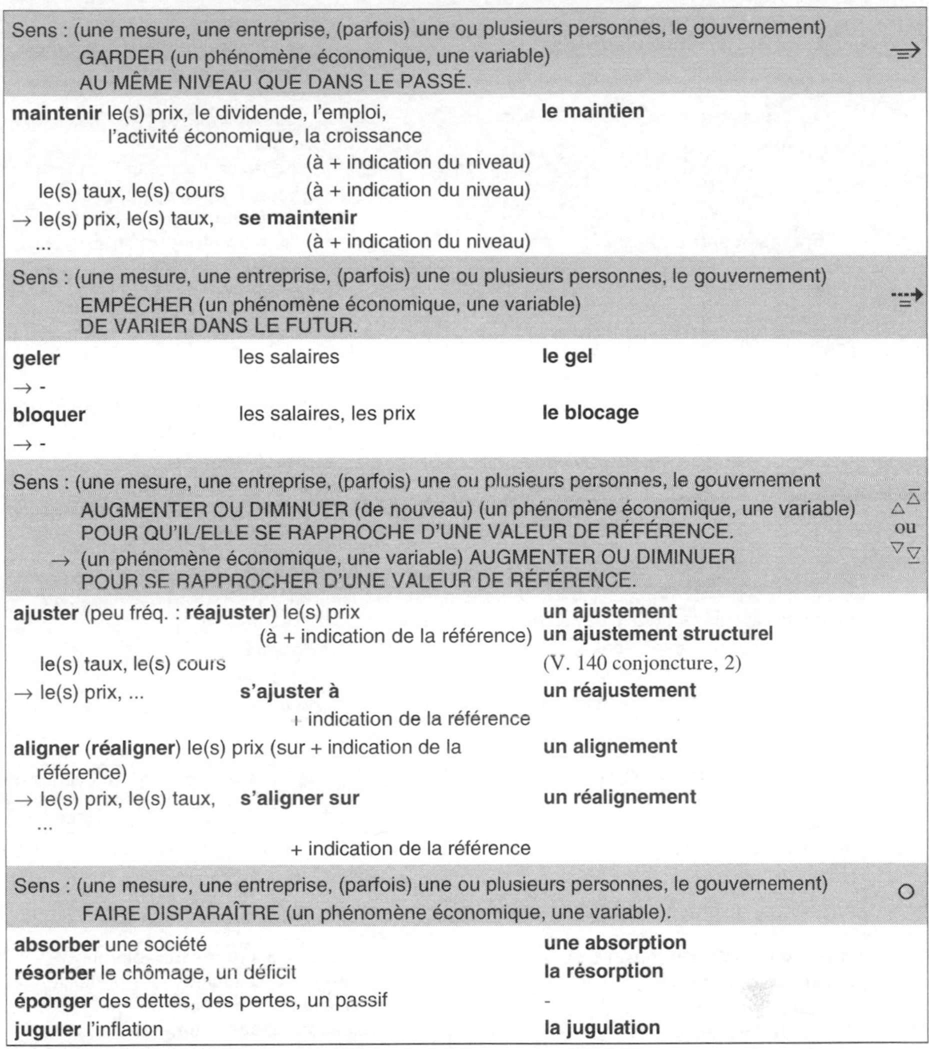

Sens : (une mesure, une entreprise, (parfois) une ou plusieurs personnes, le gouvernement) GARDER (un phénomène économique, une variable) AU MÊME NIVEAU QUE DANS LE PASSÉ.		
maintenir le(s) prix, le dividende, l'emploi, l'activité économique, la croissance	(à + indication du niveau)	**le maintien**
le(s) taux, le(s) cours	(à + indication du niveau)	
→ le(s) prix, le(s) taux, ...	**se maintenir** (à + indication du niveau)	

Sens : (une mesure, une entreprise, (parfois) une ou plusieurs personnes, le gouvernement) EMPÊCHER (un phénomène économique, une variable) DE VARIER DANS LE FUTUR.		
geler	les salaires	**le gel**
→ -		
bloquer	les salaires, les prix	**le blocage**
→ -		

Sens : (une mesure, une entreprise, (parfois) une ou plusieurs personnes, le gouvernement AUGMENTER OU DIMINUER (de nouveau) (un phénomène économique, une variable) POUR QU'IL/ELLE SE RAPPROCHE D'UNE VALEUR DE RÉFÉRENCE. → (un phénomène économique, une variable) AUGMENTER OU DIMINUER POUR SE RAPPROCHER D'UNE VALEUR DE RÉFÉRENCE.		ou
ajuster (peu fréq. : **réajuster**) le(s) prix	(à + indication de la référence)	**un ajustement** **un ajustement structurel**
le(s) taux, le(s) cours		(V. 140 conjoncture, 2)
→ le(s) prix, ...	**s'ajuster à** + indication de la référence	**un réajustement**
aligner (**réaligner**) le(s) prix (sur + indication de la référence)		**un alignement**
→ le(s) prix, le(s) taux, ...	**s'aligner sur** + indication de la référence	**un réalignement**

Sens : (une mesure, une entreprise, (parfois) une ou plusieurs personnes, le gouvernement) FAIRE DISPARAÎTRE (un phénomène économique, une variable).	
absorber une société	**une absorption**
résorber le chômage, un déficit	**la résorption**
éponger des dettes, des pertes, un passif	-
juguler l'inflation	**la jugulation**

ADJECTIFS (les adjectifs sont notés systématiquement au masculin singulier et se placent derrière le substantif, sauf indication contraire), ADVERBES (ou un équivalent, entre parenthèses)

Sens : FLUCTUATION OU NON.	
un salaire, une rémunération, les frais, le(s) coûts	**variable**
un taux de change, les changes, une monnaie	**flottant**
le(s) cours	**fluctuant**
>< le prix, un salaire, une rémunération, les frais, les coûts, le capital, le rendement, un revenu ((un placement) **à revenu(s) fixe(s)**) (V. 493 revenu, 1) le(s) taux, un montant	**fixe**

Sens : CARACTÉRISATION DE L'INTENSITÉ DE LA FLUCTUATION DANS LE TEMPS.	
(une hausse/baisse, un accroissement) (l'adjectif se place devant le substantif)	(l'adjectif se place derrière le substantif)
	insignifiant (**de façon insignifiante**)
< **maigre**	**minime**

< **léger, faible, modeste** (**légèrement**, **faiblement**, **modestement**)	**limité, modéré, modeste** (**de façon limitée, modérément, modestement**)
< **net** (**nettement**)	**sensible** (**sensiblement**)
< **fort** (**fortement**)	**soutenu** (**de façon soutenue**)
< **brusque** (**brusquement**)	**fulgurant, foudroyant, brutal** (**de façon fulgurante, de façon foudroyante, de façon brutale**)
<	**exponentiel** (**de façon exponentielle**)

Sens : CARACTÉRISATION DE L'ASPECT DE LA FLUCTUATION DANS LE TEMPS.

(une hausse/baisse, un accroissement)

constant, régulier	(**de façon constante - régulièrement**)
continu	(**continuellement**)
>< **irrégulier**	(**irrégulièrement**)
discontinu	(**de façon discontinue**)
hésitant, indécis	(**de façon hésitante, de façon indécise**)

Sens : CARACTÉRISATION DE LA VITESSE DE LA FLUCTUATION DANS LE TEMPS.

(une hausse/baisse, un accroissement)

lent	(**lentement**)
< **rapide**	(**rapidement**)
< **accéléré**	(**de façon accélérée**)

Sens : CARACTÉRISATION DU NIVEAU OU DE L'IMPORTANCE (très élevée (△△), moyenne (≈) à très basse (▽▽)) DU PHÉNOMÈNE ÉCONOMIQUE OU DE LA VARIABLE. Les adjectifs n'ont pas été accordés.

niveau considéré plutôt par rapport à une norme objective.

niveau considéré plutôt par rapport à une norme subjective.

△△

maximum (**de façon maximale**)
(moins fréq.) **maximal**
le prix
un taux, un montant
record
un prix, un bénéfice
un cours, un taux, un niveau, un chiffre, un montant
(substantif employé comme adjectif : accord uniquement en nombre : une vente record, des ventes records)
énorme (**énormément**)
un marché
l'adjectif se place le plus souvent devant le substantif :
des investissements

considérable (**considérablement**)
des investissements, des pertes, un prix
une somme, un nombre
excessif (**excessivement**)
un prix, un endettement, un coût
un taux
exorbitant (**de façon exorbitante**)
un prix, des coûts
prohibitif (**de façon prohibitive**)
un prix
un taux
juteux
un marché
faramineux
un budget
un montant
gigantesque
une dette

△

important (**de façon importante**)
l'adjectif se place devant et derrière le substantif :
un/des investissement(s), une entreprise, un marché, un groupe, une activité, un secteur
l'adjectif se place le plus souvent derrière le substantif :
une hausse/baisse
élevé (**de façon élevée**)
un prix, un rendement, un/des coût(s), un bénéfice, des frais, un salaire
un taux, un niveau, un cours, un nombre, un montant, un chiffre
grand l'adjectif se place devant le substantif :
un marché, un groupe, des industriels, une entreprise, une banque, une société
un nombre
Un grand magasin; **une grande surface** (V. 573 vente, 1)
La grande distribution (V. 204 distribution, 1)
Les grands travaux (V. 554 travail, 1)
La grande exportation (V. 251 exportation, 1)
La grande industrie (V. 322 industrie, 1)
haut l'adjectif se place devant le substantif :
un rendement, une conjoncture
un niveau
(Un produit) **à haute valeur ajoutée** (V. 564 valeur, 1)
La haute technologie
(Un produit, un secteur, une entreprise) **de haute technologie**
fort (**fort** : fort cher, fort haut; **fortement**)
l'adjectif se place devant le substantif :
une croissance, une demande, une concurrence, une reprise, une expansion
un taux, une hausse
l'adjectif se place derrière le substantif :
Une monnaie ; **devise forte** (V. 380 monnaie, 1)
(Vendre, acquérir qqch.) **au prix fort** (V. 431 prix, 1)
gros l'adjectif se place devant le substantif :
une entreprise, une société, un client, un investissement, un investisseur, un contrat, un consommateur
un volume
bon l'adjectif se place devant le substantif :
des résultats, une performance

joli (**joliment**)
l'adjectif se place devant le substantif :
un bénéfice
appréciable (**de façon appréciable**)
un gain, un rendement
lourd (**lourdement**)
l'adjectif se place devant le substantif :
une/des perte(s), des investissements, des charges
massif (**massivement**)
des licenciements, des achats, des ventes, des investissements

≈

moyen (**moyennement**)
un prix, une croissance, un revenu, un salaire, un coût
un cours
Les petites et moyennes entreprises (les PME). (V. 235 entreprise, 1).
La moyenne industrie. (V. 322 industrie, 1)

raisonnable (**raisonnablement**)
un prix
modéré (**modérément**)
une croissance, un prix, une inflation, une reprise
un taux

▽

petit l'adjectif se place devant le substantif :
un investisseur, un groupe
un nombre

Le petit commerce. (V. 114 commerce, 1)
Un petit porteur. (V. 14 action, 2)
Un petit actionnaire. (V. 14 action, 2)

Les petites et moyennes entreprises (les PME). (V. 235 entreprise, 1). **La petite industrie. Les petites et moyennes industries (les PMI)**. (V. 322 industrie, 1)

bas
l'adjectif se place le plus souvent devant le substantif :
un prix, les salaires, une conjoncture
l'adjectif se place le plus souvent derrière le substantif :
un taux, un cours

faible (faiblement)
l'adjectif se place le plus souvent devant le substantif :
la croissance, un prix, un coût, un rendement
un taux, un cours

limité (de façon limitée)
une croissance, une offre, une activité

léger (légèrement)
un bénéfice, une reprise

modique (de façon modique)
un prix
une somme

médiocre (de façon médiocre)
des résultats, des performances

maigre
l'adjectif se place devant le substantif :
un rendement

▽▽

minimum (de façon minimale)
(moins fréq.) **minimal**
un prix
un taux, un montant

dérisoire (de façon dérisoire)
un prix, un salaire

imbattable
un prix

EXPRESSIONS

Il existe un nombre illimité d'expressions (souvent métaphoriques) pour désigner les fluctuations que subissent les phénomènes économiques et les variables : **une évolution en dents de scie**; **plonger dans le rouge** >< **sortir du rouge**; **passer la barre des** ... >< **tomber sous la barre des ...**; **flirter avec la barre des ...**; **jouer au yo-yo**; **faire du sur place**; **perdre/céder du terrain** >< **gagner du terrain**; **une accalmie sur les marchés financiers, sur le front des taux d'intérêts**,...

INDICATION DE NIVEAU, DE LIMITE

Il existe de nombreux adverbes, locutions prépositionnelles, ... qui permettent d'exprimer le niveau, la limite, une périodicité, la fréquence, l'approximation, ... d'une donnée ou d'un phénomène économiq u e:

limite, niveau : **à hauteur de**. *Un investisseur participe à l'augmentation du capital à hauteur de 20 millions d'euros.*

fréquence, périodicité : **à raison de**. *Il a droit à un stage de formation à raison de 2 jours par mois.*

approximation : **de l'ordre de**. *L'année prochaine le déficit budgétaire sera de l'ordre de 0,5 % du PIB.* **À peu près, environ**. *Le budget prévu s'élève à environ 2 millions d'euros.* (Ant. : **exactement**.). (Une somme, une quantité) **tourner autour de** + somme. (fam.) (Un marché, un contrat, ...) **aller chercher dans les** + somme. *Ce contrat va chercher dans les 200 000 euros.* Nombres en -aine : **une demi-douzaine de, une centaine de** (personnes ou choses).
etc.

INDICATION DE DURÉE

À court terme, (moins fréq.) **à brève échéance**. < **À moyen terme**, (moins fréq.) **à moyenne échéance**. < **À long terme**, (moins fréq.) **à longue échéance**.

VISUALISATION DES FLUCTUATION S: REPRÉSENTATIONS GRAPHIQUES

Un tableau : compare des données, placées en colonnes et en lignes.

Un graphique : visualise le rapport entre deux variables à l'aide d'une courbe, d'une droite qui relie les valeurs relevées pour ces deux variables.

Un histogramme : compare l'importance de plusieurs variables ou d'une variable dans le temps à l'aide de longs rectangles de hauteur différente.

Un camembert, un secteur : compare la part de différentes composantes (les marques présentes sur un marché, les postes du bilan, ...) sous la forme de secteurs d'un cercle.

Une infographie. 1. Tout type de représentation graphique de données. - 2. Représentation graphique faisant appel à des dessins pour traduire une information, p. ex. des voitures de grandeur différente pour représenter le volume de production de voitures dans différents pays.

(Une représentation graphique)
donne, présente, visualise, ... l'évolution de ...,
établit le rapport entre ... et ...,
se rapporte à ...,
indique, illustre, montre, révèle, fait apparaître (clairement) que ...,
permet la ventilation des données par sexe et par âge,

Ainsi qu'il ressort de (la représentation graphique), ..., À en juger par (la représentation graphique), ...

2 AUTRES DÉRIVÉS OU COMPOSÉS

- **Fluctuer** [flyktɥe] (v. intr.). (Syn. : (fr.gén.) **varier**). **Fluctuer autour de** + une expression de quantité. **Fluctuer entre ... et ...** : indication des limites. **Fluctuer fortement**.

FLUCTUER (v.intr.) (***) 1. Varier.

1. (285)	fluktuieren schwanken	to fluctuate	fluctuar variar	fluttuare oscillare	schommelen fluctueren

FLUVIAL, -IALE ; -IAUX, -IALES (adj.) (**) 1. Qui se rapporte à un cours d'eau.

1. (550)	Fluss- Binnen-	river	fluvial	fluviale	rivier-

FLUX (n.m.) (****) 1. Transformation ou déplacement de biens, de services ou de capitaux.

1. (285)	der Strom	flow	el flujo	il flusso	de stroom (m.)

FLUX

mot-outil
➠ **stock**

1 un flux 2 un reflux			

1 un FLUX - [fly] - (n.m.)

1.1. Opération économique correspondant à une transformation (la production) ou à un déplacement au cours d'une certaine période d'une quantité de biens, de services, de capitaux ou de personnes (Y) d'un agent économique (un particulier, une entreprise, un État - X) à un autre agent économique (un particulier, une entreprise, un État).
Ant. : un stock.
À cause de l'internationalisation des échanges commerciaux, la maîtrise des flux de marchandises devient de plus en plus complexe.

+ adjectif

TYPE DE FLUX

Des (moins fréq. : **un**) **flux** + adjectif qui désigne un produit ou un élément de l'activité économique. Un/des flux financier(s) ; commercial (commerciaux).

Un/des flux monétaire(s). (V. 383 monnaie, 2). >< **Un/des flux réel(s), physique(s)**. (Syn. : **un/des flux de marchandises**).

Un/des flux tendu(s) : gestion de production avec une réduction maximale des stocks. (Un agent économique) **travailler en/à flux tendu**. (V. 526 stock, 1).

Un flux migratoire : déplacement de personnes.

CARACTÉRISATION DU FLUX

Un flux continu. *Les investisseurs commencent à paniquer face au flux continu des ventes d'obligations.*

MESURE DU FLUX

Le/les flux annuel(s).

+ nom

- **Les comptes de flux**. (V. 129 compte, 1).

TYPE DE FLUX

Un/des flux de + nom qui désigne un produit ou un élément de l'activité économique. Un/les flux de capitaux (V. 85 capital, 1) ; de matières premières ; d'information(s) ; d'investissements.

Un/des flux de marchandises (Syn. : **un/des flux réel(s)**). (Ant. : **un/des flux monétaire(s)**). (V. 362 marchandise, 1).

Le flux des revenus. (V. 494 revenu, 1).

Un flux de production : volume produit par unité de temps (Ménard).

Un flux de trésorerie : rentrées et sorties d'argent qui découlent de l'activité d'une entreprise.

+ verbe : qui fait quoi ?

X		**gérer** le(s) ~ (de Y)	la gestion du/des ~ (de Y)	
X		**maîtriser** le(s) ~ (de Y)	la maîtrise du/des ~ (de Y)	1
X, une mesure, une technique	▽	**réduire** le(s) ~ (de Y)	la réduction du/des ~ (de Y)	

X, une mesure, une technique	△	**augmenter** le(s) ~ (de Y)	une augmentation du/des flux (de Y)
		alimenter le(s) ~ (de Y)	l'alimentation du/des ~ (de Y)

1 *L'entreprise est un système complexe où seule une bonne gestion permet de maîtriser les flux.*

Pour en savoir plus

FLUX ET SES COMPOSANTES

Le circuit économique : ensemble des flux de biens, de capitaux, ... qui contribuent à l'activité économique.

Dans un flux, **l'amont** est à l'origine du processus (entrée des marchandises à vendre ou des matières à transformer) et **l'aval** est l'aboutissement du processus (sortie des marchandises ou des produits) (Ménard). **En amont de qqch.** >< **En aval de qqch.** (V. 440 production, 1).

2 AUTRES DÉRIVÉS OU COMPOSÉS

- **Un reflux** [ʀəfly] (n.m.) (V. 85 capital, 1).

FMI (le ~) (****) Fonds Monétaire International.

(287)	der Internationale Währungsfonds (IWF)	International Monetary Fund (IMF)	Fondo Monetario Internacional (FMI)	il Fondo Monetario Internazionale (FMI)	het Internationaal Monetair Fonds (IMF)

FO (***) (534) Force Ouvrière.

FOB (*) free on board.

(117)	frei an Bord	free on board (FOB)	Franco a bordo	franco a bordo (FOB)	vrij aan boord

FOIRE (n.f.) (****) 1. Exposition, salon.

1. (374)	die Messe	(trade) fair	la feria	la fiera	de (jaar)beurs (m./f.)
	die Ausstellung	show	el salón	il salone	

FONCIER, -IÈRE (adj.) (***) 1. Qui se rapporte à un bien immeuble.

1. (289)	Grund-	land	referido a un bien raíz	fondiario	grond-
	Boden-		hipotecario (crédit)		

FONCTION (n.f.) (**) 1. Place qu'occupe une personne dans un organisme. 2. Département. 3. (la ~ publique) Administration de l'État.

1. (557)	die Funktion	post	la función	la funzione	de functie (f.)
	die Tätigkeit	office			
2. (3)	der Dienst	department	la función	la funzione	het departement
	die Abteilung	division	el departamento	il dipartimento	de dienst (m.)
3.	der öffentiliche Dienst	public administration	la función pública	l'amministrazione (f.) statale	de openbare dienst (m.)
					het overheidsapparaat

FONCTIONNAIRE (n.) (****) 1. Salarié dans l'administration publique.

1. (22)	der Beamte	civil servant (GB)	el funcionario	il dipendente pubblico	de functionaris (m.)
	der öffentliche Angestellte	government official		l'impiegato pubblico	de ambtenaar (m.)

FONCTIONNARISER (v.tr.dir.) (*) 1. Assimiler aux fonctionnaires (RQ).

1. (22)	verbeamten	to make (someone) an employee of the state	equiparar con los funcionarios	assimilare ai dipendenti pubblici	iemand ambtenaar maken
	ins Beamtenverhältnis übernehmen				het statuut van ambtenaar geven

FONCTIONNARISME (n.m.) (*) 1. Prépondérance des fonctionnaires dans un État.

1. (22)	der Staatsbürokratismus	bureaucracy	la burocracia	il burocratismo	de bureaucratie (f.)
		officialdom	el funcionarismo		

FONCTIONNEL (n.m.) (*) 1. Personne qui assume des fonctions administratives.

1. (451)	der Funktioner	staff manager	el funcionario	il personale direttivo	de administratieve kracht (m.)
	der Verwaltungsmensch				

FONCTIONNEL, -ELLE (adj.) (***) 1. Qui est pratique.

1.	funktional	functional	funcional	funzionale	functioneel
	funktionsgerecht				

FONCTIONNEMENT (n.m.) (****) 1. Façon dont qqch. marche.

1. (293)	das Funktionieren	running	el funcionamiento	il funzionamento	het functioneren
(75)		operation			de werking (f.)

FONCTIONNER (v.intr.) (****) 1. Marcher.

1. (481)	funktionieren	to work	funcionar	funzionare	functioneren
	arbeiten	to run	marchar		werken

FONDÉ DE POUVOIR (un ~) (*) 1. Personne qui représente une autre personne.

1. (22)	der Prokurist	authorized representative	el apoderado	il procuratore	de gevolmachtigde procuratiehouder (m.)

	Bevollmächtiger	agent with power of attorney

FONDS (n.m.) (****) 1. Ensemble des sommes d'argent disponibles. 2. (plur.) Sommes d'argent mises à disposition. 3. (plur.) Total des sommes empruntées par un État. 4. Organisme qui gère des sommes d'argent. 5. Ensemble d'éléments qui servent à l'exploitation d'une activité.

1. (287)	die Gelder	funds	los fondos	il fondo	de gelden (plur.)
	die Geldmittel	capital		il capitale	het kapitaal
2. (287)	die Geldmittel	funds	los fondos	i mezzi finanziari	de geldmiddelen (plur.)
		capital	el capital	i capitali	het kapitaal
3. (287)	das Kapital	funds	los fondos	i capitali	de fondsen (plur.)
4. (287)	der Fonds	fund	el fondo	il fondo	het fonds
5. (287)	der Fonds liquider Mittel	assets	los fondos	l'attività (f.)	de fondsen (plur.)
			el capital	il capitale	

FONDS

➠ **capital - finance**

1 un fonds		2 foncier, -ière	

1 un/les FONDS - [fɔ̃] - (n.m.)

1.1. (emploi fréq. au plur.) Ensemble des sommes d'argent disponibles ou en circulation.
Syn. : (V. argent, 1).
La justice désire connaître l'origine des fonds qui ont servi à acquérir deux immeubles du centre-ville.

1.2. (emploi au plur., parfois au sing.) Sommes d'argent qu'un agent économique (un particulier, une entreprise, une banque - X) met à la disposition d'un autre agent économique (une entreprise, un organisme - Y) pour produire de nouveaux biens ou services.
Pas facile de trouver des fonds quand on n'a que des idées à vendre.

1.3. (emploi au plur.) Somme d'argent qui représente le total des sommes empruntées par un État et qui est à la disposition de cet État ou d'autres pouvoirs publics pour garantir leur fonctionnement.
Syn. : (plus fréq.) les fonds publics, d'État, (moins fréq.) les rentes.
Cette banque contrôlée par l'État a fait l'objet d'une injection de plusieurs dizaines de millions d'euros de fonds publics.

1.4. (emploi au sing.) Organisme qui gère des sommes d'argent dans un but déterminé.
La participation de ce pays au Fonds monétaire international est mise en question à cause d'arriérés de paiement de 1,6 milliard de dollars.

1.5. (emploi au sing., peu fréq.) Ensemble d'éléments matériels (les marchandises, ...) et immatériels (l'enseigne, la valeur de la clientèle, ...) qui servent à l'exploitation d'une activité de distribution de produits ou de prestation de services.
Syn. : un fonds de commerce, un commerce.

expressions

(sens 1.1.)

(Une personne) **être en fonds** : avoir de l'argent.

(sens 1.2.)

- (Une personne) **rentrer dans ses fonds** : retirer d'une opération les sommes d'argent engagées. (Syn. : **rentrer dans ses frais**).
- (Une personne) **prêter de l'argent à fonds perdus ; investir à fonds perdus** : donner de l'argent à une personne insolvable, investir sans espoir d'être remboursé.

+ adjectif

TYPE DE FONDS (sens 1.1.)

Les fonds disponibles, **liquides**. >< **Les fonds bloqués**. *Les fonds bloqués temporairement ont été progressivement libérés, la dernière tranche l'ayant été le 15 janvier dernier.*

(F) **Les fonds salariaux** : partie du salaire qu'épargnent les salariés et qui sert à financer des investissements destinés à la création d'emplois et à la réduction du temps de travail.

TYPE DE FONDS (sens 1.2.)

Les fonds propres : fonds apportés par le(s) propriétaire(s) de l'entreprise (**le capital social**) et les ressources qui proviennent de l'activité de l'entreprise et qui n'ont pas été distribuées (les réserves) (C&G). (Syn. : **les capitaux propres**). *Deux milliards de bénéfices pour cinq milliards de fonds propres, qui dit mieux ?* **La rentabilité des fonds propres**. (V. 484 rentabilité, 1). >< **Les fonds extérieurs**. (Syn. : **les fonds de tiers, les capitaux étrangers**).

Un fonds social : somme d'argent mise à disposition par une entreprise pour accompagner une restructuration, une fermeture d'entreprise.

TYPE DE FONDS (sens 1.3.)

Les fonds publics. (Syn. : **les fonds d'État**).

TYPE DE FONDS (sens 1.4.)

Le Fonds monétaire international (**le FMI**) :

organisme international qui contrôle l'ordre monétaire international et accorde des prêts à court terme à des pays qui éprouvent des difficultés de balance des paiements.
Les fonds structurels européens. *Le principe des fonds structurels européens est que l'Union européenne pense qu'il n'est pas sain qu'une région ait un retard de développement ; donc, elle donne des aides pour la remettre à niveau.*
Le Fonds social européen : aide les régions défavorisées à se mettre au niveau des autres pays européens.

+ nom

(sens 1.1.)

- **Un mouvement de fonds.** *Les dépenses et les recettes d'une entreprise représentent d'importants mouvements de fonds.*
  Un convoyeur de fonds : personne chargée d'accompagner **un transport de fonds**.
- **Les rentrées de fonds.** (V. 470 recette, 1).

(sens 1.2.)

Un appel de fonds : demande d'apport de capitaux frais adressée aux actionnaires.
Un bailleur de fonds : investisseur, fournisseur de capitaux. (Syn. : **un banquier**). *Comme le principal bailleur de fonds ne s'est plus manifesté, la société s'est vue étranglée, faute de liquidités.*

TYPE DE FONDS (sens 1.1.)

Un fonds de roulement : différence entre les dettes à court terme inscrites au passif et le total des capitaux circulants qui figurent à l'actif du bilan d'une entreprise. **Un fonds de roulement net ; d'exploitation ; hors exploitation ; ... Le ratio de fonds de roulement.** (V. 346 liquidité, 1).
Un fonds d'amortissement : capital constitué d'argent et de titres investis et qui sert à l'entreprise pour amortir son matériel ou rembourser ses dettes. (Syn. : **une caisse d'amortissement**).
Les fonds de caisse : sommes d'argent déposées dans une caisse ou sur un compte en banque spécial pour faciliter le paiement de menues dépenses.

TYPE DE FONDS (sens 1.2.)

Les fonds de tiers. (☞ 287 + adjectif).

TYPE DE FONDS (sens 1.3.)

Les fonds d'État. (Syn. : **les fonds publics**).

TYPE DE FONDS (sens 1.4.)

Un fonds commun de placement (en actions, en obligations) (**un FCP**) : organisme de gestion de portefeuilles collectifs de valeurs mobilières dont les entreprises et les particuliers peuvent acquérir des parts. Contrairement aux sicav, ils n'ont pas le statut de personne morale. (V. 515 société, 1). *Grâce à la diversité des valeurs présentes dans le portefeuille d'un FCP, les risques sont réduits. De plus, le particulier ou l'entreprise ne doit pas s'occuper de la gestion.* **Les fonds de placement.** (V. 419 placement, 1).
Un fonds à cliquet : fonds de placement qui garantit la protection du capital nominal avec la possibilité d'obtenir une portion de la plus-value en cas de hausse de la bourse sans risque de perdre cette hausse. *Le succès des fonds à cliquet s'explique par le fait que ce système préserve le bénéfice de l'investisseur tout en l'assurant contre la perte de sa mise de départ.*
Un fonds de retraite : capital constitué dans le but d'assurer le paiement des prestations de retraite prévues aux salariés participant à un régime de retraite (Ménard). (Syn. : **une caisse de retraite**). ((B) **Un fonds de pension ;** (S) **un fonds de prévoyance**). *Les fonds de pension appartiennent au deuxième pilier du système de retraite, tout comme l'assurance-groupe, le premier pilier étant celui de la pension légale et le troisième celui de la retraite individuelle (l'assurance-vie et l'épargne-retraite).*
Un fonds de garantie : prend en charge l'indemnisation de victimes d'accidents lorsque l'auteur de l'accident n'est pas assuré ou l'indemnisation de victimes de catastrophes naturelles.
Un fonds de reconversion. *Les pouvoirs publics viennent de créer un fonds de reconversion destiné à recréer de l'emploi dans la région.* (V. 102 chômage, 1).
Un fonds d'investissement (moins fréq. : **d'investissements**).
Le Fonds européen de développement (**le FED**) : accorde des aides financières aux États associés à l'Union européenne.

TYPE DE FONDS (sens 1.5.)

Un fonds de commerce. (V. 114 commerce, 1).

+ verbe : qui fait quoi ?

(sens 1.1.)

une banque	✓	**récolter** des ~	une récolte de ~	
une banque		**transférer** des ~	un transfert de ~	
une banque, une mesure		**bloquer** des ~ >< **libérer** des ~	le blocage de ~ la libération de ~	1

une personne	**transporter** des ~	le transport de ~ un transporteur de ~	
une personne malhonnête	**détourner** des ~	le détournement de ~	2
	extorquer des ~	une extorsion de ~	3

1 *La réduction des stocks et le recouvrement accéléré de créances libèrent des fonds pour les entreprises.*
2 *Les 12 cadres ont été jugés pour mauvaise gestion, détournement de fonds et pratiques frauduleuses.*
3 *L'extorsion de fonds est considérée comme un délit grave.*

(sens 1.2.)

Y (une entreprise, ...)	**faire un appel de** ~ (☞ 288 + nom) ↓	un appel de ~	1
X (un particulier, une entreprise, ...) ✓	**investir** des ~ (dans Y)	un investissement de ~ (dans Y)	
	mettre des ~ dans Y	une mise de ~ dans Y	
	apporter des ~	un apport de ~ un apporteur de ~	2
X (un particulier, une entreprise, ...)	**placer** des ~ dans Y ↓	un placement de ~ dans Y	
Y (une entreprise, ...)	**affecter** des ~ à qqch.	une affectation de ~ à qqch.	3
X (une banque)	**prêter** des ~ (à Y)	un prêt de ~ (à Y)	
>< Y (une entreprise, ...)	**emprunter** des ~ (à X)	un emprunt (de ~) (à X)	
un organisme ×	**récolter** des ~	une récolte de ~	4
	collecter des ~	une collecte de ~ un collecteur de ~	
	rassembler des ~	-	
	réunir des ~ ↓	-	
le trésorier d'un organisme	**gérer** des ~	la gestion de ~ un gestionnaire de ~	

1 *Les grandes sociétés se montreraient plus sensibles à un appel de fonds si elles savaient leurs capitaux investis dans une entreprise qui mérite toute leur confiance.*
2 *Les apporteurs traditionnels de fonds propres (holdings et sociétés d'investissement) hésitent souvent à financer les entreprises nouvelles ou jeunes à cause des risques élevés et du manque de garanties.*
3 *Les fonds propres de cette aciérie seront affectés prioritairement au financement d'investissements productifs.*
4 *Il ne suffit pas pour une association caritative de se faire entendre, il faut aussi récolter des fonds pour financer des projets, notamment grâce aux publipostages.*

(sens 1.4.)

un particulier, un investisseur, ...	**souscrire à** un ~	une souscription à un ~	1

1 *La souscription à un fonds commun de placement permet de constituer une réserve à des conditions intéressantes.*

2 FONCIER, -IÈRE - [fɔ̃sje, -jɛʀ] - (adj.)

1.1. Qui se rapporte à un bien immeuble constitué par une ferme, un commerce exploité par un agent économique (un agriculteur, un commerçant) ou par un terrain.

Le montant de la taxe foncière due par cette société pour son nouveau terminal dans le port d'Amsterdam n'a pas encore été fixé.

+ nom

- **Une propriété foncière** ; **un propriétaire foncier**.
- **Un impôt foncier, une taxe foncière. L'impôt foncier sur les propriétés bâties et non bâties**. (V. 312 impôt, 1).
- **Une rente foncière** : revenu de l'exploitation de terrains agricoles.
- **Un patrimoine foncier**. (V. 35 argent, 1).

FONTE (n.f.) (**) 1. Alliage de fer et de carbone.

1. (322)	das Gusseisen	cast iron	el hierro-colado la fundición	la ghisa	het gietijzer

FOOTSIE (le ~) (**) (71) indice de la Bourse de Londres.

FOQ (*) franco le long du quai, franco de quai.

(117)	frei ab Kai	free on quai free at wharf	franco muelle	franco banchina	franco op de kade

FOR (*) franco de rail.

(117)	frei Bahn	free on rail	franco vagón	franco vagone	franco wagon

FOREM (le ~) (***) (225) Formation et emploi.

FORESTIER, -IÈRE (adj.) (**) 1. Qui se rapporte à l'exploitation des forêts.

1. (506)	forstwirtschaftlich Wald-	forestry	silvícola forestal	silvicolo	bosbouw(kundig)-

FORFAIT (n.m.) (***) 1. Convention par laquelle est défini un prix à l'avance.

1. (293)	der Pauschalbetrag die Pauschale	fixed price package	el destajo el precio fijado	il cottimo il forfait	het vast bedrag

FORFAITAIRE (adj.) (***) 1. Dont le montant invariable a été fixé à l'avance.

1. (432) (538)	pauschal Pauschal-	inclusive	a destajo a tanto alzado	forfetario globale	vast forfaitair

FORFAITAIREMENT (adv.) (**) 1. À l'avance et de façon invariable.

1. (293)	pauschal festgesetzt	inclusively	a precio fijado a tanto alzado	forfetariamente	forfaitair

FORMATION (n.f.) (****) 1. Acquisition d'un ensemble de connaissances relatives à un métier.

1. (453) (172)	die Ausbildung	training (professionnel) education	la formación	la formazione	de vorming (f.) de opleiding (f.)

FORMER (v.tr.dir.) (***) 1. Faire acquérir un ensemble de connaissances relatives à un métier.

1.	ausbilden schulen	to train	formar	formare	vormen opleiden

FORMULAIRE (n.m.) (***) 1. Document à compléter.

1. (182)	das Formular	form	el formulario	il modulo il formulario	het formulier

FORMULE (n.f.) (*) 1. Petit document à compléter.

1. (577)	die Formel	form	el impreso	il modulo	het formulier het bulletin

FORT, FORTE (adj.) (****) 1. Important.

1. (282) (283)	stark	strong significant	fuerte	forte	sterk hoog

FORTEMENT (adv.) (****) 1. De façon importante.

1. (282) 283	stark	heavily	fuertemente	molto fortemente	zeer sterk

FORTUNE (n.f.) (****) 1. Patrimoine ou somme d'argent importants.

1. (35) (300)	das Vermögen	fortune	la fortuna	la fortuna	het fortuin het vermogen

FORTUNÉ, -ÉE (adj.) (**) 1. Qui possède un patrimoine ou une somme d'argent importants.

1. (35)	vermögend reich	wealthy rich	rico afortunado	ricco agiato	rijk gefortuneerd

FOUDROYANT, -ANTE (adj.) (**) 1. Très important.

1. (282)	überwältigend umwerfend	enormous	fulminante enorme	fulminante folgorante	enorm reusachtig

FOURCHETTE (n.f.) (***) 1. Écart entre deux valeurs extrêmes.

1. (433)	die Spanne die Bandbreite	bracket band	la banda la horquilla	lo scarto la forbice	de marge (m./f.)

FOURNIR (~, se ~) (v.tr.dir., v.pron.) (****) 1. Faire parvenir une marchandise ou un service.

1. (292)	(be)liefern beschaffen	to supply to provide	abastecer (se) suministrar (se)	fornire	leveren bezorgen

FOURNISSEUR, FOURNISSEUSE (n.) (****) 1. Agent économique qui fait parvenir une marchandise ou un service.

1. (291)	der Lieferant die Lieferfirma	supplier merchant	el proveedor el suministrador	il fornitore	de leverancier (m.)

FOURNITURE (n.f.) (***) 1. Opération de faire parvenir une marchandise ou un service. 2. (plur.) Ensemble des marchandises proposées. 3. (plur.) Articles dont une entreprise a besoin pour fonctionner.

1. (291)	die Lieferung die Versorgung	supply provision	el suministro el abastecimiento	la fornitura	de levering (f.)
2. (291)	die Lieferung	supplies	los suministros los accesorios	le forniture	de levering (f.)
3. (291)	der Bedarf das Material	supplies	los suministros las guarniciones	gli articoli	het toebehoren de benodigdheden (plur.)

FOURNITURE

➡ **livraison - commerce**

1 la fourniture	**2** un fournisseur, une fournisseuse		**3** (se) fournir

1 la FOURNITURE - [fuʀnityʀ] - (n.f.)

1.1. Opération par laquelle un agent économique (un commerçant, une entreprise) fait parvenir à un autre agent économique (un particulier, un commerçant, une entreprise) une marchandise ou offre un service que celui-ci lui a commandé.

Syn. : (☞ 291 Pour en savoir plus, Fourniture (sens 1.1.) et synonymes).

Veuillez nous faire connaître vos meilleurs prix pour la fourniture et l'installation de deux ordinateurs de type T85.

1.2. (emploi au plur.) Ensemble des marchandises qu'un agent économique (un commerçant, une entreprise) propose et fait parvenir à un autre agent économique (un particulier, un commerçant, une entreprise).

Dans le cas des fournitures destinées à la prospection, la situation est d'autant plus embarrassante qu'au moindre refroidissement du marché pétrolier, le nombre de commandes risque de chuter.

1.3. (emploi au plur.) Articles dont une entreprise a besoin pour pouvoir fonctionner.

Nous appartenons aux leaders du marché dans le secteur des fournitures de bureau.

+ nom

(sens 1.1.)

Un contrat de fourniture.

TYPE DE FOURNITURE (sens 1.1.)

La fourniture de + nom d'une marchandise, d'un service. La fourniture de matériel ; de gaz ; d'informations.

TYPE DE FOURNITURES (sens 1.3.)

Les fournitures de bureau : papier, enveloppes, formulaires, crayons, ...

Pour en savoir plus

FOURNITURE (sens 1.1.) ET SYNONYMES

La fourniture, la livraison. Le mot 'livraison' a un sens plus ponctuel. (V. 347 livraison, 1).

L'approvisionnement {**(s')approvisionner en** qqch.}. 1. (en qqch.) Synonyme de 'fourniture'. *Une bonne politique agricole n'est pas seulement nécessaire pour assurer l'approvisionnement en produits alimentaires, elle est aussi indispensable au développement économique général.*{**le réapprovisionnement, se réapprovisionner en qqch.**} - 2. (en qqch.) Synonyme de 'ravitaillement'. - 3. (d'un compte bancaire) Dépôt d'argent sur un compte bancaire.

Le ravitaillement : approvisionnement d'un groupe de personnes ou d'une armée en vivres ou (pour une armée) en munitions.

{**un ravitailleur, ravitailleur, ravitailler**}.

2 un FOURNISSEUR, une FOURNISSEUSE - [fuʀnisœʀ, fuʀnisøz] - (n.)

1.1. Agent économique (un commerçant, une entreprise) qui fait parvenir à un autre agent économique (un particulier, un commerçant, une entreprise - X) une marchandise ou offre un service que celui-ci lui a commandé.

Syn. : (☞ 292 Pour en savoir plus, Fournisseur et synonyme); Ant .: un client.

Pour le fournisseur, il ne s'agit pas toujours de livrer un produit déterminé : très souvent, il faut trouver une solution à un problème donné.

+ adjectif

TYPE DE FOURNISSEUR

Un fournisseur exclusif. *Notre statut de fournisseur exclusif nous permet de tirer profit de la situation en imposant des prix avantageux.*

Le fournisseur principal.

+ nom

- **Un pays fournisseur**. *Les investissements de capitaux étrangers dans les pays en développement engendrent automatiquement un flux inverse de transferts de profits de ces pays vers les pays fournisseurs de capitaux.*
- **Un compte fournisseurs**. (V. 129 compte, 1).
- (B) **Un Fournisseur de la Cour**. *Le titre de Fournisseur de la Cour est accordé à des personnes physiques qui ont fourni pendant au moins dix ans des biens ou des services à la famille royale et lui ont donné entière satisfaction.*

TYPE DE FOURNISSEUR

Un fournisseur de services. *Les entreprises ne considèrent plus les agences de communication comme de simples fournisseurs de services, elles les voient plutôt comme des partenaires externes.*

Un fournisseur de matériel + adjectif qui désigne un type de matériel. Un fournisseur de matériel informatique.

Un fournisseur d'accès à l'internet : société qui offre à ses clients des raccordements à l'internet.

+ verbe : qui fait quoi ?

X	**commander** qqch. auprès d'un ~	une commande de qqch. auprès d'un ~

Pour en savoir plus

FOURNISSEUR ET SYNONYME

Le terme 'fournisseur' peut s'appliquer aussi bien à un commerçant qu'à un marchand, un vendeur, une entreprise, ...

(peu fréq.) **Un pourvoyeur**, **une pourvoyeuse** : en rapport avec le travail et l'argent. **Un pourvoyeur d'emplois**. *Les pouvoirs publics sont devenus un gigantesque pourvoyeur d'emplois et producteur de services.* **Un pourvoyeur en devises**.

{**pourvoir** qqn **de** qqch.}.

3 (SE) FOURNIR - [(s(ə)) furnir] - (v.tr.dir., v.pron.)

1.1. Un agent économique (un commerçant, une entreprise - X) fait parvenir à un autre agent économique (un particulier, un commerçant, une entreprise - Y) une marchandise ou offre un service que celui-ci lui a commandé.

Syn. : (V. 291 1 fourniture).

Les entreprises de tous les coins du globe entrent en concurrence pour fournir le même produit ou service, n'importe où, n'importe quand, à des prix de plus en plus compétitifs.

qui fait quoi ?

X	**fournir** des informations (à Y) **fournir** Y en matériel informatique (moins fréq.) de matériel ...	la fourniture d'informations (à Y) la fourniture en matériel ...	
Y	**se fournir en** qqch. (auprès de X) (chez X)	-	1

1 *L'amateur de timbres-poste peut se fournir en timbres auprès de négociants spécialisés.*

FRAIS (n.m.plur.) (****) 1. Somme d'argent qui doit être donnée.

1. (292)	die Kosten die Ausgaben	expenses charges	los gastos	le spese i costi	de (on)kosten (plur.)

FRAIS

➠ coût - dépense

1 les frais			

1 les FRAIS - [frɛ] - (n.m.plur.)

1.1. Somme d'argent qu'un agent économique (un particulier, une entreprise - X) est obligé de donner ou de verser à un autre agent économique (un particulier, une entreprise, un organisme) en échange de fournitures livrées, de travaux exécutés, de services rendus ou d'avantages accordés (Y).

Syn. : (V. 187 dépense, 1).

Les frais hospitaliers figurent-ils dans l'indice mensuel des prix à la consommation ?

expressions

- (Une personne) **faire les frais de qqch.** : supporter les conséquences désagréables de qqch.
- (Une personne) **en être pour ses frais** : ne rien obtenir pour la somme d'argent versée ; (fig.) être déçu dans son attente.
- (Une personne) **se mettre en frais** : faire des dépenses inhabituelles.
- (Une personne, une organisation) **rentrer dans ses frais** (Syn. : **rentrer dans ses fonds**), **faire ses frais** : retirer d'une opération les sommes d'argent engagées.

  >< **Ne pas faire ses frais**.
- (Faire qqch.) **à grands frais** : en dépensant beaucoup. *Les restaurations effectuées, parfois à grands frais, ne sont pas toujours au goût des anciens propriétaires.*

  >< **À peu de frais, à moindres frais** : en dépensant peu.
- (Faire qqch.) **aux frais de qqn**. *Pierre a aménagé sa maison aux frais de son employeur.*
  (pop.) (Faire qqch.) **aux frais de la princesse** : aux frais de l'État, de l'employeur, ...
- (Faire qqch.) **à frais communs** : en participant de façon égale à une dépense.
- **Frais inclus**, **(tous) frais inclus**, **(tous) frais compris**. >< **Hors frais, frais non compris**. *Hors frais, cet emprunt affiche un rendement à l'échéance légèrement inférieur à 7%.*
- **Tous frais payés**.

+ adjectif

TYPE DE FRAIS

Les frais fixes : sont fonction de la structure de l'entreprise, indépendamment de la quantité de biens produits. Ils se composent des dépenses d'équipement (p. ex. l'achat des machines, l'entretien des bâtiments, ...) et des **frais généraux** (p. ex. les salaires, le loyer, les intérêts à rembourser, ... - Syn. : **les frais incompressibles**). (Syn. : **les coûts fixes**). *Les coûts salariaux représentent plus de la moitié des frais généraux, soit le poste le plus important.*

>< **Les frais variables** : dépendent de la quantité produite (achat de matières premières, consommation d'électricité, ...). (Syn. : **le(s) coût(s) variable(s)**).

Les frais administratifs : dépenses causées par la gestion administrative de l'entreprise (les frais de téléphone, les frais de bureau, ...). (Syn. : (moins fréq.) **les coûts de fonctionnement, les dépenses de fonctionnement ;** (B) **Les frais de fonctionnement**).

Les frais financiers. (Syn. : **les charges financières**). (V. 94 charge, 1).

Les frais accessoires : frais qui s'ajoutent au prix d'achat d'un bien, d'un service (p. ex. **les frais de transport** (☞ 293 + nom), **les frais de stockage**, ...). *L'entretien d'une voiture représente la part la plus importante des frais accessoires de voiture.*

Les frais professionnels : propres à l'exécution d'une profession et remboursés par l'employeur pour les employés salariés (p. ex. **les frais de déplacement**, **les frais de restaurant**, **les frais de représentation** (comme p. ex. l'achat de cadeaux de fin d'année), ...). (Syn. : **les charges professionnelles, une/les dépense(s) professionnelle(s)**). *Beaucoup d'entreprises fixent forfaitairement le montant des indemnités allouées à leurs cadres pour couvrir des frais de représentation difficilement justifiables.*

Les frais réels : tels qu'ils peuvent être prouvés.

>< **Les frais forfaitaires** : déterminés sans tenir compte du coût réel. *Plusieurs banques demandent le paiement de frais forfaitaires lorsqu'un compte d'épargne présente un solde inférieur à un montant déterminé durant l'ensemble de l'année.*

{**un forfait** (convention par laquelle est défini un prix invariable, à l'avance, pour l'exécution de travaux, d'un contrat, ...)}.

Les faux frais : dépense accidentelle, imprévue qui vient s'ajouter à une dépense principale. (Syn. : **les frais accidentels, imprévus**). *Les nombreux déplacements de ce technicien ont entraîné des faux frais considérables.*

Les frais bancaires. (☞ 294 + nom).

Les frais déductibles. (☞ 294 + verbe).

NIVEAU DES FRAIS

Des frais exorbitants : excessifs. > **De gros frais**. >< **De menus frais**.

+ nom

- **Une note de frais** : petite facture qui fait l'inventaire des frais effectués à l'occasion d'une opération particulière pour le compte d'une entreprise ou d'une organisation.

TYPE DE FRAIS

Les frais de personnel : rémunérations diverses (les salaires, les primes, ...) versées au personnel d'une entreprise et les charges sociales qui s'y rapportent.

Les frais d'établissement : frais qui se rapportent à la création et à la mise en route de l'activité d'une entreprise.

Les frais d'exploitation. (V. 158 coût, 1).

Les frais d'entretien ; **les frais de réparation**.

Les frais de transport (pour une marchandise). (Syn. : **les coûts de transport**).

>< **Les frais de déplacement** (pour une personne).

Les frais de stockage.

Les frais d'entrée : somme d'argent demandée pour l'achat de certains titres. ((S) **Une commission sur l'achat, les frais d'achat**). *Les frais d'entrée sont fort bas, comme c'est toujours le cas pour des sicav de trésorerie.*

>< **Les frais de sortie**. ((S) **Une commission sur la vente, les frais de vente**).

Les frais de représentation : dépenses causées par certaines fonctions représentatives (p. ex. lors de réceptions, de foires commerciales, ...).

Les frais de restaurant. (☞ 293 + adjectif).

Les frais de gestion, les frais de dossier : frais qu'un établissement financier demande à ses clients pour l'administration de leurs comptes. (Syn. : **les frais bancaires**).

Les frais de port : frais entraînés par l'envoi d'une lettre ou d'un colis. *Pour promouvoir son image écologique, cette société demande à ses clients de lui renvoyer ses catalogues de vente par correspondance, sans frais de port.* (V. 437 prix, 1).

Les frais d'achat. (V. 3 achat, 1).

Les frais d'encaissement. (V. 82 caisse, 3).

Les frais de (la) main-d'œuvre. (V. 159 coût, 1).

Les frais d'escompte. (V. 166 crédit, 1).

(B) **Les frais de fonctionnement**. (☞ 293 + adjectif).

+ verbe : qui fait quoi ?

X		**faire** des ~	-	1
Y	✓	**entraîner** des ~	-	2
		occasionner des ~	-	3
		engendrer des ~	-	
		↓		
les ~	=	**s'élever à** ... euros	-	
		↓		
X		**supporter** les ~ (de Y, liés à Y)	-	3
		prendre en charge les ~ (de Y, liés à Y)	la prise en charge des ~ (de Y, liés à Y)	
>< qqn		**défrayer** X (de ses ~)	le défraiement de ses ~	4
X (une entreprise)		**maîtriser** les ~ (de Y, liés à Y)	la maîtrise des ~ (de Y, liés à Y)	
un revenu		**couvrir** les ~ (de Y, liés à Y)	-	2
plusieurs X		**participer aux** ~ (de Y, liés à Y)	la participation aux ~ (de Y, liés à Y)	5
X		**déduire** ses ~ d'une somme / d'une facture / de ses revenus imposables	la déduction des ~ / des ~ déductibles / la déductibilité des ~	
X		**rembourser** les ~ (de Y, liés à Y)	le remboursement des ~ (de Y, liés à Y)	
Y, une mesure	△	**augmenter** les ~ (de X)	une augmentation des ~ (de X)	
→ les ~ (de X)		**être en hausse**	une hausse des ~ (de X)	
X, une mesure	▽	**réduire** les ~ (de Y)	une réduction des ~ (de Y)	6
		diminuer les ~ (de Y)	une diminution des ~ (de Y)	
		comprimer les ~ (de Y)	une compression des ~ (de Y)	
→ les ~ (de Y)		**se réduire**	une réduction des ~ (de Y)	
		diminuer	une diminution des ~ (de Y)	

1 *Le propriétaire a dû faire de gros frais à sa maison à la suite des dégâts causés par la dernière tempête.*
2 *Les frais entraînés par sa participation à ce congrès au Japon ont été couverts par son employeur.*
3 *La majeure partie des frais occasionnés par cette mesure est toutefois supportée par l'Union européenne et non par les entreprises concernées.*
4 *Si vous devez partir à l'étranger, vous serez défrayé de tous vos frais.*
5 *Une participation aux frais de 300 euros est demandée aux participants à ce séminaire.*
6 *Plusieurs mesures devraient être prises pour réduire les frais et les délais d'exécution de virements bancaires avec l'étranger.*

Pour en savoir plus

NOTE D'USAGE

Dans les contextes où l'on peut utiliser 'frais' ou 'dépenses' (p. ex. les frais/dépenses professionnel(le)s ; déduire ses frais/dépenses de ses revenus imposables), 'frais' est plus fréquent.

FRANC (n.m.) (****) 1. Monnaie de la Belgique, de la France, du Luxembourg et de la Suisse.

1. (382)	der Franken	franc	el franco	franco	de frank (m.)

FRANCHIR (v.tr.dir.) (***) 1. Passer au-delà d'une limite.

1. (280)	überschreiten	to go over to overstep (seuil)	franquear pasar	oltrepassare	overschrijden

FRANCHISAGE (n.m.) (*) 1. Contrat par lequel une entreprise concède à une autre le droit d'exploiter sa marque, sa raison sociale ou un brevet (RQ).

1. (116)	das Franchise der Franchise-Vertrag	franchising	la franquicia	il franchising	de franchising (f.)

FRANCHISE (n.f.) (***) 1. Contrat par lequel une entreprise concède à une autre le droit d'exploiter sa marque, sa raison sociale ou un brevet (RQ). 2. Montant des dommages en dessous duquel un assureur ne rembourse pas.

1. (116)	das Franchise (prononciation angl.)	franchise	la franquicia	il franchising	de franchising (f.)
2. (41)	die Selbstbeteiligung die Franchise (prononciation fr.)	excess (GB) deductible (US)	la franquicia	la franchigia	de vrijstelling (f.) de franchise (f.)

FRANCHISÉ, FRANCHISÉE (n.) (**) 1. Agent économique à qui est concédé le droit d'exploiter une marque, une raison sociale ou un brevet.

1. (116)	der Franchise-Nehmer	franchisee	el franquiciado	il franchisee	de franchisenemer (m.)

FRANCHISER (v.tr.dir.) (*) 1. Concéder le droit d'exploiter sa marque, sa raison sociale ou un brevet.

1. (116)	ein Franchise vergeben	to franchise	franquiciar	concedere un contratto di franchising	een franchising toekennen
		to grant a franchise to	conceder franquicias		

FRANCHISEUR (n.m.) (**) 1. Entreprise qui concède à un agent économique le droit d'exploiter sa marque, sa raison sociale ou un brevet.

1. (116)	der Franchise-Geber	franchiser franchisor	el franquiciador el concesionario de la franquicia	il franchisor	de franchisegever (m.)

FRANCHISING (n.m.) (**) 1. Contrat par lequel une entreprise concède à une autre le droit d'exploiter sa marque, sa raison sociale ou un brevet (RQ).

1. (116)	das Franchise das Franchising	franchise	el franchising la franquicia	il franchising	de franchising (f.)

FRANCO (adv.) (*) 1. Sans frais de transport pour le destinataire.

1. (437) (570)	franko frei	free	franco	franco	franco

FRAUDE (n.f.) (****) 1. Falsification, procédure illégale punie par la loi.

1. (271)	der Betrug	fraud	el fraude la defraudación	la frode	de fraude (m./f.)

FRAUDER (v.tr.dir., v.intr.) (**) 1. Commettre une falsification/suivre une procédure punies par la loi.

1. (270)	betrügen	to defraud to cheat	defraudar	frodare	frauderen knoeien met

FRAUDEUR, FRAUDEUSE (n.) (**) 1. Personne qui commet une falsification punie par la loi.

1.	der Betrüger	person guilty of fraud defrauder	el defraudador	il frodatore	de fraudeur (m.) de knoeier (m.)

FRAUDULEUSEMENT (adv.) (*) 1. De façon illicite.

1. (219)	betrügerisch	fraudulently	fraudulentamente	in maniera fraudolenta	frauduleus
	auf betrügerische Weise	by fraud			bedrieglijk

FRAUDULEUX, -EUSE (adj.) (**) 1. Qui est illicite.

1. (259) (255)	betrügerisch	fraudulent	fraudulento	fraudolento	frauduleus bedrieglijk

FREINAGE (n.m.) (***) 1. Diminution.

1. (279)	die Drosselung die Verlangsamung	slowdown curbing	el frenado	la frenata	het (af)remmen

FREINER (v.tr.dir.) (****) 1. Diminuer.

1. (279)	drosseln verlangsamen	to put a brake on to curb	frenar	frenare	(af)remmen

FRET (n.m.) (***) 1. Transport de marchandises. 2. Marchandises transportées. 3. Prix du transport des marchandises.

1. (363) (117)	die Verfrachtung	freight freightage	el flete	il trasporto merci	de bevrachting (f.)
2. (363)	das Frachtgut die Ladung	freight	el cargamento el flete	il carico	de lading (f.) de vracht (m./f.)
3. (363)	der Frachtpreis die Frachtgebühr	freight	el flete	il nolo	de vervoerkosten (plur.)

FRÉTEUR, FRÉTEUSE (n.) (*) 1. Agent économique qui met un moyen de transport à disposition.

1. (363)	die Mietagentur die Charteragentur	(transport) owner charterer	el fletador el fletante (Am. du Sud)	il trasportatore il padroncino	de bevrachter (m.)

FRF (****) (382) France - franc.

FRIC (n.m.) (*) 1. Argent.

1. (34)	das Geld	dosh (fam.) money	el dinero la pasta	denaro	het geld

FRONT COMMUN (un ~) (***) 1. Action commune de plusieurs syndicats.

1. (535)	eine übergewerkschaftliche Versammlung	interunion committee	el frente común	il fronte comune dei sindacati	een gemeenschappelijk vakbondsfront

FSE (la ~) (***) (534) Fédération des sociétés suisses d'employés.

FTQ (la ~) (***) (534) Fédération des Travailleurs du Québec.

FUEL (n.m.) (**) 1. Mazout.

1. (181)	das Heizöl	fuel	el fuel el combustible	il gasolio il combustibile	de fuel (m.) de stookolie (m./f.)

FULGURANT, -ANTE (adj.) (***) 1. Très important.

1. (282)	rasend blitzschnell	considerable	fulgurante considerable	fulmineo	zeer aanzienlijk

FUSION (n.f.) (****) 1. Regroupement d'entreprises.

1. (239)	die Fusion	merger	la fusión	la fusione	de fusie (f.)

FUSIONNER (v.intr.) (***) 1. Se regrouper.

1. (239)	fusionieren verschmelzen	to merge to amalgamate	fusionar	fondere riunire	fuseren een fusie aangaan met

FÛT (n.m.) (**) 1. Contenant (pour de la bière p. ex.).

1. (363)	das Fass	barrel	el bidón el barril	il fusto	de ton (m./f.)

FUTURE (n.m.) (****) 1. Contrat à terme.

1. (421)	die Futures die Termin(waren) kontrakte	futures	la opción sobre futuros	il contratto future	de (swap)futures (plur.)

G

G(-)7 (le ~) (**) le groupe des 7 pays économiquement les plus importants du monde occidental.

(325)	die G-sieben (die G 7)	group of Seven	el grupo de los siete	il gruppo dei Sette (G-7)	de Groep (m./f.) van zeven (G(-)7)

G(-)8 (le ~) (*) le groupe des 7 pays économiquement les plus importants du monde occidental et la Russie.

(325)	die G-acht (die G 8)	group of Eight	el grupo de los ocho	il gruppo degli Otto (G-8)	de Groep (m./f.) van acht (G(-)8)

GABEGIE (n.f.) (*) 1. Désordre qui résulte d'une mauvaise administration ou gestion.

1. (300)	die Misswirtschaft das Drunter und Drüber	squandering waste	el desbarajuste	lo sperpero	het wanbeheer

GÂCHAGE (n.m.) (*) 1. (le ~ des prix) Vente à un prix anormalement bas.

1. (433)	die Preisunterbietung	excessive price cutting	el desperdicio	la riduzione sleale eccessiva dei prezzi	de bijzonder grote reductie (f.)
	das Dumping		el despilfarro		

GÂCHÉ, -ÉE (adj.) (*) 1. Qui est réduit anormalement.

1. (432)	Schleuder-	wasted	excesivamente reducido	eccessivamente ridotto	abnormaal laag
	verdorben		desperdiciado		

GADGET (n.m.) (***) 1. Petit objet amusant.

1. (460)	der Schnickschnack das Spielzeug für Erwachsene	gadget	el chisme	il gadget	het gadget

GAGES (n.m.plur.) (*) 1. Rémunération d'un employé de maison.

1. (480)	der Lohn	wages pay	el sueldo	il salario la paga	het loon de bezoldiging (f.) van huispersoneel

GAGNE-PAIN (n.m.invar.) (*) 1. Emploi.

1. (557)	der Broterwerb	job	el medio de sustento	il mezzo di sostentamento	de broodwinning (f.)
	die Verdienstquelle		el sostén	la fonte di reddito	

GAGNER (v.intr.) (****) 1. Augmenter.

1. (275)	gewinnen an	to gain to spread (phénomène)	ganar	aumentare	winnen

GAIN (n.m.) (****) 1. Avantage. 2. Bénéfice. 3. Augmentation.

1. (59)	der Gewinn	gains	la ganancia	il vantaggio	het voordeel
2. (59)	der Gewinn	earnings profits	la ganancia	il guadagno il profitto	de winst (f.)
3. (275)	der Zuwachs	gain	la ganancia	l'aumento (m.)	de verhoging (f.)

	der Anstieg	increase			

GALERIE (n.f.) (***) 1. Magasin d'objets d'art. 2. Lieu de passage recouvert.

1. (573)	die (Kunst)galerie	gallery	la galería	la galleria d'arte	de kunstgalerij (f.)
2. (573)	die Ladenpassage	shopping precinct (GB)	la galería	la galleria di negozi	de galerij (f.)
	die Geschäftspassage	shopping mall (US)	las galerías		de gaanderij (f.)

GAMME (n.f.) (****) 1. Ensemble des produits offerts par un producteur.

1. (444)	die Palette	range	la gama	la gamma	het gamma
	das Programm	line	la línea		het productiepakket

GARAGE (n.m.) (***) 1. Entreprise qui s'occupe de voitures.

1.	die (Auto)Reparatur-werkstatt	garage	el garaje	il garage	de garage (f.)
				l'autofficina (f.)	

GARAGISTE (n.) (**) 1. Propriétaire d'une entreprise qui s'occupe de voitures.

1. (116)	der Werkstattinhaber	garage owner	el garajista	il garagista	de garagehouder (m.)

GARANTIE (n.f.) (****) 1. Engagement du vendeur quant au bon fonctionnement d'un appareil, à l'entretien d'un bien, ... 2. Somme d'argent versée pour couvrir d'éventuels dommages.

1. (509)	die Garantie	guarantee	la garantía	la garanzia	de waarborg (m.)
		warranty	la fianza		
2. (351)	die Garantie	cover	la garantía	la cauzione	de waarborg (m.)
		guarantee	el aval		

GARANTIR (v.tr.dir.) (****) 1. S'engager quant au bon fonctionnement d'un appareil, à l'entretien d'un bien, ...

1.	eine Garantie geben	to guarantee	garantizar	garantire	garanderen
	garantieren	to warrant			waarborgen

GARÇON (n.m.) (*) 1. Serveur.

1. (406)	der Kellner	waiter	el camarero	il cameriere	de kelner (m.)
(143)	der Ober				de ober (m.)

GASPILLAGE (n.m.) (***) 1. Consommation excessive.

1. (188)	die Verschwendung	waste	el derroche	lo spreco	de verspilling (f.)
(210)	die Verschleuderung	squandering (argent)	el despilfarro	lo sperpero	

GASPILLER (v.tr.dir.) (**) 1. Consommer de façon excessive.

1. (188)	verschwenden	to waste	derrochar	sprecare	verspillen
	vergeuden	to squander (argent)	despilfarrar	dilapidare	

GASPILLEUR, GASPILLEUSE (n.) (*) 1. Personne qui consomme de façon excessive.

1. (188)	der Verschwender	squanderer (argent)	el derrochador	lo sprecone	de verspiller (m.)
	der Prasser	spendthrift (argent)			

GAZ (n.m.) (****) 1. Carburant.

1. (258)	das Gas	gas	el gas	il gas	het gas
(205)					

GBP (****) (382) Grande-Bretagne - livre.

GÉANT (n.m.) (****) 1. Entreprise importante.

1. (205)	der Riese	giant	el gigante	il gigante	de reus (m.)
(235)	der Gigant	jumbo sized company			de gigant (m.)

GEL (n.m.) (***) 1. Maintien au même niveau.

1. (281)	das Einfrieren	freezing	la congelación	il congelamento	het bevriezen
	die Unterbrechung		la paralización	il gelo	het blokkeren

GELER (v.tr.dir.) (**) 1. Maintenir au même niveau.

1. (281)	einfrieren	to freeze	congelar	congelare	bevriezen
	blockieren		paralizar		blokkeren

GÉRABLE (adj.) (*) 1. Qui peut être dirigé le mieux possible. 2. Qui peut rapporter un maximum d'argent.

1. (302)	(kann) gemanagt wer-den	manageable	administrable	amministrabile	beheerbaar
	(lässt) sich gut verwal-ten			gestibile	
2. (302)	lukrativ	lucrative	lucrativo	lucrativo	winstgevend
	gewinnbringend	profitable			

GÉRANCE (n.f.) (**) 1. Administration d'un fonds de commerce.

1. (301)	die Geschäftsführung	management	la gerencia	la gestione di azien-da commerciale	de zaakwaarneming (f.)
	die (Geschäfts)Lei-tung		la gestión		

GÉRANT, GÉRANTE (n.) (***) 1. Personne mandatée pour administrer qqch. 2. Personne mandatée pour diriger une société. 3. Personne mandatée pour exploiter un fonds de commerce. 4. Personne choisie pour gérer des biens.

1. (300)	der Geschäftsführer	manager	el gerente	il gestore	de beheerder (m.)
					de zaakvoerder (m.)
2. (300)	der Geschäftsführer	manager	el gerente	il gestore	de beheerder (m.)
			el administrador		
3. (300)	der Geschäftsführer	manager	el gerente	il gestore di azienda commerciale	de beheerder (m.)
	der Verwalter				
4. (300)	der Geschäftsführer	managing agent (mobilier)	el gerente	l'amministratore (m.)	de beheerder (m.)
	der Verwalter		el administrador		

GÉRER (v.tr.dir.) (****) 1. Diriger une organisation. 2. Faire rapporter un maximum d'argent.

1. (301)	leiten führen	to run to manage	administrar	gestire avere in gestione	beheren
2. (301)	bewirtschaften rentabel führen	to manage to administer	administrar	gestire amministrare	beheren doen opbrengen

GESTION (n.f.) (****) 1. Ensemble de techniques pour diriger une organisation. 2. Ensemble de techniques pour faire rapporter un maximum d'argent.

1. (298)	die Verwaltung die Geschäftsführung	management administration	la gestión la administración	la gestione	het management de bedrijfsvoering (f.)
2. (298)	die finanzielle Bewirtschaftung	financial management financial administration	la gestión	il management la gestione	het beheer

GESTION

➠ management - direction - société/entreprise

1 la gestion **4** l'autogestion **4** la cogestion **4** la gérance **4** la cogérance **4** la location-gérance	**2** un gérant, une gérante **4** un gestionnaire, une gestionnaire **4** un associé-gérant, une associée-gérante **4** un cogérant, une cogérante	**4** gérable **4** gestionnaire	**3** gérer **4** autogérer **4** cogérer

1 la GESTION - [ʒɛstjɔ̃] - (n.f.)

1.1. Ensemble de techniques rationnelles qu'utilise une personne (un employeur ; un cadre - X) dans le but de diriger le mieux possible une organisation (une entreprise, un organisme public, une association, ... - Y) : fixation des objectifs à atteindre, élaboration de stratégies et organisation des activités en utilisant le mieux possible les ressources humaines, technologiques et matérielles.
Syn. : le management.
La formation en organisation personnelle est consacrée exclusivement à la gestion du temps et du choix des priorités.

1.2. Ensemble de techniques rationnelles qu'utilise une personne (X) pour que des capitaux, des valeurs mobilières (Y) rapportent un maximum d'argent ou pour que des ressources (financières, énergétiques, humaines, ...) (Y) soient utilisées le mieux possible.
Une meilleure gestion de la dette publique a permis au gouvernement de la réduire considérablement.

expressions

(sens 1.1.)

En matière de gestion : en ce qui concerne la gestion.

+ adjectif

TYPE DE GESTION (sens 1.1.)

La gestion journalière, quotidienne, courante : prise de décisions concernant des aspects de tous les jours.

>< **La gestion stratégique** : choix fondamentaux qui engagent l'avenir d'une entreprise. (Syn. : **le management stratégique**).

La gestion prévisionnelle, proactive : technique de gestion basée sur des anticipations, des prévisions qui permettent de définir des objectifs à long terme à réaliser pour un service ou une entreprise.

>< **La gestion réactive** : technique de gestion qui élabore des stratégies en fonction des problèmes qui se posent. (Syn. : **le management de crise**).

La gestion commerciale. (V. 119 commerce, 5).

La gestion administrative.

La gestion participative. (Syn. : **le management participatif**). (V. 358 management, 1).

La gestion intégrée : ensemble coordonné des sous-systèmes permettant d'assurer un contrôle de gestion au moyen d'un traitement automatisé de l'information (DC).

La gestion informatisée, la gestion assistée par ordinateur.

La gestion intérimaire : introduction temporaire d'un dirigeant à un très haut niveau dans une entreprise, p. ex. pour mener la restructuration de l'entreprise. (Syn. : (angl.) **l'interim/ l'intérim management**).

La gestion indicielle : gestion de portefeuille qui consiste à choisir un indice boursier de référence et à essayer de le suivre.

TYPE DE GESTION (sens 1.2.)

La gestion financière : gestion qui se rapporte aux problèmes de financement de l'entreprise et à l'utilisation de ses ressources financières.

La gestion budgétaire.

La gestion discrétionnaire : formule dans laquelle le client donne carte blanche au gestionnaire de fortune en fonction d'une stratégie définie à l'avance.

CARACTÉRISATION DE LA GESTION (sens 1.1. et 1.2.)

Une mauvaise gestion. (☞ 300 Pour en savoir plus, Mauvaise gestion). < **Une bonne gestion**, **une saine gestion**. < **Une gestion rigoureuse**. *La gestion rigoureuse menée ces derniers mois a permis une augmentation du bénéfice de 7,3 %.*

Une gestion active, **dynamique**. *On peut parler d'une gestion active d'un portefeuille p. ex. lorsque l'épargnant achète chaque fois que l'action est à son plancher pour la revendre dès qu'elle atteint un plafond.*

>< **Une gestion passive**.

Une gestion prudente.

Une gestion efficace, **intelligente**.

CARACTÉRISATION DE LA GESTION (sens 1.2.)

Une gestion personnalisée : gestion de portefeuille, réservée aux grands comptes, qui vise à optimiser la rentabilité de leurs investissements en tenant compte de la situation particulière du client.

+ nom

(sens 1.1.)

- **Une politique de gestion**.

  Un système de gestion, **une méthode de gestion**, **un mode de gestion**.

  Un outil de gestion, **une technique de gestion**. *Les meilleurs outils de gestion qui ne sont pas accompagnés des comportements adéquats sont sans utilité.*

  Un logiciel de gestion : programme informatique qui permet de contrôler certains aspects de la gestion.
- **Les organes de gestion** : ensemble de personnes, de services qui ont le pouvoir de prendre des décisions. *Nous sommes en train de mettre en place les organes de gestion dans notre nouvelle filiale en Roumanie.*

  Un comité de gestion : ensemble de personnes statutairement chargées de la gestion d'une entité (un département, une organisation, ...).
- **Un contrat de gestion** : contrat dans lequel une entreprise, un organisme, un gouvernement définit les objectifs qu'un sous-traitant doit atteindre. *Le contrat de gestion passé entre la société de télécommunications et le gouvernement stipule le nombre minimal de cabines téléphoniques qui doivent être implantées.*
- **Une rigueur de gestion**. (☞ 299 + adjectif).

  Des irrégularités dans la gestion. *Un audit a révélé des irrégularités dans la gestion de l'entreprise, et son directeur général a été licencié.*
- **Des erreurs de gestion**, (moins fréq.) **des fautes de gestion**.
- **Le contrôle de gestion**. (Syn. : **un audit**). (V. 45 audit, 1).
- **Une société de gestion**. (V. 516 société, 1).
- **Une école de gestion**. *HEC est une des écoles de gestion les plus prestigieuses de France.*

(sens 1.2.)

Les frais de gestion. (V. 294 frais, 1).

TYPE DE GESTION (sens 1.1.)

La gestion de + nom qui désigne une entité ou une activité de l'entreprise. La gestion des stocks (V. 526 stock, 1) ; d'une société ; de la production ; des déchets ; de bases de données ; de réseaux.

La gestion des flux : gestion des déplacements de produits, de matières premières, ...

La gestion des ressources humaines : gestion qui a pour but l'utilisation optimale de la main-d'œuvre. (Syn. : (employé de moins en moins) **la gestion du personnel**).

La gestion du produit. (V. 444 production, 2).

La gestion de la qualité totale, **la gestion de la qualité intégrale** : politique de management qui recherche la satisfaction totale du client à travers une qualité obtenue à chaque stade de la production du produit ou du service (Mahrer). (Syn. : (angl.) **Total Quality Management - TQM**). Cette gestion se caractérise par la prise en compte des **cinq zéros** :

zéro défaut : faire bien dès la première fois,

zéro panne : pas d'arrêt de la production,

zéro délai : changement rapide d'outillage, pas de retard,

zéro stock : livraison "juste à temps",

zéro papier : simplification administrative (Silem). Cette gestion est stimulée par le développement des **cercles de qualité** (groupes de progrès qui réunissent un certain nombre de salariés dont l'objectif est d'améliorer les processus de production).

La gestion de carrière : le suivi des affectations d'un salarié dans l'entreprise. (Syn. : **le management de carrière**).

La gestion de crise. (Syn. : **le management de crise**).

La gestion par exceptions : mode de gestion qui consiste à attirer l'attention de la direction sur les écarts entre les résultats réels et les prévisions ainsi que sur les causes de ces écarts (Ménard).

La gestion par objectifs. (V. 201 direction, 1).

La gestion des risques : gestion qui consiste à définir les risques potentiels d'une entreprise et à mettre en place les mesures préventives qui s'imposent. *Trop souvent, la gestion des risques se limite à quelques contrats d'assurance alors qu'il faut des audits, des tableaux de bord, des bases de données.*

La gestion de l'environnement. *Une bonne gestion de l'environnement implique que l'on* *s'attaque à la fois aux causes et aux conséquences de la pollution.*

TYPE DE GESTION (sens 1.2.)

La gestion de trésorerie : gestion des moyens de financement liquides d'une entreprise, d'une organisation.

La gestion de patrimoine, la gestion de fortune : activité de conseils en placements en valeurs mobilières et en biens immobiliers. *Genève reste la capitale mondiale de la gestion de fortune.*

La gestion de portefeuille : gestion de valeurs immobilières par une banque, une société de bourse, une société d'investissement pour le compte de sa clientèle.

La gestion de(s) fonds.

La gestion d'un budget.

La gestion d'actifs.

La gestion de la dette (publique).

+ verbe : qui fait quoi ?

(sens 1.1. et 1.2.)

une personne, un organisme	✓	**charger** X **de** la ~ de Y	-	
		confier la ~ de Y à X	-	1
		>< **retirer à** X la ~ de Y	-	
X	×	**assurer** la ~ de Y	-	2
		assumer la ~ de Y	-	
X		**disposer d'**une autonomie de ~	-	
X		**optimiser** la ~ de Y	une optimisation de la ~ de Y	
		optimaliser la ~ de Y	une optimalisation de la ~ de Y	

1 *La banque s'est vu confier par le G7 la gestion d'un fonds de plus de 400 millions de dollars.*

2 *L'activité principale de notre société consiste à assurer la gestion du cycle du combustible des centrales nucléaires.*

Pour en savoir plus

MAUVAISE GESTION

Une gabegie : désordre qui résulte d'une mauvaise administration ou gestion.

INFLUENCE DE LA GESTION

(angl.) **Le lobbying** : activité professionnelle d'une personne (**un lobbyiste**) ou d'un groupe de pression (**un lobby**) qui consiste à défendre les intérêts communs d'un groupement ou d'une collectivité en essayant d'exercer des pressions sur les organismes de décision (Ménard).

(angl.) {**un, une lobbyiste**, **le lobby** (plur. : **les lobbies**)}.

2 un GÉRANT, une GÉRANTE - [ʒeʀɑ̃, ʒeʀɑ̃t] - (n.)

1.1. Personne qui utilise des techniques rationnelles dans le but de diriger le mieux possible une société à responsabilité limitée, une société en commandite, une société en nom collectif, une société civile. Syn. : (☞ 301 Pour en savoir plus, Gérant (sens 1.2.) et synonymes).

1.2. Personne physique ou morale mandatée par un agent économique (un particulier, une entreprise) dans le but d'utiliser des techniques rationnelles pour que des capitaux, des valeurs mobilières rapportent un maximum d'argent ou pour que des ressources (financières, énergétiques, ...) soient utilisées le mieux possible.
Le groupe Arnaud, gérant des magasins Trios, afficherait des pertes cumulées d'un montant global de quelque 2 millions d'euros.

1.3. Personne chargée avec pleins pouvoirs de l'exploitation d'un fonds de commerce dont elle n'est pas propriétaire (Ménard).

1.4. Personne physique ou morale choisie par les copropriétaires pour gérer leurs biens et faire exécuter les décisions de leur assemblée générale, comme p. ex. les travaux d'entretien de l'immeuble.
Syn. : un syndic de copropriété, d'immeuble.

+ adjectif

TYPE DE GÉRANT (sens 1.3.)

Un gérant libre : gérant qui exploite un fonds de commerce à son propre compte, après avoir acheté le droit d'exploitation de ce fonds de commerce à son propriétaire.

>< **Un gérant salarié** : gérant qui est l'employé du propriétaire du fonds de commerce.

+ nom

TYPE DE GÉRANT (sens 1.1.)

Un gérant (de société).

TYPE DE GÉRANT (sens 1.4.)

Un gérant (d'immeuble).

Pour en savoir plus

GÉRANT (sens 1.1.) ET SYNONYMES

Un gérant (de société), un associé commandité, un associé-gérant.

Un administrateur : dirige une société anonyme.

3 GÉRER - [ʒeʀe] - (v.tr.dir.)

1.1. Une personne (un employeur ; un cadre) utilise un ensemble de techniques rationnelles dans le but de diriger le mieux possible une organisation (une entreprise, un organisme public, une association, ...) : fixation des objectifs à atteindre, élaboration de stratégies et organisation des activités en utilisant le mieux possible les ressources humaines, technologiques et matérielles.
Syn. : administrer, diriger, manager.
Nous avons budgété d'importantes sommes pour gérer les stocks nous-mêmes plutôt que de continuer à laisser cette gestion à une société spécialisée trop coûteuse.

1.2. Une personne physique ou morale mandatée par un agent économique (un particulier, une entreprise) utilise un ensemble de techniques rationnelles pour que des capitaux, des valeurs mobilières rapportent un maximum d'argent ou pour que des ressources (financières, énergétiques, ...) soient utilisées le mieux possible.
Les banques aussi sont tenues de gérer leurs affaires en bon chef d'entreprise.

2.1. Qqn (p. ex. une entreprise) fait face à une difficulté et essaie de la résoudre.
L'incident qui est survenu dans la centrale nucléaire a été mal géré : la direction a trop longtemps gardé le silence.

2.2. Qqn (p. ex. une entreprise) organise une activité, une entité, utilise des ressources de façon précise et selon une stratégie bien définie.
L'entreprise a fait appel à un bureau spécialisé pour gérer son image de marque.

expressions

(sens 2.1.)

(Une affaire, une activité) **être lourd à gérer**.

+ nom

TYPE DE GESTION (sens 1.1.)

Gérer + nom qui désigne une entité ou une activité de l'entreprise. Gérer une entreprise ; les ressources (humaines, ...) ; un réseau ; le(s) stock(s).

TYPE DE GESTION (sens 1.2.)

Gérer des fonds ; **des actifs** ; **un portefeuille** ; **un patrimoine** ; **un budget**.

TYPE DE GESTION (sens 2.1.)

Gérer une crise.
Gérer la pénurie.

+ adverbe

CARACTÉRISATION DE LA GESTION (sens 1.1., 1.2., 2.1. et 2.2.)

Gérer efficacement, bien gérer. >< **Mal gérer**.

Une entreprise mal gérée est une proie facile pour un prédateur.

4 AUTRES DÉRIVÉS OU COMPOSÉS

- **L'autogestion** [ɔtɔʒɛstjɔ̃] (n.f.). 1. Formule d'organisation des rapports sociaux dans l'entreprise qui dissocie le pouvoir de décision de la propriété (B&C). - 2. Travail en équipe autonome. *Les équipes travaillant en autogestion semblent atteindre de meilleurs résultats.*
{**autogérer** [ɔtɔʒeʀe] (v.tr.dir.) : gestion d'une entreprise par le personnel}.
- **La cogestion** [kɔʒɛstjɔ̃] (n.f.) : gestion d'une entreprise par le chef d'entreprise et ses salariés. *La cogestion donne aux syndicats un droit de regard important sur la gestion de l'entreprise.*
{**la cogérance** [kɔʒeʀɑ̃s] (n.f.), **un cogérant, une cogérante** [kɔʒeʀɑ̃, kɔʒeʀɑ̃t] (n.), **cogérer** [kɔʒeʀe] (v.tr.dir.)}.
- **Un, une gestionnaire** [ʒɛstjɔnɛʀ] (n.) : personne qui utilise des techniques rationnelles dans le but de diriger le mieux possible une organisation (une entreprise, un organisme public, une association, ...) : fixation des objectifs à atteindre, élaboration de stratégies et organisation des activités en utilisant le mieux possible les ressources humaines, technologiques et matérielles. **Un gestionnaire de fonds** ; **de portefeuille** ; **de patrimoine**. (V. 300 1 gestion)
{**gestionnaire** [ʒɛstjɔnɛʀ] (adj.)}.
- **La gérance** [ʒeʀɑ̃s] (n.f.) : administration d'un fonds de commerce par un(e) gérant(e). **Un contrat de gérance.**
- **La location-gérance** (V. 352 location, 5).
- **Un associé-gérant, une associée-gérante** [asɔsjeʒeʀɑ̃, asɔsjeʒeʀɑ̃t] (n.) (plur. : **des associés-gérants**). *Être associé-gérant permet de cumuler deux avantages : une participation active à l'entreprise tout en travaillant un peu pour soi-même.*

• **Gérable** [ʒeʀabl(ə)] (adj.) : qui peut être géré (sens 1.1., 1.2., 2.1. et 2.2.). *Une importante restructuration s'impose si l'on veut que l'entreprise redevienne gérable.*

GESTIONNAIRE (adj.) (**) 1. Qui se rapporte à une personne qui dirige une organisation.

1. (301)	Geschäftsführer- Verwalter-	management administrative	gerente gestor	gestionale di gestione	manager

GESTIONNAIRE (n.) (****) 1. Personne qui dirige une organisation.

1. (301)	der Geschäftsleiter der Geschäftsführer	manager administrator	el gerente el gestor	il gestore l'amministratore (m.)	de manager (m.)

GIE (un ~) (*) groupement d'intérêt économique.

(519)	die (wirtschaftliche) Interessengemeinschaft	economic interest grouping	agrupación de interés económico	il consorzio tra imprese	de economische belangengemeenschap (f.)
					de groepering voor bedrijfseconomische samenwerking (f.)

GIGANTESQUE (adj.) (***) 1. Très important.

1. (282)	riesig gigantisch	gigantic huge	gigantesco enorme	gigantesco colossale	reusachtig gigantisch

GONDOLE (n.f.) (*) 1. Meuble de présentation et de vente.

1. (354)	die Gondel	display unit	la góndola	lo scaffale di supermercato	de gondola (m./f.)
(373)	die Verkaufsinsel	gondola	el mostrador		de eilandstelling (f.)

GONFLEMENT (n.m.) (**) 1. Augmentation.

1. (276)	die Aufblähung das Anwachsen	increase inflation	el aumento abusivo el inflamiento	il forte aumento	de toename (m./f.)

GONFLER (v.tr.dir.) (***) 1. Augmenter.

1. (276)	aufblähen anschwellen	to inflate to swell	inflar aumentar abusivamente	gonfiare aumentare esageratamente	toenemen

GOODWILL (n.m.) (***) 1. Valeur surestimée d'une entreprise. 2. Gain lié à la bonne image de l'entreprise, à la paix sociale, ...

1. (60)	der Goodwill der Geschäftswert	goodwill	el goodwill el fondo de comercio	l'avviamento (m.)	de goodwill (m.)
2. (60)	der gute Ruf das Firmenimage	goodwill	el goodwill el fondo de comercio	il goodwill	de goodwill (m.)

GOULET D'ÉTRANGLEMENT (un ~) (*) 1. Difficultés dans le processus de production.

1. (443)	der Engpass	bottleneck	el cuello de botella	l'imbottigliamento produttivo	het knelpunt
				la strozzatura produttiva	de flessenhals (m.)

GOULOT D'ÉTRANGLEMENT (un ~) (*) 1. Difficultés dans le processus de production.

1. (443)	der Engpass	bottleneck	el cuello de botella	l'imbottigliamento produttivo	het knelpunt
				la strozzatura produttiva	de flessenhals (m.)

GRAND, GRANDE (adj.) (****) 1. Important.

1. (283)	gross wichtig	big mass	grande	grande	groot belangrijk

GRAPHIQUE (n.m.) (****) 1. Type de représentation visuelle.

1. (284)	die graphische Darstellung	graph	el gráfico	il grafico	de grafiek (f.)
		chart		il diagramma	de grafische voorstelling (f.)

GRAPPE (n.f.) (*) 1. Ensemble d'évolutions.

1. (329)	das Cluster	cluster	el distrito industrial	il distretto industriale	het cluster

GRATUIT, -UITE (adj.) (****) 1. Pour lequel il ne faut pas payer.

1. (437) (508)	gratis (kosten)frei	free	gratuito	gratuito	gratis kosteloos

GRATUITÉ (n.f.) (**) 1. Fait de ne pas devoir payer.

1. (437)	die Unentgeltlichkeit	exemption from payment	la gratuidad	la gratuità	de kosteloosheid (f.)

GRATUITEMENT (adv.) (***) 1. Sans devoir payer.

1. (437)	gratis kostenfrei	free (of charge) for nothing	gratis gratuitamente	gratuitamente gratis	gratis kosteloos

GRD (*) (382) Grèce - drachme.

GRÈVE (n.f.) (****) 1. Cessation collective et organisée du travail.

1. (303)	der Streik	strike	la huelga	lo sciopero	de staking (f.)

GRÈVE

➠ **syndicat - emploi**

1 une grève	2 un gréviste, une gréviste 3 un non-gréviste, une non-gréviste	3 gréviste	

1 une GRÈVE - [gʀɛv] - (n.f.)

1.1. Cessation collective et organisée du travail par les salariés (X) (souvent à la demande des syndicats - Z), pour soutenir des revendications professionnelles (qui concernent les conditions de travail, les salaires, ...) que l'employeur (Y) ne veut pas satisfaire.
Syn. : (☞ 305 Pour en savoir plus, Grève (sens 1.1.) et synonymes) ; Ant. : (☞ 305 Pour en savoir plus, Grève (sens 1.1.) et antonymes).
Une grève des chauffeurs d'autobus et des conducteurs de trains a bloqué la capitale allemande pendant plusieurs heures.

2.1. Refus d'une personne ou d'un ensemble de personnes de faire qqch. pour protester contre une autorité (l'État, la direction, ...).
Cinq détenus viennent d'entamer leur deuxième semaine de grève de la faim afin d'obtenir de meilleures conditions de vie en prison.

+ adjectif

TYPE DE GRÈVE (sens 1.1.)

Une grève générale, (moins fréq.) **généralisée** : grève de nature politique qui touche l'ensemble des activités d'un pays. *La grève générale de 1968 en France a coûté 2,4 % de la production totale d'une année.* (☞ 305 + verbe).
Une grève illimitée : grève que les salariés sont disposés à continuer jusqu'à ce qu'ils aient obtenu gain de cause. (Syn. : **une grève au finish**).
Une grève sauvage, spontanée : entamée sans que les syndicats en aient pris l'initiative. (Syn. : **une grève surprise, une grève sans préavis**). *Les sanctions prises contre trois ouvriers ont fait éclater une grève sauvage.*
Une grève perlée : grève où les salariés travaillent à un rythme plus lent.
Une grève tournante : grève qui touche successivement les différents services d'une entreprise.
Une grève politique : grève menée pour des raisons politiques, donc ni professionnelles, ni économiques.

CARACTÉRISATION DE LA GRÈVE (sens 1.1.)

Une grande grève, une grève massive : grève à laquelle la grande majorité des salariés participe. *La grande grève qui a touché le groupe industriel pendant un mois a fait baisser la production de 40 %.*

Une grève dure : grève dans laquelle les salariés sont décidés à aller jusqu'au bout, parfois en utilisant même de la violence. *Dans le nord du pays, où la grève est très dure, il y a eu plusieurs bagarres entre les grévistes et les forces de l'ordre.*

+ nom

(sens 1.1.)

- **Un mouvement de grève**. (☞ 305 Pour en savoir plus, Grève (sens 1.1.) et synonymes).

  Une vague de grèves : grèves successives dans une entreprise ou dans un pays. *La vague de grèves en France a causé un ralentissement important de la production industrielle.*

- **Le droit de grève**. *Le salarié qui exerce son droit de grève ne peut pas être sanctionné. Son contrat de travail se trouve suspendu pendant la durée de la grève.*

- **Un préavis de grève** : avertissement lancé par un syndicat à un employeur qu'une grève sera déclenchée. (☞ 304 + verbe).

  Un mot d'ordre de grève : appel lancé par un syndicat aux salariés pour se mettre en grève. *Le mot d'ordre de grève, suivi à 100 % par le personnel, est maintenu jusqu'à lundi prochain.*

- **Un piquet de grève** : groupe de grévistes généralement placés à l'entrée du lieu de travail, qui assurent l'exécution des consignes de grève (PL). *L'accès à tous les magasins du groupe est bloqué par des piquets de grève.*
- **Un briseur de grève** : personne ou groupe de personnes qui se désolidarisent des grévistes en voulant reprendre le travail. *Les travailleurs temporaires jouent souvent le rôle de briseurs de grève de crainte de perdre leur emploi.*
- **Une grève des** + catégorie professionnelle. Une grève des postiers, des aiguilleurs du ciel, des cheminots, ...
- **Un comité (central) de grève** : regroupe les délégués syndicaux qui organisent la grève.

TYPE DE GRÈVE (sens 1.1.)

Une grève du zèle : grève où le personnel applique strictement le règlement, ce qui entraîne des pertes de temps et des retards. *Les grèves du zèle des douaniers dans les aéroports ont dé-*

montré qu'un contrôle des frontières respectueux des règles conduit au chaos.

Une grève surprise, une grève sans préavis. (☞ 303 + adjectif).

Une grève d'avertissement. *Pour protester contre le projet de réforme de la sécurité sociale, les métallurgistes diminuent fortement les cadences. Reste à savoir si cette grève d'avertissement donnera des résultats.*

Une grève de solidarité (avec qqn). *Par sympathie pour les ouvriers en grève, les étudiants ont entamé une grève de solidarité.*

Une grève sur le tas, une grève avec/d'occupation : grève où le personnel occupe les lieux de travail pendant les heures de service.

Une grève bouchon : grève limitée à un service, un atelier ou une catégorie de personnel qui entraîne le chômage technique pour l'ensemble du personnel (Silem).

Une grève au finish. (☞ 303 + adjectif).

TYPE DE GRÈVE (sens 2.1.)

Une grève de la faim.

Une grève de l'impôt : refus de payer des impôts.

MESURE DE LA GRÈVE (sens 1.1.)

Un jour, une journée de grève.

Une grève de + expression d'une durée. Une grève de 24, 48 heures.

+ verbe : qui fait quoi ?

(sens 1.1.)

Z		**déposer un préavis de** ~ (auprès de la direction)	le dépôt d'un préavis de ~ par Z	1
		>< **lever un préavis de** ~	-	
Z		**lancer un mot d'ordre de** ~ (auprès de leurs adhérents)	le lancement d'un mot d'ordre de ~	
		>< **suspendre le mot d'ordre de** ~	la suspension du mot d'ordre de ~	
		appeler (X) **à** la ~ ↓	un appel à la ~	2
Z	✓	**déclencher** une ~	le déclenchement d'une ~	
la ~ le mot d'ordre de ~		**être (bien) suivi(e)**	-	
les délégués syndicaux		**conduire** une ~	la conduite d'une ~	
X	✓	**entamer** une ~	-	3
		se mettre en ~	-	
→ la ~		**éclater** ↓	-	4
X l'usine, l'atelier, ...	×	**être en** ~	-	
		faire ~ (moins fréq. : **faire** la ~)	-	5
		faire une ~ du zèle, de solidarité, ...	-	
		(fig.) **se croiser les bras** ↓	-	
X		**poursuivre** la ~	la poursuite de la ~	
		continuer la ~	la continuation de la ~	
		prolonger la ~	la prolongation de la ~ le prolongement de la ~	
→ la ~		**se poursuivre**	la poursuite de la ~	6
		continuer	la continuation de la ~	
		se prolonger	la prolongation de la ~ le prolongement de la ~	
une ~		**toucher** une entreprise	-	
		< **paralyser** une entreprise	la paralysie d'une entreprise	7
d'autres X	△	**se rallier à** la ~	le ralliement à la ~	8
→ la ~		**s'étendre à** qqn/qqch.	une extension de la ~ (à qqn/qqch.)	9
		s'amplifier	une amplification de la ~ l'ampleur de la ~	

la ~	△△	**se généraliser**	la généralisation de la ~	
		⋎		
la ~	▽	**s'essouffler**	l'essoufflement de la ~	10
		⋎		
Z	O	**mettre fin à** une ~	-	
→ la ~		**s'achever**	l'achèvement d'une ~	3
		⋎		
X	✓	**reprendre le travail**	la reprise du travail	
		embrayer (☞ 305 Pour en savoir plus, Grève (sens 1.1.) et synonymes)	-	
Y le gouvernement les forces de l'ordre		**briser** une ~	un briseur de ~	11

1 *Les pilotes ont annoncé des actions pour exprimer leur mécontentement. Aucun préavis de grève n'a toutefois été déposé.*
2 *Le syndicat a lancé lundi un appel à la grève de 24 heures dans les magasins visés par le plan de restructuration.*
3 *La grève, entamée il y a trois semaines, s'est achevée aujourd'hui, sans que la direction n'ait satisfait les exigences des salariés.*
4 *Une grève générale a éclaté chez General Motors.*
5 *Les postiers ont menacé de faire grève vendredi prochain si les licenciements annoncés étaient confirmés.*
6 *La grève se poursuit malgré les concessions faites par la direction.*
7 *La grève du personnel technique paralyse toute l'entreprise : la direction a invité les salariés à rester chez eux.*
8 *Le personnel des filiales du groupe s'est rallié à la grève menée par les salariés de la maison-mère.*
9 *Compte tenu du contexte social tendu, cette grève risque de s'étendre à d'autres secteurs de l'activité économique.*
10 *Après trois mois d'actions, la grève s'essouffle parce que les salariés n'y croient plus.*
11 *Ce chef d'entreprise a tenté de briser la grève de ses salariés en menaçant de les remplacer par des personnes prêtes à travailler à des conditions moins avantageuses.*

Pour en savoir plus

GRÈVE (sens 1.1.) ET SYNONYMES

Une grève, **un mouvement de grève**.

Un arrêt de travail : pour des raisons techniques (arrêt involontaire) ou dans le cadre de revendications professionnelles (arrêt volontaire).

Un débrayage : cessation relativement courte du travail. *Le débrayage d'une heure a fortement perturbé la production.*
{**débrayer** (v.tr.intr.)}.
>< (peu fréq.) **Embrayer** : reprendre le travail.

GRÈVE (sens 1.1.) ET ANTONYMES

Une grève.

La reprise du travail. (☞ 305 + verbe).

Un lock-out : fermeture temporaire d'une entreprise par la direction dans le but de faire pression sur le personnel (par le refus d'accorder du travail aux salariés qui veulent travailler). *Les métallos ont cessé le travail ; les patrons y ont répondu par un lock-out.*
{**lock-outer** (v.tr.dir.)}.

2 un GRÉVISTE, une GRÉVISTE - [gʀevist(ə)] - (n.)

1.1. Salarié qui participe à une cessation collective et organisée du travail (souvent à la demande des syndicats), pour soutenir des revendications professionnelles (qui concernent les conditions de travail, les salaires, ...) que l'employeur ne veut pas satisfaire.

Ant. : un non-gréviste; un briseur de grève.
Il existe un droit que les grévistes ont souvent tendance à oublier : celui dont disposent les non-grévistes d'exercer normalement leur travail.

2.1. Personne ou ensemble de personnes qui refusent de faire qqch. pour protester contre une autorité (l'État, la direction, ...).

Le gouvernement a fini par céder aux exigences des grévistes : la grève de la faim avait déjà fait 19 morts en soixante jours.

3 AUTRES DÉRIVÉS OU COMPOSÉS

- **Un non-gréviste** [nɔ̃gʀevist(ə)] (n.m.). *Malgré la présence d'un piquet de grève, une quarantaine de non-grévistes ont réussi à entrer dans l'usine.*
- **Gréviste** [gʀevist(ə)] (adj.) : (une personne) qui participe à une grève. *Quels sont les risques encourus par les salariés grévistes?*

GREVER (v.tr.dir.) (**) 1. Rendre plus important, alourdir, surcharger.

1. (76)	belasten mit	to put a strain on	gravar	gravare	bezwaren
		to burden			belasten

GRÉVISTE (adj.) (*) 1. Qui participe à une cessation collective et organisée du travail.

1. (305)	Streik-	striking	huelguista	scioperante	stakend(e)

GRÉVISTE (n.) (**) 1. Salarié qui participe à une cessation collective et organisée du travail.

1. (305)	der Streikende	striker	el huelguista	lo scioperante	de staker (m.)

GRIFFE (n.f.) (**) 1. Marque d'un fabricant de produits de luxe.

1. (255)	das Etikett	designer label	la firma	la griffe	het label
	das Markenzeichen	maker's label	la marca		de merknaam (m.)

GRIFFÉ, -ÉE (adj.) (*) 1. Qui porte la marque d'un fabricant de produits de luxe.

1. (255)	mit dem Etikett des Herstellers	labelled	de marca	di marca	van een merknaam voorzien
	ein(e) Marken-	named	de firma		

GRIMPÉE (n.f.) (*) 1. Augmentation.

1. (276)	der Anstieg	climb	la subida	l'accrescimento (m.)	de klim (m.)
		increase			

GRIMPER (v.intr.) (****) 1. Augmenter.

1. (276)	steigen	to soar	subir	salire	klimmen
	in die Höhe klettern	to rocket	elevar		verhogen

GROS, GROSSE (adj.) (****) 1. Important.

1. (283)	gross	big	fuerte	grosso	groot
		large	gran	importante	belangrijk

GROSSISTE (n.) (***) 1. Commerçant qui vend en grandes quantités.

1. (115)	der Grossist	wholesaler	el mayorista	il grossista	de groothandelaar (m.)
	der Grosshändler	wholesale dealer	el comerciante al por mayor	il commerciante all' ingrosso	de grossier (m.)

GROUPAGE (n.m.) (*) 1. Action de réunir des colis qui ont la même destination.

1. (551)	das Sammelgut	grouping	la agrupación	il trasporto a collettame	de groepage (f.)
	die Sammelladung	bulking	el agrupamiento		

GROUPE (n.m.) (****) 1. Société composée d'une société-mère et de filiales.

1. (519)	der Konzern	(industrial) group	el grupo	il gruppo	de groep (m./f.)
	die Gruppe				

GROUPEMENT (n.m.) (***) 1. Association de personnes.

1. (454)	die Vereinigung	group(ing)	la agrupación	il gruppo	de groepering (f.)
(331)	die Organisation	association	la asociación	il raggruppamento	de vereniging (f.)

GUICHET (n.m.) (***) 1. Petite ouverture par laquelle le public communique avec les employés d'une administration, d'un bureau (RQ).

1. (55)	der Schalter	counter	la taquilla	lo sportello	het loket
(129)	die Kasse	(ticket) window	la ventanilla		

GUICHETIER, GUICHETIÈRE (n.) (*) 1. Employé d'une administration ou d'un bureau qui communique avec le public par une petite ouverture.

1. (55)	der Schalterangestellte	counter clerk	el taquillero	l'impiegato (m.) allo sportello	de loketbediende (m.)
	der Schalterbeamte	teller (US)		il bigliettaio	

H

HABITUÉ, HABITUÉE (n.) (**) 1. Client fidèle.

1. (107)	der Stammgast	regular customer	el habituado	il frequentatore assiduo	de stamgast (m.)
	der Stammkunde		el acostumbrado	il cliente abituale	de vaste bezoeker (m.)

HANG SENG (le ~) (*) (71) indice de la Bourse de Hong Kong.

HARDWARE (n.m.) (***) 1. Ensemble des éléments physiques (unité centrale, périphérique, etc.) constituant les machines informatiques.

1. (446)	die Hardware	hardware	el hardware	l'hardware (m.)	de hardware (m.)

HAUSSE (n.f.) (****) 1. Augmentation.

1. (275)	der Anstieg	rise	el aumento	l'aumento (m.)	de stijging (f.)
	das Ansteigen	increase	la alza	il rialzo	de verhoging (f.)

HAUSSER (v.tr.dir.) (*) 1. Augmenter.

1. (275)	erhöhen	to increase	aumentar	alzare	verhogen
	heraufsetzen	to rise	alzar	rialzare	stijgen

HAUSSIER, -IÈRE (adj.) (***) 1. Qui présente une tendance à augmenter.

1. (366)	mit ansteigender Tendenz	upward	alcista	il mercato rialzista	opgaand
		bullish (Bourse)		il mercato "toro"	

HAUT, HAUTE (adj.) (****) 1. Élevé.

1. (283)	hoch	high	alto	alto	hoog

HAUTEMENT (adv.) (***) 1. Très.

1. (357)	höchst	very	muy	forte(mente)	zeer
(414)	sehr	highly		molto	erg

HEBDOMADAIRE (adj.) (***) 1. Qui se fait ou qui paraît chaque semaine.

1. (554) (499)	wöchentlich	weekly	semanal	settimanale	wekelijks

HEBDOMADAIRE (n.m.) (***) 1. Publication qui paraît chaque semaine.

1. (160)	die Wochenzeitung	a weekly (magazine)	el semanario	il settimanale	het weekblad het magazine

HECTARE (n.m.) (***) 1. Superficie de 10 000 m^2.

1. (483)	das Hektar	hectare	la hectárea	l'ettaro (m.)	de hectare (m./f.)

HÉSITANT, -ANTE (adj.) (***) 1. Qui n'est pas bien déterminé.

1. (282)	zögernd	hesitant unsteady	indeciso	indeciso	aarzelend

HIÉRARCHIE (n.f.) (***) 1. Organisation en niveaux qui exercent un pouvoir sur les niveaux inférieurs.

1. (454)	die Hierarchie	hierarchy	la jerarquía	la gerarchia	de hiërarchie (f.)
(499)	die Rangordnung	managerial structure			

HIÉRARCHIQUE (adj.) (***) 1. Qui se caractérise par une organsation en niveaux qui exercent un pouvoir sur les niveaux inférieurs.

1. (211)	hierarchisch	hierarchic	jerárquico	gerarchico	hiërarchisch

HIÉRARCHIQUEMENT (adv.) (*) 1. En niveaux qui exercent un pouvoir sur les niveaux inférieurs.

1. (410)	hierarchisch	hierarchically	jerárquicamente	gerarchicamente	hiërarchisch

HISSER (se ~ à) (v.pron.) (**) 1. Augmenter jusqu'à une certaine valeur.

1. (275)	anheben	to raise to push up	subir	aumentare	opklimmen tot

HISTOGRAMME (n.m.) (*) 1. Représentation graphique à l'aide de barres.

1. (284)	das Histogramm	histogram bar chart	el histograma	l'istogramma (m.)	het histogram

HLM (un ou une ~) (**) habitation à loyer modéré.

(350)	die Sozialwohnung	council flat (GB)	la vivienda de renta limitada	la casa popolare	de sociale woning (f.)
		low cost housing	vivienda de protección oficial (VPO)	l'alloggio (m.) dell'ICIAP	

HOLDING (n.m., parfois n.f.) (****) 1. Société financière.

1. (515)	die Holding(gesell-schaft)	holding company	el holding	la holding la società finanziaria di controllo	de holding (f.)

HOMEBANKING (n.m.) (*) 1. Fait d'effectuer des opérations bancaires chez soi.

1. (55)	das Homebanking	home banking	la banca en casa la banca en línea	la banca a domicilio l'home banking (m.)	het thuisbankieren

HONORAIRES (n.m.plur.) (***) 1. Rémunération des professions libérales.

1. (480)	das Honorar	fees professional earnings	los honorarios	l'onorario (m.)	het ereloon het honorarium

HORAIRE (n.m.) (***) 1. Relevé des heures d'arrivée et de départ. 2. Emploi du temps heure par heure (RQ).

1.	der Fahrplan der Flugplan	timetable schedule	el horario	l'orario (m.)	de dienstregeling (f.)
2. (555) (557)	der Zeitplan	timetable schedule	el horario	l'orario (m.)	het werkrooster

HORTICOLE (adj.) (**) 1. Qui se rapporte à la culture des jardins.

1. (505)	Gartenbau-	horticultural	hortícola	orticolo	tuinbouw-

HORTICULTEUR, HORTICULTRICE (n.) (**) 1. Personne qui cultive un jardin.

1. (505)	der Gärtner	horticulturist	el horticultor	l'orticoltore (m.)	de tuinbouwer (m.)

HORTICULTURE (n.f.) (**) 1. Culture des jardins.

1. (505)	der Gartenbau die Gärtnerei	horticulture	la horticultura	l'orticoltura (f.)	de tuinbouw (m.)

HOT MONEY (*) 1. Capitaux placés à court terme à des fins spéculatives.

1. (85)	das heisses Geld das Fluchtkapital	hot money refugee capital	el dinero caliente	i capitali volatili	het vluchtkapitaal de hot money (m.)

HÔTEL (n.m.) (****) 1. Établissement qui offre des chambres aux voyageurs.

1. (258)	das Hotel	hotel	el hotel	l'hotel (m.) l'albergo (m.)	het hotel

HÔTELIER, HÔTELIÈRE (n.) (*) 1. Agent économique qui exploite un établissement qui offre des chambres aux voyageurs.

1. (406)	der Hotelier der Hotelbesitzer	hotelier hotel manager	el hotelero	l'albergatore (m.)	de hotelier (m.)

HÔTELIER, -IÈRE (adj.) (***) 1. Qui se rapporte aux établissements qui offrent des chambres aux voyageurs.

1. (431)	Hotel-	hotel	hotelero	alberghiero	hotel-

HT (*) hors taxe(s).

(543)	ohne Steuer vor Steuer	duty free tax non included	libre de impuestos tasas no incluidas	iva esclusa più IVA (+IVA)	taksvrij zonder belastingen

HYPER(-)CONCURRENTIEL, -IELLE (adj.) (*) 1. Qui peut parfaitement soutenir la confrontation libre avec d'autres vendeurs ou acheteurs. 2. Où la confrontation avec d'autres vendeurs ou acheteurs est très importante.

1. (137)	äusserst wettbewerbsfähig	highly competitive	hipercompetitivo	iperconcorrenziale	hyperconcurrentieel
2. (137)	hart umkämpft	highly competitive	hipercompetitivo	iperconcorrenziale	hyperconcurrentieel

HYPERCYCLE (n.m.) (*) 1. Cycle long.

1. (172)	der lange Zyklus	hypercycle	el hiperciclo	l'iperciclo (m.)	de lange cyclus (m.)

HYPERINFLATION (n.f.) (**) 1. Hausse continue et généralisée des prix très importante.

1. (328)	die Hyperinflation	hyperinflation	la hiperinflación	l'iperinflazione (f.)	de hyperinflatie (f.)

HYPERMARCHÉ (n.m.) (***) 1. Grande surface très étendue.

1. (573)	ein grosser Supermarkt	hypermarket	el hipermercado	l'ipermercato (m.)	de hypermarkt (m./f.)
		superstore			de supermarkt (m./f.)

HYPOCYCLE (n.m.) (*) 1. Cycle court.

1. (172)	der kurze Zyklus	hypocycle	el hipociclo	l'ipociclo (m.)	de korte cyclus (m.)

HYPOTHÉCAIRE (adj.) (****) 1. Qui se rapporte à un droit sur un bien immobilier accordé à qqn.

1. (428)	hypothekarisch (gesichert)	mortgage	hipotecario	ipotecario	hypothecair
(229)	Hypotheken-				

HYPOTHÈQUE (n.f.) (**) 1. Droit sur un bien immobilier accordé à qqn.

1. (229)	die Hypothek	mortgage	la hipoteca	l'ipoteca (f.)	de hypotheek (f.)

HYPOTHÉQUER (v.tr.dir.) (*) 1. Accorder à qqn un droit sur un bien immobilier.

1.	mit einer Hypothek belasten	to mortgage	hipotecar	ipotecare	hypothekeren
					met hypotheek bezwaren

I

IEP (*) (382) Irlande - livre.

IMBATTABLE (adj.) (**) 1. Très bas.

1. (284)	nicht zu unterbieten(d) unschlagbar	unbeatable	invencible	imbattibile	onklopbaar

IME (l'~ (m.)) (**) Institut monétaire européen.

(383)	das Europäisches Währungsinstitut (EWI)	European Monetary Institute (EMI)	el Instituto Monetario Europeo (IME)	l'Istituto Monetario Europeo (IME)	het Europees Monetair Instituut (EMI)

IMMATÉRIEL, -IELLE (adj.) (**) 1. Qui n'est pas visible.

1. (62) (84)	immateriell	intangible	inmaterial	immateriale	immaterieel

IMMOBILIER (n.m.) (****) 1. Commerce d'immeubles, de maisons, d'appartements (RQ).

1. (366)	das Immobiliengeschäft	real estate business	la inmobiliaria	il settore immobiliare	de vastgoedsector (m.)
	der Immobilienhandel	real estate market		l'edilizia (f.)	de immobiliën (plur.)

IMMOBILIER, -IÈRE (adj.) (****) 1. Qui se rapporte à qqch. qui ne peut être déplacé.

1. (62)	Grundstücks-	property	inmobiliario	immobile	onroerend
(21)	Immobilien-			immobiliare	

IMMOBILISATIONS (n.f.plur.) (***) 1. Biens qui sont destinés à être utilisés sur une longue période (Wagner).

1. (8)	die Vermögensgegenstände	tangible assets	los inmovilizados	le immobilizzazioni	de vaste activa (plur.)
	das Anlagevermögen	fixed assets	el activo inmovilizado		de vastgelegde middelen (plur.)

IMMUNISATION (n.f.) (**) 1. Dispense de qqch.

1. (271)	die Immunisierung	exemption	la exoneración	l'esonero (m.)	de vrijstelling (f.)
	die Freistellung		la inmunidad		

IMPARTITION (n.f.) (*) 1. Cession d'une partie de la production ou de la fourniture de services.

1. (442)	das Outsourcing	outsourcing	la cesión a servicios externos	l'outsourcing (m.)	de outsourcing (f.)
	die Verlagerung von Unternehmensaktivitäten nach draussen	contracting out	la externalización	il subappalto	

IMPAYABLE (adj.) (*) 1. Qui n'a pas de prix.

1. (406)	unbezahlbar	priceless	impagable	impagabile	onbetaalbaar

IMPAYÉ (n.m.) (*) 1. Effet de commerce, facture qui n'a pas été réglée.

1. (406)	die ausstehende Rechnung	outstanding payments	el impagado	gli effetti insoluti	de uitstaande rekeningen (plur.)
	der Aussenstand	outstanding accounts			de onbetaalde rekeningen (plur.)

IMPAYÉ, -ÉE (adj.) (*) 1. Qui n'a pas été réglé.

1. (406)	unbezahlt	unpaid	impagado	insoluto	onbetaald
	nicht bezahlt	dishonoured		non pagato	

IMPORT (n.m.) (**) 1. Abréviation de 'importation'.

1. (311)	die Einfuhr der Import	import	la importación	l'import (m.)	de import (m.) de invoer (m.)

IMPORTABLE (adj.) (*) 1. Qui peut être acheté à un pays étranger.

1. (311)	einfuhrbar importierbar	importable	importable	importabile	invoerbaar

IMPORTANT, -ANTE (adj.) (****) 1. Élevé.

1. (283)	wichtig bedeutend	high substantial	importante	considerevole	belangrijk aanzienlijk

IMPORTATEUR, IMPORTATRICE (n.) (***) 1. Agent économique qui achète des biens à l'étranger. 2. Société qui en fait son activité principale.

1. (310)	der Importeur der Importhändler	importer	el importador	l'importatore (m.)	de invoerder (m.) de importeur (m.)
2. (310)	der Importeur die Importgesellschaft	importer	la sociedad importadora	l'importatore (m.)	de invoerder (m.) de importeur (m.)

IMPORTATEUR, -TRICE (adj.) (*) 1. Qui achète des biens à l'étranger.

1. (311)	Einfuhr- Import-	importing	importador	importatore	invoerend

IMPORTATION (n.f.) (****) 1. Achat de biens à l'étranger. 2. (plur.) Biens achetés à l'étranger.

1. (309)	der Import die Einfuhr	importing importation	la importación	l'importazione (f.)	de invoer (m.) de import (m.)
2. (309)	die Importwaren	imports foreign goods	las importaciones	le importazioni	de ingevoerde producten (plur.)

IMPORTATION

➠ exportation - commerce

1 une importation **3** l'import **3** l'import-export	**2** un importateur, une importatrice	**3** importateur, -trice **3** importable	**3** importer

1 une IMPORTATION - [ɛ̃pɔʀtasjɔ̃] - (n.f.)

1.1. Opération d'achat de biens, de services ou de capitaux (X) d'un pays étranger par un agent économique (un particulier, une entreprise, un État - Y) d'un autre pays.
Ant. : une exportation.
Une des filiales du groupe détient l'exclusivité pour l'importation en France des mini-laboratoires de développement commercialisés par la firme japonaise.

1.2. (emploi au plur.) Ensemble des biens, des services ou des capitaux (X) que les agents économiques (un particulier, une entreprise, un État - Y) ont acheté à l'étranger.
Ant. : les exportations ; les produits nationaux > locaux.
Les importations restent souvent utiles dans les secteurs où les produits nationaux suffisent à faire face à la demande. Elles assurent en effet le maintien de la pression de la concurrence (B&C).

2.1. Adoption d'idées, de modes, de coutumes, ... venues de l'étranger.
L'importation d'habitudes culinaires de l'étranger fait que la gastronomie s'internationalise de plus en plus.

+ adjectif

TYPE D'IMPORTATION (sens 1.1.)

L'importation parallèle : importation faite en dehors des règles professionnelles ou des courants commerciaux établis (DC). < **L'importation clandestine** : importation effectuée par des voies illégales. *Le président américain a annoncé une série de mesures pour combattre les importations clandestines de textile.*

TYPE D'IMPORTATIONS (sens 1.2.)

Les importations + adjectif qui désigne un type de produits. Les importations textiles.

Les importations visibles : les biens et les services.

>< **Les importations invisibles** : les revenus financiers, la coopération technique ,...

LOCALISATION DES IMPORTATIONS (sens 1.2.)

Les importations mondiales : importations de tous les pays pris ensemble.

Les importations + adjectif qui désigne un (groupe de) pays. Les importations américaines.

+ nom

(sens 1.1.)

- **Un quota d'importation, un contingent d'importation** : quantité maximale d'une marchandise qu'il est permis d'importer pendant une période donnée. *Le quota d'importation de bananes latino-américaines sur le marché européen est porté de 2,5 à 2,8 millions de tonnes.* (☞ 310 + verbe).

La/les taxe(s) à l'importation, les droits à l'importation : impôt qui frappe certaines marchandises importées. *Ce pays pourra accéder plus facilement au marché européen grâce à l'exonération de taxes à l'importation de plus de 200 produits industriels.*

- **Une licence d'importation** : droit d'importer accordé par un État. *L'État contrôle l'importation au moyen de licences d'importation qui sont accordées en fonction de priorités nationales.*
- **Un produit d'importation**. (V. 444 production, 2).
- **Le prix à l'importation**. (V. 434 prix, 1).

(sens 1.2.)

Le contingentement des importations : fixation d'une quantité maximale de marchandises qu'il est permis d'importer pendant une période donnée. (☞ 310 + verbe). (V. 116 commerce, 1).

TYPE D'IMPORTATIONS (sens 1.2.)

Les importations de produits + adjectif qui désigne un type de produits. Les importations de produits industriels, manufacturés, alimentaires.

Les importations de + nom qui désigne un type de produits. Les importations de textile, de pétrole.

LOCALISATION DES IMPORTATIONS (sens 1.2.)

Les importations (en provenance) de + nom qui désigne un (groupe de) pays, une région. Les importations en provenance du Japon.

Les importations en/au, dans + nom qui désigne un (groupe de) pays, une région. Les importations en France (dans l'Union européenne) de produits japonais.

MESURE DES IMPORTATIONS (sens 1.2.)

Le volume des importations. *La croissance du commerce mondial des marchandises s'est accélérée grâce à l'augmentation du volume des importations des pays en développement, de sorte que le volume des importations a augmenté l'an dernier de 3%.*

+ verbe : qui fait quoi ?

(sens 1.1. et 1.2.)

Y (une entreprise, un État)	▽	**diminuer** l'/les ~ (de X)	une diminution de l'/des ~ (de X)	
		réduire l'/les ~ (de X)	une réduction de l'/des ~ (de X)	
→ l'/les ~ (de X)		**diminuer**	une diminution de l'/des ~ (de X)	
Y (une entreprise, un État)	△	**augmenter** l'/les ~ (de X)	une augmentation de l'/des ~ (de X)	
→ l'/les ~ (de X)		**augmenter**	une augmentation de l'/des ~ (de X)	
		croître	une croissance de l'/des ~ (de X)	
		être en hausse	une hausse de l'/des ~ (de X)	
Y (un Etat)	✓	**autoriser** l'/les ~ (de X)	une autorisation d'importer (X)	
		>< **interdire** l'/les ~ (de X)	une interdiction d'importer (X)	1
Y (un État)		**contingenter** l'/les ~ (de X) (☞ 309 + nom)	le contingentement des ~ (de X) un contingent (de X)	

1 *Pour des raisons de santé publique, le Japon a décidé d'interdire les importations de riz.*

2 un IMPORTATEUR, une IMPORTATRICE - [ɛ̃pɔʀtatœʀ, ɛ̃pɔʀtatʀis] - (n.)

1.1. Agent économique (une entreprise, un État) qui achète dans un pays étranger des biens, des services ou des capitaux.
Ant. : un exportateur.
Sur le plan international, la France, la Suisse et l'Union économique belgo-luxembourgeoise figurent parmi les principaux importateurs et exportateurs de services.

1.2. Agent économique (une société) dont l'occupation principale est le commerce d'importation.
Le groupe suisse Gyroflex a recouru pendant des années aux services d'un importateur pour écouler ses produits dans notre pays.

+ adjectif

TYPE D'IMPORTATEUR (sens 1.1. et 1.2.)

Un importateur indépendant : qui travaille pour son propre compte. *Les importateurs officiels tentent de faire croire aux automobilistes qui ont préféré s'adresser à un importateur indépendant qu'ils ne peuvent bénéficier de la garantie du constructeur.*

Un importateur exclusif : qui est le seul à pouvoir importer un produit particulier.

Un importateur officiel. *L'importateur officiel de cette marque de voitures met en garde les acheteurs potentiels que les importateurs parallèles ne sont pas en mesure de garantir un service après-vente impeccable.*

>< **Un importateur parallèle**. (V. 309 1 importation).

CARACTÉRISATION DE L'IMPORTATEUR (sens 1.1. et 1.2.)

Un petit importateur. >< **Un gros importateur**.

+ nom

(sens 1.1. et 1.2.)

- **Un importateur de** + nom qui désigne un type de produits. Un importateur de vin.

3 AUTRES DÉRIVÉS OU COMPOSÉS

- **L'import** [ɛ̃pɔʀ] (n.m.) : abréviation très peu courante du mot 'importation'.
- **L'import-export** [ɛ̃pɔʀɛkspɔʀ] (n.m.) : commerce de produits importés et exportés.
  Faire de l'import-export, être dans l'import-export ; une maison d'import-export, une société d'import-export.
- **Importateur, -trice** [ɛ̃pɔʀtatœʀ, -tʀis] (adj.) : (une entreprise, un pays) qui achète des biens, des services ou des capitaux dans un pays étranger.
  Un pays importateur de pétrole.
- **Importable** [ɛ̃pɔʀtabl(ə)] (adj.) : qu'il est permis ou possible d'importer.
- **Importer** [ɛ̃pɔʀte] (v.tr.dir.) : un agent économique (un particulier, une entreprise, un État) achète dans un pays étranger des biens, des services ou des capitaux. (Ant. : **exporter**). *Le Japon importe plus de 50 % de son énergie.*
  Importer un produit (en provenance) de + nom d'un (groupe de) pays. **Importer illégalement, en contrebande** : importer par des voies illégales sans respecter les dispositions réglementaires.

IMPORTER (v.tr.dir.) (****) 1. Acheter des biens à l'étranger.

1. (311)	einführen importieren	to import	importar	importare	invoeren importeren

IMPORT-EXPORT (n.m.) (**) 1. Commerce de produits vendus et achetés à l'étranger.

1. (311)	der Import-Export die Einfuhr-Ausfuhr	import-export (business)	la importación-exportación	l'import-export (m.)	de import-export (m.)

IMPOSABLE (adj.) (****) 1. Qui peut être soumis à un prélèvement obligatoire par les pouvoirs publics.

1. (316)	steuerpflichtig besteuert werden	taxable liable to tax	imponible	imponibile	belastbaar

IMPOSER (v.tr.dir.) (***) 1. Soumettre à un prélèvement obligatoire par les pouvoirs publics.

1. (316)	besteuern mit einer Steuer belegen	to tax to levy a tax on	someter a (un impuesto) imponer	sottoporre a imposizione	belasten aan een belasting onderwerpen

IMPOSITION (n.f.) (****) 1. Détermination d'une somme d'argent à prélever obligatoirement. 2. Résultat de la détermination de cette somme d'argent.

1. (315)	die Besteuerung	tax assessment	la imposición	l'imposizione (f.) la tassazione	de belasting (f.) de heffing (f.)
2. (315)	die Steuer	taxation	la tributación	l'accertamento fiscale (m.)	de aanslag (m.)

IMPÔT (n.m.) (****) 1. Somme d'argent prélevée de façon obligatoire par les pouvoirs publics. 2. (plur.) Système fiscal

1. (311)	die Steuer die Abgabe	tax	el impuesto la contribución	l'imposta (f.) il tributo	de belasting (f.)
2. (311)	das Steuersystem	Tax (system)	los impuestos	le imposte	het belastingstelsel

IMPÔT

➠ **fiscalité - taxe**

1 un impôt 2 une imposition		3 imposable	4 imposer

1 un IMPÔT - [ɛ̃po] - (n.m.)

1.1. Somme d'argent que les pouvoirs publics (l'État, les régions ou les collectivités locales - X) prélèvent de façon obligatoire et sans contrepartie directe sur les ressources des agents économiques (les contribuables : les particuliers, les entreprises, ... - Y) pour financer les dépenses publiques, des régions et des collectivités locales et pour réguler l'activité économique.

Syn. : (☞ 314 Pour en savoir plus, Impôt (sens 1.1.) et synonymes).

La ville de Bruxelles a instauré un impôt sur les surfaces de bureaux.

1.2. (au plur.) Système fiscal, ensemble des contributions.

Certaines richesses sont facilement repérables par les impôts.

expressions

(sens 1.1.)

- **Avant impôts** (souvent au singulier : **impôt**). *Notre groupe prévoit une croissance de plus de 10 % du chiffre d'affaires consolidé et de son résultat avant impôts pour l'ensemble de l'année prochaine.*
  >< **Après impôts** (souvent au singulier : **impôt**).
- **Net d'impôt(s)** : exempté d'impôts. *Un placement sans risques rapportant un dividende annuel net d'impôts de 7 %, c'est rare.*
  >< **Brut d'impôt(s)** : non exempté d'impôts.
- **L'impôt tue l'impôt** : à partir d'un certain taux, la fiscalité freine les incitations au travail et à l'investissement (Silem).
- **Impôt unique, impôt inique** (Voltaire) : un impôt qui ne tient pas compte des capacités contributives de chacun est injuste.

+ adjectif

TYPE D'IMPÔT (sens 1.1.)

Un impôt direct : impôt qui frappe les revenus professionnels, mobiliers et immobiliers ainsi que les bénéfices et qui est versé au fisc par **le contribuable**. (Syn. : (peu fréq.) **les contributions directes**). *La lutte contre la fraude fiscale vise le monde des affaires puisque les salariés n'ont pratiquement pas de marge de manœuvre pour échapper au paiement des impôts directs.*

>< **Un impôt indirect** : impôt qui frappe des produits, des transactions commerciales et des prestations de services et qui est versé au fisc par les entreprises, mais payé par les clients de ces entreprises. (Syn. : (peu fréq.) **les contributions indirectes**). La personne qui acquitte un impôt indirect est **un redevable**. *Un impôt indirect est un impôt aveugle puisqu'il ne tient pas compte de la situation financière de chaque personne.*

Un impôt foncier : impôt qui frappe les biens immeubles. *Les producteurs bourguignons payent plus cher leur hectare de vignes et l'impôt foncier.* (Syn. : (moins fréq.) **une taxe foncière**). (F) **L'impôt foncier sur les propriétés bâties** et **sur les propriétés non bâties**. (B) **Le précompte immobilier**. (V. 493 revenu, 1).

Un impôt progressif : impôt qui s'accroît avec l'augmentation du revenu imposable. *L'impôt progressif est souvent présenté comme un facteur de redistribution parce qu'il diminue les écarts avant et après impôt.*

>< **Un impôt régressif** : impôt calculé au moyen d'un taux uniforme, et représentant de ce fait un pourcentage de plus en plus faible du revenu du contribuable au fur et à mesure que celui-ci s'accroît (Ménard).

>< **Un impôt dégressif** : au lieu de taxer plus que proportionnellement les hauts revenus, on taxe moins que proportionnellement les faibles revenus (Silem).

Un impôt général : impôt qui frappe toutes les sources de revenus.

>< **Un impôt spécial** : impôt qui frappe une source précise de revenus ou de produits. *Le gouvernement a décidé de lever un impôt spécial pour combler l'important déficit de la sécurité sociale.*

Un impôt forfaitaire : impôt dont la somme est fixée d'avance.

Les impôts réels : impôts qui frappent les revenus et les biens sans tenir compte de la personne et de la capacité contributive du contribuable, p. ex. l'impôt sur la consommation.

>< **Les impôts personnels** : impôts qui frappent les revenus et les biens en tenant compte de la capacité contributive du contribuable, p. ex. l'impôt sur le revenu.

Un impôt négatif : allocation accordée par les pouvoirs publics à des individus défavorisés pour leur assurer des ressources minimales, p. ex. le revenu minimum d'insertion.

Un impôt compensatoire : impôt qui tente de neutraliser un effet. *L'impôt compensatoire sur les revenus mobiliers élevés a été unanimement qualifié de discriminatoire.*

CARACTÉRISATION DE L'IMPÔT (sens 1.1.)

Un nouvel impôt.

NIVEAU DE L'IMPÔT (sens 1.1.)

Un impôt élevé.

LOCALISATION DE L'IMPÔT (sens 1.1.)

Les impôts locaux : impôts perçus au profit des communes (Syn. : (B) **Une taxe communale,** (F) **une taxe locale,** (S) **un impôt communal,** (Q) **une taxe municipale**), des régions, ...

>< **Un impôt national** : impôt qui touche tous les habitants d'un État. *Beaucoup d'États ont introduit des impôts nationaux, principalement sur les voitures, à côté de la TVA.*

+ nom

(sens 1.1.)

- **Un impôt sur** + nom d'un revenu, d'un produit ou d'un service. Un impôt sur la/les plus-value(s) ; sur les opérations de bourse.
- **Une déclaration d'impôt(s)** : document sur lequel un contribuable doit indiquer ses revenus et ses charges. (Syn. : **une feuille (de déclaration) d'impôt(s), une déclaration fiscale, une déclaration de revenus**). *Un salarié doit indiquer dans sa déclaration d'impôt le*

montant exact des avantages de toute nature qu'il a obtenus de son employeur. **Une déclaration frauduleuse. Une déclaration tardive.** (Un particulier) **remplir sa déclaration d'impôt(s)**. (Un particulier) **retourner la déclaration d'impôt(s) dûment remplie**.

- **Le code des impôts** : ensemble de la réglementation des impôts.
- **Un crédit d'impôt** : équivalent d'un acompte d'impôt (retenu à la source) et dont le contribuable pourra faire état lors de son imposition globale. *Un contrat d'assurance-vie souscrit en Belgique permet à son souscripteur de bénéficier d'un crédit d'impôt, c'est-à-dire que les primes versées viennent diminuer l'impôt.*
- **Une économie d'impôt**. (V. 213 économie, 1).
- **Le produit de l'impôt**. (V. 445 production, 2).
- **La progressivité de l'impôt**. (☞ 312 + adjectif).
- **L'assiette de l'impôt**. (V. 316 3 imposable).

TYPE D'IMPÔT (sens 1.1.)

L'impôt sur les revenus des personnes physiques (l'IRPP) : impôt direct progressif et personnalisé qui frappe les revenus des particuliers et qui tient donc compte du niveau des revenus et des charges. ((B) **l'impôt des personnes physiques (l'IPP)**, (Q) **l'impôt sur le revenu des particuliers**). (☞ 315 Pour en savoir plus, Paiement de l'impôt sur les revenus des personnes physiques).

L'impôt sur le(s) revenu(s). *La progressivité excessive de l'impôt sur les revenus accroît exagérément le coût de la main-d'œuvre hautement qualifiée.*

(B, S) **L'impôt des sociétés (l'ISOC)**. (F, Q) **L'impôt sur les (bénéfices/revenus des) sociétés (l'IS)** : impôt direct qui frappe les bénéfices imposables des sociétés de capitaux avant tout.

Un impôt sur le capital, sur le patrimoine : impôt qui frappe le patrimoine. (F) **L'impôt de solidarité sur la fortune (l'ISF)** : impôt direct qui frappe les familles qui ont leur domicile fiscal en France et dont la fortune dépasse un certain niveau.

Un impôt sur la/à la/de consommation : impôt indirect qui frappe tous les consommateurs de la même façon, quel que soit leur revenu, lors d'une transaction commerciale. (Syn. : **une taxe sur la/à la/de consommation**). *La TVA est un impôt sur la consommation qui frappe le consommateur final.* (S) **Les impôts de consommation spéciaux**. (☞ 315 Pour en savoir plus, Impôt (sens 1.1.) et synonymes).

L'impôt des non-résidents : impôt direct qui frappe les personnes qui ne sont pas domiciliées dans un pays.

(B) **L'impôt des personnes morales** : impôt qui frappe les organisations du secteur marchand et non marchand.

Un impôt de quotité : impôt dont seul le tarif est fixé sans déterminer à l'avance la recette totale de l'impôt.

>< **Un impôt de répartition** : impôt dont la recette totale est fixée à l'avance, mais dont le taux ne l'est pas.

Un impôt sur la /les plus-value(s). (V. 423 plus-value, 1).

CARACTÉRISATION DE L'IMPÔT (sens 1.1.)

Le poids de l'impôt. *À cause des mesures gouvernementales, le poids de l'impôt s'est allégé pour les revenus supérieurs, alors qu'il a augmenté pour les revenus inférieurs.*

MESURE DE L'IMPÔT (sens 1.1.)

Le taux de l'impôt, le barème de l'impôt. (V. 316 2 imposition).

Le montant de l'impôt.

+ verbe : qui fait quoi ?

(sens 1.1.)

X	×	**instaurer** un ~	l'instauration d'un ~	
		lever un ~	la levée d'un ~	
		introduire un ~	l'introduction d'un ~	1
		>< **annuler** un ~	l'annulation d'un ~	
X		**soumettre** Y **à** un ~	la soumission de Y à un ~	
		assujettir Y **à** un ~	l'assujettissement de Y à un ~ l'assujetti à un ~	
		>< **dispenser** Y d'un ~	-	2
X		**prélever** un ~ (sur un revenu, ...)	le prélèvement d'un ~ (sur ...)	
un ~		**frapper** Y, un revenu,...	-	3
un ~		**être dû** (à X)	-	
Y		**être assujetti à** l'~	l'assujettissement (de Y) à l'~ l'assujetti à un ~	4
		être redevable d'un ~	la personne redevable d'un ~	

Y, une somme, un revenu		><**être exonéré d'**~ **être exempté d'**~	une exonération d'~ une exemption d'~	5
		↓		
X		**calculer** l'~ **établir** l'~	le calcul de l'~ l'établissement de l'~	
		↓		
Y		**payer** ses ~	le paiement de ses ~	
		s'acquitter de ses ~		
		acquitter un ~	l'acquittement d'un ~	6
>< X		**percevoir** un ~	la perception d'un ~	
		recouvrer un ~	le recouvrement d'un ~	
		enrôler un ~	l'enrôlement d'un ~	
		↓		
X		**rembourser** une part des ~ perçus	le remboursement d'une part ...	9
une somme, un avantage, Y		**échapper à** l'	-	7
Y		**éviter** l'~	l'évitement de l'~	8
		éluder l'~	l'élusion de l'~ (V. 271 fiscalité, 3)	
Y	▽	**imputer** une somme **sur** un ~	l'imputation d'une somme sur l'~	9
→ une somme		**être imputée sur** un ~	une somme imputable	
		être déduite d'un ~	la déduction d'une somme d'un ~	
			une somme déductible	
l'~	=	**s'élever à** **être de** + un montant, un pourcentage	-	
X	△	**augmenter** les ~	une augmentation des ~	
		relever les ~	un relèvement des ~	
		majorer les ~	une majoration des ~	
les ~	✓	**être en hausse**	une hausse des ~	
		augmenter	une augmentation des ~	
X	▽	**réduire** les ~	une réduction des ~	
		baisser les ~	une baisse des ~	
		alléger les ~	un allégement des ~	8
		abaisser les ~	un abaissement des ~	
→ les ~		**baisser**	une baisse des ~	

1 *L'impôt introduit par la loi du 27 décembre 1997 a été purement et simplement supprimé parce qu'il était peu compréhensible pour le particulier.*
2 *Il est normal que les personnes aux ressources particulièrement faibles soient dispensées de l'impôt.*
3 *L'impôt sur le revenu frappe surtout les contribuables les moins mobiles : les salariés.*
4 *Certaines charges familiales sont déductibles pour les contribuables assujettis à l'impôt sur les revenus.*
5 *Le contribuable peut retenir un montant exonéré d'impôt pour chaque enfant de moins de trois ans.*
6 *L'impôt à acquitter s'élève à plus d e 10000 euros.*
7 *De nombreux avantages accordés par les entreprises à leurs cadres échappent à l'impôt.*
8 *L'évasion fiscale est une technique mise en œuvre en vue d'éviter ou d'alléger l'impôt par le recours à des techniques plus ou moins sophistiquées.*
9 *La somme que le fisc doit restituer sera, soit imputée sur l'impôt des personnes physiques encore dû, soit remboursée effectivement.*

Pour en savoir plus

IMPÔT (sens 1.1.) ET SYNONYMES

Un impôt, une contribution. 'Impôt' représente le point de vue des pouvoirs publics : prélèvement d'une part des revenus imposé par les pouvoirs publics. 'Contribution' indique la même somme d'argent, mais considérée du point de vue du contribuable : part des ressources avec laquelle il contribue au fonctionnement des pouvoirs publics. (V. 151 contribution, 1).

Une taxe : impôt prélevé par les pouvoirs publics sur les transactions commerciales et sur les prestations de services (la TVA), sur les biens immobiliers des particuliers, sur certains services publics (l'enlèvement des ordures ménagères p. ex.). (V. 542 taxe, 1).

Un droit. 1. Taxe (dans le domaine juridique). (B) **Les (droits d')accises**, (F, Q) **les droits d'accise**: impôt indirect sur les tabacs, les alcools, ... (Syn. : (S) **les impôts de consommation spéciaux**). **Les droits d'enregistrement** : impôt perçu lors de l'inscription officielle de certaines opérations, p. ex. les actes d'achat de biens immobiliers. **Les droits de douane** : taxe perçue lors de l'entrée de marchandises dans un pays. {**un douanier, une douanière, douanier**}. (S) **Le droit de timbre** : impôt fédéral sur l'émission d'actions, d'obligations, de certificats de fonds de placement, de contrats et primes d'assurance et sur leur commerce. - 2. Somme d'argent exigée pour participer à qqch. **Les droits d'inscription** (à l'université p. ex.).

Un prélèvement : action de prendre d'avance un montant déterminé sur une somme d'argent. **Un prélèvement à la source** : impôt déduit immédiatement du revenu, des intérêts, des dividendes. (F) **Le prélèvement libératoire** : somme prélevée sur les revenus de capitaux mobiliers et qui représente l'impôt dû sur ces revenus. ((B) **le précompte mobilier**).

Un avis de prélèvement. (V. 402 paiement, 1). {**prélever**}.

La distinction entre les domaines d'application de tous ces termes n'est pas toujours très précise. Faites attention aux combinaisons spécifiques de chacun de ces mots.

Une redevance : somme d'argent à payer par un agent économique pour l'utilisation de certains services offerts (p. ex. **la redevance radio-télévision** à l'État), d'installations appartenant à un tiers (p. ex. la location d'une salle), ... *Grâce à la publicité, les prix des abonnements aux journaux et revues ainsi que les redevances TV et radio peuvent être maintenus à un niveau relativement bas.*

{**un, une redevable** (personne obligée de verser un impôt indirect), **redevable** (1. Qui est débiteur de qqch. **Être redevable d'une somme**. - 2. Qui est soumis à un impôt indirect.)}.

Un péage. 1. Droit de passage que doit payer l'usager qui veut emprunter un pont, une autoroute. - 2. Endroit où l'on paie un droit de passage.

PAIEMENT DE L'IMPÔT SUR LES REVENUS DES PERSONNES PHYSIQUES

(B) Le **précompte professionnel**, dont le montant varie en fonction du salaire et de la situation familiale, est prélevé sur le salaire mensuel avec un décompte en fin d'exercice d'imposition.

(F) Le paiement est effectué au moyen de deux **tiers provisionnels** avec un décompte en fin d'exercice d'imposition, ou grâce à des **prélèvements mensuels**.

(Q) Le paiement est effectué au moyen d'un prélèvement sur les salaires (**une retenue à la source**).

(S) Cet impôt peut être acquitté en une fois, en trois fois (trois **tranches** trimestrielles) ou en neuf fois (trois **acomptes** par tranche sur les neuf derniers mois de l'année) dans l'année.

Le contribuable peut profiter d'un certain nombre de réductions :

(B, F, S) **Le quotient familial**: allégement d'impôt accordé pour prendre en compte les charges familiales. *Un ménage paie d'autant moins d'impôts qu'il a d'enfants à charge, grâce au quotient familial.*

Une exonération fiscale {**exonérer** une somme ; un agent économique (d'un impôt ; d'un paiement)}, **une immunisation fiscale**, **une exemption fiscale**, **un abattement fiscal**, (moins fréq.) **un allégement fiscal**. (V. 271 fiscalité, 3).

Le décompte des impôts à payer par le contribuable ou à restituer par le fisc s'appelle **l'avis d'imposition** ((B) **l'avertissement-extrait de rôle**, (S) **la notification de la taxation**).

(B) **Les versements anticipés**. (V. 576 versement, 1). (F, Q) **Un acompte provisionnel**. (S) **Une tranche** ; **un acompte**.

2 une IMPOSITION - [ɛ̃pozisjɔ̃] - (n.f.)

1.1. Détermination par les pouvoirs publics (l'État, les régions ou les collectivités locales - X) d'une somme d'argent à prélever de façon obligatoire et sans contrepartie directe sur les ressources des agents économiques (les contribuables : les particuliers, les entreprises, ...) pour financer les dépenses publiques et pour réguler l'activité économique.

Les quatre phases de l'imposition sont : la détermination de la matière imposable, la fixation de l'assiette fiscale, le calcul de l'impôt et son recouvrement.

1.2. Résultat de l'imposition (sens 1.1.).

Syn. : un taux d'imposition.

Un taux d'imposition limité à 5 % devrait attirer plus d'investisseurs dans notre pays.

+ adjectif

TYPE D'IMPOSITION (sens 1.1.)

Une double imposition : deux impôts levés sur le même revenu, sur la même somme. *Des conventions entre pays en matière de fiscalité permettent d'éviter la double imposition de certains revenus.*

Une imposition forfaitaire : impôt dont le montant est fixé d'avance.

+ nom

(sens 1.1.)

- **La base d'imposition**, **l'assiette d'imposition**. (V. 316 3 imposable).
- **Le régime d'imposition** : ensemble de la réglementation fiscale qui touche une catégorie de personnes ou de revenus. *Le gouvernement a accordé un régime d'imposition favorable aux entreprises qui s'implantent dans les régions à activité économique réduite.*

(sens 1.2.)

Un avis d'imposition. (V. 315 1 impôt).

TYPE D'IMPOSITION (sens 1.1.)

L'imposition des revenus. (Syn. : **la taxation des revenus**).

Une imposition d'office : imposition supplémentaire établie de façon autoritaire par l'administration fiscale comme sanction. *Autre cause du contentieux fiscal : l'imposition d'office pour absence de déclaration.*

NIVEAU DE L'IMPOSITION (sens 1.2.)

Le taux moyen d'imposition, le taux d'imposition moyen. < **Le taux d'imposition le plus élevé**.

Un taux d'imposition unique.

MESURE DE L'IMPOSITION (sens 1.1.)

Le délai d'imposition. *Si la déclaration n'a pas été rentrée à temps, le fisc dispose d'un délai d'imposition plus long.*

Un exercice d'imposition : période pour laquelle est établi l'impôt. Celui-ci porte sur les revenus de l'année précédente. (Syn. : **un exercice fiscal, une année fiscale**).

MESURE DE L'IMPOSITION (sens 1.2.)

Le taux d'imposition (frappant un revenu) : pourcentage d'impôt sur un revenu imposable. (Syn. : **le taux de l'impôt, le barème de l'impôt, le barème fiscal, le tarif**). *Le gouvernement examine une proposition selon laquelle tous les subsides aux entreprises seraient supprimés au profit d'une réduction du taux d'imposition des sociétés.*

Le taux marginal d'imposition: taux d'imposition qui frappe la tranche supérieure du revenu imposable.

+ verbe : qui fait quoi ?

(sens 1.1.)

X	**procéder à** l'~	-

(sens 1.2.)

X	**établir** l'~ **calculer** l'~	l'établissement de l'~ le calcul de l'~
	↓	
X	**rectifier** l'~	la rectification de l'~

3 IMPOSABLE - [ɛ̃pozabl(ə)] - (adj.)

1.1. Qui peut être soumis au prélèvement obligatoire et sans contrepartie directe d'une somme d'argent par les pouvoirs publics (l'État, les régions ou les collectivités locales) pour financer les dépenses publiques et pour réguler l'activité économique.

Les frais de stages et de séminaires sont-ils déductibles des revenus imposable s?

+ nom

- **La matière imposable** : actif ou opération qui est à la source de l'impôt : un revenu, un capital, un bien, un produit ou un service. *Le nouvel article du code fiscal étend la matière imposable aux revenus de toutes créances.*

  Un/les revenu(s) imposable(s). (V. 493 revenu, 1).

  Le bénéfice imposable. (V. 57 bénéfice, 1).

  Une/des plus-value(s) imposable(s). (V. 422 plus-value, 1).
- **La base imposable** : somme qui sert de base au calcul de l'impôt. (Syn. : (moins fréq.) **la base d'imposition, l'assiette de l'impôt, l'assiette fiscale, l'assiette d'imposition**).

MESURE DE L'IMPOSITION

Une période imposable : période pendant laquelle les revenus ont été perçus et pour laquelle un impôt est dû.

4 AUTRES DÉRIVÉS OU COMPOSÉS

- **Imposer** [ɛ̃poze] (v.tr.dir.). (Syn. : **lever un impôt, taxer**). *Les dernières mesures fiscales ont pour but de dissuader la spéculation et d'imposer davantage les ménages les plus fortunés.*

  Imposer lourdement un revenu.

IMPRODUCTIF, -IVE (adj.) (**) 1. Qui ne présente pas un bon rapport entre la quantité produite et la quantité de facteurs de production utilisée.

1. (451)	unproduktiv unrentabel	unproductive	improductivo	improduttivo	onproductief

IMPRODUCTIVITÉ (n.f.) (**) 1. Absence de bon rapport entre la quantité produite et la quantité de facteurs de production utilisée.

1. (451)	die Unrentabilität die Unwirtschaftlichkeit	unproductiveness	la improductividad	l'improduttività (f.)	de onproductiviteit (f.)

IMPUTABLE (adj.) (***) 1. Qui peut être porté en compte.

1. (126)	anrechenbar	chargeable	imputable	imputabile	te boeken op
(314)	ist anzurechnen (auf)				

IMPUTATION (n.f.) (**) 1. Fait de porter une somme d'argent en compte.

1. (126)	die Anrechnung die Verrechnung	allocation	la imputación el abono en cuenta	l'imputazione (f.)	de boeking (f.)

IMPUTER (v.tr.dir.) (**) 1. Porter une somme d'argent en compte.

1. (126)	anrechnen (hin)zurechnen	to attribute to charge to an account	imputar abonar una partida en cuenta	imputare	boeken in de begroting inschrijven

INACTIF (n.m.) (**) 1. Personne qui n'exerce pas d'activité professionnelle rémunérée.

1. (10)	der Nichterwerbstätige	the non-working person the non-working population	el inactivo	i non occupati	de niet actieve bevolking (f.)

INACTIF, -IVE (adj.) (**) 1. Qui n'exerce pas d'activité professionnelle rémunérée.

1. (10)	nicht erwerbstätig nicht berufstätig	non-working	inactivo	inattivo	inactief niet actief

INACTIVITÉ (n.f.) (**) 1. Situation d'une personne qui n'exerce pas d'activité professionnelle rémunérée.

1. (101)	die (berufliche) Inaktivität	inactivity	la inactividad	l'inattività (f.) (essere in) aspettativa	de inactiviteit (f.)

INCONSOMMABLE (adj.) (*) 1. Qui ne peut pas être employé pour satisfaire un besoin.

1. (144)	ungeniessbar	unfit for consumption	inconsumible	inconsumabile	niet voor consumptie geschikt

INCONVERTIBLE (adj.) (*) 1. Qui ne peut pas être échangé contre la quantité d'or qu'il représente.

1. (380)	nicht umtauschbar nicht konvertierbar	inconvertible	inconvertible	inconvertibile	niet omwisselbaar oninwisselbaar

INCORRUPTIBLE (adj.) (*) 1. Qui ne peut pas être payé pour faire un acte illicite.

1. (480)	unbestechlich	incorruptible	incorruptible	incorruttibile	onkreukbaar

INCOTERM(E)S (n.m.plur.) (*) 1. Conventions qui fixent les conditions de vente.

1. (117)	die Incoterms	incoterms	los incoterms	gli incoterms	de incoterms (plur.)

INDÉCIS, -ISE (adj.) (**) 1. Qui n'est pas bien déterminé.

1. (282)	unentschlossen (personne) unentschieden	unsettled (marché) undecided (personne)	indeciso	indeciso	onbeslist

INDEMNISATION (n.f.) (***) 1. Dédommagement.

1. (26) (406)	die Entschädigung	compensation indemnification	la indemnización	l'indennizzo (m.) il risarcimento	de schadeloosstelling (f.) de vergoeding (f.)

INDEMNISER (v.tr.dir.) (***) 1. Dédommager.

1. (26) (406)	entschädigen	to compensate to indemnify	indemnizar	indennizzare risarcire	schadeloosstellen vergoeden

INDEMNITAIRE (adj.) (*) 1. Qui représente un dédommagement.

1. (26)	Entschädigungs-	compensatory	indemnizador compensador	a titolo di indennizzo	schadeloosstellend

INDEMNITAIRE (n.) (*) 1. Personne qui reçoit un dédommagement.

1. (26)	der Entschädigte der Empfänger der Entschädigung	beneficiary compensated person	el indemnizado	l'indennizzato (m.)	de begunstigde (m.) de ontvanger (m.) van een vergoeding

INDEMNITÉ (n.f.) (****) 1. Allocation. 2. Somme d'argent reçue comme dédommagement.

1. (25)	die Entschädigung	allowance	la indemnización el subsidio	l'indennità (f.) l'indennizzo (m.)	de uitkering (f.)
2. (25) (406)	die Vergütung	compensation indemnity	la indemnidad la indemnización	il risarcimento	de schadeloosstelling (f.) de vergoeding (f.)

INDÉPENDANT, -ANTE (adj.) (****) 1. Qui ne dépend pas d'une autre personne, d'un autre organisme.

1. (224) (114)	unabhängig	independent	independiente	indipendente	zelfstandig(e)

INDÉPENDANT, INDÉPENDANTE (n.) (****) 1. Personne qui fait un travail pour son propre compte.

1. (558)	der freie Mitarbeiter der Freiberufler	self-employed worker freelance worker	el independiente	il lavoratore autonomo	de zelfstandige (m.)

INDEX (n.m.) (****) 1. Indice des prix à la consommation.

1. (433)	der Index	index	el índice	l'indice (m.)	de index (m.)

INDEXATION (n.f.) (***) 1. Fait de relier les variations d'une variable à celles d'une valeur de référence.

1. (433)	die Indexierung die Indexbindung	index-linking indexing	la indexación el ajustamiento	l'indicizzazione (f.)	de indexering (f.)

INDEXER (v.tr.dir.) (***) 1. Relier les variations d'une variable à celles d'une valeur de référence.

1. (433)	indexieren	to index to index-link	indexar ajustar de acuerdo con	indicizzare	indexeren

INDEX-SANTÉ (n.m.) (*) 1. Indice des prix à la consommation corrigé (sans variations de prix de l'alcool, des carburants, ...).

1. (433)	der Preisindex	index which does not take into account oil and alcohol prices	el índice sanitario	l'indice generale dei prezzi dedotte le variazioni di alcol, benzina	de gezondheidsindex (m.)

INDICATEUR (n.m.) (****) 1. Mesure synthétique de l'évolution d'un phénomène.

1. (318)	der Indikator	indicator	el indicador	l'indicatore (m.)	de indicator (m.)

INDICATEUR

mot-outil

1 un indicateur		2 indicatif, -ive	

1 un INDICATEUR - [ɛ̃dikatœʀ] - (n.m.)

1.1. Quantité qui mesure de façon synthétique l'évolution d'une variable ou d'un phénomène économique ou financier important pour la politique économique et l'évaluation de ses résultats.
Bonne nouvelle pour nos entreprises : quatre indicateurs fondamentaux, l'emploi, la croissance, les prix et le solde extérieur, offrent des perspectives plus encourageantes.

+ adjectif

TYPE D'INDICATEUR

Un indicateur économique. (V. 215 économie, 2). **Un indicateur macro-économique**. >< **Un indicateur micro-économique**.

Les indicateurs sociaux : données concernant p. ex. la rémunération ou les conditions de travail et qui servent à corriger les indicateurs économiques.

Un indicateur conjoncturel. (V. 139 conjoncture, 2).

Un indicateur synthétique : indicateur qui fait la synthèse d'une série d'indicateurs conjoncturels. (Syn. : **un indice composite des indicateurs économiques**). *La contre-performance de notre indicateur synthétique n'est pas déterminante : le mouvement conjoncturel demeure orienté à la hausse.*

Un indicateur lissé : indicateur qui traduit les tendances fondamentales en neutralisant les variations extrêmes. *Malgré une poussée de fièvre sur les cours en fin de semaine, l'indicateur lissé a peu varié depuis quelques semaines.*

Un indicateur prévisionnel : qui permet de prévoir les évolutions futures.

CARACTÉRISATION DE L'INDICATEUR

Un indicateur encourageant : qui laisse prévoir une évolution positive. *La bonne tenue des investissements est un indicateur encourageant.*

+ nom

TYPE D'INDICATEUR

Un indicateur de + nom qui indique un phénomène ou une variable économique. Un indicateur de compétitivité (V. 122 compétitivité, 1); de marché.

Un indicateur de tendance. (Syn. : **un indice boursier**). *Les principaux indicateurs de tendance, dont le Dow Jones, ont terminé la journée sur un repli de 1 % environ.*

Un indicateur de confiance. *L'indicateur de confiance des consommateurs en baisse sensible confirme que l'économie se dirige tout droit vers la récession.*

Un indicateur d'alerte : indicateur conjoncturel dont le dépassement est un signal pour le responsable économique pour qu'il intervienne dans le but de ne pas compromettre la réalisation de certains objectifs (Silem). (Syn. : **un clignotant, un avertisseur**). *Cinq indicateurs d'alerte ont été définis et liés à cinq objectifs distincts : les prix, les échanges extérieurs, la production, l'investissement productif et l'emploi* (B&C).

Un indicateur de position : données concernant la situation d'une entreprise ou d'un secteur économique à un moment donné.

+ verbe : qui fait quoi ?

un ~	**confirmer**	une tendance un phénomène	la confirmation d'une tendance	1
un ~	**évoluer**		l'évolution d'un ~	

un ~		**afficher** une hausse >< une baisse, une forme olympique ,...	-	2
un ~		**virer au vert** **>< virer au rouge**	- -	3
un ~	△	**être en hausse** **être orienté à la hausse** **s'améliorer**	la hausse d'un ~ la hausse d'un ~ une amélioration d'un ~	
un ~	▽	**être en baisse** **être orienté à la baisse**	la baisse d'un ~ la baisse d'un ~	

1 *Tous les indicateurs disponibles confirment une progression des investissements des entreprises de quelque 10 % en volume.*
2 *L'indicateur conjoncturel affiche une avance de 1 % à peine pour notre pays, contre une croissance de 1,7 % pour nos principaux partenaires commerciaux.*
3 *Notre pays bénéficie de la reprise économique et voit enfin ses principaux indicateurs économiques virer au vert ... pâle.*

Pour en savoir plus

REGROUPEMENT D'INDICATEURS

Un tableau de bord : document analytique qui permet de rendre compte de la marche d'une entreprise dans les domaines les plus importants (financement, production, distribution, gestion des ressources humaines) ou de la conjoncture en général. *Un voyant vert est allumé au tableau de bord de notre économie : la croissance a repris à la fin de l'année dernière.*

2 AUTRES DÉRIVÉS OU COMPOSÉS

- **Indicatif, -ive** [ɛ̃dikatif, -iv] (adj.) : qui signale une tendance. **À titre indicatif**. *Voici, à titre indicatif, les prix qui ont cours sur le marché de l'acier.* **Un cours indicatif** (V. 69 bourse, 1). **Un prix indicatif** (V. 432 prix, 1).

INDICATIF, -IVE (adj.) (***) 1. Qui signale une tendance.

1. (319)	aufschlussreich annähernd	indicative	indicativo	indicativo	indicatief

INDICE (n.m.) (****) 1. Variable quantitative qui mesure l'évolution d'un phénomène.

1. (319)	der Index die Indexzahl	index	el índice	l'indice (m.)	het indexcijfer

INDICE

mot - outil

1 un indice		2 indiciel, -ielle	

1 un INDICE - [ɛ̃dis] - (n.m.)

1.1. Variable quantitative qui mesure de façon synthétique l'évolution d'une variable économique ou d'un ensemble de variables économiques (les cours des actions, les prix, la satisfaction,...) (X) dans le temps et dans l'espace.
L'indice boursier sert de référence pour évaluer les fluctuations des cours des actions.

+ adjectif

TYPE D'INDICE

Un indice boursier. (Syn. : (moins fréq.) **un indicateur de tendance**). (V. 71 bourse, 2). Pour les différents indices boursiers : (V. 71 bourse, 2). Ces indices sont limités aux valeurs vedettes.

>< **Un indice général** : reprend les cotes de toutes les actions.

Un indice simple. >< **Un indice pondéré** : indice qui se caractérise par l'importance différente de ses composantes.

Un indice composite, composé : indice qui fait la synthèse d'une série d'indices. *L'indice composite des principaux indicateurs économiques a enregistré une baisse de 0,2 %.* **Un indice composite des indicateurs économiques**. (Syn. : **un indicateur synthétique**). (V. 318 indicateur, 1).

Un indice corrigé des variations saisonnières : indice dont ont été déduites les fluctuations propres à une saison de l'année, p. ex. lorsqu'un certain nombre d'enseignants se retrouvent au chômage pendant les vacances d'été.

MESURE DE L'INDICE

Un indice mensuel.

+ nom

- **Une option sur indice boursier** : contrat d'option basé sur un indice représentatif d'un ensemble de titres cotés sur une place boursière (Ménard). *Les options sur indice boursier présentent l'avantage par rapport aux options sur actions de pouvoir suivre plus facilement l'évolution de la bourse à partir d'un indice qu'à partir d'une action isolée.*
- **La performance d'un indice**. (V. 413 performance, 1).
- **La pondération d'un indice**. (☞ 319 + adjectif).

TYPE D'INDICE

L'indice des prix à la consommation. (V. 433 prix, 1).

L'indice des prix de détail. >< **L'indice des prix de gros**. (V. 433 prix, 1).

Un indice de référence : indice par rapport auquel la situation ou l'évolution d'une valeur mobilière, d'un placement, ... peuvent être évaluées.

L'indice (+ nom de l'indice : Dow Jones, ...) **des valeurs** (**vedettes, industrielles, étrangères**, ...). *L'indice Dow Jones des valeurs vedettes a clôturé en hausse de 24,21 points après plusieurs jours de baisse.*

L'indice du comptant : indice du marché au comptant.

Un indice de production (**industrielle, manufacturière**, ...) : niveau de production dans une branche d'activité.

Un indice de confiance : indice qui traduit l'assurance des consommateurs, du patronat, ... quant à l'évolution de l'économie. *L'évolution de l'indice de confiance des entrepreneurs indique la possibilité d'une reprise prochaine.*

Un indice de satisfaction. *Un indice de satisfaction n'est intéressant que si l'on tient compte lors du calcul de l'importance que le consommateur attache à chaque critère.*

CARACTÉRISATION DE L'INDICE

La volatilité d'un indice : fluctuation très forte d'un indice.

NIVEAU DE L'INDICE

Le niveau de l'indice. *Le niveau de l'indice CAC 40 est au plus haut depuis plusieurs mois déjà.*

+ verbe : qui fait quoi ?

un ~		**se composer de** X **être composé de** X	la composition de l'~ la composition de l'~	1
→ X		**être repris dans** un ~	-	
un ~	=	**atteindre** + indication du niveau + pourcentage	-	
un ~	△	**être en hausse (de** ... points / ... %)	une hausse (de ...) de l'~	
		(peu fréq.) **hausser de** ... points / ... %		
		progresser (de ... points / ... %)	une progression (de ...) de l'~	
		gagner ... points / ... %	un gain (de ...) de l'~	2
		monter (de ... points / ... %)	une montée (de ...) de l'~	
		monter à ... points	une montée à ... points de l'~	
		grimper (de ... points / ... %)	-	
un ~	▽	**baisser (de** ... points / ... %)	une baisse (de...) de l'~	
		être en baisse (de ... points / ... %)		
		perdre ... points / ... %	une perte (de...) de l'~	3
		reculer (de ... points / ... %)	le recul (de...) de l'~	

		céder	... points ... %	-	
		abandonner	... points ... %	-	3
un ~	▽▽	**chuter (de**	... points ... %)	une chute (de ...) de l'~	
un ~	▽△	**remonter** **(de** ... points ... %) (+ indication d'un niveau)		une remontée de l'~	4
un ~	△=	**se maintenir à** + indication d'un niveau		le maintien de l'~ à + indication d'un niveau	4
un ~		**afficher** + indication d'une fluctuation **enregistrer** + indication d'une fluctuation		- -	
un ~		**clôturer** **à** ... points **en** hausse >< baisse **sur** une hausse >< baisse **terminer** **à** ... points **en** hausse >< baisse **sur** une hausse >< baisse		- -	5
un ~		**dépasser** + indication d'un niveau le cap des ... points la barre des ... points **franchir** + indication d'un niveau le cap des ... points la barre des ... points		- -	

1 *Deux constructeurs automobiles entrent dans la composition de l'indice boursier.*
2 *L'indice a gagné 1, 5% à 3021points, un nouveau sommet historique.*
3 *Ce mois-ci, l'indice a encore perdu 3 %, alors qu'il avait déjà abandonné plus de 5 % le mois précédent.*
4 *L'indice est remonté au-dessus de la barre de s 3000points et semble s'y maintenir.*
5 *L'indice a clôturé à 1 2234points, en hausse de 1 ,1%.*

2 AUTRES DÉRIVÉS OU COMPOSÉS

- **Indiciel, -ielle** [ɛ̃disjɛl] (adj.) : qui se rapporte à une valeur quantitative qui mesure l'évolution d'un phénomène. **La gestion indicielle** (V. 298 gestion, 1).

INDICE-SANTÉ (n.m.) (*) 1. Indice des prix à la consommation corrigé (sans variations de prix de l'alcool, des carburants, ...).

1. (433)	der Preisindex	index which does not take into account oil and alcohol prices	el índice sanitario	l'indice generale dei prezzi dedotte le variazioni di alcol, benzina	de gezondheidsindex (m.)

INDICIEL, -IELLE (adj.) (**) 1. Qui se rapporte à une valeur quantitative qui mesure l'évolution d'un phénomène.

1. (321)	Index-	index	indiciario	che ha funzione di indice	index-

INDUSTRIALISATION (n.f.) (***) 1. Important développement d'activités de transformation.

1. (324)	die Industrialisierung	industrialization industrial development	la industrialización	l'industrializzazione (f.)	de industrialisering (f.)

INDUSTRIALISER (~, s'~) (v.tr.dir., v.pron) (****) 1. Développer d'importantes activités de transformation.

1. (324)	industrialisieren	to industrialize	industrializar	industrializzare	industrialiseren

INDUSTRIE (n.f.) (****) 1. Ensemble des activités et des entreprises qui exploitent les richesses naturelles. 2. Entreprise qui exploite les richesses naturelles.

1. (322)	die Industrie das Gewerbe	industry	la industria	l'industria (f.)	de industrie (f.)
2. (322)	die Industrie	industry	la industria	l'industria (f.)	de industrie (f.)

INDUSTRIE

➠ société - entreprise

1 une industrie 3 une industrialisation 3 une désindustrialisation	3 un industriel, une industrielle	2 industriel, -ielle 3 pré(-)industriel, -ielle 3 post(-)industriel, -ielle 3 *industriellement*	3 (s')industrialiser 3 (se) désindustrialiser

1 une INDUSTRIE - [ɛ̃dystʀi] - (n.f.)

1.1. Ensemble des activités économiques (du secteur secondaire ou tertiaire) ou des entreprises qui ont pour but l'exploitation des richesses naturelles (les matières premières et les sources d'énergie) pour la fabrication de produits (semi-)finis et de biens de production (X) ou la commercialisation de services. *Le coût salarial horaire dans l'industrie européenne est nettement plus élevé que dans les autres parties du monde.*

1.2. (peu fréq.) Une entreprise qui exploite des richesses naturelles (des matières premières et des sources d'énergie) pour la fabrication de produits (semi-)finis (X).
Syn. : un établissement industriel.
Grâce à l'aide de la région, une importante industrie textile s'implantera sous peu dans notre zone industrielle.

expressions

(sens 1.1.)

C'est (devenu) toute une industrie : une branche d'activité non industrielle a pris une telle ampleur qu'elle ressemble à une véritable industrie. *Le petit monde des pompes funèbres est devenu toute une industrie.*

+ adjectif

TYPE D'INDUSTRIE (sens 1.1.)

L'industrie lourde : produit des biens de production et des produits semi-finis (p. ex. **la sidérurgie** (1. Traitement du fer, de la fonte et de l'acier. - 2. Ensemble des industries, des techniques et des entreprises qui assurent la fabrication du fer, de la fonte et de l'acier.) {**un, une sidérurgiste, sidérurgiste, sidérurgique**} et **la métallurgie** (1. Traitement des métaux. - 2. Ensemble des industries, des techniques et des entreprises qui assurent la fabrication des métaux.) {**un, une métallurgiste**, (fam.) **un métallo, métallurgiste, métallurgique**}). *L'industrie lourde demande des investissements de capitaux beaucoup plus élevés que les autres branches d'activité.*

>< **L'industrie légère** : transforme les produits de l'industrie lourde en biens de consommation (les biens finis).

La grande industrie. > **La moyenne industrie**. > **La petite industrie**. **Les petites et moyennes industries (les PMI)**. *Dans les PME/PMI, la reconnaissance et le respect de chaque collaborateur sont des facteurs importants pour garantir le succès de l'entreprise.*

L'industrie + adjectif qui désigne le produit ou le service. L'industrie automobile; chimique; textile; alimentaire; électronique; aéronautique; pharmaceutique; hôtelière; cinématographique.

L'industrie extractive : exploite les richesses naturelles, p. ex. **l'industrie minière**; **forestière**.

>< **L'industrie transformatrice**. (Syn. : **l'industrie de transformation**).

L'industrie manufacturière : ensemble de l'industrie sans le bâtiment, les travaux publics, l'énergie et le secteur agroalimentaire.

CARACTÉRISATION DE L'INDUSTRIE (sens 1.1.)

Une industrie forte. *Si l'on veut que l'Europe ait une industrie audiovisuelle forte, il faut d'abord qu'elle assure une meilleure circulation de ses productions.*

>< **Une industrie faible**.

LOCALISATION DE L'INDUSTRIE (sens 1.1.)

L'industrie + adjectif qui désigne un pays. L'industrie allemande, française.

+ nom

(sens 1.1.)

- **La performance de l'industrie**. (V. 413 performance, 1).
- **La rentabilité de l'industrie**. (V. 484 rentabilité, 1).
- **L'Union suisse du commerce et de l'industrie (le Vorort)**. (V. 534 syndicat, 1).
- **Le ministère de l'Industrie**; **le ministre de l'Industrie. Le ministre en charge de l'industrie.**

(sens 1.2.)

Un capitaine d'industrie, un chef d'industrie. (V. 228 emploi, 2).

TYPE D'INDUSTRIE (sens 1.1.)

L'industrie de base : industrie lourde ou, par-

fois, terme qui désigne l'industrie lourde et légère.
L'industrie de transformation : fabrique des produits (semi-)finis et des biens de production à partir de matières premières. (Syn. : **l'industrie transformatrice**). (Ant. : **l'industrie extractive**).
L'industrie de + nom qui désigne le produit ou le service. L'industrie de la construction; de l'armement ; du tourisme; des loisirs ; des fabrications métalliques. *Les plus importants fournisseurs de l'industrie de la construction sont les producteurs de matériaux.*

L'industrie de pointe : industrie très performante qui recourt aux technologies les plus avancées.

Une industrie à forte intensité de main-d'œuvre. (V. 357 main-d'œuvre, 1).

CARACTÉRISATION DE L'INDUSTRIE (sens 1.1.)

Une industrie en déclin : qui perd du terrain.
>< **Une industrie en (plein) essor, en pleine croissance**. *L'industrie du recyclage est en plein essor et génératrice de nombreux emplois.*

+ verbe : qui fait quoi ?

(sens 1.1. et 1.2.)

une ~	**naître**	une ~ naissante la naissance de l'~	
une ~	**se développer** **croître**	le développement d'une ~ la croissance de l'~ une ~ en pleine croissance (☞ 323 + nom)	
une ~	**produire** des X	la production de X une ~ productrice de X un producteur de X	
	transformer qqch. **en** X	la transformation de qqch. en X l'~ transformatrice	1
une direction, un gouvernement	**restructurer** une ~	la restructuration d'une ~	
	reconvertir une ~ (V. 102 chômage, 1)	la reconversion d'une ~	2
une direction	**délocaliser** une ~	la délocalisation d'une ~	3
	>< **relocaliser** une ~	la relocalisation d'une ~	4
une ~	**embaucher** (du personnel)	l'embauche de personnel	
>< une ~	**licencier** une personne	le licenciement d'une personne	

1 *L'industrie agroalimentaire transforme des produits agricoles en denrées alimentaires destinées directement ou indirectement au consommateur.*
2 *Beaucoup de pays ont lancé des programmes afin de reconvertir leurs industries militaires à des fins civiles pour éviter des licenciements massifs.*
3 *Les délocalisations d'industries ne se font pas toujours vers les pays en développement : une entreprise vient de déménager ses usines anglaises en France parce que la main-d'œuvre y est plus qualifiée.*
4 *Pour garantir le juste-à-temps, on a parfois intérêt à relocaliser l'industrie dans le pays d'origine.*

2 INDUSTRIEL, -IELLE - [ɛ̃dystʀijɛl] - (adj.)

1.1. Qui se rapporte aux entreprises qui exploitent les richesses naturelles (les matières premières et les sources d'énergie) pour la fabrication de produits (semi-)finis et de biens de production.

Ant. : artisanal.
Cette année encore, General Motors reste le premier groupe industriel du monde.

1.2. (un lieu) Qui se caractérise par la présence d'industries.

Nous comptons faire construire une toute nouvelle usine sur notre site industriel de Nancy.

expressions

(sens 1.1.)

À l'échelon industriel : en très grande quantité. *Nous ne produisons pas à l'échelon industriel : nos stocks sont limités et nos clients ne peuvent acquérir que les modèles en vitrine.*

+ nom

(sens 1.1.)

- **Le secteur industriel**. (V. 504 secteur, 1).
- **Le tissu industriel** : ensemble des industries d'une région, d'un pays considéré du point de vue de leur interdépendance. *Le tissu industriel de cette région est vulnérable puisqu'il est composé essentiellement de grands secteurs employant une main-d'œuvre importante aux coûts salariaux élevés.*
- **Un groupe industriel**. *Un grand groupe industriel préfère souvent acquérir des parts de marché en achetant de petites entreprises.*

  Une entreprise industrielle, une société industrielle. (V. 234 entreprise, 1). (V. 514 société, 1).
- **Une activité industrielle, les activités industrielles**. *La direction de la multinationale a affirmé sa volonté de maintenir une activité industrielle dans la région.*

  La production industrielle. (V. 441 production, 1).

  Un produit industriel. (V. 443 production, 2).
- **L'espionnage industriel** : ensemble de moyens utilisés pour découvrir les secrets d'une entreprise concurrente.
- **L'esthétique industrielle** : discipline qui étudie l'objet fabriqué selon des critères de beauté, mais en envisageant aussi son adaptation à l'usage (Lexis). (Syn. : (angl.) **le design (industriel)**).
- **Un établissement industriel**. (V. 238 entreprise, 1).
- **Une valeur industrielle**. (V. 564 valeur, 1).

  Une participation industrielle : détention d'actions dans le secteur industriel. *Le holding a une vocation financière même si des participations industrielles et autres peuvent rester en portefeuille le temps qu'il faut.*
- **La société pré(-)industrielle. La société industrielle. La société post(-)industrielle.** (V. 514 société, 1).

  La révolution industrielle. *La révolution industrielle européenne n'a été possible que grâce à l'accroissement de la productivité dans l'agriculture, qui a libéré une importante main-d'œuvre.*
- **Le développement industriel**. *Cette convention a pour but de favoriser le développement industriel dans plusieurs pays par le transfert de technologie.*
- **Une puissance industrielle**. *L'Allemagne se classe parmi les principales puissances industrielles.*
- **Les déchets industriels** : résidus produits par l'activité industrielle. *Les mesures sont destinées à obliger les entreprises qui produisent des déchets industriels à les éliminer proprement.*
- **Le patrimoine industriel** : ce qui reste d'une ancienne activité industrielle et qui présente une valeur historique. *Plusieurs plans ont été proposés pour sauvegarder les sites des anciennes mines de charbon, qui appartiennent à notre patrimoine industriel.*

  L'archéologie industrielle : discipline qui veut étudier, conserver les machines, installations et bâtiments d'une ancienne activité industrielle.
- **Un outil industriel** : ensemble des moyens de production. *La vétusté de l'outil industriel, le manque de diversification et la concurrence étrangère expliquent la crise qui touche l'industrie métallurgique.*
- **La reconversion industrielle**. (V. 102 chômage, 1).
- **Un opérateur industriel** : agent économique qui joue un rôle d'intermédiaire dans le monde industriel. *Cet opérateur industriel joue un rôle d'intermédiaire actif en constituant une joint-venture avec son partenaire chinois dans l'espoir de développer son activité de constructeur de machines-outils.*
- **Un amortissement industriel**. (V. 28 amortissement, 1).
- (S) **Les services industriels**. (V. 508 service, 1).

(sens 1.2.)

- **Une économie industrielle**. (V. 211 économie, 1).
- **L'économie industrielle**. (V. 212 économie, 1).

LOCALISATION DE L'INDUSTRIE (sens 1.1.)

Les pays industriels. *Les chefs d'État des sept grands pays industriels se réunissent régulièrement pour harmoniser leurs politiques économiques.*

Les nouveaux pays industriels. (V. 325 3 autres dérivés ou composés).

LOCALISATION DE L'INDUSTRIE (sens 1.2.)

Une zone industrielle, un zoning industriel, un parc industriel, des terrains industriels, (Q) **un zonage industriel** : lieu d'implantation d'industries. > **Un site industriel** : terrain sur lequel sont implantées des industries.

3 AUTRES DÉRIVÉS OU COMPOSÉS

- **Une industrialisation** [ɛ̃dystʀializasjɔ̃] (n.f.) : important développement d'activités de transformation de matières premières avec l'aide d'un important capital technique fixe. **Une industrialisation massive**. *L'industrialisation massive des pays en développement signifie un accroissement important de la pollution, un renforcement de l'effet de serre.* **Un processus d'industrialisation**.

  {**(s')industrialiser** [(s)ɛ̃dystʀialize] (v.tr.dir.,

v.pron.)}. **Les (grands) pays industrialisés. Les nouveaux pays industrialisés (les NPI)**. (Syn. : (peu fréq.) **les nouveaux pays industriels**). *Dans l'ordre chronologique, ce sont les "dragons" du sud-est asiatique (Corée du Sud, Taiwan, Hong-Kong, Singapour, Thaïlande), qui ont constitué, au début des années 80, le premier groupe de marchés émergents ou de nouveaux pays industrialisés.* **Le G(-)7** : les sept pays les plus industrialisés, à savoir l'Allemagne, le Canada, les États- Unis, la France, l'Italie, le Japon et le Royaume-Uni. **Le G(-)8** : le G-7 avec la Russie.

>< **Les pays en (voie de) développement (les PVD)**; **les pays du Tiers(-)Monde** (ou **tiers(-) monde)**.

>< **Une désindustrialisation** [dezɛ̃dystʀializasjɔ̃] (n.f.). *La désindustrialisation de l'Europe est irréversible. On ne pourra jamais concurrencer les entreprises des pays à bas salaires.*

{**(se) désindustrialiser** [(s(ə)) dezɛ̃dystʀialize] (v.tr.dir., v.pron.)}.

- **Un industriel, une industrielle** [ɛ̃dystʀiɛl] (n.) : personne qui dirige une entreprise qui transforme par des procédés mécaniques les richesses naturelles (les matières premières) pour la fabrication de biens. *Cet industriel de l'alimentation a atterri un peu par hasard dans la compagnie aérienne nationale.* (Syn. : **un entrepreneur, un fabricant, un constructeur, un manufacturier** (V. 447 production, 3)). (Ant. : **un artisan, une artisane** (personne qui dirige une petite entreprise familiale qui produit des biens, le plus souvent manuellement et en petites quantités). {(F) **un maître-artisan** (artisan détenteur d'un brevet de maîtrise ou d'un brevet professionnel, protégé par le statut de l'artisanat), **un artisanat** (secteur de production manuelle utilisant des techniques moins complexes que l'industrie), **artisanal, -ale, artisanalement**}). **Un gros industriel** : chef d'industrie riche et influent. **Les grands industriels** : chefs d'industrie les plus importants.
- **Pré(-)industriel, -ielle** [pʀeɛ̃dystʀijɛl] (adj.) : qui vient avant la révolution industrielle.

>< **Post(-)industriel, -ielle** [pɔstɛ̃dystʀijɛl] (adj.) : qui vient après la révolution industrielle.

- **Industriellement** [ɛ̃dystʀijɛlmɑ̃] (adv.) : relativement à l'ensemble des activités ou des entreprises qui exploitent les richesses naturelles. *Notre entreprise s'est implantée industriellement dans deux pays de l'Europe de l'Est.*

INDUSTRIEL, -IELLE (adj.) (****) 1. Qui se rapporte à l'ensemble des activités et des entreprises qui exploitent les richesses naturelles. 2. Qui se caractérise par la présence d'entreprises qui exploitent les richesses naturelles.

1. (323)	industriell Industrie-	industrial	industrial	industriale	industrieel
2. (323)	industriell	industrial	industrial	industriale	industrieel

INDUSTRIEL, INDUSTRIELLE (n.) (****) 1. Personne qui dirige une entreprise qui exploite les richesses naturelles.

1. (325)	der Industrielle	industrialist manufacturer	el industrial	l'industriale (m.)	de industrieel (m.)

INDUSTRIELLEMENT (adv.) (**) 1. Concernant l'ensemble des activités et des entreprises qui exploitent les richesses naturelles.

1. (325)	industriell	industrially	industrialmente	industrialmente	industrieel

INÉLASTICITÉ (n.f.) (*) 1. Absence d'adaptation d'un phénomène à des influences extérieures.

1. (182)	die mangelnde Elastizität	inelasticity	la inelasticidad	l'anelasticità (f.)	de inelasticiteit (f.)
(393)	die geringe Anpassungsfähigkeit				

INFLATION (n.f.) (****) 1. Hausse continue et généralisée des prix.

1. (325)	die Inflation	inflation	la inflación	l'inflazione (f.)	de inflatie (f.)

INFLATION

➠ argent - prix

1 l'inflation **3** la déflation **3** la désinflation **3** une hyperinflation **3** la stagflation		**2** inflationniste **3** anti-inflationniste **3** inflatoire **3** déflationniste **3** déflatoire **3** désinflationniste	

1 l'INFLATION - [ɛ̃flasjɔ̃] - (n.f.)

1.1. Hausse continue et généralisée des prix des biens et des services.
Ant. : une déflation (V. 328 3 autres dérivés ou composés).
Le recul de l'inflation en novembre est probablement lié à un facteur saisonnier : le temps très doux pour la saison explique que les prix des fruits et légumes n'ont pas augmenté.

2.1. Extension, augmentation excessive d'un phénomène.
Pour réduire le taux de chômage, on assiste à une inflation de propositions, allant de la réduction du temps de travail à la mise à la retraite anticipée.

expressions

(sens 1.1.)

- (Un montant) **corrigé de l'inflation**. (V. 431 prix, 1).

+ adjectif

TYPE D'INFLATION (sens 1.1.)

Une inflation monétaire : causée par une croissance de la masse monétaire supérieure à celle des biens produits.

>< **Une inflation réelle.**

Une inflation structurelle : causée par la structure du financement des investissements des entreprises : elles augmentent leurs prix de vente pour accroître leurs bénéfices.

Une inflation importée : causée par l'arrivée massive de devises étrangères ou par l'augmentation des coûts des produits de base importés.

Une inflation budgétaire : causée par la croissance des dépenses publiques et le déficit budgétaire que le gouvernement finance par la création de monnaie.

CARACTÉRISATION DE L'INFLATION (sens 1.1.)

Une inflation stable : qui ne varie pas ou peu (moins de 2 %). (☞ 327 + verbe).

NIVEAU DE L'INFLATION (sens 1.1.)

Une forte inflation, une inflation élevée. > **Une inflation modérée.** > **Une faible inflation, une basse inflation.** (Syn. : **Un faible taux d'inflation**). *Une faible inflation et un bas niveau des taux d'intérêt permettent d'entrevoir un accroissement de la consommation privée.*

Une inflation rampante, larvée, latente. *L'inflation rampante est si répandue qu'elle est pratiquement considérée comme inévitable.* < **Une inflation ouverte, déclarée.** < **Une inflation galopante.** (Syn. : **une hyperinflation, une inflation à deux chiffres**). *Face aux risques d'hyperinflation, ce gouvernement sud-américain envisage un gel des salaires.*

MESURE DE L'INFLATION (sens 1.1.)

L'inflation mensuelle.

L'inflation annuelle. (Syn. : **Le taux d'inflation annuel**). *Après une décennie d'inflation à trois chiffres, qui a provoqué une terrible concentration des revenus, les salariés n'arrivent plus à suivre la course folle du "dragon des prix".*

+ nom

(sens 1.1.)

- **Le risque d'inflation.** *Le risque d'inflation est neutralisé par les taux d'intérêt élevés que notre pays pratique.* < **Le spectre de l'inflation.** *Les autorités américaines craignent une surchauffe de l'économie qui sort à peine d'une longue crise. Le spectre de l'inflation qui accompagne un tel phénomène hante à nouveau l'esprit des argentiers américains.*
- **Les perspectives (en matière) d'inflation.** *Les mauvaises perspectives en matière d'inflation ont miné la confiance dans la livre sterling.*

TYPE D'INFLATION (sens 1.1.)

Une inflation par les coûts : hausse des prix causée par une hausse des coûts de production (les coûts salariaux, les matières premières, ...).

Une inflation par la demande : hausse des prix causée lorsque la demande est supérieure à l'offre sur un marché. *L'inflation par la demande et l'inflation par les coûts sont reliées : une hausse des salaires fait augmenter la demande.*

Une inflation de croissance, de prospérité : hausse des prix causée par une demande très (trop) abondante.

>< **Une inflation de pénurie** : causée par une offre insuffisante.

Une inflation en spirale : inflation dont le rythme s'accélère sans cesse.

NIVEAU DE L'INFLATION (sens 1.1.)

Une inflation à deux chiffres. (☞ 326 + adjectif).

MESURE DE L'INFLATION (sens 1.1.)

Le taux d'inflation : évolution des prix calculée sur un an à partir de l'indice des prix de détail. (Syn. : **les chiffres de l'inflation**). *Le gouvernement s'était fixé pour objectif de ramener le taux d'inflation à 7 % cette année après 10 % de hausse des prix l'année dernière.*

Le différentiel d'inflation : mesure de la différence entre les rythmes d'inflation de deux ou plusieurs pays. (Syn. : **l'écart d'inflation**). *Notre pays est confronté à une perte de compétitivité parce que le différentiel d'inflation par rapport à nos partenaires commerciaux n'est pas suffisamment compensé par des ajustements de taux de change.*

+ verbe : qui fait quoi ?

(sens 1.1.)

l'~	=	**atteindre** ... %	
l'~	△	**être en hausse** (de ... %)	une hausse de l'~ (de ... %)

		progresser (de ... %)	une progression de l'~ (de ... %)	
l'~	△△	**s'accélérer**	une accélération de l'~	
une mesure, une situation	=△	**relancer** l'~	une relance de l'~	1
→ l'~		**reprendre**	une reprise de l'~	
		remonter	une remontée de l'~	
		-	un retour de l'~	
		-	une résurgence de l'~	2
		redémarrer	un redémarrage de l'~	
l'~	△=	**se stabiliser**	une stabilisation de l'~	
une mesure	▽	**réduire** l'~	une réduction de l'~	
		freiner l'~	le freinage de l'~	
→ l'~		**baisser** (de ... %)	une baisse de l'~ (de ... %)	
		reculer (de ... %)	un recul de l'~ (de ... %)	
		se ralentir	un ralentissement de l'~	
le gouvernement		**lutter contre** l'~	la lutte contre l'~	
		combattre l'~	le combat contre l'~	
le gouvernement		**maîtriser** l'~	la maîtrise de l'~	
		juguler l'~	la jugulation de l'~	3
		enrayer l'~ ↓	-	
l'~		**être sous contrôle**	-	
le gouvernement		**ramener** l'~ à ...% ↓	-	
le gouvernement		**craindre** une reprise de l'~	la (les) crainte(s) d'une reprise de l'~	
un pays		**importer** de l'~ (☞ 326 + adjectif)	l'importation de l'~	

1 *Le mouvement de reprise économique ne devrait pas s'accompagner d'une relance de l'inflation.*
2 *La crainte d'une résurgence de l'inflation est réelle après l'annonce d'une hausse plus forte que prévue de l'indice des prix de gros.*
3 *Le prix à payer pour juguler l'inflation est une augmentation du chômage.*

Pour en savoir plus

L'INFLATION ET SES CONSÉQUENCES

L'inflation entraîne une dépréciation de la monnaie nationale, c'est-à-dire que le consommateur peut acheter de moins en moins avec la même somme d'argent. Dans ce cas, on parle d'une diminution du pouvoir d'achat.

2 INFLATIONNISTE - [ɛ̃flasjɔnist(ə)] - (adj.)

1.1. Qui se rapporte à la hausse continue et généralisée des prix des biens et des services.
Wall Street a ouvert en baisse face aux craintes inflationnistes aux États-Unis.

1.2. Qui provoque une augmentation du taux d'inflation.
Syn. : (peu fréq.) inflatoire; Ant. : anti-inflationniste.
La croissance économique est donc au rendez-vous et l'inflation reste faible, même si l'on peut s'attendre à des tensions inflationnistes en raison de la hausse des prix des matières premières.

+ nom

(sens 1.1.)

- **Des craintes inflationnistes**. *Si les craintes inflationnistes disparaissent, il y a effectivement de la place pour une poursuite de la baisse des taux d'intérêt.*
  Des risques inflationnistes.
- **Une spirale inflationniste** : hausse ininterrompue des prix.
- **Une/des poussée(s) inflationniste(s)**. *La reprise de l'activité économique n'a pas été accompagnée d'une poussée inflationniste grâce aux politiques rigoureuses menées par la grande majorité des autorités monétaires des pays industrialisés.*
- **Une/des tendance(s) inflationniste(s)**.
- **Un dérapage inflationniste**. *Pour éviter tout dérapage inflationniste suite à une reprise de l'activité économique, les taux à court terme vont être relevés.*

(sens 1.2.)

Des pressions inflationnistes, des tensions inflationnistes. *La chute du dollar risque fort d'augmenter les pressions inflationnistes aux États-Unis.*

3 AUTRES DÉRIVÉS OU COMPOSÉS

- **Une déflation** [deflasjɔ̃] (n.f.) : diminution continue et généralisée des prix des biens et des salaires à cause d'une réduction de la masse monétaire en circulation.
  {**déflationniste** [deflasjɔ̃nist(ə)] (adj.), (moins fréq.) **déflatoire** [deflatwaʀ] (adj.)}. **Une politique déflationniste.** *On reproche parfois aux experts du FMI de mener des politiques déflationnistes qui freinent le développement. Cependant, aucun pays ne peut espérer une croissance durable sans discipline budgétaire et monétaire.*
- **La désinflation** [dezɛ̃flasjɔ̃] (n.f.) : ralentissement du rythme de la hausse des prix. *La désinflation ne semble pas avoir été profitable pour les entreprises puisque parmi ses effets complexes, les aspects défavorables semblent l'avoir emporté : les impôts ont augmenté et le poids des intérêts n'a pas diminué.*
  {**désinflationniste** [dezɛ̃flasjɔnist(ə)] (adj.)}. **Un effet désinflationniste.** *La disparition de l'effet désinflationniste causé par la baisse des prix de l'énergie peut raviver légèrement l'inflation.*
- **Une hyperinflation** [ipɛʀɛ̃flasjɔ̃] (n.f.). (Syn. : **une inflation galopante**).
- **La stagflation** [stagflasjɔ̃] (n.f.) : situation conjoncturelle qui se caractérise par la combinaison de la hausse générale des prix et de la stagnation de la croissance économique. *Le dollar s'est légèrement affaibli suite à la crainte de l'apparition aux États-Unis de la stagflation, c'est-à-dire une stagnation de l'économie accompagnée d'inflation.*
- **Anti-inflationniste** [ɑ̃tiɛ̃flasjɔnist(ə)] (adj.) : qui empêche une hausse du taux d'inflation. *Les "experts" nous vantent les mérites d'une politique anti-inflationniste, et vont même jusqu'à louer aux particuliers la baisse des taux d'épargne, censée provoquer une relance économique.* **Une politique anti-inflationniste.** *La politique anti-inflationniste américaine ne laisse pas beaucoup de place à une baisse des taux.*
- **Inflatoire** [ɛ̃flatwaʀ] (adj.) : (peu fréq.) Qui provoque une augmentation du taux d'inflation. (Syn. : (plus fréq.) **inflationniste**).

INFLATIONNISTE (adj.) (***) 1. Qui se rapporte à la hausse continue et généralisée des prix. 2. Qui provoque une augmentation du taux d'inflation.

1. (327)	inflationär	inflationist inflationary	inflacionista	inflativo	inflationistisch
2. (327)	inflationistisch inflatorisch	inflationary		inflazionistico	inflatoir

INFLATOIRE (adj.) (*) 1. Qui provoque une augmentation du taux d'inflation.

1. (328)	inflatorisch	inflationary	inflacionista	inflativo inflazionistico	inflatoir

INFOGRAPHIE (n.f.) (**) 1. Représentation graphique.

1. (284)	die Computergrafik	graphic design	la infografía	Computer Graphics	de computergrafiek (f.)

INFORMATICIEN, INFORMATICIENNE (n.) (***) 1. Spécialiste en science du traitement de l'information.

1. (442)	der Informatiker der Computerwissenschaftler	computer scientist computer specialist	el informático el especialista en computación	l'informatico (m.)	de informaticus (m.)

INFORMATIQUE (adj.) (****) 1. Qui se rapporte à la science du traitement de l'information.

1. (442)	Computer-	computer	informático	informatico	informatica-

INFORMATIQUE (n.f.) (****) 1. Science du traitement de l'information.

1. (442)	die Informatik	information technology (IT) computer science	la informática	l'informatica (f.)	de informatica (f.)

INFORMATISATION (n.f.) (***) 1. Action de traiter des informations grâce à l'informatique.

1. (442)	die Computerisierung	computerization	la informatización	l'informatizzazione (f.)	de informatisering (f.)

INFORMATISER (~, s'~) (v.tr.dir., v.pron.) (***) 1. Traiter des informations grâce à l'informatique.

1. (442)	computerisieren	to computerize	informatizar	informatizzare	informatiseren

INFOROUTES (n.f.plur.) (**) 1. Réseau de télécommunication.

1. (550)	das Telekommunikationsnetz	information (super)highway	inforutas	la superstrada dell'informazione	de infosnelweg (m.)

INFRASTRUCTURE (n.f.) (****) 1. Ensemble des équipements économiques ou techniques (RQ).

1. (551) (62)	die Infrastruktur	infrastructure	la infraestructura	l'infrastruttura (f.)	de infrastructuur (f.)

INGÉNIERIE (n.f.) (***) 1. Étude globale d'un projet industriel.

1. (442)	das Engineering Entwurf und Planung	engineering	la ingeniería	l'engineering (m.) l'esame ingegneristico di un progetto	de engineering (m.)

INGÉNIEUR, INGÉNIEURE (n.) (****) 1. Personne qui a suivi une formation technique poussée.

1. (229) (119)	der Ingenieur	engineer	el ingeniero	l'ingegnere (m.)	de ingenieur (m.)

INNOVANT, -ANTE (adj.) (**) 1. Qui applique une nouveauté.

1. (329)	innovativ	innovative innovating	innovador	innovativo	innoverend

INNOVATEUR, INNOVATRICE (n.) (*) 1. Agent économique qui applique une nouveauté.

1. 329	der Innovator der Neuerer	innovator	el innovador	l'innovatore (m.)	de vernieuwer (m.)

INNOVATEUR, -TRICE (adj.) (**) 1. Qui applique une nouveauté.

1. 329	innovativ	innovative	innovador	innovatore	innoverend vernieuwend

INNOVATION (n.f.) (****) 1. Nouveauté. 2. Bien nouveau apparu sur le marché.

1. (329)	die Innovation	innovation	la innovación	l'innovazione (f.)	de innovatie (f.)
2. (329)	die Neuerung	innovative product innovation	la innovación	l'innovazione (f.)	de innovatie (f.)

INNOVATION

➠ **production - société - entreprise**

1 une innovation	2 un (in)novateur, une (in)novatrice	2 (in)novateur, -trice 2 innovant, -ante	2 innover

1 une INNOVATION - [inɔvasjɔ̃] - (n.f.)

1.1. Nouveauté (un produit, un service, un procédé) conçue grâce à une invention ou une découverte scientifique et appliquée dans une technique de production ou de gestion.
L'innovation n'est pas uniquement la responsabilité des ingénieurs, mais aussi de la direction générale et des commerciaux.

1.2. Bien nouveau apparu sur le marché.
Syn. : (plus fréq.) une nouveauté.
Une des dernières innovations gourmandes du chocolatier "Côte d'Or", un chocolat fourré massepain, connaît un franc succès.

+ adjectif

TYPE D'INNOVATION (sens 1.1.)

Une innovation technologique. *Le développement des marchés de capitaux n'aurait pas été possible sans les innovations technologiques dans le domaine de l'informatique et des communications.*
Une innovation financière.
Une innovation sociale.

+ nom

(sens 1.1.)

- **Un esprit d'innovation** : disposition à innover. *Notre absence dans quelques groupes de produits très prometteurs s'explique par un manque d'esprit d'innovation et de créativité.*
Une capacité d'innovation.
- **L'innovation de(s) produits**. *L'innovation des produits est la réponse précise et rapide aux exigences croissantes des consommateurs.*
L'innovation de procédés, de processus.
Une grappe d'innovations. (☞ 329 Pour en savoir plus, Aspects de l'innovation).

Pour en savoir plus

ASPECTS DE L'INNOVATION

Les innovations arrivent souvent en grappe : une innovation (**une innovation majeure**) en entraîne plusieurs autres. Ainsi, dans le domaine informatique, nous sommes passés des gros calculateurs aux ordinateurs personnels, aux robots, à l'internet, ... C'est ce que l'on appelle le phénomène de **grappe technologique** (un enchaînement technologique) ou **grappe d'innovations**.

LA RECHERCHE ET LE DÉVELOPPEMENT

La R(&)D. Le département de la R(&)D. *L'industrie pharmaceutique consacre un pourcentage considérable de son chiffre d'affaires à la recherche et au développement.*

2 AUTRES DÉRIVÉS OU COMPOSÉS

- **Un (in)novateur, une (in)novatrice** [(i)nɔvatœʀ, (i)nɔvatʀis] (n.) : agent économique (une entreprise, un entrepreneur) qui applique une nouveauté (un produit, un service, un procédé) conçue grâce à une invention ou une découverte scientifique dans une technique de production ou de gestion. (Ant. : **un conservateur**). **Un innovateur hardi** : qui est audacieux, courageux.
- **(In)novateur, -trice** [(i)nɔvatœʀ, -tʀis] (adj.). (Syn. : (moins fréq.) **innovant** [inɔvɑ̃] (adj.)). **Une entreprise innovatrice**; **une politique innovatrice**; **une idée innovatrice**.

- **Innover** [inɔve] (v.intr.) : un agent économique (une entreprise, un entrepreneur) applique une nouveauté conçue grâce à une invention ou une découverte scientifique dans une technique de production ou de gestion. (Ant. : (fr. gén.) **conserver**, **maintenir** ; **copier**, **imiter**). *Le Trésor démontre qu'il est sensible à la demande du public et prend l'initiative d'innover plutôt que de suivre la ligne du marché bancaire.* **La capacité à** (parfois **d'**) **innover.**

INNOVER (v.intr.) (***) 1. Appliquer une nouveauté.

1. (330)	innovieren Neuerungen einführen	to innovate to break new ground	innovar	innovare	innoveren vernieuwen

INSEE (l'~ (m.)) (***) Institut national de la statistique et des études économiques.

INSIGNIFIANT, -ANTE (adj.) (**) 1. Très peu important.

1. (281)	unbedeutend unwichtig	insignificant	insignificante	non significativo	onbeduidend

INSOLVABILITÉ (n.f.) (**) 1. État d'une personne qui n'est pas en mesure de payer ses dettes.

1. (401)	die Zahlungsunfähigkeit die Insolvenz	insolvency	la insolvencia	l'insolvenza (f.)	de insolvabiliteit (f.) de insolventie (f.)

INSOLVABLE (adj.) (**) 1. Qui n'est pas en mesure de payer ses dettes.

1. (66)	zahlungsunfähig	insolvent	insolvente	insolvente	insolvabel
(174)	insolvent				insolvent

INSTRUCTION PERMANENTE (une ~) (*) 1. Ordre de paiement automatique de sommes fixes.

1. (402)	eine beständige (Zahlungs)weisung	permanent (payment) instruction	la instrucción permanente	l'istruzione permanente (f.)	de permanente betalingsopdracht (m./f.)

INSTRUMENT (n.m.) (****) 1. Moyen qui sert à exécuter qqch.

1. (442)	das Instrument	instrument	el instrumento	lo strumento	het instrument
(266)	das Mittel			il mezzo	het middel

INTENSIFICATION (n.f.) (**) 1. Augmentation.

1. (275)	die Intensivierung die Verstärkung	increase	la intensificación	l'intensificazione (f.)	de verhoging (f.)

INTENSIFIER (~, s'~) (v.tr.dir., v.pron.) (**) 1. Augmenter.

1. (275)	intensivieren verstärken	to intensify to increase	intensificar (se)	intensificarsi	verhogen

INTERBANCAIRE (adj.) (***) 1. Qui se rapporte aux relations entre banques.

1. (55)	bankenübergreifend Interbanken-	interbank	interbancario	interbancario	interbancair

INTERENTREPRISES (adj.invar.) (*) 1. Qui se rapporte à plusieurs entreprises.

1. (239)	der beteiligten Unternehmen zwischen den Unternehmen	intercompany (GB) intercorporate (US)	interempresarial	intra-aziendale	die / dat betrekking heeft op verschillende ondernemingen

INTÉRESSÉ, INTÉRESSÉE (n.) (*) 1. Employé qui bénéficie d'un système de rémunération en fonction des résultats de l'entreprise.

1. (333)	am Gewinn beteiligen	employee who has a share in the profits	participar	interessare	in de winst laten delen

INTÉRESSEMENT (n.m.) (*) 1. Forme de rémunération variable qui dépend des résultats de l'entreprise.

1. (333)	die Gewinnbeteiligung	profit-sharing scheme	la participación en beneficios	la compartecipazione agli utili	de winstdeling (f.)
(58)		incentive scheme			

INTÉRESSER (v.tr.dir.) (*) 1. Rémunérer en fonction des résultats de l'entreprise.

1. (333)	am Gewinn beteiligen	to give the employees a share in the profits	participar	interessare	in de winst laten delen
(59)					

INTÉRÊT (n.m.) (****) 1. Prix à payer pour de l'argent mis à disposition. 2. (plur.) Droits que détient qqn sur le patrimoine d'une entreprise.

1. (330)	der Zins	interest	el interés	l'interesse (m.)	de interest (m.)
2. (330)	die Beteiligung der Anteil	a stake	los intereses	gli interessi societari	de rechten (plur.)

INTÉRÊT

➠ **rente - capital - placement**

1 un intérêt 2 un intéressement	2 un intéressé, une intéressée		2 intéresser

1 un INTÉRÊT - [ɛ̃teʀɛ] - (n.m.)

1.1. (au sing. et au plur.) Somme d'argent qui représente le prix que doit payer un agent économique à un autre agent économique comme rémunération pour le fait d'avoir mis de l'argent à disposition : un particulier (un épargnant) ou une entreprise qui place son argent en banque (une institution financière) ou une institution financière qui prête une somme d'argent à un particulier ou à une entreprise (l'emprunteur).

Syn. : (☞ 333 Pour en savoir plus, Intérêt (sens 1.1.) et synonymes).
L'intérêt est une charge pour celui qui le verse et un revenu pour celui qui le reçoit.

1.2. (au plur.) Droits que détient un agent économique (le créancier : le propriétaire exploitant, un associé, un actionnaire) sur le patrimoine d'une entreprise.

2.1. Ce qui importe, ce qui convient à qqn (en quelque domaine que ce soit).

(sens 1.1.)

- (Un montant) **hors intérêt** : intérêt non compris.
- **Les dommages et intérêts**, (peu fréq.) **les dommages-intérêts** : somme d'argent versée par une personne ou une compagnie d'assurances à un bénéficiaire (une personne, une entreprise, ...) en réparation d'un préjudice matériel (blessure, mort, incendie, ...) ou moral (mensonges, concurrence déloyale, ...). *La Sofranet a intenté un procès à la chaîne de télévision et réclame plusieurs milliers d'euros en dommages et intérêts pour un reportage accusant la société d'employer de nombreux travailleurs au noir.* (Un tribunal) **accorder des dommages et intérêts**. (Une personne) **obtenir des dommages et intérêts**. (Une personne, une compagnie d'assurances) **verser des dommages et intérêts**.
- **Sur le front des taux d'intérêt**. *Le retour au calme sur le front des taux d'intérêt améliore quelque peu l'atmosphère à la Bourse de Paris.*

(sens 1.2.)

(Une personne, une entreprise, ...) **détenir, posséder des intérêts dans une affaire** : avoir investi des capitaux dans une affaire (une entreprise, une transaction commerciale, ...).

(sens 2.1.)

C'est dans l'intérêt général : (mesure, décision, chose, ...) qui est perçue comme utile, positive par une personne ou un groupe de personnes pour l'ensemble d'une collectivité.

+ adjectif

TYPE D'INTÉRÊT (sens 1.1.)

Les intérêts moratoires : intérêts de retard exigés principalement dans le cadre de la législation fiscale.

Les intérêts créditeurs : intérêts perçus sur une créance. Ils figurent en tant que produit financier dans le compte de résultat.

>< **Les intérêts débiteurs** : intérêts à payer sur une créance. Ils figurent en tant que charge financière dans le compte de résultat.

L'intérêt simple : perçu sur le capital primitif sans y ajouter les intérêts.

>< **L'intérêt composé** : perçu sur un capital formé d'un capital primitif plus les intérêts accumulés jusqu'au moment de l'échéance.

Des intérêts exigibles : intérêts payables par coupons mais non encore versés du fait que, p. ex., le détenteur de ces coupons ne les a pas présentés à l'encaissement (Ménard).

Un intérêt statutaire : rémunération de l'action prévue par les statuts d'une société (DixecoEn).

CARACTÉRISATION DE L'INTÉRÊT (sens 1.1.)

Un intérêt fixe. >< **Un intérêt variable**.

+ nom

(sens 1.1.)

- **Les charges d'intérêt(s)** : dépenses provoquées par le paiement d'intérêts. *Les charges d'intérêt représentent une part croissante des dépenses publiques.*
- **Le différentiel d'intérêt**, **l'écart (de taux) d'intérêt** : différence du taux d'intérêt entre deux pays, deux produits financiers. *Le différentiel d'intérêt par rapport à nos principaux voisins a considérablement diminué ces dernières années.*

  La marge d'intérêt : différence entre les taux d'intérêt que les banques reçoivent des emprunteurs et ce qu'elles paient aux épargnants.
- **Les arriérés d'intérêts** : intérêts qui auraient déjà dû être payés. *Les arriérés d'intérêts se montent à plus d'un million d'euros.*

  Les revenus d'intérêt(s). (V. 494 revenu, 1).

(sens 2.1.)

- **Un groupement d'intérêt public** : association de personnes morales publiques (l'État, les collectivités locales) et de personnes morales privées pour mettre en œuvre des missions d'intérêt général dans des domaines spécifiques, p. ex. : la mise en valeur de zones de montagne (Référis).
- (F) **Un groupement d'intérêt économique** (**un GIE**). (V. 519 société, 1).

TYPE D'INTÉRÊT (sens 1.1.)

Les intérêts de retard : intérêts exigés en raison du règlement tardif d'une créance ou parce qu'une personne n'a pas observé une obligation. *Nous avons pris du retard dans le paiement aux fournisseurs. Et qui dit retard, dit intérêt de retard, soit quelques milliers d'euros.*

NIVEAU DE L'INTÉRÊT (sens 1.1.)

Le bas niveau des taux d'intérêt, le faible niveau des taux d'intérêt. Les taux d'intérêt bas. >< **Le niveau élevé des taux d'intérêt. Les taux d'intérêt élevés.** < **Les taux d'intérêt usuraires.** *Le marché parallèle du crédit, qui échappe au contrôle des autorités monétaires, prête souvent à des taux d'intérêt usuraires.*

MESURE DE L'INTÉRÊT (sens 1.1.)

Un taux d'intérêt : pourcentage que l'emprunteur doit payer comme intérêt sur la somme d'argent qu'il a reçue d'un prêteur. (Syn. : **le loyer de l'argent**). *La banque nationale devrait encourager une baisse des taux d'intérêt pour vaincre la sévère récession que connaît notre pays.* **L'évolution des taux d'intérêt.**

Un taux d'intérêt réel : taux d'intérêt diminué du taux d'inflation.

>< **Un taux d'intérêt nominal.** *Le taux d'inflation ronge le taux d'intérêt nominal en ne laissant subsister qu'un taux d'intérêt réel de moins de 3 %.*

Un taux (d'intérêt) directeur. (V. 203 direction, 3).

Un taux d'intérêt obligataire. (V. 391 obligation, 2).

Un (taux d')intérêt à long terme, un taux long. > **Un (taux d')intérêt à moyen terme.** > **Un (taux d')intérêt à court terme, un taux court.** (Une valeur mobilière) **sensible aux taux d'intérêt.**

+ verbe : qui fait quoi ?

(sens 1.1.)

un épargnant	**placer** de l'argent (à (un taux d'~ de) ... %)	le placement d'une somme (à (un taux d'~ de) ... %)	
→ un placement	**rapporter** un ~ de ... %	-	
une institution financière	**payer** des ~ (à un épargnant) **verser** des ~ (à un épargnant) (moins fréq. : un ~)	le paiement d'~ (à ...) le versement d'~ (à ...)	1
un emprunteur	**payer** des ~ (à un prêteur) **verser** des ~ (à un prêteur) (moins fréq. : un ~)	le paiement d'~ (à ...) le versement d'~ (à ...)	
un emprunteur	**rembourser** les ~ (à l'échéance)	le remboursement des ~	2
un épargnant	**percevoir** des ~ (fam.) **toucher** des ~ (moins fréq. : un ~) (sur un compte)	la perception d'~ -	3
un prêteur	**percevoir** des ~ (d'un emprunteur) (fam.) **toucher** des ~ (moins fréq. : un ~) (d'un emprunteur)	la perception d'~ -	
les ~	**être capitalisés** (V. 87 capital, 4)	la capitalisation des ~	3
un particulier une entreprise	**déduire** les ~ (d'un emprunt) (de ses revenus imposables, de ses bénéfices)	des ~ déductibles la déductibilité des ~	4
les taux d'~ ▽	**baisser** **se détendre** **diminuer** -	une baisse des taux d'~ une détente des taux d'~ une diminution des taux d'~ un repli des taux d'~	
une banque centrale	**réduire** les taux d'~	une réduction des taux d'~	
les taux d'~ △	**être en hausse** **connaître une hausse** **remonter**	une hausse des taux d'~ - une remontée des taux d'~	
une banque centrale	**relever** les taux d'~	un relèvement des taux d'~	5

1 *Notre banque ne verse pas d'intérêts sur des sommes inférieures à un certain montant.*

2 *Si une entreprise s'endette trop, elle subit inévitablement la pression des intérêts à rembourser.*

3 *Cette étude montre que la plupart des épargnants ne souhaitent pas percevoir les intérêts annuels, mais préfèrent les capitaliser au même taux.*

4 *Selon la nouvelle législation fiscale, les intérêts restent entièrement déductibles si l'emprunt a été conclu avant une certaine date.*
5 *Le président de la Réserve fédérale américaine a confirmé son intention de relever légèrement les taux d'intérêt.*

Pour en savoir plus

INTÉRÊT (sens 1.1.) ET SYNONYMES

Un intérêt. **Le loyer de l'argent**.
Une rente. (V. 486 rente, 1)
Un revenu ; **une rémunération**. *L'intérêt est une forme de revenu ou de rémunération tirée d'un capital.*

NOTE D'USAGE

Après 'intérêt', on emploie indifféremment les prépositions 'de' et 'sur' devant le nom qui désigne la somme d'argent sur laquelle portent les intérêts : payer les intérêts de/sur la dette publique.

2 AUTRES DÉRIVÉS OU COMPOSÉS

- **L'intéressement** [ɛ̃teʀɛsmɑ̃] (n.m.) : ensemble des mesures par lesquelles une entreprise fait participer ses salariés à ses résultats. (Syn. : **une participation aux bénéfices**). *En guise d'intéressement, la direction propose d'attribuer une prime aux personnes impliquées dans une opération dont les résultats paraîtront positifs.*
- **Un intéressé, une intéressée** [ɛ̃teʀɛse] (n.) : employé qui bénéficie d'un système d'intéressement accordé par son employeur.
- **Intéresser** [ɛ̃teʀɛse] (v.tr.dir.) : un employeur fait bénéficier son personnel d'un système d'intéressement.

INTÉRIM (n.m.) (****) 1. Temps pendant lequel une fonction est exercée par une autre personne.

1. (554)	die Vertretung(szeit) die Vertretungsdauer	interim period	el ínterin la interinidad	l'interim (m.)	het interim

INTÉRIMAIRE (adj.) (***) 1. Temporaire.

1. (554)	zeitlich befristet vertretungsweise	temporary interim	interino	interinale provvisorio	interim tijdelijk

INTÉRIMAIRE (n.) (**) 1. Personne qui exerce une fonction occupée habituellement par une autre.

1. (554)	der Zeitarbeitnehmer die Vertretung	temporary worker temp	el interino	l'interinale (m.) il supplente	de interimaris (m.) de tijdelijke werknemer (m.)

INTERMÉDIAIRE (n.) (****) 1. Personne qui met en relation deux personnes ou deux groupes (RQ).

1. (116)	der Vermittler die Mittelsperson	intermediary middleman	el intermediario	l'intermediario (m.) il mediatore	de bemiddelaar (m.) de tussenpersoon (m.)

INTERMÉDIATION (n.f.) (**) 1. Fait de mettre en relation deux personnes ou deux groupes.

1. (116)	die Vermittlung	intermediation	la intermediación	l'intermediazione (f.)	de bemiddeling (f.)

INTERNET (n.m.) (****) 1. Réseau informatique mondial.

1. (292) (571)	das Internet	Internet	el Internet	Internet (m.)	(het) Internet

INTERPROFESSIONNEL, -ELLE (adj.) (**) 1. Qui se rapporte à plusieurs types d'activités intellectuelles.

1. (455)	berufsübergreifend	interprofessional	interprofesional	interprofessionale	interprofessioneel

INTERSECTORIEL, -IELLE (adj.) (*) 1. Qui se rapporte à plusieurs secteurs.

1. (506)	... mehrerer Sektoren der / die / das mehrere Sektoren betrifft	intersector	intersectorial	inter-settoriale	intersectorieel

INTERSYNDICAL, -ALE ; - AUX, -ALES (adj.) (*) 1. Où plusieurs syndicats sont réunis.

1. (536)	gewerkschaftsübergreifend über(einzel)gewerkschaftlich	interunion	intersindical	intersindacale	intersyndicaal

INTERSYNDICALE (n.f.) (*) 1. Réunion des représentants de plusieurs syndicats.

1. (535)	die gewerkschaftsübergreifende Versammlung	interunion committee	la reunión intersindical	il vertice delle confederazioni	de vergadering (f.) van verschillende vakbonden
			el frente intersindical		het gemeenschappelijk vakbondsfront

INTRANET (n.m.) (**) 1. Réseau informatique à l'intérieur d'une entreprise.

1. (460)	das Intranet	intranet	el intranet	l'intranet (m.)	(het) intranet

INTRANSPORTABLE (adj.) (*) 1. Qui ne peut pas être déplacé.

1. (552)	nicht transportierbar	untransportable	intransportable	intrasportabile	ontransporteerbaar

INTRAPRENDRE (v.intr.) (*) 1. Créer et développer des projets à l'intérieur d'une entreprise.

1. (239)	als Mitarbeiter unternehmerisch denken und handeln	to set up intracompany projects	desarrollar un proyecto interno en una empresa	creare e sviluppare progetti internamente all'impresa	intrapreneuren

INTRAPRENEUR, INTRAPRENEUSE (n.) (*) 1. Cadre qui crée et développe des projets à l'intérieur d'une entreprise.

1. (239)	der unternehmerisch handelnde Mitarbeiter im Unternehmen	intracompany project manager	el directivo que desarrolla un proyecto dentro de una empresa	il capo-progetti interni (all'azienda)	de intrapeneur (m.)

INTRAPRENEURIAT (n.m.) (*) 1. Statut et qualités d'un cadre qui crée et développe des projets à l'intérieur d'une entreprise.

1. (239)	das Intrapreneurship	intrapreneurship	el estatuto del directivo que crea un proyecto en una empresa	statuto e qualità di un quadro che sviluppa progetti internamente all'azienda	het intrapreneurship

INTRAPRENEURSHIP (n.m.) (*) 1. Statut et qualités d'un cadre qui crée et développe des projets à l'intérieur d'une entreprise.

1. (239)	das Intrapreneurship	intrapreneurship	el estatuto del directivo que crea un proyecto en una empresa	statuto e qualità di un quadro che sviluppa progetti internamente all'azienda	het intrapreneurship

INVENDABLE (adj.) (*) 1. Qui ne peut pas être vendu.

1. (575)	unverkaüflich unabsetzbar	unsaleable unmarketable	invendible	invendibile	onverkoopbaar

INVENDU (n.m.) (*) 1. Marchandise qui reste en magasin. 2. Marchandise refusée à la livraison.

1. (575)	die unverkaufte Ware	unsold	el invendido	l'invenduto (m.)	de onverkochte exemplaren (plur.)
	der Restposten	left-over		la merce in giacenza	
2. (575)	die nicht abgenommene Ware	returns	los invendidos	i resi	de onverkochte exemplaren (plur.)
	Ware, deren Annahme verweigert wurde	unsold items	el rechazo		de geweigerde goederen (plur.)

INVENDU, -UE (adj.) (*) 1. Qui n'a pas été vendu.

1. (575)	unverkauft nicht verkauft	unsold left-over	sin vender	invenduto	onverkocht

INVENTAIRE (n.m.) (***) 1. Action de dénombrer qqch.

1. (527)	die Inventur	stock-taking inventory	el inventario	l'inventario (m.)	de inventaris (m.)

INVENTORIER (v.tr.dir.) (*) 1. Inventorier qqch.

1. (527)	inventarisieren	to stocktake to inventory	inventariar	inventariare	inventariseren

INVESTIR (v.tr.dir.) (****) 1. Acheter des biens de production.

1. (338)	investieren	to invest	invertir	investire	investeren

INVESTISSEMENT (n.m.) (****) 1. Achat de biens de production. 2. Résultat de ces achats. 3. Mise en réserve d'un bien de consommation.

1. (334)	die Investition	investment capital spending	la inversión	l'investimento (m.)	de investering (f.)
2. (334)	die Investition	investment	la inversión	l'investimento (m.)	de investering (f.)
3. (334)	der (Kapital)Anleger	investment	la inversión	l'investimento (m.)	de investering (f.)

INVESTISSEMENT

➠ **société/entreprise - financement - amortissement - épargne**

1 un investissement **4** un désinvestissement **4** le réinvestissement	**2** un investisseur, une investisseuse	**4** investisseur, -euse	**3** investir **4** désinvestir **4** réinvestir

1 un INVESTISSEMENT - [ɛ̃vɛstismɑ̃] - (n.m.)

1.1. (emploi fréq. au pluriel) Opération économique ou financière par laquelle un agent économique (un particulier, une entreprise, un État - X) achète des biens de production, une unité de production, des valeurs mobilières ou un bien immobilier (Y), ou consacre des sommes d'argent à la recherche ou à la formation (Y) dans le but d'augmenter sa capacité de production ou ses revenus.

Ant. : un désinvestissement.

1.2. (emploi fréq. au pluriel) Résultat d'une opération d'investissement (sens 1.1.).

1.3. Opération par laquelle un agent économique (un particulier, une entreprise) met en réserve un bien de consommation durable pour le revendre ou le consommer plus tard.

Syn. : un placement.

La Ferrari qu'il a achetée il y a 10 ans s'est révélée un investissement très productif puisqu'il a réalisé une plus-value de 15 % lors de sa revente.

expressions

(sens 1.1. et 1.2.)

En matière d'investissement(s). *Les énormes efforts consentis par les entreprises en matière d'investissement ont obligé celles-ci à accroître leur recours à des capitaux extérieurs.*

+ adjectif

TYPE D'INVESTISSEMENT (sens 1.1.)

Un/des investissement(s) + adjectif qui désigne l'objet de l'investissement. Un/des investissement(s) immobilier(s); industriel(s); boursier(s); obligataire(s) (Syn. : (plus fréq.) **un/des investissement(s) en obligations**); financier(s); publicitaire(s). *L'achat d'un appartement à Paris, est-ce un investissement immobilier à la portée d'un ménage moyen ?*

Un investissement initial : investissement consenti lors du lancement d'une activité économique. (Syn. : **un investissement de départ, de base**). *Avec un investissement initial de moins d'un million d'euros, ce patron de PME a réalisé un chiffre d'affaires de 50 millions d'euros dès la première année.*

Un/des investissement(s) direct(s) : achat, création ou extension de fonds de commerce, de succursales ou de toute entreprise individuelle (Référis). *Un investissement direct dans un bien immobilier entraîne des frais considérables.* **Un/des investissement(s) (direct(s)) à l'étranger** : investissement direct effectué par une entreprise, un investisseur étranger. *Notre pays adopte une attitude favorable à l'égard des investissements étrangers qui contribuent à la mise en valeur de ses ressources et de ses avantages comparatifs.*

>< **Un/des investissement(s) indirect(s)** : prise de participation minoritaire dans le capital d'une société ou achat de valeurs mobilières dans le but d'effectuer un placement. (Syn. : **un/des investissement(s) de portefeuille**).

L'/les investissement(s) privé(s) : consenti(s) par le secteur privé.

>< **L'/les investissement(s) public(s)**. *L'autoroute de l'information est considérée comme l'investissement public qui a le plus contribué au succès économique et technologique du pays de ces dernières années.*

Un/des investissement(s) matériel(s) : achat de biens de production par une entreprise. On distingue les investissements de capacité, de remplacement et de productivité.

>< **Un/des investissement(s) immatériel(s)** : sommes d'argent réservées aux investissements en formation et en capital humain, à la recherche, à la publicité, ...

Un/des investissement(s) productif(s) : achat de biens qui servent à produire d'autres biens. *La croissance industrielle est portée par une augmentation des investissements productifs.*

>< **Un/des investissement(s) improductif(s)** : mise en place d'équipements destinés à produire les services répondant à la satisfaction de besoins collectifs (B&C).

Un/des investissement(s) stratégique(s) : investissement déterminant pour l'avenir d'une entreprise. *L'avenir de la société est assuré pour les années à venir grâce à des investissements stratégiques dans le domaine des télécommunications et des rationalisations effectuées*

Un investissement collectif : acquisition de moyens de production par une entreprise ou les dépenses d'infrastructure et de transport par les administrations publiques (M&S).

L'investissement brut. (Syn. : (plus fréq.) **la formation brute de capital fixe**). >< **L'investissement net**. (Syn. : (plus fréq.) **la formation nette de capital fixe**). (V. 85 capital, 1).

CARACTÉRISATION DE L'INVESTISSEMENT (sens 1.1.)

Un/de bon(s) investissement(s). >< **Un/de mauvais investissement(s)**.

Un/des investissement(s) spéculatif(s) : qui comporte des risques. *Les monnaies faibles sont un excellent instrument d'investissement spéculatif.*

Un/des investissement(s) rentable(s).

NIVEAU DE L'INVESTISSEMENT (sens 1.1. et 1.2.)

Un/des investissement(s) important(s), considérable(s), massif(s). Un/d' (de) important(s), gros, lourd(s), énorme(s) investissement(s). >< **Un investissement réduit, limité**.

MESURE DE L'INVESTISSEMENT (sens 1.1. et 1.2.)

L'/les investissement(s) total/totaux, global/globaux. Un investissement total, global de + indication d'un montant. *Pour se faire une place sur le marché chinois, la multinationale a consenti un investissement total de plusieurs millions de dollars.*

Un/des investissement(s) à court terme. < **Un/des investissement(s) à moyen terme**. < **Un/des investissement(s) à long terme**.

+ nom

(sens 1.1.)

• **Une société d'investissement**. (V. 515 société, 1).

Un club d'investissement : ensemble d'épargnants qui mettent en commun des ressources financières dans le but d'acheter des valeurs mobilières. *La plupart des clubs d'investissement ont une véritable structure, avec des statuts et une stratégie de placement bien définie.*

- **Un plan d'investissement(s)**; **un programme d'investissement(s)**; **un projet d'investissement(s)**.

  Une stratégie d'investissement(s). *Il vaut mieux suivre une stratégie d'investissement bien réfléchie que de croire aux "tuyaux".* **Une politique d'investissement.**

  Un instrument d'investissement.

  Une (plus fréq. **les**) **décision(s) d'investissement**. *L'entreprise a payé cher les deux années pendant lesquelles les décisions d'investissement ont été quasi nulles.*

- **Le coût d'un investissement**. (V. 159 coût, 1).
- **Les dépenses d'investissement(s)**. (V. 186 dépense, 1).
- **Le produit de l'investissement**. (V. 445 production, 2).
- **Le rendement d'un investissement**, (angl.) **le return d'un investissement**. (V. 482 rendement, 1).
- **La rentabilité d'un investissement**. (V. 484 rentabilité, 1).
- **Une déduction pour/sur investissement** : réduction d'impôt accordée en compensation d'investissements réalisés.
- **Les biens d'investissement**. (V. 63 bien, 1).
- **Un fonds d'investissement** (moins fréq. : **investissements**).
- **Des aides à l'investissement, une subvention d'investissement**. (V. 530 subvention, 1).

  Un crédit d'/à l'investissement. (V. 166 crédit, 1).

- **Un/des flux d'investissements**. (V. 285 flux, 1).

  Une vague d'investissements. *La vague d'investissements américains qui a déferlé sur l'Europe n'est pas passée inaperçue.*

- **La Banque européenne d'investissement (la BEI)**. (V. 52 banque, 1).

  Une banque d'investissement. (V. 52 banque, 1).

- **Un investissement de départ, de base**. (☞ 335 + adjectif).

TYPE D'INVESTISSEMENT (sens 1.1.)

Un/des investissement(s) en + nom qui désigne l'objet de l'investissement. Un/des investissement(s) en actions ; en obligations (Syn. : (moins fréq.) **un investissement obligataire**); en recherche (et développement). Un investissement en capital à risque (V. 85 capital, 1).

Un/des investissement(s) de renouvellement, de remplacement. (V. 28 amortissement, 1).

Un/des investissement(s) de substitution : investissement qui permet de faire des choses différentes de celles qu'on faisait avant dans le but de réaliser plus de bénéfices, p. ex. passer de la boulangerie à l'immobilier.

Un/des investissement(s) d'extension, d'expansion, de capacité : investissement destiné à accroître les capacités de production, p. ex. en achetant des biens de production ou en construisant une nouvelle unité de production. *En période de croissance, la nécessité pour les entreprises d'ajuster leur potentiel de production à la demande se traduit par des investissements d'extension.*

Un/des investissement(s) de rationalisation, de modernisation, de productivité : investissement destiné à améliorer la productivité du processus de production en réduisant les coûts de production. *La perte de compétitivité de l'entreprise l'oblige à procéder à des investissements de rationalisation destructeurs d'emplois.*

Un investissement en capital humain : ensemble des dépenses d'éducation et de santé destinées à accroître la productivité du travail (Silem).

Un/des investissement(s) de portefeuille. (☞ 335 + adjectif).

NIVEAU DE L'INVESTISSEMENT (sens 1.1.)

Le niveau des investissements. *Le niveau des investissements réalisés durant les quatre premiers mois de cette année par l'industrie est de 7,8 % inférieur à celui enregistré au cours de la même période l'année passée.*

MESURE DE L'INVESTISSEMENT (sens 1.1.)

Un taux d'investissement : rapport de l'investissement au revenu procuré par cet investissement.

+ verbe : qui fait quoi ?

(sens 1.1.)

X	✓	**prévoir** un/des ~ (en/dans Y)	-	1
X	×	**réaliser** un/des ~ (en/dans Y) (☞ 337 Pour en savoir plus, Note d'usage)	la réalisation d'(un) ~ (en/dans Y)	
		consentir un/des ~ (en/dans Y)	-	2
		effectuer un/des ~ (en/dans Y)	-	
		procéder à un/des ~ (en/dans Y)	-	
une opération		**représenter** un ~ de + montant	-	3
Y		**constituer** un (bon, mauvais) ~	-	
une activité		**nécessiter** un/des ~ (en/dans Y)	la nécessité d'un ~ (en/dans Y)	

X		**financer** un/des ~ (en/dans Y)	le financement d'un ~ (en/dans Y)	
X		**amortir** un/des ~ (en/dans Y)	l'amortissement d'un ~ (en/dans Y)	4
X		**rentabiliser** un ~ (en/dans Y)	la rentabilisation d'un ~ (en/dans Y) la rentabilité d'un ~ (en/dans Y)	
un/des ~		**rapporter** + un montant + indication de niveau	-	5
une mesure, le gouvernement		**encourager** les ~ (en/dans Y)	l'encouragement des ~ (en/dans Y)	
		stimuler les ~ (en/dans Y)	la stimulation des ~ (en/dans Y)	
		favoriser les ~ (en/dans Y)	-	
		>< **freiner** les ~ (en/dans Y)	le freinage des ~ (en/dans Y)	6
les ~	△	**croître**	la croissance des ~	
		augmenter	l'augmentation des ~	
		progresser	la progression des ~	
		être en hausse	la hausse des ~	
les ~	▽	**reculer**	le recul des ~	
		diminuer	la diminution des ~	
		être en baisse	la baisse des ~	
les ~	▽▽	**chuter**	la chute des ~	
les ~	▽△	**reprendre**	la reprise des ~	7

1 *Il faut prévoir un investissement de plusieurs millions d'euros pour financer les frais d'installation.*
2 *Nous comptons pouvoir consentir sous peu un investissement de l'ordre de 50 millions d'euros destiné à la construction d'une nouvelle unité de production.*
3 *La mise en place d'une nouvelle chaîne d'assemblage représente un investissement total de 20 millions de dollars.*
4 *Le modèle diesel coûte à peine plus cher que le modèle essence : la différence de coût de carburant permet donc d'amortir très vite l'investissement supplémentaire.*
5 *Dans une perspective à long terme, un investissement en actions rapporte plus qu'un investissement en obligations.*
6 *L'augmentation de la TVA est contraire à toute relance de la consommation et risque en plus de freiner les investissements.*
7 *L'amélioration du climat économique a permis une nette reprise des investissements des entreprises.*

(sens 1.2.)

l'/les ~	=	**s'élever à** + un montant	-
		représenter + un montant	-

Pour en savoir plus

NOTE D'USAGE

Un investissement/investir

dans	un secteur : la construction, l'industrie, la distribution, l'audiovisuel, la pierre ; des marchés (émergents)	
en	logements ; immeubles	formation recherche et (en) développement infrastructure actions ; obligations ; options informatique publicité ; communication

2 un INVESTISSEUR, une INVESTISSEUSE - [ɛ̃vɛstisœʀ, ɛ̃vɛstisøz] - (n.)

1.1. Agent économique (un particulier, une entreprise, un État) qui achète des biens de production, une unité de production, des valeurs mobilières ou un bien immobilier (X), ou consacre des sommes d'argent à la recherche ou à la formation (X) dans le but d'augmenter sa capacité de production ou ses revenus. *Les incertitudes quant à l'évolution des cours poussent l'investisseur à la prudence.*

+ nom

TYPE D'INVESTISSEUR

Un investisseur institutionnel : important organisme financier (une compagnie d'assurances, une caisse de retraite, un organisme de placement collectif (une sicav ou un FCP) qui rassemble l'épargne et la place en valeurs mobilières. (Syn. : (fam.) **les zinzins**, (peu fréq.) **un investisseur professionnel**).

>< **Un investisseur particulier, privé, individuel.**

Un investisseur potentiel. *Nous sommes à la recherche d'un investisseur potentiel pour nous aider à démarrer notre propre affaire.*

CARACTÉRISATION DE L'INVESTISSEUR

Un petit investisseur. >< **Un gros investisseur.**

Un investisseur actif. > **Un investisseur prudent** : qui ne prend pas beaucoup de risques. > **Un investisseur passif.**

Un investisseur averti, avisé : bien informé. *Tout investisseur averti analyse régulièrement son portefeuille et l'adapte aux évolutions du marché.*

LOCALISATION DE L'INVESTISSEUR

Un investisseur étranger.

+ verbe : qui fait quoi ?

une mesure,	**attirer** un ~	-	
un placement	**intéresser** un ~	l'intérêt d'un ~ pour un placement	
	séduire un ~	la séduction d'un ~ par un placement	1
	↓		
l'/les ~	**acheter** X	l'achat de X par l'/les ~	
un produit financier	**connaître un (beau) succès auprès** des ~	-	2
un intermédiaire	**placer** un produit financier **auprès** des ~	le placement d'un produit financier auprès des ~	
une mesure	**rassurer** l'/les ~	-	
	>< **décourager** l'/les ~	le découragement des ~	3
l'/les ~	**avoir confiance** (dans X)	la confiance de l'~ (dans X)	
	>< **manquer de confiance** (dans X)	le manque de confiance de l'~ (dans X)	
	↓		
l'/les ~	**garder confiance** (dans X)	-	
	>< **perdre confiance** (dans X)	une perte de confiance de l'~ (dans X)	4
	↓		
l'/les ~	**reprendre confiance** (dans X)	une reprise de confiance de l'~ (dans X)	

1 *Des dizaines d'hommes d'affaires veulent séduire les investisseurs américains en soulignant les bons résultats économiques enregistrés par notre pays.*
2 *Dès leur lancement, les sicav de trésorerie ont connu un beau succès auprès des investisseurs à cause des taux d'intérêt élevés.*
3 *Aussi longtemps que les salaires demeurent très attrayants, les grèves ne risquent pas de décourager les investisseurs.*
4 *À cause des nombreux conflits politiques, les investisseurs ont perdu confiance et ont quitté le pays.*

3 INVESTIR - [ɛ̃vɛstiʀ] - (v.tr.dir.)

1.1. Un agent économique (un particulier, une entreprise, un État - X) achète des biens de production, une unité de production, des valeurs mobilières ou un bien immobilier (Y), ou consacre des sommes d'argent à la recherche ou à la formation (Y) dans le but d'augmenter sa capacité de production ou ses revenus.

Ant. : désinvestir.

Beaucoup d'investisseurs ont commis l'erreur d'investir dans les marchés sud-américains au moment où les cours en bourse dans ces pays étaient à leur sommet.

expressions

- (Une personne) **investir à fonds perdus.**
(V. 287 fonds, 1).

+ adverbe

- **Investir massivement, énormément.** *La société continuera à investir massivement dans le cinéma, la télévision et la vidéo, mais se tiendra à l'écart du marché de l'information interactive dont la rentabilité n'est pas prouvée.*
- **Investir directement** (dans une entreprise). >< **Investir indirectement** (dans une entreprise). *On peut investir indirectement dans une entreprise en achetant l'action d'un holding qui détient une participation dans cette entreprise.*

+ verbe : qui fait quoi ?		
X	**investir** (de l'argent) (dans/en Y) (V. 337 1 investissement)	un investissement dans/en Y

4 AUTRES DÉRIVÉS OU COMPOSÉS

- **Un désinvestissement** [dezɛ̃vɛstismɑ̃] (n.m.) : non remplacement du capital usé ou arrêt des investissements. *Le groupe a vendu une part importante de ses titres. Les fonds libérés par ce désinvestissement seront utilisés pour le financement de l'expansion de la nouvelle filiale.*
- **Le réinvestissement** [ʀeɛ̃vɛstismɑ̃] (n.m.). *La remise au travail d'un nombre important de sans-emploi devra s'accompagner d'un réinvestissement dans diverses formes de formations professionnelles.*

  {**réinvestir** [ʀeɛ̃vɛstiʀ] (v.tr.dir.)}.
- (peu fréq.) **Investisseur, -euse** [ɛ̃vɛstisœʀ, -øz] (adj.) : (un particulier, une entreprise, un État) qui achète des biens de production, une unité de production, des valeurs mobilières ou un bien immobilier, ou qui consacre des sommes d'argent à la recherche ou à la formation dans le but d'augmenter sa capacité de production ou ses revenus. **Un agent investisseur**.
- **Désinvestir** [dezɛ̃vɛstiʀ] (v.intr., v.tr.indir.) : une entreprise ne remplace pas le capital usé ou cesse d'investir. *L'entreprise a dû désinvestir de deux filiales pour éviter d'acquérir une position dominante dans le secteur des polypropylènes.*

INVESTISSEUR, -EUSE (adj.) (*) 1. Qui achète des biens de production.

1. (339)	der Investor	investor	el inversor	investitore	investeerder

INVESTISSEUR, INVESTISSEUSE (n.) (****) 1. Agent économique qui achète des biens de production.

1. (337)	der Investor der Anleger	investor	el inversor el inversionista	l'investitore (m.)	de investeerder (m.)

INVISIBLES (n.m.plur.) (*) 1. Opérations qui portent sur des services ou des transferts de revenus.

1. (50)	die Dienstleistungen	invisibles	las operaciones "invisibles"	le partite invisibili	de onzichtbare handel (m.)

IPC (une ~) (**) institution publique de crédit.

(54)	die öffentlichen Kreditinstitute die staatlichen Kreditinstitute	public credit institution	el instituto público de crédito	gli istituti pubblici di credito	de openbare kredietinstelling (f.)

IPP (l'~ (m.)) (***) impôt sur le revenu des particuliers.

(313)	die Einkommen(s)steuer	(personal) income tax	el impuesto sobre la renta de las personas físicas (IRPF)	l'imposta (f.) sul reddito delle persone fisiche (IRPEF)	de personenbelasting (f.)

IRPP (l'~ (m.)) (***) impôt sur les revenus des personnes physiques.

(313)	die Einkommen(s)steuer	(personal) income tax	el impuesto sobre la renta de las personas físicas (IRPF)	l'imposta (f.) sul reddito delle persone fisiche (IRPEF)	de personenbelasting (f.)

IRRECOUVRABLE (adj.) (*) 1. Que l'on ne peut pas récupérer.

1. (162)	nicht eintreibbar uneinbringlich	irrecoverable uncollectable	incobrable irrecuperable	inesigibile irrecuperabile	oninbaar oninvorderbaar

IRRÉCOUVRABLE (adj.) (*) 1. Que l'on ne peut pas récupérer.

1. (162)	nicht eintreibbar uneinbringlich	irrecoverable uncollectable	incobrable irrecuperable	inesigibile irrecuperabile	oninbaar oninvorderbaar

IRRÉGULIER, -IÈRE (adj.) (***) 1. Qui ne présente pas un rythme, une vitesse uniforme.

1. (282)	unregelmässig	irregular erratic	irregular	irregolare	onregelmatig

IRRÉGULIÈREMENT (adv.) (*) 1. Sans rythme uniforme.

1. (282)	unregelmässig	erratically unsteadily	irregularmente	irregolarmente	onregelmatig

IRREMBOURSABLE (adj.) (*) 1. Qui ne peut pas être rendu.

1. (478)	nicht rückzahlbar nicht tilgbar	non-refundable	no amortizable no reembolsable	non rimborsabile	niet aflosbaar niet terugbetaalbaar

IS (l'~ (m.)) (**) impôt sur les (bénéfices/revenus des) sociétés.

(313)	die Körperschaftsteuer	corporate tax corporation tax	el impuesto sobre sociedades	l'imposta (f.) sugli utili delle società	de vennootschapsbelasting (f.)

ISF (l'~ (m.)) (*) impôt de solidarité sur la fortune.

(313)	die Vermögensteuer	wealth tax	el impuesto sobre el patrimonio	l'imposta patrimoniale (f.)	de vermogensbelasting (f.)

ISOC (l'~ (m.)) (**) impôt des sociétés.

(313)	die Körperschaftsteuer	corporate tax corporation tax	el impuesto sobre sociedades	l'imposta sui proventi delle società	de vennootschapsbelasting (f.)

ITL (***) (382) Italie - lire.

J

JARDINAGE (n.m.) (**) 1. Culture des jardins.

1. (351)	der Gartenbau die Gartenarbeit	gardening horticulture	la horticultura	il giardinaggio	de tuinbouw (m.)

JARDINIER, -IÈRE (adj.) (*) 1. Qui se rapporte aux jardins.

1. (120)	Garten-	gardener horticulturist	horticultor jardinero	giardiniere	tuinbouwer- hovenier-

JARDINIER, JARDINIÈRE (n.) (**) 1. Personne qui cultive des jardins.

1. (120)	der Gärtner der Landschaftsgärtner	gardener horticulturist	el horticultor el jardinero	il giardiniere	de tuinbouwer (m.) de hovenier (m.)

JETONS DE PRÉSENCE (les ~ (m.)) (*) 1. Rémunération d'un administrateur de société.

1. (480)	das Anwesenheitsgeld	director's fee	las dietas de asistencia	i gettoni di presenza	de zitpenningen (plur.)

JIT (le ~) (**) just-in-time.

(526)	das Just-in-time	just-in-time	la fabricación justo en tiempo el just-in-time	il "just in time"	de just in time productiestrategie (f.)

JOB (n.m., (Q) n.f.) (***) 1. Travail rémunéré.

1. (557)	der Job	job	el trabajo el trabajillo	il lavoro l'impiego (m.)	de job (m./f.) de baan (m./f.)

JOBISTE (n.) (*) 1. Étudiant qui effectue un petit travail rémunéré.

1. (557)	der Werkstudent der Student, der neben dem Studium arbeitet	student worker	el estudiante que trabaja	lo studente impiegato part-time	de jobstudent (B) (m.) de werkstudent (NL) (m.)

JOINT(-)VENTURE ; JOINT(-)VENTURES (n.m. ou n.f.) (***) 1. Société créée pour mettre en commun des ressources.

1. (514)	das Joint Venture	joint-venture	la asociación de empresas "joint venture"	la joint-venture	de gemengde vennootschap (f.) de joint venture (f.)

JOLI, -IE (adj.) (**) 1. Élevé.

1. (283)	beachtlich hübsch	high considerable	alto elevado	alto elevato	hoog aanzienlijk

JOLIMENT (adv.) (*) 1. De façon considérable.

1. (283)	ganz schön	highly considerably	altamente bonitamente	altamente	hoog aanzienlijk

JOURNÉE « PORTES OUVERTES » (une ~) (**) 1. Journée pendant laquelle une entreprise accueille le public.

1. (374)	der Tag der offenen Tür	open-house (day)	la jornada de puertas abiertas	(la giornata) porte aperte	de opendeurdag (m.)

JOYAUX (DE LA COURONNE) (les ~ (m.)) (*) 1. Biens de grande importance pour une entreprise.

1. (9)	die Kronjuwele	the jewel in the crown crown jewels	las joyas de la corona	i gioielli di famiglia	de kroonjuwelen (plur.) de strategische activa (plur.)

JPY (***) (382) Japon - yen.

JUGULATION (n.f.) (*) 1. Fait de faire disparaître.

1. (281)	die Eindämmung	suppression stamping out	la lucha contra la supresión	lo stroncamento	de beteugeling (f.) de bestrijding (f.)

JUGULER (v.tr.dir.) (**) 1. Faire disparaître.

1. (281)	eindämmen	to suppress to stamp out	suprimir anular	domare stroncare	beteugelen bestrijden

JUNK(-)BOND ; JUNK(-)BONDS (n.m.) (**) 1. Obligation à haut risque.

1. (391)	der Junk Bond das Spekulationspapier	junk bond	el bono basura	l'obbligazione spazzatura il "junk bond"	de junk bond (m.) de speculatieve obligatie (f.)

JUSTE(-)À(-)TEMPS (n.m.) (*) 1. Fait de disposer de biens au moment où on les utilise.J

1. (526)	das Just-in-time die zeitoptimale Fertigung	just-in-time	el just-in-time la fabricación justo en tiempo	il "just in time"	de "just in time" productiestrategie (f.)

JUST-IN-TIME (n.m.) (**) 1. Fait de disposer de biens au moment où on les utilise.

1. (526)	das Just-in-time	just-in-time	el just-in-time	il "just in time"	de "just in time" productiestrategie (f.)
	die zeitoptimale Fertigung		la fabricación justo en tiempo		

JUTEUX, -EUSE (adj.) (**) 1. Lucratif.

1. (282)	lukrativ	lucrative (affaire)	jugoso	proficuo	winstgevend
	einträglich	juicy (renseignement)			zeer (groot)

K

KILO (n.m.) (***) 1. Mesure du poids.

1. (434)	das Kilo	kilo(gram)	el kilo(gramo)	il chilo(grammo)	het kilo(gram)
				il kilogrammo	

KNOW(-)HOW (n.m.) (***) 1. Savoir-faire.

1. (168)	das Know-how	know-how	el saber hacer	il know-how	de knowhow (m.)
	das Gewusst wie		el know-how		

KONZERN (n.m.) (*) 1. Société composée d'une société-mère et de filiales.

1. (519)	der Konzern	group	el consorcio	il konzern	het concern
	der Unternehmenszusammenschluss	concern		il gruppo	

KRACH (n.m.) (***) 1. Baisse très importante des cours des actions.

1. (139)	der Börsenkrach	crash	el crac	il crac in borsa	de beurskrach (m.)
	der Zusammenbruch der Börse	collapse	la quiebra	il tracollo	

L

LABEL (n.m.) (***) 1. Marque de garantie.

1. (254)	das Warenzeichen	label	la etiqueta	il marchio di qualità	het label
(445)	die Qualitätsgarantie		la marca de garantía	l'etichetta (f.)	het kwaliteitsmerk

LAISSÉ(-)POUR(-)COMPTE ; LAISSÉS(-)POUR(-)COMPTE (n.m.) (*) 1. Marchandise qui reste en magasin. 2. Marchandise refusée à la livraison.

1. (575)	der Restposten	white elephant	el dejado de lado	le giacenze	de onverkoopbare waren (plur.)
	die unverkäufliche Ware	unwanted article		la merce invenduta	
2. (575)	die Retourware	returned article(s)	la mercancía rechazada	gli resi	de geweigerde waren (plur.)
	die nicht angenommene Ware	refused article			

LANCEMENT (n.m.) (****) 1. Première phase du cycle de vie d'un produit.

1. (369)	die Einführung	launch	el lanzamiento	il lancio	de lancering (f.)
(434)	das Herausbringen	launching			

LANCER (v.tr.dir.) (****) 1. Mettre un produit sur le marché.

1. (369)	auf den Markt bringen	to launch	lanzar	lanciare	lanceren
	einführen				

LEADER (n.m.) (****) 1. Agent économique qui domine.

1. (367)	der Marktführer	leader	el líder	il leader	de (markt)leider (m.)
(505)					

LEADERSHIP (n.m.) (***) 1. Fonction de leader.

1.	die Führerschaft	leadership	el liderazgo	il leadership	het leadership
	die Führung		el liderato	il comando	het leiderschap

LEASER (v.tr.dir.) (*) 1. Louer un bien.

1. (350)	leasen	to lease	arrendar	noleggiare	verhuren
	mieten			prendere in leasing	leasen

LEASING (n.m.) (****) 1. Location de biens.

1. (350)	das Leasing	leasing	el leasing	il leasing	de leasing (f.)
			el arrendamiento financiero	la locazione finanziaria	de langdurige verhuur (m.)

LÈCHE-VITRINE(S) (n.m.) (*) 1. Action de flâner en regardant les étalages.

1. (355)	einen Schaufensterbummel machen	window-shopping	mirar escaparates	andare (in giro) per negozi	het bekijken van winkels en etalages

LÉGER, -ÈRE (adj.) (****) 1. Peu important.

1. (282)	leicht	slight	ligero	leggero	licht
(284)	klein	small	liviano		klein

LÉGÈREMENT (adv.) (****) 1. De façon peu importante.

1. (282)	leicht	slightly	ligeramente	leggermente	licht(jes)
(284)					klein

LENT, LENTE (adj.) (****) 1. Peu rapide.

1. (282)	langsam	slow	lento	lento	langzaam traag

LENTEMENT (adv.) (***) 1. De façon peu rapide.

1. (282)	langsam	slowly	lentamente	lentamente	langzaam traag

LETTRE (n.f.) (****) 1. Écrit envoyé à qqn. 2. (une ~ de change) Effet de commerce.

1. (18)	der Brief	letter	la carta	la lettera	de brief (m.)
2. (114)	der Wechsel	bill (of exchange)	la letra de cambio	la cambiale	de wissel(brief) (m.)

LIASSE (n.f.) (*) 1. Tas de papiers liés ensemble.

1. (380)	der Stoss	bundle	el legajo	un fascio	de bundel (m.)

LIBELLER (v.tr.dir.) (***) 1. Consigner par écrit.

1. (98)	aufsetzen	to write out	redactar	emettere	invullen
(257)	formulieren	to make out (chèque)	extender	redigere	uitschrijven

LIBÉRALISATION (n.f.) (***) 1. Réduction de la réglementation.

1. (370)	die Liberalisierung	liberalization	la liberalización	la liberalizzazione	de liberalisering (f.)
(436)	die Freigabe	decontrol (des prix)			

LIBÉRALISER (v.tr.dir.) (**) 1. Réduire la réglementation.

1. (370)	liberalisieren	to liberalize	liberalizar	liberalizzare	liberaliseren
(436)	freigeben				

LIBRAIRE (n.) (**) 1. Commerçant qui vend des livres.

1. (205)	der Buchhändler	bookseller	el librero	il libraio	de boekhandelaar (m.)

LIBRAIRIE (n.f.) (***) 1. Commerce de vente de livres.

1. (572)	die Buchhandlung	bookshop (GB) bookstore (US)	la librería	la libreria	de boekhandel (m.)

LIBRE(-)SERVICE ; LIBRES(-)SERVICES (n.m.) (*) 1. Méthode de vente et commerce où le client se sert lui-même.

1. (511) (115)	die Selbstbedienung	self-service	el autoservicio	il self-service	de zelfbediening (f.)

LIBRE-ÉCHANGE (n.m.) (***) 1. Politique économique qui préconise la liberté des échanges commerciaux internationaux.

1. (116)	der Freihandel	free trade	el librecambio	il libero scambio	de vrijhandel (m.)

LIBRE-ÉCHANGISME (n.m.) (*) 1. Doctrine du système économique qui préconise les échanges sans entraves.

1. (116)	die Freihandelspolitik	free trade policy free market policy	el librecambismo	il liberoscambismo	de vrijhandelspolitiek (f.)

LIBRE-ÉCHANGISTE (n.) (*) 1. Partisan de la doctrine du système économique qui préconise les échanges sans entraves.

1. (116)	Freihandels-	free-trader	el librecambista	il liberoscambista	de voorstander (m.) van de vrijhandel

LICENCE (n.f.) (****) 1. Droit. 2. Diplôme universitaire.

1. (254)	die Lizenz(gebühr)	licence	la licencia	la licenza	de licentie (f.)
(251)	die Erlaubnis		el permiso	la concessione	de vergunning (f.)
2. (213)	das Staatsexamen die "Licence"	bachelor's degree	la licenciatura	il diploma universitario	de licentie (f.)

LICENCIEMENT (n.m.) (****) 1. Action de priver qqn de son emploi.

1. (342)	die Entlassung die Kündigung	redundancy laying off	el despido	il licenziamento	het ontslag

LICENCIEMENT

➠ embauche - emploi

1 un licenciement **3** un licenciement-minute	**3** un licencié, une licenciée		**2** licencier

1 un LICENCIEMENT - [lisɑ̃simɑ̃] - (n.m.)

1.1. Action par laquelle un agent économique (un employeur : une entreprise, un État - X) décide de priver définitivement un salarié (Y) de son emploi parce qu'il n'est pas satisfait de ses services, qu'il a commis une faute grave ou pour des raisons économiques.

Syn. : (☞ 343 Pour en savoir plus, Licenciement et synonymes); Ant.: (☞ 343 Pour en savoir plus, Licenciement et antonymes).

Plus de 2 500 ouvriers des usines situées en Europe seront mis au chômage en attendant un licenciement définitif.

+ adjectif

TYPE DE LICENCIEMENT

Un licenciement sec : véritable licenciement, qui s'oppose aux autres formes de départs: les préretraites ou les retraites. *La compagnie aérienne a annoncé qu'elle supprimera 200 emplois de pilotes, sans licenciements secs.*

Un licenciement collectif : qui touche d'un coup tout un groupe de salariés pour des raisons économiques. *Les syndicats ont lancé une ac-*

tion d'avertissement de 24 heures contre le licenciement collectif de 16 employés.

>< **Un licenciement individuel** : qui touche un seul salarié pour des raisons économiques ou à cause d'une faute professionnelle.

Un licenciement (pour raisons) économique(s). *Le secteur des services, s'il est créateur d'emplois, n'est pas à l'abri pour autant des licenciements économiques.*

Un licenciement arbitraire, abusif. (☞ 343 + nom).

CARACTÉRISATION DU LICENCIEMENT

Des licenciements massifs : en grand nombre.

+ nom

- **Une lettre de licenciement.**
- **Le préavis (de licenciement).** 1. Annonce (p. ex. **une lettre de licenciement**) par laquelle un employeur fait savoir à un salarié qu'il va le licencier. *Les premiers préavis de licenciement seront envoyés au personnel dans le courant de la semaine prochaine.* - 2. Période qu'un salarié doit encore travailler après l'annonce de son licenciement ou de sa démission. *On peut faire varier la durée du préavis de licenciement en fonction de l'âge, du salaire et de la fonction.*
- **Des indemnités de licenciement** : somme d'argent versée par un employeur à tout salarié qui dispose d'un contrat de travail à durée indéterminée et qui est licencié. **La prime de départ** est une somme d'argent que l'employeur verse à l'employé en plus des indemnités de licenciement pour l'inciter à quitter l'entreprise (p. ex. dans le cadre d'une restructuration).

TYPE DE LICENCIEMENT

Le licenciement de + nom qui désigne un groupe de salariés. Le licenciement de cadres ; de 20 membres du personnel.

Un licenciement pour faute grave : qui entraîne le renvoi immédiat du salarié de l'entreprise sans qu'il ait droit à un préavis et à des indemnités. (Ant. : **Un licenciement arbitraire, abusif**). *Les syndicats contestent le licenciement pour faute grave d'une employée qui avait caché un vêtement pour pouvoir l'acheter au moment des solde s; ils parlent d'un licenciement arbitraire.*

+ verbe : qui fait quoi ?

X		**annoncer** un (plan de) ~	l'annonce d'un (plan de) ~	
Y		**être menacé** de ~	une menace de ~	1
X		**signifier** le ~ à Y **notifier** le ~ à Y	- la notification du ~ (à Y)	2
X	×	**procéder au** ~ de Y	-	3
les syndicats		**protester contre** le ~ de Y	la protestation des syndicats contre le ~ de Y	

1 *Une menace de licenciement pèse sur près d'un quart des salariés de l'usine.*
2 *Quarante employés, engagés à titre temporaire, se sont vu signifier leur licenciement à partir du premier septembre prochain.*
3 *Le producteur de tapis devrait procéder au licenciement de 25 de ses 400 ouvriers à la suite de la reprise de la société par un grand groupe anglais.*

Pour en savoir plus

LICENCIEMENT ET SYNONYMES

La presse, les syndicats parlent de **licenciement(s)**, de **suppression(s) d'emplois** (le singulier 'emploi' est peu fréquent), d'**une réduction des (d')effectifs**, d'**une réduction de (du) personnel**, d'**un dégraissage des effectifs**, d'**une compression du personnel** ou **des effectifs**, de (peu fréq.) **débauchage** (V. 223 embauche, 3), **de congédiement**. *On aura du mal à reconnaître l'entreprise après cette importante opération de dégraissage des effectifs.*

La direction préfère des euphémismes au mot 'licenciement': **le désengagement de qqn** {**désengager**}, **la mise à pied de qqn**, **une cure d'amaigrissement** et d'autres expressions qui indiquent plutôt les raisons du licenciement : **la rationalisation** ou **la restructuration**. *Le plan de restructuration prévoit le désengagement de 180 salariés par le biais de mises à la retraite anticipées ou de départs volontaires et une modération salariale de 3,5 % sur le salaire brut.*
(V. 344 2 licencier).

LICENCIEMENT ET ANTONYMES

Un licenciement.

L'embauche, le recrutement, l'engagement : lorsqu'un agent économique désire donner du travail à une personne. (V. 222 embauche, 1).

La démission {**démissionner**}. 1. Décision d'un salarié de quitter lui-même son emploi, sans qu'il y soit obligé par son employeur.

(Syn. : **le départ volontaire**). *Le directeur a déclaré que sa démission n'avait aucun rapport avec les mauvais résultats enregistrés par le groupe.* {**démissionnaire**} - 2. (peu fréq.) Licenciement.
(V. 344 2 licencier).

2 LICENCIER - [lisɑ̃sje] - (v.tr.dir.)

1.1. Un agent économique (un employeur : une entreprise, un État - X) prive définitivement un salarié (Y) de son emploi parce qu'il n'est pas satisfait de ses services, que celui-ci a commis une faute grave ou pour des raisons économiques.
Syn. : (☞ 344 Pour en savoir plus, Licencier et synonymes) ; Ant. : (☞ 344 Pour en savoir plus, Licencier et antonymes).
ABT avait envisagé de licencier une partie du personnel. La réaction vigoureuse des syndicats a cependant fait plier la direction.

+ nom

TYPE DE LICENCIEMENT

Licencier pour faute grave. (V. 343 1 licenciement).

qui fait quoi ?

X	licencier	Y	le licenciement de Y	1
		du personnel		
		des ouvriers		
	>< **réintégrer**	Y	la réintégration de Y	1

1 *Malgré les protestations des syndicats, la direction ne compte pas réintégrer l'employée licenciée dans la société.*

Pour en savoir plus

LICENCIER ET SYNONYMES

La presse, les syndicats parlent de **licencier**, de **supprimer des emplois**, de **réduire les effectifs** (le singulier 'effectif' est peu fréq.), de **réduire le personnel**, **réduire** qqn **au chômage**, de **dégraisser** ou de **comprimer les effectifs**, de **procéder à des coupes sombres** (dans le département de ...), de (peu fréq.) **débaucher** qqn (V. 223 embauche, 3). *Les sociétés touchées par la bureautique (les banques, les assurances) devront réduire leurs effectifs malgré l'accroissement de leurs activités.*

La direction préfère des euphémismes au mot 'licencier' : **désengager qqn** {**le désengagement**}, **procéder à une cure d'amaigrissement, se séparer de** qqn, (peu fréq.) **démissionner** qqn. *IBM a annoncé son intention de procéder à une cure d'amaigrissement : 1 300 emplois passent à la trappe.* D'autres expressions indiquent plutôt les raisons du licenciement : **rationaliser** ou **restructurer** l'entreprise.
En s'adressant au salarié licencié, la direction dira qu'elle doit **se priver de ses services**.
Le salarié licencié dira qu'il a été licencié, ou (fam.) **mis à la porte, renvoyé, viré, congédié, balancé**, (peu fréq.) **démissionné**. En Belgique, il dira qu'**il a reçu son C4** (document reçu lors du licenciement).
(V. 343 1 licenciement).

LICENCIER ET ANTONYMES

Licencier.
Embaucher, recruter, engager.
Démissionner. 1. Le salarié quitte lui-même son emploi, sans qu'il y soit obligé par son employeur. *Il a longtemps songé à démissionner dans l'intérêt de la société.* - 2. L'employeur prive un salarié de son travail. (Syn. : (plus fréq.) **licencier**).
(V. 343 1 licenciement).

3 AUTRES DÉRIVÉS OU COMPOSÉS

- **Un licenciement-minute** [lisɑ̃simɑ̃minyt] (n.m.) (plur. : **des licenciements-minute**) : licenciement qui se fait tout à coup, sans faute professionnelle préalable.
- (peu fréq.) **Un licencié, une licenciée** [lisɑ̃sje] (n.). *Les licenciés n'ont pas encore touché leurs indemnités de licenciement.*

LICENCIEMENT-MINUTE ; LICENCIEMENTS-MINUTE (n.m.) (*) 1. Action de priver qqn tout à coup de son emploi.

1. (344)	die fristlose Kündigung	dismissal without notice	el despido inmediato	il licenziamento in tronco il licenziamento immediato	het onmiddellijk ontslag

LICENCIÉ, LICENCIÉE (n.) (*) 1. Personne privée de son emploi.

1. (344)	der Entlassene der Gekündigte	person made redundant	el despedido	il licenziato	de afgedankte (m.)

LICENCIER (v.tr.dir.) (****) 1. Priver qqn de son emploi.

1. (344)	entlassen kündigen	to make redundant to lay off	despedir licenciar	licenziare	ontslaan

LIMITATION (n.f.) (***) 1. Réduction.

1. (277)	die Begrenzung die Beschränkung	restriction limitation	la limitación	la limitazione	de beperking (f.) de reductie (f.)

LIMITER (~, se ~ à) (v.tr.dir., v.pron.) (****) 1. (Se) réduire.

1. (277) (284)	begrenzen beschränken	to restrict to limit	limitar (se)	limitare	beperken reduceren

LINÉAIRE (n.m.) (**) 1. Longueur des étagères d'exposition des produits.

1. (374)	die Verkaufsfläche	shelf-space front-line	la longitud (de estantes)	lo spazio sullo scaffale	aantal strekkende meters schapruimte

LIQUIDATEUR, LIQUIDATRICE (n.) (**) 1. Personne qui apure les comptes d'une société dissoute.

1. (66)	der Konkursverwalter der Liquidator	receiver liquidator	el liquidador	il liquidatore	de vereffenaar (m.)

LIQUIDATION (n.f.) (****) 1. Vente à prix avantageux. 2. Apurement des comptes d'une société dissoute. 3. Exécution d'une opération à terme en bourse. 4. Détermination du montant d'une dépense.

1. (574)	der Ausverkauf	(clearance) sale	la liquidación	la liquidazione	de uitverkoop (m.) de opruiming (f.)
2. (66) (238)	die Liquidation die Abwicklung	liquidation winding up	la liquidación	la liquidazione	de vereffening (f.)
3. (71)	die Liquidation	settlement account	la liquidación	la liquidazione	de levering (f.) van gekochte effecten
4. (574)	die Festsetzung	settlement	la liquidación	la liquidazione il pagamento	de vereffening (f.)

LIQUIDE (adj.) (***) 1. Immédiatement disponible.

1. (347)	flüssig liquid(e)	liquid	líquido en efectivo	liquido	contant

LIQUIDE (n.m.) (**) 1. Argent immédiatement disponible.

1. (347)	das Bargeld	cash ready money	el líquido el efectivo	liquido	het baar geld het gereed geld

LIQUIDER (v.tr.dir.) (***) 1. Vendre à prix avantageux. 2. Apurer les comptes d'une société dissoute. 3. Exécuter une opération à terme en bourse.

1. (574)	ausverkaufen räumen	to clear to sell off	liquidar	liquidare	opruimen uitverkopen
2. (238)	liquidieren abwickeln	to liquidate to wind up	liquidar	mettere in liquidazione	liquideren afwikkelen
3. (71)	liquidieren	to close	liquidar	liquidare	verrekenen

LIQUIDITÉ (n.f.) (****) 1. Capacité de qqch. d'être disponible immédiatement. 2. Capacité d'un agent économique à faire face à ses dettes. 3. Moyen de paiement.

1. (345)	die Liquididät	liquidity	la liquidez	la liquidità	de liquiditeit (f.)
2. (345)	die Liquididät	solvency creditworthiness	la liquidez la solvencia	la solvibilità	de solvabiliteit (f.)
3. (345)	flüssige Mittel	liquid assets cash	las disponibilidades la liquidez	la liquidità	de liquide middelen (plur.) de betalingsmiddelen (plur.)

LIQUIDITÉ

➡ argent

1 la liquidité **3** le liquide		**2** liquide	

1 la LIQUIDITÉ - [likidite] - (n.f.)

1.1. Capacité d'un bien, d'une somme d'argent, d'un titre, d'une dette (X) d'être disponible rapidement comme moyen de paiement.
Syn. : la disponibilité.
La monnaie est caractérisée par la liquidité qui en fait un instrument de réserve de pouvoir d'achat immédiat.

1.2. Capacité d'un agent économique (une entreprise) à faire face à ses dettes à court terme.
Veiller à la liquidité de l'entreprise, à son indépendance financière et choisir les meilleures formules de financement, tous ces éléments interviennent dans l'art de la gestion quotidienne d'une entreprise.

1.3. (emploi généralement au plur.) Moyens de paiement (des billets, des pièces de monnaie, des comptes à vue) dont un agent économique (un particulier, une entreprise, une banque) peut disposer rapidement.
Syn. : (V. 35 argent, 1).
Avec un crédit de caisse, une entreprise peut disposer de liquidités par un découvert en compte courant, jusqu'à concurrence du montant convenu du crédit.

expressions

(sens 1.3.)

(Une personne, une organisation) **être à court de liquidité(s)** : manquer de liquidités.

+ adjectif

TYPE DE LIQUIDITÉ (sens 1.3.)

Les liquidités monétaires. (Syn. : **les disponibilités monétaires**). (V. 35 argent, 1).

La/les liquidité(s) internationale(s) : ensemble des moyens de paiement (p. ex. les réserves des banques centrales en or et en devises, tels l'(euro)dollar, l'euro, ...) dont disposent les pays pour régler leurs opérations financières et commerciales. *Les banques centrales interviendront en cas de crise de liquidité internationale et des ressources suffisantes pourront être mobilisées à cet effet.*

NIVEAU DE LA LIQUIDITÉ (sens 1.3.)

Les liquidités excédentaires : en plus de la quantité fixée. *Sur le marché monétaire, les banques qui ont des liquidités excédentaires cherchent à les prêter à des banques qui ont des besoins en liquidités.*

+ nom

(sens 1.1.)

La liquidité d'une valeur, d'un titre, d'un actif, d'une créance, ... *L'augmentation de capital en cours va contribuer à augmenter la liquidité du titre.*

Une valeur à forte liquidité, un titre à forte liquidité. > **Une valeur à moyenne liquidité**. > **Une valeur à liquidité faible**.

(sens 1.2.)

La liquidité d'une entreprise, d'une banque, ...

(sens 1.3.)

Une demande de liquidités, un manque de liquidités, un besoin de/en liquidités. *L'augmentation des besoins de liquidités des agents économiques qui désirent réaliser rapidement des achats et des ventes à peu de frais a permis à un éventail de produits financiers de voir le jour.* < **Un problème de liquidité(s)**. *Les sept plus grandes puissances étudient des mesures d'urgence pour aider ce pays à surmonter ses problèmes de liquidité.* < **Une crise de liquidité(s)**.

MESURE DE LA LIQUIDITÉ (sens 1.2.)

Le ratio de liquidité générale, le coefficient de liquidité générale, l'indice de liquidité générale : rapport entre les dettes à court terme inscrites au passif et le total des capitaux circulants qui figurent à l'actif du bilan d'une entreprise. (Syn. : **le ratio de fonds de roulement**). Ce ratio permet de mesurer la capacité d'une entreprise de faire face à ses engagements à court terme.

Le ratio de liquidité immédiate, le coefficient de liquidité immédiate, l'indice de liquidité immédiate : rapport entre les valeurs disponibles (en caisse, en banque) et les dettes à court terme. (Syn. : **le ratio de trésorerie immédiate**). Ce ratio permet d'évaluer l'affectation des ressources.

Le ratio de liquidité bancaire, le coefficient de liquidité bancaire, l'indice de liquidité bancaire : encaisses en billets et avoirs des banques sur leur compte courant. La liquidité bancaire correspond à la capacité des banques de faire face à une demande de remboursement en billets (C&G).

+ verbe : qui fait quoi ?

(sens 1.1.)

une mesure	△	**augmenter** la ~ de X **améliorer** la ~ de X **accroître** la ~ de X	une augmentation de la ~ de X une amélioration de la ~ de X un accroissement de la ~ de X
une mesure	▽	**réduire** la ~ de X	une réduction de la ~ de X

(sens 1.3.)

une banque, un État	**créer** des ~	la création de ~	1
une banque centrale	**agir sur** la ~	l'action sur la ~	2
un particulier, une entreprise, ...	**déposer** des ~ (dans une banque)	le dépôt de ~	
	placer des ~	le placement de ~	
	>< **retirer** des ~	le retrait de ~	3

1 *La création de liquidités internationales profite uniquement aux pays dont la devise sert de monnaie de réserve.*

2 *Une action restrictive sur la liquidité diminue les possibilités de distribution du crédit* (B&C).

3 *Les banques s'échangent leurs excédents et leurs déficits de trésorerie au marché interbancaire. La Banque de France peut intervenir sur ce marché afin de retirer des liquidités, selon les objectifs de politique monétaire* (C&G).

2 LIQUIDE - [likid] - (adj.)

1.1. (un bien, une somme d'argent, un titre, une dette) Dont un agent économique (un particulier, une entreprise) peut disposer rapidement comme moyen de paiement.
Cette banque propose un nouveau placement à court terme en dollar. Ce placement est très liquide puisque l'investisseur peut revenir très rapidement à l'euro.

+ nom

- **L'argent liquide**. (Syn. : **le liquide**). **Des fonds liquides**. **Un actif liquide**. **L'épargne liquide**. (V. 287 fonds, 1). (V. 8 actif, 1). (V. 241 épargne, 1).
- **Un marché (boursier) liquide**. (V. 366 marché, 1).
- **Une créance liquide**. (V. 162 créance, 1).
- **Une dette liquide**. (V. 194 dette, 1)

3 AUTRES DÉRIVÉS OU COMPOSÉS

- **Le liquide** [likid] (n.m.). *Inutile d'effectuer des placements en liquide et en obligations : leur rendement est de plus en plus faible.*

Avoir du liquide. Payer en (argent) liquide. (Syn. : **payer en espèces**. (V. 33 argent, 1)).

LIRE (n.f.) (***) 1. Monnaie italienne.

1. (382)	die Lira	lira	la lira	la lira italiana	de lire (m./f.)

LIVRABLE (adj.) (**) 1. Qui peut ou qui doit être remis à un agent économique.

1. (348)	lieferbar vorrätig	ready for delivery deliverable	disponible a entregar	consegnabile	leverbaar

LIVRAISON (n.f.) (****) 1. Action de remise d'un bien commandé. 2. Ensemble des biens remis.

1. (347)	die Lieferung	delivery	la entrega la remesa	la consegna la rimessa	de levering (f.)
2. (347)	die Lieferung	delivery	la entrega	la consegna	de levering (f.)

LIVRAISON

➠ **fourniture - commerce**

1 une livraison **2** la non-livraison	**2** un livreur, une livreuse	**2** livrable	**2** livrer

1 une LIVRAISON - [livʀɛzɔ̃] - (n.f.)

1.1. Action par laquelle un agent économique (un transporteur, un particulier, une entreprise, une banque - X) remet à un autre agent économique (un acheteur : un particulier, un commerçant, une entreprise, une banque - Y) un bien, un titre ou une devise (Z) que celui-ci a commandé.
Syn. : la remise, (sens plus large) la fourniture (V. 291 fourniture, 1); Ant.: (action de réceptionner) la réception ; (fait de ne pas livrer) la non-livraison.
La gestion de la production est entièrement automatisée, depuis l'achat des matières premières et l'enregistrement des commandes jusqu'à la livraison du produit fini au client.

1.2. Ensemble des biens, des titres, des devises commandés et remis par un agent économique (un transporteur, un particulier, une entreprise, une banque) à un autre agent économique (un achete ur: un particulier, un commerçant, une entreprise).
L'offre excédentaire de pétrole brut sur les marchés mondiaux s'est encore accrue, car les livraisons des pays de l'OPEP ont dépassé les contingents convenus.

expressions

- **Livraison contre remboursement**. (V. 476 remboursement, 1).

+ adjectif

TYPE DE LIVRAISON (sens 1.1.)
La livraison physique, matérielle (de titres). *Il est possible de souscrire à des titres dématérialisés qui ne font donc pas l'objet d'une livraison physique : les risques (perte, détérioration) sont inexistants et les coûts sont moindres, entre autres parce que ces titres ne doivent pas être imprimés.*

CARACTÉRISATION DE LA LIVRAISON (sens 1.1.)

Une livraison non conforme : livraison qui ne correspond pas à la commande. *Le client a obtenu une réduction de 5 % pour cause de livraison non conforme.*

Une prompte livraison : livraison rapide. *Nous comptons sur une prompte livraison.*

Une livraison urgente. *Une livraison urgente le soir même des achats coûte 300 euros.*

+ nom

(sens 1.1.)

- **Un délai de livraison** : temps accordé contractuellement au vendeur pour remettre ses marchandises.
  La date de livraison.
  Les conditions de livraison. *Les conditions de livraison sont stipulées dans le contrat de vente.*
- **Un bon de livraison** : document établi par le vendeur et qui mentionne le nom et l'adresse du client, la date de livraison, la référence, la nature et la quantité de marchandises livrées. (Ant. : **un reçu** (document écrit par lequel le client reconnaît avoir reçu des marchandises, une somme d'argent ou un service)).

TYPE DE LIVRAISON (sens 1.1.)

Une livraison contre remboursement : contre paiement lors de la livraison.

Une livraison clé(s) en main : permet l'utilisation immédiate sans autres travaux. *L'Inde a confié la livraison d'une centrale électrique clés en main à un consortium européen dirigé par Siemens.*

Une livraison franco (à) domicile : sans frais pour le client.

Une livraison franco d'emballage : le vendeur prend à sa charge les frais d'emballage.

LOCALISATION DE LA LIVRAISON (sens 1.1.)

Une livraison à domicile. *Nous garantissons la livraison à domicile de votre pizza, chaude, dans les trente minutes.*

Une livraison en gare. *La livraison en gare de Marseille des articles commandés est prévue avant la fin du mois.*

MESURE DE LA LIVRAISON (sens 1.1.)

Une livraison d'ici ... jours: dans un délai de ... jours.

+ verbe : qui fait quoi ?

(sens 1.1.)

X	×	**effectuer** une ~ (de Z)	-	
		procéder à une ~ (de Z)	-	
→ la ~		**s'effectuer**		
		↓		
Y		**prendre** ~ de Z	-	1
		>< **refuser** de prendre ~ de Z	le refus de prendre ~ de Y	
		↓		
Y		**payer** à la ~	un paiement à la ~	
		(V. 403 paiement, 4)	payable à la ~	
		(V. 405 paiement, 6)		

1 *Pour prendre livraison de sa commande après la fermeture du magasin, le client doit introduire son numéro d'affiliation. Le paiement se fait par carte de crédit.*

2 AUTRES DÉRIVÉS OU COMPOSÉS

- **La non-livraison** [nɔ̃livʀɛzɔ̃] (n.f.). *La non-livraison des produits dans les délais prévus peut entraîner la résiliation du contrat.*
- **Un livreur, une livreuse** [livʀœʀ, livʀøz] (n.) : personne qui remet les marchandises. (Ant. : **le réceptionnaire**). *Un livreur qui perd du temps parce qu'il a mal chargé son véhicule donne une mauvaise image de son entreprise.*
- **Livrable** [livʀabl(ə)] (adj.) : (un bien, un titre) qui peut ou qui doit être livré.
- **Livrer** [livʀe] (v.tr.dir.). 1. Une personne remet à un agent économique un bien ou un titre que celui-ci a commandé. **Livrer une marchandise ; une obligation. Livrer à domicile**. - 2. Une personne offre un service à un agent économique. **Livrer une prestation ; un service**.

LIVRE (n.f.) (**) 1. Monnaie de divers pays (Égypte, Irlande, Turquie).

1. (382)	das Pfund	pound	la libra	la lira	het pond

LIVRE (STERLING) (n.f.) (****) 1. Monnaie anglaise.

1. (382)	das Pfund	pound (sterling)	la libra (esterlina)	la lira (sterlina)	het pond

LIVRER (v.tr.dir.) (****) 1. Remettre un bien à un agent économique. 2. Offrir un service.

1. (348)	liefern	to deliver	entregar	consegnare	leveren
2. (348)	liefern	to offer a service	ofrecer un servicio	offrire un servizio	dienst leveren dienst aanbieden

LIVREUR, LIVREUSE (n.) (*) 1. Personne qui remet un bien à un agent économique.

1. (348)	der Lieferant der Anlieferer	delivery man deliverer (Bourse)	el repartidor	il fattorino	de leverancier (m.)

LOBBY ; LOBBIES (n.m.) (***) 1. Groupe de pression.

1. (300)	die Lobby der Interessenverband	lobby	el lobby el grupo de presión	la lobby il gruppo di pres-sione	de lobby (m./f.) de drukkingsgroep (m./f.)

LOBBYING (n.m.) (***) 1. Activité qui consiste à exercer des pressions sur les organismes de décision.

1. (300)	der Lobbyismus	lobbying	la presión	il lobbismo	het lobbywerk het lobbyen

LOBBYISTE (n.) (**) 1. Personne qui exerce des pressions sur les organismes de décision.

1. (300)	der Lobbyist	lobbyist	el miembro de un grupo de presión	il lobbista	het lid van een drukkingsgroep

LOCATAIRE (n.) (****) 1. Agent économique qui paie une somme d'argent pour l'utilisation d'un bien.

1. (352)	der Mieter	tenant	el inquilino el arrendatario	il locatario l'inquilino (m.)	de huurder (m.)

LOCATIF, -IVE (adj.) (***) 1. Qui se rapporte au bien mis à disposition.

1. (351)	Miet- Mieter-	rental	locativo de alquiler	locativo	huur-

LOCATION (n.f.) (****) 1. Action de mettre un bien à la disposition d'un agent économique.

1. (349)	das Mieten die Vermietung	renting letting (out)	el alquiler el arriendo	la locazione il noleggio	het huren de verhuring (f.)

LOCATION

➠ commerce

1 la location **5** la sous-location **5** la location-financement **5** la location-gérance **5** la location-vente **5** la colocation **5** le louage **2** le loyer	**5** un locataire, une locataire **5** un colocataire, une colocataire **5** un loueur, une loueuse **5** un sous-locataire, une sous-locataire	**3** locatif, -ive	**4** (se) louer **5** sous-louer

1 la LOCATION - [lɔkasjɔ̃] - (n.f.)

1.1. Action par laquelle un agent économique (un propriétaire (un loueur ou un bailleur) : un particulier, une entreprise - X) met un bien (un bien immobilier, un outil, un véhicule,... - Y) ou un service (Y) à la disposition d'un autre agent économique (le locataire ou le preneur : un particulier, une entreprise - Z) contre paiement d'une somme d'argent (le loyer) pour une durée déterminée.
Syn. : (☞ 350 Pour en savoir plus, Location (sens 1.1.) et synonymes).
La location de voitures est un marché très prometteur parce que la gestion d'un important parc automobile représente une administration importante pour une entreprise.

2.1. Action de réserver une place dans une salle de spectacle, un train ou un hôtel.

+ nom

(sens 1.1.)

- **Une société de location**. *En été, plusieurs compagnies aériennes louent des avions auprès d'une société de location d'avions.*
- **Un contrat de location**. (☞ 350 Pour en savoir plus, Contrat de location).
- **Une formule de location**.
- **Un véhicule de location**.

TYPE DE LOCATION (sens 1.1.)
La location de + nom qui désigne le bien, le service donné en location. La location d'une voiture ; d'un immeuble ; de bureaux ; de services. La location de biens mobiliers ; immobiliers.

MESURE DE LA LOCATION (sens 1.1.)
La location à court terme. >< **La location à long terme, la location (à) longue durée**.

+ verbe : qui fait quoi ?

(sens 1.1.)

X	×	**donner** Y **en** ~ (à Z)	-	
Z	✓	**prendre** Y **en** ~	-	1
Z	×	**avoir** Y **en** ~	-	

1 *Nous allons prendre une voiture en location pendant la durée de réparation de la nôtre.*

Pour en savoir plus

LOCATION (sens 1.1.) ET SYNONYMES

La location : terme général.

Le louage : syn. de 'location', utilisé dans certains contextes. **Un contrat de louage de services** : contrat par lequel un agent économique s'engage à travailler un certain temps pour un autre agent économique en contrepartie d'une somme d'argent. (Syn. : **un contrat de travail à durée déterminée**). >< **Un contrat de louage d'industrie** ou **de louage d'ouvrage** : contrat par lequel un agent économique s'engage à réaliser qqch. pour le compte d'un autre agent économique en contrepartie d'une somme d'argent.

(angl.) **Le leasing** {(angl.) **leaser**}. (Syn. : **le crédit-bail**). Le terme qui regroupe différentes formes de location de biens (p. ex. un véhicule, un bien immobilier (**le leasing immobilier**)) à des conditions spécifiques entre entreprises, **le donneur** (**la société de leasing**) et **le preneur de leasing** :

(angl.) **le renting** : location d'un bien à court terme, par une entreprise qui assure la gestion du bien loué. (Syn. : **la location temporaire**).

>< **Le leasing opérationnel** : location à long terme. Dans les deux cas, le bien reste la propriété du loueur qui récupère son bien à la fin du contrat.

le leasing financier : formule de leasing à long terme où le locataire est en mesure de racheter le bien loué à l'expiration du contrat en contrepartie d'une somme d'argent définie d'avance (**la valeur résiduelle**). (Syn. : **la location-financement**).

CONTRAT DE LOCATION

Un contrat de location.

Un bail (plur. : **des baux**) : contrat de location par lequel une personne (le bailleur) met à la disposition d'un agent économique (le preneur) un bien mobilier ou immobilier pour une durée déterminée contre paiement d'une somme d'argent. **Un bail d'une durée de ... ans. L'échéance du bail, l'expiration du bail.** *Le preneur désireux de renouveler son bail doit le signaler six mois avant l'expiration du bail.* **Conclure, signer un bail.** >< **Mettre fin à un bail, résilier un bail. Renouveler un bail, le renouvellement d'un bail. Un bail vient à échéance.** *Notre bail vient à échéance dans six mois et le propriétaire refuse le renouvellement du bail.*

{**un bailleur, une bailleresse** (1. Personne qui donne en location. - 2. **Un bailleur de fonds.** (V. 288 fonds, 1)}.

Une clause : une des nombreuses dispositions d'un contrat (de location).

2 le LOYER - [lwaje] - (n.m.)

1.1. Somme d'argent que paie un agent économique (le locataire ou le preneur : un particulier, une entreprise - X) à un autre agent économique (un propriétaire (un loueur ou un bailleu r): un particulier, une entreprise - Y) pour la mise à sa disposition d'un bien (un bien immobilier, un outil, un véhicule, ... - Z) ou un service (Z) pour une durée déterminée.
Dans le centre ville il est pratiquement impossible de trouver un appartement à deux chambres pour un loyer abordable.

+ adjectif

CARACTÉRISATION DU LOYER

Un loyer modéré. < **Un loyer élevé.** < **Un loyer exorbitant.**

MESURE DU LOYER

Le loyer mensuel. < **Le loyer annuel.**

Le loyer moyen. *L'an dernier, le loyer moyen pour un appartement à deux chambres à augmenté de 7 à 15 % en fonction du quartier.*

+ nom

- (F) (**Un/une**) **HLM** : sigle de (**une**) **habitation à loyer modéré.** *Les tours HLM poussent comme des champignons dans les grandes métropoles.* **Habiter un/une HLM.**
- **Le contrôle des loyers** : mesure gouvernementale qui a pour but de limiter la hausse des loyers. *Les hommes politiques maintiennent que le contrôle des loyers est un bon moyen de lutte contre l'inflation.* < **Le blocage des loyers.** (☞ 351 + verbe).

TYPE DE LOYER

Le loyer de l'argent. (Syn. : **le taux d'intérêt**). (V. 332 intérêt, 1).

Le loyer de base : loyer sans autres charges (p. ex. les frais d'entretien).

NIVEAU DU LOYER

Le niveau des loyers. *Après une baisse du niveau des loyers de plus de 10 % l'année dernière, le marché des bureaux semble prêt à la relance pour cette année.*

MESURE DU LOYER

Le montant du loyer. *Le montant du loyer s'élève à 800 euros par mois, toutes charges comprises.*

+ verbe : qui fait quoi ?

X	×	**payer** un ~ (à Y)	le paiement d'un ~

→ Y		**percevoir** un ~	la perception d'un ~	
les ~		**être indexés**	une indexation des ~	1
le gouvernement		**bloquer** les ~ (☞ 350 + nom)	le blocage des ~	
le ~	=	**s'élever à** + indication d'un montant	-	
		être de + indication d'un montant	-	
Y	△	**augmenter** le ~ (de Z)	une augmentation du ~	
→ le ~		**augmenter**	une augmentation du ~	
les ~		**être à la/en hausse**	la hausse des ~	
Y	▽	**diminuer** le ~ (de Z)	une diminution du ~	
→ le ~		**diminuer**	une diminution du ~	
les ~		**être à la/en baisse**	la baisse des ~	
le ~ de l'argent	▽	**baisser**	une baisse du ~ de l'argent	
une banque		**réduire** le ~ de l'argent	une réduction du ~ de l'argent	
		détendre le ~ de l'argent	une détente du ~ de l'argent	2
le ~ de l'argent	△	-	une hausse du ~ de l'argent	
une banque		**relever** le ~ de l'argent	un relèvement du ~ de l'argent	
une banque	▽△	**remonter** le ~ de l'argent	une remontée du ~ de l'argent	3

1 *En Belgique, l'indice des prix à la consommation intervient dans le calcul de l'indexation des loyers et des salaires.*
2 *Une détente du loyer de l'argent réduit les coûts des investissements.*
3 *La crainte d'une remontée du loyer de l'argent a affolé les opérateurs sur les marchés boursiers et obligataires.*

Pour en savoir plus

SUPPLÉMENT DE LOYER

Un pas-de-porte : somme d'argent que le locataire doit payer au propriétaire lors de la conclusion d'un bail commercial comme supplément du loyer. Cette somme constitue une rémunération pour la situation favorable du bien loué.

3 LOCATIF, -IVE - [lɔkatif, -iv] - (adj.)

1.1. Qui se rapporte au bien (un bien immobilier, un outil, un véhicule,...) ou au service qu'un autre agent économique (un propriétaire (un loueur ou un bailleur) : un particulier, une entreprise) met à la disposition d'un autre agent économique (le locataire ou le preneur : un particulier, une entreprise) pour une durée déterminée contre paiement d'une somme d'argent.
À cause de la moindre rentabilité des investissements immobiliers, bon nombre de propriétaires retirent leurs immeubles du circuit locatif.

+ nom

- **Le marché locatif**. (V. 366 marché, 1).
- **La valeur locative**. (V. 564 valeur, 1).
- **Le(s) revenu(s) locatif(s)**. (V. 493 revenu, 1).
- (B, S) **Une garantie locative** : somme d'argent versée par le locataire au propriétaire d'un bien immobilier dans le but de rembourser d'éventuels dommages au bien loué, constatés au terme du contrat de location. (Syn. : (F, Q) (pour un bail commercial) **une caution**). (V. 175 débit, 2).
- **Les charges locatives**. (V. 95 charge, 1).

4 (SE) LOUER - [(s(ə)) lwe] - (v.tr.dir., v.pron.)

1.1. Un agent économique (un propriétaire (un loueur ou un bailleur) : un particulier, une entreprise - X) met un bien (un bien immobilier, un outil, un véhicule, ... - Y) ou un service (Y) à la disposition d'un autre agent économique (le locataire ou le preneur : un particulier, une entreprise - Z) contre paiement d'une somme d'argent (le loyer) pour une durée déterminée.
Notre société loue tout pour le bricolage et le jardinage, à la journée, à la semaine ou au mois.

1.2. Un agent économique (le locataire ou le preneur : un particulier, une entreprise - Z) occupe un bien (un bien immobilier, un outil, un véhicule ,... - Y) ou profite d'un service mis à sa disposition par un autre agent économique (un loueur ou un bailleu r: un particulier, une entreprise - X) contre paiement d'une somme d'argent (le loyer).
Le propriétaire de l'appartement que je louais m'a proposé de l'acheter à un prix très raisonnable.

expressions

(sens 1.1.)
(Une personne) **louer ses services à qqn** : se mettre à la disposition de qqn en contrepartie du paiement d'une somme d'argent.

(sens 1.2.)
(Maison, bâtiment, ...) **à louer** : formule qui indique qu'un bien est mis en location par son propriétaire.

+ nom

MESURE DE LA LOCATION (sens 1.1. et 1.2.)
Louer à la journée. < **Louer à la semaine**. < **Louer au mois**. < **Louer à l'année**.

qui fait quoi ?

(sens 1.1.)

X	**louer** Y (à Z)	la location de Y (à Z)	
→ Y	**se louer** + indication d'un montant	la location de Y (à Z)	1

1 *Un tel appartement ne se loue pas à moins de 1 000 euros par mois.*

(sens 1.2.)

Z	**louer** Y (à X)	la location de Y (à X)
→ Y	**se louer** + indication d'un montant	la location de Y pour + indication d'un montant

5 AUTRES DÉRIVÉS OU COMPOSÉS

- **La sous-location** [sulɔkasjɔ̃] (n.f.) : action par laquelle un agent économique (un particulier, une entreprise) met un bien qu'il loue à la disposition d'un autre agent économique (un particulier, une entreprise) contre paiement d'une somme d'argent.
- {**un, une sous-locataire** [sulɔkatɛʀ] (n.), **sous-louer** [sulwe] (v.tr.dir.)}.
- **La location-financement** [lɔkasjɔ̃finɑ̃smɑ̃] (n.f.) : leasing financier. (V. 350 1 location).
- **La location-gérance** [lɔkasjɔ̃ʒerɑ̃s] (n.f.) : contrat par lequel le propriétaire d'un fonds de commerce ou d'un établissement artisanal en donne totalement ou partiellement la location à un gérant en contrepartie du paiement d'un loyer (Référis).
- **La location-vente** [lɔkasjɔ̃vɑ̃t] (n.f.) : formule de location où le locataire, un particulier, devient propriétaire du bien (p. ex. un bien de consommation, un bien immobilier) à l'expiration du contrat. (Syn. : **la location avec option d'achat**). *Contrairement à une banque, qui ne fournit aucun service dans le cadre d'un crédit à la consommation, une société de location-vente assure ce service après-vente pour les biens loués pendant la durée du contrat.*
- **La colocation** [kɔlɔkasjɔ̃] (n.f.) : location d'un bien à plusieurs personnes.
  {**un, une colocataire** [kɔlɔkatɛʀ] (n.)}.
- **Le louage** [lwaʒ] (n.m.) : syn. de 'location' dans certains contextes (V. 350 1 location).
- **Un, une locataire** [lɔkatɛʀ] (n.) : agent économique (un particulier, une entreprise) qui paie une somme d'argent à un autre agent économique (un particulier, une entreprise) en contrepartie de la mise à sa disposition d'un bien (un bien immobilier, un outil, un véhicule, ...). (Syn. : (peu fréq.) **un preneur**). (Ant. : **un loueur**, (peu fréq.) **un donneur** ; (plus général) **un propriétaire**). *Le locataire du 6 n'a pas encore payé son loyer ce mois-ci.*
- **Un loueur, une loueuse** [lwœʀ, lwøz] (n.). (Syn. : (peu fréq.) **un donneur**). (Ant. : **un locataire**, (peu fréq.) **un preneur**). **Un loueur de** + nom qui désigne le bien cédé en location. Un loueur de voitures ; de cassettes vidéo.

LOCATION-FINANCEMENT (n.f.) (**) 1. Leasing financier.

1. (352)	die Mietfinanzierung die Leasingfinanzierung	financial leasing	el leasing el arrendamiento financiero	il leasing finanziario	de leasing (f.)

LOCATION-GÉRANCE (n.f.) (*) 1. Contrat de mise à disposition d'un fonds de commerce à un gérant.

1. (352)	die Vermietung gewerblicher Räume die Vermietung von Geschäftsräumen	business leasing	el contrato de franquicia	la locazione d'azienda	de franchising (f.)

LOCATION-VENTE (n.f.) (*) 1. Mise à disposition d'un bien avec cession du bien en fin de contrat.

1. (352)	der Mietkauf das Leasing	hire-purchase (H.P.)	el alquiler el alquiler con opción de compra	la vendita a rate il leasing	de huurkoop (m.) de leasing (f.)

LOCK-OUT (n.m.) (*) 1. Fermeture temporaire d'une entreprise par la direction.

1. (305)	die Aussperrung	lock-out	el lock-out el cierre patronal	la serrata	de lock-out (m.)

LOCK-OUTER (v.tr.dir.) (*) 1. Fermer temporairement une entreprise.

1. (305)	aussperren	to lock out	cerrar temporalmente	chiudere momentaneamente	een fabriek tijdelijk sluiten

LOGICIEL (n.m.) (****) 1. Programme qui permet le fonctionnement d'un ordinateur.

1. (446) (299)	die Software	software	el software	il software	de programmatuur (f.)

LOGISTIQUE (adj.) (***) 1. Qui se rapporte à la gestion des flux de biens, de personnel, ...

1. (527)	logistisch	logistic	logístico	logistico	logistiek

LOGISTIQUE (n.f.) (***) 1. Gestion des flux de biens, de personnel, ...

1. (527)	die Logistik	logistics	la logística	la logistica	de logistiek (f.)

LOGO (n.m.) (***) 1. Symbole graphique d'une marque, d'une entreprise.

1. (255)	das Logo das Firmenzeichen	logo coporate identification symbol	el logo(tipo)	il logo(tipo) il marchio	het logo het beeldmerk

LOT (n.m.) (***) 1. Ensemble distinct.

1. (362)	das Los der Posten	batch set	el lote la partida	il lotto la partita	het lot de partij (f.)

LOUAGE (n.m.) (*) 1. Action de mettre un service, son travail à la disposition d'un agent économique.

1. (350)	das Mieten die Vermietung	lease hire (véhicule)	el alquiler el arrendamiento	la locazione il noleggio	het huurcontract

LOUER (~, se ~) (v.tr.dir., v.pron.) (****) 1. Mettre un bien à disposition d'un agent économique. 2. Occuper un bien mis à disposition.

1. (351)	vermieten	to let (out) to rent	alquilar arrendar	dare in affitto dare in locazione	verhuren
2. (351)	mieten	to rent to hire (véhicule)	tomar en alquiler alquilar	prendere in affitto prendere in locazione	huren

LOUEUR, LOUEUSE (n.) (**) 1. Agent économique qui met un bien à disposition.

1. (352)	der Vermieter der Verleiher	renter letter	el arrendador el alquilador	il locatore il noleggiatore	de verhuurder (m.)

LOUP (un jeune ~) (*) 1. Jeune cadre ou patron ambitieux.

1. (410)	der ehrgeiziger junger Mann	up-and-coming executive stag (en Bourse)	un trepa un arribista	il giovane rampante	de jonge ambitieuze persoon (m.)

LOURD (adv.) (**) 1. De façon importante.

1. (76)	schwer hoch	heavily	muy	molto	zwaar zeer

LOURD, LOURDE (adj.) (****) 1. Important.

1. (283)	schwer hoch	heavy weighty	pesado grave	pesante grave	zwaar

LOURDEMENT (adv.) (***) 1. De façon importante.

1. (283)	schwer	heavily	muy	molto	zwaar zeer

LOYER (n.m.) (****) 1. Somme d'argent payée pour la mise à disposition d'un bien.

1. (350)	die Miete der Mietpreis	rent	el alquiler la renta	(il canone di) affitto la pigione	de huur (m./f.)

LUCRATIF, -IVE (adj.) (***) 1. Qui rapporte beaucoup.

1. (457) (518)	lukrativ gewinnbringend	lucrative well-paid	lucrativo	lucrativo lucroso	lucratief winstgevend

LUF (***) 382Luxembourg - franc.

M

MACHINE (n.f.) (****) 1. Gros instrument qui intervient dans un processus de transformation.

1. (442)	die Maschine	machine	la máquina	la macchina	de machine (f.)

MACHINE-OUTIL ; MACHINES-OUTILS (n.f.) (***) 1. Machine dont l'effort final s'exerce sur un outil.

1. (63)	die Werkzeugmaschine	machine-tool	la máquina herramienta	la macchina utensile	de werktuig-machine (f.)

MACHINERIE (n.f.) (*) 1. Ensemble des gros instruments qui interviennent dans un processus de transformation.

1.	die Maschinerie	machinery	la maquinaria	il macchinario	de machinerie (f.)

MAÇON (n.m.) (*) 1. Personne qui exécute des travaux de construction.

1. (399)	der Maurer	builder bricklayer	el albañil	il muratore	de metselaar (m.)

MACRO-ÉCONOMIE (n.f.) (**) 1. Étude de la vie économique d'une nation.

1. (216)	die Makroökonomie die Volkswirtschaft	macroeconomics	la macroeconomía	la macroeconomia	de macro-economie (f.)

MACRO-ÉCONOMIQUE (adj.) (**) 1. Qui se rapporte à l'étude de la vie économique d'une nation.

1. (216)	makroökonomisch	macroeconomic	macroeconómico	macroeconomico	macro-economisch

MADE IN ... (***) 1. Fabriqué en/dans ....

1. (255)	hergestellt in	made in	fabricado en	made in	gefabriceerd in

MAGASIN (n.m.) (****) 1. Commerce. 2. Lieu qui sert de dépôt pour des marchandises

1. (354)	der Laden das Geschäft	shop store	la tienda	il negozio	de winkel (m.)
2. (354)	das Lager	warehouse storeroom (plus petit)	el almacén	il magazzino	het magazijn

MAGASIN

➟ commerce

1 un magasin 2 un magasin-pilote 2 le magasinage 2 l'emmagasinage	2 un magasinier, une magasinière		2 magasiner 2 emmagasiner

1 un MAGASIN - [magazɛ̃] - (n.m.)

1.1. Lieu où un agent économique (un commerçant - X) présente des marchandises (des articles en vente au détail - Y) pour les vendre à d'autres agents économiques (les clients: les particuliers - Z).
Syn. : (V. 572 vente, 1).
L'aménagement est un facteur important pour attirer les clients dans un magasin où ils ne seraient probablement jamais entrés.

1.2. Lieu où un agent économique (un commerçant, une entreprise) conserve momentanément des quantités importantes de marchandises (des matières premières, des produits (semi-)finis, etc.) pour pouvoir les distribuer ou les vendre plus tard.
Syn. : (☞ 355 Pour en savoir plus, Magasin (sens 1.2.) et synonymes).
Même si les magasins se vident peu à peu, les stocks dépassent encore 3 tonnes.

+ adjectif

TYPE DE MAGASIN (sens 1.1.)

Un grand magasin : grand établissement de vente regroupant les marchandises de différents commerces, présentées dans des rayons spécialisés (RQ). *Le rayon des produits informatiques est relativement récent dans le paysage des grands magasins.* (V. 573 vente, 1).

Un magasin spécialisé. (V. 120 commerce, 5).

Un magasin automatisé. *Dans le magasin automatisé, c'est le bras robotisé qui remplit le panier du client.*

Un magasin populaire : établissement de vente au détail situé en centre ville (Moulinier).

(F) **Les magasins généraux** : lieu où sont entreposées les marchandises servant de garantie pour des crédits accordés en contrepartie d'un effet de commerce appelé **warrant**.

+ nom

(sens 1.1.)

- **Une chaîne de magasins** : ensemble de magasins avec la même enseigne, présents dans différentes villes, qui proposent les mêmes produits et suivent une stratégie commerciale commune.
- **Un rayon (de magasin)**. 1. Meuble de présentation et de vente composé d'étagères (**un linéaire**) et utilisé dans la plupart des magasins en libre-service (DICOFE). (Syn. : **une gondole**). - 2. Ensemble des rayons réservés à la vente de produits de même nature (DICOFE). *Avec sa nouvelle promotion, ce fabricant de biscuits transforme le rayon biscuits des supermarchés en "boulevard des biscuits".*
- **La vente en magasin**. >< **La vente hors magasin**.

TYPE DE MAGASIN (sens 1.1.)

Un magasin de + nom qui désigne un produit. Un magasin d'alimentation, de meubles.

Un magasin de détail : magasin qui pratique la vente au détail. *Le travail est autorisé durant toute la journée du dimanche dans les magasins de détail spécialisés tels que les boucheries, les boulangeries et les stations-service occupant moins de 5 personnes.*

Un magasin (en) libre(-)service. (V. 511 service, 3).

Un magasin hors-taxe(s) : magasin de détail situé généralement dans un port ou un aéroport et où les marchandises se vendent sans que le client doive payer de taxes.

Un (magasin) minimarge, un (magasin) discount, un (magasin) discompte : magasin de détail qui vend avec des marges bénéficiaires réduites au minimum grâce à une réduction maximale des services et des frais d'exploitation. *Le consommateur montre de moins en moins d'intérêt pour les articles de marque coûteux vendus dans des supermarchés chers. De là le succès des magasins discount.*

Un magasin de nuit. *Avec les années, les ma-*

gasins de nuit ont commencé à se multiplier, surtout dans les grandes villes.
Un magasin d'usine : point de vente où un fabricant vend ses propres produits à des prix réduits.
Un magasin à succursales multiples : chaîne de magasins ayant plusieurs points de vente localisés à différents endroits et qui est approvisionnée par une centrale d'achat.
Un magasin d'exposition : salle où sont exposées de façon avantageuse les marchandises à vendre (Ménard). (Syn. : (angl.) **un show(-) room**).

TYPE DE MAGASIN (sens 1.2.)

Un magasin de stockage : lieu où est conservé le stock. *Son entreprise s'est transformée petit à petit en véritable société de distribution bien structurée, avec bureaux, show-room et magasin de stockage.*

LOCATION DU MAGASIN (sens 1.1.)

Un magasin de proximité : magasin de détail de petite ou moyenne surface, qui travaille essentiellement avec une clientèle proche, et, en général, piétonne (DC). (Syn. : **l'épicerie du coin, l'épicier du coin**).

+ verbe : qui fait quoi ?

(sens 1.1.)

X	✓	**ouvrir** un ~ (de Y) ↓	l'ouverture d'un ~ (de Y)	
X	×	**avoir** un ~ (de Y) **tenir** un ~ (de Y) ↓	- -	
X	O	**fermer** son ~	la fermeture d'un ~	
X	×	**avoir** du/des Y **en** ~	-	
>< Z		**trouver** du/des Y **en** ~	-	1
>< Y		**être en vente en** ~	la vente en magasin (de Y)	
X		**céder** son ~ >< **reprendre** un ~	la cession d'un ~ la reprise d'un ~	
(un) ~		**à céder**	la cession d'un ~	
le ~		**ouvrir à** + indication d'une heure >< **fermer à** + indication d'une heure	l'ouverture du ~ à ... la fermeture du ~ à ...	
le ~		**être ouvert de** + indication d'une heure **à** + indication d'une heure	l'ouverture du ~ de ... à ...	

1 *Dès la semaine prochaine, nos clients trouveront en magasin un grand nombre de logiciels à prix réduits.*

Pour en savoir plus

MAGASIN (sens 1.2.) ET SYNONYMES

Un magasin, un entrepôt {**l'entreposage, un entreposeur** (Personne ou entreprise qui se charge de conserver des marchandises en entrepôt pour le compte d'autrui (DC)), **entreposer**}.
Un dépôt : lieu de conservation de marchandises, mais aussi d'autres objets (p. ex. un dépôt de munitions).
Un silo : entrepôt destiné à des produits agricoles.

NOTE D'USAGE

Pour indiquer qu'une activité s'effectue à l'intérieur du magasin, on utilise l'expression **en magasin**. Vendre; travailler; trouver; livrer en magasin. L'affichage; la promotion; les stocks ; la vente en magasin. *Notre pays se caractérise par une vente en magasin de 85 %, contre 15 % par correspondance.*

AMÉNAGEMENT DU MAGASIN

Une vitrine, un étalage, (moins fréq.) **une devanture** : partie du magasin donnant sur la rue où sont exposées des marchandises.
Un comptoir : long support à l'intérieur du magasin où sont présentées des marchandises.
Une gondole. (V. 373 marketing, 1). **Un linéaire**.

2 AUTRES DÉRIVÉS OU COMPOSÉS

- **Un magasin-pilote** [magazɛ̃pilɔt] (n.m.) : magasin qui sert à expérimenter une formule de vente, un assortiment, une méthode de gestion, etc. *Pour ne plus commettre les erreurs du passé, le groupe va attendre les réactions du public au magasin-pilote avant d'implanter d'autres magasins.*

- **Le magasinage** [magazinaʒ] (n.m.). 1. (Q) Faire les magasins, faire du lèche-vitrine. **Faire du magasinage**. {**magasiner** [magazine] (v.intr.)}. - 2. Activités en rapport avec le stockage de marchandises et la gestion du stock. **Les frais de magasinage** (Syn. : (plus fréq.) **les frais de stockage**). (V. 294 frais, 1).

- **L'emmagasinage** [ɑ̃magazinaʒ] (n.m.) : action de mettre en réserve, d'accumuler des données, des produits, ... (Syn. : **le stockage**). (Ant. : **le déstockage**). *Le développement du fleuve comme voie de communication a incité l'entreprise à investir dans la construction de nouveaux silos d'emmagasinage le long des quais.* {**emmagasiner** [ɑ̃magazine] (v.tr.dir.). (Syn. : **entreposer**). (Ant. : **déstocker**)}.
- **Un magasinier, une magasinière** [magazinje, magazinjɛʀ] (n.) : personne employée dans un magasin (sens 1.2.).

MAGASINAGE (n.m.) (*) 1. Action de faire du lèche-vitrine. 2. Activité en rapport avec le stockage.

1. (355)	einen Schaufensterbummel machen	window-shopping shopping (Canada)	mirar escaparates	andare (in giro) per negozi	het bekijken van winkels en etalages
2. (355)	die (Ein)lagerung	warehousing	el almacenaje	l'immagazzinamento (m.)	het stockeren in een pakhuis
		storing	el almacenamiento	il magazzinaggio	het opslaan in een pakhuis

MAGASINER (v.intr.) (*) 1. Faire du lèche-vitrine.

1. (355)	einen Schaufensterbummel machen	to go window-shopping to go shopping (Canada)	mirar escaparates	andare (in giro) per negozi	winkels en etalages bekijken

MAGASINIER, MAGASINIÈRE (n.) (*) 1. Personne employée dans un commerce.

1. (356)	der Lagerverwalter	warehouseman	almacenero	il magazziniere	de magazijnier (m.)
	der Lagerhalter	storeman	comerciante		de pakhuisknecht (m.)

MAGASIN-PILOTE ; MAGASINS-PILOTES (n.m.) (*) 1. Commerce qui sert à expérimenter.

1. (355)	das Mustergeschäft	pilot store	almacén piloto	il negozio pilota	de proefwinkel (m.)
	das Pilotgeschäft	experimental store	almacén modelo		

MAGNAT (n.m.) (**) 1. Propriétaire d'un empire économique.

1. (228)	der Magnat	magnate tycoon	el magnate	il magnate	de magnaat (m.)

MAIGRE (adj.) (***) 1. Peu important.

1. (284)	mager	small	delgado	magro	mager
(281)	niedrig	poor		di poco conto	klein

MAILING (n.m.) (***) 1. Lettre publicitaire.

1. (570)	die Briefwerbung	mail shot (une lettre)	el mailing	il mailing	de mailing (f.)
	das Mailing	direct mail advertising		la pubblicità per corrispondenza	

MAIN-D'ŒUVRE (n.f.) (****) 1. Ensemble des personnes qui produisent ou qui sont en mesure de produire. 2. Activité de production.

1. (356)	die Arbeitskräfte	manpower	la mano de obra	la manodopera	de arbeidskrachten (plur.)
	das Personal	labour		la forza lavoro	
2. (356)	das Arbeitslohn	(cost of) labour	la mano de obra	(il costo della) manodopera	het uurloon
	die Arbeitskosten				

MAIN-D'ŒUVRE

➠ travail

1 la main-d'œuvre			

1 la MAIN-D'ŒUVRE - [mɛ̃dœvʀ(ə)] - (n.f.)

1.1. (toujours au sing.) Ensemble des personnes (principalement les ouvriers) qui produisent ou qui sont en mesure de produire (les chômeurs) un bien ou un service contre paiement d'une somme d'argent (payée par un employeur (une entreprise - X)).
Syn. : (plus fréq.) la population active (totale) ; (sens plus restreint) les salariés, les travailleurs, les ouvriers.
Le niveau de formation et l'expérience de la main-d'œuvre locale peuvent expliquer le boom économique qu'a connu cette région allemande.

1.2. Activité d'une personne qui a pour but de produire un bien ou un service, considérée par rapport au prix de revient.
Syn. : (moins fréq.) le travail.
La main-d'œuvre représente souvent plus des deux tiers du prix de la réparation d'une voiture.

expressions

(sens 1.1.)

(Une entreprise) **avoir trop de main-d'œuvre** : avoir des ouvriers en surnombre.

(sens 1.2.)

(Faire qqch.) **sans compter la main-d'œuvre** : sans ajouter le prix du travail fourni au prix des pièces, des ingrédients, ... *La réparation de ta moto te coûtera plus de 100 euros, sans compter la main-d'œuvre.*

+ adjectif

TYPE DE MAIN-D'ŒUVRE (sens 1.1.)

La main-d'œuvre hautement qualifiée. > **La main-d'œuvre qualifiée**. > **La main-d'œuvre non qualifiée**. *La région manque de main-d'œuvre hautement qualifiée pour attirer des entreprises des secteurs de pointe.*

La main-d'œuvre directe : salariés qui travaillent directement au processus de transformation des matières en produits finis. (Syn. : **un productif**).

>< **La main-d'œuvre indirecte**. (Syn. : **un fonctionnel**). (V. 451 productivité, 3).

CARACTÉRISATION DE LA MAIN-D'ŒUVRE (sens 1.1.)

Une main-d'œuvre (à) bon marché. *La performance économique des pays industriels d'Extrême-Orient s'explique par le transfert de technologie des pays industrialisés et par la présence d'une main-d'œuvre abondante et bon marché.*

>< **Une main-d'œuvre bien rémunérée**.

Une main-d'œuvre abondante.

LOCALISATION DE LA MAIN-D'ŒUVRE (sens 1.1.)

Une main-d'œuvre locale. >< **Une main-d'œuvre immigrée, étrangère**.

+ nom

(sens 1.1.)

- **La qualification de la main-d'œuvre**. (☞ 357 + adjectif).
- **Une offre de main-d'œuvre**. (V. 393 offre, 1). (☞ 357 + verbe). >< **Une demande de main-d'œuvre**. (V. 182 demande, 1).
  Un réservoir de main-d'œuvre. *Cette région dispose d'un important réservoir de main-d'œuvre qualifiée provenant de la fermeture des industries textiles.*
  Un excédent de main-d'œuvre. >< **Une pénurie de main-d'œuvre**. *Une pénurie de main-d'œuvre influence négativement la croissance économique d'une région.*
  Un pourvoyeur de main-d'œuvre : personne qui fournit de la main-d'œuvre contre paiement d'une commission. **Un négrier** : pourvoyeur de main-d'œuvre illégale. (V. 228 emploi, 2).
- **Une industrie à forte intensité de main-d'œuvre** ; **un secteur à forte intensité de main-d'œuvre**. (Syn. : **travaillistique**). (Ant. : **capitalistique**). *La production de cette région est axée sur des secteurs peu avancés, à forte intensité de main-d'œuvre, comme l'alimentation, le textile et l'habillement.*

(sens 1.2.)

Le coût de la main-d'œuvre. (V. 159 coût, 1).

Le coût relatif de la main-d'œuvre par unité produite : part du travail dans le prix d'un bien par rapport aux matières premières, frais de transport, de commercialisation et d'emballage.

CARACTÉRISATION DE LA MAIN-D'ŒUVRE (sens 1.1. et 1.2.)

Une main-d'œuvre de qualité. *Une région est capable d'attirer les industriels si elle peut offrir une main-d'œuvre de qualité, souvent bilingue et habituée à la flexibilité.*

La qualité de la main-d'œuvre.

+ verbe : qui fait quoi ?

(sens 1.1.)

un organisme, une région	**fournir** de la ~ (à X)	la fourniture de ~ un fournisseur de ~	1
	offrir de la ~ (à X)	une offre de ~	
	approvisionner X en ~	l'approvisionnement de X en ~	2
>< X	**demander** de la ~	une demande de ~	
X (une entreprise)	**utiliser** de la ~	l'utilisation de la ~	
	occuper une ~	-	

1 *Au début de l'industrialisation, la campagne devait fournir la main-d'œuvre pour l'industrie et, en plus, la nourrir.*
2 *Au 19e siècle, le secteur agricole a approvisionné l'industrie métallurgique en main-d'œuvre.*

(sens 1.2.)

la ~	**coûter** (cher)	le(s) coût(s) de (la) ~

Pour en savoir plus

NOTE D'USAGE

Attention à ne pas confondre 'une main-d'œuvre' et 'un manœuvre'. (V. 399 ouvrier, 1).

MAINTENANCE (n.f.) (****) 1. Ensemble de moyens qui permettent de faire fonctionner un système.

1. (441)	die Wartung das Warten	maintenance	el mantenimiento	la manutenzione	het onderhoud

MAINTENIR (~, se ~) (v.tr.dir., v.pron.) (****) 1. Garder au même niveau.

1. (281)	aufrecht erhalten beibehalten	to hold up to keep up	mantener (se)	mantenere	handhaven op peil houden

MAINTIEN (n.m.) (****) 1. Fait de garder au même niveau.

1. (281)	die Aufrechterhaltung die Beibehaltung	maintenance	el mantenimiento	il mantenimento	het op peil houden het behoud

MAISON (n.f.) (****) 1. Entreprise commerciale. 2. Lieu de travail. 3. Qui a été fait sur place.

1. (519)	das Handelshaus das Geschäft	business firm commercial firm	la casa (comercial)	l'azienda commerciale (f.)	het huis
2. (519)	die Firma	company firm	la firma la empresa	la ditta	de firma (m./f.)
3. (254) (443)	hausgemacht des Hauses	home made	de la casa casero	della ditta della casa	huisgemaakt

MAISON-MÈRE ; MAISONS-MÈRES (n.f.) (***) 1. Société principale dont dépendent des filiales ou des succursales.

1. (520)	das Stammhaus die Muttergesellschaft	parent company head office (siège)	la casa matriz la casa madre	la casa madre	de hoofdzetel (m.) het hoofdkantoor

MAÎTRE-ARTISAN ; MAÎTRES-ARTISANS (n.m.) (*) 1. Artisan détenteur d'un brevet de maîtrise.

1. (325)	der Handwerkmeister	master craftsman	el maestro artesano	il maestro artigiano	de meester (m.) de ambachtsman (m.)

MAJORATION (n.f.) (***) 1. Augmentation.

1. (276)	die Erhöhung die Steigerung	rise increase	el aumento el recargo	l'aumento (m.) la maggiorazione	de verhoging (f.) de vermeerdering (f.)

MAJORER (v.tr.dir.) (***) 1. Augmenter.

1. (276)	erhöhen anheben	to increase to rise	aumentar recargar	aumentare maggiorare	verhogen vermeerderen

MALI (n.m.) (**) 1. Déficit.

1. (177)	das Defizit	deficit	el déficit	il deficit l'ammanco	het deficit het tekort

MALUS (n.m.) (**) 1. Augmentation du montant d'une prime d'assurances.

1. (41)	der Malus der Prämienenauf-schlag	extra premium car insurance surcharge	el malus	il malus	de malus (m.)

MANAGEMENT (n.m.) (****) 1. Ensemble de techniques rationnelles pour diriger de façon optimale une organisation. 2. Ensemble des personnes qui élaborent la stratégie d'une entreprise.

1. (358)	das Management	management	el management la dirección	il management l'organizzazione aziendale (f.)	het management
2. (358)	die Führung die Leitung	management	la dirección	il management la direzione aziendale	het management

MANAGEMENT

➠ gestion - société - entreprise

1 le management	2 un manage(u)r, une manageuse	2 managérial, -ale ; -aux, -ales	2 manager

1 le MANAGEMENT - [manaʒmɛnt, manaʒmɑ̃] - (n.m.)

1.1. Ensemble de techniques rationnelles qu'utilise une personne (un employeur, ...) dans le but de diriger le mieux possible une organisation (une entreprise, un organisme public, une association,...): fixation des objectifs à atteindre, élaboration des stratégies et organisation des activités en utilisant le mieux possible les ressources humaines, technologiques et matérielles.
Syn. : la gestion.
Les principes de management suffisent à se convaincre du besoin permanent de renouvellement des formes d'organisation et de motivation du personnel.

1.2. Ensemble des personnes qui coordonnent l'élaboration de la politique et de la stratégie d'une entreprise industrielle ou commerciale, d'une société ou d'une banque.
Syn. : la direction (sens 1.1.), les dirigeants (V. 228 direction, 1); Ant.: (☞ 359 Pour en savoir plus, Management (sens 1.2.) et antonymes).
L'expansion de notre région s'explique par le volume très important des investissements de modernisation, le dynamisme de notre management ainsi que la qualification élevée de la main-d'œuvre.

+ adjectif

TYPE DE MANAGEMENT (sens 1.1.)

Le management participatif : management où les salariés sont consultés. (Syn. : **la gestion participative**). *La recherche de productivité*

passe par le management participatif qui encourage les suggestions des salariés.
Le management stratégique. (Syn. : **la gestion stratégique**). (V. 298 gestion, 1).
Le management baladeur : management caractérisé par une prise de contact régulière entre le manager et tous les niveaux hiérarchiques.
Un management environnemental. *Les entreprises qui produisent tout en respectant l'environnement peuvent espérer obtenir un label de management environnemental.*

CARACTÉRISATION DU MANAGEMENT (sens 1.1. et 1.2.)
Un management efficace, dynamique. >< **Un management technocratique, défensif.**
{**la technocratie, un, une technocrate, technocratique**}.

+ nom

(sens 1.1.)
- **Une société de management**. (V. 516 société, 1).
- (angl.) **Le management buyout**. (V. 6 achat, 5).

TYPE DE MANAGEMENT (sens 1.1.)
Le management de crise. (V. 299 gestion, 1).
Le management de carrière. (Syn. : **la gestion de carrière**). (V. 299 gestion, 1).
(angl.) **L'interim management**, **l'intérim management**. (Syn. : **la gestion intérimaire**). (V. 298 gestion, 1).

Pour en savoir plus

MANAGEMENT (sens 1.2.) ET ANTONYMES
Le management.
Le personnel, ou toute autre désignation de celui-ci : les salariés, les ouvriers, ... (V. 501 salaire, 2).
Les syndicats. (V. 532 syndicat, 1).
Les actionnaires. (V. 13 action, 2).

ASPECTS DU MANAGEMENT
Le management englobe **la planification** ou (angl.) **le planning** {**un plan, un planificateur, une planificatrice, planifier**}, **l'organisation** {**un organisateur, une organisatrice, organiser**}, **la direction** (V. 200 direction, 1) et **le contrôle** {**un contrôleur, une contrôleuse, contrôlable, contrôler**} des activités d'une entreprise. **Une procédure de contrôle. Effectuer un contrôle strict. Contrôler les comptes.**
Le management dirige les **réunions** et en établit **l'ordre du jour**. {**se réunir**}.

2 AUTRES DÉRIVÉS OU COMPOSÉS

- (angl.) **Un manager** [manadʒɛʀ] (n.m.). **Un manageur**, (peu fréq.) **une manageuse** [manadʒœʀ, manadʒøz] (n.) : personne (généralement un cadre supérieur) qui élabore la politique et la stratégie de l'entreprise et en assure l'exécution à un niveau élevé (Syn. : (V. 227 emploi, 2)). **Une femme manager**. (Syn. : (Q) **une dirigeante, une gestionnaire**).
- **Managérial, -ale; -aux, -ales** [manadʒeʀjal, -al; -o, -al] (adj.) : qui concerne les managers ou le management (sens 1.1. et 1.2.). *La gestion se caractérise par une réévaluation de la dimension managériale ou gestionnaire par rapport aux dimensions techniques, juridiques ou administratives.*
- **Manager** [manadʒe] (v.tr.dir.) : (peu fréq.) gérer une organisation (une entreprise, un organisme public, une association,...) de façon rationnelle. (Syn. : (plus fréq.) **gérer, diriger, administrer**). *Après un an, j'ai quitté cette entreprise familiale parce que l'on me demandait de m'occuper des aspects techniques de la production, alors que l'on m'avait promis de pouvoir manager l'entreprise.*

MANAGER (n.m) (****) 1. Personne qui élabore la stratégie d'une entreprise.

1. (359)	der Manager	manager	el manager el director	il manager il dirigente	de manager (m.) de bedrijfsleider (m.)

MANAGER (v.tr.dir.) (*) 1. Gérer une organisation de façon rationnelle.

1. (359)	managen bewältigen	to manage to run	dirigir	gestire dirigere	managen leiden

MANAGÉRIAL, -IALE ; -IAUX, -IALES (adj.) (**) 1. Qui concerne les techniques pour diriger de façon optimale une organisation. 2. Qui concerne les personnes qui élaborent la stratégie d'une entreprise.

1. (359)	Management-	management managerial	managerial direccional	manageriale	management-
2. (359)	Betriebsführung-	management managerial	managerial direccional	manageriale	management-

MANAGEUR, MANAGEUSE (n.) (*) 1. Personne qui élabore la stratégie d'une entreprise.

1. (359)	der Manager der Betriebsführer	manager	el manager el director	il manager il dirigente	de manager (m.) de bedrijfsleider (m.)

MANDANT, MANDANTE (n.) (**) 1. Personne qui donne à quelqu'un d'autre le pouvoir de le représenter. (Lexis)

1. (22)	der Mandant	power of attorney	el mandante	il mandante	de opdrachtgever (m.)

	der Auftraggeber	proxy			

MANDAT (n.m.) (****) 1. Acte par lequel qqn reçoit le pouvoir de faire qqch. 2. Titre qui enregistre la remise d'une somme d'argent.

1.	die Vollmacht	power of attorney	el mandato	il mandato	het mandaat
	der Auftrag	proxy	la procuración		de volmacht (m./f.)
2. (577)	die (Zahlungs)anweisung	money order	el orden de pago	il vaglia (postale)	de postwissel (m.)
			el orden de transferencia		de stortingskaart (m./f.)

MANDATAIRE (n.) (**) 1. Personne qui a reçu le pouvoir de représentation. (Lexis)

1. (17)	der Bevollmächtigter	authorized agent	el mandatario	il mandatario	de lasthebber (m.)
		commission agent		il commissionario	de gevolmachtigde (m.)

MANGEABLE (adj.) (*) 1. Qui convient à peine au goût du consommateur.

1. (145)	essbar	edible	comestible	commestibile	eetbaar

MANGER (v.tr.dir.) (***) 1. Avaler des denrées alimentaires.

1. (145)	essen	to eat	comer	mangiare	eten

MANGEUR, MANGEUSE (n.) (**) 1. Personne qui avale des denrées alimentaires.

1. (145)	der Esser	eater	el comedor	il mangiatore	de eter (m.)

MANŒUVRE (n.m.) (*) 1. Ouvrier qui exécute des travaux qui ne demande pas de formation particulière.

1. (399)	der (Hilfs)arbeiter	unskilled worker	el peón	il manovale	de handlanger (m.)
	der Handlanger	labourer			

MANQUE À GAGNER (un ~) (**) 1. Occasion manquée de faire une affaire profitable. 2. Somme d'argent qu'on aurait pu gagner.

1. (417)	die verpasste Gelegenheit	loss of profit	la ocasión perdida	il mancato profitto	de inkomensderving (f.)
	die vertane Chance	income shortfall		il lucro cessante (juridique)	
2. (417)	die Einbusse	lost opportunity	la ganancia fallida	l'ammanco	de gederfde winst (f.)
	der Ausfall		el lucro cesante		

MANTEAU ; MANTEAUX (n.m.) (**) 1. Partie principale d'une valeur mobilière.

1. (13)	der Mantel	share without coupon sheet	el principal	il mantello	de mantel (m.)

MANUEL (n.m.) (***) 1. Livre qui explique le fonctionnement d'un appareil.

1.	das Handbuch	manual	el manual de instrucciones	il manuale	het handboek
	das Lehrbuch	handbook			

MANUEL, -ELLE (adj.) (***) 1. Qui est effectué par les mains.

1. (554)	manuell	manual	manual	manuale	manueel
(91)	Hand-				

MANUELLEMENT (adv.) (**) 1. En se servant des mains.

1. (325)	manuell	manually	manualmente	manualmente	manueel
		by hand			

MANUFACTURE (n.f.) (**) 1. Établissement industriel.

1. (557)	die Manufaktur	factory	la manufactura	la manifattura	de fabriek (f.)
	die Fabrik	manufactoring	la fábrica	la fabbrica	

MANUFACTURER (v.tr.dir.) (**) 1. Faire subir (à une matière première) une transformation industrielle (RQ).

1. (557)	(an)fertigen	to manufacture	manufacturar	lavorare una materia	afwerken
	verarbeiten			fabbricare un manufatto	vervaardigen

MANUFACTURIER, -IÈRE (adj.) (**) 1. Qui se rapporte à un établissement industriel.

1. (557)	der Fabrikant	manufacturing	fabril	manifatturiero	fabrieks-
	Hersteller-		manufacturero		

MANUFACTURIER (n.m.) (*) 1. Fabricant qui fait appel à une main-d'œuvre très qualifiée.

1. (447)	der Inhaber eines handwerklichen Grossbetriebs	specialist	el manufacturero	l'industriale	de fabriekseigenaar (m.)
	der Hersteller	specialised manufacturer			

MANUTENTION (n.f.) (***) 1. Déplacement manuel ou mécanique de marchandises.

1. (528)	das Auf- und Abladen	handling	la manutención	la movimentazione	de goederenbehandeling (f.)
(83)	das Verladen		la manipulación		

MANUTENTIONNAIRE (n.) (*) 1. Personne qui déplace manuellement ou mécaniquement des marchandises.

1. (528)	der Lagerarbeiter	packer	el almacenero	il magazziniere	de magazijnbediende (m.)
	der Lagerist	warehouseman	el almacenista		

MANUTENTIONNER (v.tr.dir.) (*) 1. Déplacer manuellement ou mécaniquement des marchandises.

1. (528)	verladen	to handle	manipular	manipolare	behandelen van goederen
	aufladen	to pack			

MAQUILLAGE (n.m.) (*) 1. Opération ayant pour but de modifier frauduleusement l'aspect (d'une chose) (RQ).

1. (65)	die Fälschung	faking	el maquillaje	la falsificazione	de vervalsing (f.)
(126)		doctoring		la contraffazione	

MAQUILLER (v.tr.dir.) (*) 1. Modifier frauduleusement l'aspect (d'une chose).

1. (65)	fälschen	to fake	maquillar	truccare	vervalsen
	manipulieren	to doctor		contraffare	

MARCHAND, -ANDE (adj.) (***) 1. Commercial.

1. (364)	kaufmännisch handeltreibend	trade commercial	mercante mercantil	commerciale	handels- verhandelbaar

MARCHAND, MARCHANDE (n.) (***) 1. Commerçant.

1. (118)	der Kaufmann der Händler	tradesman shopkeeper (magasin)	el comerciante el vendedor	il commerciante il negoziante	de koopman (m.)

MARCHANDAGE (n.m.) (**) 1. Discussion pour acheter ou vendre au prix le plus bas.

1. (364)	das Feilschen das Handeln	haggling bargaining	el regateo la negociación	la contrattazione il mercanteggia-mento	het bieden het gepingel

MARCHANDER (v.intr.) (*) 1. Discuter pour acheter ou vendre au prix le plus bas.

1. (364)	feilschen handeln	to haggle over to bargain over	regatear discutir el precio	contrattare mercanteggiare	(af)bieden

MARCHANDEUR, MARCHANDEUSE (n.) (*) 1. Personne qui discute pour acheter ou vendre au prix le plus bas.

1. (364)	der Feilscher	haggler	el regateador el regatero	chi mercanteggia chi tira sul prezzo	de (af)bieder (m.) de pingelaar (m.)

MARCHANDISAGE (n.m.) (*) 1. Technique de marketing. 2. Exploitation de qqch. avec une intention commerciale.

1. (373)	das Merchandising die verkaufsfördernde Massnahme	merchandising	el mercadeo la mercadotecnia	il merchandising	de merchandising (f.)
2. (373)	die kommerzielle Bewirtschaftung	commercial exploitation	la explotación comercial	la commercializza-zione	de commerciële exploitatie (f.)

MARCHANDISATION (n.f.) (*) 1. Action d'exploiter qqch. avec une intention commerciale.

1. (373)	die kommerzielle Bewirtschaftung	commercial exploitation	la comercialización	la commercializza-zione	de commerciële exploitatie (f.)

MARCHANDISE (n.f.) (****) 1. Bien qui fait l'objet d'une transaction commerciale.

1. (361)	die Ware	goods merchandise	la mercancía la mercadería	la merce la mercanzia	het (de) goed(eren) (plur.) de koopwaar (m./f.)

MARCHANDISE

➠ bien - commerce

1 une marchandise **3** le marchandage **3** le marchandisage **3** la marchandisation **3** le non-marchand	**3** un marchand, une marchande **3** un marchandeur, une marchandeuse **3** un marchandiseur, une marchandiseuse	**2** marchand, -ande	**3** marchander **3** marchandiser

1 une MARCHANDISE - [marʃɑ̃diz] - (n.f.)

1.1. Bien qui fait l'objet ou qui peut faire l'objet d'une transaction commerciale (entre un agent économique (X) et un autre agent économique (Y) : un producteur et un commerçant, un commerçant et un consommateur, un grossiste et un détaillant, ...), sans être transformé.

Syn. : (☞ 363 Pour en savoir plus, Marchandise et synonymes).

Il est interdit d'exiger le paiement d'une marchandise avant la fin d'un délai de réflexion accordé à l'acheteur.

expressions

- (Une personne) **faire valoir sa marchandise** : présenter les choses sous un jour favorable (PR).
- (Une personne) **étaler sa marchandise** : faire valoir ce que l'on a, ce que l'on a fait.
- (Une personne) **tromper sur la marchandise** ; **la tromperie sur la marchandise** : donner autre chose que ce qu'on avait promis (PR). *Il y a tromperie sur la marchandise lorsque le garagiste ne dit pas à son client que le modèle commandé est équipé de moins d'accessoires que le modèle exposé.*
- **Bonne marchandise trouve toujours marchand.**

+ adjectif

TYPE DE MARCHANDISE

Une marchandise consignée : marchandise expédiée à une entreprise par un fournisseur qui en conserve la propriété (Ménard). *La société de leasing tente par tous les moyens de récupérer les marchandises consignées, ses voitures, chez l'entreprise faillie.*

Une marchandise pondéreuse. (V. 551 transport, 1).

CARACTÉRISATION DE LA MARCHANDISE

Une marchandise bon marché. >< **Une marchandise chère**. (V. 437 prix, 1).

Une marchandise dangereuse.

Une marchandise (in)inflammable : marchandise qui (ne) peut (pas) prendre feu.

Une marchandise périssable : denrée alimentaire qui ne peut pas être conservée longtemps.

Une marchandise avariée : pourrie, gâtée.

Une marchandise défraîchie : qui n'a plus sa fraîcheur originale.

Une marchandise périmée : marchandise dont la date de fraîcheur (la date limite de consommation) est dépassée ou marchandise démodée (p. ex. des vêtements).

Les marchandises (pré)emballées, conditionnées. (☞ 362 + nom).

+ nom

- **Un/des flux de marchandises** : quantité mesurable de marchandises qui passent d'un agent économique à un autre, d'un point géographique à un autre en un temps déterminé. (Syn. : **un/des flux réel(s)**). (Ant. : **un/des flux monétaire(s)**). *Le flux de marchandises va des entreprises aux ménages.*
- **Le trafic (de) marchandises**. (Ant. : **le trafic voyageurs**). *L'année écoulée a été excellente pour nos ports maritimes : le trafic marchandises s'est gonflé de 12 % grâce à la progression sensible de nos exportations.*
- **La libre circulation des marchandises.** *Nous vivons dans un énorme marché où l'on veut réaliser la libre circulation des personnes, des marchandises, des capitaux et des services.*
- **Le transport de marchandises**. (V. 551 transport, 1).

  Un train de marchandises. (Ant. : **un train de voyageurs**). *Les risques sont énormes sur les lignes où passent à la fois le trafic voyageurs à grande vitesse et les trains de marchandises.*
- **Le commerce (mondial) des marchandises**. *Les produits manufacturés sont le moteur de l'expansion du volume total du commerce mondial des marchandises.*
- **Un lot de marchandises** : ensemble distinct de marchandises. *Nous avons acheté un lot de marchandises en Grèce et nous sommes à la recherche d'un transporteur pour ramener ces marchandises en France.*

CARACTÉRISATION DE LA MARCHANDISE

Des marchandises en vrac : sans emballage. (Ant. : **des marchandises (pré)emballées, conditionnées**). *La baisse du trafic des marchandises se situe essentiellement dans le secteur de l'apport de marchandises en vrac (charbon, minerais).*

Une marchandise de première qualité, de qualité supérieure, de premier choix. > **Une marchandise de bonne qualité.** > **Une marchandise de mauvaise qualité.** (Syn. : **de la camelote**).

MESURE DE LA MARCHANDISE

Le volume des marchandises. *Il est intéressant de noter la différence importante entre l'accroissement du volume des marchandises échangées (5 %) et celui de la valeur de ces marchandises (17 %).*

+ verbe : qui fait quoi ?

Y	**commander** des ~	une commande de ~	1
Y	**acheter** des ~	un achat de ~	
X	**expédier** des ~	l'expédition de ~ l'expéditeur de ~	2
	acheminer des ~ **vers** une destination	l'acheminement de ~ vers ...	5
X	**livrer** des ~	la livraison de ~	1
>< Y	**prendre livraison des** ~ **accuser réception des** ~ **réceptionner** les ~	 la réception des ~	1
Y	**exposer** la ~ **étaler** la ~	l'exposition de la ~ l'étalement de la ~	
Y	**vendre** des ~	la vente de ~	
Y	**solder** des ~	les soldes des ~ en solde	
X	**importer** des ~ >< **exporter** des ~	l'importation de ~ l'exportation de ~	
X, Y	**stocker** des ~ **entreposer** des ~	le stockage de ~ l'entreposage de ~ un entrepôt de ~	3
les ~	**être chargées sur** un camion >< **être déchargées d'**un camion	le chargement des ~ sur ... le déchargement des ~	

les ~	**être embarquées sur** un cargo >< **être débarquées d'**un cargo		l'embarquement des ~ sur ... le débarquement des ~	4
les ~	**transiter par**	un port, un canal, un aéroport	le transit des ~ par un port les ~ en transit	5
les ~	**entrer** (dans notre pays)		l'entrée de ~	6
	>< **sortir** (de notre pays)		la sortie de ~	6

1 *La vente est une opération par laquelle le vendeur s'engage à livrer une marchandise commandée et l'acheteur à prendre livraison de la marchandise et à payer le prix convenu.*
2 *Nous expédions quotidiennement des marchandises vers plus de vingt pays différents.*
3 *Nous faisons appel à une société spécialisée pour le gardiennage des marchandises que nous entreposons sur les quais du port.*
4 *Le trafic roll on/roll off est un trafic maritime par lequel les marchandises sont embarquées directement en camions.*
5 *Le port d'Anvers compte parmi les plus importants ports européens pour le transit de marchandises acheminées par rail.*
6 *Plus de la moitié des entrées et sorties de marchandises en Europe se fait par le triangle Rotterdam-Anvers-Zeebruges.*

Pour en savoir plus

MARCHANDISE ET SYNONYMES

Une marchandise.

Un bien; **un produit**, **un article**. (V. 446 production, 2).

Le fret [fʀɛt]. 1. Transport de marchandises. *Deux mois après le passage du premier TGV, le tunnel a été ouvert au fret.* - 2. Marchandises transportées par navire (Syn. : **une cargaison**), par avion, par chemin de fer ou par camion (Syn. : **un chargement**). *L'accroissement du trafic passager des compagnies aériennes s'est ralenti, mais la progression du transport de fret s'est poursuivie.* - 3. Prix du transport des marchandises.

{**un affrètement** (contrat par lequel un agent économique (le fréteur) s'engage à mettre à la disposition d'un autre agent économique (l'affréteur) un camion, un avion ou un navire pour le transport de marchandises ou de personnes), **un fréteur**, **une fréteuse**, **un affréteur**, **une affréteuse**, **affréter** (louer un moyen de transport : un bateau, un avion, ...)}.

Une denrée (**alimentaire**) : terme réservé généralement à la nourriture. Dans ce contexte, le terme 'marchandise' ne s'utilise pas.

La camelote : (fam. et péj.) marchandise de très mauvaise qualité ou de peu de valeur. *J'en avais marre de vendre de la camelote. C'est pourquoi j'ai décidé de chercher un autre emploi.*

La pacotille : (fam.) marchandise sans valeur. *Dans le Tiers-Monde, beaucoup d'enfants effectuent des petits boulots dans les rues tels que cireur de chaussures, laveur de voitures ou vendeur de pacotille.*

EMBALLAGE DES MARCHANDISES

Un emballage. 1. Contenant qui permet d'assurer, dans les meilleures conditions de sécurité, la manutention, la conservation, le stockage et le transport des produits (DC). **Un emballage perdu**. (V. 417 perte, 2). - 2. Opération qui consiste à mettre un produit dans ce contenant. {**un emballeur**, **une emballeuse**, **emballer**}.

Il existe de nombreux types de contenants d'après la nature du produit qu'il faut emballer : **un sac** (en papier ou en plastique), **une caisse** (en bois ou en métal), **une boîte** (en carton), **un pot** (p. ex. pour la confiture), **un flacon** (p. ex. pour un parfum), **une bouteille**, **un bidon** (p. ex. pour de l'huile), **un tonneau** ou **un fût** (p. ex. pour de la bière ou du vin), **un paquet** (p. ex. pour de la poudre à lessiver), **une cartouche** (p. ex. pour des paquets de cigarettes), **une brique** (p. ex. pour du lait), **une can(n)ette** (p. ex. pour une boisson rafraîchissante), **une bombe** (p. ex. pour de la mousse à raser), **un tube** (p. ex. pour le dentifrice), **une** (**boîte de**) **conserve**, **une barquette** (p. ex. pour des fruits (fraises, framboises, ...)), **un cageot** (p. ex. pour des fruits (pommes, pêches, ...) ou des légumes), **un emballage-bulle** ou (angl.) **un blister** (p. ex. pour la viande, le poisson), **un carton** (pour des marchandises), **une citerne** (pour un liquide), **un baril** [baʀil] (p. ex. pour le pétrole brut) ou **un conteneur** (p. ex. pour une pile ou pour un combustible). **Une boîte économique**. (V. 216 économie, 2). **Le transport par conteneurs**. (V. 551 transport, 1).

Un conditionnement. 1. Emballage dans sa fonction informative et publicitaire. (Syn. : (angl.) **le packaging**). *Avec sa petite bouteille verte, Perrier a créé un superbe conditionnement.* - 2 Action d'emballer à des fins publicitaires. *Bonduelle mène une campagne publicitaire pour convaincre le consommateur que les légumes conditionnés en boîte de conserve sont de bons produits.* {**conditionner**}.

(angl.) **Le multipack** : grand conditionnement (p. ex. 12 petits pots de yaourt). *Les multipacks ont tendance à doper la consommation.*

NOTE D'USAGE

Le terme 'marchandise' s'emploie plus fréquemment au pluriel. Au singulier, pour désigner un bien proposé à la vente, on utilise plus facilement 'un produit' ou 'un article'.

2 MARCHAND, -ANDE - [maʀʃɑ̃, -ɑ̃d] - (adj.)

1.1. Qui se rapporte à l'achat de marchandises ou de valeurs pour les (re)vendre ou les louer à un client sans y apporter de transformations.
Syn. : (☞ 364 Pour en savoir plus, Marchand et synonymes).
Trois mondes composent notre économie : l'univers marchand, la sphère économico-financière et le système politico-administratif.

+ nom

- **La production (non) marchande**. (V. 439 production, 1).
  Un produit (non) marchand.
- **Le produit intérieur brut (non) marchand**. (V. 443 production, 2).
- **Le secteur marchand**. (Syn. : (moins fréq.) **le marchand**). *Dans le secteur marchand, les biens et les services sont produits et échangés à des prix formés sur le marché en fonction de l'offre et de la demande.*
  >< **Le secteur non marchand**. (Syn. : (moins fréq.) **le non-marchand**). *Le secteur non marchand couvre toute une série de services tels que les soins de santé, l'enseignement et la culture, qui sont essentiellement fournis en dehors du marché par les pouvoirs publics, de nombreux organismes et toutes sortes d'établissements d'utilité publique.*
- **Un service marchand**. >< **Un service non marchand**. (V. 508 service, 1).
- **Une galerie marchande** : dans un centre commercial, une large allée couverte avec des magasins.

  La valeur marchande. >< **La valeur non marchande**. (V. 564 valeur, 1).

Pour en savoir plus

MARCHAND ET SYNONYMES

Commercial : terme courant.
Marchand : s'emploie dans certaines combinaisons fixes. (☞ 364 + nom).
Commerçant. **Mercantile**. (V. 120 commerce, 5).

3 AUTRES DÉRIVÉS OU COMPOSÉS

- **Le marchandage** [maʀʃɑ̃daʒ] (n.m.) : discussion pour acheter ou vendre une marchandise au prix le plus bas. *Après de longs marchandages, j'ai réussi à obtenir ce tapis pour la moitié du prix.*
  {**un marchandeur**, **une marchandeuse** [maʀʃɑ̃dœʀ, maʀʃɑ̃døz] (n.), **marchander** [maʀʃɑ̃de] (v.intr.)}.
- **Le marchandisage** [maʀʃɑ̃dizaʒ] (n.m.). (V. 373 marketing, 1).
  {**la marchandisation** [maʀʃɑ̃dizasjɔ̃] (n.f.), **un marchandiseur, une marchandiseuse** [maʀʃɑ̃dizœʀ, maʀʃɑ̃dizøz] (n.), **marchandiser** [maʀʃɑ̃dize] (v.tr.dir.)}.
- **Le non-marchand** [nɔ̃maʀʃɑ̃] (n.m.). (V. 120 commerce, 5).
- **Un marchand, une marchande** [maʀʃɑ̃] (n.). (V. 118 commerce, 3).

MARCHANDISER (v.tr.dir.) (*) 1. Exploiter qqch. avec une intention commerciale.

1. (373)	kommerziell bewirtschaften	to merchandize	explotar comercialmente comercializar	sfruttare commercialmente	commercieel exploiteren

MARCHANDISEUR, MARCHANDISEUSE (n.) (*) 1. Personne qui exploite qqch. avec une intention commerciale.

1. (373)	der Merchandiser	merchandizer	el encargado del merchandising el mercader	il merchandizer	de merchandiser (m.)

MARCHÉ (n.m.) (****) 1. Lieu physique ou virtuel d'échanges. 2. Ensemble des clients actuels et potentiels. 3. Accord provisoire sur l'échange de biens.

1. (365)	der Markt	market	el mercado	il mercato	de markt (m./f.)
2. (365)	der Markt	market	el mercado	il mercato	de (afzet)markt (m./f.)
3. (365)	der Vertrag der Handel	deal transaction	el contrato	l'accordo (m.)	de overeenkomst (f.) de zaak (m./f.)

MARCHÉ

➠ **offre - demande**

1 un marché **2** un supermarché **2** un hypermarché **2** le marchéage **2** la marchéisation **2** un marché-test			

1 un MARCHÉ - [maʀʃe] - (n.m.)

1.1. Lieu physique ou virtuel d'échanges où se rencontrent les agents économiques (un particulier, un commerçant, une entreprise - X) qui vendent (l'offre) et achètent (la demande) des matières premières, des biens, des services ou des valeurs mobilières.
Syn. : (☞ 371 Pour en savoir plus, Marché (sens 1.1.) et synonymes).
Tous les jours de la semaine, ce restaurateur fait ses courses au marché de Rungis.

1.2. Ensemble des clients actuels et potentiels à qui un agent économique (un commerçant, une entreprise - X) peut vendre des matières premières, des biens, des services ou des valeurs mobilières.
Syn. : un débouché.
Il n'y a plus de marché pour les produits sans beaucoup de valeur ajoutée comme l'acier.

1.3. Accord provisoire entre deux ou plusieurs agents économiques (les cocontractants: une entreprise, un État) qui concerne l'échange de matières premières, de biens, de services ou de valeurs mobilières.
Syn. : une convention (d'achat et de vente).
Notre entreprise vient de conclure aux États-Unis un marché d'une valeur de 300 millions de dollars pour la fourniture de matériel informatique.

expressions

(sens 1.1.)

- (Une personne) **faire son/le marché** : faire ses courses sur un marché organisé dans une commune ou une ville.
- (Une personne) **en être quitte à bon marché** : s'en sortir avec moins de dommage qu'on ne le craignait.
- (Une personne) **faire bon marché de qqch.** : ne pas y attacher beaucoup de valeur. *En fumant beaucoup, il fait bon marché de sa santé.*
- (Un produit, un magasin, ...) **(très) bon marché** (moins fréq. : **à bon marché**) : à bas prix. (Ant. : **cher**, (peu fréq.) **coûteux**). *J'ai trouvé un magasin où l'on vend des vêtements de marque bon marché.* < (Un produit, un magasin, ...) **meilleur marché** (qu'un autre). < (Le produit, le magasin, la société, ...) **le/la meilleur marché**. *C'est le magasin le meilleur marché de la ville. Nous sommes l'entreprise de distribution d'eau la meilleur marché (en ce qui concerne les tarifs) et la plus rentable (en ce qui concerne les coûts).* (☞ 371 Pour en savoir plus, note d'usage). (V. 437 prix, 1).
- **Hors du marché** : en dehors des lois de l'offre et de la demande. *Le taux d'escompte est tenu hors du marché, c'est-à-dire au-dessus des taux du marché interbancaire.*

(sens 1.3.)

- **Un marché de dupes** : marché où l'une des deux parties a été trompée par l'autre. *Certains considèrent l'importation de matières premières bon marché des pays en développement comme un marché de dupes.*
- (Une personne) **mettre le marché en main de qqn** : lui donner la possibilité de conclure le marché ou de le rompre.

+ adjectif

TYPE DE MARCHÉ (sens 1.1. et 1.2.)

Le marché potentiel : volume maximum que peuvent atteindre les ventes du produit considéré ou nombre maximum de clients que ce produit peut toucher.

>< **Le marché réel** : volume de vente ou nombre de clients atteint par un produit.

TYPE DE MARCHÉ (sens 1.1.)

Le marché + adjectif qui désigne une branche d'activité. Le marché pétrolier ; automobile ; hypothécaire ; agricole ; publicitaire.

Le marché libre, (moins fréq.) **le marché ouvert**. *Aucune économie ne peut fonctionner correctement sans un marché libre, c'est-à-dire un marché doté de règles du jeu précises et stables et où la liberté d'initiative peut s'exercer.*

Le marché unique : marché fondé sur la libre circulation des biens, des services, des capitaux et des personnes à l'intérieur de l'Union européenne. *Le marché unique européen est entré en vigueur le premier janvier 1993.*

Le marché monétaire. **Le marché financier**. (☞ 367 + nom).

Le marché boursier : lieu où des valeurs mobilières sont vendues et achetées par l'intermédiaire des sociétés de bourse. (Syn. : (peu fréq.) **le marché des valeurs (mobilières), la bourse des valeurs (mobilières)**). Il se compose du **marché primaire** (marché des émissions de titres. *Le marché primaire désigne toutes les opérations de création de valeurs mobilières telles les actions, obligations, SICAV, certificats immobiliers, ... réalisées par une société ou par un État.*) et du **marché secondaire** (marché sur lequel sont négociés des titres déjà émis sur le marché primaire. *Le prix de vente de l'action dépend de l'offre et de la demande sur le marché secondaire.*).

Le second marché : marché boursier qui accueille les petites et moyennes entreprises à des conditions moins exigeantes que celles imposées par la cote officielle. *Le second marché est une structure d'accueil assez souple pour les entreprises moyennes.*

Le marché obligataire : ensemble des opérations concernant l'émission, la vente et l'achat d'obligations. (Syn. : (moins fréq.) **le marché des obligations**, (B, F) **des rentes**).

Le marché dérivé : marché où l'on négocie les instruments financiers créés à partir d'autres produits qui sont eux-mêmes traités sur un autre marché. **Le MONEP (le marché d'options négociables de Paris)** est un marché dérivé.
Le marché interbancaire : marché de transactions financières entre banques. *De l'étroite connexion des banques sur le marché interbancaire peut résulter un effet de domino, où les banques qui ont d'importantes créances sur des banques en difficulté sont elles-mêmes prises au piège.*
Le marché immobilier : marché où s'échangent les biens immobiliers (les terres, les terrains, les bâtiments). (Syn. : (moins fréq.) **le marché de l'immobilier**).
Le marché locatif : marché des biens proposés en location.
Le marché officiel : marché boursier réservé aux actions inscrites à **la cote officielle**.
>< **Le marché libre**. (Syn. : **le marché hors cote**).
Le marché gris : lieu virtuel de cotation et d'échange d'un titre avant son admission à la cote officielle. *Entre la date de l'annonce de l'emprunt et celle de l'émission, donc durant toute la période de souscription, on parle du marché gris.*
Un marché parallèle : marché généralement non réglementé et qui, souvent, n'est pas soumis aux dispositions légales. *Une voiture achetée sur le marché parallèle est moins chère, mais le consommateur risque de ne pas obtenir le même service.*
Le marché noir : clandestin, qui n'est pas soumis aux dispositions légales. **Faire du marché noir** : vendre clandestinement. **Acheter au marché noir**.
Un marché couvert : lieu couvert où sont achetées et vendues des marchandises diverses. *Ce vaste complexe est un énorme marché couvert où viennent s'approvisionner fleuristes et horticulteurs.*

TYPE DE MARCHÉ (sens 1.2.)
Un marché captif : clientèle assurée parce qu'elle n'a pas la possibilité de choisir. *La fermeture d'une des deux boulangeries de notre commune assure pratiquement un marché captif pour la boulangerie qui reste ouverte.*
Un marché segmenté, atomisé. (☞ 371 + verbe).

TYPE DE MARCHÉ (sens 1.3.)
Un marché public : contrat par lequel un entrepreneur s'engage à fournir un bien ou un service à des pouvoirs publics contre paiement d'une somme d'argent. *À cause de la bureaucratie, il y a des fournisseurs qui ne peuvent pas s'imaginer qu'ils ont la possibilité d'accéder à un marché public.*
Un marché ferme : contrat qui ne comporte aucune possibilité de renégociation. (Syn. : **un contrat ferme**).

CARACTÉRISATION DU MARCHÉ
(sens 1.1. et 1.2.)
Les marchés émergents ((moins fréq.) **un marché émergent**) : qui vont se développer dans le futur. < **Un marché porteur** : qui a tendance à se développer.
>< **Un marché saturé** : sans possibilité de développement. *Notre secteur devrait entreprendre des actions importantes en faveur de l'exportation vu que le marché intérieur est saturé depuis bien longtemps.*

CARACTÉRISATION DU MARCHÉ (sens 1.1. et 1.3.)
Un marché avantageux : qui est intéressant pour le vendeur, l'acheteur ou les deux. < **Un marché juteux** : qui rapporte beaucoup pour le vendeur. *Notre entreprise a pris pied outre-Atlantique sur le marché juteux des services aux entreprises.*

CARACTÉRISATION DU MARCHÉ (sens 1.1.)
Un marché (hyper(-))concurrentiel, ouvert. (V. 136 concurrence, 3).
Un marché transparent. >< **Un marché opaque**. (☞ 368 + nom).
Un marché (boursier) liquide : marché sur lequel il est facile de trouver la contrepartie de sa demande ou de son offre.
Un marché calme. >< **Un marché nerveux, actif, animé** : marché boursier caractérisé par un volume d'opérations d'achat et de vente de titres important.
Un marché étroit : en bourse, caractéristique d'un titre qui présente un faible volume. *Le titre souffre d'un marché étroit, car il a été boudé lors de son introduction en bourse et est donc peu dispersé dans le public.*
Un marché indécis, hésitant : marché qui ne présente pas de tendance claire.
Un marché déprimé : marché qui enregistre de mauvais résultats. *Dans un marché particulièrement déprimé, on a relevé une chute de 2 % pour plusieurs valeurs vedettes.* (☞ 368 + nom).

CARACTÉRISATION DU MARCHÉ (sens 1.2.)
Un marché étroit, un petit marché, un marché exigu : de taille limitée. *Étant donné que le marché suisse est assez étroit, le potentiel commercial doit surtout être placé dans un contexte international.*
>< **Un grand marché, un vaste marché**.

NIVEAU DU MARCHÉ (sens 1.1.)
Un marché haussier, orienté à la hausse : marché boursier qui se caractérise par une tendance à la hausse des cours. *Nous sommes toujours dans un marché haussier et la bourse pourrait grimper bien plus haut encore.*
>< **Un marché baissier, orienté à la baisse**.

LOCALISATION DU MARCHÉ
(sens 1.1. et 1.2.)
Le marché intérieur, national, domestique, (moins fréq.) **interne**. *Sur le marché domesti-*

que japonais, les ventes des automobiles se sont contractées de 7 %.

>< **Un marché étranger, extérieur**. *Nos entreprises doivent orienter leur production davantage vers les marchés étrangers que vers le marché intérieur.*

Le marché local.

Le marché + adjectif qui désigne un (groupe de) pays. Le marché français ; international ; européen ; américain (Syn. : (moins fréq.) **outre-Atlantique**) ; asiatique ; mondial.

+ nom

(sens 1.1. et 1.2.)

Une étude de/(moins fréq.) **du marché** : analyse des données qualitatives et quantitatives qui caractérisent la consommation et la commercialisation d'un produit ou d'un service (RQ). *Des études de marché laissent apparaître qu'un segment de la population est prêt à payer un peu plus cher pour avoir de la viande de qualité.*

(sens 1.1.)

- **Une économie de marché**. (V. 213 économie, 1).

  Les lois du marché : facteurs (p. ex. la loi de l'offre et de la demande) qui déterminent le fonctionnement d'un marché. (Syn. : **les forces du marché, les mécanismes du marché**). *La fixation des prix n'obéit pas toujours aux lois du marché puisque de plus en plus de transactions sont effectuées par des acteurs qui n'ont aucune relation physique avec les marchandises qu'ils achètent.*

  La structure du marché. *La structure du marché, composé de plus de 85 % de PME, explique le nombre important de faillites.*

  Les imperfections du marché. *Le gouvernement s'efforce de corriger les imperfections du marché en éliminant les obstacles au développement des entreprises, p. ex. en limitant les réglementations.*
- **Le prix du (de) marché**. (V. 434 prix, 1).

  Les conditions du marché : imposées par le marché.
- (angl.) **Le leader du marché**, (moins fréq.) **le chef de file du marché** : entreprise, produit qui détient la part de marché la plus importante. *Nous sommes leader du marché du bricolage avec une part de marché comprise entre 20 et 22 %.*
- **Un acteur du marché** : organisme, entreprise, ... qui intervient sur un marché. (Syn. : **un opérateur sur le marché** (☞ 369 + verbe)). *Les courtiers en crédit sont de nouveaux acteurs sur le marché hypothécaire : ils sont quasiment seuls capables, grâce à l'informatique, de démêler les offres bancaires.*
- **Un teneur de marché**, (angl.) **un market(-) maker** : opérateur sur le marché boursier qui affiche en permanence les cours d'achat et de vente d'une quantité de titres auxquels il s'engage à acheter ou vendre. *Les teneurs de marché, dont la plupart ont un statut bancaire, annoncent les cours auxquels ils ont l'intention d'acheter ou de vendre les actions.*
- **L'ouverture du marché**. >< **La clôture du marché**. (V. 69 bourse, 1).
- **La situation, l'état du marché**.

  Les tendances du marché. *Il faut surveiller de près et s'adapter aux tendances du marché.*

  La (bonne >< mauvaise) tenue du marché : (bon, mauvais) comportement du marché. *La bonne tenue du marché obligataire belge a permis le lancement de plusieurs nouvelles obligations.*

  Un indicateur de marché. (V. 318 indicateur, 1).
- **La volatilité du marché** : sensibilité du cours d'une action ou d'un portefeuille aux variations globales des cours de la bourse (B&C). *La faible volatilité du marché des obligations a comme conséquence que le petit investisseur est réapparu sur le marché.*

  {**volatil**}.
- **La place du Marché** : endroit public d'une ville ou d'une commune où se tient ou se tenait le marché.

  Le jour de marché.
- **La croissance du marché**, **l'expansion du marché**. (☞ 370 + verbe). (V. 169 croissance, 1).

(sens 1.2.)

- **Une part de/du marché**. 1. (**une part de marché de ... %**) Pourcentage du marché que détient une entreprise, un produit, ... *Les producteurs ont essayé de conserver ou d'étendre leur part de marché par une politique agressive en matière de prix.* - 2. (... **% de(s) parts de/du marché**) Subdivision du marché. *IBM détient environ 10 % des parts de marché en Europe, toutes catégories informatiques confondues.*

  Un segment de marché : groupe homogène et distinct de personnes qui possèdent un certain nombre de caractéristiques communes qui permettent à une entreprise d'ajuster sa politique de produits, sa stratégie publicitaire, ... (☞ 371 + verbe).
- **Le marché cible**. (☞ 371 + verbe).

TYPE DE MARCHÉ (sens 1.1.)

Le marché des capitaux : marché où se rencontrent l'offre et la demande de valeurs à revenu fixe ou variable, d'émissions de titres et, d'une manière générale, des opérations sur capitaux à court terme (**le marché monétaire**, (moins fréq.) **le marché de l'argent**) ou à long terme (**le marché financier**).

Le marché des produits (de base, ...). (V. 444 production, 2).

Le marché des changes (peu fréq. : **le marché de change**) : lieu abstrait où s'échangent des devises et où l'on fixe les taux de change.

Le marché du travail, de l'emploi : lieu de rencontre entre l'offre d'emplois de la part des employeurs et la demande de travail de la part des salariés, des chômeurs, des étudiants, ... et où se fixe le taux de salaire.

Le marché des valeurs mobilières. (☞ 365 + adjectif).

Le marché des actions : marché où se rencontrent l'offre et la demande d'actions.

Le marché des obligations, des rentes. (☞ 365 + adjectif).

Le marché hors cote. (☞ 366 + adjectif).

Le marché à terme : marché où la livraison et le paiement de valeurs mobilières ou de marchandises ont lieu à l'échéance convenue d'avance.

>< **Le marché au/du comptant** : marché où la livraison et le paiement de valeurs mobilières ou de marchandises suivent immédiatement la conclusion du contrat. (Syn. : (peu fréq.) **le comptant**). *L'introduction en bourse de la seconde tranche d'actions Bridgestone sur le marché au comptant de la Bourse de Tokyo s'est effectuée au prix de 1460 yens par titre.*

Le marché à terme des/d'instruments financiers (le MATIF, souvent désigné aussi comme **le marché à terme international de France)** : marché d'opérations à terme permettant de se protéger contre les risques de fluctuations des taux d'intérêt (C&G). ((B) **le Belfox (Belgian Futures and Options Exchange)**, (S) **la SOFFEX (Swiss Options and Financial Futures Exchange)**, (Q) **le marché des contrats à terme**).

Le marché d'options négociables de Paris (le MONEP) : marché à terme où l'acheteur acquiert le droit d'exercer une option ou non, contrairement au marché à terme classique où il est tenu d'exercer une option. ((B, Q) **Le marché des options**).

Le marché à prime(s) : marché où l'acheteur de titres se réserve la possibilité vis-à-vis du vendeur, soit d'exécuter le contrat passé, soit de l'annuler contre paiement d'une prime.

Le (marché) spot : marché au comptant où les ventes de pétrole ou de métaux ne sont pas soumises à des contrats entre producteurs et compagnies.

Les marchés d'exportation (moins fréq. : **un marché d'exportation**).

Le marché de l'immobilier. (☞ 366 + adjectif).

Un marché (de) niche. (☞ 371 Pour en savoir plus, Marché (sens 1.1.) et synonymes).

Le marché à + nom des biens de consommation échangés. Le marché aux bestiaux ; aux fleurs ; aux poissons. Avec la préposition 'à', 'marché' désigne toujours un lieu physique, donc un endroit concret où sont échangées les marchandises.

Le marché de + nom des marchandises ou des services échangés. Le marché des matières premières ; de l'art. Avec la préposition 'de', 'marché' désigne un lieu virtuel où sont échangés les marchandises et les services.

Un marché en plein air.

Un marché des quatre saisons : lieu où l'on propose périodiquement à la vente au détail des produits alimentaires agricoles.

Un marché aux puces : marché où l'on vend des objets d'occasion. (Syn. : **les puces**). *Je viens d'acheter cette pendule aux puces pour moins que rien.*

Un marché de renouvellement : qui permet de vendre des produits ou des équipements que les consommateurs n'avaient pas encore, p. ex. le téléphone portable.

>< **Un marché de remplacement** : où l'on ne remplace que les produits ou les équipements qui existaient déjà, p. ex. la voiture, le téléviseur.

TYPE DE MARCHÉ (sens 1.2.)

Un marché de masse : marché important de personnes qui ont toutes les mêmes besoins. *Pour réussir, le commerce électronique a besoin d'un marché de masse. L'Internet crée ce marché de masse.* (Ant. : **un marché segmenté, atomisé**).

Le marché des consommateurs. (Syn. : **d'entreprise à particulier**, (angl.) **le business to retail**).

>< **Le marché des entreprises**. (Syn. : **d'entreprise à entreprise**, (angl.) **le business to business**). *En business to business, chaque entreprise envoie un nombre limité de mailings par an. Pour le marché des consommateurs, au contraire, ce nombre est beaucoup plus élevé.*

TYPE DE MARCHÉ (sens 1.3.)

Un marché de gré à gré : contrat conclu directement entre le client et le fournisseur, sans appel d'offre(s) destiné à la concurrence.

CARACTÉRISATION DU MARCHÉ (sens 1.1.)

La transparence du marché : fait que les acteurs du marché disposent de toutes les informations nécessaires afin de garantir une concurrence pure et parfaite.

>< **L'opacité du marché**.

Les/la tension(s) sur le marché. *Les experts estiment que le niveau des stocks de blé tombera suffisamment bas pour créer des tensions sur le marché.* < **La déprime du marché**. *La déprime du marché automobile ne s'explique pas uniquement par l'augmentation du prix des voitures.* < **L'effondrement du marché**. *L'effondrement du marché de l'informatique classique fait que les constructeurs cherchent désespérément de nouveaux débouchés.* (Syn. : (pour la bourse) **le krach** (V. 71 bourse, 2)).

Un marché en recul. >< **Un marché en (pleine) expansion**. *Malheureusement, notre entreprise est trop peu spécialisée dans des produits dont le marché est en pleine expansion.*

CARACTÉRISATION DU MARCHÉ (sens 1.1. et 1.2.)
La saturation du marché. (☞ 366 + adjectif).

NIVEAU DU MARCHÉ (sens 1.1.)
La tendance (à la hausse/baisse) du marché.

MESURE DU MARCHÉ (sens 1.2.)
L'étroitesse du marché. (☞ 366 + adjectif).

+ verbe : qui fait quoi ?

(sens 1.1.)

un bureau de marketing		**effectuer** une étude de ~	-	
		faire une étude de ~	-	
X (le vendeur)	✓	**trouver** un ~	-	
		↓		
X (le vendeur)		**approcher** un ~	l'approche d'un ~	1
		prospecter un ~	la prospection d'un ~	
		explorer un ~	l'exploration d'un ~	
		< **attaquer** un ~	l'attaque d'un ~	
		s'attaquer à un ~		2
		↓		
X (le vendeur)	×	**accéder à** un ~	l'accès à un ~	
		entrer sur un ~	l'entrée sur un ~	
		pénétrer un ~	la pénétration d'un ~	
			un taux de pénétration	
		prendre pied sur un ~	-	
		↓		
X (le vendeur)		**opérer sur** un ~	un opérateur sur le ~	3
		être actif sur un ~	l'activité de X sur le ~	
		être présent sur un ~	la présence de X sur un ~	
		< **travailler** un ~ (V. 559 travail, 3)	-	
X (le vendeur)		**lancer** un produit (**sur** un ~) (Syn. : **commercialiser**)	le lancement d'un produit sur un ~	
		sortir un produit (**sur** un ~)	la sortie d'un produit sur un ~	
		< **inonder** le ~ de produits	l'inondation du ~ par des produits	4
		submerger le ~ de produits	-	
		↓		
X (le vendeur)		**faire une percée sur** un ~	-	
X (le vendeur)		**prendre** une/des part(s) de ~	la prise d'une/de part(s) de ~	
		s'approprier une/des part(s) de ~	-	
		< **conquérir** un ~	la conquête d'un ~	5
		↓		
X (le vendeur)		**dominer** le ~	la domination du ~	
		contrôler le ~	le contrôle du ~	
		maîtriser le ~	la maîtrise du ~	6
		tenir le ~	-	
X (le vendeur)		**détenir** ... % des parts de ~	-	
X (le vendeur)		**détenir**	-	7
		occuper	-	
		une place de choix/prédominante		
		la (première, deuxième, ...) place sur le ~		
		...% du ~		
X (le vendeur)	△	**grignoter** des parts de ~	-	

		< **augmenter** ses parts de ~ **accroître** ses parts de ~	l'augmentation de ses parts de ~ l'accroissement de ses parts de ~	
X (le vendeur)	=	**maintenir** ses parts de ~	le maintien de ses parts de ~	
X (le vendeur)	▽	**perdre** des parts de ~	la perte de parts de ~	
X (le vendeur)	O	**évincer** les concurrents (du ~)	l'éviction des concurrents du ~	8
X (le vendeur)		**monopoliser** le ~	la monopolisation du ~	
X (le vendeur)		**approvisionner** le ~ (**en** produits) (V. 291 fourniture, 1)	l'approvisionnement du ~ en produits	
		>< **assécher** le ~	l'assèchement du ~	9
→ le ~		**s'assécher**	l'assèchement du ~	
X (le vendeur)		**anticiper** (**sur**) une évolution du ~	l'anticipation d'une évolution du ~	10
un ~		**anticiper** (**sur**) une évolution	l'anticipation d'une évolution	
le gouvernement		**réglementer** un ~ **réguler** un ~ >< **libéraliser** un ~ **déréglementer** un ~ **déréguler** un ~	la réglementation d'un ~ la régulation d'un ~ la libéralisation d'un ~ la déréglementation d'un ~ la dérégulation d'un ~	11
le gouvernement		**ouvrir** un ~ **à** un produit / un producteur	l'ouverture du ~ à ...	12
→ le ~ (japonais, ...)		**s'ouvrir à** un produit / un producteur	l'ouverture du ~ à ...	
le ~		**fonctionner** mal/de façon satisfaisante, ...	le fonctionnement du ~	
le ~	△	**être en hausse** **être (orienté) à la hausse**	la hausse du ~	
le ~	△△	**être en pleine croissance** **être en pleine expansion**	la croissance du ~ l'expansion du ~	
le ~	▽	**être en baisse** **être (orienté) à la baisse** **se dégrader** **(se) rétrécir**	la baisse du ~ la dégradation du ~ le rétrécissement du ~	
le ~	▽▽	**s'effondrer**	l'effondrement du ~	13
le ~	▽= ou △=	**se stabiliser**	la stabilisation du ~	14
	△=	**stagner**	la stagnation du ~	
le ~	▽△	**reprendre** **reprendre** son souffle	la reprise du ~	
une action		**être cotée** sur le ~ (à terme, ...)	la cotation (d'une action) sur le ~ (à terme, ...) la cote officielle (V. 69 bourse, 1).	
		>< **être radiée** (de la cotation sur le ~ (à terme, ...))	la radiation d'une action	
un candidat		**se présenter** sur le ~ du travail	-	
un marché (aux fleurs, ...)		**se tenir** + indication de temps + indication d'un lieu	-	

1 *Dans son livre, l'auteur explique comment mieux approcher le marché et définir son terrain d'action, construire un meilleur plan que les sociétés concurrentes et le mettre en œuvre.*
2 *Après avoir connu d'importants succès sur le marché européen, notre groupe projette de s'attaquer au marché nord-américain.*
3 *Une compagnie d'assurances britannique a ouvert un bureau à Paris pour opérer sur le marché français.*
4 *Ce producteur désire éliminer tous ses concurrents en inondant le marché de produits à des prix extrêmement bas.*

5 *Le deuxième brasseur européen poursuit donc, lentement mais sûrement, sa conquête du marché mondial.*
6 *Maîtriser un segment de marché suppose que l'entreprise isole un groupe de consommateurs particuliers et décide d'être particulièrement attentive à ce groupe.*
7 *Notre nouvelle stratégie devrait nous permettre de détenir 10 % du marché d'ici la fin de l'année.*
8 *Notre pays doit accepter le prix fixé au niveau international, sous peine d'être totalement évincé du marché par la concurrence.*
9 *Le commerce de proximité a subi de plein fouet la concurrence de puissants groupes commerciaux qui ont lentement asséché le marché des commerces classiques.*
10 *Les PME sont très souvent les plus aptes à anticiper les besoins du marché.*
11 *La libéralisation du marché de l'énergie laissera la liberté de choix au consommateur.*
12 *L'ouverture du marché chinois devrait permettre aux entreprises européennes de profiter d'un marché porteur extrêmement important.*
13 *Le marché obligataire s'est effondré tandis que le Dow Jones perdait 187 points.*
14 *Même si son marché devait se stabiliser cette année, l'industrie européenne ne peut pas rester les bras croisés et attendre la reprise prévue pour l'année prochaine.*

(sens 1.2.)

X	**cibler** un ~	un marché cible	1
X	**segmenter** un ~	la segmentation d'un ~ un segment de ~	

1 *Le marché cible de notre groupe est constitué principalement par les grandes entreprises internationales des secteurs de la finance.*

(sens 1.3.)

un ~		**se négocier**	la négociation d'un ~	
une entreprise, ...	✓	**décrocher** un ~	-	1
		enlever un ~	-	
		remporter un ~	-	
une entreprise, ...	×	**conclure** un ~	la conclusion d'un ~	2
		passer un ~	-	
>< un cocontractant	O	**annuler** un ~	l'annulation d'un ~	
		rompre un ~	la rupture d'un ~	

1 *Sofratel est à la recherche de partenaires qui l'aideront à décrocher un marché au Brésil.*
2 *La SNCF va conclure aux États-Unis un marché pour une valeur de 300 millions de dollars.*

Pour en savoir plus

MARCHÉ (sens 1.1.) ET SYNONYMES

Un marché.

Un créneau. 1. Marché de petite taille. **Un créneau porteur**. *L'eau minérale est sans aucun doute un créneau porteur.* **Un créneau pointu** : très spécialisé. **Occuper un créneau**. - 2. Marché pour lequel n'existe à un moment donné aucun produit ou service qui peut satisfaire entièrement les besoins d'une certaine clientèle. *Le succès d'une entreprise réside souvent dans la découverte d'un créneau inattendu, tel le recyclage de matériel informatique.* **Pénétrer un créneau.**

Une niche : segment d'un marché où une entreprise, par la spécialisation de son offre, se place à l'abri de la concurrence (Moulinier). (Syn. : (moins fréq.) **un marché** (**de**) **niche**).

NOTE D'USAGE

'Bon marché', 'meilleur marché', 'le meilleur marché' : toujours invariables. *La robe bleue est meilleur marché que la robe verte.*

2 AUTRES DÉRIVÉS OU COMPOSÉS

- **Un supermarché** [sypɛʀmaʀʃe] (n.m.); **un hypermarché** [ipɛʀmaʀʃe] (n.m.). (V. 573 vente, 1).
- **Le marchéage** [maʀʃeaʒ] (n.m.). (V. 374 marketing, 1).
- **La marchéisation** [maʀʃeizasjɔ̃] (n.f.) : présence de plus en plus forte des banques sur le marché monétaire et financier. **La marchéisation des placements**.
- **Un marché-test** [maʀʃetɛst] (n.m.) (plur. : **des marchés-tests**) : ensemble de consommateurs sur lequel sont évaluées les chances de succès d'un nouveau produit ou l'impact d'une campagne commerciale réalisée par une société.

MARCHÉAGE (n.m.) (*) 1. Combinaison des moyens d'action lors de la commercialisation d'un produit.

1. (374)	der Marketing-Mix	marketing-mix	el marketing-mix la mercadología	il marketing-mix	de marketing mix (m.)

MARCHÉISATION (n.f.) (*) 1. Présence de plus en plus forte des banques sur le marché monétaire et financier.

1. (371)	die Ausbreitung des Banksektors	extension of banking services	el poder de la banca en los mercados	la disintermediazione del settore bancario la bancassicurazione	de groeiende invloed (m.) van de banken

MARCHÉ-TEST ; MARCHÉS-TESTS (n.m.) (*) 1. Ensemble de consommateurs qui évaluent qqch.

1. (371)	der Test-Markt	test market	el mercado-test el mercado prueba	il mercato pilota il mercato-test	de testmarkt (m./f.)

MARGE (n.f.) (****) 1. Différence entre deux valeurs. 2. Bénéfice réalisé lors d'une transaction commerciale.

1. (274)	die Marge	margin	el margen	il margine	de marge (m./f.)
(331)	der Abstand				
2. (61)	die Gewinnspanne	profit margin	el margen de beneficio	il margine di guadagno	de winstmarge (m./f.)
(541)	die Verdienstspanne	mark-up		il margine di profitto	

MARITIME (adj.) (***) 1. Qui se rapporte à la mer.

1. (550)	See-	marine	marítimo	marittimo	maritiem
(519)		maritime			

MARK (n.m.) (****) 1. Monnaie allemande et finlandaise.

1. (382)	der Mark	mark	el marco	il marco	de mark (m.)

MARKET(-)MAKER ; MARKET(-)MAKERS (n.m.) (*) 1. Teneur de marché.

1. (367)	der Market-maker	marketmaker	el tenedor de mercado el agente de mercado	il market-maker	de hoekman (m.) de market maker (m.)

MARKETE(E)R (n.m.) (*) 1. Spécialiste des moyens d'action utilisés lors de la commercialisation d'un produit.

1. (374)	der Marketingfachmann	marketing expert	el especialista en merchandising el técnico en mercadotecnia	l'esperto (m.) di marketing	de marketeer (m.)

MARKETEUR (n.m.) (*) 1. Spécialiste des moyens d'action utilisés lors de la commercialisation d'un produit.

1. (374)	der Marketingfachmann	marketing expert	el especialista en merchandising el técnico en mercadotecnia	l'esperto (m.) di marketing	de marketeer (m.)

MARKETING (n.m.) (****) 1. Ensemble des moyens d'action utilisés lors de la commercialisation d'un produit.

1. (372)	das Marketing	marketing	el marketing la mercadotecnia	il marketing	de marketing (f.)

MARKETING/MERCATIQUE

➠ **promotion - publicité - commerce**

1 le marketing 1 la mercatique 2 le marketing-mix 2 le marchéage	2 un mercaticien 2 un markete(e)r 2 un marketeur		

1 (angl.) **le MARKETING/la MERCATIQUE** - [maʀkətiŋ/mɛʀkatik] - (n.m.)

1.1. Ensemble de techniques et de moyens d'action basés sur la connaissance des besoins des agents économiques (les consommateurs) et des structures du marché, qui sont utilisés par un agent économique (une entreprise, une organisation - X) lors de la commercialisation d'un produit ou d'un service.
Le marketing implique une attitude active qui consiste à anticiper, à comprendre les attentes du marché et à lui offrir des solutions adaptées et rentables.

+ adjectif

TYPE DE MARKETING

Le marketing direct. (V. 569 vente, 1).

Le marketing stratégique : marketing basé sur l'élaboration de la combinaison optimale des techniques de marketing. (☞ 373 Pour en savoir plus, Techniques de marketing).

Le marketing relationnel : stratégie de marketing qui se caractérise par l'établissement d'un contact personnel avec le consommateur. *Il faut personnaliser l'approche, individualiser l'offre. Ce marketing s'appelle le marketing relationnel.*

Le marketing événementiel : techniques de marketing liées à des événements sportifs, culturels, sociaux, ...

Le marketing industriel. (Ant. : **le marketing grand public**). *Le marketing des produits technologiquement innovants se distingue sensiblement du marketing industriel traditionnel parce qu'il se préoccupe du produit avant son apparition sur le marché et veille à ce qu'il corresponde à une demande.*

Le marketing politique : marketing appliqué au domaine politique (p. ex. lors de campagnes électorales).

Le marketing non commercial : appliqué au secteur non marchand, p. ex. **le marketing politique** (pour des partis ou des candidats), **le marketing social** (pour des idées), ...

CARACTÉRISATION DU MARKETING

Un marketing agressif. *La hausse des prix des matières premières et une réduction de prix dans le cadre d'un marketing particulièrement agressif ont été compensées par la réduction des coûts.*

LOCALISATION DU MARKETING

Le marketing international : marketing développé dans le but de conquérir les marchés étrangers.

+ nom

- **Une stratégie (de) marketing, une politique (de) marketing, une approche marketing, une démarche marketing.** *Stratégie de marketing comme une autre, le distributeur met pour l'instant l'accent sur le 30e anniversaire de sa marque de distributeur.*
Un plan (de) marketing. *Le sponsoring n'est qu'une partie de notre plan marketing : il permet seulement de faire connaître le nom de notre société.*
Une campagne (de) marketing ; une opération de marketing. *Les ventes au numéro de ce quotidien ont augmenté cette année, et une nouvelle campagne de marketing direct devrait stimuler les abonnements.*
Un outil de marketing, un instrument de marketing. *La publicité sur le lieu de vente est un outil de marketing bien connu des professionnels de la vente.*
Une technique de marketing.
Le marketing grand public. *Si le marketing industriel accuse un retard sur le marketing grand public, cela tient essentiellement à la forte orientation des entreprises vers le produit même.* (Ant. : **le marketing industriel**).
- **Le département marketing, le service marketing, la division marketing, la cellule marketing.**
Le directeur (du) marketing (et de la communication) ; le responsable (du) marketing (et de la communication). *Nous entendons bien consolider notre place de numéro un, commente le directeur marketing de Siemens.*
- **Une cible marketing.** *Les responsables des ventes ont trop longtemps délaissé les personnes âgées comme cible marketing importante.*
- **Une formation en marketing. Des études de marketing.**

TYPE DE MARKETING

Le marketing de + branche d'activité. Le marketing des services publics ; des organisations non commerciales.

+ verbe : qui fait quoi ?

X	**pratiquer** le ~	la pratique du marketing	1
→ le ~	**se pratiquer** **être pratiqué** (par X)	la pratique du marketing	

1 *Le gain de parts de marché enregistré par la société Indiga s'explique uniquement par le marketing agressif qu'elle pratique.*

Pour en savoir plus

TECHNIQUES DE MARKETING

Les techniques de marketing ont comme objectif principal de bien positionner un produit en créant **une image de marque** (représentation d'ordre intellectuel ou affectif, plus ou moins profonde, plus ou moins consciente, qui se présente spontanément à l'esprit du consommateur et de l'utilisateur à l'évocation d'un produit (image de produit), dès qu'il voit ou entend prononcer le nom d'une marque (image de marque) ou le nom d'une firme (image de firme) (DC)). (Une entreprise) **créer une image de marque favorable ; améliorer son image de marque.**

Le parrainage : subvention par une entreprise ou une organisation d'une activité sportive, culturelle ou sociale pour accroître sa notoriété ou améliorer son image de marque. (Syn. : (angl.) **le sponsoring, le sponsorat** {**un sponsor, sponsor(is)er**}, **la commandite** {**un, une commanditaire, commanditer**}). {**parrainer**}.

Le mécénat : parrainage dans le monde artistique ou scientifique. {**un mécène**}.

Le marchandisage. 1. Techniques de marketing qui concernent la présentation, dans les meilleures conditions, d'un produit ou d'un service dans un point de vente. - 2. Exploitation d'un nom, d'une figure, d'une personne, ... avec une intention commerciale. (Syn. : (angl.) **le merchandising**). *Autre source de rentrées pour les artistes, le merchandising (tee-shirts, photos, calendriers, gadgets, ...) prend une part de plus en plus importante.* {**la marchandisation, un marchandiseur, une marchandiseuse, marchandiser**}. **Un marchandiseur du fabricant** : vendeur spécialisé dans la négociation avec les hypermarchés et les supermarchés.

L'aménagement du point de vente comporte l'utilisation de **gondoles** (meuble de présentation des articles qui comporte plusieurs étagères). *Les gondoles les plus importantes pour notre magasin sont celles où l'on expose les produits alimentaires.*

La tête de gondole (l'extrémité de la gondole) constitue **un point chaud**, c'est-à-dire un point à forte fréquentation où sont exposés les produits en promotion. *Les fabricants doivent négocier les têtes de gondoles avec les supermarchés et payer pour avoir la possibilité d'y exposer momentanément leurs produits.*
Le linéaire : longueur totale des étagères d'exposition des produits. *Un fabricant peut acheter de l'espace dans les linéaires des grandes surfaces pour mettre ses produits plus en évidence que ceux de la concurrence.*
Parmi les outils du marketing, on compte également la présence aux **salons** (manifestation commerciale regroupant des exposants appartenant à un même domaine d'activité (B&P)), les **foires** (manifestation commerciale regroupant des exposants appartenant à des domaines d'activités diversifiées), les **journées "portes ouvertes"** et les **plaquettes de présentation** éditées par les entreprises. **Le salon de l'auto**.

Dans les grandes entreprises, c'est le service des **relations publiques (les RP)** qui se charge de l'organisation du contact direct avec le public, la presse et les autorités.

Pour d'autres techniques : (V. 465 publicité, 1), (V. 460 promotion, 1).

2 AUTRES DÉRIVÉS OU COMPOSÉS

- (angl.) **Le marketing-mix** [maʀkətiŋmiks] (n.m.), (peu fréq.) **le marchéage** [maʀʃeaʒ] (n.f.) : combinaison optimale des techniques et des moyens d'action basés sur la connaissance des besoins des agents économiques (les consommateurs) et des structures du marché, qui sont utilisés par un agent économique (une entreprise, une organisation) lors de la commercialisation d'un produit ou d'un service, compte tenu des objectifs à atteindre. *Le service à la clientèle permet encore de se distinguer de la concurrence quand la plupart des éléments du marketing-mix sont pratiquement identiques.*

  Le marketing-mix se compose des 4 (ou 5) P : le produit (produit ciblé, qualité, service à la clientèle), la promotion (et la publicité), le prix et le point de vente (l'ensemble des canaux de distribution, les commerciaux, ...).
- (angl.) **Un markete(e)r** [maʀkətiʀ], **un marketeur** [maʀkətœʀ] ou (moins fréq.) **un mercaticien, une mercaticienne** [mɛʀkatisjɛ̃, mɛʀkatisjɛn] (n.) : spécialiste en marketing.

MARKETING-MIX (n.m.) (*) 1. Combinaison des moyens d'action lors de la commercialisation d'un produit.

1. (374)	das Marketing-Mix	marketing-mix	el marketing-mix la mercadología	il marketing-mix	de marketing mix (m.)

MARQUE (n.f.) (***) 1. Signe (nom, logo, ...) qui sert à distinguer un produit.

1. (255)	die Marke	brand	la marca	il marchio	het merk
(373)	das Markenzeichen	trademark		la marca	

MASSIF, -IVE (adj.) (****) 1. Important.

1. (283)	massiv enorm	massive substantial	masivo	massiccio	massaal groot

MASSIVEMENT (adv.) (***) 1. De façon importante.

1. (283)	massiv	in great number (comptable)	masivamente	ampiamente	massaal
	enorm	in large quantities		largamente	in grote mate

MATÉRIAU ; MATÉRIAUX (n.m.) (****) 1. Élément qui sert à la fabrication et à la construction

1. (446)	das Material der (Werk)Stoff	material	el material	il materiale la materia prima	het materiaal

MATÉRIEL (n.m.) (****) 1. Équipement. 2. Ensemble des éléments physiques (unité centrale, périphérique, etc.) constituant les machines informatiques.

1. (446)	das Material	equipment	el material	il materiale	het materieel
(292)	das Gerät	material			
2. (446)	die Hardware	hardware	el hardware	l'hardware (m.)	de hardware (m.)

MATÉRIEL, -IELLE (adj.) (***) 1. Qui concerne les aspects visibles.

1. (62) (84)	materiell	material	material	materiale	materieel

MATIÈRE (n.f.) (****) 1. Substance. 2. (la ~ imposable) Somme qui constitue la base de calcul de l'impôt.

1. (446)	das Material der Stoff	material	la materia	la materia prima la sostanza	de materie (f.) de substantie (f.)
2. (316)	das Steuerobjekt das Steuergut	object (of taxation)	la base imponible	la base imponibile	het belastbaar inkomen

MATIF (le ~) (***) (368) marché à terme international de France.

MATRAQUAGE (n.m.) (*) 1. Répétition fréquente d'un message.

1. (465)	die Dauerberieselung (durch die Werbung)	media hype	el martilleo	la pubblicità martellante	het erin hameren
	der Dauerbeschuss (durch die Werbung)	overkill			het bewerken

MATURITÉ (n.f.) (**) 1. Troisième phase du cycle de vie d'un produit.

1. (444)	die Reifephase	maturity	la madurez	la maturità	de maturiteit (f.) de volkomen ontwikkeling (f.)

MAXIMA , voir maximum

MAXIMAL, -ALE ; -AUX, -ALES (adj.) (***) 1. Qui a atteint la valeur la plus élevée.

1. (282)	Maximal- Höchst-	maximum maximal	máximo	massimo	maximaal maximum

MAXIMALISATION (n.f.) (*) 1. Action de porter à sa valeur la plus élevée.

1. (277)	die Maximierung	maximization	la maximización	la massimizzazione	de maximalisatie (f.)

MAXIMALISER (v.tr.dir.) (*) 1. Porter à sa valeur la plus élevée.

1. (277)	maximieren maximalisieren	to maximize	maximizar	massimizzare	tot een maximum brengen

MAXIMAUX , voir maximal

MAXIMISATION (n.f.) (*) 1. Action de porter à sa valeur la plus élevée.

1. (277)	die Maximierung	maximization	la maximización	la massimizzazione	de maximalisatie (f.)

MAXIMISER (v.tr.dir.) (**) 1. Porter à sa valeur la plus élevée.

1. (277)	maximieren	to maximize	maximizar	massimizzare	tot een maximum brengen

MAXIMUM (adj.m. et f.), **MAXIMA** (adj.f.) ; **MAXIMUMS, MAXIMA** (adj.m. et f.) (****) 1. Qui a atteint sa valeur la plus élevée.

1. (282)	das Maximum das Höchstmass	maximum	máximo máximum	massimo	maximum maximaal

MAXIMUM ; MAXIMUMS ou **MAXIMA** (n.m.) (****) 1. Valeur la plus élevée.

1. (277)	das Maximum das Höchstmass	maximum maximal	el máximo el máximum	il massimo il massimale	het maximum

MAZOUT (n.m.) (**) 1. Combustible.

1. (551)	das Heizöl	fuel-oil	el fuel oil	la nafta il gasolio per riscal-damento	de stookolie (m./f.)

MBA (la ~) (**) (268) marge brute d'autofinancement.

MBO (le ~) (**) management buyout: rachat d'une entreprise par ses salariés.

(6)	das Management-buyout	management buyout	el management buyout la sociedad laboral	il management buyout	het management buyout

MÉCANICIEN, MÉCANICIENNE (n.) (**) 1. Personne qui a pour métier de monter, d'entretenir ou de réparer les machines (RQ).

1. (442)	der Mechaniker	mechanic	el mecánico	il meccanico	de werktuigkundige (m.) de monteur (m.)

MÉCANIQUE (adj.) (****) 1. Qui utilise un assemblage de pièces qui fonctionnent ensemble.

1. (442) (254)	mechanisch maschinell	mechanical	mecánico	meccanico	mechanisch

MÉCANIQUE (n.f.) (***) 1. Assemblage de pièces qui fonctionnent ensemble.

1. (442)	die Mechanik	mechanics mechanical engineering	la mecánica	la meccanica	de mechanica (f.)

MÉCANIQUEMENT (adv.) (**) 1. Du point de vue d'un assemblage de pièces qui fonctionnent ensemble. 2. De façon automatique.

1. (442)	mechanisch	mechanically	mecánicamente	meccanicamente	mechanisch
2. (442) (552)	maschinell	automatically	automáticamente	automaticamente	automatisch

MÉCANISATION (n.f.) (*) 1. Faire effectuer un travail par une machine qui est commandée.

1. (442)	die Mechanisierung	mechanization	la mecanización	la meccanizzazione	de mechanisatie (f.)

MÉCANISER (v.tr.dir.) (*) 1. Introduire la machine dans (une activité).

1. (442)	mechanisieren	to mechanize	mecanizar	meccanizzare	mechaniseren

MÉCANISME (n.m.) (****) 1. Fonctionnement simultané d'un ensemble de pièces.

1. (442)	der Mechanismus	mechanism	el mecanismo	il meccanismo	het mechanisme

MÉCANO (n.m.) (*) 1. Personne qui a pour métier de monter, d'entretenir ou de réparer les machines (RQ).

1. (442)	der Mechaniker	mechanic	el mecánico	il meccanico	de werktuigkundige (m.) de monteur (m.)

MÉCÉNAT (n.m.) (**) 1. Aide volontaire accordée par un agent économique.

1. (373)	das Mäzenatentum	(corporate) sponsorship corporate philantropy	el mecenazgo	il mecenatismo	het mecenaat

MÉCÈNE (n.m.) (**) 1. Agent économique qui aide volontairement qqn.

1. (373)	der Mäzen	sponsor patron	el mecenas	il mecenate	de mecenas (m.)

MÉDIA (n.m.) (****) 1. Moyen de communication.

1. (463)	das Medium	media	los medios de comuni-cación	i mass media	de media (plur.)
(466)	die Massenmedien			il mezzo di comuni-cazione	

MÉDIOCRE (adj.) (***) 1. Peu important.

1. (284)	mittelmässig	poor mediocre	mediocre	mediocre scadente	middelmatig klein

MÉGAFUSION (n.f.) (*) 1. Fusion entre grosses entreprises.

1. (239)	die Megafusion die Mammutfusion	large-scale merger	la megafusión	la megafusione	de megafusie (f.)

MÉL (n.m.) (**) 1. Message électronique.

1. (551)	die elektronische Post	electronic mail	el correo electrónico	l'e-mail (m.)	de mail (m.)

	die elektronische Nachricht	(e)mail	el e-mail (el emilio)		

MÉMOIRE (n.f.) (****) 1. Capacité de stockage (d'un ordinateur).

1. (528)	der (Daten)speicher	memory	la memoria	la memoria	het geheugen

MÉNAGE (n.m.) (****) 1. Ensemble de personnes qui partagent le même logement.

1. (22)	der Haushalt	household	el hogar	il nucleo familiare	het huishouden
(494)	die Haushaltung		la unidad familiar	la famiglia	

MÉNAGER, -ÈRE (adj.) (***) 1. Qui se rapporte à l'ensemble des personnes qui partagent le même logement.

1. (22)	Haushalts-	household	casero	domestico	huishoudelijk
		domestic	doméstico		

MÉNAGÈRE (n.f.) (**) 1. Femme qui tient une maison (RQ).

1. (22)	die Hausfrau	housewife	la ama de casa	la casalinga	de huisvrouw (f.)

MENSUALISATION (n.f.) (*) 1. Fait de rendre mensuel.

1. (477)	die monatliche Zahlung	monthly payment	la mensualización	la mensilizzazione	het maandelijks maken
		paying monthly			

MENSUALISER (v.tr.dir.) (*) 1. Rendre mensuel, payer au mois (RQ).

1. (477)	monatlich bezahlen	to pay on a monthly basis	pagar por meses	pagare mensilmente	maandelijks betalen
	einen Monatslohn beziehen		pagar mensualmente		

MENSUALITÉ (n.f.) (**) 1. Somme d'argent qu'un débiteur doit verser chaque mois.

1. (477)	die Monatsrate	monthly payment	la mensualidad	la mensilità	de maandelijkse afbetaling (f.)
(405)	der Monatsbetrag	monthly instalment			

MENSUEL, -ELLE (adj.) (****) 1. Qui revient chaque mois.

1. (477)	monatlich	monthly	mensual	mensile	maandelijks
	Monats-				

MENSUELLEMENT (adv.) (**) 1. Tous les mois, une fois par mois (RQ).

1. (477)	monatlich	monthly	mensualmente	mensilmente	maandelijks

MENUISIER (n.m.) (*) 1. Ouvrier qui travaille le bois.

1. (453)	der (Möbel)tischler	carpenter (bâtiment)	el carpintero	il falegname	de timmerman (m.)
		joiner (meubles)			de schrijnwerker (m.)

MER (n.f.) (****) 1. Grande surface d'eau salée.

1. (551)	das Meer	sea	el / la mar	il mare	de zee (m./f.)
	die See				

MERCANTILE (adj.) (**) 1. Qui a pour seul objectif de réaliser des profits.

1. (120)	merkantil	mercantilist	mercantil	mercantile	op winst uit
	nur auf den geschäftlichen Erfolg bedacht				mercantiel

MERCANTILISME (n.m.) (*) 1. Doctrine qui a pour seul objectif de réaliser des bénéfices.

1. (120)	der Merkantilismus	mercantilism	el mercantilismo	il mercantilismo	het mercantilisme
					het winstbejag

MERCANTILISTE (adj.) (*) 1. Qui se rapporte à la doctrine qui a pour seul objectif de réaliser des bénéfices.

1. (120)	merkantilistisch	mercantilist	mercantilista	mercantilista	mercantilistisch

MERCATICIEN, MERCATICIENNE (n.) (*) 1. Spécialiste des moyens d'action utilisés lors de la commercialisation d'un produit.

1. (374)	der Marketingfachmann	marketing expert	el experto en marketing	l'esperto (m.) di marketing	de marketing-expert (m.)
					de marketeer (m.)

MERCATIQUE (n.f.) (*) 1. Ensemble des moyens d'action utilisés lors de la commercialisation d'un produit.

1. (372)	das Marketing	marketing	el marketing	il marketing	de marketing (f.)
			la mercadotecnia		

MERCHANDISING (n.m.) (**) 1. Exploitation de qqch. avec une intention commerciale.

1. (373)	das Merchandising	merchandising	el merchandising	il merchandising	de merchandising (f.)
	die verkaufsfördernde Massnahme		la explotación comercial	la commercializzazione	de commerciële exploitatie (f.)

MESSAGERIE (n.f.) (***) 1. Service de transport rapide de lettres, de colis et de voyageurs. - 2. Technique de transmission de messages par réseau électronique.

1. (551)	der Eildienst	parcel delivery service	la mensajería	il corriere	het snelgoedvervoer
		courrier service			het stukgoedvervoer
2. (551)	der elektronische Postverkehr	electronic mail system	la mensajería electrónica	l'e-mail (m.)	de elektronische post (m./f.)
		email	el correo electrónico	la posta elettronica	

MESURABLE (adj.) (**) 1. Dont la longueur, le volume, ... peut être évalué.

1.	messbar	measurable	medible	misurabile	meetbaar
			mensurable		

MESURE (n.f.) (****) 1. Disposition prise pour atteindre un but. 2. Évaluation de la longueur, du volume, ...

1. (77)	die Massnahme	measure	la medida	la disposizione	de maatregel (m.)
(213)		step	la disposición	la misura	
2.	das Mass	measurement	la medida	la misurazione	het meten
	die Messung				het inschatten

MESURER (v.tr.dir.) (****) 1. Évaluer la longueur, le volume, ...

1.	messen	to measure	medir	misurare	meten
	abmessen	to assess		valutare	inschatten

MÉTAL (n.m.) (****) 1. Terme générique pour désigner le fer, l'or, le cuivre, l'argent, ...

1. (380)	das Metall	metal	el metal	il metallo	het metaal

MÉTALLIQUE (adj.) (****) 1. Qui est en métal. 2. Qui se rapporte au traitement du métal.

1. (380)	metallisch	metallic	metálico	metallico	metaal-
2. (441)	Metall-	metallic	metálico	metallico	metaal-
(254)					

MÉTALLO (n.m.) (**) 1. Personne qui travaille dans l'industrie qui fabrique des métaux.

1. (322)	der Metaller	steelworker	el obrero metalúrgico	il metalmeccanico	de metaalarbeider (m.)
	der Metallarbeiter				

MÉTALLURGIE (n.f.) (***) 1. Traitement des métaux. 2. Ensemble des industries qui fabriquent des métaux.

1. (322)	das metallurgische Verfahren	metallurgy	la metalurgia	la metallurgia	de metaalbewerking (f.)
	die Metallurgie				
2. (322)	die Metallindustrie	metallurgical industry	la metalurgia	la metallurgia	de metallurgie (f.)
	die Schwerindustrie	metallurgy			de metaalindustrie (f.)

MÉTALLURGIQUE (adj.) (**) 1. Qui se rapporte à l'industrie qui fabrique des métaux.

1. (322)	metallverarbeitend	metallurgic	metalúrgico	metallurgico	metallurgisch
					van de metaalindustrie

MÉTALLURGISTE (adj.) (*) 1. Qui travaille dans l'industrie qui fabrique des métaux.

1. (322)	... der Metallindustrie	metallurgist	metalúrgico	metalmeccanico	metaal-

MÉTALLURGISTE (n.) (**) 1. Personne qui travaille dans l'industrie qui fabrique des métaux.

1. (322)	der Metallarbeiter	steelworker	el metalúrgico	il metalmeccanico	de metaalproducent (m.)
		metallurgist			de metaalarbeider (m.)

MÉTIER (n.m.) (****) 1. Pratique d'activités manuelles ou mécaniques.

1. (453)	der Beruf	job	la profesión	il mestiere	het beroep
(55)	die Arbeit	occupation	el oficio	la professione	de job

MÉVENDRE (v.tr.dir.) (*) 1. Vendre beaucoup moins que prévu.

1. (575)	einen Absatzrückgang haben	to sell badly	malvender	vendere meno del previsto	slecht verkopen
	weniger verkaufen als vorgesehen				moeilijk verkopen

MÉVENTE (n.f.) (*) 1. Vente beaucoup moins importante que prévu.

1. (575)	der Absatzrückgang	slump	la mala venta	la vendita inferiore alle aspettative	de afzetmoeilijkheden (plur.)
		stagnation			de verkoop (m.) met verlies

MICRO-ÉCONOMIE (n.f.) (**) 1. Étude de l'activité économique des individus ou des groupes restreints.

1. (216)	die Mikroökonomie	microeconomics	la microeconomía	la microeconomia	de micro-economie (f.)

MICRO-ÉCONOMIQUE (adj.) (**) 1. Qui se rapporte à l'activité économique des individus ou des groupes restreints.

1. (216)	mikroökonomisch	microeconomic	microeconómico	microeconomico	micro-economisch

MICRO-INFORMATIQUE (n.f.) (**) 1. Informatique adaptée aux micro-ordinateurs.

1. (514)	die Mikroinformatik	microcomputing	la microinformática	la microinformatica	de micro-informatica (f.)
		the microcomputer industry		l'informatica (f.) dei microprocessori	

MICRO-ORDINATEUR ; MICRO-ORDINATEURS (n.m.) (***) 1. Ordinateur domestique.

1. (239)	der Mikrocomputer	personal computer	el microordenador	il personal computer (PC)	de P.C. (m.)
	der Kleinstcomputer	microcomputer		il computer	de personal computer (m.)

MINE (n.f.) (****) 1. Terrain d'où l'on peut extraire un métal, une matière première (RQ).

1. (504)	das Bergwerk	mine	la mina	la miniera	de mijn (m./f.)
(564)	die Grube				

MINERAI (n.m.) (***) 1. Minéral exploitable industriellement.

1. (551)	das Erz	ore	el mineral	il minerale grezzo	het erts

MINEUR (n.m.) (**) 1. Ouvrier qui travaille dans une mine de charbon.

1.	der Bergarbeiter	miner	el minero	il minatore	de mijnwerker (m.)
	der Grubenarbeiter				

MINIER, -IÈRE (adj.) (****) 1. Qui se rapporte à un lieu d'où l'on extrait un métal, une matière première.

1. (322)	Gruben-	mining	minero	minerario	mijn-
(238)	Bergwerk-			estrattivo	

MINIMA , voir minimum

MINIMAL, -ALE ; -AUX, -ALES (adj.) (***) 1. Qui atteint la valeur la moins élevée.

1. (284)	Mindest-	minimum	mínimo	minimo	minimaal
	Minimal-	minimal	mínimum		

MINIMARGE (n.m.) (*) 1. Magasin de détail qui vend avec des marges bénéficiaires réduites.

1. (354)	der Discounter	discount store	la tienda de descuento	il (negozio) discount	de discount(zaak) (m.)
		discount house	el almacén minimargen		de kortingzaak (m./f.)

MINIMAUX , voir minimal

MINIME (adj.) (***) 1. Très peu important.

1. (281)	minimal	of minimal importance	mínimo	minimo	miniem
	winzig			lieve	zeer klein

MINIMEX (n.m.) (**) 1. Revenu minimum.

1. (493)	der Mindestlohn	minimum wage	el salario mínimo	il minimo salariale	het minimumloon

MINIMEXÉ, MINIMEXÉE (n.) (*) 1. Personne qui perçoit le revenu minimum.

1. (493)	der Empfänger eines Mindestlohns	minimum wage earner	la persona con salario mínimo	il percettore del minimo salariale	de minimumloontrekker (m.)

MINIMISATION (n.f.) (*) 1. Fait de rendre le moins important possible.

1. (279)	die Minimierung	minimization	la minimización	la minimizzazione	de minimalisering (f.)

MINIMISER (v.tr.dir.) (***) 1. Rendre le moins important possible.

1. (279)	minimieren	to minimize	minimizar	minimizzare	minimaliseren bagatelliseren

MINIMUM (adj.m. et f.), **MINIMA** (adj.f.) ; **MINIMUMS, MINIMA** (adj.m. et f.) (****) 1. Qui a atteint la valeur la moins élevée.

1. (284)	Mindest- Minimal-	minimum	mínimo	minimo	minimum ten minste

MINIMUM ; MINIMUMS ou **MINIMA** (n.m.) (****) 1. Valeur la moins élevée.

1. (279)	das Minimum der Tiefstand	minimum minima (plur.)	el mínimo el mínimum	il minimo	het minimum

MINITEL (n.m.) (****) 1. Petit terminal de consultation de banques de données.

1. (509) (571)	der Btx der Bildschirmtext	Minitel (French) viewdata system	el minitel	il videotel	de minitel (m.)

MISE À PIED (la ~) (*) 1. Licenciement.

1. (343)	die Entlassung die Kündigung	dismissal	el despido	il licenziamento	het ontslag

MI-TEMPS (n.m.) (**) 1. Emploi à temps réduit de moitié.

1. (555)	die Halbtagsarbeit die Halbtagsbeschäftigung	part-time job	la media-jornada	il part-time il tempo parziale	de halftijdse baan (m./f.) de halftijdse betrekking (f.)

MITRAILLE (n.f.) (*) 1. Pièces de monnaie.

1. (380)	das Kleingeld	small change	el cambio la calderilla	la moneta gli spiccioli	het kleingeld de pasmunt (m./f.)

MOBILIER, -IÈRE (adj.) (****) 1. Qui se rapporte à qqch. qui peut être déplacé.

1. (62) (564)	beweglich Mobiliar-	movable	mobiliario	mobile	roerend mobilair

MODE DE VIE (un ~) (**) 1. Manière dont qqn gère sa vie.

1. (35)	die Lebensweise	way of life	el modo de vida	lo stile di vita	de levenswijze (m./f.)

MODÈLE (n.m.) (****) 1. Objet produit.

1. (145) (189)	das Modell das Muster	model	el modelo	il modello	het model

MODÉRATION (n.f.) (***) 1. Réduction.

1. (279)	die Mässigung die Zurückhaltung	moderation	la moderación	la moderazione	de matiging (f.)

MODÉRÉ, -ÉE (adj.) (***) 1. Moyen.

1. (282) (283)	mässig gemässigt	moderate reasonable	moderado razonable	moderato modico	matig

MODÉRÉMENT (adv.) (**) 1. Moyennement.

1. (282) (283)	mässig	moderately reasonably	moderadamente	moderatamente	matig middelmatig

MODÉRER (v.tr.dir.) (**) 1. Réduire.

1. (279)	mässigen mildern	to moderate to restrain	moderar	moderare	beperken matigen

MODESTE (adj.) (****) 1. Faible, limité.

1. (282)	bescheiden gering	modest small-scale	modesto	modesto	bescheiden

MODESTEMENT (adv.) (**) 1. Faiblement, de façon limitée.

1. (282)	bescheiden	modestly	modestamente	modestamente	bescheiden

MODIQUE (adj.) (**) 1. Peu important.

1. (284)	niedrig geringfügig	modest low	módico	modico	bescheiden laag

MOINS-VALUE (n.f.) (***) 1. Diminution de la valeur d'un bien.

1. (423)	der Verlust die Wertminderung	capital loss depreciation	la minusvalía la depreciación	la minusvalenza	de waardevermindering (f.) het waardeverlies

MOITIÉ (n.f.) (****) 1. L'une des deux parties égales (d'un tout) (RQ).

1. (431)	die Hälfte	half	la mitad	la metà il mezzo	de helft (m./f.)

MONEP (le ~) (***) (366) marché des options négociables de Paris.

MONÉTAIRE (adj.) (****) 1. Qui se rapporte à la monnaie comme instrument de mesure de la valeur.

1. (382)	monetär Währungs-	monetary	monetario	monetario valutario	monetair

MONÉTARISME (n.m.) (*) 1. Théorie économique qui défend le contrôle de la masse monétaire.

1. (384)	der Monetarismus	monetarism	el monetarismo	il monetarismo	het monetarisme

MONÉTARISTE (adj.) (*) 1. Qui soutient la théorie économique qui défend le contrôle de la masse monétaire.

1. (384)	monetaristisch	monetarist	monetarista	monetarista	monetaristisch

MONÉTARISTE (n.) (*) 1. Personne qui soutient la théorie économique qui défend le contrôle de la masse monétaire.

1. (384)	der Monetarist	monetarist	el monetarista	il monetarista	de monetarist (m.)

MONÉTIQUE (n.f.) (*) 1. Ensemble de moyens mis en œuvre pour automatiser les transactions bancaires.

1. (384)	der elektronische Zahlungsverkehr das Electronic Banking	use of credit cards	el dinero electrónico	la monetica la moneta elettronica	het elektronisch geld

MONÉTISATION (n.f.) (*) 1. Transformation en monnaie.

1. (384)	die Geldschöpfung die Geldschaffung	monetization	la monetización	la monetizzazione	het aanmunten de aanmunting (f.)

MONÉTISER (v.tr.dir.) (*) 1. Transformer en monnaie.

1. (384)	Geld schöpfen Geld schaffen	to monetize	monetizar amonedar	monetizzare	aanmunten

MONNAIE (n.f.) (****) 1. Instrument de mesure de la valeur d'un bien. 2. Pièce de métal qui représente la valeur d'un bien. 3. Ensemble de pièces de monnaie ou de billets de faible valeur.

1. (379)	das Zahlungsmittel die Währung	currency (devise)	la moneda	la moneta	de munt (m./f.) het betalingsmiddel
2. (379)	das Geldstück die Münze	coin	la moneda	la moneta metallica	het geldstuk de munten (plur.)
3. (379)	das Kleingeld das Wechselgeld	change	el cambio la vuelta	gli spiccioli la moneta	het wisselgeld het kleingeld

MONNAIE

➠ argent - finance

1 la monnaie **4** un porte-monnaie **4** une monnaie(-) refuge **4** le papier-monnaie **4** le monétarisme **4** le monnayage **4** la monétique **4** la monétisation	**4** un monétariste, une monétariste **4** un monnayeur	**2** monétaire **4** monétariste **4** monnayable	**3** monnayer **4** monétiser

1 la MONNAIE - [mɔnɛ] - (n.f.)

1.1. Instrument de mesure de la valeur d'un bien et moyen de paiement immédiat sur l'ensemble du territoire d'un (groupe d')État(s).
Syn. : (V. 34 argent, 1).
Savais-tu que la couronne est le nom de la monnaie nationale de nombreux pays, tels le Danemark, la Norvège et la Suède?

1.2. Pièce de métal généralement ronde qui représente la monnaie (sens 1.1.).
Syn. : (plus fréq.) une pièce (de monnaie).
Certaines monnaies anciennes romaines et grecques valent une fortune.

1.3. Ensemble de pièces de monnaie ou de billets de faible valeur qui représentent soit la différence entre la valeur d'un billet de banque et le prix d'une marchandise, soit la valeur d'une pièce de monnaie ou d'un billet de banque plus important, soit la valeur d'une petite somme (à payer).
Je n'ai pas assez de monnaie sur moi pour payer mon bus.

expressions

(sens 1.1.)

- **En monnaie constante** >< **En monnaie courante**. (V. 431 prix, 1).
- **La mauvaise monnaie chasse la bonne**. On dit que la mauvaise monnaie chasse la bonne si la meilleure réserve de valeur, la monnaie forte, est plutôt épargnée et capitalisée, tandis que la monnaie faible est vite dépensée.

(sens 1.2.)

C'est monnaie courante : c'est une chose très banale, habituelle.

(sens 1.3.)

- (Une personne) **rendre la monnaie à qqn** : verser à une personne la différence entre la valeur d'une marchandise et celle du billet ou de la pièce de monnaie que cette personne a donné pour payer cette marchandise. (☞ 382 Pour en savoir plus, Notes d'usage).
- (Une personne) **payer qqn en monnaie de singe** : se moquer de qqn au lieu de le rembourser (Lexis). (Qqch.) **être de la monnaie de singe** : de belles paroles, des promesses creuses.
- (Une personne) **rendre à qqn la monnaie de sa pièce** : adopter une attitude qui consiste à appliquer la loi du talion, c'est-à-dire 'oeil pour oeil, dent pour dent'.
- (Une personne) **payer en monnaie sonnante et trébuchante** : payer en pièces de monnaie.

(Syn. : **payer en espèces**). *L'audiovisuel est devenu une industrie à part entière dont les échanges en monnaie sonnante et trébuchante atteignent des montants à croissance exponentielle.*

- (Qqch.) **servir de monnaie d'échange** : qqch. sert à obtenir autre chose en contrepartie (p. ex. lors de négociations). *Comme monnaie d'échange pour obtenir davantage de concessions de la part de la direction, les salariés immobilisent deux navires qui sont pratiquement achevés.*
- (fam.) **Passez la monnaie !** : payez !

+ adjectif

TYPE DE MONNAIE (sens 1.1.)

La monnaie métallique : pièces de monnaie de métal (argent (**la monnaie d'argent**), or (**la monnaie d'or**), cuivre, fer, ...). (Ant. : **la monnaie (de) papier**).

La monnaie numéraire, manuelle : comprend **la monnaie divisionnaire** (**les pièces de monnaie**, (fam.) **la mitraille**) et **la monnaie fiduciaire** (**les billets de banque, les coupures**). *La réduction des échanges en monnaie fiduciaire a obligé la poste à réduire son réseau de points de vente ou à partager ses guichets avec d'autres partenaires.* **Les coupures de** 5 euros. **Payer en petites coupures** : à l'aide de billets (de banque) de faible valeur. **Une liasse (de billets de banque)**.

>< **La monnaie scripturale** : monnaie correspondant aux dépôts sur un compte bancaire et qui circulent par des moyens de paiement tels que le chèque, le virement, l'avis de prélèvement ((B) **un ordre de domiciliation**, (S) **un avis de débit**), la carte de crédit. *La création de monnaie scripturale est très largement indépendante des pouvoirs politiques enfermés dans leurs espaces nationaux.*

La monnaie électronique : monnaie scripturale qui circule par les moyens informatiques et électroniques mis en œuvre pour automatiser les transactions bancaires (les terminaux de points de vente des magasins, les transferts électroniques de fonds, ...).

Une monnaie convertible en une autre monnaie : monnaie qui peut être échangée librement contre une autre monnaie. (☞ 381 + verbe).

>< **Une monnaie non convertible, inconvertible**. *Nos billets de banque ne peuvent plus être échangés contre la quantité d'or qu'ils représentent : notre monnaie est devenue inconvertible.*

La monnaie centrale : monnaie fiduciaire et scripturale émise par la banque centrale. ((S) **la monnaie de banque centrale**). (Ant. : **la monnaie de banque** : monnaie scripturale créée par les banques commerciales).

Une monnaie commune : monnaie partagée par plusieurs pays qui ont par ailleurs leur propre monnaie.

La monnaie unique : monnaie partagée par plusieurs pays de l'Union monétaire européenne. (Syn. : **l'euro**). *La logique économique demande l'existence d'une monnaie unique à l'intérieur d'un grand marché unique.*

La monnaie active, circulante : partie de la masse monétaire qui sert aux transactions. (☞ 381 + verbe).

TYPE DE MONNAIE (sens 1.2.)

La fausse monnaie : imitation frauduleuse de monnaie (pièces et billets de banque). *Un atelier de fabrication de fausse monnaie a été découvert dans le sud du pays.*

TYPE DE MONNAIE (sens 1.3.)

La petite monnaie, la menue monnaie : pièces de monnaie de faible valeur.

CARACTÉRISATION DE LA MONNAIE (sens 1.1.)

Les principales monnaies, les grandes monnaies. *Les difficultés de l'économie américaine sont dues à l'appréciation du dollar par rapport à l'euro et au yen.*

Une monnaie forte : monnaie dont la valeur à un moment donné est plus élevée que la moyenne, p. ex. le franc suisse, le mark, ... (Syn. : **une devise forte**). *Psychologiquement, je doute que les citoyens des pays avec une monnaie forte soient prêts à renoncer à leur devise pour partager une monnaie commune avec des pays qui n'appliquent pas la rigueur financière nécessaire.*

>< **Une monnaie faible**. (Syn. : **une devise faible**).

Une monnaie flottante. (V. 92 change, 1).

Une monnaie courante : monnaie utilisée lors des transactions quotidiennes dans un pays. *Dans plusieurs pays, le dollar américain est devenu une monnaie courante dans les échanges quotidiens.*

LOCALISATION DE LA MONNAIE (sens 1.1.)

La monnaie nationale : monnaie propre à un pays.

>< **Une monnaie étrangère**. *Pour ce projet, il faudrait récolter une somme d'un million d'euros, ou son équivalent dans toute autre monnaie étrangère.*

Une monnaie internationale : monnaie utilisée couramment dans de nombreux pays. *L'ère du yen, monnaie internationale, est arrivée suite à la montée en puissance des banques nippones.*

+ nom

(sens 1.1.)

- **Le cours d'une monnaie. Le flottement des monnaies, des changes. La parité des monnaies**. (V. 92 change, 1).
- **La convertibilité d'une monnaie**. (☞ 380 + adjectif).
  L'offre de monnaie. >< **La demande de monnaie**. (V. 393 offre, 1). (V. 182 demande, 1).
- **La dématérialisation de la monnaie** : fait que la monnaie ne correspond plus à l'aspect de son support matériel suite au succès de la monnaie électronique.

TYPE DE MONNAIE (sens 1.1.)

La monnaie (de) papier : monnaie constituée de billets de banque. (Syn. : **le papier-monnaie**). (Ant. : **la monnaie métallique**).

Une monnaie de réserve : monnaie nationale (p. ex. le dollar) qui joue le rôle de monnaie internationale et qui est utilisée pour garantir l'émission de monnaie nationale.

Une monnaie (de type) panier, un panier de monnaies : monnaie internationale calculée à partir de monnaies nationales qui interviennent toutes pour un certain pourcentage dans la détermination de sa valeur et ceci en fonction de l'importance de leurs économies nationales et de leur part dans le commerce international. *Une des caractéristiques essentielles d'un panier de monnaies est sa stabilité.*

Une monnaie étalon, de référence : monnaie qui sert de point de comparaison. *La monnaie nationale a été dévaluée de 5 % par rapport au dollar, qui a servi de monnaie de référence.*

La monnaie de banque : monnaie scripturale créée par les banques commerciales. (Ant. : **la monnaie centrale**).

TYPE DE MONNAIE (sens 1.3.)

La monnaie d'appoint : pièces de monnaie de petite valeur ajoutées à d'autres pièces ou à des billets de banque pour atteindre le montant d'une somme à payer. (Syn. : **l'appoint**). **Avoir l'appoint**. (☞ 382 Pour en savoir plus, Notes d'usage).

+ verbe : qui fait quoi ?

(sens 1.1.)

l'État une banque commerciale	✓	**créer** de la ~	la création de ~	1
un particulier, une banque, ...		**détenir** de la ~	la détention de ~	2
un particulier, une banque, ...		**transférer** de la ~ (d'un compte à un autre)	le transfert de ~ (d'un compte à un autre)	
→ une ~		**circuler** (☞ 380 + adjectif)	la (vitesse de) circulation d'une ~	
une banque, un pays		**convertir** une ~ en or, en devises (☞ 380 + adjectif)	la conversion d'une ~ la convertibilité d'une ~ une ~ convertible	
une ~		**faire l'objet de spéculations** ↓	-	
une banque centrale		**soutenir** la ~ (nationale) ↓	le soutien de la ~	
la ~	=	**se maintenir** **résister à la spéculation**	le maintien de la ~ -	
>< le gouvernement	▽	**dévaluer** la ~ (nationale)	une dévaluation de la ~	3
	△	>< **réévaluer** la~ (nationale) (V. 92 change, 1)	une réévaluation de la ~	
une ~	≠	**flotter** **fluctuer** (V. 92 change, 1)	le flottement d'une ~ la fluctuation d'une ~ les fluctuations monétaires	
une ~	▽	**baisser** **s'affaiblir** **se déprécier** **se dévaloriser**	la baisse d'une ~ l'affaiblissement d'une ~ la dépréciation d'une ~ la dévalorisation d'une ~	4
une mesure	▽= ou △=	**stabiliser** une ~	la stabilisation d'une ~	5
→ une ~	▽= ou △=	**se stabiliser**	la stabilisation d'une ~ la stabilité d'une ~	

une ~	△	**progresser** **s'apprécier**	la progression d'une ~ l'appréciation d'une ~	 6
une ~	△△	**être surévaluée**	la surévaluation d'une ~	7
une ~	▽△	**se raffermir**	le raffermissement d'une ~	

1 *Le Fonds monétaire international n'est pas une vraie banque centrale car il ne crée pas de monnaie.*
2 *La monnaie qu'on détient constitue un actif peu risqué si le taux d'inflation est très bas. C'est la raison pour laquelle on acceptera toujours d'échanger des biens contre de la monnaie.*
3 *Le gouvernement a décidé de dévaluer la monnaie nationale pour stimuler les exportations.*
4 *Certains pays à monnaie faible ont dû accepter que leur monnaie se déprécie par rapport au dollar.*
5 *La modération des revenus nominaux freine la hausse des prix et stabilise notre monnaie.*
6 *L'appréciation actuelle de la monnaie américaine est inspirée par le fait que la chute du dollar en avril était exagérée.*
7 *Comme notre monnaie nationale est surévaluée, l'importation de biens intermédiaires est relativement bon marché.*

(sens 1.2.)

l'État (un souverain, une banque centrale)	✓	**battre** ~ **frapper** de la ~	- la frappe de ~	1 2
		émettre de la ~	l'émission de ~	
l'État (un souverain, une banque centrale)	✓	**mettre** une ~ en circulation	la mise en circulation d'une ~	
		>< **retirer** une ~ de la circulation	le retrait de la circulation d'une ~	

1 *Selon la Constitution belge, le Roi a le droit de battre monnaie. En fait, il s'agit d'un privilège qui concerne la monnaie divisionnaire, c'est-à-dire les pièces de monnaie.*
2 *L'Espagne vient de mettre en circulation de nouvelles monnaies frappées à l'effigie du Roi.*

Pour en savoir plus

NOTES D'USAGE

Je dois 29 euros au restaurant. Le garçon me demande si j'ai l'appoint.
- Je donne 29 euros : le compte y est.
- J'ai 25 euros. Ma copine ajoute les 4 euros qui manquent : elle fait l'appoint. (☞ 381 + nom).
- Je donne 50 euros : le garçon me rend la monnaie sur 50 euros.
- Je laisse 30 euros au garço n: il peut garder la monnaie.

Je n'ai pas de pièces de monnaie.
- Je demande au garçon de me faire la monnaie de 100 euros ou de me donner la monnaie de 100 euros. Vous avez la monnaie de 100 euros ?

QUELQUES UNITÉS MONÉTAIRES

la couronne	le Danemark	DKK
	la Norvège	NOK
	la Suède	SEK
le dollar	l'Australie	AUD
	le Canada	CAD
	les États-Unis	USD
(Syn. : **le billet vert**, (Q) (fam.) **la piastre**)		
la drachme	la Grèce	GRD
l'euro	la zone euro, l'espace euro	EUR
	(1 euro = 100 (euro)centimes, 100 (euro)cents [sɑ̃])	
le florin	les Pays-Bas	NLG
le franc	la Belgique	BEF
	la France	FRF
	le Luxembourg	LUF
	la Suisse	CHF
le franc CFA	plusieurs pays africains	
le franc CFP	les territoires d'outre-mer français du Pacifique	
la lire	l'Italie	ITL
la livre	l'Égypte	EGP
	l'Irlande	IEP
	la Turquie	TRL
la livre (sterling)	la Grande-Bretagne	GBP
le mark	l'Allemagne	DEM
	la Finlande	FIM
la peseta	l'Espagne	ESP
le rouble	la Russie	RUR
le shilling	l'Autriche	ATS
le yen	le Japon	JPY

Quand le dollar tousse, tout le monde économique s'enrhume.

2 MONÉTAIRE - [mɔnetɛʀ] - (adj.)

1.1. Qui se rapporte à la monnaie comme instrument de mesure de la valeur d'un bien et moyen de paiement immédiat sur l'ensemble du territoire d'un (groupe d') État(s).

Le gouvernement prendra les mesures monétaires nécessaires pour garder l'inflation sous contrôle.

+ nom

- **Des** (moins fréq. : **un**) **flux monétaire(s)** : quantité mesurable de capitaux qui passe d'un agent économique à un autre, d'un compte à un autre, ... en un temps déterminé. (Ant. : **un/des flux de marchandise(s), un/des flux réel(s), physique(s)**). *Il y a des flux monétaires importants qui vont des ménages aux entreprises.*
- **Une unité monétaire** : nom qui désigne la monnaie d'un pays. *Le franc était l'unité monétaire de plusieurs pays européens, tels la Belgique, la France et la Suisse.*
- **La masse monétaire** : ensemble des moyens de paiement plus ou moins liquides qui sont utilisés dans un pays. *La masse monétaire qui comprend les billets et les dépôts bancaires, mais aussi une série d'instruments de placement à court terme, constitue le principal indicateur sur lequel la banque centrale dit vouloir aligner sa politique monétaire.*

  Les disponibilités (**monétaires**). (V. 35 argent, 1).
- **Une politique monétaire**. *La politique monétaire consiste à fournir toutes les liquidités nécessaires au bon fonctionnement et à la croissance de l'économie tout en veillant à la stabilité de la monnaie.* **Une politique monétaire restrictive, limitative** >< **Une politique monétaire non restrictive, non limitative**. *La banque centrale veut mener une politique monétaire non restrictive en réduisant son taux central de quelques fractions pour le ramener à 4,85 %.* (Une banque centrale) **resserrer la politique monétaire**. *L'accélération de l'inflation pousse la Réserve fédérale à resserrer sa politique monétaire.* >< **Assouplir la politique monétaire. Un assouplissement** (**de la politique**) **monétaire**.
- **Les fluctuations monétaires.** *Comme nous sommes une société qui exporte beaucoup, les fluctuations monétaires peuvent influencer fortement notre chiffre d'affaires.*
- **Un réajustement monétaire**. (☞ 383 Pour en savoir plus, Note d'usage).
- **L'Union économique et monétaire** (**l'UEM**). (V. 215 économie, 2).

  Le Système monétaire européen (**le SME**) : accord monétaire concernant un groupe de monnaies de pays de l'Union européenne pour lesquelles les banques centrales concernées s'engagent à intervenir dès qu'une monnaie s'approche de son cours plafond ou de son cours plancher afin de décourager les spéculations. Le SME a été remplacé par une monnaie unique, **l'euro**. (V. 382 1 monnaie). *Le SME étant dominé par le mark, la plupart des pays membres étaient obligés de suivre à contrecœur la politique monétaire restrictive de l'Allemagne.*
- **L'Institut monétaire européen** (**l'IME**). *L'Institut monétaire européen a été la préfiguration de la banque centrale européenne.*
- **Le Fonds monétaire international** (**le FMI**). (V. 287 fonds, 1).
- **Le marché monétaire**. (V. 367 marché, 1).
- **Une économie monétaire**. (V. 213 économie, 1).
- **L'économie monétaire**. (V. 212 économie, 1).

CARACTÉRISATION DE LA MONNAIE

- **L'érosion monétaire**, **la dépréciation monétaire** : diminution de la valeur de l'argent due à la hausse des prix, l'inflation. *Les entreprises étrangères prennent les mesures nécessaires contre l'érosion rapide des bénéfices causée par les dévaluations successives qu'a connues la monnaie nationale.*
- **La stabilité monétaire.** *Pour qu'il y ait stabilité monétaire, il faut qu'il y ait équilibre de la balance des paiements.*

  >< **L'instabilité monétaire**. < **Une crise monétaire** : graves conséquences de lourdes spéculations contre une ou plusieurs monnaies. < **Un krach**. (V. 71 bourse, 2).

Pour en savoir plus

NOTE D'USAGE

La majorité politique désigne généralement une dépréciation de la monnaie nationale par l'euphémisme 'un réajustement monétaire'; l'opposition par le terme 'une dévaluation'.

3 MONNAYER - [mɔneje] - (v.tr.dir.)

1.1. Un agent économique (un particulier, une entreprise) convertit qqch. (un terrain, un bien) en argent liquide.

La compagnie aérienne française désire abandonner sa participation dans cette compagnie concurrente, mais la sortie doit être honorable et monnayée.

2.1. Une personne tire de l'argent de qqch. (un talent, une capacité).

Certains salaires élevés sont accordés pour dissuader les salariés de chercher à monnayer les compétences acquises dans d'autres entreprises.

qui fait quoi ?		

(sens 1.1.)

une personne	**monnayer** un bien	-

(sens 2.1.)

une personne	**monnayer** un talent	-

4 AUTRES DÉRIVÉS OU COMPOSÉS

- **Un porte-monnaie** [pɔʀtmɔnɛ] (n.m.) (plur. : **des porte-monnaies**) : petit sac où l'on met l'argent de poche, des pièces de monnaie.
- **Une monnaie(-)refuge** [mɔnɛʀ(ə)fyʒ] (n.f.) (plur. : **les monnaies(-)refuges**) : monnaie forte dans laquelle s'effectuent des placements en temps de crise monétaire. *La solidité du franc suisse en fait une des monnaies-refuges les plus recherchées par les épargnants.*
- **Le papier-monnaie** [papjemɔnɛ] (n.m.). (Syn. : **la monnaie (de) papier**).
- **Le monétarisme** [mɔnetaʀism(ə)] (n.m.) : théorie économique selon laquelle il faut contrôler la masse monétaire pour diminuer les déséquilibres économiques.
  {**un, une monétariste** [mɔnetaʀist(ə)] (n.), **monétariste** [mɔnetaʀist(ə)] (adj.)}.
- **Le monnayage** [mɔnɛjaʒ] (n.m.) : fabrication de monnaie à partir de métal. Le mot s'utilise essentiellement dans l'expression **le faux-monnayage** (fabrication de fausse monnaie).
  {**un monnayeur** [mɔnɛjœʀ] (n.m.)}.
  Un faux-monnayeur.
- **La monétique** [mɔnetik] (n.f.) : ensemble de moyens informatiques et électroniques mis en œuvre pour automatiser les transactions bancaires (les distributeurs automatiques de billets, les terminaux de points de vente des magasins, les cartes de paiement, les transferts électroniques de fonds, ...) (DICOFE).
- **Monnayable** [mɔnɛjabl(ə)] (adj.) : que l'on peut convertir en argent liquide. *La seule valeur encore monnayable après la vague de privatisations, c'est la compagnie nationale du pétrole.*
- **Monétiser** [mɔnetize] (v.tr.dir.) : transformer en monnaie. **Monétiser une créance.**
  {**la monétisation** [mɔnetizasjɔ̃] (n.f.)}.

MONNAIE(-)REFUGE ; MONNAIES(-)REFUGE (n.f.) (*) 1. Monnaie forte qui attire les placements.

1. (384)	die Fluchtwährung	safe currency	la moneda refugio	la moneta rifugio	het vluchtkapitaal

MONNAYABLE (adj.) (*) 1. Que l'on peut convertir en argent liquide.

1. (384)	in Geld umsetzbar kann / können zu Geld gemacht werden	convertible into cash	cobrable convertible en dinero	monetabile monetizzabile	verzilverbaar

MONNAYAGE (n.m.) (*) 1. Fabrication de monnaie à partir de métal.

1. (384)	die Münzprägung die Ausmünzung	coinage coining	la acuñación de moneda	la coniatura la coniazione	het (aan)munten

MONNAYER (v.tr.dir.) (**) 1. Convertir qqch. en argent liquide.

1. (383)	zu Geld machen Kapital schlagen aus	to convert into cash	convertir en dinero	coniare battere moneta	aanmunten te gelde maken

MONNAYEUR (n.m.) (*) 1. Personne qui fabrique des pièces de monnaie à partir de métal.

1. (384)	der Münzarbeiter	The Mint employee (GB)	el monedero	il funzionario della Zecca	de munter (m.)

MONO(-)PRODUIT (adj.invar.) (*) 1. Qui se concentre sur un produit.

1. (449)	das Einzelprodukt	single product mono product	monoproducto	monoprodotto	zich tot één product(groep) beperkend

MONOPOLE (n.m.) (****) 1. Situation où il n'y a qu'un seul vendeur sur le marché.

1. (135)	das Monopol	monopoly	el monopolio	il monopolio	het monopolie

MONOPOLEUR, MONOPOLEUSE (n.) (*) 1. Vendeur sans concurrent (RQ).

1. (135)	der Monopolist	monopoly holder	el monopolista	il monopolista	de monopoliehouder (m.) de monopolist (m.)

MONOPOLISATION (n.f.) (*) 1. Transformation en une vente sans concurrents.

1. (135)	die Monopolisierung	monopolization	la monopolización	la monopolizzazione	de monopolisering (f.)

MONOPOLISER (v.tr.dir.) (**) 1. Transformer en une vente sans concurrents.

1. (135)	monopolisieren	to monopolize	monopolizar	monopolizzare	monopoliseren

MONOPOLISTE (adj.) (*) 1. Qui impose une vente sans concurrence.

1. (87)	Monopol- monopolistisch	monopolistic	monopolístico	monopolistico	monopolistisch

MONOPOLISTIQUE (adj.) (**) 1. De vente sans concurrent.

1. (135)	monopolistisch	monopolistic	monopolístico	monopolistico	monopolistisch

MONTANT (n.m.) (****) 1. Total, chiffre.

1. (385)	der Betrag die Summe	total amount	el total la cuantía	il montante l'importo (m.)	het bedrag de som (m./f.)

MONTANT

mot-outil

1 un montant			

1 un MONTANT - [mɔ̃tɑ̃] - (n.m.)

1.1. Chiffre qui représente une quantité d'argent.
Syn. : (☞ 386 Pour en savoir plus, Montant et synonyme).
Les marchandises sont assurées pour un montant d'un million d'euros.

+ adjectif

TYPE DE MONTANT

Un montant net. >< **Un montant brut**.

Un montant fixe. >< **Un montant variable**.

Un montant forfaitaire : montant qui a été fixé à l'avance.

Un montant nominal : montant, tel qu'il figure sur une valeur mobilière, une obligation, ... *Les actionnaires, réunis en assemblée générale extraordinaire, ont approuvé l'émission de 25 millions d'actions nouvelles émises au pair pour un montant nominal de 10 euros.*

CARACTÉRISATION DU MONTANT

Le montant exact, précis.

Un montant suffisant. >< **Un montant insuffisant**.

NIVEAU DU MONTANT

Le montant minimum, (moins fréq.) **minimal**. >< **Le montant maximum**, (moins fréq.) **maximal**.

Un montant inférieur à (un autre montant). < **Un montant équivalent à, égal à** (un autre montant). < **Un montant supérieur à** (un autre montant).

Un petit montant, un faible montant. < **Un montant modeste**. < **Un montant raisonnable**. < **Un montant important, élevé, considérable**. < **Un montant record, énorme**. **Un énorme montant, un montant impressionnant, astronomique, faramineux**.

MESURE DU MONTANT

Le montant total, global.

Un montant mensuel. < **Un montant annuel**.

+ nom

TYPE DE MONTANT

Le montant d'une indemnité. (V. 26 allocation, 1).

MESURE DU MONTANT

Un montant de + nombre (+ nom d'une monnaie). *Nous venons d'investir un montant de vingt millions d'euros dans l'usine d'assemblage de Lyon.*

(Une transaction, une facture, ...) **d'un montant de** + nombre (+ nom d'une monnaie).

+ verbe : qui fait quoi ?

un agent économique	**fixer** un ~	la fixation d'un ~
un agent économique	**payer** un ~	le paiement d'un ~
→ le ~	**à payer** (est de, s'élève à + nombre + nom d'une monnaie)	-
un agent économique	**verser** un ~	le versement d'un ~
un agent économique	**emprunter** un ~ de + nombre + nom d'une monnaie	l'emprunt d'un ~
	>< **rembourser** un ~ de + nombre + nom d'une monnaie	le remboursement d'un ~
un agent économique	**déduire** un ~ (d'un autre ~)	la déduction d'un ~ (d'un autre ~) un ~ déductible
un ~	**être indexé**	l'indexation d'un ~
un investissement, un contrat =	**atteindre** un ~ de + nombre + nom d'une monnaie	-
une commande, ...	**porter sur** un ~ de + nombre + nom d'une monnaie	-
→ le ~ des investissements, du contrat, ...	**atteindre** un ~ de + nombre + nom d'une monnaie	-

un ~	**dépasser**		-	1
	excéder	un autre montant	-	
		une certaine limite		

1 *La banque a accordé des prêts pour un montant qui dépasse largement le milliard d'euros.*

Pour en savoir plus

MONTANT ET SYNONYME

Un montant : chiffre qui représente une quantité d'argent ou **une somme (d'argent)**. Le montant constitue donc une quantité précise alors que la somme ne l'est pas nécessairement : une somme (et non un montant) d'environ 100 euros. *Notre entreprise a décidé d'investir une somme importante dont le montant sera divulgué demain lors d'une conférence de presse.*

Le mot 'somme' se substitue au mot 'montant' dans toutes les combinaisons avec adjectif, nom et infinitif, excepté dans 'un montant nominal'. Il se combine en outre avec de nombreux adjectifs pour indiquer le niveau de la somme : **une somme modique** < **une coquette somme, une somme rondelette** < **une grosse somme** < **des sommes folles, des sommes gigantesques. Une somme due**. (V. 163 créance, 1).

Arrondir une somme (vers le haut ou vers le bas). {**un arrondi**}. *Le billet de métro sera-t-il fixé au centième d'euro près, ou va-t-on choisir une valeur plus commode ? Les arrondis entraîneront d'épineuses négociations.*

LES OPÉRATIONS DE CALCUL DE BASE

Un calcul.
{**une calculatrice** (**de poche**) ou **une calculette, un calculateur** (ordinateur), **calculer**}.

Une addition : '+'.
{**additionner**}. **Additionner deux montants.**
Deux et/plus deux font/égalent quatre.
Une somme : résultat d'une addition.

Une soustraction : '-'.
{**soustraire**}. **Soustraire un montant d'un autre.**
Quatre moins deux font/égalent deux.

Une multiplication : 'x'.
{(**se**) **multiplier**}. **Multiplier un montant par un autre.**
Deux fois deux font/égalent quatre.

Une division : ':'.
{**diviser**}. **Diviser un montant par un autre.**
Quatre divisé par deux font/égalent deux.
Le quotient : résultat d'une division.

MONTÉE (n.f.) (***) 1. Augmentation.

1. (276)	der Anstieg die Steigerung	rise	la subida la ascensión	l'ascesa (f.) la salita	de verhoging (f.) de klim (m.)

MONTER (~, se ~ à) (v.intr., v.pron.) (****) 1. Augmenter. 2. Être de.

1. (276)	steigen	to rise to go up	subir (se) aumentar	ammontare	stijgen verhogen
2. (274)	betragen sich belaufen auf	to come to to amount to	elevar (se)	assommare	bedragen

MOYEN, -ENNE (adj.) (****) 1. Qui tient le milieu entre deux extrêmes (RQ).

1. (283)	mittlere(r,s) Durchschnitts-	average	medio mediano	medio mediano	gemiddeld middelmatig

MOYENNE (n.f.) (****) 1. Valeur représentative d'une série de valeurs.

1. (380)	der Durchschnitt das Mittel	average	la media	la media	het gemiddelde

MOYENNEMENT (adv.) (**) 1. Ni peu, ni beaucoup (RQ).

1. (283)	(mittel)mässig durchschnittlich	moderately to a certain extent	medianamente	mediamente	gemiddeld

MULTIMÉDIA (adj.) (****) 1. Qui se rapporte à plusieurs médias.

1.	Multimedia	multimedia	multimedia	multimediale	multimedia

MULTINATIONALE (n.f.) (***) 1. Société qui exerce ses activités dans plusieurs pays.

1. (514)	der multinationale Konzern der Multi	multinational (company)	la multinacional	la multinazionale	de multinationale onderneming (f.) de multinational (m.)

MULTIPACK (n.m.) (*) 1. Grand conditionnement.

1. (363)	der Multipack	multipack (six-pack, four-pack)	el multipack	il multipack	het multipack

MULTIPLE (adj.) (****) 1. Qui est constitué de plusieurs éléments.

1. (355) (114)	mehrfach vielfach	numerous multiple	múltiple	molteplice	meervoudig

MULTIPLICATION (n.f.) (***) 1. Augmentation en fonction d'un nombre.

1. (386)	die Vermehrung die Steigerung	multiplication	la multiplicación	la moltiplicazione	de vermenigvuldiging (f.)

MULTIPLIER (~, se ~) (v.tr.dir., v.pron.) (****) 1. Augmenter en fonction d'un nombre.

1. (386)	vermehren steigern	to multiply	multiplicar (se)	moltiplicare	vermenigvuldigen

MUTUALISTE (adj.) (*) 1. Qui se rapporte à une association de prévoyance.

1. (54)	auf Gegenseitigkeit genossenschaftlich	mutualist	mutualista	mutualistico	mutualistisch

MUTUALITÉ (n.f.) (***) 1. Association de prévoyance.

1. (514)	das Genosssenschaftswesen	mutual benefit society	la mutualidad	la mutua assicuratrice	het ziekenfonds
		contributory insurance company	la mutua	la società di mutua assicurazione	

MUTUELLE (n.f.) (***) 1. Association de prévoyance.

1. (514)	der Versicherungsverein auf Gegenseitigkeit	mutual benefit society	la mutualidad	la mutua	het ziekenfonds
		contributory insurance company	la mutua		

N

NANTI, -IE (adj.) (**) 1. Riche.

1. (35)	wohlhabend	affluent	opulento	ricco	rijk
	begütert	well-off	ricachón	benestante	welstellend

NANTIS (n.m.plur.) (*) 1. Personnes qui ont beaucoup d'argent.

1. (35)	die Wohlhabenden	the rich	los ricachones	i benestanti	de welgestelden (plur.)
	die Begüterten	the well-off	los ricos		

NANTISSEMENT (n.m.) (*) 1. Remise d'un bien à un créancier pour garantir l'acquittement d'une dette.

1. (175)	das Pfand	pledging without dispossession	la pignoración	il pegno	de verpanding (f.)
	die Verpfändung		la garantía	l'ipoteca (f.)	de (in)pandgeving (f.)

NASDAQ (le ~) (***) (69) marché hors bourse de New York.

NATIONALISATION (n.f.) (**) 1. Passage sous contrôle de l'État d'une entreprise privée.

1. (518)	die Verstaatlichung	nationalization	la nacionalización	la nazionalizzazione	de nationalisering (f.)

NATIONALISER (v.tr.dir.) (**) 1. Faire passer une entreprise privée sous contrôle de l'État.

1. (518)	verstaatlichen	to nationalize	nacionalizar	nazionalizzare	nationaliseren

NAVAL, -ALE ; -ALS, -ALES (adj.) (***) 1. Qui se rapporte aux navires.

1. (557)	Schiff(s)-	shipbuilding (chantier)	naval	navale	scheeps-
		naval (en général)			

NAVETTE (n.f.) (***) 1. Service de transport régulier entre deux points.

1. (519)	das Pendelverkehr	shuttle	la conexión	la navetta	de pendeldienst (m.)
	der Pendelbus		la lanzadera		

NAVIGABLE (adj.) (*) 1. Où un bateau peut passer.

1. (550)	schiffbar	navigable	navegable	navigabile	bevaarbaar

NAVIRE (n.m.) (***) 1. Bateau de fort tonnage (RQ).

1. (363)	das Schiff	ship	el buque	la nave	het schip
(417)		vessel	la nave		

NÉGATIF, -IVE (adj.) (****) 1. Qui n'est pas bon. 2. Inférieur à zéro.

1. (219)	schlecht	negative	malo	cattivo	slecht
		bad	negativo	pessimo	
2. (521)	negativ	negative	negativo	negativo	negatief

NÉGATIVEMENT (adv.) (**) 1. Dans le mauvais sens.

1. (521)	schlecht	negatively	negativamente	negativamente	negatief
	negativ				

NÉGOCE (n.m.) (***) 1. Commerce important ou commerce particulier.

1. (116)	der Handel	trade	el negocio	il negozio	de (groot)handel (m.)
	das Geschäft	business	el comercio	il commercio	

NÉGOCIANT, NÉGOCIANTE (n.) (***) 1. Personne qui dirige un commerce important ou un commerce particulier.

1. (116)	der Händler	merchant	el negociante	il negoziante	de (groot)handelaar (m.)
		wholesaler (en gros)	el comerciante	il commerciante	

NÉGRIER (n.m.) (**) 1. Employeur qui traite ses employés comme des esclaves. 2. Pourvoyeur de main-d'œuvre illégale.

1. (228)	der Ausbeuter	slave driver	el negrero	il negriero	de slavendrijver (m.)
2. (228)	der Schleuser	supplier of illegal workers	el traficante de mano de obra	il negriero	de koppelbaas (m.)
	der Schlepper			lo sfruttatore	

NET, NETTE (adj.) (****) 1. Dont on a déduit tout élément étranger (RQ). 2. Assez important.

1. (498)	netto	net	neto	netto	netto
(57)	-frei				
2. (282)	spürbar	significant	claro	netto	duidelijk
	eindeutig	sharp			

NETTEMENT (adv.) (****) 1. De manière assez importante.

1. (282)	eindeutig	significantly	claramente	nettamente	duidelijk
		sharply			

NICHE (n.f.) (***) 1. Segment de marché où une entreprise est à l'abri de la concurrence.

1. (371)	die Nische	niche	el nicho	la nicchia (di mercato)	de niche(markt) (m./f.)

NIKKEI (le ~) (***) (71) indice de la Bourse de Tokyo.

NIVEAU DE VIE (le ~) (***) 1. Quantité de biens qu'une personne, un groupe de personnes détient.

1. (35)	der Lebensstandard	standard of living	el nivel de vida	il livello di vita	de levensstandaard (m.)
	das Lebensniveau			il tenore di vita	

NLG (****) (382) Pays-Bas - florin.

NOK (*) (382) Norvège - couronne.

NOMINAL, -ALE ; -AUX, -ALES (adj.) (***) 1. Exprimé en prix courant, sans correspondre toutefois à la valeur réelle.

1. (385)	Nenn-	nominal	nominal	nominale	nominaal
(498)	Nominal-				

NON-ACTIFS (n.m.plur.) (*) 1. Ensemble des personnes qui n'exercent pas d'activité professionnelle rémunérée.

1. (10)	die Nichterwerbstätigen	non-working population	la población inactiva	la popolazione non attiva	de inactieve bevolking (f.)
			los parados		

NON-CONCURRENCE (n.f.) (**) 1. Absence de confrontation libre entre un certain nombre de vendeurs et d'acheteurs.

1. (136)	der fehlende Wettbewerb	non-competition	no concurrencia	la non-concorrenza	de niet-concurrentie (f.)
			sin competencia		

NON-GRÉVISTE (n.m.) (*) 1. Personne qui ne participe pas à une cessation collective et organisée du travail.

1. (305)	der Streikbrecher	non-striker	no huelguista	il non-scioperante	de stakingsweigeraar (m.)
	der Nichtstreikende		el esquirol		de werkwillige (m.)

NON-INDEXATION (n.f.) (*) 1. Fait de ne pas relier les variations d'une variable à celles d'une valeur de référence.

1. (500)	die Nichtindexierung	non-indexation	no indexación	la non-indicizzazione	de niet-indexering (f.)
		non-index-linking			

NON-LIVRAISON (n.f.) (*) 1. Fait de ne pas remettre un bien commandé.

1. (348)	die Nichtlieferung	non-delivery	la falta de entrega	la mancata consegna	de niet-levering (f.)

NON-MARCHAND (n.m.) (**) 1. Secteur non commercial.

1. (120)	der Nonprofit-Sektor	non-profit-making (sector, ...)	no comercial	il settore non commerciale	de non-profitsector (m.)
			el sector no sujeto a las leyes del mercado		

NON-PAIEMENT (n.m.) (**) 1. Fait qu'un agent économique ne donne pas une somme d'argent.

1. (406)	die Nicht(be)zahlung	non-payment	la falta de pago	il mancato pagamento	de niet-betaling (f.)
		default	el impago		

NON-PAYEMENT (n.m.) (*) 1. Fait qu'un agent économique ne donne pas une somme d'argent.

1. (406)	die Nicht(be)zahlung	non-payment	la falta de pago	il mancato pagamento	de niet-betaling (f.)
		default	el impago		

NON-RECOUVREMENT (n.m.) (*) 1. Fait de ne pas recevoir en paiement.

1. (258)	die Nichterhebung	non-collection	el incobro	il mancato incasso	de niet-inning (f.)
	die Nichteintreibung	non-recovery		il mancato recupero	de niet-incassering (f.)

NON-SALARIÉ, NON-SALARIÉE (n.) (*) 1. Travailleur indépendant.

1. (502)	der Selbständige	non-salaried worker	el autónomo	il lavoratore autonomo	de zelfstandige (m.)

NON-TRAVAILLEUR (n.m.) (*) 1. Personne qui n'exerce pas d'activité professionnelle.

1. (560)	der Nichterwerbstätige	non-working person	la persona inactiva	la persona non attiva	de inactieve (persoon) (m.)
			el parado		de niet-werkende (m.)

NON-VALEUR (n.f.) (*) 1. Recette prévue et qui n'est pas réalisée (Lexis).

1. (568)	die uneinbringliche Forderung	bad debt	el ingreso fallido	il mancato realizzo	het waardeloos effect
	das tote Kapital	worthless security (Bourse)		l'introito previsto e non realizzato	

NORMALISATION (n.f.) (**) 1. Établissement de normes.

1. (116)	die Normung	standardization	la normalización	la normalizzazione	de normalisering (f.)
	die Normierung			la standardizzazione	de normalisatie (f.)

NORMALISER (v.tr.dir.) (**) 1. Établir une norme.

1. (116)	normen	to standardize	normalizar	normalizzare	normaliseren
	normieren			standardizzare	standaardiseren

NORME (n.f.) (****) 1. Spécifications auxquelles doit répondre un produit.

1. (116)	die Norm	norm	la norma	la norma	de norm (m./f.)
(126)	die Regel	standard		la regola	de regel (m.)

NOTATION (n.f.) (***) 1. Indice qui évalue le degré de solvabilité d'un débiteur.

1. (174)	die Notierung	rating	la notación	il rating	de rating (f.)
		assessment	la evaluación	la valutazione	

NOURRIR (~, se ~) (v.tr.dir., v.pron.) (***) 1. (S')alimenter.

1. (145)	ernähren	to feed	nutrir (se)	alimentarsi	voeden

		to nourish	alimentar (se)	nutrirsi	

NOURRISSANT, -ANTE (adj.) (*) 1. Qui alimente.

1. (145)	nahrhaft	nourishing	nutritivo	nutritivo	voedzaam

NOURRITURE (n.f.) (***) 1. Alimentation.

1. (145)	die Nahrung	food	el alimento	il cibo	het voedingsmiddel
	die Nahrungsmittel		la comida	l'alimentazione (f.)	

NOVATEUR, NOVATRICE (n.) (*) 1. Agent économique qui applique une nouveauté.

1. (329)	der Neuerer	innovator	el innovador	l'innovatore (m.)	de vernieuwer (m.)

NOVATEUR, -TRICE (adj.) (**) 1. Qui applique une nouveauté.

1. (329)	innovativ	innovative innovatory	innovador	innovativo	innoverend vernieuwend

NPI (les ~ (m.)) (*) nouveaux pays industrialisés.

(325)	die industriellen Schwellenländer	newly industrialized countries (NIC)	los países de reciente industrialización	i nuovi paesi industrializzati (NPI)	de nieuwe industrielanden (plur.)

NUCLÉAIRE (adj.) (****) 1. Qui se rapporte au type d'énergie produit par la modification du noyau d'un atome.

1. (517)	nuklear Atom-	nuclear	nuclear	nucleare	nucleair kern-

NUCLÉAIRE (n.m.) (**) 1. Type d'énergie produit par la modification du noyau d'un atome.

1.	die Kernenergie	nuclear energy	la energía nuclear	l'energia nucleare (f.)	de kernenergie (f.)
	die Atomenergie	nuclear power			de atoomenergie (f.)

NUMÉRAIRE (adj.) (*) 1. Qui est immédiatement disponible.

1. (380)	Bar- in bar	legal currency face value (valeur numéraire)	numerario	numerario	baar (geld) gemunt (geld)

NUMÉRAIRE (n.m.) (**) 1. Argent immédiatement disponible.

1. (34)	das Bargeld	cash specie	el numerario el efectivo	la liquidità	het baar geld het contant geld

---

O

OAT (une ~) (**) obligation assimilable du Trésor.

(390)	die Staatsschuldverschreibung	treasury bond	la obligación del Tesoro	l'obbligazione del Tesoro	het schatkistpapier

OBJECTIF (n.m.) (****) 1. But qui a été fixé.

1. (201)	das Ziel	objective target	el objetivo	l'obiettivo (m.) lo scopo	de doelstelling (f.)

OBLIGATAIRE (adj.) (****) 1. Qui se rapporte aux titres (de créance) émis par les pouvoirs publics ou les entreprises. 2. Sous la forme de titres (de créance) émis par les pouvoirs publics ou les entreprises.

1. (391)	Obligations-	bond	obligacionista	obbligazionario	obligatie-
2. (391)	Obligations-	bond	obligacionista	obbligazionario	obligatie-

OBLIGATAIRE (n.) (*) 1. Personne qui détient des titres (de créance) émis par les pouvoirs publics ou les entreprises.

1. (391)	der Inhaber einer Schuldverschreibung	bondholder	el tenedor de obligaciones	l'obbligazionista (m.)	de obligatiehouder (m.)
		debenture holder	el obligacionista		

OBLIGATION (n.f.) (****) 1. Titre (de créance) émis par les pouvoirs publics ou les entreprises. 2. Devoir de rembourser une somme d'argent.

1. (389)	die Obligation	bond debenture	la obligación	l'obbligazione (f.)	de obligatie (f.)
2. (389)	die Verpflichtung die Verbindlichkeit	obligation duty	la obligación	l'obbligazione (f.)	de verplichting (f.)

OBLIGATION

➠ créance - valeur

1 une obligation 2 une euro-obligation	2 un obligataire, une obligataire	2 obligataire	

1 une OBLIGATION - [ɔbligasjɔ̃] - (n.f.)

1.1. Titre (de créance), émis par les pouvoirs publics (l'État, une région, ...) ou une entreprise (l'émetteur - X), que l'on peut échanger et qui donne à son détenteur (un particulier, un investisseur - Y) le droit de toucher des intérêts fixes ou variables et de se faire rembourser le capital prêté à une date déterminée, l'échéance.

Syn. : (☞ 391 Pour en savoir plus, Obligation (sens 1.1.) et synonyme).

La durée du placement varie : pour les bons de caisse, cela va de 1 à 5 ans, alors que pour les obligations, elle est en général de plus de cinq ans.

1.2. (emploi au sing.) Devoir qu'a un agent économique (un débiteur : un particulier, une entreprise, une banque, un État) de rembourser une somme d'argent à un autre agent économique (un créancier : un particulier, une entreprise, une banque, un État) (p .ex. suite à un prêt accordé par le créancier) à une date ultérieure.
Syn. : une dette.

2.1. Devoir qu'a une personne envers une autre à la suite d'un engagement ou d'un service que cette autre lui a rendu.
Syn. : une dette.
Le vendeur a imposé au commerçant une obligation de non-concurrenc e: celui-ci ne peut pas vendre des produits concurrents.

+ adjectif

TYPE D'OBLIGATION (sens 1.1.)

Une obligation nominative : obligation sur laquelle figure le nom du propriétaire. (Ant. : **une obligation au porteur**).

Une obligation convertible : obligation qui peut être convertie en actions, généralement de la même société, à une date fixée et à un prix déterminé lors de l'émission. (☞ 391 + verbe).

Une obligation internationale : obligation libellée dans une monnaie étrangère. *Les taux parfois avantageux des obligations internationales attirent les investisseurs en leur faisant oublier les dangers qu'ils courent par le risque de change.*

(B) **Une obligation graduelle**. *Cette obligation graduelle d'une durée de 9 ans paie un coupon de 6 % pendant les 3 premières années, 7 % pendant les 3 suivantes et 8 % pendant les 3 dernières.*

(B) **Une obligation linéaire** (**une OLO**), (F) **une obligation assimilable du Trésor** (**une OAT**), (S) **une créance comptable** : obligation d'État émise par adjudication à intervalles réguliers et qui finance en continu le Trésor. *Les souscripteurs d'obligations linéaires (les banques et les investisseurs professionnels) font une offre de prix d'émission que le Trésor choisit d'accepter ou non. Les pouvoirs publics peuvent ainsi emprunter tous les mois de petits montants tout en profitant de la fluctuation des taux.*

Une obligation subordonnée : dont le remboursement dépend de la capacité de l'entreprise à honorer l'ensemble de ses autres dettes.

Une obligation publique. (Syn. : (plus fréq.) **une obligation d'État**).

Une obligation émise au pair. *Si une obligation est émise au pair, cela signifie que le souscripteur paie la valeur nominale. Par contre, si le prix est fixé à 99 %, cela signifie qu'il doit débourser 990 euros pour une obligation valant 1 000 euros.* (☞ 391 + verbe).

>< **Une obligation émise en dessous du pair**.

Une obligation garantie : obligation dont le paiement est garanti par l'État, la maison-mère d'une entreprise en cas de défaillance de l'émetteur.

>< **Une obligation non garantie**: obligation dont le paiement n'est garanti que par la réputation de crédit de l'émetteur. (Syn. : (Q) **une débenture**).

CARACTÉRISATION DE L'OBLIGATION (sens 1.1.)

Une obligation pourrie. (☞ 391 + nom).

+ nom

(sens 1.1.)

- **Le marché des obligations**. (Syn. : **le marché obligataire**). (V. 365 marché, 1).

  Le cours d'une obligation : valeur d'une obligation telle qu'elle est déterminée sur le marché obligataire en fonction de la loi de l'offre et de la demande. *Les cours des obligations à taux fixe varient en sens inverse des taux d'intérêt du marché.*
- **Le placement en obligations**. (V. 420 placement, 1).

  Le rendement d'une obligation. (V. 482 rendement, 1).
- **Un fonds commun de placement** (en actions, en obligations). (V. 288 fonds, 1).
- **L'adjudication d'obligations** : vente d'obligations (par les pouvoirs publics) au plus offrant.

  L'échéance d'une obligation : date du remboursement du capital prêté.

(sens 2.1.)

- (S) **Le Code des obligations** : loi fédérale suisse qui régit le droit commercial.

TYPE D'OBLIGATION (sens 1.1.)

Une obligation d'État : obligation émise par un État. (Syn. : (peu fréq.) **une obligation publique**).

Une obligation au porteur : obligation librement négociable. (Ant. : **une obligation nominative**).

Une obligation à coupon(-)zéro : obligation dont les intérêts ne sont pas payés, mais capitalisés.

Une obligation à taux fixe. >< **Une obligation à taux variable, flottant, révisable**.

CARACTÉRISATION DE L'OBLIGATION (sens 1.1.)

Une obligation à haut risque : obligation qui comporte un degré particulièrement élevé de risque, et qui, pour cette raison, offre un taux d'intérêt très élevé. (Syn. : **une obligation pourrie**, (angl.) **un junk(-)bond**).

MESURE DE L'OBLIGATION (sens 1.1.)

La durée (de vie) d'une obligation. *Plus la durée de l'obligation sera longue, plus le rendement exigé par l'investisseur sera élevé, car il devra immobiliser son argent plus longtemps.*

Une obligation à (nombre) **ans**. *Le rendement des obligations à dix ans est passé en une semaine de 6,63 % à 6,79 %.*

Une obligation à long terme. > **Une obligation à moyen terme.** > **Une obligation à court terme.**

+ verbe : qui fait quoi ?

(sens 1.1.)

X	✓	**émettre** des ~ (☞ 390 + adjectif)	une émission d'~ un émetteur d'~	1
Y		**souscrire à** des ~/une émission d'~ **acheter** des ~ >< **vendre** des ~	une souscription d'~/à une émission d'~ un souscripteur un achat d'~ une vente d'~	2
		investir en ~	un investissement en ~ un investisseur en ~	
		placer de l'argent en ~	un placement en ~	
X		**rembourser** une ~ (à 100 %, ...)	le remboursement d'une~(à 100 %, ...) une ~ remboursable (à 100 %, ...)	
Y		**échanger** des ~ **contre** des actions	l'échange d'~ contre des actions des ~ échangeables en actions	
une ~		**être convertie en** actions	la conversion d'une ~ en actions une ~ convertible en actions (☞ 390 + adjectif)	
une ~		**être cotée** en bourse	la cotation d'une ~	
une ~		**être libellée** en + nom d'une monnaie dans une monnaie européenne	-	3

1 *Une obligation, comme une action, obéit à la loi de l'offre et de la demande. Ainsi, une obligation émise à 100 euros, peut valoir quelque temps plus tard 120 euros ou au contraire tomber à 90 euros.*
2 *Le Belge a longtemps préféré souscrire aux obligations d'État plutôt que d'investir en actions.*
3 *Les obligations libellées dans les devises fortes peuvent représenter 20 % d'un portefeuille à long terme en raison des taux réels toujours relativement élevés suite à la faiblesse de l'inflation.*

Pour en savoir plus

OBLIGATION (sens 1.1.) ET SYNONYME

Une obligation.

Des rentes : obligations émises par les pouvoirs publics.

UNE OBLIGATION : QUI FAIT QUOI ?

Qqn souscrit à des obligations émises par les pouvoirs publics ou une entreprise (**l'émetteur**) : il devient **détenteur d'obligations**, **porteur d'obligations** ou **obligataire**.

2 AUTRES DÉRIVÉS OU COMPOSÉS

- **Une euro-obligation** [øʀoɔbligasjɔ̃] (n.f.) : obligation émise en dehors du pays d'origine de la devise dans laquelle elle est libellée.
- **Un, une obligataire** [ɔbligatɛʀ] (n.) : personne qui détient des obligations. *Pour chaque obligation détenue, les obligataires recevront un certain nombre de nouvelles actions privilégiées avec droit de vote.*
- **Obligataire** [ɔbligatɛʀ] (adj.). 1. Qui se rapporte aux obligations. **Le marché obligataire** (V. 365 marché, 1). **Le taux d'intérêt obligataire**. **Le rendement obligataire** (V. 482 rendement, 1). - 2. En obligations. **Un financement obligataire. Un emprunt obligataire, une émission obligataire** (V. 230 emprunt, 1). **Une sicav obligataire** (V. 515 société, 1). **Un portefeuille obligataire.**

OBSOLESCENCE (n.f.) (**) 1. Vieillissement d'un équipement industriel.

1. (29)	die Überalterung	obsolescence	la obsolescencia	l'obsolescenza (f.)	de (economische) veroudering (f.)

OBSOLÈTE (adj.) (**) 1. Qui vieillit au profit d'une nouveauté.

1. (29)	veraltet überholt	obsolete outdated	obsoleto	obsoleto	verouderd ouderwets

OCCASION (n.f.) (***) 1. Marché avantageux pour l'acheteur; objet de ce marché (RQ). 2. Qui n'est plus neuf.

1. (17)	der günstige Kauf die günstige Gelegenheit	bargain	la ocasión la oportunidad	l'occasione (f.)	het koopje de occasie (f.)
2. (368)	gebraucht aus zweiter Hand	secondhand buy secondhand goods	de ocasión de segunda mano	d'occasione di seconda mano	tweedehands occasie-

OCCUPATION (n.f.) (***) 1. Activité. 2. Présence illégale sur un lieu.

1. (357) (228)	die Beschäftigung	occupation job	la ocupación	l'occupazione (f.) l'impiego (m.)	de tewerkstelling (f.)
2. (304)	die Besetzung die Okkupation	illegal occupation squatting (fam.)	la ocupación	l'occupazione (f.)	de bezetting (f.)

OCCUPER (v.tr.dir.) (**) 1. Faire exercer une activité professionnelle. 2. Etre présent illégalement sur un lieu.

1. (357) (228)	beschäftigen	to employ	emplear dar trabajo	impiegare fornire lavoro	tewerkstellen
2. (304)	besetzen okkupieren	to occupy illegally to squat (fam.)	ocupar	occupare	bezetten

OCDE (l'~ (f.)) (****) Organisation de coopération et de développement économiques.

(215)	die Organisation für wirtschaftliche Zusammenarbeit und Entwicklung (die OECD)	Organization for Economic Cooperation and Development (OECD)	la Organización de Cooperación y de Desarrollo Económico (OCDE)	l'Organizzazione per la Cooperazione e lo Sviluppo Economico (OCSE)	de Organisatie (f.) voor Economische Samenwerking en Ontwikkeling (OESO)

OFDE (l'~ (m.)) (**) (225) Office fédéral du développement économique et de l'emploi.

OFFICE DU TOURISME (un ~) (*) 1. Service d'information touristique.

1. (533)	das Verkehrsamt	tourist information bureau	la oficina de turismo	l'ente (m.) del turismo	het toerismebureau (B)
	das Verkehrsbüro	Tourist Board (bureau central)		la pro loco	het VVV-kantoor (NL)

OFFRANT (le plus ~) (*) 1. Acheteur qui propose le prix le plus élevé.

1. (395)	der Meistbietende	the highest bidder	mejor postor	(il maggior) offerente	de hoogstbiedende (m.)

OFFRE (n.f.) (****) 1. Quantité de biens proposée à la vente. 2. Formulation concrète d'une proposition de vente.

1. (392)	das Angebot	supply	la oferta	l'offerta (f.)	het (aan)bod
2. (392)	das Angebot	offer proposal	la oferta	l'offerta (di vendita) (f.)	het bod

OFFRE

➠ demande - marché

1 une offre **2** une contre-offre	**2** un offreur, une offreuse **2** le plus offrant		**2** (s')offrir

1 une OFFRE - [ɔfʀ(ə)] - (n.f.)

1.1. Quantité de biens ou de services qu'un agent économique (un particulier, un commerçant, une entreprise, un organisme - X) est disposé à vendre, à un certain prix et à un certain moment, à un autre agent économique (un particulier, un commerçant, une entreprise, un organisme).
Ant. : une demande.
L'offre du marché informatique est tellement vaste qu'il faut pratiquement être un spécialiste pour s'y retrouver.

1.2. Formulation concrète et précise d'une proposition de vente ou d'achat, éventuellement sous la forme d'un contrat, dans laquelle un agent économique (un particulier, un commerçant, une entreprise - X) indique les conditions de vente ou d'achat d'un bien ou d'un service à un autre agent économique (un particulier, un commerçant, une entreprise - Y).
Un constructeur automobile allemand a fait une offre intéressante pour le rachat d'une série de petites marques de voitures britanniques.

expressions

(sens 1.1.)

(La loi de) l'offre et (de) la demande : loi économique selon laquelle les variations de l'offre et de la demande et leur déséquilibre entraînent des variations de prix. Si l'offre dépasse la demande, les prix vont baisser ; si la demande dépasse l'offre, les prix vont augmenter. **Le prix d'équilibre** est le prix atteint par un bien ou un service lorsque l'offre couvre la demande. *La loi de l'offre et de la demande est le facteur fondamental qui influence le cours d'une action.* **L'équilibre entre l'offre et la demande.** *La po-*

litique gouvernementale doit viser à mettre en équilibre l'offre et la demande de facteurs de production, tels que les matières premières, le capital et la main-d'œuvre. >< **Le déséquilibre entre l'offre et la demande.**

Du côté de l'offre. (Ant. : **du côté de la demande**). *Du côté de l'offre, la production minière n'a que très peu augmenté, alors que du côté de la demande, on enregistre une nette progression.*

(sens 1.2.)

Une offre valable jusqu'au + indication d'une date ; **du** + indication d'une date **au** + indication d'une date ; **pendant** + indication d'une durée. *Le constructeur automobile coréen lance une offre audacieuse valable jusqu'à la fin du mois : sous certaines conditions, il vous rembourse au bout de dix ans 80 % du prix d'achat actuel de votre voiture.*

+ adjectif

TYPE D'OFFRE (sens 1.1. et 1.2.)

Une offre conjointe : qui est proposée par plusieurs partenaires. *L'offre conjointe belgo-française pour la reprise de l'usine de pâte à papier s'élève à plusieurs millions d'euros et prévoit un redémarrage rapide de l'ensemble du site.*

TYPE D'OFFRE (sens 1.2.)

Une offre indicative : offre qui donne les conditions approximatives pour une transaction. *Les sociétés intéressées par l'achat de cette entreprise doivent déposer une offre indicative dans le délai d'un mois.*

>< **Une offre ferme** : offre dont les conditions doivent être respectées par le fournisseur.

Une offre nette : excédent de l'offre sur la demande.

Une offre définitive : qui propose des conditions qui ne changeront plus. *L'offre définitive de cette entreprise n'a pas suffi pour remporter le contrat : la société concurrente proposait un prix de 5 % inférieur pour la livraison du matériel.*

Une offre promotionnelle, spéciale. (V. 461 promotion, 3).

CARACTÉRISATION DE L'OFFRE (sens 1.1.)

Une offre diversifiée. (☞ 394 + verbe).

CARACTÉRISATION DE L'OFFRE (sens 1.2.)

Une offre intéressante, avantageuse. < **Une offre alléchante, exceptionnelle** : offre dont les conditions sont meilleures que les conditions habituelles. < **La meilleure offre.**

NIVEAU DE L'OFFRE (sens 1.1.)

Une offre insuffisante. < **Une offre limitée.** *L'offre limitée de moules cette saison a fait grimper les prix de façon vertigineuse.* < **Une offre abondante, considérable** : qui dépasse la demande et fait chuter les prix. < **Une offre surabondante, excédentaire.** *Une offre surabondante entraîne une dégringolade des prix.* (☞ 394 + verbe).

MESURE DE L'OFFRE (sens 1.1.)

L'offre globale. *Traditionnellement, on distingue dans l'offre globale en bourse trois types d'actions : les actions cycliques, les actions de rendement et les actions de croissance.*

+ nom

(sens 1.1.)

- **L'élasticité (prix) de l'offre** : influence des modifications de prix sur la quantité de biens ou de services proposés à la vente. *L'élasticité de l'offre de la monnaie est nulle parce qu'il n'existe pas de mécanisme automatique qui permettrait de produire plus de monnaie.*
  >< **L'inélasticité (prix) de l'offre.**
- **La qualité de l'offre.** *Si l'offre est de très grande qualité, les prix sont toujours en hausse.*
- **L'inadéquation de l'offre** (à la demande) : inadaptation de l'offre à la demande.
- **L'économie de l'offre.** (V. 213 économie, 1).

(sens 1.2.)

Un appel d'offre(s) : invitation lancée par un agent économique à des offreurs potentiels pour l'élaboration d'un projet (la construction d'un bâtiment, d'une route, ...) ou la fourniture d'un service. *En réponse à un appel d'offres international lancé par le gouvernement, une société suédoise a décroché un contrat de trois millions d'euros pour la livraison d'une centrale thermique.* (Un agent économique) **lancer un appel d'offre(s).** >< (Un autre agent économique) **répondre à un appel d'offre(s).**

TYPE D'OFFRE (sens 1.1.)

L'offre de (peu fréq. : **en**) + nom qui indique le bien ou le service proposé. L'offre de biens ; de produits ; de services ; de crédit ; de main-d'œuvre ; de monnaie.

Une offre d'emploi. Une offre de travail. (V. 225 emploi, 1).

TYPE D'OFFRE (sens 1.2.)

Une offre publique d'achat (une OPA) : procédure par laquelle un agent économique (une personne physique ou morale) essaie de prendre le contrôle d'une autre entreprise en proposant publiquement aux actionnaires de racheter pendant une certaine période leurs titres à un prix généralement supérieur au cours de l'action sur le marché. **Une offre publique d'achat (portant) sur** (des actions, une société). *Le groupe suisse Sandoz a annoncé qu'il avait réussi son offre publique d'achat sur la société* *américaine, puisqu'il détient plus de 99 % des actions en circulation.* (☞ 395 Pour en savoir plus, L'OPA).

{**une contre-opa**, **opé(is)able**}.

>< **Une offre publique de vente** (**une OPV**) : procédure par laquelle un agent économique (une personne physique ou morale) fait connaître au public son intention de vendre pendant une période déterminée à un prix déterminé tout ou une partie des titres qu'il détient. *Grâce aux offres publiques de vente d'une partie des entreprises d'État, le déficit budgétaire a été comblé en partie.*

Une offre publique d'échange (**une OPE**) : procédure par laquelle un agent économique (une personne physique ou morale) fait connaître au public son intention d'échanger ses propres titres contre ceux d'une société dont il désire prendre le contrôle. *L'offre publique d'échange est de 9 actions Boury pour 4 actions Biernet.*

Une offre de reprise, (moins fréq.) **une offre de rachat**, **une offre d'achat** : proposition faite par un agent économique pour l'achat de valeurs mobilières, d'une société, d'un bâtiment, ... à un prix qu'il fixe lui-même.

>< **Une offre de vente** : *L'offre de vente d'actions lancée hier par la banque est uniquement ouverte aux membres du personnel.*

Une offre en souscription publique : procédure qui permet à un investisseur de s'inscrire pour acheter de nouvelles actions qui sont offertes par une société dans le but de procéder à une augmentation de capital. *L'augmentation de capital de la société par offre de souscription publique de 1.105.034 actions nouvelles s'est clôturée avec succès.*

Une offre de remboursement : technique de promotion des ventes qui consiste à proposer un bon de réduction à faire valoir sur l'achat suivant.

Une offre de lancement : offre pour accompagner l'introduction d'un produit sur le marché. *Il y a dans l'offre de lancement du nouveau modèle de cette voiture beaucoup d'options qui sont gratuites, comme la climatisation.*

Une offre d'essai : offre destinée aux acheteurs potentiels qui veulent essayer le produit. *L'offre d'essai est une technique promotionnelle qui s'utilise dans la vente des produits de grande consommation.*

Une offre sans obligation d'achat.

Une offre de prix. 1. Proposition qu'un vendeur adresse à un acheteur potentiel (DC). *Nous avons choisi le fournisseur qui nous avait fait parvenir l'offre de prix la plus avantageuse.* - 2. Réponse à un appel d'offres (DC).

CARACTÉRISATION DE L'OFFRE (sens 1.1.)

Une offre de qualité.

NIVEAU DE L'OFFRE (sens 1.1.)

L'insuffisance de l'offre. (☞ 393 + adjectif).

+ verbe : qui fait quoi ?

(sens 1.1.)

l'~		**excéder** la demande	un excédent d'/de l'~ une ~ excédentaire (☞ 393 + adjectif)	1
		être supérieure à la demande	-	
		dépasser la demande	-	
		>< **être inférieure à** la demande	-	
X	△	**augmenter** l'~ **accroître** l'~	une augmentation de l'~ un accroissement de l'~	
→ l'~		**augmenter** **s'accroître** **être en hausse**	une augmentation de l'~ un accroissement de l'~ une hausse de l'~	
X	▽	**diminuer** l'~	une diminution de l'~	
→ l'~		**diminuer** **être en baisse**	une diminution de l'~ une baisse de l'~	
X		**diversifier** l'~ **élargir** l'~	une diversification de l'~ un élargissement de l'~ l'~ est large	2
X		**étendre** l'~ (à un bien/un service) (à un point de vente) (à un segment du marché)	l'extension de l'~ l'étendue de l'~	3

1 *Les prix d'un bien ou d'un service diminuent lorsque l'offre excède la demande.*
2 *Après le succès foudroyant de ses gadgets, cette PME très dynamique songe déjà à diversifier son offre de produits à des accessoires pour la table, des appareils d'éclairage et des horloges.*
3 *Le géant de l'informatique a décidé d'étendre son offre aux ordinateurs bas de gamme.*

(sens 1.2.)

X	✓	**lancer** une ~ **faire** une ~	le lancement d'une offre -	1
X	✓	**déposer** une ~ (**auprès** de Y) **remettre** une ~ (**à** Y)	- la remise d'une ~ (à Y)	2
Y		**accepter** une ~ >< **décliner** une ~ **rejeter** une ~	l'acceptation d'une ~ - le rejet d'une ~	3

1 *Les épargnants ont bien répondu à l'offre que la société avait lancée pour l'achat d'actions nouvelles.*
2 *Les candidats ont cinq mois pour déposer auprès du service technique de la ville une offre pour la rénovation du bâtiment historique.*
3 *Le groupe français a décliné l'offre d'une société allemande pour le rachat d'une de ses filiales mises en vente.*

Pour en savoir plus

• L'OPA

Une société **lance une OPA sur** une autre société. La société qui désire prendre le contrôle est appelée **le prédateur**, (angl.) **le raider** ou **le chevalier noir** si la prise de contrôle est contre la volonté de la société visée : il s'agit d'**une OPA hostile**. Pour se défendre contre le prédateur, une société peut faire appel à une société amie, **le chevalier blanc**. Si la reprise se fait avec consentement mutuel, on parle d'**une OPA amicale**.

Une société qui risque de faire l'objet d'une OPA est appelée **une société opé(is)able**.

Une contre-OPA. *Après avoir été victime d'une OPA de la part d'un groupe américain, la société a fait l'objet d'une contre-OPA de la part d'un groupe allemand. Les petits actionnaires s'en frottent les mains : le prix proposé pour une action ne cesse de monter.*

2 AUTRES DÉRIVÉS OU COMPOSÉS

• **Une contre-offre** [kɔ̃tʀɔfʀ(ə)] (n.f.) : offre d'un agent économique en réponse à une offre précédente d'un autre agent économique.

• **Un offreur, une offreuse** [ɔfʀœʀ, ɔfʀøz] (n.) : un agent économique (un particulier, un commerçant, une entreprise, un organisme) qui est disposé à vendre une quantité de biens ou de services à un certain prix à un certain moment. (Syn. : (V. 573 vente, 2)). (Ant. : **un acheteur, un demandeur**). *S'il n'y a que peu d'offreurs sur un marché et beaucoup de demandeurs, les offreurs auront beaucoup de pouvoir en ce qui concerne l'établissement du prix.*

• **Le plus offrant** [l(ə) plyzɔfʀɑ̃] (n.m.) : acheteur qui propose le prix le plus élevé. (Un agent économique) **vendre** qqch. **au plus offrant**. *Un important lot de voitures d'occasion a été vendu au plus offrant.* **La vente au plus offrant**.

• **(S')offrir** [(s)ɔfʀiʀ] (v.tr.dir., v.pron.). 1. Un agent économique (un particulier, un commerçant, une entreprise, un organisme) met en vente une quantité de biens ou de services à un certain prix à un certain moment. *La nouvelle chaîne de distribution offre une gamme très diverse qui recouvre tout ce dont on peut avoir besoin pour les travaux ménagers.* - 2. Un agent économique (un particulier, un commerçant, une entreprise, un organisme) donne gratuitement une quantité de biens ou de services à un autre agent économique (un particulier, un commerçant, une entreprise, un organisme) sans que celui-ci l'ait demandé. - 3. S'acheter comme cadeau. (Syn. : **se payer**).

OFFREUR, OFFREUSE (n.) (*) 1. Agent économique qui met en vente une quantité de biens.

1. (395)	der Anbieter	seller	el oferente el ofertor	l'offerente (m.)	de aanbieder (m.)

OFFRIR (~, s'~) (v.tr.dir., v.pron.) (****) 1. Mettre en vente une quantité de biens. 2. Donner gratuitement une quantité de biens. 3. S'acheter sous forme de cadeau.

1. (395)	anbieten	to offer to supply	ofrecer (se)	offrire	aanbieden
2. (395)	schenken	to give	ofrecer	offrire donare	schenken
3. (395)	sich leisten sich gönnen	to treat oneself to to buy oneself	regalar (se)	offrirsi	zich iets veroorloven

OLIGOPOLE (n.m.) (*) 1. Situation où il n'y a que quelques vendeurs sur le marché.

1. (135)	das Oligopol	oligopoly	el oligopolio	l'oligopolio (m.)	de oligopolie (f.)

OLIGOPOLISTIQUE (adj.) (*) 1. Caractérisé par la présence de quelques vendeurs seulement.

1. (135)	oligopolistisch	oligopolistic	oligopolístico	oligopolistico	oligopolistisch

OLO (une ~) (**) obligation linéaire.

(390)	eine Obligation der Staatskasse	treasury bond	la obligación del Tesoro	l'obbligazione (f.) del Tesoro	de schatkistobligatie (f.)

OMC (l'~ (f.)) (***) Organisation mondiale du commerce.

(114)	die WTO	World Trade Organization (WTO)	Organización Mundial del Comercio (OMC)	l'Organizzazione Mondiale del Commercio (OMC)	de Wereldhandelsorganisatie (f.) (WHO)

OMNIUM (n.f.) (**) 1. Assurance qui couvre tous les dégâts, même si vous êtes dans votre tort.

1. (40)	die Vollkaskoversicherung	comprehensive insurance	el seguro a todo riesgo	l'assicurazione-kasko (f.)	de omnium(verzekering) (m.(f.))

ONEM (l'~ (m.)) (**) (225) Office national de l'Emploi.

ONÉREUX, -EUSE (adj.) (***) 1. Cher.

1. (161)	teuer	costly	costoso	costoso	duur
	kostspielig	expensive	oneroso	oneroso	kostbaar

OPA (une ~) (****) offre publique d'achat.

(393)	das Übernahmeangebot	takeover bid	la Oferta Pública de Adquisición (OPA)	l'offerta pubblica di acquisto (OPA)	het openbaar overnamebod
	das öffentliche Kaufangebot				

OPC (un ~) (**) organisme de placements collectifs.

(419)	ein Investmentfonds	undertaking for collective investment	el organismo de inversión colectiva	la società di intermediazione mobiliare (SIM)	de instelling (f.) voor collectieve beleggingen (ICB)
	eine Wertpapieranlagegesellschaft	collective investment undertakings (CIU)			

OPCVM (un ~) (*) organisme de placements collectifs et de valeurs mobilières.

(419)	ein Investmentfonds	undertaking for collective investment in transferable securities (UCITS)	el organismo de inversión colectiva en valores mobiliarios (OICVM)	la società di intermediazione mobiliare (SIM)	de instelling (f.) voor collectieve belegging in effecten (ICBE)
	eine Wertpapieranlagegesellschaft				

OPE (une ~) (**) offre publique d'échange.

(394)	das öffentliche Umtauschangebot	public exchange offer	la oferta pública de intercambio	l'offerta pubblica di scambio (OPS)	het openbaar bod tot omwisseling

OPÉABLE (adj.) (*) 1. Qui risque de faire l'objet d'une offre publique d'achat.

1. (394)	übernahmegefährdet(es) (Unternehmen)	raidable	que puede aplicársele una OPA	che rischia di essere scalata a mezzo di un'OPA	de vennootschap (f.) vatbaar voor overname

OPÉISABLE (adj.) (*) 1. Qui risque de faire l'objet d'une offre publique d'achat.

1. (394)	übernahmegefährdet(es) (Unternehmen)	raidable	que puede aplicársele una OPA	che rischia di essere scalata a mezzo di un'OPA	de vennootschap (f.) vatbaar voor overname

OPEP (l'~ (f.)) (***) Organisation des pays exportateurs de pétrole.

(252)	die Organisation erdölexportierender Länder (OPEC)	Organization of Petroleum Exporting Countries (OPEC)	Organización de Países Exportadores de Petróleo (OPEP)	l'Organizzazione dei paesi esportatori di petrolio (OPEC)	de Organisatie (f.) der petroleumuitvoerende landen (OPEC)

OPÉRATEUR, OPÉRATRICE (n.) (****) 1. Agent économique qui intervient sur un marché, lors d'une transaction.

1. (266)	der Börsenmakler	operator (Bourse)	el operador	l'operatore (m.) di borsa	de beursmakelaar (m.)
(369)	der Auftraggeber	dealer	el corredor de bolsa		

OPÉRATION (n.f.) (****) 1. Intervention sur un marché, lors d'une transaction.

1. (266)	die Transaktion	transaction	la operación	l'operazione (f.)	de transactie (f.)
(3)	der Abschluss	operation	la transacción		

OPÉRATIONNEL, -ELLE (adj.) (****) 1. Relatif au fonctionnement de qqch. 2. Qui peut être mis en service (RQ).

1. (158)	operationell	operational	operacional	operativo	operationeel
2.	einsatzfähig	operational	operativo	operativo	operationeel
	betriebsbereit		operacional		

OPÉRER (~, ~ en/sur, s'~) (v.tr.dir., v.tr.indir, v.pron.) (****) 1. Exécuter. 2. Intervenir (sur un marché p. ex.). 3. Se faire.

1. (266)	durchführen	to carry out	hacer	effettuare	uitvoeren
	herbeiführen	to implement	operar		
2. (369)	operieren	to operate	operar	agire	opereren
(70)	tätig sein		intervenir	operare	
3. (205)	sich vollziehen	to be done	producir (se)	prodursi	zich voltrekken
		to be effected	operar (se)	effettuarsi	

OPTION (n.f.) (***) 1. Droit d'acheter ou de vendre.

1. (420)	die Option	option	la opción	l'opzione (f.)	de optie (f.)

OPV (une ~) (*) offre publique de vente.

(394)	das öffentliche Verkaufsangebot	public offer of sale	Oferta Pública de Venta (OPV)	l'offerta pubblica di vendita (OPV)	de openbare aanbieding (f.) ter verkoop

OR (n.m.) (****) 1. Métal jaune précieux.

1. (8)	das Gold	gold	el oro	l'oro (m.)	het goud
(346)					

ORBEM (l'~ (m.)) (**) (225) Office régional bruxellois de l'emploi.

ORDINATEUR (n.m.) (****) 1. Machine électronique de traitement automatique d'information.

1. (442)	der Computer	computer	el ordenador	il computer	de computer (m.)
(254)			el computador		

ORDRE (n.m.) (****) 1. Décision, à l'origine d'une opération financière, commerciale (RQ). 2. (un ~ du jour) Liste des matières qui doivent être traitées lors d'une réunion. 3. (un mot d'~) Consigne commune aux membres d'un groupe (RQ).

1. (69)	die Order	order	el orden	l'ordine (m.)	de (m./f.) / het order
(401)	der Auftrag				
2. (359)	die Tagesordnung	agenda	el orden del día	l'ordine (m.) del giorno	de dagorde (m./f.)
3. (303)	die Anweisung	order	la consigna	l'ordine (m.)	het orderwoord
	der Auftrag				

ORDURES (n.f.plur.) (**) 1. Résidu non consommable.

1. (314)	der Müll	refuse (GB)	los desperdicios	i rifiuti	de (m.) / het afval
	die Abfälle	garbage (US)	los residuos	le immondizie	het vuil(nis)

ORGANIGRAMME (n.m.) (**) 1. Représentation synthétique des parties d'un ensemble organisé et de leurs relations (RQ).

1. (239)	das Organigramm	organization chart	el organigrama	l'organigramma (m.)	het organisatieschema
		organigram			het organogram

ORGANISATION (n.f.) (****) 1. Établissement d'une structure, organisation du fonctionnement. 2. Structure. 3. Association.

1. (359)	die Organisation	organization	la organización	l'organizzazione (f.)	de organisatie (f.)
	der Aufbau				
2. (239)	die Struktur	organization	la organización	l'organizzazione (f.)	de organisatie (f.)
3. (144)	die Organisation	organization	la organización	l'organizzazione (f.)	de organisatie (f.)
(215)	der Verband				

ORGANISME (n.m.) (****) 1. Tout groupement ordonné de personnes.

1. (53)	die Einrichtung	organization	el organismo	l'organismo (m.)	het organisme
	die Institution	body			

OS (un ~) (*) ouvrier spécialisé.

(399)	der angelernte Arbeiter	unskilled worker	el obrero especializado	l'operaio specializzato	de ongeschoolde arbeider (m.)
		semi-skilled worker			

OSBL (un ~) (**) organisme sans but lucratif.

(518)	der gemeinnützige Verein	non-profit-making association (GB)	la Entidad sin ánimo de lucro	l'associazione non-profit (f.)	de vereniging (f.) zonder winstoogmerk (v.z.w.)
	die Gesellschaft ohne Erwerbscharakter	not-for-profit-assocation (US)	la Asociación sin fines de lucro	l'associazione senza scopo di lucro (f.)	de vereniging (f.) zonder winstgevend doel

OSCILLATION (n.f.) (*) 1. Fluctuation.

1. (274)	die Schwankung	fluctuation	la oscilación	l'oscillazione (f.)	de schommeling (f.)
	die Fluktuation		la fluctuación	la fluttuazione	de fluctuatie (f.)

OSCILLER (v.intr.) (***) 1. Fluctuer.

1. (274)	schwanken	to fluctuate	oscilar	oscillare	schommelen
			fluctuar	fluttuare	fluctueren

OSEILLE (n.f.) (*) 1. Argent.

1. (34)	die Knete	dosh	el dinero	il denaro	de poen (m.)
	die Kohle	dough	la pasta		de centen (plur.)

OSTRÉICOLE (adj.) (*) 1. Qui se rapporte à l'élevage d'huîtres.

1. (506)	Austernzucht-	oyster farming	ostrícola	ostricolo	oester-

OSTRÉICULTEUR, OSTRÉICULTRICE (n.) (*) 1. Personne qui fait l'élevage d'huîtres.

1. (506)	der Austernzüchter	oyster farmer	el ostricultor	l'ostricoltore (m.)	de oesterkweker (m.)
		ostreiculturist			

OSTRÉICULTURE (n.f.) (*) 1. Élevage d'huîtres.

1. (506)	die Austernzucht	oyster farming	la ostricultura	l'ostricoltura (f.)	de oesterkwekerij (f.)

OUTIL (n.m.) (****) 1. Instrument qui sert à faire un travail.

1. (442)	das Werkzeug	tool	la herramienta	l'utensile (m.)	het werktuig
(324)				l'attrezzo (m.)	het gereedschap

OUTILLAGE (n.m.) (***) 1. Ensemble des instruments qui servent à faire un travail.

1. (442)	die maschinelle Anlagen	tools	las herramientas	l'attrezzatura (f.)	de (uitrusting met) werktuigen
	die Maschinen	equipment	el utillaje	gli attrezzi	

OUTILLER (v.tr.dir.) (*) 1. Doter d'instruments qui servent à faire un travail.

1. (442)	ausrüsten	to equip	equipar	attrezzare	uitrusten
	ausstatten	to fit out	proveer de herramientas	equipaggiare	van werktuigen voorzien

OUTPLACEMENT (n.m.) (***) 1. Tentative de recherche d'un nouvel emploi pour un salarié.

1. (103)	das Outplacement	outplacement	la recolocación	l'outplacement (m.)	het outplacement
		reinsertion		la riconversione	

OUTPLACER (v.tr.dir.) (*) 1. Tenter de chercher un nouvel emploi pour un salarié.

1. (103)	eine entlassene Führungskraft mit Hilfe eines Outplacement-Beraters für einen neuen Arbeitsplatz qualifizieren	to reinsert	recolocar	riconvertire	begeleiden van ontslagenen
		to resettle		reinserire un dipendente	

OUTPLACEUR (n.m.) (*) 1. Personne ou organisme qui tente de chercher un nouvel emploi pour un salarié.

1. (103)	der Outplacement-Berater	outplacement consultant	ente que busca una nueva colocación para un asalariado	il ricollocatore	de begeleider (m.) van ontslagenen
				il reinseritore professionale	

OUTSOURCING (n.m.) (**) 1. Technique d'externalisation des services, délocalisation.

1. (442)	das Outsourcing	outsourcing	el outsourcing	la delocalizzazione	de outsourcing (f.)
	die Auslagerung	sub-contracting	la externalización	l'outsourcing (m.)	de delocalisatie (f.)

OUVERTURE (n.f.) (****) 1. Commencement. 2. Fait de rendre accessible.

1. (69)	der Beginn	start	la apertura	l'apertura (f.)	de aanvang (m.)
(130)		beginning			de opening (f.)
2. (355)	die Eröffnung	opening	la abertura	l'apertura (f.)	het openen
(86)			la apertura		de opening (f.)

OUVRAGE (n.m.) (****) 1. Ensemble d'actions coordonnées par lesquelles on effectue un travail (RQ). 2. (c'est de la belle ~) Bien produit.

1. (350)	das Werk	work	la labor	il lavoro	het werk
	die Arbeit		la obra		
2. (553)	die Arbeit	workmanship	la obra	il bel lavoro	het werk

OUVRIER, -IÈRE (adj.) (**) 1. Qui se rapporte au salarié qui exerce une activité professionnelle physique.

1. (399)	Arbeiter-	labour	obrero	operaio	arbeider-
		industrial			arbeidend

OUVRIER, OUVRIÈRE (n.) (****) 1. Salarié qui exerce une activité professionnelle physique. 2. Ensemble des ouvriers.

1. (398)	der Arbeiter	worker	el obrero	l'operaio (m.)	de arbeider (m.)
		employee			
2. (398)	die Arbeiterschaft	workforce	la masa obrera	la classe operaia	de arbeiders (plur.)

OUVRIER

➠ **travail - industrie**

	1 un ouvrier, une ouvrière	2 ouvrier, -ière	

1 un OUVRIER, une OUVRIÈRE - [uvʀije, uvʀijɛʀ] - (n.)

1.1. Salarié qui exerce une activité professionnelle physique (manuelle ou mécanique) dans l'industrie dans le but de produire un bien contre paiement d'une somme d'argent (payée par un agent économique (une entreprise - X)).
Syn. : (☞ 399 Pour en savoir plus, Ouvrier (sens 1.1.) et synonymes).
Quand on sait que l'ouvrier indonésien ou chinois équivaut à moins d'un pour cent du prix de vente du produit, pourquoi ne pas imposer de taxes sur les bénéfices plantureux que réalisent les multinationales ?

1.2. (emploi au sing. et au plur.) Ensemble des ouvriers (sens 1.1.).
Syn. : (☞ 399 Pour en savoir plus, Ouvrier (sens 1.2.) et synonymes).
Le salaire moyen des employés et des ouvriers progresse légèrement en termes de pouvoir d'achat alors que celui des cadres a tendance à stagner.

expressions

(sens 1.1.)

- **À l'œuvre on connaît l'ouvrier** : une personne (p. ex. un artisan) est jugée en fonction de ce qu'elle fait.
- **Les mauvais ouvriers ont toujours de mauvais outils** : il y a toujours une excuse à trouver pour justifier ses propres faiblesses.

+ adjectif

TYPE D'OUVRIER (sens 1.1.)

(F) **Un ouvrier (hautement) qualifié** : lorsqu'il dispose d'**un certificat d'aptitude professionnelle (un CAP)**. (Syn. : (moins fréq.) **un ouvrier professionnel**). *Sous l'effet de l'évolution technologique, la proportion d'ouvriers qualifiés a progressé dans le secteur de la construction, tandis que la part des manœuvres a fortement diminué.*

>< **Un ouvrier non qualifié** : lorsqu'il ne dispose pas d'un CAP. Il est parfois appelé **un ouvrier spécialisé (un OS)**. S'il fait un travail répétitif qui ne demande aucune qualification particulière, il est appelé **un manœuvre**. (☞ 399 Pour en savoir plus, Ouvrier (sens 1.1.) et synonymes).

Un ouvrier + adjectif qui désigne une branche d'activité. Un ouvrier agricole ; métallurgiste (**un métallurgiste**, (fam.) **un métallo**).

Un ouvrier saisonnier : qui travaille pendant une partie déterminée de l'année. *Certains cultivateurs de fraises voudraient avoir l'autorisation d'embaucher des ouvriers saisonniers étrangers qualifiés, ce que l'administration refuse, compte tenu des chômeurs nationaux.*

+ nom

TYPE D'OUVRIER (sens 1.1.)

Un ouvrier à la chaîne : ouvrier qui travaille à la chaîne.

Un ouvrier d'usine ; du bâtiment.

Ouvrier + nom qui désigne un métier (parfois avec trait d'union entre les deux noms). **Un ouvrier pâtissier ; un ouvrier maçon, un ouvrier sidérurgiste.** *Les ouvriers sidérurgistes allemands engagent une épreuve de force avec le patronat en se prononçant par référendum sur le déclenchement d'une grève.*

CARACTÉRISATION DE L'OUVRIER (sens 1.1.)

Un ouvrier actif, zélé, assidu. >< **Un ouvrier paresseux.**

+ verbe : qui fait quoi ?

(sens 1.1.)

X	✓	**embaucher** un ~	l'embauche d'un ~
		engager un ~	l'engagement d'un ~
		>< **licencier** un ~	le licenciement d'un ~
X	×	**employer** un ~	-
		occuper un ~	-
X		**rémunérer** un ~	la rémunération d'un ~

Pour en savoir plus

OUVRIER (sens 1.1.) ET SYNONYMES

Un ouvrier, un salarié, un travailleur. (V. 501 salaire, 2).

Les cols bleus. (Ant. : **les cols blancs, les employés**). *Les nouvelles créations d'emplois ont bénéficié uniquement aux cols blancs. Le nombre de cols bleus recule inexorablement.* (V. 228 emploi, 3).

Un manœuvre : ouvrier qui exécute des travaux qui ne demandent pas de connaissances professionnelles particulières. **Un manœuvre de chantier. Un travail de manœuvre.**

OUVRIER (sens 1.2.) ET SYNONYMES

Les ouvriers, les salariés, (moins fréq.) **les travailleurs, la main-d'œuvre, le personnel ouvrier.** (V. 501 salaire, 2). (V. 356 main-d'œuvre, 1).

La classe ouvrière, la masse ouvrière : expressions utilisées essentiellement dans certains discours politiques et syndicaux pour désigner l'ensemble des ouvriers. *Le chômage "ancien" frappait surtout la classe ouvrière ; l'insécurité contemporaine touche pour beaucoup les "cols blancs", les employés.*

2 OUVRIER, -IÈRE - [uvʀije, -ijɛʀ] - (adj.)

1.1. Qui se rapporte à l'ouvrier (sens 1.1. et 1.2.).
Un plan de réduction de l'emploi de plus de 500 unités touche essentiellement le personnel ouvrier.

expressions

- (Une personne) **être la cheville ouvrière** : élément moteur d'une entreprise ou d'une organisation. *La véritable cheville ouvrière de cette petite PME et de son succès foudroyant est sans conteste son P-DG, en place depuis la création il y a plus de dix ans.*

+ nom

- **La classe ouvrière ; la masse ouvrière.** (V. 399 1 ouvrier).
- **Le personnel ouvrier.**
- **Un syndicat ouvrier.** (V. 533 syndicat, 1). **Le syndicalisme ouvrier.** (V. 535 syndicat, 2). Le syndicat **Force ouvrière**. (V. 534 syndicat, 1).
- **La solidarité ouvrière.** *La solidarité ouvrière a poussé les ouvriers de l'usine française du groupe à se mettre en grève pour appuyer les revendications des ouvriers belges.*
- **Un emploi ouvrier.** (V. 224 emploi, 1).

OUVRIR (~, s'~) (v.tr.dir., v.pron.) (****) 1. Commencer. 2. Rendre, devenir accessible.

1. (130)	anfangen	to start	abrir	aprire	starten
(526)	eröffnen	to begin			openen
2. (355)	aufmachen	to open (up)	abrir (se)	aprire	openen
(86)	öffnen				

P

PACKAGING (n.m.) (**) 1. Emballage dans sa fonction informative.

1. (363)	die Verpackung	packaging	el acondicionamiento	il packaging	de verpakking (f.)
	die Packung	packing	el embalaje		

PACOTILLE (n.f.) (*) 1. Marchandise sans valeur.

1. (363)	der Ramsch	junk (péj.)	la pacotilla	la paccottiglia	de rommel (m.)
	der Schund	shoddy goods (mauvaise qualité)			

PAIE (n.f.) (**) 1. Somme d'argent donnée à un ouvrier. 2. Document détaillant les composantes du salaire.

1. (403)	der Lohn	pay	la paga	la paga	het loon
(480)		salary			
2. (403)	die Lohnabrechnung	payslip	la hoja de paga	il foglio paga (feuille de paie)	het loonuittreksel
			la nómina	il libro paga (livre de paie)	het loonbriefje

PAIEMENT (n.m.) (****) 1. Remise d'une somme d'argent lors d'un achat. 2. Remboursement d'une dette.

1. (400)	die Zahlung	payment	el pago	il pagamento	de betaling (f.)
	die Bezahlung				
2. (400)	die Rückzahlung	repayment	el reembolso	il rimborso	de terugbetaling (f.)
	die Tilgung	reimbursement	el pago		

PAIEMENT

➠ achat - vente - argent

1 un paiement (un payement) **7** le non-paiement (le non-payement) **2** une paie (une paye) **7** un impayé **7** le pollueur-payeur	**3** un payeur, une payeuse **7** un trésorier-payeur	**7** payeur, -euse **4** payable **5** payant, -ante **7** impayé **7** impayable	**6** (se) payer **7** sous-payer **7** surpayer

1 un PAIEMENT - [pɛmɑ̃] - (n.m.)

(moins fréq.) **un PAYEMENT** - [pɛjmɑ̃] - (n.m.)

1.1. Action par laquelle un agent économique (un particulier, une entreprise, un État - X) donne une somme d'argent ou la fait parvenir (par un virement ou un versement) à un autre agent économique (un particulier, une entreprise, un État - Y) pour entrer en possession d'un bien, d'une valeur, pour bénéficier d'un service ou pour s'acquitter d'une obligation (p. ex. un impôt, une amende, ...).
Syn. : (☞ 402 Pour en savoir plus, Paiement (sens 1.1.) et synonymes) ; Ant. : le non-paiement (le non-payement).
En échange du paiement d'une prime, les assurés se voient rembourser tout ou partie des dépenses occasionnées par les sinistres couverts par leurs contrats.

1.2. Action par laquelle un débiteur (X) rembourse une dette à un créancier (Y).
La Bulgarie a décidé de suspendre temporairement le paiement de sa dette extérieure.

expressions

(sens 1.1.)

- (Une personne) **recevoir qqch.** (un chèque) **en paiement** : une personne accepte qqch. (un chèque) comme moyen de paiement.
- (Faire qqch.) **contre paiement d'**(une somme d'argent) : en échange d'une somme d'argent.

+ adjectif

TYPE DE PAIEMENT (sens 1.1. et 1.2.)

Un paiement anticipé. 1. Paiement d'une dette avant l'échéance prévue ou paiement de marchandises avant la livraison ; de services avant qu'ils soient rendus. (☞ 402 + verbe). >< **Un paiement tardif**. - 2. (B) Paiement d'une part de l'impôt avant l'échéance fixée par le fisc afin d'éviter une majoration (pour les indépendants) ou de bénéficier d'une bonification (pour les particuliers). (Syn. : (plus fréq.) **les versements anticipés**). (V. 576 versement, 1).

Un paiement échelonné. (☞ 401 + nom). (☞ 402 + verbe).

TYPE DE PAIEMENT (sens 1.1.)

Un paiement électronique : paiement par carte bancaire. *Une partie du coût du paiement électronique est répercutée sur le consommateur.*

Les paiements internationaux : paiements entre entreprises de pays différents et qui entraînent des opérations de change. *Selon la Commission, un alignement des coûts des paiements internationaux sur ceux des paiements intérieurs représente une économie de plusieurs milliards d'euros par an.*

>< **Les paiements intérieurs**.

MESURE DU PAIEMENT (sens 1.1. et 1.2.)

Un paiement mensuel ; trimestriel ; annuel.

Un paiement partiel : d'une partie de la somme.

>< **Un paiement intégral**.

+ nom

(sens 1.1. et 1.2.)

- **Les modalités de paiement, les conditions de paiement** : façon dont le paiement doit être effectué.

  Des facilités de paiement : modalités de paiement avantageuses (des délais particuliers ou des conditions spéciales) accordées à un acheteur, à un débiteur (PR). *L'octroi de facilités de paiement aux clients et l'extension des stocks coûtent de l'argent aux grandes entreprises de distribution.*
- **Une capacité de paiement**. *Ses capacités de paiement ont augmenté de façon importante puisqu'il vient d'hériter une importante fortune.*

  >< **Des difficultés de paiement** : problèmes à payer les sommes d'argent dues. (☞ 402 Pour en savoir plus, Difficultés de paiement).

  < **Des arriérés de paiement** : sommes d'argent dues mais non encore payées. < Manque d'argent disponible dans une entreprise (**l'insolvabilité d'une entreprise** (V. 66 bilan, 1)) ou dans un pays (**une crise des paiements**. *Une crise des paiements se caractérise par le fait que plus personne ne paie ses fournisseurs et que les salaires sont versés avec des mois de retard.*).

  La cessation de paiements : situation d'une entreprise incapable de payer par son actif disponible ses dettes à court terme et qui ne peut plus faire appel aux crédits des institutions financières. (V. 66 bilan, 1).

(sens 1.1.)

- **Un moyen de paiement**. (☞ 402 Pour en savoir plus, Moyens de paiement). (Syn. : **un mode de paiement, un instrument de paiement**).
- **Un avis de paiement, un ordre de paiement** : document qui oblige qqn à effectuer un paiement (p. ex. un chèque) ou une banque à transférer une somme d'argent à un bénéficiaire désigné.
- **Une preuve de paiement** : pièce écrite (un petit billet, un petit document, ...) qui garantit que le paiement a été effectué. (Syn. : (plus fréq.) **une quittance**). La quittance est un exemple de **reçu** (document par lequel une personne reconnaît avoir reçu une somme ou un objet mobilier à titre de paiement ou de dépôt. (Syn. : (moins fréq.) **un récépissé**)). *Un restaurateur doit délivrer un reçu pour tous les repas qu'il fournit.*
- **Un terminal de paiement** : petit appareil permettant d'effectuer des paiements électroniques dans des magasins, à des stations-service, dans des gares, ...
- **La mise en paiement d'un dividende, d'un coupon**. *Les actions de distribution connaissent la mise en paiement d'un ou plusieurs dividendes dans le courant d'une année.*
- **La balance des paiements**. (V. 50 balance, 1).

TYPE DE PAIEMENT (sens 1.1.)

Un paiement en nature : paiement à l'aide de biens ou de services.

Un paiement (au) comptant : paiement au moment de l'achat ou de la livraison, ou dans un délai de quelques jours. **Un paiement en espèces, en (argent) liquide, cash, en numéraire** : paiement à l'aide d'une somme d'argent. (V. 34 argent, 1).

>< Le paiement est reporté à plus tard. Il peut se faire en une seule fois lors de la vente à crédit ou en plusieurs tranches de valeur égale lors d'une vente à tempérament (**un paiement échelonné**, comme p. ex. **le paiement par mensualités** : le paiement se fait chaque mois). {**la mensualisation**}.

Un paiement par chèque. *L'opération de paiement par chèque met trois intervenants en présence : le tireur (la personne qui crée le chèque), le tiré (la banque qui doit payer) et le bénéficiaire (qui reçoit le paiement)* (Gaeng).

Le paiement par versement.

Un paiement à l'échéance : paiement qui doit être effectué à une date précise, **la date de paiement**, à la fin du **délai de paiement** accordé. Si le paiement n'est pas effectué, il y a **un retard de paiement**. *Ce propriétaire a accordé un délai de paiement de deux semaines à son locataire. Il a retardé la date de paiement parce que le locataire est confronté à de graves difficultés financières.* (☞ 403 Pour en savoir plus, Délai de paiement).

Un paiement à la commande : paiement au moment de la commande.

>< **Un paiement à la livraison**.

LOCALISATION DU PAIEMENT (sens 1.1.)

Le lieu de paiement.

+ verbe : qui fait quoi ?

(sens 1.1. et 1.2.)

X (un particulier, un débiteur, ...)	×	**effectuer** un ~ **faire** un ~	- -	
→ un ~		**s'effectuer**	-	
>< Y (un particulier, un créancier)		**recevoir** un ~ (de X)	la réception d'un ~ (de X)	
X (un particulier, un débiteur)		**anticiper** un ~ >< **différer** un ~	l'anticipation d'un ~ un ~ anticipé un ~ différé	1
X (un particulier, un débiteur)		**suspendre** un ~ < **refuser** un ~ **s'opposer** à un ~	la suspension d'un ~ le refus d'un ~ l'opposition à un ~	2
X (un particulier, un débiteur)		**échelonner** un ~	l'échelonnement d'un ~ un ~ échelonné	3

1 *Le paiement anticipé des rémunérations est parfois utilisé pour accorder une augmentation de salaire déguisée à un salarié.*
2 *Le ministre des Finances a confirmé que son pays suspendait tout paiement de sa dette extérieure à cause de la crise économique grave que traversait le pays.*
3 *Le paiement de la somme est échelonné sur une période de 10 ans.*

Pour en savoir plus

PAIEMENT (sens 1.1.) ET SYNONYMES

Un paiement, (moins fréq.) **un règlement**, **un acquittement**, **un décaissement**. (V. 405 payer, 6).

Un versement. 1. Syn. moins fréq. de paiement. Les mots 'versement' et 'paiement' mettent l'accent sur la remise de l'argent alors que seul le mot 'paiement' permet de considérer l'action de façon plus générale. Pour cette raison, on dira 'échelonner les versements/paiements' au pluriel, mais uniquement 'échelonner le paiement' au singulier. - 2. Action par laquelle un agent économique remet de l'argent en dépôt à une banque.

Un remboursement. (V. 476 remboursement, 1).

Un acompte, **une avance**, (à un avocat) **une provision** : paiement restituable d'une partie du prix d'un bien ou d'un service à la conclusion du contrat, à la commande (**un acompte à la commande**), ... **Une avance sur (mon) salaire**. (V. 499 salaire, 1). **Un acompte provisionnel**. (V. 315 impôt, 1).

Les arrhes : paiement d'une partie du prix d'un bien ou d'un service à la conclusion du contrat, à la commande, ... qui n'est pas restituable s'il y a rupture du contrat. **Verser des arrhes**.

MOYENS DE PAIEMENT

Un paiement peut être effectué de plusieurs façons : à l'aide de **liquide** (d'**argent liquide**) (V. 33 argent, 1),
d'**un chèque** (V. 97 chèque, 1),
d'**un virement** (V. 577 virement, 1),
d'**un versement** (V. 576 versement, 1),
(B) d'**un ordre de domiciliation** {**une domiciliation**, **domicilier** une facture auprès d'une banque}, (F, Q) d'**un avis de prélèvement**, (S) d'**un ordre permanent**. 1. Ordre donné par qqn à une banque de payer automatiquement toutes les factures présentées par un créancier, quel qu'en soit le montant (p. ex. une facture d'électricité, de téléphone). - 2. (B) Ordre donné par le titulaire d'un compte, de verser son salaire, ses allocations sur son compte),
(B) d' **une instruction permanente**, (F, Q) d'**un ordre de virement permanent**, (S) d'**un ordre permanent** : ordre donné à une banque de payer régulièrement une somme fixe au même bénéficiaire (p. ex. le montant d'un loyer),
d'**une carte bancaire** (V. 54 banque, 2),
d'**une carte de crédit** (V. 54 banque, 2),
d'**une carte à puce** ou d'**un porte-monnaie électronique** : carte à mémoire chargée d'une somme d'argent dont une partie est débitée à chaque achat par un particulier ou, parfois, par une entreprise,
d'**un effet de commerce** (**une lettre de change** ou **une traite** ; **un billet à ordre**) (V. 114 commerce, 1) ou d'**un crédit documentaire** (V. 165 crédit, 1) par une entreprise.

PAIEMENTS ILLICITES

Un pot-de-vin (plur. : **des pots-de-vin**), **un/des dessous(-)de(-)table** : argent offert à qqn dans des conditions illégales en échange d'une faveur, de la conclusion d'un contrat, ... (Une personne, une entreprise) **offrir un pot-de-vin à** qqn.

DIFFICULTÉS DE PAIEMENT

(Une personne) **Avoir des difficultés de paiement**. (Syn. : (une entreprise) **avoir des difficultés à faire face à ses échéances, avoir des échéances difficiles** ; (correspondance commerciale) **avoir des difficultés de trésorerie (passagères)** ; (fam.) **avoir du mal à joindre**

les deux bouts, avoir des fins de mois difficiles).

DÉLAI DE PAIEMENT

Dans le(s) délai(s) (prévu(s), convenu(s) ; imparti(s), prescrit(s), requis ; légal (légaux)) : avant l'échéance (convenue, ...).

Passé ce délai (suivi de l'indication d'une limitation ou d'une restriction). (Syn. : **passé le** + date). *Passé ce délai, les réclamations ne seront plus acceptées.*

Un délai de réflexion : période dont dispose l'acheteur pour annuler sa commande.

2 une PAIE - [pɛ] - (n.f.)

(moins fréq.) **une PAYE** - [pɛj] - (n.f.)

1.1. Somme d'argent donnée à un ouvrier (X) lié à un employeur (une entreprise - Y) par un contrat de travail en compensation du travail que cet ouvrier a fait.

Syn. : (V. 480 rémunération, 1).

Les mineurs russes ont reçu leur paie avec plus de trois mois de retard.

1.2. Document donné par l'employeur au salarié au moment où le salarié perçoit son salaire et qui reprend toutes les composantes du salaire (le salaire brut, les cotisations diverses, ...).

+ nom

(sens 1.1.)

- (F) **Un livre de paie** : livre comptable officiel dont les pages sont numérotées et paraphées par le juge d'instance et reproduisant les informations portées sur les bulletins de paie (M&S).
- **Le jour de paie** : jour où le salarié est payé.

(sens 1.2.)

Une paie, un bulletin de paie, une fiche de paie, une feuille de paie (ou **de salaire**).

+ verbe : qui fait quoi ?

(sens 1.1.)

Y (un employeur)	×	**verser** une ~ (à X)	le versement d'une ~ (à X)
→ X (un ouvrier)		**percevoir** sa ~	la perception de sa ~
		(fam.) **toucher** sa ~	-

3 un PAYEUR, une PAYEUSE - [pɛjœʀ, pɛjøz] - (n.)

1.1. Agent économique qui donne une somme d'argent à un autre agent économique (un particulier, une entreprise, un État) pour entrer en possession d'un bien, d'une valeur, pour bénéficier d'un service ou pour s'acquitter d'une obligation (p. ex. un impôt, une amende, ...).

Le consommateur restera à coup sûr le payeur de toutes les évolutions techniques qui se retrouveront dans la voiture de demain.

1.2. (F) Personne qui est chargée d'effectuer des paiements pour le compte d'une administration.

Syn. : un trésorier-payeur.

expressions

Les conseilleurs ne sont pas les payeurs : les personnes qui donnent des conseils n'en subissent pas les conséquences.

+ adjectif

TYPE DE PAYEUR

Un mauvais payeur. *Dans ce dossier, l'État serait un mauvais payeur puisqu'il doit encore plus de trois millions à la ville.*

>< **Un bon payeur**.

4 PAYABLE - [pɛjabl(ə)] - (adj.)

1.1. (une marchandise, un service, une facture) Qui doit être payé en respectant certaines conditions de temps, de lieu, ...

Syn. : à payer, exigible.

Cette entreprise a décidé d'accorder une prime à tous ses salariés, payable en janvier prochain.

+ nom

TYPE DE PAIEMENT

Payable à la commande. >< **Payable à la livraison, dès réception**. (☞ 404 Pour en savoir plus, Payable + délai de paiement).

Payable en espèces ; en nature ; par chèque ; (au) comptant ; à l'échéance. (V. 401 1 paiement).

Payable par/en tranches : en payant à chaque fois une part de la somme complète.
Payable en 12, 18, ... **mensualités** : en payant chaque mois une part de la somme complète et cela pendant 12, 18, ... mois.
Payable au porteur : pour un chèque, un bon de caisse, ... qui ne porte pas le nom du titulaire, à payer à la personne qui le présente.
Payable à vue, sur demande : à la première présentation (PR).

+ adverbe

- **Payable intégralement** : somme à payer entièrement et en une seule fois.
- **Payable d'avance** : somme à payer avant que la marchandise soit livrée. *Les 500 euros sont payables d'avance.*

Pour en savoir plus

PAYABLE + DÉLAI DE PAIEMENT
Payable le 3 de ce mois, dans les 8 jours, sous quinzaine, dans le délai d'un mois, en avril, avant la fin du mois, sur 5 ans, ...

5 PAYANT, -ANTE - [pɛjɑ̃, -ɑ̃t] - (adj.)

1.1. (une personne) Qui a donné une somme d'argent pour entrer quelque part, pour participer à qqch., ...
Ant. : invité.
Avec plus de cent mille visiteurs, dont 80 000 payants, le salon présente un bilan plutôt satisfaisant.

1.2. (un objet, un droit, ...) Pour lequel il faut que qqn donne une somme d'argent.
Ant. : gratuit.
Plusieurs groupes se sont jetés sur la TV payante, qui offre de nombreux services : le paiement à la carte pour différents bouquets de chaînes, la vidéo sur demande, ...

2.1. (fam.) (une attitude, une action) Qui donne des résultats (PR).
Syn. : rentable, fructueux.
Les investissements de ces dernières années sont payants puisqu'ils permettent à la société de maintenir son avance technologique.

+ nom

(sens 1.2.)
- **Un service payant.**
- **Un spectacle payant** ; **une entrée payante** ; **un parking payant.**
- **Une carte payante.**

6 (SE) PAYER - [(s(ə)) peje] - (v.tr.dir., v.intr., v.pron.)

1.1. (v.tr.dir.) Un agent économique (un particulier, un commerçant, une entreprise, un État - X) donne une somme d'argent (W) ou la fait parvenir (par un virement ou un versement) à un autre agent économique (un particulier, un commerçant, une entreprise, un État - Y) pour entrer en possession d'un bien, d'une valeur, pour bénéficier d'un service (Z), ou pour s'acquitter d'une obligation (p. ex. un impôt, une amende, ...).
Syn. : (☞ 405 Pour en savoir plus, Payer (sens 1.1.) et synonymes) ; Ant. : percevoir, encaisser, (fam.) toucher ; (pour une créance, un impôt) recouvrer.
À cause du vieillissement de la population, l'État risque d'avoir des difficultés à payer les retraites dans un avenir proche.

1.2. (v.intr.) Qqch. rapporte de l'argent.
C'est un investissement très lourd, mais qui paie.

1.3. (v.pron.) (fam.) S'acheter comme cadeau.
Syn. : s'offrir.
Volkswagen voulait se payer au moins 30 % du marché est-allemand.

2.1. (v.intr.) Qqch. entraîne des conséquences positives pour qqn.
L'honnêteté paie toujours.

2.2. (v.tr.dir.) Une personne subit les graves conséquences d'un acte.
Ce criminel va payer cher le meurtre de cette petite fille.

expressions

(sens 1.1.)
- (Une personne) **avoir de quoi payer** : avoir assez d'argent, être solvable.
- (Une personne) **payer de sa poche**, **payer de ses deniers** : payer avec son propre argent.
- (Une personne) **payer les pots cassés** : payer une somme en compensation des dommages causés.
- (Une personne) **payer rubis sur l'ongle** : payer exactement ce qu'on doit (PR).

- (Une personne) **payer de la main à la main** : payer une somme sans intermédiaire, sans formalités.
- (Une personne) **payer** qqch. (un cadeau, un voyage, un repas, un verre) **à** qqn : offrir. *Viens, je te paie un pot pour arroser ta promotion.*
- **Qui paie ses dettes s'enrichit.**
- (fam.) **Il me le paiera ((très) cher)** : je me vengerai.
- (fam.) **Je ne suis pas payé pour ça** : je n'ai aucune raison de faire qqch.

(sens 1.3.)
- (fam.) (Une personne) **se payer du bon temps** : profiter de moments agréables, s'amuser.

(sens 2.2.)
- (Une personne) **payer cher qqch.** : qqn obtient qqch. après avoir fait de gros efforts.

+ nom

(sens 1.1.)
- **Payer à la commande.** >< **Payer à la livraison, dès réception.** < **Payer à échéance de 60 jours.**
- **Les congés payés**. 1. Congés auxquels les salariés ont droit chaque année. *Les personnes âgées voyagent de préférence à l'écart de la période des congés payés, c'est-à-dire pendant la basse saison.* - 2. Salaire versé pendant cette période.

TYPE DE PAIEMENT (sens 1.1.)

Payer en espèces ; **en nature** ; **par versement** ; **par virement** ; **par chèque** ; **payer en (argent) liquide** ; **à l'échéance**. (V. 401 1 paiement).

Payer au comptant. (V. 401 1 paiement).

Payer par/en tranches ; **en** 12, 18, ... **mensualités** ; **à vue**. (V. 404 4 payable).

Payer à la pièce : rémunérer les ouvriers par pièce fabriquée.

MESURE DU PAIEMENT (sens 1.1.)

Payer à l'heure ; **à la semaine** ; **au mois** ; **à l'année** : période sur laquelle porte le paiement.

+ adverbe

TYPE DE PAIEMENT (sens 1.1.)

Payer comptant. (V. 401 1 paiement).

NIVEAU DU PAIEMENT (sens 1.1.)

Bien payé. >< **Mal payé**.

MESURE DU PAIEMENT (sens 1.1.)

Payer cher (qqch.). *Le consommateur est prêt à payer cher pour avoir une viande de qualité.*

Payer mensuellement : payer chaque mois.

Payer d'avance : avant que la marchandise soit livrée.

qui fait quoi ?

(sens 1.1.)

X (un particulier, ...)	**payer** Y (pour Z)	le paiement de Y (pour Z)	1
	payer W (pour Z)	-	2
	payer Z (à Y)	le paiement de Z (à Y)	3
	payer Z W	le paiement de Z	4
	payer pour Z	le paiement pour Z	5
	payer (éventuellement + adverbe) (☞ 405 + adverbe)	-	6
	payer un impôt	le paiement d'un impôt	
	une amende	d'une amende	
	une indemnité	d'une indemnité	

1 *La volonté de certains secteurs de payer des fonctionnaires pour la protection de leur marché fait que le lobbying, voire la corruption se répandent.*
2 *J'ai payé 100 euros pour ma nouvelle montre.*
3 *J'ai dû payer directement les articles commandés au livreur.*
4 *J'ai payé ma montre 100 euros.*
5 *Son entreprise est prête à payer pour la reconversion de tous les salariés licenciés.*
6 *C'est sa deuxième amende en une semaine. Mais il s'en fiche : ce sont quand même les parents qui paient.*

Pour en savoir plus

PAYER (sens 1.1.) ET SYNONYMES

Payer, (moins fréq.) **régler** {**un règlement**}, **acquitter, s'acquitter de** qqch. {**un acquit** (reconnaissance écrite de paiement. *La mention "pour acquit" ou "payé" garantit que le paiement de cette facture a été effectué.*), **pour acquit** (formule suivie de sa signature et de la date que le créancier note sur une facture, sur un

chèque ou sur un formulaire pour reconnaître que le débiteur a remboursé sa dette), **un acquittement**}. **Décaisser** (V. 82 caisse, 3), **débourser** (V. 72 bourse, 3).
Prendre en charge (des frais) : payer une somme à la place de qqn d'autre.
{**la prise en charge**}.
Rémunérer (V. 480 rémunération, 2), **rétribuer** {**une rétribution**} (V. 479 rémunération, 1) : payer un travail.
Rembourser : payer un créancier. (V. 477 remboursement, 2).
Dédommager qqn **de** qqch., **indemniser** qqn **de** qqch. : payer une somme d'argent à qqn qui a subi une perte, un tort, un préjudice ou effectué une dépense. *Après la grève des cheminots, la société des chemins de fer a offert des billets gratuits pour dédommager les voyageurs des désagréments subis.* {**un dédommagement**}. {**une indemnisation, une indemnité**}. *Des assureurs refusent de procéder aux dédommagements après un accident si le mobilophone installé dans la voiture n'est pas du type "mains libres".*
Financer (V. 268 finance, 4) ; **verser** (V. 576 versement, 2) ; **virer** (V. 578 virement, 2).

QUI PAIE QUOI À QUI ?
l'État paie (verse)
un traitement à ses fonctionnaires
une entreprise paie (verse)
un salaire à ses salariés
un débiteur paie (verse, rembourse)
une somme à son créancier
un client paie (règle, acquitte)
(le montant d')une facture
un client paie (règle)
la note d'hôtel à l'hôtelier
un client paie
l'addition au garçon de café
un acheteur paie
un prix pour ... à un vendeur
un tiré paie (verse)
un montant au bénéficiaire (V. 98 chèque, 1)
un locataire paie
le loyer à son propriétaire
une entreprise paie (verse)
un dividende aux actionnaires
un contribuable paie
des contributions au fisc
une entreprise paie
des impôts au fisc
une banque paie (verse)
des intérêts aux épargnants
un patron et un salarié paient (versent)
une cotisation à l'État
l'État paie (verse)
une allocation à un salarié
un membre paie (verse)
une cotisation à une association

7 AUTRES DÉRIVÉS OU COMPOSÉS

- **Le non-paiement**, (moins fréq.) **le non-payement** [nɔ̃pɛmɑ̃] (n.m.). *Le personnel s'inquiète du nombre d'heures supplémentaires déjà accumulées depuis l'ouverture du magasin, du non-paiement des frais de déplacement et des jours fériés.*
- **Un impayé** [ɛ̃pɛje] (n.m.) : un effet de commerce, une facture qui n'ont pas été payés. **Relancer les impayés** : inciter les mauvais payeurs à régler leurs factures non payées, en souffrance.
{**impayé** [ɛ̃pɛje] (adj.)}. **Une traite, une facture impayée**.
- **Le** (principe du) **pollueur-payeur** [pɔlɥœʀpɛjœʀ] (n.m.) : principe selon lequel l'utilisateur d'un produit polluant supporte les frais occasionnés par la prévention ou la suppression des nuisances.
- **Un trésorier-payeur** [tʀesɔʀjepɛjœʀ] (n.m.) (plur. : **des trésoriers-payeurs**) : payeur (sens 1.2.).
- **Payeur**, **-euse** [pɛjœʀ, -øz] (adj.) : qui est chargé de payer. **Un organisme payeur**.
- **Impayable** [ɛ̃pɛjabl(ə)] (adj.). 1. Qui n'a pas de prix, inestimable. - 2. (emploi figuré et fam.) Extraordinaire ou très comique.
- **Sous-payer** [supeje] (v.tr.dir.) : rémunérer qqn de façon insuffisante. *Ce chef d'entreprise a la mauvaise réputation de faire travailler dur des collaborateurs qui sont sous-payés.*
>< **Surpayer** [syʀpeje] (v.tr.dir) : payer qqn ou qqch trop cher.

PAIR (n.m.) (***) 1. Rapport d'une valeur (monnaie, titre) à un étalon de référence ou à une autre valeur.

1. (434)	das Pari	par	la paridad	la parità	het pari
(390)		par of exchange			

PALETTE (n.f.) (**) 1. Plate-forme de bois pour transport de marchandises.

1. (551)	die Palette	pallet	la paleta el palet	il pallet la paletta di carico	het palet

PANCARTE (n.f.) (*) 1. Écriteau fixé au mur.

1. (461)	das Schild	sign	la pancarta	il cartellone pubblicitario	het bordje
	die Tafel		el cartel		

PANEL (n.m.) (**) 1. Groupe-test de consommateurs.

1. (144)	das Panel	panel	el panel	il panel	de panel (m.)
	die Standarttestgruppe	sample group			

PANNEAU ; PANNEAUX (n.m.) (***) 1. Surface destinée à porter une affiche publicitaire.

1. (466)	das Schild	sign	el panel	il cartellone pubblicitario	het paneel
	die Tafel		la valla		het bord

PANONCEAU ; PANONCEAUX (n.m.) (*) 1. Petite surface destinée à porter une affiche publicitaire.

1. (519)	das Schild	sign	el rótulo	l'insegna (f.)	het uithangbord
			la placa		

PAPIER-MONNAIE (n.m.) (*) 1. Monnaie constituée de billets de banque.

1. (384)	das Papiergeld	paper money	el papel moneda	la carta moneta	het papiergeld
					het chartaal geld

PAPY(-)BOOM (n.m.) (*) 1. Forte augmentation du nombre de personnes âgées.

1. (168)	die Überalterung der Gesellschaft	ageing (process) of the population	el envejecimiento de la población	il boom della popolazione anziana	de vergrijzing (f.) van de bevolking
		greying of the population			

PAQUEBOT (n.m.) (**) 1. Grand bateau transportant des voyageurs.

1. (550)	der Ozeandampfer	liner	el paquebote	il transatlantico	het passagiersschip
	das Passagierschiff			il piroscafo	

PAQUET (n.m.) (****) 1. Ensemble. 2. Colis. 3. Contenant (pour de la poudre à lessiver p. ex.).

1. (11)	ein Haufen	packet (en général)	el paquete	il pacchetto	het pakket
	eine ganze Menge	block (actions)			
2.	das Paket	parcel	el paquete	il pacco	het pak(je)
	das Päckgen	package			
3. (363)	das Paket	packet	el paquete	il pacchetto	het pak
(216)		pack (US)			

PARA-ÉTATIQUE (adj.) (*) 1. Qui se rapporte à une entreprise qui a le statut d'une administration publique.

1. (515)	halbstaatlich	semi public	paraestatal	parastatale	parastataal
		partly state-owned			

PARAFISCAL, -ALE ; -AUX, -ALES (adj.) (**) 1. Qui se rapporte aux taxes distinctes des impôts.

1. (272)	parafiskalisch	special tax	parafiscal	parafiscale	parafiscaal
	steuerähnlich	parafiscal			

PARAFISCALITÉ (n.f.) (**) 1. Ensemble des taxes distinctes des impôts.

1. (272)	die steuerähnliche Abgaben	special taxes	la parafiscalidad	la parafiscalità	de parafiscaliteit (f.)
	die Parafiskalität	parafiscality			

PARASTATAL, -ALE ; -AUX, -ALES (adj.) (*) 1. Qui se rapporte à une entreprise qui a le statut d'une administration publique.

1. (515)	halbstaatlich	semi public	paraestatal	parastatale	parastataal
	quasiöffentlich	partly state-owned			

PARASTATAL ; PARASTATAUX (n.m.) (*) 1. Entreprise qui a le statut d'une administration publique.

1. (515)	eine halbstaatliche Unternehmung	semi public firm	empresa paraestatal	una impresa parastatale	de parastatale (f.)
		semi public institution	empresa pública		

PARCIMONIE (n.f.) (*) 1. Gestion qui vise à réduire les dépenses.

1. (214)	die Sparsamkeit	parsimony	la parsimonia	la parsimonia	de spaarzaamheid (f.)

PARCIMONIEUSEMENT (adv.) (*) 1. Du point de vue d'une gestion qui vise à réduire les dépenses.

1. (214)	sparsam	sparingly	parsimoniosamente	parsimoniosamente	spaarzaam
		parsimoniously			

PARCIMONIEUX, -IEUSE (adj.) (*) 1. Qui se rapporte à une gestion qui vise à réduire les dépenses.

1. (214)	sparsam	sparing	parsimonioso	parsimonioso	spaarzaam
		parsimonious			

PARITÉ (n.f.) (***) 1. Valeur d'échange officielle et égale.

1. (92)	die Parität	parity	la paridad	la parità	de pariteit (f.)
		par rate of exchange			

PARRAINAGE (n.m.) (**) 1. Subvention d'une activité.

1. (373)	das Sponsoring	sponsorship	el patrocinio	la sponsorizzazione	de sponsoring (f.)
		sponsoring	la esponsorización	il patrocinio	

PARRAINER (v.tr.dir.) (**) 1. Subventionner une activité.

1. (373)	sponsern	to sponsor	patrocinar	sponsorizzare	sponsoren
			esponsorizar	patrocinare	steunen

PART (n.f.) (**) 1. Valeur mobilière.

1. (13)	der Anteil	share	la parte	la quota	het aandeel

PARTENAIRE (n.) (****) 1. Personne, organisation avec qui une autre personne, organisation mène une action.

1. (119)	der Partner	partner	el socio	il socio	de partner (m.)
(267)	der Teilhaber		el (miembro) asociado	il partner	

PARTENARIAT (n.m.) (****) 1. Fait de mener une action avec une autre personne, collectivité.

1. (519)	die Partnerschaft	partnership	la cooperación	la partnership	het partnership
					het deelhebberschap

PARTICIPANT, -ANTE (adj.) (**) 1. Qui prend part à qqch.

1.	teilnehmend	participating	participante	partecipante	deelnemend

PARTICIPANT, PARTICIPANTE (n.) (****) 1. Personne qui prend part à qqch.

1. (294)	der Teilnehmer	participant	el participante	il partecipante	de deelnemer (m.)
	der Teilhaber				

PARTICIPATION (n.f.) (****) 1. Détention d'une partie du capital d'une société. 2. Fait de prendre part à qqch.

1. (239)	die Beteiligung	holding	la participación	la partecipazione	de deelneming (f.)
(324)		stake			
2. (294)	die Teilnahme	participation	la participación	la partecipazione	de deelname (m./f.)
(58)					

PARTICIPER (~ à/dans) (v.tr.indir.) (****) 1. Détenir une partie du capital d'une société. 2. Prendre part à qqch.

1. (86)	beteiligt sein	to have a share in	participar	partecipare	deelnemen in
2. (294) (59)	teilnehmen	to participate	participar	partecipare	deelnemen aan

PARTNERSHIP (n.m.) (**) 1. Fait d'être associé en affaires.

1. (515)	die Partnerschaft	partnership	la cooperación	la partnership	het partnership het deelhebberschap

PAS-DE-PORTE (n.m.) (*) 1. Supplément au loyer d'un bail commercial.

1. (351)	die Abstandszahlung	key-money	el traspaso	la somma pagata per l'affitto di un negozio	het sleutelgeld

PASSAGER, PASSAGÈRE (n.) (****) 1. Personne transportée dans un véhicule.

1. (551)	der Passagier	passenger	el pasajero	il passeggero	de passagier (m.)

PASSIF (n.m.) (***) 1. Ensemble des capitaux propres, des capitaux empruntés et des dettes. 2. Partie droite du bilan.

1. (408)	die Passiva die Passivposten	liabilities claims and liabilities	el pasivo	il passivo	het passief
2. (408)	die Passivseite	the liabilities side	el debe	la passività	de passiefzijde (m./f.) van de balans

PASSIF

➠ **actif - bilan**

1 un passif			

1 un PASSIF - [pasif] - (n.m.)

1.1. Ensemble des capitaux propres, des capitaux empruntés et des dettes qu'a un agent économique (un particulier, une entreprise, un organisme) à une date donnée et qui sont inscrits conventionnellement dans la partie droite du bilan.
Syn. : les ressources ; Ant. : l'actif, les emplois.
L'allégement du passif par l'obtention de délais de paiement nous sauve provisoirement de la faillite.

1.2. Partie droite du bilan.

expressions

(Une personne) **mettre** qqch. **au passif** de qqn: attribuer une chose négative à qqn. (Ant. : **mettre** qqch. **à l'actif de** qqn).

+ adjectif

TYPE DE PASSIF (sens 1.1.)

Le passif exigible : ensemble des dettes parvenues à échéance (Référis). (Syn. : **les dettes à court terme**). *La société pourra honorer son passif exigible dans les six mois.*

Le passif financier : disponibilités financières, actions, obligations, créances (B&G).

Le passif social. *Le passif social n'est pas mince : les fermetures ont entraîné toutes sortes de frais, comme des préretraites ou des indemnités de licenciement.* (Un repreneur) **éponger le passif social**.

MESURE DU PASSIF (sens 1.1.)

Le passif total.

+ nom

(sens 1.1.)

- **Un élément de passif**. *Les amortissements et les provisions constituent deux éléments de passif qui servent à prévoir des dépenses futures.*
- **L'apurement du passif** : vérification, fixation du montant exact et règlement d'une dette ou du solde d'un compte (Référis).

(sens 1.2.)

Le passif (**du bilan**). (Ant. : **l'actif** (**du bilan**)).

MESURE DU PASSIF (sens 1.1.)

Le total du passif.

Un passif à court terme. >< **Un passif à long terme**.

+ verbe : qui fait quoi ?

(sens 1.1.)

les dettes, ...	**représenter** ... % du ~	-	
une mesure, un liquidateur judiciaire, un curateur	**apurer** le ~ (☞ 408 + nom) **éponger** le ~	l'apurement du passif -	1
un acquéreur	**reprendre** le ~ (de la société faillie)	la reprise du ~	2

1 *Le dépôt de bilan a été évoqué comme possibilité pour apurer une partie du passif et repartir sur de nouvelles bases.*
2 *Comme nous n'avons pas dû reprendre le passif, nous pouvons recommencer les activités à partir d'une entreprise totalement saine.*

(sens 1.2.)

Un comptable → une dette, ...	✓	**porter** (une dette, ...) **au** ~ **être inscrite au** ~ **figurer au** ~	- - -	 1

1 *Une provision importante pour investissement figure au passif du rapport semestriel.*

PATATE (n.f.) (*) (437) 1. Somme d'un million de FRF.

PÂTISSERIE (n.f.) (**) 1. Préparation sucrée de pâte travaillée (RQ). 2. Commerce où l'on vend des pâtisseries.

1.	das Gebäck	pastries	el pastel	la pasticceria	het gebak(je)
2. (227)	die Konditorei	cake shop pâtisserie	la pastelería	la pasticceria	de banketbakkerij (f.)

PÂTISSIER, PÂTISSIÈRE (n.) (*) 1. Personne qui fait ou vend de la pâtisserie.

1. (399)	der Feinbäcker	pastry-cook confectioner	el pastelero	il pasticciere	de banketbakker (m.) de pasteibakker (m.)

PATRIMOINE (n.m.) (****) 1. Biens mobiliers et immobiliers que possède une personne.

1. (35)	das Vermögen	property estate	el patrimonio	il patrimonio	het patrimonium

PATRON, PATRONNE (n.) (****) 1. Personne qui élabore la stratégie d'une entreprise. 2. (plur.) Ensemble des patrons.

1. (410)	der Arbeitgeber der Chef	boss head	el patrón el empresario	il principale l'imprenditore (m.)	de baas (m.) het hoofd (m.)
2. (410)	die Arbeitgeber das Unternehmerlager	employers	el patronato	il padronato	het patronaat

PATRONAGE (n.m.) (*) 1. Soutien de qqch.

1. (411)	die Schirmherrschaft	sponsorship	el patrocinio	il patrocinio	de bescherming (f.)

PATRONAL, -ALE ; -AUX, -ALES (adj.) (****) 1. Qui se rapporte à la personne qui élabore la stratégie d'une entreprise.

1. (410)	Arbeitgeber-	employer's	patronal	padronale	werkgevers-

PATRONAT (n.m.) (***) 1. Ensemble des personnes qui élaborent la stratégie des entreprises.

1. (409)	die Arbeitgeber	the employer's federation	el empresariado	il padronato	het patronaat
	die Arbeitgeberschaft		el patronato	i datori di lavoro	

PATRONAT

➠ syndicat - direction

1 le patronat **4** le patronage	**2** un patron, une patronne **4** l'État-patron	**3** patronal, -ale ; -aux, -ales	**4** patronner

1 le PATRONAT - [patʀɔna] - (n.m.)

1.1. Ensemble des personnes qui coordonnent l'élaboration de la politique et de la stratégie dans leurs entreprises industrielles ou commerciales respectives.
Syn. : les patrons ; Ant. : un syndicat ; les salariés, le salariat.
Le patronat estime qu'une importante diminution des charges sociales doit mener à une importante création d'emplois.

+ nom

- (F) **Le Conseil national du patronat français (le CNPF)**. (V. 534 syndicat, 1).

TYPE DE PATRONAT
Le patronat de + nom qui désigne un secteur d'activité. Le patronat de la métallurgie.

+ verbe : qui fait quoi ?

le ~ et les syndicats	**négocier**	les négociations entre le ~ et les syndicats	1
	se concerter ✓	la concertation entre le ~ et les syndicats	
le ~	**faire des concessions** (aux syndicats)	-	
	signer un protocole d'accord (avec les syndicats)	la signature d'un protocole d'accord	

signer une convention collective de travail (avec les syndicats)	la signature d'une convention collective de travail

1 *Les négociations entre le patronat et les syndicats ont enfin abouti à un accord.*

Pour en savoir plus

NOTE D'USAGE

On associe souvent les mots 'patronat' et 'syndicat(s)'. *Après de longues heures de négociations, patronat et syndicats ont convenu d'introduire la semaine de 35 heures pour la quasi-totalité des sidérurgistes.*

2 un PATRON, une PATRONNE - [patʀɔ̃, patʀɔn] - (n.)

1.1. Personne qui coordonne l'élaboration de la politique et de la stratégie d'une entreprise industrielle ou commerciale et qui désigne pour les employés la personne qui les emploie.
Syn. : (☞ 410 Pour en savoir plus, Patron (sens 1.1.) et synonymes); Ant.: (V. 501 salaire, 2).
La patronne de cette entreprise de mécanique n'est pas technicienn e; elle a une formation comptable et commerciale.

1.2. (emploi au plur.) Ensemble des patrons (sens 1.1.).
Syn. : le patronat ; Ant. : un syndicat ; les salariés, le salariat.
Voilà enfin les patrons et les syndicats satisfaits.

+ adjectif

TYPE DE PATRON (sens 1.1.)

Le grand patron : personne qui est hiérarchiquement la plus élevée dans une entreprise importante. (Syn. : (angl.) **le** (**big**) **boss**). *Appelant tous ses collaborateurs par leur prénom, Patrick Smith n'a rien d'un grand patron hautain et froid.*

CARACTÉRISATION DU PATRON (sens 1.1.)

L'ancien patron. >< **Le patron actuel**.

Le nouveau patron.

+ nom

(sens 1.1.)

Le patron des patrons : président de la (B) FEB, du (F) CNPF, du (Q) CPQ, du (S) Vorort, les principaux syndicats des patrons dans ces différents pays. (V. 534 syndicat, 1). *Le nouveau patron des patrons a accepté cette fonction dont il dit qu'il ne l'ambitionnait pas.*

Pour en savoir plus

PATRON (sens 1.1.) ET SYNONYMES

Un patron, **un employeur**, **un dirigeant**. (V. 227 emploi, 2).

Un jeune loup : jeune cadre ou patron ambitieux. *Dès son entrée dans l'entreprise, le jeune loup a gravi rapidement, échelon par échelon, les marches professionnelles pour devenir, à 29 ans, directeur général.*

NOTES D'USAGE

On associe souvent les mots 'patrons' et 'syndicats'. *Les négociations tournent à l'épreuve de force entre les patrons et les syndicats.*

3 PATRONAL, -ALE ; -AUX, -ALES - [patʀɔnal, -al ; -o, -al] - (adj.)

1.1. Qui se rapporte aux personnes qui coordonnent l'élaboration de la politique et de la stratégie d'une entreprise industrielle ou commerciale.
Ant. : syndical ; ouvrier.
Du côté patronal on est d'accord avec l'alignement des salaires sur la moyenne européenne alors que du côté syndical on est carrément contre.

expressions

- **De source patronale** : selon les patrons. (Ant. : **de source syndicale**). (V. 535 syndicat, 3). *De source patronale nous avons appris ce matin qu'un accord était proche. Ce fait est cependant démenti par les syndicats.*

+ nom

- **Une organisation patronale**, **une fédération patronale** : regroupement de tous les patrons ou des patrons d'un secteur d'activité particulier. *L'organisation patronale souhaite voir nos taux d'imposition des sociétés revenir graduellement à des normes comparables à celles de nos principaux concurrents.*
- **Les cotisations patronales**, (moins fréq.) **les charges patronales**. (V. 154 cotisation, 1).
- **Les milieux patronaux** : ensemble des personnes proches des patrons.
- **Une délégation patronale**. *Une délégation patronale a été reçue ce matin par le Premier ministre pour discuter des mesures fiscales à prendre en faveur des entreprises.*

- **Un syndicat patronal. Le syndicalisme patronal.** (V. 533 syndicat, 1). (V. 535 syndicat, 2).
- (S) **La fédération romande des syndicats patronaux.** (S) **L'Union patronale suisse (l'UPS).** (V. 534 syndicat, 1).

4 AUTRES DÉRIVÉS OU COMPOSÉS

- **Le patronage** [patʀɔnaʒ] (n.m.). {**patronner** [patʀɔne] (v.tr.dir.)}. Le verbe 'patronner' s'emploie parfois au sens de parrainer, sponsoriser. (V. 373 marketing, 1). 'Patronner' et 'patronage' s'emploient le plus souvent au sens de soutenir (financièrement éventuellement), d'appuyer une candidature, une organisation. *Ce colloque est placé sous le (haut) patronage de l'ambassadeur des États-Unis.*
- **L'État-patron** [etapatʀɔ̃] (n.m.) : (peu fréq.) l'État considéré comme employeur. *Les syndicats menacent de déclencher une grève si l'État-patron prend cette décision lourde de conséquences financières pour tous les fonctionnaires.*

PATRONNER (v.tr.dir.) (*) 1. Soutenir (financièrement) qqch.

1. (411)	unterstützen fördern	to sponsor	patrocinar	appoggiare sostenere	sponsoren

PATTE (graisser la ~) (*) 1. Payer qqn pour faire un acte illicite.

1. (5)	jedem Schmiergeld (be)zahlen	to grease somebody's palm	sobornar untar la mano	corrompere	smeergeld betalen

PAUPÉRISATION (n.f.) (*) 1. Abaissement continu du niveau de vie.

1. (35)	die Verarmung	pauperization	la pauperización	il depauperamento	de verarming (f.)

PAUPÉRISME (n.m.) (*) 1. État permanent de pauvreté.

1. (35)	das Massenelend	pauperism	el pauperismo	il pauperismo	het pauperisme

PAUSE-CARRIÈRE (n.f.) (*) 1. Interruption momentanée de l'activité professionnelle.

1. (557)	die Karrierepause	career break	el receso	il periodo sabbatico l'anno sabbatico	de loopbaanonderbreking (f.)

PAUVRE (adj.) (***) 1. Qui ne dispose pas de ressources suffisantes.

1. (35)	arm unbemittelt	poor	pobre	povero	arm

PAUVRE (n.) (***) 1. Personne qui ne dispose pas de ressources suffisantes.

1. (35)	der Arme der Bedürftige	poor	el pobre el mendigo	il povero	de arme (m.)

PAUVRETÉ (n.f.) (***) 1. Situation d'une personne ou d'un ménage qui ne dispose pas de ressources suffisantes.

1. (35)	die Armut	poverty	la pobreza	la povertà	de armoede (m./f.)

PAYABLE (adj.) (**) 1. Qui doit être payé.

1. (403)	zahlbar	payable	pagadero	pagabile	betaalbaar

PAYANT, -ANTE (adj.) (***) 1. Qui a donné une somme d'argent pour entrer ou participer. 2. Pour lequel il faut que qqn donne une somme d'argent.

1. (404)	zahlend	paying who pays	que paga	pagante	betalend
2. (404)	gebührenpflichtig	which must be paid for	de pago	pagante	betalend niet kosteloos

PAYE (n.f.) (*) 1. Somme d'argent donnée à un ouvrier. 2. Document détaillant les composantes du salaire.

1. (403)	der Lohn	pay salary	la paga	la paga	het loon
2. (403)	die Lohnabrechnung	payslip	la nómina	il foglio paga (feuille de paie) il libro paga (livre de paie)	het loonuittreksel het loonbriefje

PAYEMENT (n.m.) (***) 1. Remise d'une somme d'argent lors d'un achat. 2. Remboursement d'une dette.

1. (400)	die Zahlung die Bezahlung	payment	el pago	il pagamento	de betaling (f.)
2. (400)	die Rückzahlung die Tilgung	repayment reimbursement	el reembolso el pago	il rimborso	de terugbetaling (f.)

PAYER (~, se ~) (v.tr.dir., v.intr., v.pron.) (****) 1. Remettre une somme d'argent lors d'un achat. 2. Rapporter de l'argent. 3. S'acheter sous forme de cadeau.

1. (404)	(be)zahlen	to pay	pagar	pagare	betalen
2. (404)	Gewinn abwerfen sich lohnen	to pay (off)	compensar dar dinero	essere redditizio fruttare	lonend zijn
3. (404)	sich leisten sich gönnen	to treat oneself to to buy oneself	pagar (se)	regalarsi offrirsi	zich iets veroorloven

PAYEUR, -EUSE (adj.) (*) 1. Qui remet une somme d'argent.

1. (406)	zahlend	payments	pagador	pagatore	betalend

PAYEUR, PAYEUSE (n.) (**) 1. Agent économique qui remet une somme d'argent lors d'un achat. 2. Personne qui effectue les paiements de l'administration.

1. (403)	der Zahler	payer	el pagador	il pagatore	de betaler (m.)
2. (403)	der Zahler	payer	el pagador	il pagatore	de betaler (m.)

PC-BANKING (n.m.) (*) 1. Réalisation d'opérations bancaires par le réseau télématique.

1. (55)	das Homebanking	computer-banking	hacer las transacciones bancarias con el ordenador	il remote-banking	pc-banking
	das Online Banking	pc-banking		il PC-banking	

PCG (le ~) (*) plan comptable général.

(126)	der allgemeine Kontenplan	official accounting plan	el plan general de contabilidad	il piano contabile generale	het algemeen boekhoudkundig plan

PDG, P-DG (un ~) (****) Président-directeur général.

(202)	der Vorsitzende des Verwaltungsrats (einer französischen AG)	chairman and managing director (GB)	el presidente del consejo de administración	il presidente e amministratore delegato	president-directeur
		(chairman and) chief executive officer (US)	el director general		de algemeen directeur (m.)

PÉAGE (n.m.) (***) 1. Droit de passage. 2. Endroit où l'on paie un droit de passage.

1. (315)	die Autobahngebühr	toll	el peaje	il pedaggio	de tol(heffing) (m.(f.))
2. (315)	die Zahlstelle die Gebührenzahlstelle	toll gate tollpike (US)	el peaje	il pedaggio	het tolstation

PÊCHE (n.f.) (***) 1. Capture de poissons.

1. (504)	der Fischfang die Fischerei	fishing	la pesca	la pesca	de visserij (f.)

PÉCULE (n.m.) (**) 1. Rémunération supplémentaire.

1. (498)	die (kleine) Sparsumme	earnings	el peculio	il gruzzolo	het vakantiegeld
	die geringen Ersparnisse		la paga extra	il peculio	de (vakantie)toeslag (m.)

PÉCUNIAIRE (adj.) (**) 1. Qui se rapporte à l'argent.

1. (265)	finanziell	financial	pecuniario	pecuniario	geldelijk
(33)	geldlich			finanziario	financieel

PÉDÉGÈRE (n.f.) (*) 1. Femme PD-G.

1. (202)	die Vorsitzende des Verwaltungsrats (einer französischen AG)	chairwoman	la presidenta	il presidente e amministratore delegato	de presidente (f.)
			la directora general		de voorzitster (f.)

PÉNICHE (n.f.) (**) 1. Moyen de transport fluvial de marchandises.

1. (550)	das Binnenschiff	barge	la gabarra la barcaza	la chiatta	het binnenvaartuig de aak (m./f.)

PENSION (n.f.) (****) 1. Allocation périodique. 2. Période qui suit la vie professionnelle.

1. (26)	die Rente die Pension	pension	la pensión	la pensione	het pensioen
2. (26)	das Pensionsalter die Pensionierung	retirement	la jubilación el retiro	la pensione	het pensioen

PENSIONNÉ, PENSIONNÉE (n.) (***) 1. Personne qui bénéficie d'une pension.

1. (26)	der Rentner der Rentenempfänger	pensioner retired person	el pensionista	il pensionato	de gepensioneerde (m.)

PÉNURIE (n.f.) (***) 1. Manque de ce qui est nécessaire (RQ).

1. (177)	die Knappheit	shortage	la penuria	la penuria	de schaarste (f.)
(357)	der Mangel	scarcity	la escasez	la scarsità	het tekort

PERCEPTEUR, PERCEPTRICE (n.) (*) 1. Personne qui est chargée de l'encaissement des impôts.

1. (271)	der Finanzbeamte der Steuerbeamte	tax collector tax man	el recaudador el perceptor	l'esattore (m.)	de belastingontvanger (m.)

PERCEPTION (n.f.) (**) 1. Encaissement.

1. (270)	die Einziehung	collection	la percepción	la riscossione	de inning (f.)
(332)	die Eintreibung	levy	la recaudación	l'esazione (f.)	

PERCEVOIR (v.tr.dir.) (***) 1. Encaisser.

1. (270)	einziehen	to collect	percibir	percepire	innen
(332)	eintreiben		cobrar	riscuotere	

PERDRE (v.tr.dir.) (****) 1. Cesser de posséder (une quantité d'argent, un emploi p. ex.). 2. Diminuer en valeur.

1. (417) (227)	verlieren	to lose	perder	perdere	verliezen
2. (417)	an Wert verlieren	to depreciate	desvalorizar	deprezzare	depreciëren
(278)	an Wert einbüssen		perder	svalutare	in waarde verminderen

PERFORMANCE (n.f.) (****) 1. Degré d'accomplissement des objectifs.

1. (413)	die Leistung	performance	el buen resultado las prestaciones	la prestazione la performance	de prestatie (f.)

PERFORMANCE

➠ compétitivité - société - entreprise

1 la performance 3 une contre-performance		2 performant, -ante	3 performer

1 la PERFORMANCE - [pɛʀfɔʀmɑ̃s] - (n.f.)

1.1. (emploi au sing. ou au plur.) Degré d'accomplissement des objectifs, des buts, des plans ou des programmes (Y) que s'est défini un agent économique (une entreprise, une organisation - X).
Ant. : une contre-performance.
Plusieurs facteurs sont avancés pour expliquer les performances en matière de commerce international : les biens de production sont d'un type nouveau, il s'agit d'investissements de productique, machines à commande numérique, conception assistée par ordinateur.

expressions

• (Une entreprise, un équipement) **de haute performance** : avec beaucoup de compétence, d'expertise. *Une équipe de haute performance a été constituée pour mener à bien ce projet : un engagement sans limites et une diversité des compétences qui se renforcent.*

+ adjectif

TYPE DE PERFORMANCE

Les performances économiques (moins fréq. : **la**) : rendement maximal dans le domaine de l'économie. (Syn. : (moins fréq.) **les performances de l'économie**). *Bien des éléments expliquent la performance économique des nouveaux pays industriels d'Extrême-Orient : le transfert de technologie des pays industrialisés, la présence d'une main-d'œuvre abondante et bon marché, ...*

La performance commerciale.

NIVEAU DE PERFORMANCE

Une mauvaise performance. < **Une modeste performance.** < **Une bonne performance.** < **Une excellente performance.** *Les exportations ont poursuivi imperturbablement leur marche en avant. Compte tenu de la conjoncture internationale, il s'agit d'une excellente performance.*

+ nom

Un indicateur de performance.

TYPE DE PERFORMANCE

La performance de l'industrie ; **d'une entreprise** ; **d'un travailleur.**

Les performances de l'économie. (☞ 413 + adjectif).

La performance d'un produit ; **d'un placement.** *Les performances des SICAV se tassent. Ces cinq dernières années, le risque n'a pas payé.*

La performance d'un indice. *La performance de l'indice de la Bourse de Paris n'a pas été fulgurante cette année.*

Les performances à l'exportation. *Le déficit de la balance commerciale a été partiellement résorbé grâce aux très bonnes performances des constructeurs à l'exportation.*

+ verbe : qui fait quoi ?

X (une entreprise)		**réaliser** des ~ dans le domaine de Y, de rentabilité à l'exportation, ...	la réalisation de ~	
X (une entreprise)	△	**améliorer** les ~ dans le domaine de Y, de rentabilité à l'exportation, ...	une amélioration des ~	1
→ les ~ de X		**s'améliorer**		

1 *Le secteur métallurgique doit démontrer son aptitude à répondre aux défis du futur en améliorant sans cesse les performances d'installations dites classiques.*

Pour en savoir plus

NOTE D'USAGE

Dans la plupart des contextes, tant le singulier (performance) que le pluriel (performances) sont utilisés.

2 PERFORMANT, -ANTE - [pɛʀfɔʀmɑ̃, -ɑ̃t] - (adj.)

1.1. (une entreprise, une méthode de travail - X) Qui a bien réalisé des objectifs, des buts, des plans ou des programmes définis par un agent économique (une entreprise, une organisation).

2.1. (une méthode, une approche, ...) Qui donne de bons résultats.

+ nom

- **Une entreprise performante** (V. 235 entreprise, 1) ; **une industrie performante.**
  Un outil performant. *Les raffineries situées en Allemagne sont un outil performant qui permet au groupe de se maintenir malgré la hausse du prix du zinc.*
- **Un prix (ultra-)performant.** (V. 432 prix, 1).

+ adverbe

CARACTÉRISATION DE LA PERFORMANCE (sens 1.1. et 1.2.)

Hautement performant : très performant.

+ verbe : qui fait quoi ?

(sens 1.1. et 1.2.)

une mesure	✓	**rendre** X ~	-	
		↓		
X (une entreprise)	×	**être** ~	-	
		↓		
X (une entreprise)		**rester** ~	-	1

1 *Très souvent, le secteur privé reste plus performant que le secteur public.*

3 AUTRES DÉRIVÉS OU COMPOSÉS

- **Une contre-performance** [kɔ̃tʀəpɛʀfɔʀmɑ̃s] (n.f.). (Ant. : **la/les performance(s)**).
- (jargon financier) **Performer** [pɛʀfɔʀme] (v.intr.). *La distribution devrait bien performer en cas de reprise.*

PERFORMANT, -ANTE (adj.) (****) 1. Qui a bien accompli des objectifs.

1. (413)	leistungsfähig	efficient (système) profitable (entreprise)	eficiente competitivo	competitivo	hoge prestaties leverend performant

PERFORMER (v.intr.) (**) 1. Bien accomplir des objectifs.

1. (414)	gute Arbeit leisten gut arbeiten	to perform	rendir	attuare compiere	presteren

PERMIS (n.m.) (***) 1. Autorisation officielle écrite (RQ).

1. (554)	die Genehmigung	permit	el permiso	il permesso	de vergunning (f.)
(429)	die Erlaubnis	licence (GB)	la licencia	la licenza	de toestemming (f.)

PERSONNALITÉ MORALE , voir **PERSONNE MORALE**

PERSONNE MORALE (une ~) (***) 1. Groupement de personnes ou de biens qui ont la personnalité juridique.

1. (519)	die juristische Person	legal person legal entity	la persona moral	l'ente (m.) morale	de rechtspersoon (m.)

PERSONNE PHYSIQUE (une ~) (***) 1. Tout être humain.

1. (519)	die natürliche Person	natural person	la persona física	la persona fisica	de natuurlijke persoon (m.)

PERSONNEL (n.m.) (****) 1. Ensemble des personnes qui travaillent dans une entreprise.

1. (501)	das Personal	staff employees	el personal	il personale	het personeel

PERTE (n.f.) (****) 1. Quantité d'argent, emploi qu'un agent économique cesse de posséder. 2. Surplus de charges sur les produits. 3. Diminution de valeur d'une action.

1. (414) (227)	der Verlust	loss	la pérdida	la perdita	het verlies
2. (414)	das Defizit	deficit	el déficit la pérdida	il deficit il disavanzo	het deficit
3. (414) (278)	der Kursverlust	loss	la pérdida	la perdita	de waardevermindering (f.)

PERTE

➠ déficit - bénéfice - profit - rentabilité

1 une perte			2 perdre

1 une PERTE - [pɛʀt(ə)] - (n.f.)

1.1. Quantité d'argent, partie d'un patrimoine, d'un bien matériel ou immatériel, ... (Y) dont un agent économique (un particulier, une entreprise, un État - X) est privé ou qu'il cesse de posséder sans obtenir de compensation.
Syn. : (☞ 417 Pour en savoir plus, Perte (sens 1.1.) et synonymes) ; Ant. : (financier) un bénéfice (V. 59 bénéfice, 1).
La dévaluation de la monnaie nationale entraîne une perte de richesse des agents économiques.

1.2. (emploi au sing. et au plur.) Surplus des charges sur les produits (les charges/produits d'exploitation, financiers et exceptionnels) en fin d'exercice comptable qui vient diminuer la richesse d'un agent économique (une entreprise, une banque - X) et qui apparaît au compte de résultat et au bilan.
Syn. : (☞ 417 Pour en savoir plus, Perte (sens 1.2.) et synonyme); Ant. : un/des bénéfice(s); un profit; un gain, (moins fréq.) un excédent.
Après quelques années de pertes, la première société canadienne renoue avec le profit.

1.3. Diminution de valeur d'une action, d'un indice boursier.
Les actions françaises avaient débuté la séance en affichant une perte de près de 3%.

expressions

(sens 1.1.)
(Un agent économique) **investir ; dépenser (de l'argent) en pure perte** : inutilement. *Le gouvernement a investi en pure perte dans le secteur agricole : le revenu réel agricole a chuté de moitié en cinq ans.*

+ adjectif

TYPE DE PERTE (sens 1.1.)
(emploi au sing., parfois au plur.) **Une perte sèche** : perte importante, qui n'a aucune chance d'être compensée. *Le krach boursier s'est soldé par une perte sèche de quelque sept milliards de dollars pour les épargnants.*

TYPE DE PERTE (sens 1.2.)
Une perte (comptable). (Ant. : **un bénéfice (comptable)**).
(emploi au sing., parfois au plur.) **La perte nette** : excédent du total des charges d'un exercice sur le total des produits pour un exercice.
>< (emploi au sing., parfois au plur.) **La perte brute** : perte nette augmentée de certaines charges supportées par l'entreprise : les amortissements et les provisions.
(emploi au sing.) **La perte consolidée** : perte d'un groupe calculée comme s'il s'agissait d'une seule entité. *Nous accusons une perte consolidée de plusieurs millions d'euros, due en grande partie à une charge exceptionnelle couvrant les provisions et les coûts de restructuration.*
La/les perte(s) cumulée(s) : somme de pertes antérieures ou de pertes d'origines diverses. *Les pertes cumulées des principales entreprises publiques du pays représentent un quart de l'énorme déficit budgétaire.* (☞ 416 + verbe).
La/les perte(s) reportée(s) : perte imputée à un exercice antérieur ou ultérieur dans le but de réaliser une économie d'impôts en réduisant le bénéfice imposable de l'exercice en cours (Ménard). Les pertes reportées sont appelées **pertes récupérables** dans l'exercice où elles ont été imputées. (☞ 417 + verbe).
La/les perte(s) courante(s) : excédent des charges d'exploitation et financières sur les produits d'exploitation et financiers, sans tenir compte des produits et charges exceptionnelles. (Ant. : **le bénéfice courant**).
La/les perte(s) financière(s) : excédent des charges financières sur les produits financiers. *Certains grands groupes industriels ont subi de lourdes pertes financières à la suite d'opérations malheureuses sur des produits financiers dérivés.*
La/les perte(s) exceptionnelle(s) : excédent des charges exceptionnelles sur les produits exceptionnels. *La perte exceptionnelle s'explique par la centaine de millions déjà engagés pour le projet de village de vacances.*

NIVEAU DE LA PERTE (sens 1.1. et 1.2.)
Une/de légère(s) perte(s). < **Une/de lourde(s) perte(s), une/des perte(s) importante(s), une/d'importante(s) perte(s), une/des perte(s) considérable(s), une/des perte(s) énorme(s), une/d'énorme(s) perte(s), une/de grosse(s) perte(s).** *Notre groupe a retrouvé son équilibre financier après les lourdes pertes enregistrées durant les trois derniers exercices.* < **Une/des perte(s) record(s).**

MESURE DE LA PERTE (sens 1.1. et 1.2.)
La perte totale. 1. Perte complète. - 2. (assurance) Endommagement tellement grave d'un véhicule qu'il ne peut plus être réparé. *En cas de perte totale, le contrat prévoyait que la compagnie me rembourserait la valeur marchande du véhicule au jour de l'accident.*

+ nom

(sens 1.1.)
- **Une perte de change**. (V. 92 change, 1).
- **Un risque de perte.** *Les producteurs peuvent se prémunir contre une hausse du prix de revient des matières premières en compensant leur risque de perte par un achat à terme.*

(sens 1.2.)
Le report d'une/de perte(s). (☞ 415 + adjectif).
La récupération de pertes. (☞ 415 + adjectif).

TYPE DE PERTE (sens 1.1.)
Une perte de + nom qui désigne le bien, ... perdu. Une perte d'emploi(s) ; de compétitivité ; d'argent ; de salaire ; de parts de marché ; de revenus.
Une perte de valeur. (Syn. : **une moins-value**). (Ant. : **une plus-value**).

TYPE DE PERTE (sens 1.2.)

Une/des perte(s) d'exploitation : excédent des charges d'exploitation sur les produits d'exploitation (les activités commerciales), sans tenir compte des produits et charges financières et exceptionnelles. (Syn. : (moins fréq.) **un déficit d'exploitation**). (Ant. : **un bénéfice d'exploitation**).

Une/des perte(s) avant impôts. >< **Une/des perte(s) après impôts**.

MESURE DE LA PERTE (sens 1.1. et 1.2.)

Une perte de ... euros, ... euros de perte(s). *Le holding textile a enregistré un bénéfice de 231 millions d'euros contre une perte de 84 millions d'euros l'exercice précédent.*

Une/des perte(s) annuelle(s).

+ verbe : qui fait quoi ?

(sens 1.1. et 1.2.)

une mesure, une action	**entraîner** une/des ~	-	1
	occasionner une/des ~	-	
	provoquer une/des ~	-	
X, une mesure, une action	**compenser** une ~ de Y des ~	la compensation d'une/des ~	
X, une mesure, une action	**couvrir** une ~ de Y des ~	la couverture d'une/des ~	2

1 *La fermeture de plusieurs succursales va entraîner la perte d e 1 7 00emplois.*
2 *Pour couvrir les pertes sur les marchés boursiers, un grand nombre d'investisseurs institutionnels japonais ont liquidé certains actifs étrangers.*

(sens 1.1.)

X	**(re)vendre** (qqch.) **à ~** (Syn. : **faire du dumping**)	la vente à ~	1
une action	**se négocier à ~**	la négociation à ~ d'une action	

1 *À cause de la chute des cours, j'ai été obligé de vendre mes actions à perte.*

(sens 1.2.)

X		**travailler à ~**	un travail à ~	1
X		**attendre** une/des ~ (de ... euros)	-	
		s'attendre à une/des ~ (de ... euros)	-	
X	×	**enregistrer**	-	2
		subir	-	
		afficher	-	
		accuser	-	
		essuyer	-	
		encourir une/des ~ (de ... euros)/ ... euros de ~	-	
X		**clôturer** un exercice **par/avec/sur** une/des ~ (de ... euros) **en** ~	-	3
→ un exercice		**se clôturer par** une/des ~ (de ... euros)	-	
X	△	**(ac)cumuler** les ~	l'accumulation des ~	
X	▽	**réduire** les ~	la réduction des ~	
X	O	(fam.) **éponger** ses ~	-	4
		apurer ses ~	l'apurement des ~	

X	**reporter** la/les ~ (à nouveau) (☞ 415 + adjectif)	le report d'une/de ~
	↓	
X	**récupérer** des ~ (☞ 415 + adjectif)	la récupération de ~
X	**déduire** une/des ~ de qqch.	la déduction d'une/des ~

1 *Une entreprise ne peut pas se permettre de travailler à perte pendant trop longtemps.*
2 *Trident, qui emploie 1 500 personnes, devrait enregistrer une perte de plus de 10 millions d'euros au terme de l'exercice.*
3 *Malgré une hausse des ventes, l'entreprise clôture l'exercice avec une perte nette d'environ 1 milliard d'euros.*
4 *Plusieurs filiales ont été vendues pour éponger les pertes de la société.*

Pour en savoir plus

PERTE (sens 1.1.) ET SYNONYMES

Une perte.

Un manque à gagner. 1. Occasion manquée de faire une affaire profitable. *La perte d'un contrat si important se traduirait par un manque à gagner de 20 000 emplois durant un an en Europe.* - 2. Somme d'argent qu'on aurait pu gagner. *Le haut niveau du chômage entraîne un manque à gagner du point de vue des rentrées des cotisations sociales ainsi que la nécessité de verser des prestations compensatrices très élevées.*

Une avarie : dommage survenu à un navire ou aux marchandises qu'il transporte (RQ). *Qui est responsable de toute perte et avarie constatées par le client à la livraison ?*
{**avarié**}.

Une moins-value. (V. 423 plus-value, 2).

PERTE (sens 1.2.) ET SYNONYME

Une perte.

Un déficit : terme plus général qui s'applique également à un budget et une balance. (V. 177 déficit, 1).

2 PERDRE - [pɛʀdʀ(ə)] - (v.tr.dir.)

1.1. Un agent économique (un particulier, une entreprise, un État) cesse de posséder une quantité d'argent, une partie d'un patrimoine, d'un bien matériel ou immatériel, ... ou en est privé sans obtenir de compensation.
Syn. : gagner.
Les syndicats ont tout fait pour que les salariés ne perdent pas leur emploi, mais en vain.

1.2. Une action, un indice boursier diminue en valeur.
Syn. : (V. 278 fluctuation, 1).
Les valeurs financières ont perdu 8 % en moyenne en une semaine.

expressions

(sens 1.1.)

- (Une personne) **prêter (de l'argent) à fonds perdus** ; **investir à fonds perdus**. (V. 287 fonds, 1).
- (Une personne) **n'avoir plus rien à perdre** (, **mais tout à gagner**) : c'est sa dernière chance. *Un petit groupe de grévistes, qui semble n'avoir plus rien à perdre, a annoncé son intention de bloquer complètement l'usine, malgré la présence des forces de l'ordre.*
- (Une personne) **y perdre au change**. (Ant. : **y gagner au change**). (V. 91 change, 1).
- (Un agent économique) **ne rien y perdre**. *Augmenter les impôts indirects et baisser les impôts directs, c'est une idée simple et l'État n'y perd rien.*
- (Un agent économique) **partir perdant** : partir avec un handicap, avoir peu de chances de réussir.
  >< (Un agent économique) **partir gagnant**.
  (Un agent économique) **être perdant**. *Si les banques en viennent à facturer les opérations au guichet et les opérations de retrait aux distributeurs de billets, les consommateurs sont perdants à tous les coups.*

+ nom

(sens 1.1.)

Un emballage perdu : qui ne sert qu'une seule fois. (Ant. : **un emballage consigné**).

PESETA (n.f.) (***) 1. Monnaie espagnole.

1. (382)	peseta	peseta	la peseta	la peseta spagnola	de peseta (m.)

PETIT, -ITE (adj.) (****) 1. Qui n'est pas important.

1. (283)	klein Klein-	small	pequeño	piccolo	klein

PÉTROCHIMIE (n.f.) (**) 1. Chimie industrielle des dérivés du pétrole (RQ).

1.	die Petrochemie die Erdölchemie	petrochemistry	la petroquímica	la petrolchimica	de petrochemie (f.)

PÉTROCHIMIQUE (adj.) (**) 1. Qui se rapporte à la chimie industrielle des dérivés du pétrole.

1. (449)	petrochemisch	petrochemical	petroquímico	petrolchimico	petrochemisch

PÉTRODOLLARS (n.m.plur.) (*) 1. Devises en dollars provenant de la vente du pétrole par les pays producteurs (RQ).

1. (496)	der Petrodollar	petrodollar	el petrodólar	il petrodollaro	de oliedollar (m.) de petrodollar (m.) (B)

PÉTROLE (n.m.) (****) 1. Combustible.

1. (252) (551)	das (Erd)öl	oil petroleum	el petróleo	il petrolio	de petroleum (m.) de aardolie (m./f.)

PÉTROLIER (n.m.) (**) 1. Navire qui transporte du pétrole.

1.	der Öltanker	oil tanker	el petrolero	la petroliera	de olietanker (m.)

PÉTROLIER, -IÈRE (adj.) (****) 1. Qui se rapporte au pétrole.

1. (519) (490)	(Erd)öl-	oil petroleum	petrolero	petrolifero	petroleum- olie-

PÈZE (n.m.) (*) 1. Argent.

1. (34)	die Kohle	dosh dough	los cuartos la pasta	il denaro	de poen (m.)

PHARMACEUTIQUE (adj.) (****) 1. Qui se rapporte à la science des remèdes et des médicaments.

1. (238) (322)	pharmazeutisch	pharmaceutical	farmacéutico	farmaceutico	farmaceutisch

PHARMACIE (n.f.) (***) 1. Science des remèdes et des médicaments (RQ) 2. Commerce où sont vendus ces médicaments.

1.	die Pharmazie	pharmacy	la farmacia	la farmacia	de farmacie (f.)
2.	die Apotheke	chemist pharmacy	la farmacia	la farmacia	de apotheek (m./f.)

PHARMACIEN, PHARMACIENNE (n.) (***) 1. Personne qui tient un commerce où sont vendus des médicaments.

1.	der Apotheker	pharmacist chemist	farmacéutico	il farmacista	de apotheker (m.)

PHONEBANKING (n.m.) (*) 1. Réalisation d'opérations bancaires par le téléphone.

1. (55)	das Tele-Banking	phonebanking	el telebanco	il phonebanking i servizi telefonici bancari	het telebankieren het telefonisch bankieren

PIASTRE (n.f.) (*) 1. Dollar.

1. (382)	der Dollar	dollar	el dólar	il dollaro	de dollar (m.)

PIB (le ~) (****) produit intérieur brut.

(443)	das Bruttoinlandspro-dukt	gross domestic product (GDP)	el Producto Interior Bruto (PIB)	il prodotto interno lordo (PIL)	het bruto binnenlands product (BBP)

PIÈCE (n.f.) (****) 1. Unité. 2. Morceau de métal qui représente la monnaie.

1. (555) (405)	das Stück der Teil	piece part	la unidad	il pezzo	het stuk
2. (379)	das Geldstück	coin	la pieza la moneda	la moneta	het muntstuk

PIN (le ~) (*) produit intérieur net.

(443)	das Nettoinlandspro-dukt	net domestic product (NDP) net national product (NNP) (US)	el Producto Interior Neto (PIN)	il prodotto interno netto	het netto binnenlands pro-duct

PLACE (faire du sur ~) (*) 1. Ne pas fluctuer.

1. (284)	stocken	to be at stand-still to stagnate	estancarse	stagnare	stagneren

PLACE (n.f.) (****) 1. Endroit, lieu (ville, espace public).

1. (68) (367)	der Platz der Ort	place site	el lugar	la piazza	de plaats (m./f.)

PLACEMENT (n.m.) (****) 1. Investissement d'épargne dans un produit financier. 2. Somme d'argent investie. 3. Vente. 4. Tentative de trouver un emploi pour qqn. 5. Mise en réserve pour revendre plus tard.

1. (419)	die Investition die Plazierung	investment	la inversión la colocación	l'investimento (m.)	de investering (f.) de belegging (f.)
2. (419)	die (Geld)anlage die Kapitalanlage	investment	la inversión	l'investimento (m.)	de belegging (f.)
3. (419)	der Absatz die Kommerzialisie-rung	sale	la venta la colocación	il collocamento	de verkoop (m.) de afzet (m.)
4. (419)	die Stellenvermittlung die Arbeitsvermittlung	placing placement	la colocación	il collocamento	de plaatsing (f.)
5. (419)	die Anlage	to set aside (argent) to store (produit)	poner en reserva	il collocamento	het opzij zetten

PLACEMENT

➠ épargne
➠ vente
➠ emploi

1 un placement	3 un placeur, une placeuse 3 un placier, une placière		2 placer

1 un PLACEMENT - [plasmɑ̃] - (n.m.)

1.1. Opération par laquelle un agent économique (un particulier, une entreprise - X) investit son épargne dans un produit financier (un compte d'épargne, des actions, p. ex. - Y) ou dans un bien immobilier (Y) pour réaliser des bénéfices avec l'aide éventuelle d'un autre agent économique (un intermédiaire : un particulier, une banque).
La plupart des placements doivent être évalués à moyen ou à long terme et non sur quelques mois.

1.2. Somme d'argent épargnée qu'un agent économique (un particulier, une entreprise, une banque) confie à un autre agent économique (un particulier, une banque) qui l'investit dans un produit financier (un compte d'épargne, des actions p. ex.) ou dans un bien immobilier pour réaliser des bénéfices ou pour maintenir son pouvoir d'achat.
En voulant spéculer trop, il a perdu tous ses placements d'un seul coup.

1.3. Opération par laquelle un agent économique (un particulier, une entreprise, un État) donne un bien, une valeur ou offre un service à un autre agent économique (un particulier, une entreprise, une administration) contre paiement d'une somme d'argent.
Syn. : (plus fréq.) une vente, un écoulement.
Le nouveau produit sera d'un placement facile (GL).

1.4. Opération par laquelle un agent économique (un bureau de placement) essaie de trouver un emploi pour d'autres personnes (des demandeurs d'emploi).
Notre pays a très peu investi en politiques actives qui visent, par la formation et le placement des chômeurs, à remédier aux inadéquations entre l'offre et la demande de travail.

1.5. Opération par laquelle un agent économique (un particulier, une entreprise) met en réserve un bien de consommation durable pour le revendre ou le consommer plus tard.
Syn. : un investissement.
Il s'est spécialisé dans le placement en meubles anciens.

+ adjectif

TYPE DE PLACEMENT (sens 1.1.)

Un placement financier : placement en valeurs mobilières (des actions, des obligations), en actions de sicav ou en parts de fonds communs de placement.

Un placement mobilier : en titres.

>< **Un placement immobilier** : terrains, maisons, ... *Le rendement d'un placement immobilier se décompose, à la manière des actions, en un dividende sous forme de loyer et une plus-value.*

Un placement obligataire. (Syn. : **un placement en obligations**).

Un placement monétaire : placement en monnaies étrangères.

CARACTÉRISATION DU PLACEMENT (sens 1.1. et 1.5.)

Un placement sûr : qui comporte peu de risques. *Le billet vert, comme l'or, est considéré par beaucoup comme un placement sûr en périodes d'incertitude.*

>< **Un placement spéculatif**.

Un bon placement, un placement attrayant : qui présente un bon rendement.

+ nom

(sens 1.1.)

- **Un type de placement, un produit de placement, une forme de placement, un véhicule de placement.**

  Un instrument de placement (**collectif**).

- **Le produit d'un placement, les revenus de placement(s)**. (V. 445 production, 2). (V. 494 revenu, 1).

  La performance d'un placement. (V. 413 performance, 1).

  La rentabilité d'un placement. (V. 484 rentabilité, 1).

- **Des conseils en placement(s)**. **Un conseiller en placement(s)**.

  Une stratégie de placement ; **une politique de placement**. *Une politique de placement efficace exige une bonne dose de souplesse pour pouvoir tirer parti des possibilités qui s'offrent sur le plan des taux d'intérêt, des cours de change et des résultats d'exploitation.*

- **Les fonds de placement**, **les organismes de placements collectifs** (**en** (parfois **de**) **valeurs mobilières**) (**les OPC**(**VM**)) : englobe les fonds communs de placement, les sicav et les sicaf. (V. 515 société, 1).

Un fonds commun de placement (en actions, en obligations). (V. 288 fonds, 1).

(sens 1.4.)

Un bureau de placement, un service de placement, une agence de placement. *Les principales conditions généralement requises pour bénéficier de l'allocation de chômage sont l'obligation d'être inscrit au bureau de placement, d'avoir perdu involontairement son travail, d'être apte au travail et disponible pour un emploi et d'avoir cotisé à l'assurance-chômage.*

(S) **L'Office régional de placement** : bureau chargé du suivi des chômeurs et des prestations non financières auxquelles ils ont droit.

TYPE DE PLACEMENT (sens 1.1. et 1.5.)

Un placement en + nom d'un produit financier, d'un bien de consommation durable. Un placement en actions ; en obligations (Syn. : **un placement obligataire**) ; en monnaies ; en objets d'art, en antiquités.

TYPE DE PLACEMENT (sens 1.1.)

Un placement de trésorerie : placement en valeurs liquides.

Un placement à revenu fixe. >< **Un placement à revenu variable.**

CARACTÉRISATION DU PLACEMENT (sens 1.1.)

Un placement de (bon) père de famille : qui comporte peu de risques. (Syn. : **un placement de tout repos**). *La brique est un placement de bon père de famille, surtout si les locataires sont de première qualité.*

>< **Un placement à fonds perdus** : sans garantie de récupérer l'argent placé.

Un placement sans risque (parfois : **risques**). >< **Un placement à risque.**

LOCALISATION DU PLACEMENT (sens 1.1.)

Un placement à l'étranger. *Les placements à l'étranger ne sont pas soumis à l'impôt sur les placements réalisés dans notre pays.*

MESURE DU PLACEMENT (sens 1.1.)

Un horizon de placement (de + indication de temps) : durée souhaitée du placement. *La répartition de votre portefeuille entre actions, obligations et liquidités dépend de votre profil de risque, de votre horizon de placement et de la conjoncture économique.*

Un placement à court terme. < **Un placement à moyen terme.** < **Un placement à long terme.**

+ verbe : qui fait quoi ?

(sens 1.1. et 1.5.)

X	✓	**effectuer** un ~ (en Y) **faire** un ~ (en Y)	- -	
X		**diversifier** ses ~ (Syn. : (fam.) **ne pas mettre tous ses œufs dans le même panier**)	la diversification des ~	1
un ~		**rapporter** ...% + indication d'un niveau (peu >< beaucoup) un montant **être rémunéré**	- la rémunération d'un ~ un ~ rémunérateur	

1 *Cette sicav se caractérise par la très grande diversification des placements en actions et en obligations nationales et étrangères.*

Pour en savoir plus

PLACEMENTS DIVERS

Le compte d'épargne (V. 129 compte, 1) ; **à terme** (V. 129 compte, 1).

Les valeurs mobilières. L'action. L'obligation. (V. 564 valeur, 1). (V. 10 action, 1). (V. 389 obligation, 1).

Le bon de caisse. (V. 81 caisse, 1).

Les fonds de placement. Les sicav ; les sicaf (V. 515 société, 1). **Les fonds communs de placement.**

L'option : droit d'acheter ou de vendre qui porte sur à peu près n'importe quoi (devises, indices boursiers, métaux précieux, ...) pendant une période déterminée et à un prix convenu d'avance. Il s'agit d'un placement spéculatif. **Une option d'achat. Une option de vente.**

Le warrant [varɑ̃]. 1. Bon attaché à un titre qui donne la possibilité de souscrire à une valeur mobilière au prix fixé pour une période déterminée. (Syn. : **un bon de souscription d'actions** ou **d'obligations**). *Chaque action nouvelle est assortie d'un warrant qui permet à son détenteur d'acquérir dans deux ans une action de la société pour le prix de 300 euros alors que le prix de l'action s'élèvera à ce moment à plus de 330 euros.* - 2. Effet de commerce garanti par des marchandises entreposées dans un ma-

gasin général, p .ex. **un warrant agricole** ; **hôtelier, industriel**. (Syn. : **un billet à ordre**).
Un contrat à terme. (Syn. : (angl.) **un future**).
Les métaux précieux (l'or, ...).
Les objets d'art ; les antiquités ; les timbres-poste ; ...
Tous les types de placement cités sont des formes d'**investissement**.

2 PLACER - [plase] - (v.tr.dir.)

1.1. Un agent économique (un particulier, une entreprise) investit son épargne dans un produit financier (un compte d'épargne, des actions p. ex.) ou dans un bien immobilier pour réaliser des bénéfices avec l'aide éventuelle d'un autre agent économique (un intermédiaire : un particulier, une banque).
Nous constatons que les épargnants cessent d'acheter des actions pour placer leur épargne dans des produits à taux fixe.

1.2. Un agent économique (un particulier, une entreprise, un État) donne un bien, une valeur ou offre un service à un autre agent économique (un particulier, une entreprise, une administration) contre paiement d'une somme d'argent.
Syn. : (plus fréq.) vendre, écouler.
Un nouveau produit est parfois extrêmement difficile à placer.

1.3. Un agent économique (un bureau de placement) essaie de trouver un emploi pour d'autres personnes (des demandeurs d'emploi).
Placer des chômeurs ne va pas toujours de soi. Pour cette raison, un groupe de réflexion d'une dizaine de chômeurs a été constitué.

+ nom

(sens 1.1.)
- **Placer de l'argent** (en banque).
- **Placer son épargne**. *On ne place son épargne en obligations que pour le rendement et la sécurité, pas pour la performance.*

3 AUTRES DÉRIVÉS OU COMPOSÉS

- **Un placeur, une placeuse** [plasœʀ, plasøz] (n.). 1. (peu fréq.) Personne ou organisme qui se charge d'effectuer des placements de titres. **Un placeur institutionnel**. - 2. Personne qui trouve un emploi pour d'autres personnes. *Votre placeur vous propose les emplois correspondant à votre profil professionnel.*
- **Un placier, une placière** [plasje, plasjɛʀ] (n.). (V. 116 commerce, 1). **Un voyageur, représentant, placier (un VRP)**. (V. 120 commerce, 6).

PLACER (v.tr.dir.) (****) 1. Investir son épargne dans un produit financier. 2. Vendre. 3. Essayer de trouver un emploi pour qqn.

1. (421)	anlegen	to invest	invertir	investire	investeren beleggen
2. (421)	absetzen kommerzialisieren	to sell	colocar vender	collocare piazzare	aan de man brengen verkopen
3. (421)	jdn unterbringen bei	to find a job for to place	colocar	collocare	plaatsen

PLACEUR, PLACEUSE (n.) (*) 1. Personne qui effectue des investissements dans des produits financiers. 2. Personne qui trouve un emploi pour qqn.

1. (421)	der Anleger	(institutional) investor placer	el inversionista el inversor	l'investitore (m.)	de (institutionele) belegger (m.)
2. (421)	der Stellenvermittler	employment agent	el intermediario	l'intermediario (m.)	de arbeidsbemiddelaar (m.)

PLACIER, PLACIÈRE (n.) (*) 1. Intermédiaire qui représente une maison de commerce.

1. (421)	der Reisende der Handlungsreisende	sales representative travelling salesman	el corredor el representante	il rappresentante il piazzista	de (handels)vertegenwoordiger (m.)

PLAFOND (n.m.) (****) 1. Valeur maximale.

1. (280)	die Höchstgrenze	ceiling	el techo	il massimale	het plafond
(93)	die Maximalgrenze	upper limit	el límite máximo	il limite massimo	het maximum

PLAFONNEMENT (n.m.) (*) 1. Action d'atteindre une valeur maximale.

1. (280)	die Plafonierung	levelling off stagnation	el alcance de un techo de	la fissazione di un massimo la fissazione di un massimale	het bereiken van een plafond

PLAFONNER (v.tr.dir., v.intr.) (***) 1. (Faire) atteindre une valeur maximale.

1. (280)	eine Höchstgrenze festlegen eine Obergrenze festlegen	to reach a ceiling to reach an upper limit	alcanzar un techo de	fissare il limite massimo	een plafond bereiken aan zijn hoogtepunt blijven hangen

PLAN (n.m.) (****) 1. Liste ordonnée de mesures à prendre, d'actions à mener. 2. Dessin schématique.

1. (18)	der Plan	action plan	el plan	il piano	het (actie)plan

(102)	das Programm	plan of action			
2. (6)	der Plan	plan blueprint	el plano	il piano	het plan de schets (m./f.)

PLANCHER (n.m.) (****) 1. Valeur minimale.

1. (93)	die Mindestwert	floor	el suelo	il minimo	de bodem(waarde, koers) (m.)
(438)	die Mindestgrenze	lower limit		il punto minimo	het minimumpeil

PLANIFICATEUR, PLANIFICATRICE (n.) (*) 1. Spécialiste qui élabore une liste ordonnée de mesures à prendre, d'actions à mener.

1. (359)	der Planer der Planungsfachmann	planner	el planificador	il pianificatore	de planoloog (m.)

PLANIFICATION (n.f.) (***) 1. Programme organisé d'opérations à réaliser dans un temps déterminé ou pour une tâche déterminée (RQ).

1. (359)	die Planung die Planifikation	planning	la planificación	la pianificazione la programmazione	de planning (f.)

PLANIFIER (v.tr.dir.) (***) 1. Élaborer une liste ordonnée de mesures à prendre, d'actions à mener.

1. (359)	planen einen Plan für etwas aufstellen	to plan to schedule	planificar	pianificare	plannen

PLANNING (n.m.) (***) 1. Programme organisé d'opérations à réaliser dans un temps déterminé ou pour une tâche déterminée (RQ).

1. (359)	der Plan der Terminkalender	schedule programme	la planificación el plan de trabajo	la programmazione la pianificazione	de (werk)planning (f.)

PLAQUETTE (n.f.) (**) 1. Petit livre très mince. (RQ).

1. (374)	die Broschüre	brochure	el folleto	l'opuscolo (m.) la brochure	de brochure (m./f.)

PLEIN(-)EMPLOI (n.m.) (*) 1. Situation où tous les travailleurs disponibles ont un emploi.

1. (229)	die Vollbeschäftigung	full employment	el pleno empleo	la piena occupazione il pieno impiego	de volledige tewerkstelling (f.)

PLOMBIER (n.m.) (**) 1. Ouvrier spécialisé dans l'installation de canalisations, de conduites.

1.	der Klempner der Installateur	plumber	el fontanero	l'idraulico (m.)	de loodgieter (m.)

PLONGEON (n.m.) (**) 1. Baisse importante et soudaine.

1. (279)	der Sturz	plunge nose-dive	el hundimiento repentino	il tuffo	de duik (m.) de plotselinge daling (f.)

PLONGER (v.intr.) (***) 1. Baisser de façon importante et soudaine.

1. (279)	stark nachgeben fallen	to plummet to plunge	hundirse repentinamente	tuffare	plotseling dalen

PLUS-VALUE (n.f.) (****) 1. Augmentation de la valeur marchande d'un bien.

1. (422)	der Gewinn	increase in value appreciation	la plusvalía	la plusvalenza il plusvalore	de meerwaarde (f.)

PLUS-VALUE

➠ action - bourse

1 une plus-value **2** une moins-value			

1 une PLUS-VALUE - [plyvaly] - (n.f.)

1.1. (emploi au sing. et au plur.) Augmentation de la valeur marchande d'un bien ou d'un titre, calculée sur une période, sans que ce bien ait subi une transformation.
Syn. : (V. 60 bénéfice, 1) ; Ant. : une/des moins-value(s).
Le magasin sera intégré dans un vaste centre commercial, ce qui représente une belle plus-value.

+ adjectif

TYPE DE PLUS-VALUE

Une/des plus-value(s) imposable(s) : qui sont soumises à l'impôt.

Une/des plus-value(s) boursière(s) : réalisées grâce à des opérations boursières.

Une/des plus-value(s) immobilière(s). *La taxation des plus-values immobilières réduit l'attrait de la revente à long terme de biens immobiliers.*

Une/des plus-value(s) réalisée(s) : qui sont comptabilisées, enregistrées effectivement. (☞ 423 + verbe).

>< **Une/des plus-value(s) latente(s), potentielle(s)**: qui ne sont pas encore comptabilisées.

NIVEAU DE LA PLUS-VALUE

Une/d'importante(s) plus-value(s), une/de belles(s) plus-value(s), une/de substantiel-

le(s) plus-value(s), une/des plus-value(s) non négligeable(s). *La liquidation d'un certain nombre de participations a permis de réaliser de substantielles plus-values.* < **Une/des plus-value(s) exceptionnelle(s).**

+ nom

Un impôt sur la/les plus-value(s). *Un particulier est soumis à l'impôt sur la plus-value lors de la vente d'un bien immobilier.*

MESURE DE LA PLUS-VALUE

Une/des plus-value(s) à (long) terme. *Le diamant est un investissement sans rendement, mais qui apporte l'espoir d'une plus-value à très long terme.*
>< **Une/des plus-value(s) à court terme.**

+ verbe : qui fait quoi ?

un investisseur	✓	**réaliser** une/des ~ (sur ...)	la réalisation d'une/de ~ (sur ...)	1
		dégager une/des ~ (sur ...)	-	2
		engranger une/des ~ (sur un bien, un cours, la vente (d'actifs), la cession (d'actions), ...)	-	
un bien, un titre		**prendre** une ~	-	
		dégager une/des ~	-	
la/les ~		**être rétrocédée(s)** aux actionnaires	la rétrocession de la/des ~ aux ...	1
le gouvernement		**taxer** une/des ~	la taxation d'une/de ~ une/des ~ taxable(s)	
>< une/des ~		**être exonérée(s)**	l'exonération d'une/de ~	

1 *Suite à la vente de la participation dans ILT, une partie de la plus-value réalisée sera rétrocédée aux actionnaires.*
2 *Les investisseurs ont profité de la conjoncture boursière favorable pour dégager d'importantes plus-values sur leurs portefeuilles de valeurs mobilières.*

2 AUTRES DÉRIVÉS OU COMPOSÉS

- **Une/des moins-value(s)** [mwɛ̃valy] (n.f.) : diminution de la valeur d'un bien ou d'un titre, calculée sur une période, sans que ce bien ait subi une transformation. (Ant. : **une/des plus-value(s)**). *La baisse de la TVA se traduirait par une moins-value budgétaire importante si elle n'était pas accompagnée de mesures compensatoires.*

PLV (la ~) (*) publicité/promotion sur le lieu de vente.

(464)	die POS-Werbung	point-of-sale promotion	la promoción en el punto de venta	la promozione sul luogo di vendita	de verkoopspromotie (f.) ter plaatse

PME (une ~) (****) petite et moyenne entreprise.

(235)	der kleine Betrieb	small-sized company	la Pequeña y Mediana Empresa (PYME)	piccole e medie imprese (PMI)	de kleine en middelgrote onderneming (f.) (KMO)
	der mittlere Betrieb	medium-sized company			

PMI (une ~) (**) petite et moyenne industrie.

(322)	der (gewerbliche) Mittelstand	small industry	la pequeña y mediana industria	piccole e medie industrie (PMI)	de kleine en middelgrote industrie (f.)
	die mittelständische Industrie	medium-sized industry			

PNB (le ~) (****) produit national brut.

(443)	das Bruttosozialprodukt	gross national product	el Producto Nacional Bruto (PNB)	prodotto nazionale lordo (PNL)	het bruto nationaal product (BNP)

POGNON (n.m.) (*) 1. Argent.

1. (34)	die Kohle	dosh dough	los cuartos la pasta	il denaro	de poen (m.)

POIDS LOURD (un ~) (***) 1. Gros camion.

1. (550)	der (Schwer)laster der Last(kraft)wagen	heavy goods vehicle lorry (GB)	el camión	l'autoarticolato (m.) il camion	de camion (m.) de vrachtwagen (m.)

POIDS MORT (un ~) (*) 1. Produit à faible taux de croissance et à faibles parts de marché.

1. (446)	das totes Gewicht	dead-weight	el peso muerto	il peso morto	het dood gewicht

POINT CHAUD (un ~) (*) 1. Point à forte fréquentation dans un magasin.

1. (374)	der stark frequentierte Punkt	hot spot	el punto de mucho tráfico	il punto trafficato	het knelpunt druk bezochte winkelzone

POINT MORT (le ~) (**) 1. Chiffre d'affaires qui permet de couvrir l'ensemble des coûts ou charges d'exploitation.

1. (484)	der Break-even-Punkt	break-even point	el punto muerto	il break-even point	het break-even punt

POLICE (n.f.) (***) 1. Contrat.

1. (39)	die Police der Versicherungsschein	policy	la póliza	la polizza	de polis (m./f.)

POLITICO-ADMINISTRATIF, -IVE (adj.) (*) 1. Qui se rapporte à la politique et l'administration.

1. (217)	politisch und administrativ politisch-administrativ	political and administrative	político administrativo	politico amministrativo	politiek administratief

POLITICO-FINANCIER, -IÈRE (adj.) (*) 1. Qui se rapporte à la politique et aux finances.

1. (17)	politisch und finanziell politisch-finanziell	political and financial	político financiero	politico finanziario	politico-financieel

POLLUANT (n.m.) (**) 1. Produit qui dégrade l'environnement

1.	der Schadstoff	pollutant	el contaminante	l'inquinante (m.)	de polluerende stof (m./f.) het milieuverontreinigend product

POLLUANT, -ANTE (adj.) (***) 1. Qui dégrade l'environnement.

1. (444) (406)	umweltschädlich umweltverschmutzend	polluting	contaminador	inquinante	polluerend verontreinigend

POLLUER (v.tr.dir.) (***) 1. Dégrader l'environnement.

1.	verschmutzen	to pollute	polucionar contaminar	macchiare	pollueren verontreinigen

POLLUEUR, POLLUEUSE (n.) (**) 1. Agent économique qui dégrade l'environnement.

1. (543)	der Umweltverschmutzer	polluter	el contaminador	l'inquinante (m.)	de bevuiler (m.) de verontreiniger (m.)

POLLUEUR-PAYEUR (n.m.) (*) 1. (le principe du ~) Principe selon lequel le consommateur d'un produit polluant supporte les frais occasionnés par la prévention ou la suppression des nuisances.

1. (406)	das Verursacherprinzip	polluter pays principle	el que contamina paga el principio "el contaminador paga"	il principio "chi inquina paga"	het "vervuiler betaalt" principe

POLLUTION (n.f.) (****) 1. Dégradation de l'environnement.

1. (158)	die Umweltverschmutzung	pollution	la polución	l'inquinamento (m.)	de pollutie (f.) de verontreiniging (f.)

POMPISTE (n.) (**) 1. Personne qui se charge de la distribution d'essence.

1. (204)	der Tankwart der Tankstellenbesitzer	petrol attendant (GB) pump attendant (US)	el empleado de gasolinera	il benzinaio	de pomphouder (m.)

PONDÉREUX (n.m.plur.) (*) 1. Marchandises qui pèsent plus d'une tonne.

1. (551)	das Schwergut die Schwergüter	heavy goods	la carga pesada	la merce pesante	het (de) massagoed(eren)

PONDÉREUX, -EUSE (adj.) (*) 1. Qui pèse plus d'une tonne.

1. (551)	Schwer- Massen-	heavy	pesado	merce dal peso superiore a 1 t.	zwaar

POOL (n.m.) (**) 1. Alliance de sociétés.

1. (519)	der Pool	pool	el pool el consorcio	il pool il consorzio	het consortium

POPULATION (n.f.) (****) 1. Ensemble de personnes qui vivent sur un territoire.

1. (557)	die Bevölkerung	population	la población	la popolazione	de bevolking (f.)

PORT (n.m.) (****) 1. Endroit aménagé pour accueillir des bateaux. 2. Prix du transport d'une lettre, d'un colis.

1. (363)	der Hafen	port harbour	el puerto	il porto	de haven (m./f.)
2. (437)	das Porto	postage carriage	el porte	il porto il (costo di) trasporto	de port (m.) de verzendingskosten (plur.)

PORTE (mettre à la ~) (*) 1. Licencier.

1. (344)	entlassen kündigen	to dismiss	despedir licenciar	licenziare	aan de deur zetten

PORTE-À-PORTE (n.m.) (*) 1. Vente de marchandises de porte en porte.

1. (573)	der Hausierhandel das Haustürgeschäft	door-to-door (selling) canvassing	la venta ambulante	il porta a porta la vendita a domicilio	het leuren het colporteren

PORTE-CONTENEURS (n.m.) (*) 1. Navire conçu pour transporter des contenants pour marchandises.

1. (550)	das Containerschiff	container ship container aircraft	el portacontenedores	la nave-container	het containerschip

PORTEFEUILLE (n.m.) (****) 1. Étui où l'on met les billets de banque. 2. Ensemble des valeurs mobilières détenues par un agent économique.

1.	die Brieftasche	wallet pocketbook (US)	la cartera	il portafoglio	de portefeuille (m.)
2. (11) (300)	das Portefeuille	portfolio	la cartera	il portafoglio	de portefeuille (m.)

PORTE-MONNAIE ; PORTE-MONNAIES (n.m.) (**) 1. Petit sac où l'on met l'argent de poche.

1. (384)	die Geldbörse	purse	el portamonedas el monedero	il portamonete	de portemonnee (m.) de geldbeugel (m.)

PORTES OUVERTES (une journée ~) (**) 1. Journée pendant laquelle une entreprise accueille le public.

1. (374)	der Tag der offenen Tür	open-house (day)	la jornada de puertas abiertas	la giornata porte aperte	de opendeurdag (m.)

PORTEUR, PORTEUSE (n.) (***) 1. Personne qui détient des titres, un chèque.

1. (11) (14)	der Inhaber	holder bearer	el accionista el obligacionista	il portatore di titoli il titolare	de houder (m.) van effecten

POSITIF, -IVE (adj.) (****) 1. Qui est supérieur à zéro. 2. Qui est favorable.

1. (521)	positiv Plus-	positive	positivo	positivo	positief
2. (219)	positiv günstig	positive favourable	favorable positivo	favorevole	gunstig

POSITION (n.f.) (**) 1. Place dans une hiérarchie.

1. (79)	die Position	position	la posición la situación	la posizione	de functie (f.) de positie (f.)

POSITIONNEMENT (n.m.) (**) 1. Action de définir (un produit) quant à son marché, au type de clientèle qu'il intéresse (RQ).

1. (123)	die (Produkt)positionierung	positioning	el posicionamiento	il posizionamento del prodotto il collocamento sul mercato	de positionering (f.)

POSITIONNER (~, se ~) (v.tr.dir., v.pron.) (***) 1. Définir (un produit) quant à son marché, au type de clientèle qu'il intéresse.

1. (373)	positionieren	to position	posicionar (se)	posizionare	positioneren

POSITIVEMENT (adv.) (***) 1. De façon favorable.

1.	positiv	favourably	favorablemente positivamente	positivamente favorevolmente	gunstig positief

POSSÉDER (v.tr.dir.) (****) 1. Détenir.

1.	besitzen	to own to possess	poseer tener	possedere detenere	bezitten in eigendom hebben

POSSESSEUR (n.m.) (**) 1. Personne qui détient qqch.

1.	der Besitzer	owner possessor	el poseedor el posesor	il possessore	de bezitter (m.) de eigenaar (m.)

POSSESSION (n.f.) (***) 1. Fait de détenir qqch.

1. (2)	der Besitz	possession ownership	la posesión	il possesso	het eigendom het bezit

POST(-)INDUSTRIEL, -IELLE (adj.) (*) 1. Qui vient après la révolution industrielle.

1. (325)	postindustriell	postindustrial	postindustrial	post-industriale	postindustrieel

POSTE (n.m., n.f.) (****) 1. (n.m.) Emploi. 2. (n.m.) Fonction dans une société. 3. (n.m.) Rubrique, composante. 4. (n.f.) (souvent avec majuscule) Entreprise (publique) de distribution du courrier.

1. (556)	die Stelle die Arbeitsplatz	job post	el puesto	il posto	de baan (m./f.) de arbeidsplaats (m./f.)
2. (225) (202)	die Funktion die Aufgabe	position	la plaza el puesto	il posto	de functie (f.) het ambt
3. (64) (77)	der Posten	item	la partida	la posta	de post (m.)
4. (538)	die Post	post office mail service (US)	Correos	la posta	de post (m.) het postkantoor

POSTIER, POSTIÈRE (n.) (*) 1. Employé d'une entreprise (publique) de distribution du courrier.

1.	der Postbeamte	post office employee	el empleado de correos	il dipendente delle poste	de postbeambte (m.)

POSTULER (v.tr.dir., v.intr.) (**) 1. Se porter candidat pour un emploi, une fonction.

1. (226)	sich bewerben um eine Anstellung	to apply for	postular	sollecitare	solliciteren

POT (n.m.) (**) 1. Contenant (pour de la confiture p. ex.).

1. (363)	der Topf	jar	el bote el tarro	il vasetto	de pot (m.)

POT-DE-VIN ; POTS-DE-VIN (n.m.) (**) 1. Somme d'argent donnée en dehors du prix convenu pour obtenir un marché, un avantage (RQ).

1. (402)	das Bestechungsgeld das Schweigegeld	bribe sweetener	el unte el soborno	la bustarella	het smeergeld

POURBOIRE (n.m.) (*) 1. Rémunération d'un garçon de café selon l'appréciation personnelle du client.

1. (480)	das Trinkgeld	tip	la propina	la mancia	het drinkgeld

POURCENTAGE (n.m.) (****) 1. Proportion de qqch. calculée en centièmes.

1.	der Prozentsatz	percentage	el porcentaje	la percentuale	het percentage

	der Hundertsatz				

POURVOIR (~ qqn de qqch.) (v.tr.dir.) (**) 1. Fournir. 2. Affecter une personne à un poste.

1. (292)	ausstatten	to supply	abastecer	provvedere	leveren
	versehen mit	to provide	proveer	sopperire (a un bisogno)	uitrusten met
2. (225)	eine Stelle besorgen	to fill a position	cubrir una vacante	assegnare un posto	iemand een baan bezorgen
		to fill a vacancy	ocupar una plaza		

POURVOYEUR, POURVOYEUSE (n.) (**) 1. Fournisseur.

1. (292)	der Lieferant	supplier	el abastecedor	il fornitore	de leverancier (m.)
		purveyor	el proveedor	il procacciatore (d'affari)	

POUSSIÈRES (et des ~) (*) 1. Et un peu plus.

1. (160)	und ein paar Zerquetschte	just over (X pounds)	(y) poco más	e rotti	iets meer dan

PRA (les ~ (f.)) (*) personnes responsables d'achat.

(3)	die Einkäufer	purchaser	las personas responsables de las compras	il responsabile (degli) acquisti	de aankoopverantwoordelijken (plur.)
	die Verantwortlichen für den Einkauf	buyer			

PRÉ(-)INDUSTRIEL, -IELLE (adj.) (*) 1. Qui vient avant la révolution industrielle.

1. (325)	vorindustriell	pre-industrial	preindustrial	pre-industriale	preïndustrieel

PRÉAVIS (n.m.) (***) 1. Annonce d'un licenciement, d'une démission, d'une grève ou d'un paiement à effectuer. 2. Période qu'un salarié doit encore travailler après l'annonce de son licenciement, de sa démission.

1. (343)	die Kündigung	notice (of discharge)	el preaviso	il preavviso	de vooropzeg (m.)
	das Kündigungsschreiben				
2. (343)	die Kündigungsfrist	(term of) notice	el plazo de preaviso	il periodo di preavviso	de vooropzegperiode (f.)

PRÉCOMPTE (n.m.) (****) 1. Impôt anticipé retenu sur un revenu. 2. Impôt spécial prélevé dans le cadre de l'impôt sur les sociétés.

1. (132)	der Steuerabzug	deduction (of tax at source)	la retención	la ritenuta alla fonte	de voorheffing (f.)
	die Quellensteuer	tax withholding	el pago a cuenta	la trattenuta alla fonte	
2. (132)	die Vorabsteuer	interim payment (of corporate tax)	el impuesto sobre rendimientos	la ritenuta a carico delle società	de voorheffing (f.) verschuldigd door de vennootschappen uit hoofde van uitgekeerde winsten
	die Ausschüttungsteuer	advance payment (of corporate tax)	el pago a cuenta del Impuesto sobre Sociedades		

PRÉCOMPTER (v.tr.dir.) (*) 1. Prélever un impôt sur un revenu.

1. (132)	im voraus einbehalten	to deduct (at a source)	retener	ritenere alla fonte	voorafnemen
		to withhold	descontar previamente	trattenere alla fonte	

PRÉDATEUR (n.m.) (**) 1. Société qui désire prendre le contrôle d'une autre société.

1. (395)	der Raider	predator	el raider	il raider	de raider (m.)
	ein agressiver Aktienaufkäufer mit Übernahmeabsichten	raider			de vijandige aanvaller (m.)

PRÉFABRICATION (n.f.) (*) 1. Réalisation d'éléments standardisés d'une construction.

1. (255)	der Fertigbau	prefabrication	la prefabricación	la prefabbricazione	de prefabricatie (f.)
	die Vorfertigung				de montagebouw (m.)

PRÉFABRIQUÉ (n.m.) (*) 1. Bâtiment construit avec des éléments standardisés. 2. Bâtiment peu solide.

1. (255)	das Fertighaus	prefab	el prefabricado	(l'edificio) prefabbricato	het prefab huis
		prefabricated building			het geprefabriceerd constructiedeel
2. (255)	das wack(e)liches Gebäude	unstable building	el edificio inestable	l'edificio (m.) instabile	het onstabiel gebouw

PRÉFABRIQUER (v.tr.dir.) (**) 1. Réaliser des éléments standardisés d'une construction.

1. (255)	aus Fertigteilen bauen	to prefabricate	prefabricar	prefabbricare	prefabriceren
	vorfertigen				

PRÉFINANCEMENT (n.m.) (**) 1. Mise à disposition provisoire d'argent.

1. (268)	die Vorfinanzierung	prefinancing	la financiación previa	il prefinanziamento	de voorfinanciering (f.)
		interim financing			

PRÉLÈVEMENT (n.m.) (***) 1. Action de prendre une somme d'un total.

1. (315)	der Abzug	deduction	la retención	il prelievo	de vooraftrek (m.)
	die Einbehaltung	withdrawal	la deducción		de afhouding (f.)

PRÉLEVER (v.tr.dir.) (***) 1. Prendre une somme d'un total (RQ).

1. (315)	abziehen	to deduct	retener	prelevare	afhouden
	einbehalten	to withdraw	deducir		

PRENEUR, PRENEUSE (n.) (**) 1. Personne qui prend un bien en location. 2. Souscripteur d'une assurance. 3. Personne qui veut acheter qqch.

1. (352)	der Mieter	tenant lessee	el arrendatario	l'inquilino (m.) il conduttore	de huurder (m.)
2. (39)	der Versicherungsnehmer	policy holder	el tomador (del seguro)	il sottoscrittore	de verzekeringnemer (m.)
3. (5)	der Käufer	buyer	el comprador	l'acquirente (m.) il compratore	de koper (m.)

PRÉPENSION (n.f.) (***) 1. Fait de se retirer de la vie professionnelle avant terme.

1. (558)	die Frühpensionierung die vorzeitige Pensionierung	early retirement	la prejubilación la jubilación anticipada	il prepensionamento	het brugpensioen het vervroegd pensioen

PRÉPENSIONNÉ, PRÉPENSIONNÉE (n.) (**) 1. Personne qui s'est retirée de la vie professionnelle avant terme.

1. (558)	der Vorruheständler der Frühpensionär	person who has taken early retirement	el prejubilado	il lavoratore prepensionato	de bruggepensioneerde (m.)

PRÉPOSÉ, PRÉPOSÉE (n.) (**) 1. Agent d'exécution subalterne (RQ).

1. (271)	ein kleiner Angestellter ein kleiner Beamter	employee	el encargado el empleado	l'addetto (m.) l'incaricato (m.)	de beambte (m.)

PRÉRETRAITE (n.f.) (***) 1. Fait de se retirer de la vie professionnelle avant terme.

1. (558)	der Vorruhestand die Frühverrentung	early retirement	la prejubilación	il prepensionamento	het brugpensioen het vervroegd pensioen

PRÉRETRAITÉ, PRÉRETRAITÉE (n.) (**) 1. Personne qui s'est retirée de la vie professionnelle avant terme.

1. (558)	der Vorruheständler der Frührentner	person who has taken early retirement	el prejubilado	il lavoratore prepensionato	de bruggepensioneerde (m.)

PRÉSALAIRE (n.m.) (*) 1. Allocation versée aux étudiants.

1. (502)	die Ausbildungsbeihilfe die Ausbildungsförderung	student grant	la asignación dada durante los estudios a la formación profesional	l'indennità (f.) per gli studenti	het studieloon

PRÉSENCE (n.f.) (****) 1. Fait d'être à un endroit à un moment précis.

1. (369)	die Anwesenheit	presence	la presencia	la presenza	de aanwezigheid (f.)
(480)	die Gegenwart	attendance			

PRÉSENT, -ENTE (adj.) (****) 1. Qui est à un endroit à un moment précis.

1. (369)	anwesend	present	presente	presente	aanwezig

PRÉSENTOIR(-DISTRIBUTEUR) ; PRÉSENTOIRS(-DISTRIBUTEURS) (n.m.) (**) 1. Meuble conçu pour permettre la vente en libre-service.

1. (206)	der Verkaufsständer	display stand display unit	el mueble de exposición el expositor	il banco d'esposizione	het verkoopmeubel

PRÉSIDENCE (n.f.) (****) 1. Fonction liée à la direction d'une réunion ou d'un organisme.

1. (200)	die Präsidentenschaft	chairmanship presidency	la presidencia	la presidenza	het voorzitterschap

PRÉSIDENT, PRÉSIDENTE (n.) (****) 1. Personne qui dirige une réunion ou un organisme.

1. (200)	der Präsident	chairperson president	el presidente	il presidente	de voorzitter (m.) de president (m.)

PRÉSIDER (v.tr.dir.) (***) 1. Diriger une réunion ou un organisme.

1. (201)	den Vorsitz haben den Vorsitz führen	to chair to preside over	presidir	presiedere	voorzitten leiden

PRÉSOLDE (n.m.) (*) 1. Période qui précède la vente de biens à prix réduit.

1. (522)	Zeit vor den Schlussverkäufen	sales preview	el período antes de las rebajas las prerebajas	il periodo dei presaldi	de periode (f.) voor de koopjes

PRESTATAIRE (n.) (***) 1. Bénéficiaire d'une prestation sociale (RQ). 2. Agent économique qui fournit un service.

1. (26)	der Leistungsempfänger	recipient person receiving an allowance	el beneficiario de un subsidio el beneficiario (de una prestación)	il beneficiario di una prestazione sociale	de begunstigde (m.)
2. (509)	der Dienstleister der Dienstleistungserbringer	service supplier service provider	el prestador (de servicios) el proveedor (de un servicio)	il prestatore (di servizi)	de dienstverlener (m.)

PRESTATION (n.f.) (****) 1. Somme d'argent versée dans le cadre du système de la sécurité sociale. 2. Action de fournir un service. 3. Action de fournir un travail.

1. (25)	die Leistungen die Beihilfe	allowance benefit	la prestación el subsidio	la prestazione (previdenziale)	de uitkering (f.)
2. (509)	die Dienstleistung(en)	provision of a service	la prestación	la prestazione	de dienstlevering (f.)
3. (499) (501)	die Leistung	performance	la prestación	la prestazione	de prestatie (f.)

PRESTER (v.tr.dir.) (***) 1. Fournir un service. 2. Fournir un travail.

1. (509)	leisten	to perform	realizar prestar	prestare (un servizio)	presteren
2. (501)	erbringen	to perform to carry out	realizar	prestar lavoro	presteren

PRÊT (n.m.) (****) 1. Mise à disposition d'un bien. 2. Somme d'argent mise à disposition.

1. (428)	das Ausleihen die Ausleihe	lending loaning	el préstamo	il prestito	de lening (f.)
2. (428)	das Darlehen der Kredit	loan	el préstamo	il prestito	de lening (f.)

PRÊT

➠ emprunt

1 un prêt 3 un prête-nom	3 un prêteur, une prêteuse	3 prêteur, -euse 3 prêtable	2 prêter

1 un PRÊT - [pʀɛ] - (n.m.)

1.1. Contrat par lequel un agent économique (le prêteur : un particulier, une banque, un État - X) met à la disposition d'un autre agent économique (l'emprunteur : un particulier, une entreprise, un État - Y) un bien, généralement une somme d'argent, que l'emprunteur doit rembourser dans un délai déterminé avec le paiement d'un intérêt calculé à un taux convenu.
Syn. : un crédit, (moins fréq.) une avance ; Ant. : un emprunt.
Lorsqu'un particulier demande un prêt auprès de sa banque, il doit fournir de nombreux renseignements concernant ses revenus.

1.2. Somme d'argent définie dans le contrat de prêt (sens 1.1.).
Syn. : un crédit ; Ant. : un emprunt.
L'Union européenne va débloquer d'ici la fin de l'année un prêt de près de 150 millions d'euros pour divers pays africains.

2.1. Action par laquelle une personne physique ou morale met un bien gratuitement à la disposition d'une autre personne physique ou morale.
La bibliothèque de notre ville a dépassé les 650 000 prêts de livres à la fin du premier semestre de cette année.

+ adjectif

TYPE DE PRÊT (sens 1.1. et 1.2.)

Un prêt bancaire : prêt accordé par une banque à un particulier, une entreprise ou un organisme. *Cette augmentation de capital et les prêts bancaires permettent à l'entreprise d'accroître ses fonds disponibles.*

Un prêt hypothécaire, immobilier. (☞ 428 + nom).

Un prêt personnel : prêt demandé par un particulier auprès d'une banque pour financer une dépense exceptionnelle (p. ex. les frais occasionnés par un mariage, des difficultés financières passagères). Le prêt couvre entièrement la dépense.

(B, S) **Un prêt subordonné,** (F) **Un prêt participatif** : prêt accordé à une entreprise par l'État ou une banque pour renforcer sa structure financière et sa capacité d'endettement.

Un prêt (à taux) bonifié : prêt accordé à un taux d'intérêt privilégié lorsque l'État veut favoriser un secteur particulier (Référis).

Un prêt garanti : prêt qu'un établissement financier consent à un emprunteur à condition que celui-ci mette un bien à la disposition du prêteur à titre de garantie. >< **Un prêt non garanti**.

+ nom

TYPE DE PRÊT (sens 1.1. et 1.2.)

(B, F) **Un prêt épargne-logement** : prêt accordé à un ménage pour l'achat d'un bien immobilier (un appartement, un terrain, une maison). (Syn. : **un prêt hypothécaire, un prêt immobilier, un crédit foncier, un crédit hypothécaire, un crédit immobilier, un financement immobilier**). *Le prêt épargne-logement sert à fidéliser le client : celui qui a un prêt auprès d'une banque y fera aussi la plupart de ses transactions.*

Un prêt à la consommation : prêt demandé par un particulier auprès d'une banque pour financer l'achat de biens ou de services. Le prêt ne couvre pas entièrement le prix de l'acha t: une partie du prix doit être réglée par le particulier ; la banque finance le solde. (Syn. : **un crédit à la consommation, un prêt à tempérament**).

Un prêt à taux variable. >< **Un prêt à taux fixe (sur ... ans)** : dont le taux d'intérêt ne varie pas (pendant une certaine période).

Un prêt (à taux) bonifié. (☞ 428 + adjectif).

Un prêt d'État à État. *Paris devrait débloquer un prêt d'État à État de plusieurs dizaines de millions d'euros pour le Viêt-nam.*

Un prêt à vue : prêt remboursable à un moment déterminé jugé opportun par le prêteur.

MESURE DU PRÊT (sens 1.1.)

La durée du prêt.

Un prêt à long terme. *Grâce à ce prêt à long terme, cette banque a souligné le lien économique durable qu'elle compte établir avec notre entreprise.* > **Un prêt à moyen terme**. > **Un prêt à court terme**.

Un prêt au jour le jour : prêt destiné à couvrir les besoins immédiats sur une base quotidienne.

Le montant du prêt.

+ verbe : qui fait quoi ?

(sens 1.1. et 1.2.)

Y		**demander** un ~ (à X)	une demande de ~ un demandeur de ~	1
		solliciter un ~ (auprès de X) ↓	-	
X	✓	**accorder** un ~ (à Y)	-	
		consentir un ~ (à Y)	-	
		octroyer un ~ (à Y)	l'octroi d'un ~ (à Y)	2
		>< **refuser** un ~ (à Y)	le refus d'un prêt (à Y)	
→ Y		**obtenir** un ~ (pour un montant de ..., sur ... ans, à des conditions avantageuses)	l'obtention d'un prêt	3

1 *Depuis le début de l'année, nous constatons une forte augmentation des demandes de prêts immobiliers ainsi que du nombre de permis de construire délivrés.*
2 *Nous restons la banque qui octroie le plus de prêts aux agriculteurs. Toutefois, les agriculteurs ne dépassent pas 5 % de notre clientèle nationale.*
3 *Nous avons obtenu un prêt de plusieurs millions d'euros de notre banque moyennant une hypothèque sur notre outil industriel.*

(sens 1.1.)

Y	**contracter** un ~	-	1
	souscrire un ~	la souscription d'un ~	

1 *Il fait construire un immeuble et contracte dans ce but un prêt important auprès de sa banque.*

(sens 1.2.)

Y	**rembourser** un ~ (à X)	le remboursement d'un ~ (à X) un ~ remboursable

2 PRÊTER - [pʀete] - (v.tr.dir.)

1.1. Un agent économique (le prêteur : une banque, un particulier) met à la disposition d'un autre agent économique (l'emprunteur : une entreprise, un particulier) un bien, généralement une somme d'argent, que l'emprunteur doit rembourser dans un délai déterminé avec le paiement d'un intérêt calculé à un taux convenu.
Ant. : emprunter.
La région prête plusieurs millions d'euros aux trois entreprises qui ont eu la bonne idée de s'installer dans le nouveau zoning.

2.1. Une personne physique ou morale met un bien gratuitement à la disposition d'une autre personne physique ou morale.
Ant. : rendre, restituer ; emprunter.
Mon copain m'a prêté sa mobylette pour la journée.

expressions

(sens 1.1.)

- (Une personne) **prêter à fonds perdus**. (V. 287 fonds, 1).
- **On ne prête qu'aux riches** : les personnes qui possèdent déjà beaucoup reçoivent toujours plus.

(sens 2.1.)

- (Une personne) **prêter la main à qqn** : une personne aide qqn.
- (Une personne) **prêter l'oreille à qqch**. (à ce que dit une personne, à un discours, ...) : une personne essaie d'écouter, est attentive à ce que dit une autre personne.
- (fam.) **Un prêté pour un rendu** : marque le caractère réciproque dans l'échange de services. (Syn. : (plus fréq.) (**un**) **donnant donnant**). *Les montres de luxe profitent de l'éclat nouveau apporté à l'horlogerie suisse par les montres de grande consommation. Un prêté pour un rendu, en quelque sorte ...*

+ nom

(sens 1.1.)

Prêter de l'argent. *L'investisseur perçoit, bien souvent, au moins une fois par an, un intérêt pour avoir prêté son argent.*
Prêter de l'argent à ... %.

3 AUTRES DÉRIVÉS OU COMPOSÉS

- **Un prêteur, une prêteuse** [pʀɛtœʀ, pʀɛtøz] (n.) : agent économique qui met un bien, généralement une somme d'argent, à la disposition d'un autre agent économique. (Syn. : **un créancier**, (peu fréq.) **un créditeur**). (Ant. : **un débiteur**). **Un prêteur de fonds** : qui met à la disposition le capital nécessaire au financement de qqch. **Un prêteur en dernier ressort** : banque centrale dans la situation où elle crée de la monnaie centrale pour assurer la solvabilité d'un établissement financier menacé de faillite ou pour alimenter le marché en liquidités lors d'une panique bancaire p. ex.
- **Un prête-nom** [pʀɛtnɔ̃] (n.m.) (plur. : **des prête-noms**) (n.m.) : personne qui prête son nom, qui assume personnellement les responsabilités d'une affaire, d'un contrat où le principal intéressé ne veut ou ne peut pas apparaître (RM). *Il est admis qu'un actionnaire peut faire supporter sa contribution par un tiers non actionnaire, pour autant que ce tiers ne soit pas un simple prête-nom de l'actionnaire.*
- **Prêteur, -euse** [pʀɛtœʀ, -øz] (adj.). (Ant. : **emprunteur**). *C'est grâce à l'épargne que notre pays est prêteur à l'extérieur.*
- **Prêtable** [pʀɛtabl(ə)] (adj.) : qui peut être prêté (sens 1.1. et 2.1.).

PRÊTABLE (adj.) (*) 1. Qui peut être mis à disposition.

1. (430)	ausleihbar	lendable	prestable	disponibile per il prestito	uitleenbaar
	verleihbar	loanable			

PRÊT-À-PORTER (n.m.) (**) 1. Vêtements fabriqués en série.

1. (573)	die Konfektion(skleidung)	ready-to-wear	el prêt-à-porter	il prêt-à-porter	de confectiekleding (f.)
			la ropa de confección		

PRÊTE-NOM ; PRÊTE-NOMS (n.m.) (*) 1. Personne qui assume les responsabilités pour une autre.

1. (430)	der Strohmann	figurehead dummy	el testaferro	il prestanome	de stroman (m.)

PRÉTENTIONS (n.f.plur.) (*) 1. Salaire souhaité par un candidat à un poste.

1. (480)	die Ansprüche	expected salary	las reivindicaciones salariales	le pretese salariali	het gewenste loon
		salary expectations		lo stipendio richiesto	

PRÊTER (v.tr.dir.) (***) 1. Mettre un bien à disposition.

1. (429)	leihen	to lend	prestar	prestare dare in prestito	lenen

PRÊTEUR, -EUSE (adj.) (*) 1. Qui met un bien à disposition.

1. (430)	der Kreditgeber der Darlehensgeber	lending	prestador	il prestatore	uitlener

PRÊTEUR, PRÊTEUSE (n.) (**) 1. Agent économique qui met un bien à disposition.

1. (430)	der Verleiher der Geldgeber	lender	el prestador el prestamista	il prestatore il creditore	de kredietgever (m.) de uitlener (m.)

PRIMAIRE (n.m.) (*) 1. Branche d'activité agricole et extractive.

1. (504)	der primäre Sektor	primary industry	el sector primario	il settore primario	de primaire sector (m.)

PRIME (n.f.) (****) 1. Somme d'argent que le souscripteur d'un contrat doit verser. 2. Somme d'argent qui fait fonction de complément (du salaire p. ex.). 3. (une ~ de départ) Indemnisation.

1. (39)	die Prämie	bonus	la prima	il premio	de premie (f.)
2. (498)	der Bonus	premium	el sobresueldo la prima	il supplemento il bonus	de premie (f.)
3. (343)	die Abfindung	allowance	la indemnización	la buonuscita	de gouden handdruk (m.)

PRINCIPAL (n.m.) (*) 1. Somme d'argent que représente une dette.

1. (195)	der Tilgungsteil des Darlehens	principal	el principal	il capitale	het kapitaal
				il montante	

PRISE DE CONTRÔLE (une ~) (**) 1. Opération financière par laquelle une entreprise s'assure le contrôle d'une autre entreprise.

1. (239)	der Erwerb einer Mehrheitsbeteiligung	takeover	la toma de control	la presa di controllo	de verkrijging (f.) van de meerderheid
				il takeover	

PRIVATISABLE (adj.) (**) 1. Qui peut passer sous contrôle privé.

1. (52)	privatisierbar	ripe for privatisation	privatizable	privatizzabile	privatiseerbaar

PRIVATISATION (n.f.) (****) 1. Passage sous contrôle privé d'une entreprise d'État.

1. (518)	die Privatisierung	privatization	la privatización	la privatizzazione	de privatisering (f.)

PRIVATISER (v.tr.dir.) (***) 1. Faire passer sous contrôle privé.

1. (518)	privatisieren	to privatize	privatizar	privatizzare	privatiseren

PRIVÉ (n.m.) (***) 1. Ensemble des entreprises dont le capital appartient à des particuliers ou des sociétés.

1. (504)	der Privatsektor	private sector	el sector privado	il settore privato	de privésector (m.) de particuliere sector (m.)

PRIX (n.m.) (****) 1. Somme d'argent qui représente la valeur d'un bien.

1. (431)	der Preis	price	el precio	il prezzo	de prijs (m.)

PRIX

➠ **tarif - achat - vente**

1 un prix 2 le prix(-)plancher 2 le prix(-)plafond 2 l'élasticité-prix			

1 un PRIX - [pri] - (n.m.)

1.1. Somme d'argent (ou partie d'un autre bien ou service) qui représente la valeur d'un bien ou d'un service (Y) offert à la vente par un agent économique (un particulier, un commerçant, une entreprise, une banque - X) à un autre agent économique (le client : un particulier, un commerçant, une entreprise, une banque - Z).
Syn. : (☞ 436 Pour en savoir plus, Prix (sens 1.1.) et synonymes).
Dans un marché libre, le prix d'un bien est déterminé par la loi de l'offre et de la demande.

2.1. Sacrifice (en temps, en loisirs, ...) que l'on consent pour obtenir qqch.
Le prix à payer pour rester jeune, c'est de faire du sport tous les jours (Silem).

2.2. Récompense (une somme d'argent, un objet matériel, un service) accordée à une personne ou une organisation pour honorer ses qualités, ses efforts, ...
Cette année, le prix Nobel a été décerné à un économiste canadien.

expressions

(sens 1.1.)

- (Une personne vend/achète qqch.) **à vil prix** : à très bas prix. < **À bas prix, à bon compte**. *Grâce aux taux d'intérêt relativement bas, il est possible d'emprunter à bon compte.* < **À prix réduit**, (angl.) **discount, discompte.** *À cause de la crise qui frappe le secteur hôtelier, cette importante chaîne hôtelière a décidé de proposer des formules à prix réduit hors saison.* (V. 118 commerce, 3). < **À prix modéré, modique**. < **Au prix fort**. *Le café qui se vend aujourd'hui au prix fort sur les marchés internationaux ne devrait cependant pas se retrouver dans les rayons avant plusieurs mois : les hausses de prix se feront donc attendre encore un peu.* **Payer le prix fort pour qqch.** < **À prix d'or**. *Cette entreprise a embauché à prix d'or les deux cadres qui avaient été licenciés par son concurrent le plus important.*
  (Une personne vend/achète qqch.) **au prix de** + montant. *Le guide paraîtra en juin et sera vendu dans le commerce au prix de 30 euros.* (☞ 437 Pour en savoir plus, Notes d'usage).
  (Une personne vend/achète qqch.) **au meilleur prix (possible)**. *Le poids, l'expérience et les compétences de notre société doivent nous permettre de fournir à nos clients le meilleur service au meilleur prix.*
  (Une personne vend/achète qqch.) **à moitié prix**.
- (fam.) (Une personne) **faire un (bon) prix à qqn**. *Ce fournisseur a l'habitude de faire un bon prix à ses meilleurs clients.*
- (Une personne) **y mettre le prix** : payer très cher.
- (Une personne veut qqch.) **à tout prix** : quels que soient les efforts que cela coûte. (Syn. : (moins fréq.) **coûte que coûte**).
- (Qqch. est) **hors de prix** : excessivement cher. (Qqch.) **ne pas avoir de prix, être sans prix** : être d'une valeur inestimable. *La santé n'a pas de prix.*
- (Un montant exprimé) **À/en prix courants** : au prix actuel. (Syn. : **en monnaie courante**).
  >< **À/en prix constants** : au prix diminué de l'inflation, ce qui permet de faire des comparaisons valables dans le temps. (Syn. : un montant **corrigé de l'inflation, en monnaie constante**).
- (Faire qqch.) **au prix de** + efforts, difficultés, ... (mots à connotation négative). *Nous désirons maintenir notre politique de soutien aux pays en développement au prix de grands efforts, compte tenu des restrictions budgétaires.*
- (Vendre qqch.) **au prix de** + indication de prix. *Les actions ont été mises en vente au prix de 13 euros par action.*
- **Un prix défiant toute concurrence**. (V. 133 concurrence, 1).
- **Nos prix sont calculés au plus juste** : le plus bas possible.
- **Les prix s'entendent franco de port** ; **port payé** : les prix sont valables franco de port ; port payé. (☞ 437 Pour en savoir plus, Prix (sens 1.1.) et synonymes).
- **C'est mon dernier prix** : lors d'une transaction commerciale, prix définitif que le vendeur n'est plus disposé à modifier.
- **À aucun prix** : à aucune condition.

+ adjectif

(sens 1.1.)

Un prix courant. (☞ 433 + nom).

TYPE DE PRIX (sens 1.1.)

Les prix + adjectif qui désigne un type de produits. Les prix agricoles ; pétroliers ; énergétiques.

Un prix (de vente) net : prix après déduction des réductions accordées par le vendeur. (☞ 437 Pour en savoir plus, Réductions de prix).

>< **Le prix brut**.

Le prix réel. 1. Valeur d'un bien calculée en temps de travail nécessaire pour le produire (Silem). *Il y a de moins en moins de pays où la population ne paie qu'une fraction du prix réel du pain, du métro, des loyers, etc. En effet, la plupart des États connaissent tant de problèmes budgétaires qu'ils ne peuvent plus prendre en charge ces coûts.* - 2. Prix d'un bien calculé en monnaie constante. (Ant. : **le prix nominal**).

Un prix administré : prix fixé autoritairement, p. ex. le prix plafond ou le prix plancher. (Ant. : **le prix du (de) marché**).

Un prix indicatif : prix proposé par les autorités ou le producteur, p. ex. le prix catalogue pour une voiture. (Syn. : **un prix d'orientation**).

>< **Un prix ferme (et définitif)** : prix qui ne peut plus être diminué.

Un prix démarqué : prix inférieur au prix de vente initialement marqué afin de stimuler la vente. (Syn. : **un prix promotionnel**). *Ce distributeur offre cette semaine des prix démarqués sur les vins : il y a de bonnes affaires à faire.*

>< **Un prix majoré**. (☞ 435 + verbe).

Un prix forfaitaire : prix fixé à l'avance pour un bien ou un service et qui ne peut plus être adapté.

Un prix subventionné : prix inférieur au prix du marché grâce à l'intervention financière des autorités. *Les transports en commun et l'enseignement sont offerts à titre gratuit ou à des prix subventionnés.*

Le prix relatif : rapport entre le prix de deux biens (Silem). *Le prix relatif du CD par rapport à un litre de carburant est de 20 contre 1 approximativement.*

Un prix psychologique : prix considéré par le consommateur comme le plus acceptable en comparaison avec les prix des concurrents et qui assure à l'entreprise les ventes les plus considérables. *Ce magasin attire sa clientèle en affichant systématiquement des prix psychologiques : 99, 199, 999, ... euros.*

Un prix coûtant. 1. (Syn. : (plus fréq.) **un coût de revient**). (V. 159 coût, 1). - 2. Prix d'achat pour le consommateur après déduction d'éventuelles réductions et augmenté des taxes et d'un certain nombre de frais (le transport, ...).

Un prix unique : prix égal dans différents points de vente.

CARACTÉRISATION DU PRIX (sens 1.1.)

Un prix fixe, stable : qui n'est pas sujet à des modifications.

>< **Un prix variable**. (☞ 436 + verbe).

Le juste prix : prix qui permet de rémunérer équitablement un bien, un service ou le travail et les investissements du fabricant ou du fournisseur.

Un prix concurrentiel : prix qui s'aligne sur ceux de la concurrence. < **Un prix (ultra-)compétitif, (ultra-)performant** : prix (largement) plus bas que ceux des produits concurrents. *Le prix compétitif du dernier modèle Peugeot explique son succès foudroyant.*

Le dernier prix : prix le plus bas consenti par le vendeur ou prix le plus élevé que l'acheteur est disposé à payer. *C'est mon dernier prix : c'est à prendre ou à laisser.*

NIVEAU DU PRIX (sens 1.1.)

(☞ 437 Pour en savoir plus, Notes d'usage).

Le prix minimum (les prix minima). (Syn. : **le prix(-)plancher**). < **Le prix moyen**. < **Le prix maximum (les prix maxima)** (Syn. : **le prix(-) plafond**).

Un prix imbattable, sacrifié, dérisoire, bradé, gâché. (Syn. : (fam.) **c'est donné**). *Les producteurs d'acier doivent vendre une part de leur production à des prix sacrifiés, comportant une importante marge bénéficiaire négative.* < **Un prix avantageux, réduit, intéressant, attractif, modique, spécial, bas** ou (plus fréq.) **un bas prix**. *Opération "coup de cœur", prix cadeaux, prix spéciaux, les bonnes occasions se succèdent.* < **Un prix abordable, raisonnable, normal, honnête, modéré**. < **Un prix élevé, excessif**. < **Un prix prohibitif, exorbitant**. (Syn. : (fam.) **c'est pas donné, c'est le coup de fusil, c'est le coup de barre**). *Les dernières places de la finale de la coupe du monde de football se sont vendues à des prix prohibitifs.*

Un prix fou. 1. Prix très bas (du point de vue du commerçant). *La compagnie maritime annonce des prix fous pour la traversée de la Manche pendant le mois de mai.* - 2. Prix très élevé (du point de vue du consommateur). *J'ai payé un prix fou pour l'achat de cette œuvre d'art.*

LOCALISATION DU PRIX (sens 1.1.)

Les prix intérieurs : prix pratiqués à l'intérieur d'un pays. *Certains pays n'ont pas adapté les prix intérieurs des produits énergétiques après le dernier choc pétrolier, de sorte que les subventions à charge du budget de l'État ont fortement augmenté.*

Les prix mondiaux. *Une réduction de 10 % de la production d'aluminium devrait suffire pour stabiliser les prix mondiaux qui se sont effondrés récemment.*

MESURE DU PRIX (sens 1.1.)

Le prix unitaire : prix d'un produit par unité achetée. (Syn. : **le prix à l'unité**).

+ nom

(sens 1.1.)

- **Une politique des prix** (**agressive**) : stratégie à suivre, définie par la direction, concernant la détermination des prix des biens ou des services proposés à la clientèle. *Face au rétrécissement du marché mondial, les producteurs ont tenté de conserver ou d'étendre leurs parts de marché par une politique des prix très agressive.*
  Une politique des prix réduits.
  Une guerre des prix : situation où chaque entreprise tente de proposer ses produits aux prix les plus avantageux dans le but de faire disparaître un ou plusieurs concurrents. *La guerre des prix déclenchée par les compagnies aériennes a déjà entraîné la disparition d'un certain nombre d'entre elles.*
  Le rapport qualité/prix. *Dans une situation de monopole, une entreprise ne se soucie guère d'atteindre le meilleur rapport qualité/prix.*
- **Un système de(s) prix** : méthode de détermination d'un ensemble de prix, système de tarification.
- **L'indice des prix à la consommation.** (Syn : **le coût de la vie**, (B) **l'index** {**une (dés)indexation** (des salaires, des loyers) ((suppression du) mécanisme de liaison des salaires des fonctionnaires, des loyers, ... à l'indice des prix à la consommation), **(dés)indexer**}).
  L'indice des prix de détail : chiffre qui indique le rapport entre le prix moyen d'un certain nombre de biens pendant une période donnée et le prix moyen de ces mêmes biens pendant une période de référence où il est exprimé par le chiffre 100 (Ménard). Ces biens sont parfois désignés par l'expression **le panier de la ménagère**. (V. 22 agence, 2).
  >< **L'indice des prix de gros.**
  (B) **L'indice-santé**, **l'index-santé** : indice des prix à la consommation dont ont été déduits les prix des produits non indispensables : l'alcool, les cigarettes, les carburants, et qui augmente donc moins rapidement que l'indice des prix à la consommation ou l'index.
- **Une liste de(s) prix** : liste imprimée des prix des marchandises d'une entreprise commerciale. (Syn. : **un prix courant** ; (sens plus général) **un tarif**).
- **Une fourchette de prix** : écart compris entre un prix de vente minimal et un prix de vente maximal (Ménard). *On trouve actuellement en magasin un certain nombre de logiciels dans une fourchette de prix allant de 40 à 70 euros.*
- **Un mouvement des prix**, **des mouvements de prix** : variations de prix. *Les résultats de notre entreprise sont allergiques au moindre mouvement des prix des matières premières sur les marchés internationaux.*
  Une différence de prix, **un écart de prix**. *Cette innovation justifie la différence de prix du nouveau produit par rapport aux produits plus anciens.*
- **La formation des prix**, **la fixation des prix**, **la détermination des prix** : établissement du prix de vente en fonction de facteurs internes à l'entreprise (le coût de production, ...) et de facteurs externes (le marché, le pouvoir d'achat, ...). (☞ 435 + verbe).
- **Une réduction de prix** : diminution de prix accordée à un client par un fabricant ou un fournisseur. (☞ 435 + verbe). (☞ 437 Pour en savoir plus, Réductions de prix). < **Le gâchage des prix** : vente systématique d'articles à des prix anormalement bas (**un prix bradé**, **gâché**) pour attirer la clientèle.
- **Une pression sur les prix** : influence (à la hausse ou à la baisse) sur les prix exercée par un facteur spécifique : la concurrence, l'offre et la demande, ... *Le gouvernement a écarté fermement toute mesure limitant la concurrence internationale pour que celle-ci exerce une pression à la baisse sur les prix.*
- **La compétitivité des prix.** (V. 122 compétitivité, 1).
- **La mise à prix** : prix initial d'un objet lors d'une vente aux enchères. (☞ 436 + verbe).
- **La courbe des prix** : évolution des prix.
- **Une offre de prix.** (V. 394 offre, 1).

TYPE DE PRIX (sens 1.1.)

Le prix de + nom qui désigne un bien ou un service. Le prix du pétrole ; des matières premières ; de l'essence ; de l'énergie ; des carburants ; du pain.

Le prix des produits + adjectif qui désigne une catégorie de produits. Le prix des produits pharmaceutiques ; pétroliers.

Le prix de vente : prix d'un produit, considéré du point de vue du vendeur.

>< **Le prix d'achat** : prix du même produit considéré du point de vue de l'acheteur. (Syn. : (moins fréq.) **la valeur d'acquisition**).

Le prix de vente conseillé : prix indicatif d'un produit tel qu'il est proposé par le fournisseur ou le fabricant à ses revendeurs.

>< **Le prix de vente imposé** (par les autorités, par le fabricant). *Un grand nombre de produits pharmaceutiques connaissent un prix de vente imposé.*

Le prix de cession : prix de vente d'un bien immobilier, de valeurs mobilières.

>< **Le prix d'acquisition** : prix d'achat d'un bien immobilier, de valeurs mobilières. *Le prix d'acquisition de la société est du même ordre de grandeur que le chiffre d'affaires alors qu'il est habituel, dans ce type d'opérations, que le prix soit de 2,5 à 3 fois le chiffre d'affaires.*

Le prix de revient. (Syn. : **le coût de revient**). (V. 159 coût, 1).

Le prix à la production : somme d'argent que représente un bien fabriqué (le prix des matières premières, les machines, les salaires, ...) (Syn. : **les coûts de production**).

>< **Le prix à la consommation** : prix des biens vendus en petite quantité (**les prix de détail**) ou vendus directement du producteur au consommateur ou des services rendus au consommateur final.

Les prix de détail : prix des biens vendus en petite quantité au consommateur final dans le commerce de détail. *Un emballage de vente léger nécessite la plupart du temps un emballage de transport robuste, ce qui se répercute sur le prix de détail.*

>< **Les prix de gros**.

Le prix TVA comprise, incluse : prix de vente y compris la taxe sur la valeur ajoutée.

>< **Le prix hors TVA**.

(F) **Le prix TTC, toutes taxes comprises** : prix de vente auquel ont été ajoutées toutes les taxes qui frappent le produit (entre autres la TVA).

>< **Le prix hors taxes**.

Un prix de lancement : prix avantageux pour inciter le consommateur à acheter un produit qui vient d'être commercialisé.

Un prix d'appel : prix avantageux pour inciter le consommateur à acheter un produit.

Un prix de liquidation : prix fortement réduit, p. ex. à cause de la cessation d'activités commerciales ou pour accélérer l'écoulement de certaines marchandises. (V. 521 solde, 1).

Un prix d'ami : prix bas qu'un commerçant consent à un bon client.

Le prix de référence : prix moyen d'un bien à un moment donné, utilisé pour mesurer les variations de prix enregistrées dans une certaine période ou pour y comparer le prix d'un autre bien. *Le nouveau micro haut de gamme Digital sera commercialisé à un prix très compétitif par rapport au prix de référence du marché.*

Le prix du (de) marché : valeur qu'a un bien ou un service si on le vend et qui est le résultat de la confrontation de l'offre et de la demande. (Syn. : (moins fréq.) **la valeur marchande**). *Notre pays a peu d'influence sur le prix du marché mondial et doit accepter le prix fixé au niveau international.*

>< **Un prix hors marché.** (Syn. : (peu fréq.) **un prix administré**).

Un prix de dumping : prix de produits ou de services exportés moins élevé que celui des produits ou services vendus sur le marché intérieur, ou même moins élevé que le prix de revient, pour éliminer la concurrence. *Une firme a été condamnée lourdement pour avoir occupé des travailleurs étrangers sur de grands chantiers à des prix de dumping.*

Le prix à l'importation. *Le prix à l'importation du pétrole brut est passé de 18 dollars le baril à 22 dollars en une semaine.*

>< **Le prix à l'exportation**.

Le prix d'émission : prix auquel une valeur mobilière est lancée sur le marché financier. *Le prix d'émission est fixé au pair, c'est-à-dire à 100 %. Cela signifie que le souscripteur paie la valeur nominale des coupures.*

Le prix de souscription : prix auquel un investisseur peut acheter une valeur mobilière.

Le prix de remboursement, le prix de rachat : somme versée par une société lors du remboursement de ses obligations ou du rachat de ses actions (Ménard).

Le prix d'exercice : somme que doit verser le titulaire d'un bon de souscription, d'une option, ... pour acquérir le bien (Ménard). *Le prix d'exercice des warrants, c'est-à-dire le montant que son détenteur devra avancer pour acquérir de nouveaux titres, est lui aussi jugé attractif si l'on tient compte du climat boursier actuel.*

Le prix de location. (Syn. : **le loyer**). *Le prix de location au mètre carré de bureau a augmenté de 5 % dans le courant du premier trimestre.*

Le prix d'intervention : prix minimum auquel les agriculteurs peuvent vendre à un organisme d'intervention (p. ex. l'Union européenne dans le cadre de sa politique agricole) leurs excédents, si le prix du marché est jugé insuffisant.

Un prix d'équilibre : prix unique et stable qui s'établit spontanément lorsque l'offre est égale à la demande. (V. 392 offre, 1).

Un prix de base, un prix de facture : prix de vente habituel du fournisseur pour une marchandise et qui sert de base pour l'établissement de la facture.

Un prix d'orientation. (Syn. : **un prix indicatif**).

Le prix catalogue : prix figurant au catalogue et qui constitue la base pour la négociation d'une réduction éventuelle.

CARACTÉRISATION DU PRIX (sens 1.1.)

Le prix en vigueur : prix pratiqué à un moment donné. *Il y a subvention à l'exportation dès que le prix à l'exportation s'écarte du prix en vigueur sur le marché intérieur.*

NIVEAU DU PRIX (sens 1.1.)

Le niveau des prix. *La Belgique connaît un mécanisme, l'indexation, qui ajuste régulièrement les salaires au niveau des prix, assurant ainsi une relative paix sociale.*

Un prix choc : très bas.

MESURE DU PRIX (sens 1.1.)

Le prix au kilo.

Le prix à la pièce.

+ verbe: qui fait quoi ?

(sens 1.1.)

X	✓	**fixer** le ~ (de Y) **déterminer** le ~ (de Y) **établir** le ~ (de Y)	la fixation du ~ (de Y) la détermination du ~ (de Y) l'établissement du ~ (de Y)	
>< un ~		**s'établir sur** le marché ↓	l'établissement d'un ~	
X (un commerçant, une entreprise, une banque)	×	**pratiquer** un/des ~ (fréq. : + adjectif, ...)	-	1
		offrir un/des ~ (fréq. : + adjectif, ...)	-	
		afficher un/des ~ (fréq. : + adjectif, ...)	-	
>< Z		**obtenir** un/des ~ (fréq. : + adjectif, ...)	l'obtention d'un ~ + adjectif, ...	
X (un commerçant, une entreprise, une banque)		**garantir** un/des ~ (+ indication de période)	la garantie d'un ~ (+ indication de période)	2
X (un commerçant, une entreprise, une banque)	▽	**baisser** le(s) ~ (de Y) **réduire** le(s) ~ (de Y) **diminuer** le(s) ~ (de Y)	une baisse de(s) ~ (de Y) une réduction de(s) ~ (de Y) une diminution de(s) ~ (de Y)	
X (un commerçant)		**démarquer** les ~ (☞ 432 + adjectif)	le démarquage des ~	
X (un commerçant)	▽▽	**casser** les ~ **brader** les ~ **écraser** les ~ **sacrifier** les ~ (☞ 432 + adjectif)	- le bradage des ~ - -	3
X (un commerçant, une entreprise, une banque)	△	(peu fréq.) **hausser** le(s) ~ (de Y) **augmenter** le(s) ~ (de Y) **majorer** le(s) ~ (de Y)	une hausse de(s) ~ (de Y) une augmentation de(s) ~ (de Y) une majoration de(s) ~ (de Y)	
X (un commerçant, une entreprise, une banque)	=	**maintenir** le(s) ~ (de Y) (au niveau de ...)	le maintien du/des ~ (de Y) (au niveau de ...)	
→ le(s) ~		**se maintenir** (au niveau de ...)		4
X (un commerçant, une entreprise, une banque)	≠	**aligner** ses ~ sur ceux de la concurrence	l'alignement des ~ sur ...	5
		ajuster ses ~ à Z, au marché, ...	l'ajustement des ~ à ...	6
X (un commerçant, une entreprise, une banque)		**répercuter** ses coûts dans le ~ (de Y)	la répercussion des coûts dans le ~ (de Y)	
		intégrer les coûts dans le ~ (de Y)	l'intégration des coûts dans le ~ (de Y)	
X		**afficher** le(s) ~ (de Y) ↓	l'affichage du/des ~ (de Y)	7
X et Z		**convenir du** ~ (de Y) ↓	-	8
Z		**payer** le ~ (à X)	le paiement du ~ (à X)	
le ~ (de Y)		**être de** **atteindre** **se monter à** **s'élever à** + un montant + un niveau	-	9

le ~ (de Y)		**être supérieur à** + prix précédent **dépasser** >< **être inférieur à** + prix précédent	- - -	 9
le ~ (de Y)		**être exprimé en** + nom d'une monnaie	-	
les ~ (de Y)	≠	**évoluer** **varier** **fluctuer**	l'évolution des ~ (de Y) la variation des ~ (de Y) la fluctuation des ~ (de Y)	
les ~ (de Y)	△	(très peu fréq.) **hausser** **augmenter** **monter**	une hausse des ~ (de Y) une augmentation des ~ (de Y) une montée des ~ (de Y)	
les ~ (de Y)	△△	**flamber** **monter en flèche**	une flambée des ~ (de Y) une montée en flèche des ~ (de Y)	10
les ~ (de Y)	▽	**baisser** **diminuer**	une baisse des ~ (de Y) une diminution des ~ (de Y)	
les ~ (de Y)	▽▽	**chuter** **s'effondrer**	une chute des ~ (de Y) un effondrement des ~ (de Y)	
les ~ (de Y)	△= ou ▽=	**se stabiliser** (☞ 432 + adjectif)	la stabilisation des ~ (de Y) la stabilité des ~ (de Y) des ~ stables	
les ~ (de Y)	▽△	**remonter**	une remontée des ~ (de Y)	
l'inflation	△	**faire monter** les ~ (de Y)	la montée des ~ (de Y)	
le gouvernement désire		**contrôler** les ~ (de Y) **réglementer** les ~ (de Y) < **bloquer** les ~ (de Y) **geler** les ~ (de Y) >< **libérer** les ~ (de Y) **libéraliser** les ~ (de Y)	le contrôle des ~ (de Y) la réglementation des ~ (de Y) le blocage des ~ (de Y) le gel des ~ (de Y) la libération des ~ (de Y) la liberté des ~ (de Y) la libéralisation des ~	11 12
Un commissaire-priseur, (Q) un encanteur		**mettre à** ~ (qqch. lors d'une vente aux enchères) (☞ 433 + nom)	la mise à prix	

1 *Les consommateurs européens payent leur sucre deux fois plus cher que le prix actuellement pratiqué sur le marché mondial.*
2 *Les vendeurs sont incités à garantir des prix stables pendant des périodes plus ou moins longues pour fidéliser leur clientèle.*
3 *Le consommateur est le grand gagnant des prix cassés.*
4 *Les prix ne se sont maintenus que par la réduction de la production.*
5 *On s'attend à une hausse de l'inflation vu l'alignement des prix des produits nationaux sur ceux des produits importés.*
6 *Les repreneurs de cette société appliquent leur recette bien conn ue: un ajustement des prix au client et un marketing adapté.*
7 *Même s'ils affichent leurs prix en roubles, les fournisseurs ont pris l'habitude de calculer en dollars.*
8 *Notre client s'est engagé à prendre livraison du bien et à payer le prix convenu.*
9 *Les prix sur les marchés internationaux atteignent et dépassent même les prix attendus par les producteurs.*
10 *L'hiver extrêmement froid que nous connaissons entraîne irrémédiablement une flambée des prix des combustibles.*
11 *L'État décide à la place des entreprises lorsqu'il contrôle autoritairement les prix et les revenus.*
12 *Le gouvernement a décidé de prendre des mesures sociales sélectives pour protéger la population contre les effets de la libéralisation des prix pour certains biens de consommation.*

Pour en savoir plus

PRIX (sens 1.1.) ET SYNONYMES

Un prix.

Un tarif : prix fixé pour la consommation de certains biens (p. ex. les consommations dans un café ou un restaurant) ou pour l'utilisation de certains services (p. ex. le coiffeur, le téléphone et autres services publics). (Syn. : (peu fréq.) **un taux**). *Le tarif horaire des taxis vient d'être augmenté de 5 %.* (V. 537 tarif, 1).

Un cours : prix déterminé par l'offre et la demande pour des matières premières, un produit, une denrée, une action. *La baisse actuelle des cours du pétrole sur les marchés internationaux du brut est accueillie favorablement par tous les gros consommateurs de carburant.*

Une valeur : importance objective (Syn. : **un prix**) et/ou subjective (une chose à laquelle l'on tient tout particulièrement, qui est très ancienne, ...) que peut avoir un bien. *Il vient d'acheter un ordinateur d'une valeur de 2 000 euros. - Ce monument représente une valeur historique inestimable pour notre pays.* (V. 563 valeur, 1).

Le port : prix du transport d'une lettre, d'un colis. **Franco de port** : sans frais de transport. **Un envol franco de port**. **Port payé** : port payé par l'expéditeur. >< **Port dû**. **Les frais de port**. (V. 294 frais, 1).

Le prix qui doit être payé pour un bien ou un service entraîne pour la personne qui achète le bien ou le service **un coût**, **des frais**, **des charges** ou **une facture**. (V. 187 dépense, 1).

NOTES D'USAGE

Pour demander le prix d'un bien, plusieurs constructions sont possibles, de la plus à la moins formelle :

À quel prix est qqch. ?
Quel est le prix de qqch .?
Combien qqch. coûte-t-i l?
Combien coûte qqch. ?
Combien ça coûte ?
(Les pommes, ...) elles font combien ?
(Les pommes, ...) elles sont à combien ?

Pour indiquer le prix exact, un commerçant ou un consommateur peut utiliser les expressions suivantes, de la plus à la moins formelle :

Qqch. coûte ... euros.
Qqch. revient à ... euros.
Qqch. est à ... euros.

(F) (fam.) On utilise le mot **une balle** pour désigner 1 franc *(T'as pas 100 balles ?)*, **une brique**, **un bâton** pour désigner une somme de 10 000 FRF et **une patate** pour 1 000 000 de FRF.

Pour indiquer un prix approximatif :

Cela coûte à peu près 10 000 euros.
(fam.) Ça va chercher dans les 10000 euros.

Pour indiquer une somme de peu supérieure à un montant déterminé :

Cela coûte un peu plus d e 1000 euros.
(fam.) Ça coûte 100 euros et des poussières.

Pour indiquer le niveau du prix, de nombreuses expressions sont utilisées :

Ce produit est **gratuit**. < Ce produit est **bon marché**. (V. 365 marché, 1). >< Ce produit **coûte (fort) cher** (cher, adverbe, reste invariable). Ces vêtements **sont chers**. (☞ 432 + adjectif, pour d'autres combinaisons).
{**la gratuité**, **gratuitement**}.

Pour demander le prix total, du plus au moins formel :

Je vous dois combien ?
Ça fait combien ?

Le commerçant vous répondr a:

Ça fera ... euros (en tout, au total).

Pour indiquer une fluctuation du prix, on utilise de nombreuses expressions métaphoriques :

Les prix dérapent, dégringolent, font du yoyo, ... (V. 284 fluctuations, 1).

RÉDUCTIONS DE PRIX

Une réduction : tout type de diminution de prix accordée sur un bien ou un service par un vendeur à son client. (Syn. : (moins fréq.) **un discount** (V. 118 commerce, 3), **un abattement**). **Une carte de réduction**, **une carte de fidélité**. (Un fournisseur) **accorder une réduction**, **consentir une réduction**. >< (Un client) **obtenir une réduction, bénéficier d'une réduction**. {**réduire**}. **Réduire le prix de** qqch.

Une remise. 1. Diminution de prix accordée en raison de l'importance de la commande ou de la qualité de l'acheteur (p. ex. pour le personnel d'une entreprise, pour des étudiants sur un abonnement, ...). *Le prix est fixé à 100 euros, remise comprise.* - 2. Fait de ne plus exiger le paiement d'une somme d'argent. **Une remise de dette**. (V. 196 dette, 1). {**remettre**}. - 3. Livraison. (V. 347 livraison, 1).

Un rabais : diminution accordée en raison d'un défaut, d'une livraison non conforme à la commande, d'un retard de livraison ou pour écouler des marchandises démodées. *Cette compagnie aérienne a réussi à survivre en faisant des rabais comme on fait des soldes dans certains magasins.* **Une vente au rabais**. (V. 521 solde, 1). **Vendre au rabais**.

Un escompte : 1. Réduction du montant à payer accordée en raison d'un paiement comptant. (Syn. : **un escompte de caisse, de règlement**). - 2. Opération bancaire qui permet d'accorder un crédit à court terme à une entreprise en échange d'un effet de commerce que cette dernière détient (C&G). **Un taux d'escompte**. (V. 541 taux, 1). **Le crédit d'escompte**. **Les frais d'escompte**. (V. 166 crédit, 1).

{**le réescompte** (opération d'escompte entre une banque, qui vient de pratiquer elle-même l'escompte avec une entreprise, et une autre banque ou la banque centrale (C&G)), **un escompteur, une escompteuse, escomptable, escompteur, -euse, escompter, réescompter**}.

Une ristourne {**ristourner**}. 1. Diminution de prix calculée à la fin de l'année sur le total des achats effectués pour récompenser la fidélité. *Mon pharmacien accorde une ristourne de 10 % sur le montant total de mes achats de l'année.* - 2. Somme versée en fin d'exercice par une coopérative aux coopérateurs en fonction des bénéfices. - 3. Forme de participation aux bénéfices d'une compagnie d'assurances. (V. 58 bénéfice, 1).

Un abattement. 1. (droit fiscal) Partie du revenu imposable qui est exclue du calcul de l'impôt. *Un abattement forfaitaire est appliqué, augmenté d'un montant fixe par personne à charge.* - 2. Réduction accordée par le vendeur à son client sur le prix de vente. (Syn. : (plus fréq.) **une réduction**).

2 AUTRES DÉRIVÉS OU COMPOSÉS

- **Le prix(-)plancher** [pʀiplɑ̃ʃe] (n.m.) (plur. : **des prix(-)planchers**) : prix minimum.
  >< **Le prix(-)plafond** [pʀiplafɔ̃] (n.m.) (plur. : **des prix(-)plafonds**) : prix maximum.
- **L'élasticité-prix** [elastisitepʀi] (n.f.) : mesure la réaction du consommateur aux variations de prix (Géhanne). *L'élasticité-prix montre de combien la consommation est modifiée si les prix changent.* **L'élasticité-prix est faible**.

PRIX(-)PLAFOND ; PRIX(-)PLAFONDS (n.m.) (*) 1. Prix maximum.

1. (438)	der Höchstpreis	ceiling price	el precio tope	il prezzo massimo	de maximumprijs (m.)
	der Maximalpreis		el precio máximo		

PRIX(-)PLANCHER ; PRIX(-)PLANCHERS (n.m.) (*) 1. Prix minimum.

1. (438)	der Mindestpreis	floor price	el precio mínimo	il prezzo minimo	de minimumprijs (m.)
	der Minimalpreis				

PRO (n.) (***) 1. Personne qualifiée dans son métier (RQ).

1. (455)	der Profi	pro	el profesional	il professionista	de beroeps- (m.)
	der Fachmann	professional			de geschoolde (m.)

PROCÉDÉ (n.m.) (****) 1. Opération technique particulière.

1. (254)	das Verfahren	process	el procedimiento	il procedimento	het procédé
(439)	das Vorgehen	technique	el proceso		de werkwijze (m./f.)

PROCESSUS (n.m.) (****) 1. Ensemble de phénomènes organisés dans le temps.

1. (254)	der Prozess	process	el proceso	il processo	het proces
(439)	die Entwicklung				

PROCURER (~, se ~) (v.tr.dir., v.pron.) (****) 1. Donner. 2. Obtenir.

1. (495)	verschaffen	to procure	procurar	procurare	geven
	besorgen	to supply	proporcionar		verschaffen
2. (6)	sich etwas besorgen	to obtain	conseguir	procurarsi	verwerven
	sich etwas verschaffen	to get	procurar (se)		

PRODUCTEUR, PRODUCTRICE (n.) (****) 1. Agent économique qui réalise des biens et des services.

1. (446)	der Hersteller	producer	el productor	il produttore	de producent (m.)
	der Produzent	grower (agriculture)			

PRODUCTEUR, -TRICE (adj.) (***) 1. Qui réalise des biens et des services.

1. (448)	Erzeuger-	producing	productor	produttore	producerend
	Hersteller-				

PRODUCTIF (n.m.) (*) 1. Personne chargée de la production.

1. (451)	die produktiven Kräfte	production staff	las fuerzas productivas	le forze produttive	de productieve krachten (plur.)
			el productor		

PRODUCTIF, -IVE (adj.) (***) 1. Qui présente un bon rapport quantité produite-quantité de facteurs de production utilisée. 2. Qui présente un bon rendement. 3. Qui se rapporte à la production.

1. (450)	produktiv	productive	productivo	produttivo	productief
2. (450)	einträglich	productive	rentable	produttivo	winstgevend
	ertragreich	yielding	productivo		
3. (450)	Produktions-	production	productivo	produttivo	productie- productief

PRODUCTION (n.f.) (****) 1. Ensemble des opérations pour réaliser un bien. 2. Ensemble des biens et services produits. 3. Agent économique qui produit.

1. (439)	die Produktion	production	la producción	la produzione	de productie (f.)
	die Herstellung	growing (agriculture)			
2. (439)	die Produktion	production	la producción	la produzione	de productie (f.)
	die Produktionsmenge	products			
3. (439)	die Produktion	producer	el productor	il produttore	de producent (m.)
	die Produktionseinheit	production unit	la (unidad de) producción		de productie(-eenheid) (f.)

PRODUCTION

➠ **société/entreprise - consommation**

1 la production **6** la surproduction **6** la sous-production **2** un produit **6** un demi-produit **6** un semi-produit **6** un sous-produit **6** la productique	**3** un producteur, une productrice	**4** producteur, -trice **6** mono(-)produit	**5** produire **6** surproduire **6** sous-produire

1 la PRODUCTION - [pʀɔdyksjɔ̃] - (n.f.)

1.1. Ensemble des opérations par lesquelles un agent économique (un agriculteur, un artisan, une entreprise, un État - X) réalise des biens et des services (Y) qui sont destinés à la satisfaction des besoins des autres agents économiques.
Syn. : (☞ 441 Pour en savoir plus, Production (sens 1.1.) et synonymes) ; Ant. : (☞ 441 Pour en savoir plus, Production (sens 1.1.) et antonymes).
La Banque centrale de Russie s'attend à ce que la production d'or diminue de dix à douze tonnes pour s'établir à 140 tonnes.

1.2. Ensemble des biens et des services qui sont le résultat de la production (sens 1.1.).
La qualité de nos produits est bien supérieure à celle des productions locales, mais ils sont plus chers.

1.3. Agent économique qui procède à la production (sens 1.1.).
Syn. : (plus fréq.) une unité de production, une entreprise.
La ville de Grasse a perdu, avec la délocalisation des principales productions florales, sa position stratégique et historique dans le domaine des produits naturels.

+ adjectif

TYPE DE PRODUCTION (sens 1.1.)

La production assistée par ordinateur. (V. 254 fabrication, 1).

La production continue. (☞ 440 + nom).

TYPE DE PRODUCTION (sens 1.2.)

La production + adjectif qui désigne une branche d'activité. (☞ 441 Pour en savoir plus, Notes d'usage).

La production industrielle. >< **La production artisanale**. **La production agricole**. (☞ 441 Pour en savoir plus, Notes d'usage).

La production intérieure brute plus les services des administrations publiques correspondent au **produit intérieur brut**. (V. 443 2 produit).

La production marchande : destinée à être vendue sur le marché.

>< **La production non marchande** : dont la distribution est gratuite ou semi-gratuite (p. ex. les services des administrations).

NIVEAU DE LA PRODUCTION (sens 1.2.)

Une production record. > **Une production élevée.** > **Une production moyenne.** > **Une production réduite.**

LOCALISATION DE LA PRODUCTION (sens 1.2.)

La production nationale. *La production nationale reste insuffisante, même pour les produits agricoles importants : les importations de céréales ont ainsi doublé en 10 ans.*

La production mondiale.

MESURE DE LA PRODUCTION (sens 1.2.)

La production totale. *La Chine a affiché d'excellents chiffres de croissance tant pour la production totale que pour la production par tête.*

La production (**moyenne**) **annuelle** ; **mensuelle** ; **journalière** (par travailleur, par unité de production, ...).

+ nom

(sens 1.1.)

- **Un système de production**, **un mode de production** : manière d'organiser la société sur le plan économique (Silem).
- **Les facteurs de production** : ensemble des éléments (travail, capital, idées, matières premières, ...) qui, combinés dans une activité économique, permettent d'obtenir des biens et des services. *Le facteur de production le plus important aujourd'hui, ce sont les idées.*

  Les moyens de production, les outils de production, **l'appareil de production** : ensemble des éléments (essentiellement techniques) qui, combinés dans une activité économique, permettent d'obtenir des biens. (Syn. : **le capital technique**). *La remise en marche des outils de production a été très rapide : dès 1947, c'est-à-dire deux ans après la fin de la guerre, le niveau de production d'avant-guerre était rétabli.*
- **Un processus de production** : ensemble des opérations techniques nécessaires à la fabrication d'un produit. *Dans la plupart des entreprises textiles, le processus de production se caractérise aujourd'hui par une automatisation et une rationalisation très poussées.*

  Les biens ou les services en cours d'élaboration dans le processus de production sont appelés **les en(-)cours**. *Nous avons dressé l'inventaire complet des en-cours de fabrication, des produits finis et des commandes en cours d'exécution.*

  Un procédé de production, une technique de production : opération technique particulière dans le processus de production. *L'utilisation de techniques de production modernes exige un personnel de plus en plus qualifié.*

  Une chaîne de production: ensemble de différentes activités de production considérées dans leur déroulement chronologique. (Syn. : **un cycle de production, de fabrication**). *La situation maritime de la Flandre constitue un avantage comparatif non négligeable : les entreprises flamandes qui se situent au début de la chaîne de production importent ainsi à moindre coût.* Par rapport à un point de référence dans la chaîne de production, on emploie l'expression **en amont de qqch.** pour désigner les activités qui se situent avant et **en aval de qqch.** pour désigner celles qui se situent après le point de référence. *Le haut-fourneau se situe en amont de l'aciérie. La construction automobile se situe en aval de l'aciérie* (Lexis).

- **Une capacité de production** : quantité de produits qui peut être fabriquée. *Avec une capacité de production de plus de 120 000 tonnes par an, Nylstar se situe derrière l'américain Du Pont de Nemours, leader mondial incontesté.*
- **La fonction de production** : modèle formalisé qui décrit la relation entre le volume de la production et le volume des facteurs de production utilisés (Silem). *Selon la fonction de production utilisée fréquemment dans les études théoriques, la croissance de la production résulte pour 1/3 de la croissance du capital, pour moins de 2/3 de la croissance du travail et le reste est attribuable au progrès technique.*
- **Le prix à la production**. (V. 434 prix, 1).
- **Le(s) coût(s) de production**. (V. 159 coût, 1).
- **Les biens de production**. (V. 63 bien, 1).
- **La gestion de la production**. (V. 299 gestion, 1).
- **Le compte de production**. (V. 129 compte, 1).
- **Un flux de production**. (V. 285 flux, 1).

TYPE DE PRODUCTION (sens 1.1.)

La production de + nom qui désigne un type de bien. La production de biens et (la prestation) de services. (☞ 441 Pour en savoir plus, Notes d'usage).

La production de masse, en série, à la chaîne : fabrication de produits à partir de pièces uniformes et standardisées. *Au modèle 'production de masse - consommation de masse', qui prévalait autrefois, s'est substitué le couple 'haute technicité - services'.*

>< **La production de petites séries** (p. ex. **la production artisanale**).

La production en continu : production réalisée sans interruptions (p. ex. dans la métallurgie). (Syn. : **la production continue**).

>< **La production en discontinu**.

La production sur/à la commande : production d'un bien après l'enregistrement de la commande. (Syn. : **la fabrication sur commande**).

>< **La production pour le stock** : production d'articles destinés à alimenter le stock et non pas à être directement vendus ou livrés (DC). (Syn.: **la fabrication pour le stock**).

LOCALISATION DE LA PRODUCTION (sens 1.1.)

Une unité de production, un site de production, un centre de production : atelier, usine, établissement qui permet de produire. *Le site de Bernburg en Allemagne se compose entre autres d'une unité de production de peroxyde d'hydrogène d'une capacité de 50 000 tonnes par an.*

Un atelier de production, une usine de production. (Syn. : **un atelier de fabrication, une usine de fabrication**).

Une ligne de production : chaîne de production pour un type, une gamme de produits particuliers. *Chez Kraft, le nombre d'emplois sera réduit de 50 salariés suite au transfert vers l'Allemagne de la ligne de production de ketchup.*

Une ligne de production rentable. (V. 485 rentabilité, 2).

MESURE DE LA PRODUCTION (sens 1.1.)

Le rythme de production. *Le rythme de production est passé en trois ans de 8,47 à 14,57 voitures par personne.*

MESURE DE LA PRODUCTION (sens 1.2.)

La production en volume : mesurée à prix constant.

>< **La production en valeur** : mesurée à prix courant.

Le volume de production : production mesurée par unités (p. ex. 100 000 voitures). *Le volume de production perdu pendant la grève (5 000 voitures) sera distribué aux autres usines du groupe.*

>< **La valeur de la production** : production mesurée en argent.

Les quotas de production : quantité (maximale : **le plafond de production**) de production qui vaut pour tous les producteurs. *Le mois passé, les pays de l'Opep avaient atteint un plafond de production, mais certains d'entre eux veulent déjà dépasser leurs quotas de production.*

La production par heure. (Syn. : **la productivité horaire**).

La production à l'hectare. (Syn. : **le rendement**).

+ verbe : qui fait quoi ?

(sens 1.1.)

X (une entreprise)	**réorienter** sa ~ (**vers** qqch.)	une réorientation de sa ~	1
	diversifier sa ~	une diversification de sa ~	2
→ la ~	**se diversifier**	une diversification de la ~	
X	>< **recentrer** sa ~	un recentrage de sa ~	2
	adapter sa ~ (**à** qqch.)	une adaptation de sa ~ (à ...)	3
X (une entreprise)	**délocaliser** la ~ (de Y)	une délocalisation de la ~ (de Y)	4

1 *Afin de survivre, cette entreprise a choisi de réorienter sa production vers le haut de gamme, qui est un créneau plus porteur.*

2 *Après avoir diversifié sa production en se lançant dans l'aviation, l'électronique et les télécommunications, Daimler-Benz a tendance à recentrer sa production sur ses activités automobiles.*
3 *L'adaptation de la production nationale à la demande mondiale est considérée comme facteur de compétitivité.*
4 *La confection doit, par la force des choses, délocaliser une partie de sa production vers les pays à bas salaire pour pouvoir survivre.*

(sens 1.2.)

la ~ (de Y)	=	**s'élever à** + une indication de la quantité	-	
		être de + une indication de la quantité	-	1
		atteindre + une indication de la quantité ou du niveau	-	2
X (une entreprise)	△	**augmenter** la ~ (de Y)	une augmentation de la ~ (de Y)	
		accroître la ~ (de Y)	un accroissement de la ~ (de Y)	3
→ la ~ (de X/Y)		**être en hausse**	une hausse de la ~ (de X/Y)	4
		croître	une croissance de la ~ (de X/Y)	
X (une entreprise)	△△	**accélérer** la ~ (de Y)	une accélération de la ~ (de Y)	
X (une entreprise)	▽	**réduire** la ~ (de Y)	une réduction de la ~ (de Y)	
		diminuer la ~ (de Y)	une diminution de la ~ (de Y)	
→ la ~ (de X/Y)		**être en baisse**	une baisse de la ~ (de X/Y)	4
X (une entreprise)	▽▽	**ralentir** la ~ (de Y)	un ralentissement de la ~ (de Y)	5

1 *La production de notre nouvelle usine est de 50000 voitures par an.*
2 *À cause des nombreuses grèves, la production de cet atelier n'a pas atteint le niveau de l'année passée.*
3 *L'investissement permettra un accroissement de la production tout en améliorant la qualité.*
4 *Les hausses de la production dans l'industrie alimentaire et dans la métallurgie de base ont permis de limiter la baisse de la production industrielle globale.*
5 *L'inflation peut rendre nécessaires des mesures déflationnistes, dont le premier effet sera de ralentir la production, c'est-à-dire de réduire les possibilités d'amélioration du niveau de vie.*

Pour en savoir plus

PRODUCTION (sens 1.1.) ET SYNONYMES

La production : domaines agricole, artisanal et surtout industriel : la production de chocolat, de bière, d'articles en série, de légumes, d'acier, de voitures.

Une filière : ensemble des activités complémentaires permettant de passer de la matière première aux produits destinés à l'utilisateur final et élaborés à partir de cette matière première (DM). Le terme s'applique à une branche d'activité entière : **la filière textile** ; **métallique** ; **bois** ; **du recyclage**. *Des milliers d'emplois ont déjà été perdus dans la filière métallique européenne ces dernières années.*

La fabrication : limitée au domaine industriel lorsqu'il y a un processus de transformation de biens intermédiaires : la fabrication de réfrigérateurs, de voitures. (V. 253 fabrication, 1).

La construction: domaines spécifiques de la construction de bâtiments et de voitures. (Syn. : (construction de voitures) **un assemblage** {**un assembleur, une assembleuse** (ouvrier, machine, entreprise qui assemble des pièces), **assembler**}).
{**un constructeur, constructeur, -trice, construire**}. (V. 447 3 producteur).

La création : domaine artistique et domaine de la conception.
{**la créativité, un créatif** (V. 466 publicité, 3), **un créateur, une créatrice, créateur, -trice, créatif, -tive, créer**}. **Un créateur d'entreprise**. (V. 236 entreprise, 1).

PRODUCTION (sens 1.1.) ET ANTONYMES

La production.
La distribution. (V. 204 distribution, 1).
La consommation. (V. 141 consommation, 1).

NOTES D'USAGE

Le nom du produit dans la construction 'production de + nom d'un produit' est exprimé de préférence par le nom (p. ex. la production de papier ; de voitures ; d'électricité).
Le nom du secteur ou de la branche d'activité dans la construction 'production + nom d'un secteur, d'une branche d'activité' est exprimé de préférence par l'adjectif (p. ex. la production industrielle ; agricole ; automobile ; alimentaire).

ENTRETIEN DES MOYENS DE PRODUCTION

La maintenance : ensemble des moyens qui permettent d'installer, de mettre en œuvre et de garantir le fonctionnement normal d'un système ou d'une de ses parties, d'installations, de locaux, ...

L'entretien : action de maintenir en bon état de fonctionnement du matériel, des installations, des locaux (Ménard).
{**entretenir**}.

MODERNISATION DES MOYENS DE PRODUCTION

Un outil : objet qui sert à faire un travail.
{**un outillage** (ensemble des outils), **outiller**}.
Un appareil : machine qui permet d'effectuer des tâches ménagères ou des travaux de bricolage. **Un appareil électroménager**.
{**un appareillage** (ensemble des appareils)}.
'Instrument' désigne en français moderne des objets plus compliqués que 'outil' et plus simples que 'appareil' et 'machine' (RQ).
La mécanisation : faire effectuer un travail par une machine qui est commandée directement par l'homme.
{**la mécanique, un mécanisme, un mécanicien, une mécanicienne** (fam. : **un mécano**), **mécanique, mécaniquement, mécaniser**}.
L'automatisation, (moins fréq.) **l'automation** : faire fonctionner une machine d'elle-même, sans intervention de l'homme. *Dans les effets de l'automatisation sur l'emploi, en face des emplois supprimés dans les secteurs qui s'automatisent, il faut compter les emplois créés pour concevoir les automatismes et les robots.* (Didier).
{**un automatisme, automatique, automatiquement, automatiser**}.
L'informatisation : automatisation à l'aide du traitement de données sur ordinateur par des logiciels.
{**l'informatique, un informaticien, une informaticienne, informatique, (s')informatiser**}.
La robotisation : automatisation à l'aide de machines à aspect humain qui peuvent effectuer un certain nombre d'actions programmées.
{**un robot, la robotique** (science qui se rapporte à l'élaboration de robots), **(se) robotiser**}.
L'automatisation, l'informatisation et la robotisation sont la conséquence du développement de **la technologie** (ensemble des procédés appliqués lors du processus de production) {**technologique**}. Le terme remplace de plus en plus le terme **'la technique'** {**la technicité, un technicien, une technicienne, technique, techniquement**}. **La technologie de pointe, la technologie avancée** : technologie basée sur les découvertes scientifiques les plus récentes. >< **La technologie traditionnelle**. (Un produit, une entreprise) **de haute technologie** : qui (un produit) est fabriqué à l'aide de ou qui (une entreprise) fait appel à la technologie de pointe. **Le transfert de(s) technologie(s)** (des pays industrialisés aux pays en développement). **La technologie de l'information (et de la communication)**. *Si votre voiture vous parle, c'est grâce à la technologie de l'information et de la communication.* (Un agent économique) **développer une technologie ; utiliser une technologie ; maîtriser une technologie. Le développement d'une technologie ; l'utilisation d'une technologie ; la maîtrise d'une technologie**.

L'ingénierie : conception, étude globale d'un projet industriel sous tous ses aspects (techniques, économiques, financiers, sociaux), coordonnant les études particulières des spécialistes (RQ). (Syn. : (angl.) **l'engineering**). **L'ingénierie financière**. (V. 267 finance, 3). **L'ingénierie fiscale**. (V. 271 fiscalité, 3).

{(angl.) **le reengineering** (abandon des procédures et des principes d'organisation traditionnels au profit de la mise en place de procédures davantage axées sur les besoins des clients et qui permettent une optimalisation du service rendu) (Syn. : **la reconfiguration**)}.

CESSION D'UNE PARTIE DE LA PRODUCTION

L'impartition : terme général pour désigner l'opération par laquelle une entreprise fait appel à une autre entreprise pour la production de biens ou la fourniture de services au lieu de les assurer par ses propres moyens. (Syn. : (angl.) **l'outsourcing**).

La sous-traitance : contrat par lequel une entreprise (le donneur d'ordre) confie à une autre entreprise (le sous-traitant) une partie de sa production dans laquelle celle-ci est spécialisée ou pour laquelle elle est mieux équipée. *Notre usine compte intensifier la robotisation de ses chaînes d'assemblage, mais fait déjà de plus en plus appel à la sous-traitance.* **La sous-traitance structurelle**. >< **La sous-traitance conjoncturelle** : lorsque les moyens de production d'une entreprise sont saturés. (Une entreprise) **recourir à la sous-traitance ; faire exécuter des activités en sous-traitance**. >< (Une autre entreprise) **travailler en sous-traitance. Le travail en sous-traitance**.

{**un sous-traitant, sous-traiter**}.

Un équipementier : fabricant (en sous-traitance) des équipements électriques, électroniques pour l'industrie aéronautique, automobile (RQ).

L'externalisation : fait de se défaire d'activités secondaires tout en créant une entité autonome de l'entreprise d'origine. *Une part des pertes d'emploi est purement statistique, puisqu'elle correspond à l'externalisation de fonctions exercées auparavant au sein de l'entreprise (transport, entretien, ...).*

{**externaliser**}.

La concession. 1. Contrat par lequel une entreprise s'engage sous certaines conditions à fabriquer les produits d'une autre entreprise ou à les vendre dans une région particulière. *Un constructeur canadien négocie un contrat de concession avec une entreprise européenne pour la construction d'une centaine de véhicules tout-terrain.* - 2. Droit d'exploitation accordé sous certaines conditions par une société à une autre société. *Les chemins de fer ont décidé d'accorder la concession de la restauration à bord de ses trains à une société anglaise.*

{**un, une concessionnaire** (V. 116 commerce, 1)}.

RALENTISSEMENT DE LA PRODUCTION

Un goulot d'étranglement, **un goulet d'étranglement** : difficultés dans le processus de production qui ralentit la production d'une entreprise ou freine tout le circuit économique. *La logistique constitue généralement le goulet d'étranglement le plus important.*

2 un PRODUIT - [pʀɔdɥi] - (n.m.)

1.1. Bien ou service réalisé par un agent économique (un agriculteur, un artisan, une entreprise, un État - X) et qui est destiné à la satisfaction des besoins des autres agents économiques (Y).
Syn. : (☞ 446 Pour en savoir plus, Produit (sens 1.1.) et synonymes).
Une entreprise qui fabrique des produits dont la demande est sujette à de vives fluctuations, fera exécuter périodiquement un certain nombre d'activités en sous-traitance.

1.2. (emploi fréq. au plur.) (comptabilité) Acquisition de richesse (somme d'argent ou valeur) qu'un agent économique (un particulier, une entreprise) réalise par la production ou la vente de biens ou de services et qui figure au compte de résultats (pour une entreprise).
Syn. : (☞ 446 Pour en savoir plus, Produit (sens 1.2.) et synonymes); Ant.: une charge.
L'évolution des recettes financières est très positive : le produit des ventes a augmenté de 6,9 %.

2.1. Résultat de qqch.
Le désordre généralisé du système financier est le produit de l'incertitude structurelle.

+ adjectif

TYPE DE PRODUIT (sens 1.1.)

Un produit primaire, **brut**. (Syn. : **un produit de base**). (☞ 444 + nom).

Un produit semi-fini : produit partiellement transformé qui est destiné à entrer dans une nouvelle phase de la production. (Syn. : (peu fréq.) **un semi-produit, un demi-produit**). *La Belgique, qui est (relativement) spécialisée dans l'assemblage automobile, offre encore des possibilités pour la sous-traitance de produits semi-finis, tels des garnitures textiles pour les sièges et les portes.*

Un produit fini, final (plur. : **finals** et **finaux**) : produit qui se situe à la fin de la production et qui est destiné à la consommation directe. *Les entreprises font appel à la sous-traitance pour la fabrication de produits finis complexes, en particulier lorsque sont assemblées dans le produit de nombreuses pièces dont la fabrication fait intervenir des techniques très divergentes.*

Les produits dérivés : ensemble des **produits résiduels** (déchets de matières premières ou produits présentant des défauts) et des sous-produits (V. 449 6 autres dérivés ou composés) qui peuvent apparaître lors de la fabrication.

Un produit léger, (angl.) **light** : qui contient moins de calories. (Syn. : **un produit minceur**).

Un produit frais. >< **Un produit surgelé**.

Un produit artisanal. (Syn. : **un produit (fait) maison**). >< **Un produit industriel**.

Un produit naturel. >< **Un produit industriel**.

Les produits alimentaires ; agricoles ; pétroliers ; chimiques ; pharmaceutiques.

Un produit bancaire. *La rentrée scolaire et universitaire est traditionnellement une période clé pour la promotion des produits bancaires destinés aux jeunes.*

Un produit (financier) dérivé. (V. 266 finance, 3).

Un produit marchand. (V. 364 marchandise, 2).

Un produit manufacturé : résultat de la transformation industrielle de matières premières. (V. 557 travail, 1).

Un produit générique : produit commercialisé sans nom de marque. (Ant. : **un produit de marque**). *La recherche scientifique est l'arme dont disposent Procter & Gamble, Henkel et d'autres contre les produits génériques : ceux-ci seront toujours en retard d'une poudre à lessiver.*

Un produit anomal (plur. : **des produits anomaux**) : dont l'achat est peu fréquent.

>< **Un produit banal** (plur. : **des produits banals**) : produits d'achat courant et de grande diffusion.

Un produit rentable. (V. 485 rentabilité, 2).

Un produit économique. (☞ 444 + nom).

TYPE DE PRODUIT (sens 1.2.)

Le produit intérieur brut (**le PIB**): valeur de l'ensemble des biens et services produits sur le territoire national, quelle que soit la nationalité des producteurs (Silem). *La part de l'industrie dans le PIB tourne autour de 25 %.* (V. 563 valeur, 1).

>< **Le produit intérieur net** (**le PIN**) : le PIB moins les amortissements.

Le produit intérieur brut marchand : biens et services vendus.

>< **Le produit intérieur brut non marchand** : contribution des agents économiques qui ne vendent pas leurs biens et leurs services : les administrations, la sécurité sociale, l'éducation nationale (DixecoÉc).

Le produit national brut (**le PNB**) : valeur de l'ensemble des biens et services produits par les agents économiques nationaux, qu'ils se trouvent à l'intérieur du pays ou à l'étranger. *Selon une analyse d'un service d'étude indépendant, le produit national brut, total de toutes les richesses françaises, aurait progressé de 2,3 %, alors que les principaux instituts de conjoncture tablaient sur une croissance dépassant à peine 1,6 %.*

Un/les produit(s) financier(s): rentrées d'argent qui se rapportent aux transactions financières d'une entreprise (p. ex. les intérêts perçus sur des placements, les différences de change, ...). (Ant. : **une/les charge(s) financière(s)**).

Un/les produit(s) exceptionnel(s): rentrées d'argent dues aux transactions particulières d'une entreprise (p. ex. la vente de matériel, ...) et qui figurent au compte de résultat. (Ant. : **une/les charge(s) exceptionnelle(s)**).

CARACTÉRISATION DU PRODUIT (sens 1.1.)

Un produit bon marché. >< **Un produit cher**. (V. 437 prix, 1).

Un produit défectueux : qui présente un défaut (p. ex. un appareil qui ne marche pas).

Un produit dangereux.

Un produit toxique.

Un produit polluant.

Un produit (in)inflammable : produit qui (ne) peut (pas) prendre feu.

Un nouveau produit, un produit nouveau.

+ nom

(sens 1.1.)

- **Le cycle (de vie) d'un produit, la courbe (de vie) d'un produit** : phases successives de présence du produit sur le marché : le lancement, la croissance, la maturité et le déclin.
- **Le marché des produits** (de base, de haute technologie, alimentaires, ...).

  Le commerce de(s) produits.
- **Une gamme (de produits), un éventail de produits, un portefeuille de produits** : ensemble des produits offerts par un producteur. *Après avoir développé une gamme de montres très large, le groupe Swatch a choisi de diversifier sa gamme de produits : lunettes, voitures, ...* (Ant. : **un assortiment** (ensemble de produits offerts à la vente par un distributeur, un magasin). {(**bien**) **assorti** (Syn. : (**bien**) **achalandé**) (V. 107 clientèle, 2)}). **Une gamme large** : composée de nombreuses lignes de produits. **Une gamme profonde** : composée de nombreux produits dans chaque ligne.

  Une ligne de produits, une famille de produits : à l'intérieur de la gamme de produits, ensemble de produits destinés à un même type de clients. *Offrir aux peaux sèches une ligne complète de produits* (PR). (**un article, une référence** : ☞ 446 Pour en savoir plus, Produit (sens 1.1.) et synonymes).
- **La gestion du produit, la politique du produit** : façon de conduire un produit de la production à la vente. *Ce n'est qu'après avoir défini le produit et ses caractéristiques que l'entreprise peut prendre des décisions concernant la politique du produit* (Darbelet).

  L'innovation de(s) produits. (V. 329 innovation, 1).
- **Un chef de produit** : responsable de la production.
- **La performance d'un produit**. (V. 413 performance, 1).

TYPE DE PRODUIT (sens 1.1.)

Un produit de base : produit qui n'a pas reçu de transformation industrielle (**les matières premières** et **les ressources agricoles**) (Silem). (Syn. : **un produit primaire, brut**). *Industrialisation et développement économique sont presque des synonymes. Cela ne veut pas dire que l'on ne puisse pas se développer sans s'industrialiser : on peut même devenir le pays le plus riche du monde en n'exportant que des produits de base.*

Un produit de première nécessité : produit indispensable pour vivre (le pain, l'eau). *À mesure que le revenu augmente, une part proportionnellement plus mince du revenu est consacrée à des produits de première nécessité et une part toujours plus grande à des services comme les soins de santé et l'enseignement.*

Un produit de consommation courante, de grande consommation. (Syn. : **un bien (de consommation) non durable, un bien de consommation courante, un bien de grande consommation**). (V. 63 bien, 1).

Un produit de luxe.

Un produit de marque : produit commercialisé sous un nom de marque et dont l'image de marque est déterminante dans la motivation d'achat. (Ant. : **un produit générique**). *La promotion d'un produit de marque peut favoriser simultanément la demande globale de produits similaires, principalement pour des produits jusqu'alors peu connus du public.*

Un produit haut de gamme : produit à forte valeur ajoutée. *European Night Services (ENS) exploite des trains de nuit qui fournissent des services haut de gamme pour les hommes d'affaires.*

>< **Un produit bas de gamme** : produit courant, bon marché. (Syn. : **un produit économique**). (☞ 446 Pour en savoir plus, Notes d'usage).

Un produit d'exportation. >< **Un produit d'importation**. *Une dévaluation diminue le prix des produits d'exportation, mais augmente le prix des produits d'importation.*

Un produit phare, (angl.) **leader** : produit innovateur à grand succès, qui fait le renom et le succès d'un fabricant.

Un produit dilemme : produit à forte croissance de vente, mais, les parts de marché étant réduites, à faible rentabilité (☞ 446 Pour en savoir plus, Classement des produits (sens 1.1.)).

Un produit de substitution, de remplacement : produit capable de remplacer le produit original.

Un produit d'appel : produit qui est vendu avec un bénéfice réduit ou nul et dont la mise en vente a pour but d'attirer la clientèle. *Certaines grandes surfaces font du vin un produit d'appel : ils proposent des grands crus à des prix très bas, en espérant que les consommateurs achèteront d'autres produits à marge bénéficiaire plus importante.*

TYPE DE PRODUIT (sens 1.2.)

Le produit de l'impôt ; **de la vente** ; **de l'investissement** ; **d'un placement**. *Le produit de la vente de cet immeuble s'élève à 12 millions d'euros.*

Un/les produit(s) d'exploitation : rentrées d'argent dues aux activités commerciales d'une entreprise et qui figurent au compte de résultat. (Ant. : **une/les charge(s) d'exploitation**).

CARACTÉRISATION DU PRODUIT (sens 1.1.)

Un produit de (haute) qualité. *Il apparaît que le consommateur souhaite pouvoir reconnaître un produit de qualité par une marque de garantie et que seul un 'label' permettrait de rencontrer ce vœu.*

Un produit de (tout) premier choix : produit de la meilleure qualité. > **Un produit de deuxième choix**.

Un produit de haute technologie.

Un produit à circulation rapide : qui connaît un écoulement constant.

MESURE DU PRODUIT (sens 1.1.)

La durée de vie d'un produit : période que le fabricant prévoit pour le bon fonctionnement d'un produit.

+ verbe : qui fait quoi ?

(sens 1.1.)

X (une entreprise)	✓	**concevoir** un ~	la conception d'un ~	1
		↓		
X (une entreprise)		**développer** un ~	le développement d'un ~	
		mettre au point un ~	la mise au point d'un ~	
		↓		
X (une entreprise)		**fabriquer** un ~	la fabrication d'un ~	
		↓		
X (une entreprise)	✓	**lancer** un (nouveau) ~ (sur le marché)	le lancement d'un ~	2
		commercialiser un ~	la commercialisation d'un ~	
		mettre en vente un ~	la mise en vente d'un ~	
		sortir un nouveau ~ (sur le marché)	la sortie d'un ~	
→ un (nouveau) ~		**apparaître** (sur le marché)	l'apparition d'un ~ (sur le marché)	3
		sortir	la sortie d'un ~	
		↓		
X (une entreprise)		**vendre** un ~ (**à** Y)	la vente d'un ~ (à Y)	
→ un ~		**se vendre**	la vente d'un ~	
		être offert par X	l'offre de/en produits/d'un ~	4
		↓		
X (une entreprise)	O	**retirer** un ~ **du marché**	le retrait d'un ~ du marché	5
X (une entreprise)		**distribuer** un ~	la distribution d'un ~	
		écouler un ~	l'écoulement d'un ~	
		diffuser un ~ (V. 205 distribution, 1)	la diffusion d'un ~	
X (une entreprise)		**fournir** un ~	la fourniture d'un ~	
		livrer un ~	la livraison d'un ~	
X (une entreprise)		**adapter** un ~ (**à** qqch./qqn)	l'adaptation d'un ~ (à qqch./qqn)	6
		renouveler ses ~	le renouvellement de ses ~	
X (une entreprise)		**exporter** un ~	l'exportation d'un ~	
		>< **importer** un ~	l'importation d'un ~	
X (une entreprise)		**stocker** un ~	le stockage d'un ~	
		avoir un ~ **en stock**	un stock de produits	
un ~	△	**progresser**	la progression d'un ~	7

Y (un consommateur, une entreprise)	**demander** un ~	la demande de/pour un ~	8
	commander un ~ (à X)	la commande (d'un ~)	
	acheter un ~ (à X)	l'achat d'un ~	
	consommer un ~	la consommation d'un ~	

1 *La conception assistée par ordinateur (CAO) gère toutes les opérations aboutissant à la conception du produit depuis le cahier des charges jusqu'à l'objet lui-même.*
2 *La crise peut limiter la vitesse de l'innovation : en effet, l'adoption de nouveaux processus de production ou le lancement de nouveaux produits impliquent des risques.*
3 *La croissance dans tous les pays s'explique principalement par le progrès technique, c'est-à-dire les gains de productivité et l'apparition de produits nouveaux.*
4 *Le nouveau produit financier offert par cette banque française permet au client de définir lui-même son profil de risque.*
5 *Le constructeur d'ordinateurs personnels a décidé de retirer ses produits démodés du marché européen.*
6 *Nous écoutons le marché et nous adaptons nos produits à la demande.*
7 *On assiste à la régression de la consommation d'acier d'une part, et à l'apparition ou à la progression de produits concurrents de l'acier d'autre part.*
8 *Un monopole est acceptable s'il existe un système de prix et de niveaux de production tels que la demande de chaque produit est satisfaite aux prix pratiqués.*

Pour en savoir plus

PRODUIT (sens 1.1.) ET SYNONYMES

Un produit.

Un bien : synonyme plus technique de 'produit' au sens de "produit matériel" (V. 62 bien, 1).

Une marchandise : bien qui fait l'objet d'une transaction commerciale sans être transformé. *Lorsqu'une nation vend plus de marchandises à l'étranger qu'elle ne lui en achète, sa balance commerciale sera excédentaire.* (V. 361 marchandise, 1).

Un article : objet d'une famille de produits qui est mis en vente : p. ex. les tee-shirts, les polos à l'intérieur de la famille de produits des vêtements de loisir. *Dans bon nombre de pays, le succès des exportations a obligé certains producteurs à transférer leurs productions vers d'autres pays : plusieurs articles textiles produits autrefois chez nous (tee-shirts, polos, ...) le sont maintenant en Thaïlande.* **Un article de caisse** : petit article placé à la proximité de la caisse et susceptible de tenter le client au moment où il va payer ses achats (DC). **Un article épuisé, manquant.** >< **Un article en stock, courant. Un article de bureau** ; **de sport** ; **en cuir** ; **ménager** ; **pour fumeurs.**

Une référence : article spécifique mis en vente : p. ex. un polo Lacoste, taille XL, de couleur verte. Le mot 'article' est parfois utilisé comme synonyme de 'référence'.

Une denrée (alimentaire) : produit qui sert de nourriture.

PRODUIT (sens 1.2.) ET SYNONYMES

Un produit.

Un bénéfice, un gain, un profit (V. 59 bénéfice, 1).

Un rendement (V. 481 rendement, 1).

NOTES D'USAGE

On associe souvent les mots 'bien(s)' (ou 'produit(s)') et 'service(s)' qui désignent les résultats de l'activité économique.

'Haut, bas de gamme' : invariable. *Des voitures haut de gamme.*

On dira **fabriquer un produit** plutôt que 'produire un produit'.

MATIÈRE, MATÉRIEL ET MATÉRIAU

La matière : substance. **Les matières premières** : produits naturels (miniers, agricoles, ...) destinés à être employés et transformés dans un processus de production.

Le matériel. 1. Équipement. **Le matériel de bureau**. - 2. Ensemble des éléments physiques (unité centrale, périphérique, etc.) constituant les machines informatiques. (Syn. : (angl.) **le hardware**). (Ant. : **le logiciel**, (angl.) **le software**).

Un matériau (plur. : **les matériaux**) : élément qui sert à la fabrication et à la construction. *Le marbre est un matériau noble mais cher.* **Les matériaux de construction.**

CLASSEMENT DES PRODUITS (sens 1.1.)

taux de croissance		
fort	les produits dilemmes	les vedettes ou les étoiles
faible	les poids morts	les vaches à lait
	faibles	fortes
	parts de marché	

(Darbelet)

Les vaches à lait : produits demandant peu d'investissements mais fortement rentables.

3 un PRODUCTEUR, une PRODUCTRICE - [pʀɔdyktœʀ, pʀɔdyktʀis] - (n.)

1.1. Agent économique (un agriculteur, un artisan, une entreprise, un État) qui réalise des biens et des services qui sont destinés à la satisfaction des besoins des autres agents économiques.

Syn.: (☞ 447 Pour en savoir plus, Producteur et synonymes) ; Ant. : (☞ 448 Pour en savoir plus, Producteur et antonymes).

On ne peut pas parler de prix de gros ou de prix de détail pour des biens vendus directement par le producteur au consommateur, tels le pain, l'électricité ou les automobiles.

expressions

Du producteur au consommateur : sans intermédiaire. *Notre force, c'est de proposer des vacances directement du producteur au consommateur, sans intermédiaire : nous assumons entièrement notre métier de marchand de bonheur.*

+ adjectif

CARACTÉRISATION DU PRODUCTEUR

Un producteur indépendant. *Les petits producteurs indépendants cultivent généralement de petites parcelles de 1 à 3 hectares, comme activité complémentaire à leur profession.*

Le premier producteur + adjectif qui désigne un type de produits. *Les États-Unis devraient redevenir cette année le premier producteur automobile mondial.* (en apposition) **Premier producteur** + adjectif qui désigne un type de produits.

NIVEAU DU PRODUCTEUR

Un grand producteur, un gros producteur, un important producteur (de + nom qui désigne un type de produits). *Nestlé, qui a son siège à Vevey, est la plus grande entreprise suisse et l'un des plus grands producteurs mondiaux de denrées alimentaires et de boissons.*

>< **Un petit producteur**.

LOCALISATION DU PRODUCTEUR

Un producteur mondial.

Un producteur national (français, espagnol, ...). >< **Un producteur étranger**.

Un producteur local, indigène.

+ nom

Un groupement de producteurs : association de producteurs afin de produire de façon plus efficace.

Une entente entre producteur s: accord entre producteurs afin de réaliser un maximum de bénéfices en éliminant la concurrence. *Une décision de la Commission européenne a été nécessaire pour autoriser une entente entre producteurs automobiles pour la fabrication d'un véhicule monocorps au Portugal.*

NIVEAU DU PRODUCTEUR

Le premier producteur de + nom qui désigne un type de produits. (en apposition) **Premier producteur de** + nom qui désigne un type de produits. *Le groupe Glaverbel, premier producteur de verre plat du Benelux, a réalisé un chiffre d'affaires d'environ 1 milliard d'euros.*

+ verbe : qui fait quoi ?

un ~	✓	**accéder au** marché	l'accès au marché/d'un ~ sur le marché	1
un ~	×	**s'implanter sur** le marché	l'implantation d'un ~ sur le marché	2
		s'installer sur le marché	l'installation d'un ~ sur le marché	
un ~		**influencer** le marché	une influence d'un ~ sur le marché	3
		>< **subir** le marché	-	3

1 *La domination des marques établies rend difficile l'accès de nouveaux producteurs sur le marché.*
2 *Dans de nombreux cas, l'amélioration des communications internationales rend superflue l'implantation du producteur sur le marché local.*
3 *Aucun producteur ne peut à lui seul influencer le marché, tous subissent le marché (Didier).*

Pour en savoir plus

PRODUCTEUR ET SYNONYMES

Un producteur : tout agent économique (un agriculteur, un artisan, une entreprise, un État) qui produit un bien ou un service.

Un entrepreneur : personne qui dirige un agent économique (une entreprise) qui produit des biens ou des services. (V. 239 entreprise, 2).

Un industriel : personne qui dirige un agent économique (une entreprise) qui transforme les richesses naturelles (les matières premières) pour la fabrication de produits (semi-)finis. (V. 325 industrie, 3).

Un constructeur : entreprise dans le domaine de la production de voitures, d'avions ou d'ordinateurs. **Un constructeur automobile**. {**constructeur, -trice, construire**}. (V. 441 1 production).

Un fabricant : agent économique (une entreprise) qui transforme ou assemble de façon industrielle ou artisanale des biens intermédiaires en produits finis. (V. 255 fabrication, 2).

Un manufacturier : fabricant qui fait appel à une main-d'œuvre très qualifiée. (V. 557 travail, 1).

PRODUCTEUR ET ANTONYMES

Un producteur.
Un distributeur. (V. 205 distribution, 2).
Un intermédiaire. (V. 116 commerce, 1).
Un consommateur. (V. 143 consommation, 2).

DÉNOMINATION DE PRODUCTEURS

Il existe de nombreux mots formés avec les suffixes '-eur', '-ier', '-ien' et '-iste' pour désigner une catégorie de producteurs particulière : un constructeur, un cigarettier, un biscuitier, un électricien, un électroménagiste, ... *Bien que le cigarettier Philip Morris ait opté pour la diversification de ses activités, sa dépendance envers le tabac reste importante : il est le moteur de la croissance.*

4 PRODUCTEUR, -TRICE - [pʀɔdyktœʀ, -tʀis] - (adj.)

1.1. (agent économique : un agriculteur, un artisan, une entreprise, un État) Qui réalise des biens et des services qui sont destinés à la satisfaction des besoins des autres agents économiques.
Ant. : consommateur.

+ nom

LOCALISATION DE LA PRODUCTION

Un pays producteur de + nom qui désigne un type de produits. *Depuis des années, l'Espagne se place parmi les plus importants pays producteurs de vin.*
>< **Un pays non producteur de** + nom qui désigne un type de produits.
Une entreprise productrice de + nom qui désigne un type de produits, **une société productrice de** + nom qui désigne un type de produits.

5 PRODUIRE - [pʀɔdɥiʀ] - (v.tr.dir.)

1.1. Un agent économique (un agriculteur, un artisan, une entreprise, un État - X) réalise des biens et des services (Y) qui sont destinés à la satisfaction des besoins des autres agents économiques.
Syn. : (V. 441 1 production); Ant. : consommer.
La société a annoncé la conclusion, d'ici à la fin du mois, d'une joint-venture avec une entreprise turque orientée vers le marché américain et susceptible de produire 1000 peignoirs de bain par jour.

1.2. Qqch. (une activité, une transaction, ... - X) rapporte une somme d'argent.
Syn. : rapporter.
Les investissements publics produisaient un rendement des plus bas.

2.1. Qqch. entraîne un résultat.
Les mesures prises ces derniers mois n'ont pas encore produit leur plein effet sur les chiffres actuels, mais ce sera le cas à partir de l'an prochain.

expressions

(sens 1.1.)

Par unité produite : par objet fabriqué (en série). *L'évolution des salaires réels s'est caractérisée par une baisse importante du coût moyen du travail par unité produite.*

+ nom

TYPE DE PRODUCTION (sens 1.1.)

Produire en grande(s) série(s), à grande échelle : produire en gros, afin de réaliser des **économies d'échelle** (V. 213 économie, 1). *Dans le secteur textile, l'automate n'a de sens que si l'on produit en grandes séries sur base d'éléments de patron toujours les mêmes.*

Produire à l'échelon industriel. *Nos stocks sont très limités car nous ne produisons pas à l'échelon industriel.* (V. 323 industrie, 2).

CARACTÉRISATION DE LA PRODUCTION (sens 1.1.)

Produire sur une (plus) grande échelle. *L'accès au marché mondial permet de produire sur une grande échelle, ce qui comprime souvent les coûts et provoque une hausse des profits.*
Produire à bas prix. (V. 431 prix, 1).

MESURE DE LA PRODUCTION (sens 1.1.)

Produire par an ; par mois ; par jour ; par heure. *La mise en place d'une nouvelle chaîne d'assemblage permettra de produire 5 000 véhicules par mois.*
Produire à l'hectare.

qui fait quoi?

(sens 1.1.)

X (une entreprise)	**produire** Y		la production de Y

(sens 1.2.)

X (une activité, une transaction, ...)	**produire**	des profits, des bénéfices	-

6 AUTRES DÉRIVÉS OU COMPOSÉS

- **La surproduction** [syʀpʀɔdyksjɔ̃] (n.f.) : production excédentaire par rapport à la demande.
  >< **La sous-production** [supʀɔdyksjɔ̃] (n.f.) : production insuffisante par rapport à la demande.
- **Un semi-produit** [səmipʀɔdɥi] (n.m.) (plur. : **des semi-produits**), **un demi-produit** [dəmipʀɔdɥi] (n.m.) (plur. : **des demi-produits**) : (peu fréq.) produit qui doit subir d'autres opérations avant de devenir un produit fini et d'être mis sur le marché. (Syn. : (plus fréq.) **un produit semi-fini**).
- **Un sous-produit** [supʀɔdɥi] (n.m.). 1. Produit secondaire obtenu au cours de la fabrication du produit principal. *La saccharine, qui existe depuis 1879, est un sous-produit de l'industrie pétrochimique.* - 2. Mauvaise imitation.
- **La productique** [pʀɔdyktik] (n.f.) : application de l'informatique à la production (**la CAO** : la conception assistée par ordinateur, **la FAO** : la fabrication assistée par ordinateur, ...).
- **Mono(-)produit** [mɔnɔpʀɔdɥi] (adj. invar.) : qui se concentre sur un produit. *Le choix d'une campagne de pub mono-produit est délibéré: il porte sur un produit où il y a une grande mobilité et une faible résistance du client.*
- **Surproduire** [syʀpʀɔdɥiʀ] (v.tr.dir., v.intr.) : produire plus que la demande. *Les pays qui surproduisent ne s'attendent pas à une chute du marché : ils jugent que les besoins sont à la hausse.*
  >< **Sous-produire** [supʀɔdɥiʀ] (v.tr.dir., v.intr.) : produire moins que la demande.

PRODUCTIQUE (n.f.) (**) 1. Application de l'informatique à la production.

1. (449)	die automatische Fertigung	automated production technology industrial automation	la automatización de industrias de fabricación	l'informatica applicata alla produzione	de automatische productie (f.)

PRODUCTIVISME (n.m.) (*) 1. Théorie économique qui favorise la productivité.

1. (451)	die Produktivitätstheorie	productivism	el productivismo	il produttivismo	het productivisme

PRODUCTIVISTE (adj.) (*) 1. Qui se rapporte à la théorie économique qui favorise la productivité.

1. (451)	produktivitätstheoretisch	productivist	productivista	produttivistico	productivistisch

PRODUCTIVITÉ (n.f.) (****) 1. Rapport entre la quantité produite et la quantité de facteurs de production utilisée.

1. (449)	die Produktivität	productivity	la productividad	la produttività	de productiviteit (f.) de producticcapaciteit (f.)

PRODUCTIVITÉ

➠ production - société/entreprise

1 la productivité **3** l'improductivité **3** la sous-productivité **3** le productivisme	**3** un productif	**2** productif, -ive **3** improductif, -ive **3** contre-productif, -ive **3** productiviste	

1 la PRODUCTIVITÉ - [pʀɔdyktivite] - (n.f.)

1.1. Rapport entre la quantité produite par un agent économique (une entreprise, éventuellement un salarié - X) ou un bien d'équipement (une machine, un outil - X) et une quantité de facteurs de production (le travail, le capital) utilisés pour réaliser cette production.
Syn. : (☞ 450 Pour en savoir plus, Évaluation de résulta ts); A nt.: (peu fréq.) l'improductivité.
L'augmentation de la productivité horaire d'un travailleur dépend, entre autres, de la mécanisation ou de l'automatisation de son travail, mais aussi de l'organisation de l'ensemble du système de production dans lequel il s'insère (DixecoÉc).

expressions

- (Un secteur, une entreprise, ...) **à forte productivité, à haut degré de productivité** : très productif.
  >< **À faible productivité.** *Nous avons assisté à un transfert progressif de la population active des secteurs à faible productivité (l'agriculture) vers ceux à forte productivité (l'industrie).*

+ adjectif

TYPE DE PRODUCTIVITÉ

La productivité globale : rapport entre une production et l'ensemble des facteurs de production, compte tenu de leur importance relative (Ménard).

>< **La productivité partielle, marginale** : rapport entre une production et un facteur de production. *En cas de travail collectif, il est impossible d'attribuer une productivité mar-*

ginale à chaque travailleur sur la base du produit total.

La productivité moyenne : rapport entre la production nationale et le nombre de personnes qui travaillent. *L'une des caractéristiques majeures du processus de croissance est l'augmentation régulière de la productivité moyenne du travail.*

La productivité apparente (**du travail**, **du capital**) : rapport entre la valeur ajoutée et le volume de travail ou le volume de capital fixe.

NIVEAU DE LA PRODUCTIVITÉ

Une haute productivité, une productivité élevée. >< **Une faible productivité.**

MESURE DE LA PRODUCTIVITÉ

La productivité horaire (Syn. : **la production par heure**) ; **annuelle**.

La productivité relative : par rapport aux autres pays, secteurs.

+ nom

- **Un effort de productivité.**
  La course à la productivité. *Beaucoup d'entreprises sont entraînées dans la course folle à la productivité et du maintien de leurs marges.*
- **Un investissement de productivité.** (V. 336 investissement, 1).
- **Une prime de productivité.** (V. 482 rendement, 1).

TYPE DE PRODUCTIVITÉ

La productivité des facteurs (**de production**) : **la productivité du travail** ; **la productivité du capital** ; **la productivité des équipements**. *Les différences de productivité du travail entre les entreprises s'expliquent par des différences de durée de travail et de qualité de main-d'œuvre.*

NIVEAU DE LA PRODUCTIVITÉ

Le niveau de productivité.

Les surplus de productivité : différence (positive) entre l'augmentation en volume de la production à prix constant et celle des facteurs de production utilisés.

Les inégalités de productivité. *Les inégalités de productivité sont largement répandues et communes et, même dans les pays développés, le progrès n'est jamais égal mais toujours localisé dans les industries nouvelles.*

LOCALISATION DE LA PRODUCTIVITÉ

La productivité des entreprises ; **de l'industrie** ; **des secteurs.**

+ verbe : qui fait quoi ?

X (une entreprise)	△	**augmenter** la ~	une augmentation de la ~	
		améliorer la ~	une amélioration de la ~	
		gagner en ~	un gain de ~	1
→ la ~ de X		**augmenter**	une augmentation de la ~	
		croître	la croissance de la ~	
		s'accroître	un accroissement de la ~	
		progresser	la progression de la ~	
la ~ de X	▽	**baisser**	une baisse de la ~	
		diminuer	une diminution de la ~	
		-	une perte de ~	2

1 *Toutes les agences de publicité essaient de gagner en productivité et en efficacité : les structures doivent être plus courtes.*

2 *La baisse des exigences salariales des chômeurs signale aux employeurs leur perte de productivité et elle réduit leurs chances d'embauche.*

Pour en savoir plus

ÉVALUATION DE RÉSULTATS

La confrontation d'un résultat avec les moyens mis en œuvre pour l'obtenir (**l'efficience** {**efficient**}) est rendue par plusieurs notions : la **rentabilité** lorsque la comparaison est fondée sur la valeur de la production et la valeur des moyens (V. 484 rentabilité, 1) ; la **productivité** et le **rendement** sur la valeur de la production et le volume des moyens de production. Certains auteurs estiment qu'une augmentation de la productivité est synonyme d'une réduction de l'effort du salarié pour accroître la production, alors que l'augmentation du rendement implique un effort plus prononcé de la part des salariés.

L'efficacité : s'applique à la réalisation d'objectifs (Silem).
{**efficace**}.

2 PRODUCTIF, -IVE - [pʀɔdyktif, -iv] - (adj.)

1.1. (un agent économique : une entreprise, éventuellement un salarié) Qui présente un bon rapport entre la quantité produite et la quantité de facteurs de production (le travail, le capital) utilisés pour réaliser cette production.
Syn. : (agriculture) fécond, fertile ; Ant. : improductif, non productif.

Subsisteront les organismes productifs qui auront su mettre en œuvre des structures minimisant les coûts.

1.2. (un capital) Qui présente un bon rendement.

1.3. Qui se rapporte à la production.

L'Europe apparaît comme un ensemble de marchés nationaux et l'appareil productif est beaucoup moins intégré qu'aux États-Unis ou au Japon.

+ nom

(sens 1.2.)

- **Un capital productif** : capital (argent, machines) qui rapporte beaucoup. *En accumulant du capital productif toujours plus moderne et des machines toujours plus sophistiquées, nos économies sont passées à la production de masse* (Didier).

  >< **Un capital improductif. L'argent improductif**. (V. 33 argent, 1).

(sens 1.3.)

(☞ 451 Pour en savoir plus, Note d'usage)

Un appareil productif, un système productif ; **une structure productive** : ensemble des éléments qui assurent la production. *Ce pays fournit un effort afin de moderniser son appareil productif, de stimuler la recherche et d'améliorer la formation.*

L'organisation productive : organisation de la production.

Pour en savoir plus

NOTE D'USAGE

Au sens 1.3., le terme 'productif' est un terme technique. Dans le langage courant, on utilise plus fréquemment 'de production' : un appareil de production, un système de production.

3 AUTRES DÉRIVÉS OU COMPOSÉS

- **L'improductivité** [ɛ̃pʀɔdyktivite] (n.f.) : mauvais rapport entre la quantité produite et la quantité de facteurs de production utilisés.
- **La sous-productivité** [supʀɔdyktivite] (n.f.) : (peu fréq.) productivité insuffisante.
- **Le productivisme** [pʀɔdyktivism(ə)] (n.m.) : (péj.) théorie économique dans laquelle la production, la productivité sont données comme l'objectif essentiel (RQ).
  {**productiviste** [pʀɔdyktivist(ə)] (adj.)}.
- **Un productif**, (plus fréq.) **les productifs** [pʀɔdyktif] (n.m.) : personne(s) chargée(s) des activités de production de biens ou de services (avec une connotation positive).

  >< **Un fonctionnel**, (plus fréq.) **les fonctionnels** : personne(s) assumant des fonctions administratives (comptabilité, secrétariat, ...) (parfois avec une connotation péj.) (V. 357 main-d'œuvre, 1)
- **Improductif, -ive** [ɛ̃pʀɔdyktif, -iv] (adj.) : (un agent économique : une entreprise, éventuellement un salarié) qui présente un mauvais rapport entre la quantité produite et la quantité de facteurs de production (le travail, le capital) utilisés pour réaliser cette production. (Ant. : **productif**).
- **Contre-productif, -ive** [kɔ̃tʀəpʀɔdyktif, -iv] (adj.) : (une mesure, une évolution) qui produit un effet contraire. *La restructuration décidée par la direction s'est révélée contre-productive puisque le chiffre d'affaires a encore diminué.*

PRODUIRE (v.tr.dir.) (****) 1. Réaliser des biens et des services. 2. Rapporter une somme d'argent.

1. (448)	produzieren	to produce	producir	produrre	produceren
	herstellen	to make	fabricar	fabbricare	fabriceren
2. (448)	ertragreich sein	to yield	producir	fruttare	opbrengen
	Gewinn abwerfen	to return	dar		

PRODUIT (n.m.) (****) 1. Bien ou service. 2. Acquisition de richesse(s) comptable(s).

1. (443)	das Produkt	product(s)	el producto	il prodotto	het product
	das Erzeugnis	goods			
2. (443)	der Ertrag	return	el producto	i proventi	de opbrengst (f.)
	der Erlöss	yield		il ricavo	

PROFESSION (n.f.) (****) 1. Pratique quotidienne d'activités. 2. Ensemble de personnes qui exercent les mêmes activités.

1. (452)	der Beruf	occupation	la profesión	la professione	het beroep
		profession	el oficio	il mestiere	
2. (452)	die Berufsgruppe	profession	la profesión	la categoria professionale	de beroepsgroep (m./f.)
			el grupo profesional		

PROFESSION

➡ **emploi - travail**

1 une profession **3** le professionnalisme **3** la professionnalisation	**3** un professionnel, une professionnelle **3** un pro, une pro	**2** professionnel, -elle **3** interprofessionnel, -elle **3** socio(-) professionnel, -elle **3** extra-professionnel, -elle **3** *professionnellement*	**3** (se) professionnaliser

1 une PROFESSION - [pʀɔfɛsjɔ̃] - (n.f.)

1.1. Pratique quotidienne d'un certain nombre d'activités intellectuelles à prestige social par une personne (X) dans le but d'en tirer ses moyens d'existence.
Syn. : (☞ 453 Pour en savoir plus, Profession (sens 1.1.) et synonyme).
Le gouvernement est en train d'étudier des mesures pour limiter l'accès à la profession d'avocat.

1.2. (peu fréq., emploi avec art. déf.) Ensemble des personnes qui exercent la même profession (sens 1.1.) ou des entreprises qui appartiennent à la même branche d'activité.
Syn. : (☞ 453 Pour en savoir plus, Profession (sens 1.2.) et synonymes).
L'entrepreneur compte parmi les exemples dans la profession par le respect de ses budgets et de ses délais.

expressions

(sens 1.1.)

• (Une personne être) (manager, consultant, technicien, ...) **de profession** : comme activité principale. (Syn. : **professionnel**). *L'entrepreneur-propriétaire fait place au manager de profession.*

+ adjectif

TYPE DE PROFESSION (sens 1.1.)

Une profession + adjectif qui désigne un type d'activité. Une profession (para)médicale (p. ex. un médecin) ; juridique (p. ex. un avocat).

Une profession libérale : profession non commerciale, de caractère intellectuel ou artistique, que l'on exerce librement sous le seul contrôle d'une organisation professionnelle et qui donne lieu à une rémunération par honoraires, p. ex. avocat (DC). *Les pharmaciens sont persuadés d'appartenir à la profession libérale la moins bien rémunérée.* **Un titulaire de profession libérale** : personne qui exerce une profession libérale. *La tenue d'une comptabilité par un titulaire de profession libérale est rendue obligatoire par la loi fiscale.*

Les professions indépendantes : ensemble des agents économiques qui travaillent à leur propre compte et que l'on appelle **les indépendants** (Syn. : **les classes moyennes**). *Comme de nombreuses autres professions indépendantes, les boulangers sont soumis à un système de taxation forfaitaire sur base des seules factures de leurs fournisseurs.*

CARACTÉRISATION DE LA PROFESSION (sens 1.1.)

La profession principale. (Syn. : **l'activité professionnelle principale**). >< (Une personne) **exercer une profession à titre accessoire**. (Syn. : **une activité professionnelle accessoire**). *Dans certains cas, une personne qui exerce une profession indépendante à titre accessoire est dispensée du paiement des cotisations sociales.*

+ nom

TYPE DE PROFESSION (sens 1.1.)

La profession de + nom qui désigne une activité particulière. La profession de médecin ; d'avocat ; de conseil(ler) fiscal.

+ verbe : qui fait quoi ?

(sens 1.1.)

X	✓	**accéder à** une ~	l'accès à une ~	1
X	×	**exercer** une ~	l'exercice d'une ~	2
le gouvernement		**réglementer** une ~	la réglementation d'une ~	

1 *Après avoir suivi une formation d'hôtesse de l'air, on dispose d'un certificat qui donne accès à la profession.*
2 *Un médecin doit disposer d'une voiture pour l'exercice de sa profession.*

Pour en savoir plus

PROFESSION (sens 1.1.) ET SYNONYME
Une profession : pratique d'activités intellectuelles à prestige social.
Un métier : pratique d'activités manuelles ou mécaniques (p. ex. un boucher, un menuisier, ...).

PROFESSION (sens 1.2.) ET SYNONYMES
(peu fréq.) **Une profession.**
Une union professionnelle, une association professionnelle, une organisation professionnelle, un groupement professionnel, une fédération professionnelle. *Le groupement professionnel des exportateurs de café a exprimé son inquiétude face à la baisse sensible des prix pratiqués sur le marché mondial.*
Une corporation.
{**le corporatisme** (doctrine qui considère les groupements professionnels comme une structure fondamentale de l'organisation économique (RQ)), **corporatiste**}.
Un syndicat professionnel. (V. 533 syndicat, 1).

2 PROFESSIONNEL, -ELLE - [pʀɔfɛsjɔnɛl] - (adj.)

1.1. Qui se rapporte à la pratique quotidienne d'un certain nombre d'activités intellectuelles à prestige social par une personne dans le but d'en tirer ses moyens d'existence.
Nous sommes spécialisés dans la production de matériel professionnel pour médecins.

1.2. Qui se rapporte à l'ensemble des personnes qui exercent la même profession (sens 1.1.) ou des entreprises qui appartiennent à la même branche d'activité.
L'union professionnelle des transporteurs a annoncé des actions contre les limitations de vitesse imposées par le gouvernement.

1.3. (une activité) Qui est exercé comme profession (sens 1.1.) et assure des garanties de qualité par son expérience.
Ant. : amateur.
Les joueurs professionnels des grandes équipes de football encaissent d'importantes primes par match gagné.

expressions

(sens 1.1.)
(Une personne faire qqch.) **à des fins professionnelles, à titre professionnel** : dans le but d'exercer ses activités professionnelles. (Ant. : **à titre personnel**). *Je ne peux utiliser ma voiture qu'à des fins professionnelles.*

+ nom

(sens 1.1.)

- **La vie professionnelle**. 1. Période de la vie pendant laquelle une personne exerce une activité productive. - 2. L'ensemble des personnes qui exercent une activité professionnelle (**les personnes actives**). (Syn. : **le monde du travail**). **L'insertion (la réinsertion) dans la vie professionnelle**. *Le gouvernement a pris des mesures pour favoriser l'insertion dans la vie professionnelle de certaines catégories de demandeurs d'emploi.*
- **Le(s) milieu(x) professionnel(s)** : les patrons et leurs organisations professionnelles et l'environnement dans lequel ils sont actifs. *Divers milieux professionnels sont concernés par la recherche et le développement technologique.*
Un secteur (professionnel).
- **Une activité professionnelle** : exercice d'une activité comme profession. *Le salaire est la rémunération de l'activité professionnelle exercée par un salarié au profit de son employeur.* **L'activité professionnelle principale**. (Syn. : **la profession principale**). >< **Une activité professionnelle accessoire**. (Syn. : **un cumul** {**un cumulard, une cumularde, cumuler**}). *On peut très bien cumuler une profession principale et une profession accessoire.*
Exercer une profession à titre accessoire.
Les frais professionnels, les charges professionnelles, une/les dépense(s) professionnelle(s). (V. 293 frais, 1).
- **Les relations professionnelles**. 1. Rapports entre les salariés d'une entreprise. *Dès le premier jour, j'ai senti que les relations professionnelles au sein du département de la comptabilité étaient très tendues.* - 2. Partenaires (une personne ou une entreprise) avec qui un agent économique communique ou effectue des transactions commerciales ou financières. *Nous entretenons pas mal de relations professionnelles avec des entreprises situées dans les pays voisins.*
- **L'enseignement professionnel**. *De toutes parts on entend qu'une amélioration de la qualité de l'enseignement professionnel est une nécessité.*
La formation professionnelle : ensemble des connaissances théoriques et pratiques qui préparent à l'exercice d'une profession ou d'un métier. **Un stage de formation professionnelle.**
La formation sur le tas : dans l'entreprise même. **La formation continue** : complément de formation professionnelle que les salariés reçoivent au cours de leur vie active (Bourachot).
La qualification professionnelle, les compétences professionnelles : formation nécessai-

re pour exercer une profession. *Le seul candidat à ce poste n'a pas d'expérience, mais ses qualifications professionnelles sont largement suffisantes.*

Une école professionnelle, (F) **un lycée professionnel**.

(F) **Un Brevet d'études professionnelles** (**un BEP**).

(F) **Un Certificat d'aptitude professionnelle** (**un CAP**), (S) **un Certificat fédéral de capacité** (**un CFC**).

- **L'expérience** (**professionnelle**) : ensemble de connaissances accumulées lors de l'exercice d'une profession.
- **La carrière** (**professionnelle**), **le parcours professionnel** : ensemble des professions ou des fonctions exercées par une personne. *Il a débuté sa carrière professionnelle comme attaché à la direction de notre banque.*

{**un, une carriériste** (personne qui veut à tout prix réussir son parcours professionnel)}.

La réussite professionnelle. *La réussite professionnelle doit être subordonnée au développement personnel et au bonheur familial.*

- **La hiérarchie professionnelle** : différents échelons à l'intérieur d'une profession ou d'une profession à l'autre.
- **La conscience professionnelle** : minutie et honnêteté avec lesquelles une personne exerce ses activités professionnelles. *Des études ont montré que même les primes n'ont pas d'influence sur la conscience professionnelle des salariés.*

La déformation professionnelle : habitudes, manières de penser prises dans l'exercice d'une profession, et abusivement appliquées à la vie courante (PR). *Par déformation professionnelle, je conserve toutes les factures, tous les tickets de caisse afin d'établir le budget du ménage, mois par mois.*

- **Un usage professionnel** : emploi de qqch. à des fins professionnelles. *Ces locaux sont affectés à un usage professionnel.*

Un utilisateur professionnel : personne qui utilise qqch. à des fins professionnelles. *Les utilisateurs professionnels de l'internet connaissent depuis longtemps les avantages offerts par ce réseau mondial.*

Un secret professionnel : défense de dévoiler des faits confidentiels appris lors de l'exercice de sa profession. (Une personne) **être tenu par le secret professionnel**. *Pour des raisons évidentes, les médecins et les avocats p. ex. sont tenus par le secret professionnel.* (Une personne) **violer le secret professionnel**. *Le médecin privé a clairement violé le secret professionnel en dévoilant le mauvais état de santé du président.*

Une faute professionnelle : erreur grave commise lors de l'exercice d'activités professionnelles. *La grève sauvage a été déclenchée en réaction au licenciement de deux salariés pour faute professionnelle.*

- **Le jargon professionnel** : la langue spécifique utilisée dans une branche d'activité. *Le fait qu'il y a plus de réservations que de places disponibles s'appelle 'overbooking' ou surréservation dans le jargon professionnel.*
- **Une maladie professionnelle**. 1. Maladie causée ou favorisée par l'exercice d'une profession. - 2. Maladie reconnue comme telle par la sécurité sociale et donnant droit au versement d'indemnités ou à un régime spécial. *La surdité professionnelle est la troisième maladie professionnelle en fréquence, juste derrière la silicose et les maladies causées par les vibrations.*
- **Un salon** (**professionnel**). (V. 374 marketing, 1).
- **Une adresse professionnelle** : adresse du lieu de travail d'une personne. (Ant. : **une adresse personnelle, privée**).
- **La mobilité professionnelle** : disponibilité de changer de métier ou d'emploi accompagné ou non de montée ou de descente dans la hiérarchie professionnelle. Il existe en outre **une mobilité géographique** (disposition à changer de lieu pour exercer sa profession) et **une mobilité sociale** (disposition à changer de groupe social).
- (Q) **Une carte professionnelle** : carte de visite avec les coordonnées (le nom, les titres, l'adresse, ...) d'une personne qui travaille dans une entreprise ou une administration publique.
- (B) **Le**(**s**) **revenu**(**s**) **professionnel**(**s**). (V. 493 revenu, 1).

(B) **Le précompte professionnel**. (V. 315 impôt, 1).

- (F) **La taxe professionnelle**. (V. 543 taxe, 1).
- **Un service professionnel**. (V. 508 service, 1).
- **Une entreprise d'apprentissage professionnel** (**une EAP**). (V. 236 entreprise, 1).

(sens 1.2.)

- **Une union professionnelle**, **une association professionnelle**, **une organisation professionnelle**, **une fédération professionnelle**, **un groupement professionnel**, **un syndicat professionnel**. *Les représentants de toutes les fédérations professionnelles industrielles, artisanales et commerciales ainsi que les organisations syndicales se sont rencontrés pour débattre du problème de la réduction du temps de travail.* (V. 453 1 profession). (V. 533 syndicat, 1).
- **Un ordre professionnel** : groupement auquel sont affiliés obligatoirement les personnes qui exercent une profession particulière et qui établit des règlements et prend des mesures disciplinaires.

(sens 1.3.)

- **Un/une** (nom de métier ou de profession) **professionnel(le)**. **Un footballeur professionnel**.

- **Un investisseur professionnel**. (Syn. : (plus fréq.) **un investisseur institutionnel**). (V. 337 investissement, 2).
- **Un service professionnel**. (V. 508 service, 1).

3 AUTRES DÉRIVÉS OU COMPOSÉS

- **Le professionnalisme** [pʀɔfɛsjɔnalism(ə)] (n.m.) : qualité d'une personne qui exerce une activité, un métier en tant que professionnel expérimenté (PR). (Ant. : **l'amateurisme**). (Une personne) **faire preuve de professionnalisme**. *Pour tenir tête à une concurrence toujours plus vive, il est nécessaire de faire preuve de professionnalisme.* >< (Une personne) **manquer de professionnalisme**.
- (**Se**) **professionnaliser** [s(ə) pʀɔfɛsjɔnalize] (v.tr.dir., v.pron.) : rendre une personne, un groupe de personnes, une activité, une gestion plus professionnelle (sens 1.3.). {**La professionnalisation** [pʀɔfɛsjɔnalizasjɔ̃] (n.f.)}. *L'entreprise familiale a pu survivre grâce à la professionnalisation du management et de la gestion en général.*
- **Un professionnel, une professionnelle** [pʀɔfɛsjɔnɛl] (n.). 1. Personne qui exerce une activité comme profession et assure les garanties de qualité nécessaires par son expérience. (Syn. : (fam.) **un(e) pro**). *Un pro de l'hypermarché vient d'être nommé à la tête de la chaîne de distribution.* (Ant. : (souvent péj.) **un amateur**). **Un vrai pro(fessionnel)**. **Un professionnel de** + nom qui désigne une branche d'activité. Un professionnel de la communication ; de l'immobilier ; du marketing. - 2. (Q) Membre des professions libérales régies par le Code des professions (Ménard). **Un professionnel libéral** : personne qui, par profession, exerce une activité à caractère intellectuel ou technique pour son propre compte ou pour le compte d'autrui, activité reposant sur une formation poussée exigeant des connaissances particulièrement vastes qu'elle doit tenir à jour et appelant de ce fait une rémunération supérieure (Ménard).
- **Interprofessionnel, -elle** [ɛ̃tɛʀpʀɔfɛsjɔnɛl] (adj.) : commun, relatif à plusieurs professions (sens 1.1.). **Le salaire minimum interprofessionnel de croissance (le SMIC)** (V. 499 salaire, 1). **Un accord interprofessionnel** : accord, conclu entre le patronat, les syndicats et le gouvernement, qui porte sur les lignes de force de la politique économique et sociale à suivre (salaires, âge de la retraite, ...). Cet accord est matérialisé par la signature d'**une convention collective de travail**. (V. 554 travail, 1).
- **Socio(-)professionnel, -elle** [sɔsjɔpʀɔfɛsjɔnɛl] (adj.) : se dit des catégories servant à classer la population dans les statistiques (économiques, professionnelles). **Les catégories socio(-)professionnelles** : classification de la population active selon plusieurs critères de classement : le niveau de qualification, la profession exercée, le secteur d'activité, le statut, ... *La segmentation de la clientèle peut se faire de différentes façons : en fonction de l'âge, des catégories socioprofessionnelles, du comportement, ...*
- **Extra-professionnel, -elle** [ɛkstrapʀɔfɛsjɔnɛl] (adj.) : à côté de la profession principale. *Ses activités extra-professionnelles lui rapportent plus que son travail comme comptable dans une entreprise.*
- **Professionnellement** [pʀɔfɛsjɔnɛlmɑ̃] (adv.). 1. En rapport avec la profession (sens 1.1.). *Les activités sportives organisées par notre société ont pour but de renforcer des liens existant déjà professionnellement.* - 2. De façon professionnelle (sens 1.3.). *Depuis une dizaine d'années, je m'occupe professionnellement de la gestion du portefeuille d'une vingtaine de petits épargnants.*

PROFESSIONNALISATION (n.f.) (*) 1. Fait de rendre une personne plus qualifiée pour son métier.

1. (455)	die Professionalisierung	professionalization	la profesionalización	la professionalizzazione	de professionalisering (f.)

PROFESSIONNALISER (~, se ~) (v.tr.dir., v.pron.) (**) 1. Rendre une personne plus qualifiée pour exercer son métier.

1. (455)	professionalisieren	to professionalize	profesionalizar (se)	professionalizzare	professionaliseren

PROFESSIONNALISME (n.m.) (**) 1. Qualité d'une personne expérimentée.

1. (455)	der Professionalismus	professionalism	el profesionalismo	la professionalità	het professionalisme

PROFESSIONNEL, -ELLE (adj.) (****) 1. Qui se rapporte à la pratique quotidienne d'activités. 2. Qui se rapporte à l'ensemble des personnes qui exercent les mêmes activités. 3. Qui présente les qualités d'une personne expérimentée.

1. (453)	beruflich	professional working	profesional	professionale	professioneel
2. (453)	Berufs-	professional	profesional	professionale	professioneel
3. (453)	professionell profihaft	professional	profesional	professionale	professioneel

PROFESSIONNEL, PROFESSIONNELLE (n.) (****) 1. Personne qualifiée dans son métier (RQ). 2. Membre des professions libérales.

1. (455)	der Sachkundige der Profi	skilled worker professional	el profesional	il professionista l'esperto (m.)	de beroepsbeoefenaar (m.) de vakman (m.)
2. (455)	der Freiberufler	professional	el profesional	il professionista	het lid van een vrij beroep

PROFESSIONNELLEMENT (adv.) (**) 1. En rapport avec la pratique quotidienne d'activités. 2. De façon expérimentée.

1. (455)	beruflich	professionally	profesionalmente	professionalmente	beroeps- beroepsmatig
2. (455)	professionell	professionally	profesionalmente	professionalmente	professioneel

PROFIL (n.m.) (****) 1. Portrait psychologique, professionnel d'une personne.

1. (421)	die Qualifikationen das Anforderungspro- fil	profile	el perfil	il profilo	het profiel

PROFIT (n.m.) (****) 1. Avantage financier tiré d'une transaction commerciale. 2. Surplus des produits sur les charges.

1. (456)	der Gewinn der Nutzen	profit	el beneficio la ganancia	il profitto l'utile (m.)	de winst (f.) het rendement
2. (456)	der Gewinn	profit	el beneficio	il profitto il guadagno	de winst (f.)

PROFIT

➠ **excédent - bénéfice - perte - rentabilité**

1 un profit **2** la profitabilité		**2** profitable	

1 un PROFIT - [pʀɔfi] - (n.m.)

1.1. Avantage financier qu'un agent économique (un particulier, une entreprise, une banque, un investisseur - X) tire d'une transaction commerciale (lorsque le prix de vente est supérieur au coût de revient) (Y) ou financière (lorsqu'un placement procure un revenu) (Y).
Syn. : (V. 59 bénéfice, 1) ; Ant. : (sens plus large) une perte.
En spéculant à la baisse, on espère racheter plus tard meilleur marché et ainsi réaliser un profit.

1.2. (emploi au sing. et au plur.) Surplus des produits sur les charges (les produits/charges d'exploitation, financiers et exceptionnels) en fin d'exercice comptable qui vient augmenter la richesse d'un agent économique (une entreprise, une banque - X) et qui s'inscrit au passif du bilan.
Syn. : un/des bénéfice(s), un gain, (moins fréq.) un excédent ; Ant. : une/des perte(s), (moins fréq.) un déficit.
La comptabilité nationale révèle une hausse sensible des profits industriels l'année dernière.

expressions

- (Une personne) **mettre à profit qqch.** : valoriser qqch.
- (Une personne fait qqch.) **au profit de** qqn, d'une œuvre. *Une collecte d'argent vient d'être organisée au profit de la recherche scientifique.*

(sens 1.1.)

- (Une personne, un organisme) **passer** qqch. **par/aux pertes et profits** : faire disparaître, ne plus tenir compte de qqch. *Wall Street a passé ce titre par pertes et profits ; nous l'achetons.*
- **Pour le plus grand profit de** qqn : à son plus grand avantage (financier). *De nombreuses sociétés hésitent à engager du personnel, pour le plus grand profit des agences de travail temporaire.*
- **Il n'y a pas de petits profits** : tout avantage, aussi limité soit-il, vaut la peine. *Comme il n'y a pas de petits profits dans un marché hyper-concurrentiel, certaines entreprises n'hésitent pas à utiliser tous les moyens pour attirer des clients.*
- (C'est) **tout profit pour** qqn. (Syn. : **C'est tout bénéfice pour** qqn). (V. 57 bénéfice, 1).

+ adjectif

TYPE DE PROFIT (sens 1.1.)

Le profit pur : écart entre le prix du marché et le coût d'une unité produite. *En concurrence pure et parfaite, le profit pur disparaît.*

TYPE DE PROFIT (sens 1.2.)

(emploi au sing., parfois au plur.) **Le profit net**. (Syn. : **le bénéfice net**). (V. 57 bénéfice, 1).
>< (emploi au sing., parfois au plur.) **Le profit brut**.

NIVEAU DU PROFIT (sens 1.1. et 1.2.)

Un/de petit(s) profit(s). *La nouvelle unité de production n'enregistrera pas de perte cette année et pourrait même engranger un petit profit dès l'année prochaine.* < **Un/d'important(s) profit(s), un/des profit(s) substantiel(s), un/de gros profit(s)**. < **Un/des profit(s) record(s)**.

NIVEAU DU PROFIT (sens 1.1.)

Le profit normal : profit qui correspond à la rémunération jugée normale de l'entrepreneur ou de l'investisseur.

+ nom

(sens 1.1. et 1.2.)

Une source de profit(s) : transaction, placement, ... qui génère des profits. *Je ne néglige pas mes clients les plus modestes puisqu'ils constituent pour moi une source de profit non négligeable.*

(sens 1.1.)
Un centre de profit : endroit, groupe de personnes qui génère un profit. *Dans les années à venir, le domicile pourrait être perçu comme un centre de profit de l'entreprise, ce qu'il est déjà pour la vente par correspondance.*

MESURE DU PROFIT (sens 1.2.)
Le taux de profit : rapport entre la valeur ajoutée réalisée par l'entreprise et le montant des capitaux engagés. *Le taux de profit net par unité produite s'est considérablement amélioré au cours de la dernière décennie.*

+ verbe : qui fait quoi ?

(sens 1.1. et 1.2.)

X		**rechercher** du ~	la recherche du ~	
X	✓	**réaliser** du ~	la réalisation d'un/de ~ (de ... euros)	1
		dégager un/des ~ (de ... euros) ... euros de ~	-	
		générer un/des ~ (de ... euros) ... euros de ~	-	
		engranger un/des ~ (de ... euros) ... euros de ~	-	
X		**maximiser** son/ses ~	la maximisation du/des ~	2

1 *Cette année, l'ensemble des constructeurs automobiles ont réalisé des profits records.*
2 *Débarqués de la maison-mère américaine, les managers ont pour mission de maximiser dans les plus brefs délais les profits de la filiale française.*

(sens 1.1.)

X		**tirer** ~ **de** Y	-	1
		faire (**son**) ~ **de** Y	-	

1 *Un actionnaire peut toujours tirer profit de la hausse du cours en vendant ses actions.*

(sens 1.2.)

X		**renouer avec** le/les ~	-	1
le/les ~	△	(**être**) **en hausse**	une hausse du/des ~	
le/les ~	▽	(**être**) **en baisse**	une baisse du/des ~	
		baisser (de ...%)	une baisse du/des ~	

1 *La réorientation stratégique a permis au groupe de renouer avec les profits après plusieurs années de pertes sèches.*

Pour en savoir plus

NOTE D'USAGE

Profiter de qqch. (Syn. : **bénéficier de** qqch). (V. 61 bénéfice, 3).

2 AUTRES DÉRIVÉS OU COMPOSÉS

- **La profitabilité** [prɔfitabilite] (n.f.) : différence entre le profit réalisé à l'occasion d'investissements en biens réels et le taux d'intérêt que l'on obtiendrait en plaçant les capitaux utilisés pour financer ces investissements (B&G). *La détérioration du taux de profit réel ne s'est pas traduite par une détérioration équivalente de la profitabilité, car les firmes endettées ont réalisé des gains en capital et ont pu bénéficier de taux d'intérêt réels bas.*
- **Profitable** [prɔfitabl(ə)] (adj.) : (une mesure, une transaction, ...) qui apporte un avantage (financier) à un agent économique. (Syn. : **rentable** ; (sens plus large) **avantageux** ; (fam.) **payant** ; (pour un avantage financier) **rémunérateur**, **lucratif**). *Il s'avère profitable pour l'entreprise d'inciter ses salariés à augmenter leur productivité en leur versant un salaire supérieur à celui du marché.*

PROFITABILITÉ (n.f.) (**) 1. Différence entre le profit réalisé et l'intérêt obtenu en plaçant les capitaux.

1. (457)	die Rentabilität	profitability	la rentabilidad	la proficuità l'esser proficuo	de rentabiliteit (f.)

PROFITABLE (adj.) (***) 1. Qui rapporte un avantage financier.

1. (457)	einträglich gewinnbringend	profitable	provechoso beneficioso	proficuo redditizio	winstgevend voordelig

PROFITER (~ de qqch.) (v.tr.indir.) (****) 1. Tirer un avantage de qqch. 2. Jouir de qqch.

1. (61)	profitieren von Nutzen ziehen aus	to take advantage of	aprovechar	approfittare	profiteren van voordeel halen uit
2. (61)	geniessen	to make the most of to enjoy something	disfrutar	godere	genieten van

PROGRAMME (n.m.) (****) 1. Ensemble d'actions à effectuer. 2. Ensemble d'instructions informatiques.

1. (336)	das Programm der Plan	schedule program(me)	el programa	il programma	het programma het actieplan
2. (299)	das Programm	program	el programa	il programma	de routine (f.) het computerprogramma

PROGRAMMEUR, PROGRAMMEUSE (n.) (**) 1. Spécialiste chargé de la réalisation d'instructions informatiques.

1. (229)	der Programmierer	computer programmer	el programador	il programmatore	de programmeur (m.) de analist-programmeur (m.)

PROGRESSER (v.tr.dir., v.intr.) (****) 1. Augmenter.

1. (276)	fortschreiten	to go up to rise	progresar	progredire	vooruitgaan verhogen

PROGRESSIF, -IVE (adj.) (****) 1. Qui augmente.

1. (27) (312)	progressiv steigend	progressive gradual	progresivo	progressivo	stijgend progressief

PROGRESSION (n.f.) (****) 1. Augmentation.

1. (276)	das Fortschreiten	increase	la progresión	l'aumento progressivo	de vooruitgang (m.)
	die Progression	rise			de stijging (f.)

PROGRESSIVEMENT (adv.) (****) 1. Petit à petit.

1.	nach und nach schrittweise	progressively gradually	progresivamente	progressivamente	geleidelijk

PROHIBITIF, -IVE (adj.) (**) 1. Excessivement élevé.

1. (282)	unerschwinglich abschreckend	prohibitive	prohibitivo	proibitivo	onbetaalbaar

PROJET (n.m.) (****) 1. Ce que l'on propose de faire, à un moment donné (RQ).

1. (235) (460)	das Projekt der Plan	project plan	el proyecto	il progetto	het project

PROMO (n.f.) (**) 1. Stratégie de communication.

1. (459)	das Sonderangebot	(sales / brand) promotion	la promoción	la promo(zione)	de promotie (f.)

PROMOTEUR, -TRICE (adj.) (*) 1. Qui fait de la stratégie de communication. 2. Qui procède à des activités de financement et de réalisation de projets immobiliers.

1. (461)	Promoter-	which promotes	promotor	promotore	promotor
2. (461)	Bauträger-	property developer	promotor	promotore immobiliare costruttore	bouwpromotor

PROMOTEUR, PROMOTRICE (n.) (****) 1. Employé qui s'occupe de la stratégie de communication d'une entreprise. 2. Agent économique qui finance et réalise des projets immobiliers.

1. (460)	der Promoter der Förderer	promoter	el agente comercial	il promotore	de promotor (m.)
2. (460)	der Bauträger-	property developer	el promotor	il promotore immobiliare il costruttore	de bouwpromotor (m.)

PROMOTION (n.f.) (****) 1. Stratégie de communication. 2. Activités de financement et de réalisation de projets immobiliers. 3. Accession à un emploi supérieur.

1. (458)	verkaufsfördernde Massnahme das Sonderangebot	(sales / brand) promotion	la promoción	la promozione	de promotie (f.)
2. (458)	Massnahmen zur Bildung von Wohnungseigentum	property development (GB) real estate development (US)	la promoción	la promozione	de promotie (f.)
3. (458)	die Beförderung der Aufstieg	promotion	la promoción	la promozione	de promotie (f.) de bevordering (f.)

PROMOTION

➠ **publicité - marketing**

1 la promotion **1** la promo	**2** un promoteur, une promotrice	**3** promotionnel, -elle **4** promoteur, -trice	**4** promouvoir **4** promotionner

1 la PROMOTION - [pʀɔmɔsjɔ̃] - (n.f.)

1.1. Stratégie de communication qui consiste en un ensemble d'opérations qu'un agent économique (un commerçant, une entreprise - X) mène auprès d'autres agents économiques (les consommateurs : un particulier, un commerçant, une entreprise) en leur accordant temporairement un avantage

exceptionnel (une baisse de prix, des cadeaux, ...) dans le but d'augmenter immédiatement les ventes d'un bien ou d'un service (Y).
Syn. : (fam.) la promo.
Ce produit était en promotion au supermarché : 3 euros de réduction à l'achat de trois articles.

1.2. Activités par lesquelles un agent économique (un promoteur immobilier) finance et réalise des projets immobiliers (la construction d'immeubles, la vente de bureaux, ...).
La promotion présente toujours un risque même si la construction n'est entamée qu'après la vente sur plans.

1.3. Accession d'une personne (X) à un emploi, un grade ou une dignité supérieurs.
Il a enfin obtenu sa promotio n: il se retrouve adjoint au directeur financier après avoir travaillé une dizaine d'années comme comptable.

+ adjectif

TYPE DE PROMOTION (sens 1.1.)

La promotion touristique. (Syn. : **la promotion du tourisme**). *À l'occasion du championnat du monde, notre ville a décidé de lancer une énorme campagne de promotion touristique.*

TYPE DE PROMOTION (sens 1.2.)

La promotion (immobilière).

TYPE DE PROMOTION (sens 1.3.)

Une promotion interne : à l'intérieur de l'entreprise. *Nous cherchons toujours à faire de la promotion interne avant de nous tourner vers l'extérieur pour remplir un poste vacant.*

La promotion sociale : accession d'une personne ou d'un groupe de personnes à un niveau plus élevé de la société.

+ nom

(sens 1.1.)

- **Une agence de promotion** : agent économique qui développe des campagnes publicitaires pour ses clients.
- **Une campagne de promotion** : ensemble d'actions de promotion autour d'un même thème. (Syn. : **une campagne promotionnelle**, (moins fréq.) **une action promotionnelle**). *Une gigantesque campagne de promotion pour promouvoir le tourisme dans notre pays a été lancée après une chute spectaculaire du nombre de touristes ces dernières années.*

Une action de promotion, une opération de promotion. (Syn. : **une action promotionnelle, une opération promotionnelle**). *L'action de promotion spécifique menée dans la région s'est traduite par une augmentation de 10 % de ventes au numéro.* (☞ 460 Pour en savoir plus, Actions de promotion).

Un moyen de promotion. *La caravane publicitaire du Tour de France constitue un gigantesque moyen de promotion pour les annonceurs, pour autant qu'ils déboursent une petite fortune pour pouvoir en faire partie.*

Une trousse de promotion : coffret qui contient les outils nécessaires à la réalisation de différentes opérations sur le lieu de vente : marquage, décoration, assemblage du produit, ... (DC).

Une brochure de promotion : document relié ou agrafé, composé d'une ou plusieurs feuilles pliées.

- **Un budget (de) promotion**. (V. 75 budget, 1).

TYPE DE PROMOTION (sens 1.1.)

La promotion (des ventes, (peu fréq.) de **vente**).

La promotion de + nom qui indique le bien ou le service pour lequel est effectuée la promotion. La promotion des produits suisses ; du commerce extérieur ; du tourisme.

La promotion de l'emploi. *Compte tenu du nombre de chômeurs, le gouvernement a fixé la promotion de l'emploi comme une de ses priorités principales.*

La promotion des exportations. *Un budget important a été mis à la disposition d'un bureau spécialisé pour se charger de la promotion des exportations du secteur textile.*

La promotion sur le(s) lieu(x) de vente (la PLV). (V. 464 publicité, 1).

+ verbe : qui fait quoi ?

(sens 1.1.)

X	×	**faire** de la ~ (pour Y) (auprès de qqn) **faire** la ~ de Y **assurer** la ~ de Y	- -	1
X	×	**mener** une campagne de ~ (pour Y) (auprès de qqn)	-	2

une personne,	×	**assurer** la ~ de Y	-	
un service		**être chargé de** la ~ de Y	-	
→ Y		**bénéficier d'**une (campagne de) ~	-	3

1 *Aucune loi n'interdit de faire de la promotion pour des produits bancaires par téléphone.*
2 *Notre société manque de moyens pour mener une vraie campagne de promotion pour notre gamme de produits.*
3 *La plupart des dictionnaires électroniques bénéficient d'une large promotion parce que la consultation est plus facile sur écran que sur papier.*

(sens 1.3.)

X		**avoir de bonnes perspectives de** ~	des perspectives de ~
		↓	
X	×	**obtenir** une ~	l'obtention d'une ~

Pour en savoir plus

ACTIONS DE PROMOTION

Il existe de nombreux types d'actions promotionnelles :
Un commerçant offre **une carte de fidélité** à ses clients : une carte remplie donne droit p. ex. à une remise de 10 % sur l'achat suivant.
Dans une boîte de ce produit, on trouve **un autocollant**, **un gadget** [gadʒɛt], **un cadeau-surprise**, **une figurine**, **un échantillon gratuit** (spécimen d'un bien qui est présenté à la clientèle pour qu'elle en apprécie les qualités (DC)).
Sur la boîte de ce produit figure **un bon de réduction** de 5 euros, remboursés à la caisse ou à faire valoir sur un prochain achat (**une offre de remboursement**).

Si vous disposez de trois codes-barres du produit, vous pouvez participer à **un concours**, à **une tombola** qui vous permettra de gagner de nombreux prix.

À l'achat de 2 bouteilles, vous recevez une troisième gratuite : **le 3 pour 2**.

2 un PROMOTEUR, une PROMOTRICE - [pʀɔmɔtœʀ, pʀɔmɔtʀis] - (n.)

1.1. Employé d'un agent économique (une agence de promotion, une entreprise) qui s'occupe des actions menées par son entreprise ou une autre auprès d'autres agents économiques (les consommateurs : un particulier, un commerçant, une entreprise) et qui leur accorde temporairement un avantage exceptionnel (une baisse de prix, des cadeaux, ...) dans le but d'augmenter immédiatement les ventes d'un bien ou d'un service.
Le promoteur des ventes a décidé de baisser le prix de cet article afin de suivre la concurrence.

1.2. Agent économique qui finance et réalise des projets immobiliers (la construction d'immeubles, la vente de bureaux, ...).
Un promoteur allemand a réussi à mettre la main sur un hectare de terrain à bâtir en plein centre de la ville.

2.1. Personne qui lance un projet et s'occupe de sa réalisation.
Les promoteurs du projet Intranet chez la Sofadis s'étaient fixé des objectifs ambitieux : réduire de 75 % les communications sur papier.

+ adjectif

TYPE DE PROMOTEUR (sens 1.2.)

Un promoteur (**immobilier**). *Le promoteur immobilier a réalisé des gains spectaculaires en vendant l'ensemble des appartements neufs de cet immeuble à un prix très élevé.*
Un promoteur privé : promoteur qui agit en son propre nom ou au nom d'une autre société.
>< **Un promoteur public** : promoteur qui fait de la promotion immobilière au nom de l'État. *Le promoteur public qui s'occupe de la vente d'habitations sociales pose certaines conditions très strictes aux candidats.*

+ nom

TYPE DE PROMOTEUR (sens 1.1.)

Un promoteur (**des ventes**).

TYPE DE PROMOTEUR (sens 1.2. et 2.1.)

Le promoteur du projet + nom du projet. Le promoteur du projet Cercles.

3 PROMOTIONNEL, -ELLE - [pʀɔmɔsjɔnɛl] - (adj.)

1.1. Qui se rapporte à l'ensemble des actions qu'un agent économique (un commerçant, une entreprise) mène auprès d'autres agents économiques (les consommateurs : un particulier, un commerçant, une entreprise) en leur accordant temporairement un avantage exceptionnel (une baisse de prix, des cadeaux, ...) dans le but d'augmenter immédiatement les ventes d'un bien ou d'un service.
Ce nouveau service bénéficiera d'un lancement promotionnel à tarif réduit pendant une période d'un mois.

+ nom

- **Une campagne promotionnelle**. (V. 459 1 promotion).
  Une action promotionnelle, une opération promotionnelle. (V. 459 1 promotion).
  Une pratique promotionnelle : manière d'agir d'un agent économique dans le domaine de la promotion. *Cette entreprise a été condamnée par le Tribunal de commerce pour ses pratiques promotionnelles.*
- **Le matériel promotionnel** : pancartes, affiches, présentoirs, ... utilisés pour faire de la promotion.
- **Une offre promotionnelle** : conditions particulières accordées au consommateur lors d'un achat (une remise, un cadeau, ...). (Syn. : **une offre spéciale**). *Les offres promotionnelles avec bon de réduction autocollant sur l'emballage connaissent un succès croissant.*
  Un prix promotionnel ; **un tarif promotionnel**. *Des tarifs promotionnels, inférieurs jusqu'à 30 % du prix du billet standard, seront proposés pour des séjours de courte durée.*
- **Un bandeau promotionnel** : longue banderole sur laquelle figure le nom d'une marque ou un message, que l'on peut voir lors d'événements ou sur certains sites internet.

4 AUTRES DÉRIVÉS OU COMPOSÉS

- **Promoteur, -trice** [pʀɔmɔtœʀ, tʀis] (adj.) : qui fait la promotion (sens 1.1. et 1.2.) de qqch. *Les organismes promoteurs ont distribué des centaines de places gratuites pour ce concert.*
- **Promouvoir** [pʀɔmuvwaʀ] (v.tr.dir.). 1. Un agent économique (un commerçant, une entreprise) mène des actions auprès d'autres agents économiques (les consommateurs : un particulier, un commerçant, une entreprise) en leur accordant temporairement un avantage exceptionnel (une baisse de prix, des cadeaux, ...) dans le but d'augmenter immédiatement les ventes d'un bien ou d'un service. (Syn. : (peu fréq.) **promotionner**). *Pour faire face à la concurrence, la société a décidé de promouvoir intensément ses produits.* **Promouvoir un produit ; une image de marque d'un produit auprès d'un large public**. - 2. Un employeur fait accéder une personne ou un groupe de personnes à un emploi, un grade ou une dignité supérieure. **Promouvoir** qqn (**à un rang supérieur**). *Le patron promeut son collaborateur chef de bureau pour le récompenser de sa loyauté.* (emploi fréq. de la construction passive : **être promu**). *Il a été promu directeur financier.*

PROMOTIONNEL, -ELLE (adj.) (***) 1. Qui se rapporte à l'ensemble des activités d'une entreprise dans le domaine de la stratégie de communication.

1. (460)	Sonderverkaufsfördernd absatzfördernd	promotional	promocional	promozionale	verkoop-promotioneel

PROMOTIONNER (v.tr.dir.) (*) 1. Mener une stratégie de communication (pour un bien, une idée, ...).

1. (461)	fördern vorantreiben	to promote	promover	promuovere	promoten

PROMOUVOIR (v.tr.dir.) (****) 1. Mener une stratégie de communication (pour un bien, une idée, ...). 2. Faire accéder à un emploi supérieur.

1. (461)	fördern	to promote	promover	promuovere	promoten
2. (461)	befördern	to promote	promover	promuovere	promoveren

PROPRIÉTAIRE (n.) (****) 1. Personne qui possède un bien.

1. (352)	der Eigentümer	owner	el propietario	il proprietario	de eigenaar (m.)
(406)	der Inhaber	landlord	el dueño		

PROPRIÉTÉ (n.f.) (****) 1. Fait de posséder un bien. 2. Bien que possède une personne.

1. (494)	das Eigentum der Besitz	ownership	la propiedad	la proprietà	het eigendom het bezit
2. (289)	das Eigentum der Besitz	property land	la propiedad las posesiones	la proprietà	het eigendom de bezitting (f.)

PROSPECT (n.m.) (**) 1. Client potentiel.

1. (107)	der potentielle Kunde	prospect prospective customer	el cliente potencial	il cliente potenziale	de potentiële klant (m.)

PROSPECTER (v.tr.dir., v. intr) (***) 1. Visiter, contacter la clientèle potentielle.

1. (107)	Kunden werben	to canvass	prospectar	esplorare un mercato	prospecteren
(369)		to prospect	buscar clientes nuevos	sondare un mercato	actief klanten werven

PROSPECTEUR, PROSPECTRICE (n.) (*) 1. Personne qui visite, contacte la clientèle potentielle.

1. (107)	der Kundenwerber	canvasser	el prospector	l'incaricato (m.) di sondare la clientela potenziale	de actieve klantenwerver (m.) de marktverkenner (m.)

PROSPECTION (n.f.) (***) 1. Fait de visiter, de contacter la clientèle potentielle.

1. (107)	die Kundenwerbung	canvassing	la prospección (del mercado) el estudio de mercado	il sondaggio sulla clientela	de actieve klantenwerving (f.)

PROSPÈRE (adj.) (**) 1. Qui connaît un progrès économique. 2. Qui connaît une situation (financière) favorable.

1.	florierend prosperierend	prosperous thriving	próspero	prospero	welvarend bloeiend
2.	erfolgreich gut gehend	prosperous	próspero	prospero	welvarend

PROSPÉRER (v.intr.) (**) 1. Connaître du succès.

1. (18)	gut gehen gut laufen	to prosper to flourish	prosperar	prosperare	bloeien welvaart kennen

PROSPÉRITÉ (n.f.) (***) 1. Progrès économique. 2. Situation (financière) favorable.

1. (326)	die Blüte der Wohlstand	prosperity	la prosperidad	la prosperità	de welvaart (m./f.) de bloei (m.)
2.	die gesunde Finanzlage die gute / günstige Finanzlage	prosperity	la prosperidad	la prosperità	de welvaart (m./f.)

PROTECTIONNISME (n.m.) (***) 1. Politique économique qui préserve les entreprises de la concurrence.

1. (116)	der Protektionismus	protectionism	el proteccionismo	il protezionismo	het protectionisme

PROTECTIONNISTE (adj.) (***) 1. Qui se rapporte à la politique économique qui préserve les entreprises de la concurrence.

1. (117)	protektionistisch	protectionist	proteccionista	protezionistico	protectionistisch

PROTÊT (n.m.) (*) 1. Acte qui constate qu'un effet de commerce n'a pas été accepté ou qu'il n'a pas été payé.

1. (114)	der Protest	protest (for non-payment)	el protesto	il protesto	het wisselprotest

PROTOTYPE (n.m.) (***) 1. Premier bien expérimental produit avant la fabrication en masse.

1. (254)	das Prototyp	prototype	el prototipo	il prototipo	het prototype

PROVISION (n.f.) (****) 1. Somme d'argent qui sert à couvrir des charges ou des pertes. 2. Somme d'argent disponible sur un compte. 3. Somme d'argent versée comme acompte.

1. (28)	die Deckung	funding	la provisión	la copertura finanziaria	de dekking (f.)
	der Deckungssumme		los fondos	l'accantonamento (m.)	de provisie (f.)
2. (28)	das (Konto)Guthaben	funds reserve	la provisión los fondos	la copertura	de provisie (f.)
3. (28)	der Vorschuss die Anzahlung	deposit	la provisión el anticipo	l'acconto (m.)	de provisie (f.) het gedeeltelijk voorschot

PROVISIONNEL, -ELLE (adj.) (**) 1. Qui est payé d'avance.

1. (28)	Voraus- Vorschuss-	provisional	provisional	provvisionale	voorafbetaald voorlopig

PROVISIONNER (v.tr.dir.) (**) 1. Réserver une somme d'argent pour couvrir des charges. 2. Verser une somme d'argent sur un compte.

1. (28)	Geld beiseite legen	to put money aside	ahorrar	accantonare in un fondo	provisie aanleggen
	eine Rückstellung bilden				
2. (28)	(ein Konto) auffüllen	to pay money into to pay funds into	aprovisionar	approvvigionare predisporre la copertura	van provisie voorzien

PRUD'HOMME (n.m.) (*) 1. Magistrat qui statue sur des litiges portant sur le contrat de travail.

1. (555)	der Arbeitsrichter	elected member of an industrial tribunal	el miembro de la magistratura del trabajo	il giudice del lavoro	het lid van de arbeidsrechtbank

PUB (n.f.) (***) 1. Ensemble des moyens utilisés pour faire connaître un bien. 2. Message utilisé pour faire connaître un bien.

1. (463)	die Werbung die Reklame	advertising	la publicidad la propaganda comercial	la pubblicità	de publiciteit (f.) de reclame (m./f.)
2. (463)	der Werbespot der Werbespruch	ad(vert) / advertisement commercial (à la télé)	la publicidad	la pubblicità	de publiciteit (f.) de reclameboodschap (f.)

PUBLIC (n.m.) (*) 1. Ensemble des administrations. 2. Ensemble des entreprises dont le capital est détenu par les pouvoirs publics.

1. (504)	der öffentliche Dienst	the public service	la administración pública	l'amministrazione (f.) statale	de openbare administratie (f.)
		the government service			
2. (504)	der öffentliche Sektor	public sector	el sector público	il settore pubblico	de publieke sector (m.)

PUBLICITAIRE (adj.) (****) 1. Qui se rapporte à l'ensemble des moyens utilisés pour faire connaître un bien. 2. Qui communique un message utilisé pour faire connaître un bien.

1. (465)	Werbe- Reklame-	advertising publicity	publicitario	pubblicitario	publicitair
2. (465)	Werbe-	publicity	publicitario	pubblicitario	publicitair

PUBLICITAIRE (n.) (**) 1. Spécialiste de l'ensemble des moyens utilisés pour faire connaître un bien.

1. (466)	der Werbefachmann	advertising executive	el publicista	(l'agente) pubblicitario	de publiciteitsagent (m.)
		adman	el agente publicitario		

PUBLICITÉ (n.f.) (****) 1. Ensemble des moyens utilisés pour faire connaître un bien. 2. Message utilisé pour faire connaître un bien.

1. (463)	die Werbung die Reklame	advertising	la publicidad la propaganda comercial	la pubblicità	de publiciteit (f.) de reclame (m./f.)

2. (463)	der Werbespot der Werbespruch	ad(vert) / advertisement commercial (à la télé)	la publicidad	la pubblicità	de publiciteit (f.) de reclameboodschap (f.)

PUBLICITÉ

➠ promotion - marketing

1 la publicité 1 la pub 3 une contre-publicité	3 un publicitaire, une publicitaire	2 publicitaire	

1 la PUBLICITÉ - [pyblisite] - (n.f.)

1.1. Ensemble des moyens (médias et techniques d'information) qu'un agent économique (un annonceur : un commerçant, une organisation, une entreprise, un État - X) utilise pour faire connaître son bien ou son service (Y) à d'autres agents économiques (les acheteurs potentiels : un particulier, un commerçant, une organisation, une entreprise, un État) ou pour en rappeler l'existence dans le but d'augmenter à terme les ventes de ce bien ou de ce service.
Syn. : (fam.) la pub, (peu fréq.) la réclame.
Au fil des années, la publicité est devenue une composante essentielle de notre vie : elle est présente partout

1.2. (emploi avec un art. indét.) Message (à la radio, à la télévision, au cinéma, dans la presse, sur une affiche, ...) qu'un agent économique (un annonceur : un commerçant, une organisation, une entreprise, un État) utilise pour faire connaître son bien ou son service à d'autres agents économiques (les acheteurs potentiels : un particulier, un commerçant, une organisation, une entreprise, un État) ou pour en rappeler l'existence dans le but d'augmenter à terme les ventes de ce bien ou de ce service.
Syn. : (fam.) une pub, un spot publicitaire, (peu fréq.) une annonce publicitaire, une réclame.
La publicité d'une société italienne a été interdite parce qu'elle a été jugée raciste.

expressions

(sens 1.1.)

- **À grand(s) renfort(s) de publicité** : à l'aide d'une campagne publicitaire importante. *Le nouveau produit sera commercialisé à la mi-avril à grand renfort de publicité.*
- **En matière de publicité** : en ce qui concerne la publicité. *Nous voulons intensifier nos efforts en matière de publicité.*

+ adjectif

TYPE DE PUBLICITÉ (sens 1.1.)

La publicité directe : toute publicité qui est adressée directement à un agent économique : par voie postale (**le mailing** ou **le publipostage**), par téléphone, ...

>< **La publicité indirecte, classique** : publicité diffusée par les médias de masse (la radio, la télévision, la presse, ...).

La publicité subliminale, invisible : publicité faite de façon à atteindre l'inconscient du consommateur. *La publicité subliminale est une technique dangereuse, puisqu'elle influence les pensées et le comportement des gens sans qu'ils s'en rendent compte.*

TYPE DE PUBLICITÉ (sens 1.2.)

La publicité écrite. (Syn. : **la publicité dans la presse (écrite)**).

La publicité audiovisuelle comprend **la publicité télévisée** (Syn. : **la publicité à la/en télévision**) et **la publicité radiophonique**. On parle d'**un spot (télévisé)** pour désigner les séquences de 15 ou 30 secondes qui composent la publicité télévisée. *La publicité télévisée est une source de revenus très importante pour beaucoup d'acteurs.*

La publicité visuelle : publicité au moyen d'affiches ou d'annonces dans la presse.

La publicité aérienne : publicité au moyen d'un avion, soit comme support, soit pour traîner des banderoles. *La publicité aérienne est surtout utilisée sur les côtes où passent régulièrement des avions pour faire connaître des produits aux vacanciers.*

La publicité informative : publicité qui se limite à donner des informations objectives et contrôlables sur le produit ou le service dans l'espoir que le consommateur les achètera.

La publicité comparative : publicité qui veut montrer la supériorité d'un bien ou d'un service en le comparant à un bien ou service concurrent, cité explicitement dans la publicité. *La publicité comparative avive la concurrence entre les producteurs à cause de la plus grande transparence du marché.*

La publicité trompeuse : publicité qui attribue au produit ou au service des qualités qu'il n'a pas. La pub pour les produits d'entretien est une publicité trompeuse : tout se nettoie apparemment sans aucun effort. < **La publicité mensongère** : publicité qui utilise des arguments qui sont faux. *Le slogan "le biscuit maison" est une publicité mensongère parce qu'il fait croire que les biscuits sont fabriqués artisanalement, alors qu'ils sont fabriqués de façon industrielle.*

La publicité commerciale : publicité qui transmet des messages à caractère commercial.

>< **La publicité institutionnelle** : messages informatifs des pouvoirs publics et, éventuellement, d'entreprises (Syn. : (plus fréq.) **la communication institutionnelle**).

La publicité verte, écologique : publicité qui utilise des arguments relatifs à la protection de l'environnement.

Une publicité rédactionnelle : publicité au moyen d'une annonce dans une revue ou dans un journal qui a la forme d'un article, mais qui doit être identifiable par une mention particulière, p. ex. 'communiqué'. (Syn. : **un publireportage, un publirédactionnel**). *Le piège de la publicité rédactionnelle est que, comme elle a la forme d'un article normal, le public croit qu'il s'agit d'une information objective et non pas d'une information cherchant à l'influencer.*

CARACTÉRISATION DE LA PUBLICITÉ (sens 1.1. et 1.2.)

La publicité tapageuse : exagérée. *Une publicité tapageuse sert souvent à dissimuler le manque de qualité d'un produit.*

CARACTÉRISATION DE LA PUBLICITÉ (sens 1.2.)

La publicité négative. (Syn. : **une contre-publicité**). *L'arrestation du directeur financier de cette importante société constitue une publicité négative non négligeable.*

La publicité agressive. *Avec le slogan "You just have to die, we do the rest", la publicité agressive de certains entrepreneurs de pompes funèbres a suscité beaucoup de réactions.*

Une publicité gratuite. *L'interdiction de publication d'un livre constitue une énorme publicité gratuite pour l'auteur.*

LOCALISATION DE LA PUBLICITÉ (sens 1.2.)

Une publicité locale. < **Une publicité régionale**. < **Une publicité nationale**. < **Une publicité internationale**.

+ nom

(sens 1.1.)

- **Une agence de pub(licité)**. (Syn. : (peu fréq.) **un bureau de publicité**). (V. 21 agence, 1).
- **Une campagne de publicité** : ensemble des moyens publicitaires utilisés pour faire de la publicité pour un bien ou un service pendant une période définie. (Syn. : (plus fréq.) **une campagne publicitaire**).
- **Une page de publicité**. 1. Série de spots publicitaires à la radio ou à la télévision. (Syn. : **un écran publicitaire**). - 2. Page d'un quotidien ou d'un magazine sur laquelle figure une publicité (**une publicité pleine page**).
- (fam.) **Un coup de pub(licité)** : action ponctuelle qui a pour but d'attirer l'attention des médias et, ainsi, de faire de la publicité. *La réduction des primes de 3 % décidée par cette compagnie d'assurances est un simple coup de pub selon ses principaux concurrents.*
- **Un budget publicité**. (V. 74 budget, 1).

TYPES DE PUBLICITÉ (sens 1.1.)

La publicité pour + nom du bien ou du service pour lequel la publicité est faite. La publicité pour le tabac.

La publicité/promotion sur le(s) lieu(x) de vente (la PLV) : ensemble des moyens de communication mis en œuvre par les entreprises pour promouvoir leurs produits auprès des consommateurs (DC). *La publicité sur le lieu de vente fait naître une nouvelle race de consommateurs qui filent d'une marque à l'autre selon les promotions.*

La publicité en réponse directe : type de publicité grâce auquel l'annonceur obtient immédiatement une réaction du consommateur, p. ex. sous la forme d'un achat ou par le renvoi d'un coupon-réponse.

TYPE DE PUBLICITÉ (sens 1.2.)

La publicité dans la presse (écrite) ; **dans les journaux**.

La publicité à la/en télévision. (☞ 463 + adjectif).

La publicité (à la) radio. (Syn. : **la publicité radiophonique**). On parle d'**un spot (radio)** pour désigner les séquences qui composent la publicité radio.

La publicité par affiches.

{**un afficheur** (1. Société qui se charge de la vente de surfaces d'affichage. - 2. Dispositif qui sert à visualiser un message, un dessin, ... - 3. Personne qui pose des affiches.), **un, une affichiste** (créateur d'affiches), **l'affichage**, **une affichette**, **afficher**}.

Une publicité de lancement : publicité qui soutient l'introduction d'un nouveau produit ou service sur le marché.

Une publicité d'entretien : publicité qui sert à maintenir le niveau de fidélité du consommateur à un produit ou à un service déterminé.

+ verbe : qui fait quoi ?

(sens 1.2.)

X	×	**faire** de la ~ (pour Y) **faire** la ~ de Y **assurer** la ~ de Y	- - -	1
X	×	**mener** une campagne de ~ (pour Y)	-	
une ~		**vanter** (les qualités de) Y	-	2
une ~		**paraître dans** la presse	la parution d'une ~ dans la presse	
une ~		**passer à** la radio, la télévision	le passage d'une ~ à la radio, ...	
les médias		**diffuser** des ~	la diffusion de ~	3
le gouvernement, un juge		**interdire** une ~	l'interdiction d'une ~	4

1 *Les fabricants de lessives ont souvent essayé de faire de la publicité autrement, mais ils sont toujours revenus au schéma classique.*
2 *La publicité qui vante uniquement les qualités d'un produit finit par ennuyer.*
3 *Il n'y a pour ainsi dire plus de chaînes de télévision qui ne diffusent pas de publicité sous une forme ou une autre.*
4 *Les tentatives pour interdire certaines formes de publicité se heurtent aux défenseurs de la liberté d'expression.*

Pour en savoir plus

PUBLICITÉ ALTERNATIVE

Le bouche à oreille, (fam.) **radio trottoir** : publicité faite par le consommateur vantant les qualités d'un bien ou d'un service à d'autres consommateurs. *La meilleure publicité est le bouche à oreille : à quoi servent brochures, articles de presse et spots à la télévision pour une marque de voitures si votre voisin dit qu'il n'a eu que des problèmes avec une voiture de cette marque ?*

2 PUBLICITAIRE - [pyblisitɛʀ] - (adj.)

1.1. Qui se rapporte à l'ensemble des moyens (médias et techniques d'information) qu'un agent économique (un annonceur : un commerçant, une organisation, une entreprise, un État) utilise pour faire connaître son bien ou son service à d'autres agents économiques (les acheteurs potentiels : un particulier, un commerçant, une organisation, une entreprise, un État) ou pour en rappeler l'existence dans le but d'augmenter à terme les ventes de ce bien ou de ce service.
Les ventes ont augmenté de 10 % grâce à notre dernière action publicitaire bien ciblée.

1.2. Qui (la radio, la télévision, le cinéma, la presse, une affiche, ...) communique un message d'un agent économique (un annonceur : un commerçant, une organisation, une entreprise, un État) utilisé pour faire connaître son bien ou son service à d'autres agents économiques (les acheteurs potentiels : un particulier, un commerçant, une organisation, une entreprise, un État) ou pour en rappeler l'existence dans le but d'augmenter à terme les ventes de ce bien ou de ce service.
Le message publicitaire est clair et net : nous garantissons les meilleurs prix et sommes prêts à rembourser la différence si le consommateur trouve moins cher ailleurs.

+ nom

(sens 1.1.)

- **Le marché publicitaire** : sommes d'argent dépensées à la publicité par l'ensemble des annonceurs dans un pays.
- **Une agence publicitaire**. (V. 21 agence, 1).
  Une régie (d'espace) publicitaire : société qui se charge de la commercialisation des endroits (pages dans la presse, plages horaires dans les médias audiovisuels, surfaces d'affiches) réservés à des annonces publicitaires. *Pour déterminer ses tarifs, une régie publicitaire se base sur l'audience, l'heure, l'impact prévu d'un événement particulier, ...*
- **Une campagne publicitaire** : ensemble des moyens publicitaires utilisés pour faire de la publicité pour un bien ou un service pendant une période définie. (Syn. : (moins fréq.) **une campagne de publicité**). > **Une action publicitaire**. *Il s'agit d'une action publicitaire à petit budget comprenant deux publicités en couleur et l'organisation d'un concours donnant lieu à une distribution de prix.*
- **Le battage publicitaire, le matraquage publicitaire, le tapage publicitaire** : quantité de messages publicitaires supérieure à celle nécessaire à la simple mémorisation du message.
- **La communication publicitaire**. *Nous faisons appel à deux agences de publicité pour assurer notre communication publicitaire : l'une est*

spécialisée dans la communication tournée vers le grand public ; l'autre cible les professionnels.

- **Un budget publicitaire**. (V. 74 budget, 1).
  Un/des investissement(s) publicitaire(s). (V. 335 investissement, 1).
- **Une stratégie publicitaire**. *La publicité radio n'entre pas dans la stratégie publicitaire de l'entreprise.*
- **Un impact publicitaire**. *Les compagnies de chemins de fer redoutent le mauvais impact publicitaire des nombreuses pannes survenues sur la nouvelle ligne du train à grande vitesse.*
- **Les dépenses publicitaires**. (V. 185 dépense, 1).
  >< **Les ressources publicitaires, les revenus publicitaires**. *Les ressources publicitaires des journaux ont chuté. Ceci a entraîné une hausse du prix du quotidien.*
- **Les tarifs publicitaires**. (V. 538 tarif, 1).
- **Les recettes publicitaires**. (V. 471 recette, 1).

(sens 1.2.)

- **Un écran publicitaire**. (V. 464 1 publicité).
- **Un spot (publicitaire), un message publicitaire** : message d'un agent économique à la radio ou à la télévision.
  Un film publicitaire. *Dans certains pays, tout film publicitaire destiné aux jeunes doit être approuvé par une commission.*
- **Un slogan publicitaire** : formule courte et frappante.
- **Un espace publicitaire** : endroit (page dans la presse, plage horaire dans les médias audiovisuels, surface d'affiche) réservé à une annonce publicitaire. *Acheter de l'espace publicitaire aux heures de grande audience coûte très cher.*
  Un support publicitaire : moyen matériel qui porte une publicité. *Cela faisait longtemps que cette grande chaîne de distribution n'avait plus utilisé l'affichage comme support publicitaire.*
  Un présentoir (publicitaire) : meuble ou dispositif (en carton p. e x.) qui permet d'exposer de façon bien visible et attractive les produits dans un point de vente.
  Un panneau (publicitaire) : surface destinée à servir de support à une affiche publicitaire.
  Un dépliant (publicitaire) : document composé d'une ou plusieurs feuilles pliées. À la différence d'une brochure, le dépliant n'est pas relié ou agrafé.
  Un encart (publicitaire) : supplément publicitaire ajouté à un journal ou un magazine. *La presse nationale a publié un encart publicitaire dans lequel Renault présente en huit pages son tout nouveau modèle.*
  Un placard publicitaire : annonce d'une certaine importance dans la presse.
- **Une annonce publicitaire**. (Syn. : (plus fréq.) **une publicité**).
- (angl.) **Le cobranding publicitaire** : alliance de deux produits dans un but commercial, p. ex. une marque de voitures et une marque d'huiles. (Syn. : **le cogriffage, l'alliance de marques**).

3 AUTRES DÉRIVÉS OU COMPOSÉS

- **Une contre-publicité** [kɔ̃tʀəpyblisite] (n.f.). (Syn. : **une publicité négative**). (V. 464 1 publicité).
- **Un publicitaire, une publicitaire** [pyblisitɛʀ] (n.) : personne qui travaille dans le monde de la publicité (sens 1.1.), comme p. ex. **un créatif**, qui conçoit et réalise une campagne publicitaire.

PUBLIPOSTAGE (n.m.) (*) 1. Publicité adressée par voie postale.

1. (571)	die Briefwerbung das Mailing	mail shot (une lettre) direct mail advertising	el mailing	il mailing la pubblicità per corrispondenza	de mailing (f.)

PUBLIRÉDACTIONNEL (n.m.) (*) 1. Publicité sous forme d'un article dans une revue.

1. (464)	die redaktionelle Werbung	editorial advertising documentary advertising	el remitido	la pubblicità redazionale	het publicitair artikel de PR-publicatie (f.)

PUBLIREPORTAGE (n.m.) (*) 1. Publicité sous forme d'un article dans une revue.

1. (464)	die Werbereportage	editorial advertising documentary advertising	el publireportaje	la pubblicità redazionale	het publicitair artikel de PR-publicatie (f.)

PUCE (n.f.) (***) 1. Petite surface d'un matériau semi-conducteur supportant la partie active d'un circuit intégré.

1. (402)	der Chip der Mikroprozessor	(micro)chip	el (micro)chip	il (micro) chip	de chip (m.)

PVD (les ~ (m.)) (**) pays en (voie de) développement.

(325)	die Entwicklungsländer	developing countries less developed countries (LDCs)	los países en vías de desarrollo	i paesi in via di sviluppo	de ontwikkelingslanden (plur.)

PYRAMIDE DES ÂGES (la ~) (*) 1. Répartition de la population selon l'âge.

1. (168)	die Alterspyramide	age pyramid	la pirámide de edad	la piramide delle età	de leeftijdspyramide (f.)

Q

QUALIFICATION (n.f.) (***) 1. Ensemble des aptitudes d'une personne.

1. (453)	die Qualifikation die Befähigung	qualification	la cualificación	la qualifica	de kwalificatie (f.) de bevoegdheid (f.)

QUALIFIÉ, -IÉE (adj.) (***) 1. Compétent.

1. (398)	qualifiziert	qualified	cualificado	qualificato	gekwalificeerd
(224)	befähigt	skilled	capacitado		

QUALITATIF, -IVE (adj.) (***) 1. Qui est bon. 2. Qui se rapporte à ce qui rend bon qqch.

1.	Qualitäts-	qualitative	cualitativo	qualitativo	kwalitatief
2. (35)	qualitativ	qualitative	cualitativo	qualitativo	kwalitatief

QUALITÉ (n.f.) (****) 1. Ce qui rend bon qqch.

1. (362) (433)	die Qualität	quality	la calidad	la qualità	de kwaliteit (f.)

QUANTIFIABLE (adj.) (**) 1. Qui peut être décrit à l'aide d'une mesure.

1. (35)	quantifizierbar	quantifiable	cuantificable	quantificabile	kwantificeerbaar

QUANTIFIER (v.tr.dir.) (**) 1. Décrire à l'aide d'une mesure.

1. (539)	quantifizieren	to quantify	cuantificar	quantificare	kwantificeren

QUANTITATIF, -IVE (adj.) (***) 1. Qui concerne le nombre d'unités.

1. (319) (216)	quantitativ	quantitative	cuantitativo	quantitativo	kwantitatief

QUANTITÉ (n.f.) (****) 1. Nombre d'unités.

1. (440)	die Quantität	quantity	la cantidad	la quantità	de hoeveelheid (f.)
(557)	die Grösse				de kwantiteit (f.)

QUART(-)MONDE (n.m.) (*) 1. Pays au revenu par tête d'habitant le moins élevé. 2. Population défavorisée dans les pays riches.

1. (211)	die vierte Welt die ärmsten Länder	the Fourth World	el Cuarto Mundo	il Quarto Mondo	de Vierde Wereld (m./f.)
2.	die sozial Zukurzgekommenen	the Fourth World	el Cuarto Mundo	il Quarto Mondo	de Vierde Wereld (m./f.)

QUITTANCE (n.f.) (*) 1. Pièce écrite qui garantit que le paiement a été effectué.

1. (401)	die Quittung die Zahlungsbescheinigung	receipt	el recibo	la quietanza la ricevuta	het ontvang(st)bewijs

QUOTA (n.m.) (***) 1. Quantité maximale qu'il est permis d'importer.

1. (116) (309)	die Quote	quota	la cuota el cupo	il contingentamento la quota	het (maximum)quotum

QUOTE-PART ; QUOTE-PARTS (n.f.) (**) 1. Contribution financière individuelle.

1. (151)	die Quote die Rate	quota share	la cuota individual	(ali)quota	het aandeel

QUOTIDIEN (n.m.) (****) 1. Publication qui paraît tous les jours.

1. (267)	die Tageszeitung	daily (newspaper)	el periódico el diario	il quotidiano	het dagblad de krant (m./f.)

QUOTIDIEN, -IENNE (adj.) (***) 1. Qui se produit tous les jours.

1. (142) (298)	(all)täglich	daily	diario cotidiano	quotidiano	dagelijks

QUOTIDIENNEMENT (adv.) (***) 1. Tous les jours.

1.	(all)täglich	daily	diariamente	quotidianamente giornalmente	dagelijks

QUOTIENT (n.m.) (**) 1. Résultat d'une division. 2. (le ~ familial) Mode de calcul de l'impôt tenant compte de la situation familiale.

1. (386)	der Quotient	quotient	el cociente	il quoziente il quoto	het quotiënt
2. (315)	das Familiensplitting die Steuerbewertungsziffer	family quotient	el cociente familiar	il quoziente familiare	het gezinsquotiënt

QUOTITÉ (n.f.) (***) 1. Montant d'une contribution financière.

1. (313)	die Quote der Anteil	quota portion	la cuota	la quota	het evenredig bedrag

R

R(&)D (la ~) (***) recherche et développement.

(329)	Forschung und Entwicklung (R&D) Forschungs- und Entwicklungsabteilung (F&E)	Research and Development (R&D)	Investigación y Desarrollo (I+D)	Ricerca e Sviluppo (R&S)	Onderzoek en Ontwikkeling (R&D)

RABAIS (n.m.) (**) 1. Diminution de prix en raison d'un défaut.

1. (437)	der Rabatt der Abschlag	discount rebate	la rebaja el descuento	il ribasso lo sconto	de korting (f.) de reductie (f.)

RACHAT (n.m.) (****) 1. Action d'acquérir un bien qui a été vendu. 2. Action de se libérer d'une servitude.

1. (6)	der Rückkauf	repurchase	la recompra	il riscatto	de inkoop (m.)
	der Aufkauf	buying back	el rescate	il riacquisto	de terugkoop (m.)
2. (6)	die Ablösung	commutation of an easement	la redención (de servidumbre)	il riscatto dalla servitù	de afkoop (m.) van erfdienstbaarheid

RACHETABLE (adj.) (*) 1. Qui peut être acquis.

1. (7)	ablösbar	redeemable	rescatable	riscattabile	(af)koopbaar
	einlösbar				aflosbaar

RACHETER (v.tr.dir.) (****) 1. Acquérir un produit dont on avait déjà acheté une quantité. 2. Acquérir un bien qui a été vendu. 3. Se libérer d'une servitude.

1. (7)	(zu)rückkaufen	to purchase another / more	recomprar	riacquistare	opnieuw kopen
		to buy another / more			
2. (7)	abkaufen	to buy (up)	rescatar	riscattare	afkopen
	aufkaufen	to buy out (entreprise)		redimere	
3. (7)	ablösen	to redeem	liberarse	riscattarsi	afkopen
		to surrender (droits)	redimir (se)		

RACHETEUR, RACHETEUSE (n.) (*) 1. Personne qui acquiert un bien qui a été vendu ou qui se libère d'une servitude

1. (7)	der Rückkaufer	purchaser	el rescatador	l'acquirente (m.)	de afkoper (m.)
		redeemer			de opkoper (m.)

RADIO TROTTOIR (*) 1. Publicité faite par le consommateur.

1. (465)	die Mund-zu-Mund-Werbung	word-of-mouth advertising	radio macuto	il passaparola	radio trottoir
		the grapevine	de boca en boca		de geruchtentrommel (m./f.)

RAFFERMIR (~, se ~) (v.tr.dir., v.pron.) (**) 1. (Faire) augmenter en valeur.

1. (275)	(sich) festigen	to strenghten	fortalecer (se)	rafforzare	doen toenemen
		to firm up (se raffermir)	consolidar (se)	consolidare	versterken

RAFFERMISSEMENT (n.m.) (**) 1. Augmentation en valeur.

1. (275)	die Festigung	strenghtening	el fortalecimiento	il rafforzamento	de versterking (f.)
		steadying	la consolidación		

RAFFINAGE (n.m.) (***) 1. Ensemble de traitements que subit un produit pour le purifier, le commercialiser.

1. (557)	das Raffinieren	refining	el refino	la raffinazione	de raffinage (f.)
	die Veredelung		la refinación		

RAFFINER (v.tr.dir.) (**) 1. Traiter un produit pour le purifier, le commercialiser.

1. (557)	raffinieren	to refine	refinar	raffinare	raffineren
	veredeln				

RAFFINERIE (n.f.) (***) 1. Usine où se produit le traitement d'un produit pour le purifier, le commercialiser.

1. (557)	die Raffinerie	refinery	la refinería	la raffineria	de raffinaderij (f.)

RAFFINEUR (n.m.) (**) 1. Société qui procède au traitement d'un produit pour le purifier, le commercialiser.

1. (557)	der Raffineur	refiner	el refinador	la società raffinatrice	de raffinagespecialist (m.)

RAIDER (n.m.) (**) 1. Société ou homme d'affaires qui désire prendre le contrôle d'une autre société.

1. (395)	der Raider	raider	el tiburón (de bolsa)	il raider	de raider (m.)
	der aggressive Firmenaufkäufer			lo scalatore di società	

RAIL (n.m.) (***) 1. Transport par voie ferrée.

1. (550)	die Eisenbahn	rail	el ferrocarril	(per) ferrovia	(per) spoor
	die Schiene			il trasporto su ferro	

RAISON SOCIALE (la ~) (**) 1. Nom d'une société de personnes.

1. (519)	die (Handels)firma	corporate name	la razón social	la ragione sociale	de handelsnaam (m.)
		business name			de firmanaam (m.)

RAISONNABLE (adj.) (****) 1. Modéré.

1. (283)	vernünftig	reasonable	razonable	ragionevole	redelijk
	annehmbar	fair	módico		

RAISONNABLEMENT (adv.) (***) 1. De façon modérée.

1. (283)	vernünftig	reasonably	razonablemente	moderatamente	matig
	annehmbar			ragionevolmente	

RALENTIR (~, se ~) (v.tr.dir., v.pron.) (***) 1. (Faire) diminuer.

1. (278)	(sich) verlangsamen	to slow down	aminorar	rallentare	(doen) vertragen
		to drop off	disminuir	diminuire	

RALENTISSEMENT (n.m.) (****) 1. Diminution.

1. (278)	die Verlangsamung	slowing down	la desaceleración	il rallentamento	de vertraging (f.)
		drop off	la disminución		de vermindering (f.)

RAPIDE (adj.) (***) 1. À rythme élevé.

1. (282)	schnell	quick	rápido	rapido	snel
		fast			

RAPIDEMENT (adv.) (***) 1. À rythme élevé.

1. (282)	schnell	quickly	rápidamente	rapidamente	snel
		promptly			

RAPPEL (n.m.) (*) 1. Lettre destinée à faire penser à nouveau à un engagement, une obligation, ...

1. (257)	die Mahnung	(letter of) reminder	el recordatorio	la lettera di sollecito	de herinnering(sbrief) (f.(m.))
	das Mahnschreiben		la carta recordatoria		het (de) rappel(brief) (m.)

RAPPORTER (v.tr.dir., v.intr.) (****) 1. Donner comme récompense, comme bénéfice.

1. (34)	Gewinn abwerfen	to yield	producir	produrre	opbrengen
	ertragreich sein	to bring in	dar	fruttare	

RARETÉ (n.f.) (***) 1. Qualité de ce qui est peu nombreux, qui se rencontre peu souvent.

1. (516)	die Seltenheit	scarcity	la rareza	la rarità	de schaarste (f.)
	die Knappheit				

RATING (n.m.) (****) 1. Indice qui évalue le degré de solvabilité d'un débiteur.

1. (174)	das Rating	rating	el rating	il rating	de rating (f.)
	die Einstufung			la valutazione	

RATIO (n.m.) (****) 1. Rapport entre deux grandeurs.

1. (542)	der Koeffizient	ratio	el ratio	il rapporto	de ratio (f.)
(346)	die Kennziffer		el coeficiente	il coefficiente	de verhouding (f.)

RATIONALISATION (n.f.) (***) 1. Fait d'utiliser plus efficacement les moyens disponibles en fonction des objectifs.

1. (343)	die Rationalisierung	rationalization	la racionalización	la razionalizzazione	de rationalisatie (f.)
(336)		streamlining			

RATIONALISER (v.tr.dir.) (**) 1. Utiliser plus efficacement les moyens disponibles en fonction des objectifs.

1. (344)	rationalisieren	to rationalize	racionalizar	razionalizzare	rationaliseren
		to streamline			

RAVITAILLEMENT (n.m.) (*) 1. Approvisionnement d'un groupe de personnes.

1. (291)	die Versorgung	supply	el abastecimiento	l'approvvigionamento (m.)	de bevoorrading (f.)
	die Belieferung	supplying	el aprovisionamiento	il rifornimento	

RAVITAILLER (v.tr.dir.) (*) 1. Approvisionner un groupe de personnes.

1. (291)	versorgen	to (re)supply	abastecer	approvvigionare	bevoorraden
			suministrar	rifornire	

RAVITAILLEUR (n.m.) (*) 1. Moyen de transport utilisé pour approvisionner un groupe de personnes.

1. (291)	das Versorgungsschiff	supply ship	el transporte de avituallamiento	la nave cisterna	de tanker (m.)
	das Tankerflugzeug	supply plane		l'aereo (m.) cisterna	het tankvliegtuig

RAVITAILLEUR, -EUSE (adj.) (*) 1. Qui approvisionne.

1. (291)	Versorgungsschiff-	supply ship's	el abastecedor	approvvigionante	bevoorradings-
	Tankerflugzeug-	supply plane's	el proveedor		

RAYON (n.m.) (***) 1. Meuble de présentation et de vente. 2. Ensemble de meubles réservés à la vente de produits de même nature.

1. (354)	das Regal	counter	la estantería	lo scaffale	het rek
				il ripiano	het schap
2. (354)	die Abteilung	department	la sección	il reparto	de afdeling (f.)

RC (le ~) (*) Registre du commerce.

(114)	das Handelsregister	trade register (GB)	el registro mercantil	il registro delle imprese	het handelsregister
		corporate register (US)			

RCS (le ~) (*) Registre du Commerce et des Sociétés.

(114)	das Handelsregister	Register of Business Names	el registro mercantil	il registro delle imprese	het handelsregister
		trade register (GB)			

RÉAJUSTEMENT (n.m.) (**) 1. Augmentation ou diminution pour se rapprocher d'une valeur de référence.

1. (281)	die Anpassung	adjustment	el reajuste	il riaggiustamento	de herschikking (f.)
	die Angleichung	revision		il riassesto	de aanpassing (f.)

RÉAJUSTER (v.tr.dir.) (**) 1. Augmenter ou diminuer pour se rapprocher d'une valeur de référence.

1. (281)	anpassen	to adjust	reajustar	adeguare	herschikken
	angleichen	to revise			aanpassen

RÉALIGNEMENT (n.m.) (**) 1. Augmentation ou diminution pour se rapprocher d'une valeur de référence.

1. (281)	die Anpassung	realignment	el reajuste	il riallineamento	de herschikking (f.)
	die Angleichung				de herwaardering (f.)

RÉALIGNER (v.tr.dir.) (*) 1. Augmenter ou diminuer pour se rapprocher d'une valeur de référence.

1. (281)	angleichen	to realign	reajustar	riallineare	herschikken
	anpassen				herwaarderen

RÉALLOCATION (n.f.) (*) 1. Nouvelle répartition de ressources.

1. (26)	die Neuaufteilung	reallocation	la reasignación	la riallocazione	de herverdeling (f.)
	die Neuzuteilung				

RÉALLOUER (v.tr.dir.) (*) 1. Répartir les ressources d'une façon différente.

1. (26)	die Mittel neu zuteilen	to reallocate	reasignar	riallocare	herverdelen
	die Mittel neu aufteilen				

RÉAMÉNAGEMENT (n.m.) (**) 1. Réorganisation.

1. (556)	die Umstrukturierung	restructuring	la reordenación	la riorganizzazione	de herschikking (f.)
(195)	die Neugestaltung	adjustment	la reorganización	la ristrutturazione	

RÉAMÉNAGER (v.tr.dir.) (**) 1. Réorganiser.

1. (556)	umstrukturieren	to restructure	reordenar	riorganizzare	herschikken
(195)	neu gestalten	to adjust	reorganizar	ristrutturare	herordenen

RÉAPPROVISIONNEMENT (n.m.) (*) 1. Fait de se fournir de nouveau.

1. (291)	das Auffüllen	restocking	el reabastecimiento	il riapprovvigionamento	de herbevoorrading (f.)
	die Neubelieferung				

RÉAPPROVISIONNER (~ qqn/qqch. en qqch., se ~ en qqch.) (v.tr.dir., v.pron.) (*) 1. (Se) fournir de nouveau.

1. (291)	auffüllen	to restock	reabastecer (se)	riapprovvigionare	herbevoorraden
	neu beliefern	to resupply		rifornire	

RÉASSURANCE (n.f.) (***) 1. Opération par laquelle une compagnie d'assurances se couvre elle-même d'une partie du risque.

1. (43)	die Rückversicherung	reinsurance	el reaseguro	la riassicurazione	de herverzekering (f.)

RÉASSURER (~, se ~) (v.tr.dir., v.pron.) (*) 1. Couvrir une partie d'un risque par une autre compagnie d'assurances.

1. (43)	rückversichern	to reinsure	reasegurar	riassicurare	herverzekeren

RÉASSUREUR (n.m.) (**) 1. Compagnie d'assurances qui couvre un risque pour une autre compagnie d'assurances.

1. (43)	der Rückversicherer	reinsurer	el reasegurador	il riassicuratore	de herverzekeraar (m.)
		reinsurance underwriter			

RECAPITALISATION (n.f.) (***) 1. Changement apporté à la composition des capitaux permanents d'une société.

1. (268)	die Verbesserung der Eigenkapitalausstattung	recapitalization	la recapitalización	la ricapitalizzazione	de herkapitalisatie (f.)
					de nieuwe financiering (f.)

RECAPITALISER (v.tr.dir.) (**) 1. Apporter un changement à la composition des capitaux permanents d'une société.

1. (88)	die Eigenkapitalausstattung verbessern	to recapitalize	recapitalizar	ricapitalizzare	herkapitaliseren

RECASER (v.tr.dir.) (*) 1. Tenter de chercher un nouvel emploi pour un salarié.

1. (103)	jemandem eine neue Stelle vermittlen	to find another job for	recolocar	reinserire	opnieuw aan een baan helpen
	jemandem eine neue Stelle verschaffen	to resettle	asignar a un nuevo puesto de trabajo		

RECENTRAGE (n.m.) (**) 1. Action par laquelle une société se limite à ses activités principales.

1. (440)	die Konzentration auf das Kerngeschäft	refocussing	el recentraje	la concentrazione sul proprio core-business	de heroriëntatie (f.)
			la reorientación estratégica		de strategische heroriëntering (f.)

RECENTRER (v.tr.dir.) (**) 1. Se limiter à ses activités principales.

1. (440)	sich auf das Kerngeschäft konzentrieren	to refocus	reorientar	concentrarsi sul proprio core-business	heroriënteren

RÉCÉPISSÉ (n.m.) (*) 1. Document par lequel qqn reconnaît avoir reçu qqch.

1. (401)	die Quittung	receipt	el recibo	la ricevuta	het ontvang(st)bewijs
	der (Empfangs)schein		el resguardo	la quietanza	

RÉCEPTION (n.f.) (***) 1. Fait d'entrer en possession de qqch. 2. Service, bureau où sont reçus les visiteurs.

1. (362)	der Empfang	acceptance	la recepción	il ricevimento	de ontvangst (f.)
(405)	die Warenannahme			la ricezione	
2.	der Empfang	reception	la recepción	la reception	de receptie (f.)

RÉCEPTIONNAIRE (n.) (*) 1. Personne qui reçoit et contrôle les marchandises reçues.

1. (348)	der Angestellte in der Warenannahme	receiving clerk	el receptor	il verificatore	de ontvanger (m.)
				l'addetto (m.) al controllo del ricevimento delle merci	

RÉCEPTIONNER (v.tr.dir.) (*) 1. Recevoir et contrôler les marchandises reçues.

1. (362)	(die Ware) annehmen	to receive	recepcionar	verificare le consegne ricevute	in ontvangst nemen en controleren
	(die Ware) in Empfang nehmen	to take delivery of			

RÉCESSION (n.f.) (****) 1. Faible baisse de l'activité économique.

1. (139)	die Rezession	recession	la recesión	la recessione	de recessie (f.)
	der Rückgang			il regresso	

RECETTE (n.f.) (****) 1. Total des sommes d'argent reçues à la suite de ventes. 2. (plur.) Total des impôts reçus.

1. (470)	die Einnahme	takings	el ingreso	l'incasso (m.)	de opbrengst (f.)
		proceeds	la entrada	l'entrata (f.)	de inkomsten (plur.)
2. (470)	die Steuereinnahmen	revenues	los ingresos tributarios	gli introiti fiscali	de belastinginkomsten (plur.)
		collection of taxes	la cantidad recaudada	le entrate pubbliche	

RECETTE

➠ revenu - dépense

1 une recette			

1 une RECETTE - [ʀ(ə)sɛt] - (n.f.)

1.1. (au sing. et, plus fréq., au plur., surtout s'il s'agit de sommes importantes) Total des sommes d'argent qu'un agent économique (un commerçant, une entreprise, une organisation - X) reçoit à la suite de ventes (de biens ou de services), de transactions financières (p. ex. une augmentation de capital, un emprunt) ou de dons (pour une organisation).

Syn. : (moins fréq.) les rentrées de fonds, les rentrées d'argent, les rentrées financières, les encaisses ; Ant. : les dépenses, les sorties de capitaux.

Les recettes de la vente seront utilisées pour réduire la dette et, à moyen terme, pour les investissements dans les activités principales.

1.2. (au plur.) Total des sommes d'argent qu'un agent économique (l'État (le fisc ou une administration publique) - X) reçoit et qui proviennent des impôts directs et indirects.
Syn. : les recettes fiscales, les ressources ; Ant. : les dépenses.
Le rythme de progression des recettes se ralentit sous le double effet d'un contexte économique moins porteur et de l'allégement de la fiscalité indirecte.

expressions

(Qqch.) **faire recette** : connaître beaucoup de succès. *Si les activités traditionnelles de la banque continuent de faire aussi peu recette, sur quoi sera basée leur croissance futur e?*

(sens 1.1.)
La recette a été bonne : le total des sommes d'argent encaissées répond aux attentes.

+ adjectif

TYPE DE RECETTE (sens 1.1.)
Les recettes + adjectif qui désigne l'origine. Les recettes publicitaires. *L'augmentation du chiffre d'affaires provient principalement de la progression des recettes publicitaires du secteur télévision.* Les recettes pétrolières.
La/les recette(s) brute(s). >< **La/les recette(s) nette(s)**.
Les recettes exceptionnelles. *Le déficit d'exploitation pourra être compensé par des recettes exceptionnelles provenant de la vente d'éléments de l'actif.*

TYPE DE RECETTES (sens 1.2.)
Les recettes (fiscales) : recettes qui proviennent des impôts directs, indirects ou d'autres taxes. (Syn. : (moins fréq.) **les rentrées fiscales**). (Ant. : **les dépenses fiscales**). *Les mesures du gouvernement sont orientées sur la compression des dépenses plutôt que sur l'augmentation des recettes fiscales.*
>< **Les recettes non fiscales** : recettes tirées p. ex. de la vente d'actions, de biens immobiliers. *Pour l'État, les recettes attendues de la cession de la participation dans cette entreprise publique étaient de plus ou moins dix millions d'euros.*
Les recettes publiques : dont profitent l'État, l'administration publique, la sécurité sociale. (Syn. : **les deniers publics**).

NIVEAU DES RECETTES (sens 1.1. et 1.2.)
Une bonne recette, une recette élevée. > **Une recette suffisante**. > **Une recette insuffisante**.

MESURE DES RECETTES (sens 1.1. et 1.2.)
Une recette journalière ; **hebdomadaire** ; **mensuelle**.

+ nom

(S) **Une recette de district** : bureau fiscal chargé du contrôle de la taxation des contribuables.

TYPE DE RECETTE (sens 1.1.)
Les recettes d'exportation. *Ce pays tire le tiers de ses recettes d'exportation de ses mines de diamant. C'est deux fois moins que ce qu'elle pourrait en escompter si cette richesse n'était pas pillée par les trafiquants clandestins.*

+ verbe : qui fait quoi ?

(sens 1.1. et 1.2.)

X		**escompter** une/des ~	-	1
une activité	✓	**générer** une/des ~	la génération d'une/de ~	2
>< une/des ~		**provenir d'**une activité	la provenance d'une/de ~	
les ~	△	**augmenter**	une augmentation des ~	
		progresser	une progression des ~	
les ~	▽	**baisser**	une baisse des ~	
		diminuer	une diminution des ~	
X	=	**équilibrer** les ~ et les dépenses	l'équilibrage des ~ et des dépenses	3

1 *Il est impossible de chiffrer exactement le coût de la campagne publicitaire du film. Certains l'évaluent au tiers des recettes escomptées.*
2 *Les investissements réalisés actuellement ne généreront des recettes que dans plusieurs années.*
3 *Le gouvernement a lancé une réforme du système fiscal pour équilibrer davantage les recettes et les dépenses.*

RECEVEUR (n.m.) (**) 1. (un ~ des contributions) Personne qui est chargée de l'encaissement des impôts.

1. (270)	der Angestellte der Finanzkasse der Beamte der Finanzkasse	tax collector	el recaudador	l'esattore (m.) il ricevitore	de (belasting)ontvanger (m.)

RECHERCHE ET (LE) DÉVELOPPEMENT (la ~) (***) 1. Travaux en rapport avec la conception et la mise au point de nouveaux produits.

(329)	Forschung und Entwicklung (R&D) Forschungs- und Entwicklungsabteilung (F&E)	Research and Development (R&D)	Investigación y Desarrollo (I+D)	Ricerca e Sviluppo (R&S)	Onderzoek en Ontwikkeling (R&D)

RÉCLAME (n.f.) (*)1. Ensemble des moyens utilisés pour faire connaître un bien. 2. Message utilisé pour faire connaître un bien.

1. (463)	die Werbung die Reklame	advertising	la publicidad la propaganda comercial	la pubblicità	de publiciteit (f.) de reclame (m./f.)
2. (463)	der Werbespot der Werbespruch	ad(vert) / advertisement commercial (à la télé)	la publicidad	la pubblicità	de publiciteit (f.) de reclameboodschap (f.)

RECLASSEMENT (n.m.) (**) 1. Affectation à un autre emploi.

1. (102)	die anderweitige berufliche Verwendung	relocation resettlement	la asignación a nuevo empleo	la riqualificazione	de herinschakeling (f.)

RECLASSER (v.tr.dir.) (**) 1. Affecter à un autre emploi.

1. (103)	beruflich anderweitig verwenden eine andere Beschäftigung geben	to relocate to resettle	asignar a un nuevo puesto de trabajo	reinserire	opnieuw inschakelen

RECONFIGURATION (n.f.) (*) 1. Abandon des procédures et des principes d'organisation traditionnels.

1. (442)	die Neuorganisation	reconfiguration	la reconfiguración	la riconfigurazione aziendale	de reengineering (f.)

RECONVERSION (n.f.) (***) 1. Affectation ou adaptation à un métier différent. 2. Adaptation d'une activité économique à de nouvelles conditions.

1. (102)	die Umschulung	retraining	la reconversión	la riconversione	de omscholing (f.)
2. (102)	die Umstellung	reconversion	la reconversión	la riconversione la ristrutturazione	de omschakeling (f.) de reconversie (f.)

RECONVERTIR (se ~, ~) (v.pron., v.tr.dir.) (**) 1. S'adapter à un métier différent 2. Adapter une activité économique à de nouvelles conditions.

1. (102)	umschulen	to retrain	reconvertir (se) readaptar	riconvertire riconvertirsi	omscholen
2. (102)	umstellen	to reconvert	reconvertir	riconvertire riconvertirsi	omschakelen

RECORD (n.m., utilisé comme adj. invar.) (***) 1. Qui n'a jamais été atteint.

1. (282)	Rekord-	record	el récord la marca	il record	record

RECOUVRABLE (adj.) (*) 1. Dont le paiement peut être obtenu.

1. (162)	zahlbar kann gezahlt werden	recoverable collectable	(re)cobrable recuperable	esigibile recuperabile	invorderbaar inbaar

RECOUVREMENT (n.m.) (**) 1. Fait d'obtenir le paiement.

1. (163) (82)	die Eintreibung die Erhebung (impôts)	collection recovery	el cobro la cobranza	la riscossione il recupero	de invordering (f.)

RECOUVRER (v.tr.dir.) (**) 1. Obtenir le paiement.

1. (163) (82)	einziehen erheben (impôts)	to collect (impôts) to recover (dettes)	cobrar recaudar	recuperare incassare	invorderen

RECRUTEMENT (n.m.) (***) 1. Processus de la création d'un poste à la décision d'embauche.

1. (222)	die Einstellung die Anwerbung	recruitment recruiting	la contratación el reclutamiento	l'assunzione (f.) il reclutamento (militaire)	de rekrutering (f.) de aanwerving (f.)

RECRUTER (v.tr.dir.) (***) 1. Embaucher.

1. (222)	einstellen anwerben	to recruit	contratar reclutar	assumere reclutare	aanwerven rekruteren

RECRUTEUR, RECRUTEUSE (n.) (**) 1. Personne qui recherche de futurs salariés.

1. (222)	der Personalberater der Stellenvermittler	recruitment specialist recruiter	el contratante el empresario	il reclutatore il cacciatore di teste	de aanwerver (m.) de headhunter (m.)

REÇU (n.m.) (*) 1. Document par lequel qqn reconnaît avoir reçu qqch.

1. (401)	die Quittung	receipt	el recibo	la ricevuta la quietanza	het ontvang(st)bewijs

RECUL (n.m.) (****) 1. Diminution.

1. (278)	der Rückgang das Zurückgehen	decline drop	el retroceso la regresión	il regresso il declino	de achteruitgang (m.) de vermindering (f.)

RECULER (v.intr.) (****) 1. Diminuer.

1. (278)	zurückgehen	to decline to go down	retroceder recular	arretrare regredire	achteruitgaan verminderen

RECYCLAGE (n.m.) (****) 1. Formation professionnelle complémentaire. 2. Traitement des matières usées.

1. (103)	die Fortbildung	retraining	el reciclaje	la riqualificazione professionale	de bijscholing (f.)
	die Weiterbildung			l'aggiornamento (m.)	
2. (103)	das Recycling	recycling	el reciclaje	il riciclaggio	de recyclage (f.)
	die (stoffliche) Verwertung	reprocessing	el reciclado		

RECYCLER (se ~, ~) (v.pron., v.tr.dir.) (***) 1. Suivre une formation professionnelle complémentaire. 2. Traiter les matières usées.

1. (103)	sich weiterbilden	to retrain	reciclar (se)	riqualificare professionalmente	bijscholen
	umschulen			aggiornare	
2. (103)	wiederverwerten	to recycle	reciclar	riciclare	recycleren
		to reprocess			

REDÉMARRAGE (n.m.) (***) 1. Amélioration après une période moins positive.

1. (280)	der Wiederaufschwung	recovery	la recuperación	la ripresa	de heropleving (f.)
	die Neubelebung	rally			

REDÉMARRER (v.intr.) (***) 1. S'améliorer après une période moins positive.

1. (280)	wieder in Schwung kommen	to recover	recuperarse	ripartire	hernemen
	wieder anziehen	to take off again	reactivarse	rimettersi in moto	heropleven

REDESCENDRE (v.intr.) (**) 1. Diminuer à nouveau.

1. (278)	wieder sinken	to fall again	volver a bajar	ridiscendere	opnieuw dalen
	wieder fallen	to decline again			

REDEVABLE (adj.) (***) 1. Qui est débiteur. 2. Qui est soumis à un impôt indirect.

1. (315)	jemandem etwas schulden	to owe sb an amount of money	deudor	debitore	verschuldigd
	jemandem etwas schuldig sein	indebted			schuldig
2. (315)	beitragspflichtig	liable for tax	sujeto a impuestos	debitore	belastingplichtig
	steuerpflichtig				

REDEVABLE (n.) (**) 1. Personne obligée de verser un impôt indirect.

1. (315)	der Steuerpflichtige	taxpayer	contribuyente	il contribuente	de belastingplichtige (m.)
		person liable for tax		il debitore d'imposta	

REDEVANCE (n.f.) (***) 1. Somme d'argent à payer pour l'utilisation de certains services.

1. (315)	die Gebühr	dues	la contribución	il canone	de retributie (f.)
	die Abgabe	fees	el canon		de bijdrage (m./f.)

REDISTRIBUER (v.tr.dir.) (*) 1. Faire transférer des revenus vers les classes les plus défavorisées.

1. (206)	umverteilen	to redistribute	redistribuir	ridistribuire	herverdelen
		to reallocate			

REDISTRIBUTEUR, -TRICE (adj.) (*) 1. Qui permet de transférer des revenus vers les classes les plus défavorisées.

1. (206)	Umverteilungs-	redistributing	redistributivo	ridistributivo	herverdelend
	zur Umverteilung	distributional		riallocativo	

REDISTRIBUTIF, -IVE (adj.) (*) 1. Qui permet de transférer des revenus vers les classes les plus défavorisées.

1. (206)	Umverteilungs-	redistributing	redistributivo	ridistributivo	herverdelend
	zur Umverteilung	distributional			

REDISTRIBUTION (n.f.) (***) 1. Nouvelle répartition (RQ). 2. Transfert de revenus vers les classes les plus défavorisées.

1. (206)	die Neuverteilung	redistribution (en général)	la redistribución	la ridistribuzione	de herverdeling (f.)
		redeployment (personnes)			
2. (206)	die Umverteilung	reallotment (ressources)	la redistribución	la riallocazione	de herverdeling (f.)

REDRESSEMENT (n.m.) (****) 1. Amélioration après une évolution, une période moins positive. 2. Restructuration (d'une entreprise). 3. Procédure de maintien de l'activité d'une entreprise. 4. Apurement de la situation d'un contribuable.

1. (280)	die Verbesserung	recovery	la recuperación	il riassetto	de heropleving (f.)
(139)	die Wiederbelebung	upturn	el repunte	il raddrizzamento	de verbetering (f.)
2. (238)	die Umstrukturierung	restructuring	la reestructuración	la ristrutturazione	de herstructurering (f.)
			la reorganización		
3. (66)	das Insolvenzverfahren	maintaining production	el restablecimiento	l'amministrazione controllata	de sanering (f.)
		maintaining activity	el mantenimiento		
4. (271)	die Steuerberichtigung	tax adjustment	la rectificación fiscal	la rettifica fiscale	de wijziging (f.) van de aanslag
	die Steuerneufestsetzung	tax reappraisal	la liquidación fiscal		

REDRESSER (~, se ~) (v.tr.dir., v.pron.) (***) 1. Faire améliorer après une évolution, une période moins positive. 2. Restructurer (une entreprise).

1. (280)	wieder ankurbeln	to turn around	restablecer (se)	risanare	herstellen
	wieder in Schwung bringen	to straighten out		raddrizzare	
2. (66)	umstrukturieren	to restructure	reestructurar	ristrutturare	herstructureren
	sanieren				

REDRESSEUR (n.m.) (*) 1. Personne qui opère une restructuration.

1. (66)	der Insolvenzverwalter	refloater	el reestructurador	il risanatore	iemand die een bedrijf saneert
	der Sanierer	company fixer		il commissario giudiziale (juridique)	

RÉDUCTION (n.f.) (****) 1. Diminution. 2. Diminution de prix.

1. (277)	die Senkung	reduction	la reducción	la riduzione	de reductie (f.)
			el recorte (de impuestos)	lo sconto	de vermindering (f.)
2. (437)	die Ermässigung	cut	la reducción (de precios)	la riduzione dei prezzi	de prijsvermindering (f.)

RÉDUIRE (~, se ~) (v.tr.dir., v.pron.) (****) 1. Diminuer.

1. (277)	reduzieren	to reduce	reducir	ridurre	reduceren
	senken	to cut	bajar	diminuire	verminderen

RÉÉCHELONNEMENT (n.m.) (**) 1. Révision du calendrier d'un remboursement.

1. (195)	die Umschuldung	rescheduling	el reescalonamiento	il riscadenziamento	de (schuld)herschikking (f.)
		deferral			

RÉÉCHELONNER (v.tr.dir.) (*) 1. Faire rembourser sur une période plus longue.

1. (195)	umschulden	to reschedule	reescalonar	riscadenzare	herschikken

RÉEL, -ELLE (adj.) (****) 1. Qui correspond à la vraie valeur, tenant compte du pouvoir d'achat.

1. (432)	tatsächlich	actual	real	reale	reëel
(493)	real	real	efectivo	effettivo	werkelijk

REENGINEERING (n.m.) (**) 1. Abandon des procédures et des principes d'organisation traditionnels.

1. (442)	das Reengineering	reengineering	la reconfiguración	il reengineering	de reengineering (f.)
	die Restrukturierung				

REÉR (le ~) (*) Régime enregistré d'épargne-retraite.

(244)	die Altersversorgung	pension plan	los planes de pensiónes	il piano di pensionamento	het pensioenspaarplan
		pension scheme			

RÉESCOMPTE (n.m.) (**) 1. Nouvel escompte réalisé par une banque.

1. (437)	der Rediskont	rediscount	el redescuento	il risconto	de herdiscontering (f.)

RÉESCOMPTER (v.tr.dir.) (*) 1. Réaliser un nouvel escompte.

1. (437)	rediskontieren	to rediscount	redescontar	riscontare	herdisconteren
	rückdiskontieren				

RÉÉVALUATION (n.f.) (**) 1. Augmentation de valeur.

1. (92)	die Aufwertung	revaluation	la revaluación	la rivalutazione	de revaluatie (f.)
	die Neubewertung		la revalorización		de opwaardering (f.)

RÉÉVALUER (v.tr.dir.) (**) 1. Augmenter la valeur.

1. (92)	aufwerten	to revalue	revaluar	rivalutare	opwaarderen
			revalorizar		herwaarderen

RÉEXPORTATION (n.f.) (*) 1. Exportation de marchandises qui avaient été importées.

1. (252)	die Wiederausfuhr	re-export	la reexportación	la riesportazione	de heruitvoer (m.)

RÉFÉRENCE (n.f.) (****) 1. Valeur qui sert de point de comparaison. 2. Article spécifique mis en vente.

1. (320)	die Referenzwert	reference (value)	el (valor de) referencia	(il valore) di riferimento	de referentiewaarde (f.)
(434)	die Bezugsgrösse				
2. (446)	die Sorte	reference	el artículo	l'articolo (m.)	het artikel

REFINANCEMENT (n.m.) (**) 1. Changement apporté à la composition des capitaux permanents d'une société. 2. Dégagement de ressources pour financer des prêts.

1. (268)	die Umstrukturierung des Kapitals	refinancing	la refinanciación	il rifinanziamento	de herfinanciering (f.)
2. (268)	die Refinanzierung	refunding	la refinanciación	il rifinanziamento	de herfinanciering (f.)

REFLUX (n.m.) (**) 1. (un ~ de capitaux) Fuite de capitaux vers l'étranger.

1. (85)	der Kapitalabfluss	outflow of capital	el reflujo	il riflusso	de kapitaalvlucht (m./f.)
	die Kapitalabwanderung		la fuga de capitales		

RÉGIE (n.f.) (***) 1. Société de droit public. 2. Société qui se charge de la commercialisation d'espaces publicitaires.

1. (515)	das öffentliche Unternehmen	state company	la empresa pública	l'azienda autonoma statale	het overheidsbedrijf
	der Eigenbetrieb	local government controlled company	el monopolio del Estado	il monopolio	
2. (465)	die Werbeagentur	agency	la administración de publicidad	la società di spazi pubblicitari	het reclamebureau
			la agencia publicitaria		

RÈGLE (n.f.) (****) 1. Ce qui est imposé ou adopté comme ligne directrice de conduite (RQ).

1. (126)	die Vorschrift	rule	la regla	la regola	de regel (m.)
	die Regel				

RÈGLEMENT (n.m.) (****) 1. Ensemble de ce qui est imposé ou adopté comme ligne directrice de conduite. 2. Paiement.

1. (202)	die Vorschriften	regulation	el reglamento	il regolamento	het reglement
	das Reglement				
2. (402)	die (Be)zahlung	payment	el pago	il pagamento	de betaling (f.)
	die Begleichung	settlement	la liquidación	il saldo	de vereffening (f.)

RÉGLEMENTAIRE (adj.) (***) 1. Qui se rapporte à l'ensemble de ce qui est imposé ou adopté comme ligne directrice de conduite.

1. (311)	vorschriftmässig	statutory	reglamentario	regolamentare	reglementair

RÉGLEMENTATION (n.f.) (****) 1. Action de soumettre à des règles. 2. Ensemble de règles dans un domaine particulier.

1. (370)	die Reglementierung	regulation	la reglamentación	la regolamentazione	de reglementering (f.)
(436)		control			de regelgeving (f.)
2. (271)	die Bestimmungen	rules	los estatutos	la regolamentazione	de voorschriften (plur.)
	die Vorschriften	regulations	la reglamentación		

RÉGLEMENTER (v.tr.dir.) (***) 1. Soumettre à des règles.

1. (370)	gesetzlich regeln	to regulate	reglamentar	regolamentare	ordenen
(436)	reglementieren	to control (prix)			reglementeren

RÉGLER (v.tr.dir.) (**) 1. Payer.

1. (405)	(be)zahlen	to pay	pagar	pagare	betalen
		to settle		saldare il conto	vereffenen

RÉGRESSER (v.intr.) (***) 1. Diminuer.

1. (279)	zurückgehen	to fall	retroceder	regredire	verminderen
	rückläufig sein	to drop		diminuire	achteruitgaan

RÉGRESSIF, -IVE (adj.) (*) 1. Qui diminue.

1. (312)	regressiv	regressive	regresivo	regressivo	regressief
	rückläufig				

RÉGRESSION (n.f.) (***) 1. Diminution.

1. (279)	der Rückgang	regression	la regresión	la regressione	de regressie (f.)
	die Regression	decline			de achteruitgang (m.)

RÉGULIER, -IÈRE (adj.) (***) 1. À rythme, vitesse uniforme.

1. (282)	regelmässig	regular	regular	regolare	regelmatig
	gleichmässig	steady			

REHAUSSEMENT (n.m.) (*) 1. Augmentation.

1. (276)	die Steigerung	increase	el aumento	il rialzo	de verhoging (f.)
		rise	la subida		

REHAUSSER (v.tr.dir.) (**) 1. Augmenter.

1. (276)	erhöhen	to increase	aumentar	rialzare	verhogen
	anheben	to rise			

RÉINVESTIR (v.tr.dir.) (***) 1. Consacrer une somme d'argent à qqch qui en a été dépourvu pendant un certain temps.

1. (339)	reinvestieren	to reinvest	reinvertir	reinvestire	herinvesteren
	neu investieren	to plough back (GB)			

RÉINVESTISSEMENT (n.m.) (**) 1. Fait de consacrer une somme d'argent à qqch qui en a été dépourvu pendant un certain temps.

1. (339)	die Neuinvestition	reinvestment	la reinversión	il reinvestimento	de herinvestering (f.)

RELANCE (n.f.) (****) 1. Amélioration après une évolution, une période moins positive. 2. Reprise de l'activité économique. 3. Nouvelle impulsion pour inciter un client à l'achat d'un bien.

1. (280)	der Aufschwung	revival	el relanzamiento	il rilancio	het herstel
		reflation			
2. (139)	die (Wieder)belebung	recovery	la reactivación	la ripresa	het herstel
	die Ankurbelung der Wirtschaft		la reanimación		de opleving (f.)
3. (107)	das erneute Ansprechen	follow-up (call)	el relanzamiento	la sollecitazione	de herinnering (f.)
	das erneute Kontaktieren				

RELANCER (v.tr.dir.) (***) 1. Améliorer qqch. après une évolution, une période moins positive. 2. Rétablir l'activité économique. 3. Donner une nouvelle impulsion à un client (pour l'inciter à l'achat d'un bien p. ex.).

1. (280)	ankurbeln	to revive	relanzar	rilanciare	herstellen
	in Schwung bringen	to reflate			stimuleren
2. (213)	ankurbeln	to revitalize	reactivar	rilanciare	herstellen
	in Schwung bringen	to give a boost to	dar nuevo impulso		
3. (107)	erneut ansprechen	to give a follow-up	insistir de nuevo con (un cliente)	sollecitare	opnieuw contact opnemen
	erneut kontaktieren				

RELATIONS PUBLIQUES (les ~ (f.)) (***) 1. Techniques de contact entre une entreprise ou un organisme et le public afin d'améliorer son image (de marque).

1. (374)	die Public Relations	public relations	las relaciones públicas	le pubbliche relazioni	de public relations (plur.)
	die PR	PR			de PR

RELEVÉ (n.m.) (**) 1. Document qui récapitule des opérations (bancaires).

1. (129)	der Kontoauszug	statement of account	el extracto de cuenta	l'estratto conto (m.)	het rekeninguittreksel
	ernent kontaktieren	(en général)			
		bank statement	el listado		

RELÈVEMENT (n.m.) (***) 1. Augmentation.

1. (276)	die Anhebung	increase	el aumento	il rialzo	de verhoging (f.)
	die Erhöhung	raising	la elevación	l'aumento (m.)	

RELEVER (v.tr.dir.) (***) 1. Augmenter.

1. (276)	anheben erheben	to increase to raise	aumentar elevar	aumentare rialzare	verhogen

RELOCALISATION (n.f.) (*) 1. Action de ramener une activité vers un pays, une région.

1. (323)	die Zurückverlagerung ins Inland	repatriation	la relocalización la reubicación	(il) rimpatriare un'attività	de repatriëring (f.)

RELOCALISER (v.tr.dir.) (*) 1. Ramener une activité vers un pays, une région.

1. (323)	ins Inland zurückverlagern	to repatriate	reubicar	rimpatriare un'attività	repatriëren

REMBOURSABLE (adj.) (*) 1. Qui peut être rendu. 2. Qui peut être dédommagé.

1. (478)	rückzahlbar zahlbar	repayable redeemable	reembolsable	rimborsabile	terugvorderbaar terugbetaalbaar
2. (478)	wird / werden erstattet	refundable	reembolsable	rimborsabile	wat schadeloos gesteld kan worden

REMBOURSEMENT (n.m.) (****) 1. Action par laquelle une somme d'argent est rendue. 2. Dédommagement d'une dépense.

1. (476)	die Rückzahlung	settlement repayment	el reembolso el reintegro	il rimborso il risarcimento	de terugbetaling (f.) de aflossing (f.)
2. (476)	die (Rück)erstattung das Entgeld	refund	el reembolso la devolución	il rimborso	de terugbetaling (f.)

REMBOURSEMENT

➠ **débit - créance - prêt**

1 un remboursement		3 (ir)remboursable	2 rembourser

1 un REMBOURSEMENT - [Rɑ̃buRsəmɑ̃] - (n.m.)

1.1. Action par laquelle un agent économique (le débiteur : un particulier, une entreprise, un État - X) rend à un autre agent économique (le créancier : un particulier, une entreprise, un État - Y) une somme d'argent (Z) que celui-ci lui avait prêtée.
Syn. : (V. 29 amortissement, 1).
Ce nouvel emprunt servira au remboursement d'un autre emprunt de 20 millions d'euros arrivant à échéance le 20 juin prochain.

1.2. Action par laquelle un agent économique (un employeur ; un particulier ; un assureur - X) dédommage un autre agent économique (un salarié ; une entreprise ; un assuré - Y) pour une dépense (Z) qu'il a effectuée.
Syn. : (moins fréq.) le défraiement. (V. 294 frais, 1).
En ce qui concerne le remboursement des dégâts causés par les inondations, les assurés devront se contenter de sommes très limitées.

expressions

(sens 1.2.)

- **Envoi contre remboursement** : envoi d'une marchandise qui peut être délivrée au client en échange du paiement de sa valeur et, éventuellement, des frais de port.
- **Livraison contre remboursement** : livraison d'une marchandise au client en échange du paiement de sa valeur et, éventuellement, des frais de port.

+ adjectif

TYPE DE REMBOURSEMENT (sens 1.1.)

Un remboursement anticipé : remboursement avant l'échéance prévue. *Le produit de l'augmentation de capital a été affecté au remboursement anticipé d'une partie de la dette bancaire.*

NIVEAU DU REMBOURSEMENT (sens 1.1.)

Un remboursement intégral. >< **Un remboursement partiel.** *Suite au remboursement partiel, il a été décidé de revoir les modalités des emprunts pour le solde du montant non remboursé.* Dans un régime de sécurité sociale, le prix des médicaments et des prestations médicales ne fait l'objet que d'un remboursement partiel. La partie à charge de l'utilisateur est appelée **le ticket modérateur**.

MESURE DU REMBOURSEMENT (sens 1.1.)

Un remboursement mensuel. < **Un remboursement annuel.**

+ nom

(sens 1.1.)

- **Le remboursement d'un emprunt** ; **d'une dette** ; **d'un capital**.
- **Le remboursement d'un créancier**.
- **Un délai de remboursement.**
Les échéances de remboursement (moins fréq. : **l'échéance de remboursement**). *Le plan de restructuration financière prévoit un*

report de trois ans des échéances de remboursement des prêts. (☞ 477 Pour en savoir plus, Modalités de remboursement).

Une date de remboursement.

- **Une clause de remboursement**. *La dette est assortie d'une clause de remboursement anticipé en faveur du porteur, qui peut être exercée si la notation se détériore.*

Une capacité de remboursement, une faculté de remboursement. *Les investisseurs sont prêts à investir dans notre entreprise puisque nous bénéficions d'une bonne capacité de remboursement et d'une bonne structure financière.*

- **Une offre de remboursement**. (V. 394 offre, 1).
- **Le prix de remboursement**. (V. 434 prix, 1).

(sens 1.2.)

Le remboursement de frais (**professionnels** ; **de déplacement**).

MESURE DU REMBOURSEMENT (sens 1.1.)

Un remboursement sur ... ans : remboursement qui se fait régulièrement durant une période de ... ans.

Un remboursement après ... ans : remboursement intégral à une échéance de ... ans.

+ verbe : qui fait quoi ?

(sens 1.1. et 1.2.)

Y	✓	**demander** (à X) le ~ de Z	une demande de ~	1
		< **exiger** (de X) le ~ de Z	-	
Y	×	**obtenir** (de X) le ~ de Z	l'obtention du ~ (de Z)	
>< X		**effectuer** le ~ de Z	-	
		>< **suspendre** le ~ de Z	la suspension du ~ de Z	2
le remboursement		**s'élever à** + indication d'un montant	-	

1 *La banque demande le remboursement intégral et immédiat de la somme empruntée.*
2 *La grave crise économique qui touche ce pays l'oblige à renégocier sa dette et même à en suspendre le remboursement.*

Pour en savoir plus

MODALITÉS DE REMBOURSEMENT

Une échéance. 1. Date à laquelle expire un délai, à laquelle on doit faire ou payer qqch. **Avoir des difficultés à faire face à ses échéances, avoir des échéances difficiles** (V. 402 paiement, 1). {**un échéancier** (document où figurent, dans l'ordre chronologique des échéances, les dettes à payer : montants et créances (DC))} - 2. Délai. *Nous comptons payer à brève échéance.*

Une tranche : partie d'une somme d'argent globale (un budget, un revenu, une dette à rembourser).

Une mensualité : somme qu'un débiteur doit verser chaque mois pour rembourser sa dette. {**la mensualisation**, **mensuel, -elle**, **mensuellement**, **mensualiser** (rendre mensuel, payer au mois (RQ))}.

2 REMBOURSER - [ʀɑ̃buʀse] - (v.tr.dir.)

1.1. Un agent économique (le débiteur : un particulier, une entreprise, un État - X) rend à un autre agent économique (le créancier : un particulier, une entreprise, un État - Y) une somme d'argent (Z) que celui-ci lui avait prêtée.

Syn. : (V. 406 paiement, 6) ; Ant. : emprunter.
Beaucoup de pays sont fortement endettés, mais leur capacité à rembourser est jugée assez satisfaisante par la communauté financière.

1.2. Un agent économique (un employeur ; un particulier ; un assureur - X) dédommage un autre agent économique (un salarié ; une entreprise ; un assuré - Y) pour une dépense (Z) qu'il a effectuée.

Syn. : (moins fréq.) défrayer. (V. 294 frais, 1).
Pour quelques biens et services, comme p. ex. les soins de santé, la dépense effective des ménages est partiellement remboursée.

+ nom

(sens 1.1.)

- **Rembourser un emprunt ; des dettes.**

Rembourser (un emprunt, une dette) **à l'échéance.**

- **Rembourser un créancier.**

(sens 1.2.)

Rembourser des frais. *En cas d'hospitalisation, l'assurance-maladie rembourse aussi bien les frais de soins que les frais d'hébergement.*

qui fait quoi ?

(sens 1.1. et 1.2.)

X	**rembourser** Z (à Y)	le remboursement de Z (à Y)	1
X	**rembourser** Y	le remboursement de Y	2
>< Y	**se faire rembourser** (Z) (par X)	le remboursement (de Z) (par X)	3

1 *Nous sommes parvenus à un accord pour rembourser l'ancien emprunt à notre prêteur par un nouveau à taux d'intérêt réduit.*
2 *Dans le cadre de cette assurance, l'assureur rembourse le prêteur pour le crédit encore dû à ce moment.*
3 *Certains cadres de l'entreprise s'étaient fait rembourser plus que leurs voyages d'affaires.*

3 AUTRES DÉRIVÉS OU COMPOSÉS

- **Remboursable** [ʀɑ̃buʀsabl(ə)] (adj.) : (une somme d'argent, un emprunt, une obligation) qui peut être remboursé (sens 1.1. et 1.2.). *Dans quelques jours se termine l'émission d'obligations remboursables en actions d'Elf.*
  >< **Irremboursable** [iʀɑ̃buʀsabl(ə)] (adj.).

REMBOURSER (v.tr.dir.) (****) 1. Rendre une somme d'argent. 2. Dédommager une dépense.

1. (477)	zurückzahlen	to pay back to redeem	reembolsar	rimborsare	terugbetalen aflossen
2. (477)	erstatten vergüten	to refund to reimburse	devolver	rimborsare	terugbetalen

REMISE (n.f.) (***) 1. Diminution de prix. 2. Fait de ne plus exiger le paiement d'une somme d'argent. 3. Livraison.

1. (437)	der (Mengen)rabatt der (Preis)nachlass	reduction discount	la rebaja el descuento	lo sconto la riduzione	de reductie (f.)
2. (437)	der (Schuld)erlass der (Steuer)erlass	cancellation remission	la remisión la condonación	l'estinzione (f.) la remissione del debito	de vrijstelling (f.)
3. (437)	die Übergabe die Zustellung	delivery	la entrega	la consegna	de bestelling (f.)

REMONTÉE (n.f.) (***) 1. Amélioration après une évolution, une période moins positive.

1. (280)	das erneute Ansteigen der erneute Anstieg	rise	la subida la recuperación	la rimonta la risalita	het herstel

REMONTER (v.intr.) (***) 1. S'améliorer après une évolution, une période moins positive.

1. (280)	wieder ansteigen wieder nach oben gehen	to go up again to rally	volver a subir recuperar (se)	risalire	herstellen

RÉMUNÉRATEUR, -TRICE (adj.) (**) 1. Qui rapporte beaucoup.

1. (480)	einträglich gewinnbringend	profitable lucrative	remunerativo	rimunerativo	winstgevend lonend

RÉMUNÉRATION (n.f.) (****) 1. Somme d'argent reçue en compensation du travail. 2. Somme d'argent reçue comme bénéfice du capital.

1. (478)	die Entlohnung die Vergütung	wage salary	la remuneración	la rimunerazione	de verloning (f.) de bezoldiging (f.)
2. (478)	die Kapitalverzinsung	return	el rendimiento del capital	il rendimento	het rendement de return (m.)

RÉMUNÉRATION

➠ salaire - revenu

1 une rémunération		3 rémunérateur, -trice 3 rémunératoire	2 rémunérer

1 une RÉMUNÉRATION - [ʀemyneʀasjɔ̃] - (n.f.)

1.1. Somme d'argent ou bien qu'un agent économique (un particulier (éventuellement lié à un employeur par un contrat de travail), une entreprise - X) reçoit en compensation du travail qu'il a réalisé pour un autre agent économique (p. ex. l'employeur - Y) ou des services qu'il a rendus à cet autre agent économique.
Syn. : (☞ 479 Pour en savoir plus, Rémunération (sens 1.1.) et synonymes).
Les objectifs ont été définis clairement, mais nous trouvons parfois difficile d'adapter la rémunération aux résultats.

1.2. Somme d'argent qu'un agent économique (un particulier, une entreprise, un investisseur - X) reçoit d'un autre agent économique (une entreprise, une banque - Y) comme bénéfice tiré de son capital.
Syn. : (☞ 480 Pour en savoir plus, Rémunération (sens 1.2.) et synonymes).

Certains investissements renferment un grand risque. Aussi leur rémunération doit-elle être supérieure à celle des placements sans risques.

+ adjectif

TYPE DE RÉMUNÉRATION (sens 1.1.)

Une rémunération brute. >< **Une rémunération nette.** (V. 498 salaire, 1).

TYPE DE RÉMUNÉRATION (sens 1.1. et 1.2.)

Une rémunération nominale. >< **Une rémunération réelle.** (V. 498 salaire, 1).

Une rémunération complémentaire : qui s'ajoute au salaire de base sous la forme d'avantages en nature ou d'avantages extra-légaux.

Une rémunération parallèle : salaire versé par un employeur à un salarié et non déclaré à l'administration. *La pratique des rémunérations parallèles - les commissions secrètes en jargon fiscal - est devenue courante dans beaucoup d'entreprises.* (☞ 480 Pour en savoir plus, Formes de rémunérations illégales).

Une rémunération forfaitaire : dont le montant est défini à l'avance.

CARACTÉRISATION DE LA RÉMUNÉRATION (sens 1.1. et 1.2.)

Une rémunération raisonnable, équitable : suffisamment importante par rapport à l'effort consenti ou au risque couru.
>< **Une rémunération excessive.**

Une rémunération concurrentielle. *Cette société offre une rémunération très concurrentielle à son personnel sous forme d'un bonus lié aux bénéfices de la société.*

NIVEAU DE LA RÉMUNÉRATION (sens 1.1. et 1.2.)

Une rémunération élevée, substantielle.

Une rémunération plafonnée : qui ne peut dépasser un montant défini à l'avance.

MESURE DE LA RÉMUNÉRATION (sens 1.1. et 1.2.)

Une rémunération horaire ; **hebdomadaire** ; **mensuelle** ; **annuelle.**

+ nom

(sens 1.1.)

- **Un système de rémunération, les conditions de rémunération.**

  Une politique de rémunération. *La politique de rémunération de cette entreprise tend à favoriser le versement de suppléments collectifs.*

  La structure des rémunérations : poids relatif des différentes composantes de la rémunération (salaire, intéressement, avantages sociaux, primes, ...).
- **La hiérarchie des rémunérations.** (V. 499 salaire, 1).
- **L'éventail des rémunérations.** (V. 499 salaire, 1).

TYPE DE RÉMUNÉRATION (sens 1.1.)

Une rémunération de base. (V. 499 salaire, 1).

Une rémunération au rendement. (V. 499 salaire, 1).

TYPE DE RÉMUNÉRATION (sens 1.2.)

La rémunération d'un placement, de l'épargne. *Nous connaissons actuellement des taux d'intérêt faibles pour la rémunération de l'épargne financière.*

La rémunération des facteurs de production.
La rémunération du capital. (V. 494 revenu, 1).

NIVEAU DE LA RÉMUNÉRATION (sens 1.1.)

Le niveau de rémunération. (V. 499 salaire, 1).

+ verbe : qui fait quoi ?

(sens 1.1. et 1.2.)

Y (un employeur)	×	**verser** une ~ (à X)	le versement d'une ~ (à X)	
		allouer une ~ (à X)	l'allocation d'une ~ (à X)	
→ X		**percevoir** une ~	la perception d'une ~	1
		(fam.) **toucher** une ~	-	

1 *Les ingénieurs qui travaillent dans le secteur bancaire perçoivent une rémunération inférieure à la moyenne.*

Pour en savoir plus

RÉMUNÉRATION (sens 1.1.) ET SYNONYMES

Le terme 'salaire' se substitue de plus en plus au terme 'rémunération' au sens de "revenu du travail".

Une rétribution : rémunération adaptée à la contribution effective d'une personne et qui peut être de nature variée (p. ex. un salaire fixe ou variable, une prime, un intéressement, des avantages en nature, ...). *Moyennant rétribution, notre société se charge de l'achat, de l'exploitation, de l'entretien, de l'assurance et de tout ce dont l'avion, ses pilotes et ses passagers ont besoin.*

{**rétribuer**}.
Un revenu. (V. 492 revenu, 1).

RÉMUNÉRATION (sens 1.2.) ET SYNONYMES

Une rémunération, **un rendement**. (V. 481 rendement, 1).
Un (taux d')intérêt. (V. 332 intérêt, 1).
Un dividende. (V. 13 action, 1).

RÉMUNÉRATION (sens 1.1.) PAR CATÉGORIE DE PERSONNE

Selon la catégorie de personnes concernée, il existe des termes différents pour désigner leur salaire :

des appointements	employés
un cachet	artistes
une commission	représentants de commerce
le courtage	courtier
des émoluments	administration
des gages	employés de maison, domestiques
des honoraires	professions libérales
(F, Q) **les jetons de présence**	administrateurs de sociétés
une paie	ouvriers
un pourboire	garçon de café, chauffeur de taxi, selon l'appréciation personnelle du client
les prétentions	salaire souhaité par un candidat à un poste
un salaire	ouvriers, employés
le service	pourcentage de l'addition au café, au restaurant, destiné au garçon de café, au serveur (**service compris**)
une solde	militaires
(B, S) **un tantième**	administrateurs de sociétés
un traitement	fonctionnaires
une vacation	experts.

FORMES DE RÉMUNÉRATIONS ILLÉGALES

On parle de **corruption** lorsqu'une somme d'argent est donnée pour obtenir qqch., p. ex. un contrat : **verser des dessous(-)de(-)table**, **verser des pots-de-vin**, **graisser la patte à qqn**.
{**un corrupteur**, **(in)corruptible**, **corrompre**}.

2 RÉMUNÉRER - [Remynere] - (v.tr.dir.)

1.1. Un agent économique (p. ex. l'employeur - X) donne une somme d'argent ou un bien à un autre agent économique (un particulier (éventuellement lié à un employeur par un contrat de travail), une entreprise - Y) en compensation du travail qu'il a réalisé (Z) ou des services qu'il a rendus (Z).
Ant. : (de rémunéré) bénévole.

1.2. Un agent économique (une entreprise, une banque - X) donne une somme d'argent à un autre agent économique (un particulier, une entreprise, un investisseur - Y) comme bénéfice de son capital (Z).

+ nom

(sens 1.2.)

Un compte rémunéré : qui rapporte de l'intérêt.

TYPES DE RÉMUNÉRATIONS (sens 1.1.)

Rémunérer qqn **en argent**. >< **Rémunérer** qqn **en nature**. *Le gel des salaires incite les entreprises à rémunérer leurs cadres en nature : cadeaux, voyages, ...*

+ adverbe

NIVEAU DE LA RÉMUNÉRATION (sens 1.1.)

Un emploi bien rémunéré. > **Un emploi mal rémunéré**. (Syn. **bien, mal payé**).

qui fait quoi ?

(sens 1.1.)

X	**rémunérer** Y (pour Z) (par qqch.)	une rémunération de Y (pour Z) (par qqch.)	1

1 *Ce vendeur a été rémunéré pour son chiffre d'affaires record par une augmentation de sa commission de 2 %.*

(sens 1.2.)

un placement un investissement une épargne	**être rémunéré**	la rémunération d'un placement un placement rémunérateur	1

1 *Je désire m'orienter vers des placements plus rémunérateurs sans toutefois prendre trop de risques.*

3 AUTRES DÉRIVÉS OU COMPOSÉS

- **Rémunérateur**, **-trice** [RemyneRatœR, -tRis] (adj.) : qui rapporte beaucoup. (Syn. : **lucratif**).

Une conjoncture économique très positive et une hausse des taux d'intérêt ont orienté l'épar-

gne vers de nouvelles formes de placements financiers plus rémunérateurs. (V. 457 profit, 2).

• **Rémunératoire** [ʀemyneʀatwaʀ] (adj.) : (peu fréq.) qui sert de récompense. (Qqch.) **avoir un caractère rémunératoire**.

RÉMUNÉRATOIRE (adj.) (*) 1. Qui sert de récompense.

1. (481)	als Vergütung	remunerative	remuneratorio	rimunerativo	winstgevend lonend

RÉMUNÉRER (v.tr.dir.) (***) 1. Donner une somme d'argent en compensation du travail. 2. Donner une somme d'argent comme bénéfice du capital.

1. (480)	entlohnen vergüten	to pay to reward	remunerar	rimunerare retribuire	bezoldigen
2. (480)	Zinsen gewähren verzinsen	to bear interest	remunerar rendir	rimunerare retribuire	(interest) opbrengen

RENCHÉRIR (v.tr.dir.) (**) 1. Augmenter.

1. (276)	teurer werden	to rise to go up	encarecer (se)	rincarare	duurder worden

RENCHÉRISSEMENT (n.m.) (**) 1. Augmentation.

1. (276)	die Verteuerung die Teuerung	rise in price increase in price	el encarecimiento	il rincaro l'aumento (m.) del prezzo	de (prijs)stijging (f.)

RENDEMENT (n.m.) (****) 1. Rapport entre la quantité produite et la quantité de facteurs de production utilisés. 2. Rapport entre la production et une norme. 3. Rapport entre les revenus d'un placement et le placement. 4. Revenu d'un capital.

1. (481)	die Rentabilität die Leistung	output performance	el rendimiento	il rendimento	het rendement
2. (481)	die Effizienz	efficiency	la eficiencia	l'efficienza (f.)	de efficiëntie (f.)
3. (481)	die Rentabilität	yield	el rendimiento	il rendimento	het rendement de opbrengst (f.)
4. (481)	die Rendite die (Ertrags)zinsen	return	el rendimiento	il rendimento	de return (m.) het rendement

RENDEMENT

➠ production
➠ placement

1 un rendement			

1 un RENDEMENT - [ʀɑ̃dmɑ̃] - (n.m.)

1.1. Rapport entre la quantité produite par un agent économique (une entreprise, éventuellement un salarié - X) ou un bien d'équipement (une machine, un outil - X) et une quantité de facteurs de production (le travail, le capital) utilisés pour réaliser cette production.
Syn. : (V. 450 productivité, 1).
Il est impossible d'accroître systématiquement le rendement de la main-d'œuvre sans mettre en danger la sécurité du personnel.

1.2. Rapport entre la production d'un champ (X) et une norme, une unité de mesure.
Syn. : la fertilité.
La récolte en Russie a atteint 151,7 millions de tonnes, en baisse de 60 millions de tonnes par rapport à l'an dernier. Le rendement moyen par hectare n'est plus que de 1,65 tonne.

1.3. Rapport entre les revenus d'un placement financier, d'un investissement ou d'une opération (p.ex. une restructuration) (X) et le placement, l'investissement ou l'opération elle-même.
Syn. : le taux de rendement, le produit d'un placement. (V. 445 production, 2).
Les obligations à trois ans affichaient lundi un rendement d'environ 5 %.

1.4. Revenu d'un capital ou d'un investissement (p. ex. les dividendes d'une action, les bénéfices réalisés grâce à de nouvelles installations).

2.1. Produit effectif d'un travail, d'une activité.
Syn. : le résultat.
Des semaines de travail n'ont pas eu le rendement attendu : à peine 10 % des dossiers ont été traités.

expressions

(sens 1.1.)
(Une machine, un service, une usine) **tourner à plein rendement, fonctionner à plein rendement** : fonctionner de façon optimale. (Syn. : **tourner, fonctionner à plein régime**). *Lorsque la nouvelle unité de production tournera à plein rendement, la sous-traitance locale sera fortement sollicitée.*

(sens 1.3.)
(Un compte, une obligation, une machine) **à haut rendement**. (V. 129 compte, 1). >< **À faible rendement**. (☞ 482 + adjectif).

+ adjectif

TYPE DE RENDEMENT (sens 1.3.)

Le rendement brut : revenu procuré avant la déduction d'impôts à payer.

>< **Le rendement net** : revenu procuré après la déduction d'impôts à payer. *On peut trouver sur le marché des obligations qui offrent un rendement de 6,45 % brut, soit 5,18 net.*

Le rendement actuariel (brut, net), actuel. *Le rendement actuariel est un calcul selon lequel on ramène en valeurs monétaires d'aujourd'hui tout ce qui va être donné dans le futur.* (Syn. : **le taux d'actualisation, le taux (d'intérêt) actuariel**).

Le rendement global : rendement composé du **rendement immédiat** (les intérêts, les dividendes, les loyers, ...) et des plus-values. (Syn. : (plus fréq.) (angl.) **le return**). (V. 13 action, 1).

Le rendement réel : taux d'intérêt moins le taux d'inflation. *L'investisseur jouit d'un rendement de 16 % pour les emprunts à 10 ans garantis par l'État. Avec une inflation de 8 %, le rendement réel est donc de 8 %.*

CARACTÉRISATION DU RENDEMENT (sens 1.3.)

Un rendement fixe. >< **Un rendement variable**.

NIVEAU DU RENDEMENT (sens 1.1., 1.2. et 1.3.)

Un haut rendement, un rendement élevé. > **Un rendement moyen**. > **Un faible rendement**. *Ce placement offre un très faible rendement et il est taxé de façon exagérée.*

Un rendement supérieur, un meilleur rendement. > **Un rendement inférieur**.

MESURE DU RENDEMENT (sens 1.1.)

Les rendements non proportionnels : situation où une augmentation des facteurs de production n'est pas égale à l'augmentation de la production. On parle de **rendements croissants** lorsque le taux d'accroissement de la production est supérieur à celui des facteurs de production et de **rendements décroissants** lorsque le taux d'accroissement de la production est inférieur à celui des facteurs de production. (☞ 482 + nom). *L'existence de rendements croissants dans la production et la taille réduite du marché ne permettent souvent que le maintien d'une seule ou d'un petit nombre d'entreprises.*

>< **Les rendements constants.**

+ nom

(sens 1.1., 1.2. et 1.3.)

Les perspectives de rendement : niveau de rendement attendu. *À court terme, les placements en obligations libellées en dollars présentent d'intéressantes perspectives de rendement.*

(sens 1.1.)

Le travail au rendement. (V. 555 travail, 1).

Un salaire au rendement. (V. 499 salaire, 1).

Une prime de rendement : somme d'argent qui fait fonction de complément du salaire et qui est attribuée lorsqu'un certain degré de productivité est atteint. (Syn. : **une prime de productivité**).

(sens 1.3.)

- **Une valeur de rendement**. (V. 565 valeur, 1).
- **La courbe de rendement** : représentation graphique visualisant le rendement d'une action ou d'un investissement. *Plus les échéances sont longues et plus les taux sont élevés, plus la courbe de rendement présente un aspect normal.*

TYPE DE RENDEMENT (sens 1.1., 1.2. et 1.3.)

Le rendement de + nom qui désigne un type de produits, de placement. Le rendement de la main-d'œuvre. Le rendement d'un champ. Le rendement d'une obligation (linéaire, de référence) (Syn. : **le rendement obligataire**) ; d'un emprunt ; d'un placement ; d'un investissement ; d'une action ; d'un compte.

TYPE DE RENDEMENT (sens 1.1.)

Les rendements d'échelle : rapport entre l'augmentation de la production et l'augmentation des facteurs de production. (☞ 482 + adjectif).

MESURE DU RENDEMENT (sens 1.1., 1.2. et 1.3.)

Un rendement à long terme. > **Un rendement à moyen terme**. > **Un rendement à court terme**.

MESURE DU RENDEMENT (sens 1.2.)

Un rendement par hectare, à l'hectare.

MESURE DU RENDEMENT (sens 1.3.)

Le taux de rendement. *Le taux de rendement a connu une hausse record puisqu'il est passé de 5,2 à 7,6% en quelques semaines à peine.*

+ verbe : qui fait quoi ?

(sens 1.1., 1.2. et 1.3.)

une mesure	△	**augmenter** le ~ (de X)	une augmentation du ~ (de X)	
		améliorer le ~ (de X)	une amélioration du ~ (de X)	1

→ le ~ (de X)		**être à la hausse**	une hausse du ~ (de X)	2
le ~ (de X)	▽△	**remonter**	la remontée du ~ (de X)	
une mesure	▽	**réduire** le ~ (de X)	la réduction du ~ (de X)	
→ le ~ (de X)		**baisser**	une baisse du ~ (de X)	2
une mesure		**assurer** le ~ (de X)	-	3

1 *Il faudra contrôler par ordinateur les procédés de fabrication pour améliorer le rendement et mieux contrôler la qualité.*
2 *La hausse initiale des rendements des obligations en USD à environ 7, 8% a été suivie d'une baisse considérable.*
3 *La constitution d'un portefeuille de valeurs variées permet d'assurer un rendement qui est en partie indépendant des fluctuations conjoncturelles.*

(sens 1.3.)

X	×	**offrir** un ~ (de ... %, élevé, ...)	-	1
		afficher un ~ (de ... %, élevé, ...)	-	
		donner un ~ (de ... %, élevé, ...)	-	
→ le ~ (de X)		**être de** ... %, élevé, ...	-	2
un investisseur	✓	**obtenir** un ~ (de ... %, élevé, ...) (pour X)	-	

1 *Un placement à risque limité n'offre évidemment pas le rendement des placements à haut risque.*
2 *Le rendement de ce compte est de 4,5 % net.*

Pour en savoir plus

NOTE D'USAGE

Le rendement par personne / tête d'ouvrier / m^2 de surface / hectare (à l'hectare)

ÉVALUATION DE RÉSULTATS

La productivité, la rentabilité, l'efficience, le rendement. (V. 450 productivité, 1).

RENDEZ-VOUS (n.m.) (****) 1. Rencontre convenue entre deux ou plusieurs personnes (RQ). 2. Lieu où se produit cette rencontre.

1.	die Verabredung	appointment	la cita	l'appuntamento (m.)	de afspraak (m./f.) het rendez-vous
2.	der Treffpunkt der Ort der Zusammenkunft	meeting point	el lugar de la cita	il luogo di appuntamento	de plaats (m./f.) van afspraak

RENFLOUAGE (n.m.) (*) 1. Redressement (d'une entreprise).

1. (238)	das Wiederflottmachen die Sanierung	bailing out	la reflotación	il salvataggio il recupero	het er weer bovenop helpen

RENFLOUEMENT (n.m.) (*) 1. Redressement (d'une entreprise). 2. Sauvetage en fournissant des fonds pour résoudre des difficultés financières.

1. (238)	die Sanierung	bailing out refloating	la reflotación	il salvataggio il recupero	het er weer bovenop helpen
2. (82)	die finanzielle Unterstützung	bailing out	la reflotación	il salvataggio finanziario	het er weer bovenop helpen

RENFLOUER (v.tr.dir.) (**) 1. Redresser (une entreprise). 2. Sauver de difficultés financières en fournissant des fonds (RQ).

1. (238)	wieder flott machen sanieren	to bail out to rescue	reflotar	ricuperare rimettere a galla	opnieuw vlot trekken
2. (82)	finanziell unterstützen	to bail out	reflotar	salvare finanziarmente	er weer bovenop helpen

RENFORCEMENT (n.m.) (***) 1. Augmentation.

1. (276)	die Verstärkung	reinforcement strenghtening	el refuerzo el fortalecimiento	il rafforzamento	de versterking (f.)

RENFORCER (v.tr.dir.) (****) 1. Augmenter.

1. (276)	verstärken	to reinforce to strenghten	reforzar fortalecer	rinforzare rafforzare	versterken aanscherpen

RENTABILISATION (n.f.) (*) 1. Fait de faire produire une valeur supérieure à l'investissement. 2. Résultat de cette action.

1. (486)	die Gewinnerzielung die Erzielung eines Gewinns	making profitable	la rentabilización	il rendere redditizio lo sfruttamento	het rentabiliseren
2. (486)	der erzielte Gewinn	profitability	la rentabilización	il rendere redditizio lo sfruttamento	het rentabiliseren

RENTABILISER (v.tr.dir.) (***) 1. Faire produire une valeur supérieure à l'investissement.

1. (485)	rentabel machen einen Gewinn herausholen aus	to make profitable to make pay	rentabilizar	rendere redditizio	rentabiliseren

RENTABILITÉ (n.f.) (****) 1. Capacité à produire une valeur supérieure à l'investissement.

1. (484)	die Rentabilität die Wirtschaftlichkeit	profitability earning capacity	la rentabilidad	la redditività il rendimento	de rentabiliteit (f.)

RENTABILITÉ

➡ profit - compétitivité

1 la rentabilité 4 la rentabilisation		2 rentable	3 rentabiliser

1 la RENTABILITÉ - [Rɑ̃tabilite] - (n.f.)

1.1. Capacité d'une entreprise, d'une technique, d'un capital ou d'une stratégie (X) à produire une valeur supérieure à l'investissement en temps, en travail ou en argent.
D'une analyse des comptes de résultats de ces dernières années, il ressort que la rentabilité n'est pas des meilleures : l'entreprise enregistre une perte de 2 millions d'euros pour l'exercice écoulé.

+ adjectif

TYPE DE RENTABILITÉ

La rentabilité économique : capacité de l'actif économique à dégager un surplus capable d'assurer la rémunération des bailleurs de fonds (les actionnaires et les prêteurs) qui assurent le financement de l'actif. Ce ratio permet d'apprécier la performance industrielle ou commerciale d'une entreprise (M&S).

La rentabilité financière : capacité des capitaux propres à dégager un surplus après la rémunération entre autres des capitaux empruntés. Ce ratio donne une indication du taux de rémunération de l'investissement réalisé par les actionnaires (M&S).

La rentabilité brute : somme des bénéfices (distribués ou non), des amortissements et des provisions. (Syn. : (angl.) **le cash(-)flow**, (moins fréq.) **la marge brute d'autofinancement, la capacité d'autofinancement** (V. 268 finance, 4)).

La rentabilité nette : rentabilité brute moins les amortissements.

NIVEAU DE LA RENTABILITÉ

Une rentabilité élevée, une haute rentabilité. > **Une rentabilité suffisante.** > **Une rentabilité marginale** : qui est à la limite du bénéfice et du déficit. > **Une faible rentabilité.**

+ nom

Le seuil de rentabilité : chiffre d'affaires qui permet de couvrir l'ensemble des coûts ou charges d'exploitation et au-delà duquel une entreprise commence à faire des bénéfices. (Syn. : **le point mort, le chiffre d'affaires critique**).
Après des années de difficultés, cette entreprise atteint enfin le seuil de rentabilité.

TYPE DE RENTABILITÉ

La rentabilité d'une entreprise ; **d'une société** ; **de l'industrie** ; **d'un secteur**.

La rentabilité des fonds propres ; **d'un investissement** ; **d'un placement**.

CARACTÉRISATION DE LA RENTABILITÉ

Les perspectives de rentabilité. *Dans un environnement favorable offrant de bonnes perspectives de rentabilité, les entreprises devront fatalement investir.*

La contrainte de rentabilité : nécessité d'être rentable afin de pouvoir affronter la concurrence.

MESURE DE LA RENTABILITÉ

Le taux de rentabilité, le ratio de rentabilité : mesure le rapport entre le résultat et les capitaux nécessaires pour obtenir ce résultat (Silem).

+ verbe : qui fait quoi ?

X	△	**améliorer** la ~ **accroître** la ~ **augmenter** la ~	une amélioration de la ~ un accroissement de la ~ une augmentation de la ~	1
→ la ~ de X		**s'améliorer** (grâce à une mesure)	une amélioration de la ~ de X	
		s'accroître (grâce à une mesure)	un accroissement de la ~ de X	
la ~ de X	▽	**baisser** < **chuter**	une baisse de (la) ~ une chute de la ~	2

une mesure		**diminuer** la ~	une diminution de la ~
X	▽△	**rétablir** la ~ **redresser** la ~	un rétablissement de la ~ un redressement de la ~
→ la ~ de X		**se rétablir** **se redresser**	un rétablissement de la ~ de X un redressement de la ~ de X
une stratégie	=	**assurer** la ~ de X	- 3

1 *Les investissements des entreprises ont constitué le troisième pilier de l'expansion de la demande au cours des derniers mois. L'amélioration de la rentabilité des entreprises procure en effet à celles-ci les moyens financiers nécessaires.*
2 *La chute de la rentabilité des entreprises françaises a été à l'origine d'un important retard d'investissements, qui n'a toujours pas été totalement comblé aujourd'hui et qui a exercé des effets particulièrement négatifs sur la croissance et la compétitivité de notre économie.*
3 *La phase de restructuration est terminé e: nous sommes en équilibre pour assurer la rentabilité.*

Pour en savoir plus

ÉVALUATION DE RÉSULTATS
La productivité, **la rentabilité**, **l'efficience**, **le rendement**. (V. 450 productivité, 1).

2 RENTABLE - [ʀɑ̃tabl(ə)] - (adj.)

1.1. (une entreprise, une technique, un capital, une stratégie - X) Qui produit une valeur supérieure à l'investissement en temps, en travail ou en argent.

Syn. : (pour un budget, une balance, un compte de résultat) excédentaire ; (pour un compte de résultat) bénéficiaire ; Ant. : déficitaire, (peu fréq.) non rentable.

2.1. (une attitude, une action) Qui donne des résultats (PR).

Syn. : fructueux, (fam.) payant (V. 404 paiement, 5), (sens plus restreint) profitable (V. 457 profit, 2).
Il faut reconcevoir une stratégie rentable tournée vers les solutions pour le client, s'imposer une nouvelle culture d'entreprise et penser à un lifting des produits.

expressions

(sens 2.1.)

Ce n'est pas rentable : cela ne vaut pas la peine, ce n'est pas payant.

+ nom

(sens 1.1.)

- **Un produit rentable.**
- **Une entreprise rentable** ; **une société rentable** ; **une (ligne de) production rentable** ; **un équipement rentable**. *La hausse de productivité peut résulter de la disparition d'entreprises ou de lignes de production peu rentables, sans que de nouvelles unités (plus rentables) aient été ajoutées à l'appareil de production.*
- **Un/des investissement(s) rentable(s).**

+ verbe : qui fait quoi ?

(sens 1.1.)

X (une stratégie)	✓	**rendre** X (une entreprise) ~ ⋎	-	1
X (une entreprise)	×	**être** ~ ⋎	-	
X (une entreprise)		**rester** ~ >< **cesser d'être** ~	- -	

1 *La volonté du gouvernement est de rendre la production agricole plus rentable.*

3 RENTABILISER - [ʀɑ̃tabilise] - (v.tr.dir.)

1.1. Un agent économique (une entreprise, un particulier - X) fait produire à une entreprise, une technique, un capital ou une stratégie (Y) une valeur supérieure à l'investissement en temps, en travail ou en argent.

Rentabilisant au mieux ses activités non concurrentielles, cette entreprise publique peut se permettre de brader les prix en terrain concurrentiel.

+ nom

- **Rentabiliser un investissement.**
  Rentabiliser un portefeuille (de valeurs).
  Acheter des options d'achat (call) est une bonne manière de rentabiliser son portefeuille. Cela permet notamment de tirer parti d'une hausse du cours qui suivrait le moment où l'on a vendu ses actions. (V. 11 action, 1).
- **Rentabiliser une entreprise, une exploitation. Rentabiliser des équipements, des installations.**

qui fait quoi ?		
X (une entreprise)	**rentabiliser** Y	la rentabilisation de Y

4 AUTRES DÉRIVÉS OU COMPOSÉS

- **La rentabilisation** [Rɑ̃tabilizasjɔ̃] (n.f.). 1. Fait de faire produire une valeur supérieure à l'investissement. - 2. Résultat de cette action.

RENTABLE (adj.) (****) 1. Qui produit une valeur supérieure à l'investissement.

1. (485)	rentabel wirtschaftlich	profitable	rentable	redditizio	rendabel renderend

RENTE (n.f.) (***) 1. Somme d'argent reçue périodiquement comme intérêt. 2. Somme d'argent reçue périodiquement dans le cadre du système de la sécurité sociale. 3. Emprunt de l'État. 4. Revenu supplémentaire obtenu grâce à des circonstances particulières.

1. (486)	die Rendite der Zinsertrag	rent	la renta	la rendita	de rente (m./f.) de interest (m.)
2. (486)	die Rente die Pension (fonctionnaire)	annuity pension	la renta el subsidio	la rendita	de rente (m./f.)
3. (486)	die Staatsanleihe die öffentliche Anleihe	government stock government loan	el empréstito público	la rendita il reddito di un titolo irredimibile dello Stato	de overheidslening (f.)
4. (486)	die Rente	annuity	la renta	la rendita	het bijkomend inkomen

RENTE

➠ intérêt - placement
➠ emprunt

1 une rente	**2** un rentier, une rentière **2** un crédi(t)rentier, une crédi(t)rentière **2** un débi(t)rentier, une débi(t)rentière		

1 une RENTE - [Rɑ̃t] - (n.f.)

1.1. (emploi au sing ou au plur.) Somme d'argent qu'un agent économique (le bénéficiaire : un particulier, une entreprise, un investisseur - Y) reçoit périodiquement d'un autre agent économique (un particulier, une entreprise - X) comme intérêt ou pour la mise à disposition d'un bien ou d'une terre au profit de cet agent économique.

La rente de 1 000 euros croîtra chaque année d'un pourcentage correspondant au taux d'intérêt de placement.

1.2. (peu fréq.) Somme d'argent qu'un agent économique (le bénéficiaire : un particulier - Y) reçoit périodiquement d'un autre agent économique (l'État, une compagnie d'assurances, une caisse de retraite, ... - X) dans le cadre du système de la sécurité sociale ou selon les dispositions d'un contrat d'assurance.

Syn. : une allocatio n; une prestation.

Le contrat stipule qu'en cas de décès, une rente sera versée aux proches.

1.3. Emprunt de l'État, représenté par un titre qui donne droit à un intérêt (les arrérages) contre remise de coupons (PR).

L'ensemble des rentes d'État constituent la dette publique à moyen et long terme (Silem).

1.4. (emploi au sing. ou au plur.) Revenu supplémentaire dont bénéficie un agent économique (Y) grâce à des circonstances indépendantes de lui ou que la situation dans laquelle il se trouve (situation favorable, décision d'un tribunal, ...) lui fournit gratuitement (DÉ).

Syn. : une/les rente(s) de situation ; (sens plus large) (angl.) un goodwill, (peu fréq.) un survaloir.

Notre pays s'est endormi sur sa rente et ne fait pas assez pour aider ses jeunes talents.

expressions

(sens 1.1. et 1.4.)

(Une personne) **vivre de ses rentes** : avoir assez de ressources (un patrimoine, un capital ou une fortune personnelle) pour pouvoir vivre sans travailler.

+ adjectif

TYPE DE RENTE (sens 1.1.)

Une rente viagère : somme d'argent versée périodiquement par un agent économique (**le débi(t)rentier**) de façon obligatoire au bénéficiaire (**le crédi(t)rentier**) jusqu'à la mort de celui-ci. *Lors de la mise à la retraite, les réserves individualisées sont distribuées sous la forme d'un versement unique en capital ou sous la forme d'une rente viagère périodique.* **Acheter** (une maison) **en rente viagère**.

Une rente foncière : rente qui provient de la location d'une terre. *Les grands propriétaires de terres continuent à percevoir une rente foncière sur les terres qu'ils auraient dû céder aux fermiers.*

TYPE DE RENTE (sens 1.4.)

(B) **Une/des rente(s) alimentaire(s)**, (F, Q) **une pension alimentaire** : somme d'argent qu'une personne (un conjoint) doit payer à une autre personne (l'autre conjoint) qui en a besoin pour vivre, conformément au jugement d'un tribunal ou à un accord lors d'un divorce.

MESURE DE LA RENTE (sens 1.1. et 1.2.)

Une rente périodique.

Une rente mensuelle. < **Une rente annuelle**.

+ nom

(sens 1.3.)

Le marché des rentes. (V. 365 marché, 1).

TYPE DE RENTE (sens 1.4.)

Une rente de situation. 1. Avantage lié à l'emplacement d'une entreprise ou à la position que l'entreprise a prise sur un marché, qui lui permet d'échapper plus ou moins à la concurrence et d'obtenir des résultats exceptionnels. Les entreprises essaient de créer des rentes de situation par la publicité, par des rapprochements industriels, ... - 2. (fr. gén.) Avantage tiré du seul fait que l'on a une situation bien protégée.

+ verbe : qui fait quoi ?

(sens 1.1., 1.2. et 1.4.)

X un juge	✓ ⋎	**fixer** (le montant d')une ~	la fixation d'une ~	1
X un conjoint		**payer** une ~ (**à** Y, l'autre conjoint)	le paiement d'une ~ (à Y, l'autre conjoint)	1
	⋎	**verser** une ~ (**à** Y, l'autre conjoint)	le versement d'une ~ (à Y, l'autre conjoint)	
Y l'autre conjoint	×	**avoir** des ~	-	
		percevoir une ~	la perception d'une ~	
		(fam.) **toucher** une ~	-	
		bénéficier d'une ~	-	
Y		(fam.) **toucher** une somme sous (la) forme de ~	-	
Y	▽	**déduire** une/des ~ de qqch.	la déduction des ~ des ~ déductibles la déductibilité des ~	

1 *Après quelques mois de séparation, une procédure en divorce est entamée, qui aboutira à une condamnation au paiement d'une rente alimentaire. Le juge a fixé le montant de la rente à 500 euros par mois.*

2 AUTRES DÉRIVÉS OU COMPOSÉS

- **Un rentier, une rentière** [ʀɑ̃tje, ʀɑ̃tjɛʀ] (n.). 1. Personne qui bénéficie d'une rente (sens 1.1., 1.2. ou 1.4.). - 2. Personne qui ne travaille pas et vit uniquement de ses rentes (sens 1.1., 1.2. ou 1.4.). **Faire le rentier**.
- **Un crédi(t)rentier, une crédi(t)rentière** [kʀediʀɑ̃tje, kʀediʀɑ̃tjɛʀ] (n.) : personne à qui un débitrentier doit verser périodiquement une rente viagère jusqu'à la mort du créditrentier.
- **Un débi(t)rentier, une débi(t)rentière** [debiʀɑ̃tje, debiʀɑ̃tjɛʀ] (n.) : personne qui doit verser périodiquement une rente viagère à un créditrentier jusqu'à la mort de celui-ci.

RENTIER, RENTIÈRE (n.) (**) 1. Personne qui reçoit périodiquement une somme comme intérêt. 2. Personne qui reçoit périodiquement une somme dans le cadre du système de la sécurité sociale. 3. Personne qui reçoit un revenu supplémentaire grâceà des circonstances particulières. 4. Personne qui vit uniquement de ces sommes d'argent reçues.

1. (487)	der Rentier	(small) investor	el rentista	il beneficiario di (una) rendita	de renteontvanger (m.)
2. (487)	der Rentner	recipient of an allowance	el pensionista		de steuntrekker (m.)
	der Rentenempfänger	pensioner	el beneficiario de la seguridad social	il beneficiario di (una) rendita statale	
3. (487)	der Rentier	annuitant	el rentista	il beneficiario di (una) rendita	de begunstigde (m.)
4. (487)	der Rentier	person of independent means	rentista	il redditiere	de rentenier (m.)
		person of private means			

RENTING (n.m.) (*) 1. Location d'un bien à court terme.

1. (350)	die Vermietung	renting	el alquiler	la locazione di breve durata di materiale	de verhuring (f.)

RENTRÉE (n.f.) (***) 1. Recette.

1. (470)	die Eingänge	cash inflow (affaires)	el ingreso	l'incasso (m.)	de opbrengst (f.)
	die Einnahme	takings (commerce)	la entrada	l'entrata (f.)	de ontvangst (f.)

RENVOYER (v.tr.dir.) (*) 1. Licencier.

1. (344)	entlassen	to dismiss	despedir	licenziare	ontslaan
		to sack			

REPLACEMENT (n.m.) (*) 1. Tentative de recherche d'un nouvel emploi pour un salarié.

1. (103)	die Vermittlung einer neuen Stelle	outplacement	la recolocación	la reinserzione	de outplacement (m./f.)
		reinsertion	la asignación a nuevo empleo	la riqualificazione	de herinschakeling (f.)

REPLACER (v.tr.dir.) (*) 1. Tenter de chercher un nouvel emploi pour un salarié.

1. (103)	jemandem eine neue Stelle vermittlen	to find another job for	recolocar	reinserire	opnieuw aan een baan helpen
	jemandem eine neue Stelle verschaffen	to resettle	asignar a un nuevo puesto de trabajo		

REPLACEUR (n.m.) (*) 1. Personne ou organisme qui tente de chercher un nouvel emploi pour un salarié.

1. (103)	der Stellenvermittler	outplacement consultant	ente que busca una nueva colocación para un asalariado	l'organismo (m.) per il reinserimento professionale	de arbeidsbemiddelaar (m.)

REPLAFONNEMENT (n.m.) (*) 1. Instauration d'une nouvelle valeur maximale.

1. (155)	die erneute Plafonnierung	fixing a new ceiling (on)	el nuevo límite máximo	la ridefinizione del valore massimo	de herplafonnering (f.)
	die erneute Festsetzung einer Höchstgrenze				

REPLAFONNER (v.tr.dir.) (*) 1. Instaurer une nouvelle valeur maximale.

1. (155)	wieder eine Höchstgrenze festsetzen	to put a new ceiling on	poner un nuevo límite máximo	fissare un nuovo limite massimo	herplafonneren
	eine erneute Höchstgrenze festsetzen				

REPLI (n.m.) (***) 1. Baisse (de valeur).

1. (278)	der Rückgang	drop	el retroceso	l'arretramento (m.)	de daling (f.)
	der Kursrutsch	fall	el repliegue		de teruggang (m.)

REPLIER (se ~) (v.pron.) (**) 1. Baisser (en valeur).

1. (278)	fallen	to fall back	retroceder	arretrare	terugvallen
	zurückgehen	to drop	replegarse		

REPRENDRE (~, se ~) (v.tr.dir., v.intr., v.pron.) (****) 1. Racheter. 2. Accepter un bien et rembourser le prix. 3. (S')améliorer après une évolution, une période moins positive.

1. (66)	übernehmen	to take over	comprar de nuevo	rilevare	overnemen
		to buy out	retomar		
2.	zurücknehmen	to take back	retomar	riprendere	terugnemen
3. (280)	wieder besser laufen	to pick up	recuperar (se)	riprendersi	verbeteren
	wieder besser gehen	to recover			

REPRENEUR (n.m.) (***) 1. Racheteur.

1. (66)	der Aufkäufer	rescuer (amical)	el posible inversor	l'acquirente (potenziale) (m.)	de overnamekandidaat (m.)
		raider (inamical)	el rescatador		

REPRÉSENTANT, REPRÉSENTANTE (n.) (****) 1. Salarié qui tente de vendre des produits auprès de la clientèle.

1. (120)	der angestellte Reisende	sales representative	el representante	il rappresentante	de vertegenwoordiger (m.)
(22)		sales agent			

REPRÉSENTATION (n.f.) (***) 1. Fait d'agir pour le compte d'une entreprise.

1. (294)	die Vertretung	representation	la representación	la rappresentanza	de vertegenwoordiging (f.)
(535)					

REPRISE (n.f.) (****) 1. Rachat. 2. Acceptation d'un bien et remboursement du prix. 3. Amélioration après une évolution, une période moins positive.

1. (66)	die Übernahme	takeover	la recompra	il rilevamento d'azienda	de overname (m./f.)
	der Rückkauf				de inkoop (m.)
2. (394)	die Zurücknahme	return	la recuperación	accettazione (f.) e rimborso (m.) (di un prodotto venduto)	de terugname (m./f.)
(190)		taking back	la nueva toma		
3. (280)	der Aufschwung	(business) recovery	la reactivación	la ripresa	het herstel
(139)	die Wiederbelebung	upturn	la recuperación		

RÉSEAU ; RÉSEAUX (n.m.) (****) 1. Ensemble de points de vente d'un même produit, d'une même marque. 2. Ensemble de voies de transport. 3. Ensemble d'ordinateurs reliés.

1. (205)	das Vertriebsnetz	sales network	la red (de distribución)	la rete (di distribuzione)	de (distributie)keten (m./f.)
(21)		distribution network			
2. (239)	das Verkehrsnetz	transport system	la red (viaria)	la rete dei trasporti	het verkeersnet
		road network (routes)			de (het) wegen(net) (plur.)
3. (511)	das Computernetzwerk	network	la red (de ordenadores)	la rete informatica	het computernetwerk

RÉSERVE (n.f.) (***) 1. Stock, quantité non exploitée. 2. Lieu où se trouve le stock.

1. (525)	die Reserve	reserve	la reserva	la riserva	de stock (m.)
(59)	der Vorrat	stock		il fondo	de voorraad (m.)
2. (526)	das Lager	storeroom	el almacén	la riserva	de opslagplaats (m./f.)
		stockroom	el depósito	lo stock	

RÉSIDU (n.m.) (**) 1. Déchet.

1. (324)	der Abfall	waste	el residuo	il residuo	de (m.) / het afval
	der Müll	residue			

RÉSILIATION (n.f.) (**) 1. Fait de mettre fin (à un contrat).

1. (149)	die (Vertrags)kündigung	cancellation	la rescisión	la resiliazione	de opzegging (f.) van het contract
			la cancelación	la disdetta	

RÉSILIER (v.tr.dir.) (**) 1. Mettre fin (à un contrat).

1. (149)	kündigen	to cancel	rescindir	rescindere	opzeggen
			cancelar		

RÉSORBER (v.tr.dir.) (***) 1. Faire disparaître.

1. (281)	beseitigen	to bring down	reabsorber	riassorbire	opslorpen
	abbauen	to reduce			

RÉSORPTION (n.f.) (**) 1. Suppression.

1. (281)	der Abbau	reduction	la reabsorción	il riassorbimento	de opslorping (f.)

RESSERREMENT (n.m.) (**) 1. Diminution.

1. (278)	die Einschränkung	tightening	la restricción	la contrazione	de inkrimping (f.)
	die Verknappung	squeeze	el estrechamiento		de beperking (f.)

RESSERRER (~, se ~) (v.tr.dir., v.pron.) (**) 1. (Faire) diminuer.

1. (278)	einschränken	to tighten	restringir (se)	stringere	beperken
		to squeeze	estrechar (se)		

RESSOURCES (n.f.plur.) (****) 1. Moyens (financiers, ...) dont dispose un agent économique. 2. Moyens financiers du passif du bilan.

1. (489)	die (finanziellen, etc.) Mittel	resources	los recursos	le risorse	de rijkdommen (plur.)
	die (finanziellen, etc.) Ressourcen				
2. (489)	das Eigenkapital	available funds	los recursos	le risorse	de (geld)middelen (plur.)
	die finanziellen Eigenmittel	source of funds	los ingresos	i fonti	

RESSOURCES

➠ capital
➠ main-d'œuvre
➠ passif - bilan

1 les ressources			

1 les RESSOURCES - [ʀ(ə)suʀs(ə)] - (n.f.plur.)

1.1. (peu fréq. au sing.) Moyens (financiers, matériels, humains) dont dispose un agent économique (un particulier, une entreprise, un État - X) pour effectuer une action ou réaliser qqch.
Syn. : (budget de l'État) les recettes ; Ant. : (budget de l'État) les dépenses, les emplois.

Les produits primaires - matières premières et ressources agricoles - sont peu ou faiblement élaborés.

1.2. (comptabilité) Moyens financiers dont dispose un agent économique (une entreprise - X) afin de financer ses activités et qui figurent au passif du bilan.
Syn. : le passif ; Ant. : les actifs, les emplois.
Les ressources décrivent les moyens de financement.

expressions

- **En dernière ressource** : le dernier moyen auquel une personne peut recourir.
- (Une personne) **n'avoir d'autre ressource que de** + infinitif : n'avoir d'autre possibilité que de + inf. *Ce réfugié politique n'a d'autre ressource que de s'adresser au ministère de la Justice.*

(sens 1.1.)
(Une personne) **être sans ressources** : être sans argent, sans moyens.

+ adjectif

TYPE DE RESSOURCES (sens 1.1.)

Les ressources humaines : ensemble des salariés d'une entreprise ou d'un organisme, d'une collectivité. **Le directeur ; la direction des ressources humaines (le DRH)**. (V. 202 direction, 2). (V. 200 direction, 1). **Le département des ressources humaines, le service des ressources humaines**.

Les ressources naturelles : produits de la nature qui ont une valeur économique (p. ex. **les ressources pétrolières** ; **énergétiques**. (Syn. : (plus fréq.) **les sources d'énergie**)). (Syn. : (moins fréq.) **les richesses naturelles**). *Le Canada est un pays qui possède d'énormes ressources naturelles.*

Les ressources financières. (V. 34 argent, 1).

Les ressources propres : sommes d'argent dont peut disposer un particulier, une entreprise ou une organisation. *Si vous possédez des ressources propres importantes, vous êtes en mesure de négocier avec votre banque.*

Les ressources budgétaires : ensemble des recettes fiscales et non fiscales de l'État.

Les ressources publicitaires. (Syn. : **les revenus publicitaires**). (V. 466 publicité, 2).

CARACTÉRISATION DES RESSOURCES (sens 1.1.)

Les ressources disponibles. *Les marchés financiers orientent de préférence les ressources disponibles vers les actions ou l'immobilier, plutôt que vers le financement d'activités économiques nouvelles.*

Une/les ressource(s) rare(s). *Comment fixer une taxe indirecte au service de l'environnement, considéré comme une ressource rar e?*

NIVEAU DES RESSOURCES (sens 1.1.)

Des ressources suffisantes. *Nous avons investi six millions de dollars, mais nous n'avions pas de ressources suffisantes pour aller plus loin.*

>< **Des ressources insuffisantes**.

+ nom

(sens 1.1.)

Une personne sans ressources : personne qui n'a pas suffisamment de moyens financiers pour satisfaire ses besoins. *La pauvreté est bien présente dans notre ville : on a recensé plus de 12 000 personnes sans ressources.*

TYPES DE RESSOURCES (sens 1.1.)

Les ressources en + nom qui désigne un bien, un produit financier. Les ressources en eau, en devises. *Trop peu de pays se soucient du problème de la gestion des ressources en eau.*

+ verbe : qui fait quoi ?

(sens 1.1. et 1.2.)

une mesure	△	**accroître** les ~ (de X) **augmenter** les ~ (de X)	un accroissement des ~ (de X) une augmentation des ~ (de X)	
une mesure	▽	**réduire** les ~ (de X)	la réduction des ~ (de X)	

(sens 1.1)

X	×	**disposer de** ~	-	
X		**gérer** les ~	la gestion des ~	
X		**mobiliser** les ~	la mobilisation des ~	1
X		**affecter** les ~ **à** qqch.	l'affectation des ~ à qqch.	2

X	**allouer** les ~ à qqn à une entreprise	l'allocation des ~ à qqn à une entreprise	3
X (une entreprise, un Etat)	**exploiter** les ~ naturelles	l'exploitation des ~ naturelles	4
X (une entreprise, un Etat)	**épuiser** les ~ naturelles	l'épuisement des ~ naturelles	
→ les ~ naturelles	**s'épuiser**		

1 *Les ressources financières nécessaires doivent être mobilisées par les pays industrialisés pour aider les pays les plus démunis à développer leurs économies.*
2 *L'efficacité économique implique une bonne affectation des ressources aux différentes activités ou secteurs de l'économie.*
3 *La libéralisation des marchés des capitaux a eu des résultats positifs car elle a permis une allocation plus efficace des ressources financières disponibles.*
4 *Plus d'une compagnie pétrolière désire pouvoir investir, coopérer et exploiter les ressources pétrolières de la Russie.*

RESTAURER (se ~) (v.pron.) (*) 1. Se nourrir.

1. (187)	sich stärken etwas essen	to have sth to eat to eat	comer	ristorarsi	een hapje eten

RESTREINDRE (~, se ~) (v.tr.dir., v.pron.) (***) 1. Diminuer.

1. (278)	einschränken begrenzen	to cut back to limit	reducir restringir	restringere limitare	beperken verminderen

RESTRICTION (n.f.) (***) 1. Diminution.

1. (278)	die Beschränkung die Einschränkung	restriction limitation	la restricción	la restrizione	de beperking (f.)

RESTRUCTURATION (n.f.) (****) 1. Réorganisation (d'une entreprise).

1. (238) (267)	die Umstrukturierung die Sanierung	restructuring	la reestructuración	la ristrutturazione	de herstructurering (f.)

RESTRUCTURER (~, se ~) (v.tr.dir., v.pron.) (***) 1. Réorganiser (une entreprise).

1. (238)	umstrukturieren sanieren	to restructure	reestructurar (se)	ristrutturare	herstructureren

RÉSULTAT (n.m.) (***) 1. Solde d'une opération financière ou commerciale.

1. (129) (272)	das Ergebnis das Resultat	result profit	el resultado	il risultato	het resultaat

RÉTABLIR (~, se ~) (v.tr.dir., v.pron.) (***) 1. (S')améliorer après une évolution, une période moins positive.

1. (280)	wiederherstellen	to recover to restore	restablecer (se)	ristabilirsi	(zich) herstellen

RÉTABLISSEMENT (n.m.) (***) 1. Amélioration après une évolution, une période moins positive.

1. (280)	die Wiederherstellung	recovery	el restablecimiento	il ristabilimento	het herstel

RETENUE (n.f.) (***) 1. Prélèvement sur une rémunération en raison d'obligations légales ou de conventions (RQ).

1. (132) (155)	der Quellenabzug	deduction stoppage	la retención	la ritenuta	de afhouding (f.)

RETIRER (v.tr.dir.) (****) 1. Prélever (une somme d'argent d'un compte p. ex.). 2. Enlever un produit du marché.

1. (34)	(Geld) abheben	to withdraw	sacar (dinero) retirar	prelevare	(een bedrag) opnemen
2. (445)	zurückziehen zurücknehmen	to recall	retirar sacar	ritirare	uit de markt nemen terugroepen

RETRAIT (n.m.) (***) 1. Prélèvement (d'une somme d'argent d'un compte p. ex.). 2. Fait d'enlever un produit du marché.

1. (34)	das Abheben	withdrawal	la retirada	il prelievo	de geldopvraging (f.)
2. (445)	das Zurückziehen die Zurücknahme	recall	la retirada	il ritiro	het uit de handel nemen

RETRAITE (n.f.) (****) 1. Allocation périodique. 2. Période qui suit la vie professionnelle.

1. (26)	die Rente die Pension	pension	la pensión	la pensione	het pensioen
2. (557)	die Pensionierung der Ruhestand	retirement	la jubilación	la pensione	de uitdiensttreding (f.)

RETRAITÉ, -ÉE (adj.) (**) 1. Qui s'est retiré de la vie professionnelle.

1. (557)	pensioniert	retired	jubilado retirado	pensionato	gepensioneerd op rust

RETRAITÉ, RETRAITÉE (n.) (**) 1. Personne qui s'est retirée de la vie professionnelle.

1. (557)	der Rentner der Pensionär	retired person	el jubilado el retirado	il pensionato	de gepensioneerde (m.)

RETRAVAILLER (v.intr., v.tr.dir.) (**) 1. Se remettre au travail. 2. Modifier en soumettant à un remaniement.

1. (560)	wieder arbeiten	to start working again	volver a trabajar	riprendere il lavoro	het werk hervatten
2. (560)	die Arbeit wieder aufnehmen	to revise	revisar	rimaneggiare	herwerken

RÉTRÉCIR (se ~) (v.pron.) (**) 1. Se réduire.

1. (278)	geringer werden sich verringern	to shrink	encoger (se)	restringersi	inkrimpen verminderen

RÉTRÉCISSEMENT (n.m.) (**) 1. Réduction.

1. (278)	die Verringerung die Verknappung	shrinking	la retracción	il restringimento	de inkrimping (f.)

RÉTRIBUER (v.tr.dir.) (**) 1. Rémunérer en fonction de la contribution d'une personne.

1. (480)	entlohnen besolden	to pay	retribuir remunerar	retribuire remunerare	bezoldigen betalen

RÉTRIBUTION (n.f.) (**) 1. Rémunération adaptée à la contribution d'une personne.

1. (479)	die Entlohnung die Besoldung	payment	la retribución	la retribuzione	de bezoldiging (f.)

RETURN (n.m.) (****) 1. Augmentation de la valeur marchande d'un bien.

1. (13)	die Rentabilität die Rendite	return	la rentabilidad el retorno de la inversión	il rendimento il profitto	de return (m.)

RÉUNION (n.f.) (****) 1. Rassemblement de personnes pour discuter de qqch, pour prendre une décision.

1. (359)	die Versammlung die Sitzung	meeting	la reunión	la riunione il meeting	de vergadering (f.) de bijeenkomst (f.)

RÉUNIR (~, se ~) (v.tr.dir., v.pron.) (****) 1. (Se) rassembler pour discuter de qqch., pour prendre une décision.

1. (359)	eine Versammlung haben eine Sitzung haben	to have a meeting to meet	reunir (se)	riunire riunirsi	vergaderen

REVALORISATION (n.f.) (**) 1. Fait de rendre de nouveau sa valeur à qqch.

1. (568)	die Aufwertung	revaluation (en général) adjustment (salaire)	la revalorización la apreciación	la rivalutazione la rivalorizzazione	de appreciatie (f.) de herwaardering (f.)

REVALORISER (v.tr.dir.) (**) 1. Rendre de nouveau sa valeur à qqch.

1. (568)	aufwerten	to revalue to adjust	revalorizar	rivalutare	herwaarderen

REVENDEUR, REVENDEUSE (n.) (***) 1. Agent économique qui cède un bien sans qu'il y ait apporté des modifications.

1. (575)	der Wiederverkäufer der Zwischenhändler	retailer reseller	el revendedor	il rivenditore l'operatore commerciale (m.)	de wederverkoper (m.)

REVENDICATION (n.f.) (***) 1. Exigence.

1. (535)	die Forderung der Anspruch	claim demand	la reivindicación	la rivendicazione	de eis (m.) de (terug)vordering (f.)

REVENDIQUER (v.tr.dir.) (***) 1. Exiger une chose à laquelle on estime avoir droit.

	fordern beanspruchen	to claim to demand	reivindicar	rivendicare	eisen

REVENDRE (v.tr.dir.) (****) 1. Céder un bien sans y avoir apporté de modifications.

1. (575)	wiederverkaufen weiterverkaufen	to resell to sell retail	revender	rivendere	wederverkopen

REVENTE (n.f.) (***) 1. Cession d'un bien sans y avoir apporté de modifications.

1. (575)	der Wiederverkauf der Weiterverkauf	resale	la reventa	la rivendita	de wederverkoop (m.)

REVENU (n.m.) (****) 1. Somme d'argent reçue en compensation du travail. 2. Somme d'argent reçue comme bénéfice du capital. 3. Somme d'argent reçue de la sécurité sociale.

1. (492)	das Arbeitseinkommen der Lohn	wage salary	la renta del trabajo el sueldo	il reddito salariale	het arbeidsinkomen
2. (492)	der Kapitalertrag	return on capital income	la renta de capital	il reddito da capitale	de kapitaalopbrengst (f.)
3. (492)	das Sozialeinkommen die Sozialbezüge	benefit (transfer) income	el subsidio	il sussidio	de inkomenssteun (m.)

REVENU

➠ rémunération - dépense

1 un revenu			

1 un REVENU - [ʀəvny] - (n.m.)

1.1. Somme d'argent ou bien qu'un agent économique (un particulier (éventuellement lié à un employeur par un contrat de travail), une entreprise - X) reçoit en compensation du travail qu'il a réalisé pour un autre agent économique (p. ex. l'employeur) ou des services qu'il a rendus à cet autre agent économique.
Syn. : (☞ 496 Pour en savoir plus, Revenu (sens 1.1.) et synonymes); Ant.: une dépense.
Une fois le revenu perçu, les agents économiques cherchent à se procurer les biens qui leur manquent (Silem).

1.2. Somme d'argent qu'un agent économique (un particulier, une entreprise, un investisseur - X) reçoit d'un autre agent économique (une entreprise, une banque) comme bénéfice tiré de son capital.
Syn. : (☞ 496 Pour en savoir plus, Revenu (sens 1.2.) et synonymes).

Dans l'immédiat, le placement à revenu fixe reste un très sérieux concurrent pour le capital à risque.

1.3. Somme d'argent ou bien qu'un agent économique (un particulier - X) reçoit de la sécurité sociale ou d'un organisme similaire en cas d'absence de ressources financières.
Syn. : (☞ 496 Pour en savoir plus, Revenu (sens 1.3.) et synonymes).
La plupart des bénéficiaires du minimum vital, et surtout ceux qui sont contraints de vivre de ce revenu minimum pendant une période prolongée, se trouvent dans une situation de pauvreté.

expressions

(sens 1.1., 1.2. et 1.3.)

- (Une personne) **avoir de gros revenus** : avoir beaucoup d'argent.
- (Une personne) **vivre des revenus de** qqch : vivre du produit (sens 1.2.) de qqch. *Ce gros propriétaire vit du revenu de ses fermes.*
- **Il faut régler sa dépense sur son revenu** : il ne faut pas dépenser plus qu'on ne gagne.

+ adjectif

TYPE DE REVENU (sens 1.1., 1.2. et 1.3.)

Les revenus primaires : tirés d'une activité économique (**le revenu du travail** : le salaire), de la propriété immobilière (le loyer) ou mobilière (le dividende, l'intérêt).

>< **Les revenus secondaires** (sens 1.3.) : provenant de la redistribution d'une part des revenus primaires dans le cadre du régime de la sécurité sociale : p. ex. les allocations de chômage, les allocations familiales, les allocations de retraite. (Syn. : **les revenus de transfert**). Les revenus secondaires font partie du salaire indirect. (V. 498 salaire, 1).

Le revenu brut : revenu avant déduction des impôts directs.

>< **Le revenu net** : revenu après déduction des impôts directs. (Syn. : **le revenu disponible**).

Un/les revenu(s) imposable(s). (Syn. : **le résultat fiscal, le bénéfice imposable**). *C'est après de multiples déductions que l'on aboutit au revenu imposable, qui sera soumis à la taxation, en fonction du barème de l'impôt.* (☞ 495 + verbe). (V. 272 fiscalité, 3).

Le revenu réel : exprimé en monnaie, après déduction du taux d'inflation. *Comme l'inflation devrait rester peu élevée et les salaires bloqués, le revenu réel des consommateurs ne devrait pas progresser.*

>< **Le revenu nominal** : exprimé en monnaie, sans tenir compte du taux d'inflation.

TYPE DE REVENU (sens 1.1.)

Le revenu national : somme des rémunérations versées aux agents économiques pour leur participation à la production de biens et de services au cours d'une période donnée, généralement l'année (Silem).

Le revenu salarial. (☞ 494 + nom).

Le revenu (du travail) agricole.

Le(s) revenu(s) locatif(s) : revenu provenant de la location d'un bien immobilier (un immeuble, une maison, ...). *Le revenu locatif attendu de ce centre commercial est de plus d'un million d'euros.*

Les revenus publicitaires. (Syn. : **les ressources publicitaires**). (V. 466 publicité, 2).

(B) **Un revenu indexé** : revenu dont le montant augmente proportionnellement à la hausse de l'indice des prix à la consommation.

Le(s) revenu(s) professionnel(s). 1. (B) Revenu du travail d'un particulier. - 2. (Q) Revenu des professions libérales.

TYPE DE REVENU (sens 1.2.)

Les revenus financiers. *Les pertes du groupe ont été réduites de 25 % grâce aux revenus financiers sur fonds propres.*

Les revenus mobiliers : tirés de valeurs mobilières (p. ex. les dividendes) et de placements (p. ex. les intérêts). *Le gouvernement a décidé de diminuer le taux d'imposition frappant les revenus mobiliers afin de réduire la fuite de capitaux à l'étranger.*

>< **Les revenus fonciers** : tirés de la location de biens immeubles (p. ex. le loyer) ou de terres (p. ex. les rentes). (Syn. : **les revenus immobiliers**).

(B, F) **Le revenu cadastral** : revenu virtuel d'un bien immobilier défini par l'administration qui sert de base d'imposition pour la taxe foncière, **le précompte immobilier**.

TYPE DE REVENU (sens 1.3.)

Le revenu minimum garanti. *Bien que dans une perspective comparative internationale, notre État-providence connaisse un système généreux de mesures de politique familiale, le revenu minimum garanti n'est majoré en fonction de la présence d'enfants que dans une mesure limitée.*

(F) **Le revenu minimum d'insertion (le RMI)** : allocation d'un montant variable selon les ressources et la taille de la famille accordée pour une période limitée à toute personne de 25 ans, qu'elle soit d'origine française ou étrangère. *Le revenu minimum d'insertion constitue une arme contre l'exclusion sociale.* (S) **Le revenu minimum de réinsertion (le RMR)**. (Syn. : (B) **le minimex** {**un minimexé, une minimexée**}).

CARACTÉRISATION DU REVENU
(sens 1.1., 1.2. et 1.3.)

Un revenu fixe. >< **Un revenu variable.**

Un placement ; une valeur (mobilière), un titre à revenu(s) fixe(s). >< **Un placement ; une valeur (mobilière), un titre à revenu**

variable. *La baisse confirmée des taux agira positivement sur la cote des valeurs à revenu variable.*

NIVEAU DU REVENU (sens 1.1.)

Un bas revenu. *L'étude révèle que de nombreux ménages à bas revenu ne savent souvent pas trouver l'argent nécessaire pour profiter des services publics (p. ex. le téléphone).* < **Un revenu modeste**. < **Un revenu raisonnable**. < **Un revenu élevé, un haut revenu, un gros revenu**. < **Un revenu mirobolant**.

MESURE DU REVENU (sens 1.1., 1.2. et 1.3.)

Un revenu mensuel ; annuel.

Le revenu moyen par habitant : critère de richesse qui correspond au rapport entre le revenu de l'ensemble des agents économiques et le nombre des habitants.

+ nom

(sens 1.1., 1.2. et 1.3.)

- **Une source de revenus**. *Selon la distribution traditionnelle des rôles dans le ménage, l'homme est la première source de revenus.*
- **Le revenu des ménages** : sommes d'argent perçues par l'ensemble des ménages en compensation des facteurs de production (le travail et le capital) qu'ils ont mis à la disposition des agents économiques et qui peuvent prendre la forme de salaires, d'intérêts, de loyers, ...
- **L'impôt (sur les revenus) des personnes physiques, des particuliers ; des sociétés**. (V. 313 impôt, 1).

  Une déclaration de revenus. (V. 312 impôt, 1).

  Le taux d'imposition. (V. 316 impôt, 2).
- **Une politique des revenus** : politique de répartition et de redistribution des revenus menée par le gouvernement dans le but d'une plus grande justice sociale et d'une meilleure efficacité économique.

  Une politique de redistribution des revenus. (☞ 495 + verbe).
- **La répartition du/des revenu(s)** : dispersion des revenus disponibles dans toutes les catégories de personnes. *Une augmentation des droits de douane améliore la répartition des revenus parce que les catégories de revenus élevés consomment plus de biens importés.*
- **Le flux des revenus** : tous les mouvements d'argent (rémunérations, recettes, ...).
- **Une catégorie de revenus**. *Dans le cadre des modérations salariales, le gouvernement a demandé un effort analogue aux autres catégories de revenus (indépendants, professions libérales, tantièmes, loyers).*
- **Un ménage à un seul revenu, à revenu unique** : dont seulement un des conjoints perçoit un revenu.

  >< **Un ménage à double revenu**.
- **Les personnes sans revenu(s)** : catégorie de personnes qui ne disposent pas de ressources, que prend souvent en charge la sécurité sociale, p. ex. **les sans domicile fixe (les SDF)**.
- **Un écart de revenu**.

  L'inégalité des revenus. *Le resserrement de l'inégalité des revenus est nécessaire pour des raisons de justice sociale et de croissance économique équilibrée.*

(sens 1.2.)

Le compte (d'utilisation) du revenu. (V. 129 compte, 1).

TYPE DE REVENU (sens 1.1. et 1.2.)

Les revenus d'activité : revenus tirés du travail (pour une personne : p. ex. **le revenu du travail, le revenu salarial** d'un salarié) et de l'activité économique (pour une entrepris e: **le revenu de l'entreprise**). *Les revenus du travail payés par les entreprises procurent de la monnaie aux salariés. Les achats de biens de consommation retransfèrent aux entreprises une partie de cette monnaie.*

>< **Les revenus de la propriété (mobilière et immobilière)** : revenus tirés du capital (p. ex. les intérêts (Syn. : **les revenus de l'épargne, les revenus d'intérêt(s)**), les loyers, les dividendes, les rentes). (Syn. : **les revenus du capital /de(s) capitaux, la rémunération du capital**). *La croissance des revenus de la propriété devrait être inférieure du fait de la baisse des taux d'intérêt.* Les revenus de la propriété se décomposent en **revenus mobiliers** (p. ex. **les revenus de placement(s) ; d'intérêt(s) ; d'investissements**) et **revenus fonciers**. (☞ 493 + adjectif).

TYPE DE REVENU (sens 1.1.)

Le revenu de + nom qui désigne une catégorie socioprofessionnelle. Le revenu des agriculteurs ; des viticulteurs ; des entreprises.

Le revenu du ménage, des époux. **Le revenu de chaque époux, conjoint**. **Le revenu du conjoint**.

Le revenu (du travail) agricole.

TYPE DE REVENU (sens 1.3.)

Les revenus de transfert. (☞ 493 + adjectif).

(B, F) **Un revenu de remplacement**. *Le travailleur assuré obtient le droit à un revenu de remplacement proportionnel s'il n'est plus en mesure de valoriser son travail pour des motifs indépendants de sa volonté.*

MESURE DU REVENU (sens 1.1.)

Le revenu (moyen, réel, disponible) par (tête d')habitant. *Le revenu disponible par tête d'habitant est cent fois plus élevé dans les pays industrialisés que dans certains pays en développement.*

+ verbe : qui fait quoi ?

(sens 1.1., 1.2. et 1.3.)

un agent économique (un employeur, une banque, l'État)	×	**verser** un ~ (à X)	le versement d'un ~ (à X)	
→ X (un particulier, un investisseur)		**percevoir** un ~	la perception d'un ~	
		(fam.) **toucher** un ~	-	
X (le contribuable)		**déclarer** ses ~ (au fisc)	la déclaration de(s) ~	1
X (le contribuable)		**déduire** une dépense **de** ses ~ (imposables)	la déduction d'une dépense de ses ~ (imposables) une dépense déductible	
le fisc		**imposer** les ~	l'imposition des ~ l'impôt sur le ~ (parfois les ~) un ~ imposable	
		taxer les ~	la taxation des ~ une taxe sur le ~ (parfois les ~)	
→ un ~		><**être exonéré d'**impôt **être exempté d'**impôt	une exonération d'impôt une exemption d'impôt	
le fisc		**prélever** un montant sur un ~	le prélèvement d'un montant sur un ~	2
le gouvernement		**redistribuer** les ~	la redistribution des ~	3
une mesure (gouvernementale)	×	**garantir** le/les ~ (de X)	la garantie du/des ~ (de X) le ~ garanti (☞ 493 + adjectif)	4
le ~/les ~	=	**s'élever à**... euros **être de**... euros	- -	
le ~/les ~	△	**augmenter** **croître** **être en hausse**	une augmentation du/des ~ une croissance du/des ~ une hausse du/des ~	
le ~/les ~	△=	**stagner**	la stagnation du/des ~	5
le ~/les ~	▽	**baisser** - **diminuer**	une baisse du/des ~ une perte de revenu(s) une diminution du/des ~	
X		**tirer** un ~ **de** son travail, **de** ses placements, **de** son capital	-	6
→ un ~		**provenir d'**un travail, **d'**un placement, **d'**un capital	la provenance d'un ~	7

1 *Le fisc se plaint de la perte de temps qu'entraîne la révision des déclarations de revenus lorsqu'une demande est formulée par le contribuable, qui a oublié d'y mentionner l'un ou l'autre montant déductible.*
2 *Une augmentation des cotisations prélevées sur les revenus des salariés ne peut pas entrer dans un indice sur lequel s'ajustent les salaire s: ce serait reprendre ce que l'on prétend donner.*
3 *Les interventions de l'État sont massives en ce qui concerne la redistribution des revenus. Elles s'opèrent au moyen de la fiscalité directe, de la parafiscalité et du système de sécurité sociale.*
4 *Pour garantir le revenu des petits producteurs, le kilo de café est achet é 40% plus cher que le prix en vigueur sur le marché mondial.*
5 *L'industrie du tourisme souffre de la stagnation des revenus.*
6 *Les particuliers paient l'impôt sur les revenus, que ce soient des revenus tirés d'actions ou d'obligations.*
7 *Les revenus des banques proviennent essentiellement de leur activité d'intermédiation.*

(sens 1.1. et 1.2.)

un travail, un placement, un capital	✓	**produire** un ~ **assurer** un ~ (**à** X) **procurer** un ~ (**à** X)	la production d'un ~ - -	1

1 *Aucun des membres de l'OPEP n'a profité de la manne des pétrodollars pour développer une industrie susceptible de produire d'autres revenus.*

(sens 1.1.)

X (un particulier)	=	**conserver** son (ses) ~ **au même niveau**	la conservation de ses ~ au même niveau	
		cumuler des ~	le cumul de ~	1
une mesure (gouvernementale)	△=	**modérer** les ~ (de X)	la modération des ~ (de X)	2
une mesure (gouvernementale)	=	**bloquer** les ~ (de X)	le blocage des ~ (de X)	

1 *Le fisc a procédé au cumul des revenus professionnels, des revenus mobiliers, des revenus immobiliers et des revenus de remplacement.*
2 *La demande de crédit de la part des particuliers a été influencée négativement par la modération des revenus imposée par le gouvernement et le niveau élevé des taux d'intérêt.*

Pour en savoir plus

REVENU (sens 1.1.) ET SYNONYMES

Un revenu, une rémunération.

Un salaire : revenu que tire un particulier d'une activité exercée dans le cadre d'un contrat de travail. (V. 498 salaire, 1).

Un bénéfice : revenu que tire une entreprise de ses transactions commerciales. (V. 57 bénéfice, 1).

Un loyer : revenu que tire un propriétaire de la mise à la disposition d'une personne d'un bien immobilier. (V. 350 location, 2).

REVENU (sens 1.2.) ET SYNONYMES

Un revenu, (peu fréq., pour une personne) **une rente**. (V. 486 rente, 1).

Un intérêt. (V. 330 intérêt, 1).

(angl.) **Le return**. (V. 13 action, 1).

Un bonus. (V. 13 action, 1).

Un dividende. (V. 13 action, 1).

REVENU (sens 1.3.) ET SYNONYMES

(peu fréq.) **Un revenu, une rente**.

Une allocation ; **une indemnité**. (V. 25 allocation, 1).

RÉVISABLE (adj.) (**) 1. Qui peut varier après un certain délai.

1. (540)	revidierbar	subject to modification reviewable	revisable	rivedibile	herzienbaar

RÉVISER (v.tr.dir.) (***) 1. Contrôler des comptes. 2. Faire varier après un certain délai.

1. (46)	prüfen kontrollieren	to audit to check	revisar	fare un auditing rivedere i conti	nakijken
2.	revidieren ändern	to review to adjust	corregir revisar	ritoccare correggere	herzien aanpassen

RÉVISEUR (n.m.) (***) 1. Personne qui contrôle les comptes d'une société.

1. (46)	der Revisor der (Rechnungs)Prüfer	auditor	el revisor el auditor	il revisore contabile	de revisor (m.)

RIB (un ~) (*) relevé d'identité bancaire.

(55)	Vordruck mit Angabe von Kontonummer	Bank identification form account details	el extracto de identificación bancaria	le coordinate bancarie (di un conto)	het bankidentiteitsbewijs

RICHARD, RICHARDE (n.) (*) 1. Personne qui a beaucoup d'argent.

1. (35)	der Krösus die schwerreiche Person	wealthy person moneybags (fam.)	el ricachón	il riccone	de rijkaard (m.)

RICHE (adj.) (****) 1. Qui a beaucoup d'argent. 2. Qui contient beaucoup d'éléments (des produits de la nature p. ex.) qui ont une valeur économique.

1. (35)	reich wohlhabend	wealthy rich	rico	ricco benestante	rijk
2. (35)	gehaltvoll reichhaltig	rich	rico	ricco	rijk

RICHE (n.) (**) 1. Personne qui a beaucoup d'argent.

1. (35)	der Reiche	wealthy person	el rico	il ricco il benestante	de rijkaard (m.) de rijke (persoon) (m.)

RICHESSE (n.f.) (****) 1. Abondance de biens. 2. (plur.) Produit de l'activité économique. 3. (plur.) Éléments (des produits de la nature p. ex.) qui ont une valeur économique.

1. (35)	der Reichtum	wealth	la riqueza	la ricchezza l'abbondanza (f.)	de rijkdom (m.) de welvaart (m./f.)
2. (35)	der Reichtum der Wohlstand	resources	la riqueza	la ricchezza	de rijkdom (m.)
3. (35)	der Reichtum	resources funds	los recursos	la ricchezza	de rijkdommen (plur.)

RICHISSIME (adj.) (*) 1. Qui a énormément d'argent.

1. (35)	stinkreich	extremely rich	riquísimo	ricchissimo	schatrijk

RISTOURNE (n.f.) (***) 1. Diminution de prix sur le total des achats. 2. Part de bénéfices versée aux coopérateurs. 3. Forme de participation aux bénéfices.

1. (437)	der Preisnachlass	discount	la rebaja	lo sconto	de korting (f.)
	der Bonus	reduction	el descuento	l'abbuono (m.)	de reductie (f.)
2. (437)	die Beitragsrückerstattung	dividend	la bonificación	la quota di utile distribuita ai soci di una cooperativa	de overeengekomen terugbetaling (f.)
			la comisión		
3. (437)	die Überschussbeteiligung	commission	la comisión	la provvigione	de deelname (m./f.) in de winst

RISTOURNER (v.tr.dir.) (**) 1. Accorder une diminution de prix sur le total des achats. 2. Verser une part de bénéfices aux coopérateurs. 3. Faire participer aux bénéfices.

1. (437)	einen Preisnachlass gewähren	to grant a discount	rebajar	fare uno sconto	een korting geven
	einen Bonus geben	to give a reduction			
2. (437)	einen Beitrag rückerstatten	to pay dividend	bonificar	scontare	uitbetalen
				versare una quota dell'utile ai soci di una cooperativa	
3. (437)	eine Überschussbeteiligung auszahlen	to pay commission	pagar una comisión	dare una provvigione	het aandeel in de winst uitkeren

RMI (le ~) (**) (493) revenu minimum d'insertion.

RMR (le ~) (**) (493) revenu minimum de réinsertion.

ROBOT (n.m.) (****) 1. Machine à aspect humain qui effectue des opérations programmées.

1. (442)	der Roboter	robot	el robot	il robot	de robot (m.)

ROBOTIQUE (n.f.) (**) 1. Science qui se rapporte à l'élaboration de robots.

1. (442)	die Robotertechnik	robotics	la robótica	la robotica	de robotica (f.)

ROBOTISATION (n.f.) (**) 1. Automatisation à l'aide de machines à aspect humain qui effectuent des opérations programmées.

1. (442)	die Automatisierung	automation	la robotización	la robotizzazione	de robotisering (f.)
	die (zunehmende) Einsatz der Robotertechnik	robotization			

ROBOTISER (~, se ~) (v.tr.dir., v.pron.) (**) 1. (S')automatiser à l'aide de machines à aspect humain qui effectuent des opérations programmées.

1. (442)	automatisieren	to automate	robotizar	robotizzare	robotiseren
		to robotize			

ROTATION (n.f.) (***) 1. Renouvellement, roulement.

1. (541)	der Umschlag	rotation	la rotación	la rotazione	de roulatie (f.)
	der Umlauf	turnover		il turn over	het verloop

ROUBLE (n.m.) (***) 1. Monnaie russe.

1. (382)	der Rubel	r(o)uble	el rublo	il rublo	de roebel (m.)

ROUGE (dans le ~) (***) 1. En déficit, à découvert.

1. (179) (284)	in den roten Zahlen	(to be) in the red	estar en números rojos	in rosso	in de rode cijfers zitten
					in het rood zitten

ROUTE (n.f.) (****) 1. Voie de communication terrestre (RQ).

1. (550)	die Strasse	road	la carretera	la strada	de weg (m.)

ROUTIER (n.m.) (**) 1. Conducteur de gros camions.

1.	der Fernfahrer	lorry driver	el camionero	il camionista	de vrachtwagenchauffeur (m.)
	der LKW-Fahrer	truck driver (US)	el conductor de camiones		

ROUTIER, -IÈRE (adj.) (****) 1. Qui se rapporte aux voies de communication terrestre.

1. (550)	Strassen-	road	por carretera	stradale	weg(en)-

RP (les ~ (f.)) (*) relations publiques.

(374)	die Public Relations	public relations	las relaciones públicas	le pubbliche relazioni	de public relations (plur.)
	die PR	PR			de PR

RUR (*) (382) Russie - rouble.

S

SA (une ~) (***) société anonyme.

(513)	die AG	public limited company (PLC)	la sociedad anónima (SA)	la società per azioni (SpA)	de naamloze vennootschap (NV) (f.)
		limited liability company (Ltd.)			

SAC (n.m.) (***) 1. Contenant (en papier ou en plastique).

1. (363)	der Sack die Tüte	bag	la bolsa	il sacchetto	de zak (m.)

SALAIRE (n.m.) (****) 1. Somme d'argent reçue en compensation du travail.

1. (498)	der Lohn	salary	el salario	il salario	het loon het salaris

SALAIRE

➠ **rémunération - travail**

1 le salaire **5** le présalaire **5** un sursalaire **5** le salariat **5** la salarisation **5** la désalarisation **5** le salaire-coût **5** le salaire-revenu	**2** un salarié, une salariée **5** un non-salarié, une non-salariée	**3** salarial, -ale ; -aux, -ales	**4** salarier

1 le SALAIRE - [salɛʀ] - (n.m.)

1.1. Somme d'argent qu'un agent écomique (un particulier lié à un employeur par un contrat de travail - X) reçoit en compensation du travail qu'il a réalisé pour un autre agent économique (p .ex .l'employeur - Y) ou des services qu'il a rendus à cet autre agent économique.
Syn. : (V. 479 rémunération, 1).
Mon salaire ne suit malheureusement pas tout à fait la hausse des prix.

2.1. Ce par quoi qqn est payé, récompensé de ce qu'il a fait.
Un voyage à Paris, voilà son seul salaire pour tous les efforts qu'elle avait consentis (PR).

expressions

(sens 1.1.)
À travail égal, salaire égal. (V. 553 travail, 1).

(sens 1.2.)
- **Toute peine mérite salaire** : le moindre effort mérite une récompense.
- **Pour tout salaire** : comme seule, unique récompense.

+ adjectif

TYPE DE SALAIRE (sens 1.1.)

Un salaire brut : salaire avant déduction des cotisations personnelles du salarié au système de la sécurité sociale. (Syn. : (moins fréq.) **une rémunération brute**). *Comparé au salaire brut moyen de l'ensemble des salariés du pays, charges patronales non comprises, le revenu du travail agricole n'atteint que 84,8 % cette année.*

>< **Un salaire net** : salaire après déduction des cotisations personnelles. (Syn. : (moins fréq.) **une rémunération nette**). *Le salaire net annuel moyen a augmenté de 3,5 % dans le secteur privé et semi-public.*

Un salaire mixte correspond à **un salaire fixe** (ou **un fixe**) plus une commission (pour un représentant de commerce p. ex.).

Un salaire nominal : à prix courant. (Syn. : (moins fréq.) **une rémunération nominale**).

>< **Un salaire réel** : à prix constant, c.-à-d. la quantité de biens et de services que le salaire nominal permet d'acheter. (Syn. : (moins fréq.) **une rémunération réelle**). *Lorsque la hausse des prix commence à se ralentir, l'inertie des salaires nominaux fait qu'ils continuent à croître comme avant.*

Un salaire direct : résulte du rendement (sens 1.1.) ; c'est le revenu professionnel que gagne le travailleur grâce au travail qu'il effectue. *Il conviendrait d'inverser une seconde tendance lourde de la société française : la réduction continue du poids du salaire direct dans le salaire total.*

>< **Un salaire indirect** : salaire défini par la loi ou par des accords sociaux et qui comprend :
les compléments du salaire :
(B, F) le 13e mois,
les congés payés,
(B) le pécule de vacances (rémunération supplémentaire accordée pour la période des congés annuels),
une prime, un bonus (p. ex. un intéressement (forme de rémunération qui dépend des bénéfices de l'entreprise et qui est destinée à stimuler le personnel), une participation aux résultats, une prime d'ancienneté, une prime de nuit, une prime de rendement ou une prime de productivité),
les avantages en nature,
le chèque-repas,
le chèque-vacances,
une assurance-group e;
les substituts du salaire :
le versement d'allocations en cas de maladie ou d'incapacité,

les allocations familiales,

les allocations de chômage,

les indemnités de préavis.

Le salaire direct et indirect constituent le système de rémunération.

Un salaire unique : salaire d'une famille qui ne touche qu'un seul salaire.

Le salaire minimum, (F) **le salaire minimum interprofessionnel de croissance** {**le SMIC**, **un smicard**, **une smicarde**} : fixé par voie légale pour garantir aux salariés des catégories les plus défavorisées un revenu correspondant au minimum vital et qui évolue en fonction de la croissance économique et/ou de la hausse des prix. (F) Remplace **le SMIG** (**le salaire minimum interprofessionnel garanti**) qui ne prenait en compte que la hausse des prix (Silem).

CARACTÉRISATION DU SALAIRE (sens 1.1.)

Un salaire attrayant. *De nombreuses entreprises tentent de séduire le demandeur d'emploi en offrant un salaire attrayant et toutes sortes d'avantages en nature.*

NIVEAU DU SALAIRE (sens 1.1.)

Un haut salaire, **un salaire élevé** (fam. : **un gros salaire**). > **Un salaire moyen** . > **Un bas salaire**. *Ce n'est pas tant dans les pays industrialisés, mais plutôt dans les pays à bas salaires que seront réalisés des investissements d'extension (nouveaux bâtiments industriels).* > **Un salaire dérisoire**.

Les bas salaires : personnes qui touchent un bas salaire.

MESURE DU SALAIRE (sens 1.1.)

Un salaire horaire ; **hebdomadaire** ; **mensuel** ; **annuel**.

+ nom

(sens 1.1.)

- **L'échelle mobile des salaires** : mécanisme d'ajustement automatique des salaires au mouvement des prix.
- **La hiérarchie des salaires**. (Syn. : (moins fréq.) **la hiérarchie des rémunérations**). *La hiérarchie des salaires ouvriers se resserre à cause de la forte augmentation des bas salaires.*

  L'éventail des salaires, **la disparité des salaires** : ensemble différencié des salaires d'un même secteur. (Syn. : (moins fréq.) **l'éventail des rémunérations**). *Au cours des années récentes l'éventail des salaires tend de nouveau à s'accroître : les hausses du SMIC n'incluent plus guère de progression du pouvoir d'achat, tandis que les cadres supérieurs les plus performants, en raison de l'individualisation des salaires, encaissent souvent des gains très élevés* (Clerc).

  Un écart de salaire. *Entre hommes et femmes, les écarts de salaire continuent de diminuer.*
- **Un bulletin de salaire**, **une fiche de salaire**. (V. 403 paiement, 2).
- **Une avance sur (mon) salaire**. *J'ai dû demander une avance sur mon salaire pour pouvoir boucler la fin du mois.*
- **Une retenue sur le salaire**. (V. 155 cotisation, 1).
- **Les compléments du salaire** ; **les substituts du salaire**. (☞ 498 + adjectif).
- **Une cession de salaire** : acte par lequel une personne cède une part de son salaire à une institution financière pour rembourser ses dettes.

  Les arriérés de salaire : salaire dû mais non encore payé.

TYPE DE SALAIRE (sens 1.1.)

Un salaire de base : salaire prévu dans le contrat de travail, les primes non comprises. (Syn. : **une rémunération de base**). *Nos salaires de base ne sont pas plus élevés que ceux de nos concurrents. Par contre, le coût de la contribution sociale est nettement plus élevé.*

Un salaire de départ : pour commencer, au début de la carrière.

Un salaire d'appoint : complémentaire, qui s'ajoute au salaire principal. *De nombreuses femmes se contentent d'un salaire d'appoint, puisque le salaire que touche leur partenaire constitue leur source de revenus principale.*

Un salaire d'efficience : salaire qui incite le travailleur à augmenter sa productivité.

Un salaire au rendement, (S) **à la prestation** : salaire qui dépend de la production réalisée (p. ex. **le salaire à la pièce, aux pièces, à la tâche**). (Syn. : (moins fréq.) **une rémunération au rendement**). *Le salaire à la pièce est de nature à inciter le travailleur à intensifier ses efforts et à augmenter sa productivité.*

CARACTÉRISATION DU SALAIRE (sens 1.1.)

La rigidité des salaires. *La rigidité des salaires prouve que le marché du travail est loin de fonctionner comme un marché concurrentiel.*

>< **La flexibilité des salaires**.

NIVEAU DU SALAIRE (sens 1.1.)

Le niveau des salaires. (Syn. : (moins fréq.) **le niveau de rémunération**). *Au surplus, le sous-traitant peut souvent tirer avantage d'un plus bas niveau des salaires.*

Un salaire de misère, de famine : très bas.

+ verbe : qui fait quoi ?

(sens 1.1.)

Y	✓	**déterminer** le ~ (de X)	la détermination du ~	
		fixer le ~ (de X)	la fixation du ~	
		pratiquer des ~ (élevés/bas)	-	
		✓		
Y	×	**verser** un ~ (à X)	le versement d'un ~	
→ X		**percevoir** un ~	la perception d'un ~	
		(fam.) **toucher** un ~	-	
le ~	=	**s'élever à** ... euros par mois/ l'heure	-	
		être de ... euros par mois/l'heure	-	
Y	≠	**(ré)ajuster** le ~ (de X) (à la hausse/baisse)	un (ré)ajustement du ~	
Y	△	**augmenter** le ~ (de X)	une augmentation du ~	
		-	une hausse du ~	3
→ le ~ de X		**augmenter**	une augmentation du ~	
Y	▽	**baisser** le ~ (de X)	une baisse du ~	
		diminuer le ~ (de X)	une diminution du ~	
→ le ~ de X		**baisser**	une baisse du ~	
		-	une perte de ~	1
le gouvernement, les employeurs et les syndicats		**négocier** les ~	une négociation des ~	2
Le gouvernement	=	**geler** les ~	le gel des ~	3
Y		**bloquer** les ~	le blocage des ~	
Le gouvernement	△=	**modérer** les ~	une modération salariale	4
Le gouvernement		**indexer** les ~	l'indexation des ~	5
			>< la non-indexation des ~	
		>< **désindexer** les ~	la désindexation des ~	
Y		**répercuter** le ~ dans le prix/les coûts	la répercussion du ~ dans ...	

1 *Les syndicats veulent la baisse du temps de travail sans perte de salaire.*
2 *Ces négociations de salaires, qui concernent près d'un million de salariés dans le secteur de la sidérurgie, serviront de référence aux autres discussions salariales prévues dans le pays.*
3 *Le patronat refuse d'accorder une hausse des salaire s: il veut geler les salaires pendant un an, voire même réduire certaines primes.*
4 *La consommation privée a augmenté de 0,3 % par rapport à l'année passée, malgré la modération salariale imposée par le gouvernement. Bref, les gens ont épargné moins et dépensé plus.*
5 *L'indexation des salaires est destinée à rattraper la hausse du coût de la vie.*

2 un SALARIÉ, une SALARIÉE - [salaʀje] - (n.)

1.1. Agent économique (un particulier lié à un employeur par un contrat de travail) qui reçoit une somme d'argent d'un autre agent économique (p. ex. l'employeur - X) en compensation du travail qu'il a réalisé ou des services qu'il lui a rendus.

Syn. : (☞ 501 Pour en savoir plus, Salarié (sens 1.1.) et synonymes) ; Ant. : un indépendant, (peu fréq.) un non-salarié ; un employeur ; un bénévole ; un volontaire.
Le salarié se distingue du travailleur indépendant par le fait qu'il travaille non pour son propre compte mais pour celui d'un employeur.

1.2. (emploi au pluriel) Ensemble des salariés (sens 1.1.).

Syn. : le personnel.
Une large majorité des salariés a rejeté les propositions de la direction.

+ nom

(sens 1.1)

• **Le rachat d'une entreprise par ses salariés.** (V. 6 achat, 1).

+ verbe : qui fait quoi ?			
(sens 1.1.)			
X	✓	**embaucher** un ~	l'embauche d'un ~
		engager un ~	l'engagement d'un ~
		>< **licencier** un~	le licenciement d'un ~
X	×	**employer** un ~	-
		occuper un ~	-
X		**rémunérer** un ~	la rémunération d'un ~
un ~		**travailler** ... heures par semaine	-
		(B) **prester** ... heures par semaine	(B) une prestation de ... heures par semaine

Pour en savoir plus

SALARIÉ (sens 1.1.) ET SYNONYMES

Un salarié, (de moins en moins fréq.) **un travailleur** s'utilisent pour désigner à la fois les **ouvriers**, qui exécutent des travaux manuels ou mécaniques et qui touchent un salaire appelé une paie, les **employés** (V. 228 emploi, 3), qui exécutent un travail intellectuel et qui touchent un salaire appelé des appointements, et les **cadres** (V. 79 cadre, 1), qui occupent les postes à responsabilité. **Le personnel** est le terme utilisé pour désigner l'ensemble des salariés.

Un travailleur. (V. 558 travail, 2).

Un productif. >< **Un fonctionnel**. (V. 451 productivité, 3).

3 SALARIAL, -ALE ; -AUX, -ALES - [salaʀjal,-al, -o, -al] - (adj.)

1.1. Qui se rapporte à la somme d'argent payée à un agent économique (un particulier lié à un employeur par un contrat de travail) en compensation du travail qu'il a réalisé pour un autre agent économique (p. ex. l'employeur) ou des services qu'il a rendus à cet autre agent économique.
Sur le plan salarial, l'accord entre les syndicats et la direction prévoit une hausse d e 2%.

1.2. Qui se rapporte au salarié (sens 1.1. et 1.2.).

+ nom

(sens 1.1.)

- **Les coûts salariaux**, (moins fréq.) **le coût salarial**, **les charges salariales** : sommes d'argent (les salaires) versées au personnel (y compris les charges et les cotisations sociales) pendant une certaine période. (Syn. : **les charges de personnel**). *L'évolution des coûts salariaux est le résultat d'une négociation entre le patronat, les syndicats et le gouvernement.*
  La masse salariale : coûts salariaux considérés du point de vue comptable et calculés sur une année. *Lors d'une crise, l'une des rares variables sur laquelle le chef d'entreprise peut agir est la masse salariale. Il la réduira par exemple en licenciant du personnel.*
- **Une politique salariale.** *La politique salariale de notre entreprise est axée sur la priorité à la promotion en fonction du mérite.*
- **Les négociations salariales.** *Un nouvel accord a été signé entre les employeurs et les travailleurs pour la conduite de négociations salariales afin de fixer les salaires pour les deux années à venir.*
  Les revendications salariales. *Les syndicats ont formulé des revendications salariales inacceptables pour les employeurs : les syndicats veulent une augmentation salariale de 7 %, alors que les employeurs veulent accorder 2 % au maximum.*
  Les concessions salariales. *Pour aider cette entreprise à survivre, les syndicats ont accepté des concessions salariales : les salaires devraient baisser de 4 % en moyenne.*
  Les fonds salariaux. (V. 287 fonds, 1).

(sens 1.2.)

La cotisation salariale, la part salariale (des cotisations sociales) : partie du salaire cédée par le salarié pour financer le système de sécurité sociale (V. 154 cotisation, 1).

NIVEAU DU SALAIRE (sens 1.1.)

Une hausse salariale, une augmentation salariale.

Une modération salariale : limitation de la hausse des salaires. *Le but de la modération salariale imposée par le gouvernement est de ramener progressivement le niveau des salaires dans les entreprises au niveau des principaux concurrents étrangers.*

4 SALARIER - [salaʀje] - (v.tr.dir.)

1.1. (très peu fréq.) Un employeur (une entreprise, un État - X) donne une somme d'argent à un agent économique (un particulier lié par un contrat de travail - Y) en compensation du travail que celui-ci a réalisé ou des services qu'il lui a rendus.

1.2. (très peu fréq.) Un employeur (une entreprise, un État - X) donne le statut de salarié à qqn (Y).

+ nom

(sens 1.1.)

- **Un travailleur (non) salarié**. (V. 558 travail, 2).

  Le personnel, l'/les effectif(s) salarié(s). *L'option a été prise de bloquer au niveau actuel les effectifs salariés opérant à Bruxelles et de confier à la sous-traitance les tâches non spécifiques (communication, entretien, courrier-express).*
- **Un emploi salarié**. (V. 224 emploi, 1).
- **Un(e) étudiant(e) salarié(e)**, (B) **un(e) (étudiant(e)) jobiste** : étudiant qui travaille pendant le week-end ou les vacances. **Un job de vacances**. (V. 557 travail, 1).

qui fait quoi ?

(sens 1.1. et 1.2.)

X (une entreprise)	**salarier** Y	-

5 AUTRES DÉRIVÉS OU COMPOSÉS

- (F) **Le présalaire** [pʀesalɛʀ] (n.m.) : allocation versée aux étudiants pour compenser les revenus qu'ils ne peuvent percevoir à cause de leurs études, mais qu'ils doivent rembourser après ces études, au moins dans certaines formations.
- **Un sursalaire** [syʀsalɛʀ] (n.m.) : supplément au salaire normal.
- **Le salariat** [salaʀja] (n.m.). 1. Ensemble des salariés. (Syn. : (plus fréq.) **les salariés**). (Ant. : **le patronat**). (V. 409 patronat, 1). - 2. Ensemble de règles concernant les rapports de travail entre un employeur et un salarié. *Sous le régime du salariat, le salarié qui exécute un travail laisse le produit de son travail à l'employeur en échange du paiement d'une somme convenue.*
- **La (dé)salarisation** [(de)salaʀizasjɔ̃] (n.f.) : tendance à la croissance (diminution) de la part du salariat dans l'économie (Silem). *L'impact psychologique de la désalarisation pose un réel problème dans une société où l'individu s'identifie totalement à son travail.*
- **Le salaire-coût** [salɛʀku] (n.m.) : coûts salariaux pour l'employeur.

  >< **Le salaire-revenu** [salɛʀʀəvny] (n.m.) : rémunération touchée par l'employé. *Un écart de plus en plus marqué se crée entre le salaire-coût et le salaire-revenu, c'est-à-dire entre ce que l'emploi coûte aux entreprises et ce que les salariés touchent en compensation de leur travail.*
- **Un non-salarié, une non-salariée** [nɔ̃salaʀje] (n.). (Syn. : (plus fréq.) **un indépendant**).

SALAIRE-COÛT (n.m.) (*) 1. Salaire considéré comme coût pour l'employeur.

1. (502)	die Lohnkosten	labour cost	el coste salarial los costes de personal	il costo salariale	de loonkosten (plur.)

SALAIRE-REVENU (n.m.) (*) 1. Salaire considéré comme revenu pour le salarié.

1. (502)	das Arbeitseinkommen	salary	la renta del trabajo	il reddito salariale	het arbeidsinkomen
			el salario		

SALARIAL, -ALE ; -AUX, -ALES (adj.) (****) 1. Qui se rapporte à la somme d'argent reçue en compensation du travail. 2. Qui se rapporte à la personne qui reçoit une somme d'argent en compensation du travail.

1. (503)	Lohn- Gehalts-	wage salary	salarial	salariale	loon-
2. (503)	Arbeitnehmer-	labour- worker-	salarial	salariale	loontrekkend

SALARIAT (n.m.) (*) 1. Ensemble des salariés. 2. Ensemble des règles concernant les rapports de travail employeur-salarié.

1. (502)	die Lohnempfänger	wage earners	el conjunto de los asalariados	l'insieme (m.) dei lavoratori dipendenti	de loontrekkenden (plur.)
		wage earning class	el salariado		
2. (502)	die Arbeitnehmer(schaft)	working relations guidelines	el salariado	la condizione dei lavoratori dipendenti	het werknemerschap
			el convenio colectivo		het salariaat

SALARIÉ, SALARIÉE (n.) (****) 1. Personne qui reçoit une somme d'argent en compensation du travail. 2. (plur.) Ensemble des salariés.

1. (500)	der Arbeitnehmer	salaried person	el (trabajador) asalariado	il lavoratore dipendente	de loontrekkende (m.)
	der Lohnempfänger	wage earner		il lavoratore subordinato	
2. (500)	die Arbeitnehmer(schaft)	the salaried staff	los asalariados	i lavoratori dipendenti	de loontrekkenden (plur.)
	die Lohnabhängigen	the wage earners			

SALARIER (v.tr.dir.) (*) 1. Donner une somme d'argent en compensation du travail. 2. Donner le statut de salarié à qqn.

1. (501)	entlohnen	to pay a salary	remunerar	rimunerare	bezoldigen
		to pay a regular wage			
2. (501)	jemandem den Arbeitnehmerstatus verleihen	to give the status of a salaried employee to somebody	dar a alguien un estatuto de asalariado	conferire lo statuto di salariato / lavoratore dipendente	het statuut van loontrekkende geven
	jemanden in ein Beschäftigungsverhältnis übernehmen		asalariar		

SALARISATION (n.f.) (*) 1. Croissance de la part du salariat dans l'économie (Silem).

1. (502)	die Zunahme des Anteils der abhängig Beschäftigten	the growth of the wage earning class in the economy	el crecimiento del salariado	l'aumento (m.) dei lavoratori salariati nell'economia	de veralgemening (f.) van het statuut van loontrekkende
	die Zunahme des Arbeitnehmeranteils				

SALON (n.m.) (****) 1. Manifestation commerciale regroupant des exposants d'un même domaine d'activité.

1. (374)	die Messe	trade fair	la feria	la fiera	de (jaar)beurs (m./f.)
	die Ausstellung	exhibition	el salón	il salone	het salon

SANS-EMPLOI ; SANS-EMPLOI (n.m.) (**) 1. Personne qui n'exerce pas d'activité professionnelle.

1. (103)	der Arbeitslose	unemployed person	el desocupado	il disoccupato	de werkloze (m.)
	der Erwerbslose		el parado		

SANS-TRAVAIL ; SANS-TRAVAIL (n.m.) (*) 1. Personne qui n'exerce pas d'activité professionnelle.

1. (103)	der Arbeitslose	unemployed person	el parado	il senza-lavoro (i senza-lavoro)	de werkloze (m.)

SARL (une) (*) société (privée) à responsabilité limitée

(515)	die Gesellschaft mit beschränkter Haftung (GmbH)	private limited company (Ltd.)	sociedad de responsabilidad limitada (SRL)	la società a responsabilità limitata (Srl)	de besloten vennootschap (f.) met beperkte aansprakelijkheid (bvba)
		limited liability company (Ltd.)			

SATURATION (n.f.) (***) 1. État de qqch. qui est sans possibilité de développement.

1. (369)	die Sättigung	saturation	la saturación	la saturazione	de saturatie (f.)
	die Auslastung				de verzadiging (f.)

SATURÉ, -ÉE (adj.) (***) 1. Sans possibilité de développement.

1. (366)	gesättigt	saturated	saturado	saturo	verzadigd
(505)	ausgelastet	overloaded			

SAV (le ~) (*) service après-vente.

(509)	der Kundendienst	after-sales service	el servicio pos(t)venta	l'assistenza (f.) ai clienti	de dienst (m.) naverkoop

SAVOIR-FAIRE (n.m.) (****) 1. Habileté à faire réussir ce qu'on entreprend (RQ). 2. Expérience acquise.

1. (168)	das Know-how	know-how	la pericia	il know-how	de know-how (m.)
2. (117)	die Berufserfahrung	professional experience	la experiencia profesional	l'esperienza professionale (f.)	de beroepservaring (f.)

SCPA (une ~) (*) société en commandite par actions.

(515)	die Kommanditgesellschaft auf Aktien (KGaA)	partnership limited by shares (Ltd.)	sociedad comanditaria por acciones	la società in accomandita per azioni (SAPA)	de commanditaire vennootschap (f.) op aandelen (CVA)

SCS (une ~) (*) société en commandite simple.

(515)	die Kommanditgesellschaft (KG)	limited partnership (Ltd.)	sociedad comanditaria	la società in accomandita semplice (SAS)	de gewone commanditaire vennootschap (f.) (GCV)

SDF (un ~) (*) sans domicile fixe.

(494)	der Obdachlose	homeless person	sin hogar	il vagabondo	zonder vaste verblijfplaats
	eine Person ohne festen Wohnsitz	person of no fixed abode	sin domicilio fijo	senza fissa dimora	de dakloze (m.)

SECONDAIRE (n.m.) (*) 1. Branche d'activité de la production et de la transformation.

1. (504)	der sekundäre Sektor	secondary sector	el sector secundario	il settore secondario	de secundaire sector (m.)

SECRÉTAIRE (n.) (****) 1. Employé(e) qui fait l'administration pour qqn.

1. (200)	der Sekretär	secretary	el secretario	il segretario	de secretaris (m.)

SECRÉTARIAT (n.m.) (***) 1. Service où se fait l'administration pour qqn.

1.	das Sekretariat	secretariat	la secretaría	la segreteria	het secretariaat
		secretarial offices			

SECTEUR (n.m.) (****) 1. Ensemble des agents économiques qui fabriquent le même type de produit. 2. Ensemble des unités institutionnelles de même type. 3. Ensemble des entreprises qui ont le même type de propriété. 4. Représentation graphique sous forme de cercle.

1. (504)	der Sektor	sector	el sector	il settore	de sector (m.)
	die Branche	industry			
2. (504)	der Sektor	line of business	el sector (institucional)	il settore istituzionale	de gemeenschappelijke sector (m.)
	der Wirtschaftsbereich	area			
3. (504)	der Sektor	industrial sector	el sector	il settore	de branche (m./f.)
					de sector (m.)

4. (284)	der (Kreis)Ausschnitt	pie chart	el sector	il diagramma a settori circolari	het taartdiagram
	der (Kugel)Sektor				

SECTEUR

➠ société - entreprise

1 un secteur 3 un secteur(-)clé		2 sectoriel, -ielle 3 intersectoriel, -ielle	

1 un SECTEUR - [sɛktœʀ] - (n.m.)

1.1. Ensemble des agents économiques (les commerçants, les entreprises) qui fabriquent le même type de produits ou produisent le même type de services. Le regroupement peut se faire de différentes façons. Syn. : une branche (d'activité), (peu fréq.) un secteur professionnel, une filière (V. 441 production, 1). *Le secteur de la téléphonie mobile a connu une forte expansion en quelques années à peine.*
1.2. (comptabilité nationale) Ensemble des unités institutionnelles qui présentent les mêmes caractéristiques fondamentales, p. ex. les sociétés, les administrations, les ménages, ...
1.3. (juridique) Ensemble des entreprises qui ont le même type de propriété.
1.4. Représentation graphique qui compare la part de différentes composantes (V. 284 fluctuation, 1).

+ adjectif

TYPE DE SECTEUR (sens 1.1.)

Un secteur (**économique**). (Syn. : **un secteur d'activité**).

Un secteur (**professionnel**).

Le secteur + adjectif qui désigne un type d'activité. Le secteur bancaire ; automobile ; industriel ; financier ; textile ; informatique ; chimique ; pharmaceutique ; immobilier ; pétrolier ; alimentaire. (☞ 505 + nom).

Le (**secteur**) **primaire** : secteur de l'économie comprenant essentiellement les activités agricoles (agriculture, pêche, forêts, aquaculture) et les activités extractives (mines) (DC). *Dans les pays de l'Europe de l'Ouest le secteur primaire pèse de moins en moins lourd dans l'activité économique.* (☞ 505 Pour en savoir plus, Dénominations d'activités).

Le (**secteur**) **secondaire** : secteur de l'économie comprenant essentiellement les activités de production et de transformation (DC), telles que la construction, les industries énergétiques et les industries manufacturières de biens d'équipement et de consommation.

Le (**secteur**) **tertiaire** : secteur de l'économie comprenant essentiellement les services : les transports, le commerce, les banques, ... (Syn. : **le secteur des services**). Parfois on regroupe certaines activités nouvelles à forte valeur ajoutée (les (télé)communications, la recherche et le développement, l'informatique) dans **le secteur quaternaire** parce qu'il s'agit de "services de service".

{**la tertia(i)risation** (de l'économie) (développement du secteur tertiaire aux dépens des deux autres secteurs), **se tertiariser** (basculer dans le secteur tertiaire)}. *L'industrie se tertiarise.*

Un secteur cyclique : secteur qui connaît de fortes et rapides variations de ventes en fonction des fluctuations conjoncturelles.

>< **Un secteur stable**.

TYPE DE SECTEUR (sens 1.2.)

Un secteur institutionnel : regroupement homogène d'agents économiques réalisé par la comptabilité nationale.

TYPE DE SECTEUR (sens 1.3.)

Le (**secteur**) **privé** : ensemble des entreprises dont le capital appartient en majorité à des particuliers ou à des sociétés privées (Silem). Il comprend aussi **les secteurs coopératif** et **associatif**. *À cause des restrictions budgétaires, de nombreux entrepreneurs de construction et de génie civil ont délaissé les contrats publics pour se diversifier vers le secteur privé.*

>< **Le** (**secteur**) **public**. 1. (sens large) Ensemble des administrations de l'État et des collectivités locales. - 2. Ensemble des entreprises publiques et semi-publiques.

Le secteur semi-public : ensemble des organismes de droit privé gérés suivant les directives des pouvoirs publics, p. ex. les caisses de sécurité sociale en France (DC).

Le secteur parapublic : ensemble des organismes non intégrés à l'administration, mais qui remplissent une fonction d'intérêt public, p. ex. la SNCF en France (DC).

Le secteur (**non**) **marchand**. (V. 364 marchandise, 2).

CARACTÉRISATION DU SECTEUR (sens 1.1.)

Un secteur traditionnel : secteur d'activité qui recourt aux technologies classiques (de transformation p. ex.) ou qui produit des biens classiques/traditionnels (la métallurgie p. ex.). (Ant. : **un secteur de pointe**).

Un secteur protégé, abrité : secteur où une entreprise ne subit pas de concurrence. *La démonopolisation désigne le passage d'une entreprise du secteur protégé à un environnement concurrentiel.*

>< **Un secteur exposé**.

Un secteur stratégique : secteur de très grande importance pour un État ou un groupe. (Syn. : **un secteur(-)clé**). *Le secteur stratégique de* *l'approvisionnement en énergie est passé aux mains d'un groupe étranger.*

Un secteur sensible. 1. Secteur qui subit fortement les influences de la conjoncture. *Avec ses nombreux emplois qui risquent d'être supprimés, la transformation traditionnelle peut être comptée parmi les secteurs sensibles.* - 2. Secteur qui présente une importance stratégique du point de vue militaire p .ex.

Un secteur porteur. (Syn. : **un secteur de croissance, d'avenir**). >< **Un secteur saturé**. (☞ 505 + nom).

+ nom

(sens 1.1.)

- (angl.) **Le leader d'un secteur**, (moins fréq.) **le chef de file d'un secteur** : entreprise qui détient la part de marché la plus importante d'un secteur d'activité. *Quand un secteur se porte mal, c'est le leader du secteur qui sera le premier touché.*
- **La concentration d'un/dans un secteur** : diminution du nombre d'entreprises d'un secteur particulier à la suite de fusions, de reprises, ... (V. 239 entreprise, 1).
- **La compétitivité d'un secteur**. (V. 122 compétitivité, 1).

La rentabilité d'un secteur. (V. 484 rentabilité, 1).

La croissance d'un secteur. (☞ 505 + verbe). (V. 169 croissance, 1).

TYPE DE SECTEUR (sens 1.1.)

Un secteur d'activité. (Syn. : **un secteur (économique,** (peu fréq.) **de l'économie)**).

Le secteur de + nom qui désigne un type d'activité. Le secteur des services (☞ 504 + adjectif) ; de la construction ; de la distribution ; du/des transport(s) ; des assurances, de l'assurance ; des télécom(munication)s ; de la chimie ; du tourisme. (☞ 504 + adjectif).

Un secteur de pointe. (☞ 504 + adjectif).

Un secteur moteur : secteur qui entraîne toute l'activité d'un groupe ou de l'économie en général. *L'expression "quand le bâtiment va, tout va" illustre le fait que la construction est un secteur moteur de notre économie.*

{**le bâtiment** (1. Construction. - 2. Branche d'activité de la construction.), **un bâtisseur, une bâtisseuse, bâtir**}.

Un secteur à forte intensité de main-d'œuvre. (V. 357 main-d'œuvre, 1).

CARACTÉRISATION DU SECTEUR (sens 1.1.)

Un secteur de croissance : secteur qui offre des perspectives de croissance économique. (Syn. : **un secteur d'avenir, un secteur porteur**). (Ant. : **un secteur saturé**). *L'informatique et l'électronique en général constituent un secteur de croissance alors que l'automobile est plutôt un secteur saturé.* (☞ 505 + verbe).

Un secteur en difficulté. *Si vous voulez investir dans un secteur en difficulté, choisissez des entreprises qui ont déjà montré leur aptitude à survivre.*

MESURE DU SECTEUR (sens 1.1. et 1.2.)

Le poids d'un secteur : importance économique d'un secteur. **Un secteur de poids**.

+ verbe : qui fait quoi ?

(sens 1.1. et 1.2.)

un ~	**se porter bien**	-	
	< **être en (pleine) croissance, expansion, plein essor**	la croissance d'un ~ l'expansion d'un ~ l'essor d'un ~	1
	>< **se porter mal**	-	
	< **être en (pleine) crise**	la crise d'un/dans un ~	2
→ la crise	**toucher** un ~	-	
un investisseur	**investir dans** un ~	un investissement dans un ~	
le gouvernement	**libéraliser** un ~	la libéralisation d'un ~	3

1 *Le traitement des déchets ménagers est un secteur en pleine croissance.*

2 *Grâce à d'importants gains de productivité, notre entreprise arrive à se maintenir malgré la crise dans le secteur textile.*

3 *Libéraliser un secteur sans l'harmoniser, ce n'est pas de la concurrence mais le chaos.*

Pour en savoir plus

DÉNOMINATIONS D'ACTIVITÉS

Il existe de nombreux mots formés avec les suffixes '-ture' et '-teur' qui désignent l'activité de **culture** ou d'**élevage** d'animaux {**un éleveur, une éleveuse, élever**} et l'agent qui l'exerce :

l'agriculture {**un agriculteur, une agricultrice, agricole**} : activité économique qui consiste à produire des denrées alimentaires, certaines matières premières (les céréales, ...) ou à élever du bétail;

l'horticulture {**un horticulteur, une horticultrice, horticole**} : culture de fleurs, de légumes, d'arbres et d'arbustes ;

la viticulture {**un viticulteur, une viticultrice** (Syn. : **un vigneron, une vigneronne** {**vigneron**}), **viticole**} : exploitation de la vign e;
la sylviculture {**un sylviculteur, une sylvicultrice, sylvicole** (Syn. : (plus fréq.) **forestier**)} : exploitation des ressources de la forê t;
l'ostréiculture {**un ostréiculteur, une ostréicultrice, ostréicole**}: élevage d'huîtres ;
l'aviculture {**un aviculteur, une avicultrice, avicole**} : élevage d'oiseaux et de volailles ;
l'aquaculture {**un aquaculteur, une aquacultrice, aquacole**} : élevage d'espèces aquatiques (plantes et animaux) en vue de leur commercialisation ;
etc.

2 SECTORIEL, -IELLE - [sɛktɔʀjɛl] - (adj.)

1.1. Qui se rapporte à l'ensemble des agents économiques (les commerçants, les entreprises) qui fabriquent le même type de produits ou produisent le même type de services.
Malgré une reprise de l'activité économique, le baromètre sectoriel de la distribution est en nette dégradation.

1.2. Qui se rapporte à l'ensemble des agents économiques (les entreprises) qui présentent les mêmes caractéristiques fondamentales.

expressions

(sens 1.1. et 1.2.)

- **Au niveau sectoriel, sur le plan sectoriel.** *Sur le plan sectoriel, on remarque les bons chiffres de production des industries chimique et textile.*

+ nom

(sens 1.1.)

- **La diversification sectorielle.** *Les banques travaillent à leur diversification sectorielle en proposant des produits financiers de plus en plus variés.*
- **Les négociations sectorielles** : négociations entre patronat et syndicats à l'intérieur d'un secteur d'activité en vue p. ex. de la fixation des salaires. (Syn. : (Q, S) **les négociations par branche**).
- **Une convention collective de travail sectorielle.** (V. 554 travail, 1).

3 AUTRES DÉRIVÉS OU COMPOSÉS

- **Un secteur(-)clé** [sɛktœʀkle] (n.m.) (plur. : **des secteurs(-)clés**). (☞ 504 1 secteur).
- **Intersectoriel, -ielle** [ɛ̃tɛʀsɛktɔʀjɛl] (adj.) : (une mesure, une collaboration, ...) qui se rapporte à plusieurs secteurs.

SECTEUR(-)CLÉ ; SECTEURS(-)CLÉS (n.m.) (**) 1. Branche d'activité de très grande importance.

1. (506)	der Schlüsselsektor	key sector	el sector clave	il settore chiave	de sleutelsector (m.)

SECTORIEL, -IELLE (adj.) (***) 1. Qui se rapporte à l'ensemble des agents économiques qui fabriquent le même type de produit. 2. Qui se rapporte à l'ensemble des unités institutionnelles de même type.

1. (506)	branchenbezogen sektorenbezogen	sector-based	sectorial	settoriale	sectorieel
2. (506)	einer Branche eines Wirtschaftssek- tors	sectoral	sectorial	settoriale	sectorieel

SEGMENT (n.m.) (****) 1. Groupe de personnes qui possèdent des caractéristiques communes.

1. (367)	das Marktsegment	segment	el segmento	il segmento	het marktsegment

SEGMENTATION (n.f.) (***) 1. Répartition en groupes de personnes qui possèdent des caractéristiques communes.

1. (371)	die Marktsegmentie- rung	segmentation	la segmentación	la segmentazione	de marktsegmentering (f.)

SEGMENTER (v.tr.dir.) (**) 1. Répartir en groupes de personnes qui possèdent des caractéristiques communes.

1. (371)	segmentieren	to segment	segmentar	segmentare	segmenteren

SEK (***) (382) Suède - couronne.

SELF-SERVICE ; SELF-SERVICES (n.m.) (*) 1. Méthode de vente où le client se sert lui-même.

1. (511)	die Selbstbedienung	self-service restaurant self-service shop	el autoservicio el libre servicio	il self-service	de zelfbediening (f.)

SEMESTRE (n.m.) (****) 1. Période de six mois.

1. (215)	das Semester	semester	el semestre	il semestre	het semester

SEMESTRIEL, -IELLE (adj.) (***) 1. Qui se produit tous les six mois.

1. (64)	halbjährlich	six-monthly half yearly	semestral	semestrale	semestrieel halfjaarlijks

SEMI-GRATUIT, -UITE (adj.) (*) 1. Qui est offert à un prix nettement inférieur au coût de revient.

1. (439)	unter dem Selbstkos- tenpreis	cut price	a mitad de precio	semigratuito	tegen sterk verminderde prijs

SÉMINAIRE (n.m.) (****) 1. Session de formation.

1. (294)	das Seminar	seminar	el seminario	il seminario	het seminarie

SEMI-PRODUIT ; SEMI-PRODUITS (n.m.) (*) 1. Produit qui doit subir d'autres opérations.

1. (449)	das Halbfabrikat	semifinished product	el producto semifabricado	il (prodotto) semilavorato	het half afgewerkt product
	das Halbprodukt		el semiproducto		het halffabrikaat

SENSIBLE (adj.) (****) 1. Assez important.

1. (282)	spürbar	considerable	sensible	sensibile	gevoelig
	deutlich	noticeable			

SENSIBLEMENT (adv.) (****) 1. De façon assez importante.

1. (282)	spürbar	noticeably	sensiblemente	sensibilmente	gevoelig
	deutlich	markedly			

SERVEUR, SERVEUSE (n.) (****) 1. Personne qui apporte des repas dans un restaurant. 2. Système informatique.

1. (511)	der Kellner	waiter	el camarero	il cameriere	de kelner (m.)
2. (511)	der Server	server	el servidor de red	il server (di rete)	de server (m.)
	der Datenbankbe-treiber				

SERVICE (n.m.) (****) 1. Activité économique sans transfert de bien matériel. 2. Division administrative ou technique d'un agent économique. 3. Travail qu'une personne ou une machine exécute. 4. Pourcentage de l'addition destiné au serveur.

1. (507)	die Dienstleistung	service	el servicio	il servizio	de dienst (m.)
2. (507)	die Abteilung	department	el departamento	il reparto	de afdeling (f.)
	die Dienststelle	service	la sección	l'ufficio (m.)	de dienst (m.)
3. (507)	der Dienst (homme)	operation	el (los) servicio(s)	il servizio	de dienst (m.)
	der Betrieb (machine)				
4. (480)	die Bedienung	service charge	la propina	il coperto	de fooi (m./f.)
	das Bedienungsgeld				

SERVICE

➡ bien

1 un service **3** le libre(-)service **3** le self-service un chèque(-)service (V. 99 chèque, 2)	**2** un serveur, une serveuse		**3** servir

1 un SERVICE - [sɛʀvis] - (n.m.)

1.1. Activité économique sans transfert de bien matériel qu'un agent économique (un particulier, un commerçant, une entreprise - X) effectue et qui est destinée à la satisfaction des besoins des consommateurs, des entreprises ou de l'État (Y). La production et la consommation sont simultanées.
Syn. : (moins fréq.) un bien immatériel; Ant.: un bien matériel.
Les commerçants ont dû s'adapter à une augmentation sensible des exigences des consommateurs en matière de service.

1.2. Division administrative ou technique d'un agent économique (une entreprise, un organisme) qui est constituée d'un ensemble de personnes travaillant sous la direction d'une personne (X) et effectuant un même type d'activité.
Syn. : un département, (moins fréq.) une division, (petit groupe) une cellule.
L'enquête sur les conditions de travail réalisée par le Service d'études du ministère du Travail montre que la flexibilité a gagné du terrain, notamment dans l'aménagement du temps de travail.

1.3. (peu fréq., sauf dans des expressions) Travail qu'une personne, une machine ou une installation (X) exécute.
Les plus vieux ordinateurs sont en service depuis sept ans déjà : ils doivent être remplacés prioritairement.

1.4. Pourcentage de l'addition au café, restaurant, destiné au garçon de café, au serveur. (V. 480 rémunération, 1).

2.1. Ensemble de charges, d'obligations qu'une personne a envers une autre personne, un État, ...
Dans un certain nombre de pays, le service militaire n'existe plus.

expressions

(sens 1.1.)

- (Une personne) **rendre service à** qqn : aider qqn.
- (Une personne) **rendre un mauvais service à qqn** : nuire à une personne en croyant l'aider. *Donner de l'argent aux pays en développement, c'est leur rendre un mauvais service.*
- (Une personne) **rendre de bons et loyaux services** : accomplir son travail de façon exemplaire pendant une longue période. *Après 40 ans de bons et loyaux services, il a pris une retraite bien méritée.*
- (Une personne) **être de service** : avoir l'obligation d'être sur le lieu de travail ou de travailler entre telle et telle heure. *Une fois par mois, nous sommes de service le dimanche dans l'usine.*
- (Une personne) **être en service commandé** : être en train d'effectuer un travail qui a été imposé.

- (Une personne) **être au service de** qqn : faire fonction de domestique, d'aide auprès d'une personne.
- **Qu'y a-t-il pour votre service ?** : que puis-je faire pour vous ?
- **À votre service** (, **Madame**, **Monsieur**) : réponse donnée à un remerciement.

(sens 1.3.)

(Une personne) **être à cheval sur le service** : faire très attention à la bonne exécution d'un travail.

(sens 1.4.)

Service compris : formule qui figure sur le tarif d'un hôtel, d'un restaurant, d'un café, d'une entreprise qui vend des services principalement à des particuliers (tels que coiffure, soins de beauté) pour informer que le pourcentage représentant la rémunération du personnel (le service) est inclus dans le prix annoncé sur ce tarif (DC).

(sens 2.1.)

(Une personne) **être au service d'une cause** : défendre un idéal.

+ adjectif

TYPE DE SERVICE (sens 1.1.)

Les services + adjectif qui désigne une activité. Les services bancaires ; financiers. Les **services informatiques**. *Cette petite entreprise de services informatiques a misé sur les nouvelles lignes téléphoniques qui acceptent aussi bien la voix que les données.* (☞ 510 Pour en savoir plus, Notes d'usage).

Un service collectif : service non marchand mis à la disposition du consommateur par l'État (**les services publics**) ou par des organismes privés.

Les services publics : activités d'intérêt général (le téléphone, l'électricité, les transports en commun, ...) effectuées par des entreprises qui sont gérées selon des règles formulées par l'État. (Syn. : **les services d'utilité publique**). *Beaucoup de services publics reposent sur l'absence de but lucratif.*

(S) **Les services industriels** : organismes chargés de l'approvisionnement de la population en courant électrique, gaz, eau potable et, parfois, chauffage à distance.

Les services sociaux : ensemble de services qui touchent les conditions de vie de tout le monde. *L'enseignement et les soins de santé comptent parmi les services sociaux les plus importants.*

Un service marchand : service payant (p. ex. le docteur).

>< **Un service non marchand** : service gratuit (p. ex. l'administration).

Un service universel : service accessible à tout le monde, quels que soient la localisation géographique et le revenu : l'eau, le gaz, l'électricité, le téléphone, les transports en commun.

Un service professionnel. 1. Service exécuté dans le cadre d'une activité professionnelle. *Les entreprises de services professionnels poursuivent leur croissanc e: banques, sociétés informatiques, ...* - 2. Service qui offre des garanties de qualité.

TYPE DE SERVICE (sens 1.2.)

Le service + adjectif qui désigne une activité. Le service commercial ; administratif ; technique ; logistique.

Le service public : ensemble des services qu'assure l'administration de l'État dans sa relation avec les particuliers et les entreprises. (Syn. : **la fonction publique**). *La surqualification des fonctionnaires peut devenir un atout si le service public sait devenir performant, offrir des emplois motivants et récompenser les efforts fournis.*

Les services généraux : services administratifs du siège central d'une entreprise. *Le coût social de la restructuration est élevé : 150 postes de travail en moins dans les services généraux et 250 emplois dans les magasins.*

Les services postaux : service public ou privé qui se charge de la distribution du courrier. *La plupart des services postaux sont capables de délivrer à l'étranger et d'en recevoir une lettre dans les trois jours.*

CARACTÉRISATION DU SERVICE (sens 1.1.)

Un service interactif : service qui permet au client de dialoguer avec son interlocuteur, p. ex. par ordinateur. *En utilisant une série de services interactifs payants (achats et banque à domicile, vidéo à la demande, télévision à la carte, ...), le téléspectateur finance lui-même en partie la chaîne de télévision.*

Un service complet. *Cette banque connaît un succès certain en offrant à sa clientèle un service complet, convivial et concurrentiel.*

Un service rapide. *Contre paiement d'une somme modique, notre société vous garantit un service rapide dans les quatre heures suivant votre appel.*

Un service gratuit. >< **Un service payant**. (☞ 510 + verbe).

Un service régulier. *Un service régulier est assuré entre les deux villes, avec quatre départs par heure.*

Un service impeccable : de qualité irréprochable.

+ nom

(sens 1.1.)

- **Le secteur des services**. (☞ 510 Pour en savoir plus, Les prestataires de services).
  Une société de services, une entreprise (prestataire) de services. *Les sociétés de services d'ingénierie en informatique représentent un secteur majeur de l'industrie informatique, créateur de nombreux emplois qualifiés* (Moulinier).
  Un prestataire de services. Une prestation de services. (☞ 509 + verbe). (☞ 510 Pour en savoir plus, Les prestataires de services).
  Un fournisseur de services. (V. 292 fourniture, 2).
- **Le commerce des services.**
  La libre circulation des services : commerce des services sans entraves (p. ex. à l'intérieur de l'Union européenne).
- **Une gamme de services** : ensemble de services offerts par un prestataire de services.
- **Des activités de services**.
  La location de services. (V. 349 location, 1).
- **Le chèque emploi(-)service**. (V. 99 chèque, 2).

(sens 1.2.)

- **Un chef de service** : personne responsable du service. *Le chef de service invite tout le personnel à un entretien annuel d'évaluation.*
- **Une note de service** : document informatif de communication interne qui informe le personnel d'une décision de la direction ou l'incite à faire ou à ne pas faire qqch.

TYPE DE SERVICE (sens 1.1.)

- **Le service à la clientèle** : services supplémentaires (le choix, les conseils pré-achats, la garantie, les facilités de paiement, le service après-vente) offerts à la clientèle afin d'obtenir une meilleure satisfaction de celle-ci. *Le coût du service à la clientèle est souvent intégré dans le prix de vente.* **Le service au client**.
  Un service de caisse : service d'opérations bancaires courantes que la banque offre à sa clientèle à un guichet.
  Le service après-vente : service destiné à satisfaire au maximum le client après l'achat d'un produit : livraison, mise en service, réglages, réparation, ...
  Le service (d'informations) en ligne : service en accès direct grâce à un ordinateur ou le minitel p. ex. *Le service en ligne est une activité qui implique des logiciels de consultation avec mises à jour et des lignes de communication jusque dans la zone téléphonique des abonnés.*
  Un service de navettes : service de véhicules qui font le va-et-vient entre deux points. *Les tarifs officiels de traversée du tunnel sous la Manche à l'aide du service de navettes pour voitures particulières ont baissé de 5 %.*
  Un service (de) fret : service de transport de marchandises.
  Les services d'utilité publique. (☞ 508 + adjectif).

TYPE DE SERVICE (sens 1.2.)

Le service de + nom d'une activité, d'une division d'une entreprise. (Le service de) la comptabilité. (V. 125 comptabilité, 1). Le service d'information ; de renseignements ; de maintenance. Le service du personnel.
Le service après-vente (le SAV), le service consommateur. *Les employés de notre service après-vente sont invités à suivre régulièrement des formations pour mieux connaître nos produits.*
Le service d'études. *Le service d'études a développé un tout nouveau logiciel destiné à la gestion financière d'une entreprise.*
Le service achat. (V. 3 achat, 1).
Le service marketing.

TYPE DE SERVICE (sens 2.1.)

Le service de la dette. (V. 195 dette, 1).

CARACTÉRISATION DU SERVICE (sens 1.1.)

La qualité du service.

LOCALISATION DU SERVICE (sens 1.1.)

Un service de proximité : service local répondant rapidement à un besoin du consommateur (p. ex. un agent de police de quartier).

+ verbe : qui fait quoi ?

(sens 1.1.)

X	✓	**créer** un ~ ⋎	la création d'un ~	
X		**développer** un ~ ⋎	le développement d'un ~	1
X	×	**offrir** un ~	l'offre d'un ~ un offreur de ~	
		proposer un ~	-	
		fournir un ~	la fourniture d'un ~ un fournisseur de ~	
		(B) **prester** un ~	la prestation de ~ un prestataire de ~	2

X → qqn	**mettre** qqn/qqch. **au** ~ de Y **se mettre au** ~ de Y	la mise au ~ de qqn/qqch. la mise au ~ de qqn	
X	**tarif(i)er** un ~ ⋎	la tarification d'un ~	3
X >< Y	**vendre** un ~ (à Y) **acheter** un ~ (à X)	la vente d'un ~ (à Y) l'achat d'un ~ (à X)	
X	**améliorer** ses ~ (à Y)	l'amélioration des ~ (à Y)	
X	**diversifier** ses ~ (à Y)	la diversification des ~ (à Y)	4
X	**personnaliser** ses ~ (à Y)	la personnalisation des ~ (à Y)	5
Y	**avoir accès à** un ~	l'accès à un ~	6
Y	**recourir aux** ~ (de X) **avoir recours aux** ~ (de X) **faire appel aux** ~ (de X) **utiliser** les ~ (de X)	le recours aux ~ (de X) - l'utilisation des ~ (de X) un utilisateur des ~ (de X)	7
X	**externaliser** des ~ ⋎	l'externalisation des ~	8
Y	**payer** un ~	un ~ payant (☞ 508 + adjectif)	

1 *JBSV Media développe des services dans le créneau de la communication événementielle et de la communication des entreprises.*
2 *La libre prestation de services est l'une des libertés fondamentales de notre marché commun.*
3 *La tarification des services liés au compte à vue va augmenter de 4% en moyenne.*
4 *Nous sommes les premiers à avoir tant diversifié nos services, en proposant entre autres des services rapides pour les freins, les amortisseurs et la vidange.*
5 *Nous offrons un meilleur rapport qualité/prix, un service personnalisé et plus performant, ainsi qu'une meilleure réponse aux besoins de nos clients.*
6 *Même les personnes les plus pauvres devraient continuer à avoir accès aux services du téléphone.*
7 *Nous avons régulièrement recours aux services de la même agence de publicité.*
8 *Bon nombre d'entreprises procèdent à l'externalisation d'une partie de leurs services (gardiennage, sécurité, nettoyage, ...) parce qu'il revient trop cher de les assurer elles-mêmes.*

(sens 1.2.)

X	**diriger** un ~	la direction d'un ~

(sens 1.3.)

une personne	✓	**mettre en** ~ X **mettre** X **en** ~ (X : une machine, une installation)	la mise en service de X	1
X (une machine, une installation)		**entrer en** ~ ⋎	l'entrée en service de X	2
X (une machine, une installation)		**être en** ~	-	
		>< **être hors** ~	-	3

1 *Nous comptons mettre en service un centre pilote de traitement et de dépollution des véhicules usagés dès la fin de l'année.*
2 *Le tunnel devrait entrer en service au printemps prochain.*
3 *L'ascenseur est hors service pendant toute la durée des travaux.*

Pour en savoir plus

NOTES D'USAGE

On associe souvent les mots 'bien(s)' (ou 'produit(s)') et 'service(s)' qui désignent les résultats de l'activité économique.
Pour désigner un type de service (sens 1.1.), le pluriel est nettement plus fréquent que le singulier. *Les services financiers qu'offre ma banque sont très variés.*

LES PRESTATAIRES DE SERVICES

L'ensemble des branches d'activité des prestataires de services est appelé **le secteur tertiaire** (ou, **le tertiaire**, **le secteur des services**). (V. 504 secteur, 1).

2 un SERVEUR, une SERVEUSE - [sɛʀvœʀ, sɛʀvøz] - (n.)

1.1. Personne qui apporte des repas, des consommations aux clients dans un restaurant ou un bar.
Syn. : (☞ 511 Pour en savoir plus, Serveur (sens 1.1.) et synonymes).
J'ai fait mes études tout en travaillant comme serveur dans une brasserie près de la gare du Nord à Paris.

1.2. (n.m.) (informatique) Système informatique qui contient un ou plusieurs sites qui offrent la possibilité à un demandeur de consulter ou d'utiliser les données stockées par l'intermédiaire d'un réseau informatique.
On tape l'heure à laquelle on souhaite arriver à Paris et le serveur conseille le ou les trains à prendre, en indiquant même les correspondances éventuelles.

+ verbe : qui fait quoi ?

(sens 1.2.)

une personne	✓	**se connecter à** un ~	une connexion à un ~	1

1 *Les télétravailleurs doivent pouvoir se connecter au serveur de leur entreprise et y transférer des fichiers en toute sécurité.*

Pour en savoir plus

SERVEUR (sens 1.1.) ET SYNONYMES
Un serveur.
Un garçon (de café) : serveur dans un bar, un café.
Un barman, une barmaid : serveur qui sert des boissons au comptoir. *Barman, deux bières, s'il vous plaît.*

3 AUTRES DÉRIVÉS OU COMPOSÉS

- **Le libre(-)service** [libʀəsɛʀvis] (n.m.) : méthode de vente et commerce où le client se sert lui-même, sans l'intervention directe du personnel du magasin. (Syn. : (angl.) **le self-service**). **Un magasin en libre-service. Le commerce (de gros) en libre-service** (V. 115 commerce, 1).
- **Servir** [sɛʀviʀ] (v.tr.dir.). 1. Un agent économique (un particulier, un commerçant, une entreprise) effectue une activité qui est destinée à la satisfaction des besoins des consommateurs et des entreprises. *Notre objectif est de mieux servir la clientèle à des coûts moindres.* - 2. Une personne apporte des repas, des consommations aux clients dans un restaurant ou un bar. *Deux garçons servent les clients en salle.* **Monsieur (Madame) est servi(e)** : le repas est prêt, les convives peuvent se mettre à table.

SERVIR (v.tr.dir.) (***) 1. Effectuer une activité destinée à la satisfaction de besoins. 2. Apporter des repas dans un restaurant.

1. (511)	einen Dienst erweisen	to provide a service	servir	servire	een dienst leveren / aanbieden
	eine Dienstleistung erbringen	to offer a service		essere utile	
2. (511)	(die Kunden) bedienen	to serve	servir atender	servire	bedienen

SEUIL (n.m.) (****) 1. Limite.

1. (280)	die Schwelle	threshold	el umbral	la soglia	de drempel (m.)
(484)		limit		il fido massimo	

SHILLING (n.m.) (*) 1. Monnaie autrichienne.

1. (382)	der Schilling	shilling	el chelín	lo scellino	de shilling (m.)

SHOPPING (n.m.) (***) 1. Regarder les vitrines et acheter des biens.

1. (4)	einen Einkaufsbummel machen	to go shopping	ir de compras	andare (in giro) per negozi	het winkelen
(120)				fare acquisti	

SHOW(-)ROOM ; SHOW(-)ROOMS (n.m.) (**) 1. Local où sont exposés des biens.

1. (355)	der Ausstellungsraum	showroom	la sala de exposición	il show(-)room la sala d'esposizione	de expositieruimte (f.) de toonzaal (m./f.)

SICAF (une ~) (**) société d'investissement à capital fixe.

(516)	der geschlossene Investmentfonds	closed-end investment company	sociedad de inversión de capital fijo	la società d'investimento a capitale fisso (SICAF)	de investeringsmaatschappij (f.) met vast kapitaal

SICAV (une ~) (****) société d'investissement à capital variable.

(515)	der offene Investmentfonds	open-end investment company	sociedad de inversión de capital variable	la società d'investimento a capitale variabile (SICAV)	de investeringsmaatschappij (f.) met veranderlijk kapitaal
		unit trust			

SIDÉRURGIE (n.f.) (****) 1. Traitement du fer, de la fonte et de l'acier. - 2. Ensemble des industries qui assurent la fabrication du fer, de la fonte et de l'acier.

1. (322)	die Eisen- und Stahlverarbeitung die Eisenverhüttung	steel industry	la siderurgia	la siderurgia	de ijzer- en staalindustrie (f.)
2. (322)	die Eisen- und Stahlindustrie	steel industry	la siderurgia	la siderurgia	de ijzer- en staalindustrie (f.)

SIDÉRURGIQUE (adj.) (***) 1. Qui se rapporte au traitement du fer, de la fonte et de l'acier. 2. Qui se rapporte à l'ensemble des industries qui assurent la fabrication du fer, de la fonte et de l'acier.

1. (322)	eisen- und stahlverarbeitend	iron and steel	siderúrgico	siderurgico	ijzer- en staalindustrie-
2. (322)	Eisen- und Stahl- der Eisen- und Stahlindustrie	iron and steel	siderúrgico	siderurgico	ijzer- en staalindustrie-

SIDÉRURGISTE (adj.) (**) 1. Qui se rapporte à l'industrie qui produit du fer, de la fonte et de l'acier.

1. (322)	der Eisen- und Stahlindustrie	iron and steel	siderúrgico	siderurgico	ijzer- en staalindustrie-

SIDÉRURGISTE (n.) (***) 1. Personne qui travaille dans l'industrie qui produit du fer, de la fonte et de l'acier.

1. (322)	der (Eisen)Hüttenarbeiter	steel worker	el siderúrgico	l'operaio siderurgico	de staalarbeider (m.)

SIÈGE ADMINISTRATIF (le ~) (*) 1. Lieu où se trouve la direction d'une société.

1. (519)	der Verwaltungssitz	headquarters	la oficina central la sede administrativa	la direzione generale	de administratiezetel (m.)

SIÈGE SOCIAL (le ~) (***) 1. Lieu où une société a fixé son domicile légal.

1. (519)	der Firmensitz	(company) headquarters	el domicilio social	la sede legale	de vestigingsplaats (m./f.)
	der Geschäftssitz	head office	la sede social		het hoofdkantoor

SIGNATAIRE (n.) (**) 1. Personne qui signe un contrat, un acte, ...

1. (201)	der Unterzeichner	signer signatory	el firmante el signatario	il firmatario	de ondertekenaar (m.)

SIGNATURE (n.f.) (****) 1. Nom inscrit à la main sur un document. 2. Action d'apposer un nom à la main sur un document.

1. (405)	die Unterschrift	signature	la firma	la firma	de handtekening (f.)
2. (149)	die Unterzeichnung	signing	la firma	la firma	de ondertekening (f.)

SIGNER (v.tr.dir.) (****) 1. Apposer un nom à la main sur un document.

1. (149)	unterzeichnen unterschreiben	to sign	firmar	firmare sottoscrivere	ondertekenen

SILO (n.m.) (**) 1. Entrepôt destiné à des produits agricoles.

1. (355)	das Silo	silo	el silo el granero	il silo	de silo (m.)

SINISTRE (n.m.) (***) 1. Événement qui oblige l'assureur à verser une indemnité. 2. Perte qui provient d'un événement catastrophique.

1. (41)	der Schadensfall	damage	el siniestro	il sinistro	de (het) schade(geval) (m./f.)
	der Schaden	disaster			
2. (41)	das Unglück	claim	el siniestro	il sinistro	het (zwaar / ernstig) ongeluk
	die Katastrophe	loss			de ramp (m./f.)

SINISTRÉ, SINISTRÉE (n.) (**) 1. Personne qui a été victime d'un événement qui oblige l'assureur à verser une indemnité.

1. (41)	der (Katastrophen)-Opfer	claimant	el siniestrado	il sinistrato	het (ramp)slachtoffer (m.)
			el damnificado		de getroffene (m.)

SITE (n.m.) (****) 1. Configuration d'un lieu (en rapport avec ses activités) (RQ).

1. (440)	die Landschaft	site	el lugar	il sito	het gebied
(324)	die Gegend				

SLOGAN (n.m.) (***) 1. Formule commerciale courte et frappante.

1. (466)	der Slogan	slogan	el slogan	lo slogan	de slogan (m.)

SME (le ~) (**) Systéme monétaire européen.

(383)	das Europäische Währungssystem (EWS)	European Monetary System (EMS)	el Sistema monetario europeo (SME)	il Sistema monetario europeo (SME)	het Europees monetair stelsel (EMS)

SMI (le ~) (****) (71) indice de la Bourse de Zurich.

SMIC (le ~) (**) salaire minimum interprofessionnel de croissance.

(499)	der gesetzlich garantierte Mindestlohn	minimum (guaranteed) wage	salario mínimo interprofesional	il minimo salariale garantito	het welvaartsvast inkomen

SMICARD, SMICARDE (n.) (**) 1. Personne qui touche le salaire minimum.

1. (499)	der Bezieher eines Mindestlohns	minimum wage earner	la persona que percibe el salario mínimo	il lavoratore percettore del salariale minimo	de minimumloner (m.)

SMIG (le ~) (*) salaire minimum interprofessionnel garanti.

(499))	das gesetzlich garantierte Mindesteinkommen	index-linked minimum guaranteed wage	el salario mínimo interprofesional	il salario minimo garantito	het gewaarborgd minimum inkomen

SNC (une ~) (*) société en nom collectif.

(515)	die offene Handelsgesellschaft (OHG)	(general) partnership	la sociedad regular colectiva	la società in nome collettivo (Snc)	de vennootschap (f.) onder firma (v.o.f.)

SOCIALISME (n.m.) (**) 1. Système économique qui tend à éliminer l'apport de capitaux privés aux entreprises.

1. (87)	der Sozialismus	socialism	el socialismo	il socialismo	het socialisme

SOCIALISTE (adj.) (***) 1. Qui se caractérise par l'élimination de l'apport de capitaux privés aux entreprises.

1. (87)	sozialistisch	socialist	socialista	socialista	socialistisch

SOCIALISTE (n.) (***) 1. Partisan d'un système économique qui tend à éliminer l'apport de capitaux privés aux entreprises.

1. (87)	der Sozialist	socialist	el socialista	il socialista	de socialist (m.)

SOCIÉTAIRE (adj.) (**) 1. Qui prend la forme juridique d'une société.

1. (520)	Gesellschafts- gesellschaftlich	company-	socio	societario	vennoot-

SOCIÉTAIRE (n.) (*) 1. Personne qui met en commun son argent, ses activités dans une société.

1. (520)	der Gesellschafter der Teilhaber	member (of a society)	el socio	il societario l'associato (m.)	de vennoot (m.) het medelid

SOCIÉTÉ (n.f.) (****) 1. Contrat par lequel plusieurs personnes mettent en commun leurs biens. 2. Personne morale qui représente ce contrat.

1. (513)	die Gesellschaft	company firm	la sociedad	la società	de vennootschap (f.) de maatschappij (f.)
2. (513)	die Gesellschaft	company	la sociedad	la società	de firma (m./f.)

SOCIÉTÉ

➠ entreprise

1 une société **2** une société(-)mère **2** une société(-)sœur **2** une société(-)écran	**2** un sociétaire, une sociétaire	**2** sociétaire	

1 une SOCIÉTÉ - [sɔsjete] - (n.f.)

1.1. Contrat par lequel deux ou plusieurs personnes (les associés) décident de mettre en commun des valeurs, des biens ou leur industrie (les apports) pour partager les bénéfices, les économies ou les pertes qui peuvent en résulter.
Syn. : (☞ 518 Pour en savoir plus, Société (sens 1.1.) et synonyme).
Ces deux copains ont décidé de se constituer en société pour commercialiser leur idée originale.

1.2. Personne morale qui représente la société (sens 1.1.) et qui possède la capacité d'agir au nom de cette société.
Syn. : (☞ 519 Pour en savoir plus, Société (sens 1.2.) et synonymes).
La société éditrice du journal Libération a décidé de ne pas faire paraître le journal aujourd'hui à cause de la grève du personnel.

2.1. Groupement structuré et durable de personnes qui présentent un certain nombre de caractéristiques communes (une culture, des croyances, une échelle de valeurs, des normes, ...)

+ adjectif

TYPE DE SOCIÉTÉ (sens 1.1.)

Une société anonyme (**une SA**) : société de capitaux dans laquelle les associés sont les actionnaires. Leur responsabilité se limite à la valeur de leurs actions. *Les lois relatives aux sociétés anonymes reconnaissent de nombreux droits aux actionnaires, comme p. ex. celui de l'information annuelle organisée autour de l'assemblée générale ordinaire.*

Sous le régime classique, la société anonyme est gérée par **un conseil d'administration**, élu par **l'assemblée générale des actionnaires**, qui confie la gestion quotidienne de la société à l'un de ses membres : (B, S) **l'administrateur (-)délégué**, (F, S) **le Président-directeur général** (V. 202 direction, 2), (Q) **le président du conseil d'administration, le chef de direction**. Sous le nouveau régime européen, l'assemblée générale des associés élit **un conseil de surveillance** qui nomme **un directoire**. *Le conseil de surveillance et le directoire vont proposer à l'assemblée annuelle des actionnaires un dividende de 2 euros par action, contre 3 euros l'année passée.*

Une (**société**) **coopérative** : société dans laquelle un certain nombre de producteurs, d'acheteurs, de consommateurs, ... (**les coopérateurs**) se regroupent afin de réduire le coût de leurs activités. (Syn. : (moins fréq.) **une entreprise coopérative**). *Cette société a pris la forme d'une société coopérative mixte où se retrouvent le secteur public, minoritaire en capital mais pas en voix, avec les communes, et le secteur privé.* **Une coopérative agricole** ; **vinicole** ; **de producteurs**.
{**coopératif, -ive**}.

Une société privée : société dont le capital social est apporté par des investisseurs privés (les banques, d'autres sociétés, ...).

>< **Une société publique** : société sous le contrôle de l'État, dont le capital social est fourni entièrement ou en partie par l'État ou une collectivité publique (une commune, une région). (Syn. : **une entreprise publique, un établissement public**, (moins fréq.) **une société nationale**). (V. 235 entreprise, 1).

Une société conjointe : groupement de personnes morales ou physiques qui s'associent pour mettre en commun leurs ressources dans le but d'atteindre un objectif particulier (p. ex. réaliser des synergies). (Syn. : (plus fréq.) (angl.) **un(e) joint(-)venture, une co(-)entreprise**, (Q) **une société en participation**). *Le grand constructeur automobile américain a créé une société conjointe avec le premier fabricant chinois de moteurs diesel pour construire des moteurs de taille moyenne destinés au marché intérieur.*

Une société unipersonnelle. (Syn. : **une entreprise unipersonnelle à responsabilité limitée**). *Dans le cadre d'une société unipersonnelle, il n'existe aucune différence juridique entre le patrimoine utilisé à des fins professionnelles et le patrimoine privé.*

Une (société) mutuelle (d'assurance). 1. Type de compagnie d'assurances qui ne compte pas d'actionnaires et dont la direction dépend d'un conseil d'administration, élu dans la plupart des cas par les titulaires de polices avec participation. - 2. (B) Organisme privé chargé du remboursement des frais médicaux. (Syn. : **une mutualité**).

(Q) **Une société fermée** : société dont les actions ne sont pas offertes au public, p. ex. une SARL.

>< **Une société ouverte** : société qui fait publiquement appel à l'épargne, p. ex. une SA.

TYPE DE SOCIÉTÉ (sens 1.2.)

Une société commerciale : société qui se livre à des transactions commerciales (achat et vente de biens, prestation de services, ...). On distingue **les sociétés de capitaux** des **sociétés de personnes**. (☞ 515 + nom).

>< **Une société civile** : association de personnes en vue de mettre en commun leurs moyens pour exercer leur profession, p. ex. un cabinet médical partagé par plusieurs médecins (Wagner).

Une société immobilière, foncière : société dont les activités principales sont la construction, la location, la vente et l'acquisition d'immeubles (Silem).

Une société + adjectif qui désigne un type d'activité. Une société industrielle ; textile ; sidérurgique. (Syn. : **une entreprise industrielle** ; **textile** ; **sidérurgique**).

Une société concessionnaire : société qui a obtenu un droit d'exploitation pour une durée déterminée. *La société Eurotunnel, société concessionnaire du tunnel sous la Manche, a été confrontée avec d'énormes problèmes financiers pour mettre sur pied ce gigantesque projet.*

Une société familiale. (V. 235 entreprise, 1).

TYPE DE SOCIÉTÉ (sens 2.1.)

Une société duale : société où les catégories de personnes définitivement exclues du bien-être, du travail et des connaissances s'opposent à celles qui en bénéficient. *De 35 % à 50 % de la population active vivent en marge de notre prétendue civilisation du travail et de son éthique du rendement et du mérite. Le système social se scinde en deux, donne naissance à ce qu'on appelle couramment une société duale.*

La société pré(-)industrielle.

La société industrielle : société qui se caractérise par l'importance de l'industrie et la baisse du nombre d'agriculteurs.

La société post(-)industrielle : société qui se caractérise par l'importance croissante du secteur tertiaire (la tertia(i)risation de la société).

CARACTÉRISATION DE LA SOCIÉTÉ (sens 1.2.)

Une société spécialisée dans + nom d'une activité. Une société spécialisée dans la fabrication de qqch. ; dans le transport de fonds. (moins fréq.) **Une société spécialisée en** + nom d'une activité. Une société spécialisée en micro-informatique.

Une société rentable. (V. 485 rentabilité, 2). (moins fréq.) **Une société bénéficiaire**. (V. 61 bénéfice, 3).

Une petite société. >< **Une grande société, une société importante, une grosse société**. (Syn. : (fam.) **une grosse boîte**).

Une jeune société.

Une société florissante. (Ant. : **une société en difficulté**).

LOCALISATION DE LA SOCIÉTÉ (sens 1.2.)

Une (société) multinationale : société qui a investi des capitaux et qui exerce ses activités dans plusieurs pays. (Syn. : **une entreprise multinationale, une société transnationale**). *Procter & Gamble, une société multinationale diversifiée dans les produits de grande consommation, opère dans pratiquement tous les pays au monde.*

>< **Une société locale**.

Une société internationale, nationale, régionale de + nom d'une activité. *La société régionale d'investissement vient de dégager 20 millions d'euros pour le développement d'un nouveau parc industriel.*

Une société + adjectif qui désigne un (groupe de) pays. Une société américaine ; française.

+ nom

(sens 1.2.)
- **Le capital (social) d'une société**. (V. 84 capital, 1).
- **Les activités d'une société**. *Ce groupe vient d'annoncer qu'il est disposé à reprendre certaines activités chimiques de la société Ethyl.*
- **La gestion d'une société**. (V. 299 gestion, 1).
- **L'impôt des/sur les sociétés**. (V. 313 impôt, 1).
- **Les résultats d'une société**.
La rentabilité d'une société. (V. 484 rentabilité, 1).
- **La croissance d'une société**. (☞ 517 + verbe). (V. 169 croissance, 1).
- **Le potentiel d'une société**.
- **Le Registre du Commerce et des Sociétés**. (V. 114 commerce, 1).

TYPE DE SOCIÉTÉ (sens 1.1.)

Une société de capitaux : société avec un capital social qui appartient à des personnes (**les actionnaires**) dont la responsabilité en ce qui concerne les dettes de la société se limite à leur capital investi. ((Q) **une société par actions**).

>< **Une société de personnes** : société dans laquelle plusieurs personnes (**les associés**) conviennent de mettre en commun des biens, leur crédit ou leur industrie pour partager les bénéfices qui pourront en résulter (Ménard).

(B) **Une société privée à responsabilité limitée** (**une SPRL**), (F, S) **une société à responsabilité limitée** (**une SARL**) : société dans laquelle la responsabilité des associés se limite au capital investi mais qui s'engagent personnellement et ne peuvent donc céder leurs parts librement et qui est dirigée par un gérant (de société). Ce type de société est donc apparenté aux sociétés de capitaux et aux sociétés de personnes.

Une société en nom collectif (**une SNC**) : société de personnes dans laquelle les associés sont personnellement et solidairement responsables de toutes les dettes éventuelles de la société et qui est dirigée par un gérant (de société). *Toutes les formes de société ne permettent pas de séparer les biens de l'entreprise de ceux de l'entrepreneur, comme p. ex. la société en nom collectif, en commandite ou encore en société coopérative à responsabilité illimitée.*

Une société en commandite simple (**une SCS**) : société de personnes dans laquelle les associés sont composés de **commandités**, qui sont chargés de la gestion de la société (les gérants (de société)) et qui sont personnellement et solidairement responsables des dettes éventuelles de la société, et de **commanditaires**, qui apportent des capitaux et dont la responsabilité se limite à leur capital investi. Les commanditaires ne participent pas à la gestion de la société. *Cette société en commandite, administrée par un collège d'associés responsables sur l'intégralité de leur fortune, fonctionne selon le mode du "partnership" à l'anglo-saxonne.*

Une société en commandite par actions (**une SCPA**) : société de capitaux dans laquelle les associés sont composés de **commandités**, qui sont chargés de la gestion de la société (les gérants (de société)) et qui sont personnellement et solidairement responsables des dettes éventuelles de la société, et de **commanditaires**, qui sont des actionnaires.

Une société (d'économie) mixte : entreprise publique dont les actions sont détenues en partie par l'État ou une collectivité et en partie par des actionnaires privés. (Syn. : **une entreprise (d'économie) mixte**). *Une délégation suisse signera un contrat de société mixte avec un partenaire chinois pour la fabrication de chocolat en Chine.* (Q) **une société d'État, une société de la Couronne**, (S) **une régie publique**).

(angl.) **Une société holding**, (**un** (parfois : **une**) **holding (financier)**) : société de capitaux exclusivement financière qui détient une part importante du capital d'autres sociétés (ses filiales), dont elle contrôle les activités. (Syn. : **une société financière, un groupe financier, une société de** ((B) **à**) **portefeuille**).

(angl.) **Une (société en) joint-venture** (☞ 514 + adjectif).

Une société de droit privé : société du secteur concurrentiel qui obéit aux lois du marché. Son capital peut être privé, public ou mixte.

>< **Une société de droit public** : administration publique (département ministériel ou établissement) qui relève du budget des autorités publiques, p. ex. une université, l'imprimerie nationale. (Syn. : **une régie, une entreprise para-étatique**, (B) **un parastatal** {**parastatal**}).

Une société de droit + adjectif qui désigne un pays : société qui répond aux dispositions légales en vigueur dans ce pays. Une société de droit français.

TYPE DE SOCIÉTÉ (sens 1.2.)

Une société d'exploitation. *Un investisseur inconnu vient d'acquérir 12,3 % des actions de la société d'exploitation du parc Disneyland Paris.* (☞ 517 + verbe).

Une société d'investissement : société de capitaux qui gère des valeurs mobilières ou des biens immobiliers d'investisseurs en répartissant les risques par des placements en différents types de valeurs mobilières (actions, obligations) ou de biens immobiliers.

(B, F) **Une société d'investissement à capital variable** (**une SICAV ou une sicav**). ((Q) **un fonds mutuel**, (S) **un fonds de placement**). *Les gestionnaires de SICAV investies en actions françaises aiment beaucoup Elf Aquitaine.* **Un compartiment de SICAV** : une des composantes du portefeuille d'une sicav (p. ex. des actions, des obligations, ...). À comparer aux fonds communs de placement. (V. 288 fonds, 1).

>< **Une société d'investissement à capital fixe (une SICAF)** : société d'investissement dont le capital social est invariable.

Une société de développement : société qui stimule les activités économiques dans une région à l'aide d'investissements privés et publics. *La société de développement régional vient de décider d'aménager les abords du canal pour stimuler l'implantation de nouvelles entreprises.*

Une société de management, de gestion : société chargée d'assurer la gestion administrative quotidienne d'une société. *Les professions libérales constituées en société de management permettent de réaliser des économies de cotisations sociales, mais le gérant de la société de management devra veiller à ce qu'il n'y ait pas de lien de subordination entre lui et la société bénéficiaire de services.*

Une société d'affacturage : société financière spécialisée qui se charge du recouvrement des créances en assumant les risques et les pertes éventuelles en compensation d'une commission et des intérêts.

Une société de bourse/Bourse : société chargée de la négociation de valeurs mobilières en bourse. (Syn. : **une maison de courtage**). (F) **Les entreprises d'investissement** ont succédé aux sociétés de bourse. *Toute personne qui veut opérer en bourse doit adresser un ordre à une société de bourse, soit directement, s'il en est client, soit par l'intermédiaire de sa banque.* **Un membre de société de bourse**. (V. 22 agence, 2).

(angl.) **Une société off-shore**. (Syn. : **une place extraterritoriale**). *Le recours aux sociétés off-shore, situées dans des paradis fiscaux, a permis aux actionnaires de profiter de certaines rentrées financières importantes.*

Une société de financement : société spécialisée qui accorde des prêts ou des crédits à des agents économiques pour leur faciliter l'achat de biens, le financement de projets, ...

Une société de croissance. (V. 236 entreprise, 1).

Une société de leasing. (V. 350 location, 1).

Une société de location. (V. 349 location, 1).

Une société de services. (V. 509 service, 1).

Une société de transport(s). (V. 551 transport, 1).

Une société de crédit. (V. 165 crédit, 1).

Une société d'assurances. (V. 40 assurance, 1).

(Q) **Une société en participation**. (☞ 514 + adjectif).

TYPE DE SOCIÉTÉ (sens 2.1.)

La société de consommation : société des pays industriels avancés où les besoins élémentaires étant satisfaits, les moyens de production et de commercialisation sont orientés vers la satisfaction de besoins artificiels. (Syn. : **la société d'abondance**). *Une fois que les besoins primaires (le logement, la nourriture, les vêtements, la santé) ont été satisfaits grâce aux moyens disponibles, le surplus de revenus est consacré à la satisfaction des besoins de la société de consommation.*

L'abondance. >< **La rareté**. *Contrairement aux pays industrialisés, les pays en développement vivent dans un système de rareté où tout n'est pas aussi facile à obtenir.*

CARACTÉRISATION DE LA SOCIÉTÉ (sens 1.2.)

Une société en difficulté. (Syn. : **une entreprise en difficulté, un canard boiteux, une société qui bat de l'aile**). (Ant. : **une société florissante**). (☞ 517 + verbe).

MESURE DE LA SOCIÉTÉ (sens 1.2.)

La taille d'une société.

+ verbe : qui fait quoi ?

(sens 1.1. et 1.2.)

les associés	✓	**créer** une ~ **constituer** une ~ **fonder** une ~	la création d'une ~ la constitution d'une ~ la fondation d'une ~	1
deux ~		**former** une ~ (conjointe, ...)	la formation d'une ~	
les associés		**faire enregistrer** une ~	l'enregistrement d'une ~	
la ~	×	**avoir la forme d**'une ~ (anonyme, ...)	-	
la ~		**être baptisée** (+ nom)	-	2
une ~		**s'établir à** + nom d'un lieu **(être) établie à** + nom d'un lieu **(être) basée à** + nom d'un lieu	l'établissement d'une ~ à (+ nom d'un lieu) -	2

	(juridique) (**être**) **sise à** + nom d'un lieu	-	
une ~	**produire** qqch.	la production de qqch. une ~ productrice de qqch.	
	offrir des services	l'offre de services	
une ~	**exploiter** un réseau de chemins de fer, un tunnel, une centrale nucléaire, ...	la ~ exploitante l'exploitation de qqch. par une ~	3
une ~	**exporter** (qqch.)	l'exportation de qqch. une ~ exportatrice	
	>< **importer** (qqch.)	l'importation de qqch. une ~ importatrice	
une ~	**se porter bien**	-	
	< **être en pleine croissance**	la croissance d'une ~	
	expansion	l'expansion d'une ~	
	tourner à plein régime	-	
un agent économique (une société, un investisseur, un État, ...)	**investir dans** une ~	un investissement dans une ~	
une ~ △	**se développer**	le développement d'une ~	
une ~	**peser** + chiffre d'affaires + nombre d'employés	-	4
une ~	**acquérir** une autre ~	l'acquisition d'une ~ l'acquéreur d'une ~	5
	reprendre une autre ~	la reprise d'une ~ le repreneur d'une ~	
	absorber une autre ~	l'absorption d'une ~	
	racheter une ~	le rachat d'une ~ le racheteur d'une ~	
une ~	>< **céder** une filiale	la cession d'une filiale	
une ~	**passer sous pavillon** étranger + adj. qui désigne la nationalité	le passage sous pavillon étranger + adj. qui désigne la nationalité	6
>< les actionnaires	**assurer**	-	
	défendre	la défense de l'ancrage ...	
	< **renforcer l'ancrage** régional + adj. qui désigne la nationalité de l'~	le renforcement de l'ancrage ...	
deux ~	**fusionner**	une fusion de deux ~	
une ~	**s'endetter**	l'endettement d'une ~	
une ~ ▽	**être en difficulté**	les difficultés (financières) d'une ~	
une ~	**faire faillite**	la faillite d'une ~ une ~ faillie	7
une ~	>< **survivre**	la survie d'une ~	
un chef d'entreprise, le conseil d'administration	**déposer le bilan** (auprès du tribunal de commerce)	le dépôt de bilan	
l'administrateur judiciaire	**redresser** une ~	le redressement d'une ~ un redresseur d'~	
	restructurer une ~	la restructuration d'une ~	

	renflouer une ~	le renflouement d'une ~ le renflouage d'une ~	
	assainir une ~	l'assainissement d'une ~	
le tribunal de commerce, l'assemblée générale	>< **dissoudre** une ~	la dissolution d'une ~	8
le tribunal de commerce, l'assemblée générale	**mettre** une ~ **en liquidation** ↓	la mise en liquidation d'une ~	8
un curateur, (F) un liquidateur judiciaire	**liquider** (le patrimoine d')une ~ ↓	la liquidation (du patrimoine) d'une ~	
une ~ O	**disparaître**	la disparition d'une ~	
une ~ de capitaux	**émettre des actions, des obligations** ↓	une ~ émettrice d'actions	
les actionnaires	**introduire** une ~ **en bourse**	l'introduction d'une ~ en bourse/ en bourse d'une ~	
→ une ~	**être cotée en bourse** ↓	la cotation en bourse d'une ~	
un agent économique, un actionnaire (une société, un investisseur, un État, ...)	**détenir** ... % d'une ~ ↓	un agent économique détenteur de ... % des actions d'une ~	
une ~ de capitaux	**distribuer** un dividende	la distribution d'un dividende	
	verser un dividende (à un actionnaire)	le versement d'un dividende	
une ~	**embaucher** (du personnel) ↓	l'embauche de personnel	
une ~	**employer** ... personnes	l'emploi de ... personnes	
>< une ~	**licencier** une personne	le licenciement d'une personne	
→ une personne	**quitter** une ~	-	9
une personne	**diriger** une ~	la direction d'une ~	
	gérer une ~	la gestion d'une ~	
	être à la tête d'une ~	-	10
le gouvernement	**privatiser** une ~	la privatisation d'une ~	11
	>< **nationaliser** une ~	la nationalisation d'une ~	12

1 *Plusieurs grands groupes ont décidé de créer leur propre société de conseil pour rentabiliser davantage leur expérience.*
2 *La nouvelle société a été baptisée Belgrand Conseil et est établie à Lyon.*
3 *Le ministre a décidé d'accorder à la société Sobagi une autorisation d'exploiter un centre de traitement de déchets industriels près de Marseille.*
4 *Pour la première fois, notre société pèse plus d'un milliard de chiffre d'affaires.*
5 *Cette société française a conclu un accord de principe pour acquérir la majorité de la société allemande Lexmar.*
6 *Pour mieux faire face à la concurrence internationale, de nombreuses sociétés passent sous pavillon étranger.*
7 *Si cette société fait faillite, cela signifie la fin d'un siècle d'activités dans le secteur pétrolier dans notre région.*
8 *L'assemblée générale extraordinaire de la banque d'épargne a décidé la dissolution anticipée de la société ainsi que sa mise en liquidation.*
9 *Cinquante employés sur deux cents doivent quitter la société dans le cadre du plan de restructuration.*
10 *Un ancien cadre supérieur de l'assurance est actuellement à la tête de notre société.*
11 *Les syndicats se sont longtemps opposés à la privatisation de la société publique de télécommunications.*
12 *C'est en janvier 1945 que commence réellement l'histoire de la Régie Renault, avec la nationalisation de la société par le gouvernement provisoire du général de Gaulle.*

Pour en savoir plus

SOCIÉTÉ (sens 1.1.) ET SYNONYME

Une société.

Une association : groupe de personnes avec ou sans but lucratif qui s'unissent et travaillent ensemble pour atteindre un objectif particulier. (B) **Une association sans but lucratif (une asbl)**, (F, S) **une association à but non lucratif, une association reconnue d'utilité publique**, (Q) **un organisme sans but lucratif (un OSBL)** : association appartenant au secteur non marchand et qui n'a pas pour but de réaliser des bénéfices. **Une association momentanée.** (☞ 519 Pour en savoir plus, Groupement de sociétés). **Une association professionnelle.**

(V. 454 profession, 2). **Une association de consommateurs**. (V. 146 consommation, 5).

SOCIÉTÉ (sens 1.2.) ET SYNONYMES

Une société, **une entreprise** : les deux mots peuvent désigner le même agent économique. 'Société' réfère toutefois plus au statut juridique alors que 'entreprise' souligne davantage l'activité exercée.

Une compagnie : syn. pour 'société', employé dans des combinaisons : **une compagnie d'assurances**, (moins fréq.) **une entreprise d'assurances, une société d'assurances ; une compagnie aérienne ; une compagnie charter ; une compagnie pétrolière ; une compagnie maritime ; une compagnie de chemins de fer**.

Une maison : syn. pour 'société', employé dans des combinaisons : **une maison de courtage** (☞ 516 + nom) ; **une maison d'import-export** (V. 311 importation, 3) ; **une maison de couture ; une maison d'édition ; une maison de disques**. **Une maison de commerce**. (V. 114 commerce, 1).

Le terme 'maison' est également employé pour désigner une entreprise, un lieu de travail en général. (Syn. : (fam. et souvent avec connotation péj.) **une boite**). *La maison dans laquelle je travaille bénéficie d'une excellente réputation.* **L'esprit maison**. *Un gestionnaire doit connaître les valeurs d'une entreprise, ses traditions et l'esprit maison, sans rejeter pour autant les techniques de gestion.*

Une agence : syn. pour 'société', employé dans des combinaisons : **une agence de voyage(s), une agence de publicité, une agence de presse**.

Un holding. (☞ 515 + nom).

Un conglomérat : société qui adopte généralement la structure de holding et dont les activités sont très diversifiées. *Hanson PLC est un formidable conglomérat anglo-américain d'industries de base dont les activités vont du charbon aux produits chimiques en passant par le bâtiment, le tabac et les articles de consommation.*

Une firme ; **un établissement** ; **une exploitation**. (V. 238 entreprise, 1).

NOTE D'USAGE

La désignation de la branche d'activité dans laquelle la société est active se fait à l'aide de l'adjectif, s'il existe : une société immobilière, pétrolière, informatique. Sinon, on utilise le nom : une société de travaux publics, de transport ; mais aussi une société de bourse.

TYPES DE PERSONNES

Une personne : terme qui désigne une personne morale ou physique en fonction du contexte.

Une personne physique : tout être humain. *Toute personne physique est dotée de la personnalité juridique, c'est-à-dire qu'elle est titulaire de droits et d'obligations, du moment qu'elle est née vivante et viable.*

Une personne morale : groupement de personnes ou de biens qui ont la personnalité juridique.

GROUPEMENTS DE SOCIÉTÉS

Un groupe, (en Allemagne) **un Konzern** : ensemble de sociétés composé d'une société-mère et de filiales qui ont la même direction. *Ce groupe bénéficie d'une position telle sur le marché national et sur le marché public qu'il est largement à l'abri des fluctuations conjoncturelles.*

Un partenariat {**un, une partenaire**}, **un consortium**, **une alliance** {**un allié, une alliée, s'allier (à)**}, (moins fréquents) **un pool** (**un pool bancaire, de banques**), **une entente**, **une association momentanée** : groupe de sociétés aux activités parfois diverses liées les unes aux autres par des participations financières pour réaliser un projet commun. Ces sociétés restent juridiquement indépendantes. *Le consortium européen Airbus Industries vient de décrocher une commande record qui porte à plus de cent le nombre d'appareils commandés déjà cette année.* (F) **Un groupement d'intérêt économique** (**un GIE**).

(angl.) **Un trust** : ensemble d'entreprises qui ont fusionné ou qui sont reliées entre elles par des participations financières dans le but d'accéder à une situation de monopole (Géhanne).

Un cartel : groupe de sociétés indépendantes d'un même secteur d'activité qui s'allient pour supprimer la concurrence ou occuper une position plus forte lors de négociations, ... *L'OPEP est probablement l'exemple le plus connu de cartel.*

LE NOM ET LE DOMICILE DE LA SOCIÉTÉ

La dénomination sociale : nom d'une société de capitaux tel qu'il figure dans ses statuts. *Les actions GL seront échangées contre de nouvelles actions portant la nouvelle dénomination sociale Groupe Loisirs France.*

La raison sociale : nom d'une société de personnes, dans lequel le nom des associés est parfois suivi de la mention "et Cie". *Notre société poursuivra ses activités sous sa raison sociale actuelle et sous la même direction.*

Le nom commercial : nom(s) sous le(s)quel(s) une société exerce son activité commerciale. *Le Shuttle, le nom commercial de la navette du tunnel sous la Manche, transporte camions et voitures 24 heures sur 24, 7 jours sur 7.*

L'enseigne. 1. Désignation d'une entreprise (nom commercial ou raison sociale). - 2. Inscription, logo ou panonceau qui figure sur un mur ou une façade d'un établissement de commerce.

Le siège social : lieu où une société commerciale a fixé son domicile légal.

>< **Le siège administratif** : lieu où se trouvent la direction et les principaux services d'une société.

SOCIÉTÉS DÉPENDANTES

D'une société(-)mère dépendent

Une filiale : société à personnalité juridique propre, mais placée sous le contrôle d'une société-mère qui détient plus de la moitié du capital. *Esso est une importante filiale du groupe Exxon, la plus importante des sociétés pétrolières internationales.*
{**une filialisation, filialiser**}.
Une succursale : établissement qui dépend d'une société-mère et qui jouit d'une certaine autonomie administrative, financière et comptable, mais qui n'a pas de personnalité juridique distincte de la société-mère. **Un magasin à succursales multiples**. (V. 355 magasin, 1).
Une agence (bancaire) : succursale d'une banque.
Un bureau de vente. (V. 570 vente, 1).

2 AUTRES DÉRIVÉS OU COMPOSÉS

- **Une société(-)mère** [sɔsjetemɛʀ] (n.f.) (plur. : **des sociétés(-)mères**) : société principale dont dépendent des filiales ou des succursales (Syn. : **une maison-mère**). *Les trois filiales du groupe sont gérées de façon autonome, la société mère se chargeant des orientations stratégiques et de la coordination de la gestion financière.*
- **Une société(-)sœur** [sɔsjetesœʀ] (n.f.) (plur. : **des sociétés(-)sœurs**) : société qui, avec une ou plusieurs autres sociétés est placée directement sous le contrôle de la même société-mère. *Air Inter est devenu une société-sœur d'Air France au sein d'un même holding, Groupe Air France.*
- **Une société(-)écran** [sɔsjete-ekʀɑ̃] (n.f.) (plur. **des sociétés(-)écrans**) : société qui n'exerce pas d'activité propre, mais qui est créée dans le seul but de camoufler les activités d'autres sociétés (Syn. : **une société de façade, une société prête-nom** (plur. : **des sociétés prête-nom**)). *La multiplication des sociétés écrans et les passages par des paradis bancaires empêchent de remonter à la source de l'argent.*
- **Un sociétaire, une sociétaire** [sɔsjetɛʀ] (n.). (Syn. : (plus fréq.) **un associé**).
- **Sociétaire** [sɔsjetɛʀ] (adj.) : qui prend la forme juridique d'une société (sens 1.1.). *Toutes les variétés d'entreprises sont donc des organisations (entreprises individuelles, sociétaires, nationales, mixtes, coopératives, ...).* **Une entreprise sociétaire**. (V. 235 entreprise, 1). **La forme sociétaire**. *Le rush vers la forme sociétaire ne s'est pas limité aux titulaires de professions libérales et autres emplois indépendants.*

SOCIÉTÉ(-)ÉCRAN ; SOCIÉTÉS(-)ÉCRANS (n.f.) (*) 1. Société qui camoufle les activités d'autres sociétés.

1. (520)	die Briefkastenfirma	umbrella company	la sociedad interpuesta	la società fantasma la società di copertura	de brievenbusmaatschappij (f.) de lege vennootschap (f.)

SOCIÉTÉ(-)MÈRE ; SOCIÉTÉS(-)MÈRES (n.f.) (**) 1. Société dont dépendent des filiales.

1. (520)	die Muttergesellschaft die Mutter	parent company	la sociedad matriz	la società madre	de moedermaatschappij (f.)

SOCIÉTÉ(-)SŒUR ; SOCIÉTÉS(-)SŒURS (n.f.) (*) 1. Société qui, avec d'autres sociétés, est placée sous le contrôle d'une société-mère.

1. (520)	die Schwestergesellschaft	sister company	la filial	la società affiliata	de zustermaatschappij (f.)

SOCIOPROFESSIONNEL, -ELLE (adj.) (**) 1. Qui se rapporte aux catégories utilisées pour classer la population dans les statistiques.

1. (455)	sozioprofessionell beruflich und gesellschaftlich	socioprofessional	socioprofesional	socioprofessionale	socio-professioneel

SOCIOÉCONOMIQUE (adj.) (***) 1. Qui se rapporte aux relations entre les faits sociaux et les phénomènes économiques.

1. (217)	sozioökonomisch	socioeconomic	socioeconómico	socioeconomico	sociaal-economisch

SOFTWARE (n.m.) (****) 1. Programme qui permet le fonctionnement d'un ordinateur.

1. (446)	die Software	software	el software	il software	de software (m.)

SOLDE (n.m., n.f.) (****) 1. (n.m.) Différence entre le crédit et le débit. 2. (n.m.) Mise en vente de biens à prix réduits. 3. (n.m.) (plur.) Biens de consommation mis en vente à prix réduit. 4. (n.f.) Rémunération versée à un militaire.

1. (521)	der Rest(betrag) der Saldo	balance	el saldo	il saldo	het saldo het restbedrag
2. (521)	der Schlussverkauf der Ausverkauf	sale	el saldo la liquidación	il saldo il ribasso	de opruiming (f.) de uitverkoop (m.)
3. (521)	das Sonderangebot die herabgesetzte Ware	sale goods	las rebajas el saldo	lo sconto i saldi	de gunstkoopjes (plur.) het koopje
4. (521)	der (Wehr)Sold die Löhnung	pay	la paga la soldada	il soldo	de soldij (f.)

SOLDE

➠ compte - balance
➠ commerce

1 un/une solde **3** le présolde **3** une solderie	**3** un soldeur, une soldeuse		**2** (se) solder (par)

1 un/une SOLDE - [sɔld(ə)] - (n.m., n.f.)

1.1. (n.m.) Différence qui apparaît, à la clôture d'un compte, entre le crédit et le débit, les entrées et les sorties, les recettes et les dépenses.
Cette année, nous clôturons par un solde négatif de quelques dizaines de millions d'euros.

1.2. (n.m.) (emploi fréq. au plur.) Mise en vente par un agent économique (un commerçant, une entreprise - X), pendant une période limitée, de biens de consommation (semi-)durables (ou de services) (Y) à prix réduits dans le but d'écouler rapidement tout ou partie d'un stock.
Syn. : une vente en solde, une vente-réclame, une vente au rabais, une liquidation. (V. 574 vente, 3).
Beaucoup de commerçants affichent les remises accordées plusieurs jours avant le début des soldes.

1.3. (n.m.) (emploi au plur.) Biens de consommation (semi-)durables (ou services) qu'un agent économique (un commerçant, une entreprise) met en vente à prix réduit pendant une période limitée dans le but d'écouler rapidement tout ou partie d'un stock.
En ville, tous les magasins affichent des soldes alléchants.

1.4. (n.f.) Rémunération que reçoit un militaire. (V. 480 rémunération, 1).

2.1. (n.m.) Ce qui reste d'un nombre dont on a déjà enlevé une partie.
Syn. : le reste.
L'État reste détenteur du solde des actions après une privatisation partielle d'une entreprise publique.

expressions

(sens 1.1.)

Le solde restant dû : somme d'argent qui reste à payer. *Si le nouveau montant emprunté excède le solde restant dû de l'emprunt initial, la part du nouveau capital à prendre en considération fiscalement ne peut pas dépasser le montant du solde.* **Une assurance solde restant dû**.

+ adjectif

TYPE DE SOLDE (sens 1.1.)

Le solde brut : somme d'argent sur un compte avant le paiement des taxes, etc.

>< **Le solde net** : après le paiement des taxes, etc.

Le solde budgétaire : solde du budget de l'État. *L'alourdissement des charges d'intérêt influence négativement le solde budgétaire.*

Le solde primaire : solde du budget de l'État, sans tenir compte des charges d'intérêt. *Contrairement à ce que croient beaucoup de gens, le solde primaire du budget de l'État est positif de plus de 5 % du PIB.*

(B) **Le solde net à financer** : déficit du budget de l'État.

Un solde commercial : différence entre les exportations et les importations de marchandises.

Le solde extérieur. *La dépréciation du dollar n'a pas encore permis de redresser le solde extérieur des États-Unis.*

(F) **Les soldes intermédiaires de gestion** : soldes à des stades différents de l'établissement du compte de résultat, p. ex. la marge commerciale, l'excédent brut d'exploitation, le résultat courant avant impôts, ...

TYPE DE SOLDE (sens 2.1.)

Le solde migratoire : différence entre le nombre d'immigrants et d'émigrants.

NIVEAU DU SOLDE (sens 1.1.)

Un solde créditeur, positif, bénéficiaire : avec un crédit supérieur au débit. *Le client ne paie pas la tarification du compte en banque si celui-ci présente un solde créditeur tout au long de l'année.*

>< **Un solde débiteur, négatif**.

+ nom

(sens 1.2.)

La période des soldes, la saison des soldes. *Le consommateur manifeste une très forte tendance à attendre la saison des soldes pour effectuer des achats de vêtements.*

TYPE DE SOLDE (sens 1.1.)

Le solde d'un compte, un solde de compte : différence entre les retraits et les dépôts d'argent sur un compte en banque.

Le solde d'ouverture : solde à l'ouverture d'un compte en banque.

>< **Le solde de clôture**.

Le solde de la balance commerciale ; **le solde de la balance des capitaux** ; ... (V. 49 balance, 1 pour les types de balances).

+ verbe : qui fait quoi ?

(sens 1.1.)

le ~	×	**atteindre** + indication d'une somme	-	1

1 *Après ce virement, le solde de mon compte en banque atteint une somme de plus de 3000 euros.*

(sens 1.2.)

X		**vendre** Y en ~	la vente en ~
		faire des ~	-
>< Y	×	**être en** ~	-

2 (SE) SOLDER (PAR) - [(s(ə)) sɔlde] - (v.tr.dir., v.pron.)

1.1. (v.tr.dir., v.pron.) Un agent économique (un particulier, une banque - X) clôture un compte en équilibrant le débit et le crédit.
A cause de ses difficultés financières, il est dans l'impossibilité de solder son compte.

1.2. (v.tr.dir.) Un agent économique (un commerçant, une entreprise) met en vente pendant une période limitée des biens de consommation (semi-)durables (ou des services) à prix réduits dans le but d'écouler rapidement tout ou partie d'un stock.
Syn. : (V. 574 vente, 3).
Nous ne soldons pas nos vêtements haut de gamme.

2.1. (v.pron.) Une action, une mesure,... a pour résultat.
Toutes ses tentatives pour joindre son patron se sont soldées par un échec.

+ nom

(sens 1.1.)

- **Solder les comptes** : effectuer les opérations nécessaires à l'établissement de l'inventaire de fin de période ou d'exercice (Ménard). (Syn. : **clôturer, arrêter les comptes**).

qui fait quoi ?

(sens 1.1.)

X	**solder** un compte	-	
→ un compte, un bilan	**se solder par** un excédent >< un déficit de (+ indication d'un montant)	-	1

1 *Le dernier bilan de cette entreprise s'est soldé par un déficit de 30 millions d'euros.*

(sens 2.1.)

une action une mesure	**se solder par** un résultat négatif (un échec, une perte ,...)	-	1

1 *L'importante perte de compétitivité à laquelle nous sommes confrontés actuellement devrait se solder par une perte de dizaines d'emplois.*

3 AUTRES DÉRIVÉS OU COMPOSÉS

- (B) (emploi fréq. au plur.) **Le présolde** [pʀesɔld(ə)] (n.m.). *Par présolde, la loi belge entend la période précédant les soldes proprement dits et pendant laquelle il est interdit d'annoncer des réductions de prix.*
- **Une solderie** [sɔldəʀi] (n.f.) : magasin où l'on trouve en permanence des marchandises à des prix démarqués. *Beaucoup de stocks invendus sont proposés en solderie.*
- **Un soldeur, une soldeuse** [sɔldœʀ, sɔldøz] (n.) : agent économique (un commerçant, une entreprise) qui rachète des biens (p. ex. des stocks invendus) pour les revendre à d'autres agents économiques (un particulier, une entreprise) à des prix réduits.

SOLDER (~, se ~ par) (v.tr.dir., v.pron.) (***) 1. Clôturer un compte. 2. Mettre en vente des biens à prix réduits.

1. (522)	saldieren ausgleichen	to balance to close	saldar cancelar	saldare un conto estinguere	vereffenen
2. (522)	im Schlussverkauf anbieten ausverkaufen	to sell at sales prices to clear	saldar liquidar	liquidare	opruimen uitverkopen

SOLDERIE (n.f.) (*) 1. Magasin avec des marchandises à prix démarqués.

1. (522)	das Discountgeschäft der Diskountladen	discount (store / shop)	la tienda de descuento	il discount	de kortingzaak (m./f.)

SOLDEUR, SOLDEUSE (n.) (*) 1. Agent économique qui rachète des biens pour les revendre à prix réduits.

1. (522)	der Discounter der Inhaber eines Discountgeschäfts	discount store	el saldista	il rivenditore l'operatore commerciale (m.)	de wederverkoper (m.)

SOLLICITATION (n.f.) (**) 1. Fait de postuler.

1. (226)	das Ersuchen die dringende Bitte	application	la solicitud	la richiesta d'impiego	de sollicitatie (f.)

SOLLICITER (v.tr.dir.) (**) 1. Postuler.

1. (226)	sich um eine Anstellung bewerben	to apply for	solicitar	richiedere un impiego	solliciteren

SOLVABILITÉ (n.f.) (***) 1. Fait de pouvoir faire face à ses engagements financiers.

1. (231)	die Zahlungsfähigkeit die Solvenz	solvency creditworthiness	la solvencia	la solvibilità	de solvabiliteit (f.) de kredietwaardigheid (f.)

SOLVABLE (adj.) (**) 1. Qui peut faire face à ses engagements financiers.

1. (231) (266)	zahlungsfähig solvent	solvent creditworthy	solvente	solvibile	solvabel kredietwaardig

SOMME (n.f.) (****) 1. Quantité d'argent. 2. Résultat d'une addition.

1. (386)	die Geldsumme der Betrag	amount	la suma la cantidad	l'importo (m.) l'ammontare (m.)	het bedrag het totaal
2. (386)	die (End)Summe der Gesamtbetrag	sum total	la suma	la somma	de som (m./f.)

SORTIE (n.f.) (**) 1. Dépense. 2. Transfert de marchandises (vers un pays p. ex.) 3. Première phase du cycle de vie d'un produit.

1. (185) (33)	die Ausgabe	cash outflow outgoings	la salida el gasto	l'uscita (f.) l'esborso (m.)	de (kas)uitgave(n) (m./f.)
2. (363)	die Ausfuhr der Export	export	la salida	l'esportazione (f.)	de export (m.)
3. (369)	das Erscheinen das Herauskommen	launch (phase)	la introducción	l'uscita (f.)	de eerste fase (f.) van de levenscyclus van een product

SOURCE (n.f.) (****) 1. Origine (de qqch.). 2. (une ~ d'énergie) Qqch. qui fournit de l'énergie.

1. (494) (264)	die Quelle	source origin	la fuente	la fonte	de bron (m./f.) de oorsprong (m.)
2. (490)	die Energiequelle	energy source	la fuente (de energía)	la fonte energetica	de energiebron (m./f.)

SOUS (n.m.plur.) (**) 1. Argent.

1. (34)	das Geld die Mäuse	pennies money	el dinero	i soldi gli spiccioli	het geld

SOUS-ALIMENTATION (n.f.) (*) 1. Manque d'aliments.

1. (115)	die Unterernährung	malnutrition undernourishment	la desnutrición la subalimentación	l'iponutrizione (f.) la malnutrizione	de ondervoeding (f.)

SOUS-CONSOMMATION (n.f.) (*) 1. Consommation inférieure à la normale (RQ).

1. (146)	der schwache Konsum die geringe Konsumneigung	underconsumption	el bajo consumo	il sottoconsumo	de onderconsumptie (f.)

SOUSCRIPTEUR, SOUSCRIPTRICE (n.) (***) 1. Personne qui s'engage à payer en signant.

1. (60)	der Subskribent der Zeichner	subscriber payer (billet à ordre)	el suscriptor	il sottoscrittore il contraente	de inschrijver (m.) de verzekeringnemer (m.)

SOUSCRIPTION (n.f.) (****) 1. Engagement à payer en signant.

1. (60)	die Subskription die Zeichnung	subscription taking (out) (police d'assurance)	la suscripción	la sottoscrizione	de intekening (f.) de inschrijving (f.)

SOUSCRIRE (~, ~ à qqch.) (v.tr.dir., v.tr.indir.) (****) 1. S'engager à payer en signant (RQ). 2. S'engager à fournir une somme pour sa part (RQ).

1. (60)	subskribieren	to subscribe to / for	suscribir	sottoscrivere	inschrijven
2. (60)	zeichnen	to underwrite (assurance)	suscribir	sottoscrivere	intekenen op

SOUS-EMPLOI (n.m.) (**) 1. Emploi d'une partie seulement de la main-d'œuvre. 2. Emploi de la main-d'œuvre à un niveau inférieur à sa qualification.

1. (229)	die Unterbeschäftigung	underemployment	el subempleo	la sottoccupazione	de onvolledige tewerkstelling (f.)
2. (229)	die Beschäftigung überqualifizierten Personals die Beschäftigung unterhalb der Qualifikation	underemployment	el subempleo	la sottoccupazione	de onvolledige tewerkstelling (f.)

SOUS-EMPLOYÉ, -ÉE (adj.) (*) 1. Qui est employé à un niveau inférieur à sa qualification.

1. (229)	der Überqualifizierte	underemployed	subempleado	sottoccupato	niet volledig tewerkgesteld

SOUS-LOCATAIRE (n.) (*) 1. Personne qui prend en location un bien déjà loué.

1. (352)	der Untermieter	subtenant sublessee	el subarrendatario	il sublocatario il subaffittuario	de onderhuurder (m.)

SOUS-LOCATION (n.f.) (**) 1. Fait de mettre en location un bien déjà loué.

1. (352)	die Untervermietung die Untermiete	subletting subleasing	el subarriendo	il subaffitto la sublocazione	de onderverhuur (m.) de onderhuur (m./f.)

SOUS-LOUER (v.tr.dir.) (*) 1. Mettre en location un bien déjà loué.

1. (352)	untervermieten	to sublet to sublease	subarrendar realquilar	subaffittare sublocare	onderverhuren onderhuren

SOUS-PAYER (v.tr.dir.) (*) 1. Rémunérer de façon insuffisante.

1. (406)	unterbezahlen	to underpay	malpagar	sottopagare	onderbetalen

SOUS-PRODUCTION (n.f.) (*) 1. Réalisation de biens insuffisante par rapport à la demande.

1. (449)	die Unterproduktion	underproduction	la subproducción la baja producción	la sottoproduzione	de onderproductie (f.)

SOUS-PRODUCTIVITÉ (n.f.) (*) 1. Rapport quantité de biens produits/quantité de facteurs de production insuffisante.

1. (451)	die Unterproduktivität	underproductivity	la subproductividad la baja productividad	la sottoproduttività	de onderproductiviteit (f.)

SOUS-PRODUIRE (v.tr.dir., v.intr.) (*) 1. Réaliser une quantité de biens moins importante que la demande.

1. (449)	unterproduzieren	to underproduce	subproducir producir poco	sottoprodurre	onderproduceren

SOUS-PRODUIT ; SOUS-PRODUITS (n.m.) (**) 1. Produit secondaire. 2. Mauvaise imitation.

1. (449)	das Nebenprodukt	byproduct	el subproducto el producto derivado	il sottoprodotto	het nevenproduct het bijproduct
2. (449)	eine schlechte Kopie der Abklatsch	pale imitation fake	la mala imitación	la cattiva imitazione	het namaak(product)

SOUSTRACTION (n.f.) (*) 1. Fait de retrancher un nombre d'un autre.

1. (386)	der Abzug	subtraction	la sustracción la resta	la sottrazione	de aftrekking (f.)

SOUSTRAIRE (v.tr.dir.) (***) 1. Retrancher un nombre d'un autre.

1. (386)	abziehen	to subtract	sustraer restar	sottrarre	aftrekken

SOUS-TRAITANCE (n.f.) (****) 1. Contrat de cession d'une partie de la production.

1. (442)	die Zulieferung	subcontracting	la subcontratación	il subappalto	de onderaanneming (f.)

SOUS-TRAITANT ; SOUS-TRAITANTS (n.m.) (***) 1. Entreprise qui reprend une partie de la production d'une autre entreprise.

1. (442)	der Zulieferer der Zulieferbetrieb	subcontractor	el subcontratista	il subappaltatore	de onderaannemer (m.)

SOUS-TRAITER (v.tr.dir.) (***) 1. Céder une partie de la production à une autre entreprise. 2. Réaliser une partie de la production d'une autre entreprise.

1. (442)	an einen Subunternehmer vergeben	to subcontract	subcontratar recurrir a un subcontratista	subappaltare	een onderaannemer inschakelen onderaanbesteden
2. (442)	als Subunternehmer ausführen	to do work as a subcontracter	tomar en subcontrato subcontratar	fabbricare in subappalto	in onderaanneming uitvoeren toeleveren

SOUS-VALEUR (n.f.) (*) 1. Valeur inférieure d'une entreprise par rapport au bilan.

1. (568)	die Unterbewertung	underestimation of value	la infravaloración	la sottovalutazione	de onderwaardering (f.)

SOUTENU, -UE (adj.) (****) 1. Fort.

1. (282)	fest	sustained steady	sostenido	sostenuto	vast sterk

SPÉCULATEUR, SPÉCULATRICE (n.) (***) 1. Personne qui cherche à profiter des fluctuations du marché pour réaliser des bénéfices.

1. (71)	der Spekulant	speculator	el especulador	lo speculatore	de (hausse)speculant (m.)

SPÉCULATIF, -IVE (adj.) (***) 1. Qui cherche à profiter des fluctuations du marché pour réaliser des bénéfices.

1. (71)	spekulativ	speculative	especulativo	speculativo	speculatief

SPÉCULATION (n.f.) (***) 1. Opération qui consiste à profiter des fluctuations du marché pour réaliser des bénéfices.

1. (71)	die Spekulation	speculation	la especulación	la speculazione	de speculatie (f.)

SPÉCULER (v.intr.) (***) 1. Chercher à profiter des fluctuations du marché pour réaliser des bénéfices.

1. (71)	spekulieren mit / in	to speculate	especular	speculare	speculeren

SPI (le ~) (****) (71) indice de la Bourse de Zurich.

SPIN-OFF ; SPIN-OFFS (n.m.) (**) 1. Entreprise qui s'est développée à partir d'un centre de recherche universitaire.

1. (236)	das Spin-off-Unternehmen	spinoff	el spinoff	lo spinoff	het derivaat de spin-off (m.)

SPIRALE (n.f.) (***) 1. Hausse importante et ininterrompue.

1. (172)	die (Lohn-Preis-) Spirale	spiral	la espiral	la spirale	de spiraal (m./f.)

SPONSOR (n.m.) (***) 1. Personne qui subventionne une activité.

1. (373)	der Sponsor der Förderer	sponsor	el patrocinador el espónsor	lo sponsor	de sponsor (m.)

SPONSORAT (n.m.) (*) 1. Fait de subventionner une activité.

1. (373)	das Sponsoring	sponsoring	la esponsorización el patrocinio	la sponsorizzazione	de sponsoring (f.)

SPONSORER (v.tr.dir.) (*) 1. Subventionner une activité.

1. (373)	sponsern	to sponsor	patrocinar	sponsorizzare	sponsoren
			esponsorizar		

SPONSORING (n.m.) (***) 1. Subvention d'une activité.

1. (373)	das Sponsoring	sponsoring	la esponsorización	la sponsorizzazione	de sponsoring (f.)
	die Sponsorschaft	sponsorship			

SPONSORISER (v.tr.dir.) (**) 1. Subventionner une activité.

1. (373)	sponsern	to sponsor	patrocinar	sponsorizzare	sponsoren
	fördern		esponsorizar		

SPOT (n.m.) (***) 1. Message publicitaire.

1. (466)	der (Werbe)spot	ad	el spot publicitario	lo spot pubblicitario	de (reclame)spot (m.)
		commercial (à la télé)			

SPRL (une ~) (***) société privée à responsabilité limitée.

(515)	privatrechtlich organisierte Gesellschaft mit beschränkter Haftung	limited liability company (Ltd.)	sociedad de responsabilidad limitada (SL)	la società a responsabilità limitata (Srl)	de besloten vennootschap met beperkte aansprakelijkheid (bvba)

STABILISATION (n.f.) (***) 1. Arrêt d'une augmentation négative. 2. Arrêt d'une fluctuation.

1. (280)	die Stabilisierung	stabilization	la estabilización	la stabilizzazione	de stabilisering (f.)
2. (280)	die Stabilisierung	stabilization	la estabilización	la stabilizzazione	de stabilisering (f.)

STABILISER (~, se ~) (v.tr.dir., v.pron.) (***) 1. Arrêter d'augmenter. 2. Arrêter de fluctuer.

1. (280)	(sich) stabilisieren	to stabilize	estabilizar (se)	stabilizzarsi	zich stabiliseren
				stabilizzare	
2. (280)	sich einpendeln bei	to stabilize	estabilizar (se)	stabilizzare	zich stabiliseren
		to become stabilized			

STABILITÉ (n.f.) (****) 1. Absence de variation.

1. (383) (436)	die Stabilität	stability	la estabilidad	la stabilità	de stabiliteit (f.)

STABLE (adj.) (****) 1. Qui ne varie pas.

1. (432)	stabil	steady	estable	stabile	stabiel
(225)		stable		fermo	

STAGE (n.m.) (***) 1. Formation pratique en entreprise.

1. (453)	der Lehrgang	training period	el periodo de prácticas	lo stage	de stage (m./f.)
		internship (US)	el stage	il tirocinio	

STAGFLATION (n.f.) (*) 1. Situation conjoncturelle avec hausse de prix et stagnation de la croissance.

1. (328)	die Stagflation	stagflation	la estanflación	la stagflazione	de stagflatie (f.)

STAGNATION (n.f.) (***) 1. Arrêt d'une augmentation positive.

1. (280)	die Stagnation	stagnation	el estancamiento	il ristagno	de stagnatie (f.)
	die Flaute				

STAGNER (v.intr.) (***) 1. Arrêter d'augmenter.

1. (280)	stagnieren	to stagnate	estancarse	(ri)stagnare	stagneren

STATION-SERVICE ; STATIONS-SERVICE(S) (n.f.) (**) 1. Lieu de distribution de carburant.

1. (572)	die Tankstelle	petrol station	la estación de servicio	la stazione di rifornimento	het tankstation
		services	la gasolinera		het benzinestation

STOCK (n.m.) (****) 1. Ensemble de marchandises entreposées en attendant leur vente. 2. Lieu où sont entreposées ces marchandises. 3. Poste du bilan.

1. (525)	die (Waren)bestände	stock	el stock	lo stock	de stock (m.)
	der Vorrat		las existencias		de voorraad (m.)
2. (525)	das (Waren)lager	storeroom	el almacén	il magazzino	de stock (m.)
		warehouse	el depósito	lo stock	de opslagplaats (m./f.)
3. (525)	die Vorräte	inventory	las reservas	le rimanenze finali	de stock (m.)
		stock	el inventario		

STOCK

➡ flux
➡ commerce

1 un stock 3 un stock(-)outil 3 un stock(-)tampon 2 le stockage 3 le déstockage		3 stockable	3 stocker 3 déstocker

1 un STOCK - [stɔk] - (n.m.)

1.1. (emploi plus fréq. au plur.) Ensemble de matières et produits (les matières premières, les produits semi-finis, les combustibles, les emballages, ... - Y) qu'un agent économique (un commerçant, une entreprise - X) entrepose à un moment donné dans l'attente de la vente de ces matières et produits ou leur transformation dans le processus de production.
Syn. : une réserve ; Ant. : un flux.

La baisse spectaculaire du prix du pétrole a incité de nombreux pays à augmenter leurs stocks de carburant.

1.2. Lieu où se trouve le stock (sens 1.1.).

Syn. : la réserve.

Le stock ainsi que son contenu ont été détruits par un violent incendie.

1.3. (comptabilité ; emploi au plur.) Poste de l'actif circulant du bilan qui correspond à l'ensemble des marchandises, des matières premières, des déchets et des produits semi-finis qui sont la propriété de l'entreprise.

Dans le bilan, les stocks ont été évalués à un prix supérieur au prix de vente.

expressions

(sens 1.1.)

- (Une personne) **en** (un type de produits) **avoir tout un stock** : en avoir de grandes quantités à sa disposition.
- **Jusqu'à épuisement du stock** : jusqu'au moment où il n'y a plus d'articles. *Les intéressés peuvent, jusqu'à épuisement du stock, commander un exemplaire de la brochure.*

+ adjectif

Zéro stock. (V. 299 gestion, 1).

TYPE DE STOCK (sens 1.1.)

Un stock stratégique : stock minimal auquel on ajoute une certaine quantité, plutôt pour spéculer que pour éviter des ruptures de stock.

Un stock spéculatif : stock constitué uniquement pour réaliser des bénéfices.

TYPE DE STOCK (sens 1.3.)

Le stock (**comptable**).

CARACTÉRISATION DU STOCK (sens 1.1.)

Un stock disponible. *Le stock disponible de nouveaux billets de banque s'élève à 18 millions d'exemplaires.*

NIVEAU DU STOCK (sens 1.1.)

Des stocks importants (moins fréq. : **un stock important**, **d'importants stocks**). >< **Des stocks réduits** (moins fréq. : **un stock réduit**). (☞ 527 + verbe).

Un stock minimal. >< **Un stock maximal**.

+ nom

New York Stock Exchange. (V. 70 bourse, 1).

(sens 1.1.)

- **La gestion des** (parfois **du**) **stocks**. *La gestion des stocks fait partie de la logistique.* (☞ + 527 verbe).

  (**Une gestion** ; **une production à**) **stock zéro** : gestion des stocks qui a pour objectif de disposer d'une marchandise, d'une matière première au moment où l'entreprise les vend ou les utilise, donc sans délai. (Syn. : (plus fréq.) **le juste (-)à(-)temps**, (angl.) **le just-in-time** (**le JIT**), **travailler en/à flux tendu**). *Dans une production à stock zéro, c'est, idéalement, la commande qui déclenche la production, surtout pour réduire, voire supprimer les coûts de stockage.*

  La tenue des stocks : comptabilité des stocks.
- **La rotation des stocks** : rapport entre la consommation annuelle et son niveau de stock moyen (Mahrer). *La vitesse de rotation des stocks varie beaucoup selon les catégories d'activités : elle est plus rapide dans les entreprises de distribution que dans les entreprises industrielles.*

  La variation des stocks : fluctuations que subissent les stocks : le déstockage de marchandises vendues ou le stockage de marchandises achetées.

  Une rupture de stock : ne plus disposer d'une marchandise en stock. (Une entreprise) **être, tomber en rupture de stock**. *À cause de la grève, l'entreprise est en rupture de stock pour une bonne partie de sa gamme ou connaît d'importants problèmes de livraison.*
- **La production pour le stock**. (V. 440 production, 1).

TYPE DE STOCK (sens 1.1.)

Un stock de + nom qui désigne un bien. Un stock de produits pétrolier s; d'or.

Un stock de capital. *La stagnation de l'investissement entraîne un vieillissement du stock de capital.*

Un stock de sécurité : stock minimal auquel on ajoute une quantité d'articles pour permettre à l'entreprise de faire face à des problèmes de livraison.

Un stock d'alerte : niveau du stock à partir duquel on déclenche une commande pour éviter toute rupture de stock (M&S).

TYPE DE STOCK (sens 1.3.)

Un stock d'ouverture : marchandises, matières, fournitures ou produits qu'un agent économique a en stock au début d'une période ou d'un exercice et, par extension, valeur attribuée à ces biens.

>< **Un stock de clôture**, **de fermeture**.

NIVEAU DU STOCK (sens 1.1.)

Le niveau des stocks (moins fréq. : **du stock**). *Le niveau des stocks a atteint un sommet à cause de la surproduction actuelle.*

MESURE DU STOCK (sens 1.1.)
La valeur des stocks (moins fréq. : **du stock**). **Le volume des stocks** (moins fréq. : **du stock**).

+ verbe : qui fait quoi ?

(sens 1.1.)

X	✓	**constituer** un ~ (de Y) **mettre** Y **en** ~ ↓	la constitution d'un ~ (de Y) la mise en ~ de Y	1
X	×	**disposer d'**un ~ (**de** Y) ↓	- avoir un ~ à sa disposition	
X		**avoir** Y **en** ~	-	2
X		**garder** Y **en** ~ ↓	-	
X		**gérer** le/les ~	la gestion des (parfois du) ~	3
X		**approvisionner** un ~	l'approvisionnement d'un ~	
X		**reconstituer** un ~ **renouveler** un ~ ↓	la reconstitution d'un ~ le renouvellement d'un ~	4
X		**écouler** un ~ (V. 572 vente, 1)	l'écoulement d'un ~	
X		**liquider** un ~ (V. 574 vente, 3) ↓	la liquidation d'un ~	
le ~		**être épuisé**	- (☞ 526 expressions)	
X	▽	**réduire** les ~ **diminuer** les ~	une réduction des ~ une diminution des ~	
X	△	**augmenter** les ~ **gonfler** les ~	une augmentation des ~ un gonflement des ~	

1 *L'usine a fait appel à une vingtaine de travailleurs temporaires afin de produire suffisamment pour constituer un stock en prévision des vacances de fin d'année.*
2 *À cause des importantes chutes de neige de ces derniers jours, nous n'avons plus de skis en stock.*
3 *La gestion des stocks est une affaire délica te: en vente par correspondance p.ex., peu d'articles sont retirés du catalogue parce qu'il est difficile et coûteux d'expédier des articles de remplacement.*
4 *Comme la demande continue à augmenter, nous avons dû renouveler très rapidement notre stock.*

Pour en savoir plus

RECENSEMENT DU STOCK
Un inventaire : action de dénombrer les articles en stock ou les biens immobilisés à une date donnée (Ménard). **Un inventaire de fin d'année**. *Après l'inventaire de fin d'année, nous avons dû constater la disparition de nombreux articles de valeur.* **Procéder à un inventaire**. {**inventorier**}.

LA LOGISTIQUE
L'ensemble des méthodes et des techniques qui ont pour objet de gérer de manière optimale, dans le temps et dans l'espace, des flux de biens matériels, de personnel et de services s'appelle **la logistique** (Ménard). {**logistique**}. **Le service logistique**.

2 le STOCKAGE - [stɔkaʒ] - (n.m.)

1.1. Opération par laquelle un agent économique (un commerçant, une entreprise) entrepose un ensemble de matières et produits (les matières premières, les produits semi-finis, les combustibles, les emballages, ...) dans l'attente de la vente de ces matières et produits ou leur transformation dans le processus de production.

Ant. : (☞ 528 Pour en savoir plus, Stockage (sens 1.1.) et antonymes).
Le volet matériel de l'opération comprend l'acquisition et le stockage des marchandises et l'expédition de l'équipement et des médicaments.

2.1. (informatique) Opération par laquelle une personne place sur un support informatique (le disque dur d'un ordinateur, une disquette, un cédérom, (angl.) un CD-ROM) des données dans le but de les utiliser plus tard.

Syn. : l'enregistrement ; Ant. : l'effacement.

+ nom

(sens 1.1.)
- **Le stockage de** + nom d'un produit, d'une marchandise. Le stockage de déchets.
- **Une capacité de stockage**. *Cette nouvelle citerne a une capacité de stockage de 20 000 litres de carburant.*
- **Une surface de stockage**. *La surface de stockage prévue dans nos nouveaux bâtiments s'est avérée trop limitée après deux mois à peine.*
- **Les frais de stockage**.

(sens 2.1.)
- **Le stockage de données** : en informatique, d'informations sur un disque dur, une disquette ou un cédérom p. ex.
- **Le stockage en mémoire**. *Les données ont été compressées pour permettre un stockage en mémoire.*

Pour en savoir plus

STOCKAGE (sens 1.1.) ET ANTONYMES

Le stockage.
La vente. L'écoulement. (V. 572 vente, 1).
Le déstockage. (V. 528 3 autres dérivés ou composés).

NOTE D'USAGE

On associe souvent les mots 'transport' et 'stockage'. *Nous avons testé un système industriel de sacs suspendus pour le transport et le stockage de produits sans devoir utiliser du matériel d'emballage supplémentaire.*
De même les mots 'stockage' et 'manutention' (déplacement manuel ou mécanique de marchandises, en vue de l'emmagasinage, de l'expédition et de la vente) {**un, une manutentionnaire, manutentionner**}. *Le géant japonais de l'électronique projette la construction de 20 000 mètres carrés de surface de stockage et de manutention dans notre région.*

3 AUTRES DÉRIVÉS OU COMPOSÉS

- **Un stock(-)outil** [stɔkuti] (n.m.) (plur. : **des stocks(-)outils**) : stock minimal indispensable pour permettre à une entreprise d'assurer normalement sa production.
- **Un stock(-)tampon** [stɔktɑ̃pɔ̃] (n.m.) (plur. : **des stocks(-)tampons**). 1. Stock minimal qu'une entreprise doit conserver pour répondre à la demande normale et se protéger contre les variations pouvant se produire dans les délais de réapprovisionnement (Ménard). - 2. Matières premières, pièces, produits stockés entre les divers postes de travail d'une chaîne de production qui n'est pas équilibrée.
- **Le déstockage** [destɔkaʒ] (n.m.) : opération par laquelle un agent économique retire de son stock une marchandise pour la mettre en vente. (Ant. : **le stockage**). **Un déstockage massif** : liquidation totale (V. 572 vente, 1). {**déstocker** [destɔke] (v.tr.dir.)}.
- **Stockable** [stɔkabl(ə)] (adj.) : (matières premières, produits semi-finis, combustibles, emballages, ...) qui peut être mis en stock.
- **Stocker** [stɔke] (v.tr.dir.). 1. Un agent économique (un commerçant, une entreprise) entrepose un ensemble de matières et produits (les matières premières, les produits semi-finis, les combustibles, les emballages, ...) dans l'attente de la vente de ces matières et produits ou leur transformation dans le processus de production. (Syn. : **entreposer**, **emmagasiner**). (Ant. : **déstocker**). - 2. Une personne place des données sur un support informatique (le disque dur d'un ordinateur, une disquette, un cédérom) dans le but de les utiliser plus tard. **Stocker** (des données) **en mémoire, dans la mémoire** (d'une capacité de 3,2 Mégaoctets (Mo)). (Syn. : **enregistrer**). (Ant. : **effacer**).

STOCK(-)OUTIL ; STOCKS(-)OUTILS (n.m.) (*) 1. Stock minimal indispensable.

1. (528)	der Mindestvorrat der Sicherheitsbestand	inventory safety stock base inventory	el stock mínimo el fondo de reserva	lo stock di sicurezza	de werkvoorraad (m.)

STOCK(-)TAMPON ; STOCKS(-)TAMPONS (n.m.) (*) 1. Stock minimal pour répondre à la demande. 2. Produits stockés entre les postes de travail.

1. (528)	der Mindestvorrat der Sicherheitsbestand	buffer stock	la reserva de materiales el stock mínimo	la scorta cuscinetto la scorta per la continuità di fabbricazione tra due operazioni di diversa durata	de buffervoorraad (m.)
2. (528)	das Pufferlager	intermediary stock	los stocks intermedios	scorta per la continuità di fabbricazione tra due operazioni di diversa durata	de bedrijfsvoorraad (m.)

STOCKABLE (adj.) (*) 1. Qui peut être conservé en attendant sa vente.

1. (528)	kann gelagert werden	which can be kept in stock	almacenable	immagazzinabile	stockeerbaar
	lagerfähig				houdbaar

STOCKAGE (n.m.) (***) 1. Entreposage de marchandises en attendant leur vente. 2. Mise sur support informatique.

1. (527)	die Lagerung	storage	el almacenamiento	l'immagazzinamento (m.)	het stockeren
		stocking	el almacenaje		het opslaan
2. (527)	die Datenspeicherung	storage	el almacenamiento	lo stoccaggio dei dati	het opslaan

STOCKER (v.tr.dir.) (***) 1. Entreposer des marchandises en attendant leur vente. 2. Placer sur support informatique.

1. (528)	lagern	to stock	almacenar	stoccare	stockeren
				immagazzinare	opslaan
2. (528)	speichern	to store	almacenar	immagazzinare	opslaan

STOP AND GO (le ~) (*) 1. Mouvement de l'activité économique fait d'une succession de phases de relance et de stabilisation.

1. (139)	das Stop-and-go	stop and go	stop and go	lo stop and go	de stop and go (m.)

STRATÉGIE (n.f.) (****) 1. Ensemble de décisions à prendre pour réaliser un objectif.

1. (373) (419)	die Strategie	strategy	la estrategia	la strategia	de strategie (f.)

STRATÉGIQUE (adj.) (****) 1. Qui se rapporte à l'ensemble des décisions à prendre pour réaliser un objectif.

1. (298) (335)	strategisch	strategic	estratégico	strategico	strategisch

STRUCTURE (n.f.) (****) 1. Ensemble d'unités organisées.

1. (367)	die Struktur	organization	la estructura	la struttura	de structuur (f.)
(159)	der Aufbau		la organización	l'organizzazione (f.)	de organisatie (f.)

STRUCTUREL, -ELLE (adj.) (****) 1. Qui se rapporte à un ensemble d'unités organisées.

1. (140)	strukturell	structural	estructural	strutturale	structureel

STRUCTURELLEMENT (adv.) (**) 1. Du point de vue d'un ensemble d'unités organisées.

1. (140)	strukturell	structurally	estructuralmente	strutturalmente	structureel

SUBSIDE (n.m.) (***) 1. Somme d'argent donnée sans contrepartie dans un but social ou économique.

1. (529)	die finanzielle Unterstützung	grant	el subsidio	il sussidio	de subsidie (f.)
		subsidy	la subvención	la sovvenzione	de toelage (m./f.)

SUBSIDIER (v.tr.dir.) (**) 1. Verser une somme d'argent sans contrepartie dans un but social ou économique.

1. (530)	finanziell unterstützen	to subsidize	subvencionar	sovvenzionare	betoelagen
		to support	subsidiar		

SUBVENTION (n.f.) (***) 1. Somme d'argent donnée sans contrepartie dans un but social ou économique.

1. (529)	die Subvention	grant	la subvención	la sovvenzione	de toelage (m./f.)
	die Beihilfe	subsidy			

SUBVENTION

➠ société - entreprise

1 une subvention		2 subventionnaire	2 subventionner

1 une SUBVENTION - [sybvɑ̃sjɔ̃] - (n.f.)

1.1. (emploi fréq. au plur.) Somme d'argent qu'un agent économique (l'État, une collectivité locale ou un organisme privé - X) donne sans contrepartie à un autre agent économique (une entreprise, un organisme privé - Y) dans un but social ou économique, p. ex. la création d'emplois, le financement de la recherche, le soutien d'une entreprise en difficulté ,...

Syn. : un subside, une aide (des pouvoirs publics), (pour un organisme, avec une contrepartie requise) une dotation, (pour un organisme, sans contrepartie) un don.

Pour pouvoir bénéficier des subventions accordées par la région, l'entreprise doit s'engager à y maintenir l'essentiel de ses activités.

+ adjectif

TYPE DE SUBVENTION

Les subventions publiques : soutien financier accordé par l'État ou des collectivités publiques (Ménard). *Les repreneurs de l'entreprise faillie comptent sur de larges subventions publiques.*

>< **Les subventions privées** : soutien financier accordé par d'autres organismes (Ménard).

Les subventions indirectes : subventions qui ne sont pas un don d'argent, mais l'octroi d'avantages fiscaux, de tarifications avantageuses, ...

+ nom

TYPE DE SUBVENTION

Les subventions à + catégorie d'agent économique ou d'activité bénéficiant d'une aide. Les subventions aux entreprises en difficulté ; aux consommateurs ; à la production.

Les subventions de l'État (moins fréq. : **d'État**) : subventions accordées par l'État.
Les subventions à l'exportation : subventions destinées à des entreprises qui vendent à l'étranger, dans le but de stimuler ces exportations. (Syn. : (B) **les subsides à l'exportation**).
Une subvention d'équilibre : subvention accordée en fonction des résultats d'une entreprise ou d'une organisation, pour compenser une perte subie.
Une subvention d'exploitation : subvention accordée à une entreprise ou une organisation pour leur permettre de compenser l'insuffisance de certains produits d'exploitation (p. ex. prix de vente pas assez élevé) ou de faire face à certaines charges d'exploitation.
Une subvention d'investissement, d'équipement : aide dont bénéficie une entreprise ou une organisation pour financer des équipements ou des activités à long terme. (Syn. : **des aides à l'investissement**). *Nous avons fait les démarches nécessaires auprès des autorités européennes afin d'obtenir des subventions d'investissement.*

+ verbe : qui fait quoi ?

X	✓	**accorder** une/des ~ (à Y)	-	
		octroyer une/des ~ (à Y)	l'octroi de ~ (à Y)	
→ Y		**bénéficier de** ~	-	1
X	▽	**réduire** la/les ~ (à Y)	une réduction de la/des ~ (à Y)	
X	O	**supprimer** la/les ~ (à Y)	la suppression de la/des ~ (à Y)	

1 *De nombreuses organisations culturelles bénéficient de subventions sans lesquelles elles ne pourraient subsister.*

2 AUTRES DÉRIVÉS OU COMPOSÉS

- **Subventionnaire** [sybvɑ̃sjɔnɛʀ] (adj.) : (organisme) qui subventionne. **Un organisme subventionnaire**.
- **Subventionner** [sybvɑ̃sjɔne] (v.tr.dir.) : un agent économique (l'État, une collectivité locale ou un organisme privé) verse sans contrepartie une somme d'argent à un autre agent économique (une entreprise, un organisme privé) dans un but social ou économique, p. ex. la création d'emplois, le financement de la recherche, le soutien d'une entreprise en difficulté, ... (Syn. : (B) **subsidier**). *Il faut cesser de subventionner les canards boiteux pour favoriser la création et la survie d'entreprises nouvelles.*

SUBVENTIONNAIRE (adj.) (*) 1. Qui donne une somme d'argent sans contrepartie dans un but social ou économique.

1. (530)	... des Subventionsgebers	sponsor	subvencionador	sovvenzionatore	betoelagend

SUBVENTIONNER (v.tr.dir.) (**) 1. Verser une somme d'argent sans contrepartie dans un but social ou économique.

1. (530)	subventionieren	to subsidize	subvencionar	sovvenzionare	betoelagen
	finanziell unterstützen	to support			

SUCCURSALE (n.f.) (***) 1. Établissement qui dépend d'une société-mère.

1. (520)	die Niederlassung	subsidiary	la sucursal	la succursale	het filiaal
(21)	die Zweigniederlassung	branch	la agencia	la filiale	het bijkantoor

SUIVI (n.m.) (***) 1. Contrôle d'une opération.

1. (17)	die weitere Kontrolle	follow-up	el seguimiento	il follow-up	de opvolging (f.)
	die weitere Betreuung	monitoring	el control	il controllo permanente	de follow-up (m.)

SUPER(-)DIVIDENDE (n.m.) (**) 1. Dividende qui s'ajoute au dividende prévu par les statuts.

1. (13)	die Superdividende	surplus dividend	el dividendo complementario	il dividendo extra	het superdividend
	die Zusatzdividende				

SUPÉRETTE (n.f.) (*) 1. Petit magasin en libre-service.

1. (573)	der kleine Supermarkt	minimarket	el superservicio	il piccolo supermercato	de superette (f.)
		small supermarket	el autoservicio		de kleine supermarkt (m./f.)

SUPERMARCHÉ (n.m.) (***) 1. Grande surface en libre-service.

1. (573)	der Supermarkt	supermarket	el supermercado	il supermercato	de supermarkt (m./f.)
		superstore			

SURABONDANT, -ANTE (adj.) (*) 1. Qui existe en quantité plus grande qu'il n'est nécessaire (RQ).

1. (393)	überreichlich	overabundant	superabundante	sovrabbondante	overvloedig
		superabundant			

SURCHARGE (n.f.) (**) 1. Excédent de poids.

1. (247)	die Überladung	excess load	la sobrecarga	il sovrappeso	het overgewicht
	das Übergewicht	overloading (vehicule)		il sovraccarico	

SURCHARGER (v.tr.dir.) (**) 1. Donner trop de travail.

1. (557) überlasten	to overburden	sobrecargar	sovraccaricare	overbelasten
mit Arbeit überladen	to overload			

SURCHAUFFE (n.f.) (***) 1. Expansion économique trop rapide et trop violente.

1. (170) die Überhitzung	overheating	el sobrecalentamiento (económico)	il surriscaldamento (dell'economia)	de oververhitting (f.)

SURCOTÉ, -ÉE (adj.) (*) 1. Qui présente une valeur trop élevée.

1. (11) überschätzt	overpriced	sobrevalorado	sopravvalutato	overgewaardeerd
überbewertet	overvalued	sobrestimado		

SURCOÛT (n.m.) (***) 1. Coût supplémentaire.

1. (161) die Mehrkosten	surcharge	el sobrecoste	il costo supplementare	de meerkosten (plur.)
	additional cost	el coste suplementario	il sovraccosto	de bijkomende uitgaven (plur.)

SUREMPLOI (n.m.) (*) 1. Emploi de personnel en surnombre.

1. (229) die Überbeschäftigung	overemployment	el exceso de personal	la sovraoccupazione	het tekort aan arbeidskrachten
			l'eccesso (m.) di occupazione	de krapte (f.) op de arbeidsmarkt

SURENDETTEMENT (n.m.) (**) 1. Situation où la charge de la dette est supérieure aux possibilités de remboursement.

1. (198) die Überschuldung	overindebtedness	la insolvencia	l'indebitamento eccessivo	de te zware schuldenlast (m.)
				de insolventie (f.)

SURENDETTER (se ~) (v.pron.) (*) 1. Se mettre dans une situation où la charge de la dette est supérieure aux possibilités de remboursement.

1. (198) sich hoch verschulden	to become overindebted	endeudarse excesivamente	indebitarsi eccessivamente	een te zware schuldenlast op zich nemen
	to get deeply in debt	entrampar (se)	sovraindebitarsi	

SURÉVALUATION (n.f.) (**) 1. Fait de donner une valeur trop élevée.

1. (92) die Überbewertung	overvaluation	la sobrestimación	la sopravvalutazione	de overwaardering (f.)
		la sobrevaloración		de overschatting (f.)

SURÉVALUER (v.tr.dir.) (***) 1. Donner une valeur trop élevée.

1. (92) überbewerten	to overvalue	sobrevalorar	sopravvalutare	overschatten
		sobrestimar		overwaarderen

SURFACE (une grande ~) (**) 1. Vaste magasin en libre service.

1. (573) das Warenhaus	supermarket	el supermercado	il supermercato	het warenhuis
das Kaufhaus		los grandes almacenes		

SURPAYER (v.tr.dir.) (*) 1. Payer trop cher.

1. (406) überbezahlen	to overpay	pagar en exceso	pagare più del dovuto	overbetalen

SURPLUS (n.m.) (***) 1. Nombre plus important qui prévu.

1. (247) der Überschuss	surplus	el exceso	l'eccedenza (f.)	het surplus
			l'avanzo (m.)	het overschot

SURPRODUCTION (n.f.) (**) 1. Production excédentaire par rapport à la demande.

1. (449) die Überproduktion	overproduction	la superproducción	la sovrapproduzione	de overproductie (f.)
		la sobreproducción		

SURPRODUIRE (v.tr.dir., v.intr.) (*) 1. Produire plus que la demande.

1. (449) überproduzieren	to overproduce	producir con exceso	sovrapprodurre	overproduceren
		superproducir		

SURQUALIFICATION (n.f.) (*) 1. Fait de présenter trop d'aptitudes pour le travail à effectuer.

1. (508) die Überqualifikation	overqualification	la supercalificación	la sovraqualificazione	de overkwalificatie (f.)

SURSALAIRE (n.m.) (*) 1. Supplément au salaire normal.

1. (502) die Lohnzulage	bonus (payment)	el sobresueldo	il superminimo	het bijkomend loon
	supplementary wage	el sobresalario	l'integrazione (f.) di salario	

SURTAXATION (n.f.) (*) 1. Fait d'imposer une taxe qui vient s'ajouter à une taxe existante.

1. (545) die Erhebung einer Zuschlagsteuer	overtaxation	la sobretasación	la soprattassa	het opleggen van een heffingstoeslag
	overassessment			

SURTAXE (n.f.) (*) 1. Taxe qui vient s'ajouter à une taxe existante.

1. (545) die Zuschlagsteuer	surcharge	la sobretasa	la soprattassa	de heffingstoeslag (m.)
	extra charge		la sovrattassa	

SURTAXER (v.tr.dir.) (*) 1. Imposer une taxe qui vient s'ajouter à une taxe existante.

1. (545) mit einer Zuschlagsteuer belegen	to surtax	sobretasar	soprattassare	extra belasten
			imporre una soprattassa	

SURVALEUR (n.f.) (*) 1. Valeur supérieure d'une entreprise par rapport au bilan.

1. (568) der Firmenwert	goodwill	el sobrevalor	il goodwill	de goodwill (m.)
der Geschäftswert			l'avviamento (m.)	

SURVALOIR (n.m.) (*) 1. Plus-value liée à la bonne image de l'entreprise.

1. (60)	der Firmenwert	goodwill	el goodwill	l'avviamento (m.)	de goodwill (m.)
(486)	der Geschäftswert		el fondo de comercio	il goodwill	

SYLVICOLE (adj.) (*) 1. Qui se rapporte à l'exploitation des forêts.

1. (506)	forstwirtschaftlich Wald-	forestry	silvícola forestal	silvicolo	bosbouw(kundig)-

SYLVICULTEUR, SYLVICULTRICE (n.) (*) 1. Personne qui exploite les forêts.

1. (506)	der Forstwirt	forester	el silvicultor	il silvicoltore	de bosbouwer (m.)

SYLVICULTURE (n.f.) (*) 1. Exploitation des forêts.

1. (506)	die Forstwirtschaft	forestry silviculture	la silvicultura	la silvicoltura	de bosbouw (m.)

SYNDIC (n.m.) (**) 1. Personne désignée pour prendre soin des intérêts d'un groupe de personnes.

1. (536)	der Syndikus	property manager	el síndico	l'amministratore di condominio	de beheerder (m.)
	der Rechtsberater	managing agent		il rappresentante	de vertegenwoordiger (m.)

SYNDICAL, -ALE ; -AUX, -ALES (adj.) (****) 1. Qui se rapporte à une association professionnelle.

1. (535)	gewerkschaftlich	(trade-)union	sindical	sindacale	syndicaal

SYNDICALEMENT (adv.) (*) 1. Du point de vue d'une association professionnelle.

1. (536)	gewerkschaftlich	from the (trade-)union point of view	sindicalmente	sindacalmente	syndicaal

SYNDICALISATION (n.f.) (*) 1. Fait de s'affilier ou d'appartenir à une association professionnelle.

1. (536)	die gewerkschaftliche Organisierung der gewerkschaftliche Organisationsgrad	unionization	la sindicación	la sindacalizzazione	de syndicalisatie (f.)

SYNDICALISER (v.tr.dir.) (*) 1. Organiser la vie syndicale.

1. (536)	gewerkschaftlich organisieren	to unionize	sindicar	sindacalizzare	syndicaliseren

SYNDICALISME (n.m.) (***) 1. Mouvement général d'organisation d'associations professionnelles. 2. Doctrine politique qui favorise les syndicats. 3. Activité exercée dans un syndicat (PR).

1. (534)	die Gewerkschaftsbewegung	trade unionism	el sindicalismo	il sindacalismo	het syndicalisme
2. (534)	der Syndikalismus die Gewerkschaftsdoktrin	syndicalism	el sindicalismo	il sindacalismo	het syndicalisme
3. (534)	die Gewerkschaftstätigkeit	union(ist) activities	el sindicalismo	il sindacalismo	het syndicalisme

SYNDICALISTE (adj.) (**) 1. Qui se rapporte au mouvement général d'organisation d'associations professionnelles. 2. Qui se rapporte à la doctrine politique qui favorise les syndicats. 3. Qui se rapporte à l'activité exercée dans un syndicat.

1. (536)	Gewerkschafts- gewerkschaftlich	trade-union	sindicalista	sindacalistico	vakbonds-
2. (536)	Gewerkschafts- gewerkschaftlich	unionist	sindicalista	sindacalistico	vakbonds-
3. (536)	Gewerkschafts- gewerkschaftlich	trade-union(ist)	sindicalista	sindacalistico	vakbonds-

SYNDICALISTE (n.) (**) 1. Personne qui joue un rôle actif dans une association professionnelle.

1. (536)	der Gewerkschafter	trade unionist union official	el sindicalista	il sindacalista	de syndicalist (m.) de vakbondsman (m.)

SYNDICAT (n.m.) (****) 1. Association professionnelle. 2. Association d'un groupe de banques.

1. (532)	die Gewerkschaft	trade union labour union	el sindicato	il sindacato	het syndicaat de vakbond (m.)
2. (532)	das Konsortium	syndicate	el sindicato financiero la corporación financiera	il consorzio bancario	het bankenconsortium

SYNDICAT

➠ **patronat - travail**

1 un syndicat **2** le syndicalisme **5** la syndicalisation **5** la désyndicalisation **5** une intersyndicale	**5** un syndiqué, une syndiquée **5** un syndicaliste, une syndicaliste **5** un syndic **5** un syndicataire, une syndicataire	**3** syndical, -ale ; -aux, -ales **5** intersyndical, -ale ; -aux, -ales **5** antisyndical, -ale ; -aux, -ales **5** syndicaliste **5** syndicataire **5** *syndicalement*	**4** (se)syndiquer **5** syndicaliser

1 un SYNDICAT - [sε̃dika] - (n.m.)

1.1. Association professionnelle qui a pour but de représenter, d'étudier et de défendre les intérêts professionnels et/ou économiques de ses membres (X).
Ant. : (☞ 534 Pour en savoir plus, Syndicat (sens 1.1.) et antonymes).

Une concertation étroite entre l'État, les entreprises et les syndicats est nécessaire en vue de la définition et de la mise en œuvre des grandes orientations industrielles.

1.2. Association d'un groupe de banques, constitué en société, pour réaliser une opération financière. Syn. : un syndicat financier, un syndicat bancaire, un pool financier, un pool bancaire.

+ adjectif

TYPE DE SYNDICAT (sens 1.1.)

Un syndicat interprofessionnel : représente des salariés qui exercent des professions ou métiers divers.

>< **Un syndicat professionnel** : représente des salariés qui exercent la même profession ou le même métier.

Un syndicat ouvrier. >< **Un syndicat patronal**.

Un syndicat chrétien ; **socialiste** ; **libéral** ; **communiste** : suivant l'appartenance idéologique.

Un syndicat autonome, **indépendant** ; **officiel** : suivant le statut.

TYPE DE SYNDICAT (sens 1.2.)

Un syndicat (**financier**, **bancaire**).

CARACTÉRISATION DU SYNDICAT (sens 1.1.)

Un puissant syndicat : qui a une influence importante sur l'économie. *Le président du puissant syndicat de métallurgistes a lancé un appel à la concertation avec le gouvernement et le patronat.*

Un syndicat représentatif. *Les syndicats sont représentatifs s'ils satisfont entre autres aux exigences en ce qui concerne les effectifs, l'indépendance et l'importance des cotisations.*

+ nom

(sens 1.1.)

Un syndicat d'initiative : organisme qui a pour mission d'assurer la mise en valeur touristique et économique d'une ville ou d'une région. (Syn. : **un office du tourisme**). *Le syndicat d'initiative a lancé une importante campagne pour promouvoir le tourisme en Normandie.*

TYPE DE SYNDICAT (sens 1.1.)

Un syndicat de + catégorie professionnelle. Un syndicat d'employés ; de salariés ; de fonctionnaires ; d'enseignants. *Les syndicats d'employés ont lancé un appel à la solidarité avec les ouvriers, mais sans donner de mot d'ordre de grève.*

Un syndicat de branche : qui représente les salariés d'une branche d'activité. *Le syndicat allemand IG Metall est le plus puissant syndicat de branche en Europe avec environ 3 millions d'adhérents.*

Un syndicat de propriétaires.

TYPE DE SYNDICAT (sens 1.2.)

Un syndicat d'émission : groupement constitué par des banques pour assurer tout ou une partie du placement de titres lors de leur émission.

+ verbe : qui fait quoi ?

(sens 1.1.)

une personne	**adhérer à** un ~	l'adhésion d'une personne à un ~	
	se syndiquer	-	
	s'affilier à un ~	l'affiliation d'une personne à un ~	
X	**être affilié à** un ~	l'affiliation à un ~	1
le/les ~	**émettre des revendications** :	-	2
	réclamer des augmentations salariales	-	
	dénoncer les conditions de travail	la dénonciation des ...	
les ~	**mener une action commune**	-	3
	(B) **se réunir en front commun**		
le/les ~	**déposer un préavis de grève** (auprès de la direction)	le dépôt d'un préavis de grève	4
	>< **lever un préavis de grève**	-	
	lancer un mot d'ordre de grève (auprès de leurs adhérents)	le lancement d'un mot d'ordre ...	5
	>< **suspendre son mot d'ordre de grève**	la suspension du mot ...	
le/les ~	✓ **déclencher une grève**	le déclenchement d'une grève	
	lancer une grève	le lancement d'une grève	
	appeler à la grève	un appel à la grève	

le/les ~ et la direction, le patronat	**négocier** **se concerter** ↓	les négociations entre les ~ et ... la concertation entre les ~ et ...	6
le/les ~	**obtenir des concessions** (de la direction, du patronat)	-	
le/les ~	**signer un protocole d'accord** avec le patronat/le gouvernement **signer une convention collective de travail**	la signature d'un protocole d'accord la signature d'une convention collective de travail	

1 *Quelque 100 000 salariés du bassin de la Ruhr, affiliés au puissant syndicat IG Metall, sont appelés à participer à un vote.*
2 *Selon le patronat, les revendications émises par les syndicats sont tout à fait irréalistes.*
3 *Les trois syndicats ont décidé de mener une action commune contre les licenciements annoncés par la direction.*
4 *Les syndicats ont déposé un préavis de grève auprès de la directi on; celle-ci dit ne pas l'avoir reçu.*
5 *Le mot d'ordre de grève lancé par le syndicat communiste a été suivi à près de 7 5%.*
6 *Les négociations entre les syndicats et le patronat viennent de reprendre et elles se poursuivront jusqu'au finish.*

Pour en savoir plus

SYNDICAT (sens 1.1.) ET ANTONYMES

Un syndicat, (moins fréq.) **une organisation syndicale, une confédération syndicale**.

Les employeurs (V. 227 emploi, 2), **la direction** (V. 200 direction, 1), **le patronat** (V. 409 patronat, 1), **une organisation patronale**. (V. 410 patronat, 3) : ensemble des personnes qui fournissent du travail aux salariés. *Syndicats et employeurs soulignent que le problème du chômage a des causes structurelles.*

LES MEMBRES DU SYNDICAT

La base : ensemble des membres d'un syndicat. *La base est appelée à se prononcer sur l'accord conclu entre les syndicats et le patronat.* (Un syndicat) **consulter la base**.

SYNDICATS EN BELGIQUE

Syndicats de salariés :

La Centrale générale des syndicats libéraux de Belgique (la CGSLB).

La Confédération des syndicats chrétiens (la CSC).

La Fédération générale du travail de Belgique (la FGTB).

Syndicat des patrons :

La Fédération des entreprises de Belgique (la FEB).

SYNDICATS EN FRANCE

Syndicats de salariés :

La Confédération française démocratique du travail (la CFDT).

La Confédération française des travailleurs chrétiens (la CFTC).

La Confédération générale des cadres (la CGC).

La Confédération générale du travail (la CGT).

Force ouvrière (FO).

Syndicat des patrons :

Le Conseil national du patronat français (le CNPF).

SYNDICATS AU QUÉBEC

Syndicats de salariés :

La Confédération des syndicats nationaux (la CSN).

La Fédération des Travailleurs du Québec (la FTQ).

Syndicat des patrons :

Le Conseil du patronat du Québec (le CPQ).

SYNDICATS EN SUISSE

Syndicats de salariés :

La Confédération romande du travail (la CRT).

La Confédération des syndicats chrétiens de Suisse (la CSC).

La Fédération des sociétés suisses d'employés (la FSE).

L'Union syndicale suisse (l'USS).

Syndicats des patrons :

La Fédération romande des syndicats patronaux.

L'Union patronale suisse (l'UPS).

L'Union suisse des arts et métiers (l'USAM).

L'Union suisse du commerce et de l'industrie (le Vorort).

2 le SYNDICALISME - [sẽdikalism(ə)] - (n.m.)

1.1. Mouvement général d'organisation d'associations professionnelles qui ont pour but de représenter, d'étudier et de défendre les intérêts professionnels et/ou économiques de leurs membres.

Le syndicalisme a permis aux salariés d'améliorer sensiblement leurs conditions de travail.

1.2. Doctrine politique qui accorde aux syndicats une place importante dans la vie sociale.

En France, le syndicalisme ouvrier a été légalisé en 1884.

1.3. Activité exercée dans un syndicat (PR).

Les syndicats ont du mal à recruter des militants disposés à faire du syndicalisme.

+ adjectif

TYPE DE SYNDICALISME (sens 1.2.)
Le syndicalisme ouvrier. >< **Le syndicalisme patronal.**
Le syndicalisme révolutionnaire : syndicalisme qui s'oppose violemment aux patrons et qui n'accepte aucun compromis.

+ nom

TYPE DE SYNDICALISME (sens 1.2.)
Le syndicalisme de participation. *Le syndicalisme de participation répond davantage aux objectifs et aux exigences économiques d'une entreprise moderne.*
>< **Le syndicalisme d'affrontement.**

3 SYNDICAL, -ALE ; -AUX, -ALES - [sɛ̃dikal, -al ; -o, -al] - (adj.)

1.1. Qui se rapporte à une association professionnelle qui a pour but de représenter, d'étudier et de défendre les intérêts professionnels et économiques de ses membres.
Ant. : patronal.
Du côté syndical, on fait remarquer que les propositions de la direction viennent quelques heures avant le début de la grève.

expressions

- **De source syndicale** : selon les syndicats. (Ant. : **de source patronale**). (V. 410 patronat, 3). *De source syndicale, ce sont 800 emplois, et non 600 comme l'affirme la direction, qui seront supprimés d'ici trois ans.*

+ nom

- **Le mouvement syndical** : action de l'ensemble des syndicats. *Le mouvement syndical vise principalement la sauvegarde de l'emploi dans les entreprises.*
Les milieux syndicaux : ensemble de personnes proches des syndicats.
Une confédération syndicale, une organisation syndicale : ensemble des fédérations syndicales de la même tendance idéologique. (V. 534 1 syndicat). *Après concertation avec les organisations syndicales, la direction de l'entreprise a établi un plan de restructuration prévoyant la suppression de 45 emplois.*
Une centrale syndicale, une fédération syndicale, une union syndicale : organisation syndicale par secteur ou branche d'activité. *La centrale syndicale de la distribution a appelé tous ses membres à se mettre en grève à partir du lundi 3 septembre.*
Un leader syndical, un dirigeant syndical. *La base n'accepte pas les concessions faites par les leaders syndicaux.*
Un militant syndical : membre actif d'un syndicat. (Syn. : **un syndicaliste**). *Les militants syndicaux ont empêché les employés d'entrer dans l'entreprise.*
- **Une représentation syndicale, une section syndicale** : présence de délégués syndicaux à l'intérieur de l'entreprise. *La structure du groupe familial, formé de petites sociétés anonymes, est telle qu'elle exclut toute représentation syndicale.*
Une délégation syndicale : ensemble des représentants des syndicats dans une entreprise. *La direction a reçu une délégation syndicale pour discuter du plan d'assainissement.* **Un délégué syndical.**
- **Une revendication syndicale** : exigence formulée par un syndicat. *La direction refuse de négocier les revendications syndicales.*
- **Une action syndicale** : destinée à obtenir des concessions de la direction, du patronat (p. ex. une grève).
- **La pression syndicale** : influence exercée par les syndicats. *Les grèves sont le résultat non seulement d'une pression syndicale, mais aussi d'une énorme détermination des travailleurs.*
- **Une cotisation syndicale** : somme d'argent payée par un salarié pour s'affilier à un syndicat.
- **Une chambre syndicale** : association professionnelle d'une branche d'activité. *Ce célèbre couturier s'est retiré de la chambre syndicale de la haute couture.*
- (B) **Un front commun (syndical)** : ensemble de syndicats qui se regroupent pour mener une action commune. *Les syndicats vont mener de nouvelles grèves en front commun dès la semaine prochaine.* (Syn. : (F) **une intersyndicale**, (S) **une alliance intersyndicale**).

4 (SE) SYNDIQUER - [(sə) sɛ̃dike] - (v.tr.dir., v.pron.)

1.1. (v.tr.dir., peu fréq.) Une personne (X) rend une ou plusieurs personnes (Y) membre(s) d'une association professionnelle qui a pour but de représenter, d'étudier et de défendre les intérêts professionnels et économiques de ses membres.
Le militant essaie par tous les moyens de syndiquer les nouveaux venus.

1.2. (v.pron.) Une personne (X) devient membre d'une association professionnelle qui a pour but de représenter, d'étudier et de défendre les intérêts professionnels et économiques de ses membres.
Syn. : adhérer à un syndicat, s'affilier à un syndicat.
Dans certaines entreprises existe l'interdiction de se syndiquer.

qui fait quoi ?		

(sens 1.1.)

X	**syndiquer** Y	-

(sens 1.2.)

X	**se syndiquer**	-

5 AUTRES DÉRIVÉS OU COMPOSÉS

- **La syndicalisation** [sɛ̃dikalizasjɔ̃] (n.f.) : fait de s'affilier ou d'appartenir à un syndicat. **Le taux de syndicalisation**. *Le taux de syndicalisation très inégal selon les pays reflète une attitude diversifiée face au syndicalisme.*
- **La désyndicalisation** [desɛ̃dikalizasjɔ̃] (n.f.) : phénomène de diminution du nombre de personnes affiliées à un syndicat. *Le taux de désyndicalisation atteint 50 % dans ce secteur : un salarié sur deux n'est donc plus membre d'un syndicat.*
- **Un syndiqué**, **une syndiquée** [sɛ̃dike] (n.) : personne affiliée à un syndicat. (Syn. : **un adhérent, une adhérente** ; **un affilié, une affiliée**).
- **Un syndicaliste**, **une syndicaliste** [sɛ̃dikalist(ə)] (n.) : personne qui joue un rôle actif dans un syndicat. (Syn. : **un militant (syndical)**). *Les syndicalistes et certains hommes politiques se sont longtemps opposés à tout effort de rationalisation sérieux.*
- **Un syndic** [sɛ̃dik] (n.m.) : personne désignée pour prendre soin des intérêts communs d'un groupe de personnes. **Un syndic de copropriété, d'immeuble**, (S) **un administrateur d'immeuble** : personne choisie par les copropriétaires pour gérer leurs biens et faire exécuter les décisions de leur assemblée générale, comme p. ex. les travaux d'entretien de l'immeuble. (Syn. : **un gérant**). **Un syndic de faillite** : personne désignée par le tribunal et chargée, pour le compte des créanciers d'un failli, d'administrer les biens de ce dernier, de procéder à leur liquidation et de répartir le produit de cette liquidation entre les créanciers. (Syn. : (B) **un curateur**, (S) **un administrateur de faillite**).
- **Un syndicataire, une syndicataire** [sɛ̃dikatɛʀ] (n.) : membre principal d'un syndicat financier qui prend en charge la gestion de l'opération de placement de valeurs mobilières. *Cette société a accordé aux syndicataires le droit d'acheter 562 000 actions supplémentaires afin de subvenir à des souscriptions excédentaires d'actions.*
{**syndicataire** [sɛ̃dikatɛʀ] (adj.)}.
- **Intersyndical**, **-ale** ; **-aux**, **-ales** [ɛ̃tɛʀsɛ̃dikal, -al ; -o, -al] (adj.) : où plusieurs syndicats sont réunis. *L'intersyndicale de la compagnie française Air Inter a appelé le personnel de la compagnie à une grève de 24 heures pour mardi prochain.* (S) **Une alliance intersyndicale** (V. 535 3 syndical).
{**une intersyndicale** [ɛ̃tɛʀsɛ̃dikal] (n.f.)}. (V. 535 3 syndical).
- **Antisyndical**, **-ale** ; **-aux**, **-ales** [ɑ̃tisɛ̃dikal, -al ; -o ; -al] (adj.) : (qqn ou qqch.) qui est opposé aux syndicats. *Beaucoup d'entreprises ont fait des tribunaux une arme privilégiée du combat antisyndical.*
- **Syndicaliste** [sɛ̃dikalist(ə)] (adj.) : qui se rapporte au syndicalisme (sens 1.1., 1.2. et 1.3.). *Cette organisation professionnelle adhère à la doctrine syndicaliste de gauche.*
- **Syndicalement** [sɛ̃dikalmɑ̃] (adv.). *Le rachat de l'entreprise englobe l'outil et le personnel, trois personnes syndicalement protégées et six ouvriers.*
- **Syndicaliser** [sɛ̃dikalize] (v.tr.dir.) : organiser la vie syndicale.

SYNDICATAIRE (adj.) (*) 1. Qui se rapporte à (un membre d')un syndicat financier.

1. (536)	... des Finanzkonsortiums	of a syndicate	de un sindicato financiero	relativo a un consorzio (bancario / finanziario)	eigenarenverenigings- consortium-

SYNDICATAIRE (n.) (*) 1. Membre principal d'un syndicat financier.

1. (536)	der Konsorte	syndicate member underwriter	miembro de un sindicato financiero	il consorziato finanziario	het lid van de eigenarenvereniging (in een flatgebouw) het consortiumlid

SYNDIQUÉ, SYNDIQUÉE (n.) (*) 1. Personne affiliée à un syndicat.

1. (536)	der Gewerkschaftsmitglied	union member (syndicat) member of a syndicate (finances)	el sindicado	l'iscritto a un sindacato	gesyndikeerd(e) persoon

SYNDIQUER (~, se ~) (v.tr.dir., v.pron.) (**) 1. Rendre qqn membre d'une association professionnelle. 2. Devenir membre d'une association professionnelle.

1. (535)	(sich) gewerkschaftlich organisieren	to unionize	sindicar (se)	sindacalizzare	lid maken van een vakbond
2. (535)	in die Gewerkschaft eintreten jemanden als Gewerkschaftsmitglied gewinnen	to join a union / association	sindicar (se)	riunirsi in sindacato	toetreden tot een vakbond

SYNERGIE (n.f.) (***) 1. Combinaison d'activités pour obtenir un meilleur résultat.

1. (560)	die Synergie	synergy synergism	la sinergia	la sinergia	de synergie (f.)

T

TABAC (n.m.) (*) 1. Commerce où l'on vend des produits pour fumer.

1. (118)	der Tabakladen	tabacconist's shop	el estanco la expendeduría de tabaco	la tabaccheria	de tabakswinkel (m.)

TABLEAU (n.m.) (****) 1. Représentation graphique à l'aide de lignes et de colonnes.

1. (284)	die Tabelle	table	la tabla	la tabella	de tabel (m./f.)

TABLEAU DE BORD (un ~) (***) 1. Document analytique qui présente la marche d'une entreprise.

1. (319)	die Wirtschaftsindikatoren die Wirtschahftsdaten	key business indicators vital statistics	el cuadro macroeconómico	il report direzionale (dell'impresa)	de boordtabel (m./f.)

TAKE(-)OFF (n.m.) (*) 1. Développement économique.

1. (215)	das Anziehen der Start	take-off	el despegue	il decollo	het take off

TANTIÈME (n.m.) (**) 1. Rémunération d'un administrateur de société.

1. (480)	die Tantieme	director's fee	el tanto por ciento	la partecipazione del management agli utili	het tantième
		director's percentage of profits	el porcentaje		het winstaandeel

TAPAGE (n.m.) (*) 1. Répétition fréquente d'un message.

1. (465)	die marktschreierische Werbung der Werberummel	(media) hype	el martilleo	il martellamento pubblicitario	het inhameren

TAPAGEUR, -EUSE (adj.) (*) 1. Exagéré.

1. (464)	marktschreierisch ubertrieben	obtrusive	excesivo publicidad a bombo y platillo	eccessivo	overdreven barnum-

TARIF (n.m.) (****) 1. Somme d'argent représentant la valeur d'un bien ou d'un service. 2. Liste qui indique cette valeur. 3. Document qui indique les taxes perçues par une administration. 4. Pourcentage d'impôt à payer.

1. (537)	der Preis	price rate	la tarifa	la tariffa	het tarief
2. (537)	die Preisliste das Preisverzeichnis	price list	la lista de precios la tarifa	il listino prezzi il tariffario	de prijslijst (m./f.)
3. (537)	der Zolltarif	tariff	la tarifa el arancel	la tariffa doganale	het tarief
4. (537)	die Gebühr	duties	el arancel la tarifa	la tassa	het belastingpercentage

TARIF

➠ prix - achat - vente

1 un tarif 3 un demi-tarif 3 une tarification		2 tarifaire	3 tarif(i)er

1 un TARIF - [taʀif] - (n.m.)

1.1. Somme d'argent qui représente la valeur de la consommation de certains biens (p. ex. les consommations dans un café ou un restaurant) ou de l'utilisation de certains services (p. ex. le coiffeur, le téléphone et autres services publics) offerts à la vente par un agent économique (un commerçant, une entreprise, une banque - X) à un autre agent économique (le client : un particulier, un commerçant, une entreprise, une banque - Y).
Syn. : (V. 436 prix, 1).
Les radiateurs électriques à accumulation se rechargent pendant les heures creuses au tarif le meilleur marché.

1.2. Liste, tableau qui indique le tarif (sens 1.1.) de certains biens à consommer ou de certains services offerts.

Syn. : une liste de(s) prix, (liste des prix imprimée d'une entreprise commerciale) un prix courant. *Ce coiffeur a dû payer une amende parce qu'il n'avait pas affiché son tarif.*

1.3. Document qui indique les taxes et les droits perçus par une administration (DC).

1.4. Pourcentage d'impôt que le contribuable paie sur son revenu imposable.

Syn. : (V. 316 impôt, 2).

expressions

- **C'est le tarif** : (fam.) c'est la punition, la peine méritée.
- **À ce tarif-là** : dans ces conditions.

(sens 1.1.)

Le tarif en vigueur : tarif actuellement appliqué. *La Poste a annoncé que les tarifs en vigueur vont augmenter de 2 % en moyenne à partir du 1er juin prochain.*

+ adjectif

TYPE DE TARIF (sens 1.1.)

Le(s) tarif(s) + adjectif qui désigne un type de bien ou de service. Les tarifs publicitaires ; aériens ; postaux ; bancaires ; téléphoniques.

Les tarifs douaniers : droits de douane perçus sur les marchandises importées. *À l'intérieur de l'Union européenne les tarifs douaniers ont progressivement disparu.*

Le tarif extérieur commun (le TEC) : tarif douanier appliqué aux pays non membres de l'union douanière par les membres de cette union.

Le demi-tarif. < **Le plein tarif**. *Le plein tarif d'un passage pour un poids lourd est le double du tarif préférentiel accordé à partir de deux passages par semaine.* **Payer demi-tarif**. < **Payer plein tarif**.

Le tarif officiel.

Un tarif forfaitaire. *Le tarif forfaitaire pour le remboursement des frais de déplacement tient uniquement compte de la puissance de la voiture et non des frais réels d'utilisation, du prix de la voiture, ...*

Les tarifs publics. (Syn. : **la tarification des services publics**). *Les tarifs publics ne reflètent pas le coût réel des services offerts.*

TYPE DE TARIF (sens 1.1. et 1.4.)

Un tarif dégressif : prix qui diminue en fonction de la quantité consommée, de l'importance de la commande, ...

>< **Un tarif progressif**. *Pour réduire la consommation d'eau, un tarif progressif a été mis en place, qui pénalise les gros consommateurs.*

CARACTÉRISATION DU TARIF (sens 1.1. et 1.4.)

Le tarif normal, ordinaire. >< **Un tarif préférentiel, spécial**. (Syn. : **un tarif de faveur**). *Pour pouvoir bénéficier de tarifs préférentiels pour un publipostage, la Poste exige que les imprimés aient le même poids, le même format et le même contenu.*

Un tarif fixe.

NIVEAU DU TARIF (sens 1.1.)

Un tarif minimum. < **Un tarif réduit, avantageux**. *Aux heures creuses, les communications téléphoniques sont facturées au tarif réduit.* < **Un bas tarif**. < **Un tarif élevé**. < **Un tarif prohibitif**. *Les taxis, qui jouissent d'un monopole autour de l'aéroport, appliquent des tarifs prohibitifs.*

LOCALISATION DU TARIF (sens 1.1.)

(B) **Le tarif zonal**, (F, Q , S) **le tarif local** : prix de la communication téléphonique dans la même zone ou dans des zones contiguës. < (B) **Le tarif interzonal**, (F, Q, S) **le tarif interurbain** : prix de la communication téléphonique entre zones éloignées. < **Le tarif international**.

Le tarif intérieur : tarif que la Poste applique au courrier national.

>< **Le tarif international**.

MESURE DU TARIF (sens 1.1.)

Le tarif horaire.

+ nom

(sens 1.1.)

- **Une guerre des tarifs** : situation où chaque entreprise tente de proposer ses biens ou ses services aux tarifs les plus avantageux dans le but de faire disparaître un ou plusieurs concurrents. *Depuis l'ouverture du tunnel sous la Manche, on assiste à une véritable guerre des tarifs entre le transport aérien, maritime et ferroviaire.*
- **Le tarif de base**. *Le tarif de base en 2e classe ne peut subir un accroissement supérieur à l'évolution du pouvoir d'achat nominal.*

+ verbe : qui fait quoi ?

(sens 1.1.)

X	✓	**fixer** le ~	la fixation du ~	1
X	×	**pratiquer** un ~ (fréq. : + adjectif, ...)	-	2
		appliquer un ~ (fréq. : + adjectif, ...)	l'application d'un ~	
		proposer un ~ (fréq. : + adjectif, ...)	la proposition d'un ~	
>< Y		**bénéficier d'**un ~ (fréq. : + adjectif, ...)	-	
le ~	=	**être de** + un montant + un niveau	-	
X	▽	**baisser** le(s) ~	une baisse du/des ~	
		réduire le(s) ~	une réduction du/des ~	
		diminuer le(s) ~	une diminution du/des ~	
X	△	(très peu fréq.) **hausser** le(s) ~	une hausse du/des ~	
		augmenter le(s) ~	une augmentation du/des ~	

1 *Le tarif de l'abonnement mensuel n'a pas encore été fixé.*
2 *Notre compagnie aérienne nationale pratique à peu près le même tarif sur ses principales destinations européennes depuis deux ans.*

(sens 1.2.)

un commerçant	**afficher** le ~	l'affichage du ~

2 TARIFAIRE - [taʀifɛʀ] - (adj.)

1.1. Qui se rapporte à la valeur de la consommation de certains biens (p. ex. les consommations dans un café ou un restaurant) ou de l'utilisation de certains services (p. ex. le coiffeur, le téléphone et autres services publics) offerts à la vente par un agent économique (un commerçant, une entreprise, une banque) à un autre agent économique (le client : un particulier, un commerçant, une entreprise, une banque).
L'union professionnelle des assureurs demande une nouvelle augmentation tarifaire, que le ministre refuse catégoriquement.

1.2. Qui se rapporte aux taxes et aux droits perçus par une administration.
Les nombreuses négociations menées à l'échelle mondiale ont permis d'abaisser les barrières tarifaires de façon très importante.

+ nom

(sens 1.1. et 1.2.)

Une réduction tarifaire. *Si l'on déclare être en bonne santé et ne pas fumer, cette compagnie d'assurances accorde une petite réduction tarifaire lors de la conclusion d'une assurance-décès.*

>< **Une hausse tarifaire**.

(sens 1.2.)

Les barrières tarifaires, **les protections tarifaires** : ensemble de mesures (imposition de taxes et de droits de douane divers) que prend un pays pour limiter les importations de marchandises.

>< **Les barrières non tarifaires** : mesures qui portent sur la quantité importée, les aspects techniques des biens importés, ... *Des barrières non tarifaires ont vu le jour sous forme de quotas, souvent bien difficiles à quantifier.* (V. 116 commerce, 1).

3 AUTRES DÉRIVÉS OU COMPOSÉS

- **Un demi-tarif** [d(ə)mitaʀif] (n.m.) (plur .: **des demi-tarifs**) : moitié prix. (☞ 538 + adjectif).
- **Une tarification** [taʀifikasjɔ̃] (n.f.) : détermination de la valeur de la consommation d'un bien ou de l'utilisation d'un service offert à la vente par un agent économique (un commerçant, une entreprise, une banque) à un autre agent économique (le client : un particulier, un commerçant, une entreprise, une banque) en fonction de critères internes et externes à l'entreprise. **La tarification bancaire, des services bancaires** ; **la tarification des communications téléphoniques** ; **la tarification des services publics**. (V. 538 1 tarif).

{**tarif(i)er** [taʀif(j)e] (v.tr.dir.)}. *Certaines banques tarifient déjà bon nombre d'opérations électroniques.*

TARIFAIRE (adj.) (***) 1. Qui se rapporte à la valeur d'un bien ou d'un service. 2. Qui se rapporte aux taxes perçues par l'administration.

1. (539)	preislich Preis-	tariff	tarifario	tariffario tariffale	tarief-
2. (539)	steuertariflich Steuertarif-	tariff	tarifario	tariffario tariffale	tarief-

TARIFER (v.tr.dir.) (**) 1. Déterminer la valeur d'un bien ou d'un service.

1. (539)	den Preis (einer Ware) festsetzen	to fix the price for	tarifar	tariffare	tariferen
	tarifieren (douane)	to fix the rate for		sottoporre a tariffa	

TARIFICATION (n.f.) (***) 1. Détermination de la valeur d'un bien ou d'un service .

1. (539)	die Festsetzung des Preises	price setting	la tarificación	la tariffazione	de tarifering (f.)
	die Tarifierung (douane)	price fixing			

TARIFIER (v.tr.dir.) (*) 1. Déterminer la valeur d'un bien ou d'un service.

1. (539)	den Preis (einer Ware) festsetzen	to fix the price for	tarifar	tariffare	tariferen
	tarifieren (douane)	to fix the rate for		sottoporre a tariffa	

TASSEMENT (n.m.) (***) 1. Diminution.

1. (278)	der Rückgang	weakening setback	la debilitación moderada la presión ligera	la contrazione la diminuzione	de inzakking (f.) de inkrimping (f.)

TASSER (se ~) (v.pron.) (**) 1. Diminuer.

1. (278)	zurückgehen sich abschwächen	to fall back to weaken	bajar moderamente apretar (se)	contrarsi abbassarsi	inkrimpen

TAUX (n.m.) (****) 1. Proportion d'une variable en pourcentage. 2. Rapport entre deux valeurs quantitatives. 3. Prix déterminé pour un bien ou un service.

1. (540)	der (Prozent)Satz der Kurs	rate	la proporción el porcentaje	la percentuale	de graad (m.) het percentage
2. (540)	die Rate die Quote	ratio level	la tasa el coeficiente	il tasso l'indice (m.)	de voet (m.) het gehalte
3. (540)	der Preis	price	el precio la tasa	il prezzo	de prijs (m.) het tarief

TAUX

mot-outil

1 un taux **2** le taux(-)pivot			

1 un TAUX - [to] - (n.m.)

1.1. Proportion d'une variable exprimée en pourcentage.
En une semaine, le taux d'intérêt a grimpé de 0,5 %.

1.2. Rapport entre deux valeurs quantitatives.
Syn. : (☞ 542 Pour en savoir plus, Taux (sens 1.2.) et synonymes).
Malgré la crise, nos produits se vendent bien à l'étranger puisque le taux de couverture des importations par les exportations avoisine les 99 %.

1.3. (peu fréq.) Somme d'argent qui représente la valeur de la consommation de certains biens (p. ex. les consommations dans un café ou un restaurant) ou de l'utilisation de certains services (p. ex. le coiffeur, le téléphone et autres services publics) offerts à la vente par un agent économique (un commerçant, une entreprise, une banque) à un autre agent économique (le client : un particulier, un commerçant, une entreprise, une banque).
Syn. : (plus fréq.) un tarif. (V. 437 prix, 1).

+ adjectif

TYPE DE TAUX (sens 1.1.)

Un taux nominal. >< **Un taux réel**.

Un taux à long terme. > **Un taux à moyen terme**. > **Un taux à court terme**. **Un taux long** >< **un taux court**.

Un taux obligataire. **Un taux directeur**. **Un taux actuariel**. **Un taux créditeur**. >< **Un taux débiteur**. (☞ 541 + nom).

Un taux interbancaire. (V. 55 banque, 3).

Un taux progressif. >< **Un taux dégressif**.

CARACTÉRISATION DU TAUX (sens 1.1. et 1.3.)

Un taux fixe. >< **Un taux variable, révisable** : qui peut être augmenté ou diminué après un certain délai.

Un taux prohibitif : taux exagéré. >< **Un taux réduit, avantageux**. < **Un taux préférentiel**. (Syn. : **un tarif préférentiel**). *Étant d'excellents clients, nous avons obtenu de notre banque un taux préférentiel pour notre prêt immobilier.*

Un taux usuraire : qui dépasse le maximum légal.

NIVEAU DU TAUX (sens 1.1., 1.2. et 1.3.)
Un taux élevé. > **Un taux modéré**. > **Un taux bas**.

MESURE DU TAUX (sens 1.1.)
Un taux annuel.

+ nom

(sens 1.1. et 1.2.)
- **La courbe des taux d'intérêt**.
- **La courbe du taux de chômage**.

TYPES DE TAUX (sens 1.1.)
Un taux d'intérêt. **Un taux (d'intérêt) nominal**. >< **Un taux (d'intérêt) réel**. **Un taux (d'intérêt) (à) long/moyen/court terme**. (V. 332 intérêt, 1). **Un taux (d'intérêt) obligataire**. (V. 391 obligation, 2). **Un taux (d'intérêt) de base** : taux préférentiel accordé aux meilleurs clients par une banque commerciale. **Un taux (d'intérêt) directeur**. (V. 203 direction, 3). **Un taux (d'intérêt) actuariel** : taux d'intérêt calculé en tenant compte du coût effectif de l'emprunt pour l'emprunteur et de son rendement effectif pour le prêteur (Sousi-Roubi). (Syn. : **un taux d'actualisation**). (V. 482 rendement, 1). **Un taux (d'intérêt) créditeur**. (V. 167 crédit, 2). >< **Un taux (d'intérêt) débiteur**. (V. 175 débit, 3).
Un taux de croissance. (V. 169 croissance, 1).
Le taux d'inflation. (V. 326 inflation, 1).
Le taux de TVA. (V. 543 taxe, 1).
Le taux de profit. (V. 457 profit, 1).
Un taux d'escompte : taux d'intérêt fixé par une banque centrale et appliqué aux effets de commerce qui lui sont soumis par les autres banques.
Le taux d'imposition. (V. 316 impôt, 2).
Un taux d'investissement. (V. 336 investissement, 1).
Le taux de rentabilité. (Syn. : **le ratio de rentabilité**). (V. 484 rentabilité, 1).
Un taux d'épargne. (V. 242 épargne, 1).
Un taux de capitalisation. (V. 87 capital, 3).
Le taux de taxation. (V. 545 taxe, 2).
Le taux d'autofinancement. (V. 268 finance, 4).

TYPE DE TAUX (sens 1.2.)
Un taux de chômage. (V. 101 chômage, 1).
Un taux de change. (V. 92 change, 1).
Le taux d'absentéisme : rapport entre la fréquence des absences des salariés à leur lieu de travail alors que leur présence est requise, et la fréquence des présences (Ménard).
Un taux de pénétration (d'un produit ou d'un service sur le marché) : rapport entre le succès commercial d'un produit ou d'un service et le marché potentiel correspondant. *Le taux de pénétration du travail temporaire reste somme toute assez réduit et est de l'ordre de quelques pour cent dans la plupart des pays de l'Europe occidentale.*
Le taux d'activité : rapport entre le nombre d'actifs et la population totale moyenne. *Le taux d'activité des femmes a fait un bond en avant depuis les années 60.*
Un taux de couverture : pourcentage qui représente la part des importations dont la valeur est compensée par les exportations.
Le taux d'endettement. (Syn. : **le ratio d'endettement**). (V. 197 dette, 2).
Le taux de rotation de + nom d'un produit ou d'une catégorie de produits : taux de renouvellement. Le taux de rotation des fruits.
Le taux de rotation des stocks. *En disposant d'une clientèle qui achète en grosses quantités et à des fréquences régulières, nous pouvons obtenir un taux de rotation des stocks assez élevé et donc réaliser des économies importantes.*
Le taux de rotation du personnel. (Syn. : (angl.) **le turn(-)over**).
Le taux de marge : marge bénéficiaire exprimée en pourcentage du coût d'achat ou du prix de vente. *La remontée du taux de marge a permis un fort accroissement de l'épargne des sociétés, bien que freiné par l'accroissement des impôts et le maintien à un niveau élevé des versements d'intérêts.*
Le taux de syndicalisation. (V. 536 syndicat, 5).
Le taux de bancarisation. (V. 55 banque, 3).
Le taux de retour : pourcentage de retour de courrier à la suite d'un publipostage ou d'une campagne téléphonique.
Le taux de fidélité : proportion d'individus ayant acheté plusieurs fois un produit, une marque, un service, ou ayant été plusieurs fois clients dans un même point de vente.

NIVEAU DU TAUX (sens 1.1.)
Le taux plancher. >< **Le taux plafond**. (V. 93 change, 1).

+ verbe : qui fait quoi ?

(sens 1.1. et 1.2.)

un ~	≠	**fluctuer**	la/les fluctuation(s) d'un ~	1
un ~	▽	**baisser**	la baisse d'un ~	
		diminuer	la diminution d'un ~	
un agent économique, une mesure		**réduire** un ~	la réduction d'un ~	

un ~	△	**(être) en hausse**	la hausse d'un ~	
		augmenter	l'augmentation d'un ~	
un agent économique, une mesure		**relever** un ~	le relèvement d'un ~	
un ~	△= ou ▽=	**se stabiliser**	la stabilisation d'un ~	2
un ~	=	**stagner**	la stagnation d'un ~	3

1 *Les taux d'intérêt devraient fluctuer entre 6,5 et 7,5 % dans les mois à venir.*
2 *Si les taux d'intérêt se stabilisent à l'échelon international, la situation financière des pays en développement risque de devenir catastrophique.*
3 *La plupart des spécialistes s'attendent à une stagnation des taux plutôt qu'à une hausse.*

Pour en savoir plus

TAUX (sens 1.2.) ET SYNONYMES

Un taux.

Un ratio : mot utilisé dans certains contextes spécifiques (**le ratio de solvabilité**) ou lorsque les deux valeurs comparées sont mentionnées (**le ratio dette publique/PIB**).

Un coefficient.

Dans un certain nombre de cas les trois synonymes sont en concurrence : **le taux/ratio d'endettement** ; **le taux/ratio de rentabilité** ; **le ratio/coefficient de solvabilité.**

EXPRESSION DU TAUX

Un pourcentage. (Un taux de) **80 pour cent, 80 %.**

2 AUTRES DÉRIVÉS OU COMPOSÉS

- **Le taux(-)pivot** [topivo] (n.m.) (plur. : **les taux(-)pivots**). (V. 93 change, 1).

TAUX(-)PIVOT ; TAUX(-)PIVOTS (n.m.) (*) 1. Parité officielle d'une monnaie.

1. (93)	der Leitkurs	central rate	la paridad tipo de cambio oficial	il tasso centrale	de spilkoers (m.) de middenkoers (m.)

TAXABLE (adj.) (**) 1. Qui peut être soumis à un impôt.

1. (545)	(be)steuerbar besteuert werden	taxable dutiable	imponible gravable	imponibile tassabile	belastbaar

TAXATEUR, TAXATRICE (n.) (*) 1. Agent de la fonction publique qui est chargé de déterminer la taxe.

1. (545)	der Steuerschätzer	tax assessor	el tasador	il tassatore l'esattore (m.)	de belasting vaststellende ambtenaar (m.)

TAXATEUR, -TRICE (adj.) (*) 1. Qui se rapporte à la détermination d'un impôt.

1. (545)	steuerschätzend	taxing	tasador	tassatore	belasting-

TAXATION (n.f.) (****) 1. Détermination d'un impôt indirect.

1. (544)	die Besteuerung die Versteuerung	taxation	la tasación	la tassazione l'imposizione (f.)	de belastingheffing (f.) de belastingaanslag (m.)

TAXATOIRE (adj.) (*) 1. Qui se caractérise par le prélèvement de nombreux impôts variés.

1. (545)	mit hoher Steuerbelastung	taxing	tasador	tassatore	belasting-

TAXE (n.f.) (****) 1. Somme d'argent prélevée par les pouvoirs publics.

1. (542)	die Steuer die Abgabe	tax duty	la tasa el impuesto	la tassa il prelievo fiscale	de belasting (f.) de taks (m./f.)

TAXE

➠ fiscalité - impôt

1 une taxe **3** les écotaxes **2** la taxation **3** la détaxation **3** une surtaxe **3** la surtaxation	**3** un taxateur, une taxatrice	**3** taxable **3** taxateur, -trice **3** taxatoire	**3** taxer **3** surtaxer **3** détaxer

1 une TAXE - [taks(ə)] - (n.f.)

1.1. Somme d'argent que les pouvoirs publics (l'État, les régions ou les collectivités locales - X) prélèvent sur la plupart des transactions commerciales (Y) et des prestations de services (Y) de commerçants (la TVA), et des biens immobiliers de particuliers pour financer les dépenses de l'État, réguler l'activité économique et financer certains services publics (p. ex. l'enlèvement des ordures).
Syn. : (V. 314 impôt, 1).
Une taxe sur l'utilisation de l'informatique n'entravera certainement pas l'expansion de la technologie.

expressions

- (Un prix) **hors taxe(s)** (**HT**) : TVA non comprise.
  >< (Un prix) **toutes taxes comprises** (**TTC**) : TVA comprise. *Lorsqu'un commerçant établit une facture à un client, il indique le prix hors taxe, le montant de la TVA et le montant toutes taxes comprises.* (☞ 544 + verbe).
- (Un magasin, une boutique ; une vente) **hors taxe(s)** : (point de) vente où les marchandises ne sont pas soumises au paiement de taxes. (Syn. : (peu fréq.) **une boutique franche**).

+ adjectif

TYPE DE TAXE

(F) **La taxe professionnelle** : impôt local qui frappe les personnes morales ou physiques qui exercent une activité professionnelle industrielle, commerciale, libérale ou artisanale.

Une taxe foncière. (Syn. : (plus fréq.) **un impôt foncier**). (V. 312 impôt, 1).

La taxe boursière : taxe levée sur les opérations financières réalisées en bourse. (Syn. : (moins fréq.) **la taxe sur les opérations de bourse, la taxe sur les opérations boursières**). *Comme dans n'importe quelle transaction boursière, les opérations portant sur des fonds sont aussi soumises à la taxe boursière.*

La taxe fiscale.

Une taxe parafiscale : taxe perçue obligatoirement et destinée à certains organismes à compétence économique, sociale ou professionnelle (DC). *Une taxe parafiscale sur le billet de cinéma pourrait contribuer à soutenir l'industrie audiovisuelle européenne.*

NIVEAU DE LA TAXE

Une lourde taxe (de ... %). *Sur base de l'idée que le pollueur doit être lourdement taxé, le gouvernement vient d'instaurer de très lourdes taxes sur les déversements de déchets.* > **Une taxe élevée.** > **Une taxe limitée** (de ... %).

LOCALISATION DE LA TAXE

(B, S) **Une taxe communale**, (F) **une taxe locale**, (Q) **une taxe municipale**. (V. 312 impôt, 1).

MESURE DE LA TAXE

Une taxe annuelle.

+ nom

TYPE DE TAXE

(☞ 544 Pour en savoir plus, Note d'usage).

Une taxe sur la/à la/de consommation. (Syn. : **un impôt sur la/à la/de consommation**). (V. 313 impôt, 1).

La taxe sur/à la valeur ajoutée (la TVA) : impôt indirect qui frappe tous les consommateurs de la même façon, quel que soit leur revenu, lors d'une transaction commerciale. ((Q) **La taxe de vente**).

(F) **La taxe d'habitation** : impôt local qui frappe les propriétaires et locataires de logements.

La taxe sur l'énergie : taxe qui frappe les carburants d'origine fossile ou minérale. *Une taxe sur l'énergie doit éviter que l'on continue à gérer l'économie sur la base d'une énergie bon marché gaspillée par les pays riches.*

La taxe sur les opérations en bourse, boursières. (☞ 543 + adjectif).

(B) **La taxe de circulation**, (F) **La vignette (automobile)**, (S) **La taxe annuelle sur les véhicules à moteur** : taxe payée annuellement pour permettre à un véhicule à moteur de circuler. (S) Le paiement de la 'vignette automobile' permet de circuler sur les autoroutes.

(B) **La taxe de mise en circulation (la TMC)** : taxe payée lors de la première utilisation d'une voiture.

La taxe à finalité écologique : taxe imposée sur un article ou un procédé qui peut nuire à l'environnement pour dissuader les consommateurs d'y recourir. ((B) **les écotaxes**).

La/les taxe(s) à l'importation. (V. 310 importation, 1).

(F) **La taxe sur les salaires** : taxe qui frappe les salaires et les avantages en nature payés par les entreprises ou les organismes et qui ne sont pas soumis à la TVA.

(F) **La taxe d'apprentissage** : taxe qui frappe les entreprises industrielles et artisanales pour contribuer au financement des premières formations techniques et professionnelles du personnel.

MESURE DE LA TAXE

Le taux de TVA. *Pour ce produit, le taux de TVA est un taux réduit de 6 %.*

Le montant de la taxe. *Le montant de la taxe est porté de 200 à 600 euros.*

+ verbe : qui fait quoi ?

X	✓	**imposer** une ~	l'imposition d'une ~	1
		soumettre un agent économique **à une** ~	-	
		instaurer une ~	l'instauration d'une ~	

		introduire une ~	l'introduction d'une ~	
		appliquer une ~ (à Y)	l'application d'une ~ (à Y)	
>< une ~		**s'appliquer** à Y	l'application d'une ~ (à Y)	2
		↓		
X	×	**prélever** une ~ (sur Y)	le prélèvement d'une ~ (sur Y)	3
une ~		**frapper** Y	-	4
une ~		**être due** (à X)	-	5
un agent économique		**être redevable d'**une ~	le redevable d'une ~	6
un agent économique,		><**être exempté d'**une ~	l'exemption d'une ~	2
Y		**être exonéré d'**une ~	l'exonération d'une ~	
		↓		
un agent économique		**payer** une ~	le paiement d'une ~	7
		acquitter une ~	l'acquittement d'une ~	
		↓		
X		**percevoir** une ~	la perception d'une ~	8
un agent économique		**être assujetti à** la TVA	un assujetti à la TVA	9
un agent économique		**déduire** la ~ (payée) en amont	la déduction de la ~ (payée) en amont	10
un montant		**comprendre** les ~	-	
		(toutes) ~ **comprises**		
		(☞ 543 expressions)		
une ~	=	**être de** ... %	-	
		... euros		
X	△	**augmenter** la ~	une augmentation de la ~	
>< une ~		**augmenter**	une augmentation de la ~	
		-	une hausse de la ~	
X	▽	**diminuer** la ~	une diminution de la ~	
		baisser la ~	une baisse de la ~	
>< une ~		**diminuer**	une diminution de la ~	
		baisser	une baisse de la ~	

1 *La Russie a décidé d'imposer une taxe de plus de 15 % sur les importations de sucre afin de protéger les raffineurs nationaux.*
2 *Une taxe analogue s'applique désormais aux fonds de pension alors qu'ils en étaient exemptés jusqu'à l'heure actuelle.*
3 *Les importations massives de produits asiatiques ont incité le gouvernement à prélever une taxe à l'importation allant jusqu' à 100% sur ces produits.*
4 *Une taxe de 4,40 % frappe chaque prime versée.*
5 *Le montant de la taxe due pour le nouveau terminal du port de Marseille n'a pas encore été fixé.*
6 *L'acquéreur est redevable de la taxe dans le pays d'arrivée du véhicule neuf.*
7 *J'ai récupéré la taxe que j'ai payée en amont, c'est-à-dire la taxe que j'ai payée à mon propre fournisseur.*
8 *La grande majorité des pays perçoivent des taxes sur la plupart des produits importés.*
9 *Selon la législation, certaines catégories socioprofessionnelles ne sont pas assujetties à la taxe sur la valeur ajoutée.*
10 *Je n'ai pas droit à la déduction de la taxe en amont, c'est-à-dire que je ne peux pas récupérer la TVA payée à mon entrepreneur.*

Pour en savoir plus

NOTE D'USAGE

Excepté pour quelques types de taxes mentionnés, la structure régulière est **une taxe sur** + nom du produit ou du service imposé : une taxe sur la publicité ; sur l'enlèvement des ordures ménagères.

2 la TAXATION - [taksasjɔ̃] - (n.f.)

1.1. Détermination par les pouvoirs publics (l'État ou les collectivités locales) d'un impôt qui frappe la plupart des transactions commerciales et des prestations de services de commerçants, et des biens immobiliers de particuliers.

Cette taxation dissuade les investisseurs étrangers d'investir et pousse même bon nombre d'entreprises vers l'étranger.

+ adjectif

TYPE DE TAXATION

La taxation anticipée : paiement d'une taxe à la conclusion d'un contrat p. ex. *La taxation anticipée imposée à la signature du contrat d'assurance-vie diminue l'épargne investie de sorte que l'assuré recevra moins de participations bénéficiaires.*

+ nom

- **Le régime de taxation** : ensemble des règles de taxation. *Suite à toutes les réformes fiscales de ces dernières années, le régime de taxation des revenus immobiliers n'a plus du tout une allure uniforme.*
- **Les services de taxation.**

TYPE DE TAXATION

La taxation des revenus. (Syn. : **l'imposition des revenus**).

La taxation des plus-values. *Pour ne pas décourager les investisseurs, la taxation des plus-values ne peut pas faire disparaître les profits liés à la spéculation.*

La taxation d'office. Le fisc applique une taxation d'office en cas de négligence du contribuable : absence de déclaration, non-présentation de pièces justificatives, présence de factures non conformes, ...

MESURE DE LA TAXATION

Le taux de taxation. *Le taux de taxation des dividendes a été diminué de 3 %.*

3 AUTRES DÉRIVÉS OU COMPOSÉS

- (B) **Les écotaxes** [ekotaks(ə)] (n.f.plur.) (emploi moins fréq. au singulier) : taxe qui frappe un article ou un procédé qui nuit à l'environnement, dans le but de dissuader le consommateur de l'acheter ou de l'utiliser. (Syn. : **une taxe à finalité écologique**). *Les rasoirs et les appareils photos jetables comptaient parmi les premiers produits touchés par les écotaxes.*
- **La détaxation** [detaksasjɔ̃] (n.f.) : action de diminuer ou de supprimer une taxe.
  {**détaxer** [detakse] (v.tr.dir.)}.
- **Une surtaxe** [syʀtaks(ə)] (n.f.) : taxe qui vient s'ajouter à une taxe existante. *La proposition de loi consiste à frapper les produits importés de Corée du Sud d'une surtaxe de 25 % si ce pays ne prend pas de mesures adéquates pour réduire son excédent commercial avec les États-Unis.*
  {**la surtaxation** [syʀtaksasjɔ̃] (n.f.), **surtaxer** [syʀtakse] (v.tr.dir.)}.
- **Un taxateur, une taxatrice** [taksatœʀ, taksatʀis] (n.) : agent de la fonction publique qui est chargé de déterminer la taxe.
  {**taxateur, -trice** [taksatœʀ, -tʀis] (adj.)}. **Un agent taxateur, un fonctionnaire taxateur.** *Certains agents taxateurs seraient en même temps des conseillers suggérant à leurs clients l'une ou l'autre formule de placement.*
- **Taxable** [taksabl(ə)] (adj.) : (une transaction commerciale, une prestation de services de commerçants ou un bien immobilier de particuliers) qui peut être soumis à un impôt.
- **Taxatoire** [taksatwaʀ] (adj.). **La rage taxatoire** politique qui se caractérise par le prélèvement de nombreux impôts variés. *La rage taxatoire qui sévit dans notre pays va accélérer la fuite des capitaux vers l'étranger.*
- **Taxer** [takse] (v.tr.dir.) : les pouvoirs publics (l'État ou les collectivités locales) déterminent un impôt qui frappe la plupart des transactions commerciales et des prestations de services de commerçants, et des biens immobiliers de particuliers. (Syn. : **lever un impôt, imposer**). **Taxer des revenus professionnels, taxer des revenus d'actions. Taxer lourdement** qqch.

TAXER (v.tr.dir.) (***) 1. Soumettre à un impôt.

1. (545)	besteuern	to tax to impose a tax on	tasar gravar	tassare	belasten

TCI (les ~ (m.)) (*) termes commerciaux internationaux.

(117)	die Incoterms	incoterms	cláusulas internacionales de comercio	gli incoterms	de incoterms
	die im internationalen Handeln gebräuchlichen Vertragsbedingungen	international commercial terms			de internationale handelstermen (plur.)

TEC (le ~) (*) tarif extérieur commun.

(538)	der gemeinsame Aussenzoll(tarif) (GAZ)	common external tariff (CET)	tarifa exterior común (TEC)	tariffa esteriore comune (TEC)	het gemeenschappelijk buitentarief (GBT)

TECHNICIEN, TECHNICIENNE (n.) (***) 1. Personne spécialisée dans les procédés appliqués lors du processus de production.

1. (442)	der Techniker der Fachmann	technician	el técnico el especialista	il tecnico il perito	de technicus (m.)

TECHNICITÉ (n.f.) (**) 1. Caractère spécialisé de qqch.

1. (442)	der hohe Spezialisierungsgrad die hohe Fachlichkeit	technical nature	el tecnicismo	la tecnicità	de techniciteit (f.)

TECHNIQUE (adj.) (****) 1. Qui se rapporte aux procédés appliqués lors du processus de production.

1. (442)	technisch	technical	técnico	tecnico	technisch

TECHNIQUE (n.f.) (****) 1. Procédé appliqué lors du processus de production.

1. (442)	die Technik	technique	la técnica	la tecnica	de techniek (f.)

TECHNIQUEMENT (adv.) (***) 1. Du point de vue des procédés appliqués lors du processus de production.

1. (442)	technisch	technically	técnicamente	tecnicamente	technisch

TECHNOCRATE (n.) (**) 1. Personne qui fait primer les aspects techniques sur les aspects sociaux.

1. (359)	der Technokrat	technocrat	el tecnócrata	il tecnocrate	de technocraat (m.)

TECHNOCRATIE (n.f.) (*) 1. Système politique qui fait primer les aspects techniques sur les aspects sociaux.

1. (359)	die Technokratie	technocracy	la tecnocracia	la tecnocrazia	de technocratie (f.)

TECHNOCRATIQUE (adj.) (*) 1. Qui fait primer les aspects techniques sur les aspects sociaux.

1. (359)	technokratisch	technocratic	tecnocrático	tecnocratico	technocratisch

TECHNOLOGIE (n.f.) (****) 1. Ensemble des procédés appliqués lors du processus de production.

1. (442)	die Technologie	technology	la tecnología	la tecnologia	de technologie (f.)

TECHNOLOGIQUE (adj.) (****) 1. Qui se rapporte aux procédés appliqués lors du processus de production.

1. (442)	technologisch	technological	tecnológico	tecnologico	technologisch

TECHNOLOGIQUEMENT (adv.) (**) 1. Du point de vue des procédés appliqués lors du processus de production.

1. (124)	technologisch	technologically	tecnológicamente	tecnologicamente	technologisch

TÉLÉ(-)ACHAT ; TÉLÉ(-)ACHATS (n.m.) (**) 1. Achat de biens par téléphone.

1. (6)	das Tele-Shopping	teleshopping	la telecompra	gli acquisti da televendite	het telewinkelen

TÉLÉ(-)VENTE ; TÉLÉ(-)VENTES (n.f.) (*) 1. Vente de biens par téléphone.

1. (575)	das Tele-Shopping	teleshopping telephone selling	la televenta	le televendite	het telewinkelen

TÉLÉBANKING (n.m.) (*) 1. Réalisation d'opérations bancaires à distance par les moyens de communication modernes.

1. (55)	das Tele-Banking	telebanking	el telebanco	la banca a domicilio l'homebanking (sur internet)	het telebankieren het telefonisch bankieren

TÉLÉBANQUE (n.f.) (*) 1. Réalisation d'opérations bancaires à distance par les moyens de communication modernes.

1. (55)	das Tele-Banking	telebanking	el telebanco	la banca a domicilio l'homebanking (sur internet)	het telebankieren het telefonisch bankieren

TÉLÉCOMMUNICATION (n.f.) (****) 1. Ensemble des procédés de transmission d'informations à distance (RQ).

1. (299)	die Telekommunikation	telecom(munications)	las telecomunicaciones	le telecomunicazioni	de telecommunicatie (f.)

TÉLÉCOMS (n.f.plur.) (***) 1. Abréviation de "télécommunications".

1.	die Telekommunikation	telecom(munications)	las telecomunicaciones	le telecomunicazioni	de telecommunicatie (f.)

TÉLÉCOPIE (n.f.) (**) 1. Procédé de reproduction à distance de document.

1. (551)	die Fernkopie	fax	el fax	il (tele)fax	de fax (m.)

TÉLÉCOPIEUR (n.m.) (**) 1. Appareil qui permet de reproduire un document à distance.

1. (551)	der Fernkopierer	fax (machine)	el fax	il (tele)fax	het faxapparaat

TÉLÉDISTRIBUTEUR (n.m.) (**) 1. Diffuseur de programmes télévisés par câbles.

1. (206)	der Anbieter von Kabelfernsehen der Kabelfernsehanbieter	cable operator	el teledistribuidor	il distributore di televisione via cavo	de teledistributeur (m.)

TÉLÉDISTRIBUTION (n.f.) (**) 1. Diffusion de programmes télévisés par câbles.

1. (206)	das Kabelfernsehen	cable broadcasting	la televisión por cable	la televisione via cavo	de teledistributie (f.)

TÉLÉMATIQUE (n.f.) (**) 1. Combinaison de l'informatique et des moyens de communication.

1. (560)	die Telematik die Integration von Telekommunikation und Informatik	telematics	la telemática	la telematica	de telematica (f.)

TÉLÉPHONE (n.m.) (****) 1. Procédé de transmission de sons à distance. 2. Appareil qui permet cette transmission.

1. (508) (257)	das Fernsprechen das Telefonieren	(tele)phone	la telefonía	la telefonia	de telefonie (f.)
2.	das Telefon der Fernsprechapparat	(tele)phone	el teléfono	il telefono	de (het) telefoon(toestel) (m.)

TÉLÉPHONER (~ à qqn, se ~) (v.tr.indir., v.intr., v.pron.) (***) 1. Communiquer à distance à l'aide d'un téléphone.

1.	anrufen telefonieren	to (tele)phone	telefonear	telefonare	telefoneren

TÉLÉPHONIE (n.f.) (***) 1. Technique de transmission de sons à distance.

1. (504)	der Sprechverkehr die Telephonie	telephone	la telefonía	la telefonia	de telefonie (f.)

TÉLÉPHONIQUE (adj.) (****) 1. Qui se rapporte à la transmission de sons à distance.

1. (538)	telefonisch	(tele)phone	telefónico	telefonico	telefonisch

TÉLÉSHOPPING (n.m.) (*) 1. Achat de biens par téléphone.

1. (7)	das Tele-Shopping	teleshopping	la telecompra	gli acquisti via telefono	het telewinkelen
	der Einkauf mittels Btx				

TÉLÉTRAVAIL (n.m.) (**) 1. Travail à domicile à l'aide de la télématique.

1. (560)	die Telearbeit	teleworking	el teletrabajo	il telelavoro	de tele-arbeid (m.)
		work at home	el trabajo a distancia		

TÉLÉTRAVAILLER (v.intr.) (*) 1. Travailler à domicile à l'aide de la télématique.

1. (560)	zu Hause am Bildschirm arbeiten	to work at home	teletrabajar	telelavorare	telewerken
				lavorare via computer	

TÉLÉTRAVAILLEUR, TÉLÉTRAVAILLEUSE (n.) (*) 1. Personne qui travaille à domicile à l'aide de la télématique.

1. (560)	der Heimarbeiter am Bildschirm	teleworker	el teletrabajador	il telelavoratore	de tele-arbeider (m.)

TENDANCE (n.f.) (****) 1. Evolution dans un sens particulier.

1. (369)	die Tendenz	trend	la tendencia	la tendenza	de tendens (m./f.)
(318)	der Trend	tendency		l'andamento (m.)	de trend (m.)

TENEUR, TENEUSE (n.) (**) 1. (un ~ de marché) Personne responsable de qqch.

1. (367)	der Inhaber	manager	el tenedor	il manager	de houder (m.)
	der Betreiber				

TERME (n.m.) (****) 1. Échéance.

1. (284)	der Termin	deadline	el término	la scadenza	de termijn (m.)
	die Frist	time limit		il termine	de vervaldag (m.)

TERMINAL ; TERMINAUX (n.m.) (****) 1. Lieu qui fait fonction de point de départ ou d'arrivée. 2. Périphérique d'entrée et de sortie d'un ordinateur distant (RQ).

1. (544)	der Terminal	terminal	la terminal	terminale	de terminal (m.)
					het eindstation
2. (401)	das Terminal	terminal	el terminal	terminale	de terminal (m.)
(206)					het eindstation

TERRAIN (céder du ~) (**) 1. Perdre (en valeur p. ex.).

1. (284)	an Boden verlieren	to lose ground	(ceder) terreno	perdere terreno	terrein verliezen
		to recede			

TERRAIN (gagner du ~) (**) 1. Augmenter (en valeur p. ex.).

1. (284)	an Boden gewinnen	to gain ground	(ganar) terreno	guadagnare terreno	terrein winnen

TERRAIN (perdre du ~) (**) 1. Perdre (en valeur p. ex.).

1. (284)	an Boden verlieren	to lose ground	(perder) terreno	perdere terreno	terrein verliezen
		to recede			

TERTIAIRE (n.m.) (**) 1. Branche d'activité des services.

1. (504)	der tertiäre Sektor	tertiary sector	el sector terciario	il (settore) terziario	de tertiaire sector (m.)
	der Dienstleistungssektor	service sector			de dienstensector (m.)

TERTIA(I)RISATION (n.f.) (*) 1. Développement du secteur tertiaire.

1. (504)	die Entwicklung des Dienstleistungssektors	development of the service sector	el desarrollo del sector terciario	la terziarizzazione	het toenemend belang van de dienstensector
	die zunehmende Bedeutung des Dienstleistungssektors	tertiarization			

TERTIARISER (se ~) (v.pron.) (*) 1. Basculer dans le secteur tertiaire.

1. (504)	den Dienstleistungssektor ausdehnen auf	to become part of the service sector	pertenecer al sector terciario	terziarizzarsi	het uitbreiden van de dienstensector
	Teil des Dienstleistungssektors werden				

TEXTILE (adj.) (****) 1. Qui se rapporte à la production de tissus.

1. (322)	Textil-	textile	textil	tessile	textiel
(441)	textil				

TEXTILE (n.m.) (***) 1. Branche d'activité qui produit des tissus.

1. (357)	die Textilindustrie	textiles	la industria textil	l'industria tessile (f.)	de textielindustrie (f.)
	die Textilbranche	textile industries			

THÉSAURISATION (n.f.) (*) 1. Fait de conserver des valeurs sans les placer.

1. (210)	die Thesaurierung	hoarding	el atesoramiento	la tesaurizzazione	het oppotten
	das Horten	saving			

THÉSAURISER (v.tr.dir., v.intr.) (*) 1. Conserver des valeurs sans les placer.

1. (240)	thesaurieren	to hoard money	atesorar	tesaurizzare	oppotten
	horten	to save			opsparen

TICKET (n.m.) (***) 1. Reçu délivré (par une caisse enregistreuse p. ex.).

1. (81)	der Kassenbon	receipt	el recibido	lo scontrino (fiscale)	het kasticket
	der Kassenzettel		el ticket		

TICKET MODÉRATEUR (le ~) (**) 1. Partie du prix des dépenses médicales à charge de l'utilisateur.

1. (476)	die Selbstbeteiligung (des Verscherten)	patient's contribution (towards medical costs)	la parte de la factura médica abonada por el asegurado	il ticket	het remgeld

TICKET-REPAS ; TICKETS-REPAS (n.m.) (*) 1. Chèque qui permet de payer un repas.

1. (99)	die Essensmarke	luncheon voucher	el bono de comida	il buono-pasto	de maaltijdbon (m.)
	der Essensbon		el ticket-restaurant	il ticket-restaurant	

TICKET-RESTAURANT ; TICKETS-RESTAURANTS (n.m.) (*) 1. Chèque qui permet de payer un repas.

1. (99)	die Essensmarke	luncheon voucher	el bono de comida	il ticket-restaurant	de maaltijdbon (m.)
	der Essensbon		el ticket-restaurant	il buono-pasto	

TIERS PROVISIONNEL (un ~) (*) 1. Acompte d'impôt.

1. (315)	die Steuervorauszahlung	interim tax payment	el pago a cuenta	l'acconto (m.) di imposta	de vooruitbetaling (f.) van een derde van de voorlopige aanslag
			el pago fraccionado		

TIERS(-)MONDE (n.m.) (***) 1. Ensemble des pays en voie de développement.

1. (325)	die Dritte Welt	Third World	el tercer mundo	il Terzo mondo	de Derde Wereld (m./f.)

TIRÉ (n.m.) (*) 1. Agent économique qui doit payer à l'échéance.

1. (98)	der Bezogene	drawee	el librado	il trattario	de betrokkene (traite) (m.)
(114)	der Trassat		el girado	l'accettante (m.)	

TIRELIRE (n.f.) (*) 1. Petit récipient pour conserver des pièces de monnaie.

1. (188)	die Sparbüsche	piggy bank	la hucha	il salvadanaio	het spaarvarken
	das Sparschwein	money box			de spaarpot (m.)

TIRER (~ qqch. sur qqn) (v.tr.dir.) (*) 1. Émettre (un chèque, ...).

1. (98)	ausstellen (chèque)	to draw	librar	emettere (un assegno)	trekken
	ziehen (lettre de change)		girar		

TIREUR (n.m.) (*) 1. Personne qui émet un chèque, ...

1. (98)	der Aussteller	drawer	el librador	il traente	de trekker (m.)
(114)	der Zieher		el dador		de opdrachtgever (m.)

TIROIR-CAISSE ; TIROIRS-CAISSES (n.m.) (*) 1. Appareil enregistreur comprenant un tiroir dans lequel est conservé l'argent.

1. (82)	die Ladenkasse	cash register	la caja	il registratore di cassa	de geldlade (m./f.)
		till		la cassa	de toonbanklade (m./f.)

TITRE (n.m.) (****) 1. Valeur mobilière.

1. (567)	das Wertpapier	security	el título	il titolo	de effecten (plur.)
	die Effekten	share (GB)	el valor	il valore	de waardepapieren (plur.)

TITULAIRE (n.) (***) 1. Personne qui est propriétaire de qqch.

1. (130)	der Inhaber	holder	el titular	il titolare	de houder (m.)
(452)			el proprietario	l'intestatario (m.)	

TITULARISATION (n.f.) (*) 1. Fait de nommer qqn officiellement à une fonction.

1.	die Verbeamtung	giving permanent staff status	la titularización	la nomina	de vaste aanstelling (f.)
	die Berufung (professeur d'université)	giving tenure		il passaggio di ruolo	de vaste benoeming (f.)

TITULARISER (v.tr.dir.) (*) 1. Nommer qqn officiellement à une fonction.

1. (22)	fest anstellen	to appoint officially	titularizar	nominare	vast benoemen
	berufen (professeur d'université)	to give tenure to		far passare il ruolo	

TM (*) Trademark.

(189)	das geschützte Markenzeichen	trademark (TM)	la marca registrada (MR)	il marchio registrato ®	het handelsmerk
	die Marke				het fabrieksmerk

TMC (la ~) (*) (543) taxe de mise en circulation.

TOILE (n.f.) (*) 1. Réseau informatique mondial.

1.	das Web	(World-Wide) Web	la Red (digital mundial)	il web	het wereldnetwerk

TOMBER (v.intr.) (****) 1. Baisser de façon importante.

1. (279)	fallen	to fall	caer	precipitare	afnemen
		to drop		cadere	vallen

TOMBOLA (n.f.) (*) 1. Jeu concours.

1. (460)	die Tombola	tombola	la tómbola	la tombola	de tombola (m.)
		lottery			

TONNE (n.f.) (****) 1. Poids de mille kilos.

1. (551)	die Tonne	ton(ne)	la tonelada	la tonnellata	een ton

TONNEAU (n.m.) (***) 1. Contenant (pour du vin p. ex.).

1. (363)	das Fass	barrel	el tonel	il barile	de ton (m./f.)
				la botte	het fust

TOTAL, -ALE ; -AUX, -ALES (adj.) (****) 1. Complet, entier.

1. (158)	Gesamt-	total	total	totale	totaal
		complete		globale	

TOTAL ; TOTAUX (n.m.) (****) 1. Somme complète.

1. (65)	der Gesamtbetrag	total	el total	il totale	de totale som (m./f.)
	die Gesamtsumme				het volledig bedrag

TOTALEMENT (adv.) (****) 1. Complètement, entièrement.

1. (352)	völlig	totally	totalmente	totalmente	volledig
	total	completely	completamente		

TOTALISER (v.tr.dir.) (***) 1. Présenter comme somme complète.

1.	zusammenzählen	to total(ize)	totalizar	totalizzare	belopen
	zusammenrechnen	to add up	sumar	ammontare a	uitmaken

TOTALITÉ (n.f.) (****) 1. Ensemble de tous les éléments de qqch.

1. (8)	die Gesamtheit	all	la totalidad	la totalità	de totaliteit (f.)
					het geheel

TOTAUX, voir **TOTAL**

TOUCHER (v.tr.dir.) (**) 1. Encaisser.

1. (33)	beziehen	to draw	cobrar	incassare	ontvangen
(500)	erhalten	to cash (chèque)	percibir	percepire (salaire)	

TOURISME (n.m.) (****) 1. Fait de faire un voyage pour le plaisir. 2. Ensemble des activités liées aux voyages pour le plaisir.

1.	das Sightseeing	sightseeing	el turismo	il turismo	de vakantiereis (m./f.)
	die Vergnügungsfahrt	touring			
2. (323)	der Tourismus	tourism	el turismo	il turismo	het toerisme
(533)	der Fremdenverkehr	tourist industry / trade	la industria turística	l'industria turistica	de toeristische industrie (f.)

TOURISTE (n.) (***) 1. Personne qui fait un voyage pour le plaisir.

1. (91)	der Tourist	tourist	el turista	il turista	de toerist (m.)
(18)	der Urlauber				

TOURISTIQUE (adj.) (***) 1. Qui concerne les voyages pour le plaisir. 2. Qui attire les personnes qui voyagent pour le plaisir.

1. (459)	Vergnügungs-	tourist	turístico	turistico	toeristisch
	Freizeit-				
2.	touristisch	popular with tourists	turístico	turistico	toeristisch
	Touristen-				

TOUR-OPÉRATEUR ; TOUR-OPÉRATEURS (n.m.) (*) 1. Société qui organise des voyages.

1. (21)	der Reiseveranstalter	tour operator	el operador turístico	l'operatore turistico	de reisorganisator (m.)
			el tour operador	il tour operator	

TQM (le ~) (*) (299) Total Quality Management.

TRADER (n.m.) (***) 1. Intermédiaire dans une transaction commerciale.

1. (116)	der Händler	trader	el comerciante	l'intermediario (m.)	de handelaar (m.)
	der Kaufmann	dealer	el intermediario	il mediatore	de koopman (m.)

TRAFIC (n.m.) (****) 1. Commerce illégal. 2. Flux de marchandises. 3. Flux de véhicules.

1. (116)	der -handel (Drogenhandel, ...)	traffic	el tráfico	il contrabbando	de illegale handel (m.)
	der Schmuggel (Waffenschmuggel)			il traffico	de smokkel (m.)
2. (362)	der Warenverkehr	traffic	el tráfico	il traffico	het verkeer
	der Güterverkehr				
3. (553)	der Fahrzeugverkehr	traffic	el tráfico	il traffico	het verkeer

TRAFICOTER (v.intr.) (*) 1. Se livrer à diverses manipulations sur un objet.

1. (116)	verfälschen	to tamper (with)	traficar	truccare	manipuleren
	frisieren	to doctor		trafficare	

TRAFIQUANT, TRAFIQUANTE (n.) (**) 1. Personne qui pratique un commerce illégal.

1. (116)	der Schieber	trafficker	el traficante	il trafficante	de illegale handelaar (m.)
	der Drogenhändler				de dealer (m.)

TRAFIQUER (v.tr.dir.) (*) 1. Pratiquer un commerce illégal. 2. Se livrer à diverses manipulations sur un objet.

1. (116)	Schwarzhandel treiben mit	to traffic	traficar	trafficare	illegale handel drijven
		to trade illitcitly	comerciar		
2. (116)	verfälschen	to tamper (with)	traficar	truccare	manipuleren
	frisieren	to doctor			

TRAIN (n.m.) (****) 1. Moyen de transport sur rails.

1. (362)	der Zug	train	el tren	il treno	de trein (m.)
(550)	die (Eisen)Bahn				

TRAITE (n.f.) (*) 1. Lettre de change. 2. Commerce illégal de personnes.

1. (114)	der Wechsel	draft	la letra (de cambio)	la tratta	de wissel (m.)
(53)		bill		il vaglia cambiario	
2. (116)	der Menschenhandel	slave trade	el tráfico	la tratta	de illegale handel (m.)
	der Frauenhandel				

TRAITEMENT (n.m.) (****) 1. Rémunération d'un fonctionnaire. 2. Soumettre qqch à l'action d'une substance, d'un logiciel.

1. (480)	das Gehalt	salary	el sueldo	lo stipendio di un dipendente pubblico	de wedde (m./f.)
	die Bezüge		la paga		
2. (322)	die Behandlung	processing	el tratamiento	il trattamento	de verwerking (f.)
	die Verarbeitung	treatment			

TRANCHE (n.f.) (****) 1. Partie d'une somme d'argent globale, d'une période.

1. (477)	die Tranche	tranche	el periodo de pago	la tranche	de schijf (m./f.)
(230)	die Stufe	block	la parte	la parte	

TRANSACTION (n.f.) (****) 1. Opération sur un marché. 2. Contrat entre un acheteur et un vendeur (RQ).

1. (119)	das Geschäft	transaction	la transacción	la transazione	de transactie (f.)
(266)	die Transaktion				
2.	die Regelung	deal	la transacción comercial	la transazione commerciale l'operazione commerciale (f.)	de overeenkomst (f.)

TRANSIT (n.m.) (***) 1. Passage (de marchandises).

1. (363)	der Transit die Durchfuhr	transit	el tránsito	il transito	de transit (m.) de doorvoer (m.)

TRANSITER (v.intr.) (**) 1. Passer.

1. (363)	im Transit(verkehr) befördert werden	to pass in transit	estar en transito	transitare	doorvoeren
		to convey in transit	transitar		

TRANSPORT (n.m.) (****) 1. Activité de déplacement de biens ou de personnes. 2. Ensemble des moyens utilisés pour ce déplacement.

1. (550)	der Transport der Verkehr	transport(ation) freight (marchandises)	el transporte	il trasporto	het transport het vervoer
2. (550)	die Verkehrsmittel	means of transport(ation)	el transporte	i trasporti	de vervoermiddelen (plur.) de transportmiddelen (plur.)

TRANSPORT

1 le transport	**2** un transporteur, une transporteuse	**4** transporteur, -euse **4** (in)transportable	**3** (se) transporter

1 le TRANSPORT - [tʀɑ̃spɔʀ] - (n.m.)

1.1. Activité (de service) par laquelle un agent économique (un particulier, une entreprise) déplace des biens, des personnes ou des données d'un point à un autre par des moyens de locomotion ou de transmission spéciaux (p. ex. un véhicule, un avion, ...) pour son propre compte ou pour le compte d'autrui.
Avec le développement des réseaux et l'explosion de l'internet, le transport de données est devenu une activité économique à part entière.

1.2. (emploi fréq. au plur.) Ensemble des moyens utilisés pour le déplacement de biens ou de personnes.
Les taxis occupent une place non négligeable dans l'ensemble des transports urbains.

expressions

(sens 1.1.)

Le transport pour le compte d'autrui. >< **Le transport pour compte propre.**

+ adjectif

TYPE DE TRANSPORT (sens 1.1.)

Le transport terrestre : transport routier ou ferroviaire. (Syn. : (moins fréq.) **le transport par terre**).

Le transport (auto)routier : transport à l'aide d'une auto, d'un (véhicule) utilitaire, d'un camion, d'un poids lourd, ... (Syn .: (moins fréq.) **le transport par (auto)route**).

Les autoroutes de l'information, les inforoutes : réseau de télécommunication qui assure le transport de données entre l'usager et un fournisseur de services ou une banque de données.

Le transport ferroviaire : transport à l'aide du train. (Syn. : (moins fréq.) **le transport par train, par rail**).

Le transport aérien : transport à l'aide d'un avion (de transport), d'un hélicoptère, ... (Syn. : (moins fréq.) **le transport par air**).

Le transport maritime : transport à l'aide de navires (**un cargo** pour des marchandises en vrac ; **un porte-conteneurs** pour des marchandises en conteneurs ; **un paquebot** pour des passagers). (Syn. : (moins fréq.) **le transport par mer**).

Le transport fluvial : transport à l'aide de péniches sur les rivières et les canaux. (Syn. : (peu fréq.) **le transport par (voie d')eau, par voie navigable**).

Le transport combiné (rail/route). *Le transport combiné voit des camions chargés sur des trains pour de longs parcours.*

Le transport conteneurisé. (Syn. : (plus fréq.) **le transport par conteneurs, le trafic conteneurisé**). *Le port d'Anvers a enregistré une forte progression du transport conteneurisé.*

TYPE DE TRANSPORT (sens 1.2.)

Le(s) transport(s) urbain(s) : à l'intérieur

d'une ville. *Le faible coût d'installation des taxis rend une réglementation des prix nécessaire pour ce type de transport urbain.*

>< **Le(s) transport(s) interurbain(s)** : entre deux villes.

Le(s) transport(s) public(s) : transports en commun exploités par l'État. *Les tarifs des transports publics sont subventionnés.*

>< **Le transport privé** : transport organisé par une société privée.

CARACTÉRISATION DU TRANSPORT (sens 1.1.)

Un gros transport.

LOCALISATION DU TRANSPORT (sens 1.1.)

Le transport international. *Des liaisons ferroviaires régulières entre les grands centres industriels doivent favoriser le transport international par train.*

>< **Le transport national, intérieur.**

Le transport interne : à l'intérieur d'une entreprise p. ex.

+ nom

- **Un mode de transport** : le transport aérien, routier, ...
  Un moyen de transport : matériel utilisé pour le transport : un véhicule, un avion, un cargo, ...
- **L'infrastructure de transport.** *À cause des chutes de neige, l'infrastructure de transport de cette région est tout à fait inutilisable.*
- **Le secteur du (des) transport(s).** (V. 505 secteur, 1).
  Une société de transport(s), une entreprise de transport(s). (Syn. : **un transporteur**). *Les salariés de cette société de transport qui approvisionne les supermarchés du groupe ont menacé de faire grève.*
  Un entrepreneur de transport(s).
  Une compagnie de transport aérien ; **maritime.**
  (Syn. : **une compagnie aérienne** ; **maritime**).
- **Les frais de transport, les coûts de transport.** (V. 293 frais, 1).
- **L'économie de transport(s).** (V. 213 économie, 1).

TYPE DE TRANSPORT (sens 1.1.)

Le transport de + nom qui désigne le bien transporté. Le transport de marchandises ; d'énergie ; de matériel (militaire, informatique, ...) ; de fonds (V. 288 fonds, 1) ; de fret (V. 363 marchandise, 1) ; de passagers ; de voyageurs. *La fédération des routiers compte paralyser tous les modes de transport de marchandises (route, rail, fleuve) dès mardi à 0 heure.*

Le transport par route ; **par air** ; **par train, par rail** ; **par mer** ; **par (voie d')eau, par voie navigable** ; **par terre.** (☞ 550 + adjectif).

Le transport par conteneurs. (☞ 550 + adjectif). >< **Le transport en vrac.** *Le pétrole, les minerais et les céréales se transportent en vrac dans des navires de type vraquier.*

Le transport sur palettes : où les marchandises sont empilées sur des plates-formes de bois.

TYPE DE TRANSPORT (sens 1.2.)

Les transports en commun ((B, moins fréq.) **le transport en commun**) : transport de voyageurs en bus, en métro ou en train selon un horaire régulier. *Dans plusieurs quartiers de la ville, les transports en commun sont mal assurés.*

+ verbe : qui fait quoi ?

(sens 1.1.)

les autorités politiques internationales	**libéraliser** le ~	la libéralisation du ~	1

1 *Avec l'entrée en vigueur de la libéralisation du transport aérien, toutes les compagnies sont passées à l'attaque : opérations "coup de cœur", prix cadeaux, ...*

Pour en savoir plus

TRANSPORT ET ACTIVITÉS PÉRIPHÉRIQUES

L'affrètement. (V. 363 marchandise, 1).

Le groupage : action de réunir des colis qui ont la même destination (PR).

La messagerie. 1. Service de transport rapide de lettres, de colis (**le courrier(-)express**) et de voyageurs. - 2. Technique qui permet de transmettre un message (p. ex. **une télécopie** ou (angl.) **un fax, un courriel** ou **mél** (**le courrier électronique**)) par réseau électronique.
{**un télécopieur**}.
{**faxer**}.

L'entreposage. (V. 355 magasin, 1).

La distribution. (V. 204 distribution, 1).

TRANSPORT DE BIENS

Les pondéreux, les marchandises pondéreuses : marchandises pesant plus d'une tonne. *L'activité du port est essentiellement axée sur les pondéreux (mazout, sable, charbon, ciment, ...).*

NOTE D'USAGE

On associe souvent les mots 'transport' et 'stockage'.

2 un TRANSPORTEUR - [tʀɑ̃spɔʀtœʀ] - (n.m.)

1.1. Agent économique (une entreprise) qui déplace des biens, des personnes ou des données d'un point à un autre par des moyens de locomotion ou de transmission spéciaux (p. ex. un véhicule, un avion, ...) pour le compte d'autrui.
Syn. : une entreprise de transport(s), une société de transport(s); un entrepreneur de transport(s).
Le plus important transporteur aérien canadien a vu augmenter de 3 % le volume de marchandises traitées cette année.

1.2. (emploi au plur.) Ensemble des transporteurs (sens 1.1.).
Les transporteurs en colère ont annoncé des actions durant le week-end prochain.

1.3. Appareil qui sert à déplacer mécaniquement des marchandises.

+ adjectif

TYPE DE TRANSPORTEUR (sens 1.1.)
Un transporteur routier ; aérien ; maritime (Syn. : **un armateur**).

3 (SE) TRANSPORTER - [(sə) tʀɑ̃spɔʀte] - (v.tr.dir., v.pron.)

1.1. Un agent économique (un particulier, une entreprise-X) déplace des biens, des personnes ou des données d'un point à un autre par des moyens de locomotion ou de transmission spéciaux (p. ex. un véhicule, un avion, ...).
Les autoroutes électroniques transportent à grande vitesse à la fois les conversations téléphoniques, les données informatiques et les images vidéo.

+ nom

- **Transporter en camion ; en voiture.**
  Transporter par rail ; par avion; par bateau.
- **Transporter par terre ; par mer.**

qui fait quoi ?

un véhicule un camion ; un train ; une navette ; ... un batea u; un navire; ... un avion X	**transporter** des marchandises ; des voyageurs, des passagers	le transport de marchandises	1
qqch.	**se transporter** (+ adv. de manière)	-	2

1 *La navette qui assure la liaison trans-Manche transporte à la fois des passagers et des marchandises.*
2 *L'appareil pèse 4 kilos et se transporte facilement dans une mallette spéciale.*

4 AUTRES DÉRIVÉS OU COMPOSÉS

- **Transporteur, -euse** [tʀɑ̃spɔʀtœʀ, -øz] (adj.) : (un appareil, un moyen de transport) qui sert à transporter des marchandises. *Le type de marchandises à transporter détermine le choix du type d'avion transporteur.*
- **Transportable** [tʀɑ̃spɔʀtabl(ə)] (adj.) : qui peut être transporté.
  >< **Intransportable** [ɛ̃tʀɑ̃spɔʀtabl(ə)] (adj.).

TRANSPORTABLE (adj.) (**) 1. Qui peut être déplacé.

1. (552)	transportabel transportierbar	transportable	transportable	trasportabile	vervoerbaar

TRANSPORTER (~, se ~) (v.tr.dir., v.pron.) (***) 1. Déplacer des biens ou des personnes.

1. (552)	transportieren befördern	to transport to carry	transportar (se)	trasportare trasferire	vervoeren transporteren

TRANSPORTEUR (n.m.) (***) 1. Agent économique qui déplace des biens. 2. (plur.) Ensemble de ces agents économiques qui constituent le secteur du transport. 3. Appareil qui sert à déplacer mécaniquement des marchandises.

1. (552)	der Transportunternehmer	carrier	el transportista	il trasportatore	de expediteur (m.)
	der Spediteur	freighter		il vettore	de transportondernemer (m.)
2. (552)	die Spediteure	transport company	la empresa de transporte	l'impresa (f.) di trasporti	het vervoerbedrijf
	die Speditionsbranche	freight company			
3. (552)	der Verlader	(mechanical) conveyor (unit)	el transportador	il trasportatore (meccanico)	de transporteur (m.)
	die Ladeeinrichtung	transporter	el transfer		

TRANSPORTEUR, -EUSE (adj.) (*) 1. Qui permet de déplacer des biens.

1. (552)	Transport-	carrier freighter	el transportador	trasportatore di trasporto	transporteur

TRAVAIL ; TRAVAUX (n.m.) (****) 1. Activité professionnelle de production. 2. Activité professionnelle considérée par rapport au prix de revient. 3. Bien produit. 4. (plur.) Ensemble d'activités de construction. 5. Lieu où sont menées les activités professionnelles. 6. Facteur de production.

1. (553)	die Arbeit die Beschäftigung	work	el trabajo	il lavoro l'attività lavorativa	de arbeid (m.) het werk
2. (553)	die Lohnkosten	labour job	el trabajo el empleo	l'impiego (m.) il lavoro	het werk
3. (553)	die Arbeit	labour	el trabajo	il lavoro	het werk
4. (553)	die Bautätigkeit die Bauarbeiten	building work	el trabajo (de construcción)	i lavori	de bouwactiviteit (f.)
5. (553)	die Arbeit(sstätte) die Arbeitsstelle	workplace	el trabajo	il lavoro	het werk
6. (553)	die Arbeit	labour	el trabajo	il lavoro	de arbeid (m.)

TRAVAIL

➠ emploi

1 le travail 4 le télétravail 4 le travaillisme	2 un travailleur, une travailleuse 4 un non-travailleur 4 un sans-travail 4 un télétravailleur, une télétravailleuse	1 travailleur, -euse 4 travailliste 4 travaillistique	3 travailler 4 retravailler 4 travailloter 4 télétravailler

1 le TRAVAIL - [tʀavaj] - (n.m.) - (plur. **les TRAVAUX**)

1.1. Activité professionnelle (physique ou intellectuelle) d'une personne (X) qui a pour but de produire un bien ou un service contre paiement ou non d'une somme d'argent (que paie un autre agent économique (une entreprise, un État) - Y).
Syn. : (☞ 556 Pour en savoir plus, Travail (sens 1.1.) et synonymes); Ant.: le chôma ge; une grè ve; l'inactivité ; les vacances, les congés.
Cet employeur estime qu'il paie trop cher le travail du personnel hautement qualifié.

1.2. Activité professionnelle d'une personne qui a pour but de produire un bien ou un service, considérée par rapport au prix de revient.
Syn. : (plus fréq.) la main-d'œuvre.
Au garage, je paie plus cher le travail que les pièces de rechange.

1.3. Bien ou service qui est le résultat du travail (sens 1.1.).
C'est un travail bien fait.

1.4. (emploi au plur.) Ensemble d'activités réalisées par une ou plusieurs personnes, avec l'aide de moyens techniques, qui ont pour but de construire qqch., de réaliser qqch. (éventuellement contre paiement d'une somme d'argent).
Les travaux de ce savant français sont reconnus par l'ensemble de la communauté scientifique internationale.

1.5. (emploi au sing.) Lieu où une personne exerce ses activités professionnelles ou autres.
Syn. : un poste (de travail).
A cause du trafic, j'ai besoin de plus d'une demi-heure pour me rendre à mon travail.

1.6. (emploi au sing.) Facteur de production.
Syn. : (moins fréq.) la main-d'œuvre.
La combinaison du travail et du capital permet aux entreprises de créer de la valeur ajoutée.

2.1. Activité d'une personne ou de plusieurs personnes qui a pour but d'obtenir un résultat.
Le groupe de travail ministériel a fait des propositions pour réduire le taux de chômage.

expressions

(sens 1.1. et 2.1.)

- **À travail égal, salaire égal** : si le travail est le même, il faut que le salaire soit le même également.
- **Le travail, c'est la santé.**
- **Un bourreau de travail** : personne qui effectue beaucoup de travail.
- **Un travail de longue haleine** : travail long.
- **C'est un travail de cheval** : travail très dur.

(sens 1.3.)

- **C'est un travail d'amateur** : travail mal fait.
  C'est du beau travail : (iron.) travail mal fait.
  >< **C'est de la belle ouvrage**: (fam.) travail soigné, bien fait.
- **Un inspecteur des travaux finis** : personne paresseuse et qui aime regarder travailler les autres.

+ adjectif

TYPE DE TRAVAIL (sens 1.1.)

Un travail fixe, stable : pour une durée théoriquement illimitée et avec des garanties en ce qui concerne la stabilité de l'emploi.

>< **Un travail temporaire**, **précaire** : pour une durée limitée (**un vacataire** (personne qui exerce une fonction intellectuelle pendant une durée limitée)), p. ex. une saison (**le travail saisonnier**) ou pour remplacer une autre personne (**le travail temporaire**, (B) **intérimaire** {**un intérim** (intervalle de temps pendant lequel une fonction vacante est exercée par une autre personne que le titulaire), **un, une intérimaire**}). **Une agence de travail temporaire**. (V. 21 agence, 1).

Le travail professionnel : travail exécuté dans le cadre d'une profession.

>< **Les travaux ménagers**. *La surveillance et la garde des enfants font partie des travaux ménagers.*

Le travail manuel. *Le succès des écoles professionnelles montre que le travail manuel est plein d'avenir.*

>< **Le travail intellectuel**.

Le travail clandestin, **frauduleux**. (Syn. : **le travail** (**au**) **noir**). >< **Le travail déclaré**, **légal**. (☞ 555 + nom).

Le travail disponible : volume de travail à partager entre les personnes qui désirent travailler.

Le travail bénévole : travail non rémunéré.

Le travail posté : travail par équipes successives durant un certain nombre d'heures à un poste déterminé de la chaîne de production. (Syn. : **le travail en équipe(s)**, **le 3x8**). *Il n'existe pas de traitement adéquat des troubles du rythme veille-sommeil dans le cadre du travail posté.*

TYPE DE TRAVAUX (sens 1.4.)

Les grands travaux : grands **travaux d'infrastructure** et **de construction** (la construction d'autoroutes, de ponts, de ports, ...) effectués sur ordre des pouvoirs publics, à savoir l'État, les régions, ... (**les travaux publics**) ou pour le compte d'entreprises privées.

CARACTÉRISATION DU TRAVAIL (sens 1.1.)

Un gros travail : travail dur et important.

Un travail intéressant. < **Un travail enrichissant**. >< **Un travail fatigant**, **épuisant**. < **Un travail harassant**.

Le travail flexible. *Cette entreprise offre à ses salariés toutes les formes de travail flexible : travail à temps partiel, interruption de carrière, ...*

MESURE DU TRAVAIL (sens 1.1.)

Le travail hebdomadaire. *Les syndicats sont prêts à accepter des semaines de 40 heures à condition que le temps de travail hebdomadaire moyen ne dépasse pas 36 heures sur l'année.*

Le travail dominical : effectué le dimanche. *Les syndicats s'opposent à la généralisation du travail dominical en se fondant sur la nécessité de respecter le repos hebdomadaire.*

+ nom

(sens 1.1.)

- **Le droit au travail** : revendication sociale qui est à la base de l'économie de bien-être : 'du travail pour tous dans une société plus juste'.
- **Le monde du travail** : ensemble des personnes qui exercent une activité professionnelle (**les personnes actives**). (☞ 557 Pour en savoir plus, La population active). (Syn. : **la vie professionnelle**). *Il existe une barrière importante entre le monde du travail et celui des chômeurs : la diminution du taux de chômage est due à la diminution des entrées dans le chômage et non à l'augmentation des sorties.*
- **Le marché du travail**. (V. 368 marché, 1).
- **Une demande de travail**. >< **Une offre de travail**. (☞ 555 + verbe). (Syn. : (plus fréq.) : **une demande d'emploi** >< **une offre d'emploi**). (V. 225 emploi, 1).
- **Les conditions de travail**. (☞ 557 Pour en savoir plus, Conditions de travail).
- **Un poste de travail**. 1. Lieu aménagé pour effectuer un travail. *Le reclassement permet de maintenir dans l'entreprise des salariés dont la formation n'est plus adaptée au poste de travail.* - 2. Ordinateur de bureau rattaché à un réseau local. (Syn. : **une station de travail**).
- **La productivité du travail**. (V. 450 productivité, 1).
- **Le coût du travail**. (V. 159 coût, 1).
- **Un contrat de travail**. (Syn. : (travaux ponctuels, d'une durée déterminée) **un contrat de louage de services**). (Ant. : **un contrat de louage d'industrie, de louage d'ouvrage**). (V. 350 location, 1).

  Un contrat de travail à durée déterminée (**un CDD**). >< **Un contrat de travail à durée indéterminée** (**un CDI**). (Syn. : (moins fréq.) **un contrat d'emploi**). (V. 148 contrat, 1).
- **Une convention collective de travail** (**une CCT**) : accord relatif aux conditions de travail, conclu entre un employeur ou un groupement d'employeurs et un ou plusieurs syndicats représentatifs de salariés, p. ex. pour un secteur (**une convention collective de travail sectorielle**, (Q) **une convention collective de travail de branche**).
- **Le revenu du travail**. (V. 494 revenu, 1).
- (B, S) **Un permis de travail**, (F) **une carte de travail**. *Il y a une distinction à faire entre les étrangers qui n'ont pas de carte de séjour et ceux qui se trouvent légalement dans notre*

pays sans carte de travail et donc sans autorisation d'y travailler.

- **Le circuit de travail** : le domaine de l'activité professionnelle. *Le gouvernement prend de nouvelles initiatives pour réintégrer les demandeurs d'emploi dans le circuit du travail.*
- **Le droit du travail**. (B, Q) **Le tribunal du travail**, (F) **le Conseil de prud'hommes**, (S) **le Tribunal de prud'hommes**.
  Un auditeur du travail. (V. 46 audit, 2).
- **Un accident du** (parfois **de**) **travail**. *Les assureurs de la branche accident du travail sont satisfaits : le nombre de sinistres est en diminution de 6 %.*
- **Le Bureau international du travail** (**le BIT**) : centre d'étude sur les problèmes du travail, intégré dans l'ONU (Silem).
- **La Confédération générale du travail** (**la CGT**).
  La Confédération romande du travail (**la CRT**).
  La Fédération générale du travail de Belgique (**la FGTB**).
  La Confédération française démocratique du travail (**la CFDT**). (V. 534 syndicat, 1).
- **Le ministère** ; **le ministre** (**du Travail et**) **de l'Emploi**.

TYPE DE TRAVAIL (sens 1.1.)

Le travail (**au**) **noir** : exécuté dans des conditions illégales. (Syn. : **le travail clandestin, frauduleux**). (Ant. : **le travail déclaré, légal**). *Le travail au noir, c'est comme la prostitution, ça arrange tout le monde.*

Le travail à la chaîne : type d'organisation du travail permettant d'exécuter les différentes opérations sans interruption.

Le travail en équipe(**s**) : travail effectué par un groupe de personnes.

Le travail en équipes, le 3x8. (Syn. : **le travail posté**).

Le travail sur écran. *Un ordinateur, c'est pratique, mais le travail sur écran est très fatigant.*

Le travail au rendement : rémunéré selon la production effective.

Le travail à la pièce, aux pièces : rémunéré selon le nombre de pièces produites ou d'opérations exécutées.

Le travail en sous-traitance. (V. 442 production, 1).

Le travail de nuit. *Selon la Commission européenne, l'interdiction du travail de nuit pour les femmes est une mesure discriminatoire.*

TYPE DE TRAVAUX (sens 1.4.)

Les travaux d'utilité collective (**les TUC**), (S) **les programmes d'occupation** : travaux en faveur de la société proposés aux chômeurs.

CARACTÉRISATION DU TRAVAIL (sens 1.3.)

Un travail de qualité. *Les soins apportés à la finition de ce produit en font un travail de qualité.*

LOCALISATION DU TRAVAIL (sens 1.1.)

Le lieu de travail. (☞ 557 Pour en savoir plus, Lieu de travail).

Le travail à domicile. (Syn. : **le télétravail**). *Le travail à domicile est une formule principalement adoptée par des mères de famille désirant rester chez elles le jour où leurs enfants ne vont pas à l'école.*

MESURE DU TRAVAIL (sens 1.1.)

Le temps de travail. (☞ 557 Pour en savoir plus, Aménagement du temps de travail).

Le travail à temps plein (moins fréq. : **à plein temps**). (Syn. : **un emploi à temps plein**). *Plus d'un tiers de la population active n'occupe pas d'emploi à temps plein.* **Un temps plein**.

>< **Le travail à temps partiel** : représente un pourcentage d'un temps plein, comme par exemple **le travail à mi-temps** (50 %, **un mi-temps**). (Syn. : **un emploi à temps partiel**). *Longtemps considéré comme un avantage concédé à des emplois d'utilités secondaires, essentiellement féminins, le travail à temps partiel se développe avec le changement de valeurs de la société.*

Un horaire (**du travail**). *Cette entreprise propose à ses salariés de passer d'un horaire (du travail) fixe à un horaire (du travail) flexible.* (☞ 557 Pour en savoir plus, Aménagement du temps de travail).

La durée du travail. *Les syndicats plaident pour une réduction de la durée du travail.*

Les heures de travail. *Pour Fabricom, ce contrat représente 600 000 heures de travail qui s'étaleront sur les deux années à venir.*

+ verbe : qui fait quoi ?

(sens 1.1.)

X	O	**être sans** ~	-	1
		(Syn. : **être en chômage**)		
		>< **avoir** du ~	-	
		↓		
X		**chercher** du ~	la recherche d'un ~	
		demander du ~	une demande de ~	2
→ Y		**offrir** du ~	une offre de ~	
		↓		
X	×	**trouver** un/du ~ (dans/chez Y)	-	

→ Y		**fournir** du ~ à X	-	3
		↓		
X	○	**perdre** son ~	la perte de son ~	
		se retrouver sans ~	-	
X	✓	**se mettre au** ~ (Syn. : **mettre la main à la pâte, à l'ouvrage**)	-	
		↓		
X	×	**effectuer** un ~	-	
		exécuter un ~	l'exécution d'un ~	
		accomplir un ~	l'accomplissement d'un ~	
		↓		
X		**achever** un ~	l'achèvement d'un ~	
		↓		
X	✓	**se remettre au** ~	-	
		reprendre le ~ (Syn. : (fam.) **reprendre le collier**)	la reprise du ~	
Y		**rémunérer** le ~	la rémunération du ~	4
X	○	**cesser** le ~	la cessation du ~	
		arrêter le ~ (Syn. : **se mettre en grève**)	un arrêt de ~	5
	✓	>< **reprendre** le ~	la reprise du ~	
Y		**répartir** le (temps de) ~	une répartition du (temps de) ~	6
une mesure		**partager** le (temps de) ~	le partage du (temps de) ~	
		redistribuer le (temps de) ~	une redistribution du (temps de) ~	
Y	▽	**réduire** le temps de ~/la durée du temps de ~	la réduction du temps de ~	
Y		**(ré)aménager** le temps de ~	un (ré)aménagement du temps de ~	7

1 *Les grandes firmes continuent à procéder à des licenciements massifs, et un chômeur sur cinq est sans travail depuis plus de six mois.*
2 *Ce sont les femmes qui ont le plus bénéficié de l'accroissement de la demande de travail des entreprises.*
3 *Cette entreprise spécialisée dans la restauration des œuvres d'art fournit du travail à 25 personnes et génère un chiffre d'affaires de près de 5 millions d'euros.*
4 *Ces magasins offrent des conditions de rémunération du travail de 20 à 30 % inférieures aux concurrents.*
5 *Les salariés ont décidé d'arrêter le travail parce que la direction rejette leurs revendications.*
6 *La direction désire répartir le travail disponible entre un plus grand nombre d'individus avec diminution proportionnelle des revenus.*
7 *Pour résorber le chômage, on recourt de plus en plus à différentes formes de réaménagement du temps de travail.*

(sens 1.3.)

une personne	**effectuer** un ~	-	
	exécuter un ~	l'exécution d'un ~	
	accomplir un ~	l'accomplissement d'un ~	
	< **soigner** un ~	-	1
	effectuer un ~ **avec soin**	le soin apporté à un ~	
	< (fam.) **fignoler** un ~	le fignolage d'un ~	
	< (fam.) **fignoler**		
	>< (fam.) **bâcler** un ~	le bâclage d'un ~	

1 *Cet artisan est réputé pour son travail soigné.*

Pour en savoir plus

TRAVAIL (sens 1.1.) ET SYNONYMES

Un travail, un emploi, un poste : syn. au sens d'activité rémunérée.

(fam.) **Le boulot**. **Métro, boulot, dodo** : expression surtout parisienne qui souligne l'aspect routinier, répétitif du travail des salariés.

Trouver un petit boulot : trouver un petit emploi (temporaire).
(peu fréq.) **Le gagne-pain**.
(angl.) **Le job**, (Q) (fam.) **la job** {(B) **un (étudiant) jobiste, une (étudiante) jobiste**}. (V. 502 salaire, 4). **Un job de vacances**. **Un job d'étudiant**.
Un service : (peu fréq., sauf dans des expressions) travail exécuté par une personne ou une machine. (V. 507 service, 1).
Une profession ; **un métier**. (V. 453 profession, 1).
Une fonction : terme qui désigne la place qu'occupe dans un organisme (p. ex. une entreprise, une administration) une personne qui exerce un travail : **la fonction de directeur** ; **occuper une fonction importante** >< **subalterne**.
Une besogne, **une corvée** : travail pénible.

NOTES D'USAGE

On associe souvent les mots 'travail' et 'capital', qui désignent les deux principaux facteurs de production.
Attention à l'emploi de 'de' et 'du' après 'travail' : le monde du travail ; un contrat de travail.
Attention à la différence entre les 'gros travaux' (les travaux pénibles) et les 'grands travaux' (les travaux de construction d'importance nationale, p. ex. la construction d'autoroutes, de ponts, ...).

AMÉNAGEMENT DU TEMPS DE TRAVAIL

Le travail à temps plein ; **à temps partiel**. (☞ 555 + nom).
La réduction (de la durée) du temps de travail : le travail à temps partiel.
La modulation du temps de travail : p. ex. travailler plus en hiver, moins en ét é; **un horaire flexible**, **souple**, **variable** : le salarié peut p. ex. commencer entre 7.30 et 9.00.
L'interruption temporaire du travail grâce au **congé-formation** (pour suivre une formation), au **congé parental** (pour éduquer ses enfants), (B) à **la pause-carrière** (interruption momentanée de l'activité professionnelle d'un salarié, généralement pour pouvoir s'occuper de l'éducation d'enfants en bas âge).
Le travail de nuit. (☞ 555 + nom).
Le travail posté. (☞ 554 + adjectif).

LIEU DE TRAVAIL

Une usine : établissement industriel de moyenne dimension et fortement mécanisé. (Syn. : (moins fréq.) **une fabrique**). *Le constructeur japonais Toyota assemblera son nouveau modèle dans une usine qui sera construite en Grande-Bretagne.* **Mettre en service une nouvelle usine**. **La mise en service d'une nouvelle usine**.
En fonction du type d'activité, les usines reçoivent des noms particuliers : **une brasserie** {**un brasseur**, **une brasseuse**, **brasser** (de la bière)} (bière), **une raffinerie** {**un raffineur**, **le raffinage**, **raffiner**} (pétrole), **une manufacture** (établissement industriel où la qualité de la main-d'œuvre est très importante - {**un manufacturier** (V. 447 production, 3), **manufacturier, -ière, manufacturer**}), ... *Les manufactures de cristal connaissent des temps difficiles.* **Le secteur manufacturier**. **Un produit manufacturé**.
Un atelier : partie d'une usine destinée à un travail particulier. *Le chef de l'atelier de montage a été licencié hier.*
Un bureau : lieu de travail des employés.
{**la bureaucratie**, **la bureaucratisation**, **un**, **une bureaucrate**, **bureaucratiser** : termes se rapportant à l'influence excessive des administrations}.
{**la bureautique** (application de l'informatique au travail au bureau)}.
Un cabinet : lieu de travail d'un docteur, d'un avocat.
Un chantier : lieu de travail en plein air (p. ex. dans la construction de bâtiments, de navire s: **un chantier naval**).

QUANTITÉ DE TRAVAIL

Pour dire que l'on a beaucoup de travail, on peut utiliser les expressions suivantes : j'ai beaucoup de travail ((fam.) : j'ai plein de travail, il y a du pain sur la planche) < je suis débordé < je suis surchargé (de travail) < je ne sais plus où donner de la tête.

CONDITIONS DE TRAVAIL

Les conditions de travail. *Les travailleurs réclament une amélioration des conditions de travail : horaire, planification des congés et jours de repos, durée hebdomadaire du travail, ...*
La qualité du travail. *Nous tentons de motiver nos collaborateurs en améliorant la qualité du travail, grâce p. ex. à l'enrichissement des tâches.*
L'ergonomie : l'étude scientifique des conditions de travail et des relations entre l'homme et la machine (Mahrer).
{**un, une ergonomiste**, **un, une ergonome**, **ergonomique**}.
La rotation des postes (de travail) : méthode d'organisation qui consiste à redistribuer périodiquement les tâches des salariés pendant la journée pour rompre la monotonie.
Un enrichissement des tâches : p. ex. la constitution d'équipes autonomes ou l'exécution de travaux variés et intéressants.
Un élargissement des tâches : p. ex. par le cumul de fonctions.

LA POPULATION ACTIVE

La population active (**les personnes actives**, **les actifs**, **la main-d'œuvre**) se compose
des personnes qui exercent une activité professionnelle rémunérée (les salariés et les travailleurs indépendants) (**la population active**, **employée**, **occupée**)
et des demandeurs d'emploi (V. 103 chômage, 2).
Parmi **les non-actifs** ou **inactifs**, on compte
la population scolaire,
les conjoints au foyer,
les retraités, (B) **les pensionnés**.
Un retraité touche une retraite mensuelle.
{**la retraite** (Syn. : (B) **la pension**), **retraité**}.

Atteindre l'âge de la retraite. Prendre sa retraite. Être à la retraite. La retraite anticipée, (B) **la prépension**, (F) **la préretraite** : mise à la retraite d'une personne avant l'âge légal pour des raisons économiques (p. ex. la restructuration d'une entreprise).
{**un prépensionné, une prépensionnée**}.
{**un préretraité, une préretraitée**}.

2 un TRAVAILLEUR, une TRAVAILLEUSE - [tʀavajœʀ, tʀavajøz] - (n.)

1.1. Personne qui exerce une activité professionnelle (physique ou intellectuelle) qui a pour but de produire un bien ou un service contre paiement ou non d'une somme d'argent (payée par un agent économique (une entreprise, un État) - X).
Syn. : (☞ 559 Pour en savoir plus, Travailleur (sens 1.1.) et synonymes) ; Ant. : un inactif, (peu fréq.) un non-travailleur ; un employeur.
Avec le coût horaire des travailleurs européens, on peut faire travailler des dizaines de travailleurs dans les pays en développement.

1.2. (emploi au plur.) Ensemble des personnes qui produisent un bien ou un service contre paiement ou non d'une somme d'argent (payée par un agent économique (une entreprise, un État)).
Syn. : (plus fréq.) les salariés, la main-d'œuvre.
Les négociations ont eu lieu en présence des représentants des travailleurs de la métallurgie.

+ adjectif

La Confédération française des travailleurs chrétiens (la CFTC).
La Fédération des travailleurs du Québec (**la FTQ**). (V. 534 syndicat, 1).

TYPE DE TRAVAILLEUR (sens 1.1.)

Un travailleur temporaire, **intérimaire** ; **saisonnier**. (V. 554 1 travail).
Un travailleur indépendant, **non salarié** : personne qui fait un travail pour son propre compte. (Syn. : **un indépendant**). *Les travailleurs indépendants qui accomplissent des prestations de travail dans un état de subordination à l'employeur sont de faux indépendants.*
>< **Un travailleur salarié** : personne liée à un employeur par un contrat de travail. *Grâce à son contrat, le travailleur salarié est assuré contre le risque de diminution des salaires en fonction de la conjoncture économique.*
Un travailleur manuel. >< **Un travailleur intellectuel**.
Un travailleur étranger, **immigré**, **migrant**.
Un travailleur horaire : rémunéré à l'heure.

CARACTÉRISATION DU TRAVAILLEUR (sens 1.1.)

Un travailleur âgé. *Le gouvernement a pris des mesures pour éviter que des entreprises peu scrupuleuses licencient des travailleurs âgés pour engager des jeunes au rabais.*
Un travailleur acharné, **zélé**, **assidu**, **un gros travailleur**. *Réputés travailleurs acharnés, les Japonais intègrent plus de phases de détente dans leur travail qu'en Europe.*
>< **Un** (**travailleur**) **paresseux**.

LOCALISATION DU TRAVAILLEUR (sens 1.1.)

Un travailleur frontalier : qui habite près d'une frontière et travaille dans le pays voisin.

+ nom

(sens 1.1.)

- **L'assemblée générale des travailleurs**. *Malgré les nouvelles propositions de la direction en matière de primes de départ, l'assemblée générale des travailleurs d'Eurochem, réunie ce matin, a décidé de poursuivre la grève.*

  Les représentants des travailleurs.

- **La performance d'un travailleur**. (V. 413 performance, 1).

TYPE DE TRAVAILLEUR (sens 1.1.)

Un travailleur au noir. (V. 555 1 travail).
Un travailleur à la pièce. (V. 555 1 travail).
(F) **Une travailleuse familiale**, (B, S) **une aide familiale** : personne qui assure à domicile une aide aux mères de famille.

MESURE DU TRAVAIL (sens 1.1.)

Un travailleur à temps plein. >< **Un travailleur à temps partiel**. **Un travailleur à mi-temps**. (V. 555 1 travail).

+ verbe : qui fait quoi ?

(sens 1.1.)

X	✓	**embaucher** un ~	l'embauche d'un ~
		engager un ~	l'engagement d'un ~
		>< **licencier** un ~	le licenciement d'un ~
		↙	
X	×	**employer** un ~	-
		occuper un ~	-
X		**rémunérer** un ~	la rémunération d'un ~

Pour en savoir plus

TRAVAILLEUR (sens 1.1.) ET SYNONYMES

Le mot 'salarié' remplace de plus en plus 'travailleur'. (V. 501 salaire, 2).

Les travailleurs, (plus fréq.) **les salariés**, (moins fréq.) **la main-d'œuvre**.

3 TRAVAILLER - [tʀavaje] - (v.intr., v.tr.dir., v.tr.indir.)

1.1. (v.intr.) Un agent économique (un particulier, une entreprise - X) produit un bien ou un service contre paiement ou non d'une somme d'argent (que paie un autre agent économique (une entreprise, un État)).
Syn. : (pour une personne) gagner sa vie, (fam.) gagner sa croûte, son bifteck ; (pop.) bosser ; Ant. : être sans travail, être en/au chômage, chômer, être inactif.
Beaucoup de travailleurs clandestins travaillent dans des conditions inhumaines.

1.2. (v.tr.dir.) Une personne transforme qqch. en une chose plus utile, mieux utilisable.
Nous travaillons l'or à petite température.

1.3. (v.tr.dir., toujours précédé de 'faire') Qqch. (p. ex. de l'argent, un placement) fait rapporter une somme d'argent.
Syn. : rapporter, faire fructifier.
Il faut faire travailler l'argent (PR).

2.1. (v.tr.indir.) Une personne réalise une activité qui a pour but d'obtenir un résultat.
Cet étudiant travaille à son exposé sur le travail au noir.

2.2. (v.tr.dir.) Une personne essaie d'améliorer ses connaissances de qqch. en étudiant.
Tu travailleras ton anglais pendant les vacances.

2.3. (v.tr.dir.) Une personne essaie d'influencer d'autres personnes.
Nous souhaitons augmenter le nombre de nos agences et travailler le marché plus en profondeur.

expressions

(sens 1.1., 2.1. et 2.2.)

(Des personnes) **travailler (la) main dans la main, coude à coude, côte à côte** : en collaboration étroite. *Près de 300 personnes, de quarante nationalités, travaillent coude à coude sur ce vaste projet médical.* (☞ 560 Pour en savoir plus, Travailler en collaborant).

(sens 1.1. et 2.1.)

- (Une personne) **travailler d'arrache-pied** : sans interruption. *Nos équipes travaillent d'arrache-pied pour réaliser les nombreux essais nécessaires et faire en sorte que le système fonctionne de manière fiable.*
- (Une personne) **travailler au pif(omètre)** : (fam.) en se basant sur son intuition. *Faute d'appareils de détection des gaz, les équipes de secours devaient travailler au pif.*
- (Une personne) **travailler pour des prunes** : pour rien.
- (Une personne) **travailler comme un bœuf** : effectuer un travail pénible et fatigant.

(sens 2.1.)

Le temps travaille pour nous : le temps nous est favorable.

+ nom

TYPE DE TRAVAIL (sens 1.1.)

Travailler au noir. *Le chômeur surpris à travailler au noir s'expose à une sanction pénale.*
Travailler à la chaîne ; en équipe(s) ; au rendement ; aux pièces ; à la pièce. (V. 555 1 travail).
Travailler à/pour son (propre) compte. *J'ai commencé à travailler pour mon compte après avoir été licencié.*
>< **Travailler pour le compte de** qqn.
Travail en sous-traitance. (V. 442 production, 1).
Travailler à perte. (V. 416 perte, 1).
Travailler en intérim. (V. 554 1 travail).
Travailler en/à flux tendus. (V. 526 stock, 1).

LOCALISATION DU TRAVAIL (sens 1.1.)

Travailler à domicile. (V. 555 1 travail).

MESURE DU TRAVAIL (sens 1.1.)

Travailler à temps plein. >< **Travailler à temps partiel**. **Travailler à mi-temps**. (V. 555 1 travail).

+ adverbe

CARACTÉRISATION DU TRAVAIL (sens 1.1.)

Travailler dur : beaucoup. *La Hongrie a travaillé dur pour assurer sa transition vers une économie de marché.*
Travailler étroitement avec qqn. *Notre entreprise est appelée à travailler étroitement avec une entreprise roumaine.*
Travailler professionnellement : exercer une activité professionnelle chez soi ou à l'extérieur.
Travailleur au dehors, à l'extérieur : exercer une activité professionnelle à l'extérieur.

qui fait quoi ?		

(sens 1.1.)

X (une personne)	**travailler**	le travail de X

(sens 1.2.)

une personne	**travailler** le bois	le travail du bois

NOTE D'USAGE

Emploi de la préposition après 'travailler' (sens 1.1.) :

travailler	chez/pour	IBM, Peugeot
	à/pour	son (propre) compte
	pour	le compte de qqn
	dans	le secteur de qqch.
		une filiale
	en	équipe(s), indépendant
	à	domicile
		la chaîne
		aux éditions Didier ;
		au service après-vente ;
		au rendement.

Emploi de la préposition après 'travailler' (sens 2.1.) :

travailler	à	ma présentation (activité ponctuelle)
	sur	un dossier, un rapport, le dernier bilan (activité suivie dans un domaine déterminé)

TRAVAILLER EN COLLABORANT AVEC QQN

Travailler ensemble. Travailler en collaboration avec qqn, en coopérant avec qqn, en coordination avec qqn. < Travailler de façon étroite, étroitement avec qqn. < Travailler (la) main dans la main, coude à coude, côte à côte.

Une synergie : combinaison d'activités dont le résultat est plus important que la somme des résultats des activités isolées. Les alliances entre entreprises ont p. ex. pour but de développer des synergies. *Ce centre de recherche voudrait être un lieu de synergie entre les entreprises de technologies nouvelles.*

4 AUTRES DÉRIVÉS OU COMPOSÉS

- **Le télétravail** [teletʀavaj] (n.m.) : travail à domicile avec l'aide de la télématique (combinant l'informatique et les moyens de communication). *Le télétravail conjugue motivation, productivité, gain de temps et possibilités pour les moins valides.*
  {**un télétravailleur**, **une télétravailleuse** [teletʀavajœʀ, teletʀavajøz] (n.), **télétravailler** [teletʀavaje] (v.intr.)}.
- **Le travaillisme** [tʀavajism(ə)] (n.m.) : doctrine du Labour party (parti du Travail) en Grande-Bretagne.
  {**travailliste** [tʀavajist(ə)] (adj.)}.
- **Un sans-travail** [sɑ̃tʀavaj] (n.m.) (plu r.: **des sans-travail**). (Syn. : **un chômeur**, **un demandeur d'emploi**, **un sans-emploi**, **un chercheur d'emploi**). (V. 103 chômage, 2).
- **Travaillistique** [tʀavajistik] (adj.) : qui se rapporte à un processus de production qui utilise de la main-d'œuvre dans des proportions importantes. (Syn. : **à forte intensité de main-d'œuvre**). (Ant. : **capitalistique**). *Le caractère travaillistique de la transformation du papier et du carton s'est perdu à cause d'une rapide évolution technique.*
- (peu fréq.) **Un non-travailleur** [nɔ̃tʀavajœʀ] (n.m.). *Notre système social permet aux non-travailleurs de bénéficier des mêmes avantages que les travailleurs en matière de soins de santé.*
- **Travailleur, -euse** [tʀavajœʀ, -øz] (adj.) : qui aime travailler. *Nous cherchons une personne travailleuse qui aimerait faire ce travail chez elle.*
- **Retravailler** [ʀ(ə)tʀavaje]. 1. (v.intr.) Se remettre au travail. *Quelque 40 000 salariés de GM, qui sont au chômage technique, ne pourront retravailler avant plusieurs jours.* - 2. (v.tr.dir.) Modifier en soumettant à un remaniement. *Nous devons absolument retravailler l'image de la bière blonde, la dynamiser, sinon elle risque de disparaître comme la bière de table.*
- **Travailloter** [tʀavajɔte] (v.intr.) : (peu fréq.) travailler peu, sans se fatiguer.

TRAVAILLER (v.intr., v.tr.dir.) (****) 1. Produire un bien. 2. Transformer en une chose plus utile. 3. Faire rapporter une somme d'argent supplémentaire.

1. (559)	herstellen produzieren	to produce	trabajar producir	produrre	produceren werk leveren
2. (559)	bearbeiten	to work	trabajar	lavorare	bewerken
3. (559)	sein Geld (gewinnbringend) anlegen	to make one's money work	producir trabajar	far fruttare	doen opbrengen

TRAVAILLEUR, -EUSE (adj.) (*) 1. Qui aime produire qqch.

1. (560)	fleissig	(hard)working	trabajador	il (gran) lavoratore	werkzaam

TRAVAILLEUR, TRAVAILLEUSE (n.) (****) 1. Personne qui exerce une activité professionnelle de production. 2. (plur.) Ensemble des personnes qui produisent qqch.

1. (558)	der Arbeiter	worker	el obrero	il lavoratore	de arbeider (m.)
	der Berufstätige		el trabajador		
2. (558)	die Arbeiterschaft	workers	los obreros	le masse lavoratrici	de arbeiders(massa) (plur. (m./f.))
	die Berufstätigen		los trabajadores		

TRAVAILLISME (n.m.) (*) 1. Doctrine du parti du Travail (en GB).

1. (560)	das Programm der Labour Party	Labour	el laborismo	il laburismo	de doctrine (f.) van de Engelse Labour Party

TRAVAILLISTE (adj.) (**) 1. Qui se rapporte à la doctrine du parti du Travail (en GB).

1. (560)	Labour-	Labour-	laborista	laburista	van de Labour Party

TRAVAILLISTIQUE (adj.) (*) 1. Qui se rapporte à une production utilisant de la main-d'oeuvre.

1. (560)	arbeitsintensiv	labour(-intensive)	referente a la producción de la mano de obra	ad alta intensità di manodopera	arbeidsintensief

TRAVAILLOTER (v.intr.) (*) 1. Travailler peu, sans se fatiguer.

1. (560)	langsam arbeiten	to potter (travail manuel)	trabajar despacio	lavoricchiare	het kalmpjes aan doen
	sich nicht müde machen bei der Arbeit	to work a little (en général)			

TRAVAUX, voir **TRAVAIL**

TRAVELLER'S CHEQUE (un ~) (**) 1. Chèque de voyage.

1. (99)	der Travellerscheck	traveller's cheque	el traveller's cheque	l'assegno turistico	de reischeque (m.)
				il traveller's cheque	de traveller's cheque (m.)

TRENTE GLORIEUSES (les ~ (f.)) (*) 1. Période 1945-1975 caractérisée par une forte croissance économique (RQ).

1. (170)	die goldenen Nachkriegsjahre	period of economic expansion after WWII	el periodo de fuerte crecimiento económico de 1945 a 1975	il Trentennio Glorioso	de gouden naoorlogse periode (f.)

TRÉSOR (n.m.) (****) 1. Ensemble des moyens financiers dont dispose un État. 2. Service public qui effectue les opérations financières de l'État. 3. (plur.) Ensemble important de richesses.

1. (35)	der Staatshaushalt	Treasury	el Tesoro público	il Tesoro	de rijksschatkist (m./f.)
	die Staatskasse	Exchequer	el Erario público		de staatskas (m./f.)
2. (35)	die Finanzverwaltung	the Treasury	la Hacienda	il Tesoro	de fiscus (m.)
		the Exchequer		l'erario (m.)	
3. (35)	der Schatz	treasure	el tesoro	il tesoro	de schat (m.)
	die Schätze				

TRÉSORERIE (n.f.) (****) 1. Ensemble des moyens de financement liquides.

1. (34)	die flüssigen Mittel	cash (liquide)	la tesorería	le disponibilità liquide	de liquiditeiten (plur.)
	die Liquidität	liquidity	la liquidez	la liquidità	de betalingsmiddelen (plur.)

TRÉSORIER, TRÉSORIÈRE (n.) (**) 1. Personne qui gère les moyens financiers.

1. (35)	der Kassenführer	treasurer	tesorero	tesoriere	de penningmeester (m.)
	der Kassierer				de schatbewaarder (m.)

TRÉSORIER-PAYEUR ; TRÉSORIERS-PAYEURS (n.m.) (*) 1. Personne qui effectue des paiements pour l'administration.

1. (406)	der Leiter einer Finanzverwaltung	paymaster (en général)	el pagador	l'intendente di finanza	de thesaurier(-generaal) van een departement

TRÊVE DES CONFISEURS (la ~) (*) 1. Période de fin d'année pendant laquelle les transactions boursières sont réduites.

1. (71)	die parlamentarische Weihnachtsferien	Christmas truce	el parón navideño	il periodo di fine anno in Borsa	het eindejaarsreces
		New Year truce			

TRIMESTRE (n.m.) (****) 1. Période de trois mois.

1. (248)	das Vierteljahr	quarter	el trimestre	il trimestre	het trimester
	das Quartal				het kwartaal

TRIMESTRIEL, -IELLE (adj.) (***) 1. Qui se produit tous les trois mois.

1. (64)	vierteljährig	quarterly	trimestral	trimestrale	driemaandelijks
	quartalsweise				

TRL (*) (382) Turquie - livre.

TROC (n.m.) (**) 1. Échange contre qqch de valeur analogue.

1. (6)	der Tausch(handel)	exchange	el trueque	il baratto	de ruilhandel (m.)
		countertrade	la permuta	la permuta	

TROQUER (v.tr.dir.) (**) 1. Échanger contre qqch de valeur analogue.

1. (6)	(um)tauschen	to exchange	trocar	barattare	ruilen
		to barter (for)	permutar	permutare	

TROU (n.m.) (***) 1. Déficit important.

1. (266)	das Haushaltsloch	deficit	el agujero	il buco	het gat
		gap		il deficit	het deficit

TRUST (n.m.) (***) 1. Ensemble d'entreprises qui cherche à accéder à un monopole.

1. (519)	der Trust	trust	el trust	il trust	de trust (m.)

TSE300 (le ~) (****) (72) indice de la Bourse de Toronto.

TTC (**) toutes taxes comprises.

(543)	inkl. MwSt (inklusive Mehrwertsteuer)	tax-inclusive	IVA incluido	tasse comprese	BTW inclusief
		inclusive of tax	impuesto sobre el valor añadido incluido		

TUBE (n.m.) (***) 1. Contenant (pour le dentifrice p. ex.).

1. (363)	die Tube	tube	el tubo	il tubetto	de tube (m./f.)

TUC (les ~ (m.)) (*) travaux d'utilité collective.

(555)	die Arbeitsbeschaffungsmassnahmen der öffentlichen Hand für 16 - 25jährige	community job	las obras públicas	i lavori socialmente utili	de banenscheppende initiatieven (plur.) voor werken van openbaar nut
	die ABM-Stellen	public interest job			

TURN(-)OVER (n.m.) (*) 1. Taux de renouvellement du personnel.

1. (541)	der gesamte Wechsel der Belegschaft	staff turnover	la rotación de personal	il turnover	het personeelsverloop
	die völlige Erneuerung der Belegschaft				de turnover (m.)

TVA (la ~) (****) taxe sur/à la valeur ajoutée.

(543)	die Mehrwertsteuer (MWS)	value-added tax (VAT)	el impuesto sobre el valor añadido (IVA)	l'imposta sul valore aggiunto (IVA)	de belasting (f.) op de toegevoegde waarde (BTW)

U

UEM (l'~ (f.)) (**) Union économique et monétaire.

(215)	Wirtschafts-und Währungsunion (WWU)	Economic and Monetary Union (EMU)	Unión Económica y Monetaria (UEM)	l'Unione economica e monetaria (UEM)	de Economische en Monetaire Unie (f.) (EMU)

UPS (l'~ (f.)) (***) (534) Union patronale suisse.

USAGE (n.m.) (****) 1. Utilisation de qqch.

1. (144)	der Gebrauch	use	el uso	l'uso (m.)	het gebruik
	die Benutzung		el empleo		

USAGER (n.m.) (***) 1. Personne qui utilise qqch sans le détruire.

1. (144)	der Benutzer	user	el usuario	l'utente (m.)	de gebruiker (m.)
	der Verbraucher				

USAM (l'~ (f.)) (***) (534) Union suisse des arts et métiers.

USD (****) (382) États-Unis - dollar.

USINE (n.f.) (****) 1. Établissement industriel.

1. (557)	die Fabrik(anlage)	factory	la fábrica	la fabbrica	de fabriek (f.)
(254)	das Werk	plant	la factoría	lo stabilimento industriale	

USS (l'~ (f.)) (***) (534) Union syndicale suisse.

UTILITAIRE (n.m.) (*) 1. Petit véhicule de transport de marchandises.

1. (550)	das Nutzfahrzeug	commercial vehicle	el (vehículo) utilitario	il furgone	het bedrijfsvoertuig
	das Gebrauchsfahrzeug	van		il veicolo commerciale	

V

VACANCE (n.f.) (**) 1. Emploi inoccupé. 2. (plur.) Période de repos accordée aux salariés, aux étudiants, ...

1. (225)	die freie Stelle	vacancy	la vacante	la vacanza	de vacature (f.)
	die Vakanz	job opening			
2. (553)	die Ferien	holiday (GB)	las vacaciones	le vacanze	de vakantie (f.)
(99)	der Urlaub	vacation (US)		le ferie	

VACANCIER, VACANCIÈRE (n.) (**) 1. Personne qui se trouve dans la période de repos accordée aux salariés, aux étudiants, ...

1.	der Urlauber	holidaymaker (GB)	la persona de vacaciones	i vacanzieri (plur.)	de vakantieganger (m.)
	der Feriengast	vacationer (US)	el veraneante		

VACANT, -ANTE (adj.) (**) 1. Qui est inoccupé.

1. (225)	offen	vacant	vacante	vacante	vacant
	frei		desocupado		openstaand

VACATAIRE (n.) (*) 1. Personne qui exerce une fonction pendant une durée limitée.

1. (554)	die Vertretung	person holding a short-term contract	el eventual	l'ausiliario (m.)	het hulppersoneel
	die Aushilfe		el temporal	il precario	

VACATION (n.f.) (**) 1. Rémunération d'un expert.

1. (480)	das Honorar	payment on fee basis	los honorarios	l'onorario (m.)	het ereloon de vacatie (f.)

VACHE À LAIT (une ~) (**) 1. Produit à faible taux de croissance et à fortes parts de marché.

1. (446)	die Cashkuh	cash cow	la vaca	il prodotto maturo il cash cow	de melkkoe (f.)

VAGUE (n.f.) (****) 1. Nombre important d'opérations, d'actions, de variations.

1. (3)	die Welle	wave	la oleada	l'onda(ta) (f.)	de golf (m./f.)

VALEUR (n.f.) (****) 1. Qualité mesurable d'un bien. 2. Document représentatif d'un titre de propriété. 3. (plur.) Élément de l'actif.

1. (563)	der Wert	value	el valor	il valore	de waarde (f.) de prijs
2. (563)	das Wertpapier	security stocks and shares	el valor el efecto	il titolo il valore	de effecten (plur.) de waardepapieren (plur.)
3. (563)	der Vermögenswert	assets	los valores	le attività	de waarde (f.)

VALEUR

➠ prix
➠ action - bourse
➠ actif

1 une valeur **3** une valeur(-)vedette **3** la contre-valeur **3** une valeur(-)refuge **3** la non-valeur **3** la sous-valeur **3** la survaleur **3** la valorisation **3** la dévalorisation **3** la revalorisation **3** le survaloir			**2** valoir **3** valoriser **3** (se) dévaloriser **3** revaloriser

1 une VALEUR - [valœʀ] - (n.f.)

1.1. (emploi au sing.) Qualité mesurable ou effective d'un bien ou d'un service (Y) qu'un agent économique (un particulier, une entreprise, un État - X) peut échanger, compte tenu de son coût, du travail qu'il a demandé, de l'offre et de la demande, du lien affectif qui existe entre le bien et son possesseu r,...
Les investisseurs attribuent une valeur plus importante aux entreprises qui améliorent leurs bénéfices par la croissance de leur chiffre d'affaires plutôt que par la réduction de leurs coûts.

1.2. Document représentatif d'un titre de propriété ou d'un droit, négociable sur le marché financier et pouvant procurer des revenus à son titulaire.
Syn. : (☞ 567 Pour en savoir plus, Valeur (sens 1.2.) et synonymes).
Le cours des valeurs françaises s'est effondré en l'espace de quelques heures.

1.3. (emploi au plur.) Élément de l'actif.

expressions

(sens 1.1.)

- (Une personne, une action) **mettre** qqch. **en valeur**. 1. Mettre qqch. en évidence. (Syn. : **faire valoir** qqch). - 2. Retirer des bénéfices de qqch. *Nous ne cherchons pas à créer de nouveaux produits, mais plutôt à mettre en valeur le catalogue existant.*
- (Une personne) (**acheter**, **apprécier**, **rémunérer**, **estimer**, ...) qqch. **à sa juste valeur.** *Compte tenu des ventes réalisées à l'étranger, il est évident que le savoir-faire de la firme strasbourgeoise y est apprécié à sa juste valeur.*
- (Un objet) **de grande valeur** : qui vaut beaucoup d'argent. > (Un objet) **de peu de valeur**. > (Un objet) **sans valeur**. **Un échantillon sans valeur**. *Sur la plupart des échantillons sans valeur figure la mention "Ne peut être vendu".*
- **En valeur absolue** : valeur non comparée, le montant en lui-même, sans comparaison. *En valeur absolue, le commerçant peut gagner davantage avec de petites friandises qu'avec des produits d'un volume plus important, puisqu'il s'agit souvent d'achats impulsifs.*

+ adjectif

TYPE DE VALEUR (sens 1.1.)

La valeur ajoutée : différence entre la valeur marchande d'un produit fini et le coût des consommations intermédiaires, p. ex. les matières premières, l'énergie, ... utilisées lors du processus de production. La valeur ajoutée mesure la contribution économique réelle de l'agent économique à la production. La somme des valeurs ajoutées de toutes les unités de production d'un État donne **le produit intérieur brut (le PIB)**.

(V. 443 production, 2). **La taxe sur/à la valeur ajoutée**. (V. 543 taxe, 1). (Un produit, une entreprise) **à haute valeur ajoutée** (moins fréq. : **à forte valeur ajoutée**). >< (Un produit, une entreprise) **à faible valeur ajoutée. La valeur ajoutée nette** : **la valeur ajoutée brute** moins les amortissements de capital (facteurs de production).

La valeur marchande, vénale : valeur estimée en argent d'une entreprise ou d'un bien, sur la base des indications du marché actuel et dans l'état que présente l'entreprise ou le bien. (Syn. : (plus fréq.) **le prix du marché**, (moins fréq.) **la valeur d'échange, la valeur de marché**). *La valeur marchande d'une action est très subjective parce que son prix est fonction, entre autres, du climat psychologique du marché.*

>< **La valeur non marchande** : appréciation subjective de la qualité d'un bien ou d'un service en fonction de la satisfaction qu'il procure à son consommateur. (Syn. : **la valeur d'usage**).

La valeur objective : valeur mesurée par rapport à un critère objectif : quantités d'unités monétaires, quantités de travail (Silem). *Valeur objective et réalité du marché divergent parfois assez fortement.*

>< **La valeur subjective** : valeur ressentie, appréciée par un individu ou un groupe d'individus (Silem).

La valeur nominale, faciale : valeur donnée et inscrite sur un billet de banque, une pièce de monnaie, ...

>< **La valeur réelle** : quantité de biens et de services qui peut être achetée avec une somme d'argent. *On peut obtenir un accroissement de la valeur réelle d'une monnaie par la baisse des prix.*

La valeur nominale (d'une action) : montant auquel une société de capitaux émet ses actions.

>< **La valeur boursière** : montant qu'atteint une valeur soumise à la loi de l'offre et de la demande sur le marché boursier. (V. 87 capital, 3).

La valeur intrinsèque (d'une entreprise) : valeur d'une entreprise dégagée à partir de la valeur réelle des postes du bilan (Ménard).

La valeur intrinsèque (d'une action) : valeur obtenue en divisant l'actif net de la société par le nombre de ses actions (Sousi-Roubi). *Les investisseurs s'intéressent aux actions qui sont sous-évaluées de 25 à 30% par rapport à leur valeur intrinsèque.*

La valeur économique : caractère mesurable d'un bien ou d'un service considéré comme objet d'échange (Bourachot).

La valeur comptable : montant attribué à un poste dans les comptes (Ménard).

La valeur comptable d'une action : chiffre qui représente les capitaux propres d'une entreprise divisés par le nombre d'actions émises et en circulation.

La valeur comptable d'une entreprise. (Syn. : **l'actif net**). (V. 8 actif, 1).

La valeur nette comptable (d'un actif immobilisé) : différence entre le coût payé à l'achat et le total des amortissements ou des provisions de dépréciation.

La valeur locative. 1. Revenu que peut rapporter un bien immobilier donné en location. - 2. Évaluation du loyer d'un local servant de base d'imposition pour les impôts directs locaux (Cornu).

La valeur actualisée : valeur que l'on obtient en convertissant une ou plusieurs valeurs disponibles plus tard en une valeur équivalente à l'instant où l'on se place (Ménard).

La valeur agréée : valeur établie par un expert, pour laquelle un assureur accepte de garantir des objets de prix (bijoux, tableaux, tapis) (DC).

La valeur liquidative (d'un titre) : prix d'une action de sicav ou d'une part de fonds commun de placement obtenu en divisant le montant de l'actif de cet organisme par le nombre de titres en circulation (Bourachot). (Syn. : **la valeur de liquidation**, (fam.) **la valeur à la casse**).

La valeur capitalisée : valeur d'un bien ou d'une entreprise établie en accumulant les revenus ou les bénéfices qu'il ou elle produit.

La valeur résiduelle. (V. 350 location, 1).

TYPE DE VALEUR (sens 1.2.)

Une valeur mobilière : action ou obligation négociable en bourse. (Syn. : **un titre**). *À cause des taux d'intérêt très bas, le pays assiste à une vague d'investissements massifs en valeurs mobilières locales.*

Une valeur + adjectif qui désigne le type d'activité de la société de capitaux. Une valeur financière ; industrielle ; aurifère (d'une mine d'or) ; technologique ; écologique. (☞ 567 Pour en savoir plus, Notes d'usage).

Une valeur cyclique : valeur mobilière dont le cours est lié à la conjoncture économique. *Les valeurs cycliques sont les principales perdantes de la séance : les investisseurs craignent que la hausse des taux d'intérêt ne freine trop la croissance et donc les résultats de ces entreprises.*

TYPE DE VALEUR (sens 1.3.)

Des valeurs immobilisées. (V. 8 actif, 1).

Des valeurs disponibles. (V. 9 actif, 1).

CARACTÉRISATION DE LA VALEUR (sens 1.2.)

Une valeur défensive. >< **Une valeur spéculative**. (V. 11 action, 1).

Une valeur sûre : valeur mobilière qui ne comporte que peu de risques : p. ex. les obligations émises par l'État et les valeurs mobilières émises par les sociétés qui présentent une bonne santé financière. *Les obligations restent une* *valeur sûre à condition de choisir la bonne devise.*

Une valeur stable : qui ne connaît pas beaucoup de fluctuations et qui est par conséquent considérée comme une valeur sûre.

Une valeur sensible à + une évolution spécifique. Une valeur sensible aux/à l'évolution des taux ; au/à l'évolution du dollar. *Les valeurs sensibles aux taux d'intérêt ne sont pas exclues des portefeuilles puisque personne ne craint une forte remontée des taux.*

Une valeur active : valeur qui fait l'objet de nombreuses transactions en bourse. *Aux étrangères, on devait noter la présence des mines d'or sud-africaines au rang des valeurs les plus actives.*

>< **Une valeur inactive**

NIVEAU DE LA VALEUR (sens 1.1.)

Une valeur élevée. >< **Une faible valeur**.

LOCALISATION DE LA VALEUR (sens 1.2.)

Une valeur + adjectif qui désigne le lieu d'origine. Une valeur belge, française ; locale.

>< **Une (valeur) étrangère**. *Les étrangères n'ont pas été gâtées puisqu'elles perdent plus de 2 %.*

MESURE DE LA VALEUR (sens 1.1.)

La valeur totale, globale.

La valeur unitaire : valeur d'un seul objet.

La valeur actuelle. >< **La valeur future**. *Il faut investir dans un client en tenant compte de sa valeur future.*

La valeur initiale. (Syn. : **la valeur de départ**). *La valeur initiale de l'action était de 325 euros. Après deux jours, elle vaut déjà 334 euros.*

+ nom

(sens 1.1.)

La date de valeur, le jour de valeur : date réellement prise en compte par une banque lors d'une opération de retrait ou de dépôt pour le calcul des intérêts débiteurs ou créditeurs.

(sens 1.2.)

- **Un portefeuille de valeurs**. (Syn. : (plus fréq.) **un portefeuille d'actions**). (V. 11 action, 1).
  Mettre des actions en portefeuille. **Des valeurs détenues en portefeuille**. *Si le cours d'Unilever grimpe, nous pouvons encore émettre des options d'achat sur les valeurs détenues en portefeuille.*
- **Le marché des valeurs (mobilières)**, (moins fréq.) **la bourse des valeurs (mobilières)**. (V. 365 marché, 1).
  Le cours d'une valeur, la cote d'une valeur. (V. 11 action, 1).
- **La liquidité d'une valeur**. (V. 346 liquidité, 1).

TYPE DE VALEUR (sens 1.1. et 1.2.)

Une valeur de référence : valeur mobilière, monnaie, ... qui sert de point de comparaison ou dont le caractère prédominant est reconnu par tous. *Notre ratio dette/PIB diminue suffisamment et s'approche de la valeur de référence à un rythme satisfaisant.*

TYPE DE VALEUR (sens 1.1.)

La valeur de + nom qui désigne un bien, un service, un objet ,... La valeur d'un contra t; d'une monnaie ; d'un bien ; d'un titre.

La valeur de (moins fréq. : **du**) **marché**. (Syn. : (plus fréq.) **la valeur marchande, la valeur d'échange**). *Un assureur rembourse la valeur de marché d'un objet, c'est-à-dire un prix qui n'inclut ni la TVA ni le bénéfice réalisé lors de la vente.* (☞ 564 + adjectif).

La valeur d'acquisition. (Syn. : (plus fréq.) **le prix d'achat**). *La valeur d'acquisition d'un hôtel qui marche bien serait trop importante pour nous permettre d'amortir rapidement notre achat.*

La valeur de rachat. 1. Somme versée par une société lors du remboursement de ses obligations ou du rachat de ses actions. - 2. (d'un contrat d'assurance) Somme qu'un assuré peut récupérer lors de l'annulation de certains types de contrats d'assurance-vie.

La valeur à neuf (d'un bien): valeur d'acquisition ou de reconstitution d'un bien à l'état neuf, sans dépréciation, usure ou obsolescence (DC). *La valeur réelle d'un bien correspond à sa valeur à neuf dont on a déduit un pourcentage pour vétusté.*

La valeur d'inventaire : valeur vénale au jour de l'inventaire. *Malgré la capitalisation des revenus, la valeur d'inventaire a perdu plus de 10 % depuis le début de l'année.*

La valeur d'échange. >< **La valeur d'usage**. (☞ 564 + adjectif).

La valeur d'assurance : valeur pour laquelle le bien est assuré et qui sert de base pour le calcul des indemnités à verser le cas échéant.

La valeur de liquidation. (☞ 564 + adjectif).

TYPE DE VALEUR (sens 1.2.)

Une valeur de rendement : valeur qui offre un dividende substantiel garanti. *Cette entreprise s'est présentée comme une valeur de rendement auprès du public, promettant de beaux dividendes.*

>< **Une valeur de croissance** : valeur qui dispose d'un fort potentiel de plus-value. *Les valeurs de croissance ne sont malheureusement pas monnaie courante sur le marché boursier.*

Une valeur (mobilière) à revenu fixe. >< **Une valeur (mobilière) à revenu variable**.

Une valeur à forte liquidité. > **Une valeur à moyenne liquidité**. > **Une valeur à liquidité faible**.

TYPE DE VALEUR (sens 1.3.)

Des valeurs d'exploitation. (Syn. : **les actifs d'exploitation**). (V. 9 actif, 1).

CARACTÉRISATION DE LA VALEUR (sens 1.2.)

Une valeur de qualité. (Syn. : **une action de qualité**). *Les investisseurs attendent des valeurs de qualité qu'elles produisent d'année en année des dividendes plus importants.*

Une valeur de (**bon**) **père de famille**, **une valeur de premier ordre**. (V. 11 action, 1).

MESURE DE LA VALEUR (sens 1.1.)

La valeur de départ. (☞ 565 + adjectif).

+ verbe : qui fait quoi ?

(sens 1.1.)

X		**estimer** la ~ de Y (à + indication d'un montant)	l'estimation de la ~ de Y (à + indication d'un montant)	1
une mesure, une action	△	**augmenter** la ~ de Y	une augmentation de la ~ de Y	
→ la ~ de Y		**augmenter**	une augmentation de la ~ de Y	
Y		**gagner** en ~	un gain en ~	
une mesure, une action	▽	**réduire** la ~ de Y **diminuer** la ~ de Y	une réduction de la ~ de Y une diminution de la ~ de Y	2
→ la ~ de Y		**diminuer**	une diminution de la ~ de Y	
Y		**perdre** de la ~	une perte de ~	3

1 *La compagnie d'assurances a estimé la valeur des objets volés à quelque 2 millions d'euros.*
2 *Nous enregistrons une réduction de 12 % de la valeur finale de notre production malgré un accroissement des quantités produites de 3 %.*
3 *Un bien perd de sa valeur au fur et à mesure de son emploi.*

(sens 1.2.)

un investisseur	✓	**(r)acheter** des ~ (mobilières) **placer** son argent en ~ (mobilières) **investir en** ~ (mobilières) ↓	un (r)achat de ~ (mobilières) un placement en ~ (mobilières) un investissement en ~ (mobilières) un investisseur en ~ (mobilières)	1
un investisseur	×	**détenir** des ~ (mobilières) ↓	la détention de ~ (mobilières) un détenteur de ~ (mobilières)	
un investisseur		**conserver** des ~ (mobilières) ↓	la conservation de ~ (mobilières)	
un investisseur	O	**vendre** des ~ (mobilières) (à + indication du prix) **céder** des ~ (mobilières) (à + indication du prix)	une vente de ~ (mobilières) une cession de ~ (mobilières) une ~ (mobilière) cessible	2
une ~ (mobilière)		**être cotée** en bourse / au marché officiel	la cotation (d'une ~ (mobilière)) en bourse la cote (Syn. : (plus fréq.) **le cours d'une ~** (**mobilière**))	3
		être traitée en bourse **s'échanger** en bourse ↓	-	
une ~ (mobilière)		**afficher** un cours de + montant	-	
(le cours d')une ~ (mobilière)	△	**(être) en hausse** **monter**	la hausse (du cours) d'une ~ (mobilière) la montée du cours d'une ~ (mobilière)	
(le cours d')une ~ (mobilière)	△△	**monter en flèche**	la montée en flèche d'une ~ (mobilière)	
(le cours d')une ~ (mobilière)	▽	**(être) en baisse** **baisser**	la baisse d'une ~ (mobilière)	
(le cours d')une ~ (mobilière)	▽▽	**chuter**	la chute d'une ~ (mobilière)	
(le cours d')une ~ (mobilière)	=	**rester inchangé**	-	

(le cours d')une ~ (mobilière)	**être surévalué**	la surévaluation d'une ~ (mobilière)	4
	>< être sous-évalué	la sous-évaluation d'une ~ (mobilière)	

1 *Cette sicav présente la particularité de n'investir qu'en valeurs écologiques.*
2 *Les décisions des pays de l'OPEP ont encouragé les investisseurs à céder leurs valeurs pétrolières.*
3 *Cette valeur, qui est cotée au marché officiel, a connu une progression fulgurante.*
4 *Une valeur qui est quelque peu surévaluée est mûre pour être vendue.*

Pour en savoir plus

VALEUR (sens 1.2.) ET SYNONYMES

Une valeur.

Un titre : valeur mobilière, comme p. ex. une action ou une obligation, négociable en bourse.

De nombreuses combinaisons de mots, surtout avec verbe, relevées pour 'action' et pour 'valeur (mobilière)' se rencontrent également pour le terme 'titre'. **Un titre au porteur**. (V. 11 action, 1). **La valeur d'un titre. La liquidité d'un titre**. (V. 346 liquidité, 1). **Un portefeuille de titres**. (☞ 565 + nom). **Échanger, traiter, négocier des titres. Un titre est coté en bourse. La cotation d'un titre. Radier un titre de la cotation/de la cote**. (V. 12 action, 1). (Le cours d') **un titre est en hausse**. >< (Le cours d') **un titre est en baisse**.

Un effet de commerce. (V. 114 commerce, 1). Sont compris sous la dénomination générale d'effets de commerce : la lettre de change ou traite, le billet à ordre, le warrant, le chèque (DC).

NOTES D'USAGE

Dans la revue boursière, les valeurs mobilières sont souvent désignées à l'aide du type d'activité. *Contrairement à la tendance du marché, les bancaires/les banques ont perdu beaucoup de terrain.*
Un ensemble de valeurs différentes se trouve souvent regroupé sous la forme d'un complément introduit par 'aux' (= pour, quant aux). *Quelques belles hausses ont été enregistrées aux (valeurs) étrangères, sud-africaines en particulier.*

2 VALOIR - [valwaʀ] - (v.intr.)

1.1. Des fournitures livrées ou des biens produits (X) par un agent économique (un commerçant, une entreprise) pour un autre agent économique (un particulier, un commerçant, une entreprise) ou une valeur mobilière représentent une somme d'argent.
Syn. : coûter. (fam., pour des objets courants) faire.
Cette voiture vaut plus de 60000 euros.

expressions

- (Une personne) **faire valoir** qqch. (V. 563 1 valeur).
- (Une personne) **faire valoir ses capitaux**, **son patrimoine** : rendre productif.
- (Un commerçant) **faire valoir sa marchandise** : présenter les produits sous un jour favorable.
- (Qqch.) **valoir de l'or, valoir son pesant d'or** : avoir une valeur importante. *Avoir une bonne image de marque auprès du consommateur vaut son pesant d'or.*
  >< (Qqch.) **ne rien valoir, ne pas valoir un clou**.
- (Une somme) **(être) à valoir sur** (une somme à recevoir ou à verser) : somme qui est à déduire d'une autre. *Le client reçoit un bon d'achat de 100 euros qui est à valoir sur un prochain achat.*
- (Deux choses) **se valoir** : avoir la même valeur. *Tous les segments de clientèle ne se valent pas : il est en effet impossible de satisfaire les attentes de tous, et des choix stratégiques doivent dès lors être faits.*
- **Le temps vaut de l'argent**. *Le temps vaut de l'argent équivaut à l'expression anglaise bien connue "time is money".*

+ adverbe

Valoir cher. (Syn. : (plus fréq.) **coûter cher**).

qui fait quoi ?

X	**valoir** + un montant	la valeur de X s'élève à + un montant

3 AUTRES DÉRIVÉS OU COMPOSÉS

- **Une valeur(-)vedette** [valœʀvədɛt] (n.f.) (plur. : **les valeurs(-)vedettes**) : valeur dont le volume d'échange et la capitalisation sont parmi les plus importants. **L'indice (Dow Jones, Nikkei,...) des valeurs vedettes**.
- **La contre-valeur** [kɔ̃tʀəvalœʀ] (n.f.) : valeur

(sens 1.1.) équivalente en une devise d'une somme d'argent en une autre devise, d'une valeur mobilière, d'un bien. *Pour conclure ce contrat nous devons disposer de la contre-valeur totale des 100 000 barils de pétrole brut, soit environ 2 millions de dollars.*

- **Une valeur(-)refuge** [valœʀ-ʀəfyʒ] (n.f.) (plur. : **des valeurs(-)refuges**) : bien mobilier ou immobilier qui présente des garanties de maintien de pouvoir d'achat, indépendamment de la conjoncture : p. ex. une monnaie forte, l'or, ... *Le dollar joue le rôle de valeur-refuge qu'il a ravi à l'or depuis de nombreuses années.*
- **La non-valeur** [nɔ̃valœʀ] (n.f.) : recette prévue et qui ne s'est pas réalisée (Lexis).
- **La sous-valeur** [suvalœʀ] (n.f.) : valeur d'une entreprise qui est estimée inférieure à la valeur des éléments qui apparaissent dans son bilan (Référis).

>< **La survaleur** [syʀvalœʀ] (n.f.) : valeur d'une entreprise qui est estimée supérieure à la valeur des éléments qui apparaissent dans son bilan. (Syn. : (plus fréq.) (angl.) **le goodwill**). (V. 60 bénéfice, 1).

- **La valorisation** [valɔʀizasjɔ̃] (n.f.). 1. Mise en valeur, mise en évidence. - 2. Fixation d'une valeur plus importante pour un bien ou un service.
{**valoriser** (v.tr.dir.)}.
- **La dévalorisation** [devalɔʀizasjɔ̃] (n.f.) : perte de valeur. **La dévalorisation d'une monnaie.**
{**(se) dévaloriser** [(s(ə)) devalɔʀize] (v.tr.dir., v.pron.)}. *La robotisation a complètement dévalorisé le travail manuel.*
- **La revalorisation** [ʀəvalɔʀizasjɔ̃] (n.f.) : fait de rendre sa valeur à qqch.
{**revaloriser** [ʀəvalɔʀize] (v.tr.dir.)}. *Il faut prendre d'urgence des mesures pour revaloriser le travail artisanal, qui risque de disparaître.*
- **Le survaloir** [syʀvalwaʀ] (n.m.). (Syn. : (plus fréq.) (angl.) **le goodwill**). (V. 60 bénéfice, 1).

VALEUR(-)REFUGE ; VALEURS(-)REFUGES (n.f.) (*) 1. Bien qui présente des garanties de maintien de pouvoir d'achat.

1. (568)	der Fluchtwert	safe investment	el título de máxima garantía	i beni rifugio	de goudgerande waarde (f.)
	mündelsicheres Wertpapier			il titolo a basso rischio	

VALEUR(-)VEDETTE ; VALEURS(-)VEDETTES (n.f.) (*) 1. Valeur active.

1. (567)	der Spitzenwert	leaders	el valor estrella	il valore di crescita	de groeiwaarden (plur.)
	die Spitzenwerte	leading shares			

VALOIR (v.intr.) (****) 1. Qqch. représente une somme d'argent.

1. (567)	wert sein	to be worth	valer	valere	waard zijn

VALORISATION (n.f.) (***) 1. Mise en évidence. 2. Fixation d'une valeur plus importante pour qqch.

1. (568)	die Aufwertung	valorization	la valorización	la valorizzazione	de valorisatie (f.)
2. (568)	die Aufwertung	valuation	la valorización	la valorizzazione	de waardestijging (f.)
		pricing			de meerwaarde (f.)

VALORISER (v.tr.dir.) (***) 1. Mettre en évidence. 2. Fixer une valeur plus importante pour qqch.

1. (568)	aufwerten	to valorize	valorizar	valorizzare	valoriseren
2. (568)	aufwerten	to value	valorizar	valorizzare	in waarde doen stijgen
		to upgrade			

VARIABILITÉ (n.f.) (**) 1. Caractère de ce qui fluctue.

1. (33)	die Veränderlichkeit	variability	la variabilidad	la variabilità	de variabiliteit (f.)
	die Variabilität				

VARIABLE (adj.) (****) 1. Qui fluctue.

1. (281)	variabel	variable	variable	variabile	variabel
	veränderlich	fluctuating			

VARIABLE (n.f.) (***) 1. Grandeur qui peut prendre plusieurs valeurs.

1. (274)	die Variable	variable	la variable	la variabile	de variabele (m./f.)

VARIATION (n.f.) (****) 1. Fluctuation.

1. (274)	die Veränderung	variation	la variación	la variazione	de variatie (f.)
	die Schwankung	fluctuation	la fluctuación		

VARIER (v.intr.) (****) 1. Fluctuer.

1. (274)	sich verändern	to vary	variar	variare	variëren
	sich ändern	to fluctuate	fluctuar		fluctueren

VEDETTE (n.f.) (**) 1. Produit à fort taux de croissance.

1. (446)	der Kassenschlager	leading product	la estrella	il valore di crescita	de vedette (m./f.)
	der Renner	star product			

VÉHICULE (n.m.) (****) 1. Moyen de transport routier (RQ).

1. (551)	das Fahrzeug	vehicle	el vehículo	il veicolo	het voertuig

VENDABLE (adj.) (*) 1. Qui peut être donné contre le paiement d'une somme d'argent.

1. (575)	verkäuflich	marketable	vendible	vendibile	verkoopbaar
	für den Verkauf geeignet	saleable		commercializzabile	commercialiseerbaar

VENDEUR, -EUSE (adj.) (*) 1. Qui désire donner qqch contre le paiement d'une somme d'argent. 2. Qui se rapporte à la cession de qqch.

1. (575)	jemand, der etwas verkauft	selling	vendedor	venditore	verkoper
2. (575)	Verkaufs-	sales	vendedor	venditore	verkoops-

VENDEUR, VENDEUSE (n.) (****) 1. Personne qui donne qqch contre le paiement d'une somme d'argent. 2. Salarié dont la fonction est de vendre.

1. (573)	der Verkäufer	seller	el vendedor	il venditore	de verkoper (m.)
2. (573)	der Verkäufer	sales representative salesperson	el vendedor	il venditore	de verkoper (m.)

VENDRE (~, se ~) (v.tr.dir., v.pron.) (****) 1. Donner qqch contre le paiement d'une somme d'argent.

1. (573)	verkaufen	to sell	vender (se)	vendere	verkopen

VENDU (n.m.) (*) 1. Article cédé. 2. Personne corrompue.

1. (575)	der verkaufte Artikel	articles sold	el vendido	il venduto	het verkocht artikel
2. (575)	die gekaufte Person der Bestochene	traitor	el traidor	un venduto	de omgekochte persoon (m.)

VENTE (n.f.) (****) 1. Cession de qqch contre le paiement d'une somme d'argent. 2. Contrat de cession.

1. (569)	der Verkauf	sale selling	la venta	la vendita	de verkoop (m.)
2. (569)	der Verkauf	sale contract bill of sale	(el contrato de) venta	(il contratto di compra)vendita la compravendita	de (het) verkoop(contract) (m.)

VENTE

➠ **achat - commerce**

1 une vente **4** une mévente **4** une revente **4** la télé(-)vente **4** l'après-vente **4** une vente-réclame **4** un vendu **4** un invendu	**2** un vendeur, une vendeuse **4** un revendeur, une revendeuse	**4** vendeur, -euse **4** vendable **4** invendable **4** invendu	**3** (se) vendre **4** mévendre **4** revendre

1 la VENTE - [vɑ̃t] - (n.f.)

1.1. Opération par laquelle un agent économique (un particulier, une entreprise, un État - X) donne un bien, une valeur ou un droit (Y) à un autre agent économique (un particulier, une entreprise, une administration - Z) ou fournit un service (Y) à cet autre agent économique (Z) contre paiement d'une somme d'argent.
Syn. : (☞ 572 Pour en savoir plus, Vente (sens 1.1.) et synonymes); Ant.: un achat, une acquisition.
Après deux années pendant lesquelles le produit a été testé, il vient d'être mis en vente cette semaine.

1.2. Contrat par lequel un agent économique (un particulier, une entreprise, un État) donne un bien ou une valeur à un autre agent économique (un particulier, une entreprise, une administration) ou fournit un service à cet autre agent économique contre paiement d'une somme d'argent.

expressions

(sens 1.1.)

(Un produit) **(être) en vente libre** : qui peut être acheté sans prescription. *Le fait que certains produits ne soient pas en vente libre oblige le patient à consulter son médecin.* (☞ 572 + verbe).

+ adjectif

TYPE DE VENTE (sens 1.1.)

La vente directe : vente sans intermédiaire, avec communication d'informations (p. ex. à l'aide d'un catalogue) aux consommateurs (p. ex. la vente par correspondance, la vente par téléphone, ...). (Syn. : **le marketing direct**). *L'idée est d'offrir, par la vente directe, des prix plus avantageux et de fournir à la clientèle un service après-vente de toute première qualité puisqu'il est assuré par le fabricant lui-même.*

>< **La vente indirecte** : vente qui fait appel à un grossiste et/ou à un détaillant. (Syn. : **la vente par intermédiaires**).

La vente personnelle : vente qui s'effectue par l'intermédiaire d'un vendeur, p. ex. la vente à domicile.

Une vente publique : vente aux enchères qui a été portée à la connaissance du public et qui a lieu en public.

La vente domiciliaire : vente effectuée par le représentant d'une entreprise devant un groupe de personnes rassemblées au domicile de l'une d'entre elles. L'acheteur dispose d'**un délai de réflexion** de 7 jours pour renoncer à l'achat par lettre recommandée. (Syn. : **la vente à domicile**). *La vente domiciliaire au cours de réunions de présentation est assez populaire dans le secteur des produits de beauté.*

La vente groupée : technique de vente qui consiste à vendre ensemble des produits complémentaires (p. ex. des lames de rasoir et de la mousse à raser) ou plusieurs produits analogues à un prix inférieur à la somme des prix des produits à l'unité (p. ex. 12 pots de yaourt).

La vente itinérante, ambulante : vente réalisée à partir d'un véhicule qui est conduit auprès du client.
La vente sauvage : vente effectuée sans avoir la permission de vendre et généralement dans un lieu qui n'est pas approprié. (Syn. : **la vente à la sauvette**). *La vente sauvage de tas d'objets est caractéristique des métros dans les grandes villes.*
Une vente forcée. *Ses actions seront mises en vente forcée pour rembourser ses créanciers.*
Une vente franco (de port) : sans frais pour le destinataire.
La vente pyramidale : forme de vente dans laquelle chaque vendeur essaie à son tour de recruter d'autres vendeurs pour les faire entrer dans le réseau et sur les ventes desquels il touche une commission (DM). (Syn. : **une vente à la boule de neige).**
Une vente additionnelle : vente d'un produit ou d'un service complémentaire après la vente d'un autre produit ou service, une cravate avec une chemise p. ex.

CARACTÉRISATION DE LA VENTE (sens 1.1.)

Une vente calme : vente limitée.

LOCALISATION DE LA VENTE (sens 1.1.)

Les ventes mondiales.

MESURE DE LA VENTE (sens 1.1.)

Les ventes totales. *Le bricolage constitue un pôle important du groupe puisqu'il représente 22 % des ventes totales du groupe.*

Une vente massive : vente en grandes quantités.

Les ventes annuelles.

+ nom

(sens 1.1.)

- **La vente de** + nom d'un produit, d'un service, ... La vente de voitures ; d'actifs ; d'une filiale.
  La vente de produits + adjectif qui désigne une catégorie de produits. La vente de produits alimentaires ; financiers.
- **Une promesse de vente** : engagement pris par un vendeur de vendre un bien ou un service à un acheteur, qui ne s'engage à rien, pendant une période donnée et à des conditions particulières.
- **Un compromis de vente** : document provisoire attestant l'accord entre le vendeur et l'acheteur au prix convenu et engageant les deux parties. (Syn. : **une convention de vente**). (Ant. : **une convention d'achat**). *Le compromis de vente peut être limité, dans sa forme la plus sommaire, à quelques lignes : vendeur, acheteur, chose vendue et prix.*
  Un contrat de vente : document décrivant les biens ou les services à fournir ainsi que les conditions générales de vente. (Ant. : **un contrat d'achat**).
  Une option de vente : droit que détient une personne de vendre un bien ou un service pendant une période déterminée à des conditions acceptées par le bénéficiaire.
- **La force de vente** : ensemble des commerciaux d'une entreprise. (V. 120 commerce, 6). *L'image positive d'une entreprise peut être réduite à néant par un personnel d'accueil ou une force de vente qui manquent de patience, d'écoute et d'amabilité.*
  Une équipe de vente.
- **Un entretien de vente** : négociation de vente entre un acheteur et un vendeur, conduite généralement par le vendeur.
- **Une lettre de vente** : lettre publicitaire adressée à des clients bien ciblés. (Syn. : (angl.) **un mailing, un publipostage**).
  Un argument de vente. *Le respect de la qualité nous permet d'augmenter sans additif la durée de conservation de nos produits. C'est un argument de vente efficace, surtout auprès des grandes surfaces, très exigeantes dans le domaine de l'hygiène.*
  {**un argumentaire** (ensemble ordonné d'arguments)}.
  Une stratégie de vente.
- **Un réseau de vente**. (Syn. : (plus fréq.) **un réseau de distribution**). (V. 205 distribution, 1).
  Un bureau de vente : établissement commercial généralement installé hors de l'entreprise et chargé d'assurer le succès de la fonction commerciale dans une région donnée (Ménard). (Syn. : **une agence (commerciale), une succursale (de vente), un bureau de représentation**). (V. 520 société, 1).
- **Une salle de vente** : salle où se déroulent des ventes publiques. Le terme est souvent employé pour désigner **la maison de vente** elle-même. *Sotheby's et Druot comptent parmi les salles de vente les plus connues au monde.*
- **Un ordre de vente**. (Ant. : **un ordre d'achat**). (V. 69 bourse, 1).
  Une vague de ventes.
- **Le prix de vente**. (V. 433 prix, 1).
- **La promotion des ventes. La promotion/la publicité sur le(s) lieu(x) de vente**. (V. 464 publicité, 1).
- **Le directeur des ventes**. (V. 202 direction, 2) ; **le responsable des ventes.**
- **Le produit de la vente**. (V. 445 production, 2).
- **Une offre de vente**. (Ant. : **une offre de rachat, une offre d'achat**). (V. 394 offre, 1).
  Une offre publique de vente (une OPV). (Ant. : **une offre publique d'achat (une OPA)**). (V. 394 offre, 1).
- **Le commerce de dépôt-vente**. (V. 115 commerce, 1).

TYPE DE VENTE (sens 1.1.)

La vente en gros. (Ant. : **l'achat en gros**). *Le prix varie avec la quantité vendue. Des ristournes élevées sont accordées lors de ventes en gros importantes.*

>< **La vente au détail** : vente en petites quantités. (Ant. : **l'achat au détail**). *Le ministre propose d'établir une relation entre le prix payé au producteur et le prix de vente au détail. En effet, les producteurs ont vu s'effondrer les prix, alors que le consommateur n'a pas constaté une baisse des prix.*

La vente à distance : vente de toutes sortes de produits sans contact direct entre le vendeur et le client. Il y a plusieurs types de vente à distance :

la vente par correspondance (**la VPC**) : qui fait appel à l'imprimé sous toutes ses formes (le catalogue , (angl.) le mailing, la lettre de vente ou le publipostage ; les offres sur les emballages, ...). (Ant. : **l'achat par correspondance**). **Un catalogue de vente par correspondance.**

{**le vépéciste**}. *Vu l'étendue de son assortiment, le vépéciste est en mesure de capter le consommateur jeune, difficile à approcher* ;

la vente au téléphone (**la vente par téléphone, la télé(-)vente**) ;

(F) **la vente par minitel** ou **par le réseau Internet** : le commerce électronique ou (angl.) **le e-commerce**.

Une vente aux enchères : vente au cours de laquelle un bien est attribué à l'acheteur le plus offrant. *Lors des ventes aux enchères, l'enchère portée est rarement équivalente au coût final de l'acquisition à cause des taxes et des frais à payer.* **Faire monter les enchères.**

Une vente de gré à gré : vente basée sur un accord direct entre un acheteur et un fournisseur, sans tenir compte de la concurrence.

Une vente au comptant : avec paiement immédiat. (Ant. : **un achat au comptant**).

>< **Une vente à crédit** : avec paiement en une fois reporté à plus tard. (Ant. : **un achat à crédit**).

Une vente à tempérament : avec paiement reporté à plus tard en plusieurs tranches de valeur égale. (Ant. : **un achat à tempérament**).

Une vente à terme : vente dont les conditions sont fixées le jour où la transaction se conclut et dont la réalisation (le paiement et la livraison) intervient à une date ultérieure, fixée au moment de la transaction (DC). (Ant. : **un achat à terme**).

La vente à prix réduits : vente à prix plus bas que les prix normaux.

La vente par réunions (à domicile). (☞ 569 + adjectif).

La vente contre remboursement : vente dans laquelle la remise du bien livré au client, généralement à domicile, n'a lieu que contre paiement (DC).

La vente au déballage : vente avec annonce publicitaire effectuée dans des locaux qui ne sont habituellement pas destinés au commerce et présentant un caractère occasionnel ou exceptionnel (Moulinier).

La vente à la sauvette. (☞ 570 + adjectif).

La vente par intermédiaires. (☞ 569 + adjectif).

La vente par adjudication. (☞ 572 Pour en savoir plus, Vente (sens 1.1.) et synonymes).

Une vente au rabais, une vente en solde. (V. 522 solde, 1).

Une vente à la boule de neige. (☞ 570 + adjectif).

Une vente hors taxe(s). (V. 543 taxe, 1).

CARACTÉRISATION DE LA VENTE (sens 1.1.)

Une vente à perte. *Sans en arriver à la vente à perte, considérée comme un délit, ce distributeur fait baisser les prix des vins dans la période qui précède les fêtes de fin d'année.*

LOCALISATION DE LA VENTE (sens 1.1.)

Un point de vente : endroit où des marchandises sont mises en vente. (Syn. : (moins fréq.) **un lieu de vente**). Il comprend **la surface de vente** (le magasin), le lieu de stockage (la réserve), le parking et, éventuellement, les bureaux. *Deux tiers des décisions d'achat sont prises sur le point de vente.* (☞ 572 Pour en savoir plus, Points de vente).

La vente en magasin. >< **La vente hors magasin** : p. ex. la vente à domicile.

Les ventes à l'étranger. *À cause de la récession qui frappe nos partenaires européens, nos ventes à l'étranger ont été moins bonnes.*

MESURE DE LA VENTE (sens 1.1.)

Le volume de(s) ventes, les ventes en volume. (Syn. : **les volumes d'affaires**). *Si le volume des ventes à travers le monde a augmenté de 3 % l'année passée, le chiffre d'affaires du groupe a baissé, selon les estimations provisoires, de 5 %.*

Le chiffre de(s) vente(s). (Syn. : (plus fréq.) **le chiffre d'affaires**). *Ce groupe est actuellement le plus gros producteur mondial de fibre de verre avec un chiffre de ventes de plus de 3 milliards de dollars.*

+ verbe : qui fait quoi ?

(sens 1.1.)

X	✓	**mettre** Y **en** ~ **procéder à** une ~/**à** la ~ de Y ✓	la mise en ~ de Y	1

Y	×	**être en** ~	-	
		être en ~ libre	-	
		(☞ 569 expressions)		
X et Z		**négocier** la ~ de Y	une négociation sur la ~ de Y	
		↓		
X et Z		**conclure** la ~ de Y	la conclusion de la ~ de Y	2
X		**organiser** la ~ de Y	l'organisation de la ~ de Y	
une mesure	△	**(faire) augmenter** les ~ (de Y)	une augmentation des ~ (de Y)	
		(faire) progresser les ~ (de Y)	une progression des ~ (de Y)	
		stimuler les ~ (de Y)	une stimulation des ~ (de Y)	
→ les ~ (de Y)		**augmenter**	une augmentation des ~ (de Y)	
		progresser	une progression des ~ (de Y)	3
		être en hausse	une hausse des ~ (de Y)	
une mesure	▽	**faire baisser** les ~ (de Y)	une baisse des ~ (de Y)	
		faire diminuer les ~ (de Y)	une diminution des ~ (de Y)	
→ les ~ (de Y)		**baisser**	une baisse des ~ (de Y)	
		diminuer	une diminution des ~ (de Y)	
les ~ (de Y)	=	**atteindre** + un montant, une quantité	-	4
la/les ~ (de Y)		**rapporter** + un montant, une quantité	-	
la/les ~ (de Y)	△=	**stagner**	la stagnation des ~ (de Y)	5

1 *Les 500 000 actions mises en vente hier ont déjà trouvé des acquéreurs.*
2 *De longues et difficiles négociations ont mené à la conclusion de la vente de l'entreprise à un groupe canadien.*
3 *Mercedes et Peugeot ont vu leurs ventes progresser de 10 % en juillet, tandis que les constructeurs japonais observaient un repli.*
4 *Pour la première fois dans l'histoire du groupe, les ventes atteignent le seuil du milliard de dollars.*
5 *Le commerce du textile a mal réagi à l'intrusion de nouveaux concurrents, nettement moins chers, dans un contexte de stagnation des ventes. Résultat : des ventes en baisse et des fermetures de magasins.*

Pour en savoir plus

VENTE (sens 1.1.) ET SYNONYMES

Une vente.

Un écoulement : vente continue de marchandises jusqu'à épuisement du stock. *Le secteur des métaux non ferreux dépend de l'extérieur pour son approvisionnement ainsi que pour l'écoulement de la majeure partie de ses produits.*

{**(s')écouler**}. **Écouler les fins de saison.**

Le déstockage : terme technique.

{**déstocker**}.

Une cession. 1. Vente de certains biens particuliers. Le mot 'vente' est cependant tout aussi fréquent dans ces combinaisons. **Une cession d'actifs**. *Le plan stratégique de l'entreprise prévoit la cession de certains actifs pour financer d'importants investissements dans des secteurs prioritaires.* **Une cession de participation**. *Le groupe a annoncé la cession de sa participation de 32 % qu'il détenait dans la société hollandaise, à un important groupe suisse.* **Une cession de titres** ; **d'actions**. **La cession d'une filiale**. - 2. Fait d'offrir quelque chose gratuitement.

{**la cessibilité**, **un cédant**, **une cédante** (personne qui cède un droit), **un**, **une cessionnaire** (personne à qui un droit a été cédé), **cessible**, **céder**}. *Le personnel a décidé de céder 1 % de son salaire pour soutenir les familles des salariés tués lors du grave accident du travail qui s'est produit la semaine passée.*

Une adjudication : vente par laquelle une administration cède un bien à celui qui offre le meilleur prix. *L'adjudication du contrat pour la construction du nouvel aéroport est une question de semaines, mais, aux dernières nouvelles, le consortium dont nous faisons partie ne serait pas le mieux placé.*

{**un adjudicateur**, **une adjudicatrice** (personne qui met un bien en adjudication), **un**, **une adjudicataire** (personne qui est le bénéficiaire d'une adjudication), **adjuger**}.

Le démarchage (V. 573 2 vendeur).

La distribution (V. 204 distribution, 1).

POINTS DE VENTE

Un magasin, (moins fréq.) **un commerce** : terme général. (V. 354 magasin, 1). Le magasin est souvent désigné par le type de commerce qu'il abrite : **une épicerie**, **une boulangerie**, **une boucherie**, **un salon de coiffure**, **une librairie**, **une station-service** (carburant, pneus, vidange), ... ; **une agence** (V. 20 agence, 1).

Un marché : endroit où se réunissent périodiquement des marchands des quatre-saisons (fruits et légumes) et des vendeurs de marchandises d'usage courant.

Un centre commercial. (V. 120 commerce, 5).

Une grande surface : pratique une politique de prix réduits, p. ex. **un hypermarché** (une grande surface de plus de 2 500 mètres carrés en libre-service, avec un assortiment important de produits alimentaires et facilement accessible en voiture) ou **un supermarché** (une grande surface entre 400 et 2 500 mètres carrés en libre-service, avec un assortiment important de produits alimentaires et facilement accessible en voiture). *Les hypermarchés se caractérisent très souvent par une politique des prix très agressive.*

Une grande surface spécialisée en + nom qui désigne un type de marchandises. Une grande surface spécialisée en électroménager ; en décoration. >< **Une grande surface à rayons multiples**.

Un grand magasin. (V. 354 magasin, 1).

Une supérette: magasin de moins de 400 mètres carrés en libre-service, principalement alimentaire.

Une boutique : magasin de modeste dimension ou petit magasin spécialisé (p .ex. un magasin de prêt-à-porter). **Un coin boutique** (dans une grande surface).

{**l'arrière-boutique** (pièce qui se trouve en arrière d'une boutique), (souvent péj.) **un boutiquier, une boutiquière**}.

Une galerie. 1. Magasin d'objets d'art. - 2. Lieu de passage recouvert. (V. marchandise, 2).

(Q) **Un dépanneur** : Épicerie ouverte au-delà des heures d'ouverture des autres commerces.

2 un VENDEUR , une VENDEUSE - [vɑ̃dœʀ, vɑ̃døz] - (n.)

1.1. Agent économique (un particulier, une entreprise, un État) qui donne un bien, une valeur ou un droit à un autre agent économique (un particulier, une entreprise, une administration) ou fournit un service en contrepartie du paiement d'une somme d'argent.
Syn. : (☞ 573 Pour en savoir plus, Vendeur (sens 1.1.) et synonymes) ; Ant. : un acheteur, un client.
Il y a un flux réel de biens et de services qui va du vendeur à l'acheteur et un flux monétaire dont le sens est inverse.

1.2. Salarié dont la fonction est de vendre (dans un magasin p .ex.).
Nous venons d'engager quatre jeunes vendeurs pour notre nouveau magasin.

+ adjectif

CARACTÉRISATION DU VENDEUR (sens 1.2.)

Un bon vendeur. *Depuis plusieurs mois, nous cherchons un bon technicien possédant en même temps des qualités de bon vendeur.*

+ nom

(sens 1.2.)

Un vendeur de + nom d'un produit. Un vendeur de voitures.

TYPE DE VENDEUR (sens 1.2.)

Un vendeur d'espace : personne qui vend des espaces publicitaires (affiches, abribus, ...).

Pour en savoir plus

VENDEUR (sens 1.1.) ET SYNONYMES

Le terme 'vendeur' (Syn. : (peu fréq.) **un offreur**) est un terme technique qui couvre de nombreux types de vendeurs :

un commerçant ; **un grossiste** ; **un détaillant** ; **un marchand** ; **un négociant** ; **un débitant** ; **un discounter** (V. 118 commerce, 3) ;

un intermédiaire ; **un concessionnaire** ; **un franchisé** ; **un commissionnaire** ; **un agent** ; **un courtier** ; (angl.) **un broker** ; **un placier**. **Un trafiquant** (V. 116 commerce, 1);

un commercial, un représentant, un VRP (V. 120 commerce, 6) ;

un boutiquier (V. 573 1 ven te);

un marchandiseur (V. 373 marketing, 1);

un démarcheur, une démarcheuse.

{**le démarchage** (méthode de prospection à distance ou à domicile qui consiste à contacter systématiquement tous les clients potentiels d'un secteur pour leur proposer l'achat ou la location de biens, ou la fourniture de services), **démarcher** (v.tr.dir., v.intr.)}. *Deux étudiants viendront renforcer l'équipe de vente en démarchant les particuliers dès le mois d'août ;*

un colporteur, une colporteuse : marchand ambulant qui vend ses marchandises de porte en porte (RQ);

{**le colportage** (Syn. : **le porte-à-porte**), **colporter**}.

D'autres termes peuvent être mis en rapport avec vendeur : **un fournisseur** (V. 291 fourniture, 2) ; **un exportateur** (V. 252 exportation, 2) ; **un distributeur** (V. 205 distribution, 2).

3 (SE) VENDRE - [(s(ə)) vɑ̃dʀ(ə)] - (v.tr.dir., v. pron.)

1.1. Un agent économique (un particulier, une entreprise, un État - X) donne un bien, une valeur ou un droit (Y) à un autre agent économique (un particulier, une entreprise, une administration - Z) ou fournit un service (Y) à cet autre agent économique (Z) en contrepartie du paiement d'une somme d'argent.
Syn. : (☞ 574 Pour en savoir plus, Vendre et synonymes) ; Ant. : acheter.
Les États-Unis achètent nettement plus de produits industriels qu'ils n'en vendent. D'où un déficit de leur balance commerciale.

expressions

- (Une personne) **ne peut pas vendre la peau de l'ours (avant de l'avoir tué)**: incitation à la prudence, on ne peut pas croire trop vite avoir atteint un objectif alors que ce n'est pas encore le cas.
- (Un investisseur) **vendre au son du violon** : vendre après une forte hausse ou après l'accumulation de bonnes nouvelles sur une valeur mobilière. (Ant. : **acheter au son du canon**).
- (Qqch.) **se vendre comme des petits pains** : se vendre très facilement.

+ nom

TYPE DE VENTE

Vendre en gros. >< **Vendre au détail**. (V. 571 1 vente).

Vendre par correspondance. (V. 571 1 vente).

Vendre aux enchères. (V. 571 1 vente).

Vendre au comptant. >< **Vendre à crédit** ; **vendre à tempérament** ; **vendre à terme**. *Pour se couvrir, l'exportateur peut vendre à terme le montant de sa créance, ce qui lui permet de connaître exactement la somme qu'il recevra.* (V. 571 1 vente).

Vendre à perte. (V. 571 1 vente).

Vendre au rabais. (V. 521 solde, 1).

Vendre en solde. (V. 521 solde, 1).

NIVEAU DE LA VENTE

Vendre à bas prix. *Certains pays voudraient faire rentrer des devises fortes en vendant même à bas prix leurs ressources naturelles.* (Ant. : **vendre cher**).

LOCALISATION DE LA VENTE

(☞ 574 Pour en savoir plus, Notes d'usage).

+ adverbe

NIVEAU DE LA VENTE

Vendre cher : à prix élevé. (Ant. : **vendre à bas prix**).

qui fait quoi ?

X	**vendre** Y (à Z)	la vente de Y (à Z)	
→ Y	**se vendre** bien, mal (sur + indication de lieu) (☞ 574 Pour en savoir plus, Notes d'usage)	la vente de Y (sur + indication de lieu)	
Y	**être à ~**	-	1

1 *Les anciens bâtiments de l'usine sont à vendre.*

Pour en savoir plus

VENDRE ET SYNONYMES

Vendre, (fam.) **faire**. *Nous ne faisons pas les boissons alcoolisées.*

Céder ; **adjuger** ; **écouler**. (V. 572 1 vente).

Se défaire de : vendre ou céder un bien ou une valeur à tout prix. *La chute libre de cette action incite de plus en plus de personnes à vouloir s'en défaire.*

Débiter : écouler une marchandise par la vente au détail (PR). (V. 118 commerce, 3).

Détailler. (V. 115 commerce, 1).

Brader: vendre toutes sortes de biens à des prix avantageux (dans le Nord de la France, en Belgique et au Québec : vente (bis)annuelle et dans la rue), p. ex. pour écouler rapidement un stock. (Syn. : **liquider** {**une liquidation** (1. Vente à prix avantageux. - 2. Apurement des comptes d'une société dissoute. - 3. Exécution d'une opération à terme en bourse. - 4. (peu fréq.) Détermination du montant d'une dépense.)}, **solder** (V. 522 solde, 2), **sacrifier**). *La surproduction de tomates oblige les producteurs à brader leurs produits.*
{**un bradeur**, **une bradeuse**, **une braderie**}.

Démarcher. (V. 573 2 vente).

D'autres verbes peuvent être rapprochés de 'vendre' : **fournir** (V. 292 fourniture, 3) ; **exporter** (V. 252 exportation, 3) ; **distribuer** (V. 206 distribution, 3).

NOTES D'USAGE

Le complément de lieu où s'effectue la vente est introduit par diverses prépositions:

vendre	sur	le marché international
la vente	en/dans un(e)	magasin, grande surface, librairie
	en	bourse, vente publique
	dans	le commerce, un restaurant
	au	marché (V. 6 achat, 4).

On emploie indifféremment 'vendre Y 100 euros' et 'vendre Y à 100 euros'. (V. 6 achat, 4).

4 AUTRES DÉRIVÉS OU COMPOSÉS

- **Une mévente** [mevɑ̃t] (n.f.) : vente beaucoup moins importante que prévue. *Sur dix livres édités, un éditeur a droit à deux méventes, sinon, c'est tout son bénéfice qui y passe.* {**mévendre** [mevɑ̃dʀ(ə)] (v.tr.dir.)}.
- **La télé(-)vente** [televɑ̃t] (n.f.) (plur. : **les télé (-)ventes**) : opération de prospection, de vente ou de fidélisation par téléphone. (V. 571 1 vente).
- **L'après-vente** [apʀɛvɑ̃t] (n.m.) : ce qui se rapporte à tout ce qui suit la vente. **Le service après-vente (le SAV)** (V. 509 service, 1).
- **Une vente-réclame** [vɑ̃tʀeklam] (n.f.). (V. 521 solde, 1).
- **Un vendu** [vɑ̃dy] (n.m.). 1. Article cédé. (Ant. : **un invendu**). - 2. (pop.) Personne corrompue.
- **Un invendu** [ɛ̃vɑ̃dy] (n.m.). (Syn. : **un laissé (-)pour(-)compte** (plur. : **les laissés(-)pour(-) compte**)). 1. Marchandise qui reste en magasin parce qu'on ne peut pas la vendre normalement (DC). (Ant. : **un vendu**). *Les invendus qui s'accumulent à cause de la chute des ventes pèsent lourdement sur les résultats de notre entreprise.* - 2. Marchandise refusée à la livraison parce qu'elle ne répond pas aux conditions de la commande passée (DC). {**invendu** [ɛ̃vɑ̃dy] (adj.)}.
- **Un revendeur, une revendeuse** [ʀ(ə)vɑ̃dœʀ, ʀ(ə)vɑ̃døz] (n.) : agent économique qui cède un bien ou une valeur à un autre agent économique sans qu'il ait apporté de modifications à ce bien ou à cette valeur. (Une personne) **avoir qqch.** (des idées, de la santé, de l'énergie) **à revendre** : avoir en abondance. *Nous avons des idées à revendre, mais nous ne trouvons pas les capitaux nécessaires pour démarrer une petite société.*

  {**une revente** [ʀ(ə)vɑ̃t] (n.f.), **revendre** [ʀ(ə)vɑ̃dʀ(ə)] (v.tr.dir.)}.

  Revendre à perte. (V. 416 perte, 1)
- **Vendeur, -euse** [vɑ̃dœʀ, -øz] (adj.). 1. Qui désire donner un bien à qqn ou fournir un service en contrepartie du paiement d'une somme d'argent. *La vente de cet immeuble a été confirmée, mais pas par la société vendeuse.* - 2. Qui se rapporte à la vente. **Le cours vendeur**. *Pour la banque, le cours vendeur d'une devise est le cours que vous payez pour acheter cette devise.*
- **Vendable** [vɑ̃dabl(ə)] (adj.) : qui peut être vendu.

  >< **Invendable** [ɛ̃vɑ̃dabl(ə)] (adj.).

VENTE-RÉCLAME ; VENTES-RÉCLAMES (n.f.) (*) 1. Vente au rabais.

1. (521)	das (Sonder)angebot	bargain sale	la venta promocional la promoción	la vendita promozionale	de reclameverkoop (m.)

VENTILATION (n.f.) (**) 1. Répartition.

1. (284)	die Aufteilung die Zuordnung	breakdown	la ventilación la distribución	la ventilazione la ripartizione	de (onder)verdeling (f.)

VENTILER (v.tr.dir.) (**) 1. Répartir.

1.	aufteilen zuordnen	to break down	distribuir repartir	ripartire	(onder)verdelen

VÉPÉCISTE (n.m.) (*) 1. Société de vente par correspondance.

1. (571)	der Versandhandel	mail order company	la venta por correspondencia la venta por correo	la vendita per corrispondenza	de postorderverkoop (m.)

VÉRIFICATEUR, VÉRIFICATRICE (n.) (*) 1. Contrôleur de gestion.

1. (46)	der Prüfer	controller checker	el verificador el interventor	il verificatore	de bedrijfsrevisor (m.) de controleur (m.)

VÉRIFICATION (n.f.) (***) 1. Contrôle de gestion.

1. (45)	die Prüfung	control checking	la verificación la intervención	il controllo la verifica	de audit (m.) de (accountants)controle (m./f.)

VÉRIFIER (v.tr.dir.) (****) 1. Contrôler la gestion.

1. (46)	prüfen überprüfen	to control to check	verificar intervenir	verificare controllare	controleren

VERRE (n.m.) (****) 1. Substance vitreuse.

1. (85)	das Glas	glass	el vidrio	il vetro	het glas

VERRIER (n.m.) (*) 1. Personne qui fabrique le verre ou des objets en verre.

1.	der Glaser	glass manufacturer	el vidriero	il vetraio	de glazenier (m.)

VERRIER, -IÈRE (adj.) (***) 1. Qui se rapporte à la fabrication du verre.

1. (252)	Glas-	glass	vidriero	vetrario	glas-

VERSEMENT (n.m.) (****) 1. Paiement. 2. Dépôt. 3. Montant de la somme versée.

1. (576)	die Zahlung die Einzahlung	payment	el pago el ingreso	il pagamento	de storting (f.) de betaling (f.)
2. (576)	die Einlage die Aktienhinterlegung	depositing paying-in	el depósito el pago	il deposito il versamento	de storting (f.)
3. (576)	die Zahlung	deposit	el depósito el pago	il versamento	het gestort bedrag

VERSEMENT

➠ paiement
➠ dépôt - compte

1 un versement			2 verser

1 un VERSEMENT - [vɛʀsəmɑ̃] - (n.m.)

1.1. Modalité de paiement par laquelle un agent économique (un particulier, une entreprise, un État - X) donne une somme en espèces à un autre agent économique (un particulier, une entreprise, un État) pour entrer en possession d'un bien, d'une valeur, pour bénéficier d'un service ou pour s'acquitter d'une obligation (p. ex. payer un impôt, une amende, une facture, ...).
Syn. : (plus fréq.) un paiement, un règlement, (moins fréq.) un acquittement.
L'acheteur peut faire régler sa facture par versement ou par chèque.

1.2. Action par laquelle un agent économique (le déposant : un particulier, un commerçant, une entreprise) donne une somme d'argent à un autre agent économique (le dépositair e: une banque, une compagnie d'assurances, ...), qui s'engage à remettre cette somme d'argent lorsque le déposant la redemandera.
Syn. : un dépôt ; Ant. : un retrait.
Les compagnies d'assurances investissent les versements effectués par les particuliers dans divers produits financiers.

1.3. Montant de la somme versée.
Ce plan de restructuration englobe un versement de 2,5 milliards d'euros par l'État.

expressions

(sens 1.1.)

Contre versement de + indication d'un montant. *Les syndicats acceptent la fermeture de l'usine contre le versement de 1 0% du prix de vente au fonds social constitué en faveur des anciens ouvriers.*

+ adjectif

TYPE DE VERSEMENT (sens 1.1.)

(B) **Les versements anticipés** : paiement d'une part de l'impôt avant l'échéance fixée par le fisc afin d'éviter une majoration (pour les indépendants : classes moyennes et professions libérales) ou de bénéficier d'une bonification (pour les particuliers). (Syn. : (moins fréq.) **le paiement anticipé**). *En Belgique, les amendes sont très élevées pour les indépendants qui ne procèdent pas à des paiements anticipés.* (F, Q) **Un acompte provisionnel**, comme p. ex. (F) **le tiers provisionnel**. (V. 315 impôt, 1).

MESURE DU VERSEMENT (sens 1.1. et 1.2.)

Un versement périodique : **un versement mensuel** (Syn. : **une mensualité**) ; **trimestriel** ; **annuel** (Syn. : **une annuité**). *L'emprunteur doit restituer le capital emprunté moyennant des versements périodiques étalés sur 10 ans.*

Des versements échelonnés : sommes versées à intervalles réguliers (mensualités ou annuités) en vue d'éteindre une dette (Ménard).

+ nom

(sens 1.2.)

Un avis de versement : document qui prouve qu'une somme (argent, chèque, ...) a été remise au guichet d'une banque, à la poste, ... (Syn. : **un bulletin de versement, un bordereau de versement**).

+ verbe : qui fait quoi ?

(sens 1.1. et 1.2.)

X	×	**effectuer** un ~ **faire** un ~ à/sur un compte	-

(sens 1.1.)

X		**payer par** versements	le paiement par versements
X		**échelonner** les ~	l'échelonnement des ~ des ~ échelonnés

2 AUTRES DÉRIVÉS OU COMPOSÉS

- **Verser** [vɛʀse] (v.tr.dir.). 1. Un agent économique (un particulier, une entreprise, un État) donne une somme en espèces à un autre agent économique (un particulier, une entreprise, un État) pour s'acquitter d'une obligation (p. ex. pour payer un impôt, une amende, une facture,...). (Syn. : (plus fréq.) **payer**). (Ant. : **percevoir**, (fam.) **toucher**). **Verser un salaire** ; **un dividende**. **Verser des arrhes** (V. 402 paiement, 1). - 2. Un agent économique (un particulier, une entreprise, un État) remet une somme en espèces en dépôt à une banque, une compagnie d'assurances. (Syn. : **déposer**). **Verser une somme à/sur un compte**.

VERSER (v.tr.dir.) (****) 1. Payer. 2. Déposer.

1. (576)	zahlen einzahlen	to pay	ingresar pagar	pagare	betalen
2. (576)	einzahlen gutschreiben	to deposit to pay in	depositar pagar	depositare versare	storten

VIGNE (n.f.) (**) 1. Arbrisseau sur lequel pousse le raisin. 2. Lieu planté d'arbrisseaux produisant des raisins.

1.	der Weinstock die (Wein)Rebe	vine	la vid	la vite	de wijnstok (m.)
2. (506)	der Weinberg	vineyard	la viña el viñedo	la vigna	de wijngaard (m.)

VIGNERON, -ONNE (adj.) (*) 1. Qui se rapporte à la personne qui cultive la vigne.

1. (506)	Winzer-	wine-grower	viñador	viticoltore	wijnbouw-

VIGNERON, VIGNERONNE (n.) (**) 1. Personne qui cultive la vigne.

1. (506)	der Winzer der Weinbauer	wine-grower	el viñador el viticultor	il viticoltore	de wijnbouwer (m.)

VIGNETTE (n.f.) (**) 1. Taxe de circulation.

1. (543)	die Kfz-Steuermarke die Kfz-Steuer	tax disc (GB)	la viñeta	la tassa automobilistica	het vignet de zegel (m.)

VIN (n.m.) (****) 1. Boisson alcoolisée provenant de la fermentation du raisin.

1. (118)	der Wein	wine	el vino	il vino	de wijn (m.)

VINICOLE (adj.) (**) 1. Qui se rapporte à la production du vin.

1. (513)	Wein- Weinbau-	wine-growing wine-producing	vinícola	viticolo	wijnbouw-

VIREMENT (n.m.) (***) 1. Transfert d'une somme d'argent entre comptes en banque.

1. (577)	die Überweisung	transfer payment	la transferencia	il bonifico il giroconto	de overschrijving (f.) de overmaking (f.)

VIREMENT

➠ compte - paiement

1 un virement			2 virer

1 un VIREMENT - [viRmɑ̃] - (n. m.)

1.1. Transfert d'une somme d'argent du compte en banque d'un agent économique (le tireur : un particulier, une entreprise, un État - X) à un compte en banque d'un autre agent économique (le bénéficiaire : un particulier, une entreprise, un État - Y) effectué par une banque (le tiré) sur ordre du tireur.
La banque n'a trouvé aucune trace du virement que son client avait effectué au profit d'une compagnie d'assurances.

+ adjectif

TYPE DE VIREMENT

Un virement bancaire : virement effectué à partir d'un compte en banque. *Une banque ne peut pas utiliser les données qui figurent sur un virement bancaire à des fins commerciales, telle la recommandation d'assurances.*

Un virement postal : virement effectué à partir d'un compte chèque postal.

Un virement interne : lorsque le tireur et le bénéficiaire sont titulaires d'un compte dans la même banque.

>< **Un virement externe**. (Syn. : **un virement interbancaire**).

CARACTÉRISATION DU VIREMENT

Un virement permanent, (Q) **automatique** : virement d'un montant constant et de périodicité régulière.

LOCALISATION DU VIREMENT

Un virement national. *Plusieurs banques offrent un éventail de services (solde, virements nationaux, extraits de compte, commande de chèques, etc.) par le biais du réseau internet.*

>< **Un virement international**.

MESURE DU VIREMENT

Un virement périodique : virement effectué à échéances régulières, p. ex. **un virement mensuel**.

+ nom

- **Un mandat de virement**, (B) **un bulletin de virement, une formule de virement** : document qui permet d'effectuer un virement. *Ma banque a refusé mon mandat de virement parce qu'il n'était pas dûment rempli et signé.*
- **Un ordre de virement** (**permanent**). (V. 402 paiement, 1).

TYPE DE VIREMENT

Un virement de comptes : opération comptable par laquelle un agent économique transfère le crédit/débit d'un compte au crédit/débit d'un autre compte.

+ verbe : qui fait quoi ?				
X	×	**effectuer** un ~	-	
		faire un ~ d'un compte à un autre sur un compte à Y	-	1
X		**payer** par ~	le paiement par virement	

1 *Nous avons fait un virement à Axion Ltd dès la livraison de la commande.*

2 AUTRES DÉRIVÉS OU COMPOSÉS

- **Virer** [viʀe] (v. tr. dir.) : un agent économique fait transférer une somme d'argent de son compte en banque au compte en banque d'un autre agent économique. *À cause d'une panne dans le système informatique, les salaires n'ont pas pu être virés à temps.* **Virer une somme d'un compte à un autre**. - 2. (fam.) Licencier. (V. 344 licenciement, 2).

VIRER (v.tr.dir.) (**) 1. Faire transférer une somme d'argent entre comptes en banque. 2. Licencier.

1. (578)	umbuchen	to transfer to pay money from one account into another	transferir girar	girare trasferire	overmaken overschrijven
2. (344)	feuern hinauswerfen	to sack to fire	echar	licenziare	ontslaan de laan uitsturen

VITICOLE (adj.) (**) 1. Qui se rapporte à la production du vin.

1. (506)	Wein- Weinbau-	wine-growing wine-producing	vitícola	viticolo	wijnbouw-

VITICULTEUR, VITICULTRICE (n.) (**) 1. Personne qui cultive la vigne.

1. (506)	der Winzer der Weinbauer	wine-grower	el viticultor	il viticoltore	de wijnbouwer (m.)

VITICULTURE (n.f.) (*) 1. Culture de la vigne.

1. (506)	der Weinbau	wine-growing	la viticultura	la viticoltura	de wijnbouw (m.)

VITRINE (n.f.) (***) 1. Partie du magasin donnant sur la rue où sont exposées des marchandises.

1. (355)	das Schaufenster	shop window store window	el escaparate la vitrina	la vetrina	de vitrine (f.)

VIVRES (n.m.plur.) (*) 1. Alimentation.

1. (291)	die Lebensmittel	supplies provisions	los víveres	i viveri	de levensmiddelen (plur.)

VOITURE (n.f.) (****) 1. Véhicule de transport de personnes.

1. (432)	der Wagen das Auto	(motor)car automobile (US)	el coche el carro (Am. du Sud)	la macchina	de (personen)wagen (m.) het rijtuig

VOLATIL, -ILE (adj.) (***) 1. Qui est sensible aux variations et paraît surévalué.

1. (367)	schwankend veränderlich	volatile	volátil	volatile	aan schommelingen onderhevig

VOLATILITÉ (n.f.) (***) 1. Sensibilité aux variations.

1. (367) (320)	die Volatilität die Schwankungen	volatility	la volatilidad	la volatilità	de volatiliteit (f.)

VOLONTAIRE (n.) (**) 1. Personne qui effectue un travail volontairement, sans rémunération.

1. (500)	der Freiwillige Helfer	volunteer	el voluntario	il volontario	de vrijwilliger (m.) de onbezoldigd werknemer (m.)

VOLONTARIAT (n.m.) (*) 1. Situation d'une personne qui effectue un travail volontairement, sans rémunération.

1.	die Ehrenamtlichkeit	voluntary work volunteer work	el voluntariado	il volontariato	het vrijwilligerssysteem het voluntariaat

VOLUME (n.m.) (****) 1. Masse, quantité.

1. (440) (251)	das Volumen der Umfang	volume	el volumen	il volume	het volume

VORORT (le ~) (***) (534) Union suisse du commerce et de l'industrie.

VOYAGE (n.m.) (****) 1. Déplacement vers un lieu éloigné.

1. (21) (18)	die Reise	trip journey	el viaje	il viaggio	de reis (m./f.)

VOYAGER (v.intr.) (***) 1. Faire un déplacement vers un lieu éloigné.

1. (18)	reisen	to travel	viajar	viaggiare	reizen

VOYAGEUR, VOYAGEUSE (n.) (***) 1. Personne qui fait un déplacement vers un lieu éloigné.

1. (552)	der Reisende	traveller passenger	el viajero	il viaggiatore	de reiziger (m.)

VOYAGISTE (n.m.) (**) 1. Société qui organise des déplacements vers des lieux éloignés.

1. (21)	der Reiseveranstalter	tour operator travel agent	el operador turístico	l'operatore turistico	de reisorganisator (m.)

VPC (la ~) (**) vente par correspondance.

(571)	der Versandhandel	mail-order selling	la venta por correspondencia	la vendita per corrispondenza	de postorderverkoop (m.)
		mail-order sale	la venta por correo		

VRAC (en ~) (**) 1. Sans emballage.

1. (362)	unverpackt	in bulk	a granel	non imballato sfuso	onverpakt bulk

VRAQUIER (n.m.) (*) 1. Navire qui transporte des produits en vrac.

1. (551)	das Massengüterschiff	bulk carrier	el buque granelero	la nave-cargo	het bulkschip

VRP (un ~) (*) voyageur, représentant, placier.

(120)	der angestellte Handelsvertreter (mit Ausgleichsanspruch)	travelling salesman	el representante (comercial)	il rappresentante di commercio	de handelsreiziger (m.)
		commercial traveller		il piazzista	

W

WAGON (n.m.) (***) 1. Véhicule sur rails.

1. (117)	der Wagen der Waggon	carriage (passagers) wag(g)on (marchandises)	el vagón	il vagone	de wagon (m.)

WALL STREET (****) (70) Bourse de New York.

WARRANT (n.m.) (****) 1. Bon de souscription à une valeur mobilière. 2. Effet de commerce.

1. (420)	der Warrant der Optionsschein	warrant	el warrant	il warrant	de warrant (m.)
2. (420)	der Lagerschein	warehouse warrant warehouse receipt	el título de garantía el certificado de depósito	la fede di deposito	het handelspapier

WEB (n.m.) (***) 1. Réseau informatique mondial.

1.	das Web	(World-Wide) Web	la WEB	il web	het web

X

XXM (le ~) (****) (71) indice de la Bourse de Montréal.

Y

YEN (n.m.) (****) 1. Monnaie japonaise.

1. (382)	der Yen	yen	el yen	lo yen	de yen (m.)

YOYO (jouer au ~) (*) 1. Fluctuer fortement.

1. (284)	fluktuieren schwanken	to yoyo to fluctuate	fluctuar variar	fluttuare	schommelen

Z

ZÉRO PANNE (*) 1. Sans arrêt de la production.

1. (299)	Null Defekt Null Panne	zero breakdown	sin paradas	senza difetti	geen enkel defect

ZÉRO PAPIER (*) 1. Simplification administrative.

1. (299)	Null Papier papierlos	zero paper	cero papel	zero-carte	geen papier

ZINC (n.m.) (***) 1. Métal.

1.	das Zink	zinc	el cinc el zinc	lo zinco	het zink

ZINZINS (n.m.plur.) (*) 1. Investisseurs institutionnels.

1. (338)	die institutionellen Anleger	institutional investors	los inversores institucionales	gli investitori istituzionali	de institutionele beleggers (plur.)
(14)			las inversionistas institucionales		

ZONAGE (n.m.) (*) 1. Étendue plus ou moins importante.

1. (324)	das Gebiet	area	la zona	la zona	het gebied
	die Zone	zone		l'area (f.)	de zone (m./f.)

ZONE (n.f.) (****) 1. Étendue plus ou moins importante.

1. (324)	das Gebiet	area	la zona	la zona	het gebied
(382)	die Zone	zone		l'area (f.)	de zone (m./f.)

ZONING (n.m.) (***) 1. Étendue plus ou moins importante.

1. (324)	das Gebiet	area	la zona	la zona	het gebied
	die Zone	zone		l'area (f.)	de zone (m./f.)

INDEX INVERSÉS

Allemand →

Anglais →

Espagnol →

Italien →

Néerlandais →

Abbau **COMPRESSION**, 1; **EXPLOITATION**, 2; **RÉSORPTION**, 1
Abbau der Lagerbestände **DÉSTOCKAGE**, 1
Abbau der Vorräte **DÉSTOCKAGE**, 1
Abbau von Personal **DÉBAUCHAGE**, 2
abbauen **COMPRIMER**, 1; **DÉBAUCHER**, 2; **RÉSORBER**, 1
abbauen (Lagerbestände ~) **DÉSTOCKER**, 1
abbauen (Personal ~) **DÉGRAISSER**, 1
Abbauunternehmen **EXPLOITATION**, 1
abbestellen **DÉCOMMANDER**, 1
Abbröckeln **EFFRITEMENT**, 1
abbröckeln **EFFRITER**, 1
abdecken **COUVRIR**, 1
Abfall **DÉCHET**, 1; **RÉSIDU**, 1
Abfälle **ORDURES**, 1
Abfindung **PRIME**, 3
Abflauen **AFFAIBLISSEMENT**, 1; **ESSOUFFLEMENT**, 1
abflauen **ESSOUFFLER**, 1
Abgabe **CESSION**, 2; **CONTRIBUTION**, 2; **IMPÔT**, 1; **REDEVANCE**, 1; **TAXE**, 1
Abgaben (steuerähnliche ~) **PARAFISCALITÉ**, 1
Abgang (freiwillige ~) **DÉPART VOLONTAIRE**, 1
abgeben **CÉDER**, 2
abgezinst **ACTUARIEL, -IELLE**, 1
Abheben **RETRAIT**, 1
abheben (Geld ~) **RETIRER**, 1
abkaufen **RACHETER**, 2
Abklatsch **SOUS-PRODUIT**, 2
Abladen **DÉCHARGEMENT**, 1
Abladen (Auf- und ~) **MANUTENTION**, 1
Ablauf **EXPIRATION**, 1
ablaufen **EXPIRER**, 1
ablösbar **RACHETABLE**, 1
ablösen **RACHETER**, 3
Ablösung **RACHAT**, 2
Abmachung **ACCORD**, 1
abmessen **MESURER**, 1
ABM-Stellen **TUC**
Abnahme **DÉCRUE**, 1
abnehmen **DÉCLINER**, 1; **DÉCROÎTRE**, 1; **DESCENDRE**, 1
abnehmend **DÉCROISSANT, -ANTE**, 1; **DÉGRESSIF, -IVE**, 1; **DESCENDANT, -ANTE**, 1
Abrechnung **DÉCOMPTE**, 2
abrunden **ARRONDIR**, 1
abrunden (abgerundet) **ARRONDI**, 1
absacken **CHUTER**, 1
Absatz **DÉBIT**, 4; **DISTRIBUTION**, 1; **ÉCOULEMENT**, 1; **PLACEMENT**, 3
absatzfördernd **PROMOTIONNEL, -ELLE**, 1
Absatzmarkt **DÉBOUCHÉ**, 1
Absatzrückgang **MÉVENTE**, 1
Absatzrückgang haben **MÉVENDRE**, 1
abschicken **ENVOYER**, 1
Abschlag **ABATTEMENT**, 2; **DÉCOTE**, 1; **RABAIS**, 1
abschliessen **CLÔTURER**, 2
Abschluss **AFFAIRE**, 1; **APUREMENT**, 1; **BILAN**, 1; **CLÔTURE**, 1; 2; **OPÉRATION**, 1
Abschluss (Person mit einem ~) **DIPLÔMÉ, DIPLÔMÉE**, 1; **DIPLÔMÉ, -ÉE**, 1
Abschlussprüfer **COMMISSAIRE-RÉVISEUR**, 1
abschreckend **PROHIBITIF, -IVE**, 1
abschreibbar **AMORTISSABLE**, 3
abschreiben **AMORTIR**, 3
abschreiben (kann abgeschrieben werden) **AMORTISSABLE**, 1
Abschreibung **AMORTISSEMENT**, 1
abschreibungsfähig sein **AMORTISSABLE**, 1
abschwächen (sich ~) **AFFAIBLIR**, 1; **FLÉCHIR**, 1; **TASSER**, 1
Abschwächung **AFFAIBLISSEMENT**, 1; **FLÉCHISSEMENT**, 1
Abschwung **DÉCLIN**, 1
absenden **ENVOYER**, 1
Absenden **EXPÉDITION**, 1
Absender **EXPÉDITEUR, EXPÉDITRICE**, 1
absetzbar **DÉDUCTIBLE**, 1
absetzen **DÉDUIRE**, 1; **ÉCOULER**, 1; **PLACER**, 2
absichern **COUVRIR**, 1
Absolvent **DIPLÔMÉ, -ÉE**, 1
Abstand **MARGE**, 1
Abstandszahlung **PAS-DE-PORTE**, 1
abstellen **DÉPOSER**, 2
abstimmen (sich ~) **ACCORDER**, 2
abstufen **ÉCHELONNER**, 1
Abstufung **ÉCHELONNEMENT**, 1
abstürzen **CHUTER**, 1
Abteil **COMPARTIMENT**, 1
Abteilung **BUREAU**, 3; **DÉPARTEMENT**, 1; **DIRECTION**, 4; **DIVISION**, 2; **FONCTION**, 2; **RAYON**, 2; **SERVICE**, 2
abtragen (seine Schulden ~) **DÉSENDETTER**, 1
Abtretende **CÉDANT, CÉDANTE**, 1
Abwerben **DÉBAUCHAGE**, 1
abwerben **DÉBAUCHER**, 1
Abwerbung **DÉBAUCHAGE**, 1
abwerten **DÉVALUER**, 1
Abwertung **DÉVALUATION**, 1
abwesend **ABSENT, -ENTE**, 1
Abwesenheit **ABSENCE**, 1
abwickeln **LIQUIDER**, 2
Abwicklung **LIQUIDATION**, 2
abziehen **DÉCOMPTER**, 1; **DÉDUIRE**, 1; **PRÉLEVER**, 1; **SOUSTRAIRE**, 1
Abzug **DÉCOMPTE**, 1; **DÉDUCTION**, 1; **ESCOMPTE**, 1; **PRÉLÈVEMENT**, 1; **SOUSTRACTION**, 1
abzugsfähig **DÉDUCTIBLE**, 1
Abzugsfähigkeit **DÉDUCTIBILITÉ**, 1
addieren **ADDITIONNER**, 1
administrativ **ADMINISTRATIF, -IVE**, 1
administrativ (politisch und ~) **POLITICO-ADMINISTRATIF, -IVE**, 1
Adressat **DESTINATAIRE**, 1
Adresse **ADRESSE**, 1
Aeronautik **AÉRONAUTIQUE**, 1
AG **SA**
AG (Vorsitzende des Verwaltungsrats einer französischen ~) **ADMINISTRATEUR, ADMINISTRATRICE**, 1; **PDG, P-DG**; **PÉDÉGÈRE**, 1
Agent **AGENT**, 1
Agentur **AGENCE**, 1
Agentur (beratende ~) **AGENCE-CONSEIL**, 1
aggregierte Grösse **AGRÉGAT**, 1
Agio **AGIO**, 1
Agrar- **FERMIER, -IÈRE**, 1
agrarisch **AGRICOLE**, 1
Akte **DOSSIER**, 1
Akten **DOSSIER**, 2
Akteur **ACTEUR**, 1
Aktie **ACTION**, 1
Aktie (erstklassige ~) **BLUE CHIP**, 1
Aktie (Gewinn pro ~) **BPA**
Aktien (Kommanditgesellschaft auf ~, KGaA) **SCPA**
Aktienaufkäufer (ein aggressiver ~ mit Übernahmeabsichten) **PRÉDATEUR**, 1
Aktienhinterlegung **VERSEMENT**, 2
Aktieninhaber **ACTIONNAIRE**, 1
Aktion **CAMPAGNE**, 1
Aktionär **ACTIONNAIRE**, 1
Aktionäre **ACTIONNARIAT**, 1
aktiv **ACTIF, -IVE**, 1; **ENTREPRENANT, -ANTE**, 1
Aktiva **ACTIF**, 1; **EMPLOI**, 4
Aktivbestand **ACTIF**, 1
Aktivität **ACTIVITÉ**, 1
Aktivseite einer Bilanz **ACTIF**, 2
Aktualisierung **ACTUALISATION**, 1
Akzentuierung **ACCENTUATION**, 1
Akzise **ACCISE**, 1
algebraische Summe **AGRÉGAT**, 1
Alleinvertretung **CONCESSION**, 2
Alleinvertrieb **CONCESSION**, 2
Allfinanz **BANCASSURANCE**, 1
Allfinanzdienstleister **BANCASSUREUR**, 1
Allfinanzunternehmen **BANQUE-ASSURANCE**, 1
Allianz **ALLIANCE**, 1
Allianz schliessen **ALLIER**, 1
alltäglich **QUOTIDIEN, -IENNE**, 1; **QUOTIDIENNEMENT**, 1
Alterspyramide **PYRAMIDE DES ÂGES**, 1
Altersversicherung **ASSURANCE(-) VIEILLESSE**, 1
Altersversorgung **REER**
Aluminium **ALUMINIUM**, 1
Amortisation **AMORTISSEMENT**, 3
amortisieren **AMORTIR**, 1; 3
Amortisierung **AMORTISSEMENT**, 3
Amt **BUREAU**, 3
Ämterhäufung **CUMUL**, 1
Amtspflegschaft **CURATELLE**, 1
Analyst **ANALYSTE**, 1
analytisch **ANALYTIQUE**, 1
anbauen **CULTIVER**, 1
anbieten **OFFRIR**, 1
Anbieter **OFFREUR, OFFREUSE**, 1
Anbieter von Kabelfernsehen **TÉLÉDISTRIBUTEUR**, 1
andauernd **CONTINU, -UE**, 1
ändern **RÉVISER**, 2
ändern (sich ~) **VARIER**, 1
anfangen **OUVRIR**, 1
anfertigen **FABRIQUER**, 1; **MANUFACTURER**, 1
Anforderungsprofil **PROFIL**, 1
Anfrager **DEMANDEUR, DEMANDEUSE**, 1
Angabe des Gehaltskontos/Lohnkontos **DOMICILIATION**, 2
Angebot **OFFRE**, 1; 2; **VENTE-RÉCLAME**, 1
angehören (Gruppe/Partei ~) **ADHÉRER**, 1
Angestellte **EMPLOYÉ, EMPLOYÉE**, 1
Angestellte der Finanzkasse **RECEVEUR**, 1
angestellte Handelsvertreter (mit Ausgleichsanspruch) **VRP**
Angestellte im öffentlichen Dienst **CONTRACTUEL, CONTRACTUELLE**, 1
Angestellte in der Warenannahme **RÉCEPTIONNAIRE**, 1
Angestellte mit Zeitvertrag **CONTRACTUEL, CONTRACTUELLE**, 2
angestellte Reisende **REPRÉSENTANT, REPRÉSENTANTE**, 1
Angestellte (leitende ~) **CADRE**, 1; 2
Angestellte (öffentliche ~) **FONCTIONNAIRE**, 1
Angestellten **COLS BLANCS**, 1
Angestellter (ein kleiner ~) **PRÉPOSÉ, PRÉPOSÉE**, 1
angleichen **AJUSTER**, 1; **ALIGNER**, 1; **RÉAJUSTER**, 1; **RÉALIGNER**, 1
Angleichung **AJUSTEMENT**, 1; **ALIGNEMENT**, 1; **RÉAJUSTEMENT**, 1; **RÉALIGNEMENT**, 1
Anhang **ANNEXE**, 1; **ANNEXE**, 1
Anhänger **ADHÉRENT, ADHÉRENTE**, 1

Anhänger einer Expansionspolitik **EXPANSIONNISTE**, 1
Anhänger (jemand, der ~ einer Idee, Sache, Gruppe ist) **ADHÉRENT, -ENTE**, 1
anhäufen **ACCUMULER**, 1
Anhäufung **ACCUMULATION**, 1
anheben **HISSER**, 1; **MAJORER**, 1; **REHAUSSER**, 1; **RELEVER**, 1
Anhebung **RELÈVEMENT**, 1
Ankauf **ACHAT**, 1; 2
Ankündigung **ANNONCE**, 2
ankurbeln **RELANCER**, 1; 2
ankurbeln (wieder ~) **REDRESSER**, 1
Ankurbelung der Wirtschaft **RELANCE**, 2
Anlage **INVESTISSEMENT**, 3; **PLACEMENT**, 2; 5
Anlagen (maschinelle ~) **OUTILLAGE**, 1
Anlagevermögen **IMMOBILISATIONS**, 1
anlegen **CAPITALISER**, 2; **PLACER**, 1
anlegen (sein Geld (gewinnbringend) ~) **TRAVAILLER**, 3
Anleger **DÉPOSANT, DÉPOSANTE**, 1; **INVESTISSEUR, INVESTISSEUSE**, 1; **PLACEUR, PLACEUSE**, 1
Anleger (institutionellen ~) **ZINZINS**, 1
Anleihe (öffentliche ~) **RENTE**, 3
anleiten **ENCADRER**, 1
Anlieferer **LIVREUR, LIVREUSE**, 1
annähernd **APPROXIMATIF, -IVE**, 1; **INDICATIF, -IVE**, 1
annehmbar **RAISONNABLE**, 1; **RAISONNABLEMENT**, 1
annehmen (Ware ~) **RÉCEPTIONNER**, 1
Annonce **ANNONCE**, 1
Annullierung **ANNULATION**, 1
annullieren **ANNULER**, 1
anordnen **AMÉNAGER**, 1
Anordnung **AMÉNAGEMENT**, 1
anpassen **AJUSTER**, 1; **ALIGNER**, 1; **RÉAJUSTER**, 1; **RÉALIGNER**, 1
Anpassung **AJUSTEMENT**, 1; **ALIGNEMENT**, 1; **RÉAJUSTEMENT**, 1; **RÉALIGNEMENT**, 1
anpassungsfähig **FLEXIBLE**, 1
Anpassungsfähigkeit **FLEXIBILITÉ**, 1
Anpassungsfähigkeit (geringe ~) **INÉLASTICITÉ**, 1
anrechenbar **IMPUTABLE**, 1
anrechnen **IMPUTER**, 1
anrechnen (ist anzurechnen (auf)) **IMPUTABLE**, 1
Anrechnung **IMPUTATION**, 1
anrufen **TÉLÉPHONER**, 1
ansammeln **ACCUMULER**, 1
Ansammlung **ACCUMULATION**, 1
anschaffen **ACQUÉRIR**, 1
Anschaffung **ACQUISITION**, 1
Anschaffungs- **ACQUÉREUR, -EUSE**, 1
Anschlag **AFFICHE**, 1
Anschlagen **AFFICHAGE**, 1
anschlagen **AFFICHER**, 1
Anschrift **ADRESSE**, 1
anschwellen **GONFLER**, 1
ansprechen (erneut ~) **RELANCER**, 3
Ansprechen (erneute ~) **RELANCE**, 3
Anspruch **CRÉANCE**, 1; **REVENDICATION**, 1
Ansprüche **PRÉTENTIONS**, 1
Ansteigen **HAUSSE**, 1
Ansteigen (erneute ~) **REMONTÉE**, 1
ansteigen (wieder ~) **REMONTER**, 1
ansteigend **ASCENDANT, -ANTE**, 1
ansteigender (mit ~ Tendenz) **HAUSSIER, -IÈRE**, 1
anstellen **EMBAUCHER**, 1; **ENGAGER**, 1
Anstellung **EMBAUCHAGE**, 1; **EMBAUCHE**, 1; **ENGAGEMENT**, 1
Anstellung (sich um eine ~ bewerben) **SOLLICITER**, 1
Anstieg **ASCENSION**, 1; **GAIN**, 3; **GRIMPÉE**, 1; **HAUSSE**, 1; **MONTÉE**, 1
Anstieg (erneute ~) **REMONTÉE**, 1
Anteil **INTÉRÊT**, 2; **PART**, 1; **QUOTITÉ**, 1
Anteilschein **ACTION**, 1
Anteilseigner **ACTIONNARIAT**, 1
antigewerkschaftlich **ANTISYNDICAL, -ALE**, 1
antiinflationistisch **ANTI-INFLATIONNISTE**, 1
antikapitalistisch **ANTICAPITALISTE**, 1
Antiquitäten **ANTIQUITÉS**, 1
Antiquitätenhändler **ANTIQUAIRE**, 1
Antwortschein **COUPON-RÉPONSE**, 1
anwachsen **ACCROÎTRE**, 1
Anwachsen **CROISSANCE**, 3; **GONFLEMENT**, 1
Anweisung **MANDAT**, 2; **ORDRE**, 3
anwerben **RECRUTER**, 1
Anwerbung **RECRUTEMENT**, 1
anwesend **PRÉSENT, -ENTE**, 1
Anwesenheit **PRÉSENCE**, 1
Anwesenheitsgeld **JETONS DE PRÉSENCE**, 1
Anzahl der Berufsjahre **ANCIENNETÉ**, 1
Anzahlung **ACOMPTE**, 1; **ARRHES**, 1; **AVANCE**, 1; **PROVISION**, 3
Anzeige **ANNONCE**, 1
Anziehen **DÉCOLLAGE**, 1; **TAKE(-)OFF**, 1
anziehen **DÉCOLLER**, 1
anziehen (wieder ~) **REDÉMARRER**, 1
Apotheke **PHARMACIE**, 2
Apotheker **PHARMACIEN, PHARMACIENNE**, 1
Apparat **APPAREIL**, 1; 2
Aquakultur **AQUACULTURE**, 1
Aquakultur betreffend **AQUACOLE**, 1
Aquakultur (in der ~ tätige Unternehmer) **AQUACULTEUR, AQUACULTRICE**, 1
Äquivalenz **ÉQUIVALENCE**, 1
Arbeit **BOULOT**, 1; **MÉTIER**, 1; **OUVRAGE**, 1; 2; **TRAVAIL**, 1; 3; 5; 6
Arbeit in autonomen Gruppen **AUTOGESTION**, 2
Arbeit niederlegen **DÉBRAYER**, 1
Arbeit wieder aufnehmen **RETRAVAILLER**, 2
Arbeit (Fernbleiben von der ~) **ABSENTÉISME**, 1
Arbeit (gute ~ leisten) **PERFORMER**, 1
Arbeit (mit ~ überladen) **SURCHARGER**, 1
Arbeit (ohne ~) **CHÔMEUR, -EUSE**, 1
Arbeit (schwere ~) **BESOGNE**, 1
Arbeit (sich nicht müde machen bei der ~) **TRAVAILLOTER**, 1
arbeiten **BOSSER**, 1; **FONCTIONNER**, 1
arbeiten (gut ~) **PERFORMER**, 1
arbeiten (langsam ~) **TRAVAILLOTER**, 1
arbeiten (nicht ~) **CHÔMER**, 2
arbeiten (wieder ~) **RETRAVAILLER**, 1
arbeiten (zu Hause am Bildschirm ~) **TÉLÉTRAVAILLER**, 1
Arbeiter **COLS BLEUS**, 1; **MANŒUVRE**, 1; **OUVRIER, OUVRIÈRE**, 1; **TRAVAILLEUR, TRAVAILLEUSE**, 1
Arbeiter (angelernte ~) **OS**
Arbeiter- **OUVRIER, -IÈRE**, 1
Arbeiterschaft **OUVRIER, OUVRIÈRE**, 2; **TRAVAILLEUR, TRAVAILLEUSE**, 2
Arbeiterselbstverwaltung **AUTOGESTION**, 1
Arbeitgeber **EMPLOYEUR, EMPLOYEUSE**, 1; **PATRON, PATRONNE**, 1; 2; **PATRONAT**, 1
Arbeitgeber- **PATRONAL, -ALE**, 1
Arbeitgeber (Staat als ~) **ÉTAT-PATRON**, 1
Arbeitgeberschaft **PATRONAT**, 1
Arbeitnehmer **SALARIAT**, 2; **SALARIÉ, SALARIÉE**, 1; 2
Arbeitnehmer- **SALARIAL, -ALE**, 2
Arbeitnehmeranteils (Zunahme des ~) **SALARISATION**, 1
Arbeitnehmerschaft **SALARIAT**, 2; **SALARIÉ, SALARIÉE**, 2
Arbeitnehmerstatus (jemandem den ~ verleihen) **SALARIER**, 2
Arbeitsamt (Internationales ~, IAA) **BIT**
Arbeitsamt (vom ~ monatlich veröffentliche Zahl der Stellengesuche) **DEFM**
Arbeitsbeschaffungsmassnahmen der öffentlichen Hand für 16 - 25jährige **TUC**
Arbeitseinkommen **REVENU**, 1; **SALAIRE-REVENU**, 1
arbeitsintensiv **TRAVAILLISTIQUE**, 1
Arbeitskollege **COLLÈGUE**, 1
Arbeitskosten **MAIN-D'ŒUVRE**, 2
Arbeitskräfte **MAIN-D'ŒUVRE**, 1
Arbeitslohn **MAIN-D'ŒUVRE**, 2
arbeitslos **CHÔMEUR, -EUSE**, 1
arbeitslos sein **CHÔMER**, 1
Arbeitslose **CHÔMEUR, CHÔMEUSE**, 1; **SANS-EMPLOI**, 1; **SANS-TRAVAIL**, 1
Arbeitslose (Gutschein für ~) **CHÈQUE EMPLOI(-)SERVICE**, 1; **CHÈQUE(-)SERVICE**, 1
Arbeitslosengeld **ALLOCATION(-)CHÔMAGE**, 1
Arbeitslosenversicherung **ASSURANCE(-)CHÔMAGE**, 1
Arbeitslosigkeit **CHÔMAGE**, 2
Arbeitsmittel (audiovisuellen ~) **AUDIOVISUEL**, 1
Arbeitsniederlegung **DÉBRAYAGE**, 1
Arbeitsplatz **POSTE**, 1
Arbeitsplatz (eine entlassene Führungskraft mit Hilfe eines Outplacement-Beraters für einen neuen ~ qualifizieren) **OUTPLACER**, 1
Arbeitsrichter **PRUD'HOMME**, 1
Arbeitsstätte **TRAVAIL**, 5
Arbeitsstelle **TRAVAIL**, 5
Arbeitsvermittlung **PLACEMENT**, 4
Arbeitszimmer **BUREAU**, 2
Arbitragehändler **ARBITRAGISTE**, 1
Arbitrageur **ARBITRAGISTE**, 1
arm **PAUVRE**, 1
Arme **DÉSHÉRITÉ, DÉSHÉRITÉE**, 1; **PAUVRE**, 1
ärmsten Länder **QUART(-)MONDE**, 1
Armut **PAUVRETÉ**, 1
Artikel **ARTICLE**, 1
Artikel (verkaufte ~) **VENDU**, 1
Assembler **ASSEMBLEUR, ASSEMBLEUSE**, 1
Atom- **NUCLÉAIRE**, 1
Atomenergie **NUCLÉAIRE**, 1
Attaché **ATTACHÉ, ATTACHÉE**, 1
audiovisuell **AUDIOVISUEL, -ELLE**, 1
audiovisuelle Technik **AUDIOVISUEL**, 1
audiovisuellen Arbeitsmittel **AUDIOVISUEL**, 1
Auditor **AUDITEUR, AUDITRICE**, 2
Auf- und Abladen **MANUTENTION**, 1
Auf- und Abwärtsbewegungen **DENTS DE SCIE**, 1
Aufbau **ORGANISATION**, 1; **STRUCTURE**, 1

Aufbewahrung (zur ~ geben) **CONSIGNER**, 1
aufblähen **GONFLER**, 1
Aufblähung **GONFLEMENT**, 1
aufbrauchen **ÉPUISER**, 1
Auffüllen **RÉAPPROVISIONNEMENT**, 1
auffüllen **RÉAPPROVISIONNER**, 1
Auffüllen eines Kontos **APPROVISIONNEMENT**, 3
Aufgabe **POSTE**, 2
Aufgabenbereichs (Erweiterung des ~) **ÉLARGISSEMENT DES TÂCHES**, 1
aufheben **ANNULER**, 1
Aufhebung **ANNULATION**, 1
Aufhebung der Indexbindung **DÉSINDEXATION**, 1
Aufhebung des Monopols **DÉMONOPOLISATION**, 1
Aufhebung von Synergieeffekten **DÉSÉCONOMIES**, 1
Aufheiterung (konjunkturelle ~) **EMBELLIE**, 1
Aufkauf **RACHAT**, 1
aufkaufen **RACHETER**, 2
Aufkäufer **REPRENEUR**, 1
aufladen **MANUTENTIONNER**, 1
Auflage **ÉDITION**, 1
aufmachen **OUVRIR**, 2
Aufmachung **CONDITIONNEMENT**, 1
aufrecht erhalten **MAINTENIR**, 1
Aufrechterhaltung **MAINTIEN**, 1
aufrunden **ARRONDIR**, 1
Aufschlüsselung **DÉCOMPTE**, 2
aufschlussreich **INDICATIF, -IVE**, 1
Aufschwung **DÉCOLLAGE**, 1; **ESSOR**, 1; **RELANCE**, 1; **REPRISE**, 3
Aufschwung (wirtschaftliche ~) **BOOM**, 1
aufsetzen **LIBELLER**, 1
aufspeichern **EMMAGASINER**, 1
aufsteigend **ASCENDANT, -ANTE**, 1
Aufstellung **BORDEREAU**, 1
Aufstieg **ESSOR**, 1; **PROMOTION**, 3
aufteilen **VENTILER**, 1
Aufteilung **VENTILATION**, 1
Auftrag **COMMANDE**, 1; **MANDAT**, 1; **ORDRE**, 1; 3
Auftrag (in ~ geben) **COMMANDER**, 1
Aufträge an Subunternehmen vergeben **EXTERNALISER**, 1
Aufträge nach draussen vergeben **EXTERNALISER**, 1
Auftragen (Vergabe von ~ nach draussen/an Subunternehmen) **EXTERNALISATION**, 1
Auftraggeber **COMMANDITAIRE**, 2; **MANDANT, MANDANTE**, 1; **OPÉRATEUR, OPÉRATRICE**, 1
Aufwand **CHARGE**, 1
aufwenden **DÉPENSER**, 1
Aufwendungen **CHARGE**, 1
aufwerten **APPRÉCIER**, 1; **RÉÉVALUER**, 1; **REVALORISER**, 1; **VALORISER**, 1; 2
Aufwertung **RÉÉVALUATION**, 1; **REVALORISATION**, 1; **VALORISATION**, 1; 2
aufzählen **DÉCOMPTER**, 2
Aufzucht **ÉLEVAGE**, 1
Auktionator **ADJUDICATEUR, ADJUDICATRICE**, 1; **COMMISSAIRE-PRISEUR**, 1; **ENCANTEUR, ENCANTEUSE**, 1
Ausbalancieren **ÉQUILIBRAGE**, 1
Ausbau des Netzes der Tochtergesellschaften **FILIALISATION**, 1
ausbauen **DÉVELOPPER**, 1
ausbauen (Netz der Tochtergesellschaften ~) **FILIALISER**, 1
ausbeuten **EXPLOITER**, 2
Ausbeuter **EXPLOITEUR, EXPLOITEUSE**, 1; **NÉGRIER**, 1
Ausbeutung **EXPLOITATION**, 4
ausbilden **FORMER**, 1
Ausbildung **FORMATION**, 1
Ausbildungsbeihilfe **PRÉSALAIRE**, 1
Ausbildungsförderung **PRÉSALAIRE**, 1
Ausbreitung des Banksektors **MARCHÉISATION**, 1
Ausfall **MANQUE À GAGNER**, 2
Ausfuhr **EXPORT**, 1; **EXPORTATION**, 1; **SORTIE**, 2
Ausfuhr- **EXPORTATEUR, -TRICE**, 1
ausführen **EXPORTER**, 1
ausführen (ausgeführten Waren) **EXPORTATION**, 2
ausfüllen (ordnungsgemäss ausgefüllt) **DÛMENT REMPLI**, 1
Ausgabe **DÉPENSE**, 1; 2; 3; **ÉDITION**, 1; **ÉMISSION**, 1; **SORTIE**, 1
ausgabefreudig **DÉPENSIER, -IÈRE**, 1
Ausgaben **FRAIS**, 1
ausgeben **DÉBOURSER**, 1; **DÉPENSER**, 1
Ausgeglichenheit **ÉQUILIBRE**, 1
ausgelastet **SATURÉ, -ÉE**, 1
ausgeschieden **DÉMISSIONNAIRE**, 1
Ausgleich **COMPENSATION**, 1
ausgleichen **COMPENSER**, 1; **ÉQUILIBRER**, 1; **SOLDER**, 1
Ausgleichen **ÉQUILIBRAGE**, 1
Aushängen **AFFICHAGE**, 1
aushängen **AFFICHER**, 1
Aushilfe **VACATAIRE**, 1
Aushilfs- **ADJOINT, -OINTE**, 1
ausladen **DÉCHARGER**, 1
Auslage **DEVANTURE**, 1; **ÉTALAGE**, 1
auslagern **DÉLOCALISER**, 1
Auslagerung **DÉLOCALISATION**, 1; **OUTSOURCING**, 1
Auslastung **SATURATION**, 1
auslegen **AVANCER**, 1
ausleihbar **PRÊTABLE**, 1
Ausleihe **PRÊT**, 1
Ausleihen **PRÊT**, 1
Ausmünzung **MONNAYAGE**, 1
ausrüsten **ÉQUIPER**, 1; **OUTILLER**, 1
Ausrüstung **ÉQUIPEMENT**, 1
Ausschnitt **SECTEUR**, 4
Ausschreibung **ADJUDICATION**, 1
Ausschuss **BUREAU**, 6; **COMITÉ**, 1; **COMMISSION**, 1
ausschüttbar **DISTRIBUABLE**, 1
ausschüttungsfähig **DISTRIBUABLE**, 1
Ausschüttungsteuer **PRÉCOMPTE**, 2
Aussenstand **IMPAYÉ**, 1
Aussenstände **CRÉANCE**, 3
Aussenwerbung (Firma für ~) **AFFICHEUR**, 1
Aussenzoll(tarif) (gemeinsame ~, GAZ) **TEC**
aussperren **LOCK-OUTER**, 1
Aussperrung **LOCK-OUT**, 1
Ausstand **DÉBRAYAGE**, 1
Ausstand (in den ~ treten) **DÉBRAYER**, 1
ausstatten **ÉQUIPER**, 1; **POURVOIR**, 1; **OUTILLER**, 1
ausstehende Rechnung **IMPAYÉ**, 1
ausstehende Zahlung **ARRIÉRÉ**, 1
ausstellen **ÉMETTRE**, 1; **TIRER**, 1
ausstellen (zum Verkauf ~) **EXPOSER**, 1
ausstellend **ÉMETTEUR, -TRICE**, 1
Aussteller **ÉMETTEUR, ÉMETTRICE**, 1; **EXPOSANT, EXPOSANTE**, 1; **TIREUR**, 1
Ausstellung **EXPOSITION**, 1; **FOIRE**, 1; **SALON**, 1
Ausstellungsraum **SHOW(-)ROOM**, 1
Ausstellungsteilnehmer **EXPOSANT, EXPOSANTE**, 1
Austausch **ÉCHANGE**, 1
austauschbar **ÉCHANGEABLE**, 1
austauschen **ÉCHANGER**, 1
Austernzucht **OSTRÉICULTURE**, 1
Austernzucht- **OSTRÉICOLE**, 1
Austernzüchter **OSTRÉICULTEUR, OSTRÉICULTRICE**, 1
Ausverkauf **BRADAGE**, 1; **LIQUIDATION**, 1; **SOLDE**, 2
ausverkaufen **ÉPUISER**, 1; **LIQUIDER**, 1; **SOLDER**, 2
Auswahl **ASSORTIMENT**, 1
auswechseln **CHANGER**, 1
Ausweis **CARTE**, 1
auszahlen **DÉCAISSER**, 1; **DÉCOMPTER**, 2
auszahlen (Überschussbeteiligung ~) **RISTOURNER**, 3
Auszahlung **DÉCAISSEMENT**, 1
autark **AUTARCIQUE**, 1; **AUTOSUFFISANT, -ANTE**, 1
Autarkie **AUTARCIE**, 1
Auto **AUTOMOBILE**, 1; **VOITURE**, 1
Autobahn **AUTOROUTE**, 1
Autobahn- **AUTOROUTIER, -IÈRE**, 1
Autobahngebühr **PÉAGE**, 1
Autobus **AUTOBUS**, 1; **BUS**, 1
Automat **AUTOMATE**, 1
Automation **AUTOMATION**, 1; **AUTOMATISATION**, 1
automatisch **AUTOMATIQUE**, 1; **AUTOMATIQUEMENT**, 1
automatische Fertigung **PRODUCTIQUE**, 1
automatisieren **AUTOMATISER**, 1; **ROBOTISER**, 1
Automatisierung **AUTOMATION**, 1; **AUTOMATISATION**, 1 ; **ROBOTISATION**, 1
Automatismus **AUTOMATISME**, 1
Automobil- **AUTOMOBILE**, 1
Automobilbranche **AUTOMOBILE**, 2
automobile **AUTOMOBILE**, 1
Automobilindustrie **AUTOMOBILE**, 2
Autonomie (finanzielle ~) **AUTOSUFFISANCE**, 1
Autoreparaturwerkstatt **GARAGE**, 1
Babyboom **BABY(-)BOOM**, 1
Bäcker **BOULANGER, BOULANGÈRE**, 1; 2
Bäckerei **BOULANGERIE**, 1
Bahn **TRAIN**, 1
Bahn (frei ~) **FOR**
Bahn- **FERROVIAIRE**, 1
Bandbreite **FOURCHETTE**, 1
Bandenwerbung **BANDEROLE**, 1
Bank **BANQUE**, 2; **CAISSE**, 4; 5
Bank- **BANCAIRE**, 1
Bank für Internationalen Zahlungsausgleich (BIZ) **BRI**
Bank (Europäische ~ für Wiederaufbau und Entwicklung, EBWE) **BERD**
Bank (Internationale ~ für Wiederaufbau und Entwicklung, IBRD) **BIRD**
Bank (Sitz einer ~) **BANCABLE**, 2; **BANQUABLE**, 2
Bank (Standort einer ~) **BANCABLE**, 2; **BANQUABLE**, 2
Bank (Zweigstelle einer ~) **AGENCE**, 2
Bankagio **AGIO**, 1
bankenübergreifend **INTERBANCAIRE**, 1
Banker **BANQUIER, BANQUIÈRE**, 1
Bankguthaben **AVOIR**, 1
Bankier **BANQUIER, BANQUIÈRE**, 1
Banking (Electronic ~) **MONÉTIQUE**, 1
Bankniederlassung **AGENCE**, 2
Banknote **BILLET**, 1; **COUPURE**, 1
Banknotenautomat **BANCOMAT**, 1
Bankomat **BANCOMAT**, 1
Bankrott (betrügerische ~) **BANQUEROUTE**, 1

Banksektor ausbauen **BANCARISER**, 1
Banksektors (Ausbau des ~) **BANCARISATION**, 1
Banksektors (Ausbreitung des ~) **MARCHÉISATION**, 1
banküblich **BANCAIRE**, 1
Bankwesen **BANQUE**, 1
Banner **BANDEAU**, 1
bar **CASH**, 1; **COMPTANT**, 1; 2; 3
Bar- **COMPTANT**, 1; 2; 3; **NUMÉRAIRE**, 1
bar (in ~) **NUMÉRAIRE**, 1
Barbestand **ENCAISSE**, 1
Bargeld **CASH**, 1; **ESPÈCES**, 1; **LIQUIDE**, 1; **NUMÉRAIRE**, 1
Barmittel **ESPÈCES**, 1
Barrel **BARIL**, 2
Bau **BÂTIMENT**, 1; **CONSTRUCTION**, 1
Bauarbeiten **TRAVAIL**, 4
bauen **BÂTIR**, 1; **CONSTRUIRE**, 1
bauen (aus Fertigteilen ~) **PRÉFABRIQUER**, 1
Bauer **AGRICULTEUR, AGRICULTRICE**, 1; **FERMIER, FERMIÈRE**, 1
Bauernhof **FERME**, 1
Baugewerbe **BÂTIMENT**, 2
Bauherr **BÂTISSEUR, BÂTISSEUSE**, 1
Bausparen **ÉPARGNE-LOGEMENT**, 1
Baustelle **CHANTIER**, 1
Bautätigkeit **TRAVAIL**, 4
Bauträger- **PROMOTEUR, PROMOTRICE**, 2
Bauträger- **PROMOTEUR, -TRICE**, 2
Bauunternehmer **ENTREPRENEUR, ENTREPRENEUSE**, 2
Bauwirtschaft **BÂTIMENT**, 2
beachtlich **APPRÉCIABLE**, 1; **JOLI, -IE**, 1
Beamte **FONCTIONNAIRE**, 1
Beamte der Finanzkasse **RECEVEUR**, 1
Beamtenverhältnis (ins ~ übernehmen) **FONCTIONNARISER**, 1
Beamter (ein kleiner ~) **PRÉPOSÉ, PRÉPOSÉE**, 1
beanspruchen **REVENDIQUER**, 1
bearbeiten **TRAVAILLER**, 2
Beauftragte **CHARGÉ, CHARGÉE**, 1; **COMMISSAIRE**, 1; **DÉLÉGUÉ, DÉLÉGUÉE**, 1
bebauen **CULTIVER**, 1
Bedarf **BESOIN**, 1; **FOURNITURE**, 3
Bedarfsartikel- **ÉLECTROMÉNAGER**, 1
bedeutend **CONSIDÉRABLE**, 1; **IMPORTANT, -ANTE**, 1
bedienen (die Kunden ~) **SERVIR**, 2
Bedienung **BARMAID**, 1; **BARMAN**, 1; **SERVICE**, 4
Bedienungsgeld **SERVICE**, 4
bedürftig **DÉSHÉRITÉ, -ÉE**, 1
Bedürftige **DÉSHÉRITÉ, DÉSHÉRITÉE**, 1; **PAUVRE**, 1
beenden **CLÔTURER**, 1
Beendigung **CLÔTURE**, 1; **FERMETURE**, 2
befähigt **QUALIFIÉ, -IÉE**, 1
Befähigung **QUALIFICATION**, 1
befördern **PROMOUVOIR**, 2; **TRANSPORTER**, 1
Beförderung **PROMOTION**, 3
Befrachter **CHARGEUR**, 1
befreien von **EXEMPTER**, 1
befreien (von Steuern/Gebühren ~) **EXONÉRER**, 1
Befreiung **EXEMPTION**, 1; **EXONÉRATION**, 1
Beginn **OUVERTURE**, 1
Begleichung **RÈGLEMENT**, 2
Begleiter **CONVOYEUR, CONVOYEUSE**, 1
begrenzen **LIMITER**, 1; **RESTREINDRE**, 1
Begrenzung **LIMITATION**, 1
Begünstigte **BÉNÉFICIAIRE**, 1
begütert **NANTI, -IE**, 1
Begüterten **NANTIS**, 1
Behandlung **TRAITEMENT**, 2
Behörde **ADMINISTRATION**, 1
beibehalten **MAINTENIR**, 1
Beibehaltung **MAINTIEN**, 1
Beihilfe **PRESTATION**, 1; **SUBVENTION**, 1
Beihilfeempfänger **ALLOCATAIRE**, 1
Beilage **ENCART**, 1
Beistand **CURATELLE**, 1; **CURATEUR, CURATRICE**, 1
Beitrag **CONTRIBUTION**, 1; **COTISATION**, 2
Beitrag rückerstatten **RISTOURNER**, 2
Beitrag (seinen ~ bezahlen) **COTISER**, 2; 3
beitragen **CONTRIBUER**, 1
Beitrags- **CONTRIBUTIF, -IVE**, 1
beitragspflichtig **REDEVABLE**, 2
Beitragsrückerstattung **RISTOURNE**, 2
Beitragszahler **COTISANT, COTISANTE**, 1; 2; 3
Beitragszahlung **CONTRIBUTION**, 1
beitreten **AFFILIER**, 1
Beitritt **AFFILIATION**, 1
Beladen **CHARGEMENT**, 1
beladen **CHARGER**, 1
belasten mit **GREVER**, 1
belasten (Konto ~) **DÉBITER**, 1
belasten (mit einer Hypothek ~) **HYPOTHÉQUER**, 1
belaufen (sich ~ auf) **ÉLEVER**, 2 ; **MONTER**, 2
Belebung **RELANCE**, 2
Belegschaft **EFFECTIF**, 1
Belegschaft (gesamte Wechsel der ~) **TURN(-)OVER**, 1
Belegschaft (völlige Erneuerung der ~) **TURN(-)OVER**, 1
Belegschaftsstärke **EFFECTIF**, 1
beliefern **APPROVISIONNER**, 1; **FOURNIR**, 1
beliefern (neu ~) **RÉAPPROVISIONNER**, 1
Belieferung **APPROVISIONNEMENT**, 1; **RAVITAILLEMENT**, 1
Bemessungsgrundlage **ASSIETTE**, 1
benachteiligt **DÉSHÉRITÉ, -ÉE**, 1
Benutzer **USAGER**, 1
Benutzung **USAGE**, 1
Benzin **ESSENCE**, 1
Benzingutschein **CHÈQUE(-)CARBURANT**, 1
beraten **CONSEILLER**, 1
Berater **CONSEIL**, 2; **CONSEILLER, CONSEILLÈRE**, 1; **CONSULTANT, CONSULTANTE**, 1
berechnen **CALCULER**, 1; **COMPTER**, 1; **FACTURER**, 1
berechnet werden **FACTURABLE**, 1
Berechnung **CALCUL**, 1; **FACTURATION**, 1
Berechnung eines Pfands **CONSIGNATION**, 3
Berechnungsgrundlage **ASSIETTE**, 1
Berechtigte **AYANT DROIT**, 1
Bereich (ökonomische ~) **ÉCONOMIQUE**, 1
bereichern (sich ~) **ENRICHIR**, 1
Bereicherung **ENRICHISSEMENT**, 2
bereinigen **APURER**, 1
Berg- und Talfahrt **DENTS DE SCIE**, 1
Bergarbeiter **MINEUR**, 1
Bergwerk **MINE**, 1
Bergwerk- **MINIER, -IÈRE**, 1
Beruf **MÉTIER**, 1; **PROFESSION**, 1
berufen **TITULARISER**, 1
beruflich **PROFESSIONNEL, -ELLE**, 1; **PROFESSIONNELLEMENT**, 1
beruflich anderweitig verwenden **RECLASSER**, 1
beruflich und gesellschaftlich **SOCIOPROFESSIONNEL, -ELLE**, 1
berufliche Inaktivität **INACTIVITÉ**, 1
berufliche Interessenverband **CORPORATION**, 1
berufliche Interessenvertretung **CORPORATISME**, 1
berufliche (anderweitige ~ Verwendung) **RECLASSEMENT**, 1
Berufs- **PROFESSIONNEL, -ELLE**, 2
Berufsausbildungszeugnis **BEP**
Berufsaussichten **DÉBOUCHÉ**, 2
Berufserfahrung **SAVOIR-FAIRE**, 2
Berufsgruppe **PROFESSION**, 2
Berufsjahre **ANCIENNETÉ**, 1
Berufskollege **COLLÈGUE**, 1
berufstätig (nicht ~) **INACTIF, -IVE**, 1
Berufstätige **TRAVAILLEUR, TRAVAILLEUSE**, 1
Berufstätigen **TRAVAILLEUR, TRAVAILLEUSE**, 2
berufsübergreifend **INTERPROFESSIONNEL, -ELLE**, 1
Berufsverband **CORPORATION**, 1
Berufung **TITULARISATION**, 1
beschädigt **AVARIÉ, -IÉE**, 1
Beschädigung **DOMMAGE**, 1
beschaffen **FOURNIR**, 1
Beschaffung **APPROVISIONNEMENT**, 2
beschäftigen **EMPLOYER**, 1; **OCCUPER**, 1
beschäftigt (sehr ~) **AFFAIRÉ, -ÉE**, 1
Beschäftigten (Verminderung des Anteils der abhängig ~) **DÉSALARISATION**, 1
Beschäftigten (Zunahme des Anteils der abhängig ~) **SALARISATION**, 1
Beschäftigung **EMPLOI**, 1; 3; **OCCUPATION**, 1; **TRAVAIL**, 1
Beschäftigung überqualifizierten Personals **SOUS-EMPLOI**, 2
Beschäftigung unterhalb der Qualifikation **SOUS-EMPLOI**, 2
Beschäftigung (eine andere ~ geben) **RECLASSER**, 1
Beschäftigungen (eine Person, die mehreren ~ nachgeht) **CUMULARD, CUMULARDE**, 1
Beschäftigungslage **EMPLOI**, 2
Beschäftigungsmöglichkeit **EMBAUCHE**, 2
Beschäftigungsverhältnis (jemanden in ein ~ übernehmen) **SALARIER**, 2
bescheiden **MODESTE**, 1; **MODESTEMENT**, 1
beschleunigen **ACCÉLÉRER**, 1
Beschleunigung **ACCÉLÉRATION**, 1
beschränken **LIMITER**, 1
Beschränkung **LIMITATION**, 1; **RESTRICTION**, 1
beseitigen **ÉPONGER**, 1; **RÉSORBER**, 1
besetzen **OCCUPER**, 2
Besetzung **OCCUPATION**, 2
Besitz **POSSESSION**, 1; **PROPRIÉTÉ**, 1; 2
besitzen **POSSÉDER**, 1
Besitzer **DÉTENTEUR, DÉTENTRICE**, 1; **POSSESSEUR**, 1
besolden **RÉTRIBUER**, 1
Besoldung **RÉTRIBUTION**, 1
besorgen **PROCURER**, 1
besorgen (sich etwas ~) **PROCURER**, 2
Besorgungen **COMMISSION**, 3
besser (wieder ~ gehen) **REPRENDRE**, 3

besser (wieder ~ laufen) **REPRENDRE**, 3
Bestände **STOCK**, 1
bestechen **CORROMPRE**, 1
Bestecher **CORRUPTEUR, CORRUPTRICE**, 1
bestechlich **CORRUPTIBLE**, 1
Bestechung **CORRUPTION**, 1
Bestechungsgeld **POT-DE-VIN**, 1
bestellen **COMMANDER**, 1
Bestellformular **COMMANDE**, 2
Bestellung **COMMANDE**, 1; 2; 3
besteuerbar **TAXABLE**, 1
besteuern **IMPOSER**, 1; **TAXER**, 1
besteuert werden **IMPOSABLE**, 1; **TAXABLE**, 1
Besteuerung **FISCALISATION**, 1; **IMPOSITION**, 1; **TAXATION**, 1
bestimmen **AFFECTER**, 1
Bestimmung **CLAUSE**, 1
Bestimmungen **RÉGLEMENTATION**, 2
Bestimmungsort **DESTINATION**, 1
Bestochene **VENDU**, 2
beteiligt sein **PARTICIPER**, 1
beteiligt (jemand ~ jemanden an etwas) **ASSOCIER**, 1
beteiligten Unternehmen zwischen den Unternehmen **INTERENTREPRISES**, 1
Beteiligung **INTÉRÊT**, 2; **PARTICIPATION**, 1
beträchtlich **APPRÉCIABLE**, 1; **CONSIDÉRABLE**, 1; **CONSIDÉRABLEMENT**, 1
Betrag **ENVELOPPE**, 2; **MONTANT**, 1; **SOMME**, 1
Betrag (geschuldete ~) **DÛ**, 1
betragen **CHIFFRER**, 2; **ÊTRE**, 1; **MONTER**, 2
betragen (fast ~) **AVOISINER**, 1
betreiben **EXPLOITER**, 1
Betreiber **TENEUR, TENEUSE**, 1
betreuen **ENCADRER**, 1
Betreuung **ENCADREMENT**, 1
Betreuung (weitere ~) **SUIVI**, 1
Betrieb **BOÎTE**, 2; **ENTREPRISE**, 2; **ÉTABLISSEMENT**, 1; **EXPLOITATION**, 3; **SERVICE**, 3
Betrieb (landwirtschaftliche ~) **EXPLOITATION**, 1
Betrieb (mittlere ~) **PME**
betriebsbereit **OPÉRATIONNEL, -ELLE**, 2
Betriebsführer **MANAGEUR, MANAGEUSE**, 1
Betriebsführung- **MANAGÉRIAL, -IALE**, 2
betriebssicher **FIABLE**, 1
Betriebssicherheit **FIABILITÉ**, 1
Betriebszugehörigkeit **ANCIENNETÉ**, 1
Betrug **FRAUDE**, 1
betrügen **FRAUDER**, 1
Betrüger **FRAUDEUR, FRAUDEUSE**, 1
betrügerisch **FRAUDULEUSEMENT**, 1; **FRAUDULEUX, -EUSE**, 1
betrügerische Bankrott **BANQUEROUTE**, 1
betrügerische (auf ~ Weise) **FRAUDULEUSEMENT**, 1
Bevölkerung **POPULATION**, 1
Bevollmächtigter **FONDÉ DE POUVOIR**, 1 ; **MANDATAIRE**, 1
bewältigen **MANAGER**, 1
beweglich **MOBILIER, -IÈRE**, 1
bewerben (sich um eine Anstellung ~) **POSTULER**, 1; **SOLLICITER**, 1
Bewerber **CANDIDAT, CANDIDATE**, 1
Bewerbung **CANDIDATURE**, 1
bewilligen **ACCORDER**, 1; **ALLOUER**, 2
bewirtschaften **EXPLOITER**, 1; **GÉRER**, 2
bewirtschaften (kommerziell ~) **MARCHANDISER**, 1
Bewirtschaftung **EXPLOITATION**, 2
Bewirtschaftung (finanzielle ~) **GESTION**, 2
Bewirtschaftung (kommerzielle ~) **MARCHANDISAGE**, 2 ; **MARCHANDISATION**, 1
bezahlen **ACQUITTER**, 1; **DÉBOURSER**, 1; **PAYER**, 1; **RÉGLER**, 1
bezahlen (jedem Schmiergeld ~) **PATTE**, 1
bezahlen (monatlich ~) **MENSUALISER**, 1
bezahlen (seine Schulden ~) **DÉSENDETTER**, 1
bezahlen (seinen Beitrag ~) **COTISER**, 2; 3
bezahlen (seinen Sozialversicherungsbeitrag ~) **COTISER**, 1
bezahlt (nicht ~) **IMPAYÉ, -ÉE**, 1
Bezahlung **PAIEMENT**, 1; **PAYEMENT**, 1, **RÈGLEMENT**, 2
Bezahlung bei Vertragsabschluss **COMPTANT**, 4
beziehen **TOUCHER**, 1
beziehen (einen Monatslohn ~) **MENSUALISER**, 1
Bezieher **BÉNÉFICIAIRE**, 1
Bezieher eines Mindestlohns **SMICARD, SMICARDE**, 1
beziffern **CHIFFRER**, 1
Bezogene **TIRÉ**, 1
Bezüge **APPOINTEMENTS**, 1; **ÉMOLUMENTS**, 1; **TRAITEMENT**, 1
Bezugsgrösse **RÉFÉRENCE**, 1
Bierbrauer **BRASSEUR, BRASSEUSE**, 1
Bilanz **BALANCE**, 1; **BILAN**, 1
Bilanz- **BILANCIEL, -IELLE**, 1; **BILANTAIRE**, 1; **COMPTABLE**, 1
Bilanz (Aktivseite einer ~) **ACTIF**, 2
Bilanzabschluss **CLÔTURE**, 2
Bilanzbuchhalter **COMPTABLE**, 1
bilanzieren **COMPTABILISER**, 1
Bilanzlehre **COMPTABILITÉ**, 5
Bilanzprüfer **COMMISSAIRE-RÉVISEUR**, 1
Bildschirmschoner **ÉCONOMISEUR**, 2
Bildschirmtext **MINITEL**, 1
Bildung (Massnahmen zur ~ von Wohnungseigentum) **PROMOTION**, 2
Bildungsurlaub **CONGÉ-FORMATION**, 1
billige Ramschware **CAMELOTE**, 1
Billigpreisaktion **ACTION**, 2; **BRADERIE**, 1
Billigpreisanbieter **BRADEUR, BRADEUSE**, 1
Binnen- **FLUVIAL, -IALE**, 1
Binnenschiff **PÉNICHE**, 1
Biskuithersteller **BISCUITIER**, 1
Bitte **DEMANDE**, 1
bitten (um) **DEMANDER**, 1
BIZ (Bank für Internationalen Zahlungsausgleich) **BRI**
Blatt **FICHE**, 2
blaumachen **CHÔMER**, 3
blitzschnell **FULGURANT, -ANTE**, 1
blockieren **GELER**, 1
Blume **FLEUR**, 1
Blumenhändler **FLEURISTE**, 1
Blüte **PROSPÉRITÉ**, 1
Boden (an ~ gewinnen) **TERRAIN** (gagner du ~), 1
Boden (an ~ verlieren) **TERRAIN** (céder du ~), 1; **TERRAIN** (perdre du ~), 1
Boden- **FONCIER, -IÈRE**, 1
Bon **BON**, 1
Bonus **BONIFICATION**, 1; **BONUS**, 3; **PRIME**, 2; **RISTOURNE**, 1
Bonus geben **RISTOURNER**, 1
Boot **BATEAU**, 1
Bord (frei an ~) **FAB**; **FOB**
Börse **BOURSE**, 1; 2
Börse (ein bisschen an der ~ spekulieren) **BOURSICOTER**, 1
Börse (Zusammenbruch der ~) **KRACH**, 1
Börsen- **BOURSICOTIER, -IÈRE**, 1; **BOURSIER, -IÈRE**, 1; 2
Börsengeschäfte (kleinen ~) **BOURSICOTAGE**, 1
Börsenjobber **BOURSIER, BOURSIÈRE**, 2
Börsenkrach **KRACH**, 1
Börsenmakler **OPÉRATEUR, OPÉRATRICE**, 1
Börsennotierung **COTATION**, 1
Börsensaales (Parkett des ~) **CORBEILLE**, 1
Börsenspekulant (kleine ~) **BOURSICOTEUR, BOURSICOTEUSE**, 1
Börsianer **BOURSIER, BOURSIÈRE**, 2
Boss **BOSS**, 1
Branche **BRANCHE**, 1; **SECTEUR**, 1
Branche (einer ~) **SECTORIEL, -IELLE**, 2
branchenbezogen **SECTORIEL, -IELLE**, 1
Brandversicherung **ASSURANCE(-) INCENDIE**, 1
brauen **BRASSER**, 1
Brauerei **BRASSERIE**, 1
Break-even-Punkt **POINT MORT**, 1
Brennstoff **COMBUSTIBLE**, 1
Brief **LETTRE**, 1
Briefe **COURRIER**, 1
Briefkastenfirma **SOCIÉTÉ(-)ÉCRAN**, 1
Briefpartner **CORRESPONDANT, CORRESPONDANTE**, 1
Brieftasche **PORTEFEUILLE**, 1
Briefumschlag **ENVELOPPE**, 1
Briefwechsel **CORRESPONDANCE**, 1
Briefwechsel führen **CORRESPONDRE**, 1
Briefwerbung **MAILING**, 1; **PUBLIPOSTAGE**, 1
Broschüre **BROCHURE**, 1; **PLAQUETTE**, 1
Broterwerb **GAGNE-PAIN**, 1
brutto **BRUT, BRUTE**, 1
Bruttoinlandsprodukt **PIB**
Bruttosozialprodukt **PNB**
Btx **MINITEL**, 1
Btx (Einkauf mittels ~) **TÉLÉSHOPPING**, 1
buchen **COMPTABILISER**, 1
buchen (ins Soll ~) **DÉBITER**, 1
buchen (kann gebucht werden) **COMPTABILISABLE**, 1
Buchführung **COMPTABILITÉ**, 1
Buchführung (doppelte ~) **ÉCRITURE**, 1
Buchführung (nach den Regeln ordnungsmässiger ~) **COMPTABLE**, 2
Buchhalter **COMPTABLE**, 1
Buchhaltung **COMPTA**, 1; **COMPTABILITÉ**, 1; 2; 3; 4
Buchhändler **LIBRAIRE**, 1
Buchhandlung **LIBRAIRIE**, 1
Buchprüfer **EXPERT-COMPTABLE, EXPERTE-COMPTABLE**, 1
Buchung **COMPTABILISATION**, 1
Buchungs- **COMPTABLE**, 1
Budget **BUDGET**, 2; **CRÉDIT**, 3
Budget- **BUDGÉTAIRE**, 2; **BUDGÉTAIREMENT**, 2
budgetieren **BUDGÉTER**, 1; **BUDGÉTISER**, 1
Bündnis **ALLIANCE**, 1

Bürge **CAUTION**, 2; **CAUTIONNÉ, CAUTIONNÉE**, 1
bürgen **CAUTIONNER**, 1
Bürgschaft **CAUTIONNEMENT**, 1
Bürgschaftssumme **CAUTION**, 3
Bürgschaftsurkunde **CAUTION**, 1
Bürgschaftsvertrag **CAUTION**, 1
Büro **AGENCE**, 1; **BUREAU**, 2; **CABINET**, 2
Büroangestellte **EMPLOYÉ, EMPLOYÉE**, 2
Büroautomatisierung **BUREAUTIQUE**, 1
Bürokommunikation **BUREAUTIQUE**, 1
Bürokrat **BUREAUCRATE**, 1
Bürokratie **BUREAUCRATIE**, 1
bürokratisieren **BUREAUCRATISER**, 1
Bürokratisierung **BUREAUCRATISATION**, 1
Büroraum **BUREAU**, 5
Bus **AUTOBUS**, 1; **BUS**, 1
Business **BUSINESS**, 1
CAD (Computer-aided-Design) **CAO**
Cash-flow **CASH(-)FLOW**, 1
Cashkuh **VACHE À LAIT**, 1
CD-ROM **CD-ROM**, 1; **CÉDÉROM**, 1
Cent **CENT**, 1
Centime **CENTIME**, 1; **EUROCENTIME**, 1
Chance (vertane ~) **MANQUE À GAGNER**, 1
Charteragentur **FRÉTEUR, FRÉTEUSE**, 1
Charterer **AFFRÉTEUR, AFFRÉTEUSE**, 1
Charterflugzeug **CHARTER**, 1
Chartermaschine **CHARTER**, 1
chartern **AFFRÉTER**, 1
Chef **BOSS**, 1; **CHEF**, 1; **DIRECTEUR, DIRECTRICE**, 1; **PATRON, PATRONNE**, 1
Chef- **DIRECTEUR, -TRICE**, 1
Chemie **CHIMIE**, 1
chemisch **CHIMIQUE**, 1
Chip **PUCE**, 1
CIF (Kosten, Versicherung und Fracht) **CAF**
CIM (Computer integrated Manufacturing) **FIO**
Cluster **GRAPPE**, 1
cobranding **COBRANDING**, 1
Computer **ORDINATEUR**, 1
Computer- **INFORMATIQUE**, 1
Computer integrated Manufacturing (CIM) **FIO**
Computer-aided-Design (CAD) **CAO**
computergestützte Konstruieren **CAO**
Computergrafik **INFOGRAPHIE**, 1
computerisieren **INFORMATISER**, 1
Computerisierung **INFORMATISATION**, 1
Computernetzwerk **RÉSEAU**, 3
computerunterstütze Steuerung und Überwachung der Produktion **FAO**
Computerwissenschaftler **INFORMATICIEN, INFORMATICIENNE**, 1
Container **CONTENEUR**, 1
Container (Verladung im ~) **CONTENEURISATION**, 1
Containern (in ~ transportieren) **CONTENEURISER**, 1
Containern (in ~ verladen) **CONTENEURISER**, 1
Containerschiff **PORTE-CONTENEURS**, 1
Coupon **COUPON**, 1
Couturier **COUTURIER**, 1
Dachorganisation **FÉDÉRATION**, 1
Dachverband **ASSOCIATION**, 1
dämpfen **AFFAIBLIR**, 1
Darlehen aufnehmen **EMPRUNTER**, 1; 2
Darlehen **EMPRUNT**, 1; 2; **PRÊT**, 2
Darlehens (Tilgungsteil des ~) **PRINCIPAL**, 1
Darlehensgeber **PRÊTEUR, -EUSE**, 1
Darlehensnehmer **EMPRUNTEUR, EMPRUNTEUSE**, 1; **EMPRUNTEUR, -EUSE**, 1
Darstellung (graphische ~) **GRAPHIQUE**, 1
Datei **FICHIER**, 2
Datenautobahn **AUTOROUTE**, 2
Datenbank **BASE DE DONNÉES**, 1
Datenbankbetreiber **SERVEUR, SERVEUSE**, 2
Datenbasis **BASE DE DONNÉES**, 1
Datenspeicher **MÉMOIRE**, 1
Datenspeicherung **STOCKAGE**, 2
Dauer der Betriebszugehörigkeit **ANCIENNETÉ**, 1
Dauerberieselung (durch die Werbung) **MATRAQUAGE**, 1
Dauerbeschuss (durch die Werbung) **MATRAQUAGE**, 1
davonlaufen **ENVOLER**, 1
Debetsaldo **DÉBET**, 1; 2
decken **COUVRIR**, 1; 2; **ÉPONGER**, 1
Deckung **COUVERTURE**, 1; 2; **PROVISION**, 1
Deckungssumme **PROVISION**, 1
Defekt **DÉFAUT**, 1
Defekt (Null ~) **ZÉRO PANNE**, 1
Defizit **DÉFICIT**, 1; 2; **MALI**, 1; **PERTE**, 2
defizitär **DÉFICITAIRE**, 1; 2
Deflation **DÉFLATION**, 1
deflationär **DÉFLATIONNISTE**, 1; **DÉFLATOIRE**, 1
deflationistisch **DÉFLATIONNISTE**, 1; **DÉFLATOIRE**, 1
degressiv **DÉGRESSIF, -IVE**, 1
deindustrialisieren **DÉSINDUSTRIALISER**, 1
Deindustrialisierung **DÉSINDUSTRIALISATION**, 1
Delegation **DÉLÉGATION**, 1
Delegierte **DÉLÉGUÉ, DÉLÉGUÉE**, 1
Demission **DÉMISSION**, 1
Demographie **DÉMOGRAPHIE**, 1
demographisch **DÉMOGRAPHIQUE**, 1
-demonstration **DÉMONSTRATION**, 1
Depot **DÉPÔT**, 2
deregulieren **DÉRÉGLEMENTER**, 1; **DÉRÉGULER**, 1
Deregulierung **DÉRÉGLEMENTATION**, 1; **DÉRÉGULATION**, 1
Design **DESIGN**, 1
Desinflation **DÉSINFLATION**, 1
desinflationistisch **DÉSINFLATIONNISTE**, 1
desinvestieren **DÉSINVESTIR**, 1
Desinvestition **DÉSINVESTISSEMENT**, 1
deutlich **SENSIBLE**, 1; **SENSIBLEMENT**, 1
Devaluation **DÉVALUATION**, 1
Devise **DEVISE**, 1
Devisenarbitrage **ARBITRAGE**, 1
Devisenhändler **CAMBISTE**, 1
Diamant **DIAMANT**, 1
Diamanten- **DIAMANTAIRE**, 1
Diamanten (des ~) **DIAMANTAIRE**, 1
Diamanthändler **DIAMANTAIRE**, 1
Diamantschleifer **DIAMANTAIRE**, 1
Dienst **FONCTION**, 2; **SERVICE**, 3
Dienst erweisen **SERVIR**, 1
Dienst (Angestellte im öffentlichen ~) **CONTRACTUEL, CONTRACTUELLE**, 1
Dienst (öffentliche ~) **ADMINISTRATION**, 2; **FONCTION**, 3; **PUBLIC**, 1
Dienstleister **PRESTATAIRE**, 2
Dienstleistung **PRESTATION**, 2; **SERVICE**, 1
Dienstleistung erbringen **SERVIR**, 1
Dienstleistungen **INVISIBLES**, 1; **PRESTATION**, 2
Dienstleistungserbringer **PRESTATAIRE**, 2
Dienstleistungssektor **TERTIAIRE**, 1
Dienstleistungssektor ausdehnen auf **TERTIARISER**, 1
Dienstleistungssektors (Entwicklung des ~) **TERTIAIRISATION**, 1; **TERTIARISATION**, 1
Dienstleistungssektors (Teil des ~ werden) **TERTIARISER**, 1
Dienstleistungssektors (zunehmende Bedeutung des ~) **TERTIAIRISATION**, 1; **TERTIARISATION**, 1
Dienststelle **SERVICE**, 2
Diesel **DIESEL**, 1
Dieseltreibstoff **DIESEL**, 1
Diplom **BREVET**, 1; **DIPLÔME**, 1
Direktive **DIRECTIVE**, 2
Direktor (stellvertretende ~) **DIRECTEUR(-)ADJOINT, DIRECTRICE(-)ADJOINTE**, 1
dirigistisch **DIRIGISTE**, 1
Discounter **MINIMARGE**, 1; **SOLDEUR, SOLDEUSE**, 1
Discountgeschäft **SOLDERIE**, 1
Discountgeschäfts (Inhaber eines ~) **SOLDEUR, SOLDEUSE**, 1
Diskont **ESCOMPTE**, 2
Diskont- **ESCOMPTEUR, -EUSE**, 1
diskontfähig **BANCABLE**, 1; **BANQUABLE**, 1; **ESCOMPTABLE**, 1
Diskontgeber **ESCOMPTEUR, ESCOMPTEUSE**, 1
diskontierbar **ESCOMPTABLE**, 1
Diskontieren **ESCOMPTE**, 2
diskontieren **ESCOMPTER**, 1
Diskount **DISCOMPTE**, 1; **DISCOUNT**, 1
Diskounter **DISCOMPTE**, 2; **DISCOUNT**, 2
Diskountgeschäft **DISCOMPTE**, 2; **DISCOUNT**, 2
Diskountladen **SOLDERIE**, 1
Diskountladenkette **DISCOMPTEUR**, 1; **DISCOUNTER**, 1
Diversifikation **DIVERSIFICATION**, 1
diversifizieren **DIVERSIFIER**, 1
Dividende **DIVIDENDE**, 1
Dollar **DOLLAR**, 1; **PIASTRE**, 1
Doppel **DOUBLE**, 2
doppelt **DOUBLE**, 1; **DOUBLEMENT**, 1
Doppelte **DOUBLE**, 1
Doppelverdiener sein **CUMULER**, 1
Dose **BOÎTE**, 1; **CAN(N)ETTE**, 1
Dossier **DOSSIER**, 1
dotieren **DOTER**, 1
Dotierung **DOTATION**, 1
Drache **DRAGONS**, 1
Drachme **DRACHME**, 1
dringende Bitte **SOLLICITATION**, 1
Dritte Welt **TIERS(-)MONDE**, 1
Drogenhändler **TRAFIQUANT, TRAFIQUANTE**, 1
drosseln **FREINER**, 1
Drosselung **FREINAGE**, 1
Drüber (Drunter und ~) **GABEGIE**, 1
Drunter und Drüber **GABEGIE**, 1
Dumping **DUMPING**, 1; **GÂCHAGE**, 1
Durchfuhr **TRANSIT**, 1
durchführen **OPÉRER**, 1
durchgehend **CONTINU, -UE**, 1
Durchschnitt **MOYENNE**, 1
durchschnittlich **MOYENNEMENT**, 1
Durchschnitts- **MOYEN, -ENNE**, 1
dynamisch **ENTREPRENANT, -ANTE**, 1
EBV (Europabüro der Verbraucherschutzverbände) **BEUC**
EBWE (Europäische Bank für Wiederaufbau und Entwicklung) **BERD**

EEF (Europäische Entwicklungsfonds) **FED**
Effekt **EFFET**, 1
Effekte (externen ~) **EXTERNALITÉ**, 1
Effekten **TITRE**, 1
effizient **EFFICIENT, -IENTE**, 1
Effizienz **EFFICACITÉ**, 1; **EFFICIENCE**, 1; **RENDEMENT**, 2
Ehegatte **CONJOINT, CONJOINTE**, 1
Eheleute **CONJOINT, CONJOINTE**, 1
Ehrenamt **BÉNÉVOLAT**, 1
ehrenamtlich **BÉNÉVOLE**, 1; **BÉNÉVOLEMENT**, 1
ehrenamtlich Tätige **BÉNÉVOLE**, 1
ehrenamtliche Tätigkeit **BÉNÉVOLAT**, 1
Ehrenamtlichkeit **VOLONTARIAT**, 1
ehrgeiziger junger Mann **LOUP**, 1
EIB (Europäische Investitionsbank) **BEI**
Eigenbetrieb **RÉGIE**, 1
Eigenkapital **RESSOURCES**, 2
Eigenkapitalausstattung verbessern **RECAPITALISER**, 1
Eigenkapitalausstattung (Verbesserung der ~) **RECAPITALISATION**, 1
Eigenmittel (finanziellen ~) **RESSOURCES**, 2
Eigenmitteln (aus ~ finanzieren) **AUTOFINANCER**, 1
Eigentum **PROPRIÉTÉ**, 1; 2
Eigentümer **PROPRIÉTAIRE**, 1
Eigenverbrauch **AUTOCONSOMMATION**, 1
Eildienst **MESSAGERIE**, 1
Eilpost **COURRIER(-)EXPRESS**, 1
Eilsendung **COURRIER(-)EXPRESS**, 1
einbehalten **PRÉLEVER**, 1
einbehalten (im voraus ~) **PRÉCOMPTER**, 1
Einbehaltung **PRÉLÈVEMENT**, 1
Einbrechen **EFFONDREMENT**, 1
einbrechen **EFFONDRER**, 1
einbringen (in die Gesellschaft) **APPORTER**, 1
Einbusse **MANQUE À GAGNER**, 2
eindämmen **JUGULER**, 1
Eindämmung **JUGULATION**, 1
eindecken (sich mit etwas ~) **APPROVISIONNER**, 2
eindeutig **NET, NETTE**, 2; **NETTEMENT**, 1
Einfrieren **GEL**, 1
einfrieren **GELER**, 1
Einfuhr **ENTRÉE**, 2; **IMPORT**, 1; **IMPORTATION**, 1
Einfuhr- **IMPORTATEUR, -TRICE**, 1
Einfuhr-Ausfuhr **IMPORT-EXPORT**, 1
einfuhrbar **IMPORTABLE**, 1
einführen **IMPORTER**, 1; **LANCER**, 1
Einführung **LANCEMENT**, 1
Eingang **ENTRÉE**, 1
Eingänge **RENTRÉE**, 1
eingliedern **ABSORBER**, 1
Einheitsvertrag **CONTRAT(-)TYPE**, 1
Einigung **ENTENTE**, 1
Einkassieren **ENCAISSEMENT**, 1
Einkauf **EMPLETTES**, 1
Einkauf mittels Btx **TÉLÉSHOPPING**, 1
Einkauf (Verantwortlichen für den ~) **PRA**
Einkäufe **COMMISSION**, 3; **COURSES**, 1; **EMPLETTES**, 2
einkaufen **ACHETER**, 1
einkaufen (was man ~ kann) **ACHETABLE**, 1
Einkäufer **ACHETEUR, ACHETEUSE**, 2; **PRA**
Einkaufs- **COÛTANT**, 2
Einkaufs- und Verkaufs- **COMMERCIAL, COMMERCIALE**, 2
Einkaufsbummel machen **SHOPPING**, 1
Einkaufspreis **COÛTANT**, 2

Einkommen(s)steuer **IPP**; **IRPP**
Einlage **APPORT**, 1; **VERSEMENT**, 2
Einlage der Gesellschafter **APPORT**, 1
Einlage (Tätigung einer ~) **DÉPÔT**, 1
einlagern **EMMAGASINER**, 1; **ENTREPOSER**, 1
Einlagerung **EMMAGASINAGE**, 1; **ENTREPOSAGE**, 1; **MAGASINAGE**, 2
Einlegen von Geld **DÉPÔT**, 1
Einleger **APPORTEUR**, 1
einlösbar **RACHETABLE**, 1
einlösen **ENCAISSER**, 2
Einmann-GmbH **EURL**
Einnahme **RECETTE**, 1; **RENTRÉE**, 1
Einpacken **EMBALLAGE**, 2
einpacken **EMBALLER**, 1
einpendeln (sich ~ bei) **STABILISER**, 2
einrichten **AMÉNAGER**, 1
Einrichtung **AMÉNAGEMENT**, 1; **ORGANISME**, 1
einsammeln **COLLECTER**, 1
einsatzfähig **OPÉRATIONNEL, -ELLE**, 2
einschränken **RESSERRER**, 1; **RESTREINDRE**, 1
Einschränkung **RESSERREMENT**, 1; **RESTRICTION**, 1
einsparen **ÉCONOMISER**, 1
Einsparungen **ÉCONOMIE**, 4
Einsparungsmassnahmen (drastische ~ treffen) **COUPES SOMBRES**, 1
einstellen **EMBAUCHER**, 1; **ENGAGER**, 1; **RECRUTER**, 1
einstellende Unternehmen **EMBAUCHEUR, EMBAUCHEUSE**, 1
Einstellung **EMBAUCHAGE**, 1; **EMBAUCHE**, 1; **ENGAGEMENT**, 1; **RECRUTEMENT**, 1
Einstellung (in den Haushaltsplan) **BUDGÉTISATION**, 2
Einstufung **RATING**, 1
einstürzen **DÉRAPER**, 1
eintragen **ENREGISTRER**, 1
einträglich **JUTEUX, -EUSE**, 1; **PRODUCTIF, -IVE**, 2; **PROFITABLE**, 1; **RÉMUNÉRATEUR, -TRICE**, 1
Eintragung (doppelte ~) **ÉCRITURE**, 1
eintreibbar **ENCAISSABLE**, 2
eintreibbar (nicht ~) **IRRECOUVRABLE**, 1; **IRRÉCOUVRABLE**, 1
eintreiben **PERCEVOIR**, 1
Eintreibung **PERCEPTION**, 1; **RECOUVREMENT**, 1
Eintrittsgebühr **ENTRÉE**, 3
Eintrittsgeld **ENTRÉE**, 3
Eintrittskarte **BILLET**, 3
einverleiben **ABSORBER**, 2
Einverleibung **ABSORPTION**, 2
einzahlen **DÉPOSER**, 1; **VERSER**, 1; 2
Einzahlung **VERSEMENT**, 1
Einzelhandel **DÉTAIL**, 1
Einzelhandels- **COMMERCIAL, -IALE**, 3
Einzelhändler **DÉBITANT, DÉBITANTE**, 1; **DÉTAILLANT, DÉTAILLANTE**, 1
einzeln verkaufen **DÉTAILLER**, 1
Einzelprodukt **MONO(-)PRODUIT**, 1
Einziehen **ENCAISSEMENT**, 2
einziehen **PERCEVOIR**, 1; **RECOUVRER**, 1
Einziehung **PERCEPTION**, 1
Einzug **ENCAISSEMENT**, 1
Einzugsgebiet **CHALANDISE**, 1
Eisen **FER**, 1
Eisen- und Stahl- **SIDÉRURGIQUE**, 2
Eisen- und Stahlindustrie **SIDÉRURGIE**, 2; **SIDÉRURGIQUE**, 2; **SIDÉRURGISTE**, 1
eisen- und stahlverarbeitend **SIDÉRURGIQUE**, 1
Eisen- und Stahlverarbeitung **SIDÉRURGIE**, 1

Eisenbahn **RAIL**, 1; **TRAIN**, 1
Eisenbahn- **FERROVIAIRE**, 1
Eisenbahner **CHEMINOT**, 1
eisenhältig **FERREUX, -EUSE**, 1
Eisenhüttenarbeiter **SIDÉRURGISTE**, 1
Eisenverhüttung **SIDÉRURGIE**, 1
Elastizität **ÉLASTICITÉ**, 1
Elastizität (mangelnde ~) **INÉLASTICITÉ**, 1
Electronic Banking **MONÉTIQUE**, 1
elektrisch **ÉLECTRIQUE**, 1
elektrischen Haushaltsgeräte **ÉLECTROMÉNAGER**, 1
Elektrizität **ÉLECTRICITÉ**, 1
Elektrizitäts- **ÉLECTRIQUE**, 1
Elektro- **ÉLECTROMÉNAGER**, 1
Elektrogeräte **ÉLECTROMÉNAGER**, 1
Elektrogerätehersteller **ÉLECTROMÉNAGISTE**, 1
Elektronik **ÉLECTRONIQUE**, 1
elektronisch **ÉLECTRONIQUE**, 1
elektronische Nachricht **COURRIEL**, 1; **MÉL**, 1
elektronische Post **COURRIEL**, 1; **MÉL**, 1
elektronische Postverkehr **MESSAGERIE**, 2
elektronische Zahlungsverkehr **MONÉTIQUE**, 1
Embargo **EMBARGO**, 1
Emission **ÉMISSION**, 1
Emittent **ÉMETTEUR, ÉMETTRICE**, 1
emittieren **ÉMETTRE**, 1
emittierend **ÉMETTEUR, -TRICE**, 1
Empfang **RÉCEPTION**, 1; 2
Empfang (Ware in ~ nehmen) **RÉCEPTIONNER**, 1
Empfänger **DESTINATAIRE**, 1
Empfänger der Entschädigung **INDEMNITAIRE**, 1
Empfänger einer Leibrente **CRÉDI(T)RENTIER, CRÉDI(T)RENTIÈRE**, 1
Empfänger eines Mindestlohns **MINIMEXÉ, MINIMEXÉE**, 1
Empfangsbestätigung **ACQUIT**, 1
Empfangsschein **RÉCÉPISSÉ**, 1
Endsumme **SOMME**, 2
Energie **ÉNERGIE**, 1
Energie- **ÉNERGÉTIQUE**, 1
Energiebetreiber **ÉLECTRICIEN**, 1
Energiequelle **SOURCE**, 2
Energieversorger **ÉLECTRICIEN**, 1
Engineering **INGÉNIERIE**, 1
Engpass **GOULET D'ÉTRANGLEMENT**, 1; **GOULOT D'ÉTRANGLEMENT**, 1
enorm **ÉNORME**, 1; **ÉNORMÉMENT**, 1; **FARAMINEUX, -EUSE**, 1; **MASSIF, -IVE**, 1; **MASSIVEMENT**, 1
Entgeld **REMBOURSEMENT**, 2
Entladen **DÉCHARGEMENT**, 1
entladen **DÉCHARGER**, 1
entlassen **CONGÉDIER**, 1; **DÉBAUCHER**, 2; **DÉMISSIONNER**, 2; **DÉSENGAGER**, 1; **LICENCIER**, 1; **PORTE**, 1; **RENVOYER**, 1
Entlassene **LICENCIÉ, LICENCIÉE**, 1
Entlassung **CONGÉDIEMENT**, 1; **DÉBAUCHAGE**, 2; **DÉMISSION**, 2; **DÉSENGAGEMENT**, 1; **LICENCIEMENT**, 1; **MISE À PIED**, 1
entlohnen **RÉMUNÉRER**, 1; **RÉTRIBUER**, 1; **SALARIER**, 1
Entlohnung **RÉMUNÉRATION**, 1; **RÉTRIBUTION**, 1
entmaterialisiert **DÉMATÉRIALISÉ, -ÉE**, 1
Entmaterialisierung **DÉMATÉRIALISATION**, 1
Entrichtung **ACQUITTEMENT**, 1

entschädigen **DÉDOMMAGER**, 1; **INDEMNISER**, 1
Entschädigte **INDEMNITAIRE**, 1
Entschädigung **COMPENSATION**, 1; **DÉDOMMAGEMENT**, 1; **DOMMAGES-INTÉRÊTS**, 1; **INDEMNISATION**, 1; **INDEMNITÉ**, 1
Entschädigung (Empfänger der ~) **INDEMNITAIRE**, 1
Entschädigungs- **INDEMNITAIRE**, 1
Entscheidungsberichtigte **DÉCIDEUR, DÉCIDEUSE**, 1; **DÉCISIONNAIRE**, 1
Entscheidungsträger **DÉCIDEUR, DÉCIDEUSE**, 1; **DÉCISIONNAIRE**, 1
Entschuldung **DÉSENDETTEMENT**, 1
Entsparen **DÉSÉPARGNE**, 1
entsprechen **ÉQUIVALOIR**, 1
entsprechend **ÉQUIVALENT, -ENTE**, 1
entstaatlichen **DÉRÉGLEMENTER**, 1; **DÉRÉGULER**, 1
Entstaatlichung **DÉRÉGLEMENTATION**, 1; **DÉRÉGULATION**, 1
entwerfen **CONCEVOIR**, 1; **DÉVALORISER**, 1
Entwertung **DÉVALORISATION**, 1; **ÉROSION**, 1
entwickeln (~, sich ~) **DÉVELOPPER**, 1
Entwicklung **CONCEPTION**, 1 ; **DÉVELOPPEMENT**, 1; **PROCESSUS**, 1
Entwicklung des Dienstleistungssektors **TERTIAIRISATION**, 1; **TERTIARISATION**, 1
Entwicklung (Europaïsche Bank für Wiederaufbau und ~, EBWE) **BERD**
Entwicklung (Internationale Bank für Wiederaufbau und ~, IBRD) **BIRD**
Entwicklung (technische ~) **ENGINEERING**, 1
Entwicklungsabteilung (Forschungs - und ~, F&E) **R&D** ; **RECHERCHE ET (LE) DEVELOPPEMENT**, 1
Entwicklungsländer **PVD**
Entwurf und Planung **INGÉNIERIE**, 1
erbringen **PRESTER**, 2
Erdöl **PÉTROLE**, 1
Erdöl- **PÉTROLIER, -IÈRE**, 1
Erdölchemie **PÉTROCHIMIE**, 1
erdölexportierender (Organisation ~ Länder, OPEC) **OPEP**
erfahren **EXPÉRIMENTÉ, -ÉE**, 1; **EXPERT, -ERTE**, 1
Erfahrung **EXPÉRIENCE**, 1
erfassen **COMPTABILISER**, 2
Erfassung **COMPTABILISATION**, 2
erfolgreich **PROSPÈRE**, 2
Erfolgsprämie **BONUS**, 3
Ergebnis **RÉSULTAT**, 1
ergiebig **FÉCOND, -ONDE**, 1
Ergiebigkeit **FERTILITÉ**, 1
Ergonom **ERGONOME**, 1; **ERGONOMISTE**, 1
Ergonomie **ERGONOMIE**, 1
ergonomisch **ERGONOMIQUE**, 1
Erhalt **ENTRÉE**, 1
erhalten **TOUCHER**, 1
erheben **ENRÔLER**, 1; **RECOUVRER**, 1; **RELEVER**, 1
erheblich **CONSIDÉRABLEMENT**, 1
Erhebung **ENRÔLEMENT**, 1; **RECOUVREMENT**, 1
Erhebung einer Zuschlagsteuer **SURTAXATION**, 1
erhöhen **ACCENTUER**, 1; **ALOURDIR**, 1; **AUGMENTER**, 1; **HAUSSER**, 1; **MAJORER**, 1; **REHAUSSER**, 1
erhöht **ÉLEVÉ, -ÉE**, 1
Erhöhung **AUGMENTATION**, 1; **MAJORATION**, 1; **RELÈVEMENT**, 1
Erhöhung (der -last) **ALOURDISSEMENT**, 1
Erlass **ARRÊTÉ**, 1; **EXONÉRATION**, 1; **REMISE**, 2
Erlaubnis **LICENCE**, 1; **PERMIS**, 1
erleichtern **ALLÉGER**, 1
Erleichterung **ALLÉGEMENT**, 1
Erlös **PRODUIT**, 2
Erlöschen **EXPIRATION**, 1
ermässigen **ABAISSER**, 1; **ALLÉGER**, 1
ermässigt **DÉCOTÉ, -ÉE**, 1
Ermässigung **ALLÉGEMENT**, 1; **DÉCOTE**, 1; **RÉDUCTION**, 2
ernähren **ALIMENTER**, 1; **NOURRIR**, 1
Ernährungs- **ALIMENTAIRE**, 1
eröffnen **OUVRIR**, 1
Eröffnung **OUVERTURE**, 2
Erosion **ÉROSION**, 1
erpressen (Geld ~) **EXTORQUER**, 1
Erpressung **EXTORSION**, 1
erreichen **ATTEINDRE**, 1
erreichen (fast ~) **AVOISINER**, 1
errichten **BÂTIR**, 1; **CONSTRUIRE**, 1
Errichtung **ÉTABLISSEMENT**, 2
Erscheinen **SORTIE**, 3
Erschöpfung **ÉPUISEMENT**, 1
ersparen **ÉPARGNER**, 1
Ersparnisse **BAS DE LAINE**, 2; **ÉCONOMIE**, 4; **ÉPARGNE**, 2
Ersparnisse (geringen ~) **PÉCULE**, 1
Ersparte **BAS DE LAINE**, 2
erstatten **DÉFRAYER**, 1; **REMBOURSER**, 2
erstattet (wird/werden ~) **REMBOURSABLE**, 2.
Erstattung **DÉFRAIEMENT**, 1; **REMBOURSEMENT**, 2
Ersteher **ADJUDICATAIRE**, 1
Ersteigerer **ADJUDICATAIRE**, 1
Ersuchen **SOLLICITATION**, 1
Ertrag **PRODUIT**, 2
ertragreich **PRODUCTIF, -IVE**, 2
ertragreich sein **PRODUIRE**, 2; **RAPPORTER**, 1
Ertragszinsen **RENDEMENT**, 4
Erweiterung **EXPANSION**, 1
Erweiterung des Aufgabenbereichs **ÉLARGISSEMENT DES TÂCHES**, 1
Erwerb **ACQUISITION**, 1
Erwerb einer Mehrheitsbeteiligung **PRISE DE CONTRÔLE**, 1
erwerben **ACQUÉRIR**, 1
Erwerber **ACHETEUR, ACHETEUSE**, 1; **ACQUÉREUR, ACQUÉREUSE**, 1
Erwerber (eines Rechts) **CESSIONNAIRE**, 1
Erwerbscharakter (Gesellschaft ohne ~) **ASBL**; **OSBL**
Erwerbslose **SANS-EMPLOI**, 1
Erwerbslosigkeit **CHÔMAGE**, 1
Erwerbspersonen **ACTIF**, 3
erwerbstätig **ACTIF, -IVE**, 1
erwerbstätig (nicht ~) **INACTIF, -IVE**, 1
Erwerbstätigen **ACTIF**, 3
Erz **MINERAI**, 1
Erzeuger- **PRODUCTEUR, -TRICE**, 1
Erzeugnis **PRODUIT**, 1
Erzeugnisse (unfertigen ~ und Leistungen) **EN(-)COURS**, 1
essbar **COMESTIBLE**, 1; **CONSOMMABLE**, 1; **MANGEABLE**, 1
Essen **CONSOMMATION**, 3
essen **CONSOMMER**, 3; **MANGER**, 1
essen (etwas ~) **RESTAURER**, 1
Essensbon **CHÈQUE-REPAS**, 1; **CHÈQUE-RESTAURANT**, 1; **TICKET-REPAS**, 1; **TICKET-RESTAURANT**, 1
Essensgutschein **CHÈQUE-REPAS**, 1; **CHÈQUE-RESTAURANT**, 1
Essensmarke **TICKET-REPAS**, 1; **TICKET-RESTAURANT**, 1
Esser **MANGEUR, MANGEUSE**, 1
Essware **DENRÉE**, 1
Esswaren **COMESTIBLES**, 1
Etat- **BUDGÉTAIRE**, 2; **BUDGÉTAIREMENT**, 2
Etatismus **ÉTATISME**, 1
Etikett **GRIFFE**, 1
Etikett (mit dem ~ des Herstellers) **GRIFFÉ, -ÉE**, 1
etwa **APPROXIMATIVEMENT**, 1
Euro **EURO**, 1
Euroanleihen **EURO-OBLIGATION**, 1
Eurocent **EUROCENT**, 1
Eurodevise **EURODEVISE**, 1
Europabüro der Verbraucherschutzverbände (EBV) **BEUC**
Europäische Bank für Wiederaufbau und Entwicklung (EBWE) **BERD**
Europäische Entwicklungsfonds (EEF) **FED**
Europäische Investitionsbank (EIB) **BEI**
Europäische Währungssystem (EWS) **SME**
Europäische Zentralbank (EZB) **BCE**
Europäisches Währungsinstitut (EWI) **IME**
Euroscheck **EC**; **EUROCHÈQUE**, 1
EWI (Europäisches Währungsinstitut) **IME**
EWS (Europäische Währungssystem) **SME**
Expansion **EXPANSION**, 1
Expansionismus **EXPANSIONNISME**, 1
expansionistisch **EXPANSIONNISTE**, 1
Expansionspolitik (Anhänger einer ~) **EXPANSIONNISTE**, 1
Experte **EXPERT, EXPERTE**, 1
Expertenwissen **EXPERTISE**, 1
Expertise **EXPERTISE**, 2
explodieren **EXPLOSER**, 1
Explosion **EXPLOSION**, 1
exponentiell **EXPONENTIEL, -IELLE**, 1
Export **EXPORT**, 1; **EXPORTATION**, 1; **SORTIE**, 2
Export- **EXPORTATEUR, -TRICE**, 1
Exporteur **EXPORTATEUR, EXPORTATRICE**, 1; 2
exportfähig **EXPORTABLE**, 1
Exporthändler **EXPORTATEUR, EXPORTATRICE**, 1
exportierbar **EXPORTABLE**, 1
exportieren **EXPORTER**, 1
exportierten Güter **EXPORTATION**, 2
Exportunternehmen **EXPORTATEUR, EXPORTATRICE**, 2
externen Effekte **EXTERNALITÉ**, 1
EZB (Europäische Zentralbank) **BCE**
F&E (Forschungs- und Entwicklungsabteilung) **R(&)D RECHERCHE ET (LE) DÉVELOPPEMENT**, 1;
Fabrik **FABRIQUE**, 1; **MANUFACTURE**, 1; **USINE**, 1
Fabrik stillegen **CLEF SOUS LE PAILLASSON**, 1
Fabrik (ab ~) **EXW**
Fabrikanlage **USINE**, 1
Fabrikant **FABRICANT, FABRICANTE**, 2; **MANUFACTURIER, -IÈRE**, 1
Fach **COMPARTIMENT**, 1
Fachlichkeit (hohe ~) **TECHNICITÉ**, 1
Fachmann **EXPERT, EXPERTE**, 1; **PRO**, 1; **TECHNICIEN, TECHNICIENNE**, 1
Factoring **AFFACTURAGE**, 1; **FACTORING**, 1
Factoring-Geschäft **AFFACTURAGE**, 1
Factoringgeschäft **FACTORING**, 1
Fähigkeit **CAPACITÉ**, 1
Fahrplan **HORAIRE**, 1
Fahrschein **BILLET**, 4
Fahrzeug **VÉHICULE**, 1
Fahrzeugverkehr **TRAFIC**, 3
Faktum **DONNÉE**, 1
Fakturist **FACTURIER, FACTURIÈRE**, 1

Fall **CHUTE**, 1
Fallen **BAISSE**, 1
fallen **PLONGER**, 1; **REPLIER**, 1; **TOMBER**, 1
fallen (stark ~) **DÉGRINGOLER**, 1
fallen (wieder ~) **REDESCENDRE**, 1
fallender (mit ~ Tendenz) **BAISSIER, -IÈRE**, 1
fällig **EXIGIBLE**, 1
Fälligkeit **ÉCHÉANCE**, 1
Fälligkeitstermin **ÉCHÉANCE**, 2
Fälligkeitsverzeichnis **ÉCHÉANCIER**, 1
Fälschen **CONTREFAÇON**, 1
fälschen **CONTREFAIRE**, 1; **MAQUILLER**, 1
Fälscher **CONTREFACTEUR**, 1
Fälschung **CONTREFAÇON**, 2; **MAQUILLAGE**, 1
Faltblatt **DÉPLIANT**, 1
Faltprospekt **DÉPLIANT**, 1
Familie **FAMILLE**, 1
Familien- **FAMILIAL, -IALE**, 1
Familiensplitting **QUOTIENT**, 2
Fass **BARIL**, 1; **FÛT**, 1; **TONNEAU**, 1
Fax **FAX**, 2
faxen **FAXER**, 1
Faxgerät **FAX**, 3
Fehlbetrag **DÉFICIT**, 1
Fehler **DÉFAUT**, 1
fehlerhaft **DÉFECTUEUX, -EUSE**, 1
Fehlzeit **ABSENCE**, 1
Fehlzeiten **ABSENTÉISME**, 1
Feiertag **FÉRIÉ, -IÉE**, 1
Feilschen **MARCHANDAGE**, 1
feilschen **MARCHANDER**, 1
Feilscher **MARCHANDEUR, MARCHANDEUSE**, 1
Feinbäcker **PÂTISSIER, PÂTISSIÈRE**, 1
Ferien **CONGÉ**, 1; **VACANCE**, 2
Feriengast **VACANCIER, VACANCIÈRE**, 1
Feriengutschein **CHÈQUE(-)VACANCES**, 1
Fernbleiben von der Arbeit **ABSENTÉISME**, 1
Fernfahrer **ROUTIER**, 1
Fernkopie **FAX**, 1; **TÉLÉCOPIE**, 1
Fernkopierer **TÉLÉCOPIEUR**, 1
Fernsprechapparat **TÉLÉPHONE**, 2
Fernsprechen **TÉLÉPHONE**, 1
Fertigbau **PRÉFABRICATION**, 1
fertigen **MANUFACTURER**, 1
Fertighaus **PRÉFABRIQUÉ**, 1
Fertigteilen (aus ~ bauen) **PRÉFABRIQUER**, 1
Fertigung **FABRICATION**, 1
Fertigung (automatische ~) **PRODUCTIQUE**, 1
Fertigung (zeitoptimale ~) **JUSTE(-)À(-)TEMPS**, 1; **JUST-IN-TIME**, 1
Fertigungsablauf **FILIÈRE**, 1
fest **FIXE**, 1; **SOUTENU, -UE**, 1
fest anstellen **TITULARISER**, 1
Festbetrag **FIXE**, 1
festigen (~, sich ~) **RAFFERMIR**, 1
Festigung **RAFFERMISSEMENT**, 1
Festsetzung **LIQUIDATION**, 4
feststehend **FIXE**, 1
feuern **BALANCER**, 1; **VIRER**, 2
Feuerversicherung **ASSURANCE(-)INCENDIE**, 1
Film- **CINÉMATOGRAPHIQUE**, 1; 2; 3
Filmkunst **CINÉMA**, 2
Finanz- **FINANCIER, -IÈRE**, 2; 3
Finanz- (Wirtschafts- und ~) **ÉCONOMICO-FINANCIER, -IÈRE**, 1
Finanzamt **FISC**, 1
Finanzanalyst **ANALYSTE**, 1
Finanzbeamte **PERCEPTEUR, PERCEPTRICE**, 1
Finanzen **FINANCE**, 1
Finanzgeschäft **FINANCE**, 2
finanziell **FINANCIER, -IÈRE**, 1; 2; **PÉCUNIAIRE**, 1
finanziell unterstützen **RENFLOUER**, 2; **SUBSIDIER**, 1; **SUBVENTIONNER**, 1
finanziell (gesehen) **FINANCIÈREMENT**, 1
finanziell (politisch und ~) **POLITICO-FINANCIER, -IÈRE**, 1
finanziell (wirtschaftlich und ~) **ÉCONOMICO-FINANCIER, -IÈRE**, 1
finanzielle Autonomie **AUTOSUFFISANCE**, 1
finanzielle Bewirtschaftung **GESTION**, 2
finanzielle Hilfe **AIDE**, 1
finanzielle Unterstützung **AIDE**, 1; **RENFLOUEMENT**, 2; **SUBSIDE**, 1
finanziellen Eigenmittel **RESSOURCES**, 2
finanziellen Mittel **RESSOURCES**, 1
finanziellen Ressourcen **RESSOURCES**, 1
Finanzier **BANQUIER, BANQUIÈRE**, 2; **FINANCIER, FINANCIÈRE**, 1
finanzieren **COMMANDITER**, 1; 2; **FINANCER**, 1
finanzieren (aus Eigenmitteln ~) **AUTOFINANCER**, 1
finanzieren (steuerlich ~) **FISCALISER**, 1
Finanzierer **COMMANDITAIRE**, 3
Finanzierung **FINANCEMENT**, 1
Finanzkasse (Angestellte der ~) **RECEVEUR**, 1
Finanzkasse (Beamte der ~) **RECEVEUR**, 1
Finanzkonsortiums (des ~) **SYNDICATAIRE**, 1
Finanzlage (gesunde ~) **PROSPÉRITÉ**, 2
Finanzlage (gute/günstige ~) **PROSPÉRITÉ**, 2
Finanzmärkte (direkte Rückgriff auf die ~) **DÉSINTERMÉDIATION**, 1
Finanzminister **ARGENTIER**, 1
Finanzministerium **FINANCE**, 3
Finanzverwaltung **TRÉSOR**, 2
Finanzverwaltung (Leiter einer ~) **TRÉSORIER-PAYEUR**, 1
Finanzwissenschaft **FINANCE**, 4
Firma **BOÎTE**, 2; **COMPAGNIE**, 1; **DÉNOMINATION SOCIALE**, 1; **ENTREPRISE**, 1; **FIRME**, 1; **MAISON**, 2; **RAISON SOCIALE**, 1
Firma für Aussenwerbung **AFFICHEUR**, 1
Firmenaufkäufer (aggressive ~) **RAIDER**, 1
Firmenimage **GOODWILL**, 2
Firmenname **ENSEIGNE**, 1
Firmenschild **ENSEIGNE**, 2
Firmensitz **SIÈGE SOCIAL**, 1
Firmenwert **SURVALEUR**, 1; **SURVALOIR**, 1
Firmenzeichen **LOGO**, 1
Fischerei **PÊCHE**, 1
Fischfang **PÊCHE**, 1
Fiskus **FISC**, 1
fix **FIXE**, 1
Fixum **FIXE**, 1
Flakon **FLACON**, 1
Fläschchen **FLACON**, 1
Flasche **BOUTEILLE**, 1; **CAN(N)ETTE**, 1
Flaute **ACCALMIE**, 1; **DÉPRESSION**, 1; **STAGNATION**, 1
Fleischer **BOUCHER, BOUCHÈRE**, 1
Fleischerei **BOUCHERIE**, 1
fleissig **TRAVAILLEUR, -EUSE**, 1
flexibel **FLEXIBLE**, 1
Flexibilität **ÉLASTICITÉ**, 1; **FLEXIBILITÉ**, 1
Floaten **FLOTTEMENT**, 1
floaten **FLOTTER**, 1
florierend **PROSPÈRE**, 1
Florist **FLEURISTE**, 1
flott (wieder ~ machen) **RENFLOUER**, 1
Fluchtkapital **HOT MONEY**, 1
Fluchtwährung **MONNAIE(-)REFUGE**, 1
Fluchtwert **VALEUR(-)REFUGE**, 1
Flug- **AÉRIEN, -IENNE**, 1
Flughafen **AÉROPORT**, 1
Flugplan **HORAIRE**, 1
Flugschein **BILLET**, 4
Flugzeug **AVION**, 1
Fluktuation **OSCILLATION**, 1
fluktuieren **FLUCTUER**, 1; **YOYO**, 1
Fluss **FLEUVE**, 1
Fluss- **FLUVIAL, -IALE**, 1
flüssig **LIQUIDE**, 1
flüssige Mittel **CASH**, 1; **DISPONIBILITÉS**, 1; **LIQUIDITÉ**, 3; **TRÉSORERIE**, 1
Fonds **FONDS**, 4
Fonds liquider Mittel **FONDS**, 5
Förderer **PROMOTEUR, PROMOTRICE**, 1; **SPONSOR**, 1
fördern **PATRONNER**, 1; **PROMOTIONNER**, 1; **PROMOUVOIR**, 1; **REVENDIQUER**, 1; **SPONSORISER**, 1
Forderung **CRÉANCE**, 2; **REVENDICATION**, 1
Forderung (uneinbringliche ~) **NON-VALEUR**, 1
Forderungen **CRÉANCE**, 3
Förderung **DÉVELOPPEMENT**, 1
Formel **FORMULE**, 1
Formular **FORMULAIRE**, 1
formulieren **LIBELLER**, 1
Forschung und Entwicklung (R&D) **RECHERCHE ET (LE) DÉVELOPPEMENT**, 1; **R(&)D**
Forschungs- und Entwicklungsabteilung (F&E) **R(&)D RECHERCHE ET (LE) DÉVELOPPEMENT**, 1;
Forstwirt **SYLVICULTEUR, SYLVICULTRICE**, 1
Forstwirtschaft **SYLVICULTURE**, 1
forstwirtschaftlich **FORESTIER, -IÈRE**, 1; **SYLVICOLE**, 1
Fortbildung **RECYCLAGE**, 1
fortschreiten **PROGRESSER**, 1
Fortschreiten **PROGRESSION**, 1
Fortschritt **BOND**, 1
Fracht **CARGAISON**, 1; **CHARGEMENT**, 2
Fracht (Kosten, Versicherung und ~, CIF) **CAF**
Frachter **CARGO**, 1
Frachtgebühr **FRET**, 3
Frachtgut **FRET**, 2
Frachtpreis **FRET**, 3
Frachtschiff **CARGO**, 1
Franchise **FRANCHISAGE**, 1; **FRANCHISE**, 1; **FRANCHISE**, 2; **FRANCHISING**, 1
Franchise vergeben **FRANCHISER**, 1
Franchise-Geber **FRANCHISEUR**, 1
Franchise-Nehmer **FRANCHISÉ, FRANCHISÉE**, 1
Franchise-Vertrag **FRANCHISAGE**, 1
Franchising **FRANCHISING**, 1
Franken **FRANC**, 1
franko **FRANCO**, 1
Frauenhandel **TRAITE**, 2
frei **FRANCO**, 1; **GRATUIT, -UITE**, 1; **VACANT, -ANTE**, 1
frei ab Kai **FOQ**
frei an Bord **FAB**; **FOB**
frei Bahn **FOR**
-frei **NET, NETTE**, 1

Freiaktie **BONUS**, 1
Freiberufler **INDÉPENDANT, INDÉPENDANTE**, 1; **PROFESSIONNEL, PROFESSIONNELLE**, 2
Freibetrag **ABATTEMENT**, 1
freie Mitarbeiter **INDÉPENDANT, INDÉPENDANTE**, 1
freie Stelle **VACANCE**, 1
Freigabe **LIBÉRALISATION**, 1
freigeben **LIBÉRALISER**, 1
Freihandel **LIBRE-ÉCHANGE**, 1
Freihandels- **LIBRE-ÉCHANGISTE**, 1
Freihandelsabkommen (Nord-Amerikanisches ~) **ALENA**
Freihandelspolitik **LIBRE-ÉCHANGISME**, 1
Freistellung **IMMUNISATION**, 1
freiwillige Abgang **DÉPART VOLONTAIRE**, 1
freiwillige Helfer **BÉNÉVOLE**, 1; **VOLONTAIRE**, 1
Freizeit- **TOURISTIQUE**, 1
Fremdenverkehr **TOURISME**, 2
frequentierte (stark ~ Punkt) **POINT CHAUD**, 1
frisieren **TRAFICOTER**, 1; **TRAFIQUER**, 2
Frist **DÉLAI**, 1; **TERME**, 1
fruchtbar **FÉCOND, -ONDE**, 1; **FERTILE**, 1
Fruchtbarkeit **FERTILITÉ**, 1
Frühpensionär **PRÉPENSIONNÉ, PRÉPENSIONNÉE**, 1
Frühpensionierung **PRÉPENSION**, 1
Frührentner **PRÉRETRAITÉ, PRÉRETRAITÉE**, 1
Frühverrentung **PRÉRETRAITE**, 1
führen **ADMINISTRER**, 1; **DIRIGER**, 1; **GÉRER**, 1
führen (den Vorsitz ~) **PRÉSIDER**, 1
führen (gemeinsam ~) **COGÉRER**, 1
führen (rentabel ~) **GÉRER**, 2
Führerschaft **LEADERSHIP**, 1
Führung **LEADERSHIP**, 1; **MANAGEMENT**, 2
Führung durch Zielvereinbarung **DPO**
Führungs- **DIRECTORIAL, -IALE**, 1
Führungsfunktion **DIRECTION**, 3
Führungskraft **CADRE**, 1; 2
Führungspersonal **ENCADREMENT**, 2
Funktion **FONCTION**, 1; **POSTE**, 2
funktional **FONCTIONNEL, -ELLE**, 1
Funktioner **FONCTIONNEL**, 1
Funktionieren **FONCTIONNEMENT**, 1
funktionieren **FONCTIONNER**, 1
funktionsgerecht **FONCTIONNEL, -ELLE**, 1
Funktionsstörung **DYSFONCTIONNEMENT**, 1
Fusion **FUSION**, 1
fusionieren **FUSIONNER**, 1
Futures **FUTURE**, 1
G 7 **G(-)7**
G 8 **G(-)8**
G-acht **G(-)8**
Gage **CACHET**, 1
Galerie **GALERIE**, 1
Garantie **GARANTIE**, 1; 2
Garantie geben **GARANTIR**, 1
garantieren **GARANTIR**, 1
Garten- **JARDINIER, -IÈRE**, 1
Gartenarbeit **JARDINAGE**, 1
Gartenbau **JARDINAGE**, 1
Gartenbau- **HORTICOLE**, 1; **HORTICULTURE**, 1
Gärtner **HORTICULTEUR, HORTICULTRICE**, 1; **JARDINIER, JARDINIÈRE**, 1
Gärtnerei **HORTICULTURE**, 1
Gas **GAZ**, 1
Gast **CLIENT, CLIENTE**, 1; **CONSOMMATEUR, CONSOMMATRICE**, 2
Gastwirtschaft **CAFÉ**, 1
Gatte **ÉPOUX, ÉPOUSE**, 1
GAZ (gemeinsame Aussenzoll(tarif)) **TEC**
Gebäck **PÂTISSERIE**, 1
Gebäude **BÂTIMENT**, 1
Gebäude (wack(e)liches ~) **PRÉFABRIQUÉ**, 2
Gebäudekomplex **COMPLEXE**, 1
Geber **DONNEUR, DONNEUSE**, 1
Gebiet **ZONAGE**, 1; **ZONE**, 1; **ZONING**, 1
Gebot (höhere ~) **ENCHÈRE**, 1
Gebrauch **USAGE**, 1
Gebrauchsfahrzeug **UTILITAIRE**, 1
gebraucht **OCCASION**, 2
Gebühr **REDEVANCE**, 1; **TARIF**, 4
Gebühren (von ~ befreien) **EXONÉRER**, 1
gebührenpflichtig **PAYANT, -ANTE**, 2
Gebührenzahlstelle **PÉAGE**, 2
gedeihen **CROÎTRE**, 2
Gefälligkeitspolitik **CLIENTÉLISME**, 1
Geflügel- **AVICOLE**, 1
Geflügelzucht **AVICULTURE**, 1
Geflügelzüchter **AVICULTEUR, AVICULTRICE**, 1
Gegebenheit **DONNÉE**, 1
Gegenangebot **CONTRE-OFFRE**, 1
Gegend **SITE**, 1
Gegenseitigkeit (auf ~) **MUTUALISTE**, 1
Gegenwart **PRÉSENCE**, 1
Gegenwartswert (von einer Sache) **ACTUARIEL, -IELLE**, 1
Gegenwerbung **CONTRE-PUBLICITÉ**, 1
Gegenwert **CONTRE-VALEUR**, 1
Gehalt **APPOINTEMENTS**, 1; **ÉMOLUMENTS**, 1; **TRAITEMENT**, 1
Gehalts- **SALARIAL, -ALE**, 1
Gehaltskontos (Angabe des ~) **DOMICILIATION**, 2
Gehaltskontos (Nummer des ~ angeben) **DOMICILIER**, 2
gehaltvoll **RICHE**, 2
gehen in **CHIFFRER**, 2
Gehöft **FERME**, 1
Geiz **AVARICE**, 1
Geizhals **AVARE**, 1
geizig **AVARE**, 1
Gekündigte **LICENCIÉ, LICENCIÉE**, 1
Geld **ARGENT**, 1; **CAPITAL**, 2; **FRIC**, 1; **SOUS**, 1
Geld abheben **RETIRER**, 1
Geld beiseite legen **PROVISIONNER**, 1
Geld erpressen **EXTORQUER**, 1
Geld sammeln **COTISER**, 3
Geld schaffen **MONÉTISER**, 1
Geld schöpfen **MONÉTISER**, 1
Geld waschen **BLANCHIR**, 1
Geld zurücklegen **ÉCONOMISER**, 2; **ÉPARGNER**, 1
Geld (Einlegen von ~) **DÉPÔT**, 1
Geld (heisses ~) **HOT MONEY**, 1
Geld (in ~ umsetzbar) **MONNAYABLE**, 1
Geld (kann/können zu ~ gemacht werden) **MONNAYABLE**, 1
Geld (mit ~ ausstatten) **DOTER**, 1
Geld (mit seinem ~ knapp auskommen) **BOUTS**, 1; **FINS DE MOIS DIFFICILES**, 1
Geld (mit seinem ~ nicht auskommen) **BOUTS**, 1; **FINS DE MOIS DIFFICILES**, 1
Geld (ohne ~) **DÉMUNI, -IE**, 1; **DÉSARGENTÉ, -ÉE**, 1
Geld (sein ~ (gewinnbringend) anlegen) **TRAVAILLER**, 3
Geld (viel ~ haben) **ARGENTÉ, -ÉE**, 1
Geld (von seinem ~) **DENIERS**, 1
Geld (zu ~ machen) **MONNAYER**, 1
Geld- **FINANCIER, -IÈRE**, 1
Geldabwertung **DÉVALUATION**, 1
Geldanlage **PLACEMENT**, 2
Geldautomat **BILLETTERIE**, 1
Geldbeutel **BOURSE**, 5
Geldbörse **PORTE-MONNAIE**, 1
Gelder **CAPITAL**, 3; **FONDS**, 1
Gelder (öffentliche ~) **DENIERS PUBLICS**, 1
Geldgeber **BAILLEUR, BAILLERESSE**, 2; **BANQUIER, BANQUIÈRE**, 2; **COMMANDITAIRE**, 3; **PRÊTEUR, PRÊTEUSE**, 1
Geldgeschäft **FINANCE**, 2
Geldinstitut **BANQUE**, 2
geldlich **PÉCUNIAIRE**, 1
Geldmittel **ARGENT**, 2; **CAPITAL**, 2; **DISPONIBILITÉS**, 1; **FINANCE**, 1; **FONDS**, 1; 2
Geldschaffung **MONÉTISATION**, 1
Geldschein **COUPURE**, 1
Geldschöpfung **MONÉTISATION**, 1
Geldschrank **COFFRE(-FORT)**, 1
Geldstück **MONNAIE**, 2; **PIÈCE**, 2
Geldsumme **SOMME**, 1
Geldwäsche **BLANCHIMENT**, 1
Geldwechsler **CHANGEUR, CHANGEUSE**, 1
Geldzuschuss **COMMANDITE**, 2
Gelegenheit (günstige ~) **OCCASION**, 1
Gelegenheitskäufe **FINS DE SAISON**, 1
gemässigt **MODÉRÉ, -ÉE**, 1
gemeinnützige Verein **ASBL**; **OSBL**
gemeinsame Aussenzoll(tarif) (GAZ) **TEC**
Gemeinschaft **COLLECTIVITÉ**, 1
Gemeinschaftsunternehmen **CO(-)ENTREPRISE**, 1
Gemeinschuldner **FAILLI, FAILLIE**, 1
Genehmigung **PERMIS**, 1
geniessbar **CONSOMMABLE**, 1
geniessen **PROFITER**, 2
Genosse **COOPÉRATEUR, COOPÉRATRICE**, 1
Genossenschaft **COOPÉRATIVE**, 1
Genossenschaft (Mitglied einer ~) **COOPÉRATEUR, COOPÉRATRICE**, 1
genossenschaftlich **COOPÉRATIF, -IVE**, 1; **MUTUALISTE**, 1
Genossenschaftswesen **MUTUALITÉ**, 1
Gerät **APPAREIL**, 1; **MATÉRIEL**, 1
Geräte **APPAREILLAGE**, 1
gering **BAS, BASSE**, 1; **FAIBLE**, 1; **FAIBLEMENT**, 1; **MODESTE**, 1
geringer werden **FAIBLIR**, 1; **RÉTRÉCIR**, 1
geringfügig **MODIQUE**, 1
Gesamt- **TOTAL, -ALE**, 1
Gesamtbetrag **SOMME**, 2; **TOTAL**, 1
Gesamtheit **TOTALITÉ**, 1
Gesamtsumme **TOTAL**, 1
Gesamtverband **CONFÉDÉRATION**, 1
Geschäft **AFFAIRE**, 3; **BOUTIQUE**, 1; **BUREAU**, 1; **BUSINESS**, 1; **DÉBIT**, 5; **MAGASIN**, 1; **MAISON**, 1; **NÉGOCE**, 1; **TRANSACTION**, 1
Geschäfte **AFFAIRE**, 2
Geschäfte (grosse ~ machen) **BRASSER**, 2
Geschäfte (Rückgang der ~) **ACCALMIE**, 1
Geschäftemacher (skrupellose ~) **AFFAIRISTE**, 1
geschäftlich **COMMERCIAL, -IALE**, 2
geschäftlichen (in ~ Dingen skrupellos) **AFFAIRISTE**, 1
geschäftlichen (nur auf den ~ Erfolg bedacht) **MERCANTILE**, 1
geschäftlichen (unter ~ Gesichtspunkten) **COMMERCIALEMENT**, 1

Geschäfts- **COMMERÇANT, -ANTE**, 1; **COMMERCIAL, COMMERCIALE**, 2
Geschäftsbereich **DÉPARTEMENT**, 1
Geschäftsfieber**AFFAIRISME**, 1
Geschäftsflaute **ACCALMIE**, 1
geschäftsführende Gesellschafter **ASSOCIÉ-GÉRANT, ASSOCIÉE-GÉRANTE**, 1
Geschäftsführender **BUREAU**, 6
Geschäftsführer **ADMINISTRATEUR(-)DÉLÉGUÉ**, 1; **GÉRANT, GÉRANTE**, 1; 2; 3; 4; **GESTIONNAIRE**, 1
Geschäftsführer- **GESTIONNAIRE**, 1
Geschäftsführerversicherung **ASSURANCE(-)DIRIGEANT**, 1
Geschäftsführung **DIRECTION**, 1; 2; **GÉRANCE**, 1; **GESTION**, 1
Geschäftsführung (gemeinsame ~) **COGÉRANCE**, 1; **COGESTION**, 1
Geschäftsjahr **EXERCICE**, 1
Geschäftsleiter **GESTIONNAIRE**, 1
Geschäftsleitung **GÉRANCE**, 1
Geschäftsleute **COMMERCE**, 2
Geschäftsmann **COMMERÇANT, COMMERÇANTE**, 1
Geschäftspassage **GALERIE**, 2
Geschäftsräumen (Vermietung von ~) **LOCATION-GÉRANCE**, 1
Geschäftsschild **ENSEIGNE**, 2
Geschäftssitz **SIÈGE SOCIAL**, 1
Geschäftsvermittler **AGENT**, 1; **COMMISSIONNAIRE**, 1
Geschäftswert **GOODWILL**, 1; **SURVALEUR**, 1; **SURVALOIR**, 1
Geschenkgutschein **CHÈQUE(-)CADEAU(X)**, 1
geschlossene Investmentfonds **SICAF**
Gesellschaft **COMPAGNIE**, 1; **SOCIÉTÉ**, 1; 2
Gesellschaft mit beschränkter Haftung (GmbH) **SARL**
Gesellschaft ohne Erwerbscharakter **ASBL**; **OSBL**
Gesellschaft (einbringen in die ~) **APPORTER**, 1
Gesellschaft (privatrechtlich organisierte ~ mit beschränkter Haftung) **SPRL**
Gesellschafter **ASSOCIÉ, ASSOCIÉE**, 1; **SOCIÉTAIRE**, 1
Gesellschafter (Einlage der ~) **APPORT**, 1
Gesellschafter (geschäftsführende ~) **ASSOCIÉ-GÉRANT, ASSOCIÉE-GÉRANTE**, 1
gesellschaftlich **SOCIÉTAIRE**, 1
gesellschaftlich (beruflich und ~) **SOCIO(-)PROFESSIONNEL, -ELLE**, 1
Gesellschafts- **SOCIÉTAIRE**, 1
Gesellschaftseinlage **APPORT**, 1
Gesellschaftsfirma **DÉNOMINATION SOCIALE**, 1
gesetzlich regeln **RÉGLEMENTER**, 1
gesetzlichen (ausserhalb des ~ Rahmens) **EXTRA-LÉGAL, -ALE**, 1
Gesponserte **DONATAIRE**, 1
gestalten (neu ~) **RÉAMÉNAGER**, 1
Gesuch **DEMANDE**, 1
Getränk **BOISSON**, 1; **CONSOMMATION**, 3
Getränkestand **BUVETTE**, 1
Getreide **CÉRÉALE**, 1
Getreide- **CÉRÉALIER, -IÈRE**, 1
gewähren **ACCORDER**, 1; **ALLOUER**, 2
Gewerbe **INDUSTRIE**, 1
gewerbliche Mittelstand **PMI**
gewerblicher (Vermietung ~ Räume) **LOCATION-GÉRANCE**, 1
Gewerkschaft **SYNDICAT**, 1
Gewerkschaft (in die ~ eintreten) **SYNDIQUER**, 2
Gewerkschafter **SYNDICALISTE**, 1
gewerkschaftlich **SYNDICAL, -ALE**, 1; **SYNDICALEMENT**, 1; **SYNDICALISTE**, 1; 2; 3
gewerkschaftlich organisieren **SYNDICALISER**, 1
gewerkschaftlich (sich ~ organisieren) **SYNDIQUER**, 1
gewerkschaftliche Organisationsgrad **SYNDICALISATION**, 1
gewerkschaftliche Organisierung **SYNDICALISATION**, 1
gewerkschaftlichen (Sinken des ~ Organisierungsgrades) **DÉSYNDICALISATION**, 1
Gewerkschafts- **SYNDICALISTE**, 1; 2; 3
Gewerkschaftsbasis **BASE**, 1
Gewerkschaftsbewegung **SYNDICALISME**, 1
Gewerkschaftsdoktrin **SYNDICALISME**, 2
Gewerkschaftsmitglied **SYNDIQUÉ, SYNDIQUÉE**, 1
Gewerkschaftsmitglied (jemanden als ~ gewinnen) **SYNDIQUER**, 2
Gewerkschaftstätigkeit **SYNDICALISME**, 3
gewerkschaftsübergreifend **INTERSYNDICAL, -ALE**, 1
gewerkschaftsübergreifende Versammlung **INTERSYNDICALE**, 1
Gewicht (totes ~) **POIDS MORT**, 1
Gewinn **BÉNÉFICE**, 1; 2; **GAIN**, 1; 2; **PLUS-VALUE**, 1; **PROFIT**, 1; 2
Gewinn abwerfen **BRASSER**, 3; **PAYER**, 2; **PRODUIRE**, 2; **RAPPORTER**, 1
Gewinn herausholen aus **RENTABILISER**, 1
Gewinn pro Aktie **BPA**
Gewinn (am ~ beteiligen) **INTÉRESSÉ, INTÉRESSÉE**, 1; **INTÉRESSER**, 1
Gewinn (erzielte ~) **RENTABILISATION**, 2
Gewinn- **BÉNÉFICIAIRE**, 1; 2; 3
Gewinnanteil **DIVIDENDE**, 1
Gewinnbeteiligung **INTÉRESSEMENT**, 1
gewinnbringend **GÉRABLE**, 2; **LUCRATIF, -IVE**, 1; **PROFITABLE**, 1; **RÉMUNÉRATEUR, -TRICE**, 1
gewinnen an **GAGNER**, 1
gewinnen (an Boden ~) **TERRAIN** (gagner du ~), 1
Gewinnerzielung **RENTABILISATION**, 1
Gewinns (Erzielung eines ~) **RENTABILISATION**, 1
Gewinnspanne **MARGE**, 2
Gewusst wie **KNOW(-)HOW**, 1
Gigant **GÉANT**, 1
gigantisch **GIGANTESQUE**, 1
Girant **ENDOSSEUR**, 1
Giratar **ENDOSSATAIRE**, 1
girieren **ENDOSSER**, 1
Giro **ENDOSSEMENT**, 1
Glas **VERRE**, 1
Glas- **VERRIER, -IÈRE**, 1
Glaser **VERRIER**, 1
Gläubiger **CRÉANCIER, CRÉANCIÈRE**, 1; **CRÉDITEUR, CRÉDITRICE**, 1
Gläubiger- **CRÉANCIER, -IÈRE**, 1
gleich **ÉGAL, -ALE**, 1
gleich sein **ÉGALER**, 1
Gleichgewicht **ÉQUILIBRE**, 1
Gleichgewicht stören **DÉSÉQUILIBRER**, 1
Gleichgewicht (gestörte ~) **DÉSÉQUILIBRE**, 1
Gleichgewicht (ins ~ bringen) **ÉQUILIBRER**, 1
Gleichheit **ÉGALITÉ**, 1
gleichkommen **ÉQUIVALOIR**, 1
gleichmässig **RÉGULIER, -IÈRE**, 1
gleichwertig **ÉQUIVALENT, -ENTE**, 1
Gleichwertigkeit **ÉQUIVALENCE**, 1
GmbH (Einmann-~) **EURL**
GmbH (Gesellschaft mit beschränkter Haftung) **SARL**
Gold **OR**, 1
Gold- **AURIFÈRE**, 1
goldenen Nachkriegsjahre **TRENTE GLORIEUSES**, 1
Gondel **GONDOLE**, 1
gönnen (sich ~) **OFFRIR**, 3; **PAYER**, 3
Goodwill **GOODWILL**, 1
graphische Darstellung **GRAPHIQUE**, 1
gratis **GRATUIT, -UITE**, 1; **GRATUITEMENT**, 1
Gratisaktie **BONUS**, 1
Grenze **BARRE**, 1; **CAP**, 1
gross **GRAND, GRANDE**, 1; **GROS, GROSSE**, 1
Grossbetriebs (Inhaber eines handwerklichen ~) **MANUFACTURIER**, 1
Grösse **QUANTITÉ**, 1
Grösse (aggregierte ~) **AGRÉGAT**, 1
Grosshändler **GROSSISTE**, 1
Grossist **GROSSISTE**, 1
Grube **MINE**, 1
Gruben- **MINIER, -IÈRE**, 1
Grubenarbeiter **MINEUR**, 1
Grund- **FONCIER, -IÈRE**, 1
Grundstücks- **IMMOBILIER, -IÈRE**, 1
Gründung **ÉTABLISSEMENT**, 2
Gründung weiterer Tochtergesellschaften **FILIALISATION**, 1
Grüne **ÉCOLOGISTE**, 2
Grüner **ÉCOLO**, 1
Gruppe **CELLULE**, 1; **COLLECTIVITÉ**, 1; **GROUPE**, 1
Gruppen (Arbeit in autonomen ~) **AUTOGESTION**, 2
Gruppenversicherung **ASSURANCE(-) GROUPE**, 1
G-sieben **G(-)7**
Gulden **FLORIN**, 1
günstig **AVANTAGEUX, -EUSE**, 1; **POSITIF, -IVE**, 2
günstige Finanzlage **PROSPÉRITÉ**, 2
günstige Gelegenheit **OCCASION**, 1
günstige Kauf **OCCASION**, 1
Gusseisen **FONTE**, 1
Gut **BIEN**, 1
gut **BON, BONNE**, 1
gut gehen **PROSPÉRER**, 1; **PROSPÈRE**, 2
gut laufen **PROSPÉRER**, 1
Gutachten **EXPERTISE**, 2
gute Finanzlage **PROSPÉRITÉ**, 2
Güter (exportierten ~) **EXPORTATION**, 2
Güterverkehr **TRAFIC**, 2
Guthaben **AVOIR**, 1; **BONI**, 2; **CRÉDIT**, 1; **PROVISION**, 2
Guthaben- **CRÉDITEUR, -TRICE**, 2
Gutschein **BON**, 1
Gutschein für Arbeitslose **CHÈQUE EMPLOI(-)SERVICE**, 1; **CHÈQUE(-) SERVICE**, 1
gutschreiben **BONIFIER**, 1; **CRÉDITER**, 1; **VERSER**, 2
Gutschrift- **CRÉDITEUR, -TRICE**, 1
Haben **AVOIR**, 1
Haben- **CRÉDITEUR, -TRICE**, 2
haben (den Vorsitz ~) **PRÉSIDER**, 1
Haben (im ~ verbuchen) **CRÉDITER**, 1
Habenseite **CRÉDIT**, 5
Hafen **PORT**, 1
Haftung (Gesellschaft mit beschränkter ~) **SARL**
Haftung (privatrechtlich organisierte Gesellschaft mit beschränkter ~) **SPRL**
halbe Preis **DEMI-TARIF**, 1

Halbfabrikat **DEMI-PRODUIT**, 1; **SEMI-PRODUIT**, 1
halbjährlich **SEMESTRIEL, -IELLE**, 1
Halbprodukt **SEMI-PRODUIT**, 1
halbstaatlich **PARA-ÉTATIQUE**, 1; **PARASTATAL, -ALE**, 1
halbstaatliche Unternehmung **PARASTATAL**, 1
Halbtagsarbeit **MI-TEMPS**, 1
Halbtagsbeschäftigung **MI-TEMPS**, 1
Hälfte **MOITIÉ**, 1
Hand (aus zweiter ~) **OCCASION**, 2
Hand- **MANUEL, -ELLE**, 1
Handbuch **MANUEL**, 1
Handel **AFFAIRE**, 1; **COMMERCE**, 1; **MARCHÉ**, 3; **NÉGOCE**, 1
Handel treiben **COMMERCER**, 1
Handel (kann in den ~ gebracht werden) **COMMERCIALISABLE**, 1
-handel (Drogenhandel, ...) **TRAFIC**, 1
handeln **COMMERCER**, 1; **MARCHANDER**, 1
Handeln **MARCHANDAGE**, 1
Handeln (im internationalen ~ gebräuchlichen Vertragsbedingungen) **TCI**
Handels- **COMMERÇANT, -ANTE**, 1; **COMMERCIAL, -IALE**, 1; 2; 3
Handelsfirma **RAISON SOCIALE**, 1
Handelsgeschäft **AFFAIRE**, 3
Handelsgesellschaft (offene ~, OHG) **SNC**
Handelsgewerbe **COMMERCE**, 3
Handelshaus **MAISON**, 1
Handelsmakler **BROKER**, 1
Handelsniederlassung **COMPTOIR**, 2
Handelsregister **RC**; **RCS**
Handelssperre **EMBARGO**, 1
Handelsunternehmen **COMMERCE**, 3
Handelsvertreter (angestellte ~ (mit Ausgleichsanspruch)) **VRP**
Handelsvertreter (freie ~) **COMMERCIAL, COMMERCIALE**, 1
handeltreibend **COMMERÇANT, -ANTE**, 2; **MARCHAND, -ANDE**, 1
Handlanger **MANŒUVRE**, 1
Händler **COMMERÇANT, COMMERÇANTE**, 1; **DISTRIBUTEUR, DISTRIBUTRICE**, 1; **DISTRIBUTEUR, -TRICE**, 1; **MARCHAND, MARCHANDE**, 1; **NÉGOCIANT, NÉGOCIANTE**, 1; **TRADER**, 1
Handlungsreisende **PLACIER, PLACIÈRE**, 1
Handwerk **ARTISANAT**, 1
Handwerker **ARTISAN, ARTISANE**, 1
Handwerkerschaft **ARTISANAT**, 1
handwerklich **ARTISANAL, -ALE**, 1; **ARTISANALEMENT**, 1
Handwerkmeister **MAÎTRE-ARTISAN**, 1
Handwerks- **ARTISANAL, -ALE**, 1
Hardware **HARDWARE**, 1; **MATÉRIEL**, 2
hart (sehr ~) **BRUTAL, -ALE**, 1
Härte **AUSTÉRITÉ**, 1
Haufen **PAQUET**, 1
Hauses (des ~) **MAISON**, 3
Hausfrau **MÉNAGÈRE**, 1
hausgemacht **MAISON**, 3
Haushalt **BUDGET**, 2; **MÉNAGE**, 1
Haushalt (etwas, das Löcher in den ~ reisst) **BUDGÉTIVORE**, 1
Haushalt (Streichung eines Postens im ~) **DÉBUDGÉTISATION**, 1
Haushalts- **BUDGÉTAIRE**, 1 ; **MÉNAGER, -ÈRE**, 1
Haushaltsbetrag **ENVELOPPE**, 2
Haushaltselektrogerätehersteller **ÉLECTROMÉNAGISTE**, 1
Haushaltsgeräte (elektrischen ~) **ÉLECTROMÉNAGER**, 1
Haushaltsgerätehersteller **ÉLECTROMÉNAGISTE**, 1
Haushaltsloch **TROU**, 1
Haushaltsplan **BUDGET**, 1
Haushaltsplan aufstellen **BUDGÉTISER**, 1; **BUDGÉTER**, 1
Haushaltsplan (Hereinnahme in den ~) **BUDGÉTISATION**, 1
Haushaltsplan (in den ~ einstellen) **BUDGÉTER**, 2; **BUDGÉTISER**, 2
Haushaltsplan (Veranschlagung im ~) **BUDGÉTISATION**, 1
haushaltsplanmässig **BUDGÉTAIREMENT**, 1
Haushaltsposten streichen **DÉBUDGÉTISER**, 1
Haushaltsstelle streichen **DÉBUDGÉTISER**, 1
Haushaltsstelle (Streichung einer ~) **DÉBUDGÉTISATION**, 1
Haushaltssumme **ENVELOPPE**, 2
Haushaltung **MÉNAGE**, 1
Hausieren **COLPORTAGE**, 1
hausieren **COLPORTER**, 1
Hausierer **COLPORTEUR, COLPORTEUSE**, 1
Hausierhandel **PORTE-À-PORTE**, 1
Haustürgeschäft **PORTE-À-PORTE**, 1
Haustürwerbung **DÉMARCHAGE**, 1
Haustürwerbung betreiben **DÉMARCHER**, 1
Havarie **AVARIE**, 1
havariert **AVARIÉ, -IÉE**, 1
Headhunter **CHASSEUR DE TÊTES, CHASSEUSE DE TÊTES**, 1
Heimarbeiter am Bildschirm **TÉLÉTRAVAILLEUR, TÉLÉTRAVAILLEUSE**, 1
heiraten **ÉPOUSER**, 1
heisses Geld **HOT MONEY**, 1
Heizmaterial **COMBUSTIBLE**, 1
Heizöl **FUEL**, 1; **MAZOUT**, 1
Hektar **HECTARE**, 1
helfen **AIDER**, 1
Helfer (freiwillige ~) **BÉNÉVOLE**, 1; **VOLONTAIRE**, 1
herabgesetzt **DÉCOTÉ, -ÉE**, 1
herabgesetzte Ware **SOLDE**, 3
herabsetzen **BAISSER**, 1
Herabsetzen eines Preises **DÉMARQUAGE**, 1
herabsetzen (einen Preis von etwas ~) **DÉMARQUER**, 1
herabsetzen (Höchstgrenze ~) **DÉPLAFONNER**, 1
herabsetzen (verkaufen zu herabgesetzten Preisen) **DISCOMPTER**, 1; **DISCOUNTER**, 1
Herabsetzung **ABAISSEMENT**, 1
heraufsetzen **HAUSSER**, 1
Herausbringen **LANCEMENT**, 1
herausgeben **ÉDITER**, 1
Herausgeber **ÉDITEUR**, 1
Herauskommen **SORTIE**, 3
herbeiführen **OPÉRER**, 1
hergestellt in **MADE IN ...**, 1
herstellen **CRÉER**, 1; **FABRIQUER**, 1; **PRODUIRE**, 1; **TRAVAILLER**, 1
herstellende **CONSTRUCTEUR, -TRICE**, 1
Hersteller **CONSTRUCTEUR**, 1; **FABRICANT, FABRICANTE**, 1; **MANUFACTURIER**, 1; **PRODUCTEUR, PRODUCTRICE**, 1
Hersteller- **CONSTRUCTEUR, -TRICE**, 1; **MANUFACTURIER, -IÈRE**, 1; **PRODUCTEUR, -TRICE**, 1
Herstellers (mit dem Etikett des ~) **GRIFFÉ, -ÉE**, 1
Herstellung **FABRICATION**, 1; **PRODUCTION**, 1
Hierarchie **HIÉRARCHIE**, 1
hierarchisch **HIÉRARCHIQUE**, 1; **HIÉRARCHIQUEMENT**, 1
Hilfe **AIDE**, 1; 2
Hilfs- **ADJOINT, -OINTE**, 1
Hilfsarbeiter **MANŒUVRE**, 1
Hilfskraft **AIDE**, 2
hinauswerfen **VIRER**, 2
hinterlegen **CONSIGNER**, 1
Hinterlegung **CONSIGNATION**, 2
Hinterzimmer **ARRIÈRE-BOUTIQUE**, 1
hinzurechnen **IMPUTER**, 1
Hinzurechnung **ADDITION**, 1; **CUMUL**, 2
Hinzuschlagen **CUMUL**, 2
Histogramm **HISTOGRAMME**, 1
hoch **ÉLEVÉ, -ÉE**, 1; **HAUT, HAUTE**, 1; **LOURD**, 1; **LOURD, LOURDE**, 1
Hochkonjunktur **BOOM**, 1
Hochschnellen **ENVOL**, 1; **ENVOLÉE**, 1
hochschnellen **ENVOLER**, 1
höchst **HAUTEMENT**, 1
Höchst- **MAXIMAL, -ALE**, 1
Höchstgrenze **PLAFOND**, 1
Höchstgrenze festlegen **PLAFONNER**, 1
Höchstgrenze herabsetzen **DÉPLAFONNER**, 1
Höchstgrenze (die Herabsetzung der ~) **DÉPLAFONNEMENT**, 1
Höchstgrenze (eine erneute ~ festsetzen) **REPLAFONNER**, 1
Höchstgrenze (erneute Festsetzung einer ~) **REPLAFONNEMENT**, 1
Höchstgrenze (wieder eine ~ festsetzen) **REPLAFONNER**, 1
Höchstmass **MAXIMUM**, 1; **MAXIMUM, MAXIMA**, 1
Höchstpreis **PRIX(-)PLAFOND**, 1
Hof **FERME**, 1
Höhe (in die ~ klettern) **GRIMPER**, 1
Höhe (in die ~ schiessen) **FLAMBER**, 1
Höhenflug **ENVOL**, 1; **ENVOLÉE**, 1
Holding **HOLDING**, 1
Holdinggesellschaft **HOLDING**, 1
Homebanking **HOMEBANKING**, 1; **PC-BANKING**, 1
Honorar **CACHET**, 1; **HONORAIRES**, 1; **VACATION**, 1
Horten **THÉSAURISATION**, 1
horten **THÉSAURISER**, 1
Hotel **HÔTEL**, 1
Hotel- **HÔTELIER, -IÈRE**, 1
Hotelbesitzer **HÔTELIER, HÔTELIÈRE**, 1
Hotelier **HÔTELIER, HÔTELIÈRE**, 1
hübsch **JOLI, -IE**, 1
Hundertsatz **POURCENTAGE**, 1
Hüttenarbeiter **SIDÉRURGISTE**, 1
Hyperinflation **HYPERINFLATION**, 1
Hypothek **HYPOTHÈQUE**, 1
Hypothek (mit einer ~ belasten) **HYPOTHÉQUER**, 1
hypothekarisch (gesichert) **HYPOTHÉCAIRE**, 1
Hypotheken- **HYPOTHÉCAIRE**, 1
IAA (Internationales Arbeitsamt) **BIT**
IBRD (Internationale Bank für Wiederaufbau und Entwicklung) **BIRD**
Ideenbörse **BOURSE**, 3
immateriell **IMMATÉRIEL, -IELLE**, 1
Immobilien- **IMMOBILIER, -IÈRE**, 1
Immobiliengeschäft **IMMOBILIER**, 1
Immobilienhandel **IMMOBILIER**, 1
Immunisierung **IMMUNISATION**, 1
Import **IMPORT**, 1; **IMPORTATION**, 1
Import- **IMPORTATEUR, -TRICE**, 1
Importeur **IMPORTATEUR, IMPORTATRICE**, 1; 2
Import-Export **IMPORT-EXPORT**, 1
Importgesellschaft **IMPORTATEUR, IMPORTATRICE**, 2

Importhändler **IMPORTATEUR, IMPORTATRICE**, 1
importierbar **IMPORTABLE**, 1
importieren **IMPORTER**, 1
Importwaren **IMPORTATION**, 2
Inaktivität (berufliche ~) **INACTIVITÉ**, 1
Incoterms **INCOTERM(E)S**, 1; **TCI**
Index **INDEX**, 1; **INDICE**, 1
Index- **INDICIEL, -IELLE**, 1
Indexbindung **INDEXATION**, 1
Indexbindung aufheben **DÉSINDEXER**, 1
Indexbindung (Aufhebung der ~) **DÉSINDEXATION**, 1
indexieren **INDEXER**, 1
Indexierung **INDEXATION**, 1
Indexzahl **INDICE**, 1
Indikator **INDICATEUR**, 1
Indossament **ENDOSSEMENT**, 1
Indossant **ENDOSSEUR**, 1
Indossatar **ENDOSSATAIRE**, 1
indossieren **ENDOSSER**, 1
industrialisieren **INDUSTRIALISER**, 1
Industrialisierung **INDUSTRIALISATION**, 1
Industrie **INDUSTRIE**, 1; 2
Industrie (mittelständische ~) **PMI**
Industrie- **INDUSTRIEL, -IELLE**, 1
Industriekomplex **COMPLEXE**, 1
industriell **INDUSTRIEL, -IELLE**, 1; 2; **INDUSTRIELLEMENT**, 1
Industrielle **INDUSTRIEL, INDUSTRIELLE**, 1
industriellen Schwellenländer **NPI**
Industriezweig **BRANCHE**, 1
Inflation **INFLATION**, 1
Inflation (Rückgang der ~) **DÉSINFLATION**, 1
inflationär **INFLATIONNISTE**, 1
inflationistisch **INFLATIONNISTE**, 2
inflationshemmend **ANTI-INFLATIONNISTE**, 1
inflatorisch **INFLATIONNISTE**, 2; **INFLATOIRE**, 1
Informatik **INFORMATIQUE**, 1
Informatik (Integration von Telekommunikation und ~) **TÉLÉMATIQUE**, 1
Informatiker **INFORMATICIEN, INFORMATICIENNE**, 1
Infrastruktur **INFRASTRUCTURE**, 1
Ingenieur **INGÉNIEUR, INGÉNIEURE**, 1
Inhaber **DÉTENTEUR, DÉTENTRICE**, 1; **PORTEUR, PORTEUSE**, 1; **PROPRIÉTAIRE**, 1; **TENEUR, TENEUSE**, 1; **TITULAIRE**, 1
Inhaber einer Schuldverschreibung **OBLIGATAIRE**, 1
Inhaber eines Discountgeschäfts **SOLDEUR, SOLDEUSE**, 1
Inhaber eines handwerklichen Grossbetriebs **MANUFACTURIER**, 1
Inhaber eines Steinbruchs/einer Sandgrube **EXPLOITANT, EXPLOITANTE**, 1
Inkasso **ENCAISSEMENT**, 2
inkl. MwSt (inklusive Mehrwertsteuer) **TTC**
Innenfinanzierung **AUTOFINANCEMENT**, 1
Innovation **INNOVATION**, 1
innovativ **INNOVANT, -ANTE**, 1; **INNOVATEUR, -TRICE**, 1; **NOVATEUR, -TRICE**, 1
Innovator **INNOVATEUR, INNOVATRICE**, 1
innovieren **INNOVER**, 1
Inrechnungstellung **FACTURATION**, 1
Inserent **ANNONCEUR**, 1
Insider-Vergehen **DÉLIT D'INITIÉ**, 1
insolvent **INSOLVABLE**, 1
Insolvenz **FAILLITE**, 1; **INSOLVABILITÉ**, 1
Insolvenzverfahren **REDRESSEMENT**, 3
Insolvenzverwalter **REDRESSEUR**, 1
Installateur **PLOMBIER**, 1
Institution **ORGANISME**, 1
Instrument **INSTRUMENT**, 1
intensivieren **INTENSIFIER**, 1
Intensivierung **INTENSIFICATION**, 1
Interbanken- **INTERBANCAIRE**, 1
Interessengemeinschaft (wirtschaftliche ~) **GIE**
Interessent **DEMANDEUR, DEMANDEUSE**, 1
Interessenverband **LOBBY**, 1
Interessenverband (berufliche ~) **CORPORATION**, 1
Interessenvertretung (berufliche ~) **CORPORATISME**, 1
Internationale Bank für Wiederaufbau und Entwicklung (IBRD) **BIRD**
Internationale Währungsfonds (IWF) **FMI**
Internationales Arbeitsamt (IAA) **BIT**
Internet **INTERNET**, 1
Intranet **INTRANET**, 1
Intrapreneurship **INTRAPRENEURIAT**, 1; **INTRAPRENEURSHIP**, 1
Invalididätsversicherung **ASSURANCE(-)INVALIDITÉ**, 1
inventarisieren **INVENTORIER**, 1
Inventur **INVENTAIRE**, 1
investieren **CAPITALISER**, 2; **INVESTIR**, 1
investieren (neu ~) **RÉINVESTIR**, 1
Investition **INVESTISSEMENT**, 1; 2; **PLACEMENT**, 1
Investitionsbank (Europäische ~, EIB) **BEI**
Investmentfonds **FCP**; **OPC**; **OPCVM**
Investmentfonds (geschlossene ~) **SICAF**
Investmentfonds (offene ~) **SICAV**
Investmentzertifikat **CERTIFICAT**, 2
Investor **INVESTISSEUR, -EUSE**, 1; **INVESTISSEUR, INVESTISSEUSE**, 1
IWF (Internationale Währungsfonds) **FMI**
Jackpot **CAGNOTTE**, 3
Jahrbuch **ANNUAIRE**, 2
Jahres- **ANNUEL, -ELLE**, 1
Jahresrate **ANNUITÉ**, 1
jährlich **ANNUEL, -ELLE**, 1; **ANNUELLEMENT**, 1
jährliche Zahlung **ANNUITÉ**, 1
Job **BOULOT**, 1; **JOB**, 1
Joint Venture **JOINT(-)VENTURE**, 1
Junk Bond **JUNK(-)BOND**, 1
juristische Person **PERSONNE MORALE**, 1
Just-in-time **JIT**; **JUSTE(-)À(-)TEMPS**, 1; **JUST-IN-TIME**, 1
Kabelfernsehanbieter **TÉLÉDISTRIBUTEUR**, 1
Kabelfernsehen **TÉLÉDISTRIBUTION**, 1
Kabelfernsehen (Anbieter von ~) **TÉLÉDISTRIBUTEUR**, 1
Kai (frei ab ~) **FOQ**
kalkulieren **CALCULER**, 1
Kammer **CHAMBRE**, 1
Kampagne **CAMPAGNE**, 1
Kämpfer **BATTANT, BATTANTE**, 1
Kämpfernatur **BATTANT, BATTANTE**, 1
Kanal **CANAL**, 2; **CHAÎNE**, 2
Kandidat **CANDIDAT, CANDIDATE**, 1
Kandidatur **CANDIDATURE**, 1
Kanister **BIDON**, 1
Kapazität **CAPACITÉ**, 1
Kapital **ARGENT**, 2; **CAPITAL**, 1; 3; **FONDS**, 3
Kapital bilden **CAPITALISER**, 1
Kapital in ein Unternehmen einbringen **COMMANDITER**, 1
Kapital schlagen aus **MONNAYER**, 1
Kapital (tote ~) **NON-VALEUR**, 1
Kapital (Zinsen zum ~ schlagen) **CAPITALISER**, 1
Kapital- **CAPITALISTIQUE**, 2
Kapitalabfluss **REFLUX**, 1
Kapitalabwanderung **REFLUX**, 1
Kapitalanlage **INVESTISSEMENT**, 3; **PLACEMENT**, 2
Kapitalbildung **CAPITALISATION**, 1
Kapitalertrag **REVENU**, 2
Kapitalgeber **BAILLEUR, BAILLERESSE**, 2
kapitalintensiv **CAPITALISTIQUE**, 1
kapitalisierbar **CAPITALISABLE**, 1
Kapitalismus **CAPITALISME**, 1; 2; 3
Kapitalist **CAPITALISTE**, 1
kapitalistisch **CAPITALISTE**, 1
Kapitals (Umstrukturierung des ~) **REFINANCEMENT**, 1
Kapitalverzinsung **RÉMUNÉRATION**, 2
Karriere **CARRIÈRE**, 1
Karrieremacher **CARRIÉRISTE**, 1
Karrierepause **PAUSE-CARRIÈRE**, 1
Karrierist **CARRIÉRISTE**, 1
Karte **CARTE**, 1
Kartei **FICHIER**, 1
Karteikarte **FICHE**, 1
Kartell **CARTEL**, 1
Karton **CARTON**, 1; 2
Kasse **CAISSE**, 1; 3; 5; **GUICHET**, 1
Kasse (gemeinsame ~) **CAGNOTTE**, 2
Kassenbestand **ENCAISSE**, 1
Kassenbon **TICKET**, 1
Kassenführer **TRÉSORIER, TRÉSORIÈRE**, 1
Kasseninhalt **CAISSE**, 2; 6
Kassenschlager **VEDETTE**, 1
Kassenzettel **TICKET**, 1
kassierbar **ENCAISSABLE**, 1
kassieren **ENCAISSER**, 1
Kassierer **CAISSIER, CAISSIÈRE**, 1; **TRÉSORIER, TRÉSORIÈRE**, 1
Katalog **CATALOGUE**, 1
Katastrophe **SINISTRE**, 2
Katastrophenopfer **SINISTRÉ, SINISTRÉE**, 1
Kauf **ACHAT**, 1; 2
Kauf (günstige ~) **OCCASION**, 1
Kauf- **ACQUÉREUR, -EUSE**, 1
Kaufangebot (öffentliche ~) **OPA**
kaufen **ACHETER**, 1
kaufen (gekaufte Person) **VENDU**, 2
kaufen (was man ~ kann) **ACHETABLE**, 1
Kaufen (was mit dem ~ zu tun hat) **ACHETEUR, -EUSE**, 2
Käufer **ACHETEUR, ACHETEUSE**, 1; **ACQUÉREUR, ACQUÉREUSE**, 1; **PRENEUR, PRENEUSE**, 3
Käufer des Wechsels **ESCOMPTEUR, ESCOMPTEUSE**, 1
Kaufhaus **SURFACE**, 1
Kaufleute **COMMERCE**, 2
käuflich **ACHETABLE**, 1
Kaufmann **MARCHAND, MARCHANDE**, 1; **TRADER**, 1
kaufmännisch **MARCHAND, -ANDE**, 1
Kaufoption **CALL**, 1
kauft (jemand, der ~ oder kaufbereit ist) **ACHETEUR, -EUSE**, 1
Kaution **CAUTION**, 3
Kellner **BARMAN**, 1; **GARÇON**, 1; **SERVEUR, SERVEUSE**, 1
Kellnerin **BARMAID**, 1
Kennziffer **RATIO**, 1
Kernenergie **NUCLÉAIRE**, 1
Kerngeschäft (Konzentration auf das ~) **RECENTRAGE**, 1

Kerngeschäft (sich auf das ~ konzentrieren) **RECENTRER**, 1
Kette **CHAÎNE**, 1; 3
Kfz-Steuer **VIGNETTE**, 1
Kfz-Steuermarke **VIGNETTE**, 1
KFZ-Versicherung **ASSURANCE(-) AUTO(MOBILE)**, 1
KG (Kommanditgesellschaft) **COMMANDITE**, 1; **SCS**
KGaA (Kommanditgesellschaft auf Aktien) **SCPA**
Kilo **KILO**, 1
Kino **CINÉMA**, 3
Kinofilm **CINÉMA**, 1
Kladde **BROUILLARD**, 1
Klarsicht(ver)packung **BLISTER**, 1; **EMBALLAGE-BULLE**, 1
Klausel **CLAUSE**, 1
klein **LÉGER, -ÈRE**, 1; **PETIT, -ITE**, 1
Klein- **PETIT, -ITE**, 1
kleine Betrieb **PME**
kleine Supermarkt **SUPÉRETTE**, 1
Kleingeld **APPOINT**, 1; **MITRAILLE**, 1; **MONNAIE**, 3
Kleinstcomputer **MICRO-ORDINATEUR**, 1
Klempner **PLOMBIER**, 1
klettern (in die Höhe ~) **GRIMPER**, 1
Klinkenputzer **DÉMARCHEUR, DÉMARCHEUSE**, 1
Knappheit **PÉNURIE**, 1; **RARETÉ**, 1
Kneipe **BAR**, 1; **BISTRO(T)**, 1; **CAFÉ**, 1
Knete **OSEILLE**, 1
Know-how **KNOW(-)HOW**, 1; **SAVOIR-FAIRE**, 1
Koch **CUISINIER, CUISINIÈRE**, 1
Koeffizient **COEFFICIENT**, 1; **RATIO**, 1
kofinanzieren **COFINANCER**, 1
Kofinanzierung **COFINANCEMENT**, 1
Kohle **CHARBON**, 1; **OSEILLE**, 1; **PÈZE**, 1; **POGNON**, 1
Kollektivismus **COLLECTIVISME**, 1
kollektivistisch **COLLECTIVISTE**, 1
Komitee **COMITÉ**, 1
Kommanditeinlage **COMMANDITE**, 2
Kommanditgesellschaft (KG) **COMMANDITE**, 1; **SCS**
Kommanditgesellschaft auf Aktien (KGaA) **SCPA**
Kommanditist **COMMANDITAIRE**, 1
kommerzialisieren **PLACER**, 2
Kommerzialisierung **PLACEMENT**, 3
kommerziell **COMMERCIAL, -IALE**, 4
kommerziell bewirtschaften **MARCHANDISER**, 1
kommerzielle Bewirtschaftung **MARCHANDISAGE**, 2; **MARCHANDISATION**, 1
Kommission **COMMISSION**, 1
Kommissionär **COMMISSIONNAIRE**, 1
Kommunikation **COMMUNICATION**, 1
Kommunikationsexperte **COMMUNICATEUR, COMMUNICATRICE**, 1
Kommunismus **COMMUNISME**, 1
Kommunist **COMMUNISTE**, 1
kommunistisch **COMMUNISTE**, 1
Kompensations- **COMPENSATOIRE**, 1
kompensatorisch **COMPENSATOIRE**, 1
kompensieren **COMPENSER**, 1
Komplementär **COMMANDITÉ, COMMANDITÉE**, 1
Komplex **COMPLEXE**, 1
Konditorei **PÂTISSERIE**, 2
Konfektion **COUTURE**, 1; **PRÊT-À-PORTER**, 1
Konfektionskleidung **PRÊT-À-PORTER**, 1
Konglomerat **CONGLOMÉRAT**, 1
Konjunktur **CONJONCTURE**, 1
Konjunktur (Verlangsamung der ~) **DÉCÉLÉRATION**, 1
Konjunkturbarometer **BAROMÈTRE**, 1
konjunkturbedingt **CONJONCTUREL, -ELLE**, 1
konjunkturell **CONJONCTUREL, -ELLE**, 1
konjunkturelle Aufheiterung **EMBELLIE**, 1
konjunkturelle Schönwetterperiode **EMBELLIE**, 1
konjunkturelle Überhitzung **EMBALLEMENT**, 1
Konjunkturexperte **CONJONCTURISTE**, 1
Konjunkturforscher **CONJONCTURISTE**, 1
Konjunkturforschung **CONJONCTURE**, 2
Konkurrent **COMPÉTITEUR, COMPÉTITRICE**, 1; **CONCURRENT, CONCURRENTE**, 1
Konkurrenz **CONCURRENCE**, 1; 2
Konkurrenz machen **CONCURRENCER**, 1
Konkurrenz- **CONCURRENT, -ENTE**, 1
konkurrenzfähig **COMPÉTITIF, -IVE**, 1; **CONCURRENTIEL, -IELLE**, 1
Konkurrenzfähigkeit **COMPÉTITIVITÉ**, 1
konkurrieren **CONCURRENCER**, 1
konkurrierend **CONCURRENT, -ENTE**, 1
Konkurs **FAILLITE**, 1
Konkurs (in ~ sein) **FAILLI, -IE**, 1
Konkursverfahren **FAILLITE**, 2
Konkursverwalter **LIQUIDATEUR, LIQUIDATRICE**, 1
Konsignation **CONSIGNATION**, 1; 2
Konsignator **CONSIGNATAIRE**, 1
Konsolidation **CONSOLIDATION**, 1
konsolidieren **CONSOLIDER**, 1
Konsolidierung **CONSOLIDATION**, 1
Konsorte **SYNDICATAIRE**, 1
Konsortium **CONSORTIUM**, 1; **SYNDICAT**, 2
konstant **CONSTANT, -ANTE**, 1
Konstruieren (computergestützte ~) **CAO**
Konstrukteur **CONSTRUCTEUR**, 1
Konsultant **CONSULTANT, CONSULTANTE**, 1
Konsum **CONSOMMATION**, 1
Konsum (schwache ~) **SOUS-CONSOMMATION**, 1
Konsument **CONSOMMATEUR, CONSOMMATRICE**, 1
Konsumenten- **CONSOMMATEUR, -TRICE**, 1
konsumierbar **CONSOMPTIBLE**, 1
konsumieren **CONSOMMER**, 1
Konsumneigung (geringe ~) **SOUS-CONSOMMATION**, 1
kontaktieren (erneut ~) **RELANCER**, 3
Kontaktieren (erneute ~) **RELANCE**, 3
Kontenplan (allgemeine ~) **PCG**
Kontingent **CONTINGENT**, 1
kontingentieren **CONTINGENTER**, 1
Kontingentierung **CONTINGENTEMENT**, 1
kontinuierlich (nicht ~) **DISCONTINU, -UE**, 1
Konto **COMPTE**, 1; 2
Konto auffüllen **ALIMENTER**, 2; **APPROVISIONNER**, 3; **PROVISIONNER**, 2
Konto belasten **DÉBITER**, 1
Konto mit Geld versorgen **APPROVISIONNEMENT**, 3; **APPROVISIONNER**, 3
Konto Mittel zuführen **ALIMENTER**, 2
Kontoauszug **RELEVÉ**, 1
Kontoguthaben **PROVISION**, 2
Kontonummer (Vordruck mit Angabe von ~) **RIB**
Kontos (Auffüllen eines ~) **APPROVISIONNEMENT**, 3
Kontoüberziehung **DÉCOUVERT**, 1
kontraproduktiv **CONTRE(-)PRODUCTIF, -IVE**, 1
Kontrolle (weitere ~) **SUIVI**, 1
kontrollieren **RÉVISER**, 1
Konvention **CONVENTION**, 1
Konvertibilität **CONVERTIBILITÉ**, 1
konvertierbar **CONVERTIBLE**, 1
konvertierbar (nicht ~) **INCONVERTIBLE**, 1
Konvertierbarkeit **CONVERTIBILITÉ**, 1
konvertieren **CONVERTIR**, 1
Konzentration **CONCENTRATION**, 1
Konzentration auf das Kerngeschäft **RECENTRAGE**, 1
konzentrieren **CONCENTRER**, 1
konzentrieren (sich auf das Kerngeschäft ~) **RECENTRER**, 1
Konzeption **CONCEPTION**, 1
Konzeption (technische ~) **ENGINEERING**, 1
Konzern **GROUPE**, 1; **KONZERN**, 1
Konzern (multinationale ~) **MULTINATIONALE**, 1
Konzession **CONCESSION**, 1
konzipieren **CONCEVOIR**, 1
Kooperation **COOPÉRATION**, 1
kooperativ **COOPÉRATIF, -IVE**, 1
kooperieren **COOPÉRER**, 1
Kopfjäger **CHASSEUR DE TÊTES, CHASSEUSE DE TÊTES**, 1
Kopie **DOUBLE**, 2
Kopie (eine schlechte ~) **SOUS-PRODUIT**, 2
Körbchen **BARQUETTE**, 1
Körperschaft **COLLECTIVITÉ**, 2
Körperschaftsteuer **IS**; **ISOC**
Korporatismus **CORPORATISME**, 1
korporatistisch **CORPORATISTE**, 1
Korrespondent **CORRESPONDANT, CORRESPONDANTE**, 1
Korrespondenz **CORRESPONDANCE**, 1; 2
korrespondieren **CORRESPONDRE**, 1
Korruption **CORRUPTION**, 1
Kosten **CHARGE**, 2; **COÛT**, 1; 2; **DÉPENSE**, 1; 2; 3; **FRAIS**, 1
kosten **COÛTER**, 1
Kosten, Versicherung und Fracht (CIF) **CAF**
kostenfrei **GRATUIT, -UITE**, 1; **GRATUITEMENT**, 1
kostengünstig **ÉCONOMIQUE**, 2; **ÉCONOMIQUEMENT**, 2
Kostenwettbewerb **COMPÉTITIVITÉ-COÛT**, 1
kostet mehr als man erwartet hätte **DONNÉ**, 1
kostspielig **COÛTEUX, -EUSE**, 1; **ONÉREUX, -EUSE**, 1
Kräfte (produktiven ~) **PRODUCTIF**, 1
Kraftfahrzeugversicherung **ASSURANCE(-)AUTO(MOBILE)**, 1
Kraftstoff **CARBURANT**, 1
Kraftwagen **AUTOMOBILE**, 1
Krankenversicherung **ASSURANCE(-) MALADIE**, 1
krankfeiern **CHÔMER**, 3
kreativ **CRÉATIF, -IVE**, 1
Kreativität **CRÉATIVITÉ**, 1
Kreativmanager **CRÉATIF**, 1
Kredit **CRÉDIT**, 1; 2; 3; **PRÊT**, 2
Kreditbeschränkung **ENCADREMENT**, 3
Kreditbewirtschaftung **ENCADREMENT**, 3
Kreditgeber **PRÊTEUR, -EUSE**, 1
Kreditinstitute (öffentlichen ~) **IPC**
Kreditinstitute (staatlichen ~) **IPC**
Kreditnehmer **EMPRUNTEUR, EMPRUNTEUSE**, 1

Kreditnehmer **EMPRUNTEUR, -EUSE**, 1
Kreditoren- **CRÉDITEUR, -TRICE**, 1
Kreditversicherer **ASSUREUR(-)CRÉDIT**, 1
Kreditversicherung **ASSURANCE(-)CRÉDIT**, 1
Kreisausschnitt **SECTEUR**, 4
Kreisdiagramm **CAMEMBERT**, 1
Krise **CRISE**, 1; 2
Krone **COURONNE**, 1
Kronjuwele **JOYAUX (DE LA COURONNE)**, 1
Krösus **RICHARD, RICHARDE**, 1
Kugelsektor **SECTEUR**, 4
kumulieren **CUMULER**, 1
Kunde **CHALAND, CHALANDE**, 1; **CLIENT, CLIENTE**, 1
Kunde (potentielle ~) **PROSPECT**, 1
Kunde (typische ~) **CLIENT-TYPE**, 1
Kunden bedienen **SERVIR**, 2
Kunden **CLIENTÈLE**, 1
Kunden werben **PROSPECTER**, 1
Kunden- **CLIENT, -ENTE**, 1
Kundendienst **APRÈS-VENTE**, 1; **SAV**
Kundenkreis **ACHALANDAGE**, 1
Kundenkreis (mit einem grossen ~) **ACHALANDÉ, -ÉE**, 1
Kundentreue fördern **FIDÉLISER**, 1
Kundentreue (Förderung der ~) **FIDÉLISATION**, 1
Kundenwerber **PROSPECTEUR, PROSPECTRICE**, 1
Kundenwerbung **PROSPECTION**, 1
Kundenwerbung (durch Vertreterbesuche) **DÉMARCHAGE**, 1
kündigen **CONGÉDIER**, 1; **LICENCIER**, 1; **PORTE**, 1; **RÉSILIER**, 1
Kündigung **LICENCIEMENT**, 1; **MISE À PIED**, 1; **PRÉAVIS**, 1; **RÉSILIATION**, 1
Kündigung (fristlose ~) **LICENCIEMENT-MINUTE**, 1
Kündigungsfrist **PRÉAVIS**, 2
Kündigungsschreiben **PRÉAVIS**, 1
Kundschaft **ACHALANDAGE**, 1; **CLIENTÈLE**, 1
Kundschaft (Bindung der ~) **FIDÉLISATION**, 1
Kundschaft (sich eine feste ~ schaffen) **FIDÉLISER**, 1
Kundschaft (typische ~) **CLIENTÈLE-TYPE**, 1
Kunstgalerie **GALERIE**, 1
Kupfer **CUIVRE**, 1
Kurs **COTE**, 1; **COURS**, 1; **TAUX**, 1
Kurs bestimmen **COTER**, 1
Kursnotierung **COTE**, 1
Kursrutsch **REPLI**, 1
Kursverlust **PERTE**, 3
Kurswert **COURS**, 1
Kurtage **COURTAGE**, 1
Kurve **COURBE**, 1
kürzen (drastisch ~) **AMPUTER**, 1
Kürzung **AMPUTATION**, 1; **CONTRACTION**, 1
Labour- **TRAVAILLISTE**, 1
Labour Party (Program der ~) **TRAVAILLISME**, 1
lächerlich **DÉRISOIRE**, 1
Ladeeinrichtung **TRANSPORTEUR**, 3
Laden **BOUTIQUE**, 1; **CHARGEMENT**, 1; 3; **DÉBIT**, 5; **MAGASIN**, 1
laden **CHARGER**, 1; 2
Ladenbesitzer **BOUTIQUIER, BOUTIQUIÈRE**, 1
Ladeninhaber **BOUTIQUIER, BOUTIQUIÈRE**, 1
Ladenkasse **TIROIR-CAISSE**, 1
Ladenpassage **GALERIE**, 2
Ladentisch **COMPTOIR**, 1
Ladung **CARGAISON**, 1; **CHARGEMENT**, 2; **FRET**, 2
Lager **DÉPÔT**, 2; **ENTREPÔT**, 1; **MAGASIN**, 2; **RÉSERVE**, 2; **STOCK**, 2
Lagerarbeiter **MANUTENTIONNAIRE**, 1
Lagerbestände abbauen **DÉSTOCKER**, 1
Lagerbestände (Abbau der ~) **DÉSTOCKAGE**, 1
lagerfähig **STOCKABLE**, 1
Lagerhalle **ENTREPÔT**, 1
Lagerhalter **MAGASINIER, MAGASINIÈRE**, 1
Lagerhaus **ENTREPOSEUR**, 1
Lagerist **MANUTENTIONNAIRE**, 1
lagern **DÉPOSER**, 2; **EMMAGASINER**, 1; **ENTREPOSER**, 1; **STOCKER**, 1
lagern (kann gelagert werden) **STOCKABLE**, 1
Lagerschein **WARRANT**, 2
Lagerung **EMMAGASINAGE**, 1; **ENTREPOSAGE**, 1; **MAGASINAGE**, 2; **STOCKAGE**, 1
Lagerverwalter **ENTREPOSEUR**, 1; **MAGASINIER, MAGASINIÈRE**, 1
Landschaft **SITE**, 1
Landschaftsgärtner **JARDINIER, JARDINIÈRE**, 1
Landwirt **AGRICULTEUR, AGRICULTRICE**, 1; **CULTIVATEUR, CULTIVATRICE**, 1; **EXPLOITANT, EXPLOITANTE**, 1; **FERMIER, FERMIÈRE**, 1
Landwirtschaft **AGRICULTURE**, 1
landwirtschaftlich **FERMIER, -IÈRE**, 1
landwirtschaftliche Betrieb **EXPLOITATION**, 1
Landwirtschafts- **AGRICOLE**, 1
langsam **LENT, LENTE**, 1; **LENTEMENT**, 1
Laster **POIDS LOURD**, 1
Lastkraftwagen **POIDS LOURD**, 1
Lastwagen **CAMION**, 1; **POIDS LOURD**, 1
Lattenkiste **CAGEOT**, 1
Laufbahn **CARRIÈRE**, 1
Leasen **CRÉDIT-BAIL**, 1
leasen **LEASER**, 1
Leasing **CRÉDIT-BAIL**, 1; **LEASING**, 1; **LOCATION-VENTE**, 1
Leasingfinanzierung **LOCATION-FINANCEMENT**, 1
Lebensmittel **ALIMENT**, 1; **COMESTIBLES**, 1; **DENRÉE**, 1; **VIVRES**, 1
Lebensmittel- **AGROALIMENTAIRE**, 1; **ALIMENTAIRE**, 1
Lebensmittelgeschäft **ÉPICERIE**, 1
Lebensmittelhändler **ÉPICIER, ÉPICIÈRE**, 1
Lebensmittelindustrie **AGROALIMENTAIRE**, 1
Lebensniveau **NIVEAU DE VIE**, 1
Lebensstandard **NIVEAU DE VIE**, 1
Lebensversicherer **ASSUREUR-VIE**, 1
Lebensversicherte **ASSURÉ-VIE**, 1
Lebensversicherung **ASSURANCE-VIE**, 1
Lebensverwartung **ESPÉRANCE DE VIE**, 1
Lebensweise **MODE DE VIE**, 1
Lehrbuch **MANUEL**, 1
Lehre **APPRENTISSAGE**, 1
Lehrgang **STAGE**, 1
Lehrwerkstatt **EAP**
Leibrente (Empfänger einer ~) **CRÉDI(T)RENTIER, CRÉDI(T)RENTIÈRE**, 1
Leibrente (Schuldner einer ~) **DÉBI(T)RENTIER, DÉBI(T)RENTIÈRE**, 1
leicht **LÉGER, -ÈRE**, 1; **LÉGÈREMENT**, 1
leihen **PRÊTER**, 1
leisten **PRESTER**, 1
leisten (sich ~) **OFFRIR**, 3; **PAYER**, 3
Leistung **PERFORMANCE**, 1; **PRESTATION**, 3; **RENDEMENT**, 1
Leistung (schlechte ~) **CONTRE-PERFORMANCE**, 1
Leistungen **PRESTATION**, 1
Leistungen (unfertigen Erzeugnisse und ~) **EN(-)COURS**, 1
Leistungsberechtigte **ALLOCATAIRE**, 1
Leistungsempfänger **PRESTATAIRE**, 1
leistungsfähig **EFFICIENT, -IENTE**, 1; **PERFORMANT, -ANTE**, 1
Leistungsfähigkeit **EFFICIENCE**, 1
leiten **ADMINISTRER**, 1; **DIRIGER**, 1; **GÉRER**, 1
leiten (gemeinsam ~) **COGÉRER**, 1
leitende Angestellte **CADRE**, 1; 2
leitenden Mitarbeiter **ENCADREMENT**, 2
Leiter **CHEF**, 1; **DIRECTEUR, DIRECTRICE**, 1
Leiter der Personalabteilung **DRH**
Leiter des Unternehmens **DIRIGEANT, DIRIGEANTE**, 1
Leiter einer Finanzverwaltung **TRÉSORIER-PAYEUR**, 1
Leiter (stellvertretende ~) **DIRECTEUR(-)ADJOINT, DIRECTRICE(-)ADJOINTE**, 1
Leiters (des ~) **DIRECTEUR, -TRICE**, 1
Leitkurs **TAUX(-)PIVOT**, 1
Leitung **DIRECTION**, 2; **GÉRANCE**, 1; **MANAGEMENT**, 2
Leitungs- **DIRECTORIAL, -IALE**, 1
Leitungsfunktion **DIRECTION**, 3
lernen **APPRENDRE**, 1; **ÉTUDIER**, 1
Lernen **APPRENTISSAGE**, 1; **ÉTUDE**, 2
liberalisieren **LIBÉRALISER**, 1
Liberalisierung **LIBÉRALISATION**, 1
Licence **LICENCE**, 2
Lieferant **FABRIQUE**, 2; **FOURNISSEUR, FOURNISSEUSE**, 1; **LIVREUR, LIVREUSE**, 1; **POURVOYEUR, POURVOYEUSE**, 1
lieferbar **LIVRABLE**, 1
Lieferfirma **FOURNISSEUR, FOURNISSEUSE**, 1
liefern **FOURNIR**, 1; **LIVRER**, 1; 2
Lieferung **FOURNITURE**, 1; 2; **LIVRAISON**, 1; 2
Liquidation **LIQUIDATION**, 2; 3
Liquidator **LIQUIDATEUR, LIQUIDATRICE**, 1
liquid(e) **LIQUIDE**, 1
liquider (Fonds ~ Mittel) **FONDS**, 5
liquidieren **LIQUIDER**, 2; 3
Liquidität **LIQUIDITÉ**, 1; 2; **TRÉSORERIE**, 1
Lira **LIRE**, 1
Lizenz **LICENCE**, 1
Lizenzgebühr **LICENCE**, 1
LKW **CAMION**, 1
LKW-Fahrer **ROUTIER**, 1
Lobby **LOBBY**, 1
Lobbyismus **LOBBYING**, 1
Lobbyist **LOBBYISTE**, 1
Löcher (etwas, das ~ in den Haushalt reisst) **BUDGÉTIVORE**, 1
lockern **DÉTENDRE**, 1
Lockerung **DÉTENTE**, 1
Logistik **LOGISTIQUE**, 1
logistisch **LOGISTIQUE**, 1
Logo **LOGO**, 1
Lohn **GAGES**, 1; **PAIE**, 1; **PAYE**, 1; **REVENU**, 1; **SALAIRE**, 1
Lohn- **SALARIAL, -ALE**, 1
Lohnabhängigen **SALARIÉ, SALARIÉE**, 2
Lohnabrechnung **PAIE**, 2; **PAYE**, 2

Lohnausfallversicherung **ASSURANCE(-)EMPLOI**, 1
Lohnempfänger **SALARIAT**, 1; **SALARIÉ, SALARIÉE**, 1
lohnen (sich ~) **PAYER**, 2
Lohnkontos (Angabe des ~) **DOMICILIATION**, 2
Lohnkontos (Nummer des ~ angeben) **DOMICILIER**, 2
Lohnkosten **SALAIRE-COÛT**, 1; **TRAVAIL**, 2
Lohn-Preis-Spirale **SPIRALE**, 1
Löhnung **SOLDE**, 4
Lohnzulage **SURSALAIRE**, 1
Los **LOT**, 1
löschen **EFFACER**, 1
Löschung **AMORTISSEMENT**, 2
Lotterielos **BILLET**, 3
Luft- **AÉRIEN, -IENNE**, 1
Luftfahrt **AÉRONAUTIQUE**, 1; **AVIATION**, 1
Luftfahrt- **AÉRONAUTIQUE**, 1
Luftfahrtkunde **AÉRONAUTIQUE**, 1
lukrativ **GÉRABLE**, 2; **JUTEUX, -EUSE**, 1; **LUCRATIF, -IVE**, 1
machen **ÊTRE**, 1
mager **MAIGRE**, 1
magische Viereck **CARRÉ MAGIQUE**, 1
Magnat **MAGNAT**, 1
Mahnschreiben **RAPPEL**, 1
Mahnung **RAPPEL**, 1
Mailing **MAILING**, 1; **PUBLIPOSTAGE**, 1
Makler **COURTIER, COURTIÈRE**, 1
-makler **BROKER**, 1
Maklergebühr **COURTAGE**, 2
Makroökonomie **MACRO-ÉCONOMIE**, 1
makroökonomisch **MACRO-ÉCONOMIQUE**, 1
Malus **MALUS**, 1
Mammutfusion **MÉGAFUSION**, 1
Management **MANAGEMENT**, 1
Management- **MANAGÉRIAL, -IALE**, 1
Management-buyout **MBO**
Management by Objectives **DPO**
managen **MANAGER**, 1
managen ((kann) gemanagt werden) **GÉRABLE**, 1
Manager **ENTREPRENEUR, ENTREPRENEUSE**, 1; **MANAGER**, 1; **MANAGEUR, MANAGEUSE**, 1
Mandant **MANDANT, MANDANTE**, 1
Mangel **PÉNURIE**, 1
mangelhaft **DÉFECTUEUX, -EUSE**, 1
manipulieren **MAQUILLER**, 1
Mann (ehrgeiziger junger ~) **LOUP**, 1
Mannschaft **ÉQUIPE**, 1
Mantel **MANTEAU**, 1
manuell **MANUEL, -ELLE**, 1; **MANUELLEMENT**, 1
Manufacturing (Computer integrated ~) **FIO**
Manufaktur **MANUFACTURE**, 1
Marge **MARGE**, 1
Mark **MARK**, 1
Marke **MARQUE**, 1; **TM**
Marken- **GRIFFÉ, -ÉE**, 1
Markenartikel (kein ~ sein) **DÉGRIFFÉ, -ÉE**, 1
Markenzeichen **GRIFFE**, 1; **MARQUE**, 1
Markenzeichen (geschützte ~) **TM**
Markenzeichen (ohne ~) **DÉGRIFFÉ, -ÉE**, 1
Marketing **MARKETING**, 1; **MERCATIQUE**, 1
Marketingfachmann **MARKETEUR**, 1; **MARKETE(E)R**, 1; **MERCATICIEN, MERCATICIENNE**, 1
Marketing-Mix **MARCHÉAGE**, 1; **MARKETING-MIX**, 1
Market-maker **MARKET(-)MAKER**, 1
Markt **MARCHÉ**, 1; 2
Markt (auf den ~ bringen) **LANCER**, 1
Marktakteur **ACTEUR**, 1
Marktführer **LEADER**, 1
Marktlücke **CRÉNEAU**, 1
Marktnische **CRÉNEAU**, 2
marktschreierisch **TAPAGEUR, -EUSE**, 1
marktschreierische Werbung **TAPAGE**, 1
Marktsegment **SEGMENT**, 1
Marktsegmentierung **SEGMENTATION**, 1
Marktteilnehmer **ACTEUR**, 1
Maschine **MACHINE**, 1
maschinell **MÉCANIQUE**, 1; **MÉCANIQUEMENT**, 2
maschinelle Anlagen **OUTILLAGE**, 1
Maschinen **OUTILLAGE**, 1
Maschinerie **MACHINERIE**, 1
Mass **MESURE**, 2
Massen- **PONDÉREUX, -EUSE**, 1
Massenelend **PAUPÉRISME**, 1
Massengüterschiff **VRAQUIER**, 1
Massenmedien **MÉDIA**, 1
mässig **MODÉRÉ, -ÉE**, 1; **MODÉRÉMENT**, 1; **MOYENNEMENT**, 1
mässigen **MODÉRER**, 1
Mässigung **MODÉRATION**, 1
massiv **MASSIF, -IVE**, 1; **MASSIVEMENT**, 1
Massnahme **MESURE**, 1
Material **FOURNITURE**, 3; **MATÉRIAU**, 1; **MATÉRIEL**, 1; **MATIÈRE**, 1
Materialverwalter **ÉCONOME**, 1
Materialverwaltung **ÉCONOMAT**, 1
materiell **MATÉRIEL, -IELLE**, 1
Maurer **MAÇON**, 1
Mäuse **SOUS**, 1
Maximal- **MAXIMAL, -ALE**, 1
Maximalgrenze **PLAFOND**, 1
maximalisieren **MAXIMALISER**, 1
Maximalpreis **PRIX(-)PLAFOND**, 1
maximieren **MAXIMALISER**, 1; **MAXIMISER**, 1
Maximierung **MAXIMALISATION**, 1; **MAXIMISATION**, 1
Maximum **MAXIMUM**, 1; **MAXIMUM, MAXIMA**, 1
Mäzen **MÉCÈNE**, 1
Mäzenatentum **MÉCÉNAT**, 1
Mechanik **MÉCANIQUE**, 1
Mechaniker **MÉCANICIEN, MÉCANICIENNE**, 1; **MÉCANO**, 1
mechanisch **MÉCANIQUE**, 1; **MÉCANIQUEMENT**, 1
mechanisieren **MÉCANISER**, 1
Mechanisierung **MÉCANISATION**, 1
Mechanismus **MÉCANISME**, 1
Medium **MÉDIA**, 1
Meer **MER**, 1
Megafusion **MÉGAFUSION**, 1
Mehrbetrag **BONI**, 2
Mehreinnahmen **EXCÉDENT**, 1
mehrfach **MULTIPLE**, 1
Mehrgebot **ENCHÈRE**, 1
Mehrheitsbeteiligung (Erwerb einer ~) **PRISE DE CONTRÔLE**, 1
Mehrkosten **SURCOÛT**, 1
Mehrwertsteuer (inklusive ~, inkl. MwSt) **TTC**
Mehrwertsteuer (MWS) **TVA**
Meistbietende **OFFRANT**, 1
Meistbietenden (dem ~ zusprechen) **ADJUGER**, 1
Meister **CONTREMAÎTRE, CONTREMAÎTRESSE**, 1
Menge (eine ganze ~) **PAQUET**, 1
Mengenrabatt **REMISE**, 1
Menschenhandel **TRAITE**, 2
Merchandiser **MARCHANDISEUR, MARCHANDISEUSE**, 1
Merchandising **MARCHANDISAGE**, 1; **MERCHANDISING**, 1
merkantil **MERCANTILE**, 1
Merkantilismus **MERCANTILISME**, 1
merkantilistisch **MERCANTILISTE**, 1
messbar **MESURABLE**, 1
Messe **EXPOSITION**, 1; **FOIRE**, 1; **SALON**, 1
messen **MESURER**, 1
Messung **MESURE**, 2
Metall **MÉTAL**, 1
Metall- **MÉTALLIQUE**, 2
Metallarbeiter **MÉTALLO**, 1; **MÉTALLURGISTE**, 1
Metaller **MÉTALLO**, 1
Metallindustrie **MÉTALLURGIE**, 2
Metallindustrie (... der ~) **MÉTALLURGISTE**, 1
metallisch **MÉTALLIQUE**, 1
Metallurgie **MÉTALLURGIE**, 1
metallurgische Verfahren **MÉTALLURGIE**, 1
metallverarbeitend **MÉTALLURGIQUE**, 1
Metzger **BOUCHER, BOUCHÈRE**, 1
Metzgerei **BOUCHERIE**, 1
Miet- **LOCATIF, -IVE**, 1
Mietagentur **FRÉTEUR, FRÉTEUSE**, 1
Miete **LOYER**, 1
mieten **AFFRÉTER**, 1; **LEASER**, 1; **LOUER**, 2
Mieten **LOCATION**, 1; **LOUAGE**, 1
Mieter **AFFRÉTEUR, AFFRÉTEUSE**, 1; **LOCATAIRE**, 1; **PRENEUR, PRENEUSE**, 1
Mieter- **LOCATIF, -IVE**, 1
Mietfinanzierung **LOCATION-FINANCEMENT**, 1
Mietgemeinschaft (Vermietung an eine ~) **COLOCATION**, 1
Mietkauf **LOCATION-VENTE**, 1
Mietpreis **LOYER**, 1
Mietvertrag **BAIL**, 1
Mikrocomputer **MICRO-ORDINATEUR**, 1
Mikroinformatik **MICRO-INFORMATIQUE**, 1
Mikroökonomie **MICRO-ÉCONOMIE**, 1
mikroökonomisch **MICRO-ÉCONOMIQUE**, 1
Mikroprozessor **PUCE**, 1
mildern **MODÉRER**, 1
mindern **AMPUTER**, 1; **DIMINUER**, 1
Mindest- **MINIMAL, -ALE**, 1; **MINIMUM, MINIMA**, 1
Mindesteinkommen (gesetzlich garantierte ~) **SMIG**
Mindestgrenze **PLANCHER**, 1
Mindestlohn **MINIMEX**, 1
Mindestlohn (gesetzlich garantierte ~) **SMIC**
Mindestlohns (Bezieher eines ~) **SMICARD, SMICARDE**, 1
Mindestlohns (Empfänger eines ~) **MINIMEXÉ, MINIMEXÉE**, 1
Mindestpreis **PRIX(-)PLANCHER**, 1
Mindestvorrat **STOCK(-)OUTIL**, 1; **STOCK(-)TAMPON**, 1
Mindestwert **PLANCHER**, 1
minimal **MINIME**, 1
Minimal- **MINIMAL, -ALE**, 1; **MINIMUM, MINIMA**, 1
Minimalpreis **PRIX(-)PLANCHER**, 1
minimieren **MINIMISER**, 1
Minimierung **MINIMISATION**, 1
Minimum **MINIMUM**, 1
Misswirtschaft **GABEGIE**, 1
Mitaktionär **COACTIONNAIRE**, 1
Mitarbeit **COLLABORATION**, 1; **COOPÉRATION**, 1
mitarbeiten **COLLABORER**, 1
Mitarbeiter **COLLABORATEUR, COLLABORATRICE**, 1

Mitarbeiter (als ~ unternehmerisch denken und handeln) **INTRAPRENDRE**, 1
Mitarbeiter (freie ~) **INDÉPENDANT, INDÉPENDANTE**, 1
Mitarbeiter (unternehmerisch handelnde ~ im Unternehmen **INTRAPRENEUR, INTRAPRENEUSE**, 1
Mitbestimmung **COGESTION**, 1
Mitbewerber **COMPÉTITEUR, COMPÉTITRICE**, 1; **CONCURRENT, CONCURRENTE**, 1
Mitbewohner **COLOCATAIRE**, 1
Miteigentum **COPROPRIÉTÉ**, 1
Miteigentümer **COPROPRIÉTAIRE**, 1
Mitgeschäftsführer **COGÉRANT, COGÉRANTE**, 1
Mitglied **ADHÉRENT, ADHÉRENTE**, 1; **AFFILIÉ, AFFILIÉE**, 1
Mitglied einer Genossenschaft **COOPÉRATEUR, COOPÉRATRICE**, 1
Mitglied werden **AFFILIER**, 1
Mitmieter **COLOCATAIRE**, 1
mitteilen **COMMUNIQUER**, 1
Mittel **INSTRUMENT**, 1; **MOYENNE**, 1
Mittel neu aufteilen **RÉALLOUER**, 1
Mittel neu zuteilen **RÉALLOUER**, 1
Mittel (finanziellen, etc. ~) **RESSOURCES**, 1
Mittel (flüssige ~) **CASH**, 1; **DISPONIBILITÉS**, 1; **LIQUIDITÉ**, 3; **TRÉSORERIE**, 1
Mittel (Fonds liquider ~) **FONDS**, 5
Mittel (Konto ~ zuführen) **ALIMENTER**, 2
mittellos **DÉMUNI, -IE**, 1; **DÉSARGENTÉ, -ÉE**, 1
mittelmässig **MÉDIOCRE**, 1; **MOYENNEMENT**, 1
Mittelschicht **CLASSES MOYENNES**, 1
Mittelsperson **INTERMÉDIAIRE**, 1
Mittelstand **CLASSES MOYENNES**, 1
Mittelstand (gewerbliche ~) **PMI**
mittelständische Industrie **PMI**
Mittelverwendung **EMPLOI**, 4
mittlere(r,s) **MOYEN, -ENNE**, 1
Mitversicherer **COASSUREUR**, 1
mitversichern **COASSURER**, 1
Mitversicherung **COASSURANCE**, 1
Möbeltischler **MENUISIER**, 1
Mobiliar- **MOBILIER, -IÈRE**, 1
Modell **MODÈLE**, 1
Modeschöpfer **COUTURIER**, 1
Modeschöpferin **COUTURIÈRE**, 1
monatlich **MENSUEL, -ELLE**, 1; **MENSUELLEMENT**, 1
monatlich bezahlen **MENSUALISER**, 1
monatliche Zahlung **MENSUALISATION**, 1
Monats- **MENSUEL, -ELLE**, 1
Monatsbetrag **MENSUALITÉ**, 1
Monatslohn beziehen **MENSUALISER**, 1
Monatsrate **MENSUALITÉ**, 1
monetär **MONÉTAIRE**, 1
Monetarismus **MONÉTARISME**, 1
Monetarist **MONÉTARISTE**, 1
monetaristisch **MONÉTARISTE**, 1
Monopol **MONOPOLE**, 1
Monopol- **MONOPOLISTE**, 1
monopolisieren **MONOPOLISER**, 1
Monopolisierung **MONOPOLISATION**, 1
Monopolist **MONOPOLEUR, MONOPOLEUSE**, 1
monopolistisch **MONOPOLISTE**, 1; **MONOPOLISTIQUE**, 1
Monopols (Aufhebung des ~) **DÉMONOPOLISATION**, 1
Montage **ASSEMBLAGE**, 1
Monteur **ASSEMBLEUR, ASSEMBLEUSE**, 1
Müll **DÉCHET**, 1; **ORDURES**, 1; **RÉSIDU**, 1
Multi **MULTINATIONALE**, 1
Multimedia **MULTIMÉDIA**, 1
multinationale Konzern **MULTINATIONALE**, 1
Multipack **MULTIPACK**, 1
mündelsicheres Wertpapier **VALEUR(-)REFUGE**, 1
Mund-zu-Mund-Reklame **BOUCHE À OREILLE**, 1
Mund-zu-Mund-Werbung **RADIO TROTTOIR**, 1
Münzarbeiter **MONNAYEUR**, 1
Münze **MONNAIE**, 2
Münzprägung **MONNAYAGE**, 1
Muster **ÉCHANTILLON**, 1; **MODÈLE**, 1
Mustergeschäft **MAGASIN-PILOTE**, 1
Mustervertrag **CONTRAT(-)TYPE**, 1
Mutter **SOCIÉTÉ(-)MÈRE**, 1
Muttergesellschaft **MAISON-MÈRE**, 1; **SOCIÉTÉ(-)MÈRE**, 1
MWS (Mehrwertsteuer) **TVA**
MwSt (inkl. ~, inklusive Mehrwertsteuer) **TTC**
nach und nach **PROGRESSIVEMENT**, 1
nachgeben **FLÉCHIR**, 1
nachgeben (stark ~) **PLONGER**, 1
Nachkriegsjahre (goldenen ~) **TRENTE GLORIEUSES**, 1
Nachlass **REMISE**, 1
Nachlassen **DÉCLIN**, 1
nachlassen **DÉCLINER**, 1
Nachricht (elektronische ~) **MÉL**, 1
Nachtrag **AVENANT**, 1
Näherungswert **APPROXIMATION**, 1
nahrhaft **NOURRISSANT, -ANTE**, 1
Nahrung **ALIMENTATION**, 1; **NOURRITURE**, 1
Nahrungsmittel **ALIMENT**, 1; **ALIMENTATION**, 1; **NOURRITURE**, 1
Nahrungsmittel- **AGROALIMENTAIRE**, 1
Nahrungsmittelindustrie **AGROALIMENTAIRE**, 1
Naturalleistungen **AVANTAGE**, 3
natürliche Person **PERSONNE PHYSIQUE**, 1
nebenberuflich **EXTRA-PROFESSIONNEL, -ELLE**, 1
Nebenprodukt **SOUS-PRODUIT**, 1
nebensächlich **ACCESSOIRE**, 1
negativ **NÉGATIF, -IVE**, 2; **NÉGATIVEMENT**, 1
Nenn- **NOMINAL, -ALE**, 1
netto **NET, NETTE**, 1
Nettoinlandsprodukt **PIN**
Netz der Tochtergesellschaften ausbauen **FILIALISER**, 1
Netzes (Ausbau des ~ der Tochtergesellschaften) **FILIALISATION**, 1
Neuaufteilung **RÉALLOCATION**, 1
Neubelebung **REDÉMARRAGE**, 1
Neubelieferung **RÉAPPROVISIONNEMENT**, 1
Neubewertung **RÉÉVALUATION**, 1
Neuerer **INNOVATEUR, INNOVATRICE**, 1; **NOVATEUR, NOVATRICE**, 1
Neuerung **INNOVATION**, 2
Neuerungen einführen **INNOVER**, 1
Neugestaltung **RÉAMÉNAGEMENT**, 1
Neuinvestition **RÉINVESTISSEMENT**, 1
Neuorganisation **RECONFIGURATION**, 1
Neuverteilung **REDISTRIBUTION**, 1
Neuzuteilung **RÉALLOCATION**, 1
Nichtbezahlung **NON-PAIEMENT**, 1; **NON-PAYEMENT**, 1
Nichteintreibung **NON-RECOUVREMENT**, 1
Nichterhebung **NON-RECOUVREMENT**, 1
Nichterwerbstätige **INACTIF**, 1; **NON-TRAVAILLEUR**, 1
Nichterwerbstätigen **NON-ACTIFS**, 1
Nichtindexierung **NON-INDEXATION**, 1
Nichtlieferung **NON-LIVRAISON**, 1
Nichtstreikende **NON-GRÉVISTE**, 1
Nichtzahlung **NON-PAIEMENT**, 1; **NON-PAYEMENT**, 1
Niederlassung **BUREAU**, 1; **SUCCURSALE**, 1
niedrig **BAS, BASSE**, 1; **MAIGRE**, 1; **MODIQUE**, 1
Niedrigpreisaktion **ACTION**, 2
Niedrigstpreisen (zu ~ verkaufen) **BRADER**, 1
Nische **NICHE**, 1
Nominal- **NOMINAL, -ALE**, 1
Nonprofit-Sektor **NON-MARCHAND**, 1
Nord-Amerikanisches Freihandelsabkommen **ALENA**
Norm **NORME**, 1
normen **NORMALISER**, 1
normieren **NORMALISER**, 1
Normierung **NORMALISATION**, 1
Normung **NORMALISATION**, 1
Notgroschen **CAGNOTTE**, 1
notieren **COTER**, 1
Notierung **COTATION**, 1; **COTE**, 1; **NOTATION**, 1
Notierung der Wertpapiere **COTE**, 2
nuklear **NUCLÉAIRE**, 1
Null Defekt **ZÉRO PANNE**, 1
Null Panne **ZÉRO PANNE**, 1
Null Papier **ZÉRO PAPIER**, 1
nutzbar **EXPLOITABLE**, 1
Nutzen **PROFIT**, 1
Nutzen ziehen aus **PROFITER**, 1
Nutzfahrzeug **UTILITAIRE**, 1
Obdachlose **SDF**
oben (nach ~ schiessen) **FLAMBER**, 1
oben (wieder nach ~ gehen) **REMONTER**, 1
Ober **GARÇON**, 1
Obergrenze festlegen **PLAFONNER**, 1
Objectives (Management by ~) **DPO**
Obligation **OBLIGATION**, 1
Obligation der Staatskasse **OLO**
Obligations- **OBLIGATAIRE**, 1; 2
OECD (Organisation für wirtschaftliche Zusammenarbeit und Entwicklung) **OCDE**
offen **VACANT, -ANTE**, 1
offene Handelsgesellschaft (OHG) **SNC**
offene Investmentfonds **SICAV**
öffentliche Angestellte **FONCTIONNAIRE**, 1
öffentliche Anleihe **RENTE**, 3
öffentliche Dienst **ADMINISTRATION**, 2; **FONCTION**, 3; **PUBLIC**, 1
öffentliche Gelder **DENIERS PUBLICS**, 1
öffentliche Kaufangebot **OPA**
öffentliche Sektor **PUBLIC**, 2
öffentliche Umtauschangebot **OPE**
öffentliche Unternehmen **RÉGIE**, 1
öffentliche Verkaufsangebot **OPV**
öffentlichen Kreditinstitute **IPC**
öffentlichen (Angestellte im ~ Dienst) **CONTRACTUEL, CONTRACTUELLE**, 1
öffentlichen (Arbeitsbeschaffungsmassnahmen der ~ Hand für 16 - 25jährige) **TUC**
öffnen **OUVRIR**, 2
OHG (offene Handelsgesellschaft) **SNC**
Okkupation **OCCUPATION**, 2
okkupieren **OCCUPER**, 2
Ökologe **ÉCOLOGISTE**, 1

Ökologie **ÉCOLOGIE**, 1
ökologisch **ÉCO**, 2; **ÉCOLOGIQUE**, 1; **ÉCOLOGISTE**, 1
Ökonometrie **ÉCONOMÉTRIE**, 1
ökonometrisch **ÉCONOMÉTRIQUE**, 1
Ökonomie **ÉCONOMIE**, 1; 2
ökonomisch **ÉCO**, 1; **ÉCONOMIQUE**, 1; **ÉCONOMIQUEMENT**, 1
ökonomische Bereich **ÉCONOMIQUE**, 1
Ökonomische **ÉCONOMIQUE**, 1
Ökonomismus **ÉCONOMISME**, 1
Ökosteuer **ÉCOTAXES**, 1
Öl **PÉTROLE**, 1
Öl- **PÉTROLIER, -IÈRE**, 1
Oligopol **OLIGOPOLE**, 1
oligopolistisch **OLIGOPOLISTIQUE**, 1
Öltanker **PÉTROLIER**, 1
Online Banking **PC-BANKING**, 1
OPEC (Organisation erdölexportierender Länder) **OPEP**
operationell **OPÉRATIONNEL, -ELLE**, 1
operieren **OPÉRER**, 2
Opfer **SINISTRÉ, SINISTRÉE**, 1
Option **OPTION**, 1
Optionsschein **WARRANT**, 1
ordentlich **BON, BONNE**, 1
Order **ORDRE**, 1
ordnungsgemäss ausgefüllt **DÛMENT REMPLI**, 1
Organigramm **ORGANIGRAMME**, 1
Organisation **GROUPEMENT**, 1; **ORGANISATION**, 1; 3
Organisation erdölexportierender Länder (OPEC) **OPEP**
Organisation für wirtschaftliche Zusammenarbeit und Entwicklung (OECD) **OCDE**
Organisationsgrad (gewerkschaftliche ~) **SYNDICALISATION**, 1
organisieren (gewerkschaftlich ~) **SYNDICALISER**, 1
organisieren (sich gewerkschaftlich ~) **SYNDIQUER**, 1
Organisierung (gewerkschaftliche ~) **SYNDICALISATION**, 1
Organisierungsgrades (Sinken des gewerkschaftlichen ~) **DÉSYNDICALISATION**, 1
Ort **PLACE**, 1
Outplacement **OUTPLACEMENT**, 1
Outplacement-Berater **OUTPLACEUR**, 1
Outplacement-Beraters (eine entlassene Führungskraft mit Hilfe eines ~ für einen neuen Arbeitsplatz qualifizieren) **OUTPLACER**, 1
Outsourcing **IMPARTITION**, 1; **OUTSOURCING**, 1
Ozeandampfer **PAQUEBOT**, 1
Paar **COUPLE**, 1
Pachtvertrag **BAIL**, 1
Päckchen **PAQUET**, 2
Packung **PACKAGING**, 1
Paket **COLIS**, 1; **PAQUET**, 2; 3
Palette **GAMME**, 1; **PALETTE**, 1
Panel **PANEL**, 1
Panne (Null ~) **ZÉRO PANNE**, 1
Papier (Null ~) **ZÉRO PAPIER**, 1
Papiergeld **PAPIER-MONNAIE**, 1
papierlos **ZÉRO PAPIER**, 1
Pappe **CARTON**, 1
parafiskalisch **PARAFISCAL, -ALE**, 1
Parafiskalität **PARAFISCALITÉ**, 1
Pari **PAIR**, 1
Parität **PARITÉ**, 1
Parkett (des Börsensaales) **CORBEILLE**, 1
parlamentarische Weihnachtsferien **TRÊVE DES CONFISEURS**, 1
Partner **ALLIÉ, ALLIÉE**, 1; **PARTENAIRE**, 1
Partnerschaft **PARTENARIAT**, 1; **PARTNERSHIP**, 1
Passagier **PASSAGER, PASSAGÈRE**, 1
Passagierschiff **PAQUEBOT**, 1
Passiva **PASSIF**, 1
Passivposten **PASSIF**, 1
Passivseite **PASSIF**, 2
Patent **BREVET**, 2
pauschal **FORFAITAIRE**, 1
pauschal festgesetzt **FORFAITAIREMENT**, 1
Pauschal- **FORFAITAIRE**, 1
Pauschalbetrag **FORFAIT**, 1
Pauschale **FORFAIT**, 1
Pendelbus **NAVETTE**, 1
Pendelverkehr **NAVETTE**, 1
Pension **PENSION**, 1; **RENTE**, 2; **RETRAITE**, 1
Pensionär **RETRAITÉ, RETRAITÉE**, 1
pensioniert **RETRAITÉ, -ÉE**, 1
Pensionierung **PENSION**, 2; **RETRAITE**, 2
Pensionierung (vorzeitige ~) **PRÉPENSION**, 1
Pensionsalter **PENSION**, 2
Person, die mehrere Tätigkeiten ausübt **CUMULARD, CUMULARDE**, 1
Person, die mehreren Beschäftigungen nachgeht **CUMULARD, CUMULARDE**, 1
Person mit einem Abschluss **DIPLÔMÉ, DIPLÔMÉE**, 1; **DIPLÔMÉ, -ÉE**, 1
Person ohne festen Wohnsitz **SDF**
Person (gekaufte ~) **VENDU**, 2
Person (juristische ~) **PERSONNE MORALE**, 1
Person (natürliche ~) **PERSONNE PHYSIQUE**, 1
Person (schwerreiche ~) **RICHARD, RICHARDE**, 1
Personal **MAIN-D'ŒUVRE**, 1; **PERSONNEL**, 1
Personal abbauen **DÉGRAISSER**, 1
Personal reduzieren **DÉGRAISSER**, 1
Personal (Abbau von ~) **DÉBAUCHAGE**, 2
Personalabbau **DÉGRAISSAGE**, 1
Personalabteilung (Leiter der ~) **DRH**
Personalberater **RECRUTEUR, RECRUTEUSE**, 1
Personalbestand **EFFECTIF**, 1
Personaldirektor **DRH**
Personalführung **DRH**
Personalmanagement **DRH**
Personals (Beschäftigung überqualifizierten ~) **SOUS-EMPLOI**, 2
peseta **PESETA**, 1
Petrochemie **PÉTROCHIMIE**, 1
petrochemisch **PÉTROCHIMIQUE**, 1
Petrodollar **PÉTRODOLLARS**, 1
Pfand **CONSIGNE**, 1; **NANTISSEMENT**, 1
Pfand berechnen **CONSIGNER**, 2
Pfandbetrag **CONSIGNE**, 1
pfandrechtlich (eine nicht ~ gesicherte Schuldverschreibung) **DÉBENTURE**, 1
Pfands (Berechnung eines ~) **CONSIGNATION**, 3
Pfleger **CURATEUR, CURATRICE**, 1
Pflegschaft **CURATELLE**, 1
Pfund **LIVRE (STERLING)**, 1; **LIVRE**, 1
pharmazeutisch **PHARMACEUTIQUE**, 1
Pharmazie **PHARMACIE**, 1
Pilotgeschäft **MAGASIN-PILOTE**, 1
Plafonierung **PLAFONNEMENT**, 1
Plafonierung (erneute ~) **REPLAFONNEMENT**, 1
Plakat **AFFICHE**, 1
Plakatentwerfer **AFFICHISTE**, 1
Plakatkleber **AFFICHEUR**, 3
Plakatmaler **AFFICHISTE**, 1
Plan **PLAN**, 1; 2; **PLANNING**, 1; **PROGRAMME**, 1; **PROJET**, 1
Plan für etwas aufstellen **PLANIFIER**, 1
planen **PLANIFIER**, 1
Planer **PLANIFICATEUR, PLANIFICATRICE**, 1
Planifikation **PLANIFICATION**, 1
Planung **PLANIFICATION**, 1
Planung (Entwurf und ~) **INGÉNIERIE**, 1
Planungsfachmann **PLANIFICATEUR, PLANIFICATRICE**, 1
Planwirtschaft **DIRIGISME**, 1
Platz **PLACE**, 1
Plazierung **PLACEMENT**, 1
plötzlich **BRUSQUE**, 1; **BRUSQUEMENT**, 1
Plus- **POSITIF, -IVE**, 1
Police **POLICE**, 1
politisch und administrativ **POLITICO-ADMINISTRATIF, -IVE**, 1
politisch und finanziell **POLITICO-FINANCIER, -IÈRE**, 1
politisch-administrativ **POLITICO-ADMINISTRATIF, -IVE**, 1
politisch-finanziell **POLITICO-FINANCIER, -IÈRE**, 1
Pool **POOL**, 1
Portefeuille **PORTEFEUILLE**, 2
Porto **PORT**, 2
Position **POSITION**, 1
positionieren **POSITIONNER**, 1
Positionierung **POSITIONNEMENT**, 1
positiv **POSITIF, -IVE**, 1; **POSITIF, -IVE**, 2; **POSITIVEMENT**, 1
Post **CORRESPONDANCE**, 2; **COURRIER**, 1; 2; **POSTE**, 4
Post (elektronische ~) **COURRIEL**, 1; **MÉL**, 1
Postbeamte **POSTIER, POSTIÈRE**, 1
Posten **ARTICLE**, 2; **LOT**, 1; **POSTE**, 3
Postens (Streichung eines ~ im Haushalt) **DÉBUDGÉTISATION**, 1
postindustriell **POST(-)INDUSTRIEL, -IELLE**, 1
Postscheckkonto **CCP**
Postsendung **COURRIER**, 2
Postverkehr (elektronische ~) **MESSAGERIE**, 2
POS-Werbung **PLV**
PR **RELATIONS PUBLIQUES**, 1; **RP**
Prämie **PRIME**, 1
Prämienaufschlag **MALUS**, 1
präsentieren (in etw.) **CONDITIONNER**, 1
Präsident **PRÉSIDENT, PRÉSIDENTE**, 1
Präsidentschaft **PRÉSIDENCE**, 1
Prasser **GASPILLEUR, GASPILLEUSE**, 1
Praxis **CABINET**, 1
Preis **PRIX**, 1; **TARIF**, 1; **TAUX**, 3
Preis (einen ~ von etwas herabsetzen) **DÉMARQUER**, 1
Preis (einer Ware) festsetzen **TARIFER**, 1; **TARIFIER**, 1
Preis (halbe ~) **DEMI-TARIF**, 1
Preis- **TARIFAIRE**, 1
Preisauftrieb (starke ~) **FLAMBÉE**, 1
Preise stark senken **ÉCRASER**, 1
Preiselastizität **ÉLASTICITÉ-PRIX**, 1
Preisen (verkaufen zu herabgesetzten ~) **DISCOMPTER**, 1; **DISCOUNTER**, 1
Preises (Festsetzung des ~) **TARIFICATION**, 1
Preises (Herabsetzen eines ~) **DÉMARQUAGE**, 1
Preisexplosion **FLAMBÉE**, 1
Preisindex **INDEX-SANTÉ**, 1; **INDICE-SANTÉ**, 1
preislich **TARIFAIRE**, 1

Preisliste **TARIF**, 2
Preisnachlass **ABATTEMENT**, 2; **DISCOMPTE**, 3; **DISCOUNT**, 3; **REMISE**, 1; **RISTOURNE**, 1
Preisnachlass gewähren **RISTOURNER**, 1
Preissenkung (starke ~) **ÉCRASEMENT**, 1
Preissturz **DÉGRINGOLADE**, 1
Preisunterbietung **DUMPING**, 1; **GÂCHAGE**, 1
Preisverzeichnis **TARIF**, 2
Preiswettbewerb **COMPÉTITIVITÉ-PRIX**, 1
primäre Sektor **PRIMAIRE**, 1
privatisierbar **PRIVATISABLE**, 1
privatisieren **PRIVATISER**, 1
Privatisierung **PRIVATISATION**, 1
privatrechtlich organisierte Gesellschaft mit beschränkter Haftung **SPRL**
Privatsektor **PRIVÉ**, 1
Probestück **ÉCHANTILLON**, 1
Produkt **PRODUIT**, 1
Produkt mit hohen Zuwachsraten **ÉTOILE**, 1
Produktes (Vertreibung eines ~ unter einem gemeinsamen Namen) **COGRIFFAGE**, 1
Produktion **PRODUCTION**, 1; 2; 3
Produktion (computerunterstütze Steuerung und Überwachung der ~) **FAO**
Produktions- **PRODUCTIF, -IVE**, 3
Produktionsablauf **FILIÈRE**, 1
Produktionsapparat **APPAREIL**, 2
Produktionseinhelt **PRODUCTION**, 3
Produktionsmenge **PRODUCTION**, 2
produktiv **PRODUCTIF, -IVE**, 1
produktiven Kräfte **PRODUCTIF**, 1
Produktivität **PRODUCTIVITÉ**, 1
produktivitätstheoretisch **PRODUCTIVISTE**, 1
Produktivitätstheorie **PRODUCTIVISME**, 1
Produktpositionierung **POSITIONNEMENT**, 1
Produzent **FABRIQUE**, 2; **PRODUCTEUR, PRODUCTRICE**, 1
produzieren **PRODUIRE**, 1; **TRAVAILLER**, 1
professionalisieren **PROFESSIONNALISER**, 1
Professionalisierung **PROFESSIONNALISATION**, 1
Professionalismus **PROFESSIONNALISME**, 1
professionell **PROFESSIONNEL, -ELLE**, 3; **PROFESSIONNELLEMENT**, 2
Profi **PRO**, 1; **PROFESSIONNEL, PROFESSIONNELLE**, 1
profihaft **PROFESSIONNEL, -ELLE**, 3
Profit **BÉNEF**, 1; 2
profitieren von **PROFITER**, 1
profitieren (von einer Sache) **BÉNÉFICIER**, 1; 2
Programm **CHAÎNE**, 2; **GAMME**, 1; **PLAN**, 1; **PROGRAMME**, 1; 2
Programm der Labour Party **TRAVAILLISME**, 1
Programmierer **PROGRAMMEUR, PROGRAMMEUSE**, 1
Progression **PROGRESSION**, 1
progressiv **PROGRESSIF, -IVE**, 1
Projekt **PROJET**, 1
Prokurist **FONDÉ DE POUVOIR**, 1
Promoter **PROMOTEUR, PROMOTRICE**, 1
Promoter- **PROMOTEUR, -TRICE**, 1
prosperierend **PROSPÈRE**, 1
Protektionismus **PROTECTIONNISME**, 1
protektionistisch **PROTECTIONNISTE**, 1
Protest **PROTÊT**, 1
Prototyp **PROTOTYPE**, 1
Provision **COMMISSION**, 2
Prozent **CENT** (un pour ~), 1
Prozentsatz **POURCENTAGE**, 1; **TAUX**, 1
Prozess **PROCESSUS**, 1
prüfen **AUDITER**, 1; **ÉTUDIER**, 2; **RÉVISER**, 1; **VÉRIFIER**, 1
Prüfer **AUDIT**, 2; **AUDITEUR, AUDITRICE**, 1; **RÉVISEUR**, 1; **VÉRIFICATEUR, VÉRIFICATRICE**, 1
Prüfung **VÉRIFICATION**, 1
Prüfung durchführen **AUDITER**, 1
Public Relations **RELATIONS PUBLIQUES**, 1; **RP**
Pufferlager **STOCK(-)TAMPON**, 2
Punkt (stark frequentierte ~) **POINT CHAUD**, 1
purzeln **DÉGRINGOLER**, 1
Qualifikation **QUALIFICATION**, 1
Qualifikation (Beschäftigung unterhalb der ~) **SOUS-EMPLOI**, 2
Qualifikationen **PROFIL**, 1
qualifiziert **QUALIFIÉ, -IÉE**, 1
Qualität **QUALITÉ**, 1
qualitativ **QUALITATIF, -IVE**, 2
Qualitäts- **QUALITATIF, -IVE**, 1
Qualitätsgarantie **LABEL**, 1
quantifizierbar **QUANTIFIABLE**, 1
quantifizieren **QUANTIFIER**, 1
Quantität **QUANTITÉ**, 1
quantitativ **QUANTITATIF, -IVE**, 1
Quartal **TRIMESTRE**, 1
quartalsweise **TRIMESTRIEL, -IELLE**, 1
quasiöffentlich **PARASTATAL, -ALE**, 1
Quelle **SOURCE**, 1
Quellenabzug **RETENUE**, 1
Quellensteuer **PRÉCOMPTE**, 1
Quittung **ACQUIT**, 1; **QUITTANCE**, 1; **RÉCÉPISSÉ**, 1; **REÇU**, 1
Quote **QUOTA**, 1; **QUOTE-PART**, 1; **QUOTITÉ**, 1; **TAUX**, 2
Quotient **QUOTIENT**, 1
R&D (Forschung und Entwicklung) **RECHERCHE ET (LE) DÉVELOPPEMENT**, 1; **R(&)D**
Rabatt **DISCOMPTE**, 3; **DISCOUNT**, 3; **ESCOMPTE**, 1; **RABAIS**, 1; **REMISE**, 1
Raffinerie **RAFFINERIE**, 1
Raffineur **RAFFINEUR**, 1
Raffinieren **RAFFINAGE**, 1
raffinieren **RAFFINER**, 1
Raider **CHEVALIER NOIR**, 1; **PRÉDATEUR**, 1; **RAIDER**, 1
Ramsch **CAMELOTE**, 1; **PACOTILLE**, 1
Ramschware (billige ~) **CAMELOTE**, 1
Rangordnung **HIÉRARCHIE**, 1
rasend **FULGURANT, -ANTE**, 1
Rat **CONSEIL**, 1
Rate **QUOTE-PART**, 1; **TAUX**, 2
Ratgeber **CONSEILLER, CONSEILLÈRE**, 1
Rating **RATING**, 1
rationalisieren **RATIONALISER**, 1
Rationalisierung **RATIONALISATION**, 1
Raubritter **CHEVALIER NOIR**, 1
räumen **LIQUIDER**, 1
rauswerfen **BALANCER**, 1
real **RÉEL, -ELLE**, 1
Rebe **VIGNE**, 1
Rechnen **CALCUL**, 1
rechnen **CALCULER**, 1
Rechner **CALCULATEUR**, 1; **CALCULATRICE**, 1
Rechnung **ADDITION**, 2; **COMPTE**, 3; **DOULOUREUSE**, 1; **FACTURE**, 1; 2
Rechnung (ausstehende ~) **IMPAYÉ**, 1
Rechnung (in ~ gestellt werden) **FACTURABLE**, 1
Rechnung (in ~ stellen) **FACTURER**, 1
Rechnung (sehr teuere ~) **COUP DE BARRE**, 1; **COUP DE FUSIL**, 1
Rechnungsabschluss **APUREMENT**, 1
Rechnungsabteilung **FACTURATION**, 2
Rechnungsbuch **FACTURIER, FACTURIÈRE**, 2
Rechnungsjahr **EXERCICE**, 1
Rechnungsprüfer **AUDIT**, 2; **RÉVISEUR**, 1
Rechnungsprüfung **APUREMENT**, 1; **AUDIT**, 1
Rechnungstellung **FACTURATION**, 1
Rechtsberater **SYNDIC**, 1
Rechtsschutzversicherung **CONTRE-ASSURANCE**, 2
Recycling **RECYCLAGE**, 2
Rediskont **RÉESCOMPTE**, 1
rediskontieren **RÉESCOMPTER**, 1
reduzieren **COMPRIMER**, 1; **DISCOMPTER**, 2; **RÉDUIRE**, 1
reduzieren (Personal ~) **DÉGRAISSER**, 1
Reduzierung **COMPRESSION**, 1
Reeder **ARMATEUR**, 1
Reengineering **REENGINEERING**, 1
Referat **DIRECTION**, 4
Referenzwert **RÉFÉRENCE**, 1
Refinanzierung **REFINANCEMENT**, 2
Regal **ÉTAGÈRE**, 1; **RAYON**, 1
Regel **NORME**, 1; **RÈGLE**, 1
regelmässig **RÉGULIER, -IÈRE**, 1
Regelung **TRANSACTION**, 2
registrieren **ENREGISTRER**, 1
Reglement **RÈGLEMENT**, 1
reglementieren **RÉGLEMENTER**, 1
Reglementierung **RÉGLEMENTATION**, 1
Regression **RÉGRESSION**, 1
regressiv **RÉGRESSIF, -IVE**, 1
reich **ARGENTÉ, -ÉE**, 1; **FORTUNÉ, -ÉE**, 1; **RICHE**, 1
Reiche **RICHE**, 1
reicher werden **ENRICHIR**, 1
Reicherwerden **ENRICHISSEMENT**, 1
reichhaltig **RICHE**, 2
reichlich **ABONDANT, -ANTE**, 1
Reichtum **RICHESSE**, 1; 2; 3
Reichtums (Zunahme des ~) **ENRICHISSEMENT**, 1
Reifephase **MATURITÉ**, 1
Reingewinn **BONI**, 1
reinvestieren **RÉINVESTIR**, 1
Reise **VOYAGE**, 1
Reisebus **AUTOCAR**, 1
reisen **VOYAGER**, 1
Reisende **PLACIER, PLACIÈRE**, 1; **VOYAGEUR, VOYAGEUSE**, 1
Reisende (angestellte ~) **REPRÉSENTANT, REPRÉSENTANTE**, 1
Reiseveranstalter **TOUR-OPÉRATEUR**, 1; **VOYAGISTE**, 1
Reiseversicherung **ASSURANCE(-)VOYAGE**, 1
Reklame **PUB**, 1; **PUBLICITÉ**, 1; **RÉCLAME**, 1
Reklame- **PUBLICITAIRE**, 1
Rekord- **RECORD**, 1
Rendite **RENDEMENT**, 4; **RENTE**, 1; **RETURN**, 1
Renner **VEDETTE**, 1
rentabel **RENTABLE**, 1
rentabel führen **GÉRER**, 2
rentabel machen **RENTABILISER**, 1
Rentabilität **PROFITABILITÉ**, 1; **RENDEMENT**, 1; 3; **RENTABILITÉ**, 1; **RETURN**, 1
Rente **PENSION**, 1; **RENTE**, 2; 4; **RETRAITE**, 1

Rentenempfänger **PENSIONNÉ, PENSIONNÉE**, 1; **RENTIER, RENTIÈRE**, 2
Rentensparen **ÉPARGNE-PENSION**, 1; **ÉPARGNE-RETRAITE**, 1
Rentensparvertrag **ÉPARGNE-PENSION**, 1; **ÉPARGNE-RETRAITE**, 1
Rentenversicherung **ASSURANCE(-) PENSION**, 1; **ASSURANCE(-) VIEILLESSE**, 1
Rentier **RENTIER, RENTIÈRE**, 1; 3; 4
Rentner **PENSIONNÉ, PENSIONNÉE**, 1; **RENTIER, RENTIÈRE**, 2; **RETRAITÉ, RETRAITÉE**, 1
Reparaturwerkstatt **GARAGE**, 1
Reserve **RÉSERVE**, 1
Ressourcen (finanziellen, etc. ~) **RESSOURCES**, 1
Rest **SOLDE**, 1
Restbetrag **SOLDE**, 1
Restposten **INVENDU**, 1; **LAISSÉ(-) POUR(-)COMPTE**, 1
Restrukturierung **REENGINEERING**, 1
Resultat **RÉSULTAT**, 1
Retourware **LAISSÉ(-)POUR(-)COMPTE**, 2
revidierbar **RÉVISABLE**, 1
revidieren **RÉVISER**, 2
Revision **AUDIT**, 1
Revisor **AUDIT**, 2; **AUDITEUR, AUDITRICE**, 1; **RÉVISEUR**, 1
Rezession **DÉPRESSION**, 1; **RÉCESSION**, 1
richtig (für ~ erkennen) **APURER**, 1
Richtlinie **DIRECTIVE**, 1; 2
Riese **GÉANT**, 1
riesig **ÉNORME**, 1; **GIGANTESQUE**, 1
Risiko-Kapital **CAPITAL(-)RISQUE**, 1
Risikolebensversicherung **ASSURANCE(-)DÉCÈS**, 1
Ritter (weisse ~) **CHEVALIER BLANC**, 1
Roboter **ROBOT**, 1
Robotertechnik **ROBOTIQUE**, 1
Robotertechnik ((zunehmende) Einsatz der ~) **ROBOTISATION**, 1
Rollenanzeige **AFFICHEUR**, 2
Rubel **ROUBLE**, 1
rückdiskontieren **RÉESCOMPTER**, 1
rückerstatten (Beitrag ~) **RISTOURNER**, 2
Rückerstattung **REMBOURSEMENT**, 2
Rückgang **BAISSE**, 1; **CONTRACTION**, 2; **DÉCRUE**, 1; **DÉGRADATION**, 1; **FLÉCHISSEMENT**, 1; **RÉCESSION**, 1; **RECUL**, 1; **RÉGRESSION**, 1; **REPLI**, 1; **TASSEMENT**, 1
Rückgang der Geschäfte **ACCALMIE**, 1
Rückgang der Inflation **DÉSINFLATION**, 1
Rückkauf **RACHAT**, 1; **REPRISE**, 1
rückkaufen **RACHETER**, 1
Rückkäufer **RACHETEUR, RACHETEUSE**, 1
rückläufig **RÉGRESSIF, -IVE**, 1
rückläufig sein **RÉGRESSER**, 1
rückständigen Zahlungen **ARRÉRAGES**, 1
Rückstellung bilden **PROVISIONNER**, 1
Rücktritt **DÉMISSION**, 1
Rückversicherer **RÉASSUREUR**, 1
rückversichern **RÉASSURER**, 1
Rückversicherung **CONTRE-ASSURANCE**, 1; **RÉASSURANCE**, 1
rückzahlbar **REMBOURSABLE**, 1
rückzahlbar (nicht ~) **IRREMBOURSABLE**, 1
Rückzahlung **DÉFRAIEMENT**, 1; **PAIEMENT**, 2; **PAYEMENT**, 2; **REMBOURSEMENT**, 1
Ruf (gute ~) **GOODWILL**, 2
Ruhestand **RETRAITE**, 2
Runderlass **CIRCULAIRE**, 1
Rundschreiben **CIRCULAIRE**, 1
Rutsch **DÉRAPAGE**, 1
sachkundig **EXPERT, -ERTE**, 1
Sachkundige **PROFESSIONNEL, PROFESSIONNELLE**, 1
Sachversicherung **ASSURANCE(-) DOMMAGES**, 1
Sachverstand **EXPERTISE**, 1
Sack **SAC**, 1
Safe **COFFRE(-FORT)**, 1
saldieren **SOLDER**, 1
Saldo **SOLDE**, 1
Salesfolder **ARGUMENTAIRE**, 1
Sammelgut **GROUPAGE**, 1
Sammelladung **GROUPAGE**, 1
Sammeln **COLLECTE**, 1
sammeln **COLLECTER**, 1
Sammlung **COLLECTE**, 1
Sandgrube (Inhaber einer ~) **EXPLOITANT, EXPLOITANTE**, 1
sanieren **ASSAINIR**, 1; **REDRESSER**, 2; **RENFLOUER**, 1; **RESTRUCTURER**, 1
Sanierer **REDRESSEUR**, 1
Sanierung **ASSAINISSEMENT**, 1; **RENFLOUAGE**, 1; **RENFLOUEMENT**, 1; **RESTRUCTURATION**, 1
sättigen (gesättigt) **SATURÉ, -ÉE**, 1
Sättigung **SATURATION**, 1
Satz **TAUX**, 1
-sätze **BARÈME**, 1
Säufer **BUVEUR, BUVEUSE**, 1
Schachtel **BOÎTE**, 1; **CARTON**, 2
Schaden **AVARIE**, 1; **DÉGÂT**, 1; **DÉGÂT**, 1; **DOMMAGE**, 1; **SINISTRE**, 1
Schadenfreiheitsrabatt **BONUS**, 2
Schaden(s)ersatz **DOMMAGES-INTÉRÊTS**, 1
Schadensfall **SINISTRE**, 1
Schadenversicherung **ASSURANCE(-) DOMMAGES**, 1
Schadstoff **POLLUANT**, 1
schaffen **CRÉER**, 1
Schaffung **CRÉATION**, 1
Schalter **GUICHET**, 1
Schalterangestellte **GUICHETIER, GUICHETIÈRE**, 1
Schalterbeamte **GUICHETIER, GUICHETIÈRE**, 1
Schatz **TRÉSOR**, 3
Schätze **TRÉSOR**, 3
Schätzung (ungefähre ~) **APPROXIMATION**, 1
Schaufenster **DEVANTURE**, 1; **ÉTALAGE**, 1; **VITRINE**, 1
Schaufensterauslage **ÉTALAGE**, 1
Schaufensterbummel machen **LÈCHE-VITRINE(S)**, 1; **MAGASINAGE**, 1; **MAGASINER**, 1
Schauspieler **ACTEUR**, 2
Scheck **CHÈQUE**, 1
Scheckbuch **CHÉQUIER**, 1
Scheckheft **CHÉQUIER**, 1
Schein **RÉCÉPISSÉ**, 1
schenken **OFFRIR**, 2
Schichtarbeit **3X8**, 1
schicken **ADRESSER**, 1; **ENVOYER**, 1; **EXPÉDIER**, 1
Schieber **TRAFIQUANT, TRAFIQUANTE**, 1
Schiene **RAIL**, 1
Schienen- **FERROVIAIRE**, 1
Schiff **BATEAU**, 1; **NAVIRE**, 1
schiffbar **NAVIGABLE**, 1
Schiff(s)- **NAVAL, -ALE**, 1
Schild **PANCARTE**, 1; **PANNEAU**, 1; **PANONCEAU**, 1
Schilling **SHILLING**, 1
Schirmherrschaft **PATRONAGE**, 1
Schlankheitskur **CURE D'AMAIGRISSEMENT**, 1
schlecht **NÉGATIF, -IVE**, 1; **NÉGATIVEMENT**, 1
Schlepper **NÉGRIER**, 2
Schleuder- **GÂCHÉ, -ÉE**, 1
Schleudern **DÉRAPAGE**, 1
Schleuser **NÉGRIER**, 2
schliessen **FERMER**, 1
Schliessung **FERMETURE**, 1
schlucken **ABSORBER**, 2
Schlüsselsektor **SECTEUR(-)CLÉ**, 1
Schlussverkauf **SOLDE**, 2
Schlussverkauf (im ~ anbieten **SOLDER**, 2
Schlussverkäufen (Zeit vor den ~) **PRÉ-SOLDE**, 1
Schmiergeld **DESSOUS(-)DE(-)TABLE**, 1
Schmiergeld (jedem ~ (be)zahlen) **PATTE**, 1
Schmuggel (Waffenschmuggel) **TRAFIC**, 1
Schneiderin (Damen/Herren~) **COUTURIÈRE**, 1
schnell **RAPIDE**, 1; **RAPIDEMENT**, 1
Schnickschnack **GADGET**, 1
schön (ganz ~) **JOLIMENT**, 1
Schönwetterperiode (konjunkturelle ~) **EMBELLIE**, 1
Schöpfer **CRÉATEUR, CRÉATRICE**, 1
Schöpfer- **CRÉATEUR, -TRICE**, 1
schöpferisch **CRÉATIF, -IVE**, 1
Schöpfung **CRÉATION**, 1
Schreibtisch **BUREAU**, 4
schrittweise **PROGRESSIVEMENT**, 1
schrumpfen **CONTRACTER**, 2
Schuld **DETTE**, 1; 2; **ENDETTEMENT**, 2
Schuld tilgen **AMORTIR**, 2
Schulden machen **ENDETTER**, 2
schulden (geschuldete Betrag) **DÛ**, 1
Schulden (in ~ stürzen) **ENDETTER**, 1
schulden (jemandem etwas ~) **REDEVABLE**, 1
Schulden (seine ~ abtragen) **DÉSENDETTER**, 1
Schulden (seine ~ bezahlen) **DÉSENDETTER**, 1
Schuldenlast **ENDETTEMENT**, 2
Schulderlass **REMISE**, 2
Schuldforderung **CRÉANCE**, 2
schuldig (jemandem etwas ~ sein) **REDEVABLE**, 1
Schuldner **DÉBITEUR, DÉBITRICE**, 1; **DÉBITEUR, -TRICE**, 2
Schuldner einer Leibrente **DÉBI(T)RENTIER, DÉBI(T)RENTIÈRE**, 1
Schuldschein **BILLET**, 2
Schuldverschreibung (eine nicht pfandrechtlich gesicherte ~) **DÉBENTURE**, 1
Schuldverschreibung (Inhaber einer ~) **OBLIGATAIRE**, 1
schulen **FORMER**, 1
Schund **PACOTILLE**, 1
schwach **FAIBLE**, 1; **FAIBLEMENT**, 1
Schwäche **FAIBLESSE**, 1
schwächer werden **FAIBLIR**, 1
Schwächung **FAIBLISSEMENT**, 1
Schwanken **FLOTTEMENT**, 1
schwanken **FLUCTUER**, 1; **OSCILLER**, 1; **YOYO**, 1
schwankend **FLOTTANT, -ANTE**, 1; **VOLATIL, -ILE**, 1
Schwankung **OSCILLATION**, 1; **VARIATION**, 1
Schwankungen **FLUCTUATION**, 1; **VOLATILITÉ**, 1

Schwarzhandel treiben mit **TRAFIQUER**, 1
Schweigegeld **POT-DE-VIN**, 1
Schwelle **BARRE**, 1; **SEUIL**, 1
Schwellenländer (industriellen ~) **NPI**
schwer **LOURD**, 1; **LOURD, LOURDE**, 1; **LOURDEMENT**, 1
schwer (sehr ~) **BRUTAL, -ALE**, 1
Schwer- **PONDÉREUX, -EUSE**, 1
Schwergut **PONDÉREUX**, 1
Schwergüter **PONDÉREUX**, 1
Schwerindustrie **MÉTALLURGIE**, 2
Schwerlaster **POIDS LOURD**, 1
schwerreiche Person **RICHARD, RICHARDE**, 1
Schwestergesellschaft **SOCIÉTÉ(-)SŒUR**, 1
schwinden **CONTRACTER**, 2
Schwung (in ~ bringen) **RELANCER**, 1; 2
Schwung (in ~ kommen) **DÉCOLLER**, 1
Schwung (wieder in ~ bringen) **REDRESSER**, 1
Schwung (wieder in ~ kommen) **REDÉMARRER**, 1
See **MER**, 1
See- **MARITIME**, 1
segmentieren **SEGMENTER**, 1
sehr **ÉNORMÉMENT**, 1; **HAUTEMENT**, 1
Sekretär **SECRÉTAIRE**, 1
Sekretariat **SECRÉTARIAT**, 1
Sektor **SECTEUR**, 1; 2; 3; 4
Sektor (öffentliche ~) **PUBLIC**, 2
Sektor (primäre ~) **PRIMAIRE**, 1
Sektor (sekundäre ~) **SECONDAIRE**, 1
Sektor (tertiäre ~) **TERTIAIRE**, 1
Sektoren (... mehrerer ~) **INTERSECTORIEL, -IELLE**, 1
Sektoren (der/die/das mehrere ~ betrifft) **INTERSECTORIEL, -IELLE**, 1
sektorenbezogen **SECTORIEL, -IELLE**, 1
sekundäre Sektor **SECONDAIRE**, 1
Selbständige **NON-SALARIÉ, NON-SALARIÉE**, 1
selbständiger Landwirt **AGRICULTEUR, AGRICULTRICE**, 1
Selbstbedienung **LIBRE(-)SERVICE**, 1; **SELF-SERVICE**, 1
Selbstbeteiligung **FRANCHISE**, 2
Selbstbeteiligung (des Versicherten) **TICKET MODÉRATEUR**, 1
Selbstfinanzierung **AUTOFINANCEMENT**, 1
Selbstkostenpreis **COÛTANT**, 1
Selbstkostenpreis (unter dem ~) **SEMI-GRATUIT, -UITE**, 1
Selbstverbrauch **AUTOCONSOMMATION**, 1
Selbstversorgung **AUTARCIE**, 1
Selbstversorgung (100-prozentige ~) **AUTOSUFFISANCE**, 1
selbstverwalten **AUTOGÉRER**, 1
Selbstverwaltung **AUTOGESTION**, 1
Seltenheit **RARETÉ**, 1
Semester **SEMESTRE**, 1
Seminar **SÉMINAIRE**, 1
senden **ADRESSER**, 1; **ENVOYER**, 1; **EXPÉDIER**, 1
Sendung **ENVOI**, 1
senken **ABAISSER**, 1; **BAISSER**, 1; **RÉDUIRE**, 1
senken (Preise stark ~) **ÉCRASER**, 1
senken (radikal ~) **CASSER**, 1
Senkung **ABAISSEMENT**, 1; **DIMINUTION**, 1; **RÉDUCTION**, 1
Server **SERVEUR, SERVEUSE**, 2
Sicherheit **COUVERTURE**, 1
Sicherheitsbestand **STOCK(-)OUTIL**, 1; **STOCK(-)TAMPON**, 1
sichern **COUVRIR**, 1
sichern (hypothekarisch gesichert) **HYPOTHÉCAIRE**, 1
Sightseeing **TOURISME**, 1
Silber **ARGENT**, 3
Silo **SILO**, 1
sinken **DÉCROÎTRE**, 1; **DÉGRADER**, 1; **DESCENDRE**, 1
Sinken des gewerkschaftlichen Organisierungsgrades **DÉSYNDICALISATION**, 1
sinken (wieder ~) **REDESCENDRE**, 1
Sitz einer Bank **BANCABLE**, 2; **BANQUABLE**, 2
Sitzung **RÉUNION**, 1
Sitzung haben **RÉUNIR**, 1
skrupellos (in geschäftlichen Dingen ~) **AFFAIRISTE**, 1
skrupellose Geschäftemacher **AFFAIRISTE**, 1
Slogan **SLOGAN**, 1
Software **LOGICIEL**, 1; **SOFTWARE**, 1
Sold **SOLDE**, 4
Soll **DÉBIT**, 1; 3
Soll (ins ~ buchen) **DÉBITER**, 1
Soll- **DÉBITEUR, -TRICE**, 1
Sollsaldo **DÉBET**, 1; **DÉBIT**, 2
Sollseite **DÉBIT**, 3
solvent **SOLVABLE**, 1
Solvenz **SOLVABILITÉ**, 1
Sonderangebot **PROMO**, 1; **PROMOTION**, 1; **SOLDE**, 3; **VENTE-RÉCLAME**, 1
Sonderangebote **FINS DE SAISON**, 1
Sonderpreisaktion **BRADERIE**, 1
Sonderpreisen (zu ~ verkaufen) **BRADER**, 1
Sonderverkaufsfördernd **PROMOTIONNEL, -ELLE**, 1
Sorte **RÉFÉRENCE**, 2
Sortiment **ASSORTIMENT**, 1
sozial Zukurzgekommenen **QUART(-)MONDE**, 2
sozial (wirtschaftlich und ~) **ÉCONOMICO-SOCIAL, -IALE**, 1
Sozialbezüge **REVENU**, 3
Sozialeinkommen **REVENU**, 3
Sozialismus **SOCIALISME**, 1
Sozialist **SOCIALISTE**, 1
sozialistisch **SOCIALISTE**, 1
Sozialversicherungsbeitrag **COTISATION**, 1
Sozialversicherungsbeitrag (seinen ~ bezahlen) **COTISER**, 1
Sozialwohnung **HLM**
sozioökonomisch **SOCIOÉCONOMIQUE**, 1
sozioprofessionell **SOCIOPROFESSIONNEL, -ELLE**, 1
Spanne **FOURCHETTE**, 1
Sparbüchse **TIRELIRE**, 1
sparen **ÉCONOMISER**, 2; **ÉPARGNER**, 1
Sparen **ÉPARGNE**, 1
Sparer **DÉPOSANT, DÉPOSANTE**, 1; **ÉPARGNANT, ÉPARGNANTE**, 1
Spargelder **ÉPARGNE**, 2
Sparkonto **COMPTE-ÉPARGNE**, 1
sparsam **ÉCONOME**, 1; **ÉCONOMIQUE**, 2; **ÉCONOMIQUEMENT**, 2; **PARCIMONIEUSEMENT**, 1; **PARCIMONIEUX, -IEUSE**, 1
Sparsamkeit **ÉCONOMIE**, 3; **PARCIMONIE**, 1
Sparschwein **TIRELIRE**, 1
Sparstrumpf **BAS DE LAINE**, 1
Sparsumme (kleine ~) **PÉCULE**, 1
Spartätigkeit **ÉPARGNE**, 1
Spartätigkeit (negative ~) **DÉSÉPARGNE**, 1
Sparvorrichtung **ÉCONOMISEUR**, 1
Spediteur **TRANSPORTEUR**, 1
Spediteure **TRANSPORTEUR**, 2
Speditionsbranche **TRANSPORTEUR**, 2
Speicher **MÉMOIRE**, 1
speichern **EMMAGASINER**, 1; **STOCKER**, 2
Speicherung **EMMAGASINAGE**, 1
speisen **ALIMENTER**, 1
Spekulant **SPÉCULATEUR, SPÉCULATRICE**, 1
Spekulation **SPÉCULATION**, 1
Spekulation- **BOURSICOTIER, -IÈRE**, 1
Spekulationspapier **JUNK(-)BOND**, 1
spekulativ **SPÉCULATIF, -IVE**, 1
spekulieren mit/in **SPÉCULER**, 1
spekulieren (ein bisschen an der Börse ~) **BOURSICOTER**, 1
Spende **DON**, 1
Spenden **DONATION**, 1
spenden (gespendete Summe) **DON**, 1
Spendenempfänger **DONATAIRE**, 1
Spender **DONATEUR, DONATRICE**, 1; **DONNEUR, DONNEUSE**, 1
Spendung **DONATION**, 1
Sperre **BLOCAGE**, 1
sperren **BLOQUER**, 1
Spezialisierungsgrad (hohe ~) **TECHNICITÉ**, 1
Spielzeug für Erwachsene **GADGET**, 1
Spin-off-Unternehmen **SPIN-OFF**, 1
Spin-off-Unternehmensgründung **ESSAIMAGE**, 1
Spirale **SPIRALE**, 1
Spitzenverband **CONFÉDÉRATION**, 1
Spitzenwert(e) **VALEUR(-)VEDETTE**, 1
Spitzenwert erreichen **CULMINER**, 1
sponsern **PARRAINER**, 1; **SPONSORER**, 1; **SPONSORISER**, 1
Sponsor **SPONSOR**, 1
Sponsoring **PARRAINAGE**, 1; **SPONSORAT**, 1; **SPONSORING**, 1
Sponsorschaft **SPONSORING**, 1
Spot **SPOT**, 1
Sprechverkehr **TÉLÉPHONIE**, 1
Sprühdose **BOMBE**, 1
Sprung **BOND**, 1
Sprung (einen grossen ~ (nach vorne) machen) **BONDIR**, 1
spürbar **NET, NETTE**, 2; **SENSIBLE**, 1; **SENSIBLEMENT**, 1
Staat **ÉTAT**, 1
Staat als Arbeitgeber **ÉTAT-PATRON**, 1
Staat (Vater ~) **ÉTAT-PROVIDENCE**, 1
staatlich **ÉTATIQUE**, 1
staatliche Arbeitgeber **ÉTAT-PATRON**, 1
staatlichen Kreditinstitute **IPC**
Staats- **ÉTATIQUE**, 1
Staatsanleihe **RENTE**, 3
Staatsbürokratismus **FONCTIONNARISME**, 1
Staatsexamen **LICENCE**, 2
Staatshaushalt **TRÉSOR**, 1
Staatskasse **TRÉSOR**, 1
Staatskasse (Obligation der ~) **OLO**
Staatsschuldverschreibung **OAT**
stabil **STABLE**, 1
stabilisieren **ASSAINIR**, 1; **STABILISER**, 1
stabilisieren (sich ~) **STABILISER**, 1
Stabilisierung **ASSAINISSEMENT**, 1; **STABILISATION**, 1; **STABILISATION**, 2
Stabilität **STABILITÉ**, 1
staffeln **ÉCHELONNER**, 1
Staffelung **ÉCHELONNEMENT**, 1
Stagflation **STAGFLATION**, 1
Stagnation **STAGNATION**, 1
stagnieren **STAGNER**, 1
Stahl **ACIER**, 1

Stahl- (Eisen- und ~) **SIDÉRURGIQUE**, 2
Stahlhütte **ACIÉRIE**, 1
Stahlindustrie (Eisen- und ~) **SIDÉRURGIE**, 2; **SIDÉRURGIQUE**, 2; **SIDÉRURGISTE**, 1
stahlverarbeitend (eisen- und ~) **SIDÉRURGIQUE**, 1
Stahlverarbeitung (Eisen- und ~) **SIDÉRURGIE**, 1
Stahlwerk **ACIÉRIE**, 1
Stammgast **HABITUÉ, HABITUÉE**, 1
Stammhaus **MAISON-MÈRE**, 1
Stammkunde **HABITUÉ, HABITUÉE**, 1
Standardtestgruppe **PANEL**, 1
Standardwert **BLUE CHIP**, 1
ständig **CONTINUELLEMENT**, 1
Standort einer Bank **BANCABLE**, 2; **BANQUABLE**, 2
Stange **CARTOUCHE**, 1
Star **ÉTOILE**, 1
stark **FORT, FORTE**, 1; **FORTEMENT**, 1
starke Preisauftrieb **FLAMBÉE**, 1
stärken (sich ~) **RESTAURER**, 1
Start **TAKE(-)OFF**, 1
Steige **CAGEOT**, 1
steigen **GRIMPER**, 1; **MONTER**, 1
steigend **ASCENDANT, -ANTE**, 1; **PROGRESSIF, -IVE**, 1
steigern **AUGMENTER**, 1; **MULTIPLIER**, 1
Steigerung **MAJORATION**, 1; **MONTÉE**, 1; **MULTIPLICATION**, 1; **REHAUSSEMENT**, 1
Steinbruchs (Inhaber eines ~) **EXPLOITANT, EXPLOITANTE**, 1
Stelle **EMPLOI**, 3; **POSTE**, 1
Stelle besorgen **POURVOIR**, 2
Stelle (jemandem eine neue ~ vermitteln) **REPLACER**, 1
Stelle (jemandem eine neue ~ verschaffen) **REPLACER**, 1
Stelle (Vermittlung einer neuen ~) **REPLACEMENT**, 1
Stellenanbieter **EMBAUCHEUR, EMBAUCHEUSE**, 1
Stellengesuche (vom Arbeitsamt monatlich veröffentliche Zahl der ~) **DEFM**
Stellensituation **EMPLOI**, 2
Stellenvermittler **PLACEUR, PLACEUSE**, 2; **RECRUTEUR, RECRUTEUSE**, 1; **REPLACEUR**, 1
Stellenvermittlung **PLACEMENT**, 4
stellvertretende Leiter/Direktor **DIRECTEUR(-)ADJOINT, DIRECTRICE(-)ADJOINTE**, 1
Stellvertreter **ADJOINT, ADJOINTE**, 1
Steuer **CONTRIBUTION**, 2; **IMPOSITION**, 2; **IMPÔT**, 1; **TAXE**, 1
Steuer (mit einer ~ belegen) **IMPOSER**, 1
Steuer (ohne ~) **HT**
Steuer (von einer ~ befreien) **DÉFISCALISER**, 1; **DÉTAXER**, 1
Steuer (vor ~) **HT**
Steuer- **CONTRIBUTIF, -IVE**, 1; **FISCAL, -ALE**, 1
Steuerabzug **PRÉCOMPTE**, 1
steuerähnlich **PARAFISCAL, -ALE**, 1
steuerähnliche Abgaben **PARAFISCALITÉ**, 1
steuerbar **TAXABLE**, 1
Steuerbeamte **PERCEPTEUR, PERCEPTRICE**, 1
Steuerbefreiung **DÉFISCALISATION**, 1; **DÉTAXATION**, 1
Steuerbelastung (mit hoher ~) **TAXATOIRE**, 1
Steuerbemessungsgrundlage **ASSIETTE**, 1
Steuerberichtigung **REDRESSEMENT**, 4
Steuerbescheid **AVERTISSEMENT-EXTRAIT DE RÔLE**, 1
Steuerbewertungsziffer **QUOTIENT**, 2
Steuereinnahmen **RECETTE**, 2
Steuererlass **REMISE**, 2
Steuerermässigung **DÉTAXATION**, 1
Steuerermässigung gewähren **DÉTAXER**, 1
Steuerexperte **FISCALISTE**, 1
Steuerfachmann **FISCALISTE**, 1
Steuerfreibetrag **ABATTEMENT**, 1
Steuergesetzgebung **FISCALITÉ**, 1
Steuergut **MATIÈRE**, 2
Steuerlast **FISCALITÉ**, 2
steuerlich **FISCAL, -ALE**, 1
steuerlich finanzieren **FISCALISER**, 1
steuerlich (gesehen) **FISCALEMENT**, 1
Steuern **FISCALITÉ**, 2
Steuern zahlen müssen **ASSUJETTIR**, 1
Steuern (indirekten ~) **CONTRIBUTION**, 3
Steuern (von ~ befreien) **EXONÉRER**, 1
Steuerneufestsetzung **REDRESSEMENT**, 4
Steuerobjekt **MATIÈRE**, 2
Steuerpflicht **ASSUJETTISSEMENT**, 1
steuerpflichtig **IMPOSABLE**, 1; **REDEVABLE**, 2
steuerpflichtig sein **ASSUJETTIR**, 1
Steuerpflichtige **ASSUJETTI, ASSUJETTIE**, 1; **CONTRIBUABLE**, 1; **REDEVABLE**, 1
steuerschätzend **TAXATEUR, -TRICE**, 1
Steuerschätzer **TAXATEUR, TAXATRICE**, 1
Steuersystem **FISCALITÉ**, 1; **IMPÔT**, 2
Steuertarif- **TARIFAIRE**, 2
steuertariflich **TARIFAIRE**, 2
Steuervorauszahlung **TIERS PROVISIONNEL**, 1
Steuerzahler **CONTRIBUABLE**, 1
Stifter **DONATEUR, DONATRICE**, 1
stillegen **FERMER**, 2
Stillegung **FERMETURE**, 2
stimmenfängerisch **CLIENTÉLISTE**, 1
stinkreich **RICHISSIME**, 1
Stipendium **BOURSE**, 4
Stipendiumempfänger **BOURSIER, BOURSIÈRE**, 1
stocken **PLACE** (faire du sur ~), 1
Stoff **MATÉRIAU**, 1; **MATIÈRE**, 1
stoffliche Verwertung **RECYCLAGE**, 2
Stop-and-go **STOP AND GO**, 1
Stopp **BLOCAGE**, 1
stoppen **BLOQUER**, 1
Stoss **LIASSE**, 1
Strasse **ROUTE**, 1
Strassen- **ROUTIER, -IÈRE**, 1
Strategie **STRATÉGIE**, 1
strategisch **STRATÉGIQUE**, 1
streichen (eine Haushaltsstelle/einen Haushaltsposten ~) **DÉBUDGÉTISER**, 1
Streichung einer Haushaltstelle **DÉBUDGÉTISATION**, 1
Streichung eines Postens im Haushalt **DÉBUDGÉTISATION**, 1
Streik **GRÈVE**, 1
Streik- **GRÉVISTE**, 1
Streikbrecher **NON-GRÉVISTE**, 1
Streikende **GRÉVISTE**, 1
Strenge **AUSTÉRITÉ**, 1
Strichkode **CODE(-)BARRE(S)**, 1
Strohmann **PRÊTE-NOM**, 1
Strom **ÉLECTRICITÉ**, 1; **FLUX**, 1
stromabwärts **AVAL**, 1
stromaufwärts **AMONT**, 1
Struktur **ORGANISATION**, 2; **STRUCTURE**, 1
strukturell **STRUCTUREL, -ELLE**, 1; **STRUCTURELLEMENT**, 1
Stück **PIÈCE**, 1
stückweise verkaufen **DÉTAILLER**, 1
Student **ÉTUDIANT, ÉTUDIANTE**, 1
Student, der neben dem Studium arbeitet **JOBISTE**, 1
Studie **ÉTUDE**, 3
Studienbeihilfe **BOURSE**, 4
Studieren **ÉTUDE**, 1; 2
studieren **ÉTUDIER**, 1
Studium **ÉTUDE**, 1
Stufe **TRANCHE**, 1
Stundung **DÉLAI**, 2
Sturz **CHUTE**, 1; **EFFONDREMENT**, 1; **PLONGEON**, 1
stürzen **EFFONDRER**, 1
Subskribent **SOUSCRIPTEUR, SOUSCRIPTRICE**, 1
subskribieren **SOUSCRIRE**, 1
Subskription **SOUSCRIPTION**, 1
Subunternehmen (Aufträge an ~ vergeben) **EXTERNALISER**, 1
Subunternehmen (Vergabe von Auftragen an ~) **EXTERNALISATION**, 1
Subunternehmer (als ~ ausführen) **SOUS-TRAITER**, 2
Subunternehmer (an einen ~ vergeben) **SOUS-TRAITER**, 1
Subvention **SUBVENTION**, 1
subventionieren **SUBVENTIONNER**, 1
Subventionsgebers (... des ~) **SUBVENTIONNAIRE**, 1
Summe **AGRÉGAT**, 1; **ENVELOPPE**, 2; **MONTANT**, 1; **SOMME**, 2
Summe (gespendete ~) **DON**, 1
Summe (zu zahlende ~) **DÛ**, 1
Superdividende **SUPER(-)DIVIDENDE**, 1
Supermarkt **SUPERMARCHÉ**, 1
Supermarkt (grosser ~) **HYPERMARCHÉ**, 1
Supermarkt (kleine ~) **SUPÉRETTE**, 1
Syndikalismus **SYNDICALISME**, 2
Syndikus **SYNDIC**, 1
Synergie **SYNERGIE**, 1
Synergieeffekten (Aufhebung von ~) **DÉSÉCONOMIES**, 1
Tabakladen **TABAC**, 1
Tabelle **TABLEAU**, 1
Tafel **PANCARTE**, 1; **PANNEAU**, 1
Tag der offenen Tür **PORTES OUVERTES**, 1
Tagesordnung **ORDRE**, 2
Tageszeitung **QUOTIDIEN**, 1
täglich **QUOTIDIEN, -IENNE**, 1; **QUOTIDIENNEMENT**, 1
Talfahrt (Berg- und ~) **DENTS DE SCIE**, 1
Tankerflugzeug **RAVITAILLEUR**, 1
Tankerflugzeug- **RAVITAILLEUR, -EUSE**, 1
Tankstelle **STATION-SERVICE**, 1
Tankstellenbesitzer **POMPISTE**, 1
Tankwart **POMPISTE**, 1
Tantieme **TANTIÈME**, 1
Tarif **BARÈME**, 1
Tarif- **BARÉMIQUE**, 1
tarifieren **TARIFER**, 1; **TARIFIER**, 1
Tarifierung **TARIFICATION**, 1
Tarifvertrag **CCT**
Taschenrechner **CALCULATRICE**, 1; **CALCULETTE**, 1
tätig sein **OPÉRER**, 2
Tätigkeit **ACTIVITÉ**, 1; **FONCTION**, 1
Tätigkeiten (eine Person, die mehrere ~ ausübt) **CUMULARD, CUMULARDE**, 1
Tätigung einer Einlage **DÉPÔT**, 1
tatsächlich **RÉEL, -ELLE**, 1
Tausch **TROC**, 1

Tausch machend **DONNANT DONNANT**, 1
tauschen **TROQUER**, 1
Tauschhandel **TROC**, 1
Team **ÉQUIPE**, 1
Technik **TECHNIQUE**, 1
Technik (audiovisuelle ~) **AUDIOVISUEL**, 1
Techniker **TECHNICIEN, TECHNICIENNE**, 1
technisch **TECHNIQUE**, 1; **TECHNIQUEMENT**, 1
technische Entwicklung **ENGINEERING**, 1
technische Konzeption **ENGINEERING**, 1
Technokrat **TECHNOCRATE**, 1
Technokratie **TECHNOCRATIE**, 1
technokratisch **TECHNOCRATIQUE**, 1
Technologie **TECHNOLOGIE**, 1
technologisch **TECHNOLOGIQUE**, 1; **TECHNOLOGIQUEMENT**, 1
Teil **PIÈCE**, 1
teilen **DIVISER**, 1
Teilhaber **ASSOCIÉ, ASSOCIÉE**, 1; **PARTENAIRE**, 1; **PARTICIPANT, PARTICIPANTE**, 1; **SOCIÉTAIRE**, 1
Teilnahme **PARTICIPATION**, 2
teilnehmen **PARTICIPER**, 2
teilnehmend **PARTICIPANT, -ANTE**, 1
Teilnehmer **PARTICIPANT, PARTICIPANTE**, 1
Teilung **DIVISION**, 1
Telearbeit **TÉLÉTRAVAIL**, 1
Tele-Banking **PHONEBANKING**, 1; **TÉLÉBANKING**, 1; **TÉLÉBANQUE**, 1
Telefon **TÉLÉPHONE**, 2
Telefonbuch **ANNUAIRE**, 1
Telefonieren **TÉLÉPHONE**, 1
telefonieren **TÉLÉPHONER**, 1
telefonisch **TÉLÉPHONIQUE**, 1
Telekommunikation **TÉLÉCOMMUNICATION**, 1; **TÉLÉCOMS**, 1
Telekommunikation (Integration von ~ und Informatik) **TÉLÉMATIQUE**, 1
Telekommunikationsnetz **INFOROUTES**, 1
Telematik **TÉLÉMATIQUE**, 1
Telephonie **TÉLÉPHONIE**, 1
Tele-Shopping **TÉLÉSHOPPING**, 1; **TÉLÉ(-)ACHAT**, 1; **TÉLÉ(-)VENTE**, 1
Tendenz **TENDANCE**, 1
Tendenz (mit fallender ~) **BAISSIER, -IÈRE**, 1
Termin **TERME**, 1
Terminal **TERMINAL**, 1; 2
Terminkalender **PLANNING**, 1
Terminkontrakte **FUTURE**, 1
Terminwarenkontrakte **FUTURE**, 1
tertiäre Sektor **TERTIAIRE**, 1
Test-Markt **MARCHÉ-TEST**, 1
Tetra Pak **BRIQUE**, 2
teuer **CHER, CHÈRE**, 1; **COÛTEUX, -EUSE**, 1; **ONÉREUX, -EUSE**, 1
teuere (sehr ~ Rechnung) **COUP DE BARRE**, 1; **COUP DE FUSIL**, 1
Teuerung **RENCHÉRISSEMENT**, 1
teurer werden **RENCHÉRIR**, 1
textil **TEXTILE**, 1
Textil- **TEXTILE**, 1
Textilbranche **TEXTILE**, 1
Textilindustrie **TEXTILE**, 1
thesaurieren **THÉSAURISER**, 1
Thesaurierung **THÉSAURISATION**, 1
Tiefstand **MINIMUM**, 1
tilgbar **AMORTISSABLE**, 2
tilgbar (nicht ~) **IRREMBOURSABLE**, 1
tilgen **AMORTIR**, 2
Tilgung **AMORTISSEMENT**, 2; **PAIEMENT**, 2; **PAYEMENT**, 2
Tilgungsteil des Darlehens **PRINCIPAL**, 1
Tischler **MENUISIER**, 1
Tochter **FILIALE**, 1
Tochterfirma **FILIALE**, 1
Tochtergesellschaft **FILIALE**, 1
Tochtergesellschaften (Ausbau des Netzes der ~) **FILIALISATION**, 1
Tochtergesellschaften (Gründung weiterer ~) **FILIALISATION**, 1
Tochtergesellschaften (Netz der ~) ausbauen **FILIALISER**, 1
Tochtergesellschaften (weitere ~ gründen) **FILIALISER**, 1
Tombola **TOMBOLA**, 1
Tonne **TONNE**, 1
Topf **POT**, 1
total **TOTALEMENT**, 1
Tourismus **TOURISME**, 2
Tourist **TOURISTE**, 1
Touristen- **TOURISTIQUE**, 2
touristisch **TOURISTIQUE**, 2
Tranche **TRANCHE**, 1
Transaktion **OPÉRATION**, 1; **TRANSACTION**, 1
Transit **TRANSIT**, 1
Transit(verkehr) (im ~ befördert werden) **TRANSITER**, 1
Transparent **BANDEROLE**, 1
Transport **TRANSPORT**, 1
Transport- **TRANSPORTEUR, -EUSE**, 1
transportabel **TRANSPORTABLE**, 1
transportierbar **TRANSPORTABLE**, 1
transportierbar (nicht ~) **INTRANSPORTABLE**, 1
transportieren **TRANSPORTER**, 1
transportieren (in Containern ~) **CONTENEURISER**, 1
Transportunternehmer **TRANSPORTEUR**, 1
Trassat **TIRÉ**, 1
Travellerscheck **TRAVELLER'S CHEQUE**, 1
Treffpunkt **RENDEZ-VOUS**, 2
Treibstoff **CARBURANT**, 1
Trend **TENDANCE**, 1
Treue **FIDÉLITÉ**, 1
trinken **CONSOMMER**, 3
Trinker **BUVEUR, BUVEUSE**, 1
Trinkgeld **POURBOIRE**, 1
trockenlegen **ASSÉCHER**, 1
Trockenlegung **ASSÈCHEMENT**, 1
Trust **TRUST**, 1
Tube **TUBE**, 1
Tür (Tag der offenen ~) **PORTES OUVERTES**, 1
Tüte **SAC**, 1
Überalterung **OBSOLESCENCE**, 1
Überalterung der Gesellschaft **PAPY(-)BOOM**, 1
Überbeschäftigung **SUREMPLOI**, 1
überbewerten **SURÉVALUER**, 1
überbewertet **SURCOTÉ, -ÉE**, 1
Überbewertung **SURÉVALUATION**, 1
überbezahlen **SURPAYER**, 1
Überbrückungskredit **CRÉDIT(-)PONT**, 1
übereinkommen **ACCORDER**, 2
Übereinkunft **CONVENTION**, 1
übereinzelgewerkschaftlich **INTERSYNDICAL, -ALE**, 1
Überfluss **ABONDANCE**, 1
Übergabe **REMISE**, 3
übergewerkschaftlich **INTERSYNDICAL, -ALE**, 1
übergewerkschaftliche Versammlung **FRONT COMMUN**, 1
Übergewicht **SURCHARGE**, 1
überhitzt sein **EMBALLER**, 2
Überhitzung **SURCHAUFFE**, 1
Überhitzung (konjunkturelle ~) **EMBALLEMENT**, 1
überhöht **EXORBITANT, -ANTE**, 1
überholt **OBSOLÈTE**, 1
überladen (mit Arbeit ~) **SURCHARGER**, 1
Überladung **SURCHARGE**, 1
überlassen **CÉDER**, 1
Überlassung **CESSION**, 2
überlasten **SURCHARGER**, 1
übermässig **EXCESSIF, -IVE**, 1; **EXCESSIVEMENT**, 1
Übernahme **ABSORPTION**, 1; **REPRISE**, 1
Übernahme (angefochtene ~) **CONTRE-OPA**, 1
Übernahmeabsichten (ein aggressiver Aktienaufkäufer mit ~) **PRÉDATEUR**, 1
Übernahmeangebot **OPA**
übernahmegefährdet(es) (Unternehmen) **OPÉABLE**, 1; **OPÉISABLE**, 1
übernehmen **ABSORBER**, 1; **REPRENDRE**, 1
Überproduktion **SURPRODUCTION**, 1
überproduzieren **SURPRODUIRE**, 1
überprüfen **VÉRIFIER**, 1
Überqualifikation **SURQUALIFICATION**, 1
Überqualifizierte **SOUS-EMPLOYÉ, -ÉE**, 1
überqualifizierten (Beschäftigung ~ Personals) **SOUS-EMPLOI**, 2
Überraschungsgutschein **CHÈQUE(-)SURPRISE**, 1
überreichlich **SURABONDANT, -ANTE**, 1
überschätzt **SURCOTÉ, -ÉE**, 1
überschreiten **DÉPASSER**, 1; **EXCÉDER**, 1; **FRANCHIR**, 1
Überschreitung **DÉPASSEMENT**, 1
Überschuldung **SURENDETTEMENT**, 1
Überschuss **BONI**, 1; **EXCÉDENT**, 1; 2; **SURPLUS**, 1
Überschuss- **EXCÉDENTAIRE**, 1
Überschussbeteiligung **RISTOURNE**, 3
Überschussbeteiligung auszahlen **RISTOURNER**, 3
überschüssig **EXCÉDENTAIRE**, 1; 2
übersteigen **EXCÉDER**, 1
überstürzt **BRUSQUE**, 1; **BRUSQUEMENT**, 1
übertragen **CAPITALISER**, 3
Übertragung **CAPITALISATION**, 2
übertreffen **DÉPASSER**, 1
übertrieben **EXCESSIF, -IVE**, 1; **EXORBITANT, -ANTE**, 1; **TAPAGEUR, -EUSE**, 1
überwältigend **FOUDROYANT, -ANTE**, 1
Überweisung **VIREMENT**, 1
Überweisungsauftrag erteilen **DOMICILIER**, 1
Übungsfirma **EAP**
umbuchen **VIRER**, 1
Umfang **VOLUME**, 1
umkämpft (hart ~) **HYPER(-)CONCURRENTIEL, -IELLE**, 2
Umlauf **ROTATION**, 1
umrechnen **CONVERTIR**, 1
Umsatzzahlen **CHIFFRE**, 2
Umschlag **ENVELOPPE**, 1; **ROTATION**, 1
umschulden **RÉÉCHELONNER**, 1
Umschuldung **RÉÉCHELONNEMENT**, 1
umschulen **RECONVERTIR**, 1; **RECYCLER**, 1
Umschulung **RECONVERSION**, 1
umstellen **RECONVERTIR**, 2
Umstellung **RECONVERSION**, 2
umstrukturieren **RÉAMÉNAGER**, 1; **REDRESSER**, 2; **RESTRUCTURER**, 1

Umstrukturierung **RÉAMÉNAGEMENT**, 1; **REDRESSEMENT**, 2; **RESTRUCTURATION**, 1
Umstrukturierung des Kapitals **REFINANCEMENT**, 1
Umtausch **ÉCHANGE**, 1
Umtauschangebot (öffentliche ~) **OPE**
umtauschbar **CONVERTIBLE**, 1; **ÉCHANGEABLE**, 1
umtauschbar (nicht ~) **INCONVERTIBLE**, 1
umtauschen **ÉCHANGER**, 1; **TROQUER**, 1
umverteilen **REDISTRIBUER**, 1
Umverteilung **REDISTRIBUTION**, 2
Umverteilung (zur ~) **REDISTRIBUTEUR, -TRICE**, 1; **REDISTRIBUTIF, -IVE**, 1
Umverteilungs- **REDISTRIBUTEUR, -TRICE**, 1; **REDISTRIBUTIF, -IVE**, 1
Umwandlung **CONVERSION**, 1
Umwelt **ENVIRONNEMENT**, 1
Umwelt- **ENVIRONNEMENTAL, -ALE**, 1
umweltbewusst **ÉCOLOGIQUE**, 2
umweltfreundlich **ÉCO**, 2; **ÉCOLOGIQUE**, 2
umweltschädlich **POLLUANT, -ANTE**, 1
Umweltschutz **ÉCOLOGIE**, 2
Umweltschutz- **ÉCOLOGISTE**, 1
Umweltschützer **ÉCOLO**, 1; **ÉCOLOGISTE**, 2
umweltverschmutzend **POLLUANT, -ANTE**, 1
Umweltverschmutzer **POLLUEUR, POLLUEUSE**, 1
Umweltverschmutzung **POLLUTION**, 1
umwerfend **FOUDROYANT, -ANTE**, 1
unabhängig **INDÉPENDANT, -ANTE**, 1
unabsetzbar **INVENDABLE**, 1
unbedeutend **INSIGNIFIANT, -ANTE**, 1
unbemittelt **PAUVRE**, 1
unbestechlich **INCORRUPTIBLE**, 1
unbezahlbar **IMPAYABLE**, 1
unbezahlt **BÉNÉVOLE**, 1; **IMPAYÉ, -ÉE**, 1
uneinbringlich **IRRECOUVRABLE**, 1; **IRRÉCOUVRABLE**, 1
uneinbringliche Forderung **NON-VALEUR**, 1
unentgeltlich **BÉNÉVOLEMENT**, 1
Unentgeltlichkeit **GRATUITÉ**, 1
unentschieden **INDÉCIS, -ISE**, 1
unentschlossen **INDÉCIS, -ISE**, 1
unerschwinglich **PROHIBITIF, -IVE**, 1
ungefähr **APPROXIMATIF, -IVE**, 1; **APPROXIMATIVEMENT**, 1
ungefähre Schätzung **APPROXIMATION**, 1
ungeniessbar **INCONSOMMABLE**, 1
Ungleichgewicht **DÉSÉQUILIBRE**, 1
Unglück **SINISTRE**, 2
unproduktiv **IMPRODUCTIF, -IVE**, 1
unregelmässig **IRRÉGULIER, -IÈRE**, 1; **IRRÉGULIÈREMENT**, 1
unrentabel **IMPRODUCTIF, -IVE**, 1
Unrentabilität **IMPRODUCTIVITÉ**, 1
unschlagbar **IMBATTABLE**, 1
Unterbeschäftigung **SOUS-EMPLOI**, 1
Unterbewertung **SOUS-VALEUR**, 1
unterbezahlen **SOUS-PAYER**, 1
unterbieten(d) (nicht ~ zu) **IMBATTABLE**, 1
Unterbrechung **GEL**, 1
Unterbrechungen (mit ~) **DISCONTINU, -UE**, 1
unterbringen (jdn ~ bei) **PLACER**, 3
Unterernährung **SOUS-ALIMENTATION**, 1
Unterlagen **DOSSIER**, 2
Untermiete **SOUS-LOCATION**, 1
Untermieter **SOUS-LOCATAIRE**, 1
unternehmen **ENTREPRENDRE**, 1
Unternehmen **ENTREPRISE**, 1; **ÉTABLISSEMENT**, 1
Unternehmen mit Schlagseite **CANARD BOITEUX**, 1
Unternehmen (angeschlagenes ~) **CANARD BOITEUX**, 1
Unternehmen (beteiligten ~ zwischen den Unternehmen) **INTERENTREPRISES**, 1
Unternehmen (einstellende ~) **EMBAUCHEUR, EMBAUCHEUSE**, 1
Unternehmen (Kapital in ein ~ einbringen) **COMMANDITER**, 1
Unternehmen (öffentliche ~) **RÉGIE**, 1
Unternehmen (übernahmegefährdetes ~) **OPÉABLE**, 1; **OPÉISABLE**, 1
Unternehmen (versendende ~) **EXPÉDITEUR, EXPÉDITRICE**, 1
Unternehmens (Leiter des ~) **DIRIGEANT, DIRIGEANTE**, 1
Unternehmensaktivitäten (Verlagerung von ~ nach draussen) **IMPARTITION**, 1
Unternehmensleitung **DIRECTION**, 1
Unternehmenszusammenschluss **KONZERN**, 1
Unternehmer **DIRIGEANT, DIRIGEANTE**, 1; **ENTREPRENEUR, ENTREPRENEUSE**, 1
Unternehmer (in der Aquakultur tätige ~) **AQUACULTEUR, AQUACULTRICE**, 1
Unternehmer- **ENTREPRENEURIAL, -IALE**, 1
unternehmerisch **ENTREPRENEURIAL, -IALE**, 1
unternehmerisch handelnde Mitarbeiter im Unternehmen **INTRAPRENEUR, INTRAPRENEUSE**, 1
unternehmerisch verwertbar **EXPLOITABLE**, 1
unternehmerisch (als Mitarbeiter ~ denken und handeln) **INTRAPRENDRE**, 1
Unternehmerlager **PATRON, PATRONNE**, 2
Unternehmerschaft **ENTREPRENEURIAT**, 1; **ENTREPRENEURSHIP**, 1
Unternehmung stillegen **CLEF SOUS LE PAILLASSON**, 1
Unternehmung (halbstaatliche ~) **PARASTATAL**, 1
Unterproduktion **SOUS-PRODUCTION**, 1
Unterproduktivität **SOUS-PRODUCTIVITÉ**, 1
unterproduzieren **SOUS-PRODUIRE**, 1
unterschlagen **DÉTOURNER**, 1
Unterschlagung **DÉTOURNEMENT**, 1
unterschreiben **SIGNER**, 1
Unterschrift **SIGNATURE**, 1
unterstützen **AIDER**, 1; **PATRONNER**, 1
unterstützen (finanziell ~) **RENFLOUER**, 2; **SUBSIDIER**, 1; **SUBVENTIONNER**, 1
Unterstützung **AIDE**, 1; **ALLOC**, 1; **ALLOCATION**, 1
Unterstützung (finanzielle ~) **RENFLOUEMENT**, 2; **SUBSIDE**, 1
untersuchen **ÉTUDIER**, 2
Untersuchung **ÉTUDE**, 3
untervermieten **SOUS-LOUER**, 1
Untervermietung **SOUS-LOCATION**, 1
unterzeichnen **SIGNER**, 1
Unterzeichner **SIGNATAIRE**, 1
Unterzeichnung **SIGNATURE**, 2
ununterbrochen **CONTINUELLEMENT**, 1
unverkäuflich **INVENDABLE**, 1
unverkäufliche Ware **LAISSÉ(-)POUR(-)COMPTE**, 1
unverkauft **INVENDU, -UE**, 1
unverkaufte Ware **INVENDU**, 1
unverpackt **VRAC**, 1
unwichtig **INSIGNIFIANT, -ANTE**, 1
Unwirtschaftlichkeit **IMPRODUCTIVITÉ**, 1
unzureichend **DÉFICITAIRE**, 2
Urkunde **CONTRAT**, 2
Urlaub **CONGÉ**, 1; **VACANCE**, 2
Urlauber **TOURISTE**, 1; **VACANCIER, VACANCIÈRE**, 1
Vakanz **VACANCE**, 1
Valuta **DEVISE**, 1
variabel **VARIABLE**, 1
Variabilität **VARIABILITÉ**, 1
Variable **VARIABLE**, 1
Vater Staat **ÉTAT-PROVIDENCE**, 1
Verabredung **RENDEZ-VOUS**, 1
veraltet **OBSOLÈTE**, 1
veränderlich **VARIABLE**, 1; **VOLATIL, -ILE**, 1
Veränderlichkeit **VARIABILITÉ**, 1
verändern (sich ~) **VARIER**, 1
Veränderung **VARIATION**, 1
Verankerung **ANCRAGE**, 1
Veranschlagung im Haushaltsplan **BUDGÉTISATION**, 1
Verantwortliche **CHARGÉ, CHARGÉE**, 1
Verantwortlichen für den Einkauf **PRA**
verarbeiten **MANUFACTURER**, 1
Verarbeitung **TRAITEMENT**, 2
Verarmung **PAUPÉRISATION**, 1
Veräusser **CÉDANT, CÉDANTE**, 1
veräusserbar **CESSIBLE**, 1
Veräusserbarkeit **CESSIBILITÉ**, 1
veräussert (kann ~ werden) **CESSIBLE**, 1
Veräusserung **CESSION**, 1
Veräusserung (Möglichkeit zur ~) **CESSIBILITÉ**, 1
Verband **ASSOCIATION**, 1; **ORGANISATION**, 3
verbeamten **FONCTIONNARISER**, 1
Verbeamtung **TITULARISATION**, 1
verbessern **AMÉLIORER**, 1
Verbesserung **AMÉLIORATION**, 1; **REDRESSEMENT**, 1
Verbesserung der Eigenkapitalausstattung **RECAPITALISATION**, 1
Verbindlichkeit **DETTE**, 3; **OBLIGATION**, 2
Verbrauch **CONSOMMATION**, 1; 2
verbrauchbar **CONSOMPTIBLE**, 1
verbrauchen **CONSOMMER**, 1; 2
verbrauchen (selbst ~) **AUTOCONSOMMER**, 1
Verbraucher **CONSOMMATEUR, CONSOMMATRICE**, 1; **USAGER**, 1
Verbraucher- **CONSOMMATEUR, -TRICE**, 1
Verbrauchers (zum Schutz des ~) **CONSUMÉRISTE**, 1
Verbraucherschutz **CONSUMÉRISME**, 1
Verbraucherschutz- **CONSUMÉRISTE**, 1
Verbraucherschutzverbände (Europabüro der ~, EBV) **BEUC**
Verbrauch(s)steuer **ACCISE**, 1
verbuchen **COMPTABILISER**, 1
verbuchen (im Haben ~) **CRÉDITER**, 1
verbuchen (kann verbucht werden) **COMPTABILISABLE**, 1
Verbuchung **COMPTABILISATION**, 1
Verbündete **ALLIÉ, ALLIÉE**, 1
Verbundnachteile **DÉSÉCONOMIES**, 1
Verdienstquelle **GAGNE-PAIN**, 1
Verdienstspanne **MARGE**, 2
verdoppeln **DOUBLER**, 1
Verdoppelung **DOUBLEMENT**, 1
verdorben **GÂCHÉ, -ÉE**, 1
veredeln **RAFFINER**, 1

Veredelung **RAFFINAGE**, 1
Verein **ASSOCIATION**, 1
Verein (gemeinnützige ~) **ASBL**, **OSBL**
Vereinigung **GROUPEMENT**, 1
Vereins- **ASSOCIATIF, -IVE**, 1
Verfahren **PROCÉDÉ**, 1
Verfahren (metallurgische ~) **MÉTALLURGIE**, 1
Verfall **ÉCHÉANCE**, 1
Verfallbuch **ÉCHÉANCIER**, 1
verfallen **EXPIRER**, 1
verfälschen **TRAFICOTER**, 1; **TRAFIQUER**, 2
Verfrachtung **FRET**, 1
Vergabe von Auftragen nach draussen/an Subunternehmen **EXTERNALISATION**, 1
vergeuden **GASPILLER**, 1
Vergleich **CONCORDAT**, 1
Vergleichs- **CONCORDATAIRE**, 1
Vergnügungs- **TOURISTIQUE**, 1
Vergnügungsfahrt **TOURISME**, 1
vergrössern (sich ~) **CREUSER**, 1; **CREVER**, 1
Vergrösserung **CREUSEMENT**, 1
Vergünstigung **AVANTAGE**, 1
vergüten **BONIFIER**, 1; **COUVRIR**, 2; **REMBOURSER**, 2; **RÉMUNÉRER**, 1
Vergütung **BONIFICATION**, 1; **INDEMNITÉ**, 2; **RÉMUNÉRATION**, 1
Vergütung (als ~) **RÉMUNÉRATOIRE**, 1
Verkauf **ÉCOULEMENT**, 1; **VENTE**, 1; 2
Verkauf (für den ~ geeignet) **VENDABLE**, 1
Verkauf (zum ~ ausstellen) **EXPOSER**, 1
verkaufen **CÉDER**, 1; **DÉBITER**, 2; **ÉCOULER**, 1; **VENDRE**, 1
verkaufen zu herabgesetzten Preisen **DISCOMPTER**, 1; **DISCOUNTER**, 1
verkaufen (einzeln/stückweise ~) **DÉTAILLER**, 1
verkaufen (weniger ~ als vorgesehen) **MÉVENDRE**, 1
verkaufen (zu Niedrigstpreisen ~) **BRADER**, 1
verkaufen (zu Sonderpreisen ~) **BRADER**, 1
Verkäufer **VENDEUR, VENDEUSE**, 1; 2
verkäuflich **VENDABLE**, 1
Verkaufs- **VENDEUR, -EUSE**, 2
Verkaufs- (Einkaufs- und ~) **COMMERCIAL, COMMERCIALE**, 2
Verkaufsangebot (öffentliche ~) **OPV**
Verkaufsargumenten (Verzeichnis mit ~) **ARGUMENTAIRE**, 1
Verkaufsautomat **DISTRIBUTEUR, DISTRIBUTRICE**, 2
Verkaufsfläche **LINÉAIRE**, 1
verkaufsfördernde Massnahme **MARCHANDISAGE**, 1; **MERCHANDISING**, 1; **PROMOTION**, 1
Verkaufsinsel **GONDOLE**, 1
Verkaufskommissionär **CONSIGNATAIRE**, 1
Verkaufsständer **PRÉSENTOIR(-DISTRIBUTEUR)**, 1
Verkaufstisch **COMPTOIR**, 1
verkauft (jemand, der etwas ~) **VENDEUR, -EUSE**, 1
verkauft (nicht ~) **INVENDU, -UE**, 1
verkaufte Artikel **VENDU**, 1
Verkehr **TRANSPORT**, 1
Verkehrsamt **OFFICE DU TOURISME**, 1
Verkehrsbüro **OFFICE DU TOURISME**, 1
Verkehrsmittel **TRANSPORT**, 2
Verkehrsnetz **RÉSEAU**, 2

Verknappung **RESSERREMENT**, 1; **RÉTRÉCISSEMENT**, 1
Verladen **MANUTENTION**, 1
verladen **MANUTENTIONNER**, 1
verladen (in Containern ~) **CONTENEURISER**, 1
Verlader **TRANSPORTEUR**, 3
Verladespediteur **CHARGEUR**, 1
Verladung im Container **CONTENEURISATION**, 1
verlagern (ins Ausland ~) **DÉLOCALISER**, 1
Verlagerung von Unternehmensaktivitäten nach draussen **IMPARTITION**, 1
Verlagerung (ins Ausland) **DÉLOCALISATION**, 1
verlangen **DEMANDER**, 1
verlangsamen **FREINER**, 1; **RALENTIR**, 1
verlangsamen (sich ~) **ESSOUFFLER**, 1
Verlangsamung der Konjunktur **DÉCÉLÉRATION**, 1
Verlangsamung **ESSOUFFLEMENT**, 1; **FREINAGE**, 1; **RALENTISSEMENT**, 1
verlegen **ÉDITER**, 1
Verleger **ÉDITEUR**, 1
Verleih **AFFRÈTEMENT**, 1
verleihbar **PRÊTABLE**, 1
Verleiher **LOUEUR, LOUEUSE**, 1; **PRÊTEUR, PRÊTEUSE**, 1
verlieren **PERDRE**, 1
verlieren (an Boden ~) **TERRAIN** (céder du ~), 1; **TERRAIN** (perdre du ~), 1
verlieren (an Wert ~) **DÉPRÉCIER**, 1
Verlust **MOINS-VALUE**, 1; **PERTE**, 1
Verlust- **DÉFICITAIRE**, 1
vermarkten **COMMERCIALISER**, 1; **DISTRIBUER**, 1
vermarktet (kann ~ werden) **COMMERCIALISABLE**, 1
Vermarktung **COMMERCIALISATION**, 1
vermehren **MULTIPLIER**, 1
Vermehrung **MULTIPLICATION**, 1
vermieten **LOUER**, 1
Vermieter **BAILLEUR, BAILLERESSE**, 1; **LOUEUR, LOUEUSE**, 1
Vermietung **AFFRÈTEMENT**, 1; **LOCATION**, 1; **LOUAGE**, 1; **RENTING**, 1
Vermietung an eine Mietgemeinschaft **COLOCATION**, 1
Vermietung gewerblicher Räume **LOCATION-GÉRANCE**, 1
Vermietung von Geschäftsräumen **LOCATION-GÉRANCE**, 1
vermindern **DIMINUER**, 1; **DISCOMPTER**, 2
Verminderung **AMPUTATION**, 1; **DIMINUTION**, 1
Verminderung des Anteils der abhängig Beschäftigten **DÉSALARISATION**, 1
Vermittler **AGENT**, 1; **INTERMÉDIAIRE**, 1
Vermittlung **INTERMÉDIATION**, 1
Vermittlungsgebühr **COMMISSION**, 2
Vermögen **BIEN**, 1; **CAPITAL**, 1; **FORTUNE**, 1; **PATRIMOINE**, 1
vermögend **AISÉ, -ÉE**, 1; **FORTUNÉ, -ÉE**, 1
Vermögensgegenstände **IMMOBILISATIONS**, 1
Vermögensteuer **ISF**
Vermögenswert **VALEUR**, 3
vernünftig **RAISONNABLE**, 1; **RAISONNABLEMENT**, 1
Verpächter **BAILLEUR, BAILLERESSE**, 1

Verpacken **CONDITIONNEMENT**, 2; **EMBALLAGE**, 2
verpacken **CONDITIONNER**, 1; **EMBALLER**, 1
Verpacker **EMBALLEUR, EMBALLEUSE**, 1
Verpackung **CONDITIONNEMENT**, 1; **EMBALLAGE**, 1; **PACKAGING**, 1
verpasste Gelegenheit **MANQUE À GAGNER**, 1
Verpfändung **NANTISSEMENT**, 1
verpflichten (sich ~) **ENGAGER**, 2
Verpflichtung **OBLIGATION**, 2
Verrechnung **IMPUTATION**, 1
verringern **DIMINUER**, 1
verringern (sich ~) **RÉTRÉCIR**, 1
Verringerung **CONTRACTION**, 1; **FAIBLISSEMENT**, 1; **RÉTRÉCISSEMENT**, 1
Versammlung **ASSEMBLÉE**, 1; **CONSEIL**, 1; **RÉUNION**, 1
Versammlung haben **RÉUNIR**, 1
Versammlung (gewerkschaftsübergreifende ~) **INTERSYNDICALE**, 1
Versand **EXPÉDITION**, 1
Versandhandel **VÉPÉCISTE**, 1; **VPC**
verschaffen **PROCURER**, 1
verschaffen (sich etwas ~) **PROCURER**, 2
verschärfen (sich ~) **AGGRAVER**, 1
Verschärfung **AGGRAVATION**, 1
verschicken **EXPÉDIER**, 1
Verschiebung **DÉCALAGE**, 1
verschlechtern **DÉTÉRIORER**, 1
verschlechtern (sich ~) **DÉGRADER**, 1
Verschlechterung **DÉGRADATION**, 2; **DÉTÉRIORATION**, 1
verschleudern **DILAPIDER**, 1
Verschleuderung **DILAPIDATION**, 1; **GASPILLAGE**, 1
verschliessen **FERMER**, 1
verschlimmern (sich ~) **AGGRAVER**, 1
Verschlimmerung **AGGRAVATION**, 1
verschmelzen **FUSIONNER**, 1
verschmutzen **POLLUER**, 1
verschulden (sich ~) **ENDETTER**, 2
verschulden (sich hoch ~) **SURENDETTER**, 1
Verschuldete **ENDETTÉ, ENDETTÉE**, 1
Verschuldung **ENDETTEMENT**, 1
verschwenden **DILAPIDER**, 1; **GASPILLER**, 1
Verschwender **DILAPIDATEUR, DILAPIDATRICE**, 1; **GASPILLEUR, GASPILLEUSE**, 1
verschwenderisch **DÉPENSIER, -IÈRE**, 1
Verschwendung **DILAPIDATION**, 1; **GASPILLAGE**, 1
versehen mit **POURVOIR**, 1
versenden **EXPÉDIER**, 1
versendende Unternehmen **EXPÉDITEUR, EXPÉDITRICE**, 1
Versicherer **ASSUREUR**, 1
versichern **ASSURER**, 1
versichern (kann versichert werden) **ASSURABLE**, 1
versichern (sich ~) **ASSURER**, 2
Versicherte **ASSURÉ, ASSURÉE**, 1
Versicherten (Selbstbeteiligung des ~) **TICKET MODÉRATEUR**, 1
Versicherung **ASSURANCE**, 1; 2; 3; 4
Versicherung auf den Todesfall **ASSURANCE(-)DÉCÈS**, 1
Versicherung (Kosten, ~ und Fracht, CIF) **CAF**
versicherungsfähig **ASSURABLE**, 1
Versicherungsgesellschaft **ASSUREUR**, 1
Versicherungsnehmer **PRENEUR, PRENEUSE**, 2
Versicherungsprämie **ASSURANCE**, 5

Versicherungsschein **POLICE**, 1
Versicherungsverein auf Gegenseitigkeit **MUTUELLE**, 1
versorgen **RAVITAILLER**, 1
versorgen (kann/können sich selbst ~) **AUTOSUFFISANT, -ANTE**, 1
versorgen (mit) **APPROVISIONNER**, 2
Versorgung **APPROVISIONNEMENT**, 2; **FOURNITURE**, 1; **RAVITAILLEMENT**, 1
Versorgungsschiff **RAVITAILLEUR**, 1
Versorgungsschiff- **RAVITAILLEUR, -EUSE**, 1
Versprechen **ENGAGEMENT**, 2
verstaatlichen **ÉTATISER**, 1; **NATIONALISER**, 1
Verstaatlichung **NATIONALISATION**, 1
Verständigung **ENTENTE**, 1
verstärken **ACCENTUER**, 1; **INTENSIFIER**, 1; **RENFORCER**, 1
Verstärkung **INTENSIFICATION**, 1; **RENFORCEMENT**, 1
Versteigerer **ADJUDICATEUR, ADJUDICATRICE**, 1; **ENCANTEUR, ENCANTEUSE**, 1
Versteigerung **ADJUDICATION**, 1
Versteuerung **TAXATION**, 1
vertane Chance **MANQUE À GAGNER**, 1
verteilen **DIFFUSER**, 1
Verteuerung **RENCHÉRISSEMENT**, 1
Vertrag **ACCORD**, 1; **CONTRAT**, 1; 2; **MARCHÉ**, 3
Vertrag abschliessen **CONTRACTER**, 1
vertraglich **CONTRACTUEL, -ELLE**, 1; **CONTRACTUELLEMENT**, 1; **CONVENTIONNEL, -ELLE**, 1
Vertrags- **CONTRACTANT, -ANTE**, 1
Vertragsablauf **EXPIRATION**, 1
Vertragsabschluss (Bezahlung bei ~) **COMPTANT**, 4
Vertragsbedingungen (im internationalen Handeln gebräuchlichen ~) **TCI**
vertragschliessend **CONTRACTANT, -ANTE**, 1
vertragsgemäss **CONVENTIONNEL, -ELLE**, 1
Vertragshändler **CONCESSIONNAIRE**, 1; **DÉPOSITAIRE**, 2
Vertragskündigung **RÉSILIATION**, 1
vertragsmässig **CONTRACTUEL, -ELLE**, 1
Vertragspartner **COCONTRACTANT, COCONTRACTANTE**, 1; **CONTRACTANT, CONTRACTANTE**, 1
Vertragsurkunde **CONTRAT**, 2
vertreiben **COMMERCIALISER**, 1; **DIFFUSER**, 1; **DISTRIBUER**, 1
Vertreiber **DIFFUSEUR**, 1; **DISTRIBUTEUR, DISTRIBUTRICE**, 1; **DISTRIBUTION**, 2
Vertreibung eines Produktes unter einem gemeinsamen Namen **COGRIFFAGE**, 1
Vertreter (von Haus zu Haus) **DÉMARCHEUR, DÉMARCHEUSE**, 1
Vertreterbesuche machen **DÉMARCHER**, 1
Vertretung **DÉLÉGATION**, 1; **INTÉRIM**, 1; **INTÉRIMAIRE**, 1; **REPRÉSENTATION**, 1; **VACATAIRE**, 1
Vertretungsdauer **INTÉRIM**, 1
vertretungsweise **INTÉRIMAIRE**, 1
Vertretungszeit **INTÉRIM**, 1
Vertrieb **DIFFUSION**, 1; **DISTRIBUTION**, 1
Vertriebsgesellschaft **DISTRIBUTEUR, -TRICE**, 1
Vertriebsgesellschaften **DISTRIBUTION**, 2
Vertriebshändler **DIFFUSEUR**, 1
Vertriebsnetz **RÉSEAU**, 1
Vertriebsweg **CANAL**, 1
veruntreuen **DÉTOURNER**, 1
Veruntreuung **DÉTOURNEMENT**, 1
Verursacherprinzip **POLLUEUR-PAYEUR**, 1
Verwahrer **DÉPOSITAIRE**, 1
verwalten ((lässt) sich gut ~) **GÉRABLE**, 1
Verwalter **ÉCONOME**, 1; **GÉRANT, GÉRANTE**, 3; 4
Verwalter- **GESTIONNAIRE**, 1
Verwaltung **ADMINISTRATION**, 1; **GESTION**, 1
Verwaltungs- **ADMINISTRATIF, -IVE**, 1
Verwaltungsbediensteten **ADMINISTRATION**, 2
Verwaltungsleiter **DIRECTEUR, DIRECTRICE**, 2
Verwaltungsmensch **FONCTIONNEL**, 1
Verwaltungsrats (Vorsitzende des ~ einer französischen AG) **ADMINISTRATEUR, ADMINISTRATRICE**, 1; **PDG, P-DG**; **PÉDÉGÈRE**, 1
Verwaltungssitz **SIÈGE ADMINISTRATIF**, 1
verwertbar (unternehmerisch ~) **EXPLOITABLE**, 1
Verwertung (stoffliche ~) **RECYCLAGE**, 2
Verzeichnis **BORDEREAU**, 1
Verzeichnis mit Verkaufsargumenten **ARGUMENTAIRE**, 1
verzinsen **RÉMUNÉRER**, 2
Vieh **BÉTAIL**, 1
vielfach **MULTIPLE**, 1
Viereck (magische ~) **CARRÉ MAGIQUE**, 1
vierte Welt **QUART(-)MONDE**, 1
Vierteljahr **TRIMESTRE**, 1
vierteljährig **TRIMESTRIEL, -IELLE**, 1
Volatilität **VOLATILITÉ**, 1
Volkswirtschaft **MACRO-ÉCONOMIE**, 1
vollautomatisch **AUTOMATIQUE**, 1
Vollbeschäftigung **PLEIN(-)EMPLOI**, 1
völlig **TOTALEMENT**, 1
Vollkaskoversicherung **OMNIUM**, 1
Vollmacht **MANDAT**, 1
vollziehen (sich ~) **OPÉRER**, 3
Volumen **VOLUME**, 1
Vorabsteuer **PRÉCOMPTE**, 2
vorantreiben **PROMOTIONNER**, 1
Vorarbeiter **CONTREMAÎTRE, CONTREMAÎTRESSE**, 1
Voraus- **PROVISIONNEL, -ELLE**, 1
vorauszahlen **ANTICIPER**, 1
Vorauszahlung **ANTICIPATION**, 1
Vordruck mit Angabe von Kontonummer **RIB**
vorfertigen **PRÉFABRIQUER**, 1
Vorfertigung **PRÉFABRICATION**, 1
Vorfinanzierung **PRÉFINANCEMENT**, 1
Vorführung **DÉMONSTRATION**, 1
Vorgehen **PROCÉDÉ**, 1
vorindustriell **PRÉ(-)INDUSTRIEL, -IELLE**, 1
Vorrat **RÉSERVE**, 1; **STOCK**, 1
Vorräte **STOCK**, 3
Vorräte verringern **DÉSTOCKER**, 1
Vorräte (Abbau der ~) **DÉSTOCKAGE**, 1
vorrätig **LIVRABLE**, 1
Vorruhestand **PRÉRETRAITE**, 1
Vorruheständler **PRÉPENSIONNÉ, PRÉPENSIONNÉE**, 1; **PRÉRETRAITÉ, PRÉRETRAITÉE**, 1
Vorschrift **RÈGLE**, 1
Vorschriften **RÈGLEMENT**, 1; **RÉGLEMENTATION**, 2
vorschriftmässig **RÉGLEMENTAIRE**, 1
Vorschuss **AVANCE**, 1; **PROVISION**, 3
Vorschuss- **PROVISIONNEL, -ELLE**, 1
Vorsitz führen **PRÉSIDER**, 1
Vorsitz haben **PRÉSIDER**, 1
Vorsitzende des Verwaltungsrats einer französischen AG **ADMINISTRATEUR, ADMINISTRATRICE**, 1; **PDG, P-DG**; **PÉDÉGÈRE**, 1
Vorstand **DIRECTOIRE**, 1
vorstrecken **AVANCER**, 1
Vorteil **AVANTAGE**, 1
vorteilhaft **AVANTAGEUX, -EUSE**, 1
wachsen **ACCROÎTRE**, 1; **CROÎTRE**, 2
Wachstum **CROISSANCE**, 1
Wachstumphase **CROISSANCE**, 2
Wagen **AUTOMOBILE**, 1; **VOITURE**, 1; **WAGON**, 1
Waggon **WAGON**, 1
wahnsinnig **FARAMINEUX, -EUSE**, 1
Währung **MONNAIE**, 1
Währungs- **MONÉTAIRE**, 1
Währungsfonds (Internationale ~, IWF) **FMI**
Währungsinstitut (Europäisches ~, EWI) **IME**
Währungssystem (Europäische ~, EWS) **SME**
Währungsunion (Wirtschafts- und ~, WWU) **UEM**
Wald- **FORESTIER, -IÈRE**, 1; **SYLVICOLE**, 1
Ware **ARTICLE**, 1; **MARCHANDISE**, 1
Ware annehmen **RÉCEPTIONNER**, 1
Ware, deren Annahme verweigert wurde **INVENDU**, 2
Ware in Empfang nehmen **RÉCEPTIONNER**, 1
Ware (nicht abgenommene ~) **INVENDU**, 2; **LAISSÉ(-)POUR(-)COMPTE**, 2
Ware (unverkäufliche ~) **LAISSÉ(-)POUR(-)COMPTE**, 1
Ware (unverkaufte ~) **INVENDU**, 1
Waren (ausgeführten ~) **EXPORTATION**, 2
Warenangebot (mit reichhaltigem ~) **ACHALANDÉ, -ÉE**, 2; **ASSORTI**, 1
Warenangebot (reichhaltige ~) **ACHALANDAGE**, 2
Warenannahme **RÉCEPTION**, 1
Warenannahme (Angestellte in der ~) **RÉCEPTIONNAIRE**, 1
Warenbestände **STOCK**, 1
Warenhaus **SURFACE**, 1
Warenkontingent **CONTINGENT**, 1
Warenlager **STOCK**, 2
Warenverkehr **TRAFIC**, 2
Warenzeichen **LABEL**, 1
Warnsignal **AVERTISSEUR**, 1; **CLIGNOTANT**, 1
Warrant **WARRANT**, 1
Warten **MAINTENANCE**, 1
Wartung **MAINTENANCE**, 1
Web **TOILE**, 1; **WEB**, 1
Wechsel **BILLET**, 2; **CHANGE**, 1; **EFFET**, 2; **LETTRE**, 2; **TRAITE**, 1
Wechselgeld **APPOINT**, 1; **MONNAIE**, 3
wechselhaft **FLOTTANT, -ANTE**, 1
Wechselkurs **CHANGE**, 2
Wechselmakler **CAMBISTE**, 1
wechseln **CHANGER**, 1
Wechselobligo **EN(-)COURS**, 2
Wechselpapier **EFFET**, 2
Wechsels (Käufer des ~) **ESCOMPTEUR, ESCOMPTEUSE**, 1
Wehrsold **SOLDE**, 4
Weihnachtsferien (parlamentarische ~) **TRÊVE DES CONFISEURS**, 1
Wein **VIN**, 1
Wein- **VINICOLE**, 1; **VITICOLE**, 1
Weinbau **VITICULTURE**, 1
Weinbau- **VINICOLE**, 1; **VITICOLE**, 1

Weinbauer **VIGNERON, VIGNERONNE**, 1; **VITICULTEUR, VITICULTRICE**, 1
Weinberg **VIGNE**, 2
Weinrebe **VIGNE**, 1
Weinstock **VIGNE**, 1
weisse Ritter **CHEVALIER BLANC**, 1
Weisung **DIRECTIVE**, 1
Weisung (eine beständige ~) **INSTRUCTION PERMANENTE**, 1
weiterbilden (sich ~) **RECYCLER**, 1
Weiterbildung **RECYCLAGE**, 1
Weiterverkauf **REVENTE**, 1
weiterverkaufen **REVENDRE**, 1
Weizen **BLÉ**, 1
Welle **VAGUE**, 1
Werbe- **PUBLICITAIRE**, 1; 2
Werbeagent **CRÉATIF**, 1
Werbeagentur **RÉGIE**, 2
Werbefachmann **PUBLICITAIRE**, 1
werben (Kunden ~) **PROSPECTER**, 1
Werbereportage **PUBLIREPORTAGE**, 1
Werberummel **BATTAGE**, 1; **TAPAGE**, 1
Werbespot **PUB**, 2; **PUBLICITÉ**, 2; **RÉCLAME**, 2; **SPOT**, 1
Werbespruch **PUB**, 2; **PUBLICITÉ**, 2; **RÉCLAME**, 2
Werbezettel **AFFICHETTE**, 1
Werbung **PUB**, 1; **PUBLICITÉ**, 1; **RÉCLAME**, 1
Werbung (Dauerberieselung durch die ~) **MATRAQUAGE**, 1
Werbung (Dauerbeschuss durch die ~) **MATRAQUAGE**, 1
Werbung (marktschreierische ~) **TAPAGE**, 1
Werbung (redaktionelle ~) **PUBLIRÉDACTIONNEL**, 1
Werk **OUVRAGE**, 1; **USINE**, 1
Werk (ab ~) **EXW**
Werkmeister **CONTREMAÎTRE, CONTREMAÎTRESSE**, 1
Werkstatt **ATELIER**, 1
Werkstätte **ATELIER**, 1
Werkstattinhaber **GARAGISTE**, 1
Werkstoff **MATÉRIAU**, 1
Werkstudent **JOBISTE**, 1
Werkzeug **OUTIL**, 1
Werkzeugmaschine **MACHINE-OUTIL**, 1
Wert **VALEUR**, 1
wert sein **VALOIR**, 1
Wert (an ~ einbüssen) **PERDRE**, 2
Wert (an ~ verlieren) **DÉPRÉCIER**, 1; **PERDRE**, 2
Wert (den höchsten ~ erreichen) **CULMINER**, 1
Wertminderung **DÉPRÉCIATION**, 1; **MOINS-VALUE**, 1
Wertminderung erleiden **DÉPRÉCIER**, 1
Wertpapier **TITRE**, 1; **VALEUR**, 2
Wertpapier (mündelsicheres ~) **VALEUR(-)REFUGE**, 1
Wertpapieranlagegesellschaft **OPC**; **OPCVM**
Wertpapiere (Notierung der ~) **COTE**, 2
Wertpapierkonto **COMPTE-TITRES**, 1
Wertsteigerung **APPRÉCIATION**, 1
Wertverlust **DÉPRÉCIATION**, 1
Wertverminderung **DÉVALORISATION**, 1
Wettbewerb **CONCURRENCE**, 1
Wettbewerb (fehlende ~) **NON-CONCURRENCE**, 1
Wettbewerb (mit starkem ~) **CONCURRENTIEL, -IELLE**, 2
Wettbewerbs- **COMPÉTITIF, -IVE**, 2; **CONCURRENTIEL, -IELLE**, 2
wettbewerbsfähig **COMPÉTITIF, -IVE**, 1; **CONCURRENTIEL, -IELLE**, 1
wettbewerbsfähig (äusserst ~) **HYPER(-)CONCURRENTIEL, -IELLE**, 1
Wettbewerbsfähigkeit **COMPÉTITIVITÉ**, 1
wettbewerbsschädigend **ANTICONCURRENTIEL, -IELLE**, 1
Wettbewerbsvorteil **AVANTAGE**, 2
wichtig **GRAND, GRANDE**, 1; **IMPORTANT, -ANTE**, 1
wiederaufnehmen **EMBRAYER**, 1
Wiederaufschwung **REDÉMARRAGE**, 1
Wiederausfuhr **RÉEXPORTATION**, 1
Wiederbelebung **REDRESSEMENT**, 1; **RELANCE**, 2; **REPRISE**, 3
Wiederflottmachen **RENFLOUAGE**, 1
wiederherstellen **RÉTABLIR**, 1
Wiederherstellung **RÉTABLISSEMENT**, 1
Wiederverkauf **REVENTE**, 1
wiederverkaufen **REVENDRE**, 1
Wiederverkäufer **REVENDEUR, REVENDEUSE**, 1
wiederverwerten **RECYCLER**, 2
Winzer **VIGNERON, -ONNE**, 1; **VIGNERON, VIGNERONNE**, 1; **VITICULTEUR, VITICULTRICE**, 1
winzig **MINIME**, 1
wirksam **EFFICACE**, 1
Wirksamkeit **EFFICACITÉ**, 1
Wirkung **EFFET**, 1
wirkungsvoll **EFFICACE**, 1
Wirtschaft **BAR**, 1; **CAFÉ**, 1; **ÉCONOMIE**, 1
Wirtschaft (Ankurbelung der ~) **RELANCE**, 2
wirtschaftlich **ÉCO**, 1; **ÉCONOME**, 1; **ÉCONOMICO-**, 1; **RENTABLE**, 1
wirtschaftlich und finanziell **ÉCONOMICO-FINANCIER, -IÈRE**, 1
wirtschaftlich und sozial **ÉCONOMICO-SOCIAL, -IALE**, 1
wirtschaftliche Aufschwung **BOOM**, 1
wirtschaftliche Interessengemeinschaft **GIE**
wirtschaftliche (Organisation für ~ Zusammenarbeit und Entwicklung, OECD) **OCDE**
Wirtschaftlichkeit **ÉCONOMIE**, 3; **RENTABILITÉ**, 1
Wirtschafts- **ÉCONOMICO-**, 1
Wirtschafts- und Finanz- **ÉCONOMICO-FINANCIER, -IÈRE**, 1
Wirtschafts- und Währungsunion (WWU) **UEM**
Wirtschaftsbarometer **BAROMÈTRE**, 1
Wirtschaftsbereich **SECTEUR**, 2
Wirtschaftsexperte **ÉCONOMISTE**, 1
wirtschaftsfeindlich **ANTIÉCONOMIQUE**, 1
Wirtschaftsindikatoren **TABLEAU DE BORD**, 1
Wirtschaftslage **CONJONCTURE**, 1
Wirtschaftslenkung **DIRIGISME**, 1
wirtschaftspolitisch **ÉCONOMICO-POLITIQUE**, 1
Wirtschaftsprüfer **EXPERT-COMPTABLE, EXPERTE-COMPTABLE**, 1
Wirtschaftssektors (eines ~) **SECTORIEL, -IELLE**, 2
Wirtschaftswissenschaftler **ÉCONOMISTE**, 1
Wirtschaftswissenschaft(en) **ÉCONOMIE**, 2
Wirtschahftsdaten **TABLEAU DE BORD**, 1
wöchentlich **HEBDOMADAIRE**, 1
Wochenzeitung **HEBDOMADAIRE**, 1
Wohlfahrtsstaat **ÉTAT-PROVIDENCE**, 1
wohlhabend **AISÉ, -ÉE**, 1; **NANTI, -IE**, 1; **RICHE**, 1
Wohlhabenden **NANTIS**, 1
Wohlstand **BIEN-ÊTRE**, 1; **PROSPÉRITÉ**, 1; **RICHESSE**, 2
Wohnsitz (ohne festen ~) **DOMICILE FIXE**, 1
Wohnsitz (Person ohne festen ~) **SDF**
Wohnungseigentum (Massnahmen zur Bildung von ~) **PROMOTION**, 2
Workaholic **BOSSEUR, BOSSEUSE**, 1
WTO **OMC**
WWU (Wirtschafts- und Währungsunion) **UEM**
Yen **YEN**, 1
Zahl **CHIFFRE**, 1
zahlbar **PAYABLE**, 1; **RECOUVRABLE**, 1; **REMBOURSABLE**, 1
zahlen **ACQUITTER**, 1; **ALLOUER**, 1; **COMPTER**, 1; **DÉBOURSER**, 1; **PAYER**, 1; **RÉGLER**, 1; **VERSER**, 1
Zahlen (in den roten ~) **ROUGE**, 1
zahlen (jedem Schmiergeld ~) **PATTE**, 1
zahlen (kann gezahlt werden) **RECOUVRABLE**, 1
zahlen (Steuern ~ müssen) **ASSUJETTIR**, 1
zahlend **PAYANT, -ANTE**, 1; **PAYEUR, -EUSE**, 1
zahlende (zu ~ Summe) **DÛ**, 1
Zahler **PAYEUR, PAYEUSE**, 1; 2
Zahlstelle **PÉAGE**, 2
Zahlung **ACQUITTEMENT**, 1; **PAIEMENT**, 1; **PAYEMENT**, 1; **RÈGLEMENT**, 2; **VERSEMENT**, 1; 3
Zahlung (ausstehende ~) **ARRIÉRÉ**, 1
Zahlung (jährliche ~) **ANNUITÉ**, 1
Zahlung (monatliche ~) **MENSUALISATION**, 1
Zahlungen (rückständigen ~) **ARRÉRAGES**, 1
Zahlungsanweisung **MANDAT**, 2
Zahlungsaufschub **DÉLAI**, 2
Zahlungsauftrag **DOMICILIATION**, 1
Zahlungsauftrag erteilen **DOMICILIER**, 1
Zahlungsausgleich (Bank für Internationalen ~, BIZ) **BRI**
Zahlungsbeleg **FACTURETTE**, 1
Zahlungsbescheinigung **QUITTANCE**, 1
zahlungsfähig **SOLVABLE**, 1
Zahlungsfähigkeit **SOLVABILITÉ**, 1
Zahlungsfrist **CRÉDIT**, 4
Zahlungsmittel **MONNAIE**, 1
Zahlungsmittelüberschuss **CASH(-)FLOW**, 1
Zahlungstermin **ÉCHÉANCE**, 2
zahlungsunfähig **INSOLVABLE**, 1
Zahlungsunfähigkeit **INSOLVABILITÉ**, 1
Zahlungsverkehr (elektronische ~) **MONÉTIQUE**, 1
Zahlungsweisung (eine beständige ~) **INSTRUCTION PERMANENTE**, 1
Zahlungsziel **CRÉDIT**, 4
zeichnen **SOUSCRIRE**, 2
Zeichner **SOUSCRIPTEUR, SOUSCRIPTRICE**, 1
Zeichnung **SOUSCRIPTION**, 1
Zeit **DÉLAI**, 1
Zeitarbeitnehmer **INTÉRIMAIRE**, 1
zeitlich befristet **INTÉRIMAIRE**, 1
zeitoptimale Fertigung **JUSTE(-)À(-)TEMPS**, 1; **JUST-IN-TIME**, 1
Zeitplan **HORAIRE**, 2
Zeitspanne **DÉLAI**, 1
Zeitvertrag (Angestellte mit ~) **CONTRACTUEL, CONTRACTUELLE**, 2
Zelle **CELLULE**, 1
Zellophanpackung **EMBALLAGE-BULLE**, 1
Zement **CIMENT**, 1
Zentralbank (Europäische ~, EZB) **BCE**

Zentrale **CENTRALE**, 1
Zentralverband **FÉDÉRATION**, 1
Zentrum **CENTRE**, 1
Zerquetschte (und ein paar ~) **POUSSIÈRES**, 1
Zertifikat **CERTIFICAT**, 1; 2
Zessionar **CESSIONNAIRE**, 1
Zettel **FICHE**, 2
Zeugnis **BREVET**, 1; **CERTIFICAT**, 1; **DIPLÔME**, 1
ziehen **TIRER**, 1
Zieher **TIREUR**, 1
Ziel **OBJECTIF**, 1
Zielgruppe **CIBLE**, 1
Zielgruppe ansprechen **CIBLER**, 1
Zielgruppe (sich an eine ~ wenden) **CIBLER**, 1
Zielkundschaft **CLIENT-CIBLE**, 1; **CLIENTÈLE-CIBLE**, 1
Zielvereinbarung (Führung durch ~) **DPO**
Ziffer **CHIFFRE**, 1
Zigarettenhersteller **CIGARETTIER**, 1
Zink **ZINC**, 1
Zins **INTÉRÊT**, 1
Zinsarbitrage **ARBITRAGE**, 1
Zinsausfallversicherung **ASSURANCE(-)ÉPARGNE**, 1
Zinsen **RENDEMENT**, 4
Zinsen gewähren **RÉMUNÉRER**, 2
Zinsen zum Kapital schlagen **CAPITALISER**, 1
Zinsertrag **RENTE**, 1
Zinsrückstände **ARRÉRAGES**, 1
Zinsschein **COUPON**, 1
Zisterne **CITERNE**, 1
zögernd **HÉSITANT, -ANTE**, 1
Zoll **DOUANE**, 1
Zoll- **DOUANIER, -IÈRE**, 1
zollamtlich **DOUANIER, -IÈRE**, 1
Zollbeamter **DOUANIER, DOUANIÈRE**, 1
Zollbehörde **DOUANE**, 1
Zöllner **DOUANIER, DOUANIÈRE**, 1
Zolltarif **TARIF**, 3
Zone **ZONAGE**, 1; **ZONE**, 1; **ZONING**, 1
Zubehör **ACCESSOIRE**, 1
Zucht **ÉLEVAGE**, 1
züchten **ÉLEVER**, 1
Züchter **ÉLEVEUR, ÉLEVEUSE**, 1
Züchtung **ÉLEVAGE**, 1
Zufluss **AFFLUX**, 1
Zufuhr **APPROVISIONNEMENT**, 1
zuführen **APPORTER**, 1
Zug **TRAIN**, 1
Zugehörigkeit **ADHÉSION**, 1; **AFFILIATION**, 1
Zukurzgekommenen (sozial ~) **QUART(-)MONDE**, 2
zulegen **CÉDER**, 3
Zulieferbetrieb **SOUS-TRAITANT**, 1
Zulieferer **ÉQUIPEMENTIER**, 1; **SOUS-TRAITANT**, 1
Zulieferung **SOUS-TRAITANCE**, 1
zumachen **FERMER**, 1
Zunahme **ACCENTUATION**, 1; **ACCROISSEMENT**, 1; **AUGMENTATION**, 1; **CREUSEMENT**, 1
Zunahme des Anteils der abhängig Beschäftigten **SALARISATION**, 1
Zunahme des Arbeitnehmeranteils **SALARISATION**, 1
Zunahme des Reichtums **ENRICHISSEMENT**, 1
zunehmen **ACCROÎTRE**, 1; **CROÎTRE**, 1
zuordnen **VENTILER**, 1
Zuordnung **VENTILATION**, 1
zurechnen **IMPUTER**, 1
Zurückgehen **RECUL**, 1
zurückgehen **RECULER**, 1; **RÉGRESSER**, 1; **REPLIER**, 1; **TASSER**, 1
zurückgetreten **DÉMISSIONNAIRE**, 1
Zurückhaltung **MODÉRATION**, 1
zurückkaufen **RACHETER**, 1
zurücklegen (Geld ~) **ÉCONOMISER**, 2; **ÉPARGNER**, 1
Zurücknahme **REPRISE**, 2; **RETRAIT**, 2
zurücknehmen **REPRENDRE**, 2; **RETIRER**, 2
zurücktreten **DÉMISSIONNER**, 1
zurückverlagern (ins Inland ~) **RELOCALISER**, 1
Zurückverlagerung ins Inland **RELOCALISATION**, 1
zurückzahlbar **AMORTISSABLE**, 2
zurückzahlen **AMORTIR**, 2; **DÉFRAYER**, 1; **REMBOURSER**, 1
zurückziehen **RETIRER**, 2
Zurückziehen **RETRAIT**, 2
Zusage **ENGAGEMENT**, 2
Zusammenarbeit **COLLABORATION**, 1
zusammenarbeiten **COLLABORER**, 1; **COOPÉRER**, 1
Zusammenbau **ASSEMBLAGE**, 1
zusammenbauen **ASSEMBLER**, 1
zusammenbrechen **DÉRAPER**, 1
Zusammenbruch der Börse **KRACH**, 1
Zusammenkunft (Ort der ~) **RENDEZ-VOUS**, 2
zusammenlegen **CONCENTRER**, 1
zusammenrechnen **ADDITIONNER**, 1; **TOTALISER**, 1
zusammenschliessen (sich ~) **ALLIER**, 1
Zusammenschluss **CONCENTRATION**, 1
zusammensetzen **ASSEMBLER**, 1
zusammentun (sich ~) **ASSOCIER**, 1
zusammenzählen **CUMULER**, 2; **TOTALISER**, 1
Zusatz **ANNEXE**, 1; **AVENANT**, 1
Zusatz- **ADDITIONNEL, -ELLE**, 1
Zusatzartikel **ANNEXE**, 1
Zusatzdividende **SUPER(-)DIVIDENDE**, 1
zusätzlich **ACCESSOIRE**, 1; **ADDITIONNEL, -ELLE**, 1
Zusatzteil **ACCESSOIRE**, 1
Zuschlag (den ~ erteilen) **ADJUGER**, 1
Zuschlagsteuer **SURTAXE**, 1
Zuschlagsteuer (Erhebung einer ~) **SURTAXATION**, 1
Zuschlagsteuer (mit einer ~ belegen) **SURTAXER**, 1
zusetzen **CÉDER**, 3
Zustellung **REMISE**, 3
Zustrom **AFFLUX**, 1
Zuteilung **AFFECTATION**, 1
zuverlässig **FIABLE**, 1
Zuverlässigkeit **FIABILITÉ**, 1
Zuwachs **ACCROISSEMENT**, 1; **GAIN**, 3
Zuwachsraten (Produkt mit hohen ~) **ÉTOILE**, 1
zuweisen **AFFECTER**, 1
Zuweisung **AFFECTATION**, 1
Zuweisungen **DOTATION**, 1
Zuwendung **ALLOC**, 1; **ALLOCATION**, 1
zweifach **DOUBLE**, 1; **DOUBLEMENT**, 1
Zweifache **DOUBLE**, 1
Zweigniederlassung **BUREAU**, 1; **SUCCURSALE**, 1
Zweigstelle (einer Bank) **AGENCE**, 2
Zwischenhändler **REVENDEUR, REVENDEUSE**, 1
zyklisch **CYCLIQUE**, 1
Zyklus **CYCLE**, 1; 2
Zyklus (kurze ~) **HYPOCYCLE**, 1
Zyklus (lange ~) **HYPERCYCLE**, 1

ability **CAPACITÉ**, 1
abode (person of no fixed ~) **SDF**
about (to be ~) **AVOISINER**, 1
abrupt **BRUSQUE**, 1
abruptly **BRUSQUEMENT**, 1
absence **ABSENCE**, 1
absent **ABSENT, -ENTE**, 1
absenteeism **ABSENTÉISME**, 1
absorb (to ~) **ABSORBER**, 2; **ÉPONGER**, 1
absorption **ABSORPTION**, 2
accelerate (to ~) **ACCÉLÉRER**, 1
acceleration **ACCÉLÉRATION**, 1
acceptance **RÉCEPTION**, 1
accessory **ACCESSOIRE**, 1
account **COMPTE**, 1; 2; 3; **LIQUIDATION**, 3
account details **RIB**
account (deposit ~) **COMPTE-ÉPARGNE**, 1
account (detailed ~) **DÉCOMPTE**, 2
account (Giro ~) **CCP**
account (Post office ~) **CCP**
account (property ~) **COMPTE-TITRES**, 1
account (real ~) **COMPTE-TITRES**, 1
account (savings ~) **COMPTE-ÉPARGNE**, 1
account (statement of ~) **BILAN**, 1; **RELEVÉ**, 1
account (to charge to an ~) **IMPUTER**, 1
account (to credit an ~) **APPROVISIONNER**, 3
account (to pay money from one ~ into another) **VIRER**, 1
accountancy **COMPTABILITÉ**, 5
accountant **COMPTABLE**, 1
accountant (chartered ~) **EXPERT-COMPTABLE, EXPERTE-COMPTABLE**, 1
accounting **COMPTABILITÉ**, 1; **COMPTABLE**, 1; 2
accounting period **EXERCICE**, 1
accounting (official ~ plan) **PCG**
accounts **COMPTABILITÉ**, 2
accounts department **COMPTA**, 1; **COMPTABILITÉ**, 3; 4
accounts payable **DETTE**, 3
accounts (outstanding ~) **IMPAYÉ**, 1
accounts (to enter into the ~) **COMPTABILISER**, 1
accounts (which can be entered into the ~) **COMPTABILISABLE**, 1
accumulate (to ~) **ACCUMULER**, 1; **CUMULER**, 2
accumulation **ACCUMULATION**, 1; **CUMUL**, 2
accuracy **FIABILITÉ**, 1
accurate **FIABLE**, 1
acquisition **ACQUISITION**, 1
action plan **PLAN**, 1
action (plan of ~) **PLAN**, 1
activities (union(ist) ~) **SYNDICALISME**, 3
activity (maintaining ~) **REDRESSEMENT**, 3
actor **ACTEUR**, 2
actual **RÉEL, -ELLE**, 1
actuarial **ACTUARIEL, -IELLE**, 1
ad **PUB**, 2; **PUBLICITÉ**, 2; **RÉCLAME**, 2; **SPOT**, 1
add (to ~ up to) **ADDITIONNER**, 1; **CHIFFRER**, 2; **ÉLEVER**, 2; **TOTALISER**, 1
addition **ADDITION**, 1; **CUMUL**, 2
additional **ADDITIONNEL, -ELLE**, 1
additional clause **AVENANT**, 1
additional cost **SURCOÛT**, 1
address **ADRESSE**, 1
address (to ~) **ADRESSER**, 1
addressee **DESTINATAIRE**, 1
adjudicator **ADJUDICATEUR, ADJUDICATRICE**, 1
adjust (to ~) **AJUSTER**, 1; **ALIGNER**, 1; **RÉAJUSTER**, 1; **RÉAMÉNAGER**, 1; **REVALORISER**, 1; **RÉVISER**, 2
adjustment **AJUSTEMENT**, 1; **ALIGNEMENT**, 1; **RÉAJUSTEMENT**, 1; **RÉAMÉNAGEMENT**, 1; **REVALORISATION**, 1
adjustment (tax ~) **REDRESSEMENT**, 4
adman **PUBLICITAIRE**, 1
administer (to ~) **GÉRER**, 2
administration **ADMINISTRATION**, 1; **GESTION**, 1
administration (financial ~) **GESTION**, 2
administration (local ~) **COLLECTIVITÉ**, 2
administration (public ~) **FONCTION**, 3
administrative **ADMINISTRATIF, -IVE**, 1; **GESTIONNAIRE**, 1
administrative (political and ~) **POLITICO-ADMINISTRATIF, -IVE**, 1
administrator **ADMINISTRATEUR, ADMINISTRATRICE**, 1; **CURATEUR, CURATRICE**, 1; **GESTIONNAIRE**, 1
advance **ANTICIPATION**, 1; **AVANCE**, 1
advance (to ~) **ANTICIPER**, 1; **AVANCER**, 1
advantage **AVANTAGE**, 1
advantage (comparative ~) **AVANTAGE**, 2
advantage (to take ~ of) **EXPLOITER**, 2; **PROFITER**, 1
advantageous **AVANTAGEUX, -EUSE**, 1
adverse **DÉFICITAIRE**, 1
advert **PUB**, 2; **PUBLICITÉ**, 2; **RÉCLAME**, 2
advertisement **ANNONCE**, 1; **PUB**, 2; **PUBLICITÉ**, 2; **RÉCLAME**, 2
advertiser **ANNONCEUR**, 1
advertising executive **PUBLICITAIRE**, 1
advertising **PUB**, 1; **PUBLICITAIRE**, 1; **PUBLICITÉ**, 1; **RÉCLAME**, 1
advertising (direct mail ~) **MAILING**, 1; **PUBLIPOSTAGE**, 1
advertising (documentary ~) **PUBLIRÉDACTIONNEL**, 1; **PUBLIREPORTAGE**, 1
advertising (editorial ~) **PUBLIRÉDACTIONNEL**, 1; **PUBLIREPORTAGE**, 1
advertising (poster ~ agency) **AFFICHEUR**, 1
advertising (word-of-mouth ~) **RADIO TROTTOIR**, 1
advise (to ~) **CONSEILLER**, 1
adviser **CONSEIL**, 2; **CONSEILLER, CONSEILLÈRE**, 1; **CONSULTANT, CONSULTANTE**, 1
adviser (tax ~) **FISCALISTE**, 1
aeronautical **AÉRONAUTIQUE**, 1
aeronautics **AÉRONAUTIQUE**, 1
aeroplane **AVION**, 1
aerosol **BOMBE**, 1
affiliate (to ~ to) **AFFILIER**, 1
affiliated company **AFFILIÉ, AFFILIÉE**, 1
affiliated member **AFFILIÉ, AFFILIÉE**, 1
affiliated (to become ~) **AFFILIER**, 1
affiliation **AFFILIATION**, 1
affluence **ABONDANCE**, 1
affluent **ABONDANT, -ANTE**, 1; **NANTI, -IE**, 1
after-sales service **APRÈS-VENTE**, 1; **SAV**
age pyramid **PYRAMIDE DES ÂGES**, 1
ageing (process) of the population **PAPY(-)BOOM**, 1
agency **AGENCE**, 1; **RÉGIE**, 2
agency (consulting ~) **AGENCE-CONSEIL**, 1
agency (export ~) **COMPTOIR**, 2
agency (poster advertising ~) **AFFICHEUR**, 1
agenda **ORDRE**, 2
agent **AGENT**, 1; **COMMISSIONNAIRE**, 1; **COURTIER, COURTIÈRE**, 1
agent with power of attorney **FONDÉ DE POUVOIR**, 1
agent (authorized ~) **MANDATAIRE**, 1
agent (commission ~) **MANDATAIRE**, 1
agent (employment ~) **PLACEUR, PLACEUSE**, 2
agent (managing ~) **GÉRANT, GÉRANTE**, 4; **SYNDIC**, 1
agent (sales ~) **REPRÉSENTANT, REPRÉSENTANTE**, 1
agent (shipping ~) **CHARGEUR**, 1
agent (sole ~) **CONCESSIONNAIRE**, 1
agent (travel ~) **VOYAGISTE**, 1
aggravate (to ~) **AGGRAVER**, 1
aggravation **AGGRAVATION**, 1
aggregate **AGRÉGAT**, 1
agree (to ~) **ACCORDER**, 2
agreement **ACCORD**, 1; **CONTRAT**, 1; **CONTRAT**, 2; **CONVENTION**, 1
agreement (collective ~) **CCT**
agreement (standard ~) **CONTRAT(-)TYPE**, 1
agreement (tenancy ~) **BAIL**, 1
agricultural **AGRICOLE**, 1; **FERMIER, -IÈRE**, 1
agriculture **AGRICULTURE**, 1
agriculturist **AGRICULTEUR, AGRICULTRICE**, 1
air **AÉRIEN, -IENNE**, 1
air terminal **AÉROPORT**, 1
aircraft (container ~) **PORTE-CONTENEURS**, 1
airplane **AVION**, 1
airport **AÉROPORT**, 1
alignment **ALIGNEMENT**, 1
alignment (to bring into ~) **ALIGNER**, 1
all **TOTALITÉ**, 1
alliance **ALLIANCE**, 1
allocate (to ~) **AFFECTER**, 1; **ALLOUER**, 1; **ALLOUER**, 2
allocation **AFFECTATION**, 1; **IMPUTATION**, 1
allot (to ~) **AFFECTER**, 1
allotment **AFFECTATION**, 1
allow (to ~) **BONIFIER**, 1
allowance **ALLOC**, 1; **ALLOCATION**, 1; **INDEMNITÉ**, 1; **PRESTATION**, 1; **PRIME**, 3
allowance (person receiving an ~) **PRESTATAIRE**, 1
allowance (personal ~) **DÉDUCTION**, 1
allowance (recipient of an ~) **RENTIER, RENTIÈRE**, 2
allowance (tax ~) **ABATTEMENT**, 1
almanac **ANNUAIRE**, 2
aluminium **ALUMINIUM**, 1
amalgamate (to ~) **FUSIONNER**, 1
amortizable **AMORTISSABLE**, 1
amount **SOMME**, 1
amount (to ~ to) **CHIFFRER**, 2; **ÉLEVER**, 2; **ÉQUIVALOIR**, 1; **MONTER**, 2
amount (total ~) **MONTANT**, 1
analysis **ÉTUDE**, 3
analysis (economic ~) **CONJONCTURE**, 2
analysis (market ~) **CONJONCTURE**, 2
analyst (economic ~) **ANALYSTE**, 1; **CONJONCTURISTE**, 1
analyst (financial ~) **ANALYSTE**, 1
analytical **ANALYTIQUE**, 1
anchoring **ANCRAGE**, 1
announcement **ANNONCE**, 2
annual **ANNUEL, -ELLE**, 1
annual payment **ANNUITÉ**, 1
annually **ANNUELLEMENT**, 1

annuitant **RENTIER, RENTIÈRE**, 3
annuity **RENTE**, 2; **RENTE**, 4
annuity (creditor of a life ~) **CRÉDI(T)RENTIER, CRÉDI(T)RENTIÈRE**, 1
annuity (debtor of a life ~) **DÉBI(T)RENTIER, DÉBI(T)RENTIÈRE**, 1
anti-capitalist **ANTICAPITALISTE**, 1
anticipate (to ~) **ANTICIPER**, 1
anticipation **ANTICIPATION**, 1
anti-inflationary **ANTI-INFLATIONNISTE**, 1
antique **ANTIQUITÉS**, 1
antique dealer **ANTIQUAIRE**, 1
antiquities **ANTIQUITÉS**, 1
anti-trade-union **ANTISYNDICAL, -ALE**, 1
appended (documents) **ANNEXE**, 1
appendix **ANNEXE**, 1
appliance **APPAREIL**, 1
appliances (manufacturer of household ~) **ÉLECTROMÉNAGISTE**, 1
appliance(s) (domestic ~) **ÉLECTROMÉNAGER**, 1
appliance(s) (household ~) **ÉLECTROMÉNAGER**, 1
applicant **CANDIDAT, CANDIDATE**, 1
application **CANDIDATURE**, 1; **SOLLICITATION**, 1
apply (to ~ for) **POSTULER**, 1; **SOLLICITER**, 1
appoint (to ~ officially) **TITULARISER**, 1
appointment **ENGAGEMENT**, 1; **RENDEZ-VOUS**, 1
appreciable **APPRÉCIABLE**, 1
appreciation **PLUS-VALUE**, 1
apprenticeship **APPRENTISSAGE**, 1
approximate **APPROXIMATIF, -IVE**, 1
approximately **APPROXIMATIVEMENT**, 1
approximation **APPROXIMATION**, 1
aquacultural **AQUACOLE**, 1
aquaculture **AQUACULTURE**, 1
arbitrager **ARBITRAGISTE**, 1
arbitrageur **ARBITRAGISTE**, 1
arbitration **ARBITRAGE**, 1
area **SECTEUR**, 2; **ZONAGE**, 1; **ZONE**, 1; **ZONING**, 1
arrears **ARRÉRAGES**, 1
arrive (to ~ at) **ATTEINDRE**, 1
article **ARTICLE**, 1
article (refused ~) **LAISSÉ(-)POUR(-)COMPTE**, 2
article (unwanted ~) **LAISSÉ(-)POUR(-)COMPTE**, 1
articles sold **VENDU**, 1
articles (unmarked ~) **DÉGRIFFÉ, -ÉE**, 1
article(s) (returned ~) **LAISSÉ(-)POUR(-)COMPTE**, 2
artisan **ARTISAN, ARTISANE**, 1
artist (poster ~) **AFFICHISTE**, 1
ascending **ASCENDANT, -ANTE**, 1
assemble (to ~) **ASSEMBLER**, 1
assembler **ASSEMBLEUR, ASSEMBLEUSE**, 1
assembly **ASSEMBLAGE**, 1
assess (to ~) **MESURER**, 1
assessment **NOTATION**, 1
assessment (tax ~) **IMPOSITION**, 1; **ASSIETTE**, 1
assessor (tax ~) **TAXATEUR, TAXATRICE**, 1
asset **BIEN**, 1; **CAPITAL**, 1
assets **ACTIF**, 1; 2; **CAPITAL**, 1; **EMPLOI**, 4; **FONDS**, 5; **VALEUR**, 3
assets (convertible into fixed ~) **CAPITALISABLE**, 1
assets (fixed ~) **IMMOBILISATIONS**, 1
assets (liquid ~) **DISPONIBILITÉS**, 1; **LIQUIDITÉ**, 3
assets (tangible ~) **IMMOBILISATIONS**, 1
assignable **CESSIBLE**, 1
assignee **CESSIONNAIRE**, 1
assigner **AYANT DROIT**, 1
assignor **CÉDANT, CÉDANTE**, 1
assist (to ~ financially) **AIDER**, 1
assistant **ADJOINT, ADJOINTE**, 1; **AIDE**, 2
assistant **ADJOINT, -OINTE**, 1
assistant manager **DIRECTEUR(-)ADJOINT, DIRECTRICE(-)ADJOINTE**, 1
assistant (checkout ~) **CAISSIER, CAISSIÈRE**, 1
associate **ASSOCIÉ, ASSOCIÉE**, 1; **COLLABORATEUR, COLLABORATRICE**, 1
association **ASSOCIATION**, 1; **COLLABORATION**, 1; **GROUPEMENT**, 1
association (non-profit-making ~) **ASBL**; **OSBL**
association (not-for-profit-~) **ASBL**
association (to form an ~) **ASSOCIER**, 1
association (to join a ~) **SYNDIQUER**, 2
associative **ASSOCIATIF, -IVE**, 1
assortment **ASSORTIMENT**, 1
assurance (life ~) **ASSURANCE-VIE**, 1; **ASSURANCE(-)DÉCÈS**, 1
assurance (life ~ policy holder) **ASSURÉ-VIE**, 1
assurer (life ~) **ASSUREUR-VIE**, 1
attaché **ATTACHÉ, ATTACHÉE**, 1
attendance **PRÉSENCE**, 1
attendant (petrol ~) **POMPISTE**, 1
attendant (pump ~) **POMPISTE**, 1
attorney (power of ~) **MANDANT, MANDANTE**, 1; **MANDAT**, 1
attribute (to ~) **IMPUTER**, 1
auction (sale by ~) **ADJUDICATION**, 1
auction (to ~) **ADJUGER**, 1
auctioneer **COMMISSAIRE-PRISEUR**, 1; **ENCANTEUR, ENCANTEUSE**, 1
audiovisual **AUDIOVISUEL, -ELLE**, 1
audiovisual industry **AUDIOVISUEL**, 1
audiovisual press **AUDIOVISUEL**, 1
audit **APUREMENT**, 1; **AUDIT**, 1
audit (to ~) **APURER**, 1; **AUDITER**, 1; **RÉVISER**, 1
auditing **APUREMENT**, 1; **AUDIT**, 1
auditor **AUDIT**, 2; **AUDITEUR, AUDITRICE**, 1; **COMMISSAIRE-RÉVISEUR**, 1; **RÉVISEUR**, 1
auditor (independent ~) **EXPERT-COMPTABLE, EXPERTE-COMPTABLE**, 1
austerity **AUSTÉRITÉ**, 1
autarkical **AUTARCIQUE**, 1
autarky **AUTARCIE**, 1
authorities (tax ~) **FISC**, 1
authorized agent **MANDATAIRE**, 1
automate (to ~) **AUTOMATISER**, 1; **ROBOTISER**, 1
automated production technology **PRODUCTIQUE**, 1
automatic **AUTOMATIQUE**, 1
automatic operation **AUTOMATISME**, 1
automatically **AUTOMATIQUEMENT**, 1; **MÉCANIQUEMENT**, 2
automation **AUTOMATION**, 1; **AUTOMATISATION**, 1; **ROBOTISATION**, 1
automation (industrial ~) **PRODUCTIQUE**, 1
automation (office ~, OA) **BUREAUTIQUE**, 1
automatism **AUTOMATISME**, 1
automatization **AUTOMATISATION**, 1
automatize (to ~) **AUTOMATISER**, 1
automaton **AUTOMATE**, 1
automobile **VOITURE**, 1
automobile ... **AUTOMOBILE**, 1
automobile industry **AUTOMOBILE**, 2
average **AVARIE**, 1; **MOYENNE**, 1
average **MOYEN, -ENNE**, 1
aviation **AVIATION**, 1
awarder **ADJUDICATEUR, ADJUDICATRICE**, 1
baby-boom **BABY(-)BOOM**, 1
bachelor's degree **LICENCE**, 2
back interest **ARRÉRAGES**, 1
back shop **ARRIÈRE-BOUTIQUE**, 1
backer (financial ~) **BAILLEUR, BAILLERESSE**, 2
bad **NÉGATIF, -IVE**, 1
bad debt **NON-VALEUR**, 1
bag **SAC**, 1
bail (to ~ out) **RENFLOUER**, 1; 2
bailing out **RENFLOUAGE**, 1; **RENFLOUEMENT**, 1; 2
baker **BOULANGER, BOULANGÈRE**, 1; 2
baker's (shop) **BOULANGERIE**, 1
bakery **BOULANGERIE**, 1
balance **BALANCE**, 1; **ÉQUILIBRE**, 1; **SOLDE**, 1
balance brought forward **CAPITALISATION**, 2
balance due **DÉCOMPTE**, 1
balance sheet **BILAN**, 1; **BILANCIEL, -IELLE**, 1; **BILANTAIRE**, 1
balance (cash ~) **ENCAISSE**, 1
balance (debit ~) **DÉBET**, 1
balance (to ~) **ÉQUILIBRER**, 1; **SOLDER**, 1
balance (to throw off ~) **DÉSÉQUILIBRER**, 1
balance (with a credit ~) **CRÉDITEUR, -TRICE**, 2
balancing **ÉQUILIBRAGE**, 1
band **FOURCHETTE**, 1
bank- **BANCAIRE**, 1
bank **BANQUE**, 1; **BANQUE**, 2; **CAISSE**, 5
Bank **CAISSE**, 4
bank charge **AGIO**, 1
bank commission **AGIO**, 1
Bank for International Settlements (BIS) **BRI**
bank holiday **FÉRIÉ, -IÉE**, 1
Bank identification form **RIB**
bank providing insurance services **BANCASSUREUR**, 1
bank statement **RELEVÉ**, 1
Bank (European ~ for Reconstruction and Development, EBRD) **BERD**
Bank (European Central, ECB) **BCE**
Bank (European Investment ~, EIB) **BEI**
bank (insurance services provided by a ~) **BANCASSURANCE**, 1; **BANQUE-ASSURANCE**, 1
Bank (International ~ for Reconstruction and Development, IBRD) **BIRD**
bank (piggy ~) **TIRELIRE**, 1
bank (where a ~ has a branch) **BANCABLE**, 2; **BANQUABLE**, 2
bankable **BANCABLE**, 1; **BANQUABLE**, 1
banker **BANQUIER, BANQUIÈRE**, 1; 2
banking **BANCAIRE**, 1
banking (extension of ~ services) **BANCARISATION**, 1; **MARCHÉISATION**, 1
banking (home ~) **HOMEBANKING**, 1
banking (to extend ~ services) **BANCARISER**, 1
banknote **COUPURE**, 1
bankrupt **FAILLI, FAILLIE**, 1
bankrupt **FAILLI, -IE**, 1
bankruptcy **BANQUEROUTE**, 1; **FAILLITE**, 1
banner **BANDEAU**, 1; **BANDEROLE**, 1
bar **BAR**, 1; **CAFÉ**, 1

bar chart **HISTOGRAMME**, 1
bar code **CODE(-)BARRE(S)**, 1
bargain **OCCASION**, 1
bargain (to ~ over) **MARCHANDER**, 1
bargain sale **VENTE-RÉCLAME**, 1
bargaining **MARCHANDAGE**, 1
barge **PÉNICHE**, 1
barmaid **BARMAID**, 1
barman **BARMAN**, 1
barometer **BAROMÈTRE**, 1
barrel **BARIL**, 2; **FÛT**, 1; **TONNEAU**, 1
bartender **BARMAN**, 1
barter (to ~ for) **TROQUER**, 1
base inventory **STOCK(-)OUTIL**, 1
batch **LOT**, 1
bear (to ~ interest) **RÉMUNÉRER**, 2
bearer **PORTEUR, PORTEUSE**, 1
bearish **BAISSIER, -IÈRE**, 1
begin (to ~) **OUVRIR**, 1
beginning **OUVERTURE**, 1
beneficiary **BÉNÉFICIAIRE**, 1; **INDEMNITAIRE**, 1
benefit **ALLOC**, 1; **ALLOCATION**, 1; **AVANTAGE**, 1; **PRESTATION**, 1; **REVENU**, 3
benefit (to ~ by/from) **BÉNÉFICIER**, 1
benefit (mutual ~ society) **MUTUALITÉ**, 1; **MUTUELLE**, 1
benefit (recipient of social security ~) **ALLOCATAIRE**, 1
benefit (to grant a ~) **ACCORDER**, 1
benefit (unemployment ~) **ALLOCATION(-)CHÔMAGE**, 1; **CHÔMAGE**, 2
benefits in kind **AVANTAGE**, 3
benefits (fringe ~) **AVANTAGE**, 3
bid (higher ~) **ENCHÈRE**, 1
bidder (highest ~) **ADJUDICATAIRE**, 1; **OFFRANT**, 1
bidder (successful ~) **ADJUDICATAIRE**, 1
big **GRAND, GRANDE**, 1; **GROS, GROSSE**, 1
bill **ADDITION**, 2; **BILLET**, 1; 2; **COUPURE**, 1; **DOULOUREUSE**, 1; **EFFET**, 2; **FACTURE**, 2; **TRAITE**, 1
bill board **AFFICHE**, 1
bill book **ÉCHÉANCIER**, 1
bill of sale **VENTE**, 2
bill (of exchange) **LETTRE**, 2
bill (to ~) **FACTURER**, 1
billable **FACTURABLE**, 1
billing **AFFICHAGE**, 1; **FACTURATION**, 1
billing department **FACTURATION**, 2
bill-posting **AFFICHAGE**, 1
bill-sticker **AFFICHEUR**, 3
bind (to ~ oneself) **ENGAGER**, 2
BIS (Bank for International Settlements) **BRI**
biscuit factory **BISCUITIER**, 1
bistro **BISTRO(T)**, 1
black knight **CHEVALIER NOIR**, 1
blister pack **BLISTER**, 1
block **PAQUET**, 1; **TRANCHE**, 1
blue chip **BLUE CHIP**, 1
blue-collar worker(s) **COLS BLEUS**, 1
blueprint **PLAN**, 2
board **BUREAU**, 6; **CONSEIL**, 1
board meeting **ASSEMBLÉE**, 1
board member **ADMINISTRATEUR, ADMINISTRATRICE**, 1
board of directors **DIRECTOIRE**, 1
board (bill ~) **AFFICHE**, 1
board (executive ~) **DIRECTOIRE**, 1
board (free on ~, FOB) **FAB**; **FOB**
board (paper ~) **CARTON**, 1
Board (Tourist ~) **OFFICE DU TOURISME**, 1
boat **BATEAU**, 1
boat (cargo ~) **CARGO**, 1
body **ORGANISME**, 1
bond **OBLIGATAIRE**, 1; 2; **OBLIGATION**, 1
bond (junk ~) **JUNK(-)BOND**, 1
bond (treasury ~) **OAT**; **OLO**
bondholder **OBLIGATAIRE**, 1
bonus **BONI**, 2; **BONIFICATION**, 1; **BONUS**, 3; **PRIME**, 1
bonus (no-claims ~) **BONUS**, 2
bonus (payment) **SURSALAIRE**, 1
book (invoice ~) **FACTURIER, FACTURIÈRE**, 2
bookkeeper **COMPTABLE**, 1
bookkeeping **COMPTABILITÉ**, 1; **COMPTABLE**, 2
bookkeeping (double-entry ~) **ÉCRITURE**, 1
booklet **BROCHURE**, 1
bookseller **LIBRAIRE**, 1
bookshop **LIBRAIRIE**, 1
bookstore **LIBRAIRIE**, 1
boom **EMBALLEMENT**, 1; **ENVOL**, 1; **ENVOLÉE**, 1; **ESSOR**, 1
boom (economic ~) **BOOM**, 1
boost (to give a ~ to) **RELANCER**, 2
borrow (to ~) **EMPRUNTER**, 1; 2
borrower **EMPRUNTEUR, EMPRUNTEUSE**, 1; **EMPRUNTEUR, -EUSE**, 1
borrowing **EMPRUNT**, 1
boss **BOSS**, 1; **CHEF**, 1; **PATRON, PATRONNE**, 1
bottle **BOUTEILLE**, 1
bottle (small ~) **FLACON**, 1
bottleneck **GOULET D'ÉTRANGLEMENT**, 1; **GOULOT D'ÉTRANGLEMENT**, 1
boundary **CAP**, 1
boutique **BOUTIQUE**, 1
box **BOÎTE**, 1; **CARTON**, 2
bracket **FOURCHETTE**, 1
brake (to put a ~ on) **FREINER**, 1
branch **AGENCE**, 2; **BRANCHE**, 1; **BUREAU**, 1; **COMPTOIR**, 2; **SUCCURSALE**, 1
branch (where a bank has a ~) **BANCABLE**, 2; **BANQUABLE**, 2
brand **MARQUE**, 1
brand promotion **PROMO**, 1; **PROMOTION**, 1
brand (development of ~ loyalty) **FIDÉLISATION**, 1
break (career ~) **PAUSE-CARRIÈRE**, 1
break (to ~ down) **DÉCOMPTER**, 2; **VENTILER**, 1
break (to ~ new ground) **INNOVER**, 1
breakdown **DÉCOMPTE**, 2; **VENTILATION**, 1
breakdown (zero ~) **ZÉRO PANNE**, 1
break-even point **POINT MORT**, 1
breed (to ~) **ÉLEVER**, 1
breeder **ÉLEVEUR, ÉLEVEUSE**, 1
breeding **ÉLEVAGE**, 1
brew (to ~) **BRASSER**, 1
brewer **BRASSEUR, BRASSEUSE**, 1
brewery **BRASSERIE**, 1
bribe **POT-DE-VIN**, 1
bribe (to ~) **CORROMPRE**, 1
briber **CORRUPTEUR, CORRUPTRICE**, 1
bribery **CORRUPTION**, 1
bricklayer **MAÇON**, 1
brighter period **EMBELLIE**, 1
bring forward (balance brought forward) **CAPITALISATION**, 2
bring (to ~ down) **RÉSORBER**, 1
bring (to ~ forward) **CAPITALISER**, 3
bring (to ~ in) **RAPPORTER**, 1
bring (to ~ together) **COLLECTER**, 1
broadcasting (cable ~) **TÉLÉDISTRIBUTION**, 1
brochure **BROCHURE**, 1; **DÉPLIANT**, 1; **PLAQUETTE**, 1
broker **BROKER**, 1; **COMMISSIONNAIRE**, 1; **COURTIER, COURTIÈRE**, 1
broker (discount ~) **ESCOMPTEUR, ESCOMPTEUSE**, 1
broker (foreign exchange ~) **CAMBISTE**, 1
broker (insurance ~) **ASSUREUR**, 1
broker's commission **COURTAGE**, 2
brokerage **COURTAGE**, 1
brokerage fee **COURTAGE**, 2
bubble pack **EMBALLAGE-BULLE**, 1
budget **BUDGET**, 1; 2; **BUDGÉTAIRE**, 1; 2; **CRÉDIT**, 3; **ENVELOPPE**, 2
budget (eating into the ~) **BUDGÉTIVORE**, 1
budget (to ~) **BUDGÉTER**, 2; **BUDGÉTISER**, 2
budget (to ~ for) **BUDGÉTER**, 1; **BUDGÉTISER**, 1
budget (to include in the ~) **BUDGÉTER**, 1; **BUDGÉTISER**, 1
budgetary **BUDGÉTAIRE**, 1; **BUDGÉTAIRE**, 2
budgeting **BUDGÉTISATION**, 1; 2
budgetwise **BUDGÉTAIREMENT**, 1; 2
buffer stock **STOCK(-)TAMPON**, 1
build (to ~) **BÂTIR**, 1; **CONSTRUIRE**, 1
build (to ~ up) **ACCUMULER**, 1
builder **BÂTISSEUR, BÂTISSEUSE**, 1; **MAÇON**, 1
building **BÂTIMENT**, 1; **CONSTRUCTION**, 1
building contractor **ENTREPRENEUR, ENTREPRENEUSE**, 2
building industry **BÂTIMENT**, 2
building trade **BÂTIMENT**, 2
building work **TRAVAIL**, 4
building (prefabricated ~) **PRÉFABRIQUÉ**, 1
building (unstable ~) **PRÉFABRIQUÉ**, 2
bulk carrier **VRAQUIER**, 1
bulk (in ~) **VRAC**, 1
bulking **GROUPAGE**, 1
bullish **HAUSSIER, -IÈRE**, 1
bundle **LIASSE**, 1
burden (to ~) **GREVER**, 1
bureau (tourist information ~) **OFFICE DU TOURISME**, 1
bureaucracy **BUREAUCRATIE**, 1; **FONCTIONNARISME**, 1
bureaucrat **BUREAUCRATE**, 1
bureaucratization **BUREAUCRATISATION**, 1
bureaucratize **BUREAUCRATISER**, 1
bureautics **BUREAUTIQUE**, 1
bursar **ÉCONOME**, 1
bursar's office **ÉCONOMAT**, 1
bus **AUTOBUS**, 1; **AUTOCAR**, 1; **BUS**, 1
business **ACTIVITÉ**, 1; **AFFAIRE**, 2; **BUSINESS**, 1; **NÉGOCE**, 1
business firm **MAISON**, 1
business leasing **LOCATION-GÉRANCE**, 1
business name **RAISON SOCIALE**, 1
business recovery **REPRISE**, 3
business (import-export ~) **IMPORT-EXPORT**, 1
business (key ~ indicators) **TABLEAU DE BORD**, 1
business (line of ~) **SECTEUR**, 2
business (real estate ~) **IMMOBILIER**, 1
Business (Register of ~ Names) **RCS**
busy (very ~) **AFFAIRÉ, -ÉE**, 1
butcher **BOUCHER, BOUCHÈRE**, 1
butcher's (shop) **BOUCHERIE**, 1
butchery **BOUCHERIE**, 1
buy (secondhand ~) **OCCASION**, 2
buy (to ~) **ACHETER**, 1; **ACQUÉRIR**, 1
buy (to ~ another/more) **RACHETER**, 1
buy (to ~ oneself) **OFFRIR**, 3; **PAYER**, 3

buy (to ~ out) **RACHETER**, 2; **REPRENDRE**, 1
buy (to ~ up) **RACHETER**, 2
buyer **ACHETEUR, ACHETEUSE**, 1; 2; **ACQUÉREUR, ACQUÉREUSE**, 1; **PRA**; **PRENEUR, PRENEUSE**, 3
buying **ACHETEUR, -EUSE**, 1; 2; **ACQUÉREUR, -EUSE**, 1
buying back **RACHAT**, 1
buyout (management ~) **MBO**
by-contractor **COCONTRACTANT, COCONTRACTANTE**, 1
byproduct **SOUS-PRODUIT**, 1
cable broadcasting **TÉLÉDISTRIBUTION**, 1
cable operator **TÉLÉDISTRIBUTEUR**, 1
CAD (Computer Aided Design) **CAO**
café **BISTRO(T)**, 1; **CAFÉ**, 1
cake shop **PÂTISSERIE**, 2
calculate (to ~) **CALCULER**, 1; **CHIFFRER**, 1
calculation **CALCUL**, 1
calculator **CALCULATRICE**, 1
calculator (pocket ~) **CALCULETTE**, 1
call **CALL**, 1
CAM (computer aided manufacturing) **FAO**
campaign **CAMPAGNE**, 1
can **BIDON**, 1; **CAN(N)ETTE**, 1
canal **CANAL**, 2
cancel (to ~) **ANNULER**, 1; **RÉSILIER**, 1
cancellation **ANNULATION**, 1; **REMISE**, 2; **RÉSILIATION**, 1
candidate **CANDIDAT, CANDIDATE**, 1
candidature **CANDIDATURE**, 1
canvass (to ~) **DÉMARCHER**, 1; **PROSPECTER**, 1
canvasser **DÉMARCHEUR, DÉMARCHEUSE**, 1; **PROSPECTEUR, PROSPECTRICE**, 1
canvassing **PORTE-À-PORTE**, 1; **PROSPECTION**, 1
capacity **CAPACITÉ**, 1
capacity (earning ~) **RENTABILITÉ**, 1
capital **ARGENT**, 2; **AVOIR**, 1; **CAPITAL**, 1; 3; **CAPITALISTIQUE**, 1; 2; **FONDS**, 1; 2
capital loss **MOINS-VALUE**, 1
capital spending **INVESTISSEMENT**, 1
capital (outflow of ~) **REFLUX**, 1
capital (refugee ~) **HOT MONEY**, 1
capital (return on ~) **REVENU**, 2
capital (risk ~) **CAPITAL(-)RISQUE**, 1
capital (venture ~) **CAPITAL(-)RISQUE**, 1
capitalism **CAPITALISME**, 1; 2; 3
capitalist **CAPITALISTE**, 1
capitalist **CAPITALISTE**, 1
capitalizable **CAPITALISABLE**, 1
capitalization **CAPITALISATION**, 1
capitalize (to ~) **CAPITALISER**, 1
car **AUTOMOBILE**, 1; **VOITURE**, 1
car ... **AUTOMOBILE**, 1
car industry **AUTOMOBILE**, 2
car insurance **ASSURANCE(-)AUTO(MOBILE)**, 1
card **CARTE**, 1
cardboard **CARTON**, 1
cards (to give sb his ~) **DÉMISSIONNER**, 2
cards (use of credit ~) **MONÉTIQUE**, 1
career **CARRIÈRE**, 1
career break **PAUSE-CARRIÈRE**, 1
careerist **CARRIÉRISTE**, 1
cargo **CARGAISON**, 1
cargo boat **CARGO**, 1
carpenter **MENUISIER**, 1
carriage **PORT**, 2; **WAGON**, 1
carrier **TRANSPORTEUR, -EUSE**, 1; **TRANSPORTEUR**, 1
carrier (bulk ~) **VRAQUIER**, 1
carry (to ~) **TRANSPORTER**, 1
carry (to ~ forward) **CAPITALISER**, 3
carry (to ~ out) **OPÉRER**, 1; **PRESTER**, 2
cartel **CARTEL**, 1
carton **BRIQUE**, 2; **CARTOUCHE**, 1
cartridge **CARTOUCHE**, 1
case **CAISSE**, 6
cash balance **ENCAISSE**, 1
cash **CASH**, 1; **COMPTANT**, 1; 2; 3; **ESPÈCES**, 1; **LIQUIDE**, 1; **LIQUIDITÉ**, 3; **NUMÉRAIRE**, 1; **TRÉSORERIE**, 1
cash cow **VACHE À LAIT**, 1
cash desk **CAISSE**, 3
cash dispenser **BANCOMAT**, 1; **BILLETTERIE**, 1
cash down **CASH**, 1
cash in hand **ENCAISSE**, 1
cash inflow **RENTRÉE**, 1
cash injection **APPORT**, 1
cash on the nail **CASH**, 1
cash outflow **SORTIE**, 1
cash register **CAISSE**, 1; **TIROIR-CAISSE**, 1
cash (convertible into ~) **MONNAYABLE**, 1
cash (to ~) **ENCAISSER**, 2; **TOUCHER**, 1
cash (to convert into ~) **MONNAYER**, 1
cashable **ENCAISSABLE**, 1; 2
cashbook **BROUILLARD**, 1
cashflow **CASH(-)FLOW**, 1
cashier **CAISSIER, CAISSIÈRE**, 1
cashing **ENCAISSEMENT**, 2
cash-on-delivery **COMPTANT**, 4
cast iron **FONTE**, 1
catalog(ue) **CATALOGUE**, 1
catchment area **CHALANDISE**, 1
cattle **BÉTAIL**, 1
CD-ROM **CD-ROM**, 1; **CÉDÉROM**, 1
ceiling **PLAFOND**, 1
ceiling price **PRIX(-)PLAFOND**, 1
ceiling (fixing a new ~ on) **REPLAFONNEMENT**, 1
ceiling (removal of the ~) **DÉPLAFONNEMENT**, 1
ceiling (to lift the ~ from) **DÉPLAFONNER**, 1
ceiling (to put a new ~ on) **REPLAFONNER**, 1
ceiling (to raise the ~ from) **DÉPLAFONNER**, 1
ceiling (to reach a ~) **PLAFONNER**, 1
cement **CIMENT**, 1
cent **CENT**, 1; **EUROCENT**, 1
centime **CENTIME**, 1; **EUROCENTIME**, 1
central rate **TAUX(-)PIVOT**, 1
centre **CENTRE**, 1
cereal **CÉRÉALE**, 1; **CÉRÉALIER, -IÈRE**, 1
certificate **BREVET**, 1; **CERTIFICAT**, 1; 2
certificated **CONCORDATAIRE**, 1
certified **CONCORDATAIRE**, 1; **DIPLÔMÉ, -ÉE**, 1
CET (common external tariff) **TEC**
chain **CHAÎNE**, 3
chain of discount stores **DISCOMPTEUR**, 1; **DISCOUNTER**, 1
chain (of shops) **CHAÎNE**, 1; chain (of stores) **CHAÎNE**, 1
chain (processing ~) **FILIÈRE**, 1
chair (to ~) **PRÉSIDER**, 1
chairman and chief executive officer **PDG, P-DG**
chairman and managing director **PDG, P-DG**
chairmanship **PRÉSIDENCE**, 1
chairperson **PRÉSIDENT, PRÉSIDENTE**, 1
chairwoman **PÉDÉGÈRE**, 1
chamber **CHAMBRE**, 1
Chancellor (of the Exchequer) **ARGENTIER**, 1
change **MONNAIE**, 3
change (right ~) **APPOINT**, 1
change (small ~) **MITRAILLE**, 1
change (to ~) **CHANGER**, 1
change (to ~ into) **CONVERTIR**, 1
changer (money ~) **CHANGEUR, CHANGEUSE**, 1
channel **CHAÎNE**, 2
channel of distribution **CANAL**, 1
charge (bank ~) **AGIO**, 1
charge (extra ~) **SURTAXE**, 1
charge (free of ~) **GRATUITEMENT**, 1
charge (refundable ~ on returnable container) **CONSIGNE**, 1
charge (service ~) **SERVICE**, 4
charge (share allotted free of ~) **BONUS**, 1
charge (stock allotted free of ~) **BONUS**, 1
charge (to ~ a deposit on (a container)) **CONSIGNER**, 2
charge (to ~ to an account) **IMPUTER**, 1
chargeable **IMPUTABLE**, 1
charges **CHARGE**, 1; **FRAIS**, 1
charges (insurance for legal ~) **CONTRE-ASSURANCE**, 2
charging a deposit on container **CONSIGNATION**, 3
chart **GRAPHIQUE**, 1
chart (bar ~) **HISTOGRAMME**, 1
chart (cake ~) **CAMEMBERT**, 1
chart (organization ~) **ORGANIGRAMME**, 1
chart (pie ~) **CAMEMBERT**, 1; **SECTEUR**, 4
charter flight **CHARTER**, 1
charter (to ~) **AFFRÉTER**, 1
chartered plane **CHARTER**, 1
charterer **AFFRÉTEUR, AFFRÉTEUSE**, 1; **FRÉTEUR, FRÉTEUSE**, 1
chartering (a plane or boat) **AFFRÈTEMENT**, 1
cheaply (to sell ~) **BRADER**, 1
cheat (to ~) **FRAUDER**, 1
check **ADDITION**, 2; **CHÈQUE**, 1
check book **CHÉQUIER**, 1
check (to ~) **RÉVISER**, 1; **VÉRIFIER**, 1
checker **VÉRIFICATEUR, VÉRIFICATRICE**, 1
checking **VÉRIFICATION**, 1
checkout **CAISSE**, 3
checkout assistant **CAISSIER, CAISSIÈRE**, 1
chef **CUISINIER, CUISINIÈRE**, 1
chemical **CHIMIQUE**, 1
chemist **PHARMACIE**, 2; **PHARMACIEN, PHARMACIENNE**, 1
chemistry **CHIMIE**, 1
cheque **CHÈQUE**, 1
cheque book **CHÉQUIER**, 1
cheque (traveller's ~) **TRAVELLER'S CHEQUE**, 1
chief (chairman and ~ executive officer) **PDG, P-DG**
chip **PUCE**, 1
chip (blue ~) **BLUE CHIP**, 1
chore **BESOGNE**, 1
Christmas truce **TRÊVE DES CONFISEURS**, 1
CIF (cost, insurance, freight) **CAF**
cigarette manufacturer **CIGARETTIER**, 1
CIM (computer integrated manufacturing) **FIO**
cinema **CINÉMA**, 1; 2; 3
circular **CIRCULAIRE**, 1
CIU (collective investment undertakings) **OPC**
civil servant **FONCTIONNAIRE**, 1
Civil Service **ADMINISTRATION**, 2

claim **CRÉANCE**, 1; **REVENDICATION**, 1; **SINISTRE**, 2
claim (to ~) **REVENDIQUER**, 1
claimant **SINISTRÉ, SINISTRÉE**, 1
claimant (legal ~) **AYANT DROIT**, 1
claims and liabilities **PASSIF**, 1
classes (middle ~) **CLASSES MOYENNES**, 1
clause **CLAUSE**, 1
clause (additional ~) **AVENANT**, 1
clear (to ~) **LIQUIDER**, 1; **SOLDER**, 2
clearance **ARRÊTÉ**, 1
clearance sale **BRADERIE**, 1; **LIQUIDATION**, 1
clerk (counter ~) **GUICHETIER, GUICHETIÈRE**, 1
clerk (invoice ~) **FACTURIER, FACTURIÈRE**, 1
clerk (receiving ~) **RÉCEPTIONNAIRE**, 1
client **CLIENT, CLIENTE**, 1; **CLIENT, -ENTE**, 1; **CONSOMMATEUR, CONSOMMATRICE**, 2
clientele **ACHALANDAGE**, 1; **CLIENTÈLE**, 1
climb **GRIMPÉE**, 1
close (to be ~ to) **AVOISINER**, 1
close (to ~) **CLÔTURER**, 1; 2; **FERMER**, 1; **LIQUIDER**, 3; **SOLDER**, 1
close (to ~ down) **FERMER**, 2
close (to ~ down a firm) **CLEF SOUS LE PAILLASSON** , 1
closed-end investment company **SICAF**
closing **CLÔTURE**, 1; 2; **FERMETURE**, 1; **CLÔTURE**, 1
closure **CLÔTURE**, 2; **FERMETURE**, 1; 2
club together (to ~) **COTISER**, 3
cluster **GRAPPE**, 1
coach **AUTOCAR**, 1
coal **CHARBON**, 1
cobranding **COBRANDING**, 1; **COGRIFFAGE**, 1
code (bar ~) **CODE(-)BARRE(S)**, 1
coefficient **COEFFICIENT**, 1
cofinance (to ~) **COFINANCER**, 1
cofinancing **COFINANCEMENT**, 1
coin **MONNAIE**, 2; **PIÈCE**, 2
coinage **MONNAYAGE**, 1
coining **MONNAYAGE**, 1
co-insurance **COASSURANCE**, 1
co-insure (to ~) **COASSURER**, 1
co-insurers **COASSUREUR**, 1
collaborate (to ~) **COOPÉRER**, 1
collaboration **COOPÉRATION**, 1
collapse **EFFONDREMENT**, 1; **KRACH**, 1
collapse (to ~) **EFFONDRER**, 1
colleague **COLLABORATEUR, COLLABORATRICE**, 1; **COLLÈGUE**, 1
collect (to ~) **COLLECTER**, 1; **ENCAISSER**, 1; 2; **ENRÔLER**, 1; **PERCEVOIR**, 1;**RECOUVRER**, 1
collectable **RECOUVRABLE**, 1
collection **COLLECTE**, 1; **ENCAISSEMENT**, 1; 2; **PERCEPTION**, 1; **RECOUVREMENT**, 1
collection of taxes **RECETTE**, 2
collective agreement **CCT**
collective investment undertakings (CIU) **OPC**
collectivism **COLLECTIVISME**, 1
collectivist **COLLECTIVISTE**, 1
collector (tax ~) **PERCEPTEUR, PERCEPTRICE**, 1; **RECEVEUR**, 1
combine **CARTEL**, 1; **ENTENTE**, 1
combustibles **COMBUSTIBLE**, 1
come (to ~ down) **DESCENDRE**, 1
come (to ~ to) **MONTER**, 2
commerce **COMMERCE**, 1; 3
commercial **COMMERÇANT, -ANTE**, 1; 2; **COMMERCIAL, -IALE**, 1; 2; **MARCHAND, -ANDE**, 1
commercial **COMMERCIAL, COMMERCIALE**, 2; **PUB**, 2; **PUBLICITÉ**, 2; **RÉCLAME**, 2; **SPOT**, 1
commercial exploitation **MARCHANDISAGE**, 2; **MARCHANDISATION**, 1
commercial firm **MAISON**, 1
commercial traveller **VRP**
commercial vehicle **UTILITAIRE**, 1
commercial (international ~ terms) **TCI**
commercially **COMMERCIALEMENT**, 1
commission agent **MANDATAIRE**, 1
commission **COMMISSION**, 1; 2; **RISTOURNE**, 3
commission member **COMMISSAIRE**, 1
commission (bank ~) **AGIO**, 1
commission (broker's ~) **COURTAGE**, 2
commission (to pay ~) **RISTOURNER**, 3
commissioner **COMMISSAIRE**, 1
commit (to ~ oneself) **ENGAGER**, 2
commitment **ENGAGEMENT**, 2
committee **BUREAU**, 6; **CELLULE**, 1; **COMITÉ**, 1; **COMMISSION**, 1; **CONSEIL**, 1
committee (Interunion ~) **FRONT COMMUN**, 1; **INTERSYNDICALE**, 1
common external tariff (CET) **TEC**
communicate (to ~) **COMMUNIQUER**, 1
communication **COMMUNICATION**, 1
communicator **COMMUNICATEUR, COMMUNICATRICE**, 1
communism **COMMUNISME**, 1
communist **COMMUNISTE**, 1
communist **COMMUNISTE**, 1
community **COLLECTIVITÉ**, 1
community job **TUC**
commutation of an easement **RACHAT**, 2
company **AFFAIRE**, 3; **BOÎTE**, 2; **CABINET**, 2; **COMPAGNIE**, 1; **ENTREPRISE**, 1; 2; **ÉTABLISSEMENT**, 1; **FIRME**, 1; **MAISON**, 2; **SOCIÉTÉ**, 1; 2
company fixer **REDRESSEUR**, 1
company headquarters **SIÈGE SOCIAL**, 1
company (affiliated ~) **AFFILIÉ, AFFILIÉE**, 1
company (closed-end investment ~) **SICAF**
company (contributory insurance ~) **MUTUALITÉ**, 1; **MUTUELLE**, 1
company (freight ~) **TRANSPORTEUR**, 2
company (holding ~) **HOLDING**, 1
company (insurance ~) **ASSURANCE**, 3; **ASSUREUR**, 1
company (jumbo sized ~) **GÉANT**, 1
company (limited liability ~, Ltd.) **SA**; **SARL**; **SPRL**
company (local government controlled ~) **RÉGIE**, 1
company (mail-order ~) **VÉPÉCISTE**, 1
company (medium-sized ~) **PME**
company (multinational ~) **MULTINATIONALE**, 1
company (open-end investment ~) **SICAV**
company (parent ~) **MAISON-MÈRE**, 1; **SOCIÉTÉ(-)MÈRE**, 1
company (private limited ~, Ltd.) **SARL**
company (private limited ~ under sole ownership) **EURL**
company (public limited ~, PLC) **SA**
company (sister ~) **SOCIÉTÉ(-)SŒUR**, 1
company (small-sized ~) **PME**
company (state ~) **RÉGIE**, 1
company (transport ~) **TRANSPORTEUR**, 2
company (umbrella ~) **SOCIÉTÉ(-)ÉCRAN**, 1
company- **SOCIÉTAIRE**, 1
comparative advantage **AVANTAGE**, 2
compare (to ~ with) **ÉGALER**, 1
compartment **COMPARTIMENT**, 1
compensate (to ~) **COMPENSER**, 1; **DÉDOMMAGER**, 1; **INDEMNISER**, 1
compensated person **INDEMNITAIRE**, 1
compensation **COMPENSATION**, 1; **DÉDOMMAGEMENT**, 1; **INDEMNISATION**, 1; **INDEMNITÉ**, 2
compensatory **COMPENSATOIRE**, 1; **INDEMNITAIRE**, 1
compete (to ~ with) **CONCURRENCER**, 1
competing **CONCURRENT, -ENTE**, 1
competition **CONCURRENCE**, 1; 2
competitive **COMPÉTITIF, -IVE**, 1; 2; **CONCURRENTIEL, -IELLE**, 1; 2
competitive (highly ~) **HYPER(-)CONCURRENTIEL, -IELLE**, 1; 2
competitiveness **COMPÉTITIVITÉ**, 1
competitiveness (cost ~) **COMPÉTITIVITÉ-COÛT**, 1
competitiveness (price ~) **COMPÉTITIVITÉ-PRIX**, 1
competitor **COMPÉTITEUR, COMPÉTITRICE**, 1; **CONCURRENT, CONCURRENTE**, 1
competitors (to undercut the ~) **CASSER**, 1
complete **TOTAL, -ALE**, 1
completed (duly ~) **DÛMENT REMPLI**, 1
completely **TOTALEMENT**, 1
complex **COMPLEXE**, 1
component **COMPARTIMENT**, 1
composition **CONCORDAT**, 1
comprehensive insurance **OMNIUM**, 1
computation **CALCUL**, 1
Computer Aided Design (CAD) **CAO**
computer aided manufacturing (CAM) **FAO**
computer **CALCULATEUR**, 1; **INFORMATIQUE**, 1; **ORDINATEUR**, 1
computer integrated manufacturing (CIM) **FIO**
computer programmer **PROGRAMMEUR, PROGRAMMEUSE**, 1
computer science **INFORMATIQUE**, 1
computer scientist **INFORMATICIEN, INFORMATICIENNE**, 1
computer specialist **INFORMATICIEN, INFORMATICIENNE**, 1
computer (personal ~) **MICRO-ORDINATEUR**, 1
computer-banking **PC-BANKING**, 1
computerization **INFORMATISATION**, 1
computerize (to ~) **INFORMATISER**, 1
conceive (to ~) **CONCEVOIR**, 1
concentrate (to ~) **CONCENTRER**, 1
concentration **CONCENTRATION**, 1
conception **CONCEPTION**, 1
concern **EXPLOITATION**, 1; **KONZERN**, 1
concession **CONCESSION**, 1
confectioner **PÂTISSIER, PÂTISSIÈRE**, 1
confederation **CONFÉDÉRATION**, 1
conglomerate **CONGLOMÉRAT**, 1
considerable **CONSIDÉRABLE**, 1; **FULGURANT, -ANTE**, 1; **JOLI, -IE**, 1; **SENSIBLE**, 1
considerably **CONSIDÉRABLEMENT**, 1; **JOLIMENT**, 1
consignee **CONSIGNATAIRE**, 1

consignment **CONSIGNATION**, 1; 2; **ENVOI**, 1
consignor **EXPÉDITEUR, EXPÉDITRICE**, 1
consolidate (to ~) **CONSOLIDER**, 1
consolidation **CONSOLIDATION**, 1
consortium **CONSORTIUM**, 1
constant **CONSTANT, -ANTE**, 1
construct (to ~) **CONSTRUIRE**, 1
construction **CONSTRUCTION**, 1
consultancy **AGENCE-CONSEIL**, 1
consultant **CONSEIL**, 2; **CONSEILLER, CONSEILLÈRE**, 1; **CONSULTANT, CONSULTANTE**, 1
consultant (outplacement ~) **OUTPLACEUR**, 1; **REPLACEUR**, 1
consultant (tax ~) **FISCALISTE**, 1
consulting agency **AGENCE-CONSEIL**, 1
consumable **CONSOMMABLE**, 1; **CONSOMPTIBLE**, 1
consume (to ~) **CONSOMMER**, 1; 2
consumer **CONSOMMATEUR, CONSOMMATRICE**, 1
Consumer (European Bureau of ~ Groups, EBCU) **BEUC**
consumer- **CONSOMMATEUR, -TRICE**, 1
consumerism **CONSUMÉRISME**, 1
consumerist **CONSUMÉRISTE**, 1
consumption **CONSOMMATION**, 1; 2
consumption (in-house ~) **AUTOCONSOMMATION**, 1
consumption (unfit for ~) **INCONSOMMABLE**, 1
container **CONTENEUR**, 1
container aircraft **PORTE-CONTENEURS**, 1
container ship **PORTE-CONTENEURS**, 1
container (charging a deposit on ~) **CONSIGNATION**, 3
container (refundable charge on returnable ~) **CONSIGNE**, 1
container (to charge a deposit on a ~) **CONSIGNER**, 2
containerization **CONTENEURISATION**, 1
containerize (to ~) **CONTENEURISER**, 1
continuous **CONTINU, -UE**, 1
continuously **CONTINUELLEMENT**, 1
contract **CONTRAT**, 1; 2; **CONVENTION**, 1
contract employee **CONTRACTUEL, CONTRACTUELLE**, 2
contract worker **CONTRACTUEL, CONTRACTUELLE**, 1
contract (by ~) **CONTRACTUELLEMENT**, 1
contract (person holding a short-term ~) **VACATAIRE**, 1
contract (sale ~) **VENTE**, 2
contract (skeleton ~) **CONTRAT(-)TYPE**, 1
contract (to ~) **CONTRACTER**, 1
contract (to ~ out) **EXTERNALISER**, 1
contracting **CONTRACTANT, -ANTE**, 1
contracting out **IMPARTITION**, 1
contracting party **COCONTRACTANT, COCONTRACTANTE**, 1; **CONTRACTANT, CONTRACTANTE**, 1
contractor **ENTREPRENEUR, ENTREPRENEUSE**, 1
contractor (building ~) **ENTREPRENEUR, ENTREPRENEUSE**, 2
contractual **CONTRACTUEL, -ELLE**, 1; **CONVENTIONNEL, -ELLE**, 1
contractually **CONTRACTUELLEMENT**, 1
contribute (to ~) **APPORTER**, 1; **CONTRIBUER**, 1; **COTISER**, 1; 2; 3
contribution **APPORT**, 1; **CONTRIBUTION**, 1; **COTISATION**, 1; 2
contribution (patient's ~ towards medical costs) **TICKET MODÉRATEUR**, 1
contributor **APPORTEUR**, 1; **COTISANT, COTISANTE**, 1; **COTISANT, COTISANTE**, 3
contributory **CONTRIBUTIF, -IVE**, 1
contributory insurance company **MUTUALITÉ**, 1; **MUTUELLE**, 1
control **RÉGLEMENTATION**, 1; **VÉRIFICATION**, 1
control (credit ~) **ENCADREMENT**, 3
control (joint worker-management ~) **AUTOGESTION**, 1
control (state ~) **DIRIGISME**, 1; **ÉTATISME**, 1
control (to ~) **RÉGLEMENTER**, 1; **VÉRIFIER**, 1
control (to bring under state ~) **ÉTATISER**, 1
control (to get out of ~) **EMBALLER**, 2
controlled (local government ~ company) **RÉGIE**, 1
controller **VÉRIFICATEUR, VÉRIFICATRICE**, 1
conversion **CONVERSION**, 1
convert (to ~ into) **CONVERTIR**, 1
convert (to ~ into cash) **MONNAYER**, 1
convertibility **CONVERTIBILITÉ**, 1
convertible **CONVERTIBLE**, 1
convertible into cash **MONNAYABLE**, 1
convertible into fixed assets **CAPITALISABLE**, 1
convey in transit (to ~) **TRANSITER**, 1
conveyor (mechanical ~ unit) **TRANSPORTEUR**, 3
convoy (person in charge of a ~) **CONVOYEUR, CONVOYEUSE**, 1
cook **CUISINIER, CUISINIÈRE**, 1
cookie factory **BISCUITIER**, 1
co-op **COOPÉRATIVE**, 1
cooperate (to ~) **COLLABORER**, 1; **COOPÉRER**, 1
cooperation **COLLABORATION**, 1; **COOPÉRATION**, 1
cooperative **COOPÉRATIF, -IVE**, 1
cooperative society **COOPÉRATIVE**, 1
cooperator **COOPÉRATEUR, COOPÉRATRICE**, 1
co-owner **COPROPRIÉTAIRE**, 1
co-ownership **COPROPRIÉTÉ**, 1
copper **CUIVRE**, 1
copy **DOUBLE**, 2
corn **BLÉ**, 1
corporate body **CORPORATION**, 1
corporate identification symbol **LOGO**, 1
corporate name **DÉNOMINATION SOCIALE**, 1; **ENSEIGNE**, 1; **RAISON SOCIALE**, 1
corporate philanthropy **MÉCÉNAT**, 1
corporate register **RC**
corporate sponsorship **MÉCÉNAT**, 1
corporate tax **IS**; **ISOC**
corporate (advance payment of ~ tax) **PRÉCOMPTE**, 2
corporate (interim payment of ~ tax) **PRÉCOMPTE**, 2
corporation tax **IS**; **ISOC**
corporatism **CORPORATISME**, 1
correspond (to ~) **CORRESPONDRE**, 1
correspondence **CORRESPONDANCE**, 1
correspondent **CORRESPONDANT, CORRESPONDANTE**, 1
corruptible **CORRUPTIBLE**, 1
corruption **CORRUPTION**, 1
cost **CHARGE**, 2; **COÛT**, 1; 2
cost competitiveness **COMPÉTITIVITÉ-COÛT**, 1
cost cutting **ÉCONOMIQUE**, 2
cost of labour **MAIN-D'ŒUVRE**, 2
cost overrun **DÉPASSEMENT**, 1
cost (additional ~) **SURCOÛT**, 1
cost (labour ~) **SALAIRE-COÛT**, 1
cost (low ~ housing) **HLM**
cost (price) **COÛTANT**, 1; 2
cost (to ~) **COÛTER**, 1
cost, insurance, freight (CIF) **CAF**
costly **CHER, CHÈRE**, 1; **COÛTEUX, -EUSE**, 1; **ONÉREUX, -EUSE**, 1
costs (patient's contribution towards medical ~) **TICKET MODÉRATEUR**, 1
costs (to recoup the ~) **AMORTIR**, 3
co-tenancy **COLOCATION**, 1
co-tenant **COLOCATAIRE**, 1
cottage industry **ARTISANAT**, 1
council flat **HLM**
count (to ~) **COMPTER**, 1
counter clerk **GUICHETIER, GUICHETIÈRE**, 1
counter **COMPTOIR**, 1; **GUICHET**, 1; **RAYON**, 1
counterbalancing **COMPENSATOIRE**, 1
counter-bid **CONTRE-OFFRE**, 1; **CONTRE-OPA**, 1
counterfeit (to ~) **CONTREFAIRE**, 1
counterfeiter **CONTREFACTEUR**, 1
counterfeiting **CONTREFAÇON**, 1
counter-inflationary **ANTI-INFLATIONNISTE**, 1
counter-offer **CONTRE-OPA**, 1
counterproductive **CONTRE(-)PRODUCTIF, -IVE**, 1
countertrade **TROC**, 1
couple (married ~) **COUPLE**, 1
coupon **COUPON**, 1
coupon (share without ~ sheet) **MANTEAU**, 1
coupon (petrol ~) **CHÈQUE(-)CARBURANT**, 1
courier service **COURRIER**, 2; **MESSAGERIE**, 1
court (by order of ~) **ADJUDICATION**, 1
cover **COUVERTURE**, 1; **GARANTIE**, 2
cover (to ~) **ASSURER**, 1; **COUVRIR**, 2
cover (to ~ oneself) **COUVRIR**, 1
coverage **COUVERTURE**, 1; 2
covering **ANNEXE**, 1
cow (cash ~) **VACHE À LAIT**, 1
craft **ARTISANAL, -ALE**, 1
craft industry **ARTISANAT**, 1
craftsman (master ~) **MAÎTRE-ARTISAN**, 1
crash **KRACH**, 1
crate **CAGEOT**, 1; **CAISSE**, 6
creative **CRÉATEUR, -TRICE**, 1; **CRÉATIF, -IVE**, 1
creativeness **CRÉATIVITÉ**, 1
creativity **CRÉATIVITÉ**, 1
creator **CRÉATEUR, CRÉATRICE**, 1
credit **CRÉDIT**, 1; 2; 5; **CRÉDITEUR, -TRICE**, 1
credit card slip **FACTURETTE**, 1
credit control **ENCADREMENT**, 3
credit insurance **ASSURANCE(-)CRÉDIT**, 1
credit squeeze **ENCADREMENT**, 3
credit (in ~) **CRÉDITEUR, -TRICE**, 2
credit (public ~ institution) **IPC**
credit (to ~) **BONIFIER**, 1; **CRÉDITER**, 1
credit (to ~ an account) **APPROVISIONNER**, 3
credit (with a ~ balance) **CRÉDITEUR, -TRICE**, 2
creditor **CRÉANCIER, CRÉANCIÈRE**, 1; **CRÉANCIER, -IÈRE**, 1; **CRÉDITEUR, CRÉDITRICE**, 1
creditor of a life annuity **CRÉDI(T)RENTIER, CRÉDI(T)RENTIÈRE**, 1

creditside **CRÉDIT**, 5
creditworthiness **LIQUIDITÉ**, 2; **SOLVABILITÉ**, 1
creditworthy **SOLVABLE**, 1
crisis **CRISE**, 1
crown **COURONNE**, 1
crown jewels **JOYAUX (DE LA COURONNE)**, 1
crumble (to ~ away) **EFFRITER**, 1
crumbling **EFFRITEMENT**, 1
cultivate (to ~) **CULTIVER**, 1
curb (to ~) **FREINER**, 1
curbing **FREINAGE**, 1
currency **DEVISE**, 1; **MONNAIE**, 1
currency (legal ~) **NUMÉRAIRE**, 1
currency (safe ~) **MONNAIE(-)REFUGE**, 1
curve **COURBE**, 1
customer **CHALAND, CHALANDE**, 1; **CLIENT, CLIENTE**, 1; **CLIENT, -ENTE**, 1
customer **CONSOMMATEUR, CONSOMMATRICE**, 2;
customer (average ~) **CLIENT-TYPE**, 1
customer (development of ~ loyalty) **FIDÉLISATION**, 1
customer (prospective ~) **PROSPECT**, 1
customer (regular ~) **HABITUÉ, HABITUÉE**, 1
customer (target ~) **CLIENT-CIBLE**, 1
customer (to develop ~ loyalty) **FIDÉLISER**, 1
customer (to establish ~ loyalty) **FIDÉLISER**, 1
customers **ACHALANDAGE**, 1; **CLIENTÈLE**, 1
customers (average ~) **CLIENTÈLE-TYPE**, 1
customs **DOUANE**, 1
customs **DOUANIER, -IÈRE**, 1
customs officer **DOUANIER, DOUANIÈRE**, 1
customs official **DOUANIER, DOUANIÈRE**, 1
cut back (to ~) **AMPUTER**, 1; **COMPRIMER**, 1; **RESTREINDRE**, 1
cut back (to ~ on) **COUPES SOMBRES**, 1
cut **RÉDUCTION**, 2
cut price **SEMI-GRATUIT, -UITE**, 1
cut (to ~) **RÉDUIRE**, 1
cut (to ~ down on) **COMPRIMER**, 1
cutback **AMPUTATION**, 1; **COMPRESSION**, 1
cutbacks (staff ~) **CURE D'AMAIGRISSEMENT**, 1
cutting back labour **DÉGRAISSAGE**, 1
cutting (cost ~) **ÉCONOMIQUE**, 2
cutting (excessive price ~) **GÂCHAGE**, 1
cycle **CYCLE**, 1
cyclical **CONJONCTUREL, -ELLE**, 1; **CYCLIQUE**, 1
dabble on the stock exchange (to ~) **BOURSICOTER**, 1
dabbler in stocks **BOURSICOTEUR, BOURSICOTEUSE**, 1
dabbling on the stock exchange **BOURSICOTAGE**, 1; **BOURSICOTIER, -IÈRE**, 1
daily **QUOTIDIEN, -IENNE**, 1; **QUOTIDIENNEMENT**, 1
daily (newspaper) **QUOTIDIEN**, 1
damage **AVARIE**, 1; **DÉGÂT**, 1; **DOMMAGE**, 1; **SINISTRE**, 1
damage (to ~) **DÉTÉRIORER**, 1
damaged **AVARIÉ, -IÉE**, 1
damages **DOMMAGES-INTÉRÊTS**, 1
data **DONNÉE**, 1
data base **BASE DE DONNÉES**, 1
daybook **BROUILLARD**, 1
deadline **DÉLAI**, 1; **ÉCHÉANCE**, 1; **TERME**, 1
dead-weight **POIDS MORT**, 1
deal **AFFAIRE**, 1; **MARCHÉ**, 3; **TRANSACTION**, 2
deal (to ~) **BRASSER**, 3
deal (to wheel and ~) **BRASSER**, 2
dealer **CONCESSIONNAIRE**, 1; **OPÉRATEUR, OPÉRATRICE**, 1; **TRADER**, 1
dealer (antique ~) **ANTIQUAIRE**, 1
dealer (foreign exchange ~) **CAMBISTE**, 1
dealer (retail ~) **DÉBITANT, DÉBITANTE**, 1; **DÉTAILLANT, DÉTAILLANTE**, 1
dealer (wholesale ~) **GROSSISTE**, 1
dealing (wheeling and ~) **AFFAIRISME**, 1
debenture **OBLIGATION**, 1
debenture holder **OBLIGATAIRE**, 1
debit **DÉBIT**, 1; 2; **DÉBITEUR, -TRICE**, 1
debit balance **DÉBET**, 1
debit side **DÉBIT**, 3
debit (to ~) **DÉBITER**, 1
debt **CRÉANCE**, 1; **DETTE**, 1; 2; **ENDETTEMENT**, 1; 2
debt reduction **DÉSENDETTEMENT**, 1
debt (bad ~) **NON-VALEUR**, 1
debt (to get deeply in ~) **SURENDETTER**, 1
debt (to get into ~) **ENDETTER**, 1; 2
debt (to reduce one's ~ load) **DÉSENDETTER**, 1
debt (to run into ~) **ENDETTER**, 2
debtor **DÉBITEUR, DÉBITRICE**, 1; **DÉBITEUR, -TRICE**, 2; **ENDETTÉ, ENDETTÉE**, 1
debtor of a life annuity **DÉBI(T)RENTIER, DÉBI(T)RENTIÈRE**, 1
debts due by us **DETTE**, 3
debts (to pay off part of one's ~) **DÉSENDETTER**, 1
debudget (to ~) **DÉBUDGÉTISER**, 1
debudgeting **DÉBUDGÉTISATION**, 1
deceleration **DÉCÉLÉRATION**, 1
decision-maker **DÉCIDEUR, DÉCIDEUSE**, 1; **DÉCISIONNAIRE**, 1
decline **DÉCLIN**, 1; **DÉCRUE**, 1; **RECUL**, 1; **RÉGRESSION**, 1
decline (to ~) **DÉCLINER**, 1; **DÉCROÎTRE**, 1; **DESCENDRE**, 1; **RECULER**, 1
decline (to ~ again) **REDESCENDRE**, 1
decontrol **LIBÉRALISATION**, 1
decrease **ABAISSEMENT**, 1; **DÉGRADATION**, 1; **DIMINUTION**, 1
decrease of the number of wage earners **DÉSALARISATION**, 1
decrease (to ~) **DÉCROÎTRE**, 1
decreasing **DÉCROISSANT, -ANTE**, 1
decumulation (stock ~) **DÉSTOCKAGE**, 1
deduct (to ~) **DÉCOMPTER**, 1; **DÉDUIRE**, 1; **PRÉLEVER**, 1
deduct (to ~ (at a source)) **PRÉCOMPTER**, 1
deductibility **DÉDUCTIBILITÉ**, 1
deductible **DÉDUCTIBLE**, 1
deductible **FRANCHISE**, 2
deduction **DÉDUCTION**, 1; **PRÉLÈVEMENT**, 1; **RETENUE**, 1
deduction (of tax at source) **PRÉCOMPTE**, 1
default **NON-PAIEMENT**, 1; **NON-PAYEMENT**, 1
defect **DÉFAUT**, 1
defective **DÉFECTUEUX, -EUSE**, 1
deferral **RÉÉCHELONNEMENT**, 1
deficient **DÉFICITAIRE**, 2
deficit **DÉFICIT**, 1; **MALI**, 1; **PERTE**, 2; **TROU**, 1
deflation **DÉFLATION**, 1
deflationary **DÉFLATIONNISTE**, 1; **DÉFLATOIRE**, 1
defraud (to ~) **FRAUDER**, 1
defrauder **FRAUDEUR, FRAUDEUSE**, 1
degearing **DÉSENDETTEMENT**, 1
degree **DIPLÔME**, 1
degressive **DÉGRESSIF, -IVE**, 1
deindex (to ~) **DÉSINDEXER**, 1
deindexation **DÉSINDEXATION**, 1
deindustrialization **DÉSINDUSTRIALISATION**, 1
deindustrialize **DÉSINDUSTRIALISER**, 1
delegate **DÉLÉGUÉ, DÉLÉGUÉE**, 1
delegates (body of ~) **DÉLÉGATION**, 1
delegation **DÉLÉGATION**, 1
delete (to ~) **EFFACER**, 1
deliver (to ~) **LIVRER**, 1
deliverable **LIVRABLE**, 1
deliverer **LIVREUR, LIVREUSE**, 1
delivery **COMMANDE**, 3; **LIVRAISON**, 1; 2; **REMISE**, 3
delivery man **LIVREUR, LIVREUSE**, 1
delivery (parcel ~ service) **MESSAGERIE**, 1
delivery (ready for ~) **LIVRABLE**, 1
delivery (to take ~ of) **RÉCEPTIONNER**, 1
demand **DEMANDE**, 1; **REVENDICATION**, 1
demand (person in ~ of) **DEMANDEUR, DEMANDEUSE**, 1
demand (to ~) **REVENDIQUER**, 1
dematerialization **DÉMATÉRIALISATION**, 1
dematerialized **DÉMATÉRIALISÉ, -ÉE**, 1
demographic **DÉMOGRAPHIQUE**, 1
demography **DÉMOGRAPHIE**, 1
demonstration **DÉMONSTRATION**, 1
department **BUREAU**, 3; **DÉPARTEMENT**, 1; **DIRECTION**, 4; **DIVISION**, 2; **FONCTION**, 2; **RAYON**, 2; **SERVICE**, 2
department (accounts ~) **COMPTA**, 1; **COMPTABILITÉ**, 3; 4
department (billing ~) **FACTURATION**, 2
department (invoicing ~) **FACTURATION**, 2
department (tax ~) **FISC**, 1
depletion **ÉPUISEMENT**, 1
deposit **ACOMPTE**, 1; **APPROVISIONNEMENT**, 3; **ARRHES**, 1; **CAUTION**, 3; **CONSIGNATION**, 1; **CONSIGNE**, 1; **DÉPÔT**, 1; **PROVISION**, 3; **VERSEMENT**, 3
deposit account **COMPTE-ÉPARGNE**, 1
deposit (charging a ~ on container) **CONSIGNATION**, 3
deposit (to ~) **CONSIGNER**, 1; **DÉPOSER**, 1; **VERSER**, 2
deposit (to charge a ~ on a container) **CONSIGNER**, 2
deposit (to put a ~ on) **CONSIGNER**, 1
depositing **DÉPÔT**, 1; **VERSEMENT**, 2
depositor **DÉPOSANT, DÉPOSANTE**, 1
depository **DÉPOSITAIRE**, 1
depot **DÉPÔT**, 2
depreciable **AMORTISSABLE**, 1
depreciate (to ~) **DÉPRÉCIER**, 1; **DÉVALORISER**, 1; **PERDRE**, 2
depreciation **DÉPRÉCIATION**, 1; **DÉVALORISATION**, 1; **MOINS-VALUE**, 1
depreciation (provision for ~) **AMORTISSEMENT**, 1
depression **CRISE**, 2; **DÉPRESSION**, 1
deputy **ADJOINT, ADJOINTE**, 1

deputy manager **DIRECTEUR(-)ADJOINT, DIRECTRICE(-)ADJOINTE**, 1
deregulate (to ~) **DÉRÉGLEMENTER**, 1; **DÉRÉGULER**, 1
deregulation **DÉRÉGLEMENTATION**, 1; **DÉRÉGULATION**, 1
derisory **DÉRISOIRE**, 1
design **CONCEPTION**, 1; **DESIGN**, 1
design (graphic ~) **INFOGRAPHIE**, 1
design (to ~) **CONCEVOIR**, 1; **CRÉER**, 1
designer **CRÉATEUR, CRÉATRICE**, 1; **CRÉATIF**, 1
designer label **GRIFFE**, 1
designer (dress ~) **COUTURIER**, 1; **COUTURIÈRE**, 1
designer (poster ~) **AFFICHISTE**, 1
designing **CRÉATION**, 1
desk **BUREAU**, 4
desk (cash ~) **CAISSE**, 3
destination **DESTINATION**, 1
destock (to ~) **DÉSTOCKER**, 1
destocking **DÉSTOCKAGE**, 1
deteriorate (to ~) **DÉGRADER**, 1; **DÉTÉRIORER**, 1
deterioration **DÉGRADATION**, 2; **DÉTÉRIORATION**, 1
deunionization **DÉSYNDICALISATION**, 1
devaluate (to ~) **DÉVALUER**, 1
devaluation **DÉVALUATION**, 1
devalue (to ~) **DÉVALUER**, 1
develop (to ~) **DÉVELOPPER**, 1
developed (less ~ countries, LDCs) **PVD**
developer (property ~) **PROMOTEUR, PROMOTRICE**, 2; **PROMOTEUR, -TRICE**, 2
developing countries **PVD**
development **CRÉATION**, 1; **DÉVELOPPEMENT**, 1
development of the service sector **TERTIAIRISATION**, 1; **TERTIARISATION**, 1
development (industrial ~) **INDUSTRIALISATION**, 1
development (property ~) **PROMOTION**, 2
development (rapid ~) **ESSOR**, 1
development (real estate ~) **PROMOTION**, 2
development (research and ~, R&D) **R&D; RECHERCHE ET (LE) DEVELOPPEMENT**, 1
device **APPAREIL**, 1
device (economizing ~) **ÉCONOMISEUR**, 1
diamond **DIAMANT**, 1
diamond cutter **DIAMANTAIRE**, 1
diamond merchant **DIAMANTAIRE**, 1
diamond- **DIAMANTAIRE**, 1
diesel **DIESEL**, 1
difficulties (to have ~ making ends meet) **BOUTS**, 1; **FINS DE MOIS DIFFICILES**, 1
diminish (to ~) **DISCOMPTER**, 2; **EFFRITER**, 1
diminishing **FAIBLISSEMENT**, 1
diploma **BREVET**, 1; **CERTIFICAT**, 1; **DIPLÔME**, 1
diploma (holder of a ~) **DIPLÔMÉ, DIPLÔMÉE**, 1
directive **DIRECTIVE**, 1; 2
director **DIRECTEUR, DIRECTRICE**, 1; 2; **DIRIGEANT, DIRIGEANTE**, 1
director (chairman and managing ~) **PDG, P-DG**
Director (Managing ~) **ADMINISTRATEUR(-)DÉLÉGUÉ**, 1
director's fee **JETONS DE PRÉSENCE**, 1; **TANTIÈME**, 1
director's percentage of profits **TANTIÈME**, 1
directors (board of ~) **DIRECTOIRE**, 1
directorship **DIRECTION**, 3
directory (telephone ~) **ANNUAIRE**, 1
disability insurance **ASSURANCE(-)INVALIDITÉ**, 1
disaster **SINISTRE**, 1
disburse (to ~) **DÉCAISSER**, 1
disbursement **DÉCAISSEMENT**, 1
discharge **CONGÉDIEMENT**, 1
discharge (notice of ~) **PRÉAVIS**, 1
discharge (to ~) **APURER**, 1; **CONGÉDIER**, 1
discontinuous **DISCONTINU, -UE**, 1
discount **ABATTEMENT**, 2; **BONIFICATION**, 1; **DISCOMPTE**, 1; 3; **DISCOUNT**, 1; 3; **ESCOMPTE**, 1; 2; **RABAIS**, 1; **REMISE**, 1; **RISTOURNE**, 1
discount broker **ESCOMPTEUR, ESCOMPTEUSE**, 1
discount house **MINIMARGE**, 1
discount on the parity rate **DÉCOTE**, 1
discount shop **DISCOMPTE**, 2; **DISCOUNT**, 2; **SOLDERIE**, 1
discount store **DISCOMPTE**, 2; **DISCOUNT**, 2; **MINIMARGE**, 1; **SOLDERIE**, 1; **SOLDEUR, SOLDEUSE**, 1
discount (at a ~) **DÉCOTÉ, -ÉE**, 1
discount (chain of ~ stores) **DISCOMPTEUR**, 1; **DISCOUNTER**, 1
discount (to ~) **DISCOMPTER**, 1; **DISCOUNTER**, 1; **ESCOMPTER**, 1
discount (to grant a ~) **ACCORDER**, 1; **RISTOURNER**, 1
discount (with a ~) **DÉCOTÉ, -ÉE**, 1
discountable **BANCABLE**, 1; **BANQUABLE**, 1; **ESCOMPTABLE**, 1
discounter **ESCOMPTEUR, ESCOMPTEUSE**, 1
discounting **ESCOMPTEUR, -EUSE**, 1
discrepancy **DÉCALAGE**, 1
diseconomies **DÉSÉCONOMIES**, 1
disequilibrium **DÉSÉQUILIBRE**, 1
dishonoured **IMPAYÉ, -ÉE**, 1
disinflation **DÉSINFLATION**, 1
disinflationary **DÉSINFLATIONNISTE**, 1
disintermediation **DÉSINTERMÉDIATION**, 1
disinvest (to ~) **DÉSINVESTIR**, 1
disinvestment **DÉSINVESTISSEMENT**, 1
dismiss (to ~) **CONGÉDIER**, 1; **DÉBAUCHER**, 2; **DÉSENGAGER**, 1; **PORTE**, 1; **RENVOYER**, 1
dismissal **CONGÉDIEMENT**, 1; **DÉMISSION**, 2; **DÉSENGAGEMENT**, 1; **MISE À PIED**, 1
dismissal without notice **LICENCIEMENT-MINUTE**, 1
dismissing **DÉBAUCHAGE**, 2
dispatch **EXPÉDITION**, 1
dispenser (cash ~) **BANCOMAT**, 1; **BILLETTERIE**, 1
display stand **PRÉSENTOIR(-DISTRIBUTEUR)**, 1
display unit **GONDOLE**, 1; **PRÉSENTOIR(-DISTRIBUTEUR)**, 1
disposal **ÉCOULEMENT**, 1
dispose (to ~ of) **CÉDER**, 1
dispossession (pledging without ~) **NANTISSEMENT**, 1
dissaving **DÉSÉPARGNE**, 1
distributable **DISTRIBUABLE**, 1
distribute (to ~) **DIFFUSER**, 1; **DISTRIBUER**, 1
distribution **DIFFUSION**, 1; **DISTRIBUTION**, 1; 2
distribution network **RÉSEAU**, 1
distribution (channel of ~) **CANAL**, 1
distributional **REDISTRIBUTEUR, -TRICE**, 1; **REDISTRIBUTIF, -IVE**, 1
distributor **DISTRIBUTEUR, DISTRIBUTRICE**, 1; 2; **DISTRIBUTEUR, -TRICE**, 1
diversification **DIVERSIFICATION**, 1
diversify (to ~) **DIVERSIFIER**, 1
divestment **DÉSINVESTISSEMENT**, 1
divide (to ~) **DIVISER**, 1
dividend **DIVIDENDE**, 1; **RISTOURNE**, 2
dividend (surplus ~) **SUPER(-)DIVIDENDE**, 1
dividend (to pay ~) **RISTOURNER**, 2
division **BUREAU**, 3; **DÉPARTEMENT**, 1; **DIRECTION**, 4; **DIVISION**, 1; 2; **FONCTION**, 2
division (food ~) **AGRO-ALIMENTAIRE**, 1
doctor (to ~) **MAQUILLER**, 1; **TRAFICOTER**, 1; **TRAFIQUER**, 2
doctoring **MAQUILLAGE**, 1
documentary advertising **PUBLIRÉDACTIONNEL**, 1; **PUBLIREPORTAGE**, 1
dole (on the ~) **CHÔMAGE**, 2
dollar **DOLLAR**, 1; **PIASTRE**, 1
domestic appliance(s) **ÉLECTROMÉNAGER**, 1
domestic **MÉNAGER, -ÈRE**, 1
domicile (to ~) **DOMICILIER**, 1; 2
domiciliation **DOMICILIATION**, 1; 2
donation **DON**, 1; **DONATION**, 1
done (to be ~) **OPÉRER**, 3
donee **DONATAIRE**, 1
donor **DONATEUR, DONATRICE**, 1
doorstep-selling **DÉMARCHAGE**, 1
door-to-door (selling) **PORTE-À-PORTE**, 1
dosh **FRIC**, 1; **OSEILLE**, 1; **PÈZE**, 1; **POGNON**, 1
dossier **DOSSIER**, 1; 2
double **DOUBLE**, 1; **DOUBLE**, 1
double (in value) (to ~) **DOUBLER**, 1
double-entry book-keeping **ÉCRITURE**, 1
doubling **DOUBLEMENT**, 1; **DOUBLEMENT**, 1
dough **OSEILLE**, 1; **PÈZE**, 1; **POGNON**, 1
down payment **ACOMPTE**, 1
downsizing **DÉGRAISSAGE**, 1
downstream **AVAL**, 1
downward **BAISSIER, -IÈRE**, 1; **DESCENDANT, -ANTE**, 1
drachma **DRACHME**, 1
draft **TRAITE**, 1
drain (to ~) **ASSÉCHER**, 1
draining **ASSÈCHEMENT**, 1
draw (to ~) **ÉMETTRE**, 1; **TIRER**, 1; **TOUCHER**, 1
drawee **TIRÉ**, 1
drawer **TIREUR**, 1
drawing **ÉMISSION**, 1
dress designer **COUTURIER**, 1; **COUTURIÈRE**, 1
dress-maker **COUTURIER**, 1; **COUTURIÈRE**, 1
dressmaking **COUTURE**, 1
drift (upward ~) **DÉRAPAGE**, 1
drink **BOISSON**, 1; **CONSOMMATION**, 3
drink (to ~) **CONSOMMER**, 3
drinker (heavy ~) **BUVEUR, BUVEUSE**, 1
driver (lorry ~) **ROUTIER**, 1
driver (truck ~) **ROUTIER**, 1
drop **BAISSE**, 1; **CHUTE**, 1; **DÉCRUE**, 1; **FLÉCHISSEMENT**, 1; **RECUL**, 1; **REPLI**, 1
drop off **RALENTISSEMENT**, 1
drop (sharp ~) **DÉGRINGOLADE**, 1

drop (to ~) **CHUTER**, 1; **FLÉCHIR**, 1; **RÉGRESSER**, 1; **REPLIER**, 1; **TOMBER**, 1
drop (to ~ off) **DÉPOSER**, 2; **RALENTIR**, 1
drop-tag (to ~) **DÉMARQUER**, 1
drop-tag(ging) **DÉMARQUAGE**, 1
drum **BARIL**, 1; **BIDON**, 1
dry up (to ~) **ASSÉCHER**, 1
drying up **ASSÈCHEMENT**, 1
duck (lame ~) **CANARD BOITEUX**, 1
due **DÛ**, 1
due for payment **EXIGIBLE**, 1
due (balance ~) **DÉCOMPTE**, 1
dues **CRÉANCE**, 3; **REDEVANCE**, 1
duly completed **DÛMENT REMPLI**, 1
dummy **PRÊTE-NOM**, 1
dumping **DUMPING**, 1
dutiable **TAXABLE**, 1
duties **TARIF**, 4
duty **OBLIGATION**, 2; **TAXE**, 1
duty free **HT**
duty (excise ~) **ACCISE**, 1
earner (minimum wage ~) **MINIMEXÉ, MINIMEXÉE**, 1; **SMICARD, SMICARDE**, 1
earner (wage ~) **SALARIÉ, SALARIÉE**, 1
earners (wage ~) **SALARIAT**, 1; **SALARIÉ, SALARIÉE**, 2
earnest money **ARRHES**, 1
earning capacity **RENTABILITÉ**, 1
earning (wage ~ class) **SALARIAT**, 1
earnings **GAIN**, 2; **PÉCULE**, 1
earnings per share **BPA**
earnings (professional ~) **HONORAIRES**, 1
ease (to ~) **ALLÉGER**, 1
ease (to ~ off) **DÉTENDRE**, 1
easement (commutation of an ~) **RACHAT**, 2
easing **ALLÉGEMENT**, 1
easing-off **DÉTENTE**, 1
eat (to ~) **CONSOMMER**, 3; **MANGER**, 1; **RESTAURER**, 1
eat (to have sth to ~) **RESTAURER**, 1
eater **MANGEUR, MANGEUSE**, 1
EBCU (European Bureau of Consumer Groups) **BEUC**
EBRD (European Bank for Reconstruction and Development) **BERD**
ECB (European Central Bank) **BCE**
ecological **ÉCO**, 2; **ÉCOLOGIQUE**, 1; **ÉCOLOGISTE**, 1
ecologist **ÉCOLOGISTE**, 1
ecology **ÉCOLOGIE**, 1
econometric **ÉCONOMÉTRIQUE**, 1
econometrics **ÉCONOMÉTRIE**, 1
economic **ÉCO**, 1; **ÉCONOMICO-**, 1; **ÉCONOMIQUE**, 1
economic analysis **CONJONCTURE**, 2
economic analyst **ANALYSTE**, 1
economic and financial **ÉCONOMICO-FINANCIER, -IÈRE**, 1
Economic and Monetary Union (EMU) **UEM**
economic and political **ÉCONOMICO-POLITIQUE**, 1
economic and social **ÉCONOMICO-SOCIAL, -IALE**, 1
economic boom **BOOM**, 1
economic interest grouping **GIE**
economic sector **ÉCONOMIQUE**, 1
economic self-sufficiency **AUTARCIE**, 1
economic situation **CONJONCTURE**, 1
Economic (Organization for ~ Cooperation and Development, OECD) **OCDE**
economic (period of ~ expansion after WWII) **TRENTE GLORIEUSES**, 1
economical **ÉCO**, 1; **ÉCONOME**, 1; **ÉCONOMIQUE**, 2
economically **ÉCONOMIQUEMENT**, 1; 2
economics **ÉCONOMIE**, 2
economism **ÉCONOMISME**, 1
economist **ÉCONOMISTE**, 1
economize (on) (to ~) **ÉCONOMISER**, 1
economizer **ÉCONOMISEUR**, 1
economizing device **ÉCONOMISEUR**, 1
economy **ÉCONOMIE**, 1; 3
economy analyst **CONJONCTURISTE**, 1
economy watcher **CONJONCTURISTE**, 1
economy (growth of the wage earning class in the ~) **SALARISATION**, 1
EDF (European Development Fund) **FED**
edible **COMESTIBLE**, 1; **MANGEABLE**, 1
edit (to ~) **ÉDITER**, 1
edition **ÉDITION**, 1
editor **DIFFUSEUR**, 1; **ÉDITEUR**, 1
editorial advertising **PUBLIRÉDACTIONNEL**, 1, **PUBLIREPORTAGE**, 1
education **FORMATION**, 1
effect **EFFET**, 1
effected (to be ~) **OPÉRER**, 3
effective **EFFICACE**, 1
efficiency **EFFICACITÉ**, 1; **EFFICIENCE**, 1; **RENDEMENT**, 2
efficient **EFFICACE**, 1; **EFFICIENT, -IENTE**, 1; **PERFORMANT, -ANTE**, 1
egg (nest ~) **BAS DE LAINE**, 1; **CAGNOTTE**, 1
EIB (European Investment Bank) **BEI**
elasticity **ÉLASTICITÉ**, 1
electric **ÉLECTRIQUE**, 1
electrical **ÉLECTRIQUE**, 1
electricity **ÉLECTRICITÉ**, 1
electricity producer **ÉLECTRICIEN**, 1
electronic **ÉLECTRONIQUE**, 1
electronic mail **COURRIEL**, 1; **MÉL**, 1
electronic mail system **MESSAGERIE**, 2
electronics **ÉLECTRONIQUE**, 1
elephant (white ~) **LAISSÉ(-)POUR(-)COMPTE**, 1
email **COURRIEL**, 1; **MÉL**, 1; **MESSAGERIE**, 2
embargo **EMBARGO**, 1
embezzle (to ~) **DÉTOURNER**, 1
embezzlement **DÉTOURNEMENT**, 1
EMI (European Monetary Institute) **IME**
emolument **ÉMOLUMENTS**, 1
employ (to ~) **EMPLOYER**, 1; **OCCUPER**, 1
employed person **ACTIF**, 3
employee **EMPLOYÉ, EMPLOYÉE**, 1; **OUVRIER, OUVRIÈRE**, 1; **PRÉPOSÉ, PRÉPOSÉE**, 1
employee who has a share in the profits **INTÉRESSÉ, INTÉRESSÉE**, 1
employee (contract ~) **CONTRACTUEL, CONTRACTUELLE**, 2
employee (post office ~) **POSTIER, POSTIÈRE**, 1
employee (The Mint ~) **MONNAYEUR**, 1
employee (to give the status of a salaried ~ to somebody) **SALARIER**, 2
employee (to make (someone) an ~ of the state) **FONCTIONNARISER**, 1
employees **PERSONNEL**, 1
employees (to give the ~ a share in the profits) **INTÉRESSER**, 1
employer **EMBAUCHEUR, EMBAUCHEUSE**, 1; **EMPLOYEUR, EMPLOYEUSE**, 1
employer (state as an ~) **ÉTAT-PATRON**, 1
employers **PATRON, PATRONNE**, 2
employer's **PATRONAL, -ALE**, 1
employers(' federation) **PATRONAT**, 1
employment **EMPLOI**, 1; 2
employment agent **PLACEUR, PLACEUSE**, 2
employment (full ~) **PLEIN(-)EMPLOI**, 1
EMS (European Monetary System) **SME**
EMU (Economic and Monetary Union) **UEM**
encashable **ENCAISSABLE**, 1; 2
endorse (to ~) **ENDOSSER**, 1
endorsee **ENDOSSATAIRE**, 1
endorsement **AVENANT**, 1; **ENDOSSEMENT**, 1
endorser **ENDOSSEUR**, 1
endow (to ~) **DOTER**, 1
ends (to have difficulties making ~ meet) **BOUTS**, 1; **FINS DE MOIS DIFFICILES**, 1
energy **ÉNERGÉTIQUE**, 1; **ÉNERGIE**, 1
energy source **SOURCE**, 2
energy (nuclear ~) **NUCLÉAIRE**, 1
engage (to ~) **ENGAGER**, 1
engineer **INGÉNIEUR, INGÉNIEURE**, 1
engineering **ENGINEERING**, 1; **INGÉNIERIE**, 1
engineering (human ~) **ERGONOMIE**, 1
engineering (mechanical ~) **MÉCANIQUE**, 1
enjoy something (to ~) **PROFITER**, 2
enjoy (to ~) **BÉNÉFICIER**, 2
enormous **ÉNORME**, 1; **FOUDROYANT, -ANTE**, 1
enormously **ÉNORMÉMENT**, 1
enrichment **ENRICHISSEMENT**, 1; 2
enter (to ~) **ENREGISTRER**, 1
enterprising **ENTREPRENANT, -ANTE**, 1
entity (legal ~) **PERSONNE MORALE**, 1
entrance fee **ENTRÉE**, 3
entrepôt **ENTREPÔT**, 1
entrepreneur **ENTREPRENEUR, ENTREPRENEUSE**, 1
entrepreneurial **ENTREPRENEURIAL, -IALE**, 1
entrepreneurship **ENTREPRENEURIAT**, 1; **ENTREPRENEURSHIP**, 1
entry **ENTRÉE**, 2
envelope **ENVELOPPE**, 1
environment **ENVIRONNEMENT**, 1
environmental **ÉCOLOGIQUE**, 2; **ENVIRONNEMENTAL, -ALE**, 1
environmental tax **ÉCOTAXES**, 1
environmentalism **ÉCOLOGIE**, 2
environmentalist **ÉCOLO**, 1; **ÉCOLOGISTE**, 2
equal **ÉGAL, -ALE**, 1
equal (to ~) **ÉGALER**, 1
equality **ÉGALITÉ**, 1
equilibrium **ÉQUILIBRE**, 1
equip (to ~) **ÉQUIPER**, 1; **OUTILLER**, 1
equipment **APPAREIL**, 2; **APPAREILLAGE**, 1; **ÉQUIPEMENT**, 1; **MATÉRIEL**, 1; **OUTILLAGE**, 1
equipment manufacturer **ÉQUIPEMENTIER**, 1
equivalence **ÉQUIVALENCE**, 1
equivalent **ÉQUIVALENT, -ENTE**, 1
equivalent (to be ~) **ÉQUIVALOIR**, 1
erase (to ~) **EFFACER**, 1
ergonomic **ERGONOMIQUE**, 1
ergonomics **ERGONOMIE**, 1
ergonomist **ERGONOME**, 1; **ERGONOMISTE**, 1
erosion **EFFRITEMENT**, 1; **ÉROSION**, 1
erratic **IRRÉGULIER, -IÈRE**, 1

erratically **IRRÉGULIÈREMENT**, 1
essentials (non ~) **ACCESSOIRE**, 1
establishment **DÉBIT**, 5; **ÉTABLISSEMENT**, 2
estate **COMPLEXE**, 1; **PATRIMOINE**, 1
estate (real ~ business) **IMMOBILIER**, 1
estate (real ~ development) **PROMOTION**, 2
estate (real ~ market) **IMMOBILIER**, 1
estimate (rough ~) **APPROXIMATION**, 1
euro **EURO**, 1
Euro-bonds **EURO-OBLIGATION**, 1
Eurocheque **EC EUROCHÈQUE**, 1
Eurocurrency **EURODEVISE**, 1
European Bank for Reconstruction and Development (EBRD) **BERD**
European Bureau of Consumer Groups (EBCU) **BEUC**
European Central Bank (ECB) **BCE**
European Development Fund (EDF) **FED**
European Investment Bank (EIB) **BEI**
European Monetary Institute (EMI) **IME**
European Monetary System (EMS) **SME**
even (to ~ up) **ÉQUILIBRER**, 1
evening-up **ÉQUILIBRAGE**, 1
evolution with ups and downs **DENTS DE SCIE**, 1
exaggerated **EXCESSIF, -IVE**, 1
examine (to ~) **ÉTUDIER**, 2
exceed (to ~) **DÉPASSER**, 1; **EXCÉDER**, 1
excess **EXCÉDENT**, 2; **FRANCHISE**, 2
excess load **SURCHARGE**, 1
excess- **EXCÉDENTAIRE**, 2
excessive **EXCESSIF, -IVE**, 1
excessively **EXCESSIVEMENT**, 1
exchange **CHANGE**, 1; **ÉCHANGE**, 1; **TROC**, 1
exchange rate **CHANGE**, 2
exchange value **CONTRE-VALEUR**, 1
exchange (bill of ~) **LETTRE**, 2
exchange (dabbling on the stock ~) **BOURSICOTAGE**, 1; **BOURSICOTIER, -IÈRE**, 1
exchange (foreign ~ broker) **CAMBISTE**, 1
exchange (foreign ~ dealer) **CAMBISTE**, 1
exchange (par of ~) **PAIR**, 1
exchange (par rate of ~) **PARITÉ**, 1
exchange (public ~ offer) **OPE**
exchange (stock ~) **BOURSE**, 1; **BOURSIER, -IÈRE**, 1; 2
exchange (stock ~ list) **COTE**, 2
exchange (stock ~ operator) **BOURSIER, BOURSIÈRE**, 2
exchange (stock ~ transactions) **BOURSE**, 2
exchange (to ~) **CHANGER**, 1; **ÉCHANGER**, 1; **TROQUER**, 1
exchange (to dabble on the stock ~) **BOURSICOTER**, 1
exchangeable **ÉCHANGEABLE**, 1
Exchequer **TRÉSOR**, 1; 2
Exchequer (Chancellor of the ~) **ARGENTIER**, 1
excise **ACCISE**, 1
excise duty **ACCISE**, 1
executive **CADRE**, 1
executive board **DIRECTOIRE**, 1
executive pension scheme **ASSURANCE(-)DIRIGEANT**, 1
executive (advertising ~) **PUBLICITAIRE**, 1
executive (chairman and chief ~ officer) **PDG, P-DG**
executive (up-and-coming ~) **LOUP**, 1
exempt (to ~) **EXEMPTER**, 1
exempt (to ~ from) **EXONÉRER**, 1
exempt (to ~ from taxation) **DÉFISCALISER**, 1
exemption **EXEMPTION**, 1; **EXONÉRATION**, 1; **IMMUNISATION**, 1
exemption from payment **GRATUITÉ**, 1
exemption from taxation **DÉFISCALISATION**, 1
exhaust (to ~) **ÉPUISER**, 1
exhaustion **ÉPUISEMENT**, 1
exhibit (to ~) **EXPOSER**, 1
exhibition **EXPOSITION**, 1; **SALON**, 1
exhibitor **EXPOSANT, EXPOSANTE**, 1
exorbitant **EXORBITANT, -ANTE**, 1; **FARAMINEUX, -EUSE**, 1
exorbitant (it's ~) **COUP DE BARRE**, 1; **COUP DE FUSIL**, 1
expand (to ~) **DÉVELOPPER**, 1
expansion **CROISSANCE**, 3; **DÉVELOPPEMENT**, 1; **EXPANSION**, 1
expansion (period of economic ~ after WWII) **TRENTE GLORIEUSES**, 1
expansionism **EXPANSIONNISME**, 1
expansionist **EXPANSIONNISTE**, 1
expansionist **EXPANSIONNISTE**, 1
expectancy (life ~) **ESPÉRANCE DE VIE**, 1
expenditure **DÉPENSE**, 3
expense **CHARGE**, 2; **DÉPENSE**, 1
expenses **FRAIS**, 1
expenses (to pay ~) **DÉFRAYER**, 1
expenses (to settle ~) **DÉFRAYER**, 1
expensive **CHER, CHÈRE**, 1; **COÛTEUX, -EUSE**, 1; **ONÉREUX, -EUSE**, 1
experience **EXPÉRIENCE**, 1
experience (professional ~) **SAVOIR-FAIRE**, 2
experienced **EXPÉRIMENTÉ, -ÉE**, 1
expert **CADRE**, 2; **EXPERT, EXPERTE**, 1
expert **EXPERT, -ERTE**, 1
expert appraisal **EXPERTISE**, 2
expert valuation **EXPERTISE**, 2
expert (marketing ~) **MARKETEUR**, 1; **MARKETE(E)R**, 1; **MERCATICIEN, MERCATICIENNE**, 1
expertise **EXPERTISE**, 1
expiration **EXPIRATION**, 1
expire (to ~) **EXPIRER**, 1
expiry date **ÉCHÉANCE**, 1
expiry **EXPIRATION**, 1
explode (to ~) **EXPLOSER**, 1
exploit (to ~) **EXPLOITER**, 2
exploitable **EXPLOITABLE**, 1
exploitation **EXPLOITATION**, 4
exploitation (commercial ~) **MARCHANDISAGE**, 2; **MARCHANDISATION**, 1
exploiter **EXPLOITEUR, EXPLOITEUSE**, 1
explosion **EXPLOSION**, 1; **FLAMBÉE**, 1
exponential **EXPONENTIEL, -IELLE**, 1
export **EXPORT**, 1; **EXPORTATEUR, -TRICE**, 1; **EXPORTATION**, 1; 2; **SORTIE**, 2
export agency **COMPTOIR**, 2
export (to ~) **EXPORTER**, 1
exportable **EXPORTABLE**, 1
exportation **EXPORTATION**, 1
exporter **EXPORTATEUR, EXPORTATRICE**, 1; 2
exporting **EXPORTATEUR, -TRICE**, 1
Exporting (Organization of Petroleum ~ Countries, OPEC) **OPEP**
express mail **COURRIER(-)EXPRESS**, 1
extension **ANNEXE**, 1
extension of time **DÉLAI**, 2
extent (to a certain ~) **MOYENNEMENT**, 1
externality **EXTERNALITÉ**, 1
externalization **EXTERNALISATION**, 1
extort (to ~ from) **EXTORQUER**, 1
extortion **EXTORSION**, 1
extra-legal **EXTRA-LÉGAL, -ALE**, 1
extra-professional **EXTRA-PROFESSIONNEL, -ELLE**, 1
extremely **EXCESSIVEMENT**, 1
face value **NUMÉRAIRE**, 1
factoring **AFFACTURAGE**, 1; **FACTORING**, 1
factory **FABRIQUE**, 1; **MANUFACTURE**, 1; **USINE**, 1
factory floor **ATELIER**, 1
factory (biscuit ~) **BISCUITIER**, 1
factory (cookie ~) **BISCUITIER**, 1
factory (ex ~) **EXW**
factory (exam ~) **FABRIQUE**, 2
fair **RAISONNABLE**, 1
fair (trade ~) **BOURSE**, 3; **FOIRE**, 1; **SALON**, 1
fair's fair **DONNANT DONNANT**, 1
fake **CONTREFAÇON**, 2; **SOUS-PRODUIT**, 2
fake (to ~) **MAQUILLER**, 1
faking **MAQUILLAGE**, 1
fall **ABAISSEMENT**, 1; **BAISSE**, 1; **CHUTE**, 1; **REPLI**, 1
fall (in prices) **ACTION**, 2
fall (to ~) **BAISSER**, 1; **CHUTER**, 1; **RÉGRESSER**, 1; **TOMBER**, 1
fall (to ~ again) **REDESCENDRE**, 1
fall (to ~ back) **REPLIER**, 1; **TASSER**, 1
fall (to ~ off) **ESSOUFFLER**, 1; **FLÉCHIR**, 1
falling off **FLÉCHISSEMENT**, 1
faltering **ESSOUFFLEMENT**, 1
family **FAMILIAL, -IALE**, 1; **FAMILLE**, 1
family quotient **QUOTIENT**, 2
farm **FERME**, 1; **FERMIER, -IÈRE**, 1
farm and food sector **AGROALIMENTAIRE**, 1
farm operator **FERMIER, FERMIÈRE**, 1
farm (to ~) **CULTIVER**, 1
farmer **AGRICULTEUR, AGRICULTRICE**, 1; **CULTIVATEUR, CULTIVATRICE**, 1; **EXPLOITANT, EXPLOITANTE**, 1; **FERMIER, FERMIÈRE**, 1
farmer (oyster ~) **OSTRÉICULTEUR, OSTRÉICULTRICE**, 1
farmer (poultry ~) **AVICULTEUR, AVICULTRICE**, 1
farmer (sea-fish ~) **AQUACULTEUR, AQUACULTRICE**, 1
farmer (stock ~) **ÉLEVEUR, ÉLEVEUSE**, 1
farming **AGRICULTURE**, 1
farming (oyster ~) **OSTRÉICOLE**, 1; **OSTRÉICULTURE**, 1
farming (poultry ~) **AVICULTURE**, 1
farming (sea-fish ~) **AQUACULTURE**, 1
fast **RAPIDE**, 1
faulty **DÉFECTUEUX, -EUSE**, 1
favourable **POSITIF, -IVE**, 2
favourably **POSITIVEMENT**, 1
fax **FAX**, 1; 2; 3; **TÉLÉCOPIE**, 1
fax (machine) **TÉLÉCOPIEUR**, 1
fax (to ~) **FAXER**, 1
federation **FÉDÉRATION**, 1
federation (employers' ~) **PATRONAT**, 1
fee **CACHET**, 1
fee (brokerage ~) **COURTAGE**, 2
fee (director's ~) **JETONS DE PRÉSENCE**, 1; **TANTIÈME**, 1
fee (entrance ~) **ENTRÉE**, 3
fee (payment on ~ basis) **VACATION**, 1
feed **ALIMENTATION**, 1
feed (to ~) **ALIMENTER**, 1; **NOURRIR**, 1

fee-paying member **COTISANT, COTISANTE**, 2
fees **HONORAIRES**, 1; **REDEVANCE**, 1
ferrous **FERREUX, -EUSE**, 1
fertile **FÉCOND, -ONDE**, 1; **FERTILE**, 1
fertility **FERTILITÉ**, 1
field **ACTIVITÉ**, 1
fighter **BATTANT, BATTANTE**, 1
figure **CHIFFRE**, 1
figure (rounded up/down ~) **ARRONDI**, 1
figurehead **PRÊTE-NOM**, 1
file **DOSSIER**, 1; **FICHIER**, 1; 2
file (rank and ~) **BASE**, 1
film **CINÉMATOGRAPHIQUE**, 1; 2; 3
film industry **CINÉMA**, 2
finance **FINANCE**, 2; 4
Finance (Minister of ~) **ARGENTIER**, 1
Finance (Ministry of ~) **FINANCE**, 3
finance (to ~) **COMMANDITER**, 1; **FINANCER**, 1
finances **FINANCE**, 1
financial **FINANCIER, -IÈRE**, 1; 2; 3; **PÉCUNIAIRE**, 1
financial administration **GESTION**, 2
financial analyst **ANALYSTE**, 1
financial backer **BAILLEUR, BAILLERESSE**, 2
financial leasing **LOCATION-FINANCEMENT**, 1
financial management **GESTION**, 2
financial year **EXERCICE**, 1
financial (economic and ~) **ÉCONOMICO-FINANCIER, -IÈRE**, 1
financial (political and ~) **POLITICO-FINANCIER, -IÈRE**, 1
financially **FINANCIÈREMENT**, 1
financially (to assist ~) **AIDER**, 1
financier **BANQUIER, BANQUIÈRE**, 2; **FINANCIER, FINANCIÈRE**, 1
financing **FINANCEMENT**, 1
financing (interim ~) **PRÉFINANCEMENT**, 1
financing (internal ~) **AUTOFINANCEMENT**, 1
fire insurance **ASSURANCE(-)INCENDIE**, 1
fire (to ~) **DÉSENGAGER**, 1; **VIRER**, 2
firing **DÉSENGAGEMENT**, 1
firm **AFFAIRE**, 3; **BOÎTE**, 2; **CABINET**, 2; **COMPAGNIE**, 1; **ENTREPRISE**, 1; 2; **ÉTABLISSEMENT**, 1; **FIRME**, 1; **MAISON**, 2; **SOCIÉTÉ**, 1
firm (business ~) **MAISON**, 1
firm (commercial ~) **MAISON**, 1
firm (semi public ~) **PARASTATAL**, 1
firm (to close down a ~) **CLEF SOUS LE PAILLASSON** , 1
firm (to ~ up) **RAFFERMIR**, 1
fiscally **FISCALEMENT**, 1
fish farmer (sea-~) **AQUACULTEUR, AQUACULTRICE**, 1
fish farming (sea-~) **AQUACULTURE**, 1
fishing **PÊCHE**, 1
fit out (to ~) **ÉQUIPER**, 1; **OUTILLER**, 1
fitter **ASSEMBLEUR, ASSEMBLEUSE**, 1
fixed **FIXE**, 1
fixer (company ~) **REDRESSEUR**, 1
flask **FLACON**, 1
flat (council ~) **HLM**
flaw **DÉFAUT**, 1
flexibility **ÉLASTICITÉ**, 1; **FLEXIBILITÉ**, 1
flexible **FLEXIBLE**, 1
flight (charter ~) **CHARTER**, 1
float (to ~) **FLOTTER**, 1
floating **FLOTTANT, -ANTE**, 1
floating **FLOTTEMENT**, 1
floating off **ESSAIMAGE**, 1
flood **AFFLUX**, 1
floor **PLANCHER**, 1
floor price **PRIX(-)PLANCHER**, 1
floor (factory ~) **ATELIER**, 1
floor (trading ~) **CORBEILLE**, 1
florin **FLORIN**, 1
florist **FLEURISTE**, 1
flourish (to ~) **PROSPÉRER**, 1
flow **FLUX**, 1
flower **FLEUR**, 1
fluctuate (to ~) **FLUCTUER**, 1; **OSCILLER**, 1; **VARIER**, 1; **YOYO**, 1
fluctuating **VARIABLE**, 1
fluctuation **FLUCTUATION**, 1; **OSCILLATION**, 1; **VARIATION**, 1
flyer **AFFICHETTE**, 1
FMI (International Monetary Fund) **FMI**
FOB (free on board) **FAB**
FOB (free on board) **FOB**
follow-up **SUIVI**, 1
follow-up (call) **RELANCE**, 3
follow-up (to give a ~) **RELANCER**, 3
food **ALIMENT**, 1; **ALIMENTAIRE**, 1; **ALIMENTATION**, 1; **COMESTIBLES**, 1; **DENRÉE**, 1; **NOURRITURE**, 1
food division **AGROALIMENTAIRE**, 1
food industry **AGROALIMENTAIRE**, 1
food processing industry **AGROALIMENTAIRE**, 1
food (farm and ~ sector) **AGROALIMENTAIRE**, 1
foodstuff **ALIMENT**, 1; **DENRÉE**, 1
foodstuffs **COMESTIBLES**, 1
foreman **CONTREMAÎTRE, CONTREMAÎTRESSE**, 1
forestal **FORESTIER, -IÈRE**, 1
forester **SYLVICULTEUR, SYLVICULTRICE**, 1
forestry **FORESTIER, -IÈRE**, 1; **SYLVICOLE**, 1; **SYLVICULTURE**, 1
forge (to ~) **CONTREFAIRE**, 1
forger **CONTREFACTEUR**, 1
form **FICHE**, 2; **FORMULAIRE**, 1; **FORMULE**, 1
form (Bank identification ~) **RIB**
fortune **FORTUNE**, 1
Fourth World **QUART(-)MONDE**, 1; 2
franc **FRANC**, 1
franchise **CONCESSION**, 1; **FRANCHISE**, 1; **FRANCHISING**, 1
franchise (exclusive ~) **CONCESSION**, 2
franchise (to ~) **FRANCHISER**, 1
franchise (to grant a ~ to) **FRANCHISER**, 1
franchisee **FRANCHISÉ, FRANCHISÉE**, 1
franchiser **FRANCHISEUR**, 1
franchising **FRANCHISAGE**, 1
franchisor **FRANCHISEUR**, 1
fraud **FRAUDE**, 1
fraud (by ~) **FRAUDULEUSEMENT**, 1
fraud (person guilty of ~) **FRAUDEUR, FRAUDEUSE**, 1
fraudulent **FRAUDULEUX, -EUSE**, 1
fraudulently **FRAUDULEUSEMENT**, 1
free **FRANCO**, 1; **GRATUIT, -UITE**, 1
free at wharf **FOQ**
free market policy **LIBRE-ÉCHANGISME**, 1
free of charge **GRATUITEMENT**, 1
free on board (FOB) **FAB**; **FOB**
free on quai **FOQ**
free on rail **FOR**
free trade **LIBRE-ÉCHANGE**, 1
free trade policy **LIBRE-ÉCHANGISME**, 1
freelance worker **INDÉPENDANT, INDÉPENDANTE**, 1
free-trader **LIBRE-ÉCHANGISTE**, 1
freeway- **AUTOROUTIER, -IÈRE**, 1
freeze **BLOCAGE**, 1
freeze (to ~) **BLOQUER**, 1; **GELER**, 1
freezing **GEL**, 1
freight **CARGAISON**, 1; **CHARGEMENT**, 2; **FRET**, 1; 2; 3; **TRANSPORT**, 1
freight company **TRANSPORTEUR**, 2
freight (cost, insurance, ~, CIF) **CAF**
freightage **FRET**, 1
freighter **CARGO**, 1; **TRANSPORTEUR, -EUSE**, 1; **TRANSPORTEUR**, 1
fringe benefits **AVANTAGE**, 3
front-line **LINÉAIRE**, 1
fuel **CARBURANT**, 1; **COMBUSTIBLE**, 1; **FUEL**, 1
fuel-oil **MAZOUT**, 1
full employment **PLEIN(-)EMPLOI**, 1
functional **FONCTIONNEL, -ELLE**, 1
functions (to combine ~) **CUMULER**, 1
fund **CAISSE**, 2; **FONDS**, 4
Fund (European Development ~, EDF) **FED**
fund (to ~) **DOTER**, 1
funding **PROVISION**, 1
funds **ARGENT**, 2; **CAPITAL**, 3; **FINANCE**, 1; **FONDS**, 1; 2; 3; **PROVISION**, 2; **RICHESSE**, 3
funds (available ~) **DISPONIBILITÉS**, 1; **RESSOURCES**, 2
funds (investment ~) **FCP**
funds (misappropriation of ~) **DÉTOURNEMENT**, 1
funds (mutual ~)**FCP**
funds (public ~) **DENIERS PUBLICS**, 1
funds (source of ~) **RESSOURCES**, 2
funds (to pay ~ into) **PROVISIONNER**, 2
funds (to provide ~ for) **COMMANDITER**, 1
futures **FUTURE**, 1
gadget **GADGET**, 1
gain **GAIN**, 3
gain ground (to ~) **TERRAIN** (gagner du ~), 1
gain (to ~) **GAGNER**, 1
gains **GAIN**, 1
gallery **GALERIE**, 1
gap **DÉCALAGE**, 1; **DÉFICIT**, 2; **TROU**, 1
gap (a widening ~) **CREUSEMENT**, 1
garage **GARAGE**, 1
garage owner **GARAGISTE**, 1
garbage **ORDURES**, 1
gardener **JARDINIER, -IÈRE**, 1; **JARDINIER, JARDINIÈRE**, 1
gardening **JARDINAGE**, 1
gas **GAZ**, 1; **ESSENCE**, 1
gasoline **ESSENCE**, 1
GDP (gross domestic product) **PIB**
General National Vocational Qualification (GNVQ) **BEP**
general partner **COMMANDITÉ, COMMANDITÉE**, 1
get (to ~) **PROCURER**, 2
giant **GÉANT**, 1
gift **CESSION**, 2; **DON**, 1
gift voucher **CHÈQUE(-)CADEAU(X)**, 1; **CHÈQUE(-)SURPRISE**, 1
gift (holiday ~ voucher) **CHÈQUE(-)VACANCES**, 1
gift-token **CHÈQUE(-)CADEAU(X)**, 1; **CHÈQUE(-)SURPRISE**, 1
gigantic **GIGANTESQUE**, 1
Giro account **CCP**
give (to ~) **ACCORDER**, 1; **OFFRIR**, 2
give (to ~ away) **CÉDER**, 2
give (to ~ in/up) **CÉDER**, 3
giving (they're not exactly ~ it away) **DONNÉ**, 1
glass manufacturer **VERRIER**, 1
glass **VERRE**, 1; **VERRIER, -IÈRE**, 1
GNVQ (General National Vocational Qualification) **BEP**
go (to ~ down) **RECULER**, 1

go (to ~ downhill) **DÉCLINER**, 1
go (to ~ into) **ÉTUDIER**, 2
go (to ~ over) **DÉPASSER**, 1; **FRANCHIR**, 1
go (to ~ up) **MONTER**, 1; **PROGRESSER**, 1; **RENCHÉRIR**, 1
go (to ~ up again) **REMONTER**, 1
gold **OR**, 1
gold-bearing **AURIFÈRE**, 1
gondola **GONDOLE**, 1
goods **ACHALANDAGE**, 2; **BIEN**, 1; **COMMANDE**, 3; **MARCHANDISE**, 1; **PRODUIT**, 1
goods (foreign ~) **IMPORTATION**, 2
goods (heavy ~) **PONDÉREUX**, 1
goods (heavy ~ vehicle) **POIDS LOURD**, 1
goods (off-label ~) **DÉGRIFFÉ, -ÉE**, 1
goods (sale ~) **SOLDE**, 3
goods (secondhand ~) **OCCASION**, 2
goods (semi-finished ~) **EN(-)COURS**, 1
goods (shoddy ~) **CAMELOTE**, 1; **PACOTILLE**, 1
goodwill **GOODWILL**, 1; 2; **SURVALEUR**, 1; **SURVALOIR**, 1
government official **FONCTIONNAIRE**, 1
government services **ADMINISTRATION**, 2
gradual **PROGRESSIF, -IVE**, 1
gradually **PROGRESSIVEMENT**, 1
graduate **DIPLÔMÉ, DIPLÔMÉE**, 1
grant a discount (to ~) **RISTOURNER**, 1
grant a franchise to (to ~) **FRANCHISER**, 1
grant **AIDE**, 1; **DOTATION**, 1; **SUBSIDE**, 1; **SUBVENTION**, 1
grant (a discount, a benefit) (to ~) **ACCORDER**, 1
grant (student ~) **BOURSE**, 4; **PRÉSALAIRE**, 1
grant (to ~) **ALLOUER**, 1; 2
grantee **DONATAIRE**, 1
grant-holder (student ~) **BOURSIER, BOURSIÈRE**, 1
grantor **DONATEUR, DONATRICE**, 1
grapevine (the ~) **RADIO TROTTOIR**, 1
graph **COURBE**, 1; **GRAPHIQUE**, 1
grease somebody's palm (to ~) **PATTE**, 1
great (in ~ number) **MASSIVEMENT**, 1
greying of the population **PAPY(-)BOOM**, 1
grocer **ÉPICIER, ÉPICIÈRE**, 1
grocer's shop **ÉPICERIE**, 1
grocery store **ÉPICERIE**, 1
grocery (late-night ~ store) **DÉPANNEUR**, 1
gross **BRUT, BRUTE**, 1
gross domestic product (GDP) **PIB**
gross national product **PNB**
ground (to break new~) **INNOVER**, 1
ground (to gain ~) **TERRAIN** (gagner du ~), 1
ground (to lose ~) **TERRAIN** (céder du ~), 1; **TERRAIN** (perdre du ~), 1
group **CENTRALE**, 1; **COLLECTIVITÉ**, 1; **GROUPEMENT**, 1; **KONZERN**, 1
group insurance **ASSURANCE(-)GROUPE**, 1
group of Eight **G(-)8**
group of Seven **G(-)7**
group (industrial ~) **GROUPE**, 1
group (sample ~) **PANEL**, 1
grouping **GROUPAGE**, 1; **GROUPEMENT**, 1
grouping (economic interest ~) **GIE**
grow (to ~) **CROÎTRE**, 1; 2
grow weaker (to ~) **DÉGRADER**, 1
grower **PRODUCTEUR, PRODUCTRICE**, 1
growing **PRODUCTION**, 1
growth **CROISSANCE**, 1; 3; **EXPANSION**, 1
growth of the wage earning class in the economy **SALARISATION**, 1
growth (period of ~) **CROISSANCE**, 2
guarantee **CAUTION**, 1; 3; **CAUTIONNEMENT**, 1; **GARANTIE**, 1; 2
guarantee (to ~) **CAUTIONNER**, 1; **GARANTIR**, 1
guarantor **CAUTION**, 2; **CAUTIONNÉ, CAUTIONNÉE**, 1; **DONNEUR, DONNEUSE**, 1
guard (security ~) **CONVOYEUR, CONVOYEUSE**, 1
guardianship (legal ~) **CURATELLE**, 1
H.P. (hire-purchase) **LOCATION-VENTE**, 1
haggle (to ~ over) **MARCHANDER**, 1
haggler **MARCHANDEUR, MARCHANDEUSE**, 1
haggling **MARCHANDAGE**, 1
half **MOITIÉ**, 1
half fare **DEMI-TARIF**, 1
hamper **CAGEOT**, 1
hand in one's notice (to ~) **DÉMISSIONNER**, 1
hand (by ~) **MANUELLEMENT**, 1
hand (to ~ out) **DIFFUSER**, 1
handbook **MANUEL**, 1
handing out **DIFFUSION**, 1
handle (to ~) **BRASSER**, 3; **MANUTENTIONNER**, 1
handling **MANUTENTION**, 1
harbour **PORT**, 1
hard up **DÉSARGENTÉ, -ÉE**, 1
hardware **HARDWARE**, 1; **MATÉRIEL**, 2
hard-worker **BOSSEUR, BOSSEUSE**, 1
hardworking **TRAVAILLEUR, -EUSE**, 1
have (to ~) **BÉNÉFICIER**, 2
have-nots **DÉSHÉRITÉ, DÉSHÉRITÉE**, 1
hawk (to ~) **COLPORTER**, 1
hawker **COLPORTEUR, COLPORTEUSE**, 1
hawking **COLPORTAGE**, 1
head **CHEF**, 1; **DIRECTEUR, DIRECTRICE**, 2; **PATRON, PATRONNE**, 1
head office **MAISON-MÈRE**, 1; **SIÈGE SOCIAL**, 1
headhunter **CHASSEUR DE TÊTES, CHASSEUSE DE TÊTES** , 1
headquarters **SIÈGE ADMINISTRATIF**, 1
headquarters (company ~) **SIÈGE SOCIAL**, 1
health insurance **ASSURANCE(-)MALADIE**, 1
healthier (to make ~) **ASSAINIR**, 1
heavily **FORTEMENT**, 1; **LOURD**, 1; **LOURDEMENT**, 1; **LOURD, LOURDE**, 1; **PONDÉREUX, -EUSE**, 1
heavy (to become ~) **ALOURDIR**, 1
hectare **HECTARE**, 1
hedge (to ~) **COUVRIR**, 1
help (to ~) **AIDER**, 1
hesitant **HÉSITANT, -ANTE**, 1
hierarchic **HIÉRARCHIQUE**, 1
hierarchically **HIÉRARCHIQUEMENT**, 1
hierarchy **HIÉRARCHIE**, 1
high **ÉLEVÉ, -ÉE**, 1; **HAUT, HAUTE**, 1; **IMPORTANT, -ANTE**, 1; **JOLI, -IE**, 1
highest bidder **ADJUDICATAIRE**, 1
highly **HAUTEMENT**, 1; **JOLIMENT**, 1
highway **AUTOROUTE**, 1
highway (information super~) **AUTOROUTE**, 2; **INFOROUTES**, 1
hire **LOUAGE**, 1
hire (to ~) **AFFRÉTER**, 1; **EMBAUCHER**, 1; **LOUER**, 2
hire (to ~ away) **DÉBAUCHER**, 1
hire-purchase (H.P.) **LOCATION-VENTE**, 1
hiring **AFFRÈTEMENT**, 1; **EMBAUCHAGE**, 1; **EMBAUCHE**, 1
hiring away **DÉBAUCHAGE**, 1
histogram **HISTOGRAMME**, 1
hoard money (to ~) **THÉSAURISER**, 1
hoarding **THÉSAURISATION**, 1
hold (to ~ concurrently) **CUMULER**, 1
hold (to ~ up) **MAINTENIR**, 1
holder **DÉPOSITAIRE**, 2; **DÉTENTEUR, DÉTENTRICE**, 1; **PORTEUR, PORTEUSE**, 1; **TITULAIRE**, 1
holder of a diploma **DIPLÔMÉ, DIPLÔMÉE**, 1
holder of various mandates **CUMULARD, CUMULARDE**, 1
holder (debenture ~) **OBLIGATAIRE**, 1
holder (life assurance policy ~) **ASSURÉ-VIE**, 1
holder (monopoly ~) **MONOPOLEUR, MONOPOLEUSE**, 1
holder (multiple office ~) **CUMULARD, CUMULARDE**, 1
holder (policy ~) **PRENEUR, PRENEUSE**, 2
holding **EXPLOITATION**, 1; **PARTICIPATION**, 1
holding company **HOLDING**, 1
hole-in-the-wall **BANCOMAT**, 1; **BILLETTERIE**, 1
holiday **CONGÉ**, 1; **VACANCE**, 2
holiday (public ~) **FÉRIÉ, -IÉE**, 1
holidaymaker **VACANCIER, VACANCIÈRE**, 1
home made **MAISON**, 3
home saving plan **ÉPARGNE-LOGEMENT**, 1
homeless persons **DOMICILE FIXE**, 1; **SDF**
hoop(-)la **BATTAGE**, 1
horticultural **HORTICOLE**, 1
horticulture **HORTICULTURE**, 1; **JARDINAGE**, 1
horticulturist **HORTICULTEUR, HORTICULTRICE**, 1; **JARDINIER, -IÈRE**, 1; **JARDINIER, JARDINIÈRE**, 1
hot money **HOT MONEY**, 1
hot spot **POINT CHAUD**, 1
hotel **HÔTEL**, 1; **HÔTELIER, -IÈRE**, 1
hotel manager **HÔTELIER, HÔTELIÈRE**, 1
hotelier **HÔTELIER, HÔTELIÈRE**, 1
house (discount ~) **MINIMARGE**, 1
household **MÉNAGE**, 1; **MÉNAGER, -ÈRE**, 1
household appliance(s) **ÉLECTROMÉNAGER**, 1
household (manufacturer of~ appliances) **ÉLECTROMÉNAGISTE**, 1
housewife **MÉNAGÈRE**, 1
housing (low cost ~) **HLM**
huge **ÉNORME**, 1; **GIGANTESQUE**, 1
hugely **ÉNORMÉMENT**, 1
Human Resources Management **DRH**
Human Resources Manager **DRH**
husband **ÉPOUX, ÉPOUSE**, 1
hype **TAPAGE**, 1
hypercycle **HYPERCYCLE**, 1
hyperinflation **HYPERINFLATION**, 1
hypermarket **HYPERMARCHÉ**, 1
hypocycle **HYPOCYCLE**, 1
IBRD (International Bank for Reconstruction and Development) **BIRD**
identification (corporate ~ symbol) **LOGO**, 1
illegal occupation **OCCUPATION**, 2
illegal (supplier of ~ workers) **NÉGRIER**, 2
illegally (to occupy ~) **OCCUPER**, 2
illicitly (to trade ~) **TRAFIQUER**, 1
ILO (International Labour Office) **BIT**
imbalance **DÉSÉQUILIBRE**, 1

imitation **CONTREFAÇON**, 2
imitation (pale ~) **SOUS-PRODUIT**, 2
implement (to ~) **OPÉRER**, 1
import **ENTRÉE**, 2; **IMPORT**, 1
import (to ~) **IMPORTER**, 1
importable **IMPORTABLE**, 1
importation **IMPORTATION**, 1
importer **IMPORTATEUR, IMPORTATRICE**, 1; 2
import-export (business) **IMPORT-EXPORT**, 1
importing **IMPORTATEUR, -TRICE**, 1; **IMPORTATION**, 1
imports **IMPORTATION**, 2
impose (to ~ a tax on) **TAXER**, 1
impoverished **DÉMUNI, -IE**, 1
improve (to ~) **AMÉLIORER**, 1
improvement **AMÉLIORATION**, 1
inactivity **INACTIVITÉ**, 1
incentive scheme **INTÉRESSEMENT**, 1
incidental **ACCESSOIRE**, 1
inclusive **FORFAITAIRE**, 1
inclusive of tax **TTC**
inclusively **FORFAITAIREMENT**, 1
income **REVENU**, 2
income shortfall **MANQUE À GAGNER**, 1
income (personal ~ tax) **IPP**; **IRPP**
income (transfer ~) **REVENU**, 3
inconvertible **INCONVERTIBLE**, 1
incorruptible **INCORRUPTIBLE**, 1
incoterms **INCOTERM(E)S**, 1; **TCI**
increase **ACCROISSEMENT**, 1; **ALOURDISSEMENT**, 1; **ASCENSION**, 1; **AUGMENTATION**, 1; **CREUSEMENT**, 1; **GAIN**, 3; **GONFLEMENT**, 1; **GRIMPÉE**, 1; **HAUSSE**, 1; **INTENSIFICATION**, 1; **MAJORATION**, 1; **PROGRESSION**, 1; **REHAUSSEMENT**, 1; **RELÈVEMENT**, 1
increase in price **RENCHÉRISSEMENT**, 1
increase in value **APPRÉCIATION**, 1; **PLUS-VALUE**, 1
increase (marked ~) **ACCENTUATION**, 1
increase (to ~) **ACCENTUER**, 1; **ACCROÎTRE**, 1; **AUGMENTER**, 1; **CROÎTRE**, 1; **HAUSSER**, 1; **INTENSIFIER**, 1; **MAJORER**, 1; **REHAUSSER**, 1; **RELEVER**, 1
increase (to ~ dramatically) **DÉRAPER**, 1
increase (to ~ in value) **APPRÉCIER**, 1
increase (to ~ twofold) **DOUBLER**, 1
increase (to ~ (the burden of)) **ALOURDIR**, 1
indebted **REDEVABLE**, 1
indebtedness **ENDETTEMENT**, 1
indebtedness (evidence of ~) **CRÉANCE**, 2
indemnification **COMPENSATION**, 1; **INDEMNISATION**, 1
indemnify (to ~) **DÉDOMMAGER**, 1; **INDEMNISER**, 1
indemnity **INDEMNITÉ**, 2
independent **INDÉPENDANT, -ANTE**, 1
index **INDEX**, 1; **INDICE**, 1; **INDICIEL, -IELLE**, 1
index card **FICHE**, 1
index which does not take into account oil and alcohol prices **INDEX-SANTÉ**, 1; **INDICE-SANTÉ**, 1
index (to ~) **INDEXER**, 1
indexing **INDEXATION**, 1
index-link (to ~) **INDEXER**, 1
index-linked minimum guaranteed wage **SMIG**
index-linking **INDEXATION**, 1
indicative **INDICATIF, -IVE**, 1
indicator **BAROMÈTRE**, 1; **CLIGNOTANT**, 1; **INDICATEUR**, 1
indicators (key business ~) **TABLEAU DE BORD**, 1
industrial **INDUSTRIEL, -IELLE**, 1; 2; **OUVRIER, -IÈRE**, 1
industrial automation **PRODUCTIQUE**, 1
industrial development **INDUSTRIALISATION**, 1
industrial group **GROUPE**, 1
industrial sector **SECTEUR**, 3
industrial (elected member of an ~ tribunal) **PRUD'HOMME**, 1
industrialist **INDUSTRIEL, INDUSTRIELLE**, 1
industrialization **INDUSTRIALISATION**, 1
industrialize (to ~) **INDUSTRIALISER**, 1
industrialized (newly ~ countries, NIC) **NPI**
industrially **INDUSTRIELLEMENT**, 1
industries (textile ~) **TEXTILE**, 1
industry **INDUSTRIE**, 1; 2; **SECTEUR**, 1
industry (audiovisual ~) **AUDIOVISUEL**, 1
industry (automobile ~) **AUTOMOBILE**, 2
industry (building ~) **BÂTIMENT**, 2
industry (car ~) **AUTOMOBILE**, 2
industry (cottage ~) **ARTISANAT**, 1
industry (craft ~) **ARTISANAT**, 1
industry (film ~) **CINÉMA**, 2
industry (food ~) **AGROALIMENTAIRE**, 1
industry (food processing ~) **AGROALIMENTAIRE**, 1
industry (insurance ~) **ASSURANCE**, 4
industry (medium-sized ~) **PMI**
industry (metallurgical ~) **MÉTALLURGIE**, 2
industry (microcomputer ~) **MICRO-INFORMATIQUE**, 1
industry (primary ~) **PRIMAIRE**, 1
industry (small ~) **PMI**
industry (steel ~) **SIDÉRURGIE**, 1; 2
industry (tourist ~) **TOURISME**, 2
inelasticity **INÉLASTICITÉ**, 1
inflate (to ~) **GONFLER**, 1
inflation **GONFLEMENT**, 1; **INFLATION**, 1
inflationary **INFLATIONNISTE**, 1; 2; **INFLATOIRE**, 1
inflationist **INFLATIONNISTE**, 1
inflow (cash ~) **RENTRÉE**, 1
influx **AFFLUX**, 1
information technology (IT) **INFORMATIQUE**, 1
information (super)highway **AUTOROUTE**, 2; **INFOROUTES**, 1
infrastructure **INFRASTRUCTURE**, 1
in-house consumption **AUTOCONSOMMATION**, 1
Inland Revenue **CONTRIBUTION**, 3
innovate (to ~) **INNOVER**, 1
innovating **INNOVANT, -ANTE**, 1
innovation **INNOVATION**, 1; 2
innovative **CRÉATIF, -IVE**, 1; **INNOVANT, -ANTE**, 1; **INNOVATEUR, -TRICE**, 1; **NOVATEUR, -TRICE**, 1
innovative product **INNOVATION**, 2
innovator **INNOVATEUR, INNOVATRICE**, 1; **NOVATEUR, NOVATRICE**, 1
innovatory **NOVATEUR, -TRICE**, 1
insert **ENCART**, 1
inset **ENCART**, 1
insignificant **INSIGNIFIANT, -ANTE**, 1
insolvency **INSOLVABILITÉ**, 1
insolvent **INSOLVABLE**, 1
installations **APPAREILLAGE**, 1
instalment (monthly ~) **MENSUALITÉ**, 1
institution (semi public ~) **PARASTATAL**, 1
institutional investor **PLACEUR, PLACEUSE**, 1
institutional investors **ZINZINS**, 1
instrument **INSTRUMENT**, 1
insufficient **DÉFICITAIRE**, 2
insurable **ASSURABLE**, 1
insurance against redundancy **ASSURANCE(-)EMPLOI**, 1
insurance **ASSURANCE**, 1
insurance broker **ASSUREUR**, 1
insurance company **ASSURANCE**, 3; **ASSUREUR**, 1
insurance for legal charges **CONTRE-ASSURANCE**, 2
insurance policy **ASSURANCE**, 2
insurance premium **ASSURANCE**, 5
insurance services provided by a bank **BANCASSURANCE**, 1; **BANQUE-ASSURANCE**, 1
insurance (bank providing ~ services) **BANCASSUREUR**, 1
insurance (car ~) **ASSURANCE(-)AUTO(MOBILE)**, 1
insurance (car ~ surcharge) **MALUS**, 1
insurance (comprehensive ~) **OMNIUM**, 1
insurance (contributory ~ company) **MUTUALITÉ**, 1; **MUTUELLE**, 1
insurance (cost, ~, freight, CIF) **CAF**
insurance (credit ~) **ASSURANCE(-)CRÉDIT**, 1
insurance (disability ~) **ASSURANCE(-)INVALIDITÉ**, 1
insurance (fire ~) **ASSURANCE(-)INCENDIE**, 1
insurance (group ~) **ASSURANCE(-)GROUPE**, 1
insurance (health ~) **ASSURANCE(-)MALADIE**, 1
insurance (industry) **ASSURANCE**, 4
insurance (invalidity ~) **ASSURANCE(-)INVALIDITÉ**, 1
insurance (life ~) **ASSURANCE-VIE**, 1; **ASSURANCE(-)DÉCÈS**, 1
insurance (life ~ policy holder) **ASSURÉ-VIE**, 1
insurance (mutual ~) **COASSURANCE**, 1
insurance (possessions ~) **ASSURANCE(-)DOMMAGES**, 1
insurance (savings ~) **ASSURANCE(-)ÉPARGNE**, 1
insurance (sickness ~) **ASSURANCE(-)MALADIE**, 1
insurance (to take out an ~) **ASSURER**, 2
insurance (travel ~) **ASSURANCE(-)VOYAGE**, 1
insurance (unemployment ~) **ASSURANCE(-)CHÔMAGE**, 1
insure (to ~) **ASSURER**, 1
insure (to ~ oneself (against)) **ASSURER**, 2
insured person **ASSURÉ, ASSURÉE**, 1
intangible **IMMATÉRIEL, -IELLE**, 1
intensify (to ~) **ACCENTUER**, 1; **INTENSIFIER**, 1
interbank **INTERBANCAIRE**, 1
intercompany **INTERENTREPRISES**, 1
intercorporate **INTERENTREPRISES**, 1
interest **INTÉRÊT**, 1
interest (back ~) **ARRÉRAGES**, 1
interest (to bear ~) **RÉMUNÉRER**, 2
interim **INTÉRIMAIRE**, 1
interim financing **PRÉFINANCEMENT**, 1

interim payment (of corporate tax) **PRÉCOMPTE**, 2
interim period **INTÉRIM**, 1
interim tax payment **TIERS PROVISIONNEL**, 1
intermediary **INTERMÉDIAIRE**, 1
intermediary stock **STOCK(-)TAMPON**, 2
intermediation **INTERMÉDIATION**, 1
intermittent **DISCONTINU, -UE**, 1
internal financing **AUTOFINANCEMENT**, 1
Internal Revenue **CONTRIBUTION**, 3
International Bank for Reconstruction and Development (IBRD) **BIRD**
International Labour Office (ILO) **BIT**
International Monetary Fund (FMI) **FMI**
Internet **INTERNET**, 1
internship **STAGE**, 1
interprofessional **INTERPROFESSIONNEL, -ELLE**, 1
intersector **INTERSECTORIEL, -IELLE**, 1
interunion **INTERSYNDICAL, -ALE**, 1
interunion committee **FRONT COMMUN**, 1; **INTERSYNDICALE**, 1
intervention (state ~) **DIRIGISME**, 1
interventionist **DIRIGISTE**, 1
intracompany project manager **INTRAPRENEUR, INTRAPRENEUSE**, 1
intracompany (to set up ~ projects) **INTRAPRENDRE**, 1
intranet **INTRANET**, 1
intrapreneurship **INTRAPRENEURIAT**, 1; **INTRAPRENEURSHIP**, 1
invalidity insurance **ASSURANCE(-) INVALIDITÉ**, 1
invent (to ~) **CRÉER**, 1
inventory **INVENTAIRE**, 1; **STOCK**, 3
inventory safety stock **STOCK(-) OUTIL**, 1
inventory (base ~) **STOCK(-)OUTIL**, 1
inventory (to ~) **INVENTORIER**, 1
invest (to ~) **CAPITALISER**, 2; **INVESTIR**, 1; **PLACER**, 1
investment **INVESTISSEMENT**, 1; 2; 3; **PLACEMENT**, 1; 2
investment funds **FCP**
investment (closed-end ~ company) **SICAF**
investment (collective ~ undertakings, CIU) **OPC**
Investment (European ~ Bank, EIB) **BEI**
investment (open-end ~ company) **SICAV**
investment (safe ~) **VALEUR(-)REFUGE**, 1
investment (undertaking for collective ~) **OPC**
investment (undertaking for collective ~ in transferable securities, UCITS) **OPCVM**
investor **ÉPARGNANT, ÉPARGNANTE**, 1; **INVESTISSEUR, -EUSE**, 1; **INVESTISSEUR, INVESTISSEUSE**, 1
investor (institutional ~) **PLACEUR, PLACEUSE**, 1
investor (small ~) **RENTIER, RENTIÈRE**, 1
investors (institutional ~) **ZINZINS**, 1
invisibles **INVISIBLES**, 1
invoice **COMPTE**, 3; **FACTURE**, 1
invoice book **FACTURIER, FACTURIÈRE**, 2
invoice clerk **FACTURIER, FACTURIÈRE**, 1
invoice register **FACTURIER, FACTURIÈRE**, 2
invoice (to ~) **FACTURER**, 1
invoicing **FACTURATION**, 1
invoicing department **FACTURATION**, 2
iron **FER**, 1
iron and steel **SIDÉRURGIQUE**, 1; 2; **SIDÉRURGISTE**, 1
irrecoverable **IRRECOUVRABLE**, 1; **IRRÉCOUVRABLE**, 1
irregular **IRRÉGULIER, -IÈRE**, 1
issuance **ÉMISSION**, 1
issue **ÉMISSION**, 1
issue (to ~) **ÉMETTRE**, 1
issuer **ÉMETTEUR, ÉMETTRICE**, 1
issuing **ÉMETTEUR, -TRICE**, 1
IT (information technology) **INFORMATIQUE**, 1
item **ARTICLE**, 1; 2; **POSTE**, 3
item (end of range ~) **FINS DE SAISON**, 1
jackpot **CAGNOTTE**, 3
jar **POT**, 1
jewel in the crown **JOYAUX (DE LA COURONNE)**, 1
job **BOULOT**, 1; **EMPLOI**, 3; **GAGNE-PAIN**, 1; **JOB**, 1; **MÉTIER**, 1; **OCCUPATION**, 1; **POSTE**, 1; **TRAVAIL**, 2
job enlargement **ÉLARGISSEMENT DES TÂCHES**, 1
job opening **VACANCE**, 1
job (community ~) **TUC**
job (hard ~) **BESOGNE**, 1
job (part-time ~) **MI-TEMPS**, 1
job (public interest ~) **TUC**
job (to find a ~ for) **PLACER**, 3
job (to find another ~ for) **RECASER**, 1
job (to lower the prestige of a ~) **DÉVALORISER**, 1
job (unsuccessful ~ applications at the end of the month) **DEFM**
jobless **CHÔMEUR, -EUSE**, 1
jobless person **CHÔMEUR, CHÔMEUSE**, 1
join (to ~) **ADHÉRER**, 1
join (to ~ together) **ASSOCIER**, 1
joiner **MENUISIER**, 1
joining **ADHÉSION**, 1
joint owner **COPROPRIÉTAIRE**, 1
joint ownership **COPROPRIÉTÉ**, 1
joint-venture **JOINT(-)VENTURE**, 1
journey **VOYAGE**, 1
juicy **JUTEUX, -EUSE**, 1
jumble sale **BRADERIE**, 1
jumbo sized company **GÉANT**, 1
jump **BOND**, 1
jump (to ~) **BONDIR**, 1; **DÉRAPER**, 1
junk bond **JUNK(-)BOND**, 1
junk **CAMELOTE**, 1; **PACOTILLE**, 1
just-in-time **JIT**; **JUSTE(-)À(-)TEMPS**, 1; **JUST-IN-TIME**, 1
keep (to ~ up) **MAINTENIR**, 1
key business indicators **TABLEAU DE BORD**, 1
key sector **SECTEUR(-)CLÉ**, 1
key-money **PAS-DE-PORTE**, 1
kilo **KILO**, 1
kilogram **KILO**, 1
kind (benefits in ~) **AVANTAGE**, 3
kitty **CAGNOTTE**, 2
knight (black ~) **CHEVALIER NOIR**, 1
knight (white ~) **CHEVALIER BLANC**, 1
knock down (to ~) **ADJUGER**, 1
know-how **EXPERTISE**, 1; **KNOW(-)HOW**, 1; **SAVOIR-FAIRE**, 1
label **LABEL**, 1
label (designer ~) **GRIFFE**, 1
label (maker's ~) **GRIFFE**, 1
labelled **GRIFFÉ, -ÉE**, 1
labour **MAIN-D'ŒUVRE**, 1; **OUVRIER, -IÈRE**, 1; **TRAVAIL**, 2; 3; 6
Labour **TRAVAILLISME**, 1; **TRAVAILLISTE**, 1
labour cost **SALAIRE-COÛT**, 1
labour union **SYNDICAT**, 1
labour (cost of ~) **MAIN-D'ŒUVRE**, 2
labour (cutting back ~) **DÉGRAISSAGE**, 1
Labour (International ~ Office, ILO) **BIT**
labour- **SALARIAL, -ALE**, 2
labour(-intensive) **TRAVAILLISTIQUE**, 1
labourer **MANŒUVRE**, 1
laggard **CANARD BOITEUX**, 1
lame duck **CANARD BOITEUX**, 1
land **FONCIER, -IÈRE**, 1; **PROPRIÉTÉ**, 2
landlord **BAILLEUR, BAILLERESSE**, 1; **PROPRIÉTAIRE**, 1
large **BON, BONNE**, 1; **GROS, GROSSE**, 1
large (in ~ quantities) **MASSIVEMENT**, 1
launch **LANCEMENT**, 1; **SORTIE**, 3
launch (to ~) **LANCER**, 1
launching **LANCEMENT**, 1
launder (to ~) **BLANCHIR**, 1
laundering (money ~) **BLANCHIMENT**, 1
lay off (to ~) **DÉBAUCHER**, 2; **LICENCIER**, 1
laying off **DÉBAUCHAGE**, 2; **LICENCIEMENT**, 1; **DÉMISSION**, 2
LDCs (less developed countries) **PVD**
leader **LEADER**, 1
leaders **VALEUR(-)VEDETTE**, 1
leadership **LEADERSHIP**, 1
leading **DIRECTEUR, -TRICE**, 1
leading product **VEDETTE**, 1
leading shares **VALEUR(-)VEDETTE**, 1
leaflet **DÉPLIANT**, 1
leap **BOND**, 1
learn (to ~) **APPRENDRE**, 1
learning **APPRENTISSAGE**, 1
lease **BAIL**, 1; **LOUAGE**, 1
lease (to ~) **LEASER**, 1
leasing **CRÉDIT-BAIL**, 1; **LEASING**, 1
leasing (business ~) **LOCATION-GÉRANCE**, 1
leasing (financial ~) **LOCATION-FINANCEMENT**, 1
leave (to ~) **DÉPOSER**, 2
left-over **INVENDU, -UE**, 1; **INVENDU**, 1
legal claimant **AYANT DROIT**, 1
legal currency **NUMÉRAIRE**, 1
legal entity **PERSONNE MORALE**, 1
legal person **PERSONNE MORALE**, 1
lend (to ~) **AVANCER**, 1; **PRÊTER**, 1
lendable **PRÊTABLE**, 1
lender **PRÊTEUR, PRÊTEUSE**, 1
lending **PRÊT**, 1; **PRÊTEUR, -EUSE**, 1
lending (prime ~) rate **ESCOMPTE**, 2
lessee **PRENEUR, PRENEUSE**, 1
lessor **BAILLEUR, BAILLERESSE**, 1
let (out) (to ~) **LOUER**, 1
letter **LETTRE**, 1; **LOUEUR, LOUEUSE**, 1
letter of reminder **RAPPEL**, 1
letting (out) **LOCATION**, 1
level **TAUX**, 2
levelling off **PLAFONNEMENT**, 1
levy **PERCEPTION**, 1
levy (green ~) **ÉCOTAXES**, 1
levy (to ~ a tax on) **IMPOSER**, 1
liabilities **PASSIF**, 1
liabilities side **PASSIF**, 2
liabilities (claims and ~) **PASSIF**, 1
liabilities (outstanding ~) **EN(-)COURS**, 2
liability (limited ~ company, Ltd.) **SA; SARL; SPRL**
liability (tax ~) **ASSUJETTISSEMENT**, 1
liable for tax **REDEVABLE**, 2
liable to tax **IMPOSABLE**, 1
liable (person ~ for tax) **REDEVABLE**, 1
liable (to make ~ to) **ASSUJETTIR**, 1

liberalization **LIBÉRALISATION**, 1
liberalize (to ~) **LIBÉRALISER**, 1
licence **LICENCE**, 1; **PERMIS**, 1
life assurance **ASSURANCE-VIE**, 1; **ASSURANCE(-)DÉCÈS**, 1
life assurance policy holder **ASSURÉ-VIE**, 1
life assurer **ASSUREUR-VIE**, 1
life expectancy **ESPÉRANCE DE VIE**, 1
life insurance **ASSURANCE-VIE**, 1; **ASSURANCE(-)DÉCÈS**, 1
life insurance policy holder **ASSURÉ-VIE**, 1
life-cycle **CYCLE**, 2
limit **BARRE**, 1; **CAP**, 1; **SEUIL**, 1
limit (lower ~) **PLANCHER**, 1
limit (time ~) **TERME**, 1
limit (to ~) **LIMITER**, 1; **RESTREINDRE**, 1
limit (to reach an upper ~) **PLAFONNER**, 1
limit (upper ~) **PLAFOND**, 1
limitation **LIMITATION**, 1; **RESTRICTION**, 1
limited liability company (Ltd.) **SA**; **SARL**; **SPRL**
limited partner **COMMANDITAIRE**, 1
limited partnership **COMMANDITE**, 1
limited partnership (Ltd.) **SCS**
limited (in a ~ way) **FAIBLEMENT**, 1
line **GAMME**, 1
line of business **SECTEUR**, 2
liner **PAQUEBOT**, 1
liquid **LIQUIDE**, 1
liquid assets **DISPONIBILITÉS**, 1; **LIQUIDITÉ**, 3
liquidate (to ~) **LIQUIDER**, 2
liquidation **FAILLITE**, 2; **LIQUIDATION**, 2
liquidator **LIQUIDATEUR, LIQUIDATRICE**, 1
liquidity **LIQUIDITÉ**, 1; **TRÉSORERIE**, 1
lira **LIRE**, 1
list (stock exchange ~) **COTE**, 2
livestock **BÉTAIL**, 1
load **CHARGEMENT**, 2
load (excess ~) **SURCHARGE**, 1
load (to ~) **CHARGER**, 1; 2
loading **CHARGEMENT**, 1; 3
loan **CRÉDIT**, 1; 2; **EMPRUNT**, 2; **PRÊT**, 2
loan (bridging ~) **CRÉDIT(-)PONT**, 1
loan (government ~) **RENTE**, 3
loanable **PRÊTABLE**, 1
loaning **PRÊT**, 1
lobby **LOBBY**, 1
lobbying **LOBBYING**, 1
lobbyist **LOBBYISTE**, 1
lock out (to ~) **LOCK-OUTER**, 1
lock-out **LOCK-OUT**, 1
logistic **LOGISTIQUE**, 1
logistics **LOGISTIQUE**, 1
logo **ENSEIGNE**, 2; **LOGO**, 1
lorry **CAMION**, 1; **POIDS LOURD**, 1
lorry driver **ROUTIER**, 1
lose (to ~) **CÉDER**, 3; **PERDRE**, 1
lose (to ~ ground) **TERRAIN** (céder du ~), 1; **TERRAIN** (perdre du ~), 1
lose (to ~ value) **DÉPRÉCIER**, 1
loss **DÉCHET**, 1; **DOMMAGE**, 1; **PERTE**, 1; **PERTE**, 3; **SINISTRE**, 2
loss in value **DÉPRÉCIATION**, 1; **DÉVALORISATION**, 1
loss of profit **MANQUE À GAGNER**, 1
loss (capital ~) **MOINS-VALUE**, 1
lost opportunity **MANQUE À GAGNER**, 2
lottery **TOMBOLA**, 1
low **BAS, BASSE**, 1; **FAIBLE**, 1; **MODIQUE**, 1
lower limit **PLANCHER**, 1
lower the prestige (of a job) (to ~) **DÉVALORISER**, 1
lower (to ~) **ABAISSER**, 1; **BAISSER**, 1; **DIMINUER**, 1
loyalty **FIDÉLITÉ**, 1
Ltd. (limited liability company) **SA**; **SARL**; **SPRL**
Ltd. (limited partnership) **SCS**
Ltd. (partnership limited by shares) **SCPA**
Ltd. (private limited company) **SARL**
lucrative **COMMERCIAL, -IALE**, 4; **GÉRABLE**, 2; **JUTEUX, -EUSE**, 1; **LUCRATIF, -IVE**, 1; **RÉMUNÉRATEUR, -TRICE**, 1
lull **ACCALMIE**, 1
luncheon voucher **CHÈQUE-REPAS**, 1; **CHÈQUE-RESTAURANT**, 1; **TICKET-REPAS**, 1; **TICKET-RESTAURANT**, 1
machine **MACHINE**, 1
machinery **APPAREIL**, 2; **MACHINERIE**, 1
machine-tool **MACHINE-OUTIL**, 1
macroeconomic **MACRO-ÉCONOMIQUE**, 1
macroeconomics **MACRO-ÉCONOMIE**, 1
made in **MADE IN ...**, 1
made (home ~) **MAISON**, 3
magnate **MAGNAT**, 1
mail **CORRESPONDANCE**, 2; **COURRIEL**, 1; **COURRIER**, 1
mail service **POSTE**, 4
mail (direct ~ advertising) **MAILING**, 1; **PUBLIPOSTAGE**, 1
mail (express ~) **COURRIER(-)EXPRESS**, 1
mail-order company **VÉPÉCISTE**, 1
mail-order sale **VPC**
mail-order selling **VPC**
mail shot **MAILING**, 1; **PUBLIPOSTAGE**, 1
main **DIRECTEUR, -TRICE**, 1
maintaining activity **REDRESSEMENT**, 3
maintaining production **REDRESSEMENT**, 3
maintenance **MAINTENANCE**, 1; **MAINTIEN**, 1
make (to ~) **FABRIQUER**, 1; **PRODUIRE**, 1
make (to ~ out) **LIBELLER**, 1
maker **CONSTRUCTEUR, -TRICE**, 1; **CONSTRUCTEUR**, 1
maker's label **GRIFFE**, 1
malfunctioning **DYSFONCTIONNEMENT**, 1
mall (shopping ~) **GALERIE**, 2
malnutrition **SOUS-ALIMENTATION**, 1
man (tax ~) **PERCEPTEUR, PERCEPTRICE**, 1
manage (to ~) **ADMINISTRER**, 1; **DIRIGER**, 1; **GÉRER**, 1; 2; **MANAGER**, 1
manage jointly (to ~) **COGÉRER**, 1
manageable **GÉRABLE**, 1
management **ADMINISTRATION**, 1; **DIRECTION**, 1; 2; **ENCADREMENT**, 2; **GÉRANCE**, 1; **GESTION**, 1; **GESTIONNAIRE**, 1; **MANAGEMENT**, 1; 2; **MANAGÉRIAL, -IALE**, 1; 2
management buyout **MBO**
management by objectives (MBO) **DPO**
management (financial ~) **GESTION**, 2
Management (Human Resources ~) **DRH**
management (joint ~) **COGÉRANCE**, 1; **COGESTION**, 1
management (joint worker-~ control) **AUTOGESTION**, 1
manager **CHARGÉ, CHARGÉE**, 1; **DIRECTEUR, DIRECTRICE**, 1; **DIRIGEANT, DIRIGEANTE**, 1; **EXPLOITANT, EXPLOITANTE**, 1; **GÉRANT, GÉRANTE**, 1; 2; 3; **GESTIONNAIRE**, 1; **MANAGER**, 1; **MANAGEUR, MANAGEUSE**, 1; **TENEUR, TENEUSE**, 1
manager (assistant ~) **DIRECTEUR(-)ADJOINT, DIRECTRICE(-)ADJOINTE**, 1
manager (deputy ~) **DIRECTEUR(-)ADJOINT, DIRECTRICE(-)ADJOINTE**, 1
manager (hotel ~) **HÔTELIER, HÔTELIÈRE**, 1
Manager (Human Resources ~) **DRH**
manager (intracompany project ~) **INTRAPRENEUR, INTRAPRENEUSE**, 1
manager (joint ~) **COGÉRANT, COGÉRANTE**, 1
manager (plant ~) **FABRICANT, FABRICANTE**, 2
manager (property ~) **SYNDIC**, 1
manager (staff ~) **FONCTIONNEL**, 1
managerial **DIRECTORIAL, -IALE**, 1; **MANAGÉRIAL, -IALE**, 1; 2
managerial structure **HIÉRARCHIE**, 1
managership **DIRECTION**, 3
managing agent **GÉRANT, GÉRANTE**, 4; **SYNDIC**, 1
Managing Director **ADMINISTRATEUR(-)DÉLÉGUÉ**, 1
managing partner **ASSOCIÉ-GÉRANT, ASSOCIÉE-GÉRANTE**, 1
managing (chairman and ~ director) **PDG, P-DG**
mandates (holder of various ~) **CUMULARD, CUMULARDE**, 1
manpower **MAIN-D'ŒUVRE**, 1
manual **MANUEL, -ELLE**, 1
manual **MANUEL**, 1
manually **MANUELLEMENT**, 1
manufacture **FABRICATION**, 1
manufacture (to ~) **MANUFACTURER**, 1
manufacturer **CONSTRUCTEUR, -TRICE**, 1; **CONSTRUCTEUR**, 1; **FABRICANT, FABRICANTE**, 1; **INDUSTRIEL, INDUSTRIELLE**, 1
manufacturer of household appliances **ÉLECTROMÉNAGISTE**, 1
manufacturer (cigarette ~) **CIGARETTIER**, 1
manufacturer (equipment ~) **ÉQUIPEMENTIER**, 1
manufacturer (glass ~) **VERRIER**, 1
manufacturer (parts ~) **ÉQUIPEMENTIER**, 1
manufacturer (specialised ~) **MANUFACTURIER**, 1
manufacturing **MANUFACTURE**, 1; **MANUFACTURIER, -IÈRE**, 1
manufacturing (computer aided ~, CAM) **FAO**
manufacturing (computer integrated ~, CIM) **FIO**
margin **MARGE**, 1
margin (profit ~) **MARGE**, 2
marine **MARITIME**, 1
maritime **MARITIME**, 1
mark **MARK**, 1
mark (to ~ down) **DÉMARQUER**, 1
mark-down **DÉMARQUAGE**, 1
markedly **SENSIBLEMENT**, 1
market **DÉBOUCHÉ**, 1; **MARCHÉ**, 1; 2
market analysis **CONJONCTURE**, 2
market opportunity **CRÉNEAU**, 2
market (free ~ policy) **LIBRE-ÉCHANGISME**, 1
market (real estate ~) **IMMOBILIER**, 1
market (stock ~) **BOURSIER, -IÈRE**, 1; 2
Market (Stock ~) **BOURSE**, 1
market (test ~) **MARCHÉ-TEST**, 1

market (to ~) **COMMERCIALISER**, 1
marketable **COMMERCIALISABLE**, 1; **VENDABLE**, 1
marketing **COMMERCIALISATION**, 1; **MARKETING**, 1; **MERCATIQUE**, 1
marketing expert **MARKETEUR**, 1; **MARKETE(E)R**, 1; **MERCATICIEN, MERCATICIENNE**, 1
marketing man **COMMERCIAL, COMMERCIALE**, 1
marketing-mix **MARCHÉAGE**, 1; **MARKETING-MIX**, 1
marketmaker **MARKET(-)MAKER**, 1
mark-up **MARGE**, 2
married couple **COUPLE**, 1
marry (to ~) **ÉPOUSER**, 1
mass **GRAND, GRANDE**, 1
massive **MASSIF, -IVE**, 1
master craftsman **MAÎTRE-ARTISAN**, 1
material **MATÉRIAU**, 1; **MATÉRIEL**, 1; **MATIÈRE**, 1
material **MATÉRIEL, -IELLE**, 1
maturity **MATURITÉ**, 1
maturity tickler **ÉCHÉANCIER**, 1
maximal **MAXIMAL, -ALE**, 1; **MAXIMUM**, 1
maximization **MAXIMALISATION**, 1; **MAXIMISATION**, 1
maximize (to ~) **MAXIMALISER**, 1; **MAXIMISER**, 1
maximum **MAXIMAL, -ALE**, 1; **MAXIMUM, MAXIMA**, 1
maximum **MAXIMUM**, 1
MBO (management by objectives) **DPO**
mean (with money) **AVARE**, 1
meanness **AVARICE**, 1
means (person of independent ~) **RENTIER, RENTIÈRE**, 4
means (person of private ~) **RENTIER, RENTIÈRE**, 4
measurable **MESURABLE**, 1
measure **MESURE**, 1
measure (to ~) **MESURER**, 1
measurement **MESURE**, 2
mechanic **MÉCANICIEN, MÉCANICIENNE**, 1; **MÉCANO**, 1
mechanical **MÉCANIQUE**, 1
mechanical conveyor (unit) **TRANSPORTEUR**, 3
mechanical engineering **MÉCANIQUE**, 1
mechanically **MÉCANIQUEMENT**, 1
mechanics **MÉCANIQUE**, 1
mechanism **MÉCANISME**, 1
mechanization **MÉCANISATION**, 1
mechanize (to ~) **MÉCANISER**, 1
media **MÉDIA**, 1
media hype **MATRAQUAGE**, 1; **TAPAGE**, 1
mediocre **MÉDIOCRE**, 1
medium-sized company **PME**
medium-sized industry **PMI**
meet (to ~) **RÉUNIR**, 1
meeting **ASSEMBLÉE**, 1; **RÉUNION**, 1
meeting point **RENDEZ-VOUS**, 2
meeting (board ~) **ASSEMBLÉE**, 1
meeting (to have a ~) **RÉUNIR**, 1
member **ADHÉRENT, ADHÉRENTE**, 1; **ADHÉRENT, -ENTE**, 1
member of a syndicate **SYNDIQUÉ, SYNDIQUÉE**, 1
member of the design staff **CRÉATIF**, 1
member of the working population **ACTIF**, 3
member (affiliated ~) **AFFILIÉ, AFFILIÉE**, 1
member (board ~) **ADMINISTRATEUR, ADMINISTRATRICE**, 1
member (commission ~) **COMMISSAIRE**, 1
member (elected ~ of an industrial tribunal) **PRUD'HOMME**, 1
member (fee-paying ~) **COTISANT, COTISANTE**, 2
member (of a society) **SOCIÉTAIRE**, 1
member (syndicate ~) **SYNDICATAIRE**, 1
member (to become a ~) **ADHÉRER**, 1
member (union ~) **SYNDIQUÉ, SYNDIQUÉE**, 1
membership **ADHÉSION**, 1; **AFFILIATION**, 1
memory **MÉMOIRE**, 1
mercantilism **MERCANTILISME**, 1
mercantilist **MERCANTILE**, 1; **MERCANTILISTE**, 1
merchandise **MARCHANDISE**, 1
merchandise (to ~) **MARCHANDISER**, 1
merchandiser **MARCHANDISEUR, MARCHANDISEUSE**, 1
merchandising **COMMERCIALISATION**, 1; **MARCHANDISAGE**, 1; **MERCHANDISING**, 1
merchant **FOURNISSEUR, FOURNISSEUSE**, 1; **NÉGOCIANT, NÉGOCIANTE**, 1
merchant (diamond ~) **DIAMANTAIRE**, 1
merge (to ~) **CONCENTRER**, 1; **FUSIONNER**, 1
merger **FUSION**, 1
merger (large-scale ~) **MÉGAFUSION**, 1
metal **MÉTAL**, 1
metallic **MÉTALLIQUE**, 1; 2
metallurgic **MÉTALLURGIQUE**, 1
metallurgical industry **MÉTALLURGIE**, 2
metallurgist **MÉTALLURGISTE**, 1
metallurgist **MÉTALLURGISTE**, 1
metallurgy **MÉTALLURGIE**, 1; 2
microchip **PUCE**, 1
microcomputer **MICRO-ORDINATEUR**, 1
microcomputer industry **MICRO-INFORMATIQUE**, 1
microcomputing **MICRO-INFORMATIQUE**, 1
microeconomic **MICRO-ÉCONOMIQUE**, 1
microeconomics **MICRO-ÉCONOMIE**, 1
middle classes **CLASSES MOYENNES**, 1
middleman **INTERMÉDIAIRE**, 1
mine **MINE**, 1
miner **MINEUR**, 1
minima **MINIMUM**, 1
minimal **MINIMAL, -ALE**, 1
minimal (of ~ importance) **MINIME**, 1
minimarket **SUPÉRETTE**, 1
minimization **MINIMISATION**, 1
minimize (to ~) **MINIMISER**, 1
minimum **MINIMAL, -ALE**, 1; **MINIMUM, MINIMA**, 1
minimum **MINIMUM**, 1
minimum wage earner **MINIMEXÉ, MINIMEXÉE**, 1; **SMICARD, SMICARDE**, 1
minimum (guaranteed) wage **MINIMEX**, 1; **SMIC**
mining **MINIER, -IÈRE**, 1
Minister of Finance **ARGENTIER**, 1
Ministry of Finance **FINANCE**, 3
Minitel **MINITEL**, 1
Mint (The ~ employee) **MONNAYEUR**, 1
misappropriate (to ~) **DÉTOURNER**, 1
misappropriation of funds **DÉTOURNEMENT**, 1
miser **AVARE**, 1
miserly **AVARE**, 1
model **MODÈLE**, 1
moderate **MODÉRÉ, -ÉE**, 1
moderate (to ~) **MODÉRER**, 1
moderately **MODÉRÉMENT**, 1; **MOYENNEMENT**, 1
moderation **MODÉRATION**, 1
modest **MODESTE**, 1; **MODIQUE**, 1
modestly **MODESTEMENT**, 1
modification (subject to ~) **RÉVISABLE**, 1
monetarism **MONÉTARISME**, 1
monetarist **MONÉTARISTE**, 1
monetarist **MONÉTARISTE**, 1
monetary **MONÉTAIRE**, 1
Monetary (Economic and ~ Union, EMU) **UEM**
Monetary (European ~ Institute, EMI) **IME**
Monetary (European ~ System, EMS) **SME**
Monetary (International ~ Fund, FMI) **FMI**
monetization **MONÉTISATION**, 1
monetize (to ~) **MONÉTISER**, 1
money **ARGENT**, 1; **CAPITAL**, 2; **FRIC**, 1; **SOUS**, 1
money box **TIRELIRE**, 1
money changer **CHANGEUR, CHANGEUSE**, 1
money laundering **BLANCHIMENT**, 1
money order **MANDAT**, 2
money (earnest ~) **ARRHES**, 1
money (hot ~) **HOT MONEY**, 1
money (mean with ~) **AVARE**, 1
money (paper ~) **PAPIER-MONNAIE**, 1
money (paying ~ into) **APPROVISIONNEMENT**, 3
money (ready ~) **LIQUIDE**, 1
money (to back with ~) **FINANCER**, 1
money (to hoard ~) **THÉSAURISER**, 1
money (to make one's ~ work) **TRAVAILLER**, 3
money (to owe sb an amount of ~) **REDEVABLE**, 1
money (to pay ~ from one account into another) **VIRER**, 1
money (to pay ~ in) **ALIMENTER**, 2; **APPROVISIONNER**, 3
money (to pay ~ into) **PROVISIONNER**, 2
money (to put ~ aside) **ÉPARGNER**, 1; **PROVISIONNER**, 1
money (with one's (own) ~) **DENIERS**, 1
moneybags **RICHARD, RICHARDE**, 1
monitoring **SUIVI**, 1
monopolies (breaking up of ~) **DÉMONOPOLISATION**, 1
monopolistic **MONOPOLISTE**, 1; **MONOPOLISTIQUE**, 1
monopolization **MONOPOLISATION**, 1
monopolize (to ~) **MONOPOLISER**, 1
monopoly **MONOPOLE**, 1
monopoly holder **MONOPOLEUR, MONOPOLEUSE**, 1
monoproduct **MONO(-)PRODUIT**, 1
monthly **MENSUEL, -ELLE**, 1; **MENSUELLEMENT**, 1
monthly instalment **MENSUALITÉ**, 1
monthly payment **MENSUALISATION**, 1; **MENSUALITÉ**, 1
monthly (paying ~) **MENSUALISATION**, 1
monthly (to pay on a ~ basis) **MENSUALISER**, 1
mortgage **HYPOTHÉCAIRE**, 1; **HYPOTHÈQUE**, 1
mortgage (to ~) **HYPOTHÉQUER**, 1
most (to make the ~ of) **PROFITER**, 2
motorcar **VOITURE**, 1
motorway **AUTOROUTE**, 1
motorway- **AUTOROUTIER, -IÈRE**, 1
mouth (word of ~) **BOUCHE À OREILLE**, 1
movable **MOBILIER, -IÈRE**, 1

move (to ~) **ÉCOULER**, 1
movie **CINÉMATOGRAPHIQUE**, 1; 2; 3
movie theatre **CINÉMA**, 3
multimedia **MULTIMÉDIA**, 1
multinational (company) **MULTINATIONALE**, 1
multipack (six-pack, four-pack) **MULTIPACK**, 1
multiple **MULTIPLE**, 1
multiplication **MULTIPLICATION**, 1
multiply (to ~) **MULTIPLIER**, 1
mutual benefit society **MUTUALITÉ**, 1; **MUTUELLE**, 1
mutual funds **FCP**
mutualist **MUTUALISTE**, 1
NAFTA (North American Free Trade Agreement) **ALENA**
nail (cash on the ~) **CASH**, 1
named **GRIFFÉ, -ÉE**, 1
nationalization **NATIONALISATION**, 1
nationalize (to ~) **NATIONALISER**, 1
natural person **PERSONNE PHYSIQUE**, 1
naval **NAVAL, -ALE**, 1
navigable **NAVIGABLE**, 1
NDP (net domestic product) **PIN**
necessity **BESOIN**, 1
need **BESOIN**, 1
negative **DÉFICITAIRE**, 1; **NÉGATIF, -IVE**, 1; 2
negatively **NÉGATIVEMENT**, 1
nest egg **BAS DE LAINE**, 1; **CAGNOTTE**, 1
net **NET, NETTE**, 1
net domestic product (NDP) **PIN**
net national product (NNP) **PIN**
network **RÉSEAU**, 3
network (distribution ~) **RÉSEAU**, 1
network (road ~) **RÉSEAU**, 2
network (sales ~) **RÉSEAU**, 1
New Year truce **TRÊVE DES CONFISEURS**, 1
NIC (newly industrialized countries) **NPI**
niche **CRÉNEAU**, 1; **NICHE**, 1
NNP (net national product) **PIN**
no-claims bonus **BONUS**, 2
nominal **NOMINAL, -ALE**, 1
non-collection **NON-RECOUVREMENT**, 1
non-competition **NON-CONCURRENCE**, 1
non-delivery **NON-LIVRAISON**, 1
non-indexation **NON-INDEXATION**, 1
non-index-linking **NON-INDEXATION**, 1
non-payment **NON-PAIEMENT**, 1; **NON-PAYEMENT**, 1
non-payment (protest for ~) **PROTÊT**, 1
non-profit-making association **OSBL**
non-profit-making (sector, ...) **NON-MARCHAND**, 1
non-recovery **NON-RECOUVREMENT**, 1
non-refundable **IRREMBOURSABLE**, 1
non-salaried worker **NON-SALARIÉ, NON-SALARIÉE**, 1
non-striker **NON-GRÉVISTE**, 1
non-working **INACTIF, -IVE**, 1
non-working person **INACTIF**, 1; **NON-TRAVAILLEUR**, 1
non-working population **INACTIF**, 1; **NON-ACTIFS**, 1
norm **NORME**, 1
North American Free Trade Agreement (NAFTA) **ALENA**
nose-dive **PLONGEON**, 1
note **BILLET**, 1; **BON**, 1; **BORDEREAU**, 1
note (promissory ~) **BILLET**, 2
not-for-profit-association **OSBL**
nothing (for ~) **GRATUITEMENT**, 1
notice (of discharge) **PRÉAVIS**, 1
notice (term of ~) **PRÉAVIS**, 2
noticeable **APPRÉCIABLE**, 1; **SENSIBLE**, 1
noticeably **SENSIBLEMENT**, 1
nourish (to ~) **NOURRIR**, 1
nourishing **NOURRISSANT, -ANTE**, 1
nuclear **NUCLÉAIRE**, 1
nuclear energy **NUCLÉAIRE**, 1
nuclear power **NUCLÉAIRE**, 1
number **CHIFFRE**, 1
numerous **MULTIPLE**, 1
OA (office automation) **BUREAUTIQUE**, 1
objective **CIBLE**, 1; **OBJECTIF**, 1
objectives (management by ~, MBO) **DPO**
obligation **OBLIGATION**, 2
obligation of payment which is not guaranteed by the state **DÉBENTURE**, 1
obsolescence **OBSOLESCENCE**, 1
obsolete **OBSOLÈTE**, 1
obtain (to ~) **PROCURER**, 2
obtrusive **TAPAGEUR, -EUSE**, 1
occupation **MÉTIER**, 1; **OCCUPATION**, 1; **PROFESSION**, 1
occupation (illegal ~) **OCCUPATION**, 2
occupy illegally (to ~) **OCCUPER**, 2
OECD (Organization for Economic Cooperation and Development) **OCDE**
off (comfortably ~) **AISÉ, -ÉE**, 1; **ARGENTÉ, -ÉE**, 1
off (well ~) **ARGENTÉ, -ÉE**, 1
offer **OFFRE**, 2
offer a service (to ~) **LIVRER**, 2; **SERVIR**, 1
offer (public ~ of sale) **OPV**
offer (public exchange ~) **OPE**
offer (to ~) **OFFRIR**, 1
office **AGENCE**, 1; **BUREAU**, 1; 2; 5; **CABINET**, 1; **FONCTION**, 1
office automation (OA) **BUREAUTIQUE**, 1
office (bursar's ~) **ÉCONOMAT**, 1
office (head ~) **MAISON-MÈRE**, 1; **SIÈGE SOCIAL**, 1
office (multiple ~ holder) **CUMULARD, CUMULARDE**, 1
office (post ~) **POSTE**, 4
office (post~ employee) **POSTIER, POSTIÈRE**, 1
office (treasurer's ~) **ÉCONOMAT**, 1
officer **AGENT**, 1
officer (chairman and chief executive ~) **PDG, P-DG**
officer (customs ~) **DOUANIER, DOUANIÈRE**, 1
offices (plurality of ~) **CUMUL**, 1
offices (secretarial ~) **SECRÉTARIAT**, 1
official **AUDITEUR, AUDITRICE**, 2
official accounting plan **PCG**
official (customs ~) **DOUANIER, DOUANIÈRE**, 1
official (government ~) **FONCTIONNAIRE**, 1
official (union ~) **SYNDICALISTE**, 1
officialdom **FONCTIONNARISME**, 1
off-label goods **DÉGRIFFÉ, -ÉE**, 1
oil **PÉTROLE**, 1; **PÉTROLIER, -IÈRE**, 1
oligopolistic **OLIGOPOLISTIQUE**, 1
oligopoly **OLIGOPOLE**, 1
OPEC (Organization of Petroleum Exporting Countries) **OPEP**
open (to ~ (up)) **OUVRIR**, 2
open-end investment company **SICAV**
open-house (day) **PORTES OUVERTES**, 1
opening **CRÉNEAU**, 2; **DÉBOUCHÉ**, 2; **OUVERTURE**, 2
operate (to ~) **EXPLOITER**, 1; **OPÉRER**, 2
operating **EXPLOITATION**, 2
operation **FONCTIONNEMENT**, 1; **OPÉRATION**, 1; **SERVICE**, 3
operational **OPÉRATIONNEL, -ELLE**, 1; 2
operator **ACTEUR**, 1; **OPÉRATEUR, OPÉRATRICE**, 1
operator (cable ~) **TÉLÉDISTRIBUTEUR**, 1
operator (farm ~) **FERMIER, FERMIÈRE**, 1
operator (stock exchange ~) **BOURSIER, BOURSIÈRE**, 2
operator (storage ~) **ENTREPOSEUR**, 1
operator (tour ~) **TOUR-OPÉRATEUR**, 1; **VOYAGISTE**, 1
opportunity (lost ~) **MANQUE À GAGNER**, 2
option **OPTION**, 1
order **COMMANDE**, 1; **DIRECTIVE**, 1; **ORDRE**, 1; 3
order form **COMMANDE**, 2
order (by ~ of court) **ADJUDICATION**, 1
order (money ~) **MANDAT**, 2
order (to ~) **COMMANDER**, 1
order (to cancel an ~ for) **DÉCOMMANDER**, 1
ore **MINERAI**, 1
organization **AMÉNAGEMENT**, 1; **ORGANISATION**, 1; 2; 3; **ORGANISME**, 1; **STRUCTURE**, 1
organization chart **ORGANIGRAMME**, 1
Organization for Economic Cooperation and Development (OECD) **OCDE**
Organization of Petroleum Exporting Countries (OPEC) **OPEP**
organization (professional training ~) **EAP**
Organization (World Trade ~, WTO) **OMC**
organize (to ~) **AMÉNAGER**, 1
origin **SOURCE**, 1
ostreiculturist **OSTRÉICULTEUR, OSTRÉICULTRICE**, 1
outdated **OBSOLÈTE**, 1
outflow of capital **REFLUX**, 1
outflow (cash ~) **SORTIE**, 1
outgoings **SORTIE**, 1
outlay **DÉPENSE**, 1
outlet **DÉBOUCHÉ**, 1
outplacement **OUTPLACEMENT**, 1; **REPLACEMENT**, 1
outplacement consultant **OUTPLACEUR**, 1; **REPLACEUR**, 1
output **RENDEMENT**, 1
outsourcing **IMPARTITION**, 1; **OUTSOURCING**, 1
outstanding accounts **IMPAYÉ**, 1
outstanding liabilities **EN(-)COURS**, 2
outstanding payments **ARRIÉRÉ**, 1; **IMPAYÉ**, 1
over (just ~ X pounds) **POUSSIÈRES**, 1
overabundant **SURABONDANT, -ANTE**, 1
overassessment **SURTAXATION**, 1
overburden (to ~) **SURCHARGER**, 1
overdraft **DÉCOUVERT**, 1
overdue payment **ARRIÉRÉ**, 1
overemployment **SUREMPLOI**, 1
overheating **SURCHAUFFE**, 1
overindebted (to become ~) **SURENDETTER**, 1
overindebtedness **SURENDETTEMENT**, 1
overkill **MATRAQUAGE**, 1
overload (to ~) **SURCHARGER**, 1
overloaded **SATURÉ, -ÉE**, 1
overloading **SURCHARGE**, 1
overpay (to ~) **SURPAYER**, 1
overpriced **SURCOTÉ, -ÉE**, 1
overproduce (to ~) **SURPRODUIRE**, 1

overproduction **SURPRODUCTION**, 1
overqualification **SURQUALIFICATION**, 1
overrun (cost ~) **DÉPASSEMENT**, 1
overstep (to ~) **FRANCHIR**, 1
overtaxation **SURTAXATION**, 1
overvaluation **SURÉVALUATION**, 1
overvalue (to ~) **SURÉVALUER**, 1
overvalued **SURCOTÉ, -ÉE**, 1
owe (to ~ sb an amount of money) **REDEVABLE**, 1
own (to ~) **POSSÉDER**, 1
owner **DÉTENTEUR, DÉTENTRICE**, 1; **POSSESSEUR**, 1; **PROPRIÉTAIRE**, 1
owner (garage ~) **GARAGISTE**, 1
owner (joint ~) **COPROPRIÉTAIRE**, 1
owner (ship ~) **ARMATEUR**, 1
owner (transport ~) **FRÉTEUR, FRÉTEUSE**, 1
ownership **POSSESSION**, 1; **PROPRIÉTÉ**, 1
ownership (joint ~) **COPROPRIÉTÉ**, 1
ownership (private limited company under sole ~) **EURL**
oyster farmer **OSTRÉICULTEUR, OSTRÉICULTRICE**, 1
oyster farming **OSTRÉICOLE**, 1; **OSTRÉICULTURE**, 1
pack **PAQUET**, 3
pack (blister ~) **BLISTER**, 1
pack (bubble ~) **EMBALLAGE-BULLE**, 1
pack (sleeve ~) **BARQUETTE**, 1
pack (tetra ~) **BRIQUE**, 2
pack (to ~) **CONDITIONNER**, 1; **EMBALLER**, 1; **MANUTENTIONNER**, 1
package **FORFAIT**, 1; **PAQUET**, 2
package (to ~) **CONDITIONNER**, 1
packaging **CONDITIONNEMENT**, 1; **EMBALLAGE**, 1; **PACKAGING**, 1
packer **EMBALLEUR, EMBALLEUSE**, 1; **MANUTENTIONNAIRE**, 1
packet **PAQUET**, 1; 3
packing **CONDITIONNEMENT**, 2; **EMBALLAGE**, 1; 2; **PACKAGING**, 1
paid (which must be ~ for) **PAYANT, -ANTE**, 2
pallet **PALETTE**, 1
palm (to grease somebody's ~) **PATTE**, 1
paltry **DÉRISOIRE**, 1
panel **PANEL**, 1
paper board **CARTON**, 1
paper money **PAPIER-MONNAIE**, 1
paper (zero ~) **ZÉRO PAPIER**, 1
par **PAIR**, 1
par of exchange **PAIR**, 1
par rate of exchange **PARITÉ**, 1
par (below ~ rating) **DÉCOTE**, 1
parafiscal **PARAFISCAL, -ALE**, 1
parafiscality **PARAFISCALITÉ**, 1
parcel **COLIS**, 1; **PAQUET**, 2
parcel delivery service **MESSAGERIE**, 1
parent company **MAISON-MÈRE**, 1; **SOCIÉTÉ(-)MÈRE**, 1
parity **PARITÉ**, 1
parsimonious **PARCIMONIEUX, -IEUSE**, 1
parsimoniously **PARCIMONIEUSEMENT**, 1
parsimony **PARCIMONIE**, 1
part **PIÈCE**, 1
participant **COTISANT, COTISANTE**, 3; **PARTICIPANT, PARTICIPANTE**, 1
participate (to ~) **PARTICIPER**, 2
participating **PARTICIPANT, -ANTE**, 1
participation **PARTICIPATION**, 2
partner **ALLIÉ, ALLIÉE**, 1; **ASSOCIÉ, ASSOCIÉE**, 1; **PARTENAIRE**, 1
partner (acting ~) **COMMANDITAIRE**, 2
partner (active ~) **COMMANDITAIRE**, 2
partner (general ~) **COMMANDITÉ, COMMANDITÉE**, 1
partner (limited ~) **COMMANDITAIRE**, 1
partner (managing ~) **ASSOCIÉ-GÉRANT, ASSOCIÉE-GÉRANTE**, 1
partner (sleeping ~) **BAILLEUR, BAILLERESSE**, 2; **COMMANDITAIRE**, 1
partners (to become ~) **ALLIER**, 1
partnership **ASSOCIATION**, 1; **PARTENARIAT**, 1; **PARTNERSHIP**, 1
partnership limited by shares (Ltd.) **SCPA**
partnership (general ~) **SNC**
partnership (limited ~) **COMMANDITE**, 1
partnership (limited ~, Ltd.) **SCS**
partnership (to enter into ~) **ALLIER**, 1
parts manufacturer **ÉQUIPEMENTIER**, 1
part-time job **MI-TEMPS**, 1
party (contracting ~) **COCONTRACTANT, COCONTRACTANTE**, 1; **CONTRACTANT, CONTRACTANTE**, 1
passenger **PASSAGER, PASSAGÈRE**, 1; **VOYAGEUR, VOYAGEUSE**, 1
pastries **PÂTISSERIE**, 1
pastry-cook **PÂTISSIER, PÂTISSIÈRE**, 1
patent **BREVET**, 2
pâtisserie **PÂTISSERIE**, 2
patron **MÉCÈNE**, 1
patronized (well ~) **ACHALANDÉ, -ÉE**, 1
pauperism **PAUPÉRISME**, 1
pauperization **PAUPÉRISATION**, 1
pay **GAGES**, 1; **PAIE**, 1; **PAYE**, 1; **SOLDE**, 4
pay (to ~ a regular wage) **SALARIER**, 1
pay (to ~ a salary) **SALARIER**, 1
pay (to ~ back) **REMBOURSER**, 1
pay (to ~ commission) **RISTOURNER**, 3
pay (to ~ dividend) **RISTOURNER**, 2
pay (to ~ expenses) **DÉFRAYER**, 1
pay (to ~ funds into) **PROVISIONNER**, 2
pay (to ~ in) **VERSER**, 2
pay (to ~ money from one account into another) **VIRER**, 1
pay (to ~ money into) **PROVISIONNER**, 2
pay (to ~ off) **AMORTIR**, 2; **PAYER**, 2
pay (to ~ off part of one's debts) **DÉSENDETTER**, 1
pay (to ~ on a monthly basis) **MENSUALISER**, 1
pay (to ~ out) **DÉBOURSER**, 1; **DÉCAISSER**, 1
pay (money) in (to ~) **ALIMENTER**, 2
pay (money) in (to ~) **APPROVISIONNER**, 3
pay (off) (to ~)
pay (to ~ one's subscription) **COTISER**, 2
pay (to ~) **ACQUITTER**, 1; **PAYER**, 1; **RÉGLER**, 1; **RÉMUNÉRER**, 1; **RÉTRIBUER**, 1; **VERSER**, 1
pay (to make ~) **RENTABILISER**, 1
payable **EXIGIBLE**, 1; **PAYABLE**, 1
payable (accounts ~) **DETTE**, 3
payee **BÉNÉFICIAIRE**, 1
payer **PAYEUR, PAYEUSE**, 1; 2; **SOUSCRIPTEUR, SOUSCRIPTRICE**, 1
paying **PAYANT, -ANTE**, 1
paying money (into) **APPROVISIONNEMENT**, 3
paying monthly **MENSUALISATION**, 1
paying off **AMORTISSEMENT**, 2
paying-in **VERSEMENT**, 2
paymaster **TRÉSORIER-PAYEUR**, 1
payment **ACQUITTEMENT**, 1; **DÉCAISSEMENT**, 1; **PAIEMENT**, 1; **PAYEMENT**, 1; **RÈGLEMENT**, 2; **RÉTRIBUTION**, 1; **VERSEMENT**, 1; **VIREMENT**, 1
payment on fee basis **VACATION**, 1
payment (advance ~ of corporate tax) **PRÉCOMPTE**, 2
payment (annual ~) **ANNUITÉ**, 1
payment (bonus ~) **SURSALAIRE**, 1
payment (down ~) **ACOMPTE**, 1
payment (due for ~) **EXIGIBLE**, 1
payment (exemption from ~) **GRATUITÉ**, 1
payment (home service ~ voucher) **CHÈQUE EMPLOI(-)SERVICE**, 1; **CHÈQUE(-)SERVICE**, 1
payment (interim ~ of corporate tax) **PRÉCOMPTE**, 2
payment (interim tax ~) **TIERS PROVISIONNEL**, 1
payment (monthly ~) **MENSUALISATION**, 1; **MENSUALITÉ**, 1
payment (obligation of ~ which is not guaranteed by the state) **DÉBENTURE**, 1
payment (outstanding ~) **ARRIÉRÉ**, 1
payment (overdue ~) **ARRIÉRÉ**, 1
payment (permanent ~ instruction) **INSTRUCTION PERMANENTE**, 1
payment (term of ~) **CRÉDIT**, 4
payment (under-the-counter ~) **DESSOUS(-)DE(-)TABLE**, 1
payment (yearly ~) **ANNUITÉ**, 1
payments **PAYEUR, -EUSE**, 1
payments (outstanding ~) **IMPAYÉ**, 1
pays (polluter ~ principle) **POLLUEUR-PAYEUR**, 1
pays (who ~) **PAYANT, -ANTE**, 1
payslip **PAIE**, 2; **PAYE**, 2
pc-banking **PC-BANKING**, 1
peak (to ~) **CULMINER**, 1
peak (to reach a ~) **CULMINER**, 1
peddle (to ~) **COLPORTER**, 1
peddler **COLPORTEUR, COLPORTEUSE**, 1
peddling **COLPORTAGE**, 1
pennies **SOUS**, 1
penniless **DÉSARGENTÉ, -ÉE**, 1
pension **PENSION**, 1; **RENTE**, 2; **RETRAITE**, 1
pension plan **REÉR**
pension scheme **ASSURANCE(-)PENSION**, 1; **REÉR**
pension scheme (executive ~) **ASSURANCE(-)DIRIGEANT**, 1
pension (state ~) **ASSURANCE(-)VIEILLESSE**, 1
pensioner **PENSIONNÉ, PENSIONNÉE**, 1
pensioner **RENTIER, RENTIÈRE**, 2
percentage **CENT** (un pour ~), 1; **COMMISSION**, 2; **POURCENTAGE**, 1
perform (to ~) **PERFORMER**, 1; **PRESTER**, 1; 2
performance **PERFORMANCE**, 1
performance **PRESTATION**, 3; **RENDEMENT**, 1
performance (disappointing ~) **CONTRE-PERFORMANCE**, 1
performance (substandard ~) **CONTRE-PERFORMANCE**, 1
period (slack ~) **ACCALMIE**, 1
permanent **FIXE**, 1
permanent (payment) instruction **INSTRUCTION PERMANENTE**, 1
permit **PERMIS**, 1

person guilty of fraud **FRAUDEUR, FRAUDEUSE**, 1
person holding a short-term contract **VACATAIRE**, 1
person in charge of a convoy **CONVOYEUR, CONVOYEUSE**, 1
person in demand of **DEMANDEUR, DEMANDEUSE**, 1
person liable for tax **REDEVABLE**, 1
person looking for **DEMANDEUR, DEMANDEUSE**, 1
person made redundant **LICENCIÉ, LICENCIÉE**, 1
person of independent means **RENTIER, RENTIÈRE**, 4
person of no fixed abode **SDF**
person of private means **RENTIER, RENTIÈRE**, 4
person receiving an allowance **PRESTATAIRE**, 1
person who has resigned **DÉMISSIONNAIRE**, 1
person who has taken early retirement **PRÉPENSIONNÉ, PRÉPENSIONNÉE**, 1; **PRÉRETRAITÉ, PRÉRETRAITÉE**, 1
person (compensated ~) **INDEMNITAIRE**, 1
person (employed ~) **ACTIF**, 3
person (homeless ~) **DOMICILE FIXE**, 1; **SDF**
person (insured ~) **ASSURÉ, ASSURÉE**, 1
person (jobless ~) **CHÔMEUR, CHÔMEUSE**, 1
person (legal ~) **PERSONNE MORALE**, 1
person (natural ~) **PERSONNE PHYSIQUE**, 1
person (non-working ~) **INACTIF**, 1; **NON-TRAVAILLEUR**, 1
person (retired ~) **PENSIONNÉ, PENSIONNÉE**, 1; **RETRAITÉ, RETRAITÉE**, 1
person (salaried ~) **SALARIÉ, SALARIÉE**, 1
person (sales ~) **COMMERCIAL, COMMERCIALE**, 1
person (taxable ~) **ASSUJETTI, ASSUJETTIE**, 1
person (unemployed ~) **CHÔMEUR, CHÔMEUSE**, 1; **SANS-EMPLOI**, 1; **SANS-TRAVAIL**, 1
person (wealthy ~) **RICHARD, RICHARDE**, 1; **RICHE**, 1
personal allowance **DÉDUCTION**, 1
peseta **PESETA**, 1
petrochemical **PÉTROCHIMIQUE**, 1
petrochemistry **PÉTROCHIMIE**, 1
petrodollar **PÉTRODOLLARS**, 1
petrol attendant **POMPISTE**, 1
petrol coupon **CHÈQUE(-)CARBURANT**, 1
petrol **ESSENCE**, 1
petrol station **STATION-SERVICE**, 1
petrol voucher **CHÈQUE(-)CARBURANT**, 1
petroleum **PÉTROLE**, 1
petroleum **PÉTROLIER, -IÈRE**, 1
Petroleum (Organization of ~ Exporting Countries, OPEC) **OPEP**
pharmaceutical **PHARMACEUTIQUE**, 1
pharmacist **PHARMACIEN, PHARMACIENNE**, 1
pharmacy **PHARMACIE**, 1; 2
philanthropy (corporate ~) **MÉCÉNAT**, 1
phone book **ANNUAIRE**, 1
phone **TÉLÉPHONE**, 1; 2 **TÉLÉPHONIQUE**, 1
phone (to ~) **TÉLÉPHONER**, 1
phonebanking **PHONEBANKING**, 1
pick up (to ~) **REPRENDRE**, 3
pie chart **CAMEMBERT**, 1; **SECTEUR**, 4
piece **PIÈCE**, 1
piggy bank **TIRELIRE**, 1
pink slip (to give his ~) **DÉMISSIONNER**, 2
pirating **CONTREFAÇON**, 1
pit (trading ~) **CORBEILLE**, 1
pitch (sales ~) **ARGUMENTAIRE**, 1
place **PLACE**, 1
place (to ~) **PLACER**, 3
placement **PLACEMENT**, 4
placer **PLACEUR, PLACEUSE**, 1
placing **PLACEMENT**, 4
plan of action **PLAN**, 1
plan **PLAN**, 2; **PROJET**, 1
plan (action ~) **PLAN**, 1
plan (home saving ~) **ÉPARGNE-LOGEMENT**, 1
plan (official accounting ~) **PCG**
plan (pension ~) **REÉR**
plan (to ~) **AMÉNAGER**, 1; **PLANIFIER**, 1
plane **AVION**, 1
plane (chartered ~) **CHARTER**, 1
plane (supply ~) **RAVITAILLEUR**, 1
plane's (supply ~) **RAVITAILLEUR, -EUSE**, 1
planner **PLANIFICATEUR, PLANIFICATRICE**, 1
planning **AMÉNAGEMENT**, 1; **PLANIFICATION**, 1
plant **USINE**, 1
plant manager **FABRICANT, FABRICANTE**, 2
player **ACTEUR**, 1
PLC (public limited company) **SA**
pledging without dispossession **NANTISSEMENT**, 1
plentiful **ABONDANT, -ANTE**, 1
plough back (to ~) **RÉINVESTIR**, 1
plumber **PLOMBIER**, 1
plummet (to ~) **PLONGER**, 1
plunge **DÉGRINGOLADE**, 1; **PLONGEON**, 1
plunge (to ~) **DÉGRINGOLER**, 1; **PLONGER**, 1
poach (to ~) **DÉBAUCHER**, 1
poaching **DÉBAUCHAGE**, 1
pocket calculator **CALCULATRICE**, 1
pocketbook **PORTEFEUILLE**, 1
point-of-sale promotion **PLV**
policy **POLICE**, 1
policy holder **PRENEUR, PRENEUSE**, 2
policy (insurance ~) **ASSURANCE**, 2
policyholder **ASSURÉ, ASSURÉE**, 1
political and administrative **POLITICO-ADMINISTRATIF, -IVE**, 1
political and financial **POLITICO-FINANCIER, -IÈRE**, 1
pollutant **POLLUANT**, 1
pollute (to ~) **POLLUER**, 1
polluter **POLLUEUR, POLLUEUSE**, 1
polluter pays principle **POLLUEUR-PAYEUR**, 1
polluting **POLLUANT, -ANTE**, 1
pollution **POLLUTION**, 1
pool **POOL**, 1
poor **DÉSHÉRITÉ, -ÉE**, 1; **MAIGRE**, 1; **MÉDIOCRE**, 1; **PAUVRE**, 1
poor **PAUVRE**, 1
population **POPULATION**, 1
population (ageing (process) of the ~) **PAPY(-)BOOM**, 1
population (greying of the ~) **PAPY(-)BOOM**, 1
population (non-working ~) **INACTIF**, 1; **NON-ACTIFS**, 1
port **PORT**, 1
portfolio **PORTEFEUILLE**, 2
portion **QUOTITÉ**, 1
position **EMPLOI**, 3; **POSITION**, 1; **POSTE**, 2
position (to ~) **POSITIONNER**, 1
position (to fill a ~) **POURVOIR**, 2
positioning **POSITIONNEMENT**, 1
positive **POSITIF, -IVE**, 1; 2
possess (to ~) **POSSÉDER**, 1
possession **POSSESSION**, 1
possessions insurance **ASSURANCE(-)DOMMAGES**, 1
possessor **POSSESSEUR**, 1
post **CORRESPONDANCE**, 2
post **COURRIER**, 1; **FONCTION**, 1; **POSTE**, 1
Post office account **CCP**
post office employee **POSTIER, POSTIÈRE**, 1
post office **POSTE**, 4
post (to ~) **AFFICHER**, 1; **COMPTABILISER**, 1; **EXPÉDIER**, 1
postage **PORT**, 2
posted (which can be ~) **COMPTABILISABLE**, 1
poster **AFFICHE**, 1
poster advertising agency **AFFICHEUR**, 1
poster artist **AFFICHISTE**, 1
poster designer **AFFICHISTE**, 1
postindustrial **POST(-)INDUSTRIEL, -IELLE**, 1
posting **COMPTABILISATION**, 1
potter (to ~) **TRAVAILLOTER**, 1
poultry- **AVICOLE**, 1
poultry farmer **AVICULTEUR, AVICULTRICE**, 1
poultry farming **AVICULTURE**, 1
pound **LIVRE**, 1
pound (sterling) **LIVRE (STERLING)**, 1
poverty **PAUVRETÉ**, 1
power of attorney **MANDANT, MANDANTE**, 1; **MANDAT**, 1
power (nuclear ~) **NUCLÉAIRE**, 1
PR **RELATIONS PUBLIQUES**, 1; **RP**
practice **CABINET**, 1
precinct (shopping ~) **GALERIE**, 2
predator **PRÉDATEUR**, 1
prefab **PRÉFABRIQUÉ**, 1
prefabricate (to ~) **PRÉFABRIQUER**, 1
prefabricated building **PRÉFABRIQUÉ**, 1
prefabrication **PRÉFABRICATION**, 1
prefinancing **PRÉFINANCEMENT**, 1
pre-industrial **PRÉ(-)INDUSTRIEL, -IELLE**, 1
premium **PRIME**, 2
premium (extra ~) **MALUS**, 1
premium (insurance ~) **ASSURANCE**, 5
presence **PRÉSENCE**, 1
present **PRÉSENT, -ENTE**, 1
preside over (to ~) **PRÉSIDER**, 1
presidency **PRÉSIDENCE**, 1
president **PRÉSIDENT, PRÉSIDENTE**, 1
price competitiveness **COMPÉTITIVITÉ-PRIX**, 1
price **COURS**, 1; **PRIX**, 1; **TARIF**, 1; **TAUX**, 3
price cutter **BRADEUR, BRADEUSE**, 1
price elasticity **ÉLASTICITÉ-PRIX**, 1
price fixing **TARIFICATION**, 1
price list **TARIF**, 2
price setting **TARIFICATION**, 1
price (ceiling ~) **PRIX(-)PLAFOND**, 1
price (cost ~) **COÛTANT**, 1; 2
price (cut ~) **SEMI-GRATUIT, -UITE**, 1
price (excessive ~ cutting) **GÂCHAGE**, 1
price (fixed ~) **FORFAIT**, 1
price (floor ~) **PRIX(-)PLANCHER**, 1
price (half ~) **DEMI-TARIF**, 1
price (increase in ~) **RENCHÉRISSEMENT**, 1

price (rise in ~) **RENCHÉRISSEMENT**, 1
price (to fix the ~ for) **TARIFER**, 1; **TARIFIER**, 1
priceless **IMPAYABLE**, 1
prices (fall in ~) **ACTION**, 2
prices (to sell at sales ~) **SOLDER**, 2
prices (to slash ~) **CASSER**, 1
pricing **VALORISATION**, 2
primary industry **PRIMAIRE**, 1
prime lending rate **ESCOMPTE**, 2
principal **PRINCIPAL**, 1
private limited company (Ltd.) **SARL**
private limited company under sole ownership **EURL**
private sector **PRIVÉ**, 1
privatization **PRIVATISATION**, 1
privatization (ripe for ~) **PRIVATISABLE**, 1
privatize (to ~) **PRIVATISER**, 1
pro **PRO**, 1
proceeds **RECETTE**, 1
process **PROCÉDÉ**, 1; **PROCESSUS**, 1
processing **TRAITEMENT**, 2
processing chain **FILIÈRE**, 1
procure (to ~) **PROCURER**, 1
procurement **APPROVISIONNEMENT**, 2
produce (to ~) **FABRIQUER**, 1; **PRODUIRE**, 1; **TRAVAILLER**, 1
producer **PRODUCTEUR, PRODUCTRICE**, 1
producer **PRODUCTION**, 3
producer (electricity ~) **ÉLECTRICIEN**, 1
producing **PRODUCTEUR, -TRICE**, 1
product **PRODUIT**, 1
product range **ASSORTIMENT**, 1
product (gross domestic ~, GDP) **PIB**
product (gross national ~) **PNB**
product (innovative ~) **INNOVATION**, 2
product (leading ~) **VEDETTE**, 1
product (net domestic ~, NDP) **PIN**
product (net national ~, NNP) **PIN**
product (semifinished ~) **SEMI-PRODUIT**, 1
product (semi-processed ~) **DEMI-PRODUIT**, 1
product (single ~) **MONO(-)PRODUIT**, 1
product (star ~) **VEDETTE**, 1
production **FABRICATION**, 1; **PRODUCTIF, -IVE**, 3; **PRODUCTION**, 1; 2
production line **CHAÎNE**, 3
production staff **PRODUCTIF**, 1
production unit **PRODUCTION**, 3
production (automated ~ technology) **PRODUCTIQUE**, 1
production (maintaining ~) **REDRESSEMENT**, 3
productive **PRODUCTIF, -IVE**, 1; 2
productivism **PRODUCTIVISME**, 1
productivist **PRODUCTIVISTE**, 1
productivity **PRODUCTIVITÉ**, 1
products **PRODUIT**, 1; **PRODUCTION**, 2
products (to use one's own ~) **AUTOCONSOMMER**, 1
profession **CORPORATION**, 1; **PROFESSION**, 1; 2
professional earnings **HONORAIRES**, 1
professional experience **SAVOIR-FAIRE**, 2
professional **PRO**, 1; **PROFESSIONNEL, -ELLE**, 1; 2; 3; **PROFESSIONNEL, PROFESSIONNELLE**, 1; **PROFESSIONNEL, PROFESSIONNELLE**, 2
professionalism **PROFESSIONNALISME**, 1
professionalization **PROFESSIONNALISATION**, 1
professionalize (to ~) **PROFESSIONNALISER**, 1
professionally **PROFESSIONNELLEMENT**, 1; 2
profile **PROFIL**, 1
profit **BÉNEF**, 1; 2; **BÉNÉFICE**, 1; 2; **BONI**, 1; **PROFIT**, 1; 2; **RÉSULTAT**, 1
profit making **BÉNÉFICIAIRE**, 1
profit margin **MARGE**, 2
profit (loss of ~) **MANQUE À GAGNER**, 1
profit (non-~-making association) **ASBL**
profit (not-for-~-association) **ASBL**
profit (to ~ from) **BÉNÉFICIER**, 1
profitability **PROFITABILITÉ**, 1; **RENTABILISATION**, 2; **RENTABILITÉ**, 1
profitable **AVANTAGEUX, -EUSE**, 1; **BÉNÉFICIAIRE**, 1; **COMMERCIAL, -IALE**, 4; **GÉRABLE**, 2; **PERFORMANT, -ANTE**, 1; **PROFITABLE**, 1; **RÉMUNÉRATEUR, -TRICE**, 1; **RENTABLE**, 1
profitable (making ~) **RENTABILISATION**, 1
profitable (to make ~) **RENTABILISER**, 1
profits **GAIN**, 2
profits (director's percentage of ~) **TANTIÈME**, 1
profits (employee who has a share in the ~) **INTÉRESSÉ, INTÉRESSÉE**, 1
profits (to give the employees a share in the ~) **INTÉRESSER**, 1
profit-sharing scheme **INTÉRESSEMENT**, 1
program **PROGRAMME**, 1; 2
programme **PLANNING**, 1; **PROGRAMME**, 1
programmer (computer ~) **PROGRAMMEUR, PROGRAMMEUSE**, 1
progressive **PROGRESSIF, -IVE**, 1
progressively **PROGRESSIVEMENT**, 1
prohibitive **PROHIBITIF, -IVE**, 1
project **PROJET**, 1
project (intracompany ~ manager) **INTRAPRENEUR, INTRAPRENEUSE**, 1
projects (to set up intracompany ~) **INTRAPRENDRE**, 1
promissory note **BILLET**, 2
promote (to ~) **PROMOTIONNER**, 1; **PROMOUVOIR**, 1; 2
promoter **PROMOTEUR, PROMOTRICE**, 1
promotes (which ~) **PROMOTEUR, -TRICE**, 1
promotion **PROMOTION**, 3
promotion (point-of-sale ~) **PLV**
promotion (sales/brand ~) **PROMO**, 1; **PROMOTION**, 1
promotional **PROMOTIONNEL, -ELLE**, 1
promptly **RAPIDEMENT**, 1
property **IMMOBILIER, -IÈRE**, 1; **PATRIMOINE**, 1; **PROPRIÉTÉ**, 2
property account **COMPTE-TITRES**, 1
property developer **PROMOTEUR, PROMOTRICE**, 2; **PROMOTEUR, -TRICE**, 2
property development **PROMOTION**, 2
property manager **SYNDIC**, 1
proposal **OFFRE**, 2
prospect **DÉBOUCHÉ**, 2; **PROSPECT**, 1
prospect (to ~) **PROSPECTER**, 1
prospective customer **PROSPECT**, 1
prosper (to ~) **PROSPÉRER**, 1
prosperity **PROSPÉRITÉ**, 1; 2
prosperous **PROSPÈRE**, 1; 2
protectionism **PROTECTIONNISME**, 1
protectionist **PROTECTIONNISTE**, 1
protest (for non-payment) **PROTÊT**, 1
prototype **PROTOTYPE**, 1
provide (to ~) **FOURNIR**, 1; **POURVOIR**, 1
provide a service (to ~) **SERVIR**, 1
provide funds for (to ~) **COMMANDITER**, 1
provider (service ~) **PRESTATAIRE**, 2
provision **FOURNITURE**, 1
provision for depreciation **AMORTISSEMENT**, 1
provision of a service **PRESTATION**, 2
provision (to ~) **ALIMENTER**, 2
provisional **PROVISIONNEL, -ELLE**, 1
provisions **VIVRES**, 1
proxy **MANDANT, MANDANTE**, 1; **MANDAT**, 1
public exchange offer **OPE**
public offer of sale **OPV**
public relations **RELATIONS PUBLIQUES**, 1; **RP**
public sector **PUBLIC**, 2
public service **PUBLIC**, 1
public (semi ~) **PARA-ÉTATIQUE**, 1; **PARASTATAL, -ALE**, 1
public (semi ~ firm) **PARASTATAL**, 1
public (semi ~ institution) **PARASTATAL**, 1
publicity **PUBLICITAIRE**, 1; 2
publicity (adverse ~) **CONTRE-PUBLICITÉ**, 1
publish (to ~) **ÉDITER**, 1
publisher **ÉDITEUR**, 1
publishing **ÉDITION**, 1
pump attendant **POMPISTE**, 1
punnet **BARQUETTE**, 1
purchasable **ACHETABLE**, 1
purchase **ACHAT**, 1; 2; **EMPLETTES**, 1
purchase another/more (to ~) **RACHETER**, 1
purchase (to ~) **ACHETER**, 1; **ACQUÉRIR**, 1
purchaser **ACHETEUR, ACHETEUSE**, 1; 2; **ACQUÉREUR, ACQUÉREUSE**, 1; **PRA**; **RACHETEUR, RACHETEUSE**, 1
purchases **EMPLETTES**, 2
purchasing **ACHAT**, 1
purse **BOURSE**, 5; **PORTE-MONNAIE**, 1
purveyor **POURVOYEUR, POURVOYEUSE**, 1
push (to ~ up) **HISSER**, 1
put (to ~ aside) **AMORTIR**, 1; **ÉCONOMISER**, 2
put (to ~ into storage) **ENTREPOSER**, 1
put (to ~ up) **AFFICHER**, 1
quai (free on ~) **FOQ**
qualification **QUALIFICATION**, 1
Qualification (General National Vocational ~, GNVQ) **BEP**
qualified **DIPLÔMÉ, -ÉE**, 1; **QUALIFIÉ, -IÉE**, 1
qualitative **QUALITATIF, -IVE**, 1; 2
quality **QUALITÉ**, 1
quantifiable **QUANTIFIABLE**, 1
quantify (to ~) **QUANTIFIER**, 1
quantitative **QUANTITATIF, -IVE**, 1
quantity **QUANTITÉ**, 1
quarter **TRIMESTRE**, 1
quarterly **TRIMESTRIEL, -IELLE**, 1
quick **RAPIDE**, 1
quickly **RAPIDEMENT**, 1
quota **CONTINGENT**, 1; **QUOTA**, 1; **QUOTE-PART**, 1; **QUOTITÉ**, 1
quota system **CONTINGENTEMENT**, 1
quotas (to apply ~ on) **CONTINGENTER**, 1
quotas (to fix ~ on) **CONTINGENTER**, 1
quotation **COTATION**, 1; **COTE**, 1

quote (to ~) **COTER**, 1
quoted value **COTE**, 1
quotient **QUOTIENT**, 1
quotient (family ~) **QUOTIENT**, 2
R&D (Research and Development) **R(&)D ; RECHERCHE ET (LE) DÉVELOPPEMENT**, 1
raidable **OPÉABLE**, 1; **OPÉISABLE**, 1
raider **PRÉDATEUR**, 1; **RAIDER**, 1; **REPRENEUR**, 1
rail **RAIL**, 1; **FERROVIAIRE**, 1
rail (free on ~) **FOR**
railroad **FERROVIAIRE**, 1
railroad worker **CHEMINOT**, 1
railway **FERROVIAIRE**, 1
railwayworker **CHEMINOT**, 1
raise (to ~) **ACCROÎTRE**, 1; **HISSER**, 1; **RELEVER**, 1
raise (to ~ the ceiling (from)) **DÉPLAFONNER**, 1
raising **RELÈVEMENT**, 1
rally **REDÉMARRAGE**, 1
rally (to ~) **REMONTER**, 1
range **GAMME**, 1
range (product ~) **ASSORTIMENT**, 1
rank and file **BASE**, 1
rate **COURS**, 1; **TARIF**, 1; **TAUX**, 1
rate (central ~) **TAUX(-)PIVOT**, 1
rate (discount on the parity ~) **DÉCOTE**, 1
rate (exchange ~) **CHANGE**, 2
rate (par ~ of exchange) **PARITÉ**, 1
rate (to ~) **COTER**, 1
rate (to fix the ~ for) **TARIFER**, 1; **TARIFIER**, 1
rating **NOTATION**, 1; **RATING**, 1
rating (below par ~) **DÉCOTE**, 1
ratio **RATIO**, 1; **TAUX**, 2
rationalization **RATIONALISATION**, 1
rationalize (to ~) **RATIONALISER**, 1
reach (to ~) **ATTEINDRE**, 1; **ÊTRE**, 1
ready-to-wear **PRÊT-À-PORTER**, 1
real **RÉEL, -ELLE**, 1
real account **COMPTE-TITRES**, 1
real estate business **IMMOBILIER**, 1
real estate market **IMMOBILIER**, 1
real estate development **PROMOTION**, 2
realign (to ~) **RÉALIGNER**, 1
realignment **ALIGNEMENT**, 1; **RÉALIGNEMENT**, 1
reallocate (to ~) **RÉALLOUER**, 1; **REDISTRIBUER**, 1
reallocation **RÉALLOCATION**, 1
reallotment **REDISTRIBUTION**, 2
reappraisal (tax ~) **REDRESSEMENT**, 4
rear (to ~) **ÉLEVER**, 1
reasonable **MODÉRÉ, -ÉE**, 1; **RAISONNABLE**, 1
reasonably **MODÉRÉMENT**, 1; **RAISONNABLEMENT**, 1
rebate **RABAIS**, 1
recall **RETRAIT**, 2
recall (to ~) **RETIRER**, 2
recapitalization **RECAPITALISATION**, 1
recapitalize (to ~) **RECAPITALISER**, 1
recede (to ~) **TERRAIN** (céder du ~), 1; **TERRAIN** (perdre du ~), 1
receipt **ACQUIT**, 1; **ENCAISSEMENT**, 1; **ENTRÉE**, 1; **QUITTANCE**, 1; **RÉCÉPISSÉ**, 1; **REÇU**, 1; **TICKET**, 1
receipt (warehouse ~) **WARRANT**, 2
receive (to ~) **ENCAISSER**, 1; **ENRÔLER**, 1; **RÉCEPTIONNER**, 1
receiver **LIQUIDATEUR, LIQUIDATRICE**, 1
receiving clerk **RÉCEPTIONNAIRE**, 1
reception **RÉCEPTION**, 2
recession **CRISE**, 1; **RÉCESSION**, 1
recipient **DESTINATAIRE**, 1; **PRESTATAIRE**, 1
recipient of an allowance **RENTIER, RENTIÈRE**, 2
recipient of social security benefit **ALLOCATAIRE**, 1
recipient (welfare ~) **ALLOCATAIRE**, 1
recommend (to ~) **CONSEILLER**, 1
reconfiguration **RECONFIGURATION**, 1
reconversion **RECONVERSION**, 2
reconvert (to ~) **RECONVERTIR**, 2
record **RECORD**, 1
record (to ~) **COMPTABILISER**, 2
recording **COMPTABILISATION**, 2
recoup the costs (to ~) **AMORTIR**, 3
recoupment **AMORTISSEMENT**, 3
recover (to ~) **RECOUVRER**, 1; **REDÉMARRER**, 1; **REPRENDRE**, 3; **RÉTABLIR**, 1
recoverable **AMORTISSABLE**, 3; **RECOUVRABLE**, 1
recovery **AMORTISSEMENT**, 3; **RECOUVREMENT**, 1; **REDÉMARRAGE**, 1; **REDRESSEMENT**, 1; **RELANCE**, 2; **RÉTABLISSEMENT**, 1
recovery (business ~) **REPRISE**, 3
recruit (to ~) **RECRUTER**, 1
recruiter **RECRUTEUR, RECRUTEUSE**, 1
recruiting **EMBAUCHE**, 2; **RECRUTEMENT**, 1
recruitment **RECRUTEMENT**, 1
recruitment officer **EMBAUCHEUR, EMBAUCHEUSE**, 1; **RECRUTEUR, RECRUTEUSE**, 1
recycle (to ~) **RECYCLER**, 2
recycling **RECYCLAGE**, 2
red (to be in the ~) **ROUGE**, 1
redeem (to ~) **AMORTIR**, 2; **RACHETER**, 3; **REMBOURSER**, 1
redeemable **AMORTISSABLE**, 2; **RACHETABLE**, 1; **REMBOURSABLE**, 1
redeemer **RACHETEUR, RACHETEUSE**, 1
redemption **AMORTISSEMENT**, 2
redeployment **CONVERSION**, 1; **REDISTRIBUTION**, 1
rediscount **RÉESCOMPTE**, 1
rediscount (to ~) **RÉESCOMPTER**, 1
redistribute (to ~) **REDISTRIBUER**, 1
redistributing **REDISTRIBUTEUR, -TRICE**, 1; **REDISTRIBUTIF, -IVE**, 1
redistribution **REDISTRIBUTION**, 1
red-tape **BUREAUCRATIE**, 1
reduce (to ~) **ABAISSER**, 1; **AFFAIBLIR**, 1; **ALLÉGER**, 1; **DIMINUER**, 1; **DISCOMPTER**, 2; **ÉCRASER**, 1; **RÉDUIRE**, 1; **RÉSORBER**, 1
reduce (to ~ drastically) **AMPUTER**, 1
reduce (to ~ one's debt load) **DÉSENDETTER**, 1
reduce (to ~ the tax (on)) **DÉTAXER**, 1
reducing treatment **CURE D'AMAIGRISSEMENT**, 1
reduction **ABATTEMENT**, 2; **AFFAIBLISSEMENT**, 1; **ALLÉGEMENT**, 1; **COMPRESSION**, 1; **DIMINUTION**, 1; **ÉCRASEMENT**, 1; **RÉDUCTION**, 1; **REMISE**, 1; **RÉSORPTION**, 1; **RISTOURNE**, 1
reduction (debt ~) **DÉSENDETTEMENT**, 1
reduction (drastic ~) **AMPUTATION**, 1
reduction (to give a ~) **RISTOURNER**, 1
redundancy **LICENCIEMENT**, 1
redundancy (insurance against ~) **ASSURANCE(-)EMPLOI**, 1
redundant (person made ~) **LICENCIÉ, LICENCIÉE**, 1
redundant (to make ~) **LICENCIER**, 1
reengineering **REENGINEERING**, 1
re-export **RÉEXPORTATION**, 1
reference **RÉFÉRENCE**, 2
reference (value) **RÉFÉRENCE**, 1
refinancing **REFINANCEMENT**, 1
refine (to ~) **RAFFINER**, 1
refiner **RAFFINEUR**, 1
refinery **RAFFINERIE**, 1
refining **RAFFINAGE**, 1
reflate (to ~) **RELANCER**, 1
reflation **RELANCE**, 1
refloater **REDRESSEUR**, 1
refloating **RENFLOUEMENT**, 1
refocus (to ~) **RECENTRER**, 1
refocussing **RECENTRAGE**, 1
refreshment area **BUVETTE**, 1
refugee capital **HOT MONEY**, 1
refund **DÉFRAIEMENT**, 1; **REMBOURSEMENT**, 2
refund (to ~) **REMBOURSER**, 2
refundable **REMBOURSABLE**, 2.
refundable charge on returnable container **CONSIGNE**, 1
refunding **REFINANCEMENT**, 2
refuse **ORDURES**, 1
Register of Business Names **RCS**
register (cash ~) **CAISSE**, 1; **TIROIR-CAISSE**, 1
register (corporate ~) **RC**
register (invoice ~) **FACTURIER, FACTURIÈRE**, 2
register (trade ~) **RC**; **RCS**
regression **RÉGRESSION**, 1
regressive **RÉGRESSIF, -IVE**, 1
regular **CONSTANT, -ANTE**, 1; **RÉGULIER, -IÈRE**, 1
regulate (to ~) **RÉGLEMENTER**, 1
regulation **RÈGLEMENT**, 1; **RÉGLEMENTATION**, 1
regulations **RÉGLEMENTATION**, 2
reimburse (to ~) **REMBOURSER**, 2
reimbursement **DÉFRAIEMENT**, 1; **PAIEMENT**, 2; **PAYEMENT**, 2
reinforce (to ~) **RENFORCER**, 1
reinforcement **RENFORCEMENT**, 1
reinsert (to ~) **OUTPLACER**, 1
reinsertion **OUTPLACEMENT**, 1; **REPLACEMENT**, 1
reinsurance **CONTRE-ASSURANCE**, 1; **RÉASSURANCE**, 1
reinsurance underwriter **RÉASSUREUR**, 1
reinsure (to ~) **RÉASSURER**, 1
reinsurer **RÉASSUREUR**, 1
reinvest (to ~) **RÉINVESTIR**, 1
reinvestment **RÉINVESTISSEMENT**, 1
relax (to ~) **DÉTENDRE**, 1
relaxation **DÉTENTE**, 1
reliability **FIABILITÉ**, 1
reliable **FIABLE**, 1
relief (tax ~) **ABATTEMENT**, 1
relocate (to ~) **DÉLOCALISER**, 1; **RECLASSER**, 1
relocation **DÉLOCALISATION**, 1; **RECLASSEMENT**, 1
remainder **FINS DE SAISON**, 1
reminder (letter of ~) **RAPPEL**, 1
remission **REMISE**, 2
remission of tax **DÉTAXATION**, 1
removal of the ceiling **DÉPLAFONNEMENT**, 1
remuneration **ÉMOLUMENTS**, 1
remunerative **RÉMUNÉRATOIRE**, 1
rent **LOYER**, 1; **RENTE**, 1
rent (to ~) **LOUER**, 1; 2
rental **LOCATIF, -IVE**, 1
renter **LOUEUR, LOUEUSE**, 1
renting **LOCATION**, 1; **RENTING**, 1
repatriate (to ~) **RELOCALISER**, 1
repatriation **RELOCALISATION**, 1
repayable **REMBOURSABLE**, 1
repayment **PAIEMENT**, 2; **PAYEMENT**, 2; **REMBOURSEMENT**, 1
reply-coupon **COUPON-RÉPONSE**, 1
representation **REPRÉSENTATION**, 1

representative **ATTACHÉ, ATTACHÉE**, 1; **CHARGÉ, CHARGÉE**, 1; **DÉLÉGUÉ, DÉLÉGUÉE**, 1
representative (authorized ~) **FONDÉ DE POUVOIR**, 1
representative (door-to-door sales ~) **DÉMARCHEUR, DÉMARCHEUSE**, 1
representative (sales ~) **PLACIER, PLACIÈRE**, 1; **REPRÉSENTANT, REPRÉSENTANTE**, 1; **VENDEUR, VENDEUSE**, 2
reprocess (to ~) **RECYCLER**, 2
reprocessing **RECYCLAGE**, 2
repurchase **RACHAT**, 1
require (to ~) **DEMANDER**, 1
resale **REVENTE**, 1
reschedule (to ~) **RÉÉCHELONNER**, 1
rescheduling **RÉÉCHELONNEMENT**, 1
rescue (to ~) **RENFLOUER**, 1
rescuer **REPRENEUR**, 1
research **ÉTUDE**, 1
Research and Development (R&D) **R(&)D; RECHERCHE ET (LE) DÉVELOPPEMENT**, 1
resell (to ~) **REVENDRE**, 1
reseller **REVENDEUR, REVENDEUSE**, 1
reserve **AMORTISSEMENT**, 1; **PROVISION**, 2; **RÉSERVE**, 1
reserve (to ~) **AMORTIR**, 1
resettle (to ~) **OUTPLACER**, 1; **RECASER**, 1; **RECLASSER**, 1; **REPLACER**, 1
resettlement **RECLASSEMENT**, 1
residue **RÉSIDU**, 1
resign (to ~) **DÉMISSIONNER**, 1
resignation **DÉMISSION**, 1; **DÉPART VOLONTAIRE**, 1
resigned (person who has ~) **DÉMISSIONNAIRE**, 1
resources **AVOIR**, 1; **RESSOURCES**, 1; **RICHESSE**, 2; 3
Resources (Human ~ Management) **DRH**
Resources (Human ~ Manager) **DRH**
restaurant (self-service ~) **SELF-SERVICE**, 1
restock (to ~) **RÉAPPROVISIONNER**, 1
restocking **RÉAPPROVISIONNEMENT**, 1
restoration **ASSAINISSEMENT**, 1
restore (to ~) **RÉTABLIR**, 1
restrain (to ~) **MODÉRER**, 1
restrict (to ~) **LIMITER**, 1
restriction **LIMITATION**, 1; **RESTRICTION**, 1
restructure (to ~) **RÉAMÉNAGER**, 1; **REDRESSER**, 2; **RESTRUCTURER**, 1
restructuring **RÉAMÉNAGEMENT**, 1; **REDRESSEMENT**, 2; **RESTRUCTURATION**, 1
result **RÉSULTAT**, 1
resupply (to ~) **RAVITAILLER**, 1; **RÉAPPROVISIONNER**, 1
retail **DÉTAIL**, 1
retail dealer **DÉBITANT, DÉBITANTE**, 1; **DÉTAILLANT, DÉTAILLANTE**, 1
retail selling **DÉBIT**, 4
retail trade **DÉBIT**, 4
retail (to ~) **DÉBITER**, 2; **DÉTAILLER**, 1
retail (to sell ~) **DÉTAILLER**, 1; **REVENDRE**, 1
retailer **DÉBITANT, DÉBITANTE**, 1; **DÉTAILLANT, DÉTAILLANTE**, 1; **REVENDEUR, REVENDEUSE**, 1
retired **RETRAITÉ, -ÉE**, 1
retired person **PENSIONNÉ, PENSIONNÉE**, 1; **RETRAITÉ, RETRAITÉE**, 1
retirement **PENSION**, 2; **RETRAITE**, 2
retirement savings **ÉPARGNE-PENSION**, 1; **ÉPARGNE-RETRAITE**, 1
retirement (early ~) **PRÉPENSION**, 1; **PRÉRETRAITE**, 1
retirement (person who has taken early ~) **PRÉPENSIONNÉ, PRÉPENSIONNÉE**, 1; **PRÉRETRAITÉ, PRÉRETRAITÉE**, 1
retrain (to ~) **RECONVERTIR**, 1; **RECYCLER**, 1
retraining **RECONVERSION**, 1; **RECYCLAGE**, 1
return **PRODUIT**, 2; **RÉMUNÉRATION**, 2; **RENDEMENT**, 4; **REPRISE**, 2; **RETURN**, 1
return on capital **REVENU**, 2
return (to ~) **PRODUIRE**, 2
returns **BÉNEF**, 2; **BÉNÉFICE**, 2; **INVENDU**, 2
revaluation **RÉÉVALUATION**, 1; **REVALORISATION**, 1
revalue (to ~) **RÉÉVALUER**, 1; **REVALORISER**, 1
Revenue (Inland ~) **CONTRIBUTION**, 3
Revenue (Internal ~) **CONTRIBUTION**, 3
revenues **RECETTE**, 2
review (to ~) **RÉVISER**, 2
reviewable **RÉVISABLE**, 1
revise (to ~) **RÉAJUSTER**, 1; **RETRAVAILLER**, 2
revision **RÉAJUSTEMENT**, 1
revitalize (to ~) **RELANCER**, 2
revival **RELANCE**, 1
revive (to ~) **RELANCER**, 1
reward (to ~) **RÉMUNÉRER**, 1
rich **FORTUNÉ, -ÉE**, 1; **RICHE**, 1; 2
rich **NANTIS**, 1
rich (extremely ~) **RICHISSIME**, 1
richer (to get ~) **ENRICHIR**, 1
rise **ACCROISSEMENT**, 1; **ASCENSION**, 1; **AUGMENTATION**, 1; **HAUSSE**, 1; **MAJORATION**, 1; **MONTÉE**, 1; **PROGRESSION**, 1; **REHAUSSEMENT**, 1; **REMONTÉE**, 1
rise in price **RENCHÉRISSEMENT**, 1
rise in value **APPRÉCIATION**, 1
rise (to ~) **AUGMENTER**, 1; **HAUSSER**, 1; **MAJORER**, 1; **MONTER**, 1; **PROGRESSER**, 1; **REHAUSSER**, 1; **RENCHÉRIR**, 1
rise (to ~ in value) **APPRÉCIER**, 1
river **FLEUVE**, 1; **FLUVIAL, -IALE**, 1
road **ROUTE**, 1; **ROUTIER, -IÈRE**, 1
road network **RÉSEAU**, 2
robot **ROBOT**, 1
robotics **ROBOTIQUE**, 1
robotization **ROBOTISATION**, 1
robotize (to ~) **ROBOTISER**, 1
rocket (to ~) **ENVOLER**, 1; **EXPLOSER**, 1; **GRIMPER**, 1
rotation **ROTATION**, 1
rotorboard **AFFICHEUR**, 2
rouble **ROUBLE**, 1
rough **APPROXIMATIF, -IVE**, 1
roughly (speaking) **APPROXIMATIVEMENT**, 1
round (to ~ down) **ARRONDIR**, 1
round (to ~ up) **ARRONDIR**, 1
rounded up/down figure **ARRONDI**, 1
ruble **ROUBLE**, 1
rule **RÈGLE**, 1
rules **RÉGLEMENTATION**, 2
run (to ~) **ADMINISTRER**, 1; **DIRIGER**, 1; **EXPLOITER**, 1; **FONCTIONNER**, 1; **GÉRER**, 1; **MANAGER**, 1
run (to ~ away) **EMBALLER**, 2
run (to ~ down stocks) **DÉSTOCKER**, 1
running **DIRECTION**, 2; **EXPLOITATION**, 2; **EXPLOITATION**, 3; **FONCTIONNEMENT**, 1
running out of steam **ESSOUFFLEMENT**, 1
sack (to ~) **BALANCER**, 1; **RENVOYER**, 1; **VIRER**, 2
safe **COFFRE(-FORT)**, 1
safe investment **VALEUR(-)REFUGE**, 1
salaried person **SALARIÉ, SALARIÉE**, 1
salaried staff **SALARIÉ, SALARIÉE**, 2
salaried (to give the status of a ~ employee to somebody) **SALARIER**, 2
salary **APPOINTEMENTS**, 1; **PAIE**, 1; **PAYE**, 1; **RÉMUNÉRATION**, 1; **REVENU**, 1; **SALAIRE**, 1; **SALAIRE-REVENU**, 1; **SALARIAL, -ALE**, 1; **TRAITEMENT**, 1
salary expectations **PRÉTENTIONS**, 1
salary (basic ~) **FIXE**, 1
salary (expected ~) **PRÉTENTIONS**, 1
salary (fixed ~) **FIXE**, 1
salary (to pay a ~) **SALARIER**, 1
sale **PLACEMENT**, 3; **SOLDE**, 2; **VENTE**, 1
sale by auction **ADJUDICATION**, 1
sale contract **VENTE**, 2
sale goods **SOLDE**, 3
sale (bargain ~) **VENTE-RÉCLAME**, 1
sale (bill of ~) **VENTE**, 2
sale (clearance ~) **BRADERIE**, 1; **LIQUIDATION**, 1
sale (jumble ~) **BRADERIE**, 1
sale (mail-order ~) **VPC**
sale (public offer of ~) **OPV**
saleable **VENDABLE**, 1
sales **CHIFFRE**, 2; **COMMERCIAL, -IALE**, 1; **VENDEUR, -EUSE**, 2
sales agent **REPRÉSENTANT, REPRÉSENTANTE**, 1
sales network **RÉSEAU**, 1
sales person **COMMERCIAL, COMMERCIALE**, 1
sales pitch **ARGUMENTAIRE**, 1
sales preview **PRÉSOLDE**, 1
sales promotion **PROMO**, 1; **PROMOTION**, 1
sales representative **PLACIER, PLACIÈRE**, 1; **REPRÉSENTANT, REPRÉSENTANTE**, 1; **VENDEUR, VENDEUSE**, 2
sales talk **ARGUMENTAIRE**, 1
sales (door-to-door ~ representative) **DÉMARCHEUR, DÉMARCHEUSE**, 1
sales (to sell at ~ prices) **SOLDER**, 2
salesman (travelling ~) **PLACIER, PLACIÈRE**, 1; **VRP**
salesperson **VENDEUR, VENDEUSE**, 2
same **ÉQUIVALENT, -ENTE**, 1
sample **ÉCHANTILLON**, 1
saturated **SATURÉ, -ÉE**, 1
saturation **SATURATION**, 1
save (to ~) **ÉPARGNER**, 1; **THÉSAURISER**, 1
save (to ~ (on)) **ÉCONOMISER**, 1
save (to ~ up) **ÉCONOMISER**, 2
saver **ÉPARGNANT, ÉPARGNANTE**, 1
saving **ÉCONOMIE**, 3; 4; **ÉPARGNE**, 1; **THÉSAURISATION**, 1
savings **BAS DE LAINE**, 1; 2; **ÉCONOMIE**, 4; **ÉPARGNE**, 2
savings account **COMPTE-ÉPARGNE**, 1
savings insurance **ASSURANCE(-) ÉPARGNE**, 1
savings (retirement ~) **ÉPARGNE-PENSION**, 1; **ÉPARGNE-RETRAITE**, 1

scale **BARÈME**, 1; **BARÉMIQUE**, 1
scale (on a small ~) **ARTISANALEMENT**, 1
scale (small ~) **ARTISANAL, -ALE**, 1
scalp (to ~) **BOURSICOTER**, 1
scalper **BOURSICOTEUR, BOURSICOTEUSE**, 1
scarcity **PÉNURIE**, 1; **RARETÉ**, 1
schedule **HORAIRE**, 1; 2; **PLANNING**, 1; **PROGRAMME**, 1
schedule (to ~) **PLANIFIER**, 1
scholarship **BOURSE**, 4
screen saver **ÉCONOMISEUR**, 2
sea **MER**, 1
sea-fish farmer **AQUACULTEUR, AQUACULTRICE**, 1
sea-fish farming **AQUACULTURE**, 1
secondary **ACCESSOIRE**, 1
secondary sector **SECONDAIRE**, 1
secondhand buy **OCCASION**, 2
secondhand goods **OCCASION**, 2
secretarial offices **SECRÉTARIAT**, 1
secretariat **SECRÉTARIAT**, 1
secretary **SECRÉTAIRE**, 1
sectional **CORPORATISTE**, 1
sector **SECTEUR**, 1
sector (development of the service ~) **TERTIAIRISATION**, 1; **TERTIARISATION**, 1
sector (economic ~) **ÉCONOMIQUE**, 1
sector (farm and food ~) **AGRO-ALIMENTAIRE**, 1
sector (industrial ~) **SECTEUR**, 3
sector (key ~) **SECTEUR(-)CLÉ**, 1
sector (private ~) **PRIVÉ**, 1
sector (public ~) **PUBLIC**, 2
sector (secondary ~) **SECONDAIRE**, 1
sector (service ~) **TERTIAIRE**, 1
sector (tertiary ~) **TERTIAIRE**, 1
sector (to become part of the service ~) **TERTIARISER**, 1
sectoral **SECTORIEL, -IELLE**, 2
sector-based **SECTORIEL, -IELLE**, 1
security **CAUTIONNEMENT**, 1; **TITRE**, 1; **VALEUR**, 2
security (worthless ~) **NON-VALEUR**, 1
see-saw (to ~) **DENTS DE SCIE**, 1
segment **SEGMENT**, 1
segment (to ~) **SEGMENTER**, 1
segmentation **SEGMENTATION**, 1
self-employed worker **INDÉPENDANT, INDÉPENDANTE**, 1
self-financing **AUTOFINANCEMENT**, 1
self-financing (to be ~) **AUTOFINANCER**, 1
self-manage (to ~) **AUTOGÉRER**, 1
self-management **AUTOGESTION**, 1; 2
self-managing (to be ~) **AUTOGÉRER**, 1
self-service **LIBRE(-)SERVICE**, 1
self-service restaurant **SELF-SERVICE**, 1
self-service shop **SELF-SERVICE**, 1
self-sufficiency **AUTOSUFFISANCE**, 1
self-sufficiency (economic ~) **AUTARCIE**, 1
self-sufficient **AUTARCIQUE**, 1; **AUTOSUFFISANT, -ANTE**, 1
sell (articles sold) **VENDU**, 1
sell (to ~) **CÉDER**, 1; **DÉBITER**, 2; **PLACER**, 2; **VENDRE**, 1
sell (to ~ at sales prices) **SOLDER**, 2
sell (to ~ badly) **MÉVENDRE**, 1
sell (to ~ cheaply) **BRADER**, 1
sell (to ~ door-to-door) **DÉMARCHER**, 1
sell (to ~ off) **BRADER**, 1; **ÉCOULER**, 1; **LIQUIDER**, 1
sell (to ~ retail) **DÉTAILLER**, 1; **REVENDRE**, 1
seller **OFFREUR, OFFREUSE**, 1; **VENDEUR, VENDEUSE**, 1
selling **VENDEUR, -EUSE**, 1; **VENTE**, 1
selling off **ÉCOULEMENT**, 1
selling (door-to-door ~) **DÉMARCHAGE**, 1; **PORTE-À-PORTE**, 1
selling (hard ~) **BATTAGE**, 1
selling (mail-order ~) **VPC**
selling (retail ~) **DÉBIT**, 4
selling (telephone ~) **TÉLÉ(-)VENTE**, 1
selling-off **BRADAGE**, 1
semester **SEMESTRE**, 1
semi-finished goods **EN(-)COURS**, 1
semi-finished product **SEMI-PRODUIT**, 1
seminar **SÉMINAIRE**, 1
semi-processed product **DEMI-PRODUIT**, 1
semi-skilled worker **OS**
send (to ~) **ADRESSER**, 1; **ENVOYER**, 1; **EXPÉDIER**, 1
sender **EXPÉDITEUR, EXPÉDITRICE**, 1
seniority **ANCIENNETÉ**, 1
servant (civil ~) **FONCTIONNAIRE**, 1
serve (to ~) **SERVIR**, 2
server **SERVEUR, SERVEUSE**, 2
service **SERVICE**, 1, 2
service charge **SERVICE**, 4
service provider **PRESTATAIRE**, 2
service sector **TERTIAIRE**, 1
service supplier **PRESTATAIRE**, 2
service (after-sales ~) **APRÈS-VENTE**, 1; **SAV**
Service (Civil ~) **ADMINISTRATION**, 2
service (courier ~) **COURRIER**, 2; **MESSAGERIE**, 1
service (development of the ~ sector) **TERTIAIRISATION**, 1; **TERTIARISATION**, 1
service (government ~) **PUBLIC**, 1
service (home ~ payment voucher) **CHÈQUE EMPLOI(-)SERVICE**, 1; **CHÈQUE(-)SERVICE**, 1
service (insurance ~ provided by a bank) **BANQUE-ASSURANCE**, 1
service (mail ~) **POSTE**, 4
service (parcel delivery ~) **MESSAGERIE**, 1
service (provision of a ~) **PRESTATION**, 2
service (public ~) **PUBLIC**, 1
service (to become part of the ~ sector) **TERTIARISER**, 1
service (to offer a ~) **LIVRER**, 2; **SERVIR**, 1
service (to provide a ~) **SERVIR**, 1
service (years of ~) **ANCIENNETÉ**, 1
services **STATION-SERVICE**, 1
services (extension of banking ~) **BANCARISATION**, 1; **MARCHÉISATION**, 1
services (government ~) **ADMINISTRATION**, 2
services (insurance ~ provided by a bank) **BANCASSURANCE**, 1
services (to extend banking ~) **BANCARISER**, 1
set **LOT**, 1
set (to ~ aside) **PLACEMENT**, 5
set (to ~ up) **ENTREPRENDRE**, 1
setback **TASSEMENT**, 1
setting up **ÉTABLISSEMENT**, 2
settle (to ~) **ACQUITTER**, 1; **RÉGLER**, 1
settlement **ACCORD**, 1; **ACQUITTEMENT**, 1; **ARRÊTÉ**, 1; **LIQUIDATION**, 3; 4; **RÈGLEMENT**, 2; **REMBOURSEMENT**, 1
settlement (legal ~) **CONCORDAT**, 1
Settlements (Bank for International, BIS) **BRI**
sewing **COUTURE**, 1
share **ACTION**, 1; **PART**, 1; **QUOTE-PART**, 1; **TITRE**, 1
share allotted free of charge **BONUS**, 1
share without coupon sheet **MANTEAU**, 1
share (earnings per ~) **BPA**
share (to give the employees a ~ in the profits) **INTÉRESSER**, 1
share (to have a ~ in) **PARTICIPER**, 1
shareholder **ACTIONNAIRE**, 1
shareholder (joint ~) **COACTIONNAIRE**, 1
shareholding **ACTIONNARIAT**, 1
shares (leading ~) **VALEUR(-)VEDETTE**, 1
shares (partnership limited by ~, Ltd.) **SCPA**
shares (stocks and ~) **VALEUR**, 2
sharing out **DIVISION**, 1
sharp **BRUTAL, -ALE**, 1; **NET, NETTE**, 2
sharply **NETTEMENT**, 1
shed (to ~) **DÉGRAISSER**, 1
sheet **FICHE**, 2
sheet (balance ~) **BILAN**, 1; **BILANCIEL, -IELLE**, 1; **BILANTAIRE**, 1
shelf **ÉTAGÈRE**, 1
shelf talker **AFFICHETTE**, 1
shelf-space **LINÉAIRE**, 1
shift work **3X8**, 1
shilling **SHILLING**, 1
ship **BATEAU**, 1; **NAVIRE**, 1
ship owner **ARMATEUR**, 1
ship (container ~) **PORTE-CONTENEURS**, 1
ship (supply ~) **RAVITAILLEUR**, 1
ship's (supply ~) **RAVITAILLEUR, -EUSE**, 1
shipbuilding **NAVAL, -ALE**, 1
shipment **ENVOI**, 1; **EXPÉDITION**, 1
shipping agent **CHARGEUR**, 1
shoot (to ~ up) **FLAMBER**, 1
shop **BOUTIQUE**, 1; **DÉBIT**, 5; **MAGASIN**, 1
shop front **DEVANTURE**, 1; **ÉTALAGE**, 1
shop sign **ENSEIGNE**, 2
shop window **DEVANTURE**, 1; **ÉTALAGE**, 1; **VITRINE**, 1
shop (back ~) **ARRIÈRE-BOUTIQUE**, 1
shop (baker's ~) **BOULANGERIE**, 1
shop (butcher's ~) **BOUCHERIE**, 1
shop (cake ~) **PÂTISSERIE**, 2
shop (discount ~) **DISCOMPTE**, 2; **DISCOUNT**, 2; **SOLDERIE**, 1
shop (grocer's ~) **ÉPICERIE**, 1
shop (self-service ~) **SELF-SERVICE**, 1
shop (tabacconist's ~) **TABAC**, 1
shop (to shut up ~) **CLEF SOUS LE PAILLASSON** , 1
shopkeeper **BOUTIQUIER, BOUTIQUIÈRE**, 1; **COMMERÇANT, COMMERÇANTE**, 1; **MARCHAND, MARCHANDE**, 1
shopping **COMMISSION**, 3; **COURSES**, 1; **MAGASINAGE**, 1
shopping centre **COMMERCIAL, -IALE**, 3
shopping mall **GALERIE**, 2
shopping precinct **GALERIE**, 2
shopping (to go ~) **MAGASINER**, 1; **SHOPPING**, 1
shops (chain of ~) **CHAÎNE**, 1
shortage **PÉNURIE**, 1
shortfall **DÉFICIT**, 2
shortfall (income ~) **MANQUE À GAGNER**, 1
show **EXPOSITION**, 1; **FOIRE**, 1
show (to ~) **EXPOSER**, 1
showroom **SHOW(-)ROOM**, 1
shrink (to ~) **CONTRACTER**, 2; **RÉTRÉCIR**, 1
shrinking **CONTRACTION**, 1; **RÉTRÉCISSEMENT**, 1

shut (to ~ down) **FERMER**, 2
shut-down **FERMETURE**, 2
shuttle **NAVETTE**, 1
sickness insurance **ASSURANCE(-) MALADIE**, 1
sightseeing **TOURISME**, 1
sign **ANNONCE**, 2; **ENSEIGNE**, 2; **PANCARTE**, 1; **PANNEAU**, 1; **PANONCEAU**, 1
sign (to ~) **SIGNER**, 1
sign (warning ~) **AVERTISSEUR**, 1; **CLIGNOTANT**, 1
signatory **SIGNATAIRE**, 1
signature **SIGNATURE**, 1
signer **SIGNATAIRE**, 1
significant **FORT, FORTE**, 1; **NET, NETTE**, 2
significantly **NETTEMENT**, 1
signing **SIGNATURE**, 2
silo **SILO**, 1
silver **ARGENT**, 3
silviculture **SYLVICULTURE**, 1
sister company **SOCIÉTÉ(-)SŒUR**, 1
site **CHANTIER**, 1; **PLACE**, 1; **SITE**, 1
six-monthly **SEMESTRIEL, -IELLE**, 1
skilled **EXPÉRIMENTÉ, -ÉE**, 1; **EXPERT, -ERTE**, 1; **QUALIFIÉ, -IÉE**, 1
skilled worker **ARTISAN, ARTISANE**, 1; **PROFESSIONNEL, PROFESSIONNELLE**, 1
skyrocket (to ~) **ENVOLER**, 1; **EXPLOSER**, 1
slack period **ACCALMIE**, 1
slacken (to ~ (off)) **FAIBLIR**, 1
slash **ÉCRASEMENT**, 1
slash (to ~) **ÉCRASER**, 1
slave driver **NÉGRIER**, 1; **EXPLOITEUR, EXPLOITEUSE**, 1
sleeping partner **BAILLEUR, BAILLERESSE**, 2; **COMMANDITAIRE**, 1
sleeve pack **BARQUETTE**, 1
slight **LÉGER, -ÈRE**, 1
slightly **FAIBLEMENT**, 1; **LÉGÈREMENT**, 1
slip **BON**, 1; **BORDEREAU**, 1; **FICHE**, 1
slip (credit card ~) **FACTURETTE**, 1
slip (to give his pink ~) **DÉMISSIONNER**, 2
slogan **SLOGAN**, 1
slow **LENT, LENTE**, 1
slow (to ~ down) **RALENTIR**, 1
slowdown **CONTRACTION**, 2; **DÉCÉLÉRATION**, 1; **FREINAGE**, 1; **RALENTISSEMENT**, 1
slowly **LENTEMENT**, 1
slump **DÉPRESSION**, 1; **MÉVENTE**, 1
slump (to ~) **EFFONDRER**, 1
small **LÉGER, -ÈRE**, 1; **MAIGRE**, 1; **PETIT, -ITE**, 1
small industry **PMI**
small investor **RENTIER, RENTIÈRE**, 1
small supermarket **SUPÉRETTE**, 1
small-scale **MODESTE**, 1
small-sized company **PME**
soak up (to ~) **ÉPONGER**, 1
soar (to ~) **ENVOLER**, 1; **GRIMPER**, 1
social security (recipient of ~ benefit) **ALLOCATAIRE**, 1
socialism **SOCIALISME**, 1
socialist **SOCIALISTE**, 1
socialist **SOCIALISTE**, 1
society (member of a ~) **SOCIÉTAIRE**, 1
society (mutual benefit ~) **MUTUALITÉ**, 1; **MUTUELLE**, 1
socioeconomic **SOCIOÉCONOMIQUE**, 1
socioprofessional **SOCIOPROFESSIONNEL, -ELLE**, 1
software **LOGICIEL**, 1; **SOFTWARE**, 1
solvency **LIQUIDITÉ**, 2; **SOLVABILITÉ**, 1
solvent **SOLVABLE**, 1
source **SOURCE**, 1
source of funds **RESSOURCES**, 2
source (energy ~) **SOURCE**, 2
sparing **PARCIMONIEUX, -IEUSE**, 1
sparingly **PARCIMONIEUSEMENT**, 1
specialist **MANUFACTURIER**, 1
specialist (computer ~) **INFORMATICIEN, INFORMATICIENNE**, 1
specialist (recruitment ~) **EMBAUCHEUR, EMBAUCHEUSE**, 1; **RECRUTEUR, RECRUTEUSE**, 1
specie **ESPÈCES**, 1; **NUMÉRAIRE**, 1
speculate (to ~) **SPÉCULER**, 1
speculation **SPÉCULATION**, 1
speculative **SPÉCULATIF, -IVE**, 1
speculator **SPÉCULATEUR, SPÉCULATRICE**, 1
speed (to ~ up) **ACCÉLÉRER**, 1
spend (to ~) **DÉBOURSER**, 1; **DÉPENSER**, 1
spending **DÉPENSE**, 2
spending (capital ~) **INVESTISSEMENT**, 1
spendthrift **DÉPENSIER, -IÈRE**, 1; **DILAPIDATEUR, DILAPIDATRICE**, 1; **GASPILLEUR, GASPILLEUSE**, 1
spinning off **ESSAIMAGE**, 1
spinning off as a subsidiary **FILIALISATION**, 1
spinoff **SPIN-OFF**, 1
spiral **SPIRALE**, 1
split (to ~) **DIVISER**, 1
sponsor **COMMANDITAIRE**, 3; **MÉCÈNE**, 1; **SPONSOR**, 1; **SUBVENTIONNAIRE**, 1
sponsor (to ~) **COMMANDITER**, 2; **PARRAINER**, 1; **PATRONNER**, 1; **SPONSORER**, 1; **SPONSORISER**, 1
sponsoring **PARRAINAGE**, 1; **SPONSORAT**, 1; **SPONSORING**, 1
sponsorship **COMMANDITE**, 2; **PARRAINAGE**, 1; **PATRONAGE**, 1; **SPONSORING**, 1
sponsorship (corporate ~) **MÉCÉNAT**, 1
spouse **CONJOINT, CONJOINTE**, 1
spray **BOMBE**, 1
spread (to ~) **GAGNER**, 1
spread (to ~ (out)) **ÉCHELONNER**, 1
spreading (out) **ÉCHELONNEMENT**, 1
squander (to ~) **DILAPIDER**, 1; **GASPILLER**, 1
squanderer **DILAPIDATEUR, DILAPIDATRICE**, 1; **GASPILLEUR, GASPILLEUSE**, 1
squandering **DILAPIDATION**, 1; **GABEGIE**, 1; **GASPILLAGE**, 1
square (magic ~) **CARRÉ MAGIQUE**, 1
squat (to ~) **OCCUPER**, 2
squatting **OCCUPATION**, 2
squeeze **RESSERREMENT**, 1
squeeze (credit ~) **ENCADREMENT**, 3
squeeze (to ~) **RESSERRER**, 1
stability **STABILITÉ**, 1
stabilization **ASSAINISSEMENT**, 1; **STABILISATION**, 1; 2
stabilize (to ~) **ASSAINIR**, 1; **STABILISER**, 1; 2
stabilized (to become ~) **STABILISER**, 2
stable **STABLE**, 1
staff **PERSONNEL**, 1
staff cutbacks **CURE D'AMAIGRISSEMENT**, 1
staff manager **FONCTIONNEL**, 1
staff turnover **TURN(-)OVER**, 1
staff (giving permanent ~ status) **TITULARISATION**, 1
staff (member of the design ~) **CRÉATIF**, 1
staff (production ~) **PRODUCTIF**, 1
staff (salaried ~) **SALARIÉ, SALARIÉE**, 2
staff (supervisory ~) **ENCADREMENT**, 2
staff (total ~) **EFFECTIF**, 1
stag **LOUP**, 1
stagflation **STAGFLATION**, 1
stagger (to ~) **ÉCHELONNER**, 1
staggering **ÉCHELONNEMENT**, 1
stagnate (to ~) **PLACE** (faire du sur ~), 1; **STAGNER**, 1
stagnation **MÉVENTE**, 1; **PLAFONNEMENT**, 1; **STAGNATION**, 1
stake **INTÉRÊT**, 2; **PARTICIPATION**, 1
stamp out (to ~) **JUGULER**, 1
stamping out **JUGULATION**, 1
stand (display ~) **PRÉSENTOIR(-DISTRIBUTEUR)**, 1
standard **NORME**, 1
standard of living **NIVEAU DE VIE**, 1
standardization **NORMALISATION**, 1
standardize (to ~) **NORMALISER**, 1
stand- (to be at ~ still) **PLACE** (faire du sur ~), 1
star **ÉTOILE**, 1
start **OUVERTURE**, 1
start (to ~) **OUVRIR**, 1
start (to ~ up) **ENTREPRENDRE**, 1
state **ÉTAT**, 1; **ÉTATIQUE**, 1
state pension **ASSURANCE(-) VIEILLESSE**, 1
statement of account **BILAN**, 1; **RELEVÉ**, 1
statement (bank ~) **RELEVÉ**, 1
state-owned (partly ~) **PARA-ÉTATIQUE**, 1; **PARASTATAL, -ALE**, 1
station (petrol ~) **STATION-SERVICE**, 1
statism **ÉTATISME**, 1
statistics (vital ~) **TABLEAU DE BORD**, 1
statutory **RÉGLEMENTAIRE**, 1
steady **RÉGULIER, -IÈRE**, 1; **SOUTENU, -UE**, 1; **STABLE**, 1
steadying **RAFFERMISSEMENT**, 1
steel **ACIER**, 1
steel industry **SIDÉRURGIE**, 1; 2
steel worker **SIDÉRURGISTE**, 1
steel (iron and ~) **SIDÉRURGIQUE**, 1; 2; **SIDÉRURGISTE**, 1
steelplant **ACIÉRIE**, 1
steelworker **MÉTALLO**, 1; **MÉTALLURGISTE**, 1
steelworks **ACIÉRIE**, 1
step **MESURE**, 1
stepping up **ACCÉLÉRATION**, 1
stock **ACTION**, 1; **RÉSERVE**, 1; **STOCK**, 1; 3
stock allotted free of charge **BONUS**, 1
stock decumulation **DÉSTOCKAGE**, 1
stock exchange **BOURSE**, 1; **BOURSIER, -IÈRE**, 1; 2
stock exchange list **COTE**, 2
stock exchange operator **BOURSIER, BOURSIÈRE**, 2
stock exchange transactions **BOURSE**, 2
stock exchange (dabbling on the ~) **BOURSICOTAGE**, 1; **BOURSICOTIER, -IÈRE**, 1
stock exchange (to dabble on the ~) **BOURSICOTER**, 1
stock farmer **ÉLEVEUR, ÉLEVEUSE**, 1
Stock Market **BOURSE**, 1
stock market **BOURSIER, -IÈRE**, 1; 2
stock (buffer ~) **STOCK(-)TAMPON**, 1
stock (government ~) **RENTE**, 3
stock (intermediary ~) **STOCK(-)TAMPON**, 2
stock (inventory safety ~) **STOCK(-) OUTIL**, 1
stock (to ~) **STOCKER**, 1
stock (to ~ up) **APPROVISIONNER**, 2

stock (which can be kept in ~) **STOCKABLE**, 1
stockbroker **BOURSIER, BOURSIÈRE**, 2
stocked (well ~) **ACHALANDÉ, -ÉE**, 2; **ASSORTI**, 1
stockholder **ACTIONNAIRE**, 1
stockholding **ACTIONNARIAT**, 1
stocking **STOCKAGE**, 1
stockroom **RÉSERVE**, 2
stocks and shares **VALEUR**, 2
stocks (dabbler in) **BOURSICOTEUR, BOURSICOTEUSE**, 1
stocks (to run down ~) **DÉSTOCKER**, 1
stocktake (to ~) **INVENTORIER**, 1
stock-taking **INVENTAIRE**, 1
stop and go **STOP AND GO**, 1
stoppage **DÉBRAYAGE**, 1; **RETENUE**, 1
storage **EMMAGASINAGE**, 1; **ENTREPOSAGE**, 1; **STOCKAGE**, 1; 2
storage operator **ENTREPOSEUR**, 1
storage (to put into ~) **ENTREPOSER**, 1
store **MAGASIN**, 1
store window **VITRINE**, 1
store (discount ~) **DISCOMPTE**, 2; **DISCOUNT**, 2; **MINIMARGE**, 1; **SOLDERIE**, 1; **SOLDEUR, SOLDEUSE**, 1
store (experimental ~) **MAGASIN-PILOTE**, 1
store (grocery ~) **ÉPICERIE**, 1
store (late-night grocery ~) **DÉPANNEUR**, 1
store (pilot ~) **MAGASIN-PILOTE**, 1
store (to ~) **EMMAGASINER**, 1; **ENTREPOSER**, 1; **PLACEMENT**, 5; **STOCKER**, 2
storeman **MAGASINIER, MAGASINIÈRE**, 1
storeroom **MAGASIN**, 2; **RÉSERVE**, 2; **STOCK**, 2
stores (chain of ~) **CHAÎNE**, 1
stores (chain of discount ~) **DISCOMPTEUR**, 1; **DISCOUNTER**, 1
storing **ENTREPOSAGE**, 1; **MAGASINAGE**, 2
straighten (to ~ out) **REDRESSER**, 1
strain (to put a ~ on) **GREVER**, 1
strategic **STRATÉGIQUE**, 1
strategy **STRATÉGIE**, 1
streamer **BANDEAU**, 1
streamline (to ~) **RATIONALISER**, 1
streamlining **RATIONALISATION**, 1
strengthen (to ~) **RAFFERMIR**, 1; **RENFORCER**, 1
strengthening **RAFFERMISSEMENT**, 1; **RENFORCEMENT**, 1
strike **GRÈVE**, 1
striker **GRÉVISTE**, 1
striking **GRÉVISTE**, 1
stringency **AUSTÉRITÉ**, 1
strong **FORT, FORTE**, 1
structural **STRUCTUREL, -ELLE**, 1
structurally **STRUCTURELLEMENT**, 1
structure (managerial ~) **HIÉRARCHIE**, 1
student **ÉTUDIANT, ÉTUDIANTE**, 1
student grant **PRÉSALAIRE**, 1
student worker **JOBISTE**, 1
study **BUREAU**, 2; **ÉTUDE**, 1; 2; 3
study (to ~) **ÉTUDIER**, 1
subcontract (to ~) **EXTERNALISER**, 1; **SOUS-TRAITER**, 1
subcontracter (to do work as a ~) **SOUS-TRAITER**, 2
subcontracting **OUTSOURCING**, 1; **SOUS-TRAITANCE**, 1
subcontractor **SOUS-TRAITANT**, 1
sublease (to ~) **SOUS-LOUER**, 1
subleasing **SOUS-LOCATION**, 1
sublessee **SOUS-LOCATAIRE**, 1
sublet (to ~) **SOUS-LOUER**, 1
subletting **SOUS-LOCATION**, 1
subscribe (to ~ to/for) **SOUSCRIRE**, 1
subscriber **SOUSCRIPTEUR, SOUSCRIPTRICE**, 1
subscription **COTISATION**, 2; **SOUSCRIPTION**, 1
subscription (to pay one's ~) **COTISER**, 2
subsidiary **FILIALE**, 1; **SUCCURSALE**, 1
subsidiary (giving out to a ~) **FILIALISATION**, 1
subsidiary (spinning off as a ~) **FILIALISATION**, 1
subsidiary (to make ... a ~) **FILIALISER**, 1
subsidiary (to transfer ... to a ~) **FILIALISER**, 1
subsidize (to ~) **SUBSIDIER**, 1; **SUBVENTIONNER**, 1
subsidy **AIDE**, 1; **DOTATION**, 1; **SUBSIDE**, 1; **SUBVENTION**, 1
substantial **CONSIDÉRABLE**, 1; **IMPORTANT, -ANTE**, 1; **MASSIF, -IVE**, 1
subtenant **SOUS-LOCATAIRE**, 1
subtract (to ~) **SOUSTRAIRE**, 1
subtraction **SOUSTRACTION**, 1
sudden **BRUSQUE**, 1; **BRUTAL, -ALE**, 1
suddenly **BRUSQUEMENT**, 1
sum **ENVELOPPE**, 2; **SOMME**, 2
superabundant **SURABONDANT, -ANTE**, 1
supermarket **SUPERMARCHÉ**, 1; **SURFACE**, 1
supermarket (small ~) **SUPÉRETTE**, 1
superstore **HYPERMARCHÉ**, 1; **SUPERMARCHÉ**, 1
supervise (to ~) **ENCADRER**, 1
supervision **ENCADREMENT**, 1
supervisory staff **ENCADREMENT**, 2
supplementary wage **SURSALAIRE**, 1
supplier **FOURNISSEUR, FOURNISSEUSE**, 1; **POURVOYEUR, POURVOYEUSE**, 1
supplier of illegal workers **NÉGRIER**, 2
supplier (service ~) **PRESTATAIRE**, 2
supplies **FOURNITURE**, 2; 3; **VIVRES**, 1
supplies (to get one's ~) **APPROVISIONNER**, 2
supply **APPROVISIONNEMENT**, 1; 2; **FOURNITURE**, 1; **OFFRE**, 1; **RAVITAILLEMENT**, 1
supply plane **RAVITAILLEUR**, 1
supply plane's **RAVITAILLEUR, -EUSE**, 1
supply ship **RAVITAILLEUR**, 1
supply ship's **RAVITAILLEUR, -EUSE**, 1
supply (to ~) **ALIMENTER**, 1; **APPROVISIONNER**, 1; **FOURNIR**, 1; **OFFRIR**, 1; **POURVOIR**, 1; **PROCURER**, 1; **RAVITAILLER**, 1
supplying **APPROVISIONNEMENT**, 1; **RAVITAILLEMENT**, 1
support (to ~) **SUBSIDIER**, 1; **SUBVENTIONNER**, 1
suppress (to ~) **JUGULER**, 1
suppression **JUGULATION**, 1
surcharge **SURCOÛT**, 1; **SURTAXE**, 1
surcharge (car insurance ~) **MALUS**, 1
surety **DONNEUR, DONNEUSE**, 1
surety (to stand ~ for somebody) **CAUTIONNER**, 1
surge **ENVOL**, 1; **ENVOLÉE**, 1
surge (to ~) **FLAMBER**, 1
surplus **BÉNÉFICIAIRE**, 2; 3; **BONI**, 1; **EXCÉDENT**, 1; 2; **EXCÉDENTAIRE**, 1; **SURPLUS**, 1
surplus dividend **SUPER(-)DIVIDENDE**, 1
surplus- **EXCÉDENTAIRE**, 2
surrender (to ~) **RACHETER**, 3
surtax (to ~) **SURTAXER**, 1
sustained **SOUTENU, -UE**, 1
swap **ÉCHANGE**, 1
swap (to ~) **ÉCHANGER**, 1
sweetener **DESSOUS(-)DE(-)TABLE**, 1; **POT-DE-VIN**, 1
swell (to ~) **GONFLER**, 1
swing (upward ~) **DÉRAPAGE**, 1
swot (to ~ up) **BOSSER**, 1
syndicalism **SYNDICALISME**, 2
syndicate **SYNDICAT**, 2
syndicate member **SYNDICATAIRE**, 1
syndicate (member of a ~) **SYNDIQUÉ, SYNDIQUÉE**, 1
syndicate (of a ~) **SYNDICATAIRE**, 1
synergism **SYNERGIE**, 1
synergy **SYNERGIE**, 1
tabacconist's shop **TABAC**, 1
table **BARÈME**, 1; **BARÉMIQUE**, 1; **TABLEAU**, 1
tail (to ~ off) **ESSOUFFLER**, 1
take (to ~ a day off) **CHÔMER**, 3
take (to ~ back) **REPRENDRE**, 2
take (to ~ off) **DÉCOLLER**, 1; **DÉDUIRE**, 1
take (to ~ off again) **REDÉMARRER**, 1
take (to ~ on) **EMBAUCHER**, 1; **ENGAGER**, 1
take (to ~ over) **ABSORBER**, 1; **REPRENDRE**, 1
take-off **DÉCOLLAGE**, 1; **TAKE(-)OFF**, 1
take-off stage **DÉCOLLAGE**, 1
takeover **ABSORPTION**, 1; **PRISE DE CONTRÔLE**, 1; **REPRISE**, 1
takeover bid **OPA**
taking back **REPRISE**, 2
taking on **EMBAUCHAGE**, 1; **EMBAUCHE**, 1; **ENGAGEMENT**, 1
taking (out) **SOUSCRIPTION**, 1
takings **RECETTE**, 1; **RENTRÉE**, 1
talk (sales ~) **ARGUMENTAIRE**, 1
talker (shelf ~) **AFFICHETTE**, 1
tamper (to ~ (with) **TRAFICOTER**, 1; **TRAFIQUER**, 2
tangible assets **IMMOBILISATIONS**, 1
tank **CITERNE**, 1
tanker **PÉTROLIER**, 1
tanker (oil ~) **PÉTROLIER**, 1
target **CIBLE**, 1; **OBJECTIF**, 1
target customer **CLIENT-CIBLE**, 1
target group **CLIENTÈLE-CIBLE**, 1
target (to ~) **CIBLER**, 1
tariff **TARIF**, 3; **TARIFAIRE**, 1; 2
tariff (common external ~, CET) **TEC**
tax **FISCAL, -ALE**, 1; **IMPÔT**, 1; **TAXE**, 1
tax adjustment **REDRESSEMENT**, 4
tax adviser **FISCALISTE**, 1
tax allowance **ABATTEMENT**, 1
tax assessment **ASSIETTE**, 1; **IMPOSITION**, 1
tax assessor **TAXATEUR, TAXATRICE**, 1
tax authorities **FISC**, 1
tax base **ASSIETTE**, 1
tax collection **ENRÔLEMENT**, 1
tax collector **PERCEPTEUR, PERCEPTRICE**, 1; **RECEVEUR**, 1
tax consultant **FISCALISTE**, 1
tax department **FISC**, 1
tax disc **VIGNETTE**, 1
tax liability **ASSUJETTISSEMENT**, 1
tax man **PERCEPTEUR, PERCEPTRICE**, 1
tax non included **HT**
tax notice **AVERTISSEMENT-EXTRAIT DE RÔLE**, 1
tax reappraisal **REDRESSEMENT**, 4
tax relief **ABATTEMENT**, 1
tax system **FISCALITÉ**, 1
tax withholding **PRÉCOMPTE**, 1

tax (advance payment of corporate ~) **PRÉCOMPTE**, 2
tax (corporate ~) **IS**; **ISOC**
tax (corporation ~) **IS**; **ISOC**
tax (deduction of ~ at source) **PRÉCOMPTE**, 1
tax (environmental ~) **ÉCOTAXES**, 1
tax (inclusive of ~) **TTC**
tax (interim ~ payment) **TIERS PROVISIONNEL**, 1
tax (interim payment of corporate ~) **PRÉCOMPTE**, 2
tax (liable for ~) **REDEVABLE**, 2
tax (liable to ~) **IMPOSABLE**, 1
tax (making subject to ~) **FISCALISATION**, 1; **FISCALISER**, 1
tax (person liable for ~) **REDEVABLE**, 1
tax (personal income ~) **IPP**; **IRPP**
tax (remission of ~) **DÉTAXATION**, 1
tax (special ~) **PARAFISCAL, -ALE**, 1
Tax (system) **IMPÔT**, 2
tax (to ~) **ASSUJETTIR**, 1; **IMPOSER**, 1; **TAXER**, 1
tax (to impose a ~ on) **TAXER**, 1
tax (to levy a ~ on) **IMPOSER**, 1
tax (to reduce the ~ on) **DÉTAXER**, 1
tax (to take the ~ off) **DÉTAXER**, 1
tax (value-added ~, VAT) **TVA**
tax (wealth ~) **ISF**
taxable **IMPOSABLE**, 1; **TAXABLE**, 1
taxable person **ASSUJETTI, ASSUJETTIE**, 1
taxation **FISCALITÉ**, 2; **IMPOSITION**, 2; **TAXATION**, 1
taxation (exemption from ~) **DÉFISCALISATION**, 1
taxation (object of ~) **MATIÈRE**, 2
taxation (to ~ exempt from) **DÉFISCALISER**, 1
taxes **CONTRIBUTION**, 2
taxes (collection of ~) **RECETTE**, 2
taxes (special ~) **PARAFISCALITÉ**, 1
tax-freeing **DÉTAXATION**, 1
tax-inclusive **TTC**
taxing **FISCALISATION**, 1; **FISCALISER**, 1; **TAXATEUR, -TRICE**, 1; **TAXATOIRE**, 1
taxpayer **CONTRIBUABLE**, 1; **REDEVABLE**, 1
team **ÉQUIPE**, 1
technical **TECHNIQUE**, 1
technical nature **TECHNICITÉ**, 1
technically **TECHNIQUEMENT**, 1
technician **TECHNICIEN, TECHNICIENNE**, 1
technique **PROCÉDÉ**, 1; **TECHNIQUE**, 1
technocracy **TECHNOCRATIE**, 1
technocrat **TECHNOCRATE**, 1
technocratic **TECHNOCRATIQUE**, 1
technological **TECHNOLOGIQUE**, 1
technologically **TECHNOLOGIQUEMENT**, 1
technology **TECHNOLOGIE**, 1
technology (automated production ~) **PRODUCTIQUE**, 1
technology (information ~, IT) **INFORMATIQUE**, 1
telebanking **TÉLÉBANKING**, 1; **TÉLÉBANQUE**, 1
telecom **TÉLÉCOMMUNICATION**, 1; **TÉLÉCOMS**, 1
telecommunications **TÉLÉCOMMUNICATION**, 1; **TÉLÉCOMS**, 1
telematics **TÉLÉMATIQUE**, 1
telephone **TÉLÉPHONE**, 1; 2; **TÉLÉPHONIE**, 1; **TÉLÉPHONIQUE**, 1
telephone directory **ANNUAIRE**, 1
telephone selling **TÉLÉ(-)VENTE**, 1
telephone (to ~) **TÉLÉPHONER**, 1
teleshopping **TÉLÉSHOPPING**, 1; **TÉLÉ(-)ACHAT**, 1; **TÉLÉ(-)VENTE**, 1
television channel **CHAÎNE**, 2
teleworker **TÉLÉTRAVAILLEUR, TÉLÉTRAVAILLEUSE**, 1
teleworking **TÉLÉTRAVAIL**, 1
teller **GUICHETIER, GUICHETIÈRE**, 1
temp **INTÉRIMAIRE**, 1
temporary **INTÉRIMAIRE**, 1
temporary worker **INTÉRIMAIRE**, 1
tenancy agreement **BAIL**, 1
tenancy (joint ~) **COLOCATION**, 1
tenant **LOCATAIRE**, 1; **PRENEUR, PRENEUSE**, 1
tenant (joint ~) **COLOCATAIRE**, 1
tendency **TENDANCE**, 1
tenure (giving ~) **TITULARISATION**, 1
tenure (to give ~ to) **TITULARISER**, 1
term (short/long) **ÉCHÉANCE**, 2
terminal **TERMINAL**, 1; 2
terminal (air ~) **AÉROPORT**, 1
terminate (to ~) **EXPIRER**, 1
tertiarization **TERTIAIRISATION**, 1; **TERTIARISATION**, 1
tertiary sector **TERTIAIRE**, 1
tetra pack **BRIQUE**, 2
textile industries **TEXTILE**, 1
textile **TEXTILE**, 1
textiles **TEXTILE**, 1
think-tank **CELLULE**, 1
Third World **TIERS(-)MONDE**, 1
threshold **BARRE**, 1; **SEUIL**, 1
thrifty **ÉCONOME**, 1
thriving **PROSPÈRE**, 1
ticket **BILLET**, 3; 4
ticket window **GUICHET**, 1
tickler (maturity ~) **ÉCHÉANCIER**, 1
tigers **DRAGONS**, 1
tighten (to ~) **RESSERRER**, 1
tightening **CONTRACTION**, 1; **RESSERREMENT**, 1
till **CAISSE**, 1; **TIROIR-CAISSE**, 1
time limit **DÉLAI**, 1
timetable **HORAIRE**, 1; 2
tip **POURBOIRE**, 1
TM (trademark) **TM**
toll **PÉAGE**, 1
toll gate **PÉAGE**, 2
tollpike **PÉAGE**, 2
tombola **TOMBOLA**, 1
ton **TONNE**, 1
tonne **TONNE**, 1
tool **OUTIL**, 1
tools **OUTILLAGE**, 1
tools (to down ~) **DÉBRAYER**, 1
tot up (to ~) **ADDITIONNER**, 1
total **SOMME**, 2; **TOTAL**, 1
total **TOTAL, -ALE**, 1
total (to ~) **TOTALISER**, 1
totalize (to ~) **TOTALISER**, 1
totally **TOTALEMENT**, 1
tour operator **TOUR-OPÉRATEUR**, 1; **VOYAGISTE**, 1
touring **TOURISME**, 1
tourism **TOURISME**, 2
tourist **TOURISTE**, 1; **TOURISTIQUE**, 1
Tourist Board **OFFICE DU TOURISME**, 1
tourist industry **TOURISME**, 2
tourist information bureau **OFFICE DU TOURISME**, 1
tourist trade **TOURISME**, 2
tourists (popular with ~) **TOURISTIQUE**, 2
tradable **COMMERCIALISABLE**, 1
trade **COMMERCE**, 1; 3; **COMMERCIAL, -IALE**, 2; **MARCHAND, -ANDE**, 1; **NÉGOCE**, 1
trade fair **BOURSE**, 3; **FOIRE**, 1; **SALON**, 1
trade illicitly (to ~) **TRAFIQUER**, 1
trade name **ENSEIGNE**, 1
trade register **RC**; **RCS**
trade union **SYNDICAT**, 1
trade unionism **SYNDICALISME**, 1
trade unionist **SYNDICALISTE**, 1
trade (building ~) **BÂTIMENT**, 2
trade (free ~) **LIBRE-ÉCHANGE**, 1
trade (free ~ policy) **LIBRE-ÉCHANGISME**, 1
Trade (North American Free ~ Agreement, NAFTA) **ALENA**
trade (retail ~) **DÉBIT**, 4
trade (slave ~) **TRAITE**, 2
trade (to ~) **COMMERCER**, 1
trade (tourist ~) **TOURISME**, 2
trade (unfair ~ practice) **ANTICONCURRENTIEL, -IELLE**, 1
Trade (World ~ Organization, WTO) **OMC**
trademark **MARQUE**, 1
trademark (TM) **TM**
trader **TRADER**, 1
traders **COMMERCE**, 2
tradesman **COMMERÇANT, COMMERÇANTE**, 1; **MARCHAND, MARCHANDE**, 1
tradespeople **COMMERCE**, 2
trade-union **SYNDICAL, -ALE**, 1; **SYNDICALISTE**, 1; 3
trade-union (from the ~ point of view) **SYNDICALEMENT**, 1
trade-unionist **SYNDICALISTE**, 3
trading **COMMERÇANT, -ANTE**, 2
trading floor **CORBEILLE**, 1
trading pit **CORBEILLE**, 1
trading (insider ~) **DÉLIT D'INITIÉ**, 1
traffic **TRAFIC**, 1; 2; 3
traffic (to ~) **TRAFIQUER**, 1
trafficker **TRAFIQUANT, TRAFIQUANTE**, 1
train **TRAIN**, 1
train (to ~) **FORMER**, 1
training **FORMATION**, 1
training period **CONGÉ-FORMATION**, 1; **STAGE**, 1
training (professional ~ organization) **EAP**
traitor **VENDU**, 2
tranche **TRANCHE**, 1
transaction **AFFAIRE**, 1; **MARCHÉ**, 3; **OPÉRATION**, 1; **TRANSACTION**, 1
transactions (stock exchange ~) **BOURSE**, 2
transfer **CESSION**, 1; **VIREMENT**, 1
transfer income **REVENU**, 3
transfer (to ~) **VIRER**, 1
transferability **CESSIBILITÉ**, 1
transferable **CESSIBLE**, 1
transferee **CESSIONNAIRE**, 1
transferor **CÉDANT, CÉDANTE**, 1
transit **TRANSIT**, 1
transit (to convey in ~) **TRANSITER**, 1
transit (to pass in ~) **TRANSITER**, 1
transport **TRANSPORT**, 1
transport company **TRANSPORTEUR**, 2
transport owner **FRÉTEUR, FRÉTEUSE**, 1
transport system **RÉSEAU**, 2
transport (means of ~) **TRANSPORT**, 2
transport (to ~) **TRANSPORTER**, 1
transportable **TRANSPORTABLE**, 1
transportation **TRANSPORT**, 1
transportation (means of ~) **TRANSPORT**, 2
transporter **TRANSPORTEUR**, 3
travel agent **VOYAGISTE**, 1
travel insurance **ASSURANCE(-)VOYAGE**, 1
travel (to ~) **VOYAGER**, 1
traveller **VOYAGEUR, VOYAGEUSE**, 1
traveller (commercial ~) **VRP**
traveller's cheque **TRAVELLER'S CHEQUE**, 1
travelling salesman **PLACIER, PLACIÈRE**, 1; **VRP**

treasure **TRÉSOR**, 3
treasurer **TRÉSORIER, TRÉSORIÈRE**, 1
treasurer's office **ÉCONOMAT**, 1
treasury bond **OAT**; **OLO**
Treasury **FINANCE**, 3; **TRÉSOR**, 1; 2
treat (to ~ oneself to) **OFFRIR**, 3; **PAYER**, 3
treatment **TRAITEMENT**, 2
trend **TENDANCE**, 1
tribunal (elected member of an industrial ~) **PRUD'HOMME**, 1
trip **VOYAGE**, 1
truce (Christmas/New Year ~) **TRÊVE DES CONFISEURS**, 1
truck **CAMION**, 1
truck driver **ROUTIER**, 1
trust **TRUST**, 1
trust (unit ~) **SICAV**
trustee **CURATEUR, CURATRICE**, 1; **DÉPOSITAIRE**, 1
tube **TUBE**, 1
tumble (to take a ~) **DÉGRINGOLER**, 1
turn around (to ~) **REDRESSER**, 1
turnover **CHIFFRE**, 2; **ROTATION**, 1
turnover (staff ~) **TURN(-)OVER**, 1
twice **DOUBLEMENT**, 1
twofold **DOUBLE**, 1; **DOUBLE**, 1
tycoon **MAGNAT**, 1
UCITS (undertaking for collective investment in transferable securities) **OPCVM**
umbrella company **SOCIÉTÉ(-)ÉCRAN**, 1
unbeatable **IMBATTABLE**, 1
uncollectable **IRRECOUVRABLE**, 1; **IRRÉCOUVRABLE**, 1
undecided **INDÉCIS, -ISE**, 1
underconsumption **SOUS-CONSOMMATION**, 1
undercut (to ~ the competitors) **CASSER**, 1
underemployed **SOUS-EMPLOYÉ, -ÉE**, 1
underemployment **SOUS-EMPLOI**, 1; 2
underestimation of value **SOUS-VALEUR**, 1
undernourishment **SOUS-ALIMENTATION**, 1
underpay (to ~) **SOUS-PAYER**, 1
underprivileged **DÉMUNI, -IE**, 1; **DÉSHÉRITÉ, DÉSHÉRITÉE**, 1; **DÉSHÉRITÉ, -ÉE**, 1
underproduce (to ~) **SOUS-PRODUIRE**, 1
underproduction **SOUS-PRODUCTION**, 1
underproductivity **SOUS-PRODUCTIVITÉ**, 1
undertaking **ENGAGEMENT**, 2
undertaking for collective investment **OPC**
undertaking for collective investment in transferable securities (UCITS) **OPCVM**
undertakings (collective investment ~, CIU) **OPC**
under-the-counter payment **DESSOUS(-)DE(-)TABLE**, 1
underwrite (to ~) **SOUSCRIRE**, 2
underwriter **ASSUREUR(-)CRÉDIT**, 1; **SYNDICATAIRE**, 1
underwriter (reinsurance ~) **RÉASSUREUR**, 1
uneconomical **ANTIÉCONOMIQUE**, 1
unemployed **CHÔMEUR, -EUSE**, 1
unemployed person **CHÔMEUR, CHÔMEUSE**, 1; **SANS-EMPLOI**, 1; **SANS-TRAVAIL**, 1
unemployed (to be ~) **CHÔMER**, 1
unemployment **CHÔMAGE**, 1
unemployment benefit **ALLOCATION(-)CHÔMAGE**, 1; **CHÔMAGE**, 2
unemployment insurance **ASSURANCE(-)CHÔMAGE**, 1
union activities **SYNDICALISME**, 3
union member **SYNDIQUÉ, SYNDIQUÉE**, 1
union official **SYNDICALISTE**, 1
union (from the (trade-)~ point of view) **SYNDICALEMENT**, 1
union (labour ~) **SYNDICAT**, 1
union (to join a ~) **SYNDIQUER**, 2
union (trade ~) **SYNDICAT**, 1; **SYNDICAL, -ALE**, 1
unionism (trade ~) **SYNDICALISME**, 1
unionist **SYNDICALISTE**, 2
unionist activities **SYNDICALISME**, 3
unionist (trade ~) **SYNDICALISTE**, 1
unionization **SYNDICALISATION**, 1
unionize (to ~) **SYNDICALISER**, 1; **SYNDIQUER**, 1
unit **CENTRE**, 1
unit trust **SICAV**
unload (to ~) **DÉCHARGER**, 1
unloading **DÉCHARGEMENT**, 1
unmarketable **INVENDABLE**, 1
unpaid **BÉNÉVOLE**, 1; **IMPAYÉ, -ÉE**, 1
unproductive **IMPRODUCTIF, -IVE**, 1
unproductiveness **IMPRODUCTIVITÉ**, 1
unsaleable **INVENDABLE**, 1
unsettled **INDÉCIS, -ISE**, 1
unskilled worker **MANŒUVRE**, 1; **OS**
unsold **INVENDU, -UE**, 1; **INVENDU**, 1
unsold items **INVENDU**, 2
unsteadily **IRRÉGULIÈREMENT**, 1
unsteady **HÉSITANT, -ANTE**, 1
untransportable **INTRANSPORTABLE**, 1
up-and-coming executive **LOUP**, 1
updated **ACTUARIEL, -IELLE**, 1
updating **ACTUALISATION**, 1
upgrade (to ~) **VALORISER**, 2
ups and downs (evolution with ~) **DENTS DE SCIE**, 1
upstream **AMONT**, 1
up-surge **FLAMBÉE**, 1
upturn **EMBELLIE**, 1; **REDRESSEMENT**, 1; **REPRISE**, 3
upward **HAUSSIER, -IÈRE**, 1
use **USAGE**, 1
use (to ~) **CONSOMMER**, 2; **DÉPENSER**, 1
use (to ~ one's own products) **AUTOCONSOMMER**, 1
use (to ~ up) **ÉPUISER**, 1
user **USAGER**, 1
vacancy **VACANCE**, 1
vacancy (to fill a ~) **POURVOIR**, 2
vacant **VACANT, -ANTE**, 1
vacation **CONGÉ**, 1; **VACANCE**, 2
vacationer **VACANCIER, VACANCIÈRE**, 1
valorization **VALORISATION**, 1
valorize (to ~) **VALORISER**, 1
valuation **VALORISATION**, 2
value **VALEUR**, 1
value (exchange ~) **CONTRE-VALEUR**, 1
value (face ~) **NUMÉRAIRE**, 1
value (increase in ~) **APPRÉCIATION**, 1; **PLUS-VALUE**, 1
value (loss in ~) **DÉPRÉCIATION**, 1; **DÉVALORISATION**, 1
value (present ~ method) **ACTUALISATION**, 1
value (quoted ~) **COTE**, 1
value (reference ~) **RÉFÉRENCE**, 1
value (rise in ~) **APPRÉCIATION**, 1
value (to ~) **VALORISER**, 2
value (to double in ~) **DOUBLER**, 1
value (to increase in ~) **APPRÉCIER**, 1
value (to lose ~) **DÉPRÉCIER**, 1
value (to rise in ~) **APPRÉCIER**, 1
value (underestimation of ~) **SOUS-VALEUR**, 1
value-added tax (VAT) **TVA**
van **UTILITAIRE**, 1
variability **VARIABILITÉ**, 1
variable **VARIABLE**, 1
variable **VARIABLE**, 1
variation **VARIATION**, 1
vary (to ~) **VARIER**, 1
VAT (value-added tax) **TVA**
vehicle **VÉHICULE**, 1
vehicle (commercial ~) **UTILITAIRE**, 1
vehicle (heavy goods ~) **POIDS LOURD**, 1
venture capital **CAPITAL(-)RISQUE**, 1
venture (joint ~) **CO(-)ENTREPRISE**, 1
very **HAUTEMENT**, 1
vessel **NAVIRE**, 1
viewdata (French ~ system) **MINITEL**, 1
vine **VIGNE**, 1
vineyard **VIGNE**, 2
volatile **VOLATIL, -ILE**, 1
volatility **VOLATILITÉ**, 1
volume **VOLUME**, 1
voluntarily **BÉNÉVOLEMENT**, 1
voluntary **BÉNÉVOLE**, 1
voluntary work **BÉNÉVOLAT**, 1; **VOLONTARIAT**, 1
volunteer **BÉNÉVOLE**, 1; **VOLONTAIRE**, 1
volunteer work **VOLONTARIAT**, 1
vote-catching **CLIENTÉLISME**, 1; **CLIENTÉLISTE**, 1
voucher (gift ~) **CHÈQUE(-)CADEAU(X)**, 1; **CHÈQUE(-)SURPRISE**, 1
voucher (holiday gift ~) **CHÈQUE(-)VACANCES**, 1
voucher (home service payment ~) **CHÈQUE EMPLOI(-)SERVICE**, 1; **CHÈQUE(-)SERVICE**, 1
voucher (luncheon ~) **CHÈQUE-REPAS**, 1; **CHÈQUE-RESTAURANT**, 1; **TICKET-REPAS**, 1; **TICKET-RESTAURANT**, 1
voucher (petrol ~) **CHÈQUE(-)CARBURANT**, 1
wage **APPOINTEMENTS**, 1; **RÉMUNÉRATION**, 1; **REVENU**, 1; **SALARIAL, -ALE**, 1
wage earner **SALARIÉ, SALARIÉE**, 1
wage earners **SALARIAT**, 1; **SALARIÉ, SALARIÉE**, 2
wage earning class **SALARIAT**, 1
wage (decrease of the number of ~ earners) **DÉSALARISATION**, 1
wage (growth of the ~ earning class in the economy) **SALARISATION**, 1
wage (index-linked minimum guaranteed ~) **SMIG**
wage (minimum ~ earner) **MINIMEXÉ, MINIMEXÉE**, 1; **SMICARD, SMICARDE**, 1
wage (minimum (guaranteed)~) minimex, 1, **SMIC**
wage (supplementary ~) **SURSALAIRE**, 1
wage (to pay a regular ~) **SALARIER**, 1
wages **GAGES**, 1
waggon **WAGON**, 1
wagon **WAGON**, 1
waiter **GARÇON**, 1; **SERVEUR, SERVEUSE**, 1
walk out **DÉBRAYAGE**, 1
walk out (to ~) **DÉBRAYER**, 1
wallet **BOURSE**, 5; **PORTEFEUILLE**, 1
want (to ~) **DEMANDER**, 1
warehouse **DÉPÔT**, 2; **ENTREPÔT**, 1; **MAGASIN**, 2; **STOCK**, 2
warehouse keeper **ENTREPOSEUR**, 1
warehouse receipt **WARRANT**, 2
warehouse warrant **WARRANT**, 2
warehouse (to ~) **EMMAGASINER**, 1

warehouseman **MAGASINIER, MAGASINIÈRE**, 1; **MANUTENTIONNAIRE**, 1
warehousing **EMMAGASINAGE**, 1; **MAGASINAGE**, 2
warning sign **AVERTISSEUR**, 1
warrant **WARRANT**, 1
warrant (to ~) **GARANTIR**, 1
warrant (warehouse ~) **WARRANT**, 2
warranty **GARANTIE**, 1
waste **DÉCHET**, 1; **GABEGIE**, 1; **GASPILLAGE**, 1; **RÉSIDU**, 1
waste (to ~) **DILAPIDER**, 1; **GASPILLER**, 1
wasted **GÂCHÉ, -ÉE**, 1
wasting **DILAPIDATION**, 1
wave **VAGUE**, 1
way of life **MODE DE VIE**, 1
weak **FAIBLE**, 1
weaken (to ~) **AFFAIBLIR**, 1; **FAIBLIR**, 1; **TASSER**, 1
weakening **AFFAIBLISSEMENT**, 1; **DÉGRADATION**, 2; **FAIBLISSEMENT**, 1; **TASSEMENT**, 1
weakness **FAIBLESSE**, 1
wealth **ABONDANCE**, 1; **RICHESSE**, 1
wealth tax **ISF**
wealthy **FORTUNÉ, -ÉE**, 1; **RICHE**, 1
wealthy person **RICHARD, RICHARDE**, 1; **RICHE**, 1
Web (World-Wide ~) **TOILE**, 1; **WEB**, 1
weekly **HEBDOMADAIRE**, 1
weekly (magazine) **HEBDOMADAIRE**, 1
weighty **LOURD, LOURDE**, 1
welfare **BIEN-ÊTRE**, 1
welfare recipient **ALLOCATAIRE**, 1
welfare state **ÉTAT-PROVIDENCE**, 1
well-being **BIEN-ÊTRE**, 1
well-off **AISÉ, -ÉE**, 1; **NANTI, -IE**, 1; **NANTIS**, 1
well-paid **LUCRATIF, -IVE**, 1
wharf (free at ~) **FOQ**
wheat **BLÉ**, 1
wheel and deal (to ~) **BRASSER**, 2
wheeler-dealer **AFFAIRISTE**, 1
wheeler-dealer **AFFAIRISTE**, 1
wheeling and dealing **AFFAIRISME**, 1
white collar worker **EMPLOYÉ, EMPLOYÉE**, 2
white elephant **LAISSÉ(-)POUR(-)COMPTE**, 1
white knight **CHEVALIER BLANC**, 1
white-collar worker(s) **COLS BLANCS**, 1
wholesale dealer **GROSSISTE**, 1
wholesaler **GROSSISTE**, 1; **NÉGOCIANT, NÉGOCIANTE**, 1
widen (to ~) **CREUSER**, 1; **CREVER**, 1
wife **ÉPOUX, ÉPOUSE**, 1
wind (to ~ up) **LIQUIDER**, 2
winding up **LIQUIDATION**, 2
window (ticket ~) **GUICHET**, 1
window-shopping **LÈCHE-VITRINE(S)**, 1; **MAGASINAGE**, 1
window-shopping (to go ~) **MAGASINER**, 1
wine **VIN**, 1
wine-grower **VIGNERON, -ONNE**, 1; **VIGNERON, VIGNERONNE**, 1; **VITICULTEUR, VITICULTRICE**, 1
wine-growing **VINICOLE**, 1; **VITICOLE**, 1; **VITICULTURE**, 1
wine-producing **VINICOLE**, 1; **VITICOLE**, 1
withdraw (to ~) **PRÉLEVER**, 1; **RETIRER**, 1
withdrawal **PRÉLÈVEMENT**, 1; **RETRAIT**, 1
withhold (to ~) **PRÉCOMPTER**, 1
withholding (tax ~) **PRÉCOMPTE**, 1
word of mouth **BOUCHE À OREILLE**, 1
word-of-mouth advertising **RADIO TROTTOIR**, 1
work **OUVRAGE**, 1; **TRAVAIL**, 1
work a little (to ~) **TRAVAILLOTER**, 1
work at home **TÉLÉTRAVAIL**, 1
work at home (to ~) **TÉLÉTRAVAILLER**, 1
work in progress **EN(-)COURS**, 1
work out (to ~) **CALCULER**, 1; **CHIFFRER**, 1
work (building ~) **TRAVAIL**, 4
work (shift ~) **3X8**, 1
work (to be out of ~) **CHÔMER**, 2
work (to do ~ as a subcontracter) **SOUS-TRAITER**, 2
work (to make one's money ~) **TRAVAILLER**, 3
work (to return to ~) **EMBRAYER**, 1
work (to ~) **BOSSER**, 1; **FONCTIONNER**, 1; **TRAVAILLER**, 2
work (to ~ with (someone)) **COLLABORER**, 1
work (voluntary ~) **BÉNÉVOLAT**, 1; **VOLONTARIAT**, 1
work (volunteer ~) **VOLONTARIAT**, 1
workaholic **BOSSEUR, BOSSEUSE**, 1
worker **OUVRIER, OUVRIÈRE**, 1; **TRAVAILLEUR, TRAVAILLEUSE**, 1
worker- **SALARIAL, -ALE**, 2
worker (contract ~) **CONTRACTUEL, CONTRACTUELLE**, 1
worker (freelance ~) **INDÉPENDANT, INDÉPENDANTE**, 1
worker (non-salaried ~) **NON-SALARIÉ, NON-SALARIÉE**, 1
worker (railroad ~) **CHEMINOT**, 1
worker (self-employed ~) **INDÉPENDANT, INDÉPENDANTE**, 1
worker (semi-skilled ~) **OS**
worker (skilled ~) **ARTISAN, ARTISANE**, 1; **PROFESSIONNEL, PROFESSIONNELLE**, 1
worker (steel ~) **SIDÉRURGISTE**, 1
worker (student ~) **JOBISTE**, 1
worker (temporary ~) **INTÉRIMAIRE**, 1
worker (unskilled ~) **MANŒUVRE**, 1; **OS**
worker (white collar ~) **EMPLOYÉ, EMPLOYÉE**, 2
worker-management (joint ~ control) **AUTOGESTION**, 1
workers **TRAVAILLEUR, TRAVAILLEUSE**, 2
workers (blue-collar ~) **COLS BLEUS**, 1
workers (supplier of illegal ~) **NÉGRIER**, 2
workers (to make ~ redundant) **DÉGRAISSER**, 1
workers (white-collar ~) **COLS BLANCS**, 1
workforce **EFFECTIF**, 1; **OUVRIER, OUVRIÈRE**, 2
working **ACTIF, -IVE**, 1; **EXPLOITATION**, 3; **PROFESSIONNEL, -ELLE**, 1; **TRAVAILLEUR, -EUSE**, 1
working relations guidelines **SALARIAT**, 2
working (member of the ~ population) **ACTIF**, 3
working (to start ~ again) **RETRAVAILLER**, 1
workmanship **OUVRAGE**, 2
workplace **TRAVAIL**, 5
works **FABRIQUE**, 1
works (ex ~) **EXW**
workshop **ATELIER**, 1
World Trade Organization (WTO) **OMC**
World-Wide Web **TOILE**, 1
worse (to make something ~) **AGGRAVER**, 1
worsening **AGGRAVATION**, 1; **DÉTÉRIORATION**, 1
worth (to be ~) **VALOIR**, 1
worthless security **NON-VALEUR**, 1
wrap (to ~ (up)) **EMBALLER**, 1
wrapping(-up) **EMBALLAGE**, 2
write (to ~ off) **AMORTIR**, 3
write (to ~ out) **LIBELLER**, 1
WTO (World Trade Organization) **OMC**
yard **CHANTIER**, 1
yearbook **ANNUAIRE**, 2
yearly **ANNUELLEMENT**, 1
yearly (half ~) **SEMESTRIEL, -IELLE**, 1
yen **YEN**, 1
yield **PRODUIT**, 2; **RENDEMENT**, 3
yield (to ~) **PRODUIRE**, 2; **RAPPORTER**, 1
yielding **PRODUCTIF, -IVE**, 2
yoyo (to ~) **YOYO**, 1
zero breakdown **ZÉRO PANNE**, 1
zero paper **ZÉRO PAPIER**, 1
zinc **ZINC**, 1
zone **ZONAGE**, 1; **ZONE**, 1; **ZONING**, 1

abaratar **CASSER**, 1
abastecedor **POURVOYEUR, POURVOYEUSE**, 1; **RAVITAILLEUR, -EUSE**, 1
abastecer **ALIMENTER**, 1; **POURVOIR**, 1; **RAVITAILLER**, 1
abastecer (se) **APPROVISIONNER**, 1; 2; **FOURNIR**, 1
abastecimiento **APPROVISIONNEMENT**, 1; 2; **FOURNITURE**, 1; **RAVITAILLEMENT**, 1
abertura **OUVERTURE**, 2
abonar en cuenta **CRÉDITER**, 1
abonar una partida en cuenta **IMPUTER**, 1
abono en cuenta **IMPUTATION**, 1
abrir **OUVRIR**, 1
abrir (se) **OUVRIR**, 2
absentismo **ABSENTÉISME**, 1
absorber **ABSORBER**, 1; 2; **ÉPONGER**, 1
absorción **ABSORPTION**, 1
abundancia **ABONDANCE**, 1
abundante **ABONDANT, -ANTE**, 1
accesorio **ACCESSOIRE**, 1
accesorio **ACCESSOIRE**, 1
accesorios **FOURNITURE**, 2
acción **ACTION**, 1; 2
acción (beneficio por ~) **BPA**
accionariado **ACTIONNARIAT**, 1
acciones de concesión aurífera **AURIFÈRE**, 1
acciones (sociedad comanditaria por ~) **SCPA**
accionista **ACTIONNAIRE**, 1; **PORTEUR, PORTEUSE**, 1
aceleración **ACCÉLÉRATION**, 1; **EMBALLEMENT**, 1
acelerar (se) **ACCÉLÉRER**, 1; **EMBALLER**, 2
acentuación **ACCENTUATION**, 1
acentuar (se) **ACCENTUER**, 1
aceptable en banca **BANCABLE**, 1; **BANQUABLE**, 1
acercar **AVOISINER**, 1
acería **ACIÉRIE**, 1
acero **ACIER**, 1
acometer **ENTREPRENDRE**, 1
acomodado **AISÉ, -ÉE**, 1
acondicionamiento **AMÉNAGEMENT**, 1; **CONDITIONNEMENT**, 1; **EMBALLAGE**, 2; **PACKAGING**, 1
acondicionar **AMÉNAGER**, 1
aconsejar **CONSEILLER**, 1
acordar **ACCORDER**, 2
acostumbrado **HABITUÉ, HABITUÉE**, 1
acreedor **CRÉANCIER, CRÉANCIÈRE**, 1; **CRÉDITEUR, CRÉDITRICE**, 1
acreedor **CRÉANCIER, -IÈRE**, 1; **CRÉDITEUR, -TRICE**, 1
acreedor de una renta vitalicia **CRÉDI(T)RENTIER, CRÉDI(T)RENTIÈRE**, 1
acreedor (saldo ~) **CRÉDIT**, 5; **CRÉDITEUR, -TRICE**, 2
actividad **ACTIVITÉ**, 1
actividad (sector de ~) **BRANCHE**, 1
activo **ACTIF, -IVE**, 1
activo **ACTIF**, 1; 2
activo inmovilizado **IMMOBILISATIONS**, 1
activos **EMPLOI**, 4
actor **ACTEUR**, 2
actualización **ACTUALISATION**, 1
actualizado **ACTUARIEL, -IELLE**, 1
acuerdo **ACCORD**, 1; **CONCORDAT**, 1; **ENTENTE**, 1
acuerdo (ponerse de ~) **ACCORDER**, 2
acuicultor **AQUACULTEUR, AQUACULTRICE**, 1
acuicultura **AQUACULTURE**, 1
acuicultura (referente a la ~) **AQUACOLE**, 1
acumulación **ACCUMULATION**, 1; **CUMUL**, 1
acumular **CUMULER**, 1
acumular (se) **ACCUMULER**, 1
acuñación de moneda **MONNAYAGE**, 1
adelantar **AVANCER**, 1
adelanto **ANTICIPATION**, 1; **AVANCE**, 1
adeudar en cuenta **DÉBITER**, 1
adeudo **ENDETTEMENT**, 1
adherente **ADHÉRENT, ADHÉRENTE**, 1
adherente **ADHÉRENT, -ENTE**, 1
adherirse **ADHÉRER**, 1
adhesión **ADHÉSION**, 1
adición **ADDITION**, 1; **CUMUL**, 2
adicional **ADDITIONNEL, -ELLE**, 1
adicionar **CUMULER**, 2
adinerado **ARGENTÉ, -ÉE**, 1
adjudicación **ADJUDICATION**, 1
adjudicador **ADJUDICATEUR, ADJUDICATRICE**, 1
adjudicar **ADJUGER**, 1
adjudicatario **ADJUDICATAIRE**, 1
adjunto **ADJOINT, ADJOINTE**, 1
adjunto **ADJOINT, -OINTE**, 1
administrable **GÉRABLE**, 1
administración **ADMINISTRATION**, 1; 2; **GESTION**, 1
administración de publicidad **RÉGIE**, 2
administración pública **PUBLIC**, 1
administración (consejo de ~) **DIRECTOIRE**, 1
administración (presidente del consejo de ~) **PDG, P-DG**
administrador **ADMINISTRATEUR, ADMINISTRATRICE**, 1; **GÉRANT, GÉRANTE**, 2; 4
administrar **ADMINISTRER**, 1; **GÉRER**, 1; 2
administrativa (sede ~) **SIÈGE ADMINISTRATIF**, 1
administrativo **ADMINISTRATIF, -IVE**, 1
administrativo **EMPLOYÉ, EMPLOYÉE**, 2
administrativo (político ~) **POLITICO-ADMINISTRATIF, -IVE**, 1
adquirente **ACQUÉREUR, ACQUÉREUSE**, 1
adquirible **ACHETABLE**, 1
adquirir **ACQUÉRIR**, 1
adquirir (se) **ACHETER**, 1
adquisición **ABSORPTION**, 2; **ACHAT**, 1; 2; **ACQUISITION**, 1
Adquisición (Oferta Pública de ~, OPA) **OPA**
aduana **DOUANE**, 1
aduanero **DOUANIER, DOUANIÈRE**, 1
aduanero **DOUANIER, -IÈRE**, 1
aéreo **AÉRIEN, -IENNE**, 1
aeronáutica **AÉRONAUTIQUE**, 1
aeronáutico **AÉRONAUTIQUE**, 1
aeropuerto **AÉROPORT**, 1
afiliación **ADHÉSION**, 1; **AFFILIATION**, 1
afiliado **AFFILIÉ, AFFILIÉE**, 1
afiliados (reducción de ~ a un sindicato) **DÉSYNDICALISATION**, 1
afiliarse **ADHÉRER**, 1; **AFFILIER**, 1
aflojamiento **FLÉCHISSEMENT**, 1
aflojar **FAIBLIR**, 1
aflojar (se) **DÉTENDRE**, 1
afluencia **AFFLUX**, 1
aflujo **AFFLUX**, 1
afortunado **FORTUNÉ, -ÉE**, 1
agencia **AGENCE**, 1; 2; **BUREAU**, 1; **SUCCURSALE**, 1
agencia publicitaria **RÉGIE**, 2
agente **AGENT**, 1; **COMMISSIONNAIRE**, 1
agente comercial **PROMOTEUR, PROMOTRICE**, 1
agente de mercado **MARKET(-)MAKER**, 1
agente publicitario **PUBLICITAIRE**, 1
agente que efectúa un descuento **ESCOMPTEUR, ESCOMPTEUSE**, 1
agio **AGIO**, 1
agotamiento **ÉPUISEMENT**, 1
agotar **ÉPUISER**, 1
agrario **AGRICOLE**, 1; **FERMIER, -IÈRE**, 1
agravación **AGGRAVATION**, 1
agravamiento **AGGRAVATION**, 1
agravar (se) **AGGRAVER**, 1
agregado **AGRÉGAT**, 1; **ATTACHÉ, ATTACHÉE**, 1
agrícola **AGRICOLE**, 1; **FERMIER, -IÈRE**, 1
agrícola (explotación ~) **FERME**, 1
agricultor **AGRICULTEUR, AGRICULTRICE**, 1; **EXPLOITANT, EXPLOITANTE**, 1; **FERMIER, FERMIÈRE**, 1
agricultura **AGRICULTURE**, 1
agroalimentaria (industria ~) **AGROALIMENTAIRE**, 1
agroalimentario **AGROALIMENTAIRE**, 1
agrupación **GROUPAGE**, 1; **GROUPEMENT**, 1
agrupación de interés económico **GIE**
agrupamiento **GROUPAGE**, 1
agujero **TROU**, 1
ahogar (se) **ESSOUFFLER**, 1
ahorrador **ÉCONOME**, 1
ahorrador **ÉPARGNANT, ÉPARGNANTE**, 1
ahorrar **ÉCONOMISER**, 1; **ÉPARGNER**, 1; **PROVISIONNER**, 1
ahorro **ÉCONOMIE**, 3; **ÉPARGNE**, 1; 2
ahorro (cuenta ~ vivienda) **ÉPARGNE-LOGEMENT**, 1
ahorro (cuenta de ~) **COMPTE-ÉPARGNE**, 1
ahorro (seguro de ~) **ASSURANCE(-)ÉPARGNE**, 1
ahorro (tomar medidas de ~ drásticas) **COUPES SOMBRES**, 1
ahorros **BAS DE LAINE**, 2; **CAGNOTTE**, 1; **ÉCONOMIE**, 4
ajustamiento **INDEXATION**, 1
ajustar **AJUSTER**, 1; **EMBAUCHER**, 1
ajustar de acuerdo con **INDEXER**, 1
ajustar (se) **ALIGNER**, 1
ajuste **AJUSTEMENT**, 1; **ALIGNEMENT**, 1; **EMBAUCHAGE**, 1; **EMBAUCHE**, 1; **ENGAGEMENT**, 1
albañil **MAÇON**, 1
albarán **BORDEREAU**, 1
alcanzar **ATTEINDRE**, 1
alcista **HAUSSIER, -IÈRE**, 1
aliado **ALLIÉ, ALLIÉE**, 1
alianza **ALLIANCE**, 1
aliar (se) **ALLIER**, 1
alimentación **ALIMENTATION**, 1
alimentar (se) **ALIMENTER**, 1; **NOURRIR**, 1
alimentario **ALIMENTAIRE**, 1
alimenticio (producto ~) **DENRÉE**, 1
alimento **ALIMENT**, 1; **NOURRITURE**, 1
alineación **ALIGNEMENT**, 1
alinear (se) **ALIGNER**, 1
aljibe **CITERNE**, 1
almacén **DÉPÔT**, 2; **ENTREPÔT**, 1; **MAGASIN**, 2; **RÉSERVE**, 2; **STOCK**, 2
almacén minimargen **MINIMARGE**, 1
almacén modelo **MAGASIN-PILOTE**, 1
almacén piloto **MAGASIN-PILOTE**, 1

almacén (sacar del ~) **DÉSTOCKER**, 1
almacén (salida de ~) **DÉSTOCKAGE**, 1
almacenable **STOCKABLE**, 1
almacenaje **EMMAGASINAGE**, 1; **ENTREPOSAGE**, 1; **MAGASINAGE**, 2; **STOCKAGE**, 1
almacenamiento **EMMAGASINAGE**, 1; **ENTREPOSAGE**, 1; **MAGASINAGE**, 2; **STOCKAGE**, 1; 2
almacenar **DÉPOSER**, 2; **EMMAGASINER**, 1; **ENTREPOSER**, 1; **STOCKER**, 1; 2
almacenero **ENTREPOSEUR**, 1; **MAGASINIER, MAGASINIÈRE**, 1; **MANUTENTIONNAIRE**, 1
almacenes (grandes ~) **SURFACE**, 1
almacenista **MANUTENTIONNAIRE**, 1
alquilador **LOUEUR, LOUEUSE**, 1
alquilar **LOUER**, 1; 2
alquiler **BAIL**, 1; **LOCATION**, 1; **LOCATION-VENTE**, 1; **LOUAGE**, 1; **LOYER**, 1; **RENTING**, 1
alquiler con opción de compra **LOCATION-VENTE**, 1
alquiler (de ~) **LOCATIF, -IVE**, 1
alquiler (tomar en ~) **LOUER**, 2
altamente **JOLIMENT**, 1
alto **HAUT, HAUTE**, 1; **JOLI, -IE**, 1
aluminio **ALUMINIUM**, 1
alza **HAUSSE**, 1
alza rápida **ENVOL**, 1; **ENVOLÉE**, 1
alzado (a tanto ~) **FORFAITAIREMENT**, 1
alzar **HAUSSER**, 1
alzar (se) rápidamente **ENVOLER**, 1
ama de casa **MÉNAGÈRE**, 1
aminorar **RALENTIR**, 1
amonedar **MONÉTISER**, 1
amortizable **AMORTISSABLE**, 1; 2; 3
amortizable (no ~) **IRREMBOURSABLE**, 1
amortización **AMORTISSEMENT**, 1; 2; 3
amortizar **AMORTIR**, 1; 2; 3
añadir (se) **ADDITIONNER**, 1
análisis **ÉTUDE**, 3
analista **ANALYSTE**, 1
analítico **ANALYTIQUE**, 1
anclaje **ANCRAGE**, 1
andar justo **BOUTS**, 1
anejo **ANNEXE**, 1
anexo **ANNEXE**, 1
anexo **ANNEXE**, 1
anticapitalista **ANTICAPITALISTE**, 1
anticipación **ANTICIPATION**, 1
anticipar **ANTICIPER**, 1; **AVANCER**, 1
anticipo **ACOMPTE**, 1; **AVANCE**, 1; **PROVISION**, 3
anticuario **ANTIQUAIRE**, 1
antieconómico **ANTIÉCONOMIQUE**, 1
antigüedad **ANCIENNETÉ**, 1
antigüedades **ANTIQUITÉS**, 1
antiinflacionista **ANTI-INFLATIONNISTE**, 1
antisindical **ANTISYNDICAL, -ALE**, 1
anual **ANNUEL, -ELLE**, 1
anualidad **ANNUITÉ**, 1
anualmente **ANNUELLEMENT**, 1
anuario **ANNUAIRE**, 2
anulación **ANNULATION**, 1
anular **ANNULER**, 1; **DÉCOMMANDER**, 1; **JUGULER**, 1
anunciante **ANNONCEUR**, 1
anunciar **AFFICHER**, 1
anuncio **AFFICHE**, 1; **ANNONCE**, 1
anuncios (fijación de ~) **AFFICHAGE**, 1
aparato **APPAREIL**, 1
aparato (productivo) **APPAREIL**, 2
aparellaje **APPAREILLAGE**, 1
apercibimiento **AVERTISSEMENT-EXTRAIT DE RÔLE**, 1
apertura **OUVERTURE**, 1; 2
aplastamiento **ÉCRASEMENT**, 1
aplastar **ÉCRASER**, 1
apoderado **FONDÉ DE POUVOIR**, 1
aportación **APPORT**, 1; **CONTRIBUTION**, 1
aportador **APPORTEUR**, 1
aportar **APPORTER**, 1
aporte **APPORT**, 1
apreciable **APPRÉCIABLE**, 1
apreciación **APPRÉCIATION**, 1; **REVALORISATION**, 1
apreciar (se) **APPRÉCIER**, 1
aprender **APPRENDRE**, 1
aprendizaje **APPRENTISSAGE**, 1
aprendizaje (empresa de ~ profesional) **EAP**
apretar (se) **TASSER**, 1
aprovechar **PROFITER**, 1
aprovecharse **EXPLOITER**, 2
aprovisionado (bien ~) **ACHALANDÉ, -ÉE**, 2; **ASSORTI**, 1
aprovisionamiento **APPROVISIONNEMENT**, 1; 2; 3; **RAVITAILLEMENT**, 1
aprovisionar **APPROVISIONNER**, 3; **PROVISIONNER**, 2
aprovisionar (se) **APPROVISIONNER**, 2
aproximación **APPROXIMATION**, 1
aproximadamente **APPROXIMATIVEMENT**, 1
aproximado **APPROXIMATIF, -IVE**, 1
aproximar **AVOISINER**, 1
arancel **TARIF**, 3; 4
arbitraje **ARBITRAGE**, 1
arbitraje (persona que efectúa un ~) **ARBITRAGISTE**, 1
argumentos de venta **ARGUMENTAIRE**, 1
armador **ARMATEUR**, 1
arrancar **EXTORQUER**, 1
arras **ARRHES**, 1
arrebatar **EXTORQUER**, 1
arrendador **BAILLEUR, BAILLERESSE**, 1; **LOUEUR, LOUEUSE**, 1
arrendamiento **BAIL**, 1; **LOUAGE**, 1
arrendamiento financiero **CRÉDIT-BAIL**, 1; **LEASING**, 1; **LOCATION-FINANCEMENT**, 1
arrendar **LEASER**, 1; **LOUER**, 1
arrendatario **LOCATAIRE**, 1; **PRENEUR, PRENEUSE**, 1
arriba (río ~) **AMONT**, 1
arribista **LOUP**, 1
arriendo **LOCATION**, 1
artesanado **ARTISANAT**, 1
artesanal **ARTISANAL, -ALE**, 1
artesanálmente **ARTISANALEMENT**, 1
artesanía **ARTISANAT**, 1
artesano **ARTISAN, ARTISANE**, 1
artesano (maestro ~) **MAÎTRE-ARTISAN**, 1
artículo **ARTICLE**, 1; **RÉFÉRENCE**, 2
asalariado (dar a alguien un estatuto de ~) **SALARIER**, 2
asalariado (ente que busca una nueva colocación para un ~) **OUTPLACEUR**, 1; **REPLACEUR**, 1
asalariado (trabajador ~) **SALARIÉ, SALARIÉE**, 1
asalariados **SALARIÉ, SALARIÉE**, 2
asalariados (conjunto de los ~) **SALARIAT**, 1
asalariar **SALARIER**, 2
asamblea **ASSEMBLÉE**, 1
ascendente **ASCENDANT, -ANTE**, 1
ascensión **MONTÉE**, 1
asegurable **ASSURABLE**, 1
asegurado **ASSURÉ, ASSURÉE**, 1
asegurado de vida **ASSURÉ-VIE**, 1
asegurado (parte de la factura médica abonada por el ~) **TICKET MODÉRATEUR**, 1
asegurador (banco ~) **BANCASSUREUR**, 1
aseguradora (empresa ~) **ASSUREUR**, 1
aseguradora (empresa ~ de crédito) **ASSUREUR(-)CRÉDIT**, 1
aseguradora (empresa ~ de vida) **ASSUREUR-VIE**, 1
asegurar **ASSURER**, 1
asegurar (se) **ASSURER**, 2
asesor **CONSEIL**, 2; **CONSEILLER, CONSEILLÈRE**, 1; **CONSULTANT, CONSULTANTE**, 1
asesorar **CONSEILLER**, 1
asesoría **AGENCE-CONSEIL**, 1
asignación **AFFECTATION**, 1; **ALLOC**, 1; **ALLOCATION**, 1
asignación a nuevo empleo **RECLASSEMENT**, 1; **REPLACEMENT**, 1
asignación dada durante los estudios a la formación profesional **PRÉSALAIRE**, 1
asignar **AFFECTER**, 1; **ALLOUER**, 1; 2
asignar a un nuevo puesto de trabajo **RECASER**, 1; **RECLASSER**, 1; **REPLACER**, 1
asistencia (dietas de ~) **JETONS DE PRÉSENCE**, 1
asistencia (seguro de ~ en viaje) **ASSURANCE(-)VOYAGE**, 1
asistente **AIDE**, 2
asociación **ASSOCIATION**, 1; **GROUPEMENT**, 1
asociación de empresas **CO(-)ENTREPRISE**, 1
asociación de empresas "joint venture" **JOINT(-)VENTURE**, 1
asociación de productos con fin comercial **COGRIFFAGE**, 1
Asociación sin fines de lucro **ASBL**; **OSBL**
asociado **ASSOCIÉ, ASSOCIÉE**, 1; **PARTENAIRE**, 1
asociar (se) **ASSOCIER**, 1
asociativo **ASSOCIATIF, -IVE**, 1
atender **SERVIR**, 2
atesoramiento **THÉSAURISATION**, 1
atesorar **THÉSAURISER**, 1
atrasados (intereses ~) **ARRÉRAGES**, 1
atrasos **ARRÉRAGES**, 1
audiovisual **AUDIOVISUEL, -ELLE**, 1
audiovisual **AUDIOVISUEL**, 1
auditar **AUDITER**, 1
auditor **AUDIT**, 2; **AUDITEUR, AUDITRICE**, 1; **COMMISSAIRE-RÉVISEUR**, 1; **RÉVISEUR**, 1
Auditor **AUDITEUR, AUDITRICE**, 2
auditoría **AUDIT**, 1
auge **ESSOR**, 1
aumentar **ACCROÎTRE**, 1; **ALOURDIR**, 1; **AUGMENTER**, 1; **CROÎTRE**, 1; **HAUSSER**, 1; **MAJORER**, 1; **MONTER**, 1; **REHAUSSER**, 1; **RELEVER**, 1
aumentar abusivamente **GONFLER**, 1
aumento **ACCROISSEMENT**, 1; **ALOURDISSEMENT**, 1; **AUGMENTATION**, 1; **HAUSSE**, 1; **MAJORATION**, 1; **REHAUSSEMENT**, 1; **RELÈVEMENT**, 1
aumento abusivo **GONFLEMENT**, 1
aurífera (acciones de concesión ~) **AURIFÈRE**, 1
ausencia **ABSENCE**, 1
ausente **ABSENT, -ENTE**, 1
austeridad **AUSTÉRITÉ**, 1
autarcía **AUTARCIE**, 1; **AUTOSUFFISANCE**, 1

autarquía **AUTARCIE**, 1
autárquico **AUTARCIQUE**, 1; **AUTOSUFFISANT, -ANTE**, 1
auto **AUTOMOBILE**, 1
autobús **AUTOBUS**, 1; **BUS**, 1
autocar **AUTOCAR**, 1
autoconsumir **AUTOCONSOMMER**, 1
autoconsumo **AUTOCONSOMMATION**, 1
autofinanciación **AUTOFINANCEMENT**, 1
autofinanciamiento **AUTOFINANCEMENT**, 1
autofinanciar **AUTOFINANCER**, 1
autogestión **AUTOGESTION**, 1; 2
autogestionar **AUTOGÉRER**, 1
automación **AUTOMATION**, 1
autómata **AUTOMATE**, 1
automáticamente **AUTOMATIQUEMENT**, 1; **MÉCANIQUEMENT**, 2
automático **AUTOMATIQUE**, 1
automático (cajero ~) **BANCOMAT**, 1; **BILLETTERIE**, 1
automático (distribuidor ~) **DISTRIBUTEUR, DISTRIBUTRICE**, 2
automatismo **AUTOMATISME**, 1
automatización **AUTOMATISATION**, 1
automatización de industrias de fabricación **PRODUCTIQUE**, 1
automatizar **AUTOMATISER**, 1
automóvil **AUTOMOBILE**, 1
automóvil (del ~) **AUTOMOBILE**, 1
automóvil (seguro de ~) **ASSURANCE(-)AUTO(MOBILE)**, 1
automovilística (industria ~) **AUTOMOBILE**, 2
autónomo **NON-SALARIÉ, NON-SALARIÉE**, 1
autopista **AUTOROUTE**, 1
autopista (de ~) **AUTOROUTIER, -IÈRE**, 1
autopistas **AUTOROUTE**, 2
autoservicio **LIBRE(-)SERVICE**, 1; **SELF-SERVICE**, 1; **SUPÉRETTE**, 1
autosuficiencia económica **AUTOSUFFISANCE**, 1
autosuficiente **AUTOSUFFISANT, -ANTE**, 1
aval **GARANTIE**, 2
avaricia **AVARICE**, 1
avaro **AVARE**, 1
avaro **AVARE**, 1
avería **AVARIE**, 1
averiado **AVARIÉ, -IÉE**, 1
aviación **AVIATION**, 1
avícola **AVICOLE**, 1
avicultor **AVICULTEUR, AVICULTRICE**, 1
avicultura **AVICULTURE**, 1
avión **AVION**, 1
aviso **ANNONCE**, 2; **AVERTISSEMENT-EXTRAIT DE RÔLE**, 1
avituallamiento (transporte de ~) **RAVITAILLEUR**, 1
ayuda **AIDE**, 1
ayudante **AIDE**, 2
ayudar **AIDER**, 1
babyboom **BABY(-)BOOM**, 1
baja **ABAISSEMENT**, 1; **BAISSE**, 1; **DÉGRADATION**, 1; **FLÉCHISSEMENT**, 1
baja producción **SOUS-PRODUCTION**, 1
baja productividad **SOUS-PRODUCTIVITÉ**, 1
baja (a la ~) **BAISSIER, -IÈRE**, 1
bajar **ABAISSER**, 1; **BAISSER**, 1; **CASSER**, 1; **FLÉCHIR**, 1; **RÉDUIRE**, 1
bajar moderadamente **TASSER**, 1
bajar (volver a ~) **REDESCENDRE**, 1
bajista **BAISSIER, -IÈRE**, 1
bajo **BAS, BASSE**, 1
bajo consumo **SOUS-CONSOMMATION**, 1
balance **BALANCE**, 1; **BILAN**, 1
balance (de ~) **BILANCIEL, -IELLE**, 1; **BILANTAIRE**, 1
balanza **BALANCE**, 1
banca **BANQUE**, 1
banca en casa **HOMEBANKING**, 1
banca en línea **HOMEBANKING**, 1
banca (aceptable en ~) **BANCABLE**, 1; **BANQUABLE**, 1
banca (donde hay una ~) **BANCABLE**, 2; **BANQUABLE**, 2
banca (poder de la ~ en los mercados) **MARCHÉISATION**, 1
bancaria (comisión ~) **AGIO**, 1
bancaria (extracto de identificación ~) **RIB**
bancaria (institución ~) **BANQUE**, 1
bancarias (hacer las transacciones ~ con el ordenador) **PC-BANKING**, 1
bancario **BANCAIRE**, 1
bancario (cheque ~) **CHÈQUE**, 1
bancario (desarrollar el sector ~) **BANCARISER**, 1
bancario (desarrollo ~) **BANCARISATION**, 1
bancario (seguro ~) **BANCASSURANCE**, 1; **BANQUE-ASSURANCE**, 1
bancarrota **BANQUEROUTE**, 1; **FAILLITE**, 1
banco **BANQUE**, 2; **CAISSE**, 5
banco asegurador **BANCASSUREUR**, 1
Banco Central Europeo (BCE) **BCE**
Banco de Reglamentos Internacionales (BRI) **BRI**
Banco Europeo de Inversiones (BEI) **BEI**
Banco Europeo de Reconstrucción y Desarrollo (BERD) **BERD**
Banco Internacional para la Reconstrucción y el Desarrollo (BIRD) **BIRD**
banco (billete de ~) **BILLET**, 1
banda **FOURCHETTE**, 1
banner **BANDEAU**, 1
banquero **BANQUIER, BANQUIÈRE**, 1; 2
banquero que efectúa el descuento **ESCOMPTEUR, ESCOMPTEUSE**, 1
bar **BAR**, 1
barandillero **BOURSICOTEUR, BOURSICOTEUSE**, 1
baratija **CAMELOTE**, 1
barato (no es muy ~) **DONNÉ**, 1
barca **CAGEOT**, 1
barcaza **PÉNICHE**, 1
barco **BATEAU**, 1
baremo **BARÈME**, 1
barman **BARMAN**, 1
barómetro **BAROMÈTRE**, 1
barra **COMPTOIR**, 1
barril **BARIL**, 1; 2; **FÛT**, 1
base de datos **BASE DE DONNÉES**, 1
base imponible **ASSIETTE**, 1; **MATIÈRE**, 2
base liquidable **ASSIETTE**, 1
base sindical **BASE**, 1
basura (bono ~) **JUNK(-)BOND**, 1
BCE (Banco Central Europeo) **BCE**
bebedor **BUVEUR, BUVEUSE**, 1
bebida **BOISSON**, 1
beca **BOURSE**, 4
becario **BOURSIER, BOURSIÈRE**, 1
BEI (Banco Europeo de Inversiones) **BEI**
beneficiario **BÉNÉFICIAIRE**, 1
beneficiario **BÉNÉFICIAIRE**, 1; 2; 3
beneficiario de la seguridad social **ALLOCATAIRE**, 1; **RENTIER, RENTIÈRE**, 2
beneficiario de un subsidio **ALLOCATAIRE**, 1; **PRESTATAIRE**, 1
beneficiario (de una prestación) **PRESTATAIRE**, 1
beneficiarse con/de **BÉNÉFICIER**, 2
beneficio **AVANTAGE**, 1; **BÉNEF**, 1; 2; **BÉNÉFICE**, 1; **BÉNÉFICE**, 2; **BONI**, 1; **PROFIT**, 1; 2
beneficio por acción **BPA**
beneficio (cuota del ~ anual que corresponde a los miembros del Consejo de administración de una sociedad mercantil) **TANTIÈME**, 1
beneficio (margen de ~) **MARGE**, 2
beneficio (sacar ~) **BÉNÉFICIER**, 1
beneficios (participación en ~) **INTÉRESSEMENT**, 1
beneficioso **PROFITABLE**, 1
BERD (Banco Europeo de Reconstrucción y Desarrollo) **BERD**
bidón **BIDON**, 1; **FÛT**, 1
bien **BIEN**, 1
bien raíz (referido a un ~) **FONCIER, -IÈRE**, 1
bienestar **BIEN-ÊTRE**, 1
bienestar (Estado de ~) **ÉTAT-PROVIDENCE**, 1
billete **BILLET**, 3; 4; **COUPURE**, 1
billete de banco **BILLET**, 1
BIRD (Banco Internacional para la Reconstrucción y el Desarrollo) **BIRD**
blanquear **BLANCHIR**, 1
blanqueo **BLANCHIMENT**, 1
blister **BLISTER**, 1
bloquear **BLOQUER**, 1
bloqueo **BLOCAGE**, 1
blue chip **BLUE CHIP**, 1
boca (de ~ en boca) **BOUCHE À OREILLE**, 1; **RADIO TROTTOIR**, 1
bolsa **BOURSE**, 2; 3; 5; **SAC**, 1
bolsa (corredor de ~) **BOURSIER, BOURSIÈRE**, 2; **OPÉRATEUR, OPÉRATRICE**, 1
bolsa (de valores) **BOURSE**, 1
bolsa (tiburón de ~) **RAIDER**, 1
bolsista **BOURSIER, BOURSIÈRE**, 2
bolsista que juega pequeñas cantidades **BOURSICOTEUR, BOURSICOTEUSE**, 1
bonanza económica **EMBELLIE**, 1
bonificación **BONIFICATION**, 1; **BONUS**, 2; **RISTOURNE**, 2
bonificar **BONIFIER**, 1; **RISTOURNER**, 2
bonitamente **JOLIMENT**, 1
bono **BON**, 1; **BONUS**, 1
bono basura **JUNK(-)BOND**, 1
bono de comida **CHÈQUE-REPAS**, 1; **CHÈQUE-RESTAURANT**, 1; **TICKET-REPAS**, 1; **TICKET-RESTAURANT**, 1
bono de vacaciones **CHÈQUE(-)VACANCES**, 1
bonus **BONUS**, 2
boom **BOOM**, 1
bordo (franco a ~) **FAB**; **FOB**
borrador (libro ~) **BROUILLARD**, 1
borrar **EFFACER**, 1
bote **BOND**, 1; **CAGNOTTE**, 2; **POT**, 1
botella **BOUTEILLE**, 1
boutique **BOUTIQUE**, 1
BRI (Banco de Reglamentos Internacionales) **BRI**
broker **BROKER**, 1
bruscamente **BRUSQUEMENT**, 1
brusco **BRUSQUE**, 1
bruto **BRUT, BRUTE**, 1
bueno **BON, BONNE**, 1
buque **NAVIRE**, 1
buque de carga **CARGO**, 1
buque granelero **VRAQUIER**, 1

burocracia **BUREAUCRATIE**, 1; **FONCTIONNARISME**, 1
burócrata **BUREAUCRATE**, 1
burocratización **BUREAUCRATISATION**, 1
burocratizar **BUREAUCRATISER**, 1
bursátil **BOURSIER, -IÈRE**, 1; 2
caballero blanco **CHEVALIER BLANC**, 1
caballero negro **CHEVALIER NOIR**, 1
cabecera (sector de ~) **AMONT**, 1
CAD (diseño asistido por ordenador) **CAO**
cadena **CHAÎNE**, 1; 2; 3
cadena de producción **FILIÈRE**, 1
cadena de tiendas de descuento **DISCOMPTEUR**, 1; **DISCOUNTER**, 1
cadena de transformación **FILIÈRE**, 1
caducar **EXPIRER**, 1
caer **CHUTER**, 1; **DÉGRINGOLER**, 1; **TOMBER**, 1
café **CAFÉ**, 1
caída **CHUTE**, 1; **DÉGRINGOLADE**, 1
caja **BOÎTE**, 1; **BRIQUE**, 2; **CAGEOT**, 1; **CAISSE**, 1; 2; 3; 5; 6; **TIROIR-CAISSE**, 1
Caja **CAISSE**, 4
caja de cartón **CARTON**, 2
caja de caudales **COFFRE(-FORT)**, 1
caja fuerte **COFFRE(-FORT)**, 1
caja (cuenta corriente ~ postal) **CCP**
caja (flujo de ~) **CASH(-)FLOW**, 1
caja (pagar de la ~) **DÉCAISSER**, 1
caja (saldo de ~) **ENCAISSE**, 1
caja (salida de ~) **DÉCAISSEMENT**, 1
cajero **CAISSIER, CAISSIÈRE**, 1
cajero automático **BANCOMAT**, 1; **BILLETTERIE**, 1
cajón **CAGEOT**, 1
calcetín **BAS DE LAINE**, 1
calculadora **CALCULATEUR**, 1; **CALCULATRICE**, 1; **CALCULETTE**, 1
calcular **CALCULER**, 1; **CHIFFRER**, 1
cálculo **CALCUL**, 1
calderilla **MITRAILLE**, 1
calendario de vencimientos **ÉCHÉANCIER**, 1
calidad **QUALITÉ**, 1
calma **ACCALMIE**, 1
cámara **CHAMBRE**, 1
camarera **BARMAID**, 1
camarero **BARMAN**, 1; **GARÇON**, 1; **SERVEUR, SERVEUSE**, 1
cambiar **CHANGER**, 1
cambio **CHANGE**, 1; **COURS**, 1; **MITRAILLE**, 1; **MONNAIE**, 3
cambio (letra de ~) **EFFET**, 2; **LETTRE**, 2; **TRAITE**, 1
cambio (tipo de ~) **CHANGE**, 2
cambio (tipo de ~ oficial) **COTE**, 2; **TAUX(-)PIVOT**, 1
cambista **CAMBISTE**, 1; **CHANGEUR, CHANGEUSE**, 1
camión **CAMION**, 1; **POIDS LOURD**, 1
camionero **ROUTIER**, 1
camiones (conductor de ~) **ROUTIER**, 1
campaña **CAMPAGNE**, 1
canal **CANAL**, 2; **CHAÎNE**, 2
canal de distribución **CANAL**, 1
cancelación **ANNULATION**, 1; **ARRÊTÉ**, 1; **CLÔTURE**, 2; **RÉSILIATION**, 1
cancelar **ANNULER**, 1; **CLÔTURER**, 2; **DÉCOMMANDER**, 1; **RÉSILIER**, 1; **SOLDER**, 1
candidato **CANDIDAT, CANDIDATE**, 1
candidatura **CANDIDATURE**, 1
canon **REDEVANCE**, 1
cantidad **QUANTITÉ**, 1; **SOMME**, 1
cantidad recaudada **RECETTE**, 2
capacidad **CAPACITÉ**, 1
capacitado **QUALIFIÉ, -IÉE**, 1
capital **CAPITAL**, 1; 2; 3; **FONDS**, 2; 5
capital riesgo **CAPITAL(-)RISQUE**, 1
capital (referente al ~) **CAPITALISTIQUE**, 1; 2
capital (rendimiento del ~) **RÉMUNÉRATION**, 2
capital (renta de ~) **REVENU**, 2
capital (sociedad de inversión de ~ fijo) **SICAF**
capital (sociedad de inversión de ~ variable) **SICAV**
capitales (fuga de ~) **REFLUX**, 1
capitalismo **CAPITALISME**, 1; 2; 3
capitalista **CAPITALISTE**, 1
capitalista **CAPITALISTE**, 1
capitalista (socio ~) **BAILLEUR, BAILLERESSE**, 2; **COMMANDITAIRE**, 1; 2
capitalizable **CAPITALISABLE**, 1
capitalización **CAPITALISATION**, 1
capitalizar **CAPITALISER**, 1; 2
carbón **CHARBON**, 1
carburante **CARBURANT**, 1
carga **CARGAISON**, 1; **CHARGE**, 1; 2; **CHARGEMENT**, 1; 2; 3
carga en contenedores **CONTENEURISATION**, 1
carga pesada **PONDÉREUX**, 1
carga (buque de ~) **CARGO**, 1
cargador **CHARGEUR**, 1
cargamento **CARGAISON**, 1; **CHARGEMENT**, 1; **FRET**, 2
cargar **CHARGER**, 1; 2
cargar de deudas **ENDETTER**, 1
cargar en contenedores **CONTENEURISER**, 1
cargar en cuenta **DÉBITER**, 1
carguero **CARGO**, 1
carnicería **BOUCHERIE**, 1
carnicero **BOUCHER, BOUCHÈRE**, 1
caro **CHER, CHÈRE**, 1
carpintero **MENUISIER**, 1
carrera **CARRIÈRE**, 1
carretera **ROUTE**, 1
carretera (por ~) **ROUTIER, -IÈRE**, 1
carro **VOITURE**, 1
carta **LETTRE**, 1
carta recordatoria **RAPPEL**, 1
cartearse **CORRESPONDRE**, 1
cartel **AFFICHE**, 1; **PANCARTE**, 1
cártel **CARTEL**, 1
cartel (pequeño ~) **AFFICHETTE**, 1
cartelero **AFFICHEUR**, 3
carteles (fijación de ~) **AFFICHAGE**, 1
cartelista **AFFICHISTE**, 1
cartelito **AFFICHETTE**, 1
cartera **PORTEFEUILLE**, 1; 2
cartón **CARTON**, 1; **CARTOUCHE**, 1
cartón (la caja de ~) **CARTON**, 2
cartucho **CARTOUCHE**, 1
casa madre **MAISON-MÈRE**, 1
casa matriz **MAISON-MÈRE**, 1
casa (ama de ~) **MÉNAGÈRE**, 1
casa (banca en ~) **HOMEBANKING**, 1
casa (comercial) **MAISON**, 1
casa (de la ~) **MAISON**, 3
casarse **ÉPOUSER**, 1
casco (precio del ~) **CONSIGNE**, 1
casero **MAISON**, 3; **MÉNAGER, -ÈRE**, 1
cash flow **CASH(-)FLOW**, 1
catálogo **CATALOGUE**, 1
caución **CAUTION**, 3
caudales (caja de ~) **COFFRE(-FORT)**, 1
cazatalentos **CHASSEUR DE TÊTES, CHASSEUSE DE TÊTES**, 1
CD-ROM **CD-ROM**, 1; **CÉDÉROM**, 1
cedente **CÉDANT, CÉDANTE**, 1
ceder **CÉDER**, 1; 2; 3; **FLÉCHIR**, 1
célula **CELLULE**, 1
cemento **CIMENT**, 1
censor jurado **COMMISSAIRE-RÉVISEUR**, 1
censor jurado de cuentas **EXPERT-COMPTABLE, EXPERTE-COMPTABLE**, 1
céntimo **CENT**, 1; **CENTIME**, 1
céntimo de euro **EUROCENT**, 1; **EUROCENTIME**, 1
central **CENTRALE**, 1
centro **CENTRE**, 1
cereal **CÉRÉALE**, 1
cerealista **CÉRÉALIER, -IÈRE**, 1
cero papel **ZÉRO PAPIER**, 1
cerrar **CLÔTURER**, 1; 2; **FERMER**, 1; 2
cerrar temporalmente **LOCK-OUTER**, 1
cerrar una empresa **CLEF SOUS LE PAILLASSON**, 1
certificado **CERTIFICAT**, 1
certificado de depósito **WARRANT**, 2
cervecería **BRASSERIE**, 1
cervecero **BRASSEUR, BRASSEUSE**, 1
cerveza (fabricar ~) **BRASSER**, 1
cesante (lucro ~) **MANQUE À GAGNER**, 2
cesibilidad **CESSIBILITÉ**, 1
cesible **CESSIBLE**, 1
cesión **CESSION**, 1; 2
cesión a servicios externos **IMPARTITION**, 1
cesionario **CESSIONNAIRE**, 1
cesionista **CÉDANT, CÉDANTE**, 1
cestillo **BARQUETTE**, 1
cíclico **CYCLIQUE**, 1
ciclo **CYCLE**, 1; 2
ciencia financiera **FINANCE**, 4
ciento (por ~) **CENT** (un pour ~), 1
cierre **ARRÊTÉ**, 1; **CLÔTURE**, 1; 2; **FERMETURE**, 1; 2
cierre patronal **LOCK-OUT**, 1
CIF (coste, seguro, flete) **CAF**
cifra **CHIFFRE**, 1
cifra de negocios **CHIFFRE**, 2
cifrar **CHIFFRER**, 2
cifrar (se) **CHIFFRER**, 1
cigarrillos (fabricante de ~) **CIGARETTIER**, 1
CIM (Fabricación Integrada por Ordenador) **FIO**
cinc **ZINC**, 1
cine **CINÉMA**, 1; 2; 3
cinematográfico **CINÉMATOGRAPHIQUE**, 1; 2; 3
circular **CIRCULAIRE**, 1
cisterna **CITERNE**, 1
cita **RENDEZ-VOUS**, 1
cita (lugar de la ~) **RENDEZ-VOUS**, 2
claramente **NETTEMENT**, 1
claro **NET, NETTE**, 2
clase media **CLASSES MOYENNES**, 1
cláusula **CLAUSE**, 1
cláusula adicional **AVENANT**, 1
cláusulas internacionales de comercio **TCI**
clausura **CLÔTURE**, 1
cliente **CHALAND, CHALANDE**, 1; **CLIENT, CLIENTE**, 1; **CONSOMMATEUR, CONSOMMATRICE**, 2
cliente **CLIENT, -ENTE**, 1
cliente elegido **CLIENT-CIBLE**, 1
cliente potencial **PROSPECT**, 1
cliente tipo **CLIENT-TYPE**, 1
cliente (insistir de nuevo con un ~) **RELANCER**, 3
clientela **CLIENTÈLE**, 1
clientela elegida **CIBLE**, 1; **CLIENTÈLE-CIBLE**, 1
clientela potencial **ACHALANDAGE**, 1
clientela tipo **CLIENTÈLE-TYPE**, 1

clientela (con amplia ~) **ACHALANDÉ, -ÉE**, 1
clientela (elegir una ~) **CIBLER**, 1
clientela (zona de ~) **CHALANDISE**, 1
clientelismo **CLIENTÉLISME**, 1
clientelista **CLIENTÉLISTE**, 1
clientes (buscar ~ nuevos) **PROSPECTER**, 1
clientes (con muchos ~) **ACHALANDÉ, -ÉE**, 1
clientes (fidelización de ~) **FIDÉLISATION**, 1
co-accionista **COACTIONNAIRE**, 1
coalquiler **COLOCATION**, 1
coasegurador **COASSUREUR**, 1
coasegurar **COASSURER**, 1
coaseguro **COASSURANCE**, 1
cobertura **COUVERTURE**, 1; 2
cobrable **ENCAISSABLE**, 1; 2; **MONNAYABLE**, 1; **RECOUVRABLE**, 1
cobranding **COBRANDING**, 1
cobranza **RECOUVREMENT**, 1
cobrar **ENCAISSER**, 1; 2; **ENRÔLER**, 1; **PERCEVOIR**, 1; **RECOUVRER**, 1; **TOUCHER**, 1
cobre **CUIVRE**, 1
cobro **ENCAISSEMENT**, 1; 2; **ENRÔLEMENT**, 1; **RECOUVREMENT**, 1
coche **AUTOMOBILE**, 1; **VOITURE**, 1
cociente **QUOTIENT**, 1
cociente familiar **QUOTIENT**, 2
cocinero **CUISINIER, CUISINIÈRE**, 1
co-contratante **COCONTRACTANT, COCONTRACTANTE**, 1
código de barras **CODE(-)BARRE(S)**, 1
coeficiente **COEFFICIENT**, 1; **RATIO**, 1; **TAUX**, 2
cofinanciación **COFINANCEMENT**, 1
cofinanciamiento **COFINANCEMENT**, 1
cofinanciar **COFINANCER**, 1
coger **EMPRUNTER**, 2
cogerencia **COGÉRANCE**, 1
cogerente **COGÉRANT, COGÉRANTE**, 1
cogestión **COGÉRANCE**, 1; **COGESTION**, 1
cogestión (llevar en ~) **COGÉRER**, 1
cogestionar **COGÉRER**, 1
cohechar **CORROMPRE**, 1
cohecho **CORRUPTION**, 1
coinquilino **COLOCATAIRE**, 1
colaboración **COLLABORATION**, 1
colaborador **COLLABORATEUR, COLLABORATRICE**, 1
colaborar **COLLABORER**, 1
colecta **COLLECTE**, 1
colectividad **COLLECTIVITÉ**, 1; 2
colectivismo **COLLECTIVISME**, 1
colectivista **COLLECTIVISTE**, 1
colega **COLLÈGUE**, 1
colocación **PLACEMENT**, 1; 3; 4
colocación (ente que busca una nueva ~ para un asalariado) **OUTPLACEUR**, 1; **REPLACEUR**, 1
colocar **PLACER**, 2; 3
comandita **COMMANDITE**, 1; 2
comanditar **COMMANDITER**, 1; 2
comanditaria (sociedad ~) **SCS**
comanditaria (sociedad ~ por acciones) **SCPA**
comanditario **COMMANDITAIRE**, 2
comanditario (socio ~) **COMMANDITAIRE**, 1
combustible **COMBUSTIBLE**, 1; **FUEL**, 1
comedor **MANGEUR, MANGEUSE**, 1
comer **MANGER**, 1; **RESTAURER**, 1
comercial **COMMERCIAL, COMMERCIALE**, 1; 2
comercial **COMMERCIAL, -IALE**, 1; 2; 3; 4
comercial (agente ~) **PROMOTEUR, PROMOTRICE**, 1
comercial (asociación de productos con fin ~) **COGRIFFAGE**, 1
comercial (casa ~) **MAISON**, 1
comercial (enclave ~) **COMPTOIR**, 2
comercial (explotación ~) **MARCHANDISAGE**, 2; **MERCHANDISING**, 1
comercial (no ~) **NON-MARCHAND**, 1
comercial (propaganda ~) **PUB**, 1; **PUBLICITÉ**, 1; **RÉCLAME**, 1
comercial (representante ~) **VRP**
comercial (transacción ~) **TRANSACTION**, 2
comercializable **COMMERCIALISABLE**, 1
comercialización **COMMERCIALISATION**, 1; **MARCHANDISATION**, 1
comercializar **COMMERCIALISER**, 1; **DISTRIBUER**, 1; **MARCHANDISER**, 1
comercialmente **COMMERCIALEMENT**, 1
comercialmente (explotar ~) **MARCHANDISER**, 1
comerciante **COMMERÇANT, -ANTE**, 1; 2
comerciante **COMMERÇANT, COMMERÇANTE**, 1; **MAGASINIER, MAGASINIÈRE**, 1; **MARCHAND, MARCHANDE**, 1; **NÉGOCIANT, NÉGOCIANTE**, 1; **TRADER**, 1
comerciante al por mayor **GROSSISTE**, 1
comerciar **COMMERCER**, 1; **TRAFIQUER**, 1
comercio al por menor **DÉBIT**, 4; **DÉTAIL**, 1
comercio **COMMERCE**, 1; 2; 3; **NÉGOCE**, 1
comercio (cláusulas internacionales de ~) **TCI**
comercio (efecto de ~) **EFFET**, 2
comercio (fondo de ~) **GOODWILL**, 1; 2; **SURVALOIR**, 1
Comercio (Organización Mundial del ~, OMC) **OMC**
Comercio (Tratado de Libre ~ de América del Norte, TLCAN) **ALENA**
comestible **COMESTIBLE**, 1; **MANGEABLE**, 1
comestibles **COMESTIBLES**, 1
comestibles (tienda de ~) **ÉPICERIE**, 1
comida **NOURRITURE**, 1
comida (bono de ~) **CHÈQUE-REPAS**, 1; **CHÈQUE-RESTAURANT**, 1; **TICKET-REPAS**, 1; **TICKET-RESTAURANT**, 1
comisario **COMMISSAIRE**, 1
comisario de la quiebra **CURATEUR, CURATRICE**, 1
comisión **COMMISSION**, 1; 2; **RISTOURNE**, 2; 3
comisión bancaria **AGIO**, 1
comisión (pagar una ~) **RISTOURNER**, 3
comisionista **COMMISSIONNAIRE**, 1
comité **COMITÉ**, 1
comité permanente **BUREAU**, 6
compañía **COMPAGNIE**, 1
compañía de seguros **ASSURANCE**, 3; **ASSUREUR**, 1
compañía poco competitiva **CANARD BOITEUX**, 1
compartimento **COMPARTIMENT**, 1
compensación **COMPENSATION**, 1; **DÉDOMMAGEMENT**, 1
compensador **INDEMNITAIRE**, 1
compensar **COMPENSER**, 1; **COUVRIR**, 2; **DÉDOMMAGER**, 1; **PAYER**, 2
compensatorio **COMPENSATOIRE**, 1
competencia **CONCURRENCE**, 1; **CONCURRENCE**, 2
competencia desleal **ANTICONCURRENTIEL, -IELLE**, 1
competencia (hacer ~ a) **CONCURRENCER**, 1
competencia (sin ~) **NON-CONCURRENCE**, 1
competidor **COMPÉTITEUR, COMPÉTITRICE**, 1; **CONCURRENT, CONCURRENTE**, 1
competidor **CONCURRENT, -ENTE**, 1; **CONCURRENTIEL, -IELLE**, 1
competir con **CONCURRENCER**, 1
competitiva (compañía poco ~) **CANARD BOITEUX**, 1
competitiva (ventaja ~) **AVANTAGE**, 2
competitividad **COMPÉTITIVITÉ**, 1
competitividad en costes **COMPÉTITIVITÉ-COÛT**, 1
competitividad por precios **COMPÉTITIVITÉ-PRIX**, 1
competitivo **COMPÉTITIF, -IVE**, 1; 2; **CONCURRENTIEL, -IELLE**, 1; 2; **PERFORMANT, -ANTE**, 1
complejo **COMPLEXE**, 1
completamente **TOTALEMENT**, 1
compra **ACHAT**, 1; 2; **ACQUISITION**, 1; **COMMISSION**, 3; **EMPLETTES**, 1
compra (alquiler con opción de ~) **LOCATION-VENTE**, 1
compra (opción de ~) **CALL**, 1
comprador **ACHETEUR, ACHETEUSE**, 1; 2; **ACQUÉREUR, ACQUÉREUSE**, 1; **CHALAND, CHALANDE**, 1; **PRENEUR, PRENEUSE**, 3
comprador **ACHETEUR, -EUSE**, 1; 2; **ACQUÉREUR, -EUSE**, 1
comprar **ACQUÉRIR**, 1
comprar de nuevo **REPRENDRE**, 1
comprar (que se puede ~) **ACHETABLE**, 1
comprar (se) **ACHETER**, 1
compras **COURSES**, 1; **EMPLETTES**, 2
compras (ir de ~) **SHOPPING**, 1
compras (personas responsables de las ~) **PRA**
compresión **COMPRESSION**, 1
comprimir **COMPRIMER**, 1
comprobar **APURER**, 1
comprometer (se) **ENGAGER**, 2
compromiso **ENGAGEMENT**, 2
computación (especialista en ~) **INFORMATICIEN, INFORMATICIENNE**, 1
computador **ORDINATEUR**, 1
computadora **CALCULATEUR**, 1
comunicación **COMMUNICATION**, 1
comunicación (medios de ~) **MÉDIA**, 1
comunicador **COMMUNICATEUR, COMMUNICATRICE**, 1
comunicar **COMMUNIQUER**, 1
comunismo **COMMUNISME**, 1
comunista **COMMUNISTE**, 1
comunista **COMMUNISTE**, 1
concebir **CONCEVOIR**, 1
conceder **ALLOUER**, 1
conceder franquicias **FRANCHISER**, 1
conceder (se) **ACCORDER**, 1
concentración **CONCENTRATION**, 1
concentrar **CONCENTRER**, 1
concepción **CONCEPTION**, 1
concesión **CONCESSION**, 1; 2
concesión aurífera (acciones de ~) **AURIFÈRE**, 1
concesionario **CONCESSIONNAIRE**, 1
concesionario de la franquicia **FRANCHISEUR**, 1
concordatario **CONCORDATAIRE**, 1
concurrencia (no ~) **NON-CONCURRENCE**, 1

condonación **REMISE**, 2
conductor de camiones **ROUTIER**, 1
conexión **NAVETTE**, 1
confección **COUTURE**, 1
confección (ropa de ~) **PRÊT-À-PORTER**, 1
confederación **CONFÉDÉRATION**, 1
congelación **BLOCAGE**, 1; **GEL**, 1
congelar **BLOQUER**, 1; **GELER**, 1
conglomerado **CONGLOMÉRAT**, 1
conseguir **ATTEINDRE**, 1; **PROCURER**, 2
consejero **CONSEIL**, 2; **CONSEILLER, CONSEILLÈRE**, 1; **CONSULTANT, CONSULTANTE**, 1
consejero delegado **ADMINISTRATEUR(-)DÉLÉGUÉ**, 1
consejo **CONSEIL**, 1
consejo de administración **DIRECTOIRE**, 1
Consejo (cuota del beneficio anual que corresponde a los miembros del ~ de administración de una sociedad mercantil) **TANTIÈME**, 1
consejo (presidente del ~ de administración) **PDG, P-DG**
considerable **BRUTAL, -ALE**, 1; **CONSIDÉRABLE**, 1; **FULGURANT, -ANTE**, 1
considerablemente **CONSIDÉRABLEMENT**, 1
consigna **ORDRE**, 3
consigna (dejar en ~) **CONSIGNER**, 1
consignación **CONSIGNATION**, 1; 2; 3
consignar **CONSIGNER**, 2
consignatario **CONSIGNATAIRE**, 1
consolidación **CONSOLIDATION**, 1; **RAFFERMISSEMENT**, 1
consolidar **CONSOLIDER**, 1
consolidar (se) **RAFFERMIR**, 1
consorcio **CONSORTIUM**, 1; **KONZERN**, 1; **POOL**, 1
constante **CONSTANT, -ANTE**, 1
constantemente **CONTINUELLEMENT**, 1
construcción **BÂTIMENT**, 2; **CONSTRUCTION**, 1
construcción (trabajo de ~) **TRAVAIL**, 4
constructor **BÂTISSEUR, BÂTISSEUSE**, 1; **CONSTRUCTEUR**, 1
constructor **CONSTRUCTEUR, -TRICE**, 1
constructora (empresa ~) **CONSTRUCTEUR, -TRICE**, 1
construir **BÂTIR**, 1; **CONSTRUIRE**, 1
consumible **CONSOMMABLE**, 1; **CONSOMPTIBLE**, 1
consumición **CONSOMMATION**, 1; 3
consumidor **CONSOMMATEUR, CONSOMMATRICE**, 1; 2
consumidor **CONSOMMATEUR, -TRICE**, 1
consumidor (defensa del ~) **CONSUMÉRISME**, 1; **CONSUMÉRISTE**, 1
consumidores (del movimiento de ~) **CONSUMÉRISTE**, 1
consumidores (movimiento de ~) **CONSUMÉRISME**, 1
Consumidores (Oficina Europea de la Unión de ~, OEUC) **BEUC**
consumir **CONSOMMER**, 1; 2; 3
consumo **CONSOMMATION**, 2
consumo propio **AUTOCONSOMMATION**, 1
consumo (bajo ~) **SOUS-CONSOMMATION**, 1
contabilidad **COMPTA**, 1; **COMPTABILITÉ**, 1; 2; 3; 5
contabilidad por partida doble **ÉCRITURE**, 1
contabilidad (doble ~) **ÉCRITURE**, 1
contabilidad (plan general de ~) **PCG**
contabilizable **COMPTABILISABLE**, 1
contabilización **COMPTABILISATION**, 1; 2
contabilizar **COMPTABILISER**, 1; 2
contable **COMPTABLE**, 1
contable **COMPTABLE**, 1; 2
contado (al ~) **CASH**, 1; **COMPTANT**, 3
contaduría **COMPTABILITÉ**, 4
contamina (que ~ paga) **POLLUEUR-PAYEUR**, 1
contaminador **POLLUANT, -ANTE**, 1
contaminador **POLLUEUR, POLLUEUSE**, 1
contaminador (principio "el ~ paga") **POLLUEUR-PAYEUR**, 1
contaminante **POLLUANT**, 1
contaminar **POLLUER**, 1
contante **COMPTANT**, 1
contar **COMPTER**, 1
contención del crédito **ENCADREMENT**, 3
contenedor **CONTENEUR**, 1
contenedores (carga en ~) **CONTENEURISATION**, 1
contenedores (cargar en ~) **CONTENEURISER**, 1
contingentación **CONTINGENTEMENT**, 1
contingentar **CONTINGENTER**, 1
contingente **CONTINGENT**, 1
continuamente **CONTINUELLEMENT**, 1
continuo **CONTINU, -UE**, 1
contracción **CONTRACTION**, 1; 2
contractual **CONTRACTUEL, CONTRACTUELLE**, 1; 2
contractual **CONTRACTUEL, -ELLE**, 1
contractualmente **CONTRACTUELLEMENT**, 1
contraer **CONTRACTER**, 1
contraer matrimonio **ÉPOUSER**, 1
contraerse **CONTRACTER**, 2
contramaestre **CONTREMAÎTRE, CONTREMAÎTRESSE**, 1
contraoferta **CONTRE-OFFRE**, 1
contraoferta pública de adquisición **CONTRE-OPA**, 1
contraproducente **CONTRE(-)PRODUCTIF, -IVE**, 1
contrapublicidad **CONTRE-PUBLICITÉ**, 1
contratación **EMBAUCHAGE**, 1; **EMBAUCHE**, 1; **ENGAGEMENT**, 1; **RECRUTEMENT**, 1
contratante **CONTRACTANT, -ANTE**, 1
contratante **CONTRACTANT, CONTRACTANTE**, 1; **EMBAUCHEUR, EMBAUCHEUSE**, 1; **RECRUTEUR, RECRUTEUSE**, 1
contratante (parte ~) **CONTRACTANT, CONTRACTANTE**, 1
contratar **CONTRACTER**, 1; **EMBAUCHER**, 1; **ENGAGER**, 1; **RECRUTER**, 1
contratista **ENTREPRENEUR, ENTREPRENEUSE**, 2
contrato **CONTRAT**, 1; 2; **MARCHÉ**, 3
contrato de franquicia **LOCATION-GÉRANCE**, 1
contrato de seguro **ASSURANCE**, 2
contrato de venta **VENTE**, 2
contrato tipo **CONTRAT(-)TYPE**, 1
contrato (a la finalización del ~) **COMPTANT**, 4
contravalor **CONTRE-VALEUR**, 1
contrayente **CONTRACTANT, -ANTE**, 1
contribución **CONTRIBUTION**, 1; 2; **IMPÔT**, 1; **REDEVANCE**, 1
contribuciones **CONTRIBUTION**, 3
contribuir **CONTRIBUER**, 1
contributivo **CONTRIBUTIF, -IVE**, 1
contribuyente **CONTRIBUABLE**, 1; **REDEVABLE**, 1
control **SUIVI**, 1
control (toma de ~) **PRISE DE CONTRÔLE**, 1
convención **CONVENTION**, 1
convencional **CONVENTIONNEL, -ELLE**, 1
convenio **ACCORD**, 1; **CONCORDAT**, 1; **CONVENTION**, 1
convenio colectivo **CCT**; **SALARIAT**, 2
conversión **CONVERSION**, 1
convertibilidad **CONVERTIBILITÉ**, 1
convertible **CONVERTIBLE**, 1
convertible en dinero **MONNAYABLE**, 1
convertir **CONVERTIR**, 1
convertir en dinero **MONNAYER**, 1
cónyuge **CONJOINT, CONJOINTE**, 1
cooperación **COOPÉRATION**, 1; **PARTENARIAT**, 1; **PARTNERSHIP**, 1
cooperador **COOPÉRATEUR, COOPÉRATRICE**, 1
cooperar **COOPÉRER**, 1
cooperativa **COOPÉRATIVE**, 1
cooperativo **COOPÉRATIF, -IVE**, 1
copartícipe **COCONTRACTANT, COCONTRACTANTE**, 1
copia **DOUBLE**, 2
copropiedad **COPROPRIÉTÉ**, 1
copropietario **COPROPRIÉTAIRE**, 1
corona **COURONNE**, 1
corporación **CORPORATION**, 1
corporación financiera **SYNDICAT**, 2
corporativismo **CORPORATISME**, 1
corporativista **CORPORATISTE**, 1
corredor **BROKER**, 1; **COURTIER, COURTIÈRE**, 1; **DÉMARCHEUR, DÉMARCHEUSE**, 1; **PLACIER, PLACIÈRE**, 1
corredor de bolsa **BOURSIER, BOURSIÈRE**, 2; **OPÉRATEUR, OPÉRATRICE**, 1
corregir **RÉVISER**, 2
correo **CORRESPONDANCE**, 2; **COURRIER**, 1; 2
correo electrónico **COURRIEL**, 1; **MÉL**, 1; **MESSAGERIE**, 2
correo urgente **COURRIER(-)EXPRESS**, 1
Correos **POSTE**, 4
correos (empleado de ~) **POSTIER, POSTIÈRE**, 1
correspondencia **CORRESPONDANCE**, 1; 2; **COURRIER**, 1
corresponder **CORRESPONDRE**, 1
correspondiente **CORRESPONDANT, CORRESPONDANTE**, 1
corretaje **COURTAGE**, 1
corretaje (gastos de ~) **COURTAGE**, 2
corro **CORBEILLE**, 1
corromper **CORROMPRE**, 1
corrupción **CORRUPTION**, 1
corruptible **CORRUPTIBLE**, 1
corruptor **CORRUPTEUR, CORRUPTRICE**, 1
cortar suministros **ASSÉCHER**, 1
corte de suministros **ASSÈCHEMENT**, 1
costar **COÛTER**, 1
coste **CHARGE**, 2; **COÛT**, 2
coste salarial **SALAIRE-COÛT**, 1
coste suplementario **SURCOÛT**, 1
coste, seguro, flete (CIF) **CAF**
coste (el precio de ~) **COÛTANT**, 1; 2
costes de personal **SALAIRE-COÛT**, 1
costes (competitividad en ~) **COMPÉTITIVITÉ-COÛT**, 1
costo **COÛT**, 1
costos **COÛT**, 1

costoso **COÛTEUX, -EUSE**, 1; **ONÉREUX, -EUSE**, 1
costura **COUTURE**, 1
costurera **COUTURIÈRE**, 1
cotidiano **QUOTIDIEN, -IENNE**, 1
cotización **COTATION**, 1; **COTE**, 1; 2; **COTISATION**, 1; **COTISATION**, 2
cotizante **COTISANT, COTISANTE**, 1; 2; 3
cotizar **COTER**, 1; **COTISER**, 1; 2; 3
coyuntura **CONJONCTURE**, 1
coyuntural **CONJONCTUREL, -ELLE**, 1
coyuntural (análisis ~) **CONJONCTURE**, 2
coyuntural (analista ~) **CONJONCTURISTE**, 1
crac **KRACH**, 1
creación **CRÉATION**, 1
creador **CRÉATEUR, CRÉATRICE**, 1
creador **CRÉATEUR, -TRICE**, 1
crear **CRÉER**, 1
creatividad **CRÉATIVITÉ**, 1
creativo **CRÉATIF, -IVE**, 1
creativo **CRÉATIF**, 1
crecer **CROÎTRE**, 1; 2
crecimiento **CROISSANCE**, 1; 3
crecimiento del salariado **SALARISATION**, 1
crecimiento repentino **BOOM**, 1
crecimiento (fase de ~) **CROISSANCE**, 2
crecimiento (período de fuerte ~ económico de 1945 a 1975) **TRENTE GLORIEUSES**, 1
crédito **CRÉANCE**, 1; 2; 3; **CRÉDIT**, 1; 2; 3
crédito puente **CRÉDIT(-)PONT**, 1
crédito (aseguradora de ~) **ASSUREUR(-)CRÉDIT**, 1
crédito (contención del ~) **ENCADREMENT**, 3
crédito (instituto público de ~) **IPC**
crédito (limitación del ~) **ENCADREMENT**, 3
crédito (seguro de ~) **ASSURANCE(-)CRÉDIT**, 1
cría de ganado **ÉLEVAGE**, 1
criador **ÉLEVEUR, ÉLEVEUSE**, 1
criar **ÉLEVER**, 1
crisis **CRISE**, 1; 2
cuadrado mágico **CARRÉ MAGIQUE**, 1
cuadro **CADRE**, 1
cuadro macroeconómico **TABLEAU DE BORD**, 1
cuadros directivos **ENCADREMENT**, 2
cualificación **QUALIFICATION**, 1
cualificado **QUALIFIÉ, -IÉE**, 1
cualitativo **QUALITATIF, -IVE**, 1; 2
cuantía **MONTANT**, 1
cuantificable **QUANTIFIABLE**, 1
cuantificar **QUANTIFIER**, 1
cuantitativo **QUANTITATIF, -IVE**, 1
Cuarto Mundo **QUART(-)MONDE**, 1; 2
cuartos **PÈZE**, 1; **POGNON**, 1
cuatro dragones **DRAGONS**, 1
cubrir (se) **COUVRIR**, 1; 2
cuello de botella **GOULET D'ÉTRANGLEMENT**, 1; **GOULOT D'ÉTRANGLEMENT**, 1
cuellos azules **COLS BLEUS**, 1
cuellos blancos **COLS BLANCS**, 1
cuenta **ADDITION**, 2; **COMPTE**, 1; 2; 3
cuenta ahorro vivienda **ÉPARGNE-LOGEMENT**, 1
cuenta corriente caja postal **CCP**
cuenta corriente postal **CCP**
cuenta de ahorro **COMPTE-ÉPARGNE**, 1
cuenta de valores **COMPTE-TITRES**, 1
cuenta exagerada **COUP DE BARRE**, 1; **COUP DE FUSIL**, 1
cuenta (abonar en ~) **CRÉDITER**, 1
cuenta (abonar una partida en ~) **IMPUTER**, 1
cuenta (abono en ~) **IMPUTATION**, 1
cuenta (adeudar en ~) **DÉBITER**, 1
cuenta (cargar en ~) **DÉBITER**, 1
cuenta (detalle de una ~) **DÉCOMPTE**, 2
cuenta (extracto de ~) **RELEVÉ**, 1
cuenta (hacer efectivo el ingreso en ~) **CRÉDITER**, 1
cuenta (ingresar en ~) **ALIMENTER**, 2
cuenta (pago a ~) **PRÉCOMPTE**, 1; **TIERS PROVISIONNEL**, 1
cuenta (pago a ~ del Impuesto sobre Sociedades) **PRÉCOMPTE**, 2
cuentas (censor jurado de ~) **EXPERT-COMPTABLE, EXPERTE-COMPTABLE**, 1
culminar **CULMINER**, 1
cultivable **EXPLOITABLE**, 1
cultivador **CULTIVATEUR, CULTIVATRICE**, 1
cultivar **CULTIVER**, 1
cumplimentado (debidamente ~) **DÛMENT REMPLI**, 1
cúmulo **CUMUL**, 1
cuota **CONTINGENT**, 1; **COTISATION**, 1; **QUOTA**, 1; **QUOTITÉ**, 1
cuota del beneficio anual que corresponde a los miembros del Consejo de administración de una sociedad mercantil **TANTIÈME**, 1
cuota individual **QUOTE-PART**, 1
cuota (pagar una ~) **COTISER**, 1; 2; 3
cupo **QUOTA**, 1
cupón **COUPON**, 1
cupón de respuesta **COUPON-RÉPONSE**, 1
cupos (fijar ~) **CONTINGENTER**, 1
currar **BOSSER**, 1
curro **BOULOT**, 1
curva **COURBE**, 1
charter (vuelo ~) **CHARTER**, 1
chelín **SHILLING**, 1
cheque de gasolina **CHÈQUE(-)CARBURANT**, 1
cheque de pago por prestación de un parado **CHÈQUE EMPLOI(-)SERVICE**, 1; **CHÈQUE(-)SERVICE**, 1
cheque de regalo **CHÈQUE(-)CADEAU(X)**, 1
cheque "sorpresa" **CHÈQUE(-)SURPRISE**, 1
cheque (bancario) **CHÈQUE**, 1
cheque (traveller's ~) **TRAVELLER'S CHEQUE**, 1
chip **PUCE**, 1
chiringuito **BUVETTE**, 1
chisme **GADGET**, 1
dador **TIREUR**, 1
damnificado **SINISTRÉ, SINISTRÉE**, 1
dañado **AVARIÉ, -IÉE**, 1
daño **AVARIE**, 1; **DÉGÂT**, 1; **DOMMAGE**, 1
daños y perjuicios **DOMMAGES-INTÉRÊTS**, 1
daños (seguro contra ~) **ASSURANCE(-)DOMMAGES**, 1
daños (seguro de ~) **ASSURANCE(-) DOMMAGES**, 1
dar **CÉDER**, 2; **PRODUIRE**, 2; **RAPPORTER**, 1
dato **DONNÉE**, 1
datos (base de ~) **BASE DE DONNÉES**, 1
debe **DÉBET**, 1; **DÉBIT**, 1; 3; **PASSIF**, 2
debe (lo que se ~) **DÛ**, 1
debidamente cumplimentado **DÛMENT REMPLI**, 1
debido **DÛ**, 1
débil **FAIBLE**, 1
debilidad **EFFRITEMENT**, 1; **FAIBLESSE**, 1
debilitación **EFFRITEMENT**, 1; **FAIBLISSEMENT**, 1
debilitación moderada **TASSEMENT**, 1
debilitamiento **AFFAIBLISSEMENT**, 1; **FAIBLISSEMENT**, 1
debilitar **FAIBLIR**, 1
debilitar (se) **AFFAIBLIR**, 1
débilmente **FAIBLEMENT**, 1
débito **DÉBIT**, 1; 2; **DETTE**, 1
decadencia **DÉCLIN**, 1
decaer **DÉCLINER**, 1
decisor **DÉCIDEUR, DÉCIDEUSE**, 1; **DÉCISIONNAIRE**, 1
declinar **DÉCLINER**, 1
declive **DÉCLIN**, 1
decrecer **DÉCROÎTRE**, 1
decreciente **DÉCROISSANT, -ANTE**, 1; **DÉGRESSIF, -IVE**, 1; **DESCENDANT, -ANTE**, 1
deducción **ABATTEMENT**, 1; 2; **DÉDUCTION**, 1; **PRÉLÈVEMENT**, 1
deducción (posibilidad de ~) **DÉDUCTIBILITÉ**, 1
deducible **DÉDUCTIBLE**, 1
deducir **DÉCOMPTER**, 1; **DÉDUIRE**, 1; **PRÉLEVER**, 1
defecto **DÉFAUT**, 1
defectuoso **DÉFECTUEUX, -EUSE**, 1
defensa del consumidor **CONSUMÉRISME**, 1; **CONSUMÉRISTE**, 1
déficit **DÉFICIT**, 1; 2; **MALI**, 1; **PERTE**, 2
deficitario **DÉFICITAIRE**, 1; 2
deflación **DÉFLATION**, 1
deflacionario **DÉFLATIONNISTE**, 1; **DÉFLATOIRE**, 1
deflacionista **DÉFLATIONNISTE**, 1; **DÉFLATOIRE**, 1
defraudación **FRAUDE**, 1
defraudador **FRAUDEUR, FRAUDEUSE**, 1
defraudar **FRAUDER**, 1
degradación **DÉGRADATION**, 1; 2
degradar (se) **DÉGRADER**, 1
dejado de lado **LAISSÉ(-)POUR(-) COMPTE**, 1
delegación **BUREAU**, 6; **DÉLÉGATION**, 1
delegado **DÉLÉGUÉ, DÉLÉGUÉE**, 1
delgado **MAIGRE**, 1
delito de uso de información privilegiada **DÉLIT D'INITIÉ**, 1
demanda **DEMANDE**, 1
demandante **DEMANDEUR, DEMANDEUSE**, 1
demografía **DÉMOGRAPHIE**, 1
demográfico **DÉMOGRAPHIQUE**, 1
demostración **DÉMONSTRATION**, 1
denominación social **DÉNOMINATION SOCIALE**, 1
departamento **DÉPARTEMENT**, 1; **DIRECTION**, 4; **DIVISION**, 2; **FONCTION**, 2; **SERVICE**, 2
depositado en la hucha **CAGNOTTE**, 1
depositante **DÉPOSANT, DÉPOSANTE**, 1
depositar **CONSIGNER**, 1; **DÉPOSER**, 1; 2; **VERSER**, 2
depositario **DÉPOSITAIRE**, 1; 2
depósito **ACOMPTE**, 1; **DÉPÔT**, 1; 2; **ENTREPÔT**, 1; **RÉSERVE**, 2; **STOCK**, 2; **VERSEMENT**, 2; 3
depósito (certificado de ~) **WARRANT**, 2
depreciación **DÉPRÉCIATION**, 1; **MOINS-VALUE**, 1

depreciar (se) **DÉPRÉCIER**, 1
depresión económica **DÉPRESSION**, 1
derechohabiente **AYANT DROIT**, 1
derivado (producto ~) **SOUS-PRODUIT**, 1
derrapaje **DÉRAPAGE**, 1
derrapar **DÉRAPER**, 1
derrochador **DILAPIDATEUR, DILAPIDATRICE**, 1; **GASPILLEUR, GASPILLEUSE**, 1
derrochar **GASPILLER**, 1
derroche **GASPILLAGE**, 1
derrumbamiento **CHUTE**, 1
derrumbarse **EFFONDRER**, 1
desaceleración **DÉCÉLÉRATION**, 1; **RALENTISSEMENT**, 1
desahorro (público) **DÉSÉPARGNE**, 1
desarrolla (directivo que ~ un proyecto dentro de una empresa) **INTRAPRENEUR, INTRAPRENEUSE**, 1
desarrollar el sector bancario **BANCARISER**, 1
desarrollar un proyecto interno en una empresa **INTRAPRENDRE**, 1
desarrollar (se) **DÉVELOPPER**, 1
desarrollo **DÉVELOPPEMENT**, 1; **ESSOR**, 1
desarrollo bancario **BANCARISATION**, 1
desarrollo del sector terciario **TERTIAIRISATION**, 1; **TERTIARISATION**, 1
Desarrollo (Investigación Y ~, I+D) **R(&)D; RECHERCHE ET (LE) DÉVELOPPEMENT**, 1
desbarajuste **GABEGIE**, 1
descansar **CHÔMER**, 3
descanso **CONGÉ**, 1
descarga **DÉCHARGEMENT**, 1
descargar **DÉCHARGER**, 1
descender **BAISSER**, 1; **DESCENDRE**, 1
descendiente **DESCENDANT, -ANTE**, 1
descenso **BAISSE**, 1; **DÉCRUE**, 1
descontable **ESCOMPTABLE**, 1
descontar **DÉCOMPTER**, 1; **DÉDUIRE**, 1; **ESCOMPTER**, 1
descontar previamente **PRÉCOMPTER**, 1
descubierto **DÉCOUVERT**, 1
descuento **DÉCOMPTE**, 1; **DÉCOTE**, 1; **DISCOMPTE**, 1; **DISCOMPTE**, 3; **DISCOUNT**, 3; **ESCOMPTE**, 1; **ESCOMPTE**, 2; **RABAIS**, 1; **REMISE**, 1; **RISTOURNE**, 1
descuento (agente que efectúa un ~) **ESCOMPTEUR, ESCOMPTEUSE**, 1
descuento (banquero que efectúa el ~) **ESCOMPTEUR, ESCOMPTEUSE**, 1
descuento (cadena de tiendas de ~) **DISCOMPTEUR**, 1; **DISCOUNTER**, 1
descuento (que efectúa el ~) **ESCOMPTEUR, -EUSE**, 1
descuento (tienda de ~) **DISCOMPTE**, 2; **DISCOUNT**, 2; **MINIMARGE**, 1; **SOLDERIE**, 1
descuento (vender con ~) **DISCOUNTER**, 1
desecación **ASSÈCHEMENT**, 1
desecar **ASSÉCHER**, 1
desecho **DÉCHET**, 1
deseconomías de escala **DÉSÉCONOMIES**, 1
desembolsar **DÉBOURSER**, 1; **DÉCAISSER**, 1
desembolso **ACQUITTEMENT**, 1; **DÉCAISSEMENT**, 1
desempleo **CHÔMAGE**, 1; 2
desempleo (seguro de ~) **ASSURANCE(-)CHÔMAGE**, 1
desempleo (subsidio de ~) **ALLOCATION(-)CHÔMAGE**, 1
desendeudamiento **DÉSENDETTEMENT**, 1
desequilibrar **DÉSÉQUILIBRER**, 1
desequilibrio **DÉSÉQUILIBRE**, 1
desfase **DÉCALAGE**, 1
desgravación **ABATTEMENT**, 1; **ALLÉGEMENT**, 1; **DÉTAXATION**, 1
desgravar **ALLÉGER**, 1; **DÉTAXER**, 1
desheredado **DÉSHÉRITÉ, DÉSHÉRITÉE**, 1
desheredado **DÉSHÉRITÉ, -ÉE**, 1
desindexación **DÉSINDEXATION**, 1
desindexar **DÉSINDEXER**, 1
desindustrialización **DÉSINDUSTRIALISATION**, 1
desindustrializar **DÉSINDUSTRIALISER**, 1
desinflación **DÉSINFLATION**, 1
desinflacionista **DÉSINFLATIONNISTE**, 1
desintermediación **DÉSINTERMÉDIATION**, 1
desinversión **DÉSINVESTISSEMENT**, 1
desinvertir **DÉSINVESTIR**, 1
desleal (competencia ~) **ANTICONCURRENTIEL, -IELLE**, 1
desmaterialización **DÉMATÉRIALISATION**, 1
desmaterializado **DÉMATÉRIALISÉ, -ÉE**, 1
desmonopolización **DÉMONOPOLISATION**, 1
desmoronamiento **EFFONDREMENT**, 1
desmoronar (se) **EFFRITER**, 1
desnutrición **SOUS-ALIMENTATION**, 1
desocupado **SANS-EMPLOI**, 1
desocupado **VACANT, -ANTE**, 1
desocupado (estar ~) **CHÔMER**, 1
desorbitado **EXORBITANT, -ANTE**, 1; **FARAMINEUX, -EUSE**, 1
despachar **DÉBITER**, 2
despachar (se) **ÉCOULER**, 1
despacho **BUREAU**, 2; 5; **CABINET**, 1; **DÉBIT**, 5; **ÉCOULEMENT**, 1
despedido **LICENCIÉ, LICENCIÉE**, 1
despedir **CONGÉDIER**, 1; **DÉBAUCHER**, 2; **DÉGRAISSER**, 1; **DÉMISSIONNER**, 2; **DÉSENGAGER**, 1; **LICENCIER**, 1; **PORTE**, 1; **RENVOYER**, 1
despegable **DÉPLIANT**, 1
despegar **DÉCOLLER**, 1; **DÉRAPER**, 1
despegar (se) **ENVOLER**, 1
despegue **DÉRAPAGE**, 1; **ENVOL**, 1; **ENVOLÉE**, 1; **TAKE(-)OFF**, 1
despegue (de la economía) **DÉCOLLAGE**, 1
desperdiciado **GÂCHÉ, -ÉE**, 1
desperdicio **GÂCHAGE**, 1
desperdicios **ORDURES**, 1
desperfecto **DÉGÂT**, 1
despido **CONGÉDIEMENT**, 1; **DÉBAUCHAGE**, 2; **DÉGRAISSAGE**, 1; **DÉSENGAGEMENT**, 1; **LICENCIEMENT**, 1; **MISE À PIED**, 1
despido inmediato **LICENCIEMENT-MINUTE**, 1
despilfarrar **GASPILLER**, 1
despilfarro **GÂCHAGE**, 1; **GASPILLAGE**, 1
desprovisto **DÉMUNI, -IE**, 1
después de **AVAL**, 1
desregulación **DÉRÉGLEMENTATION**, 1; **DÉRÉGULATION**, 1
desregular **DÉRÉGLEMENTER**, 1; **DÉRÉGULER**, 1
destajo **FORFAIT**, 1
destajo (a ~) **FORFAITAIRE**, 1
destinación **DESTINATION**, 1
destinar **AFFECTER**, 1
destinatario **DESTINATAIRE**, 1
destino **AFFECTATION**, 1; **DESTINATION**, 1
desvalorización **DÉVALORISATION**, 1
desvalorizar **PERDRE**, 2
desvalorizar (se) **DÉVALORISER**, 1
desviación **DÉTOURNEMENT**, 1
desviar **DÉTOURNER**, 1
detallar **DÉCOMPTER**, 2
detalle de una cuenta **DÉCOMPTE**, 2
detallista **DÉBITANT, DÉBITANTE**, 1; **DÉTAILLANT, DÉTAILLANTE**, 1
detención **ESSOUFFLEMENT**, 1
deterioración **DÉTÉRIORATION**, 1
deteriorar (se) **DÉTÉRIORER**, 1
deterioro **DÉTÉRIORATION**, 1
deuda **CRÉANCE**, 1; 2; **DETTE**, 1; 2; 3; **ENDETTEMENT**, 2
deuda pendiente **EN(-)COURS**, 2
deudas **DETTE**, 3
deudas (cargar de ~) **ENDETTER**, 1
deudas (llenar (se) de ~) **ENDETTER**, 2
deudas (pagar sus ~) **DÉSENDETTER**, 1
deudas (pago de ~) **DÉSENDETTEMENT**, 1
deudas (quedar libre de ~) **DÉSENDETTER**, 1
deudor **DÉBITEUR, DÉBITRICE**, 1
deudor **DÉBITEUR, -TRICE**, 1; 2; **REDEVABLE**, 1
deudor de una renta vitalicia **DÉBI(T)RENTIER, DÉBI(T)RENTIÈRE**, 1
deudor (saldo ~) **DÉBET**, 1; **DÉBIT**, 3
devaluación **DÉVALUATION**, 1
devaluar **DÉVALUER**, 1
devolución **REMBOURSEMENT**, 2
devolver **REMBOURSER**, 2
diamante **DIAMANT**, 1
diamantista **DIAMANTAIRE**, 1
diamantista **DIAMANTAIRE**, 1
diariamente **QUOTIDIENNEMENT**, 1
diario **QUOTIDIEN, -IENNE**, 1
diario **QUOTIDIEN**, 1
diente (en ~ de sierra) **DENTS DE SCIE**, 1
Diesel **DIESEL**, 1
dietas de asistencia **JETONS DE PRÉSENCE**, 1
difundir **DIFFUSER**, 1
difusión **DIFFUSION**, 1
difusor **DIFFUSEUR**, 1
dilapidación **DILAPIDATION**, 1
dilapidador **DILAPIDATEUR, DILAPIDATRICE**, 1
dilapidar **DILAPIDER**, 1
dimisión **DÉMISSION**, 1; 2
dimisionario **DÉMISSIONNAIRE**, 1
dimitente **DÉMISSIONNAIRE**, 1
dimitir **DÉMISSIONNER**, 1
dinámico **ENTREPRENANT, -ANTE**, 1
dinero **ARGENT**, 1; 2; **CAPITAL**, 2; **FINANCE**, 1; **FRIC**, 1; **OSEILLE**, 1; **SOUS**, 1
dinero bajo manga **DESSOUS(-)DE(-)TABLE**, 1
dinero caliente **HOT MONEY**, 1
dinero efectivo **CASH**, 1
dinero electrónico **MONÉTIQUE**, 1
dinero (con su ~) **DENIERS**, 1
dinero (convertible en ~) **MONNAYABLE**, 1
dinero (convertir en ~) **MONNAYER**, 1
dinero (dar ~) **PAYER**, 2
dinero (sacar ~) **RETIRER**, 1
dinero (sin ~) **DÉSARGENTÉ, -ÉE**, 1
diploma **BREVET**, 1; **CERTIFICAT**, 1; **DIPLÔME**, 1

diploma de formación profesional **BEP**
diplomado **DIPLÔMÉ, DIPLÔMÉE**, 1
diplomado **DIPLÔMÉ, -ÉE**, 1
dirección **ADRESSE**, 1; **DIRECTION**, 1; 2; 3; **ENCADREMENT**, 1; 2; **MANAGEMENT**, 1; 2
dirección de recursos humanos **DRH**
dirección general **DIRECTION**, 4
dirección por objetivos **DPO**
direccional **MANAGÉRIAL, -IALE**, 1; 2
directiva **DIRECTIVE**, 1; 2
directivo **DIRECTEUR, -TRICE**, 1
directivo que desarrolla un proyecto dentro de una empresa **INTRAPRENEUR, INTRAPRENEUSE**, 1
directivo (estatuto del ~ que crea un proyecto en una empresa) **INTRAPRENEURIAT**, 1; **INTRAPRENEURSHIP**, 1
directivos (cuadros ~) **ENCADREMENT**, 2
director **DIRECTEUR, DIRECTRICE**, 1; 2; **MANAGER**, 1; **MANAGEUR, MANAGEUSE**, 1
director **DIRECTEUR, -TRICE**, 1
director adjunto **DIRECTEUR(-)ADJOINT, DIRECTRICE(-)ADJOINTE**, 1
director de recursos humanos **DRH**
director general **PDG, P-DG**
director gerente **ADMINISTRATEUR(-) DÉLÉGUÉ**, 1
director (ejecutivo) **ADMINISTRATEUR, ADMINISTRATRICE**, 1
directora general **PÉDÉGÈRE**, 1
directoral **DIRECTORIAL, -IALE**, 1
directorial **DIRECTORIAL, -IALE**, 1
directorio **DIRECTOIRE**, 1
directriz **DIRECTIVE**, 1; 2
dirigente **DIRIGEANT, DIRIGEANTE**, 1
dirigir **DIRIGER**, 1; **ENCADRER**, 1; **MANAGER**, 1
dirigismo **DIRIGISME**, 1
dirigista **DIRIGISTE**, 1
discontinuo **DISCONTINU, -UE**, 1
discount **DISCOMPTE**, 1; **DISCOUNT**, 1
diseñar **CONCEVOIR**, 1
diseño **DESIGN**, 1
diseño asistido por ordenador (CAD) **CAO**
disfrutar **PROFITER**, 2
disfuncionamiento **DYSFONCTIONNEMENT**, 1
disminución **AFFAIBLISSEMENT**, 1; **DÉCRUE**, 1; **DIMINUTION**, 1; **RALENTISSEMENT**, 1
disminución de la parte del salariado **DÉSALARISATION**, 1
disminuido **DÉCOTÉ, -ÉE**, 1
disminuir **AFFAIBLIR**, 1; **DÉCROÎTRE**, 1; **DESCENDRE**, 1; **DIMINUER**, 1; **RALENTIR**, 1
dispararse **FLAMBER**, 1
dispensador **DISTRIBUTEUR, DISTRIBUTRICE**, 2
disponibilidades **DISPONIBILITÉS**, 1; **LIQUIDITÉ**, 3
disponible **LIVRABLE**, 1
disposición **MESURE**, 1
distensión **DÉTENTE**, 1
distribución **DISTRIBUTION**, 1; 2; **VENTILATION**, 1
distribución (canal de ~) **CANAL**, 1
distribución (medio de ~) **CANAL**, 1
distribución (red de ~) **RÉSEAU**, 1
distribuible **DISTRIBUABLE**, 1
distribuidor **DIFFUSEUR**, 1; **DISTRIBUTEUR, DISTRIBUTRICE**, 1
distribuidor **DISTRIBUTEUR, -TRICE**, 1
distribuidor automático **DISTRIBUTEUR, DISTRIBUTRICE**, 2
distribuidora **DISTRIBUTION**, 2
distribuir **DISTRIBUER**, 1; **VENTILER**, 1
distrito industrial **GRAPPE**, 1
diversificación **DIVERSIFICATION**, 1
diversificación del trabajo **ÉLARGISSEMENT DES TÂCHES**, 1
diversificar (se) **DIVERSIFIER**, 1
dividendo **DIVIDENDE**, 1
dividendo complementario **SUPER(-) DIVIDENDE**, 1
dividir **DIVISER**, 1
divisa **DEVISE**, 1
división **DIVISION**, 1; 2
doblar **DOUBLER**, 1
doble **DOUBLE**, 1
doble **DOUBLE**, 1
doblemente **DOUBLEMENT**, 1
dólar **DOLLAR**, 1; **PIASTRE**, 1
dolorosa **DOULOUREUSE**, 1
doméstico **MÉNAGER, -ÈRE**, 1
domiciliación **DOMICILIATION**, 1; 2
domiciliar **DOMICILIER**, 1; 2
domicilio social **SIÈGE SOCIAL**, 1
domicilio (sin ~ fijo) **DOMICILE FIXE**, 1; **SDF**
donación **CESSION**, 2; **DON**, 1; **DONATION**, 1
donador **DONATEUR, DONATRICE**, 1; **DONNEUR, DONNEUSE**, 1
donante **DONATEUR, DONATRICE**, 1; **DONNEUR, DONNEUSE**, 1
donatario **DONATAIRE**, 1
donativo **DON**, 1
dos veces **DOUBLEMENT**, 1
dossier **DOSSIER**, 1; 2
dotación **DOTATION**, 1
dotar **DOTER**, 1; **ÉQUIPER**, 1
dracma **DRACHME**, 1
dragones (cuatro ~) **DRAGONS**, 1
dueño **PROPRIÉTAIRE**, 1
dumping **DUMPING**, 1
duplicación **DOUBLEMENT**, 1
duplicado **DOUBLE**, 1; 2
duplicar **DOUBLER**, 1
echar **BALANCER**, 1; **VIRER**, 2
ecoimpuesto **ÉCOTAXES**, 1
ecología **ÉCOLOGIE**, 1; 2
ecológico **ÉCO**, 2; **ÉCOLOGIQUE**, 1; 2
ecologista **ÉCOLO**, 1; **ÉCOLOGISTE**, 1; 2
ecologista **ÉCOLOGISTE**, 1
economato **ÉCONOMAT**, 1
econometría **ÉCONOMÉTRIE**, 1
econométrico **ÉCONOMÉTRIQUE**, 1
economía **ÉCONOMIE**, 1; 2; 3
economía (despegue de la ~) **DÉCOLLAGE**, 1
economías **ÉCONOMIE**, 4
económica (autosuficiencia ~) **AUTOSUFFISANCE**, 1
económica (bonanza ~) **EMBELLIE**, 1
económica (depresión ~) **DÉPRESSION**, 1
Económica (Unión ~ y Monetaria, UEM) **UEM**
económicamente **ÉCONOMIQUEMENT**, 1; 2
económico **ÉCO**, 1; **ÉCONOMICO-**, 1; **ÉCONOMIQUE**, 1; 2
económico **ÉCONOMIQUE**, 1
económico (agrupación de interés ~) **GIE**
económico (desde el punto de vista ~) **ÉCONOMIQUEMENT**, 1
económico (indicador ~) **CLIGNOTANT**, 1
Económico (Organización de Cooperación y de Desarrollo ~, OCDE) **OCDE**
económico (período de fuerte crecimiento ~ de 1945 a 1975) **TRENTE GLORIEUSES**, 1
económico (sobrecalentamiento ~) **SURCHAUFFE**, 1
económico-financiero **ÉCONOMICO-FINANCIER, -IÈRE**, 1
económico-politico **ÉCONOMICO-POLITIQUE**, 1
económicos (gráfico de objetivos ~) **CARRÉ MAGIQUE**, 1
económico-social **ÉCONOMICO-SOCIAL, -IALE**, 1
economismo **ÉCONOMISME**, 1
economista **ÉCONOMISTE**, 1
economizador **ÉCONOMISEUR**, 1
economizar **ÉCONOMISER**, 1; 2
ecónomo **ÉCONOME**, 1
ecotasa **ÉCOTAXES**, 1
edición **ÉDITION**, 1
edificación **CONSTRUCTION**, 1
edificar **BÂTIR**, 1; **CONSTRUIRE**, 1
edificio **BÂTIMENT**, 1
edificio inestable **PRÉFABRIQUÉ**, 2
editar **ÉDITER**, 1
editor **ÉDITEUR**, 1
efectivo **COMPTANT**, 2; **RÉEL, -ELLE**, 1
efectivo **ESPÈCES**, 1; **LIQUIDE**, 1; **NUMÉRAIRE**, 1
efectivo (dinero ~) **CASH**, 1
efectivo (en ~) **LIQUIDE**, 1
efectivo (hacer ~) **ENCAISSER**, 2
efectivo (hacer ~ el ingreso en cuenta) **CRÉDITER**, 1
efectivo (que se puede hacer ~) **ENCAISSABLE**, 2
efectivos (reducción de ~) **CURE D'AMAIGRISSEMENT**, 1
efecto **EFFET**, 1; **VALEUR**, 2
efecto externo **EXTERNALITÉ**, 1
efecto (de comercio) **EFFET**, 2
eficacia **EFFICACITÉ**, 1
eficaz **EFFICACE**, 1
eficiencia **EFFICIENCE**, 1; **RENDEMENT**, 2
eficiente **EFFICIENT, -IENTE**, 1; **PERFORMANT, -ANTE**, 1
ejecutivo **CADRE**, 1
ejercicio **EXERCICE**, 1
elasticidad **ÉLASTICITÉ**, 1
elasticidad-precio **ÉLASTICITÉ-PRIX**, 1
elástico **FLEXIBLE**, 1
electricidad **ÉLECTRICITÉ**, 1
electricista **ÉLECTRICIEN**, 1
eléctrico **ÉLECTRIQUE**, 1
electrodoméstico **ÉLECTROMÉNAGER**, 1
electrodomésticos **ÉLECTROMÉNAGER**, 1
electrodomésticos (fabricante de ~) **ÉLECTROMÉNAGISTE**, 1
electrónica **ÉLECTRONIQUE**, 1
electrónica (mensajería ~) **MESSAGERIE**, 2
electrónico **ÉLECTRONIQUE**, 1
electrónico (correo ~) **COURRIEL**, 1; **MÉL**, 1; **MESSAGERIE**, 2
electrónico (dinero ~) **MONÉTIQUE**, 1
elevación **RELÈVEMENT**, 1
elevado **ÉLEVÉ, -ÉE**, 1; **JOLI, -IE**, 1
elevar **GRIMPER**, 1; **RELEVER**, 1
elevar (se) **ÉLEVER**, 2; **MONTER**, 2
E-mail **COURRIEL**, 1; **MÉL**, 1
embalador **EMBALLEUR, EMBALLEUSE**, 1
embalaje **CONDITIONNEMENT**, 1; 2; **EMBALLAGE**, 1; 2; **PACKAGING**, 1
embalaje con burbuja de aire **EMBALLAGE-BULLE**, 1

embalaje (facturación del ~) **CONSIGNATION**, 3
embalaje (facturar el ~) **CONSIGNER**, 2
embalaje (importe ~ devuelto) **CONSIGNE**, 1
embalar **CONDITIONNER**, 1; **EMBALLER**, 1
embalar (se) **EMBALLER**, 2
embargo **EMBARGO**, 1
emilio **COURRIEL**, 1; **MÉL**, 1
emisión **ÉMISSION**, 1
emisor **ÉMETTEUR, -TRICE**, 1
emitir **ÉMETTRE**, 1
emolumentos **ÉMOLUMENTS**, 1
empaquetador **EMBALLEUR, EMBALLEUSE**, 1
empaquetar **CONDITIONNER**, 1; **EMBALLER**, 1
empeoramiento **DÉGRADATION**, 2
empeorar **DÉGRADER**, 1
empleado **ACTIF**, 3; **EMPLOYÉ, EMPLOYÉE**, 1; **PRÉPOSÉ, PRÉPOSÉE**, 1
empleado de correos **POSTIER, POSTIÈRE**, 1
empleado de gasolinera **POMPISTE**, 1
empleador **EMPLOYEUR, EMPLOYEUSE**, 1
emplear **EMPLOYER**, 1; **OCCUPER**, 1
empleo **EMPLOI**, 1; 2; 3; **TRAVAIL**, 2; **USAGE**, 1
empleo (asignación a nuevo ~) **RECLASSEMENT**, 1; **REPLACEMENT**, 1
empleo (pleno ~) **PLEIN(-)EMPLOI**, 1
empleo (seguro de ~) **ASSURANCE(-)EMPLOI**, 1
empleo (solicitudes de ~ no atendidas a finales del mes) **DEFM**
emprendedor **ENTREPRENANT, -ANTE**, 1
emprender **ENTREPRENDRE**, 1
empresa **AFFAIRE**, 3; **BOÎTE**, 2; **ENTREPRISE**, 1; 2; **EXPLOITATION**, 1; **FIRME**, 1; **MAISON**, 2
empresa aseguradora **ASSUREUR**, 1
empresa aseguradora de vida **ASSUREUR-VIE**, 1
empresa constructora **CONSTRUCTEUR, -TRICE**, 1
empresa de aprendizaje profesional **EAP**
empresa de formación profesional **EAP**
empresa de publicidad exterior **AFFICHEUR**, 1
empresa de transporte **TRANSPORTEUR**, 2
empresa en apuros **CANARD BOITEUX**, 1
empresa exportadora **EXPORTATEUR, EXPORTATRICE**, 2
empresa paraestatal **PARASTATAL**, 1
empresa pública **PARASTATAL**, 1; **RÉGIE**, 1
empresa unipersonal de responsabilidad limitada **EURL**
empresa (cerrar una ~) **CLEF SOUS LE PAILLASSON**, 1
empresa (desarrollar un proyecto interno en una ~) **INTRAPRENDRE**, 1
empresa (directivo que desarrolla un proyecto dentro de una ~) **INTRAPRENEUR, INTRAPRENEUSE**, 1
empresa (estatuto del directivo que crea un proyecto en una ~) **INTRAPRENEURIAT**, 1; **INTRAPRENEURSHIP**, 1
Empresa (Pequeña y Mediana ~, PYME) **PME**
empresa (trasladar una ~) **DÉLOCALISER**, 1
empresa (traslado de ~) **DÉLOCALISATION**, 1
empresariado **ENTREPRENEURIAT**, 1; **ENTREPRENEURSHIP**, 1; **PATRONAT**, 1
empresarial **ENTREPRENEURIAL, -IALE**, 1
empresario **EMPLOYEUR, EMPLOYEUSE**, 1; **ENTREPRENEUR, ENTREPRENEUSE**, 1; **PATRON, PATRONNE**, 1; **RECRUTEUR, RECRUTEUSE**, 1
empresario (Estado ~) **ÉTAT-PATRON**, 1
empresas (asociación de ~) **CO(-)ENTREPRISE**, 1
empresas (asociación de ~ "joint venture") **JOINT(-)VENTURE**, 1
empresas (unión de ~) **CO(-)ENTREPRISE**, 1
empresas (vivero de ~) **ESSAIMAGE**, 1
empréstito **EMPRUNT**, 1
empréstito público **RENTE**, 3
encarecer (se) **RENCHÉRIR**, 1
encarecimiento **RENCHÉRISSEMENT**, 1
encargado **CHARGÉ, CHARGÉE**, 1; **PRÉPOSÉ, PRÉPOSÉE**, 1
encargado de las facturas **FACTURIER, FACTURIÈRE**, 1
encargado del merchandising **MARCHANDISEUR, MARCHANDISEUSE**, 1
encargar **COMMANDER**, 1
encargo **COMMANDE**, 1
encargos **COMMISSION**, 3
encarte **ENCART**, 1
enclave comercial **COMPTOIR**, 2
encoger (se) **RÉTRÉCIR**, 1
endeblez **FAIBLESSE**, 1
endeudado **ENDETTÉ, ENDETTÉE**, 1
endeudamiento **ENDETTEMENT**, 1
endeudar **ENDETTER**, 1
endeudar (se) **ENDETTER**, 2
endeudarse excesivamente **SURENDETTER**, 1
endosante **ENDOSSEUR**, 1
endosar **ENDOSSER**, 1
endosatario **ENDOSSATAIRE**, 1
endoso **ENDOSSEMENT**, 1
energético **ÉNERGÉTIQUE**, 1
energía **ÉNERGIE**, 1
energía nuclear **NUCLÉAIRE**, 1
energía (fuente de ~) **SOURCE**, 2
enjugar **ÉPONGER**, 1
enorme **ÉNORME**, 1; **FOUDROYANT, -ANTE**, 1; **GIGANTESQUE**, 1
enormemente **ÉNORMÉMENT**, 1
enriquecer (se) **ENRICHIR**, 1
enriquecimiento **ENRICHISSEMENT**, 1; 2
ensamblaje **ASSEMBLAGE**, 1
ensamblar **ASSEMBLER**, 1
ente que busca una nueva colocación para un asalariado **OUTPLACEUR**, 1; **REPLACEUR**, 1
entidad **ÉTABLISSEMENT**, 1
Entidad sin ánimo de lucro **ASBL**; **OSBL**
entrada **BILLET**, 3; **ENTRÉE**, 1; 2; 3; **RECETTE**, 1; **RENTRÉE**, 1
entrampar (se) **SURENDETTER**, 1
entrega **LIVRAISON**, 1; 2; **REMISE**, 3
entrega (falta de ~) **NON-LIVRAISON**, 1
entregar **LIVRER**, 1
entregar (a ~) **LIVRABLE**, 1
envejecimiento de la población **PAPY(-)BOOM**, 1
enviar **ADRESSER**, 1; **ENVOYER**, 1; **EXPÉDIER**, 1
enviar un fax **FAXER**, 1
envío **ENVOI**, 1; **EXPÉDITION**, 1
equilibrado **ÉQUILIBRAGE**, 1
equilibrar **ÉQUILIBRER**, 1
equilibrio **ÉQUILIBRE**, 1
equipamiento **ÉQUIPEMENT**, 1
equipar **ÉQUIPER**, 1; **OUTILLER**, 1
equiparar con los funcionarios **FONCTIONNARISER**, 1
equipo **ÉQUIPE**, 1; **ÉQUIPEMENT**, 1
equipo (jefe de ~) **CONTREMAÎTRE, CONTREMAÎTRESSE**, 1
equipos (fabricante de ~) **ÉQUIPEMENTIER**, 1
equivalencia **ÉQUIVALENCE**, 1
equivalente **ÉQUIVALENT, -ENTE**, 1
equivaler **ÉQUIVALOIR**, 1
Erario público **TRÉSOR**, 1
ergonomía **ERGONOMIE**, 1
ergonómico **ERGONOMIQUE**, 1
ergonómico **ERGONOMISTE**, 1
ergónomo **ERGONOME**, 1
erosión **ÉROSION**, 1
erosionar (se) **EFFRITER**, 1
escalonamiento **ÉCHELONNEMENT**, 1
escalonar **ÉCHELONNER**, 1
escaparate **DEVANTURE**, 1; **ÉTALAGE**, 1; **VITRINE**, 1
escaparates (mirar ~) **LÈCHE-VITRINE(S)**, 1; **MAGASINAGE**, 1; **MAGASINER**, 1
escasez **PÉNURIE**, 1
escolta **CONVOYEUR, CONVOYEUSE**, 1
escritorio **BUREAU**, 4
espaciamiento **ÉCHELONNEMENT**, 1
espaciar **ÉCHELONNER**, 1
especialista **TECHNICIEN, TECHNICIENNE**, 1
especialista en computación **INFORMATICIEN, INFORMATICIENNE**, 1
especialista en merchandising **MARKETEUR**, 1; **MARKETE(E)R**, 1
especies (remuneración en ~) **AVANTAGE**, 3
especulación **SPÉCULATION**, 1
especulador **AFFAIRISTE**, 1
especulador **AFFAIRISTE**, 1; **SPÉCULATEUR, SPÉCULATRICE**, 1
especular **SPÉCULER**, 1
especulativo **AFFAIRISTE**, 1; **SPÉCULATIF, -IVE**, 1
esperanza de vida **ESPÉRANCE DE VIE**, 1
espiral **SPIRALE**, 1
espónsor **SPONSOR**, 1
esponsorización **PARRAINAGE**, 1; **SPONSORAT**, 1; **SPONSORING**, 1
esponsorizar **PARRAINER**, 1; **SPONSORER**, 1; **SPONSORISER**, 1
esposo **CONJOINT, CONJOINTE**, 1; **ÉPOUX, ÉPOUSE**, 1
esquirol **NON-GRÉVISTE**, 1
estabilidad **STABILITÉ**, 1
estabilización **STABILISATION**, 1; 2
estabilizar (se) **STABILISER**, 1; 2
estable **FIXE**, 1; **STABLE**, 1
establecimiento **ÉTABLISSEMENT**, 1; 2
establecimiento de un presupuesto **BUDGÉTISATION**, 2
estación de servicio **STATION-SERVICE**, 1
Estado **ÉTAT**, 1
Estado de bienestar **ÉTAT-PROVIDENCE**, 1
Estado empresario **ÉTAT-PATRON**, 1
Estado patrón **ÉTAT-PATRON**, 1
Estado (monopolio del ~) **RÉGIE**, 1
estallar **EXPLOSER**, 1
estancamiento **STAGNATION**, 1

estancarse **PLACE** (faire du sur ~), 1; **STAGNER**, 1
estanco **DÉBIT**, 5; **TABAC**, 1
estanflación **STAGFLATION**, 1
estantería **ÉTAGÈRE**, 1; **RAYON**, 1
estantes (longitud de ~) **LINÉAIRE**, 1
estatal **ÉTATIQUE**, 1
estatalizar **ÉTATISER**, 1
estatismo **ÉTATISME**, 1
estatuto del directivo que crea un proyecto en una empresa **INTRAPRENEURIAT**, 1; **INTRAPRENEURSHIP**, 1
estatuto (dar a alguien un ~ de asalariado) **SALARIER**, 2
estatutos **RÉGLEMENTATION**, 2
estrategia **STRATÉGIE**, 1
estratégica (reorientación ~) **RECENTRAGE**, 1
estratégico **STRATÉGIQUE**, 1
estrechamiento **RESSERREMENT**, 1
estrechar (se) **RESSERRER**, 1
estrella **ÉTOILE**, 1; **VEDETTE**, 1
estropear (se) **DÉTÉRIORER**, 1
estructura **STRUCTURE**, 1
estructural **STRUCTUREL, -ELLE**, 1
estructuralmente **STRUCTURELLEMENT**, 1
estudiante **ÉTUDIANT, ÉTUDIANTE**, 1
estudiante que trabaja **JOBISTE**, 1
estudiar **ÉTUDIER**, 1; 2
estudio **ÉTUDE**, 1; 2; 3
estudio de mercado **PROSPECTION**, 1
etiqueta **LABEL**, 1
etiqueta (sin ~) **DÉGRIFFÉ, -ÉE**, 1
euro **EURO**, 1
euro (céntimo de ~) **EUROCENT**, 1; **EUROCENTIME**, 1
euroobligación **EURO-OBLIGATION**, 1
eurocheque **EC**; **EUROCHÈQUE**, 1
eurodivisa **EURODEVISE**, 1
evaluación **NOTATION**, 1
eventual **VACATAIRE**, 1
excedentario **EXCÉDENTAIRE**, 1
excedente **BÉNÉFICIAIRE**, 2; 3; **EXCÉDENTAIRE**, 1; 2
excedente **EXCÉDENT**, 1; 2
exceder **EXCÉDER**, 1
excesivamente **EXCESSIVEMENT**, 1
excesivamente (endeudarse ~) **SURENDETTER**, 1
excesivo **EXCESSIF, -IVE**, 1; **TAPAGEUR, -EUSE**, 1
exceso **BONI**, 1; **SURPLUS**, 1
exceso de personal **SUREMPLOI**, 1
exceso (pagar en ~) **SURPAYER**, 1
exceso (producir con ~) **SURPRODUIRE**, 1
exención **DÉFISCALISATION**, 1; **EXEMPTION**, 1; **EXONÉRATION**, 1
exención fiscal **DÉTAXATION**, 1
exigible **EXIGIBLE**, 1
eximir **DÉFISCALISER**, 1; **DÉTAXER**, 1; **EXEMPTER**, 1; **EXONÉRER**, 1
existencias **STOCK**, 1
existencias (uso de ~) **DÉSTOCKAGE**, 1
exoneración **DÉFISCALISATION**, 1; **EXONÉRATION**, 1; **IMMUNISATION**, 1
exonerar **DÉFISCALISER**, 1; **EXONÉRER**, 1
exorbitante **EXORBITANT, -ANTE**, 1; **FARAMINEUX, -EUSE**, 1
expansión **CROISSANCE**, 2; **DÉVELOPPEMENT**, 1; **EMBALLEMENT**, 1; **EXPANSION**, 1
expansionismo **EXPANSIONNISME**, 1
expansionista **EXPANSIONNISTE**, 1
expansionista **EXPANSIONNISTE**, 1
expedición **ENVOI**, 1; **EXPÉDITION**, 1
expedidor **EXPÉDITEUR, EXPÉDITRICE**, 1
expediente **DOSSIER**, 2
expedir **ENVOYER**, 1; **EXPÉDIER**, 1
expendeduría de tabaco **TABAC**, 1
experiencia **EXPÉRIENCE**, 1
experiencia profesional **SAVOIR-FAIRE**, 2
experimentado **EXPÉRIMENTÉ, -ÉE**, 1
experto **CADRE**, 2; **EXPERT, EXPERTE**, 1
experto **EXPERT, -ERTE**, 1
experto en marketing **MERCATICIEN, MERCATICIENNE**, 1
expiración **EXPIRATION**, 1
expirar **EXPIRER**, 1
explosión **EXPLOSION**, 1
explotable **EXPLOITABLE**, 1
explotación **EXPLOITATION**, 1; 2; 3; 4
explotación agrícola **FERME**, 1
explotación comercial **MARCHANDISAGE**, 2; **MERCHANDISING**, 1
explotación (jefe de la ~) **EXPLOITANT, EXPLOITANTE**, 1
explotador **EXPLOITEUR, EXPLOITEUSE**, 1
explotar **EXPLOITER**, 1; 2; **EXPLOSER**, 1
explotar comercialmente **MARCHANDISER**, 1
exponencial **EXPONENTIEL, -IELLE**, 1
exponer **EXPOSER**, 1
export **EXPORT**, 1
exportable **EXPORTABLE**, 1
exportación **EXPORT**, 1; **EXPORTATION**, 1
exportaciones **EXPORTATION**, 2
exportador **EXPORTATEUR, EXPORTATRICE**, 1; 2
exportador **EXPORTATEUR, -TRICE**, 1
exportadora (empresa ~) **EXPORTATEUR, EXPORTATRICE**, 2
Exportadores (Organización de Países ~ de Petróleo, OPEP) **OPEP**
exportar (se) **EXPORTER**, 1
exposición **EXPOSITION**, 1
exposición (mueble de ~) **PRÉSENTOIR(-DISTRIBUTEUR)**, 1
exposición (sala de ~) **SHOW(-)ROOM**, 1
expositor **EXPOSANT, EXPOSANTE**, 1; **PRÉSENTOIR(-DISTRIBUTEUR)**, 1
extender **LIBELLER**, 1
extender factura **FACTURER**, 1
externalización **EXTERNALISATION**, 1; **IMPARTITION**, 1; **OUTSOURCING**, 1
externalizar **EXTERNALISER**, 1
extorsión **EXTORSION**, 1
extracto de cuenta **RELEVÉ**, 1
extracto de identificación bancaria **RIB**
extralegal **EXTRA-LÉGAL, -ALE**, 1
extraprofesional **EXTRA-PROFESSIONNEL, -ELLE**, 1
fábrica **FABRIQUE**, 1; 2; **MANUFACTURE**, 1; **USINE**, 1
fábrica (en ~) **EXW**
fabricación **FABRICATION**, 1
fabricación asistida por ordenador **FAO**
Fabricación Integrada por Ordenador (CIM) **FIO**
fabricación justo en tiempo **JIT**; **JUSTE(-)À(-)TEMPS**, 1; **JUST-IN-TIME**, 1
fabricación (automatización de industrias de ~) **PRODUCTIQUE**, 1
fabricado en **MADE IN ...**, 1
fabricante **FABRICANT, FABRICANTE**, 1; 2
fabricante de cigarrillos **CIGARETTIER**, 1
fabricante de electrodomésticos **ÉLECTROMÉNAGISTE**, 1
fabricante de equipos **ÉQUIPEMENTIER**, 1
fabricante de galletas **BISCUITIER**, 1
fabricar **FABRIQUER**, 1; **PRODUIRE**, 1
fabricar cerveza **BRASSER**, 1
fabril **MANUFACTURIER, -IÈRE**, 1
factoría **FABRIQUE**, 1; **USINE**, 1
factoring **AFFACTURAGE**, 1; **FACTORING**, 1
factura **FACTURE**, 1; 2
factura (extender ~) **FACTURER**, 1
factura (parte de la ~ médica abonada por el asegurado) **TICKET MODÉRATEUR**, 1
facturable **FACTURABLE**, 1
facturación **FACTURATION**, 1
facturación del embalaje **CONSIGNATION**, 3
facturación (servicio de ~) **FACTURATION**, 2
facturación (volumen de ~) **CHIFFRE**, 2
facturador **FACTURIER, FACTURIÈRE**, 1
facturar **FACTURER**, 1
facturar el embalaje **CONSIGNER**, 2
facturas (encargado de las ~) **FACTURIER, FACTURIÈRE**, 1
facturas (libro registro de ~) **FACTURIER, FACTURIÈRE**, 2
fallida (ganancia ~) **MANQUE À GAGNER**, 2
fallido **FAILLI, FAILLIE**, 1
fallido (ingreso ~) **NON-VALEUR**, 1
falsificación **CONTREFAÇON**, 1; 2
falsificador **CONTREFACTEUR**, 1
falsificar **CONTREFAIRE**, 1
falta **DÉFAUT**, 1
familia **FAMILLE**, 1
familiar **FAMILIAL, -IALE**, 1
familiar (unidad ~) **MÉNAGE**, 1
farmacéutico **PHARMACEUTIQUE**, 1
farmacéutico **PHARMACIEN, PHARMACIENNE**, 1
farmacia **PHARMACIE**, 1; 2
favorable **AVANTAGEUX, -EUSE**, 1; **POSITIF, -IVE**, 2
favorablemente **POSITIVEMENT**, 1
fax **FAX**, 1; 2; 3; **TÉLÉCOPIE**, 1; **TÉLÉCOPIEUR**, 1
fax (enviar un ~) **FAXER**, 1
fecha de vencimiento **ÉCHÉANCE**, 1
fecundo **FÉCOND, -ONDE**, 1
FED (Fondo Europeo de Desarrollo) **FED**
federación **FÉDÉRATION**, 1
feracidad **FERTILITÉ**, 1
feraz **FERTILE**, 1
feria **EXPOSITION**, 1; **FOIRE**, 1; **SALON**, 1
feriado **FÉRIÉ, -IÉE**, 1
ferrocarril **RAIL**, 1
ferroso **FERREUX, -EUSE**, 1
ferroviario **CHEMINOT**, 1
ferroviario **FERROVIAIRE**, 1
fértil **FÉCOND, -ONDE**, 1; **FERTILE**, 1
fertilidad **FERTILITÉ**, 1
festivo **FÉRIÉ, -IÉE**, 1
fiabilidad **FIABILITÉ**, 1
fiable **FIABLE**, 1
fianza **CAUTION**, 1; 2; 3; **CAUTIONNEMENT**, 1; **GARANTIE**, 1
ficha **FICHE**, 1; 2
fichero **FICHIER**, 1; 2
fidelidad **FIDÉLITÉ**, 1
fidelización (de clientes) **FIDÉLISATION**, 1
fidelizar **FIDÉLISER**, 1
fijación de anuncios **AFFICHAGE**, 1

fijación de carteles **AFFICHAGE**, 1
fijo **FIXE**, 1
filial **FILIALE**, 1; **SOCIÉTÉ(-)SŒUR**, 1
filiales (creación de ~) **FILIALISATION**, 1
filiales (crear ~) **FILIALISER**, 1
fin (no llegar a ~ de mes) **FINS DE MOIS DIFFICILES**, 1
finalización (a la ~ del contrato) **COMPTANT**, 4
financiación **FINANCEMENT**, 1
financiación previa **PRÉFINANCEMENT**, 1
financiamiento **FINANCEMENT**, 1
financiar **COMMANDITER**, 2; **FINANCER**, 1
financiera (ciencia ~) **FINANCE**, 4
financiera (corporación ~) **SYNDICAT**, 2
financieramente **FINANCIÈREMENT**, 1
financiero **FINANCIER, FINANCIÈRE**, 1
financiero **FINANCIER, -IÈRE**, 1; 2; 3
financiero (arrendamiento ~) **CRÉDIT-BAIL**, 1; **LEASING**, 1; **LOCATION-FINANCEMENT**, 1
financiero (de un sindicato ~) **SYNDICATAIRE**, 1
financiero (miembro de un sindicato ~) **SYNDICATAIRE**, 1
financiero (político ~) **POLITICO-FINANCIER, -IÈRE**, 1
financiero (sindicato ~) **SYNDICAT**, 2
finanza **FINANCE**, 4
finanzas **FINANCE**, 1; 2; 3
firma **FIRME**, 1; **GRIFFE**, 1; **MAISON**, 2; **SIGNATURE**, 1; 2
firma (de ~) **GRIFFÉ, -ÉE**, 1
firmante **SIGNATAIRE**, 1
firmar **SIGNER**, 1
fiscal **FISCAL, -ALE**, 1
fiscal (exención ~) **DÉTAXATION**, 1
fiscal (liquidación ~) **REDRESSEMENT**, 4
fiscal (perito ~) **FISCALISTE**, 1
fiscal (rectificación ~) **REDRESSEMENT**, 4
fiscalidad **FISCALITÉ**, 1; 2
fiscalización **FISCALISATION**, 1
fiscalizar **FISCALISER**, 1
fiscalmente **FISCALEMENT**, 1
fisco **FISC**, 1
fletador **AFFRÉTEUR, AFFRÉTEUSE**, 1; **FRÉTEUR, FRÉTEUSE**, 1
fletamento **AFFRÈTEMENT**, 1
fletante **FRÉTEUR, FRÉTEUSE**, 1
fletar **AFFRÉTER**, 1
flete **AFFRÈTEMENT**, 1; **FRET**, 1; 2; 3
flete (coste, seguro, ~, CIF) **CAF**
flexibilidad **FLEXIBILITÉ**, 1
flexible **FLEXIBLE**, 1
flor **FLEUR**, 1
florín **FLORIN**, 1
florista **FLEURISTE**, 1
flotación **FLOTTEMENT**, 1
flotante **FLOTTANT, -ANTE**, 1
flotar **FLOTTER**, 1
fluctuación **FLUCTUATION**, 1; **OSCILLATION**, 1; **VARIATION**, 1
fluctuar **FLUCTUER**, 1; **OSCILLER**, 1; **VARIER**, 1; **YOYO**, 1
flujo **FLUX**, 1
flujo de caja **CASH(-)FLOW**, 1
fluvial **FLUVIAL, -IALE**, 1
FMI (Fondo Monetario Internacional) **FMI**
folleto **BROCHURE**, 1; **DÉPLIANT**, 1; **PLAQUETTE**, 1
fondo **FONDS**, 4
fondo de comercio **GOODWILL**, 1; **GOODWILL**, 2; **SURVALOIR**, 1
fondo de reserva **STOCK(-)OUTIL**, 1
Fondo Europeo de Desarrollo (FED) **FED**
Fondo Monetario Internacional (FMI) **FMI**
fondos **CAPITAL**, 3; **ENCAISSE**, 1; **FONDS**, 1; 2; 3; 5; **PROVISION**, 1; 2
fondos de inversión **FCP**
fondos públicos **DENIERS PUBLICS**, 1
fondos (proveedor de ~) **BAILLEUR, BAILLERESSE**, 2
fontanero **PLOMBIER**, 1
forestal **SYLVICOLE**, 1
formación **FORMATION**, 1
formación (diploma de ~ profesional) **BEP**
formación (empresa de ~ profesional) **EAP**
formación (permiso de ~) **CONGÉ-FORMATION**, 1
formar **FORMER**, 1
formulario **FORMULAIRE**, 1
fortalecer **RENFORCER**, 1
fortalecer (se) **RAFFERMIR**, 1
fortalecimiento **RAFFERMISSEMENT**, 1; **RENFORCEMENT**, 1
fortuna **FORTUNE**, 1
fraccionado (pago ~) **TIERS PROVISIONNEL**, 1
franchising **FRANCHISING**, 1
franco a bordo **FAB**; **FOB**
franco **FRANC**, 1
franco **FRANCO**, 1
franco muelle **FOQ**
franco vagón **FOR**
franquear **FRANCHIR**, 1
franquicia **FRANCHISAGE**, 1; **FRANCHISE**, 1; 2; **FRANCHISING**, 1
franquicia (concesionario de la ~) **FRANCHISEUR**, 1
franquicia (contrato de ~) **LOCATION-GÉRANCE**, 1
franquiciado **FRANCHISÉ, FRANCHISÉE**, 1
franquiciador **FRANCHISEUR**, 1
franquiciar **FRANCHISER**, 1
franquicias (conceder ~) **FRANCHISER**, 1
frasco **FLACON**, 1
fraude **FRAUDE**, 1
fraudulentamente **FRAUDULEUSEMENT**, 1
fraudulento **FRAUDULEUX, -EUSE**, 1
frenado **FREINAGE**, 1
frenar **FREINER**, 1
frente común **FRONT COMMUN**, 1
frente intersindical **INTERSYNDICALE**, 1
fuel **FUEL**, 1
fuel oil **MAZOUT**, 1
fuente **SOURCE**, 1
fuente (de energía) **SOURCE**, 2
fuera de temporada **FINS DE SAISON**, 1
fuerte **FORT, FORTE**, 1; **GROS, GROSSE**, 1
fuertemente **FORTEMENT**, 1
fuerzas productivas **PRODUCTIF**, 1
fuga de capitales **REFLUX**, 1
fulgurante **FULGURANT, -ANTE**, 1
fulminante **FOUDROYANT, -ANTE**, 1
función **FONCTION**, 1; 2
función pública **FONCTION**, 3
funcional **FONCTIONNEL, -ELLE**, 1
funcionamiento **FONCTIONNEMENT**, 1
funcionar **FONCTIONNER**, 1
funcionario **FONCTIONNAIRE**, 1; **FONCTIONNEL**, 1
funcionarios (equiparar con los ~) **FONCTIONNARISER**, 1
funcionarismo **FONCTIONNARISME**, 1
fundición **FONTE**, 1
fusión **FUSION**, 1
fusionar **FUSIONNER**, 1
futuros (opción sobre ~) **FUTURE**, 1
gabarra **PÉNICHE**, 1
gabinete **CABINET**, 1; 2
galería **GALERIE**, 1; 2
galerías **GALERIE**, 2
galletas (fabricante de ~) **BISCUITIER**, 1
gama **GAMME**, 1
ganadería **ÉLEVAGE**, 1
ganadero **ÉLEVEUR, ÉLEVEUSE**, 1
ganado **BÉTAIL**, 1
ganado (cría de ~) **ÉLEVAGE**, 1
ganador **BATTANT, BATTANTE**, 1
ganancia **GAIN**, 1; 2; 3; **PROFIT**, 1
ganancia fallida **MANQUE À GAGNER**, 2
ganar **GAGNER**, 1
garaje **GARAGE**, 1
garajista **GARAGISTE**, 1
garante **CAUTIONNÉ, CAUTIONNÉE**, 1
garantía **CAUTIONNEMENT**, 1; **GARANTIE**, 1; 2; **NANTISSEMENT**, 1
garantía (marca de ~) **LABEL**, 1
garantía (título de ~) **WARRANT**, 2
garantía (título de máxima ~) **VALEUR(-)REFUGE**, 1
garantizar **CAUTIONNER**, 1; **GARANTIR**, 1
gas **GAZ**, 1
gasolina **ESSENCE**, 1
gasolina (cheque de ~) **CHÈQUE(-)CARBURANT**, 1
gasolinera **STATION-SERVICE**, 1
gasolinera (empleado de ~) **POMPISTE**, 1
gastador **DÉPENSIER, -IÈRE**, 1
gastar **DÉPENSER**, 1
gasto **DÉPENSE**, 1; 2; **SORTIE**, 1
gastos **DÉPENSE**, 3; **FRAIS**, 1
gastos de corretaje **COURTAGE**, 2
gastos (recortar ~) **ALLÉGER**, 1
gerencia **GÉRANCE**, 1
gerente **GÉRANT, GÉRANTE**, 1; 2; 3; 4; **GESTIONNAIRE**, 1
gerente **GESTIONNAIRE**, 1
gerente (director ~) **ADMINISTRATEUR(-)DÉLÉGUÉ**, 1
gerente (socio ~) **ASSOCIÉ-GÉRANT, ASSOCIÉE-GÉRANTE**, 1
gestión **GÉRANCE**, 1; **GESTION**, 1; 2
gestión de una sociedad en quiebra **CURATELLE**, 1
gestor **GESTIONNAIRE**, 1
gestor **GESTIONNAIRE**, 1
gestor (socio ~) **ASSOCIÉ-GÉRANT, ASSOCIÉE-GÉRANTE**, 1
gigante **GÉANT**, 1
gigantesco **GIGANTESQUE**, 1
girado **TIRÉ**, 1
girar **TIRER**, 1; **VIRER**, 1
góndola **GONDOLE**, 1
goodwill **GOODWILL**, 1; 2; **SURVALOIR**, 1
grabar **ENREGISTRER**, 1
gráfico **GRAPHIQUE**, 1
gráfico circular **CAMEMBERT**, 1
gráfico de objetivos económicos **CARRÉ MAGIQUE**, 1
gráfico de quesitos **CAMEMBERT**, 1
gráfico de tarta **CAMEMBERT**, 1
gran **GROS, GROSSE**, 1
grande **GRAND, GRANDE**, 1
granel (a ~) **VRAC**, 1
granelero (buque ~) **VRAQUIER**, 1
granero **SILO**, 1
granja **FERME**, 1

gratificación (prima ~) **BONUS**, 3
gratis **GRATUITEMENT**, 1
gratuidad **GRATUITÉ**, 1
gratuitamente **GRATUITEMENT**, 1
gratuito **GRATUIT, -UITE**, 1
gravable **TAXABLE**, 1
gravar **FISCALISER**, 1; **GREVER**, 1; **TAXER**, 1
gravar (se) **ALOURDIR**, 1
grave **LOURD, LOURDE**, 1
grupo **CELLULE**, 1; **GROUPE**, 1
grupo de los ocho **G(-)8**
grupo de los siete **G(-)7**
grupo de presión **LOBBY**, 1
grupo profesional **PROFESSION**, 2
grupo (miembro de un ~ de presión) **LOBBYISTE**, 1
guarniciones **FOURNITURE**, 3
guía telefónica **ANNUAIRE**, 1
haber **AVOIR**, 1
habituado **HABITUÉ, HABITUÉE**, 1
hacer **ÊTRE**, 1; **OPÉRER**, 1
Hacienda **FISC**, 1; **TRÉSOR**, 2
Hacienda (Ministerio de ~) **FINANCE**, 3
Hacienda (Ministro de ~) **ARGENTIER**, 1
hardware **HARDWARE**, 1; **MATÉRIEL**, 2
hectárea **HECTARE**, 1
herramienta **OUTIL**, 1
herramienta (máquina ~) **MACHINE-OUTIL**, 1
herramientas **OUTILLAGE**, 1
herramientas (proveer de ~) **OUTILLER**, 1
hierro **FER**, 1
hierro-colado **FONTE**, 1
hiperciclo **HYPERCYCLE**, 1
hipercompetitivo **HYPER(-)CONCURRENTIEL, -IELLE**, 1; 2
hiperinflación **HYPERINFLATION**, 1
hipermercado **HYPERMARCHÉ**, 1
hipociclo **HYPOCYCLE**, 1
hipoteca **HYPOTHÈQUE**, 1
hipotecar **HYPOTHÉQUER**, 1
hipotecario **FONCIER, -IÈRE**, 1; **HYPOTHÉCAIRE**, 1
histograma **HISTOGRAMME**, 1
hogar **MÉNAGE**, 1
hogar (sin ~) **SDF**
hoja de paga **PAIE**, 2
holding **HOLDING**, 1
honorarios **HONORAIRES**, 1; **VACATION**, 1
horario **HORAIRE**, 1; 2
horquilla **FOURCHETTE**, 1
hortícola **HORTICOLE**, 1
horticultor **HORTICULTEUR, HORTICULTRICE**, 1; **JARDINIER, JARDINIÈRE**, 1
horticultor **JARDINIER, -IÈRE**, 1
horticultura **HORTICULTURE**, 1; **JARDINAGE**, 1
hotel **HÔTEL**, 1
hotelero **HÔTELIER, HÔTELIÈRE**, 1
hotelero **HÔTELIER, -IÈRE**, 1
hucha **TIRELIRE**, 1
hucha (depositado en la ~) **CAGNOTTE**, 1
hueco (de mercado) **CRÉNEAU**, 2
huelga **GRÈVE**, 1
huelga (incitación a la ~) **DÉBAUCHAGE**, 1
huelguista **GRÉVISTE**, 1
huelguista **GRÉVISTE**, 1
huelguista (no ~) **NON-GRÉVISTE**, 1
hundimiento **DÉGRINGOLADE**, 1; **EFFONDREMENT**, 1
hundimiento repentino **PLONGEON**, 1
hundirse **CHUTER**, 1; **DÉGRINGOLER**, 1; **EFFONDRER**, 1
hundirse repentinamente **PLONGER**, 1
I+D (Investigación y Desarrollo) **R(&)D RECHERCHE ET (LE) DÉVELOPPEMENT**, 1
igual **ÉGAL, -ALE**, 1
igualar **ÉGALER**, 1
igualdad **ÉGALITÉ**, 1
IME (Instituto Monetario Europeo) **IME**
imitación (mala ~) **SOUS-PRODUIT**, 2
impagable **IMPAYABLE**, 1
impagado **IMPAYÉ, -ÉE**, 1
impagado **IMPAYÉ**, 1
impago **NON-PAIEMENT**, 1; **NON-PAYEMENT**, 1
implantación **ÉTABLISSEMENT**, 2
imponente **DÉPOSANT, DÉPOSANTE**, 1
imponer **IMPOSER**, 1
imponible **IMPOSABLE**, 1; **TAXABLE**, 1
imponible (base ~) **ASSIETTE**, 1; **MATIÈRE**, 2
importable **IMPORTABLE**, 1
importación **ENTRÉE**, 2; **IMPORT**, 1; **IMPORTATION**, 1
importaciones **IMPORTATION**, 2
importación-exportación **IMPORT-EXPORT**, 1
importador **IMPORTATEUR, IMPORTATRICE**, 1
importador **IMPORTATEUR, -TRICE**, 1
importadora (sociedad ~) **IMPORTATEUR, IMPORTATRICE**, 2
importante **CONSIDÉRABLE**, 1; **ÉNORME**, 1; **IMPORTANT, -ANTE**, 1
importar **IMPORTER**, 1
importe embalaje devuelto **CONSIGNE**, 1
importe exacto **APPOINT**, 1
imposición **FISCALISATION**, 1; **IMPOSITION**, 1
impreso **FORMULE**, 1
improductividad **IMPRODUCTIVITÉ**, 1
improductivo **IMPRODUCTIF, -IVE**, 1
impuesto **CONTRIBUTION**, 2; **IMPÔT**, 1
impuesto indirecto **ACCISE**, 1
impuesto sobre el patrimonio **ISF**
impuesto sobre el valor añadido (IVA) **TVA**
impuesto sobre el valor añadido incluido **TTC**
impuesto sobre la renta de las personas físicas (IRPF) **IPP**; **IRPP**
impuesto sobre rendimientos **PRÉCOMPTE**, 2
impuesto sobre sociedades **IS**; **ISOC**
impuesto **TAXE**, 1
Impuesto (pago a cuenta del ~ sobre Sociedades) **PRÉCOMPTE**, 2
impuesto (someter a un ~) **IMPOSER**, 1
impuestos **IMPÔT**, 2
impuestos (libre de ~) **HT**
impuestos (recorte de ~) **RÉDUCTION**, 1
impuestos (someter a ~) **ASSUJETTIR**, 1
impuestos (sujeto a ~) **REDEVABLE**, 2
impulso (dar nuevo ~) **RELANCER**, 2
imputable **IMPUTABLE**, 1
imputación **IMPUTATION**, 1
imputar **IMPUTER**, 1
inactiva (persona ~) **NON-TRAVAILLEUR**, 1
inactiva (población ~) **NON-ACTIFS**, 1
inactividad **INACTIVITÉ**, 1
inactivo **INACTIF, -IVE**, 1
inactivo **INACTIF**, 1
incitación a dejar el trabajo **DÉBAUCHAGE**, 1
incitación a la huelga **DÉBAUCHAGE**, 1
incitar a cesar el trabajo **DÉBAUCHER**, 1
inclusión en el presupuesto **BUDGÉTISATION**, 1
incobrable **IRRECOUVRABLE**, 1; **IRRÉCOUVRABLE**, 1
incobro **NON-RECOUVREMENT**, 1
inconsumible **INCONSOMMABLE**, 1
inconvertible **INCONVERTIBLE**, 1
incorruptible **INCORRUPTIBLE**, 1
incoterms **INCOTERM(E)S**, 1
incrementar **AUGMENTER**, 1
incrementar (se) **ACCROÎTRE**, 1; **CREUSER**, 1; **CREVER**, 1
incremento **ACCROISSEMENT**, 1; **AUGMENTATION**, 1; **CREUSEMENT**, 1
indeciso **HÉSITANT, -ANTE**, 1; **INDÉCIS, -ISE**, 1
indemnidad **INDEMNITÉ**, 2
indemnización **DÉDOMMAGEMENT**, 1; **INDEMNISATION**, 1; **INDEMNITÉ**, 1; 2; **PRIME**, 3
indemnizado **INDEMNITAIRE**, 1
indemnizador **INDEMNITAIRE**, 1
indemnizar **DÉDOMMAGER**, 1; **INDEMNISER**, 1
independiente **INDÉPENDANT, -ANTE**, 1
independiente **INDÉPENDANT, INDÉPENDANTE**, 1
indexación **INDEXATION**, 1
indexación (no ~) **NON-INDEXATION**, 1
indexar **INDEXER**, 1
indicador **AVERTISSEUR**, 1; **INDICATEUR**, 1
indicador (económico) **CLIGNOTANT**, 1
indicativo **INDICATIF, -IVE**, 1
índice **INDICE**, 1; **INDEX**, 1
índice de salud **INDICE-SANTÉ**, 1
índice sanitario **INDEX-SANTÉ**, 1
indiciario **INDICIEL, -IELLE**, 1
industria **INDUSTRIE**, 1; 2
industria agroalimentaria **AGROALIMENTAIRE**, 1
industria automovilística **AUTOMOBILE**, 2
industria textil **TEXTILE**, 1
industria turística **TOURISME**, 2
industria (pequeña y mediana ~) **PMI**
industrial **INDUSTRIEL, -IELLE**, 1; 2
industrial **INDUSTRIEL, INDUSTRIELLE**, 1
industrial (distrito ~) **GRAPPE**, 1
industrialización **INDUSTRIALISATION**, 1
industrialización (países de reciente ~) **NPI**
industrializar **INDUSTRIALISER**, 1
industrialmente **INDUSTRIELLEMENT**, 1
industrias (automatización de ~ de fabricación) **PRODUCTIQUE**, 1
inelasticidad **INÉLASTICITÉ**, 1
inferior **BAS, BASSE**, 1
inflación **INFLATION**, 1
inflacionista **INFLATIONNISTE**, 1; **INFLATOIRE**, 1
inflamiento **GONFLEMENT**, 1
inflar **GONFLER**, 1
infografía **INFOGRAPHIE**, 1
informática **INFORMATIQUE**, 1
informático **INFORMATICIEN, INFORMATICIENNE**, 1
informático **INFORMATIQUE**, 1
informatización **INFORMATISATION**, 1
informatizar **INFORMATISER**, 1
inforutas **INFOROUTES**, 1
infraestructura **INFRASTRUCTURE**, 1

infravaloración **SOUS-VALEUR**, 1
ingeniería **ENGINEERING**, 1; **INGÉNIERIE**, 1
ingeniero **INGÉNIEUR, INGÉNIEURE**, 1
ingresar **VERSER**, 1
ingresar en cuenta **ALIMENTER**, 2
ingreso **ENCAISSEMENT**, 1; 2; **ENTRÉE**, 3; **RECETTE**, 1; **RENTRÉE**, 1; **VERSEMENT**, 1
ingreso fallido **NON-VALEUR**, 1
ingreso (hacer efectivo el ~ en cuenta) **CRÉDITER**, 1
ingresos **RESSOURCES**, 2
ingresos tributarios **RECETTE**, 2
inmaterial **IMMATÉRIEL, -IELLE**, 1
inmobiliaria **IMMOBILIER**, 1
inmobiliario **IMMOBILIER, -IÈRE**, 1
inmovilizados **IMMOBILISATIONS**, 1
inmunidad **IMMUNISATION**, 1
innovación **INNOVATION**, 1; 2
innovador **INNOVANT, -ANTE**, 1; **INNOVATEUR, -TRICE**, 1; **NOVATEUR, -TRICE**, 1
innovador **INNOVATEUR, INNOVATRICE**, 1; **NOVATEUR, NOVATRICE**, 1
innovar **INNOVER**, 1
inquilino **LOCATAIRE**, 1
insignificante **INSIGNIFIANT, -ANTE**, 1
insolvencia **INSOLVABILITÉ**, 1; **SURENDETTEMENT**, 1
insolvente **INSOLVABLE**, 1
instalaciones **APPAREILLAGE**, 1
institución bancaria **BANQUE**, 1
Instituto Monetario Europeo (IME) **IME**
instituto público de crédito **IPC**
instrucción permanente **INSTRUCTION PERMANENTE**, 1
instrumento **INSTRUMENT**, 1
integración **CONCENTRATION**, 1
intensificación **INTENSIFICATION**, 1
intensificar (se) **INTENSIFIER**, 1
interbancario **INTERBANCAIRE**, 1
intercambiable **ÉCHANGEABLE**, 1
intercambiar **ÉCHANGER**, 1
intercambio **ÉCHANGE**, 1
intercambio (oferta pública de ~) **OPE**
interempresarial **INTERENTREPRISES**, 1
interés **INTÉRÊT**, 1
intereses **INTÉRÊT**, 2
intereses atrasados **ARRÉRAGES**, 1
ínterin **INTÉRIM**, 1
interinidad **INTÉRIM**, 1
interino **INTÉRIMAIRE**, 1
interino **INTÉRIMAIRE**, 1
intermediación **INTERMÉDIATION**, 1
intermediario **INTERMÉDIAIRE**, 1; **PLACEUR, PLACEUSE**, 2; **TRADER**, 1
Internet **INTERNET**, 1
interprofesional **INTERPROFESSIONNEL, -ELLE**, 1
interprofesional (salario mínimo ~) **SMIC**; **SMIG**
intersectorial **INTERSECTORIEL, -IELLE**, 1
intersindical **INTERSYNDICAL, -ALE**, 1
intersindical (frente ~) **INTERSYNDICALE**, 1
intersindical (reunión ~) **INTERSYNDICALE**, 1
intervención **APUREMENT**, 1; **VÉRIFICATION**, 1
intervencionismo **DIRIGISME**, 1
intervencionista **DIRIGISTE**, 1
intervenir **APURER**, 1; **OPÉRER**, 2; **VÉRIFIER**, 1
interventor **VÉRIFICATEUR, VÉRIFICATRICE**, 1
intranet **INTRANET**, 1
intransportable **INTRANSPORTABLE**, 1
introducción **SORTIE**, 3
invencible **IMBATTABLE**, 1
invendible **INVENDABLE**, 1
invendido **INVENDU**, 1
invendidos **INVENDU**, 2
inventariar **INVENTORIER**, 1
inventario **INVENTAIRE**, 1; **STOCK**, 3
inversión **INVESTISSEMENT**, 1; 2; 3; **PLACEMENT**, 1; 2
inversión (fondos de ~) **FCP**
inversión (organismo de ~ colectiva) **OPC**
inversión (organismo de ~ colectiva en valores mobiliarios, OICVM) **OPCVM**
inversión (retorno de la ~) **RETURN**, 1
inversión (sociedad de ~ de capital fijo) **SICAF**
inversión (sociedad de ~ de capital variable) **SICAV**
Inversiones (Banco Europeo de ~, BEI) **BEI**
inversionista **INVESTISSEUR, INVESTISSEUSE**, 1; **PLACEUR, PLACEUSE**, 1
inversionistas institucionales **ZINZINS**, 1
inversor **INVESTISSEUR, -EUSE**, 1
inversor **INVESTISSEUR, INVESTISSEUSE**, 1; **PLACEUR, PLACEUSE**, 1
inversor (posible ~) **REPRENEUR**, 1
inversores institucionales **ZINZINS**, 1
invertir **CAPITALISER**, 2; **ÉCONOMISER**, 2; **INVESTIR**, 1; **PLACER**, 1
Investigación y Desarrollo (I+D) **R(&)D RECHERCHE ET (LE) DÉVELOPPEMENT**, 1
IRPF (impuesto sobre la renta de las personas físicas) **IPP**; **IRPP**
irrecuperable **IRRECOUVRABLE**, 1; **IRRÉCOUVRABLE**, 1
irregular **IRRÉGULIER, -IÈRE**, 1
irregularmente **IRRÉGULIÈREMENT**, 1
irrisorio **DÉRISOIRE**, 1
IVA incluido **TTC**
IVA (impuesto sobre el valor añadido) **TVA**
jardinero **JARDINIER, -IÈRE**, 1
jardinero **JARDINIER, JARDINIÈRE**, 1
jefe **BOSS**, 1; **CHEF**, 1
jefe de equipo **CONTREMAÎTRE, CONTREMAÎTRESSE**, 1
jefe de la explotación **EXPLOITANT, EXPLOITANTE**, 1
jerarquía **HIÉRARCHIE**, 1
jerárquicamente **HIÉRARCHIQUEMENT**, 1
jerárquico **HIÉRARCHIQUE**, 1
joint venture (asociación de empresas ~) **JOINT(-)VENTURE**, 1
jornada de puertas abiertas **PORTES OUVERTES**, 1
joyas de la corona **JOYAUX (DE LA COURONNE)**, 1
jubilación **PENSION**, 2; **RETRAITE**, 2
jubilación anticipada **PRÉPENSION**, 1
jubilación (seguro de ~) **ASSURANCE(-)PENSION**, 1; **ASSURANCE(-)VIEILLESSE**, 1
jubilado **RETRAITÉ, -ÉE**, 1
jubilado **RETRAITÉ, RETRAITÉE**, 1
jugar flojo **BOURSICOTER**, 1
jugoso **JUTEUX, -EUSE**, 1
jurado (censor ~) **COMMISSAIRE-RÉVISEUR**, 1
jurado (censor ~ de cuentas) **EXPERT-COMPTABLE, EXPERTE-COMPTABLE**, 1
justificante **FACTURETTE**, 1
just-in-time **JIT**; **JUSTE(-)À(-)TEMPS**, 1; **JUST-IN-TIME**, 1
justo (andar ~) **BOUTS**, 1
kilo **KILO**, 1
kilogramo **KILO**, 1
know-how **KNOW(-)HOW**, 1
labor **BESOGNE**, 1; **OUVRAGE**, 1
laboral (sociedad ~) **MBO**
laborismo **TRAVAILLISME**, 1
laborista **TRAVAILLISTE**, 1
labrador **AGRICULTEUR, AGRICULTRICE**, 1; **FERMIER, FERMIÈRE**, 1
lado (dejado de ~) **LAISSÉ(-) POUR(-)COMPTE**, 1
lanzadera **NAVETTE**, 1
lanzamiento **LANCEMENT**, 1
lanzar **LANCER**, 1
lata **CAN(N)ETTE**, 1
leasing **CRÉDIT-BAIL**, 1; **LEASING**, 1; **LOCATION-FINANCEMENT**, 1
legajo **DOSSIER**, 1; **LIASSE**, 1
lentamente **LENTEMENT**, 1
lento **LENT, LENTE**, 1
letra de cambio **LETTRE**, 2; **EFFET**, 2; **TRAITE**, 1
letrero **ENSEIGNE**, 2
liberalización **DÉRÉGLEMENTATION**, 1; **DÉRÉGULATION**, 1; **LIBÉRALISATION**, 1
liberalizar **DÉRÉGLEMENTER**, 1; **LIBÉRALISER**, 1
liberarse **RACHETER**, 3
libra **LIVRE**, 1
libra (esterlina) **LIVRE (STERLING)**, 1
librado **TIRÉ**, 1
librador **ÉMETTEUR, ÉMETTRICE**, 1; **TIREUR**, 1
librar **EXEMPTER**, 1; **TIRER**, 1
libre de impuestos **HT**
libre servicio **SELF-SERVICE**, 1
librecambio **LIBRE-ÉCHANGE**, 1
librecambismo **LIBRE-ÉCHANGISME**, 1
librecambista **LIBRE-ÉCHANGISTE**, 1
librería **LIBRAIRIE**, 1
librero **LIBRAIRE**, 1
libro borrador **BROUILLARD**, 1
libro registro de facturas **FACTURIER, FACTURIÈRE**, 2
libros (tenedor de ~) **COMPTABLE**, 1
libros (teneduría de ~) **COMPTABILITÉ**, 1
licencia **LICENCE**, 1; **PERMIS**, 1
licenciar **CONGÉDIER**, 1; **DÉMISSIONNER**, 2; **LICENCIER**, 1; **PORTE**, 1
licenciatura **LICENCE**, 2
líder **LEADER**, 1
liderato **LEADERSHIP**, 1
liderazgo **LEADERSHIP**, 1
ligeramente **LÉGÈREMENT**, 1
ligero **LÉGER, -ÈRE**, 1
limitación **LIMITATION**, 1
limitación del crédito **ENCADREMENT**, 3
limitar (se) **LIMITER**, 1
límite **CAP**, 1
límite máximo **PLAFOND**, 1
límite (nuevo ~ máximo) **REPLAFONNEMENT**, 1
límite (poner un nuevo ~ máximo) **REPLAFONNER**, 1
límite (supresión del ~ superior) **DÉPLAFONNEMENT**, 1
límite (suprimir el ~ superior) **DÉPLAFONNER**, 1
línea **CHAÎNE**, 3; **GAMME**, 1
liquidable (base ~) **ASSIETTE**, 1
liquidación **BRADAGE**, 1; **BRADERIE**, 1; **LIQUIDATION**, 1; 2; 3; 4; **RÈGLEMENT**, 2; **SOLDE**, 2

liquidación fiscal **REDRESSEMENT**, 4
liquidador **LIQUIDATEUR, LIQUIDATRICE**, 1
liquidar **BRADER**, 1; **LIQUIDER**, 1; 2; 3; **SOLDER**, 2
liquidez **LIQUIDITÉ**, 1; 2; 3; **TRÉSORERIE**, 1
líquido **LIQUIDE**, 1
líquido **LIQUIDE**, 1
lira **LIRE**, 1
lista de precios **TARIF**, 2
listado **RELEVÉ**, 1
listón **BARRE**, 1
liviano **LÉGER, -ÈRE**, 1
llamarada **FLAMBÉE**, 1
llegar (no ~ a fin de mes) **FINS DE MOIS DIFFICILES**, 1
lobby **LOBBY**, 1
locativo **LOCATIF, -IVE**, 1
lock-out **LOCK-OUT**, 1
logística **LOGISTIQUE**, 1
logístico **LOGISTIQUE**, 1
logo(tipo) **LOGO**, 1
longitud (de estantes) **LINÉAIRE**, 1
lote **LOT**, 1
lucha contra **JUGULATION**, 1
lucrativo **GÉRABLE**, 2; **LUCRATIF, -IVE**, 1
lucro cesante **MANQUE À GAGNER**, 2
lucro (Asociación sin fines de ~) **ASBL; OSBL**
lucro (Entidad sin ánimo de ~) **ASBL; OSBL**
lugar **PLACE**, 1; **SITE**, 1
macroeconomía **MACRO-ÉCONOMIE**, 1
macroeconómico **MACRO-ÉCONOMIQUE**, 1
macroeconómico (cuadro ~) **TABLEAU DE BORD**, 1
madurez **MATURITÉ**, 1
maestro artesano **MAÎTRE-ARTISAN**, 1
magnate **MAGNAT**, 1
mailing **MAILING**, 1; **PUBLIPOSTAGE**, 1
malgastar **DILAPIDER**, 1
malo **DÉFICITAIRE**, 2; **NÉGATIF, -IVE**, 1
malpagar **SOUS-PAYER**, 1
malus **MALUS**, 1
malvender **MÉVENDRE**, 1
malversación **DÉTOURNEMENT**, 1
malversar **DÉTOURNER**, 1
management **MANAGEMENT**, 1
management buyout **MBO**
manager **MANAGER**, 1; **MANAGEUR, MANAGEUSE**, 1
managerial **MANAGÉRIAL, -IALE**, 1; 2
mandante **MANDANT, MANDANTE**, 1
mandar **ADRESSER**, 1; **DIRIGER**, 1
mandatario **COMMANDITÉ, COMMANDITÉE**, 1; **MANDATAIRE**, 1
mandato **MANDAT**, 1
mandos (proveer de ~) **ENCADRER**, 1
manejar **BRASSER**, 2; 3
manipulación **MANUTENTION**, 1
manipular **MANUTENTIONNER**, 1
mano de obra **MAIN-D'ŒUVRE**, 1; 2
mano (de segunda ~) **OCCASION**, 2
mano (referente a la producción de la ~ de obra) **TRAVAILLISTIQUE**, 1
mano (traficante de ~ de obra) **NÉGRIER**, 2
mano (untar la ~) **PATTE**, 1
mantener (se) **MAINTENIR**, 1
mantenimiento **MAINTENANCE**, 1; **MAINTIEN**, 1; **REDRESSEMENT**, 3
manual **MANUEL, -ELLE**, 1
manual de instrucciones **MANUEL**, 1
manualmente **MANUELLEMENT**, 1
manufactura **MANUFACTURE**, 1
manufacturar **MANUFACTURER**, 1
manufacturero **MANUFACTURIER, -IÈRE**, 1
manufacturero **MANUFACTURIER**, 1
manutención **MANUTENTION**, 1
maquillaje **MAQUILLAGE**, 1
maquillar **MAQUILLER**, 1
máquina **MACHINE**, 1
máquina herramienta **MACHINE-OUTIL**, 1
maquinaria **MACHINERIE**, 1
mar **MER**, 1
marca **GRIFFE**, 1; **MARQUE**, 1; **RECORD**, 1
marca de garantía **LABEL**, 1
marca registrada (MR) **TM**
marca (de ~) **GRIFFÉ, -ÉE**, 1
marca (sin ~) **DÉGRIFFÉ, -ÉE**, 1
marchar **FONCTIONNER**, 1
marco **MARK**, 1
margen **MARGE**, 1
margen de beneficio **MARGE**, 2
marítimo **MARITIME**, 1
marketing **MARKETING**, 1; **MERCATIQUE**, 1
marketing (experto en ~) **MERCATICIEN, MERCATICIENNE**, 1
marketing-mix **MARCHÉAGE**, 1; **MARKETING-MIX**, 1
marquesina desplazante **BANDEROLE**, 1
martilleo **MATRAQUAGE**, 1; **TAPAGE**, 1
más ((y) poco ~) **POUSSIÈRES**, 1
masa obrera **OUVRIER, OUVRIÈRE**, 2
masivamente **MASSIVEMENT**, 1
masivo **MASSIF, -IVE**, 1
materia **MATIÈRE**, 1
material **MATÉRIAU**, 1; **MATÉRIEL**, 1
material **MATÉRIEL, -IELLE**, 1
materiales (reserva de ~) **STOCK(-)TAMPON**, 1
matrimonio (contraer ~) **ÉPOUSER**, 1
maximización **MAXIMALISATION**, 1; **MAXIMISATION**, 1
maximizar **MAXIMALISER**, 1; **MAXIMISER**, 1
máximo **MAXIMAL, -ALE**, 1; **MAXIMUM, MAXIMA**, 1
máximo **MAXIMUM**, 1
máximum **MAXIMUM**, 1
máximum **MAXIMUM, MAXIMA**, 1
mayorista **GROSSISTE**, 1
mecánica **MÉCANIQUE**, 1
mecánicamente **MÉCANIQUEMENT**, 1
mecánico **MÉCANICIEN, MÉCANICIENNE**, 1; **MÉCANO**, 1
mecánico **MÉCANIQUE**, 1
mecanismo **MÉCANISME**, 1
mecanización **MÉCANISATION**, 1
mecanizar **MÉCANISER**, 1
mecenas **MÉCÈNE**, 1
mecenazgo **MÉCÉNAT**, 1
media **MOYENNE**, 1
media-jornada **MI-TEMPS**, 1
medianamente **MOYENNEMENT**, 1
mediano **MOYEN, -ENNE**, 1
medible **MESURABLE**, 1
medida **MESURE**, 1; 2
medio **MOYEN, -ENNE**, 1
medio ambiente **ENVIRONNEMENT**, 1
medio de distribución **CANAL**, 1
medio de sustento **GAGNE-PAIN**, 1
medioambiental **ENVIRONNEMENTAL, -ALE**, 1
mediocre **MÉDIOCRE**, 1
medios de comunicación **MÉDIA**, 1
medir **MESURER**, 1
megafusión **MÉGAFUSION**, 1
mejor postor **OFFRANT**, 1
mejora **AMÉLIORATION**, 1
mejorar (se) **AMÉLIORER**, 1
memoria **MÉMOIRE**, 1
mendigo **PAUVRE**, 1
mensajería **MESSAGERIE**, 1
mensajería electrónica **MESSAGERIE**, 2
mensual **MENSUEL, -ELLE**, 1
mensualidad **MENSUALITÉ**, 1
mensualización **MENSUALISATION**, 1
mensualmente **MENSUELLEMENT**, 1
mensurable **MESURABLE**, 1
menudear **BOURSICOTER**, 1
menudeo **BOURSICOTAGE**, 1
menudeo (de ~) **BOURSICOTIER, -IÈRE**, 1
mercadeo **MARCHANDISAGE**, 1
mercader **MARCHANDISEUR, MARCHANDISEUSE**, 1
mercadería **MARCHANDISE**, 1
mercado **DÉBOUCHÉ**, 1; **MARCHÉ**, 1; 2
mercado elegido **CIBLE**, 1
mercado prueba **MARCHÉ-TEST**, 1
mercado (agente de ~) **MARKET(-)MAKER**, 1
mercado (elegir un ~) **CIBLER**, 1
mercado (estudio de ~) **PROSPECTION**, 1
mercado (hueco de ~) **CRÉNEAU**, 2
mercado (prever el ~) **CIBLER**, 1
mercado (prospección del ~) **PROSPECTION**, 1
mercado (sector no sujeto a las leyes del ~) **NON-MARCHAND**, 1
mercado (segmento de ~) **CRÉNEAU**, 1
mercado (tenedor de ~) **MARKET(-)MAKER**, 1
mercadología **MARCHÉAGE**, 1; **MARKETING-MIX**, 1
mercados (poder de la banca en los ~) **MARCHÉISATION**, 1
mercadotecnia **MARCHANDISAGE**, 1; **MARKETING**, 1; **MERCATIQUE**, 1
mercadotecnia (técnico en ~) **MARKETEUR**, 1; **MARKETE(E)R**, 1
mercado-test **MARCHÉ-TEST**, 1
mercancía **DENRÉE**, 1; **MARCHANDISE**, 1
mercancía rechazada **LAISSÉ(-)POUR(-)COMPTE**, 2
mercancías **ACHALANDAGE**, 2
mercante **MARCHAND, -ANDE**, 1
mercantil **COMMERCIAL, -IALE**, 4; **MARCHAND, -ANDE**, 1; **MERCANTILE**, 1
mercantil (perito ~) **EXPERT-COMPTABLE, EXPERTE-COMPTABLE**, 1
mercantil (registro ~) **RC**; **RCS**
mercantilismo **AFFAIRISME**, 1; **MERCANTILISME**, 1
mercantilista **MERCANTILISTE**, 1
merchandising **MERCHANDISING**, 1
merchandising (encargado del ~) **MARCHANDISEUR, MARCHANDISEUSE**, 1
merchandising (especialista en ~) **MARKETEUR**, 1; **MARKETE(E)R**, 1
mesa de trabajo **BUREAU**, 4
metal **MÉTAL**, 1
metálico **ESPÈCES**, 1
metálico **MÉTALLIQUE**, 1; 2
metalurgia **MÉTALLURGIE**, 1; 2
metalúrgico **MÉTALLURGIQUE**, 1; **MÉTALLURGISTE**, 1
metalúrgico **MÉTALLURGISTE**, 1
metalúrgico (obrero ~) **MÉTALLO**, 1
microchip **PUCE**, 1
microeconomía **MICRO-ÉCONOMIE**, 1
microeconómico **MICRO-ÉCONOMIQUE**, 1
microinformática **MICRO-INFORMATIQUE**, 1

microordenador **MICRO-ORDINATEUR**, 1
miembro **ADHÉRENT, ADHÉRENTE**, 1
miembro asociado **PARTENAIRE**, 1
miembro de la magistratura del trabajo **PRUD'HOMME**, 1
miembro de un grupo de presión **LOBBYISTE**, 1
miembro de un sindicato financiero **SYNDICATAIRE**, 1
miembros (cuota del beneficio anual que corresponde a los ~ del Consejo de administración de una sociedad mercantil) **TANTIÈME**, 1
mina **MINE**, 1
mineral **MINERAI**, 1
minero **MINEUR**, 1
minero **MINIER, -IÈRE**, 1
minimargen (almacén ~) **MINIMARGE**, 1
minimización **MINIMISATION**, 1
minimizar **MINIMISER**, 1
mínimo **MINIMAL, -ALE**, 1; **MINIME**, 1; **MINIMUM, MINIMA**, 1
mínimo **MINIMUM**, 1
mínimum **MINIMAL, -ALE**, 1
mínimum **MINIMUM**, 1
Ministerio de Hacienda **FINANCE**, 3
Ministro de Hacienda **ARGENTIER**, 1
minitel **MINITEL**, 1
minorista **DÉTAILLANT, DÉTAILLANTE**, 1
minusvalía **MOINS-VALUE**, 1
mitad **MOITIÉ**, 1
mobiliario **MOBILIER, -IÈRE**, 1
modelo **MODÈLE**, 1
moderación **MODÉRATION**, 1
moderadamente **MODÉRÉMENT**, 1
moderado **MODÉRÉ, -ÉE**, 1
moderar **MODÉRER**, 1
modestamente **MODESTEMENT**, 1
modesto **MODESTE**, 1
módico **MODIQUE**, 1; **RAISONNABLE**, 1
modista **COUTURIÈRE**, 1
modisto **COUTURIER**, 1
modo de vida **MODE DE VIE**, 1
moneda **MONNAIE**, 1; 2; **PIÈCE**, 2
moneda extranjera **DEVISE**, 1
moneda refugio **MONNAIE(-)REFUGE**, 1
moneda suelta **APPOINT**, 1
moneda (acuñación de ~) **MONNAYAGE**, 1
moneda (papel ~) **PAPIER-MONNAIE**, 1
monedero **MONNAYEUR**, 1; **PORTE-MONNAIE**, 1
Monetaria (Unión Económica y ~, UEM) **UEM**
monetario **MONÉTAIRE**, 1
Monetario (Fondo ~ Internacional, FMI) **FMI**
Monetario (Instituto ~ Europeo, IME) **IME**
monetario (Sistema ~ europeo, SME) **SME**
monetarismo **MONÉTARISME**, 1
monetarista **MONÉTARISTE**, 1
monetarista **MONÉTARISTE**, 1
monetización **MONÉTISATION**, 1
monetizar **MONÉTISER**, 1
monopolio **MONOPOLE**, 1
monopolio del Estado **RÉGIE**, 1
monopolista **MONOPOLEUR, MONOPOLEUSE**, 1
monopolístico **MONOPOLISTE**, 1; **MONOPOLISTIQUE**, 1
monopolización **MONOPOLISATION**, 1
monopolizar **MONOPOLISER**, 1
monoproducto **MONO(-)PRODUIT**, 1
montador **ASSEMBLEUR, ASSEMBLEUSE**, 1
montaje **ASSEMBLAGE**, 1
montar **ASSEMBLER**, 1
moratoria **CRÉDIT**, 4
mostrador **COMPTOIR**, 1; **GONDOLE**, 1
MR (marca registrada) **TM**
mueble de exposición **PRÉSENTOIR(-DISTRIBUTEUR)**, 1
muelle (franco ~) **FOQ**
muestra **ÉCHANTILLON**, 1
multimedia **MULTIMÉDIA**, 1
multinacional **MULTINATIONALE**, 1
multipack **MULTIPACK**, 1
múltiple **MULTIPLE**, 1
multiplicación **MULTIPLICATION**, 1
multiplicar (se) **MULTIPLIER**, 1
mutua **MUTUALITÉ**, 1; **MUTUELLE**, 1
mutualidad **MUTUALITÉ**, 1; **MUTUELLE**, 1
mutualista **MUTUALISTE**, 1
muy **HAUTEMENT**, 1; **LOURD**, 1; **LOURDEMENT**, 1
nacionalización **NATIONALISATION**, 1
nacionalizar **ÉTATISER**, 1; **NATIONALISER**, 1
naval **NAVAL, -ALE**, 1
nave **NAVIRE**, 1
navegable **NAVIGABLE**, 1
naviero **ARMATEUR**, 1
necesidad **BESOIN**, 1
negativamente **NÉGATIVEMENT**, 1
negativo **NÉGATIF, -IVE**, 1; 2
negociación **MARCHANDAGE**, 1
negociado **BUREAU**, 3
negociante **NÉGOCIANT, NÉGOCIANTE**, 1
negocio **AFFAIRE**, 1; 3; **COMMERCE**, 1; 3; **NÉGOCE**, 1
negocios **AFFAIRE**, 2; **BUSINESS**, 1
negocios (cifra de ~) **CHIFFRE**, 2
negrero **NÉGRIER**, 1
neto **NET, NETTE**, 1
nicho **NICHE**, 1
nivel de vida **NIVEAU DE VIE**, 1
nómina **PAIE**, 2; **PAYE**, 2
nominal **NOMINAL, -ALE**, 1
norma **NORME**, 1
normalización **NORMALISATION**, 1
normalizar **NORMALISER**, 1
nota **BORDEREAU**, 1
notación **NOTATION**, 1
nuclear **NUCLÉAIRE**, 1
nuclear (energía ~) **NUCLÉAIRE**, 1
numerario **NUMÉRAIRE**, 1
numerario **NUMÉRAIRE**, 1
números (estar en ~ rojos) **ROUGE**, 1
nutrir (se) **NOURRIR**, 1
nutritivo **NOURRISSANT, -ANTE**, 1
objetivo **CIBLE**, 1; **OBJECTIF**, 1
objetivo (prever el ~) **CIBLER**, 1
objetivos (dirección por ~) **DPO**
obligación **ASSUJETTISSEMENT**, 1; **OBLIGATION**, 1; 2
obligación de pago sin garantía del Estado **DÉBENTURE**, 1
obligación del Tesoro **OAT**; **OLO**
obligaciones (tenedor de ~) **OBLIGATAIRE**, 1
obligacionista **OBLIGATAIRE**, 1; 2
obligacionista **OBLIGATAIRE**, 1; **PORTEUR, PORTEUSE**, 1
obligado **ASSUJETTI, ASSUJETTIE**, 1
obra **CHANTIER**, 1; **OUVRAGE**, 1; 2
obra (mano de ~) **MAIN-D'ŒUVRE**, 1; 2
obra (referente a la producción de la mano de ~) **TRAVAILLISTIQUE**, 1
obra (traficante de mano de ~) **NÉGRIER**, 2
obras públicas **TUC**
obrera (masa ~) **OUVRIER, OUVRIÈRE**, 2
obrero **OUVRIER, -IÈRE**, 1
obrero **OUVRIER, OUVRIÈRE**, 1; **TRAVAILLEUR, TRAVAILLEUSE**, 1
obrero especializado **OS**
obrero metalúrgico **MÉTALLO**, 1
obreros **COLS BLEUS**, 1; **TRAVAILLEUR, TRAVAILLEUSE**, 2
obsolescencia **OBSOLESCENCE**, 1
obsoleto **OBSOLÈTE**, 1
ocasión **OCCASION**, 1
ocasión perdida **MANQUE À GAGNER**, 1
ocasión (de ~) **OCCASION**, 2
OCDE (Organización de Cooperación y de Desarrollo Económico) **OCDE**
ocupación **OCCUPATION**, 1; 2
ocupado (muy ~) **AFFAIRÉ, -ÉE**, 1
ocupar **OCCUPER**, 2
OEUC (Oficina Europea de la Unión de Consumidores) **BEUC**
oferente **OFFREUR, OFFREUSE**, 1
oferta **OFFRE**, 1; 2
Oferta Pública de Adquisición (OPA) **OPA**
oferta pública de intercambio **OPE**
Oferta Pública de Venta (OPV) **OPV**
ofertor **OFFREUR, OFFREUSE**, 1
oficina **AGENCE**, 2; **BUREAU**, 1; 2; 3; 5
oficina central **SIÈGE ADMINISTRATIF**, 1
oficina de turismo **OFFICE DU TOURISME**, 1
Oficina Europea de la Unión de Consumidores (OEUC) **BEUC**
Oficina Internacional del Trabajo (OIT) **BIT**
oficinista **EMPLOYÉ, EMPLOYÉE**, 2
oficio **MÉTIER**, 1; **PROFESSION**, 1
ofimática **BUREAUTIQUE**, 1
ofrecer **OFFRIR**, 2
ofrecer (se) **OFFRIR**, 1
OICVM (organismo de inversión colectiva en valores mobiliarios) **OPCVM**
OIT (Oficina Internacional del Trabajo) **BIT**
oleada **VAGUE**, 1
oligopolio **OLIGOPOLE**, 1
oligopolístico **OLIGOPOLISTIQUE**, 1
OMC (Organización Mundial del Comercio) **OMC**
oneroso **ONÉREUX, -EUSE**, 1
OPA (Oferta Pública de Adquisición) **OPA**
OPA (que puede aplicársele una ~) **OPÉABLE**, 1; **OPÉISABLE**, 1
opción **OPTION**, 1
opción de compra **CALL**, 1
opción sobre futuros **FUTURE**, 1
opción (alquiler con ~ de compra) **LOCATION-VENTE**, 1
OPEP (Organización de Países Exportadores de Petróleo) **OPEP**
operación **OPÉRATION**, 1
operacional **OPÉRATIONNEL, -ELLE**, 1; 2
operacional (zona ~) **CHALANDISE**, 1
operaciones "invisibles" **INVISIBLES**, 1
operador **ACTEUR**, 1; **OPÉRATEUR, OPÉRATRICE**, 1
operador turístico **TOUR-OPÉRATEUR**, 1; **VOYAGISTE**, 1
operador (tour ~) **TOUR-OPÉRATEUR**, 1
operar **OPÉRER**, 1; 2
operar (se) **OPÉRER**, 3
operativo **OPÉRATIONNEL, -ELLE**, 2
oportunidad **OCCASION**, 1

opulencia **ABONDANCE**, 1
opulento **NANTI, -IE**, 1
OPV (Oferta Pública de Venta) **OPV**
orden **ORDRE**, 1
orden de pago **MANDAT**, 2
orden de transferencia **MANDAT**, 2
orden del día **ORDRE**, 2
ordenador **ORDINATEUR**, 1
ordenador (diseño asistido por ~, CAD) **CAO**
ordenador (fabricación asistida por ~) **FAO**
Ordenador (Fabricación Integrada por ~, CIM) **FIO**
ordenador (hacer las transacciones bancarias con el ~) **PC-BANKING**, 1
ordenadores (red de ~) **RÉSEAU**, 3
organigrama **ORGANIGRAMME**, 1
organismo **ORGANISME**, 1
organismo de inversión colectiva **OPC**
organismo de inversión colectiva en valores mobiliarios (OICVM) **OPCVM**
organización **AMÉNAGEMENT**, 1; **ORGANISATION**, 1; 2; 3; **STRUCTURE**, 1
Organización de Cooperación y de Desarrollo Económico (OCDE) **OCDE**
Organización de Países Exportadores de Petróleo (OPEP) **OPEP**
Organización Mundial del Comercio (OMC) **OMC**
organizar **AMÉNAGER**, 1
oro **OR**, 1
oro (valor indicado en ~) **AURIFÈRE**, 1
oscilación **OSCILLATION**, 1
oscilar **OSCILLER**, 1
ostrícola **OSTRÉICOLE**, 1
ostricultor **OSTRÉICULTEUR, OSTRÉICULTRICE**, 1
ostricultura **OSTRÉICULTURE**, 1
otorgar (se) **ACCORDER**, 1
outsourcing **OUTSOURCING**, 1
pacotilla **CAMELOTE**, 1; **PACOTILLE**, 1
paga **PAIE**, 1; **PAYE**, 1; **SOLDE**, 4; **TRAITEMENT**, 1
paga extra **PÉCULE**, 1
paga (hoja de ~) **PAIE**, 2
paga (que ~) **PAYANT, -ANTE**, 1
paga (que contamina ~) **POLLUEUR-PAYEUR**, 1
pagadero **PAYABLE**, 1
pagador **PAYEUR, -EUSE**, 1
pagador **PAYEUR, PAYEUSE**, 1; 2; **TRÉSORIER-PAYEUR**, 1
pagar **ACQUITTER**, 1; **PAYER**, 1; **RÉGLER**, 1
pagar de la caja **DÉCAISSER**, 1
pagar en exceso **SURPAYER**, 1
pagar mensualmente **MENSUALISER**, 1
pagar por meses **MENSUALISER**, 1
pagar sus deudas **DÉSENDETTER**, 1
pagar una comisión **RISTOURNER**, 3
pagar una cuota **COTISER**, 1; 2; 3
pagar **VERSER**, 1; 2
pagar (se) **PAYER**, 3
pagaré **BILLET**, 2
pago **ACQUITTEMENT**, 1; **PAIEMENT**, 1; 2; **PAYEMENT**, 1; 2; **RÈGLEMENT**, 2; **VERSEMENT**, 1; 2; 3
pago a cuenta **PRÉCOMPTE**, 1; **TIERS PROVISIONNEL**, 1
pago a cuenta del Impuesto sobre Sociedades **PRÉCOMPTE**, 2
pago de deudas **DÉSENDETTEMENT**, 1
pago fraccionado **TIERS PROVISIONNEL**, 1
pago pendiente **ARRIÉRÉ**, 1
pago vencido **ARRIÉRÉ**, 1
pago (cheque de ~ por prestación de un parado) **CHÈQUE EMPLOI(-)SERVICE**, 1; **CHÈQUE(-)SERVICE**, 1
pago (de ~) **PAYANT, -ANTE**, 2
pago (falta de ~) **NON-PAIEMENT**, 1; **NON-PAYEMENT**, 1
pago (obligación de ~ sin garantía del Estado) **DÉBENTURE**, 1
pago (orden de ~) **MANDAT**, 2
pago (periodo de ~) **TRANCHE**, 1
país en vías de desarrollo **PVD**
países de reciente industrialización **NPI**
palet **PALETTE**, 1
paleta **PALETTE**, 1
panadería **BOULANGERIE**, 1
panadero **BOULANGER, BOULANGÈRE**, 1; 2
pancarta **PANCARTE**, 1
panel **PANEL**, 1; **PANNEAU**, 1
panificadora **BOULANGERIE**, 1
papel moneda **PAPIER-MONNAIE**, 1
papel (cero ~) **ZÉRO PAPIER**, 1
paquebote **PAQUEBOT**, 1
paquete **COLIS**, 1; **PAQUET**, 1; 2; 3
parada **ESSOUFFLEMENT**, 1
paradas (sin ~) **ZÉRO PANNE**, 1
parado **CHÔMEUR, CHÔMEUSE**, 1; **NON-TRAVAILLEUR**, 1; **SANS-EMPLOI**, 1; **SANS-TRAVAIL**, 1
parado **CHÔMEUR, -EUSE**, 1
parado (estar ~) **CHÔMER**, 2
parados **NON-ACTIFS**, 1
paraestatal **PARA-ÉTATIQUE**, 1; **PARASTATAL, -ALE**, 1
paraestatal (empresa ~) **PARASTATAL**, 1
parafiscal **PARAFISCAL, -ALE**, 1
parafiscalidad **PARAFISCALITÉ**, 1
paralización **GEL**, 1
paralizar **GELER**, 1
parar **DÉBRAYER**, 1
parar (se) **ESSOUFFLER**, 1
pareja **COUPLE**, 1
paridad **PAIR**, 1; **PARITÉ**, 1; **TAUX(-) PIVOT**, 1
paro **CHÔMAGE**, 1; 2; **DÉBRAYAGE**, 1
paro (estar en ~) **CHÔMER**, 2
paro (subsidio de ~) **ALLOCATION(-) CHÔMAGE**, 1
parón navideño **TRÊVE DES CONFISEURS**, 1
parsimonia **PARCIMONIE**, 1
parsimoniosamente **PARCIMONIEUSEMENT**, 1
parsimonioso **PARCIMONIEUX, -IEUSE**, 1
parte **PART**, 1; **TRANCHE**, 1
parte de la factura médica abonada por el asegurado **TICKET MODÉRATEUR**, 1
participación **PARTICIPATION**, 1; 2
participación en beneficios **INTÉRESSEMENT**, 1
participante **PARTICIPANT, -ANTE**, 1
participante **PARTICIPANT, PARTICIPANTE**, 1
participar **INTÉRESSÉ, INTÉRESSÉE**, 1; **INTÉRESSER**, 1; **PARTICIPER**, 1; 2
partida **ARTICLE**, 2; **LOT**, 1; **POSTE**, 3
partida (abonar una ~ en cuenta) **IMPUTER**, 1
partida (contabilidad por ~ doble) **ÉCRITURE**, 1
partida (retirada de una ~ presupuestaria) **DÉBUDGÉTISATION**, 1
partida (retirar una ~ presupuestaria) **DÉBUDGÉTISER**, 1
pasajero **PASSAGER, PASSAGÈRE**, 1
pasar **FRANCHIR**, 1
pasivo **PASSIF**, 1
pasta **FRIC**, 1; **OSEILLE**, 1; **PÈZE**, 1; **POGNON**, 1
pastel **PÂTISSERIE**, 1
pastelería **PÂTISSERIE**, 2
pastelero **PÂTISSIER, PÂTISSIÈRE**, 1
patente **BREVET**, 2
patrimonio **PATRIMOINE**, 1
patrimonio (impuesto sobre el ~) **ISF**
patrocinador **COMMANDITAIRE**, 3; **SPONSOR**, 1
patrocinar **PARRAINER**, 1; **PATRONNER**, 1; **SPONSORER**, 1; **SPONSORISER**, 1
patrocinio **PARRAINAGE**, 1; **PATRONAGE**, 1; **SPONSORAT**, 1
patrón **BOSS**, 1; **PATRON, PATRONNE**, 1
patrón (Estado ~) **ÉTAT-PATRON**, 1
patronal **PATRONAL, -ALE**, 1
patronal (cierre ~) **LOCK-OUT**, 1
patronato **PATRON, PATRONNE**, 2; **PATRONAT**, 1
pauperismo **PAUPÉRISME**, 1
pauperización **PAUPÉRISATION**, 1
peaje **PÉAGE**, 1; 2
peculio **PÉCULE**, 1
pecuniario **PÉCUNIAIRE**, 1
pedido **COMMANDE**, 1; 2; 3
pedir **COMMANDER**, 1; **DEMANDER**, 1
pedir prestado **EMPRUNTER**, 1
pendiente (deuda ~) **EN(-)COURS**, 2
pendiente (pago ~) **ARRIÉRÉ**, 1
pensión **PENSION**, 1; **RETRAITE**, 1
pensiones (planes de ~) **ÉPARGNE-PENSION**, 1; **ÉPARGNE-RETRAITE**, 1; **REER**
pensiones (seguro de ~) **ASSURANCE(-)DIRIGEANT**, 1
pensionista **PENSIONNÉ, PENSIONNÉE**, 1; **RENTIER, RENTIÈRE**, 2
penuria **PÉNURIE**, 1
peón **MANŒUVRE**, 1
Pequeña y Mediana Empresa (PYME) **PME**
pequeña y mediana industria **PMI**
pequeño **PETIT, -ITE**, 1
pequeño cartel **AFFICHETTE**, 1
percepción **PERCEPTION**, 1
perceptor **PERCEPTEUR, PERCEPTRICE**, 1
percibir **PERCEVOIR**, 1; **TOUCHER**, 1
perder **CÉDER**, 3; **PERDRE**, 1; 2
pérdida **PERTE**, 1; 2; 3
perdida (ocasión ~) **MANQUE À GAGNER**, 1
perfil **PROFIL**, 1
pericia **EXPERTISE**, 1; **SAVOIR-FAIRE**, 1
pericial (tasación ~) **EXPERTISE**, 2
periódico **QUOTIDIEN**, 1
periodo de fuerte crecimiento económico de 1945 a 1975 **TRENTE GLORIEUSES**, 1
periodo de pago **TRANCHE**, 1
periodo de prácticas **STAGE**, 1
peritaje **EXPERTISE**, 2
perito **ENCANTEUR, ENCANTEUSE**, 1; **EXPERT, EXPERTE**, 1
perito **EXPERT, -ERTE**, 1
perito fiscal **FISCALISTE**, 1
perito mercantil **EXPERT-COMPTABLE, EXPERTE-COMPTABLE**, 1
perjuicio **DOMMAGE**, 1
perjuicios (daños y ~) **DOMMAGES-INTÉRÊTS**, 1
permiso **LICENCE**, 1; **PERMIS**, 1
permiso de formación **CONGÉ-FORMATION**, 1
permuta **TROC**, 1
permutar **TROQUER**, 1

persona con salario mínimo **MINIMEXÉ, MINIMEXÉE**, 1
persona de vacaciones **VACANCIER, VACANCIÈRE**, 1
persona física **PERSONNE PHYSIQUE**, 1
persona inactiva **NON-TRAVAILLEUR**, 1
persona moral **PERSONNE MORALE**, 1
persona que efectúa un arbitraje **ARBITRAGISTE**, 1
persona que percibe el salario mínimo **SMICARD, SMICARDE**, 1
personal **EFFECTIF**, 1; **PERSONNEL**, 1
personal (costes de ~) **SALAIRE-COÛT**, 1
personal (exceso de ~) **SUREMPLOI**, 1
personal (rotación de ~) **TURN(-)OVER**, 1
personas físicas (impuesto sobre la renta de las ~, IRPF) **IPP; IRPP**
personas responsables de las compras **PRA**
perspectivas **DÉBOUCHÉ**, 2
pesado **LOURD, LOURDE**, 1; **PONDÉREUX, -EUSE**, 1
pesca **PÊCHE**, 1
peseta **PESETA**, 1
peso muerto **POIDS MORT**, 1
petrodólar **PÉTRODOLLARS**, 1
petróleo **PÉTROLE**, 1
Petróleo (Organización de Países Exportadores de ~, OPEP) **OPEP**
petrolero **PÉTROLIER, -IÈRE**, 1
petrolero **PÉTROLIER**, 1
petroquímica **PÉTROCHIMIE**, 1
petroquímico **PÉTROCHIMIQUE**, 1
PIB (Producto Interior Bruto) **PIB**
pieza **PIÈCE**, 2
pignoración **NANTISSEMENT**, 1
PIN (Producto Interior Neto) **PIN**
pirámide de edad **PYRAMIDE DES ÂGES**, 1
placa **PANONCEAU**, 1
plan **PLAN**, 1
plan de trabajo **PLANNING**, 1
plan general de contabilidad **PCG**
planes de pensiones **ÉPARGNE-PENSION**, 1; **ÉPARGNE-RETRAITE**, 1; **REÉR**
planificación **PLANIFICATION**, 1; **PLANNING**, 1
planificador **PLANIFICATEUR, PLANIFICATRICE**, 1
planificar **PLANIFIER**, 1
plano **PLAN**, 2
plantilla **EFFECTIF**, 1
plantilla (reducción de ~) **DÉGRAISSAGE**, 1
plantilla (reducir ~) **DÉGRAISSER**, 1
plata **ARGENT**, 3
plaza **POSTE**, 2
plaza (ocupar una ~) **POURVOIR**, 2
plazo **DÉLAI**, 1
plazo de preaviso **PRÉAVIS**, 2
plazo (vencimiento del ~) **ÉCHÉANCE**, 2
pluriempleado **CUMULARD, CUMULARDE**, 1
plusvalía **APPRÉCIATION**, 1; **PLUS-VALUE**, 1
PNB (Producto Nacional Bruto) **PNB**
población **POPULATION**, 1
población inactiva **NON-ACTIFS**, 1
pobre **DÉSARGENTÉ, -ÉE**, 1; **PAUVRE**, 1
pobre **PAUVRE**, 1
pobreza **PAUVRETÉ**, 1
poco (producir ~) **SOUS-PRODUIRE**, 1
político administrativo **POLITICO-ADMINISTRATIF, -IVE**, 1
político financiero **POLITICO-FINANCIER, -IÈRE**, 1
póliza **POLICE**, 1
polución **POLLUTION**, 1
polucionar **POLLUER**, 1
pool **POOL**, 1
porcentaje **POURCENTAGE**, 1; **TANTIÈME**, 1; **TAUX**, 1
portacontenedores **PORTE-CONTENEURS**, 1
portamonedas **PORTE-MONNAIE**, 1
porte **PORT**, 2
poseedor **DÉTENTEUR, DÉTENTRICE**, 1; **POSSESSEUR**, 1
poseer **POSSÉDER**, 1
posesión **POSSESSION**, 1
posesiones **PROPRIÉTÉ**, 2
posesor **POSSESSEUR**, 1
posición **POSITION**, 1
posicionamiento **POSITIONNEMENT**, 1
posicionar (se) **POSITIONNER**, 1
positivamente **POSITIVEMENT**, 1
positivo **POSITIF, -IVE**, 1; 2
postindustrial **POST(-)INDUSTRIEL, -IELLE**, 1
postor (mejor ~) **OFFRANT**, 1
postular **POSTULER**, 1
pos(t)venta **APRÈS-VENTE**, 1
pos(t)venta (servicio ~) **SAV**
prácticas (periodo de ~) **STAGE**, 1
preaviso **PRÉAVIS**, 1
preaviso (plazo de ~) **PRÉAVIS**, 2
precio **COURS**, 1; **PRIX**, 1; **TAUX**, 3
precio de coste **COÛTANT**, 1; 2
precio del casco **CONSIGNE**, 1
precio exagerado **COUP DE BARRE**, 1; **COUP DE FUSIL**, 1
precio fijado **FORFAIT**, 1
precio máximo **PRIX(-)PLAFOND**, 1
precio mínimo **PRIX(-)PLANCHER**, 1
precio tope **PRIX(-)PLAFOND**, 1
precio (a ~ fijado) **FORFAITAIREMENT**, 1
precio (a mitad de ~) **DEMI-TARIF**, 1; **SEMI-GRATUIT, -UITE**, 1
precio (discutir el ~) **MARCHANDER**, 1
precio (vender a ~ reducido) **DISCOMPTER**, 1
precios (competitividad por ~) **COMPÉTITIVITÉ-PRIX**, 1
precios (lista de ~) **TARIF**, 2
precios (reducción de ~) **RÉDUCTION**, 2
prefabricación **PRÉFABRICATION**, 1
prefabricado **PRÉFABRIQUÉ**, 1
prefabricar **PRÉFABRIQUER**, 1
preindustrial **PRÉ(-)INDUSTRIEL, -IELLE**, 1
prejubilación **PRÉPENSION**, 1; **PRÉRETRAITE**, 1
prejubilado **PRÉPENSIONNÉ, PRÉPENSIONNÉE**, 1; **PRÉRETRAITÉ, PRÉRETRAITÉE**, 1
premio **CAGNOTTE**, 3
prerebajas **PRÉSOLDE**, 1
presencia **PRÉSENCE**, 1
presente **PRÉSENT, -ENTE**, 1
presidencia **PRÉSIDENCE**, 1
presidenta **PÉDÉGÈRE**, 1
presidente **PRÉSIDENT, PRÉSIDENTE**, 1
presidente del consejo de administración **PDG, P-DG**
presidir **PRÉSIDER**, 1
presión **LOBBYING**, 1
presión ligera **TASSEMENT**, 1
presión (grupo de ~) **LOBBY**, 1
presión (miembro de un grupo de ~) **LOBBYISTE**, 1
prestable **PRÊTABLE**, 1
prestación **PRESTATION**, 1; 2; 3
prestación (beneficiario de una ~) **PRESTATAIRE**, 1
prestaciones **PERFORMANCE**, 1
prestado (pedir ~) **EMPRUNTER**, 1
prestado (tomar ~) **EMPRUNTER**, 1
prestador **PRÊTEUR, -EUSE**, 1
prestador **PRÊTEUR, PRÊTEUSE**, 1
prestador (de servicios) **PRESTATAIRE**, 2
prestamista **APPORTEUR**, 1; **PRÊTEUR, PRÊTEUSE**, 1
préstamo **EMPRUNT**, 1; 2; **PRÊT**, 1; 2
prestar **PRESTER**, 1; **PRÊTER**, 1
prestatario **EMPRUNTEUR, EMPRUNTEUSE**, 1
prestatario **EMPRUNTEUR, -EUSE**, 1
presupuestar **BUDGÉTER**, 1; 2; **BUDGÉTISER**, 1; 2
presupuestaria (retirada de una partida ~) **DÉBUDGÉTISATION**, 1
presupuestaria (retirar una partida ~) **DÉBUDGÉTISER**, 1
presupuestáriamente **BUDGÉTAIREMENT**, 1; 2
presupuestario **BUDGÉTAIRE**, 1; 2
presupuesto **BUDGET**, 1; 2; **ENVELOPPE**, 2
presupuesto (establecimiento de un ~) **BUDGÉTISATION**, 2
presupuesto (inclusión en el ~) **BUDGÉTISATION**, 1
presupuesto (que se come el ~) **BUDGÉTIVORE**, 1
presupuesto (retirar del ~) **DÉBUDGÉTISER**, 1
presupuesto (retiro del ~) **DÉBUDGÉTISATION**, 1
prêt-à-porter **PRÊT-À-PORTER**, 1
prima **PRIME**, 1; 2
prima de seguro **ASSURANCE**, 5
prima gratificación **BONUS**, 3
primario (sector ~) **PRIMAIRE**, 1
principal **MANTEAU**, 1; **PRINCIPAL**, 1
principio "el contaminador paga" **POLLUEUR-PAYEUR**, 1
privado **DÉMUNI, -IE**, 1
privatizable **PRIVATISABLE**, 1
privatización **PRIVATISATION**, 1
privatizar **PRIVATISER**, 1
procedimiento **PROCÉDÉ**, 1
proceso **PROCÉDÉ**, 1; **PROCESSUS**, 1
procuración **MANDAT**, 1
procurar **PROCURER**, 1
procurar (se) **PROCURER**, 2
producción **FABRICATION**, 1; **PRODUCTION**, 1; 2; 3
producción (baja ~) **SOUS-PRODUCTION**, 1
producción (cadena de ~) **FILIÈRE**, 1
producción (referente a la ~ de la mano de obra) **TRAVAILLISTIQUE**, 1
producir **FABRIQUER**, 1; **PRODUIRE**, 1; 2; **RAPPORTER**, 1; **TRAVAILLER**, 1; 3
producir con exceso **SURPRODUIRE**, 1
producir poco **SOUS-PRODUIRE**, 1
producir (se) **OPÉRER**, 3
productivas (fuerzas ~) **PRODUCTIF**, 1
productividad **PRODUCTIVITÉ**, 1
productividad (baja ~) **SOUS-PRODUCTIVITÉ**, 1
productivismo **PRODUCTIVISME**, 1
productivista **PRODUCTIVISTE**, 1
productivo **PRODUCTIF, -IVE**, 1; 2; 3
productivo (aparato ~) **APPAREIL**, 2
producto **PRODUIT**, 1; 2
producto alimenticio **DENRÉE**, 1
producto derivado **SOUS-PRODUIT**, 1

Producto Interior Bruto (PIB) **PIB**
Producto Interior Neto (PIN) **PIN**
Producto Nacional Bruto (PNB) **PNB**
producto semielaborado **DEMI-PRODUIT**, 1
producto semifabricado **SEMI-PRODUIT**, 1
productor **PRODUCTEUR, PRODUCTRICE**, 1; **PRODUCTIF**, 1; **PRODUCTION**, 3
productor **PRODUCTEUR, -TRICE**, 1
productos en curso **EN(-)COURS**, 1
productos en proceso **EN(-)COURS**, 1
productos (asociación de ~ con fin comercial) **COGRIFFAGE**, 1
profesión **MÉTIER**, 1; **PROFESSION**, 1; 2
profesional **PRO**, 1; **PROFESSIONNEL, -ELLE**, 1; 2; 3
profesional **PROFESSIONNEL, PROFESSIONNELLE**, 1; 2
profesional (diploma de formación ~) **BEP**
profesional (empresa de aprendizaje ~) **EAP**
profesional (empresa de formación ~) **EAP**
profesional (experiencia ~) **SAVOIR-FAIRE**, 2
profesional (grupo ~) **PROFESSION**, 2
profesionalismo **PROFESSIONNALISME**, 1
profesionalización **PROFESSIONNALISATION**, 1
profesionalizar (se) **PROFESSIONNALISER**, 1
profesionalmente **PROFESSIONNELLEMENT**, 1; 2
programa **PROGRAMME**, 1; 2
programador **PROGRAMMEUR, PROGRAMMEUSE**, 1
progresar **PROGRESSER**, 1
progresión **PROGRESSION**, 1
progresivamente **PROGRESSIVEMENT**, 1
progresivo **PROGRESSIF, -IVE**, 1
prohibitivo **PROHIBITIF, -IVE**, 1
promesa **ENGAGEMENT**, 2
promoción **PROMO**, 1; **PROMOTION**, 1; 2; 3; **VENTE-RÉCLAME**, 1
promoción en el punto de venta **PLV**
promocional **PROMOTIONNEL, -ELLE**, 1
promocional (venta ~) **VENTE-RÉCLAME**, 1
promotor **PROMOTEUR, PROMOTRICE**, 2
promotor **PROMOTEUR, -TRICE**, 1; 2
promover **PROMOTIONNER**, 1; **PROMOUVOIR**, 1; 2
propagación **DIFFUSION**, 1
propaganda comercial **PUB**, 1; **PUBLICITÉ**, 1; **RÉCLAME**, 1
propagar **DIFFUSER**, 1
propiedad **PROPRIÉTÉ**, 1; 2
propietario **PROPRIÉTAIRE**, 1; **TITULAIRE**, 1
propina **POURBOIRE**, 1; **SERVICE**, 4
proporción **TAUX**, 1
proporcionar **PROCURER**, 1
prórroga **DÉLAI**, 2
prospección (del mercado) **PROSPECTION**, 1
prospectar **PROSPECTER**, 1
prospector **PROSPECTEUR, PROSPECTRICE**, 1
prosperar **PROSPÉRER**, 1
prosperidad **PROSPÉRITÉ**, 1; 2
próspero **PROSPÈRE**, 1; 2
protagonista **ACTEUR**, 1
proteccionismo **PROTECTIONNISME**, 1
proteccionista **PROTECTIONNISTE**, 1
protector de pantalla **ÉCONOMISEUR**, 2
protesto **PROTÊT**, 1
prototipo **PROTOTYPE**, 1
provechoso **PROFITABLE**, 1
proveedor **FOURNISSEUR, FOURNISSEUSE**, 1; **POURVOYEUR, POURVOYEUSE**, 1
proveedor **RAVITAILLEUR, -EUSE**, 1
proveedor de fondos **BAILLEUR, BAILLERESSE**, 2
proveedor (de un servicio) **PRESTATAIRE**, 2
proveer **POURVOIR**, 1
proveer de herramientas **OUTILLER**, 1
proveer (se) **APPROVISIONNER**, 1
provisión **PROVISION**, 1; 2; 3
provisional **PROVISIONNEL, -ELLE**, 1
proyecto **CONCEPTION**, 1; **DESIGN**, 1; **PROJET**, 1
proyecto (desarrollar un ~ interno en una empresa) **INTRAPRENDRE**, 1
proyecto (directivo que desarrolla un ~ dentro de una empresa) **INTRAPRENEUR, INTRAPRENEUSE**, 1
pública (administración ~) **PUBLIC**, 1
pública (contraoferta ~ de adquisición) **CONTRE-OPA**, 1
pública (empresa ~) **PARASTATAL**, 1; **RÉGIE**, 1
pública (función ~) **FONCTION**, 3
Pública (Oferta ~ de Adquisición, OPA) **OPA**
pública (oferta ~ de intercambio) **OPE**
Pública (Oferta ~ de Venta, OPV) **OPV**
publicación **ANNONCE**, 2; **ÉDITION**, 1
publicar **ÉDITER**, 1
públicas (obras ~) **TUC**
publicidad **PUB**, 1; 2; **PUBLICITÉ**, 1; 2; **RÉCLAME**, 1; 2
publicidad a bombo y platillo **BATTAGE**, 1; **TAPAGEUR, -EUSE**, 1
publicidad de bombo **BATTAGE**, 1
publicidad exterior (empresa de ~) **AFFICHEUR**, 1
publicidad negativa **CONTRE-PUBLICITÉ**, 1
publicidad (administración de ~) **RÉGIE**, 2
publicista **CRÉATIF**, 1; **PUBLICITAIRE**, 1
publicitaria (agencia ~) **RÉGIE**, 2
publicitario **PUBLICITAIRE**, 1; 2
publicitario (agente ~) **PUBLICITAIRE**, 1
publicitario (spot ~) **SPOT**, 1
público (desahorro ~) **DÉSÉPARGNE**, 1
público (empréstito ~) **RENTE**, 3
público (Erario ~) **TRÉSOR**, 1
público (instituto ~ de crédito) **IPC**
público (sector ~) **PUBLIC**, 2
público (Tesoro ~) **TRÉSOR**, 1
públicos (fondos ~) **DENIERS PUBLICS**, 1
publireportaje **PUBLIREPORTAGE**, 1
puertas (jornada de ~ abiertas) **PORTES OUVERTES**, 1
puerto **PORT**, 1
puesto **POSTE**, 1; 2
puesto de trabajo **EMPLOI**, 3
puesto (asignar a un nuevo ~ de trabajo) **RECASER**, 1; **RECLASSER**, 1; **REPLACER**, 1
puja **ENCHÈRE**, 1
punto de mucho tráfico **POINT CHAUD**, 1
punto muerto **POINT MORT**, 1
PYME (Pequeña y Mediana Empresa) **PME**
quebrado **FAILLI, FAILLIE**, 1
quebrado **FAILLI, -IE**, 1
quiebra **FAILLITE**, 1; 2; **KRACH**, 1
quiebra (comisario de la ~) **CURATEUR, CURATRICE**, 1
quiebra (gestión de una sociedad en ~) **CURATELLE**, 1
química **CHIMIE**, 1
químico **CHIMIQUE**, 1
racionalización **RATIONALISATION**, 1
racionalizar **RATIONALISER**, 1
radio macuto **RADIO TROTTOIR**, 1
raider **PRÉDATEUR**, 1
rama **BRANCHE**, 1
ramo **BRANCHE**, 1
rápidamente **RAPIDEMENT**, 1
rápido **RAPIDE**, 1
rareza **RARETÉ**, 1
rating **RATING**, 1
ratio **RATIO**, 1
razón social **DÉNOMINATION SOCIALE**, 1; **ENSEIGNE**, 1; **RAISON SOCIALE**, 1
razonable **MODÉRÉ, -ÉE**, 1; **RAISONNABLE**, 1
razonablemente **RAISONNABLEMENT**, 1
reabastecer (se) **RÉAPPROVISIONNER**, 1
reabastecimiento **RÉAPPROVISIONNEMENT**, 1
reabsorber **RÉSORBER**, 1
reabsorción **RÉSORPTION**, 1
reactivación **RELANCE**, 2; **REPRISE**, 3
reactivar **RELANCER**, 2
reactivarse **REDÉMARRER**, 1
readaptar **RECONVERTIR**, 1
reajustar **RÉAJUSTER**, 1; **RÉALIGNER**, 1
reajuste **RÉAJUSTEMENT**, 1; **RÉALIGNEMENT**, 1
real **RÉEL, -ELLE**, 1
realizar **PRESTER**, 1; 2
realquilar **SOUS-LOUER**, 1
reanimación **RELANCE**, 2
reasegurador **RÉASSUREUR**, 1
reasegurar **RÉASSURER**, 1
reaseguro **CONTRE-ASSURANCE**, 1; **RÉASSURANCE**, 1
reasignación **RÉALLOCATION**, 1
reasignar **RÉALLOUER**, 1
rebaja **ABATTEMENT**, 2; **BONIFICATION**, 1; **DÉMARQUAGE**, 1; **DIMINUTION**, 1; **DISCOMPTE**, 3; **DISCOUNT**, 3; **RABAIS**, 1; **REMISE**, 1; **RISTOURNE**, 1
rebajado **DÉCOTÉ, -ÉE**, 1
rebajar **ABAISSER**, 1; **DÉMARQUER**, 1; **DIMINUER**, 1; **DISCOMPTER**, 2; **RISTOURNER**, 1
rebajas **SOLDE**, 3
rebajas (período antes de las ~) **PRÉ-SOLDE**, 1
rebasamiento **DÉPASSEMENT**, 1
rebasar **DÉPASSER**, 1
recapitalización **RECAPITALISATION**, 1
recapitalizar **RECAPITALISER**, 1
recargar **MAJORER**, 1
recargo **MAJORATION**, 1
recaudación **ENRÔLEMENT**, 1; **PERCEPTION**, 1
recaudada (cantidad ~) **RECETTE**, 2
recaudador **PERCEPTEUR, PERCEPTRICE**, 1; **RECEVEUR**, 1
recaudar **COLLECTER**, 1; **ENRÔLER**, 1; **RECOUVRER**, 1
recentraje **RECENTRAGE**, 1
recepción **RÉCEPTION**, 1; 2
recepcionar **RÉCEPTIONNER**, 1
receptor **RÉCEPTIONNAIRE**, 1
recesión **RÉCESSION**, 1
receso **PAUSE-CARRIÈRE**, 1

rechazo **INVENDU**, 2
recibí **ACQUIT**, 1
recibido **TICKET**, 1
recibo **ACQUIT**, 1; **BON**, 1; **ENTRÉE**, 1; **QUITTANCE**, 1; **RÉCÉPISSÉ**, 1; **REÇU**, 1
reciclado **RECYCLAGE**, 2
reciclaje **RECYCLAGE**, 1; 2
reciclar **RECYCLER**, 2
reciclar (se) **RECYCLER**, 1
reclutamiento **EMBAUCHE**, 2; **RECRUTEMENT**, 1
reclutar **RECRUTER**, 1
recobrable **RECOUVRABLE**, 1
recolectar **COLLECTER**, 1
recolocación **OUTPLACEMENT**, 1; **REPLACEMENT**, 1
recolocar **OUTPLACER**, 1; **RECASER**, 1; **REPLACER**, 1
recompra **RACHAT**, 1; **REPRISE**, 1
recomprar **RACHETER**, 1
reconfiguración **RECONFIGURATION**, 1; **REENGINEERING**, 1
reconversión **RECONVERSION**, 1; 2
reconvertir **RECONVERTIR**, 2
reconvertir (se) **RECONVERTIR**, 1
récord **RECORD**, 1
recordatorio **RAPPEL**, 1
recortar (gastos) **ALLÉGER**, 1
recorte (de impuestos) **RÉDUCTION**, 1
rectificación fiscal **REDRESSEMENT**, 4
recular **RECULER**, 1
recuperable **RECOUVRABLE**, 1
recuperación **REDÉMARRAGE**, 1; **REDRESSEMENT**, 1; **REMONTÉE**, 1; **REPRISE**, 2; 3
recuperar (se) **REMONTER**, 1; **REPRENDRE**, 3
recuperarse **REDÉMARRER**, 1
recursos **CAPACITÉ**, 1; **CAPITAL**, 1; **RESSOURCES**, 1; 2; **RICHESSE**, 3
recursos (dirección de ~ humanos) **DRH**
recursos (director de ~ humanos) **DRH**
red (de distribución) **RÉSEAU**, 1
red (de ordenadores) **RÉSEAU**, 3
Red (digital mundial) **TOILE**, 1
red (servidor de ~) **SERVEUR, SERVEUSE**, 2
red (viaria) **RÉSEAU**, 2
redactar **LIBELLER**, 1
redención (de servidumbre) **RACHAT**, 2
redescontar **RÉESCOMPTER**, 1
redescuento **RÉESCOMPTE**, 1
redimir (se) **RACHETER**, 3
redistribución **REDISTRIBUTION**, 1; 2
redistribuir **REDISTRIBUER**, 1
redistributivo **REDISTRIBUTEUR, -TRICE**, 1; **REDISTRIBUTIF, -IVE**, 1
redondeado **ARRONDI**, 1
redondear **ARRONDIR**, 1
reducción **ABAISSEMENT**, 1; **ALLÉGEMENT**, 1; **COMPRESSION**, 1; **CONTRACTION**, 1; 2; **DÉCOTE**, 1; **ÉCRASEMENT**, 1; **RÉDUCTION**, 1
reducción de afiliados a un sindicato **DÉSYNDICALISATION**, 1
reducción de efectivos **CURE D'AMAIGRISSEMENT**, 1
reducción de plantilla **DÉGRAISSAGE**, 1
reducción drástica **AMPUTATION**, 1
reducción (de precios) **RÉDUCTION**, 2
reducciones drásticas **COUPES SOMBRES**, 1
reducido **FAIBLE**, 1
reducido (excesivamente ~) **GÂCHÉ, -ÉE**, 1
reducir **COMPRIMER**, 1; **DISCOMPTER**, 2; **RÉDUIRE**, 1; **RESTREINDRE**, 1
reducir drásticamente **AMPUTER**, 1
reducir plantilla **DÉGRAISSER**, 1
reembolsable **REMBOURSABLE**, 1; 2.
reembolsable (no ~) **IRREMBOURSABLE**, 1
reembolsar **DÉFRAYER**, 1; **REMBOURSER**, 1
reembolso **DÉFRAIEMENT**, 1; **PAIEMENT**, 2; **PAYEMENT**, 2; **REMBOURSEMENT**, 1; 2
reescalonamiento **RÉÉCHELONNEMENT**, 1
reescalonar **RÉÉCHELONNER**, 1
reestructuración **REDRESSEMENT**, 2; **RESTRUCTURATION**, 1
reestructurador **REDRESSEUR**, 1
reestructurar **REDRESSER**, 2
reestructurar (se) **RESTRUCTURER**, 1
reexportación **RÉEXPORTATION**, 1
referencia **RÉFÉRENCE**, 1
refinación **RAFFINAGE**, 1
refinador **RAFFINEUR**, 1
refinanciación **REFINANCEMENT**, 1; 2
refinar **RAFFINER**, 1
refinería **RAFFINERIE**, 1
refino **RAFFINAGE**, 1
reflotación **RENFLOUAGE**, 1; **RENFLOUEMENT**, 1; 2
reflotar **RENFLOUER**, 1; 2
reflujo **REFLUX**, 1
reforzar **RENFORCER**, 1
refuerzo **RENFORCEMENT**, 1
regalar (se) **OFFRIR**, 3
regateador **MARCHANDEUR, MARCHANDEUSE**, 1
regatear **MARCHANDER**, 1
regateo **MARCHANDAGE**, 1
regatero **MARCHANDEUR, MARCHANDEUSE**, 1
régimen tributario **FISCALITÉ**, 1
registrar **ENREGISTRER**, 1
registro de vencimientos **ÉCHÉANCIER**, 1
registro mercantil **RC**; **RCS**
regla **RÈGLE**, 1
reglamentación **RÉGLEMENTATION**, 1; 2
reglamentar **RÉGLEMENTER**, 1
reglamentario **RÉGLEMENTAIRE**, 1
reglamento **RÈGLEMENT**, 1
Reglamentos (Banco de ~ Internacionales, BRI) **BRI**
regresión **RECUL**, 1; **RÉGRESSION**, 1
regresivo **RÉGRESSIF, -IVE**, 1
regular **RÉGULIER, -IÈRE**, 1
reintegro **REMBOURSEMENT**, 1
reinversión **RÉINVESTISSEMENT**, 1
reinvertir **RÉINVESTIR**, 1
reivindicación **REVENDICATION**, 1
reivindicaciones salariales **PRÉTENTIONS**, 1
reivindicar **REVENDIQUER**, 1
relaciones públicas **RELATIONS PUBLIQUES**, 1; **RP**
relajar (se) **DÉTENDRE**, 1
relanzamiento **RELANCE**, 1; 3
relanzar **RELANCER**, 1
relocalización **RELOCALISATION**, 1
remesa **LIVRAISON**, 1
remisión **REMISE**, 2
remitente **EXPÉDITEUR, EXPÉDITRICE**, 1
remitido **PUBLIRÉDACTIONNEL**, 1
remuneración **CACHET**, 1; **RÉMUNÉRATION**, 1
remuneración en especies **AVANTAGE**, 3
remunerar **RÉMUNÉRER**, 1; 2; **RÉTRIBUER**, 1; **SALARIER**, 1
remunerativo **RÉMUNÉRATEUR, -TRICE**, 1
remuneratorio **RÉMUNÉRATOIRE**, 1
rendimiento **RENDEMENT**, 1; 3; 4
rendimiento del capital **RÉMUNÉRATION**, 2
rendimientos (impuesto sobre ~) **PRÉCOMPTE**, 2
rendir **PERFORMER**, 1; **RÉMUNÉRER**, 2
renta **LOYER**, 1; **RENTE**, 1; 2; 4
renta de capital **REVENU**, 2
renta del trabajo **REVENU**, 1; **SALAIRE-REVENU**, 1
renta vitalicia (deudor de una ~) **DÉBI(T)RENTIER, DÉBI(T)RENTIÈRE**, 1
renta (acreedor de una ~ vitalicia) **CRÉDI(T)RENTIER, CRÉDI(T)RENTIÈRE**, 1
renta (impuesto sobre la ~ de las personas físicas, IRPF) **IPP**; **IRPP**
renta (vivienda de ~ limitada) **HLM**
rentabilidad **PROFITABILITÉ**, 1; **RENTABILITÉ**, 1; **RETURN**, 1
rentabilización **RENTABILISATION**, 1; 2
rentabilizar **RENTABILISER**, 1
rentable **PRODUCTIF, -IVE**, 2; **RENTABLE**, 1
rentista **RENTIER, RENTIÈRE**, 1; 3; 4
reordenación **RÉAMÉNAGEMENT**, 1
reordenar **RÉAMÉNAGER**, 1
reorganización **RÉAMÉNAGEMENT**, 1; **REDRESSEMENT**, 2
reorganizar **ASSAINIR**, 1; **RÉAMÉNAGER**, 1
reorientación estratégica **RECENTRAGE**, 1
reorientar **RECENTRER**, 1
repartidor **LIVREUR, LIVREUSE**, 1
repartir **VENTILER**, 1
replegarse **REPLIER**, 1
repliegue **REPLI**, 1
representación **REPRÉSENTATION**, 1
representante **PLACIER, PLACIÈRE**, 1; **REPRÉSENTANT, REPRÉSENTANTE**, 1
representante (comercial) **VRP**
repunte **REDRESSEMENT**, 1
rescatable **RACHETABLE**, 1
rescatador **RACHETEUR, RACHETEUSE**, 1; **REPRENEUR**, 1
rescatar **RACHETER**, 2
rescate **RACHAT**, 1
rescindir **RÉSILIER**, 1
rescisión **RÉSILIATION**, 1
reserva **RÉSERVE**, 1
reserva de materiales **STOCK(-)TAMPON**, 1
reserva (fondo de ~) **STOCK(-)OUTIL**, 1
reserva (poner en ~) **PLACEMENT**, 5
reservas **STOCK**, 3
resguardo **RÉCÉPISSÉ**, 1
residuo **DÉCHET**, 1; **RÉSIDU**, 1
residuos **ORDURES**, 1
responsable **CHARGÉ, CHARGÉE**, 1; **DÉCIDEUR, DÉCIDEUSE**, 1; **DÉCISIONNAIRE**, 1
resta **SOUSTRACTION**, 1
restablecer (se) **REDRESSER**, 1; **RÉTABLIR**, 1
restablecimiento **REDRESSEMENT**, 3; **RÉTABLISSEMENT**, 1
restar **SOUSTRAIRE**, 1
restricción **RESSERREMENT**, 1; **RESTRICTION**, 1
restringir **RESTREINDRE**, 1
restringir (se) **RESSERRER**, 1
resultado **RÉSULTAT**, 1
resultado (buen ~) **PERFORMANCE**, 1

resultado (mal ~) **CONTRE-PERFORMANCE**, 1
retención **PRÉCOMPTE**, 1; **PRÉLÈVEMENT**, 1; **RETENUE**, 1
retener **PRÉCOMPTER**, 1; **PRÉLEVER**, 1
retirada **RETRAIT**, 1; 2
retirada de una partida presupuestaria **DÉBUDGÉTISATION**, 1
retirado **RETRAITÉ, -ÉE**, 1
retirado **RETRAITÉ, RETRAITÉE**, 1
retirar **RETIRER**, 1; 2
retirar del presupuesto **DÉBUDGÉTISER**, 1
retirar una partida presupuestaria **DÉBUDGÉTISER**, 1
retiro **PENSION**, 2
retiro del presupuesto **DÉBUDGÉTISATION**, 1
retomar **REPRENDRE**, 1; 2
retorno de la inversión **RETURN**, 1
retracción **RÉTRÉCISSEMENT**, 1
retraso **DÉCÉLÉRATION**, 1
retribución **CACHET**, 1; **RÉTRIBUTION**, 1
retribuciones **ÉMOLUMENTS**, 1
retribuir **RÉTRIBUER**, 1
retroceder **RECULER**, 1; **RÉGRESSER**, 1; **REPLIER**, 1
retroceso **RECUL**, 1; **REPLI**, 1
reubicación **RELOCALISATION**, 1
reubicar **RELOCALISER**, 1
reunión **ASSEMBLÉE**, 1; **RÉUNION**, 1
reunión intersindical **INTERSYNDICALE**, 1
reunir (se) **RÉUNIR**, 1
revalorización **RÉÉVALUATION**, 1; **REVALORISATION**, 1
revalorizar **RÉÉVALUER**, 1; **REVALORISER**, 1
revaluación **RÉÉVALUATION**, 1
revaluar **RÉÉVALUER**, 1
revendedor **REVENDEUR, REVENDEUSE**, 1
revender **REVENDRE**, 1
reventa **REVENTE**, 1
revisable **RÉVISABLE**, 1
revisar **RETRAVAILLER**, 2; **RÉVISER**, 1; 2
revisor **RÉVISEUR**, 1
ricachón **NANTI, -IE**, 1
ricachón **RICHARD, RICHARDE**, 1
ricachones **NANTIS**, 1
rico **FORTUNÉ, -ÉE**, 1; **RICHE**, 1; 2
rico **RICHE**, 1
ricos **NANTIS**, 1
ridículo **DÉRISOIRE**, 1
riesgo (seguro a todo ~) **OMNIUM**, 1
río **FLEUVE**, 1
río arriba **AMONT**, 1
riqueza **RICHESSE**, 1; 2
riquísimo **RICHISSIME**, 1
robot **ROBOT**, 1
robótica **ROBOTIQUE**, 1
robotización **ROBOTISATION**, 1
robotizar **ROBOTISER**, 1
ropa de confección **PRÊT-À-PORTER**, 1
rotación **ROTATION**, 1
rotación de personal **TURN(-)OVER**, 1
rótulo **ENSEIGNE**, 2; **PANONCEAU**, 1
rublo **ROUBLE**, 1
saber hacer **KNOW(-)HOW**, 1
sacar **RETIRER**, 2
sacar (dinero) **RETIRER**, 1
sala de exposición **SHOW(-)ROOM**, 1
salariado **SALARIAT**, 1; 2
salariado (crecimiento del ~) **SALARISATION**, 1
salariado (disminución de la parte del ~) **DÉSALARISATION**, 1
salarial **SALARIAL, -ALE**, 1; 2
salarial (coste ~) **SALAIRE-COÛT**, 1
salariales (reivindicaciones ~) **PRÉTENTIONS**, 1
salario **APPOINTEMENTS**, 1; **SALAIRE**, 1; **SALAIRE-REVENU**, 1
salario mínimo **MINIMEX**, 1
salario mínimo interprofesional **SMIC**; **SMIG**
salario (persona con ~ mínimo) **MINIMEXÉ, MINIMEXÉE**, 1
salario (persona que percibe el ~ mínimo) **SMICARD, SMICARDE**, 1
saldar **ACQUITTER**, 1; **BRADER**, 1; **DÉMARQUER**, 1; **SOLDER**, 1; 2
saldista **BRADEUR, BRADEUSE**, 1; **SOLDEUR, SOLDEUSE**, 1
saldo **SOLDE**, 1; 2; 3
saldo acreedor **CRÉDIT**, 5; **CRÉDITEUR, -TRICE**, 2
saldo de caja **ENCAISSE**, 1
saldo deudor **DÉBET**, 1; **DÉBIT**, 3
saldos (vendedor de ~) **BRADEUR, BRADEUSE**, 1
saldos (venta de ~) **BRADAGE**, 1; **BRADERIE**, 1
salida **DÉBOUCHÉ**, 1; 2; **SORTIE**, 1; 2
salida voluntaria **DÉPART VOLONTAIRE**, 1
salir fiador de **CAUTIONNER**, 1
salón **FOIRE**, 1; **SALON**, 1
saltar **BONDIR**, 1
salto **BOND**, 1
salvapantallas **ÉCONOMISEUR**, 2
saneamiento **ASSAINISSEMENT**, 1
sanear **ASSAINIR**, 1
saturación **SATURATION**, 1
saturado **SATURÉ, -ÉE**, 1
sección **RAYON**, 2; **SERVICE**, 2
secretaría **SECRÉTARIAT**, 1
secretario **SECRÉTAIRE**, 1
sector **SECTEUR**, 1; 3; 4
sector bancario (desarrollar el ~) **BANCARISER**, 1
sector clave **SECTEUR(-)CLÉ**, 1
sector de cabecera **AMONT**, 1
sector no sujeto a las leyes del mercado **NON-MARCHAND**, 1
sector primario **PRIMAIRE**, 1
sector privado **PRIVÉ**, 1
sector público **PUBLIC**, 2
sector secundario **SECONDAIRE**, 1
sector terciario **TERTIAIRE**, 1
sector (de actividad) **BRANCHE**, 1
sector (desarrollo del ~ terciario) **TERTIAIRISATION**, 1; **TERTIARISATION**, 1
sector (institucional) **SECTEUR**, 2
sector (pertenecer al ~ terciario) **TERTIARISER**, 1
sectorial **SECTORIEL, -IELLE**, 1; 2
secundario (sector ~) **SECONDAIRE**, 1
sede administrativa **SIÈGE ADMINISTRATIF**, 1
sede social **SIÈGE SOCIAL**, 1
segmentación **SEGMENTATION**, 1
segmentar **SEGMENTER**, 1
segmento **SEGMENT**, 1
segmento (de mercado) **CRÉNEAU**, 1
seguimiento **SUIVI**, 1
seguridad (beneficiario de la ~ social) **ALLOCATAIRE**, 1; **RENTIER, RENTIÈRE**, 2
seguro **ASSURANCE**, 1; 2; 5
seguro a todo riesgo **OMNIUM**, 1
seguro bancario **BANCASSURANCE**, 1; **BANQUE-ASSURANCE**, 1
seguro colectivo **ASSURANCE(-)GROUPE**, 1
seguro contra daños **ASSURANCE(-)DOMMAGES**, 1
seguro contra incendios **ASSURANCE(-)INCENDIE**, 1
seguro de ahorro **ASSURANCE(-)ÉPARGNE**, 1
seguro de asistencia en viaje **ASSURANCE(-)VOYAGE**, 1
seguro de automóvil **ASSURANCE(-)AUTO(MOBILE)**, 1
seguro de crédito **ASSURANCE(-)CRÉDIT**, 1
seguro de daños **ASSURANCE(-)DOMMAGES**, 1
seguro de defensa jurídica **CONTRE-ASSURANCE**, 2
seguro de desempleo **ASSURANCE(-)CHÔMAGE**, 1
seguro de empleo **ASSURANCE(-)EMPLOI**, 1
seguro de enfermedad **ASSURANCE(-)MALADIE**, 1
seguro de grupo **ASSURANCE(-)GROUPE**, 1
seguro de invalidez **ASSURANCE(-)INVALIDITÉ**, 1
seguro de jubilación **ASSURANCE(-)PENSION**, 1; **ASSURANCE(-)VIEILLESSE**, 1
seguro de muerte **ASSURANCE(-)DÉCÈS**, 1
seguro de pensiones **ASSURANCE(-)DIRIGEANT**, 1
seguro de vida **ASSURANCE-VIE**, 1
seguro (contrato de ~) **ASSURANCE**, 2
seguro (coste, ~, flete, CIF) **CAF**
seguro (prima de ~) **ASSURANCE**, 5
seguro (tomador del ~) **PRENEUR, PRENEUSE**, 2
seguros **ASSURANCE**, 4
seguros (compañía de ~) **ASSURANCE**, 3; **ASSUREUR**, 1
semanal **HEBDOMADAIRE**, 1
semanario **HEBDOMADAIRE**, 1
semestral **SEMESTRIEL, -IELLE**, 1
semestre **SEMESTRE**, 1
semielaborado (producto ~) **DEMI-PRODUIT**, 1
semifabricado (producto ~) **SEMI-PRODUIT**, 1
seminario **SÉMINAIRE**, 1
semiproducto **DEMI-PRODUIT**, 1; **SEMI-PRODUIT**, 1
señal **ARRHES**, 1
sensible **SENSIBLE**, 1
sensiblemente **SENSIBLEMENT**, 1
ser **ÊTRE**, 1
servicio **SERVICE**, 1; 3
servicio de facturación **FACTURATION**, 2
servicio pos(t)venta **SAV**
servicio (estación de ~) **STATION-SERVICE**, 1
servicio (libre ~) **SELF-SERVICE**, 1
servicio (ofrecer un ~) **LIVRER**, 2
servicio (proveedor de un ~) **PRESTATAIRE**, 2
servicios **SERVICE**, 3
servicios (cesión a ~ externos) **IMPARTITION**, 1
servicios (prestador de ~) **PRESTATAIRE**, 2
servidumbre (redención de ~) **RACHAT**, 2
servir **SERVIR**, 1; 2
siderurgia **SIDÉRURGIE**, 1; 2
siderúrgico **SIDÉRURGIQUE**, 1; 2; **SIDÉRURGISTE**, 1
siderúrgico **SIDÉRURGISTE**, 1
signatario **SIGNATAIRE**, 1
silo **SILO**, 1
silvícola **FORESTIER, -IÈRE**, 1; **SYLVICOLE**, 1
silvicultor **SYLVICULTEUR, SYLVICULTRICE**, 1
silvicultura **SYLVICULTURE**, 1

sindicación **SYNDICALISATION**, 1
sindicado **SYNDIQUÉ, SYNDIQUÉE**, 1
sindical **SYNDICAL, -ALE**, 1
sindical (base ~) **BASE**, 1
sindicalismo **SYNDICALISME**, 1; 2; 3
sindicalista **SYNDICALISTE**, 1; 2; 3
sindicalista **SYNDICALISTE**, 1
sindicalmente **SYNDICALEMENT**, 1
sindicar **SYNDICALISER**, 1
sindicar (se) **SYNDIQUER**, 1; 2
sindicato **SYNDICAT**, 1
sindicato financiero **SYNDICAT**, 2
sindicato (de un ~ financiero) **SYNDICATAIRE**, 1
sindicato (miembro de un ~ financiero) **SYNDICATAIRE**, 1
sindicato (reducción de afiliados a un ~) **DÉSYNDICALISATION**, 1
síndico **SYNDIC**, 1
sinergia **SYNERGIE**, 1
siniestrado **SINISTRÉ, SINISTRÉE**, 1
siniestro **SINISTRE**, 1; 2
Sistema monetario europeo (SME) **SME**
situación **POSITION**, 1
SL (sociedad de responsabilidad limitada) **SARL**; **SPRL**
slogan **SLOGAN**, 1
SME (Sistema monetario europeo) **SME**
sobornar **PATTE**, 1
soborno **POT-DE-VIN**, 1
sobre **ENVELOPPE**, 1
sobrecalentamiento (económico) **SURCHAUFFE**, 1
sobrecarga **SURCHARGE**, 1
sobrecargar **SURCHARGER**, 1
sobrecoste **SURCOÛT**, 1
sobrepasar **EXCÉDER**, 1
sobreproducción **SURPRODUCTION**, 1
sobresalario **SURSALAIRE**, 1
sobrestimación **SURÉVALUATION**, 1
sobrestimado **SURCOTÉ, -ÉE**, 1
sobrestimar **SURÉVALUER**, 1
sobresueldo **PRIME**, 2; **SURSALAIRE**, 1
sobretasa **SURTAXE**, 1
sobretasación **SURTAXATION**, 1
sobretasar **SURTAXER**, 1
sobrevalor **SURVALEUR**, 1
sobrevaloración **SURÉVALUATION**, 1
sobrevalorado **SURCOTÉ, -ÉE**, 1
sobrevalorar **SURÉVALUER**, 1
socialismo **SOCIALISME**, 1
socialista **SOCIALISTE**, 1
socialista **SOCIALISTE**, 1
sociedad **SOCIÉTÉ**, 1; 2
sociedad anónima (SA) **SA**
sociedad comanditaria **SCS**
sociedad comanditaria por acciones **SCPA**
sociedad de inversión de capital fijo **SICAF**
sociedad de inversión de capital variable **SICAV**
sociedad de responsabilidad limitada (SL) **SARL**; **SPRL**
sociedad importadora **IMPORTATEUR, IMPORTATRICE**, 2
sociedad interpuesta **SOCIÉTÉ(-)ÉCRAN**, 1
sociedad laboral **MBO**
sociedad matriz **SOCIÉTÉ(-)MÈRE**, 1
sociedad regular colectiva **SNC**
sociedad (cuota del beneficio anual que corresponde a los miembros del Consejo de administración de una ~ mercantil) **TANTIÈME**, 1
sociedad (gestión de una ~ en quiebra) **CURATELLE**, 1
sociedades (impuesto sobre ~) **IS**; **ISOC**
Sociedades (pago a cuenta del Impuesto sobre ~) **PRÉCOMPTE**, 2
socio **ASSOCIÉ, ASSOCIÉE**, 1; **PARTENAIRE**, 1; **SOCIÉTAIRE**, 1
socio **SOCIÉTAIRE**, 1
socio capitalista **BAILLEUR, BAILLERESSE**, 2; **COMMANDITAIRE**, 1; 2
socio comanditario **COMMANDITAIRE**, 1
socio gerente **ASSOCIÉ-GÉRANT, ASSOCIÉE-GÉRANTE**, 1
socio gestor **ASSOCIÉ-GÉRANT, ASSOCIÉE-GÉRANTE**, 1
socioeconómico **SOCIOÉCONOMIQUE**, 1
socioprofesional **SOCIOPROFESSIONNEL, -ELLE**, 1
software **LOGICIEL**, 1; **SOFTWARE**, 1
soldada **SOLDE**, 4
solicitar **SOLLICITER**, 1
solicitud **SOLLICITATION**, 1
solicitudes de empleo no atendidas a finales del mes **DEFM**
solvencia **LIQUIDITÉ**, 2; **SOLVABILITÉ**, 1
solvente **SOLVABLE**, 1
someter a impuestos **ASSUJETTIR**, 1
someter a un impuesto **IMPOSER**, 1
sostén **GAGNE-PAIN**, 1
sostenido **SOUTENU, -UE**, 1
spinoff **SPIN-OFF**, 1
spot publicitario **SPOT**, 1
spray **BOMBE**, 1
stage **STAGE**, 1
stock **STOCK**, 1
stock mínimo **STOCK(-)OUTIL**, 1; **STOCK(-)TAMPON**, 1
stocks intermedios **STOCK(-)TAMPON**, 2
stop and go **STOP AND GO**, 1
subalimentación **SOUS-ALIMENTATION**, 1
subarrendar **SOUS-LOUER**, 1
subarrendatario **SOUS-LOCATAIRE**, 1
subarriendo **SOUS-LOCATION**, 1
subasta **ADJUDICATION**, 1; **ENCHÈRE**, 1
subastar **ADJUGER**, 1
subcontratación **SOUS-TRAITANCE**, 1
subcontratar **SOUS-TRAITER**, 1; 2
subcontratista **SOUS-TRAITANT**, 1
subcontratista (recurrir a un ~) **SOUS-TRAITER**, 1
subcontrato (tomar en ~) **SOUS-TRAITER**, 2
subempleado **SOUS-EMPLOYÉ, -ÉE**, 1
subempleo **SOUS-EMPLOI**, 1; 2
subida **ASCENSION**, 1; **GRIMPÉE**, 1; **MONTÉE**, 1; **REHAUSSEMENT**, 1; **REMONTÉE**, 1
subir **GRIMPER**, 1; **HISSER**, 1
subir bruscamente **FLAMBER**, 1
subir (se) **MONTER**, 1
subir (volver a ~) **REMONTER**, 1
subproducción **SOUS-PRODUCTION**, 1
subproducir **SOUS-PRODUIRE**, 1
subproductividad **SOUS-PRODUCTIVITÉ**, 1
subproducto **SOUS-PRODUIT**, 1
subsidiar **SUBSIDIER**, 1
subsidio **ALLOC**, 1; **ALLOCATION**, 1; **INDEMNITÉ**, 1; **PRESTATION**, 1; **RENTE**, 2; **REVENU**, 3; **SUBSIDE**, 1
subsidio de desempleo **ALLOCATION(-)CHÔMAGE**, 1
subsidio de paro **ALLOCATION(-)CHÔMAGE**, 1
subsidio (beneficiario de un ~) **ALLOCATAIRE**, 1; **PRESTATAIRE**, 1
subvención **AIDE**, 1; **SUBSIDE**, 1; **SUBVENTION**, 1
subvencionador **SUBVENTIONNAIRE**, 1
subvencionar **SUBSIDIER**, 1; **SUBVENTIONNER**, 1
sucursal **FILIALE**, 1; **SUCCURSALE**, 1
sueldo **APPOINTEMENTS**, 1; **GAGES**, 1; **REVENU**, 1; **TRAITEMENT**, 1
sueldo fijo **FIXE**, 1
suelo **PLANCHER**, 1
suelta (moneda ~) **APPOINT**, 1
sujeción **ASSUJETTISSEMENT**, 1
sujetar **ASSUJETTIR**, 1
sujeto **ASSUJETTI, ASSUJETTIE**, 1
sujeto a impuestos **REDEVABLE**, 2
suma **ADDITION**, 1; **CUMUL**, 2; **SOMME**, 1; 2
sumar **CUMULER**, 2; **TOTALISER**, 1
sumar (se) **ADDITIONNER**, 1
suministrador **FOURNISSEUR, FOURNISSEUSE**, 1
suministrar **RAVITAILLER**, 1
suministrar (se) **FOURNIR**, 1
suministro **FOURNITURE**, 1
suministros **FOURNITURE**, 2; 3
suministros (cortar ~) **ASSÉCHER**, 1
suministros (corte de ~) **ASSÈCHEMENT**, 1
superabundante **SURABONDANT, -ANTE**, 1
superación **DÉPASSEMENT**, 1
superar **DÉPASSER**, 1
superávit **BONI**, 2; **EXCÉDENT**, 1
supercalificación **SURQUALIFICATION**, 1
supermercado **SUPERMARCHÉ**, 1; **SURFACE**, 1
superproducción **SURPRODUCTION**, 1
superproducir **SURPRODUIRE**, 1
superservicio **SUPÉRETTE**, 1
suplemento **ENCART**, 1
supresión **JUGULATION**, 1
supresión del límite superior **DÉPLAFONNEMENT**, 1
suprimir **JUGULER**, 1
suprimir el límite superior **DÉPLAFONNER**, 1
surtido **ASSORTIMENT**, 1
surtido (bien ~) **ACHALANDÉ, -ÉE**, 2; **ASSORTI**, 1
suscribir **SOUSCRIRE**, 1; 2
suscripción **SOUSCRIPTION**, 1
suscriptor **SOUSCRIPTEUR, SOUSCRIPTRICE**, 1
sustento (medio de ~) **GAGNE-PAIN**, 1
sustracción **SOUSTRACTION**, 1
sustraer **SOUSTRAIRE**, 1
tabaco (expendeduría de ~) **TABAC**, 1
taberna **BISTRO(T)**, 1
tabla **TABLEAU**, 1
tacañería **AVARICE**, 1
tacaño **AVARE**, 1
tacaño **AVARE**, 1
taller **ATELIER**, 1
talón **CHÈQUE**, 1
talonario **CHÉQUIER**, 1
tanto (a ~ alzado) **FORFAITAIRE**, 1
taquilla **GUICHET**, 1
taquillero **GUICHETIER, GUICHETIÈRE**, 1
tarea penosa **BESOGNE**, 1
tarifa **BARÈME**, 1; **TARIF**, 1; 2; 3; 4
tarifa exterior común (TEC) **TEC**
tarifa (media ~) **DEMI-TARIF**, 1
tarifar **TARIFER**, 1; **TARIFIER**, 1
tarifario **BARÉMIQUE**, 1; **TARIFAIRE**, 1; 2
tarificación **TARIFICATION**, 1

tarjeta **CARTE**, 1; **FICHE**, 1
tarro **POT**, 1
tasa **TAUX**, 2; 3; **TAXE**, 1
tasación **TAXATION**, 1
tasación pericial **EXPERTISE**, 2
tasador **COMMISSAIRE-PRISEUR**, 1; **ENCANTEUR, ENCANTEUSE**, 1; **TAXATEUR, TAXATRICE**, 1
tasador **TAXATEUR, -TRICE**, 1; **TAXATOIRE**, 1
tasar **TAXER**, 1
tasas no incluidas **HT**
tasca **BISTRO(T)**, 1
TEC (tarifa exterior común) **TEC**
techo **PLAFOND**, 1
techo (alcance de un ~ de) **PLAFONNEMENT**, 1
techo (alcanzar un ~ de) **PLAFONNER**, 1
técnica **TECHNIQUE**, 1
técnicamente **TECHNIQUEMENT**, 1
tecnicismo **TECHNICITÉ**, 1
técnico **CADRE**, 2; **TECHNICIEN, TECHNICIENNE**, 1
técnico **TECHNIQUE**, 1
técnico en mercadotecnia **MARKETEUR**, 1; **MARKETE(E)R**, 1
técnicos **COLS BLANCS**, 1
tecnocracia **TECHNOCRATIE**, 1
tecnócrata **TECHNOCRATE**, 1
tecnocrático **TECHNOCRATIQUE**, 1
tecnología **TECHNOLOGIE**, 1
tecnológicamente **TECHNOLOGIQUEMENT**, 1
tecnológico **TECHNOLOGIQUE**, 1
telebanco **PHONEBANKING**, 1; **TÉLÉBANKING**, 1; **TÉLÉBANQUE**, 1
telecompra **TÉLÉSHOPPING**, 1; **TÉLÉ(-)ACHAT**, 1
telecomunicaciones **TÉLÉCOMMUNICATION**, 1; **TÉLÉCOMS**, 1
teledistribuidor **TÉLÉDISTRIBUTEUR**, 1
telefonear **TÉLÉPHONER**, 1
telefonía **TÉLÉPHONE**, 1; **TÉLÉPHONIE**, 1
telefónica (guía ~) **ANNUAIRE**, 1
telefónico **TÉLÉPHONIQUE**, 1
teléfono **TÉLÉPHONE**, 2
telemática **TÉLÉMATIQUE**, 1
teletrabajador **TÉLÉTRAVAILLEUR, TÉLÉTRAVAILLEUSE**, 1
teletrabajar **TÉLÉTRAVAILLER**, 1
teletrabajo **TÉLÉTRAVAIL**, 1
televenta **TÉLÉ(-)VENTE**, 1
televisión por cable **TÉLÉDISTRIBUTION**, 1
temporal **VACATAIRE**, 1
tendencia **TENDANCE**, 1
tendero **BOUTIQUIER, BOUTIQUIÈRE**, 1; **ÉPICIER, ÉPICIÈRE**, 1
tenedor **DÉTENTEUR, DÉTENTRICE**, 1; **TENEUR, TENEUSE**, 1
tenedor de libros **COMPTABLE**, 1
tenedor de mercado **MARKET(-)MAKER**, 1
tenedor de obligaciones **OBLIGATAIRE**, 1
teneduría de libros **COMPTABILITÉ**, 1
tener **POSSÉDER**, 1
tener justo para vivir al día **BOUTS**, 1
tercer mundo **TIERS(-)MONDE**, 1
terciario (sector ~) **TERTIAIRE**, 1
terminal **TERMINAL**, 1; 2
término **ÉCHÉANCE**, 2; **TERME**, 1
terreno (ceder ~) **TERRAIN** (céder du ~), 1
terreno (ganar ~) **TERRAIN** (gagner du ~), 1
terreno (perder ~) **TERRAIN** (perdre du ~), 1
tesorería **TRÉSORERIE**, 1
tesorero **TRÉSORIER, TRÉSORIÈRE**, 1
tesoro **TRÉSOR**, 3
Tesoro público **TRÉSOR**, 1
Tesoro (obligación del ~) **OAT**; **OLO**
testaferro **PRÊTE-NOM**, 1
textil **TEXTILE**, 1
textil (industria ~) **TEXTILE**, 1
tiburón (de bolsa) **RAIDER**, 1
ticket **TICKET**, 1
ticket-restaurant **TICKET-REPAS**, 1; **TICKET-RESTAURANT**, 1
tienda **BOUTIQUE**, 1; **MAGASIN**, 1
tienda de comestibles **ÉPICERIE**, 1
tienda de descuento **DISCOMPTE**, 2; **DISCOUNT**, 2; **MINIMARGE**, 1; **SOLDERIE**, 1
tienda nocturna **DÉPANNEUR**, 1
tiendas (cadena de ~ de descuento) **DISCOMPTEUR**, 1; **DISCOUNTER**, 1
tipo de cambio **CHANGE**, 2
tipo de cambio oficial **COTE**, 2; **TAUX(-)PIVOT**, 1
titulado **DIPLÔMÉ, -ÉE**, 1
titular **TITULAIRE**, 1
titularización **TITULARISATION**, 1
titularizar **TITULARISER**, 1
título **BREVET**, 1; **TITRE**, 1
título de garantía **WARRANT**, 2
título de máxima garantía **VALEUR(-)REFUGE**, 1
título valor **CERTIFICAT**, 2
título (académico) **DIPLÔME**, 1
TLCAN (Tratado de Libre Comercio de América del Norte) **ALENA**
toma de control **PRISE DE CONTRÔLE**, 1
toma y daca **DONNANT DONNANT**, 1
toma (nueva ~) **REPRISE**, 2
tomador (del seguro) **PRENEUR, PRENEUSE**, 2
tomar **EMPRUNTER**, 2
tomar prestado **EMPRUNTER**, 1
tómbola **TOMBOLA**, 1
tonel **BARIL**, 1; **TONNEAU**, 1
tonelada **TONNE**, 1
total **MONTANT**, 1; **TOTAL**, 1
total **TOTAL, -ALE**, 1
totalidad **TOTALITÉ**, 1
totalizar **TOTALISER**, 1
totalmente **TOTALEMENT**, 1
tour operador **TOUR-OPÉRATEUR**, 1
trabaja (estudiante que ~) **JOBISTE**, 1
trabajador **ACTIF**, 3; **TRAVAILLEUR, TRAVAILLEUSE**, 1
trabajador **TRAVAILLEUR, -EUSE**, 1
trabajador asalariado **SALARIÉ, SALARIÉE**, 1
trabajador (muy ~) **BOSSEUR, BOSSEUSE**, 1
trabajadores **TRAVAILLEUR, TRAVAILLEUSE**, 2
trabajar **BOSSER**, 1; **TRAVAILLER**, 1; 2; 3
trabajar despacio **TRAVAILLOTER**, 1
trabajar (volver a ~) **RETRAVAILLER**, 1
trabajillo **JOB**, 1
trabajo **BOULOT**, 1; **JOB**, 1; **TRAVAIL**, 1; 2; 3; 5; 6
trabajo a distancia **TÉLÉTRAVAIL**, 1
trabajo a turnos **3X8**, 1
trabajo por turno **3X8**, 1
trabajo (asignar a un nuevo puesto de ~) **RECASER**, 1; **RECLASSER**, 1; **REPLACER**, 1
trabajo (cesar el ~) **DÉBRAYER**, 1
trabajo (cese del ~) **DÉBRAYAGE**, 1
trabajo (dar ~) **EMPLOYER**, 1; **OCCUPER**, 1
trabajo (de construcción) **TRAVAIL**, 4
trabajo (diversificación del ~) **ÉLARGISSEMENT DES TÂCHES**, 1
trabajo (incitación a dejar el ~) **DÉBAUCHAGE**, 1
trabajo (incitar a cesar el ~) **DÉBAUCHER**, 1
trabajo (mesa de ~) **BUREAU**, 4
trabajo (miembro de la magistratura del ~) **PRUD'HOMME**, 1
Trabajo (Oficina Internacional del ~, OIT) **BIT**
trabajo (plan de ~) **PLANNING**, 1
trabajo (puesto de ~) **EMPLOI**, 3
trabajo (reanudar el ~) **EMBRAYER**, 1
trabajo (renta del ~) **REVENU**, 1; **SALAIRE-REVENU**, 1
traficante **TRAFIQUANT, TRAFIQUANTE**, 1
traficante de mano de obra **NÉGRIER**, 2
traficar **TRAFICOTER**, 1; **TRAFIQUER**, 1; 2
tráfico **TRAFIC**, 1; 2; 3; **TRAITE**, 2
tráfico (punto de mucho ~) **POINT CHAUD**, 1
traidor **VENDU**, 2
transacción **AFFAIRE**, 1; **OPÉRATION**, 1; **TRANSACTION**, 1
transacción comercial **TRANSACTION**, 2
transfer **TRANSPORTEUR**, 3
transferencia **CAPITALISATION**, 2; **VIREMENT**, 1
transferencia (orden de ~) **MANDAT**, 2
transferir **CAPITALISER**, 3; **VIRER**, 1
transformación (cadena de ~) **FILIÈRE**, 1
transitar **TRANSITER**, 1
tránsito **TRANSIT**, 1
tránsito (estar en ~) **TRANSITER**, 1
transportable **TRANSPORTABLE**, 1
transportador **TRANSPORTEUR, -EUSE**, 1
transportador **TRANSPORTEUR**, 3
transportar (se) **TRANSPORTER**, 1
transporte **TRANSPORT**, 1; 2
transporte de avituallamiento **RAVITAILLEUR**, 1
transporte (empresa de ~) **TRANSPORTEUR**, 2
transportista **TRANSPORTEUR**, 1
traspaso **PAS-DE-PORTE**, 1
trastienda **ARRIÈRE-BOUTIQUE**, 1
Tratado de Libre Comercio de América del Norte (TLCAN) **ALENA**
tratamiento **TRAITEMENT**, 2
traveller's cheque **TRAVELLER'S CHEQUE**, 1
tren **TRAIN**, 1
trepa **CARRIÉRISTE**, 1; **LOUP**, 1
tributación **FISCALITÉ**, 2; **IMPOSITION**, 2
tributario **FISCAL, -ALE**, 1
tributario (régimen ~) **FISCALITÉ**, 1
tributarios (ingresos ~) **RECETTE**, 2
trigo **BLÉ**, 1
trimestral **TRIMESTRIEL, -IELLE**, 1
trimestre **TRIMESTRE**, 1
trocar **ÉCHANGER**, 1; **TROQUER**, 1
trueque **TROC**, 1
trust **TRUST**, 1
tubo **TUBE**, 1
turismo **TOURISME**, 1; 2
turismo (oficina de ~) **OFFICE DU TOURISME**, 1
turista **TOURISTE**, 1
turística (industria ~) **TOURISME**, 2
turístico **TOURISTIQUE**, 1; 2
turístico (operador ~) **TOUR-OPÉRATEUR**, 1; **VOYAGISTE**, 1
turno (trabajo por ~) **3X8**, 1
turnos (trabajo a ~) **3X8**, 1

UEM (Unión Económica y Monetaria) **UEM**
ultramarinos **ÉPICERIE**, 1
umbral **BARRE**, 1; **SEUIL**, 1
unidad **PIÈCE**, 1
unidad de producción **PRODUCTION**, 3
unidad familiar **MÉNAGE**, 1
unión **ALLIANCE**, 1
unión de empresas **CO(-)ENTREPRISE**, 1
Unión Económica y Monetaria (UEM) **UEM**
unir (se) **ALLIER**, 1
untar la mano **PATTE**, 1
unte **DESSOUS(-)DE(-)TABLE**, 1; **POT-DE-VIN**, 1
uso **USAGE**, 1
uso de existencias **DÉSTOCKAGE**, 1
usuario **USAGER**, 1
utilitario (vehículo ~) **UTILITAIRE**, 1
utillaje **OUTILLAGE**, 1
vaca **VACHE À LAIT**, 1
vacaciones **CONGÉ**, 1; **VACANCE**, 2
vacaciones (bono de ~) **CHÈQUE(-) VACANCES**, 1
vacaciones (persona de ~) **VACANCIER, VACANCIÈRE**, 1
vacante **VACANCE**, 1
vacante **VACANT, -ANTE**, 1
vacante (cubrir una ~) **POURVOIR**, 2
vagón **WAGON**, 1
vagón (franco ~) **FOR**
valer **VALOIR**, 1
valla **PANNEAU**, 1
valor **TITRE**, 1; **VALEUR**, 1; 2
valor de referencia **RÉFÉRENCE**, 1
valor estrella **BLUE CHIP**, 1; **VALEUR(-)VEDETTE**, 1
valor indicado en oro **AURIFÈRE**, 1
valor (impuesto sobre el ~ añadido incluido) **TTC**
valor (impuesto sobre el ~ añadido, IVA) **TVA**
valor (título ~) **CERTIFICAT**, 2
valorar **CHIFFRER**, 2
valores **VALEUR**, 3
valores (bolsa de ~) **BOURSE**, 1
valores (cuenta de ~) **COMPTE-TITRES**, 1
valores (organismo de inversión colectiva en ~ mobiliarios, OICVM) **OPCVM**
valorización **VALORISATION**, 1; 2
valorizar **VALORISER**, 1; 2
vaporizador **BOMBE**, 1
variabilidad **VARIABILITÉ**, 1
variable **VARIABLE**, 1
variable **VARIABLE**, 1
variación **VARIATION**, 1
variar **FLUCTUER**, 1; **VARIER**, 1; **YOYO**, 1

vehículo **VÉHICULE**, 1
vehículo utilitario **UTILITAIRE**, 1
vencido (pago ~) **ARRIÉRÉ**, 1
vencimiento **ÉCHÉANCE**, 1; **EXPIRATION**, 1
vencimiento del plazo **ÉCHÉANCE**, 2
vencimiento (fecha de ~) **ÉCHÉANCE**, 1
vencimientos (calendario de ~) **ÉCHÉANCIER**, 1
vencimientos (registro de ~) **ÉCHÉANCIER**, 1
vendedor **DÉBITANT, DÉBITANTE**, 1; **MARCHAND, MARCHANDE**, 1; **VENDEUR, VENDEUSE**, 1; 2
vendedor **VENDEUR, -EUSE**, 1; 2
vendedor a domicilio **DÉMARCHEUR, DÉMARCHEUSE**, 1
vendedor ambulante **COLPORTEUR, COLPORTEUSE**, 1
vendedor de saldos **BRADEUR, BRADEUSE**, 1
vender **CÉDER**, 1; **DÉBITER**, 2; **PLACER**, 2
vender a domicilio **DÉMARCHER**, 1
vender a precio reducido **DISCOMPTER**, 1
vender al por menor **DÉTAILLER**, 1
vender con descuento **DISCOUNTER**, 1
vender (se) **ÉCOULER**, 1; **VENDRE**, 1
vender (sin ~) **INVENDU, -UE**, 1
vendible **VENDABLE**, 1
vendido **VENDU**, 1
venta **ÉCOULEMENT**, 1; **PLACEMENT**, 3; **VENTE**, 1
venta a domicilio **DÉMARCHAGE**, 1
venta ambulante **COLPORTAGE**, 1; **PORTE-À-PORTE**, 1
venta de saldos **BRADAGE**, 1; **BRADERIE**, 1
venta por correo **VÉPÉCISTE**, 1; **VPC**
venta por correspondencia **VÉPÉCISTE**, 1; **VPC**
venta promocional **VENTE-RÉCLAME**, 1
venta (argumentos de ~) **ARGUMENTAIRE**, 1
venta (contrato de ~) **VENTE**, 2
venta (mala ~) **MÉVENTE**, 1
Venta (Oferta Pública de ~, OPV) **OPV**
venta (practicar la ~ a domicilio) **DÉMARCHER**, 1
venta (practicar la ~ ambulante) **COLPORTER**, 1
venta (promoción en el punto de ~) **PLV**
ventaja **AVANTAGE**, 1
ventaja competitiva **AVANTAGE**, 2
ventajoso **AVANTAGEUX, -EUSE**, 1
ventanilla **GUICHET**, 1
ventas (volumen de ~) **CHIFFRE**, 2
ventilación **VENTILATION**, 1

veraneante **VACANCIER, VACANCIÈRE**, 1
verificación **APUREMENT**, 1; **VÉRIFICATION**, 1
verificador **VÉRIFICATEUR, VÉRIFICATRICE**, 1
verificar **AUDITER**, 1; **VÉRIFIER**, 1
viajar **VOYAGER**, 1
viaje **VOYAGE**, 1
viajero **VOYAGEUR, VOYAGEUSE**, 1
vid **VIGNE**, 1
vidriero **VERRIER, -IÈRE**, 1
vidriero **VERRIER**, 1
vidrio **VERRE**, 1
viña **VIGNE**, 2
viñador **VIGNERON, -ONNE**, 1
viñador **VIGNERON, VIGNERONNE**, 1
viñedo **VIGNE**, 2
viñeta **VIGNETTE**, 1
vinícola **VINICOLE**, 1
vino **VIN**, 1
visualizador **AFFICHEUR**, 2
vitalicia (acreedor de una renta ~) **CRÉDI(T)RENTIER, CRÉDI(T)RENTIÈRE**, 1
vitalicia (deudor de una renta ~) **DÉBI(T)RENTIER, DÉBI(T)RENTIÈRE**, 1
vitícola **VITICOLE**, 1
viticultor **VIGNERON, VIGNERONNE**, 1; **VITICULTEUR, VITICULTRICE**, 1
viticultura **VITICULTURE**, 1
vitrina **VITRINE**, 1
víveres **VIVRES**, 1
vivero de empresas **ESSAIMAGE**, 1
vivienda de protección oficial (VPO) **HLM**
vivienda de renta limitada **HLM**
vivir al día (tener justo para ~) **BOUTS**, 1
volátil **VOLATIL, -ILE**, 1
volatilidad **VOLATILITÉ**, 1
volumen **VOLUME**, 1
volumen de facturación **CHIFFRE**, 2
volumen de ventas **CHIFFRE**, 2
voluntariado **BÉNÉVOLAT**, 1; **VOLONTARIAT**, 1
voluntariamente **BÉNÉVOLEMENT**, 1
voluntario **BÉNÉVOLE**, 1; **VOLONTAIRE**, 1
voluntario **BÉNÉVOLE**, 1
VPO (vivienda de protección oficial) **HLM**
vuelo charter **CHARTER**, 1
vuelta **MONNAIE**, 3
warrant **WARRANT**, 1
WEB **WEB**, 1
yen **YEN**, 1
zinc **ZINC**, 1
zona de clientela **CHALANDISE**, 1
zona operacional **CHALANDISE**, 1
zona **ZONAGE**, 1; **ZONE**, 1; **ZONING**, 1

abbassamento **ABATTEMENT**, 1
abbassamento dei prezzi **DÉMARQUAGE**, 1
abbassare **ABAISSER**, 1; **BAISSER**, 1
abbassare il prezzo **DÉMARQUER**, 1
abbassarsi **TASSER**, 1
abbattimento **DÉCOTE**, 1
abbiente (meno ~) **DÉSARGENTÉ, -ÉE**, 1
abbiente (persona meno ~) **DÉMUNI, -IE**, 1
abbondante **ABONDANT, -ANTE**, 1
abbondanza **ABONDANCE**, 1; **RICHESSE**, 1
abbuonare **BONIFIER**, 1
abbuono **BONIFICATION**, 1; **RISTOURNE**, 1
abituale (cliente ~) **HABITUÉ, HABITUÉE**, 1
accantonamento **PROVISION**, 1
accantonare in un fondo **PROVISIONNER**, 1
accelerare **ACCÉLÉRER**, 1
accelerazione **ACCÉLÉRATION**, 1
accentuare **ACCENTUER**, 1
accentuazione **ACCENTUATION**, 1
accertamento fiscale **IMPOSITION**, 2
accessorio **ACCESSOIRE**, 1
accessorio **ACCESSOIRE**, 1
accettante **TIRÉ**, 1
accettazione e rimborso di un prodotto venduto **REPRISE**, 2
acciaieria **ACIÉRIE**, 1
acciaio **ACIER**, 1
accomandita (societa in ~) **COMMANDITE**, 1
accomandita (società in ~ per azioni) (SAPA) **SCPA**
accomandita (società in ~ semplice) (SAS) **SCS**
acconto **ACOMPTE**, 1; **ARRHES**, 1; **PROVISION**, 3
acconto di imposta **TIERS PROVISIONNEL**, 1
accordare **ACCORDER**, 1; **ALLOUER**, 2
accordarsi **ACCORDER**, 2
accordo **ACCORD**, 1; **MARCHÉ**, 3
accreditare **CRÉDITER**, 1
accrescere **AUGMENTER**, 1
accrescimento **AUGMENTATION**, 1; **GRIMPÉE**, 1
accumulare **ACCUMULER**, 1
accumulazione **ACCUMULATION**, 1
acquirente **ACHETEUR, ACHETEUSE**, 1; 2; **ACQUÉREUR, ACQUÉREUSE**, 1; **DEMANDEUR, DEMANDEUSE**, 1; **PRENEUR, PRENEUSE**, 3; **RACHETEUR, RACHETEUSE**, 1
acquirente **ACHETEUR, -EUSE**, 1; 2; **ACQUÉREUR, -EUSE**, 1
acquirente potenziale **REPRENEUR**, 1
acquistabile **ACHETABLE**, 1
acquistare **ABSORBER**, 1; **ACHETER**, 1; **ACQUÉRIR**, 1
acquisti **ACHAT**, 2; **COURSES**, 1
acquisti (fare ~) **SHOPPING**, 1
acquisti (responsabile (degli) ~) **PRA**
acquisto **ACHAT**, 1; **ACQUISITION**, 1; **EMPLETTES**, 1
acquisto (controfferta pubblica di ~) **CONTRE-OPA**, 1
acquisto (offerta pubblica di ~) (OPA) **OPA**
acquisto (prezzo d'~) **COÛTANT**, 2
addebitare **DÉBITER**, 1
addetto **ATTACHÉ, ATTACHÉE**, 1; **PRÉPOSÉ, PRÉPOSÉE**, 1
addetto al controllo del ricevimento delle merci **RÉCEPTIONNAIRE**, 1
addizionale **ADDITIONNEL, -ELLE**, 1
addizionare **ADDITIONNER**, 1
addizione **ADDITION**, 1; **CUMUL**, 2
adeguamento **AJUSTEMENT**, 1
adeguare **RÉAJUSTER**, 1
aderente **AFFILIÉ, AFFILIÉE**, 1
aderire **ADHÉRER**, 1
adesione **ADHÉSION**, 1
advertiser **ANNONCEUR**, 1
aereo **AÉRIEN, -IENNE**, 1
aereo **AVION**, 1
aereo charter **CHARTER**, 1
aereo cisterna **RAVITAILLEUR**, 1
aereo noleggiato **CHARTER**, 1
aeronautica **AÉRONAUTIQUE**, 1
aeronautico **AÉRONAUTIQUE**, 1
aeroplano **AVION**, 1
aeroporto **AÉROPORT**, 1
affaccendato **AFFAIRÉ, -ÉE**, 1
affanno **ESSOUFFLEMENT**, 1
affare **AFFAIRE**, 1
affari **AFFAIRE**, 2; **BUSINESS**, 1
affari (giro d'~) **CHIFFRE**, 2
affari (uomo d'~) **FINANCIER, FINANCIÈRE**, 1
affarismo **AFFAIRISME**, 1
affarista **AFFAIRISTE**, 1
affarista **AFFAIRISTE**, 1
affidabile **FIABLE**, 1
affidabilità **FIABILITÉ**, 1
affiggere **AFFICHER**, 1
affiliarsi **AFFILIER**, 1
affiliato **AFFILIÉ, AFFILIÉE**, 1
affiliazione **AFFILIATION**, 1
affissione **AFFICHAGE**, 1
affitto (canone di ~) **LOYER**, 1
affitto (contratto di ~) **BAIL**, 1
affitto (dare in ~) **LOUER**, 1
affitto (prendere in ~) **LOUER**, 2
affitto (somma pagata per l'~ di un negozio) **PAS-DE-PORTE**, 1
afflusso **AFFLUX**, 1
agente **AGENT**, 1
agente pubblicitario **PUBLICITAIRE**, 1
agenzia **AGENCE**, 1; 2
aggiornamento **RECYCLAGE**, 1
aggiornare **RECYCLER**, 1
aggiudicare **ADJUGER**, 1
aggiudicatario **ADJUDICATAIRE**, 1
aggiudicatore **ADJUDICATEUR, ADJUDICATRICE**, 1
aggiudicazione **ADJUDICATION**, 1
aggiustare **AJUSTER**, 1
aggravamento **AGGRAVATION**, 1; **ALOURDISSEMENT**, 1
aggravare **AGGRAVER**, 1; **ALOURDIR**, 1
aggravarsi **AGGRAVER**, 1
aggregato **AGRÉGAT**, 1
agiato **AISÉ, -ÉE**, 1; **ARGENTÉ, -ÉE**, 1; **FORTUNÉ, -ÉE**, 1
agire **OPÉRER**, 2
agrario **AGRICOLE**, 1; **FERMIER, -IÈRE**, 1
agricola (azienda ~) **FERME**, 1
agricolo **AGRICOLE**, 1
agricoltore **AGRICULTEUR, AGRICULTRICE**, 1; **FERMIER, FERMIÈRE**, 1
agricoltura **AGRICULTURE**, 1
agroalimentare **AGROALIMENTAIRE**, 1
agroalimentare (industria ~) **AGROALIMENTAIRE**, 1
aiutante **AIDE**, 2
aiutare **AIDER**, 1
albergatore **HÔTELIER, HÔTELIÈRE**, 1
alberghiero **HÔTELIER, -IÈRE**, 1
albergo **HÔTEL**, 1
alienante **CÉDANT, CÉDANTE**, 1
alimentare **ALIMENTAIRE**, 1
alimentare **ALIMENTER**, 1
alimentare un conto **ALIMENTER**, 2; **APPROVISIONNER**, 3
alimentare (prodotto ~) **DENRÉE**, 1
alimentari aperto di notte **DÉPANNEUR**, 1
alimentari (derrate ~) **COMESTIBLES**, 1
alimentari (generi ~) **COMESTIBLES**, 1
alimentari (negozio di ~) **ÉPICERIE**, 1
alimentarsi **NOURRIR**, 1
alimentazione **ALIMENTATION**, 1; **NOURRITURE**, 1
alimento **ALIMENT**, 1
aliquota **QUOTE-PART**, 1
alleanza **ALLIANCE**, 1
allearsi **ALLIER**, 1
alleato **ALLIÉ, ALLIÉE**, 1
allegato **ANNEXE**, 1
allegato **ANNEXE**, 1
allestire una squadra **ENCADRER**, 1
allevamento **ÉLEVAGE**, 1
allevare **ÉLEVER**, 1
allevatore **ÉLEVEUR, ÉLEVEUSE**, 1
allineamento **ALIGNEMENT**, 1
allineare **ALIGNER**, 1
allinearsi **ALIGNER**, 1
allocare **AFFECTER**, 1; **ALLOUER**, 1
alloggio dell'ICIAP **HLM**
alluminio **ALUMINIUM**, 1
altamente **JOLIMENT**, 1
alto **ÉLEVÉ, -ÉE**, 1; **HAUT, HAUTE**, 1; **JOLI, -IE**, 1
alzare **HAUSSER**, 1
ambientale **ENVIRONNEMENTAL, -ALE**, 1
ambiente **ENVIRONNEMENT**, 1
ammanco **MALI**, 1; **MANQUE À GAGNER**, 2
amministrabile **GÉRABLE**, 1
amministrare **ADMINISTRER**, 1; **GÉRER**, 2
amministrativa (circoscrizione ~) **COLLECTIVITÉ**, 2
amministrativo **ADMINISTRATIF, -IVE**, 1
amministratore **GÉRANT, GÉRANTE**, 4; **GESTIONNAIRE**, 1
amministratore delegato **ADMINISTRATEUR(-)DÉLÉGUÉ**, 1; **ADMINISTRATEUR, ADMINISTRATRICE**, 1
amministratore di condominio **SYNDIC**, 1
amministratore mandatario **COMMANDITÉ, COMMANDITÉE**, 1
amministratore (presidente e ~ delegato) **PDG**, **P-DG**; **PÉDÉGÈRE**, 1
amministratore (socio ~) **ASSOCIÉ-GÉRANT, ASSOCIÉE-GÉRANTE**, 1
amministrazione **ADMINISTRATION**, 1
amministrazione controllata **REDRESSEMENT**, 3
amministrazione fiscale **FISC**, 1
amministrazione statale **FONCTION**, 3; **PUBLIC**, 1
ammontare **MONTER**, 1
ammontare **SOMME**, 1
ammontare a **CHIFFRER**, 2; **ÉLEVER**, 2; **TOTALISER**, 1
ammortamento **AMORTISSEMENT**, 1; 2; 3
ammortizzabile **AMORTISSABLE**, 1; 3
ammortizzare **AMORTIR**, 1; 3
ampiamente **MASSIVEMENT**, 1
ampliamento dei compiti **ÉLARGISSEMENT DES TÂCHES**, 1
amputare **AMPUTER**, 1
amputazione **AMPUTATION**, 1
analisi **ÉTUDE**, 3
analisi congiunturale **CONJONCTURE**, 2

analista **ANALYSTE**, 1
analista congiunturale **CONJONCTURISTE**, 1
analitico **ANALYTIQUE**, 1
ancoraggio **ANCRAGE**, 1
andamento **TENDANCE**, 1
anelasticità **INÉLASTICITÉ**, 1
anno contabile **EXERCICE**, 1
anno sabbatico **PAUSE-CARRIÈRE**, 1
annuale **ANNUEL, -ELLE**, 1
annualità **ANNUITÉ**, 1
annualmente **ANNUELLEMENT**, 1
annuario **ANNUAIRE**, 2
annullamento **ANNULATION**, 1
annullare **ANNULER**, 1
annullare un ordine **DÉCOMMANDER**, 1
annuncio **ANNONCE**, 2
anticapitalista **ANTICAPITALISTE**, 1
antichità **ANTIQUITÉS**, 1
anticipare **ANTICIPER**, 1; **AVANCER**, 1
anticipazione **ANTICIPATION**, 1
anticipo **AVANCE**, 1
antieconomico **ANTIÉCONOMIQUE**, 1
antiinflazionistico **ANTI-INFLATIONNISTE**, 1
antiquariato (oggetti di ~) **ANTIQUITÉS**, 1
antiquario **ANTIQUAIRE**, 1
antisindacale **ANTISYNDICAL, -ALE**, 1
anziana (boom della popolazione ~) **PAPY(-)BOOM**, 1
anzianità **ANCIENNETÉ**, 1
apertura **OUVERTURE**, 1; 2
apparato (produttivo) **APPAREIL**, 2
apparecchiatura **APPAREILLAGE**, 1
apparecchio **APPAREIL**, 1
appoggiare **PATRONNER**, 1
apportare **APPORTER**, 1
apportatore **APPORTEUR**, 1
apporto **APPORT**, 1
apprendere **APPRENDRE**, 1
apprendimento **APPRENTISSAGE**, 1
apprezzabile **APPRÉCIABLE**, 1
apprezzamento **APPRÉCIATION**, 1
apprezzarsi **APPRÉCIER**, 1
approfittare **PROFITER**, 1
appropriazione indebita di fondi **DÉTOURNEMENT**, 1
approssimativamente **APPROXIMATIVEMENT**, 1
approssimato **APPROXIMATIF, -IVE**, 1
approssimazione **APPROXIMATION**, 1
approvvigionamento **APPROVISIONNEMENT**, 1; 2; **RAVITAILLEMENT**, 1
approvvigionante **RAVITAILLEUR, -EUSE**, 1
approvvigionare **APPROVISIONNER**, 2; **PROVISIONNER**, 2; **RAVITAILLER**, 1
appuntamento **RENDEZ-VOUS**, 1
appuntamento (luogo di ~) **RENDEZ-VOUS**, 2
aprire **OUVRIR**, 1; 2
aquacoltore **AQUACULTEUR, AQUACULTRICE**, 1
aquacoltura **AQUACULTURE**, 1
aquacoltura (dell'~) **AQUACOLE**, 1
arbitraggio **ARBITRAGE**, 1
arbitraggista **ARBITRAGISTE**, 1
archivio **FICHIER**, 2
area **ZONAGE**, 1; **ZONE**, 1; **ZONING**, 1
argento **ARGENT**, 3
argomentario **ARGUMENTAIRE**, 1
armatore **ARMATEUR**, 1
arretramento **REPLI**, 1
arretrare **RECULER**, 1; **REPLIER**, 1
arretrati **ARRÉRAGES**, 1
arretrato **ARRIÉRÉ**, 1; **DÉBET**, 1
arricchimento **ENRICHISSEMENT**, 1; 2
arricchirsi **ENRICHIR**, 1
arrotondamento **ARRONDI**, 1
arrotondare **ARRONDIR**, 1
articoli **FOURNITURE**, 3
articolo **ARTICLE**, 1; **RÉFÉRENCE**, 2
artigianale **ARTISANAL, -ALE**, 1
artigianalmente **ARTISANALEMENT**, 1
artigianato **ARTISANAT**, 1
artigiano **ARTISAN, ARTISANE**, 1
artigiano (maestro ~) **MAÎTRE-ARTISAN**, 1
ascendente **ASCENDANT, -ANTE**, 1
ascensione **ASCENSION**, 1
ascesa **MONTÉE**, 1
aspettativa (essere in ~) **INACTIVITÉ**, 1
assegnare un posto **POURVOIR**, 2
assegnazione **AFFECTATION**, 1
assegni (blocco di ~ per la rimunerazione di un lavoratore) **CHÈQUE EMPLOI(-)SERVICE**, 1; **CHÈQUE(-)SERVICE**, 1
assegni (libretto di ~) **CHÉQUIER**, 1
assegno **CHÈQUE**, 1
assegno turistico **TRAVELLER'S CHEQUE**, 1
assegno (emettere un ~) **TIRER**, 1
assemblaggio **ASSEMBLAGE**, 1
assemblare **ASSEMBLER**, 1
assemblatore **ASSEMBLEUR, ASSEMBLEUSE**, 1
assemblea **ASSEMBLÉE**, 1
assente **ABSENT, -ENTE**, 1
assenteismo **ABSENTÉISME**, 1
assenza **ABSENCE**, 1
assestamento **AJUSTEMENT**, 1
assicurabile **ASSURABLE**, 1
assicurare **ASSURER**, 1
assicurarsi **ASSURER**, 2
assicurativo (comparto ~) **ASSURANCE**, 4
assicurato **ASSURÉ, ASSURÉE**, 1
assicurato sulla vita **ASSURÉ-VIE**, 1
assicuratore **ASSUREUR**, 1
assicuratore sul credito **ASSUREUR(-)CRÉDIT**, 1
assicuratore sulla vita **ASSUREUR-VIE**, 1
assicuratrice (mutua ~) **MUTUALITÉ**, 1
assicurazione **ASSURANCE**, 1
assicurazione auto (RC Auto) **ASSURANCE(-)AUTO(MOBILE)**, 1
assicurazione caso morte **ASSURANCE(-)DÉCÈS**, 1
assicurazione complementare per dirigente **ASSURANCE(-)DIRIGEANT**, 1
assicurazione contro incendio **ASSURANCE(-)INCENDIE**, 1
assicurazione contro la disoccupazione **ASSURANCE(-)CHÔMAGE**, 1
assicurazione di gruppo **ASSURANCE(-)GROUPE**, 1
assicurazione di risparmio **ASSURANCE(-)ÉPARGNE**, 1
assicurazione di viaggio **ASSURANCE(-)VOYAGE**, 1
assicurazione-kasko **OMNIUM**, 1
assicurazione malattia **ASSURANCE(-)MALADIE**, 1
assicurazione pensionistica **ASSURANCE(-)PENSION**, 1; **ASSURANCE(-)VIEILLESSE**, 1
assicurazione per invalidità **ASSURANCE(-)INVALIDITÉ**, 1
assicurazione per l'impiego **ASSURANCE(-)EMPLOI**, 1
assicurazione per le spese processuali **CONTRE-ASSURANCE**, 2
assicurazione sui danni **ASSURANCE(-)DOMMAGES**, 1
assicurazione sul credito **ASSURANCE(-)CRÉDIT**, 1
assicurazione sulla vita **ASSURANCE-VIE**, 1
assicurazione (contratto di ~) **ASSURANCE**, 2
assicurazione (premio di ~) **ASSURANCE**, 5
assicurazione (società di ~) **ASSURANCE**, 3
assiduo (frequentatore ~) **HABITUÉ, HABITUÉE**, 1
assimilare **ABSORBER**, 2
assistente **AIDE**, 2
assistenza ai clienti **SAV**
assistenza alla clientela **APRÈS-VENTE**, 1
assistenziale (Stato ~) **ÉTAT-PROVIDENCE**, 1
associarsi **ADHÉRER**, 1; **ASSOCIER**, 1
associativo **ASSOCIATIF, -IVE**, 1
associativo (contributo ~) **COTISATION**, 2
associato **ASSOCIÉ, ASSOCIÉE**, 1; **SOCIÉTAIRE**, 1
associazione **ASSOCIATION**, 1
associazione non-profit **ASBL; OSBL**
associazione senza scopo di lucro **OSBL**
assoggettamento **ASSUJETTISSEMENT**, 1
assoggettare **ASSUJETTIR**, 1
assoggettare a imposta **FISCALISER**, 1
assommare **MONTER**, 2
assorbimento **ABSORPTION**, 1; 2
assorbire **ABSORBER**, 2; **ÉPONGER**, 1
assortimento **ACHALANDAGE**, 2; **ASSORTIMENT**, 1
assottigliarsi **EFFRITER**, 1
assumere **EMBAUCHER**, 1; **ENGAGER**, 1; **RECRUTER**, 1
assunzione **EMBAUCHAGE**, 1; **EMBAUCHE**, 1; **ENGAGEMENT**, 1; **RECRUTEMENT**, 1
asta **ADJUDICATION**, 1; **ENCHÈRE**, 1
asta giudiziaria (banditore d'~) **COMMISSAIRE-PRISEUR**, 1
asta (banditore d'~) **ENCANTEUR, ENCANTEUSE**, 1
attacchino **AFFICHEUR**, 3
attiva (persona non ~) **NON-TRAVAILLEUR**, 1
attiva (popolazione non ~) **NON-ACTIFS**, 1
attività **ACTIVITÉ**, 1; **FONDS**, 5; **VALEUR**, 3
attività commerciale **AFFAIRE**, 3
attività lavorativa **TRAVAIL**, 1
attivo **ACTIF**, 1; 2; **BONI**, 1
attivo **ACTIF, -IVE**, 1; **CRÉDITEUR, -TRICE**, 2
attivo di cassa **DISPONIBILITÉS**, 1
attore **ACTEUR**, 2
attrezzare **AMÉNAGER**, 1; **OUTILLER**, 1
attrezzatura **APPAREILLAGE**, 1; **ÉQUIPEMENT**, 1; **OUTILLAGE**, 1
attrezzi **OUTILLAGE**, 1
attrezzo **OUTIL**, 1
attualizzazione **ACTUALISATION**, 1
attuare **PERFORMER**, 1
attuariale **ACTUARIEL, -IELLE**, 1
audiovisivo **AUDIOVISUEL, -ELLE**, 1
auditing **AUDIT**, 1
auditing (fare un ~) **AUDITER**, 1; **RÉVISER**, 1

aumentare **ACCROÎTRE**, 1; **AUGMENTER**, 1; **CREUSER**, 1; **CREVER**, 1; **GAGNER**, 1; **HISSER**, 1; **MAJORER**, 1; **RELEVER**, 1
aumentare esageratamente **GONFLER**, 1
aumento **ACCROISSEMENT**, 1; **AUGMENTATION**, 1; **CREUSEMENT**, 1 ; **GAIN**, 3; **HAUSSE**, 1; **MAJORATION**, 1; **RELÈVEMENT**, 1
aumento del prezzo **RENCHÉRISSEMENT**, 1
aumento progressivo **PROGRESSION**, 1
aumento (forte ~) **GONFLEMENT**, 1
ausiliario **VACATAIRE**, 1
austerità **AUSTÉRITÉ**, 1
autarchia **AUTARCIE**, 1; **AUTOSUFFISANCE**, 1
autarchico **AUTARCIQUE**, 1; **AUTOSUFFISANT, -ANTE**, 1
auto (assicurazione ~) (RC Auto) **ASSURANCE(-)AUTO(MOBILE)**, 1
autoarticolato **POIDS LOURD**, 1
autobus **AUTOBUS**, 1; **BUS**, 1
autocarro **CAMION**, 1
autoconsumare **AUTOCONSOMMER**, 1
autoconsumo **AUTOCONSOMMATION**, 1
autofficina **GARAGE**, 1
autofinanziamento **AUTOFINANCEMENT**, 1
autofinanziare **AUTOFINANCER**, 1
autogestione **AUTOGESTION**, 1; 2
autogestire **AUTOGÉRER**, 1
automa **AUTOMATE**, 1
automaticamente **AUTOMATIQUEMENT**, 1; **MÉCANIQUEMENT**, 2
automatico **AUTOMATIQUE**, 1
automatismo **AUTOMATISME**, 1
automatizzare **AUTOMATISER**, 1
automazione **AUTOMATION**, 1; **AUTOMATISATION**, 1
automobile **AUTOMOBILE**, 1
automobile **AUTOMOBILE**, 1
automobilistica (industria ~) **AUTOMOBILE**, 2
automobilistico (costruttore ~) **CONSTRUCTEUR**, 1
automobilistico (costruttore ~) **CONSTRUCTEUR, -TRICE**, 1
autonomo (lavoratore ~) **INDÉPENDANT, INDÉPENDANTE**, 1; **NON-SALARIÉ, NON-SALARIÉE**, 1
autostrada **AUTOROUTE**, 1
autostrada dell'informazione **AUTOROUTE**, 2
autostradale **AUTOROUTIER, -IÈRE**, 1
avanzare **AVANCER**, 1
avanzo **BONI**, 2; **EXCÉDENT**, 1; **SURPLUS**, 1
avaria **AVARIE**, 1
avariato **AVARIÉ, -IÉE**, 1
avarizia **AVARICE**, 1
avaro **AVARE**, 1
avaro **AVARE**, 1
avente diritto **AYANT DROIT**, 1
avere **AVOIR**, 1; **CRÉDIT**, 5
aviazione **AVIATION**, 1
avicolo **AVICOLE**, 1
avicoltore **AVICULTEUR, AVICULTRICE**, 1
avicoltura **AVICULTURE**, 1
avventore **CHALAND, CHALANDE**, 1; **CONSOMMATEUR, CONSOMMATRICE**, 2
avviamento **ACHALANDAGE**, 1; **GOODWILL**, 1; **SURVALEUR**, 1; **SURVALOIR**, 1
avviato (ben ~) **ACHALANDÉ, -ÉE**, 1; **ASSORTI**, 1
avvicinare **AVOISINER**, 1
avviso **ANNONCE**, 2
avviso dell'erario notificante l'importo del debito fiscale e le modalità di pagamento **AVERTISSEMENT-EXTRAIT DE RÔLE**, 1
azienda **BOÎTE**, 2; **ENTREPRISE**, 1; 2; **EXPLOITATION**, 1; **FIRME**, 1
azienda agricola **FERME**, 1
azienda autonoma statale **RÉGIE**, 1
azienda commerciale **MAISON**, 1
azienda esportatrice **EXPORTATEUR, EXPORTATRICE**, 2
azienda (locazione d'~) **LOCATION-GÉRANCE**, 1
azienda (statuto e qualità di un quadro che sviluppa progetti internamente all'~) **INTRAPRENEURIAT**, 1; **INTRAPRENEURSHIP**, 1
aziendale (direzione ~) **MANAGEMENT**, 2
aziendale (organizzazione ~) **MANAGEMENT**, 1
aziendale (sfruttamento ~) **EXPLOITATION**, 3
azionariato **ACTIONNARIAT**, 1
azione **ACTION**, 1
azione gratuita **BONUS**, 1
azione (reddito per ~) **BPA**
azioni (società in accomandita per ~) (SAPA) **SCPA**
azioni (società per ~) (SpA) **SA**
azionista **ACTIONNAIRE**, 1
baby-boom **BABY(-)BOOM**, 1
balzare **BONDIR**, 1; **EXPLOSER**, 1
balzo **BOND**, 1; **EXPLOSION**, 1
banca **BANQUE**, 1; 2
banca a domicilio **HOMEBANKING**, 1; **TÉLÉBANKING**, 1; **TÉLÉBANQUE**, 1
Banca centrale europea (BCE) **BCE**
Banca dei regolamenti internazionali (BRI) **BRI**
Banca europea per gli investimenti (BEI) **BEI**
Banca europea per la ricostruzione e lo sviluppo (BERS) **BERD**
Banca Internazionale per la ricostruzione e lo sviluppo (BIRS) **BIRD**
banca scontante **ESCOMPTEUR, ESCOMPTEUSE**, 1
banca (dove è presente una ~) **BANCABLE**, 2; **BANQUABLE**, 2
bancabile **BANCABLE**, 1
bancari (servizi telefonici ~) **PHONEBANKING**, 1
bancaria (commissione ~) **AGIO**, 1
bancarie (coordinate ~ di un conto) **RIB**
bancario **BANCAIRE**, 1
bancario (consorzio ~) **SYNDICAT**, 2
bancario (disintermediazione del settore ~) **MARCHÉISATION**, 1
bancario (settore ~) **BANQUE**, 1
bancarizzare **BANCARISER**, 1
bancarizzazione **BANCARISATION**, 1
bancarotta **BANQUEROUTE**, 1
bancassicurazione **BANCASSURANCE**, 1; **BANQUE-ASSURANCE**, 1; **MARCHÉISATION**, 1; **BANCASSUREUR**, 1
banchiere **BANQUIER, BANQUIÈRE**, 1; 2
banchina (franco ~) **FOQ**
Banco **CAISSE**, 4
banco **CAISSE**, 5; **COMPTOIR**, 1
banco d'esposizione **PRÉSENTOIR(-DISTRIBUTEUR)**, 1
Bancomat **BANCOMAT**, 1; **BILLETTERIE**, 1
bancone **COMPTOIR**, 1
banconota **BILLET**, 1
banconota di piccolo taglio **COUPURE**, 1
banditore d'asta **ENCANTEUR, ENCANTEUSE**, 1
banditore d'asta giudiziaria **COMMISSAIRE-PRISEUR**, 1
banner **BANDEAU**, 1
bar **BAR**, 1; **BISTRO(T)**, 1; **BUVETTE**, 1; **CAFÉ**, 1
barattare **TROQUER**, 1
baratto **TROC**, 1
barca **BATEAU**, 1
barile **BARIL**, 1; 2; **TONNEAU**, 1
barista **BARMAID**, 1; **BARMAN**, 1
barometro **BAROMÈTRE**, 1
barra **CAP**, 1
barre (codice a ~) **CODE(-)BARRE(S)**, 1
base **BASE**, 1
base imponibile **ASSIETTE**, 1; **MATIÈRE**, 2
basso **BAS, BASSE**, 1; **FAIBLE**, 1
battere moneta **MONNAYER**, 1
BCE (Banca centrale europea) **BCE**
BEI (Banca europea per gli investimenti) **BEI**
bene **BIEN**, 1
beneficiare di qualche cosa **BÉNÉFICIER**, 2
beneficiario **BÉNÉFICIAIRE**, 1; 3
beneficiario di (una) rendita **RENTIER, RENTIÈRE**, 1; 3
beneficiario di (una) rendita statale **RENTIER, RENTIÈRE**, 2
beneficiario di prestazioni sociali **ALLOCATAIRE**, 1
beneficiario di una prestazione sociale **PRESTATAIRE**, 1
beneficio (trarre ~) **BÉNÉFICIER**, 1
benessere **BIEN-ÊTRE**, 1
benestante **NANTI, -IE**, 1; **RICHE**, 1
benestante **RICHE**, 1
benestanti **NANTIS**, 1
benzina **ESSENCE**, 1
benzina (buono ~) **CHÈQUE(-)CARBURANT**, 1
benzinaio **POMPISTE**, 1
BERS (Banca europea per la ricostruzione e lo sviluppo) **BERD**
bestiame **BÉTAIL**, 1
bevanda **BOISSON**, 1
bevitore (gran ~) **BUVEUR, BUVEUSE**, 1
bidone **BIDON**, 1
bigliettaio **GUICHETIER, GUICHETIÈRE**, 1
biglietto **BILLET**, 3
biglietto (d'ingresso) **BILLET**, 4
bilanciamento **ÉQUILIBRAGE**, 1
bilancio **BALANCE**, 1; **BILAN**, 1
bilancio previsionale **BUDGET**, 1
bilancio (certificare un ~) **AUDITER**, 1
bilancio (del ~) **BILANCIEL, -IELLE**, 1; **BILANTAIRE**, 1; **BUDGÉTAIRE**, 1; 2
bilancio (stornare una voce di spesa dal ~ dello Stato) **DÉBUDGÉTISER**, 1
bilancio (storno di una voce di spesa dal ~ dello Stato) **DÉBUDGÉTISATION**, 1
birra (fabbricare ~) **BRASSER**, 1
birra (produttore di ~) **BRASSEUR, BRASSEUSE**, 1
BIRS (Banca internazionale per la ricostruzione e lo sviluppo) **BIRD**
biscotti (produttore di ~) **BISCUITIER**, 1
bisogna **BESOGNE**, 1
bisogno (fab~) **BESOIN**, 1
blister **BLISTER**, 1
blue-chip **BLUE CHIP**, 1
boccetta **FLACON**, 1
bolle (imballaggio a ~ d'aria) **EMBALLAGE-BULLE**, 1

bollettini (alternati a ~ per i contributi sociali) **CHÈQUE EMPLOI(-)SERVICE**, 1; **CHÈQUE(-)SERVICE**, 1
bombola spray **BOMBE**, 1
bonifico **VIREMENT**, 1
bonus **BONUS**, 2; **PRIME**, 2
boom (economico) **BOOM**, 1
boom della popolazione anziana **PAPY(-)BOOM**, 1
bordo (franco a ~) (FOB) **FOB**
bordo (franco a ~) **FAB**
Borsa **BOURSE**, 1
borsa **BOURSE**, 2
borsa (di ~) **BOURSIER, -IÈRE**, 1; 2
borsa (di studio) **BOURSE**, 4
Borsa (giocare in ~) **BOURSICOTER**, 1
borsa (operatore di ~) **BOURSIER, BOURSIÈRE**, 2; **OPÉRATEUR, OPÉRATRICE**, 1
Borsa (parterre della ~) **CORBEILLE**, 1
Borsa (periodo di fine anno in ~) **TRÊVE DES CONFISEURS**, 1
Borsa (piccola operazione speculativa di ~) **BOURSICOTAGE**, 1
borsellino **BOURSE**, 5
borsista **BOURSIER, BOURSIÈRE**, 1
borsistico **BOURSIER, -IÈRE**, 1; 2
botte **TONNEAU**, 1
bottega (chiudere ~) **CLEF SOUS LE PAILLASSON**, 1
bottiglia **BOUTEILLE**, 1
boutique (di lusso) **BOUTIQUE**, 1
branca **BRANCHE**, 1
break-even point **POINT MORT**, 1
brevetto **BREVET**, 2
brevetto (non scolastico) **BREVET**, 1
BRI (Banca dei regolamenti internazionali) **BRI**
bricco **BRIQUE**, 2
brochure **PLAQUETTE**, 1
broker **COURTIER, COURTIÈRE**, 1
brokeraggio **COURTAGE**, 1
bruscamente **BRUSQUEMENT**, 1
brusco **BRUSQUE**, 1
buco **TROU**, 1
budget **BUDGET**, 1; 2; **ENVELOPPE**, 2
budget (inserimento nel ~) **BUDGÉTISATION**, 1
budget (inserire nel ~) **BUDGÉTER**, 1; **BUDGÉTISER**, 1
budget (richiedente grandi somme del ~) **BUDGÉTIVORE**, 1
budget (stando al ~) **BUDGÉTAIREMENT**, 1; 2
budgetario **BUDGÉTAIRE**, 1; 2
buono **BON**, 1
buono benzina **CHÈQUE(-)CARBURANT**, 1
buono-pasto **TICKET-REPAS**, 1; **TICKET-RESTAURANT**, 1
buono regalo **CHÈQUE(-)CADEAU(X)**, 1
buono sorpresa **CHÈQUE(-)SURPRISE**, 1
buono vacanze **CHÈQUE(-)VACANCES**, 1
buonuscita **PRIME**, 3
burocrate **BUREAUCRATE**, 1
burocratismo **FONCTIONNARISME**, 1
burocratizzare **BUREAUCRATISER**, 1
burocratizzazione **BUREAUCRATISATION**, 1
burocrazia **BUREAUCRATIE**, 1
burotica **BUREAUTIQUE**, 1
business **AFFAIRE**, 3; **BUSINESS**, 1
busta **ENVELOPPE**, 1
bustarella **DESSOUS(-)DE(-)TABLE**, 1; **POT-DE-VIN**, 1
cacciatore di teste **CHASSEUR DE TÊTES, CHASSEUSE DE TÊTES**, 1; **RECRUTEUR, RECRUTEUSE**, 1
CAD (Computer Aided Design) **CAO**
cadere **CHUTER**, 1; **DÉGRINGOLER**, 1; **TOMBER**, 1
caduta **CHUTE**, 1; **DÉGRINGOLADE**, 1; **EFFONDREMENT**, 1
calare **FLÉCHIR**, 1
calcolare **CALCULER**, 1; **CHIFFRER**, 1
calcolatore **CALCULATEUR**, 1
calcolatrice **CALCULATRICE**, 1; **CALCULETTE**, 1
calcolo **CALCUL**, 1
call (opzione ~) **CALL**, 1
call **CALL**, 1
calma (il periodo di ~) **ACCALMIE**, 1
calo **CHUTE**, 1
cambiale **LETTRE**, 2
cambiale commerciale **EFFET**, 2
cambiare **CHANGER**, 1 ; **ÉCHANGER**, 1
cambiavalute **CAMBISTE**, 1
cambiavalute clandestino **CHANGEUR, CHANGEUSE**, 1
cambio **CHANGE**, 1
cambio (nulla in ~ di nulla) **DONNANT DONNANT**, 1
cambio (tasso di ~) **CHANGE**, 2
camera **CHAMBRE**, 1
cameriere **GARÇON**, 1; **SERVEUR, SERVEUSE**, 1
camion **CAMION**, 1; **POIDS LOURD**, 1
camionista **ROUTIER**, 1
campagna **CAMPAGNE**, 1
campione **ÉCHANTILLON**, 1
canale di distribuzione **CANAL**, 1
canale navigabile **CANAL**, 2
cancellare **EFFACER**, 1; **ÉPONGER**, 1
cancello (clausola 'fuori dal ~ ') **EXW**
candidato **CANDIDAT, CANDIDATE**, 1
candidatura **CANDIDATURE**, 1
canone **REDEVANCE**, 1
cantiere **CHANTIER**, 1
cantina **BUVETTE**, 1
capacità **CAPACITÉ**, 1
caparra **ARRHES**, 1
capitale **CAPITAL**, 1; 2; 3 ; **FONDS**, 1; 5 ; **PRINCIPAL**, 1
capitale di rischio **CAPITAL(-)RISQUE**, 1
capitale (a forte intensità di ~) **CAPITALISTIQUE**, 1
capitale (reddito da ~) **REVENU**, 2
capitale (società d'investimento a ~ fisso) (SICAF) **SICAF**
capitale (società d'investimento a ~ variabile) (SICAV) **SICAV**
capitali **FONDS**, 2; 3
capitali volatili **HOT MONEY**, 1
capitalismo **CAPITALISME**, 1; 2; 3
capitalista **CAPITALISTE**, 1
capitalista **CAPITALISTE**, 1
capitalistico **CAPITALISTIQUE**, 2
capitalizzabile **CAPITALISABLE**, 1
capitalizzare **CAPITALISER**, 1
capitalizzazione **CAPITALISATION**, 1
capo **CHEF**, 1
capomastro **CONTREMAÎTRE, CONTREMAÎTRESSE**, 1
capo-progetti interni (all'azienda) **INTRAPRENEUR, INTRAPRENEUSE**, 1
caposquadra **CONTREMAÎTRE, CONTREMAÎTRESSE**, 1
carbone **CHARBON**, 1
caricamento **CHARGEMENT**, 3
caricare **CHARGER**, 1; 2
caricatore **CHARGEUR**, 1
carico **CARGAISON**, 1; **CHARGEMENT**, 1; 2; **FRET**, 2
carico (nave da ~) **CARGO**, 1
carico (paletta di ~) **PALETTE**, 1
caro **CHER, CHÈRE**, 1
carriera **CARRIÈRE**, 1
carriera (manager in ~) **CARRIÉRISTE**, 1
carrierista **CARRIÉRISTE**, 1
carta moneta **PAPIER-MONNAIE**, 1
carta (di credito) **CARTE**, 1
cartella **DOSSIER**, 2; **CARTEL**, 1
cartellone pubblicitario **AFFICHE**, 1; **PANCARTE**, 1; **PANNEAU**, 1
cartellonista **AFFICHISTE**, 1
cartoncino **FICHE**, 1
cartone **CARTON**, 1; 2
cartuccia (di inchiostro) **CARTOUCHE**, 1
casa madre **MAISON-MÈRE**, 1
casa popolare **HLM**
casa (della ~) **MAISON**, 3
casalinga **MÉNAGÈRE**, 1
cash cow **VACHE À LAIT**, 1; **CASH(-)FLOW**, 1
caso morte (assicurazione ~) **ASSURANCE(-)DÉCÈS**, 1
cassa **CAISSE**, 1; 2; 3; 5; 6; **TIROIR-CAISSE**, 1
Cassa **CAISSE**, 4
cassa comune **CAGNOTTE**, 2
cassa mobile **CONTENEUR**, 1
cassa (attivo di ~) **DISPONIBILITÉS**, 1
cassa (flusso di ~) **CASH(-)FLOW**, 1
cassa (fondo ~) **ENCAISSE**, 1
cassa (registratore di ~) **TIROIR-CAISSE**, 1
cassaforte **COFFRE(-FORT)**, 1
cassetta **CAGEOT**, 1
cassiere **CAISSIER, CAISSIÈRE**, 1
catalogo **CATALOGUE**, 1
categoria professionale **PROFESSION**, 2
catena **CHAÎNE**, 1
catena di attività **FILIÈRE**, 1
catena di discount **DISCOMPTEUR**, 1; **DISCOUNTER**, 1
catena di montaggio **CHAÎNE**, 3
catena di trasformazione **FILIÈRE**, 1
cattivo **NÉGATIF, -IVE**, 1
cauzione **CAUTION**, 1; 3 ; **GARANTIE**, 2
cavaliere bianco **CHEVALIER BLANC**, 1
cavaliere nero **CHEVALIER NOIR**, 1
cavo (televisione via ~) **TÉLÉDISTRIBUTION**, 1
CD-ROM **CD-ROM**, 1; **CÉDÉROM**, 1
cedente **CÉDANT, CÉDANTE**, 1
cedere **CÉDER**, 1; 2
cedibile **CESSIBLE**, 1
cedibilità **CESSIBILITÉ**, 1
cedimento **FLÉCHISSEMENT**, 1
cedola **COUPON**, 1
cellofan (imballaggio sotto ~) **EMBALLAGE-BULLE**, 1
cellula (di crisi) **CELLULE**, 1
cemento **CIMENT**, 1
centesimo **CENT**, 1; **CENTIME**, 1; **EUROCENTIME**, 1
centesimo di euro **EUROCENT**, 1
cento (per ~) **CENT** (un pour ~), 1
centrale **CENTRALE**, 1
centro **CENTRE**, 1
cereale **CÉRÉALE**, 1
cerealicolo **CÉRÉALIER, -IÈRE**, 1
certificare (un bilancio) **AUDITER**, 1
certificato **CERTIFICAT**, 1
certificato recibo **CERTIFICAT**, 2
cessante (lucro ~) **MANQUE À GAGNER**, 1
cessazione del turno **DÉBRAYAGE**, 1
cessionario **CESSIONNAIRE**, 1
cessione **CESSION**, 1
charter (aereo ~) **CHARTER**, 1
chiatta **PÉNICHE**, 1
chilo(grammo) **KILO**, 1
chimica **CHIMIE**, 1

chimico **CHIMIQUE**, 1
chip (micro ~) **PUCE**, 1
chiudere **CLÔTURER**, 1; **FERMER**, 1; 2
chiudere i battenti **FERMER**, 2
chiudere momentaneamente **LOCK-OUTER**, 1
chiudere bottega **CLEF SOUS LE PAILLASSON**, 1
chiusura **CLÔTURE**, 1; **FERMETURE**, 1; 2
cibo **NOURRITURE**, 1
ciclico **CYCLIQUE**, 1
ciclo **CYCLE**, 1; 2
CIF (cost, insurance, freight) **CAF**
cifra **CHIFFRE**, 1
cinema **CINÉMA**, 1; 2; 3
cinematografico **CINÉMATOGRAPHIQUE**, 1; 2; 3
circa **APPROXIMATIVEMENT**, 1
circolare (lettera ~) **CIRCULAIRE**, 1
circoscrizione amministrativa **COLLECTIVITÉ**, 2
cisterna **CITERNE**, 1
classe media **CLASSES MOYENNES**, 1
classe operaia **OUVRIER, OUVRIÈRE**, 2
clausola **CLAUSE**, 1
clausola addizionale **AVENANT**, 1
clausola aggiuntiva **AVENANT**, 1
clausola ' fuori dal cancello ' **EXW**
cliente **CHALAND, CHALANDE**, 1; **CLIENT, CLIENTE**, 1
cliente **CLIENT, -ENTE**, 1
cliente abituale **HABITUÉ, HABITUÉE**, 1
cliente medio **CLIENT-TYPE**, 1
cliente-obiettivo **CLIENT-CIBLE**, 1
cliente potenziale **PROSPECT**, 1
cliente-tipo **CLIENT-TYPE**, 1
clientela **CLIENTÈLE**, 1
clientela potenziale **ACHALANDAGE**, 1
clientela potenziale (zona di ~) **CHALANDISE**, 1
clientela-tipo **CLIENTÈLE-TYPE**, 1
clientela (assicurarsi una ~) **FIDÉLISER**, 1
clientela (assistenza alla ~) **APRÈS-VENTE**, 1
clientela (azione volta a mantenere la ~) **FIDÉLISATION**, 1
clientela (incaricato di sondare la ~ potenziale) **PROSPECTEUR, PROSPECTRICE**, 1
clientela (sondaggio sulla ~) **PROSPECTION**, 1
clientelare **CLIENTÉLISTE**, 1
clientelismo **CLIENTÉLISME**, 1
clienti (assistenza ai ~) **SAV**
co- **ADJOINT, ADJOINTE**, 1
co- **ADJOINT, -OINTE**, 1
coassicurare **COASSURER**, 1
coassicuratore **COASSUREUR**, 1
coassicurazione **COASSURANCE**, 1
coazionista **COACTIONNAIRE**, 1
cobranding **COBRANDING**, 1; **COGRIFFAGE**, 1
cocontraente **COCONTRACTANT, COCONTRACTANTE**, 1
codice a barre **CODE(-)BARRE(S)**, 1
coefficiente **COEFFICIENT**, 1; **RATIO**, 1
cofinanziamento **COFINANCEMENT**, 1
cofinanziare **COFINANCER**, 1
cogestione **COGÉRANCE**, 1; **COGESTION**, 1
cogestire **COGÉRER**, 1
cogestore **COGÉRANT, COGÉRANTE**, 1

coinquilino **COLOCATAIRE**, 1
collaborare **COLLABORER**, 1
collaboratore **COLLABORATEUR, COLLABORATRICE**, 1
collaborazione **COLLABORATION**, 1
collega **COLLÈGUE**, 1
colletta **COLLECTE**, 1
collettame (trasporto a ~) **GROUPAGE**, 1
colletti bianchi **COLS BLANCS**, 1
colletti blu **COLS BLEUS**, 1
collettivismo **COLLECTIVISME**, 1
collettivista **COLLECTIVISTE**, 1
collettività **COLLECTIVITÉ**, 1
collocamento **PLACEMENT**, 3; 4; 5
collocamento sul mercato **POSITIONNEMENT**, 1
collocare **CAPITALISER**, 2; **PLACER**, 2; 3
collocazione **COLOCATION**, 1
colossale **GIGANTESQUE**, 1
coltivabile **EXPLOITABLE**, 1
coltivare **CULTIVER**, 1
coltivatore **CULTIVATEUR, CULTIVATRICE**, 1
coltivatore diretto **EXPLOITANT, EXPLOITANTE**, 1
coltivazione **EXPLOITATION**, 2
comando **LEADERSHIP**, 1
combattivo **BATTANT, BATTANTE**, 1
combustibile **CARBURANT**, 1; **COMBUSTIBLE**, 1; **FUEL**, 1
comitato **BUREAU**, 6; **COMITÉ**, 1
commerciabile **COMMERCIALISABLE**, 1
commerciale **COMMERCIAL, COMMERCIALE**, 1; 2
commerciale **COMMERÇANT, -ANTE**, 1; **COMMERCIAL, -IALE**, 1; 2; 3; **MARCHAND, -ANDE**, 1
commerciale (attività ~) **AFFAIRE**, 3
commerciale (operatore ~) **REVENDEUR, REVENDEUSE**, 1; **SOLDEUR, SOLDEUSE**, 1
commerciale (operazione ~) **TRANSACTION**, 2
commerciale (settore non ~) **NON-MARCHAND**, 1
commercialista (dottore ~) **EXPERT-COMPTABLE, EXPERTE-COMPTABLE**, 1
commercializzabile **VENDABLE**, 1
commercializzare **COMMERCIALISER**, 1
commercializzazione **COMMERCIALISATION**, 1; **MARCHANDISAGE**, 2; **MARCHANDISATION**, 1; **MERCHANDISING**, 1
commercialmente **COMMERCIALEMENT**, 1
commerciante **BOUTIQUIER, BOUTIQUIÈRE**, 1; **COMMERÇANT, COMMERÇANTE**, 1; **MARCHAND, MARCHANDE**, 1; **NÉGOCIANT, NÉGOCIANTE**, 1
commerciante **COMMERÇANT, -ANTE**, 2
commerciante all'ingrosso **GROSSISTE**, 1
commerciare **COMMERCER**, 1
commercio **COMMERCE**, 1; 2; 3; **NÉGOCE**, 1
commercio al dettaglio **DÉBIT**, 4; **DÉTAIL**, 1
commercio al minuto **DÉBIT**, 4
Commercio (Organizzazione Mondiale del ~) (OMC) **OMC**
commercio (rappresentante di ~) **VRP**
commestibile **COMESTIBLE**, 1; **MANGEABLE**, 1
commissario **COMMISSAIRE**, 1

commissario giudiziale **REDRESSEUR**, 1
commissionario **COMMISSIONNAIRE**, 1; **MANDATAIRE**, 1
commissione **COMMISSION**, 1; 2; **COURTAGE**, 2
commissione bancaria **AGIO**, 1
comodato (prendere in ~) **EMPRUNTER**, 2
compagnia **COMPAGNIE**, 1
compartecipazione agli utili **INTÉRESSEMENT**, 1
compartimento **COMPARTIMENT**, 1
comparto **COMPARTIMENT**, 1
comparto assicurativo **ASSURANCE**, 4
compensare **COMPENSER**, 1; **COUVRIR**, 1; **COUVRIR**, 2
compensatorio **COMPENSATOIRE**, 1
compensazione **COMPENSATION**, 1
compenso **CACHET**, 1
compere **COMMISSION**, 3; **COURSES**, 1; **EMPLETTES**, 2
competitività **COMPÉTITIVITÉ**, 1
competitività sui costi **COMPÉTITIVITÉ-COÛT**, 1
competitività sul prezzo **COMPÉTITIVITÉ-PRIX**, 1
competitivo **COMPÉTITIF, -IVE**, 1; 2; **PERFORMANT, -ANTE**, 1
compiere **PERFORMER**, 1
compiti (ampliamento dei ~) **ÉLARGISSEMENT DES TÂCHES**, 1
complesso **COMPLEXE**, 1
componentista **ÉQUIPEMENTIER**, 1
comprare **ACHETER**, 1
compratore **ACHETEUR, ACHETEUSE**, 1; 2; **ACQUÉREUR, ACQUÉREUSE**, 1; **PRENEUR, PRENEUSE**, 3
compratore **ACHETEUR, -EUSE**, 1; 2; **ACQUÉREUR, -EUSE**, 1
compravendita **VENTE**, 2
compressione **ÉCRASEMENT**, 1
comproprietà **COPROPRIÉTÉ**, 1
comproprietario **COPROPRIÉTAIRE**, 1
computer **CALCULATEUR**, 1; **MICRO-ORDINATEUR**, 1; **ORDINATEUR**, 1
Computer Aided Design (CAD) **CAO**
computer aided manufacturing **FAO**
Computer Graphics **INFOGRAPHIE**, 1
computer integrated manufacturing **FIO**
computer (lavorare via ~) **TÉLÉTRAVAILLER**, 1
computer (personal ~, PC) **MICRO-ORDINATEUR**, 1
computo **DÉCOMPTE**, 2
comunicare **COMMUNIQUER**, 1
comunicatore **COMMUNICATEUR, COMMUNICATRICE**, 1
comunicazione **COMMUNICATION**, 1
comunicazione (mezzo di ~) **MÉDIA**, 1
comunismo **COMMUNISME**, 1
comunista **COMMUNISTE**, 1
comunista **COMMUNISTE**, 1
concedente **BAILLEUR, BAILLERESSE**, 1
concedere **ACCORDER**, 1; **ALLOUER**, 2
concentrare **CONCENTRER**, 1
concentrarsi sul proprio core-business **RECENTRER**, 1
concentrazione **CONCENTRATION**, 1
concentrazione sul proprio core-business **RECENTRAGE**, 1
concepire **CONCEVOIR**, 1
concessionario di vendita **CONCESSIONNAIRE**, 1
concessione **CONCESSION**, 2 ; **LICENCE**, 1
concessione di vendita **CONCESSION**, 1

concessione di vendita (titolare di una ~) **CONCESSIONNAIRE**, 1
concezione **CONCEPTION**, 1
concezione tecnica **ENGINEERING**, 1
concordatario **CONCORDATAIRE**, 1
concordato **CONCORDAT**, 1
concorrente **COMPÉTITEUR, COMPÉTITRICE**, 1; **CONCURRENT, CONCURRENTE**, 1
concorrente **CONCURRENT, -ENTE**, 1
concorrenza **CONCURRENCE**, 1; 2
concorrenza sleale **ANTICONCURRENTIEL, -IELLE**, 1
concorrenza (mettersi in ~) **CONCURRENCER**, 1
concorrenziale **CONCURRENTIEL, -IELLE**, 1; 2
condominio **COPROPRIÉTÉ**, 1
condominio (amministratore di ~) **SYNDIC**, 1
condurre **EXPLOITER**, 1
conduttore **PRENEUR, PRENEUSE**, 1
confederazione **CONFÉDÉRATION**, 1
confederazioni (vertice delle ~) **INTERSYNDICALE**, 1
conferimento **APPORT**, 1
conferire **APPORTER**, 1
conferitore (socio ~) **APPORTEUR**, 1
confezionamento **CONDITIONNEMENT**, 1
confezionare **CONDITIONNER**, 1
confezione grande risparmio **MULTIPACK**, 1
congedare **CONGÉDIER**, 1
congelamento **BLOCAGE**, 1; **GEL**, 1
congelare **GELER**, 1
congelare (i prezzi) **BLOQUER**, 1
congiuntura **CONJONCTURE**, 1
congiuntura sfavorevole **DÉPRESSION**, 1
congiunturale **CONJONCTUREL, -ELLE**, 1
congiunturale (analisi ~) **CONJONCTURE**, 2
congiunturale (analista ~) **CONJONCTURISTE**, 1
conglomerato **CONGLOMÉRAT**, 1
coniare **MONNAYER**, 1
coniatura **MONNAYAGE**, 1
coniazione **MONNAYAGE**, 1
coniuge **CONJOINT, CONJOINTE**, 1
consegna **CONSIGNATION**, 1; **LIVRAISON**, 1; 2; **REMISE**, 3
consegna (mancata ~) **NON-LIVRAISON**, 1
consegnabile **LIVRABLE**, 1
consegnare **LIVRER**, 1
consegnare in custodia **DÉPOSER**, 2
consegne (verificare le ~ ricevute) **RÉCEPTIONNER**, 1
conseguire **ATTEINDRE**, 1
considerevole **BRUTAL, -ALE**, 1; **CONSIDÉRABLE**, 1; **IMPORTANT, -ANTE**, 1
considerevolmente **CONSIDÉRABLEMENT**, 1
consigliare **CONSEILLER**, 1
consigliere **CONSEIL**, 2 ; **CONSEILLER, CONSEILLÈRE**, 1
consiglio **CONSEIL**, 1
consolidamento **CONSOLIDATION**, 1
consolidare **CONSOLIDER**, 1; **RAFFERMIR**, 1
consorziato **COOPÉRATEUR, COOPÉRATRICE**, 1
consorziato finanziario **SYNDICATAIRE**, 1
consorzio **CONSORTIUM**, 1; **POOL**, 1
consorzio bancario **SYNDICAT**, 2
consorzio tra imprese **GIE**
consorzio (relativo a un ~ bancario / finanziario) **SYNDICATAIRE**, 1

consulente **CONSEIL**, 2 ; **CONSEILLER, CONSEILLÈRE**, 1; **CONSULTANT, CONSULTANTE**, 1
consulenza **EXPERTISE**, 2
consulenza (società di ~) **AGENCE-CONSEIL**, 1
consulenza (studio di ~) **CABINET**, 2
consulenza (ufficio di ~) **CABINET**, 2
consumabile **CONSOMMABLE**, 1; **CONSOMPTIBLE**, 1
consumare **CONSOMMER**, 1; 2; 3
consumatore **CONSOMMATEUR, CONSOMMATRICE**, 1
consumatore **CONSOMMATEUR, -TRICE**, 1
consumatori (del movimento dei ~) **CONSUMÉRISTE**, 1
consumatori (movimento dei ~) **CONSUMÉRISME**, 1
consumazione **CONSOMMATION**, 3
consumo **CONSOMMATION**, 1; 2
consumo diretto **AUTOCONSOMMATION**, 1
consumo (imposta sul ~) **ACCISE**, 1
contabile **COMPTABLE**, 1
contabile **COMPTABLE**, 1; 2
contabile (anno ~) **EXERCICE**, 1
contabile (piano ~ generale) **PCG**
contabile (revisione ~) **AUDIT**, 1
contabile (revisore ~) **AUDITEUR, AUDITRICE**, 1; **EXPERT-COMPTABLE, EXPERTE-COMPTABLE**, 1
contabilità **COMPTA**, 1; **COMPTABILITÉ**, 1; 2; 3; 4; 5
contabilità in partita doppia **ÉCRITURE**, 1
contabilità (ufficio ~) **FACTURATION**, 2
contabilizzabile **COMPTABILISABLE**, 1
contabilizzare **COMPTABILISER**, 1; 2
contabilizzazione **COMPTABILISATION**, 1; 2
container (mettere in ~) **CONTENEURISATION**, 1; **CONTENEURISER**, 1
containerizzazione **CONTENEURISATION**, 1
containerizzare **CONTENEURISER**, 1
contante **COMPTANT**, 1; 2
contante (denaro ~) **CASH**, 1
contanti **ESPÈCES**, 1
contanti (in ~) **CASH**, 1; **COMPTANT**, 3
contare **COMPTER**, 1
contati (soldi ~) **APPOINT**, 1
contenere **COMPRIMER**, 1
contenimento **COMPRESSION**, 1
contenitore **CONTENEUR**, 1
conti (rivedere i ~) **RÉVISER**, 1
contingentamento **CONTINGENTEMENT**, 1; **QUOTA**, 1
contingentare **CONTINGENTER**, 1
contingente **CONTINGENT**, 1
continuamente **CONTINUELLEMENT**, 1
continuo **CONTINU, -UE**, 1
conto **ADDITION**, 2; **COMPTE**, 1; 2; 3 ; **DOULOUREUSE**, 1
conto corrente postale **CCP**
conto di risparmio **COMPTE-ÉPARGNE**, 1
conto titoli **COMPTE-TITRES**, 1
conto (alimentare un ~) **ALIMENTER**, 2; **APPROVISIONNER**, 3
conto (copertura del ~) **APPROVISIONNEMENT**, 3
conto (dettagliare un ~) **DÉCOMPTER**, 2
conto (di poco ~) **MAIGRE**, 1
conto (estratto ~) **RELEVÉ**, 1
conto (prosciugare un ~) **ÉPUISER**, 1
conto (saldo di un ~) **ARRÊTÉ**, 1
conto (verifica di un ~) **APUREMENT**, 1
contrabbando **TRAFIC**, 1

contraente **SOUSCRIPTEUR, SOUSCRIPTRICE**, 1
contraente (parte ~) **CONTRACTANT, -ANTE**, 1
contraente (parte ~) **CONTRACTANT, CONTRACTANTE**, 1
contraffare **MAQUILLER**, 1; **CONTREFAIRE**, 1
contraffattore **CONTREFACTEUR**, 1
contraffazione **CONTREFAÇON**, 1; **MAQUILLAGE**, 1
contrarre un mutuo **EMPRUNTER**, 1
contrarre un'obbligazione **CONTRACTER**, 1
contrarsi **CONTRACTER**, 2; **TASSER**, 1
contrassicurazione **CONTRE-ASSURANCE**, 1
contrattare **MARCHANDER**, 1
contrattazione **MARCHANDAGE**, 1
contrattazioni (recinto delle ~) **CORBEILLE**, 1
contratto **CONTRAT**, 1; 2
contratto collettivo di lavoro **CCT**
contratto di affitto (per cosa produttiva) **BAIL**, 1
contratto di assicurazione **ASSURANCE**, 2
contratto di compravendita **VENTE**, 2
contratto di locazione (per cosa non produttiva) **BAIL**, 1
contratto future **FUTURE**, 1
contratto standard **CONTRAT(-)TYPE**, 1
contratto-tipo **CONTRAT(-)TYPE**, 1
contrattuale **CONTRACTUEL, -ELLE**, 1
contrattualmente **CONTRACTUELLEMENT**, 1
contrazione **CONTRACTION**, 2; **RESSERREMENT**, 1; **TASSEMENT**, 1
contribuente **ASSUJETTI, ASSUJETTIE**, 1; **CONTRIBUABLE**, 1; **COTISANT, COTISANTE**, 1; **REDEVABLE**, 1
contribuente (socio ~) **COTISANT, COTISANTE**, 2; 3
contribuire **CONTRIBUER**, 1; **COTISER**, 3
contributi **CONTRIBUTION**, 2
contributi sociali **COTISATION**, 1
contributi (versare i ~) **COTISER**, 1
contributivo **CONTRIBUTIF, -IVE**, 1
contributo **CONTRIBUTION**, 1
contributo associativo **COTISATION**, 2
contributo associativo (versare il ~) **COTISER**, 2
controfferta **CONTRE-OFFRE**, 1
controfferta pubblica di acquisto **CONTRE-OPA**, 1
controllare **VÉRIFIER**, 1
controllata (amministrazione ~) **REDRESSEMENT**, 3
controllo **VÉRIFICATION**, 1
controllo permanente **SUIVI**, 1
controllo (presa di ~) **PRISE DE CONTRÔLE**, 1
controllore della gestione **AUDIT**, 2; **AUDITEUR, AUDITRICE**, 1
controproduttivo **CONTRE(-)PRODUCTIF, -IVE**, 1
controvalore **CONTRE-VALEUR**, 1
convenzionale **CONVENTIONNEL, -ELLE**, 1
convenzione **CONVENTION**, 1
conversione **CONVERSION**, 1
convertibile **CONVERTIBLE**, 1
convertibilità **CONVERTIBILITÉ**, 1
convertire **CONVERTIR**, 1
cooperare **COOPÉRER**, 1
cooperativa (società ~) **COOPÉRATIVE**, 1

cooperativa (socio di ~) **COOPÉRATEUR, COOPÉRATRICE**, 1
cooperativo **COOPÉRATIF, -IVE**, 1
cooperazione **COOPÉRATION**, 1
Cooperazione (Organizzazione per la ~ e lo Sviluppo Economico) (OCSE) **OCDE**
coordinate bancarie (di un conto) **RIB**
coperto **SERVICE**, 4
copertura **COUVERTURE**, 1; 2; **PROVISION**, 2
copertura finanziaria **PROVISION**, 1
copertura (del conto) **APPROVISIONNEMENT**, 3
copertura (predisporre la ~) **PROVISIONNER**, 2
copertura (società di ~) **SOCIÉTÉ(-)ÉCRAN**, 1
copia **DOUBLE**, 2
coppia **COUPLE**, 1
coprire **COUVRIR**, 1; 2
core-business (concentrarsi sul proprio ~) **RECENTRER**, 1
core-business (concentrazione sul proprio ~) **RECENTRAGE**, 1
corona **COURONNE**, 1
corporativismo **CORPORATISME**, 1
corporativista **CORPORATISTE**, 1
corporazione **CORPORATION**, 1
correggere **RÉVISER**, 2
corriera **AUTOCAR**, 1
corriere **MESSAGERIE**, 1
corriere espresso **COURRIER(-)EXPRESS**, 1
corriere prioritario **COURRIER(-)EXPRESS**, 1
corrispondente **CORRESPONDANT, CORRESPONDANTE**, 1
corrispondenza **CORRESPONDANCE**, 1; 2; **COURRIER**, 1
corrispondenza (pubblicità per ~) **MAILING**, 1; **PUBLIPOSTAGE**, 1
corrispondenza (vendita per ~) **VÉPÉCISTE**, 1; **VPC**
corrispondere **CORRESPONDRE**, 1
corrompere **CORROMPRE**, 1; **PATTE**, 1
corruttibile **CORRUPTIBLE**, 1
corruttore **CORRUPTEUR, CORRUPTRICE**, 1
corruzione **CORRUPTION**, 1
corso **COURS**, 1
corso (prodotti in ~ di lavorazione) **EN(-)COURS**, 1
cost, insurance, freight (CIF) **CAF**
costante **CONSTANT, -ANTE**, 1
costare **COÛTER**, 1
costi **COÛT**, 2; **FRAIS**, 1
costi (competitività sui ~) **COMPÉTITIVITÉ-COÛT**, 1
costo **CHARGE**, 2; **COÛT**, 1
costo di trasporto **PORT**, 2
costo salariale **SALAIRE-COÛT**, 1
costo supplementare **SURCOÛT**, 1
costo (prezzo di ~) **COÛTANT**, 1
costoso **COÛTEUX, -EUSE**, 1; **ONÉREUX, -EUSE**, 1
costruire **BÂTIR**, 1; **CONSTRUIRE**, 1
costruttore **BÂTISSEUR, BÂTISSEUSE**, 1;**PROMOTEUR, PROMOTRICE**, 2
costruttore **PROMOTEUR, -TRICE**, 2
costruttore (automobilistico) **CONSTRUCTEUR**, 1
costruttore (automobilistico) **CONSTRUCTEUR, -TRICE**, 1
costruzione **CONSTRUCTION**, 1
cottimo **FORFAIT**, 1
crac in borsa **KRACH**, 1
creare **CRÉER**, 1
creatività **CRÉATIVITÉ**, 1
creativo **CRÉATIF, -IVE**, 1
creatore **CRÉATEUR, CRÉATRICE**, 1
creatore **CRÉATEUR, -TRICE**, 1
creatore pubblicitario **CRÉATIF**, 1
creazione **CRÉATION**, 1
creditizia (stretta ~) **ENCADREMENT**, 3
credito **CRÉANCE**, 1; 3; **CRÉDIT**, 1; 2; 3
credito (assicuratore sul ~) **ASSUREUR(-)CRÉDIT**, 1
credito (assicurazione sul ~) **ASSURANCE(-)CRÉDIT**, 1
credito (carta di ~) **CARTE**, 1
credito (istituti pubblici di ~) **IPC**
credito (misura restrittiva del ~) **ENCADREMENT**, 3
credito (misure restrittive del ~) **ENCADREMENT**, 3
credito (titolo di ~) **CRÉANCE**, 2; **EFFET**, 2
creditore **CRÉANCIER, CRÉANCIÈRE**, 1; **CRÉDITEUR, CRÉDITRICE**, 1; **PRÊTEUR, PRÊTEUSE**, 1
creditore **CRÉANCIER, -IÈRE**, 1; **CRÉDITEUR, -TRICE**, 1
creditore di una rendita vitalizia **CRÉDI(T)RENTIER, CRÉDI(T)RENTIÈRE**, 1
crescere **CROÎTRE**, 1
crescere durevolmente **CROÎTRE**, 2
crescita **ACCROISSEMENT**, 1; **CROISSANCE**, 1; 3
crescita (valore di ~) **VALEUR(-)VEDETTE**, 1; **VEDETTE**, 1
crisi **CRISE**, 1
crollare **EFFONDRER**, 1
crollo **EFFONDREMENT**, 1
culminare **CULMINER**, 1
cumulare **CUMULER**, 1; 2
cumulista **CUMULARD, CUMULARDE**, 1
cumulo **CUMUL**, 1
cuoco **CUISINIER, CUISINIÈRE**, 1
cura dimagrante **CURE D'AMAIGRISSEMENT**, 1
curatela fallimentare **CURATELLE**, 1; **CURATEUR, CURATRICE**, 1
curva **COURBE**, 1
cuscinetto (scorta ~) **STOCK(-)TAMPON**, 1
danni **DOMMAGES-INTÉRÊTS**, 1
danni (assicurazione sui ~) **ASSURANCE(-)DOMMAGES**, 1
danno **DÉGÂT**, 1; **DOMMAGE**, 1
dare **CÉDER**, 2
dare **DÉBIT**, 3
data base **BASE DE DONNÉES**, 1
dati **DONNÉE**, 1
dato **DONNÉE**, 1
datore **DONNEUR, DONNEUSE**, 1
datore di lavoro **EMBAUCHEUR, EMBAUCHEUSE**, 1; **EMPLOYEUR, EMPLOYEUSE**, 1
datori di lavoro **PATRONAT**, 1
debitamente **DÛMENT REMPLI**, 1
debiti (liberarsi dai ~) **DÉSENDETTER**, 1
debito **DÉBET**, 1; **DÉBIT**, 1; 2; **DETTE**, 1; 2; 3; **ENDETTEMENT**, 2 ; **DÛ**, 1
debito (remissione del ~) **REMISE**, 2
debitore **DÉBITEUR, DÉBITRICE**, 1; **ENDETTÉ, ENDETTÉE**, 1
debitore **DÉBITEUR, -TRICE**, 1; 2; **REDEVABLE**, 1; 2
debitore di una rendita vitalizia **DÉBI(T)RENTIER, DÉBI(T)RENTIÈRE**, 1
debitore d'imposta **REDEVABLE**, 1
debitore (saldo ~) **DÉCOMPTE**, 1
debole **FAIBLE**, 1
debolezza **FAIBLESSE**, 1
debolmente **FAIBLEMENT**, 1
decelerazione **DÉCÉLÉRATION**, 1
decisore (responsabile ~) **DÉCIDEUR, DÉCIDEUSE**, 1; **DÉCISIONNAIRE**, 1
declino **DÉCLIN**, 1; **RECUL**, 1
decollare (economicamente) **DÉCOLLER**, 1
decollo **TAKE(-)OFF**, 1
decollo (economico) **DÉCOLLAGE**, 1
decrescente **DÉCROISSANT, -ANTE**, 1; **DÉGRESSIF, -IVE**, 1
decrescere **DÉCROÎTRE**, 1
deducibile **DÉDUCTIBLE**, 1
deducibilità **DÉDUCTIBILITÉ**, 1
dedurre **DÉCOMPTER**, 1; **DÉDUIRE**, 1
deduzione **DÉDUCTION**, 1
deficit **DÉFICIT**, 1; 2; **MALI**, 1; **PERTE**, 2; **TROU**, 1
deficitario **DÉFICITAIRE**, 1; 2
defiscalizzare **DÉFISCALISER**, 1
defiscalizzazione **DÉFISCALISATION**, 1
deflazione **DÉFLATION**, 1
deflazionista **DÉFLATIONNISTE**, 1; **DÉFLATOIRE**, 1
degradarsi **DÉGRADER**, 1
degradazione **DÉGRADATION**, 2
deindicizzare **DÉSINDEXER**, 1
deindicizzazione **DÉSINDEXATION**, 1
deindustrializzare **DÉSINDUSTRIALISER**, 1
deindustrializzazione **DÉSINDUSTRIALISATION**, 1
delegato **DÉLÉGUÉ, DÉLÉGUÉE**, 1
delegato (amministratore ~) **ADMINISTRATEUR(-)DÉLÉGUÉ**, 1; **ADMINISTRATEUR, ADMINISTRATRICE**, 1
delegazione **DÉLÉGATION**, 1
delocalizzare **DÉLOCALISER**, 1
delocalizzazione **DÉLOCALISATION**, 1; **OUTSOURCING**, 1
dematerializzato **DÉMATÉRIALISÉ, -ÉE**, 1
dematerializzazione **DÉMATÉRIALISATION**, 1
demografia **DÉMOGRAPHIE**, 1
demografico **DÉMOGRAPHIQUE**, 1
demonopolizzazione **DÉMONOPOLISATION**, 1
denaro **ARGENT**, 1; 2; **CAPITAL**, 2; **FRIC**, 1; **OSEILLE**, 1; **PÈZE**, 1; **POGNON**, 1
denaro contante **CASH**, 1
denaro sporco (riciclaggio di ~) **BLANCHIMENT**, 1
denaro (riciclare ~) **BLANCHIR**, 1
denaroso **ARGENTÉ, -ÉE**, 1
denominazione sociale **DÉNOMINATION SOCIALE**, 1
depauperamento **PAUPÉRISATION**, 1
depliant **DÉPLIANT**, 1
depositante **DÉPOSANT, DÉPOSANTE**, 1
depositare **CONSIGNER**, 1; **DÉPOSER**, 1; **VERSER**, 2
depositario **CONSIGNATAIRE**, 1; **DÉPOSITAIRE**, 1; 2; **ENTREPOSEUR**, 1
deposito **AVOIR**, 1; **DÉPÔT**, 1; 2; **ENTREPÔT**, 1; **VERSEMENT**, 2
deposito a garanzia **CONSIGNATION**, 2
deposito (fede di ~) **WARRANT**, 2
deposito (mettere in ~) **ENTREPOSER**, 1
depressione **CRISE**, 2
depressione economica **DÉPRESSION**, 1
deprezzamento **DÉPRÉCIATION**, 1; **DÉVALORISATION**, 1
deprezzare **DÉPRÉCIER**, 1; **DÉVALORISER**, 1; **PERDRE**, 2

deregolamentare **DÉRÉGLEMENTER**, 1; **DÉRÉGULER**, 1
deregolamentazione **DÉRÉGLEMENTATION**, 1; **DÉRÉGULATION**, 1
deregulation **DÉRÉGLEMENTATION**, 1; **DÉRÉGULATION**, 1
derisorio **DÉRISOIRE**, 1
deriva **DÉRAPAGE**, 1
derrate alimentari **COMESTIBLES**, 1
design **DESIGN**, 1
desindacalizzazione **DÉSYNDICALISATION**, 1
destinatario **DESTINATAIRE**, 1
destinazione **DESTINATION**, 1
destinazione dei fondi **EMPLOI**, 4
detassare **DÉTAXER**, 1
detassazione **DÉTAXATION**, 1
detenere **POSSÉDER**, 1
detentore **DÉTENTEUR, DÉTENTRICE**, 1
deterioramento **DÉTÉRIORATION**, 1; **EFFRITEMENT**, 1
deteriorarsi **DÉTÉRIORER**, 1
determinare il target **CIBLER**, 1
detraibile **DÉDUCTIBLE**, 1
detraibilità **DÉDUCTIBILITÉ**, 1
detrarre **DÉDUIRE**, 1
detrazione **DÉDUCTION**, 1
dettagliante **DÉBITANT, DÉBITANTE**, 1; **DÉTAILLANT, DÉTAILLANTE**, 1
dettagliare un conto **DÉCOMPTER**, 2
dettaglio **DÉCOMPTE**, 2
dettaglio (commercio al ~) **DÉBIT**, 4; **DÉTAIL**, 1
dettaglio (vendere al ~) **DÉBITER**, 2; **DÉTAILLER**, 1
diagramma **GRAPHIQUE**, 1
diagramma a settori circolari **CAMEMBERT**, 1
diagramma a settori circolari **SECTEUR**, 4
diamante **DIAMANT**, 1
diamanti (inerente alla vendita di ~) **DIAMANTAIRE**, 1
diamanti (mercante di ~) **DIAMANTAIRE**, 1
diamanti (tagliatore di ~) **DIAMANTAIRE**, 1
difetti (senza ~) **ZÉRO PANNE**, 1
difetto **DÉFAUT**, 1
difettoso **DÉFECTUEUX, -EUSE**, 1
difficoltà (avere ~ a sbarcare il lunario) **BOUTS**, 1; **FINS DE MOIS DIFFICILES**, 1
difficoltà (impresa in ~) **CANARD BOITEUX**, 1
diffondere **DIFFUSER**, 1
diffusione **DIFFUSION**, 1
dilapidare **DILAPIDER**, 1; **GASPILLER**, 1
dilapidatore **DILAPIDATEUR, DILAPIDATRICE**, 1
dilazione di pagamento **CRÉDIT**, 4
dimagrante (cura ~) **CURE D'AMAIGRISSEMENT**, 1
dimettere (far ~) **DÉBAUCHER**, 1
dimettersi **DÉMISSIONNER**, 1
diminuire **BAISSER**, 1; **DÉTENDRE**, 1; **DIMINUER**, 1; **DISCOMPTER**, 2; **FAIBLIR**, 1; **RALENTIR**, 1; **RÉDUIRE**, 1; **RÉGRESSER**, 1
diminuzione **BAISSE**, 1; **DÉCRUE**, 1; **DÉGRADATION**, 1; **DIMINUTION**, 1; **TASSEMENT**, 1
dimissionario **DÉMISSIONNAIRE**, 1
dimissione **DÉMISSION**, 1
dimissioni volontarie **DÉPART VOLONTAIRE**, 1
dimissioni (dare le ~) **DÉMISSIONNER**, 1
dimissioni (incitazione alle ~) **DÉBAUCHAGE**, 1
dimora (senza fissa ~) **DOMICILE FIXE**, 1; **SDF**
dimostrazione **DÉMONSTRATION**, 1
dipartimento **DÉPARTEMENT**, 1; **FONCTION**, 2
dipendente **EMPLOYÉ, EMPLOYÉE**, 1
dipendente delle poste **POSTIER, POSTIÈRE**, 1
dipendente pubblico **FONCTIONNAIRE**, 1
dipendente (lavoratore ~) **SALARIÉ, SALARIÉE**, 1
dipendente (stipendio di un ~ pubblico) **TRAITEMENT**, 1
dipendenti pubblici (assimilare ai ~) **FONCTIONNARISER**, 1
dipendenti (lavoratori ~) **SALARIÉ, SALARIÉE**, 2
diploma **DIPLÔME**, 1
diploma di studi professionali **BEP**
diploma universitario **LICENCE**, 2
diploma (scolastico) **BREVET**, 1
diplomato **DIPLÔMÉ, DIPLÔMÉE**, 1
diplomato **DIPLÔMÉ, -ÉE**, 1
direttiva **DIRECTIVE**, 1; 2
direttivo **DIRECTEUR, -TRICE**, 1; **DIRECTORIAL, -IALE**, 1
direttivo (personale ~) **FONCTIONNEL**, 1
direttore **DIRECTEUR, DIRECTRICE**, 2
direttore del personale **DRH**
direttore delle risorse umane **DRH**
direttorio **DIRECTOIRE**, 1
direzione **DIRECTION**, 2; 3; 4
direzione aziendale **MANAGEMENT**, 2
direzione delle risorse umane **DRH**
direzione generale **SIÈGE ADMINISTRATIF**, 1
dirigente **CADRE**, 1; **DIRECTEUR, DIRECTRICE**, 1; **DIRIGEANT, DIRIGEANTE**, 1; **MANAGER**, 1; **MANAGEUR, MANAGEUSE**, 1
dirigente (assicurazione complementare per ~) **ASSURANCE(-)DIRIGEANT**, 1
dirigenza **DIRECTION**, 1
dirigere **DIRIGER**, 1; **MANAGER**, 1
dirigismo **DIRIGISME**, 1
dirigista **DIRIGISTE**, 1
diritto (avente ~) **AYANT DROIT**, 1
disavanzo **PERTE**, 2
discendente **DESCENDANT, -ANTE**, 1
discontinuo **DISCONTINU, -UE**, 1
discount **DISCOMPTE**, 1; **SOLDERIE**, 1
discount (catena di ~) **DISCOMPTEUR**, 1; **DISCOUNTER**, 1
discount (la vendita ~) **DISCOUNT**, 1
discount (negozio ~) **MINIMARGE**, 1; **DISCOMPTE**, 2; **DISCOUNT**, 2
disdetta **RÉSILIATION**, 1
disdire un ordine **DÉCOMMANDER**, 1
diseconomia **DÉSÉCONOMIES**, 1
diseredado **DÉSHÉRITÉ, -ÉE**, 1
disfunzione **DYSFONCTIONNEMENT**, 1
disindebitamento **DÉSENDETTEMENT**, 1
disinflazione **DÉSINFLATION**, 1
disinflazionistica **DÉSINFLATIONNISTE**, 1
disintermediazione **DÉSINTERMÉDIATION**, 1
disintermediazione del settore bancario **MARCHÉISATION**, 1
disinvestimento **DÉSINVESTISSEMENT**, 1
disinvestire **DÉSINVESTIR**, 1
disoccupato **CHÔMEUR, CHÔMEUSE**, 1; **SANS-EMPLOI**, 1
disoccupato **CHÔMEUR, -EUSE**, 1
disoccupato (essere ~) **CHÔMER**, 1
disoccupazione **CHÔMAGE**, 1; 2
disoccupazione (assicurazione contro la ~) **ASSURANCE(-)CHÔMAGE**, 1
disoccupazione (sussidio di ~) **ALLOCATION(-)CHÔMAGE**, 1
dispensare **EXEMPTER**, 1
display **AFFICHEUR**, 2
disponibilità **DISPONIBILITÉS**, 1
disponibilità liquide **TRÉSORERIE**, 1
disposizione **MESURE**, 1
disseminazione **ESSAIMAGE**, 1
dissipazione **DILAPIDATION**, 1
distensione **DÉTENTE**, 1
distinta **BORDEREAU**, 1
distretto industriale **GRAPPE**, 1
distribuibile **DISTRIBUABLE**, 1
distribuire **DIFFUSER**, 1; **DISTRIBUER**, 1
distributore **DIFFUSEUR**, 1; **DISTRIBUTEUR, DISTRIBUTRICE**, 1
distributore **DISTRIBUTEUR, -TRICE**, 1
distributore automatico **DISTRIBUTEUR, DISTRIBUTRICE**, 2
distributore di televisione via cavo **TÉLÉDISTRIBUTEUR**, 1
distribuzione **DISTRIBUTION**, 1; 2
distribuzione (canale di ~) **CANAL**, 1
ditta **ENSEIGNE**, 1; **MAISON**, 2
ditta (della ~) **MAISON**, 3
diversificare **DIVERSIFIER**, 1
diversificazione **DIVERSIFICATION**, 1
dividendo **DIVIDENDE**, 1
dividendo extra **SUPER(-)DIVIDENDE**, 1
dividendo supplementare **BONUS**, 1
dividere **DIVISER**, 1
divisa **DEVISE**, 1
divisione **DIVISION**, 1; 2
do ut des **DONNANT DONNANT**, 1
documento di trasporto **BORDEREAU**, 1
dogana **DOUANE**, 1
doganale **DOUANIER, -IÈRE**, 1
doganiere **DOUANIER, DOUANIÈRE**, 1
dollaro (U.S.) **DOLLAR**, 1; **PIASTRE**, 1
domanda **DEMANDE**, 1
domandare **DEMANDER**, 1
domande di lavoro non soddisfatte alla fine del mese **DEFM**
domare **JUGULER**, 1
domestico **MÉNAGER, -ÈRE**, 1
domiciliare **DOMICILIER**, 1; 2
domiciliazione bancaria **DOMICILIATION**, 1; 2
domicilio (banca a ~) **HOMEBANKING**, 1; **TÉLÉBANKING**, 1; **TÉLÉBANQUE**, 1
domicilio (vendere a ~) **DÉMARCHER**, 1
domicilio (vendita a ~) **COLPORTAGE**, 1; **DÉMARCHAGE**, 1; **PORTE-À-PORTE**, 1
domicilio (venditore a ~) **COLPORTEUR, COLPORTEUSE**, 1
donare **OFFRIR**, 2
donatario **DONATAIRE**, 1
donatore **DONATEUR, DONATRICE**, 1
donazione **CESSION**, 2; **DON**, 1; **DONATION**, 1
dono **CESSION**, 2
doppiamente **DOUBLEMENT**, 1
doppio **DOUBLE**, 1
doppio **DOUBLE**, 1
doppione **DOUBLE**, 2
dossier **DOSSIER**, 1; 2
dotare **DOTER**, 1; **ÉQUIPER**, 1
dotazione **DOTATION**, 1

dottore commercialista **EXPERT-COMPTABLE, EXPERTE-COMPTABLE**, 1
dove è presente una banca **BANCABLE**, 2; **BANQUABLE**, 2
dracma **DRACHME**, 1
drogheria **ÉPICERIE**, 1
droghiere **ÉPICIER, ÉPICIÈRE**, 1
dumping **DUMPING**, 1
duplicare **DOUBLER**, 1
eccedente **BÉNÉFICIAIRE**, 2; **EXCÉDENTAIRE**, 1; 2
eccedenza **EXCÉDENT**, 1; 2; **SURPLUS**, 1
eccedere **DÉPASSER**, 1; **EXCÉDER**, 1
eccessivamente **EXCESSIVEMENT**, 1
eccessivo **EXCESSIF, -IVE**, 1; **TAPAGEUR, -EUSE**, 1
ecologia **ÉCOLOGIE**, 1; 2
ecologica (tassa ~) **ÉCOTAXES**, 1
ecologico **ÉCO**, 2; **ÉCOLOGIQUE**, 1; 2
ecologista **ÉCOLO**, 1; **ÉCOLOGISTE**, 1; 2
ecologo **ÉCOLOGISTE**, 1
economato **ÉCONOMAT**, 1
econometria **ÉCONOMÉTRIE**, 1
econometrica **ÉCONOMÉTRIE**, 1
econometrico **ÉCONOMÉTRIQUE**, 1
economia **ÉCONOMIE**, 1; 2; 3
economica (Unione ~ e monetaria) (UEM) **UEM**
economicamente **ÉCONOMIQUEMENT**, 1; 2
economiche (scienze ~) **ÉCONOMIE**, 2
economicismo **ÉCONOMISME**, 1
economico **ÉCO**, 1
economico **ÉCONOMIQUE**, 1; 2
economico- **ÉCONOMICO-**, 1
economico-finanziario **ÉCONOMICO-FINANCIER, -IÈRE**, 1
economico-politico **ÉCONOMICO-POLITIQUE**, 1
economico (indicatore ~) **CLIGNOTANT**, 1
economico (settore ~) **ÉCONOMIQUE**, 1
economista **ÉCONOMISTE**, 1
economizzare **ÉCONOMISER**, 1
economizzatore **ÉCONOMISEUR**, 1
economo **ÉCONOME**, 1
economo **ÉCONOME**, 1
edificare **BÂTIR**, 1
edificio **BÂTIMENT**, 1
edificio instabile **PRÉFABRIQUÉ**, 2
edificio prefabbricato **PRÉFABRIQUÉ**, 1
edile (imprenditore ~) **ENTREPRENEUR, ENTREPRENEUSE**, 2
edilizia **BÂTIMENT**, 2; **IMMOBILIER**, 1
editore **DIFFUSEUR**, 1; **ÉDITEUR**, 1
editoria **ÉDITION**, 1
edizione **ÉDITION**, 1
effetti insoluti **IMPAYÉ**, 1
effettivo **RÉEL, -ELLE**, 1
effetto **EFFET**, 1
effettuare **OPÉRER**, 1
effettuarsi **OPÉRER**, 3
efficace **EFFICACE**, 1
efficacia **EFFICACITÉ**, 1
efficiente **EFFICACE**, 1; **EFFICIENT, -IENTE**, 1
efficienza **EFFICACITÉ**, 1; **EFFICIENCE**, 1; **RENDEMENT**, 2
elasticità **ÉLASTICITÉ**, 1
elasticità del prezzo **ÉLASTICITÉ-PRIX**, 1
elenco telefonico **ANNUAIRE**, 1
elettrica (produttore di energia ~) **ÉLECTRICIEN**, 1
elettricità **ÉLECTRICITÉ**, 1
elettrico **ÉLECTRIQUE**, 1
elettrodomestici **ÉLECTROMÉNAGER**, 1
elettrodomestici (produttore di ~) **ÉLECTROMÉNAGISTE**, 1
elettrodomestico **ÉLECTROMÉNAGER**, 1
elettronica **ÉLECTRONIQUE**, 1
elettronica (moneta ~) **MONÉTIQUE**, 1
elettronica (posta ~) **MESSAGERIE**, 2
elettronico **ÉLECTRONIQUE**, 1
elevato **JOLI, -IE**, 1
eliminazione **ÉCOULEMENT**, 1
e-mail **COURRIEL**, 1; **MÉL**, 1; **MESSAGERIE**, 2
embargo **EMBARGO**, 1
emettere **ÉMETTRE**, 1; **LIBELLER**, 1
emettere (un assegno) **TIRER**, 1
emissione **ÉMISSION**, 1
emittente **ÉMETTEUR, ÉMETTRICE**, 1
emittente **ÉMETTEUR, -TRICE**, 1
emolumenti **APPOINTEMENTS**, 1
energetico **ÉNERGÉTIQUE**, 1
energia **ÉNERGIE**, 1
energia nucleare **NUCLÉAIRE**, 1
engineering **INGÉNIERIE**, 1
enorme **ÉNORME**, 1
enormemente **ÉNORMÉMENT**, 1
ente del turismo **OFFICE DU TOURISME**, 1
ente morale **PERSONNE MORALE**, 1
enti locali / amministrativi **COLLECTIVITÉ**, 2
entrata **RECETTE**, 1; **RENTRÉE**, 1
entrate pubbliche **RECETTE**, 2
equilibrare **ÉQUILIBRER**, 1
equilibrio **ÉQUILIBRE**, 1
equipaggiare **ÉQUIPER**, 1; **OUTILLER**, 1
equipe autonoma **AUTOGESTION**, 2
equivalente **ÉQUIVALENT, -ENTE**, 1
equivalere **ÉQUIVALOIR**, 1; **ÊTRE**, 1
erario **CONTRIBUTION**, 3; **TRÉSOR**, 2
erario (avviso dell'~ notificante l'importo del debito fiscale e le modalità di pagamento) **AVERTISSEMENT-EXTRAIT DE RÔLE**, 1
ergonomia **ERGONOMIE**, 1
ergonomico **ERGONOMIQUE**, 1
ergonomo **ERGONOME**, 1; **ERGONOMISTE**, 1
erogare **DÉCAISSER**, 1
erogazione **DÉCAISSEMENT**, 1
erosione **EFFRITEMENT**, 1; **ÉROSION**, 1
esagerato **EXORBITANT, -ANTE**, 1; **FARAMINEUX, -EUSE**, 1
esamificio **FABRIQUE**, 2
esaminare **ÉTUDIER**, 2
esattore **PERCEPTEUR, PERCEPTRICE**, 1; **RECEVEUR**, 1; **TAXATEUR, TAXATRICE**, 1
esaurimento **ÉPUISEMENT**, 1
esaurire **ÉPUISER**, 1
esaurire lo slancio **ESSOUFFLER**, 1
esaurirsi **ESSOUFFLER**, 1
esazione **PERCEPTION**, 1
esborso **DÉCAISSEMENT**, 1; **SORTIE**, 1
esentare **EXEMPTER**, 1; **EXONÉRER**, 1
esenzione **EXEMPTION**, 1
esenzione fiscale **DÉFISCALISATION**, 1
esercente **DÉBITANT, DÉBITANTE**, 1; **DÉTAILLANT, DÉTAILLANTE**, 1
esercizio **EXERCICE**, 1; **EXPLOITATION**, 2
esigibile **EXIGIBLE**, 1; **RECOUVRABLE**, 1
esonerare **EXONÉRER**, 1
esonero **EXEMPTION**, 1; **EXONÉRATION**, 1; **IMMUNISATION**, 1
esorbitante **EXORBITANT, -ANTE**, 1; **FARAMINEUX, -EUSE**, 1
espansione **CROISSANCE**, 2; **EXPANSION**, 1
espansionismo **EXPANSIONNISME**, 1
espansionista **EXPANSIONNISTE**, 1
espansionistico **EXPANSIONNISTE**, 1
esperienza **EXPÉRIENCE**, 1
esperienza professionale **SAVOIR-FAIRE**, 2
esperto **CADRE**, 2; **EXPERT, EXPERTE**, 1; **PROFESSIONNEL, PROFESSIONNELLE**, 1
esperto **EXPÉRIMENTÉ, -ÉE**, 1; **EXPERT, -ERTE**, 1
esperto di marketing **MARKETE(E)R**, 1; **MARKETEUR**, 1; **MERCATICIEN, MERCATICIENNE**, 1
esplodere **EXPLOSER**, 1
esplorare un mercato **PROSPECTER**, 1
esplosione **EXPLOSION**, 1
esponenziale **EXPONENTIEL, -IELLE**, 1
esporre **EXPOSER**, 1
esportabile **EXPORTABLE**, 1
esportare **EXPORTER**, 1
esportatore **EXPORTATEUR, EXPORTATRICE**, 1; 2
esportatore **EXPORTATEUR, -TRICE**, 1
esportatrice (azienda ~) **EXPORTATEUR, EXPORTATRICE**, 2
esportazione **EXPORT**, 1; **EXPORTATION**, 1; **SORTIE**, 2
esportazione (merce d'~) **EXPORTATION**, 2
esportazione (ufficio di vendita all'~) **COMPTOIR**, 2
espositore **EXPOSANT, EXPOSANTE**, 1
esposizione **EXPOSITION**, 1
esposizione (banco d'~) **PRÉSENTOIR(-DISTRIBUTEUR)**, 1
esposizione (sala d'~) **SHOW(-)ROOM**, 1
esternalità **EXTERNALITÉ**, 1
esternalizzazione **EXTERNALISATION**, 1
estinguere **AMORTIR**, 2; **SOLDER**, 1
estinzione **REMISE**, 2
estorcere **EXTORQUER**, 1
estorsione **EXTORSION**, 1
estrattivo **MINIER, -IÈRE**, 1
estratto conto **RELEVÉ**, 1
etichetta **LABEL**, 1
ettaro **HECTARE**, 1
euro **EURO**, 1
euro (centesimo di ~) **EUROCENT**, 1
eurobond **EURO-OBLIGATION**, 1
eurocent **EUROCENT**, 1
Eurocheque **EC**; **EUROCHÈQUE**, 1
eurodivisa **EURODEVISE**, 1
euro-obbligazione **EURO-OBLIGATION**, 1
eurovaluta **EURODEVISE**, 1
evoluzione incostante **DENTS DE SCIE**, 1
export **EXPORT**, 1
extra-legale **EXTRA-LÉGAL, -ALE**, 1
extra-professionale **EXTRA-PROFESSIONNEL, -ELLE**, 1
fabbisogno **BESOIN**, 1
fabbrica **FABRIQUE**, 1; **MANUFACTURE**, 1; **USINE**, 1
fabbrica (franco ~) **EXW**
fabbricante **CONSTRUCTEUR**, 1
fabbricante **CONSTRUCTEUR, -TRICE**, 1; **FABRICANT, FABRICANTE**, 1
fabbricare **CONSTRUIRE**, 1; **FABRIQUER**, 1; **PRODUIRE**, 1

fabbricare birra **BRASSER**, 1
fabbricare un manufatto **MANUFACTURER**, 1
fabbricazione **CONSTRUCTION**, 1; **FABRICATION**, 1
factoring **AFFACTURAGE**, 1; **FACTORING**, 1
falegname **MENUISIER**, 1
fallimentare (curatela ~) **CURATELLE**, 1
fallimentare (curatore ~) **CURATEUR, CURATRICE**, 1
fallimento **FAILLITE**, 1; 2
fallito **FAILLI, FAILLIE**, 1
fallito **FAILLI, -IE**, 1
falsificazione **CONTREFAÇON**, 1; **MAQUILLAGE**, 1
famiglia **FAMILLE**, 1; **MÉNAGE**, 1
familiare **FAMILIAL, -IALE**, 1
familiare (nucleo ~) **MÉNAGE**, 1
fantasma (società ~) **SOCIÉTÉ(-)ÉCRAN**, 1
farmaceutico **PHARMACEUTIQUE**, 1
farmacia **PHARMACIE**, 1; 2
farmacista **PHARMACIEN, PHARMACIENNE**, 1
fascicolo **DOSSIER**, 1
fascio **LIASSE**, 1
fattoria **FERME**, 1
fattorino **LIVREUR, LIVREUSE**, 1
fattura **FACTURE**, 1; 2
fatturabile **FACTURABLE**, 1
fatturare **FACTURER**, 1
fatturare il vuoto **CONSIGNATION**, 3
fatturato **CHIFFRE**, 2
fatturazione **FACTURATION**, 1
fatturazione (ufficio ~) **FACTURATION**, 2
fatture (registro delle ~ emesse) **FACTURIER, FACTURIÈRE**, 2
fatturista **FACTURIER, FACTURIÈRE**, 1
favorevole **AVANTAGEUX, -EUSE**, 1; **POSITIF, -IVE**, 2
favorevolmente **POSITIVEMENT**, 1
fax **FAX**, 1; 2; 3; **TÉLÉCOPIE**, 1
fax **TÉLÉCOPIEUR**, 1
fax (spedire un ~) **FAXER**, 1
fecondità **FERTILITÉ**, 1
fecondo **FÉCOND, -ONDE**, 1; **FERTILE**, 1
fede di deposito **WARRANT**, 2
fedeltà **FIDÉLITÉ**, 1
federazione **FÉDÉRATION**, 1
ferie **CONGÉ**, 1; **VACANCE**, 2
ferie (essere in ~) **CHÔMER**, 3
fermo **STABLE**, 1
ferro **FER**, 1
ferro (trasporto su ~) **RAIL**, 1
ferroso **FERREUX, -EUSE**, 1
ferrovia (per ~) **RAIL**, 1
ferroviario **FERROVIAIRE**, 1
ferroviere **CHEMINOT**, 1
fertile **FÉCOND, -ONDE**, 1; **FERTILE**, 1
fertilità **FERTILITÉ**, 1
FES (Fondo europeo di Sviluppo) **FED**
festivo **FÉRIÉ, -IÉE**, 1
fialetta **FLACON**, 1
fideiussione **CAUTIONNEMENT**, 1
fideiussore **CAUTION**, 2; **CAUTIONNÉ**, 1
fideiussore (portarsi come ~) **CAUTIONNER**, 1
fido massimo **SEUIL**, 1
fiducia **FIABILITÉ**, 1
fiera **BOURSE**, 3; **FOIRE**, 1; **SALON**, 1
file **FICHIER**, 2
filiale **AGENCE**, 2; **BUREAU**, 1; **FILIALE**, 1; **SUCCURSALE**, 1
filiale commerciale all'estero **COMPTOIR**, 2
filiali (scorporare un'impresa in ~) **FILIALISER**, 1
filiali (scorporo di un'impresa in ~) **FILIALISATION**, 1
finanza **FINANCE**, 2
finanza (intendente di ~) **TRÉSORIER-PAYEUR**, 1
finanze **FINANCE**, 1
Finanze (ministero delle ~) **FINANCE**, 3
Finanze (Ministro delle ~) **ARGENTIER**, 1
finanze (scienza delle ~) **FINANCE**, 4
finanziamento **FINANCEMENT**, 1
finanziamento ponte **CRÉDIT(-)PONT**, 1
finanziare **COMMANDITER**, 1; **FINANCER**, 1
finanziari (mezzi ~) **FINANCE**, 1; **FONDS**, 2
finanziaria (copertura ~) **PROVISION**, 1
finanziaria (locazione ~) **LEASING**, 1
finanziaria (società ~ di controllo) **HOLDING**, 1
finanziario **FINANCIER, -IÈRE**, 1; 2; 3
finanziario **PÉCUNIAIRE**, 1
finanziario (consorziato ~) **SYNDICATAIRE**, 1
finanziario (leasing ~) **CRÉDIT-BAIL**, 1; **LOCATION-FINANCEMENT**, 1
finanziarmente **FINANCIÈREMENT**, 1
finanziatore **BAILLEUR, BAILLERESSE**, 2
finanziere **FINANCIER, FINANCIÈRE**, 1
fine stagione (articoli di ~) **FINS DE SAISON**, 1
fioraio **FLEURISTE**, 1
fiore **FLEUR**, 1
fiorino olandese **FLORIN**, 1
fiorista **FLEURISTE**, 1
firma **SIGNATURE**, 1; 2
firmare **SIGNER**, 1
firmatario **SIGNATAIRE**, 1
fiscale **FISCAL, -ALE**, 1
fiscale (accertamento ~) **IMPOSITION**, 2
fiscale (amministrazione ~) **FISC**, 1
fiscale (esenzione ~) **DÉFISCALISATION**, 1
fiscale (prelievo ~) **TAXE**, 1
fiscale (regime ~) **FISCALITÉ**, 1
fiscale (rettifica) **REDRESSEMENT**, 4
fiscale (sgravio ~) **DÉTAXATION**, 1
fiscali (introiti ~) **RECETTE**, 2
fiscalista **FISCALISTE**, 1
fiscalizzazione **FISCALISATION**, 1
fiscalmente **FISCALEMENT**, 1
fisco **FISC**, 1; **FISCALITÉ**, 1; 2
fisso **FIXE**, 1
fisso (salario ~) **FIXE**, 1
fittavolo **FERMIER, FERMIÈRE**, 1
fiume **FLEUVE**, 1
flessibile **FLEXIBLE**, 1
flessibilità **FLEXIBILITÉ**, 1
flessione **FLÉCHISSEMENT**, 1
flessione (subire una ~) **FLÉCHIR**, 1
flusso **FLUX**, 1
flusso di cassa **CASH(-)FLOW**, 1
fluttuante **FLOTTANT, -ANTE**, 1
fluttuare **FLOTTER**, 1; **FLUCTUER**, 1; **OSCILLER**, 1; **YOYO**, 1
fluttuazione **FLOTTEMENT**, 1; **FLUCTUATION**, 1; **OSCILLATION**, 1
fluviale **FLUVIAL, -IALE**, 1
FOB (franco a bordo) **FOB**
foglio paga **PAIE**, 2; **PAYE**, 2
folgorante **FOUDROYANT, -ANTE**, 1
follow-up **SUIVI**, 1
fondere **FUSIONNER**, 1
fondi dello Stato **DENIERS PUBLICS**, 1
fondi (destinazione dei ~) **EMPLOI**, 4
fondiario **FONCIER, -IÈRE**, 1
fondo **FONDS**, 1; 4 ; **RÉSERVE**, 1
fondo cassa **ENCAISSE**, 1
fondo comune d'investimento **FCP**
Fondo europeo di Sviluppo (FES) **FED**
Fondo Monetario Internazionale **FMI**
fondo pensione individuale **ÉPARGNE-PENSION**, 1; **ÉPARGNE-RETRAITE**, 1
fondo (accantonare in un ~) **PROVISIONNER**, 1
fonte **SOURCE**, 1
fonte di reddito **GAGNE-PAIN**, 1
fonte energetica **SOURCE**, 2
fonte (ritenere alla ~) **PRÉCOMPTER**, 1
fonte (ritenuta alla ~) **PRÉCOMPTE**, 1
fonte (trattenere alla ~) **PRÉCOMPTER**, 1
fonte (trattenuta alla ~) **PRÉCOMPTE**, 1
fonti **RESSOURCES**, 2
forbice **FOURCHETTE**, 1
forfait **FORFAIT**, 1
forfetariamente **FORFAITAIREMENT**, 1
forfetario **FORFAITAIRE**, 1
formare **FORMER**, 1
formazione **FORMATION**, 1
formazione (periodo di ~) **CONGÉ-FORMATION**, 1
formulario **FORMULAIRE**, 1
fornaio **BOULANGER, BOULANGÈRE**, 2
fornire **APPROVISIONNER**, 1; **FOURNIR**, 1
fornire lavoro **OCCUPER**, 1
fornito (ben ~) **ACHALANDÉ, -ÉE**, 2; **ASSORTI**, 1
fornitore **FOURNISSEUR, FOURNISSEUSE**, 1; **POURVOYEUR, POURVOYEUSE**, 1
fornitura **APPROVISIONNEMENT**, 1; **FOURNITURE**, 1; 2
forte **FORT, FORTE**, 1; **HAUTEMENT**, 1
fortemente **FORTEMENT**, 1; **HAUTEMENT**, 1
fortuna **FORTUNE**, 1
forza lavoro **MAIN-D'ŒUVRE**, 1
franchigia **FRANCHISE**, 2
franchisee **FRANCHISÉ, FRANCHISÉE**, 1
franchising **FRANCHISAGE**, 1; **FRANCHISE**, 1; **FRANCHISING**, 1
franchising (concedere un contratto di ~) **FRANCHISER**, 1
franchisor **FRANCHISEUR**, 1
franco **FRANC**, 1; **FRANCO**, 1
franco a bordo (FOB) **FOB**
franco a bordo **FAB**
franco banchina **FOQ**
franco fabbrica **EXW**
franco vagone **FOR**
fraudolenta (in maniera ~) **FRAUDULEUSEMENT**, 1
fraudolento **FRAUDULEUX, -EUSE**, 1
Free Trade (North American ~ Agreement) (NAFTA) **ALENA**
frenare **FREINER**, 1
frenata **FREINAGE**, 1
frequentatore assiduo **HABITUÉ, HABITUÉE**, 1
frodare **FRAUDER**, 1
frodatore **FRAUDEUR, FRAUDEUSE**, 1
frode **FRAUDE**, 1
fronte comune dei sindacati **FRONT COMMUN**, 1
fruttare **BRASSER**, 3; **PAYER**, 2; **PRODUIRE**, 2; **RAPPORTER**, 1
fruttare (far ~) **TRAVAILLER**, 3
fulminante **FOUDROYANT, -ANTE**, 1
fulmineo **FULGURANT, -ANTE**, 1

funzionale **FONCTIONNEL, -ELLE**, 1
funzionamento **FONCTIONNEMENT**, 1
funzionare **FONCTIONNER**, 1
funzione **FONCTION**, 1; 2
furgone **UTILITAIRE**, 1
fusione **FUSION**, 1
fusto **FÛT**, 1
gadget **GADGET**, 1
galla (rimettere a ~) **RENFLOUER**, 1
galleria d'arte **GALERIE**, 1
galleria di negozi **GALERIE**, 2
gamma **GAMME**, 1
gap **DÉCALAGE**, 1
garage **GARAGE**, 1
garagista **GARAGISTE**, 1
garante **CAUTION**, 2 ; **CAUTIONNÉ, CAUTIONNÉE**, 1
garante (portarsi come ~) **CAUTIONNER**, 1
garantire **GARANTIR**, 1
garanzia **CAUTION**, 3; **GARANTIE**, 1
garanzia (deposito a ~) **CONSIGNATION**, 2
gas **GAZ**, 1
gasolio **DIESEL**, 1; **FUEL**, 1
gasolio per riscaldamento **MAZOUT**, 1
gelo **GEL**, 1
generi alimentari **COMESTIBLES**, 1
gerarchia **HIÉRARCHIE**, 1
gerarchicamente **HIÉRARCHIQUEMENT**, 1
gerarchico **HIÉRARCHIQUE**, 1
gestibile **GÉRABLE**, 1
gestionale **GESTIONNAIRE**, 1
gestione **ADMINISTRATION**, 1; **GESTION**, 1; 2
gestione di azienda commerciale **GÉRANCE**, 1
gestione (avere in ~) **GÉRER**, 1
gestione (controllore di ~) **AUDIT**, 2; **AUDITEUR, AUDITRICE**, 1
gestione (di ~) **GESTIONNAIRE**, 1
gestire **EXPLOITER**, 1; **GÉRER**, 1; 2; **MANAGER**, 1
gestore **GÉRANT, GÉRANTE**, 1; 2; **GESTIONNAIRE**, 1
gestore di azienda commerciale **GÉRANT, GÉRANTE**, 3
gettoni di presenza **JETONS DE PRÉSENCE**, 1
ghisa **FONTE**, 1
giacenza (merce in ~) **INVENDU**, 1
giacenze **LAISSÉ(-)POUR(-)COMPTE**, 1
giacenze (mettere in vendita le ~) **DÉSTOCKER**, 1
giardinaggio **JARDINAGE**, 1
giardiniere **JARDINIER, -IÈRE**, 1
giardiniere **JARDINIER, JARDINIÈRE**, 1
gigante **GÉANT**, 1
gigantesco **GIGANTESQUE**, 1
giocare in Borsa **BOURSICOTER**, 1
gioielli di famiglia **JOYAUX (DE LA COURONNE)**, 1
giornalmente **QUOTIDIENNEMENT**, 1
giornata porte aperte **PORTES OUVERTES**, 1
giovane rampante **LOUP**, 1
girante **ENDOSSEUR**, 1
girare **ENDOSSER**, 1 ; **VIRER**, 1
girata **ENDOSSEMENT**, 1
girata (trasferire mediante ~) **ENDOSSER**, 1
giratario **ENDOSSATAIRE**, 1
giro d'affari **CHIFFRE**, 2
giroconto **VIREMENT**, 1
giudice del lavoro **PRUD'HOMME**, 1
giudiziale (commissario ~) **REDRESSEUR**, 1
globale **FORFAITAIRE**, 1; **TOTAL, -ALE**, 1
godere **BÉNÉFICIER**, 2; **PROFITER**, 2
gonfiare **GONFLER**, 1
goodwill **GOODWILL**, 2; **SURVALEUR**, 1; **SURVALOIR**, 1
grafico **GRAPHIQUE**, 1
gran lavoratore **TRAVAILLEUR, -EUSE**, 1
grande **BON, BONNE**, 1; **ÉNORME**, 1; **GRAND, GRANDE**, 1
grano **BLÉ**, 1
gratifica **BONUS**, 3
gratis **GRATUITEMENT**, 1
gratuita (azione ~) **BONUS**, 1
gratuità **GRATUITÉ**, 1
gratuitamente **BÉNÉVOLEMENT**, 1; **GRATUITEMENT**, 1
gratuito **GRATUIT, -UITE**, 1
gravare **GREVER**, 1
grave **LOURD, LOURDE**, 1
grezzo (minerale ~) **MINERAI**, 1
griffe **GRIFFE**, 1
grossista **GROSSISTE**, 1
grosso **GROS, GROSSE**, 1
gruppo **CELLULE**, 1; **GROUPE**, 1; **GROUPEMENT**, 1; **KONZERN**, 1
gruppo degli Otto (G-8) **G(-)8**
gruppo dei Sette (G-7) **G(-)7**
gruppo obiettivo **CLIENTÈLE-CIBLE**, 1
gruppo (assicurazione di ~) **ASSURANCE(-)GROUPE**, 1
gruzzolo **PÉCULE**, 1
guadagno **GAIN**, 2; **PROFIT**, 2
guadagno (margine di ~) **MARGE**, 2
hardware **HARDWARE**, 1; **MATÉRIEL**, 2
hedging **COUVERTURE**, 1
holding **HOLDING**, 1
homebanking **HOMEBANKING**, 1; **TÉLÉBANKING**, 1; **TÉLÉBANQUE**, 1
hotel **HÔTEL**, 1
ICIAP (alloggio dell'~) **HLM**
idraulico **PLOMBIER**, 1
imballaggio **CONDITIONNEMENT**, 2; **EMBALLAGE**, 1; 2
imballaggio a bolle d'aria **EMBALLAGE-BULLE**, 1
imballaggio sotto cellofan **EMBALLAGE-BULLE**, 1
imballare **CONDITIONNER**, 1; **EMBALLER**, 1
imballarsi **EMBALLER**, 2
imballato (non ~) **VRAC**, 1
imballatore **EMBALLEUR, EMBALLEUSE**, 1
imballo **EMBALLAGE**, 2; **EMBALLEMENT**, 1
imbattibile **IMBATTABLE**, 1
imbottigliamento produttivo **GOULET D'ÉTRANGLEMENT**, 1; **GOULOT D'ÉTRANGLEMENT**, 1
IME (Istituto Monetario Europeo) **IME**
imitazione **CONTREFAÇON**, 2
imitazione (cattiva ~) **SOUS-PRODUIT**, 2
immagazzinabile **STOCKABLE**, 1
immagazzinamento **EMMAGASINAGE**, 1; **ENTREPOSAGE**, 1; **MAGASINAGE**, 2; **STOCKAGE**, 1
immagazzinare **EMMAGASINER**, 1; **STOCKER**, 1; 2
immateriale **IMMATÉRIEL, -IELLE**, 1
immobile **IMMOBILIER, -IÈRE**, 1
immobiliare **IMMOBILIER, -IÈRE**, 1
immobiliare (promotore ~) **PROMOTEUR, PROMOTRICE**, 2
immobiliare (promotore ~) **PROMOTEUR, -TRICE**, 2
immobiliare (risparmio ~) **ÉPARGNE-LOGEMENT**, 1
immobiliare (settore ~) **IMMOBILIER**, 1
immobilizzazioni **IMMOBILISATIONS**, 1
immondizie **ORDURES**, 1
impacchettare **EMBALLER**, 1
impagabile **IMPAYABLE**, 1
impegnarsi **ENGAGER**, 2
impennarsi **EMBALLER**, 2
impennata **EMBALLEMENT**, 1 ; **ENVOL**, 1; **ENVOLÉE**, 1
impianto **ÉQUIPEMENT**, 1; **ÉTABLISSEMENT**, 2
impiegare **EMPLOYER**, 1; **OCCUPER**, 1
impiegate (persone ~) **ACTIF**, 3
impiegato **EMPLOYÉ, EMPLOYÉE**, 2
impiegato allo sportello **GUICHETIER, GUICHETIÈRE**, 1
impiegato pubblico **FONCTIONNAIRE**, 1
impiego **EMPLOI**, 1; 2; 3; 4; **JOB**, 1; **OCCUPATION**, 1; **TRAVAIL**, 2
impiego (assicurazione per l'~) **ASSURANCE(-)EMPLOI**, 1
impiego (pieno ~) **PLEIN(-)EMPLOI**, 1
impiego (richiedere un ~) **SOLLICITER**, 1
impiego (richiesta d'~) **SOLLICITATION**, 1
imponibile **IMPOSABLE**, 1; **TAXABLE**, 1
imponibile (base ~) **ASSIETTE**, 1; **MATIÈRE**, 2
imporre una soprattassa **SURTAXER**, 1
import **IMPORT**, 1
importabile **IMPORTABLE**, 1
importante **GROS, GROSSE**, 1
importare **IMPORTER**, 1
importatore **IMPORTATEUR, IMPORTATRICE**, 1; 2
importatore **IMPORTATEUR, -TRICE**, 1
importazione **ENTRÉE**, 2; **IMPORTATION**, 1
importazioni **IMPORTATION**, 2
import-export **IMPORT-EXPORT**, 1
importo **MONTANT**, 1; **SOMME**, 1
imposizione **IMPOSITION**, 1; **TAXATION**, 1
imposizione (sottoporre a ~) **IMPOSER**, 1
imposta **IMPÔT**, 1
imposta patrimoniale **ISF**
imposta sugli utili delle società **IS**
imposta sui proventi delle società **ISOC**
imposta sul consumo **ACCISE**, 1
imposta sul reddito delle persone fisiche (IRPEF) **IPP**; **IRPP**
imposta sul valore aggiunto (IVA) **TVA**
imposta (acconto di ~) **TIERS PROVISIONNEL**, 1
imposta (assoggettare a ~) **FISCALISER**, 1
imposta (debitore d'~) **REDEVABLE**, 1
imposte **IMPÔT**, 2
imprenditore **ENTREPRENEUR, ENTREPRENEUSE**, 1; **EXPLOITANT, EXPLOITANTE**, 1; **FABRICANT, FABRICANTE**, 2; **PATRON, PATRONNE**, 1
imprenditore edile **ENTREPRENEUR, ENTREPRENEUSE**, 2
imprenditore (Stato ~) **ÉTAT-PATRON**, 1
imprenditoriale **ENTREPRENEURIAL, -IALE**, 1
imprenditorialità **ENTREPRENEURIAT**, 1; **ENTREPRENEURSHIP**, 1
impresa **ENTREPRISE**, 1; 2; **EXPLOITATION**, 1; **FIRME**, 1
impresa di tirocinio professionale **EAP**
impresa in difficoltà **CANARD BOITEUX**, 1

impresa individuale a responsabilità limitata **EURL**
impresa parastatale **PARASTATAL**, 1
impresa (creare e sviluppare progetti internamente all'~) **INTRAPRENDRE**, 1
impresa (iniziare un'attività d'~) **ENTREPRENDRE**, 1
imprese (piccole e medie ~) (PMI) **PME**
imprese (registro delle ~) **RC**; **RCS**
improduttività **IMPRODUCTIVITÉ**, 1
improduttivo **IMPRODUCTIF, -IVE**, 1
imputabile **IMPUTABLE**, 1
imputare **IMPUTER**, 1
imputazione **IMPUTATION**, 1
inattività **INACTIVITÉ**, 1
inattivo **INACTIF, -IVE**, 1
incanto **ENCHÈRE**, 1
incaricato **CHARGÉ, CHARGÉE**, 1 ; **PRÉPOSÉ, PRÉPOSÉE**, 1
incaricato di sondare la clientela potenziale **PROSPECTEUR, PROSPECTRICE**, 1
incassabile **ENCAISSABLE**, 1
incassare **ENCAISSER**, 1; 2; **RECOUVRER**, 1; **TOUCHER**, 1
incasso **ENCAISSE**, 1; **ENCAISSEMENT**, 1; 2; **RECETTE**, 1; **RENTRÉE**, 1
incasso (mancato ~) **NON-RECOUVREMENT**, 1
incendio (assicurazione contro ~) **ASSURANCE(-)INCENDIE**, 1
incitazione alle dimissioni **DÉBAUCHAGE**, 1
inconsumabile **INCONSOMMABLE**, 1
inconvertibile **INCONVERTIBLE**, 1
incorruttibile **INCORRUPTIBLE**, 1
incostante (evoluzione ~) **DENTS DE SCIE**, 1
incoterms **INCOTERM(E)S**, 1; **TCI**
incremento **ESSOR**, 1
indebita (appropriazione ~ di fondi) **DÉTOURNEMENT**, 1
indebitamente (sottrarre ~) **DÉTOURNER**, 1
indebitamento **ENDETTEMENT**, 1
indebitamento eccessivo **SURENDETTEMENT**, 1
indebitare **ENDETTER**, 1
indebitarsi **ENDETTER**, 2
indebitarsi eccessivamente **SURENDETTER**, 1
indebolimento **AFFAIBLISSEMENT**, 1; **FAIBLISSEMENT**, 1
indebolirsi **AFFAIBLIR**, 1; **FAIBLIR**, 1
indeciso **HÉSITANT, -ANTE**, 1; **INDÉCIS, -ISE**, 1
indennità **ALLOC**, 1; **ALLOCATION**, 1; **INDEMNITÉ**, 1
indennità per gli studenti **PRÉSALAIRE**, 1
indennizzare **DÉDOMMAGER**, 1; **INDEMNISER**, 1
indennizzato **INDEMNITAIRE**, 1
indennizzazione **DÉDOMMAGEMENT**, 1
indennizzo **INDEMNISATION**, 1; **INDEMNITÉ**, 1
indennizzo (a titolo di ~) **INDEMNITAIRE**, 1
indicativo **INDICATIF, -IVE**, 1
indicatore **AVERTISSEUR**, 1; **INDICATEUR**, 1
indicatore economico **CLIGNOTANT**, 1
indice **INDEX**, 1; **INDICE**, 1; **TAUX**, 2
indice generale dei prezzi dedotte le variazioni di alcol, benzina **INDEX-SANTÉ**, 1; **INDICE-SANTÉ**, 1
indice (che ha funzione di ~) **INDICIEL, -IELLE**, 1
indicizzare **INDEXER**, 1
indicizzazione **INDEXATION**, 1
indigente **DÉSARGENTÉ, -ÉE**, 1
indigente **DÉSHÉRITÉ, DÉSHÉRITÉE**, 1
indigente (persona ~) **DÉMUNI, -IE**, 1
indipendente **INDÉPENDANT, -ANTE**, 1
indirizzare **ADRESSER**, 1
indirizzo **ADRESSE**, 1
industria **INDUSTRIE**, 1; 2
industria agroalimentare **AGROALIMENTAIRE**, 1
industria automobilistica **AUTOMOBILE**, 2
industria della birra **BRASSERIE**, 1
industria televisiva **AUDIOVISUEL**, 1
industria tessile **TEXTILE**, 1
industria turistica **TOURISME**, 2
industriale **INDUSTRIEL, -IELLE**, 1; 2
industriale **INDUSTRIEL, INDUSTRIELLE**, 1; **MANUFACTURIER**, 1
industriale (stabilimento ~) **USINE**, 1
industrializzare **INDUSTRIALISER**, 1
industrializzazione **INDUSTRIALISATION**, 1
industrialmente **INDUSTRIELLEMENT**, 1
industrie (piccole e medie ~) (PMI) **PMI**
inesigibile **IRRECOUVRABLE**, 1; **IRRÉCOUVRABLE**, 1
infiammata **FLAMBÉE**, 1
inflativo **INFLATIONNISTE**, 1; **INFLATOIRE**, 1
inflazione **INFLATION**, 1
inflazionistico **INFLATIONNISTE**, 2; **INFLATOIRE**, 1
informatica **INFORMATIQUE**, 1
informatica applicata alla produzione **PRODUCTIQUE**, 1
informatica dei microprocessori **MICRO-INFORMATIQUE**, 1
informatico **INFORMATICIEN, INFORMATICIENNE**, 1
informatico **INFORMATIQUE**, 1
informatizzare **INFORMATISER**, 1
informatizzazione **INFORMATISATION**, 1
informazione (autostrada dell'~) **AUTOROUTE**, 2
informazione (superstrada dell'~) **INFOROUTES**, 1
infrastruttura **INFRASTRUCTURE**, 1
ingaggio **EMBAUCHAGE**, 1; **EMBAUCHE**, 1; **ENGAGEMENT**, 1
ingegnere **INGÉNIEUR, INGÉNIEURE**, 1
ingegneristico (esame ~ di un progetto) **INGÉNIERIE**, 1
ingresso **ENTRÉE**, 3
ingresso (biglietto d'~) **BILLET**, 4
ingrosso (commerciante all'~) **GROSSISTE**, 1
iniziare un'attività d'impresa **ENTREPRENDRE**, 1
innovare **INNOVER**, 1
innovativo **INNOVANT, -ANTE**, 1; **NOVATEUR, -TRICE**, 1
innovatore **INNOVATEUR, INNOVATRICE**, 1; **NOVATEUR, NOVATRICE**, 1
innovatore **INNOVATEUR, -TRICE**, 1
innovazione **INNOVATION**, 1; 2
inoltrare **EXPÉDIER**, 1
inoltrarsi **ENGAGER**, 2
inquadramento **ENCADREMENT**, 1
inquadrare **ENCADRER**, 1
inquilino **LOCATAIRE**, 1; **PRENEUR, PRENEUSE**, 1
inquina (principio "chi ~ paga") **POLLUEUR-PAYEUR**, 1
inquinamento **POLLUTION**, 1
inquinante **POLLUANT**, 1; **POLLUEUR, POLLUEUSE**, 1
inquinante **POLLUANT, -ANTE**, 1
insegna **ENSEIGNE**, 2; **PANONCEAU**, 1
inserimento **ANCRAGE**, 1
inserimento nel budget **BUDGÉTISATION**, 1
inserimento nella previsione di spesa **BUDGÉTISATION**, 2
inserire nel budget **BUDGÉTER**, 1; **BUDGÉTISER**, 1
inserire nella previsione di spesa **BUDGÉTER**, 2; **BUDGÉTISER**, 2
inserto **ENCART**, 1
inserzione **ANNONCE**, 1
inserzionista **ANNONCEUR**, 1
insider trading **DÉLIT D'INITIÉ**, 1
insoluti (effetti ~) **IMPAYÉ**, 1
insoluto **IMPAYÉ, -ÉE**, 1
insolvente **INSOLVABLE**, 1
insolvenza **INSOLVABILITÉ**, 1
integrazione **CONCENTRATION**, 1
integrazione di salario **SURSALAIRE**, 1
intendente di finanza **TRÉSORIER-PAYEUR**, 1
intensificarsi **INTENSIFIER**, 1
intensificazione **INTENSIFICATION**, 1
interbancario **INTERBANCAIRE**, 1
intercambiabile **ÉCHANGEABLE**, 1
interessare **INTÉRESSÉ, INTÉRESSÉE**, 1
interessare **INTÉRESSER**, 1
interesse **INTÉRÊT**, 1
interessi societari **INTÉRÊT**, 2
interim **INTÉRIM**, 1
interinale **INTÉRIMAIRE**, 1
interinale **INTÉRIMAIRE**, 1
intermediario **BROKER**, 1; **INTERMÉDIAIRE**, 1; **PLACEUR, PLACEUSE**, 2; **TRADER**, 1
intermediazione **INTERMÉDIATION**, 1
intermediazione commerciale **COURTAGE**, 1
intermediazione (società di ~ mobiliare) (SIM) **OPCVM**
Internazionale (Fondo Monetario ~) **FMI**
Internet **INTERNET**, 1
interprofessionale **INTERPROFESSIONNEL, -ELLE**, 1
interscambio **ÉCHANGE**, 1
inter-settoriale **INTERSECTORIEL, -IELLE**, 1
intersindacale **INTERSYNDICAL, -ALE**, 1
intesa **ENTENTE**, 1
intestatario **TITULAIRE**, 1
intra-aziendale **INTERENTREPRISES**, 1
intranet **INTRANET**, 1
intraprendente **ENTREPRENANT, -ANTE**, 1
intrasportabile **INTRANSPORTABLE**, 1
introiti fiscali **RECETTE**, 2
introito previsto e non realizzato **NON-VALEUR**, 1
invalidità (assicurazione per ~) **ASSURANCE(-)INVALIDITÉ**, 1
invendibile **INVENDABLE**, 1
invenduta (merce ~) **LAISSÉ(-)POUR(-)COMPTE**, 1
invenduto **INVENDU**, 1
invenduto **INVENDU, -UE**, 1
inventariare **INVENTORIER**, 1
inventario **INVENTAIRE**, 1
investimento **INVESTISSEMENT**, 1; 2; 3; **PLACEMENT**, 1; 2
investimento (fondo comune d'~) **FCP**
investimento (società d'~ a capitale fisso) (SICAF) **SICAF**

investimento (società d'~ a capitale variabile) (SICAV) **SICAV**
investire **CAPITALISER**, 2; **INVESTIR**, 1; **PLACER**, 1
investitore **INVESTISSEUR, -EUSE**, 1
investitore **INVESTISSEUR, INVESTISSEUSE**, 1; **PLACEUR, PLACEUSE**, 1
investitori istituzionali **ZINZINS**, 1
inviare **ENVOYER**, 1
invio **ENVOI**, 1; **EXPÉDITION**, 1
invisibili (partite ~) **INVISIBLES**, 1
iperciclo **HYPERCYCLE**, 1
iperconcorrenziale **HYPER(-)CONCURRENTIEL, -IELLE**, 1; 2
iperinflazione **HYPERINFLATION**, 1
ipermercato **HYPERMARCHÉ**, 1
ipociclo **HYPOCYCLE**, 1
iponutrizione **SOUS-ALIMENTATION**, 1
ipoteca **HYPOTHÈQUE**, 1; **NANTISSEMENT**, 1
ipotecare **HYPOTHÉQUER**, 1
ipotecario **HYPOTHÉCAIRE**, 1
IRPEF (imposta sul reddito delle persone fisiche) **IPP**; **IRPP**
irrecuperabile **IRRECOUVRABLE**, 1; **IRRÉCOUVRABLE**, 1
irregolare **IRRÉGULIER, -IÈRE**, 1
irregolarmente **IRRÉGULIÈREMENT**, 1
iscrizione **AFFILIATION**, 1
istituti pubblici di credito **IPC**
Istituto Monetario Europeo (IME) **IME**
istogramma **HISTOGRAMME**, 1
istruzione permanente **INSTRUCTION PERMANENTE**, 1
IVA (imposta sul valore aggiunto) **TVA**
IVA (+ ~) (più iva) **HT**
IVA esclusa **HT**
jackpot **CAGNOTTE**, 3
joint(-)venture **JOINT(-)VENTURE**, 1 ; **CO(-)ENTREPRISE**, 1
junk bond **JUNK(-)BOND**, 1
just in time **JIT**; **JUSTE(-)À(-)TEMPS**, 1; **JUST-IN-TIME**, 1
kilogrammo **KILO**, 1
know-how **KNOW(-)HOW**, 1; **SAVOIR-FAIRE**, 1
konzern **KONZERN**, 1
laburismo **TRAVAILLISME**, 1
laburista **TRAVAILLISTE**, 1
lanciare **LANCER**, 1
lancio **LANCEMENT**, 1
largamente **MASSIVEMENT**, 1
lattina **CAN(N)ETTE**, 1
laureato **DIPLÔMÉ, DIPLÔMÉE**, 1
laureato **DIPLÔMÉ, -ÉE**, 1
lavorare **BOSSER**, 1; **TRAVAILLER**, 2
lavorare una materia **MANUFACTURER**, 1
lavorare via computer **TÉLÉTRAVAILLER**, 1
lavorare (non ~) **CHÔMER**, 2
lavorativa (attività ~) **TRAVAIL**, 1
lavoratore **TRAVAILLEUR, TRAVAILLEUSE**, 1
lavoratore a tempo determinato **CONTRACTUEL, CONTRACTUELLE**, 2
lavoratore autonomo **INDÉPENDANT, INDÉPENDANTE**, 1; **NON-SALARIÉ, NON-SALARIÉE**, 1
lavoratore dipendente **SALARIÉ, SALARIÉE**, 1
lavoratore prepensionato **PRÉPENSIONNÉ, PRÉPENSIONNÉE**, 1; **PRÉRETRAITÉ, PRÉRETRAITÉE**, 1
lavoratore subordinato **SALARIÉ, SALARIÉE**, 1
lavoratore (gran ~) **BOSSEUR, BOSSEUSE**, 1; **TRAVAILLEUR, -EUSE**, 1
lavoratore (conferire lo statuto di ~ dipendente) **SALARIER**, 2
lavoratori dipendenti **SALARIÉ, SALARIÉE**, 2
lavoratori dipendenti (condizione dei ~) **SALARIAT**, 2
lavoratori dipendenti (insieme dei ~) **SALARIAT**, 1
lavoratori salariati (aumento dei ~ nell'economia) **SALARISATION**, 1
lavoratrici (masse ~) **TRAVAILLEUR, TRAVAILLEUSE**, 2
lavori **TRAVAIL**, 4
lavori socialmente utili **TUC**
lavoricchiare **TRAVAILLOTER**, 1
lavoro **BOULOT**, 1; **JOB**, 1; **OUVRAGE**, 1; **TRAVAIL**, 1; 2; 3; 5; 6
lavoro a turni **3X8**, 1
lavoro oneroso **BESOGNE**, 1
lavoro (bel ~) **OUVRAGE**, 2
lavoro (contratto collettivo di ~) **CCT**
lavoro (datore di ~) **EMBAUCHEUR, EMBAUCHEUSE**, 1; **EMPLOYEUR, EMPLOYEUSE**, 1
lavoro (datori di ~) **PATRONAT**, 1
lavoro (domande di ~ non soddisfatte alla fine del mese) **DEFM**
lavoro (fornire ~) **OCCUPER**, 1
lavoro (forza ~) **MAIN-D'ŒUVRE**, 1
lavoro (posto di ~) **EMPLOI**, 3
lavoro (prestar ~) **PRESTER**, 2
lavoro (riprendere il ~) **EMBRAYER**, 1; **RETRAVAILLER**, 1
leader **LEADER**, 1
leadership **LEADERSHIP**, 1
leasing **LEASING**, 1; **LOCATION-VENTE**, 1
leasing finanziario **CRÉDIT-BAIL**, 1; **LOCATION-FINANCEMENT**, 1
leasing operativo **CRÉDIT-BAIL**, 1
leasing (prendere in ~) **LEASER**, 1
leggermente **LÉGÈREMENT**, 1
leggero **LÉGER, -ÈRE**, 1
lentamente **LENTEMENT**, 1
lento **LENT, LENTE**, 1
lettera **LETTRE**, 1
lettera circolare **CIRCULAIRE**, 1
lettera di sollecito **RAPPEL**, 1
liberalizzare **LIBÉRALISER**, 1
liberalizzazione **LIBÉRALISATION**, 1
liberarsi dai debiti **DÉSENDETTER**, 1
libero scambio **LIBRE-ÉCHANGE**, 1
liberoscambismo **LIBRE-ÉCHANGISME**, 1
liberoscambista **LIBRE-ÉCHANGISTE**, 1
libraio **LIBRAIRE**, 1
libreria **LIBRAIRIE**, 1
libretto (di) assegni **CHÉQUIER**, 1
licenza **LICENCE**, 1; **PERMIS**, 1
licenziamento **CONGÉDIEMENT**, 1; **DÉBAUCHAGE**, 2; **DÉMISSION**, 2; **DÉSENGAGEMENT**, 1; **LICENCIEMENT**, 1; **MISE À PIED**, 1
licenziamento immediato **LICENCIEMENT-MINUTE**, 1
licenziamento in tronco **LICENCIEMENT-MINUTE**, 1
licenziare **BALANCER**, 1; **CONGÉDIER**, 1; **DÉBAUCHER**, 2; **DÉMISSIONNER**, 2; **DÉSENGAGER**, 1; **LICENCIER**, 1; **PORTE**, 1; **RENVOYER**, 1; **VIRER**, 2
licenziato **LICENCIÉ, LICENCIÉE**, 1
lieve **MINIME**, 1
lievitare **FLAMBER**, 1
lievitazione **ENVOL**, 1; **ENVOLÉE**, 1
limitare **LIMITER**, 1; **RESTREINDRE**, 1
limitazione **LIMITATION**, 1
limite massimo **PLAFOND**, 1
limite massimo (fissare il ~) **PLAFONNER**, 1
limite massimo (fissare un nuovo ~) **REPLAFONNER**, 1
limite (soppressione del ~ superiore) **DÉPLAFONNEMENT**, 1
limite (sopprimere il ~ superiore) **DÉPLAFONNER**, 1
liquidare **APURER**, 1; **LIQUIDER**, 1; 3; **SOLDER**, 2
liquidatore **LIQUIDATEUR, LIQUIDATRICE**, 1
liquidazione **APUREMENT**, 1; **BRADAGE**, 1; **LIQUIDATION**, 1; 2; 3; 4
liquidazione (mettere in ~) **LIQUIDER**, 2
liquide (disponibilità ~) **TRÉSORERIE**, 1
liquidi **ESPÈCES**, 1
liquidità **LIQUIDITÉ**, 1; 3; **NUMÉRAIRE**, 1; **TRÉSORERIE**, 1
liquido **LIQUIDE**, 1
liquido **LIQUIDE**, 1
lira **LIVRE**, 1
lira italiana **LIRE**, 1
lira (sterlina) **LIVRE (STERLING)**, 1
listino **COTE**, 2
listino dei prezzi **BARÈME**, 1
listino prezzi **TARIF**, 2
livello di vita **NIVEAU DE VIE**, 1
lobbismo **LOBBYING**, 1
lobbista **LOBBYISTE**, 1
lobby **LOBBY**, 1
locandina **AFFICHETTE**, 1
locatario **LOCATAIRE**, 1
locativo **LOCATIF, -IVE**, 1
locatore **BAILLEUR, BAILLERESSE**, 1; **DONNEUR, DONNEUSE**, 1; **LOUEUR, LOUEUSE**, 1
locazione **LOCATION**, 1; **LOUAGE**, 1
locazione d'azienda **LOCATION-GÉRANCE**, 1
locazione di breve durata di materiale **RENTING**, 1
locazione finanziaria **LEASING**, 1
locazione (contratto di ~ (per cosa non produttiva)) **BAIL**, 1
locazione (dare in ~) **LOUER**, 1
locazione (prendere in ~) **LOUER**, 2
loco (pro ~) **OFFICE DU TOURISME**, 1
logistica **LOGISTIQUE**, 1
logistico **LOGISTIQUE**, 1
logo **LOGO**, 1
logotipo **LOGO**, 1
lordo **BRUT, BRUTE**, 1
lotto **LOT**, 1
lucrativo **COMMERCIAL, -IALE**, 4; **GÉRABLE**, 2; **LUCRATIF, -IVE**, 1
lucro cessante **MANQUE À GAGNER**, 1
lucro (Associazione senza scopi di ~) **OSBL**
lucroso **LUCRATIF, -IVE**, 1
macchiare **POLLUER**, 1
macchina **AUTOMOBILE**, 1; **MACHINE**, 1; **VOITURE**, 1
macchina utensile **MACHINE-OUTIL**, 1
macchinario **MACHINERIE**, 1
macellaio **BOUCHER, BOUCHÈRE**, 1
macelleria **BOUCHERIE**, 1
macroeconomia **MACRO-ÉCONOMIE**, 1
macroeconomico **MACRO-ÉCONOMIQUE**, 1
made in **MADE IN ...**, 1
madre (casa ~) **MAISON-MÈRE**, 1
maestro artigiano **MAÎTRE-ARTISAN**, 1
magazzinaggio **MAGASINAGE**, 2
magazziniere **ENTREPOSEUR**, 1; **MAGASINIER, MAGASINIÈRE**, 1; **MANUTENTIONNAIRE**, 1
magazzino **DÉPÔT**, 2; **ENTREPÔT**, 1; **MAGASIN**, 2; **STOCK**, 2

magazzino (mettere in ~) **ENTREPOSER**, 1
maggior offerente **OFFRANT**, 1
maggiorare **MAJORER**, 1
maggiorazione **MAJORATION**, 1
magnate **MAGNAT**, 1
magro **MAIGRE**, 1
mailing **MAILING**, 1; **PUBLIPOSTAGE**, 1
malattia (assicurazione ~) **ASSURANCE(-)MALADIE**, 1
malnutrizione **SOUS-ALIMENTATION**, 1
malus **MALUS**, 1
management **GESTION**, 2; **MANAGEMENT**, 1; 2
management buy out **MBO**
management per obiettivi **DPO**
manager **DIRECTEUR, DIRECTRICE**, 1; **MANAGER**, 1; **MANAGEUR, MANAGEUSE**, 1; **TENEUR, TENEUSE**, 1
manager in carriera **CARRIÉRISTE**, 1
manageriale **DIRECTORIAL, -IALE**, 1; **MANAGÉRIAL, -IALE**, 1; 2
mancata consegna **NON-LIVRAISON**, 1
mancato incasso **NON-RECOUVREMENT**, 1
mancato pagamento **NON-PAIEMENT**, 1; **NON-PAYEMENT**, 1
mancato profitto **MANQUE À GAGNER**, 1
mancato realizzo **NON-VALEUR**, 1
mancato recupero **NON-RECOUVREMENT**, 1
mancia **POURBOIRE**, 1
mandante **MANDANT, MANDANTE**, 1
mandatario **MANDATAIRE**, 1
mandatario (amministratore ~) **COMMANDITÉ, COMMANDITÉE**, 1
mandato **MANDAT**, 1
mangiare **MANGER**, 1
mangiatore **MANGEUR, MANGEUSE**, 1
manifattura **MANUFACTURE**, 1
manifatturiero **MANUFACTURIER, -IÈRE**, 1
manifestino **AFFICHETTE**, 1
manifesto **AFFICHE**, 1
manipolare **MANUTENTIONNER**, 1
mano (di seconda ~) **OCCASION**, 2
manodopera **MAIN-D'ŒUVRE**, 1
manodopera (ad alta intensità di ~) **TRAVAILLISTIQUE**, 1
manodopera (il costo della ~) **MAIN-D'ŒUVRE**, 2
manovale **MANŒUVRE**, 1
mantello **MANTEAU**, 1
mantenere **MAINTENIR**, 1
mantenimento **MAINTIEN**, 1
manuale **MANUEL**, 1
manuale **MANUEL, -ELLE**, 1
manualmente **MANUELLEMENT**, 1
manufacturing (computer aided ~) **FAO**
manufacturing (computer integrated ~) **FIO**
manufatto (fabbricare un ~) **MANUFACTURER**, 1
manutenzione **MAINTENANCE**, 1
marca **MARQUE**, 1
marca (di ~) **GRIFFÉ, -ÉE**, 1
marca (senza ~) **DÉGRIFFÉ, -ÉE**, 1
marchio **LOGO**, 1; **MARQUE**, 1
marchio di qualità **LABEL**, 1
marchio registrato **TM**
marco **MARK**, 1
mare **MER**, 1
margine **MARGE**, 1
margine di guadagno **MARGE**, 2
margine di profitto **MARGE**, 2
marittimo **MARITIME**, 1
marketing **MARKETING**, 1; **MERCATIQUE**, 1
marketing-mix **MARCHÉAGE**, 1; **MARKETING-MIX**, 1
marketing (esperto di ~) **MARKETE(E)R**, 1; **MARKETEUR**, 1; **MERCATICIEN, MERCATICIENNE**, 1
market-maker **MARKET(-)MAKER**, 1
martellamento pubblicitario **TAPAGE**, 1
martellante (pubblicità ~) **BATTAGE**, 1; **MATRAQUAGE**, 1
mass media **MÉDIA**, 1
massiccio **MASSIF, -IVE**, 1
massimale **MAXIMUM**, 1; **PLAFOND**, 1
massimale (fissazione di un ~) **PLAFONNEMENT**, 1
massimizzare **MAXIMALISER**, 1; **MAXIMISER**, 1
massimizzazione **MAXIMALISATION**, 1; **MAXIMISATION**, 1
massimo **MAXIMAL, -ALE**, 1; **MAXIMUM, MAXIMA**, 1
massimo **MAXIMUM**, 1
massimo (fissazione di un ~) **PLAFONNEMENT**, 1
massimo (prezzo ~) **PRIX(-)PLAFOND**, 1
materasso **BAS DE LAINE**, 1
materia prima **MATÉRIAU**, 1; **MATIÈRE**, 1
materiale **MATÉRIAU**, 1; **MATÉRIEL**, 1
materiale **MATÉRIEL, -IELLE**, 1
maturità **MATURITÉ**, 1
maturo (prodotto ~) **VACHE À LAIT**, 1
meccanica **MÉCANIQUE**, 1
meccanicamente **MÉCANIQUEMENT**, 1
meccanico **MÉCANICIEN, MÉCANICIENNE**, 1; **MÉCANO**, 1
meccanico **MÉCANIQUE**, 1
meccanismo **MÉCANISME**, 1
meccanizzare **MÉCANISER**, 1
meccanizzazione **MÉCANISATION**, 1
mecenate **MÉCÈNE**, 1
mecenatismo **MÉCÉNAT**, 1
media **MOYENNE**, 1
mediamente **MOYENNEMENT**, 1
mediano **MOYEN, -ENNE**, 1
mediatore **BROKER**, 1; **COURTIER, COURTIÈRE**, 1; **INTERMÉDIAIRE**, 1; **TRADER**, 1
medio **MOYEN, -ENNE**, 1
mediocre **MÉDIOCRE**, 1
meeting **RÉUNION**, 1
megafusione **MÉGAFUSION**, 1
membro **ADHÉRENT, ADHÉRENTE**, 1
membro **ADHÉRENT, -ENTE**, 1
memoria **MÉMOIRE**, 1
mensile **MENSUEL, -ELLE**, 1
mensilità **MENSUALITÉ**, 1
mensilizzazione **MENSUALISATION**, 1
mensilmente **MENSUELLEMENT**, 1
mensilmente (pagare ~) **MENSUALISER**, 1
mercante di diamanti **DIAMANTAIRE**, 1
mercanteggia (chi ~) **MARCHANDEUR, MARCHANDEUSE**, 1
mercanteggiamento **MARCHANDAGE**, 1
mercanteggiare **MARCHANDER**, 1
mercantile **CARGO**, 1; **MERCANTILE**, 1
mercantilismo **MERCANTILISME**, 1
mercantilista **MERCANTILISTE**, 1
mercanzia **MARCHANDISE**, 1
mercato **MARCHÉ**, 1; 2
mercato a pronti **COMPTANT**, 4
mercato di sbocco **DÉBOUCHÉ**, 1
mercato pilota **MARCHÉ-TEST**, 1
mercato rialzista **HAUSSIER, -IÈRE**, 1
mercato-test **MARCHÉ-TEST**, 1
mercato "toro" **HAUSSIER, -IÈRE**, 1
mercato (collocamento sul ~) **POSITIONNEMENT**, 1
mercato (esplorare un ~) **PROSPECTER**, 1
mercato (nicchia di ~) **NICHE**, 1
mercato (operatore del ~) **ACTEUR**, 1
mercato (sondare un ~) **PROSPECTER**, 1
merce **MARCHANDISE**, 1
merce dal peso superiore a, 1 t. **PONDÉREUX, -EUSE**, 1
merce in giacenza **INVENDU**, 1
merce invenduta **LAISSÉ(-)POUR(-)COMPTE**, 1
merce pesante **PONDÉREUX**, 1
merce scadente **CAMELOTE**, 1
merchandising **MARCHANDISAGE**, 1; **MERCHANDISING**, 1
merchandizer **MARCHANDISEUR, MARCHANDISEUSE**, 1
merci (trasporto ~) **FRET**, 1
messaggio di posta elettronica **COURRIEL**, 1
mestiere **MÉTIER**, 1; **PROFESSION**, 1
metà **MOITIÉ**, 1
metallica (moneta ~) **MONNAIE**, 2
metallico **MÉTALLIQUE**, 1; 2
metallo **MÉTAL**, 1
metallurgia **MÉTALLURGIE**, 1; 2
metallurgico **MÉTALLURGIQUE**, 1
metalmeccanico **MÉTALLO**, 1; **MÉTALLURGISTE**, 1
metalmeccanico **MÉTALLURGISTE**, 1
mezzi finanziari **FINANCE**, 1; **FONDS**, 2
mezzo **INSTRUMENT**, 1 ; **MOITIÉ**, 1
micro chip **PUCE**, 1
microeconomia **MICRO-ÉCONOMIE**, 1
microeconomico **MICRO-ÉCONOMIQUE**, 1
microinformatica **MICRO-INFORMATIQUE**, 1
microprocessori (informatica dei ~) **MICRO-INFORMATIQUE**, 1
miglioramento **AMÉLIORATION**, 1
migliorare **AMÉLIORER**, 1
minatore **MINEUR**, 1
minerale grezzo **MINERAI**, 1
minerario **MINIER, -IÈRE**, 1
miniera **MINE**, 1
minimizzare **MINIMISER**, 1
minimizzazione **MINIMISATION**, 1
minimo **MINIMAL, -ALE**, 1; **MINIME**, 1; **MINIMUM, MINIMA**, 1; **PLANCHER**, 1
minimo **MINIMUM**, 1
minimo salariale **MINIMEX**, 1
minimo salariale garantito **SMIC**
minimo salariale (percettore del ~) **MINIMEXÉ, MINIMEXÉE**, 1
minimo (prezzo ~) **PRIX(-)PLANCHER**, 1
minimo (punto ~) **PLANCHER**, 1
ministero delle Finanze **FINANCE**, 3
Ministro delle Finanze **ARGENTIER**, 1
minusvalenza **MOINS-VALUE**, 1
minuto (commercio al ~) **DÉBIT**, 4
misura **MESURE**, 1
misura restrittiva del credito **ENCADREMENT**, 3
misurabile **MESURABLE**, 1
misurare **MESURER**, 1
misurazione **MESURE**, 2
misure restrittive del credito **ENCADREMENT**, 3
mittente **EXPÉDITEUR, EXPÉDITRICE**, 1
mobile **MOBILIER, -IÈRE**, 1
mobiliare (società di intermediazione ~) (SIM) **OPC**; **OPCVM**

modello **MODÈLE**, 1
moderare **MODÉRER**, 1
moderatamente **MODÉRÉMENT**, 1; **RAISONNABLEMENT**, 1
moderato **MODÉRÉ, -ÉE**, 1
moderazione **MODÉRATION**, 1
modestamente **MODESTEMENT**, 1
modesto **MODESTE**, 1
modico **MODÉRÉ, -ÉE**, 1; **MODIQUE**, 1
modulo **FORMULAIRE**, 1; **FORMULE**, 1
molteplice **MULTIPLE**, 1
moltiplicare **MULTIPLIER**, 1
moltiplicazione **MULTIPLICATION**, 1
molto **FORTEMENT**, 1; **HAUTEMENT**, 1; **LOURDEMENT**, 1
molto **LOURD**, 1
moneta **MITRAILLE**, 1; **MONNAIE**, 1; 3; **PIÈCE**, 2
moneta elettronica **MONÉTIQUE**, 1
moneta metallica **MONNAIE**, 2
moneta rifugio **MONNAIE(-)REFUGE**, 1
moneta (battere ~) **MONNAYER**, 1
moneta (carta ~) **PAPIER-MONNAIE**, 1
monetabile **MONNAYABLE**, 1
monetaria (Unione economica e ~) (UEM) **UEM**
monetario **MONÉTAIRE**, 1
Monetario (Fondo ~ Internazionale) **FMI**
Monetario (Istituto ~ Europeo) (IME) **IME**
monetarismo **MONÉTARISME**, 1
monetarista **MONÉTARISTE**, 1
monetarista **MONÉTARISTE**, 1
monetica **MONÉTIQUE**, 1
monetizzabile **MONNAYABLE**, 1
monetizzare **CONVERTIR**, 1; **MONÉTISER**, 1
monetizzazione **MONÉTISATION**, 1
monopolio **MONOPOLE**, 1; **RÉGIE**, 1
monopolista **MONOPOLEUR, MONOPOLEUSE**, 1
monopolistico **MONOPOLISTE**, 1; **MONOPOLISTIQUE**, 1
monopolizzare **MONOPOLISER**, 1
monopolizzazione **MONOPOLISATION**, 1
monoprodotto **MONO(-)PRODUIT**, 1
montaggio **ASSEMBLAGE**, 1
montaggio (catena di ~) **CHAÎNE**, 3
montante **MONTANT**, 1 ; **PRINCIPAL**, 1
monte (a ~) **AMONT**, 1
morale (ente ~) **PERSONNE MORALE**, 1
morto (peso ~) **POIDS MORT**, 1
mostra **EXPOSITION**, 1
moto (rimettersi in ~) **REDÉMARRER**, 1
movimentazione **MANUTENTION**, 1
multimediale **MULTIMÉDIA**, 1
multinazionale **MULTINATIONALE**, 1
multipack **MULTIPACK**, 1
muratore **MAÇON**, 1
mutua **MUTUELLE**, 1
mutua assicuratrice **MUTUALITÉ**, 1
mutua assicurazione (società di ~) **MUTUALITÉ**, 1
mutualistico **MUTUALISTE**, 1
mutuario **EMPRUNTEUR, -EUSE**, 1
mutuatorio **EMPRUNTEUR, EMPRUNTEUSE**, 1
mutuo **EMPRUNT**, 1
mutuo (contrarre un ~) **EMPRUNTER**, 1
NAFTA (North American Free Trade Agreement) **ALENA**
nafta **MAZOUT**, 1
natura (retribuzioni in ~) **AVANTAGE**, 3
navale **NAVAL, -ALE**, 1
nave **BATEAU**, 1; **NAVIRE**, 1
nave cisterna **RAVITAILLEUR**, 1
nave-cargo **VRAQUIER**, 1
nave-container **PORTE-CONTENEURS**, 1
nave da carico **CARGO**, 1
navetta **NAVETTE**, 1
navigabile **NAVIGABLE**, 1
nazionalizzare **NATIONALISER**, 1
nazionalizzazione **NATIONALISATION**, 1
Nazione **ÉTAT**, 1
negativamente **NÉGATIVEMENT**, 1
negativo **NÉGATIF, -IVE**, 2
negozi (andare (in giro) per ~) **LÈCHE-VITRINE(S)**, 1; **MAGASINAGE**, 1; **SHOPPING**, 1
negozi (andare (in giro) per ~) **MAGASINER**, 1
negoziante **BOUTIQUIER, BOUTIQUIÈRE**, 1; **MARCHAND, MARCHANDE**, 1; **NÉGOCIANT, NÉGOCIANTE**, 1
negozio **BOUTIQUE**, 1; **MAGASIN**, 1; **NÉGOCE**, 1
negozio di alimentari **ÉPICERIE**, 1
negozio discount **DISCOMPTE**, 2; **DISCOUNT**, 2; **MINIMARGE**, 1
negozio pilota **MAGASIN-PILOTE**, 1
negriero **NÉGRIER**, 1; 2
nettamente **NETTEMENT**, 1
netto **NET, NETTE**, 1; 2
nicchia **CRÉNEAU**, 1
nicchia (di mercato) **NICHE**, 1
noleggiare **AFFRÉTER**, 1; **LEASER**, 1
noleggiato (aereo ~) **CHARTER**, 1
noleggiatore **AFFRÉTEUR, AFFRÉTEUSE**, 1; **LOUEUR, LOUEUSE**, 1
noleggio **AFFRÈTEMENT**, 1; **LOCATION**, 1; **LOUAGE**, 1
nolo **FRET**, 3
nolo (prendere a ~) **AFFRÉTER**, 1
nome commerciale **ENSEIGNE**, 1
nome (società in ~ collettivo) (Snc) **SNC**
nomina **TITULARISATION**, 1
nominale **NOMINAL, -ALE**, 1
nominare **TITULARISER**, 1
non-concorrenza **NON-CONCURRENCE**, 1
non-indicizzazione **NON-INDEXATION**, 1
non-profit (associazione ~) **ASBL**; **OSBL**
non-scioperante **NON-GRÉVISTE**, 1
norma **NORME**, 1
normalizzare **NORMALISER**, 1
normalizzazione **NORMALISATION**, 1
North American Free Trade Agreement (NAFTA) **ALENA**
nota (prima ~) **BROUILLARD**, 1
notevole **APPRÉCIABLE**, 1
notte (alimentari aperto di ~) **DÉPANNEUR**, 1
NPI (nuovi paesi industrializzati) **NPI**
nucleare **NUCLÉAIRE**, 1
nucleare (energia ~) **NUCLÉAIRE**, 1
nulla in cambio di nulla **DONNANT DONNANT**, 1
numerario **NUMÉRAIRE**, 1
nuovi paesi industrializzati (NPI) **NPI**
nutrirsi **NOURRIR**, 1
nutritivo **NOURRISSANT, -ANTE**, 1
obbligazionario **OBLIGATAIRE**, 1; 2
obbligazione **ENGAGEMENT**, 2; **OBLIGATION**, 1; 2
obbligazione del Tesoro **OAT**; **OLO**
obbligazione non garantita dallo Stato **DÉBENTURE**, 1
obbligazione spazzatura **JUNK(-)BOND**, 1
obbligazionista **OBLIGATAIRE**, 1
obiettivi (management per ~) **DPO**
obiettivo **OBJECTIF**, 1
obiettivo (gruppo ~) **CLIENTÈLE-CIBLE**, 1
obsolescenza **OBSOLESCENCE**, 1
obsoleto **OBSOLÈTE**, 1
occasione **OCCASION**, 1
occasione (d'~) **OCCASION**, 2
occupare **OCCUPER**, 2
occupati (non ~) **INACTIF**, 1
occupazione **EMPLOI**, 2; **OCCUPATION**, 1; 2
occupazione (eccesso di ~) **SUREMPLOI**, 1
occupazione (piena ~) **PLEIN(-)EMPLOI**, 1
OCSE (Organizzazione per la Cooperazione e lo Sviluppo Economico) **OCDE**
offerente **OFFREUR, OFFREUSE**, 1
offerente (il maggior ~) **OFFRANT**, 1
offerta **OFFRE**, 1
offerta pubblica di acquisto (OPA) **OPA**
offerta pubblica di scambio (OPS) **OPE**
offerta pubblica di vendita (OPV) **OPV**
offerta (di vendita) **OFFRE**, 2
officina **ATELIER**, 1
offrire **OFFRIR**, 1; 2
offrire un servizio **LIVRER**, 2
offrirsi **OFFRIR**, 3; **PAYER**, 3
oligopolio **OLIGOPOLE**, 1
oligopolistico **OLIGOPOLISTIQUE**, 1
oltrepassare **FRANCHIR**, 1
OMC (Organizzazione Mondiale del Commercio) **OMC**
onda **VAGUE**, 1
ondata **VAGUE**, 1
ondeggiare **FLOTTER**, 1
oneri **CHARGE**, 1
oneroso **ONÉREUX, -EUSE**, 1
oneroso (lavoro ~) **BESOGNE**, 1
onorario **HONORAIRES**, 1; **VACATION**, 1
OPA (offerta pubblica di acquisto) **OPA**
OPA (che rischia di essere scalata a mezzo di un'~) **OPÉABLE**, 1; **OPÉISABLE**, 1
OPEC (Organizzazione dei paesi esportatori di petrolio) **OPEP**
operaia (classe ~) **OUVRIER, OUVRIÈRE**, 2
operaio **OUVRIER, -IÈRE**, 1
operaio **OUVRIER, OUVRIÈRE**, 1
operaio siderurgico **SIDÉRURGISTE**, 1
operaio specializzato **OS**
operare **OPÉRER**, 2
operativo **ACTIF, -IVE**, 1; **OPÉRATIONNEL, -ELLE**, 1; 2
operativo (leasing ~) **CRÉDIT-BAIL**, 1
operatore commerciale **REVENDEUR, REVENDEUSE**, 1; **SOLDEUR, SOLDEUSE**, 1
operatore del mercato **ACTEUR**, 1
operatore di borsa **BOURSIER, BOURSIÈRE**, 2; **OPÉRATEUR, OPÉRATRICE**, 1
operatore turistico **TOUR-OPÉRATEUR**, 1; **VOYAGISTE**, 1
operatore (piccolo ~) **BOURSICOTIER, -IÈRE**, 1
operazione **OPÉRATION**, 1
operazione commerciale **TRANSACTION**, 2
operazione speculativa (piccola ~ di Borsa) **BOURSICOTAGE**, 1
OPS (offerta pubblica di scambio) **OPE**
opuscolo **BROCHURE**, 1; **DÉPLIANT**, 1; **PLAQUETTE**, 1
OPV (offerta pubblica di vendita) **OPV**
opzione **OPTION**, 1
opzione call **CALL**, 1
orario **HORAIRE**, 1; 2
ordinante **COMMANDITAIRE**, 2
ordinare **COMMANDER**, 1

ordinazioni **COMMANDE**, 1
ordine **COMMANDE**, 1; 2; 3; **CORPORATION**, 1; **ORDRE**, 1; 3
ordine del giorno **ORDRE**, 2
organico **EFFECTIF**, 1
organigramma **ORGANIGRAMME**, 1
organismo **ORGANISME**, 1
organizzazione **ORGANISATION**, 1; 2; 3; **STRUCTURE**, 1
organizzazione aziendale **MANAGEMENT**, 1
Organizzazione dei paesi esportatori di petrolio (OPEC) **OPEP**
Organizzazione Mondiale del Commercio (OMC) **OMC**
Organizzazione per la Cooperazione e lo Sviluppo Economico (OCSE) **OCDE**
oro **OR**, 1
oro (titolo indicizzato all'~) **AURIFÈRE**, 1
oro (valore indicizzato all'~) **AURIFÈRE**, 1
orticolo **HORTICOLE**, 1
orticoltore **HORTICULTEUR, HORTICULTRICE**, 1
orticoltura **HORTICULTURE**, 1
oscillare **FLUCTUER**, 1; **OSCILLER**, 1
oscillazione **FLOTTEMENT**, 1; **FLUCTUATION**, 1; **OSCILLATION**, 1
ostentare **AFFICHER**, 1
ostricolo **OSTRÉICOLE**, 1
ostricoltore **OSTRÉICULTEUR, OSTRÉICULTRICE**, 1
ostricoltura **OSTRÉICULTURE**, 1
outplacement **OUTPLACEMENT**, 1
outsourcing **IMPARTITION**, 1; **OUTSOURCING**, 1
pacchetto **PAQUET**, 1; 3
pacco **COLIS**, 1; **PAQUET**, 2
paccottiglia **PACOTILLE**, 1
packaging **PACKAGING**, 1
padronale **PATRONAL, -ALE**, 1
padronato **PATRON, PATRONNE**, 2
padronato **PATRONAT**, 1
padroncino **FRÉTEUR, FRÉTEUSE**, 1
padrone **BOSS**, 1
paesi in via di sviluppo **PVD**
paesi (nuovi ~ industrializzati) (NPI) **NPI**
paga **GAGES**, 1; **PAIE**, 1 : **PAYE**, 1
paga (foglio ~) **PAIE**, 2; **PAYE**, 2
paga (libro ~) **PAIE**, 2 : **PAYE**, 2
pagabile **PAYABLE**, 1
pagamento **ACQUITTEMENT**, 1; **LIQUIDATION**, 4; **PAIEMENT**, 1; **PAYEMENT**, 1; **RÈGLEMENT**, 2; **VERSEMENT**, 1
pagamento (dilazione di ~) **CRÉDIT**, 4
pagamento (mancato ~) **NON-PAIEMENT**, 1; **NON-PAYEMENT**, 1
pagante **PAYANT, -ANTE**, 1; 2
pagare **ACQUITTER**, 1; **PAYER**, 1; **RÉGLER**, 1; **VERSER**, 1
pagare mensilmente **MENSUALISER**, 1
pagare più del dovuto **SURPAYER**, 1
pagare (far ~) **FACTURER**, 1
pagato (non ~) **IMPAYÉ, -ÉE**, 1
pagatore **PAYEUR, -EUSE**, 1
pagatore **PAYEUR, PAYEUSE**, 1; 2
pagherò **BILLET**, 2
paletta di carico **PALETTE**, 1
pallet **PALETTE**, 1
panel **PANEL**, 1
panetteria **BOULANGERIE**, 1
panettiere **BOULANGER, BOULANGÈRE**, 1
parafiscale **PARAFISCAL, -ALE**, 1
parafiscalità **PARAFISCALITÉ**, 1
parastatale **PARA-ÉTATIQUE**, 1; **PARASTATAL, -ALE**, 1
parastatale (impresa ~) **PARASTATAL**, 1
parità **ÉQUIVALENCE**, 1; **PAIR**, 1; **PARITÉ**, 1
parsimonia **PARCIMONIE**, 1
parsimoniosamente **PARCIMONIEUSEMENT**, 1
parsimonioso **PARCIMONIEUX, -IEUSE**, 1
parte **TRANCHE**, 1
partecipante **PARTICIPANT, -ANTE**, 1
partecipante **PARTICIPANT, PARTICIPANTE**, 1
partecipare **PARTICIPER**, 1; 2
partecipazione **PARTICIPATION**, 1; 2
partecipazione del management agli utili **TANTIÈME**, 1
parterre della Borsa **CORBEILLE**, 1
partita **LOT**, 1
partner **ALLIÉ, ALLIÉE**, 1; **PARTENAIRE**, 1
partnership **PARTENARIAT**, 1; **PARTNERSHIP**, 1
part-time **MI-TEMPS**, 1
parziale (tempo ~) **MI-TEMPS**, 1
passaparola **BOUCHE À OREILLE**, 1; **RADIO TROTTOIR**, 1
passeggero **PASSAGER, PASSAGÈRE**, 1
passività **PASSIF**, 2
passivo **PASSIF**, 1
pasticceria **PÂTISSERIE**, 1; 2
pasticciere **PÂTISSIER, PÂTISSIÈRE**, 1
patrimoniale (imposta ~) **ISF**
patrimonio **PATRIMOINE**, 1
patrocinare **PARRAINER**, 1
patrocinio **PARRAINAGE**, 1; **PATRONAGE**, 1
pauperismo **PAUPÉRISME**, 1
PC (personal computer) **MICRO-ORDINATEUR**, 1
PC-banking **PC-BANKING**, 1
peculio **PÉCULE**, 1
pecuniario **PÉCUNIAIRE**, 1
pedaggio **PÉAGE**, 1; 2
peggioramento **DÉGRADATION**, 2; **DÉTÉRIORATION**, 1
peggiorare **DÉGRADER**, 1
peggiorarsi **DÉTÉRIORER**, 1
pegno **NANTISSEMENT**, 1
pensionamento (piano di ~) **REÉR**
pensionato **PENSIONNÉ, PENSIONNÉE**, 1; **RETRAITÉ, RETRAITÉE**, 1
pensionato **RETRAITÉ, -ÉE**, 1
pensione **PENSION**, 1; 2; **RETRAITE**, 1; 2
pensione (fondo ~ individuale) **ÉPARGNE-PENSION**, 1; **ÉPARGNE-RETRAITE**, 1
pensionistica (assicurazione ~) **ASSURANCE(-)PENSION**, 1; **ASSURANCE(-)VIEILLESSE**, 1
penuria **PÉNURIE**, 1
percentuale **POURCENTAGE**, 1; **TAUX**, 1
percepire **ENRÔLER**, 1; **PERCEVOIR**, 1; **TOUCHER**, 1
percettore del minimo salariale **MINIMEXÉ, MINIMEXÉE**, 1
percettore di prestazioni sociali **ALLOCATAIRE**, 1
percezione **ENRÔLEMENT**, 1
perdere **CÉDER**, 3; **PERDRE**, 1
perdita **PERTE**, 1; 3
performance **PERFORMANCE**, 1
performance (cattiva ~) **CONTRE-PERFORMANCE**, 1
periodo dei pre-saldi **PRÉSOLDE**, 1
perito **CADRE**, 2; **EXPERT, EXPERTE**, 1; **TECHNICIEN, TECHNICIENNE**, 1
perito **EXPERT, -ERTE**, 1
perizia **EXPERTISE**, 1; 2
permesso **PERMIS**, 1
permuta **TROC**, 1
permutare **TROQUER**, 1
persona fisica **PERSONNE PHYSIQUE**, 1
persona non attiva **NON-TRAVAILLEUR**, 1
personal computer (PC) **MICRO-ORDINATEUR**, 1
personale **EFFECTIF**, 1; **PERSONNEL**, 1
personale direttivo **FONCTIONNEL**, 1
personale supervisore **ENCADREMENT**, 2
personale (direttore del ~) **DRH**
personale (ridurre il ~) **DÉGRAISSER**, 1
personale (riduzione di ~) **DÉGRAISSAGE**, 1
persone impiegate **ACTIF**, 3
pesante **LOURD, LOURDE**, 1
pesante (merce ~) **PONDÉREUX**, 1
pesca **PÊCHE**, 1
peseta spagnola **PESETA**, 1
peso (merce dal ~ superiore a 1 t.) **PONDÉREUX, -EUSE**, 1
peso morto **POIDS MORT**, 1
pessimo **NÉGATIF, -IVE**, 1
petrodollaro **PÉTRODOLLARS**, 1
petrolchimica **PÉTROCHIMIE**, 1
petrolchimico **PÉTROCHIMIQUE**, 1
petroliera **PÉTROLIER**, 1
petrolifero **PÉTROLIER, -IÈRE**, 1
petrolio **PÉTROLE**, 1
petrolio (Organizzazione dei paesi esportatori di ~) (OPEC) **OPEP**
pezzo **PIÈCE**, 1
phonebanking **PHONEBANKING**, 1
pianificare **PLANIFIER**, 1
pianificatore **PLANIFICATEUR, PLANIFICATRICE**, 1
pianificazione **PLANIFICATION**, 1; **PLANNING**, 1
piano **PLAN**, 1; 2
piano contabile generale **PCG**
piano di pensionamento **REÉR**
piazza **PLACE**, 1
piazzare **PLACER**, 2
piazzista **DÉMARCHEUR, DÉMARCHEUSE**, 1; **PLACIER, PLACIÈRE**, 1; **VRP**
piccole e medie imprese (PMI) **PME**
piccole e medie industrie (PMI) **PMI**
piccolo **PETIT, -ITE**, 1
piena occupazione **PLEIN(-)EMPLOI**, 1
pieno impiego **PLEIN(-)EMPLOI**, 1
pigione **LOYER**, 1
PIL (prodotto interno lordo) **PIB**
pilota (mercato ~) **MARCHÉ-TEST**, 1
pilota (negozio ~) **MAGASIN-PILOTE**, 1
piombare **DÉGRINGOLER**, 1
piramide delle età **PYRAMIDE DES ÂGES**, 1
piroscafo **PAQUEBOT**, 1
plusvalenza **PLUS-VALUE**, 1
plusvalore **PLUS-VALUE**, 1
PMI (piccole e medie imprese) **PME**
PMI (piccole e medie industrie) **PMI**
PNL (prodotto nazionale lordo) **PNB**
politico amministrativo **POLITICO-ADMINISTRATIF, -IVE**, 1
politico finanziario **POLITICO-FINANCIER, -IÈRE**, 1
polizza **POLICE**, 1
ponte (finanziamento ~) **CRÉDIT(-)PONT**, 1
pool **POOL**, 1
popolazione **POPULATION**, 1
popolazione non attiva **NON-ACTIFS**, 1
porta a porta **PORTE-À-PORTE**, 1

portafoglio **PORTEFEUILLE**, 1; 2
portamonete **BOURSE**, 5; **PORTE-MONNAIE**, 1
portarsi come fideiussore **CAUTIONNER**, 1
portarsi come garante **CAUTIONNER**, 1
portatore di titoli **PORTEUR, PORTEUSE**, 1
portavalori **CONVOYEUR, CONVOYEUSE**, 1
porte aperte (giornata ~) **PORTES OUVERTES**, 1; **JOURNÉE "PORTES OUVERTES"**, 1
porto **PORT**, 1; 2
positivamente **POSITIVEMENT**, 1
positivo **POSITIF, -IVE**, 1
posizionamento del prodotto **POSITIONNEMENT**, 1
posizionare **POSITIONNER**, 1
posizione **POSITION**, 1
possedere **POSSÉDER**, 1
possesso **POSSESSION**, 1
possessore **POSSESSEUR**, 1
posta **ARTICLE**, 2; **COURRIER**, 1; 2 ; **POSTE**, 3; 4
posta elettronica **MESSAGERIE**, 2
posta elettronica (messaggio di ~) **COURRIEL**, 1
posta (in gioco) **CAGNOTTE**, 3
poste (dipendente delle ~) **POSTIER, POSTIÈRE**, 1
post-industriale **POST(-)INDUSTRIEL, -IELLE**, 1
posto **POSTE**, 1; 2
posto di lavoro **EMPLOI**, 3
povero **DÉSHÉRITÉ, DÉSHÉRITÉE**, 1; **PAUVRE**, 1
povero **PAUVRE**, 1
povertà **PAUVRETÉ**, 1
preavviso **PRÉAVIS**, 1
preavviso (periodo di ~) **PRÉAVIS**, 2
precario **CONTRACTUEL, CONTRACTUELLE**, 1; **VACATAIRE**, 1
precipitare **TOMBER**, 1
predisporre la copertura **PROVISIONNER**, 2
prefabbricare **PRÉFABRIQUER**, 1
prefabbricato (edificio ~) **PRÉFABRIQUÉ**, 1
prefabbricazione **PRÉFABRICATION**, 1
prefinanziamento **PRÉFINANCEMENT**, 1
pre-industriale **PRÉ(-)INDUSTRIEL, -IELLE**, 1
prelevare **PRÉLEVER**, 1; **RETIRER**, 1
prelievo **PRÉLÈVEMENT**, 1; **RETRAIT**, 1
prelievo fiscale **TAXE**, 1
premio **PRIME**, 1
premio di assicurazione **ASSURANCE**, 5
prepensionamento **PRÉPENSION**, 1; **PRÉRETRAITE**, 1
prepensionato (lavoratore ~) **PRÉPENSIONNÉ, PRÉPENSIONNÉE**, 1; **PRÉRETRAITÉ, PRÉRETRAITÉE**, 1
presa di controllo **PRISE DE CONTRÔLE**, 1
pre-saldi (periodo dei ~) **PRÉSOLDE**, 1
presente **PRÉSENT, -ENTE**, 1
presenza **PRÉSENCE**, 1
presenza (gettoni di ~) **JETONS DE PRÉSENCE**, 1
presidente **PRÉSIDENT, PRÉSIDENTE**, 1
presidente e amministratore delegato **PDG, P-DG**; **PÉDÉGÈRE**, 1
presidenza **PRÉSIDENCE**, 1
presiedere **PRÉSIDER**, 1
pressione (gruppo di ~) **LOBBY**, 1
prestanome **PRÊTE-NOM**, 1
prestar lavoro **PRESTER**, 2
prestare **PRÊTER**, 1
prestare (un servizio) **PRESTER**, 1
prestatore **PRÊTEUR, -EUSE**, 1
prestatore **PRÊTEUR, PRÊTEUSE**, 1
prestatore (di servizi) **PRESTATAIRE**, 2
prestazione **PERFORMANCE**, 1; **PRESTATION**, 2; 3
prestazione (beneficiario di una ~ sociale) **PRESTATAIRE**, 1
prestazione (previdenziale) **PRESTATION**, 1
prestazioni (percettore di ~ sociali) **ALLOCATAIRE**, 1
prestazioni sociali (beneficiario di ~) **ALLOCATAIRE**, 1
prestito **EMPRUNT**, 1; 2; **PRÊT**, 1; 2
prestito (chi prende in ~) **EMPRUNTEUR, EMPRUNTEUSE**, 1
prestito (dare in ~) **PRÊTER**, 1
prestito (disponibile per il ~) **PRÊTABLE**, 1
prestito (prendere in ~) **EMPRUNTER**, 1; 2
prêt-à-porter **PRÊT-À-PORTER**, 1
pretese salariali **PRÉTENTIONS**, 1
previsione di spesa (inserimento nella ~) **BUDGÉTISATION**, 2
previsione di spesa (inserire nella ~) **BUDGÉTER**, 2; **BUDGÉTISER**, 2
prezzi (abbassamento dei ~) **DÉMARQUAGE**, 1
prezzi (listino ~) **TARIF**, 2
prezzi (listino dei ~) **BARÈME**, 1
prezzi (ribasso dei ~) **DÉMARQUAGE**, 1
prezzo **PRIX**, 1; **TAUX**, 3
prezzo d'acquisto **COÛTANT**, 2
prezzo massimo **PRIX(-)PLAFOND**, 1
prezzo minimo **PRIX(-)PLANCHER**, 1
prezzo molto elevato **COUP DE BARRE**, 1; **COUP DE FUSIL**, 1
prezzo (a metà ~) **DEMI-TARIF**, 1
prezzo (abbassare il ~) **DÉMARQUER**, 1
prezzo (aumento del ~) **RENCHÉRISSEMENT**, 1
prezzo (chi tira sul ~) **MARCHANDEUR, MARCHANDEUSE**, 1
prezzo (competitività sul ~) **COMPÉTITIVITÉ-PRIX**, 1
prezzo (vendere a basso ~) **BRADER**, 1
primario (settore ~) **PRIMAIRE**, 1
principale **BOSS**, 1; **PATRON, PATRONNE**, 1
principio "chi inquina paga" **POLLUEUR-PAYEUR**, 1
privatizzabile **PRIVATISABLE**, 1
privatizzare **PRIVATISER**, 1
privatizzazione **PRIVATISATION**, 1
procacciatore (d'affari) **POURVOYEUR, POURVOYEUSE**, 1
procedimento **PROCÉDÉ**, 1
processo **PROCESSUS**, 1
procurare **PROCURER**, 1
procurarsi **PROCURER**, 2
procuratore **FONDÉ DE POUVOIR**, 1
prodotti in corso di lavorazione **EN(-)COURS**, 1
prodotto **PRODUIT**, 1
prodotto alimentare **DENRÉE**, 1
prodotto interno lordo (PIL) **PIB**
prodotto interno netto **PIN**
prodotto maturo **VACHE À LAIT**, 1
prodotto nazionale lordo (PNL) **PNB**
prodotto semilavorato **DEMI-PRODUIT**, 1; **SEMI-PRODUIT**, 1
produrre **FABRIQUER**, 1; **PRODUIRE**, 1; **RAPPORTER**, 1; **TRAVAILLER**, 1
prodursi **OPÉRER**, 3
produttive (forze ~) **PRODUCTIF**, 1
produttivismo **PRODUCTIVISME**, 1
produttivistico **PRODUCTIVISTE**, 1
produttività **PRODUCTIVITÉ**, 1
produttivo **PRODUCTIF, -IVE**, 1; 2; 3
produttivo (apparato ~) **APPAREIL**, 2
produttore **FABRICANT, FABRICANTE**, 1; **PRODUCTEUR, PRODUCTRICE**, 1; **PRODUCTION**, 3
produttore **PRODUCTEUR, -TRICE**, 1
produttore di birra **BRASSEUR, BRASSEUSE**, 1
produttore di biscotti **BISCUITIER**, 1
produttore di elettrodomestici **ÉLECTROMÉNAGISTE**, 1
produttore di energia elettrica **ÉLECTRICIEN**, 1
produttore di sigarette **CIGARETTIER**, 1
produzione **FABRICATION**, 1; **PRODUCTION**, 1; 2
produzione (informatica applicata alla ~) **PRODUCTIQUE**, 1
professionale **PROFESSIONNEL, -ELLE**, 1; 2; 3
professionale (categoria ~) **PROFESSION**, 2
professionali (prospettive ~) **DÉBOUCHÉ**, 2
professionalità **PROFESSIONNALISME**, 1
professionalizzare **PROFESSIONNALISER**, 1
professionalizzazione **PROFESSIONNALISATION**, 1
professionalmente **PROFESSIONNELLEMENT**, 1; 2
professione **MÉTIER**, 1; **PROFESSION**, 1
professionista **PRO**, 1; **PROFESSIONNEL, PROFESSIONNELLE**, 1; 2
proficuità **PROFITABILITÉ**, 1
proficuo **JUTEUX, -EUSE**, 1; **PROFITABLE**, 1
proficuo (esser ~) **PROFITABILITÉ**, 1
profilo **PROFIL**, 1
profittevole **BÉNÉFICIAIRE**, 1
profitto **BÉNEF**, 1; **BÉNÉFICE**, 1; **GAIN**, 2; **PROFIT**, 1; 2; **RETURN**, 1
profitto (mancato ~) **MANQUE À GAGNER**, 1
profitto (margine di ~) **MARGE**, 2
progettazione **CONCEPTION**, 1
progetto **PROJET**, 1
programma **PROGRAMME**, 1; 2
programmatore **PROGRAMMEUR, PROGRAMMEUSE**, 1
programmazione **PLANIFICATION**, 1; **PLANNING**, 1
progredire **PROGRESSER**, 1
progressivamente **PROGRESSIVEMENT**, 1
progressivo **PROGRESSIF, -IVE**, 1
progressivo (aumento ~) **PROGRESSION**, 1
progresso **ESSOR**, 1
proibitivo **PROHIBITIF, -IVE**, 1
proliferazione **ESSAIMAGE**, 1
promo **PROMOTION**, 3
promotore **PROMOTEUR, PROMOTRICE**, 1
promotore **PROMOTEUR, -TRICE**, 1
promotore immobiliare **PROMOTEUR, PROMOTRICE**, 2
promotore immobiliare **PROMOTEUR, -TRICE**, 2
promozionale **PROMOTIONNEL, -ELLE**, 1
promozionale (vendita ~) **VENTE-RÉCLAME**, 1

promozione **ACTION**, 2; **PROMO**, 1; **PROMOTION**, 1; 2; 3
promozione sul luogo di vendita **PLV**
promuovere **PROMOTIONNER**, 1; **PROMOUVOIR**, 1; 2
pronti (a ~) **CASH**, 1
pronti (mercato a ~) **COMPTANT**, 4
proprietà **PROPRIÉTÉ**, 1; 2
proprietario **PROPRIÉTAIRE**, 1
proroga **DÉLAI**, 2
prosciugamento **ASSÈCHEMENT**, 1
prosciugare **ASSÉCHER**, 1
prosciugare un conto **ÉPUISER**, 1
prosperare **PROSPÉRER**, 1
prosperità **PROSPÉRITÉ**, 1; 2
prospero **PROSPÈRE**, 1; 2
prospettive professionali **DÉBOUCHÉ**, 2
prossimo (essere ~ a) **AVOISINER**, 1
protesto **PROTÊT**, 1
protezionismo **PROTECTIONNISME**, 1
protezionistico **PROTECTIONNISTE**, 1
prototipo **PROTOTYPE**, 1
proventi **PRODUIT**, 2
proventi (imposta sui ~ delle società) **ISOC**
provvedere **POURVOIR**, 1
provvigione **RISTOURNE**, 3
provvigione (dare una ~) **RISTOURNER**, 3
provvisionale **PROVISIONNEL, -ELLE**, 1
provvisorio **INTÉRIMAIRE**, 1
pubblicare **ÉDITER**, 1
pubbliche relazioni **RELATIONS PUBLIQUES**, 1; **RP**
pubblicità **ANNONCE**, 1 ; **PUB**, 1; 2; **PUBLICITÉ**, 1; 2; **RÉCLAME**, 1; 2
pubblicità contro **CONTRE-PUBLICITÉ**, 1
pubblicità martellante **BATTAGE**, 1; **MATRAQUAGE**, 1
pubblicità per corrispondenza **MAILING**, 1; **PUBLIPOSTAGE**, 1
pubblicità redazionale **PUBLIRÉDACTIONNEL**, 1; **PUBLIREPORTAGE**, 1
pubblicitari (società di spazi ~) **AFFICHEUR**, 1; **RÉGIE**, 2
pubblicitario **PUBLICITAIRE**, 1; 2
pubblicitario (agente ~) **PUBLICITAIRE**, 1
pubblicitario (cartellone ~) **AFFICHE**, 1; **PANCARTE**, 1; **PANNEAU**, 1
pubblicitario (creatore ~) **CRÉATIF**, 1
pubblicitario (martellamento ~) **TAPAGE**, 1
pubblicitario (spot ~) **SPOT**, 1
pubblico (dipendente ~) **FONCTIONNAIRE**, 1
pubblico (impiegato ~) **FONCTIONNAIRE**, 1
pubblico (settore ~) **ADMINISTRATION**, 2
pullman **AUTOCAR**, 1
punto trafficato **POINT CHAUD**, 1
quadrato magico **CARRÉ MAGIQUE**, 1
quadro **CADRE**, 1
qualifica **QUALIFICATION**, 1
qualificato **QUALIFIÉ, -IÉE**, 1
qualità **QUALITÉ**, 1
qualità (marchio di ~) **LABEL**, 1
qualitativo **QUALITATIF, -IVE**, 1; 2
quantificabile **QUANTIFIABLE**, 1
quantificare **QUANTIFIER**, 1
quantità **QUANTITÉ**, 1
quantitativo **QUANTITATIF, -IVE**, 1
Quarto Mondo **QUART(-)MONDE**, 1; 2
quietanza **ACQUIT**, 1; **QUITTANCE**, 1; **RÉCÉPISSÉ**, 1; **REÇU**, 1
quiete (il periodo di ~) **ACCALMIE**, 1
quota **PART**, 1; **QUOTA**, 1; **QUOTITÉ**, 1
quota di utile distribuita ai soci di una cooperativa **RISTOURNE**, 2
quota (ali~) **QUOTE-PART**, 1
quotare **COTER**, 1
quotazione **COTATION**, 1; **COTE**, 1; **COURS**, 1
quote non ancora scadute **EN(-)COURS**, 2
quotidianamente **QUOTIDIENNEMENT**, 1
quotidiano **QUOTIDIEN**, 1
quotidiano **QUOTIDIEN, -IENNE**, 1
quoto **QUOTIENT**, 1
quoziente **QUOTIENT**, 1
quoziente familiare **QUOTIENT**, 2
R&S (Ricerca e Sviluppo) **R(&)D**; **RECHERCHE ET (LE) DÉVELOPPEMENT**, 1
raccogliere **COLLECTER**, 1
raccolta **COLLECTE**, 1
raddoppiamento **DOUBLEMENT**, 1
raddoppiare **DOUBLER**, 1
raddoppio **DOUBLEMENT**, 1
raddrizzamento **REDRESSEMENT**, 1
raddrizzare **REDRESSER**, 1
raffinare **RAFFINER**, 1
raffinatrice (società ~) **RAFFINEUR**, 1
raffinazione **RAFFINAGE**, 1
raffineria **RAFFINERIE**, 1
rafforzamento **RAFFERMISSEMENT**, 1; **RENFORCEMENT**, 1
rafforzare **RAFFERMIR**, 1; **RENFORCER**, 1
raggiungere **ATTEINDRE**, 1
raggruppamento **GROUPEMENT**, 1
ragione sociale **RAISON SOCIALE**, 1
ragionevole **RAISONNABLE**, 1
ragionevolmente **RAISONNABLEMENT**, 1
raider **PRÉDATEUR**, 1; **RAIDER**, 1
rallentamento **RALENTISSEMENT**, 1
rallentamento congiunturale **DÉCÉLÉRATION**, 1
rallentare **RALENTIR**, 1
rame **CUIVRE**, 1
rampante (giovane ~) **LOUP**, 1
rapidamente **RAPIDEMENT**, 1
rapido **RAPIDE**, 1
rapporto **RATIO**, 1
rappresentante **PLACIER, PLACIÈRE**, 1; **REPRÉSENTANT, REPRÉSENTANTE**, 1; **SYNDIC**, 1
rappresentante di commercio **VRP**
rappresentanza **REPRÉSENTATION**, 1
rarità **RARETÉ**, 1
rate (vendita a ~) **LOCATION-VENTE**, 1
rateazione **ÉCHELONNEMENT**, 1
rateizzare **ÉCHELONNER**, 1
rateizzazione **ÉCHELONNEMENT**, 1
rating **NOTATION**, 1; **RATING**, 1
razionalizzare **RATIONALISER**, 1
razionalizzazione **RATIONALISATION**, 1
RC Auto (assicurazione auto) **ASSURANCE(-)AUTO(MOBILE)**, 1
reale **RÉEL, -ELLE**, 1
realizzo (mancato ~) **NON-VALEUR**, 1
reception **RÉCEPTION**, 2
recessione **RÉCESSION**, 1
recibo (certificato ~) **CERTIFICAT**, 2
recinto delle contrattazioni **CORBEILLE**, 1
reclutamento **EMBAUCHE**, 2; **RECRUTEMENT**, 1
reclutare **RECRUTER**, 1
reclutatore **RECRUTEUR, RECRUTEUSE**, 1
record **RECORD**, 1
recuperabile **RECOUVRABLE**, 1
recuperare **RECOUVRER**, 1
recupero **RECOUVREMENT**, 1; **RENFLOUAGE**, 1; **RENFLOUEMENT**, 1
recupero (mancato ~) **NON-RECOUVREMENT**, 1
redazionale (pubblicità ~) **PUBLIRÉDACTIONNEL**, 1; **PUBLIREPORTAGE**, 1
redditiere **RENTIER, RENTIÈRE**, 4
redditività **RENTABILITÉ**, 1
redditizio **PROFITABLE**, 1; **RENTABLE**, 1
redditizio (essere ~) **PAYER**, 2
redditizio (rendere ~) **RENTABILISATION**, 1; 2
redditizio (rendere ~) **RENTABILISER**, 1
reddito da capitale **REVENU**, 2
reddito di un titolo irredimibile dello Stato **RENTE**, 3
reddito per azione **BPA**
reddito salariale **REVENU**, 1; **SALAIRE-REVENU**, 1
reddito (fonte di ~) **GAGNE-PAIN**, 1
reddito (imposta sul ~ delle persone fisiche) (IRPEF) **IPP**; **IRPP**
redigere **LIBELLER**, 1
redimere **RACHETER**, 2
redimibile **AMORTISSABLE**, 2
reengineering **REENGINEERING**, 1
regalarsi **PAYER**, 3
regalato (non è ~) **DONNÉ**, 1
regalo (buono ~) **CHÈQUE(-)CADEAU(X)**, 1
regime fiscale **FISCALITÉ**, 1
registrare **ENREGISTRER**, 1
registratore di cassa **TIROIR-CAISSE**, 1
registro delle fatture emesse **FACTURIER, FACTURIÈRE**, 2
registro delle imprese **RC**; **RCS**
regola **NORME**, 1; **RÈGLE**, 1
regolamentare **RÉGLEMENTAIRE**, 1
regolamentare **RÉGLEMENTER**, 1
regolamentazione **RÉGLEMENTATION**, 1; 2
regolamento **RÈGLEMENT**, 1
regolare **RÉGULIER, -IÈRE**, 1
regredire **DÉCLINER**, 1; **RECULER**, 1; **RÉGRESSER**, 1
regressione **RÉGRESSION**, 1
regressivo **RÉGRESSIF, -IVE**, 1
regresso **RÉCESSION**, 1; **RECUL**, 1
reinserimento (organismo per il ~ professionale) **REPLACEUR**, 1
reinserire **RECASER**, 1; **RECLASSER**, 1; **REPLACER**, 1
reinserire un dipendente **OUTPLACER**, 1
reinseritore professionale **OUTPLACEUR**, 1
reinserzione **REPLACEMENT**, 1
reinvestimento **RÉINVESTISSEMENT**, 1
reinvestire **RÉINVESTIR**, 1
relazioni (pubbliche ~) **RELATIONS PUBLIQUES**, 1; **RP**
remissione del debito **REMISE**, 2
remote-banking **PC-BANKING**, 1
remunerare **RÉTRIBUER**, 1
remunerazione **ÉMOLUMENTS**, 1
rendimento **EFFICIENCE**, 1; **RÉMUNÉRATION**, 2; **RENDEMENT**, 1; 3; 4; **RENTABILITÉ**, 1; **RETURN**, 1
rendimento (titolo a forte ~) **BLUE CHIP**, 1
rendita **RENTE**, 1; 2; 3; 4
rendita (beneficiario di (una) ~ statale) **RENTIER, RENTIÈRE**, 2
rendita (beneficiario di (una) ~) **RENTIER, RENTIÈRE**, 1; 3

rendita (creditore di una ~ vitalizia) **CRÉDI(T)RENTIER, CRÉDI(T)RENTIÈRE**, 1
rendita (debitore di una ~ vitalizia) **DÉBI(T)RENTIER, DÉBI(T)RENTIÈRE**, 1
reparto **ATELIER**, 1; **RAYON**, 2; **SERVICE**, 2
report direzionale (dell'impresa) **TABLEAU DE BORD**, 1
rescindere **RÉSILIER**, 1
resi **INVENDU**, 2; **LAISSÉ(-)POUR(-)COMPTE**, 2
residuo **BONI**, 1; **RÉSIDU**, 1
resiliazione **RÉSILIATION**, 1
responsabile decisore **DÉCIDEUR, DÉCIDEUSE**, 1; **DÉCISIONNAIRE**, 1
responsabile (degli) acquisti **PRA**
responsabilità (impresa individuale a ~ limitata) **EURL**
restringere **RESTREINDRE**, 1
restringersi **RÉTRÉCIR**, 1
restringimento **RÉTRÉCISSEMENT**, 1
restrizione **RESTRICTION**, 1
rete **CHAÎNE**, 2
rete dei trasporti **RÉSEAU**, 2
rete informatica **RÉSEAU**, 3
rete (di distribuzione) **RÉSEAU**, 1
retribuire **RÉMUNÉRER**, 1; 2; **RÉTRIBUER**, 1
retribuzione **CACHET**, 1; **ÉMOLUMENTS**, 1; **RÉTRIBUTION**, 1
retribuzioni in natura **AVANTAGE**, 3
retrobottega **ARRIÈRE-BOUTIQUE**, 1
rettifica fiscale **REDRESSEMENT**, 4
revisione contabile **AUDIT**, 1
revisore contabile **AUDITEUR, AUDITRICE**, 1; **EXPERT-COMPTABLE, EXPERTE-COMPTABLE**, 1; **RÉVISEUR**, 1
revisore (dei conti) **COMMISSAIRE-RÉVISEUR**, 1
riacquistare **RACHETER**, 1
riacquisto **RACHAT**, 1
riaggiustamento **RÉAJUSTEMENT**, 1
riallineamento **RÉALIGNEMENT**, 1
riallineare **RÉALIGNER**, 1
riallocare **RÉALLOUER**, 1
riallocativo **REDISTRIBUTEUR, -TRICE**, 1
riallocazione **RÉALLOCATION**, 1; **REDISTRIBUTION**, 2
rialzare **HAUSSER**, 1; **REHAUSSER**, 1; **RELEVER**, 1
rialzista (mercato ~) **HAUSSIER, -IÈRE**, 1
rialzo **HAUSSE**, 1; **REHAUSSEMENT**, 1; **RELÈVEMENT**, 1
riapprovvigionamento **RÉAPPROVISIONNEMENT**, 1
riapprovvigionare **RÉAPPROVISIONNER**, 1
riassesto **RÉAJUSTEMENT**, 1
riassetto **REDRESSEMENT**, 1
riassicurare **RÉASSURER**, 1
riassicuratore **RÉASSUREUR**, 1
riassicurazione **RÉASSURANCE**, 1
riassorbimento **RÉSORPTION**, 1
riassorbire **RÉSORBER**, 1
ribassista (trend ~) **BAISSIER, -IÈRE**, 1
ribasso **CONTRACTION**, 2; **DISCOMPTE**, 3; **DISCOUNT**, 3; **ESCOMPTE**, 1; **RABAIS**, 1; **SOLDE**, 2
ribasso dei prezzi **DÉMARQUAGE**, 1
ribasso (al ~) **BAISSIER, -IÈRE**, 1
ricapitalizzare **RECAPITALISER**, 1
ricapitalizzazione **RECAPITALISATION**, 1
ricatto **EXTORSION**, 1
ricavo **PRODUIT**, 2
ricchezza **RICHESSE**, 1; 2; 3
ricchissimo **RICHISSIME**, 1
ricco **FORTUNÉ, -ÉE**, 1; **NANTI, -IE**, 1; **RICHE**, 1; 2
ricco **RICHE**, 1
riccone **RICHARD, RICHARDE**, 1
ricerca **ÉTUDE**, 3
Ricerca e Sviluppo (R&S) **R(&)D; RECHERCHE ET (LE) DÉVELOPPEMENT**, 1
ricevimento **RÉCEPTION**, 1
ricevimento (addetto al controllo del ~ delle merci) **RÉCEPTIONNAIRE**, 1
ricevitore **RECEVEUR**, 1
ricevuta **ACQUIT**, 1; **QUITTANCE**, 1; **RÉCÉPISSÉ**, 1; **REÇU**, 1
ricevuta di pagamento con carta di credito **FACTURETTE**, 1
ricezione **ENTRÉE**, 1; **RÉCEPTION**, 1
richiedente **DEMANDEUR, DEMANDEUSE**, 1
richiedente grandi somme del budget **BUDGÉTIVORE**, 1
richiedere **DEMANDER**, 1
richiedere un impiego **SOLLICITER**, 1
richiesta **DEMANDE**, 1
richiesta d'impiego **SOLLICITATION**, 1
richiesto (stipendio ~) **PRÉTENTIONS**, 1
riciclaggio **RECYCLAGE**, 2
riciclaggio (di denaro sporco) **BLANCHIMENT**, 1
riciclare **RECYCLER**, 2
riciclare denaro **BLANCHIR**, 1
ricollocatore **OUTPLACEUR**, 1
riconfigurazione aziendale **RECONFIGURATION**, 1
riconversione **OUTPLACEMENT**, 1, **RECONVERSION**, 1; 2
riconvertire **OUTPLACER**, 1; **RECONVERTIR**, 1; 2
riconvertirsi **RECONVERTIR**, 1; 2
ricuperare **RENFLOUER**, 1
ridefinizione del valore massimo **REPLAFONNEMENT**, 1
ridiscendere **REDESCENDRE**, 1
ridistribuire **REDISTRIBUER**, 1
ridistributivo **REDISTRIBUTEUR, -TRICE**, 1; **REDISTRIBUTIF, -IVE**, 1
ridistribuzione **REDISTRIBUTION**, 1
ridotto **DÉCOTÉ, -ÉE**, 1
ridotto (eccessivamente ~) **GÂCHÉ, -ÉE**, 1
ridurre **ABAISSER**, 1; **ALLÉGER**, 1; **CASSER**, 1; **COMPRIMER**, 1; **DIMINUER**, 1; **DISCOMPTER**, 2; **RÉDUIRE**, 1
ridurre il personale **DÉGRAISSER**, 1
riduzione **ABAISSEMENT**, 1; **ABATTEMENT**, 1; 2; **ALLÉGEMENT**, 1; **AMPUTATION**, 1; **COMPRESSION**, 1; **RÉDUCTION**, 1; **REMISE**, 1
riduzione dei prezzi **RÉDUCTION**, 2
riduzione di personale **DÉGRAISSAGE**, 1
riduzione sleale eccessiva dei prezzi **GÂCHAGE**, 1
riesportazione **RÉEXPORTATION**, 1
riferimento (valore di ~) **RÉFÉRENCE**, 1
rifinanziamento **REFINANCEMENT**, 1; 2
rifiuti **DÉCHET**, 1; **ORDURES**, 1
riflusso **REFLUX**, 1
rifornimento **RAVITAILLEMENT**, 1
rifornimento (stazione di ~) **STATION-SERVICE**, 1
rifornire **RAVITAILLER**, 1; **RÉAPPROVISIONNER**, 1
rifornirsi **APPROVISIONNER**, 2
rifugio (beni ~) **VALEUR(-)REFUGE**, 1
rifugio (moneta ~) **MONNAIE(-)REFUGE**, 1
rilanciare **RELANCER**, 1; 2
rilancio **RELANCE**, 1
rilevamento d'azienda **REPRISE**, 1
rilevare **REPRENDRE**, 1
rimaneggiare **RETRAVAILLER**, 2
rimanenze finali **STOCK**, 3
rimborsabile **AMORTISSABLE**, 2; **REMBOURSABLE**, 1; 2
rimborsabile (non ~) **IRREMBOURSABLE**, 1
rimborsare **AMORTIR**, 2; **DÉFRAYER**, 1; **REMBOURSER**, 1; 2
rimborso **AMORTISSEMENT**, 2; **DÉFRAIEMENT**, 1; **PAIEMENT**, 2; **PAYEMENT**, 2; **REMBOURSEMENT**, 1; 2
rimborso (accettazione e ~ (di un prodotto venduto)) **REPRISE**, 2
rimessa **LIVRAISON**, 1
rimettere a galla **RENFLOUER**, 1
rimettersi in moto **REDÉMARRER**, 1
rimonta **REMONTÉE**, 1
rimpatriare un'attività **RELOCALISER**, 1
rimpatriare (il ~ un'attività) **RELOCALISATION**, 1
rimunerare **RÉMUNÉRER**, 1; 2; **SALARIER**, 1
rimunerativo **RÉMUNÉRATEUR, -TRICE**, 1; **RÉMUNÉRATOIRE**, 1
rimunerazione **RÉMUNÉRATION**, 1
rincarare **RENCHÉRIR**, 1
rincaro **RENCHÉRISSEMENT**, 1
rinforzare **RENFORCER**, 1
rinvio **CAPITALISATION**, 2
riorganizzare **ASSAINIR**, 1; **RÉAMÉNAGER**, 1
riorganizzazione **RÉAMÉNAGEMENT**, 1
ripartire **REDÉMARRER**, 1; **VENTILER**, 1
ripartizione **VENTILATION**, 1
ripiano **RAYON**, 1
riportare **CAPITALISER**, 3
riporto **CAPITALISATION**, 2
riprendere **REPRENDRE**, 2; 3
riprendere il lavoro **EMBRAYER**, 1
ripresa **REDÉMARRAGE**, 1; **RELANCE**, 2; **REPRISE**, 3
riqualificare professionalmente **RECYCLER**, 1
riqualificazione **RECLASSEMENT**, 1; **REPLACEMENT**, 1
riqualificazione professionale **RECYCLAGE**, 1
risalire **REMONTER**, 1
risalita **REMONTÉE**, 1
risanamento **ASSAINISSEMENT**, 1
risanare **ASSAINIR**, 1; **REDRESSER**, 1
risanatore **REDRESSEUR**, 1
risarcimento **DÉDOMMAGEMENT**, 1; **INDEMNISATION**, 1; **INDEMNITÉ**, 2; **REMBOURSEMENT**, 1
risarcire **DÉDOMMAGER**, 1; **INDEMNISER**, 1
riscadenzare **RÉÉCHELONNER**, 1
riscadenziamento **RÉÉCHELONNEMENT**, 1
riscaldamento (gasolio per ~) **MAZOUT**, 1
riscattabile **RACHETABLE**, 1
riscattare **RACHETER**, 2
riscattarsi **RACHETER**, 3
riscatto **RACHAT**, 1
riscatto dalla servitù **RACHAT**, 2
rischio (capitale di ~) **CAPITAL(-)RISQUE**, 1
rischio (titolo a basso ~) **VALEUR(-)REFUGE**, 1
riscontare **RÉESCOMPTER**, 1
risconto **RÉESCOMPTE**, 1

riscossione **ENCAISSEMENT**, 1; **ENRÔLEMENT**, 1; **PERCEPTION**, 1; **RECOUVREMENT**, 1
riscuotere **PERCEVOIR**, 1
riscuotibile **ENCAISSABLE**, 2
riserva **RÉSERVE**, 1; 2
risorse **RESSOURCES**, 1; 2
risorse umane (direttore delle ~) **DRH**
risorse umane (direzione delle ~) **DRH**
risparmi **BAS DE LAINE**, 2; **ÉCONOMIE**, 4; **ÉPARGNE**, 2
risparmiare **ÉCONOMISER**, 1; 2; **ÉPARGNER**, 1
risparmiatore **ÉPARGNANT, ÉPARGNANTE**, 1
risparmiatore (piccolo ~) **BOURSICOTEUR, BOURSICOTEUSE**, 1
risparmio **CAGNOTTE**, 1; **ÉCONOMIE**, 3; **ÉPARGNE**, 1
risparmio immobiliare **ÉPARGNE-LOGEMENT**, 1
risparmio negativo **DÉSÉPARGNE**, 1
risparmio (assicurazione di ~) **ASSURANCE(-)ÉPARGNE**, 1
risparmio (confezione grande ~) **MULTIPACK**, 1
risparmio (conto di ~) **COMPTE-ÉPARGNE**, 1
risposta (tagliando di ~) **COUPON-RÉPONSE**, 1
ristabilimento **RÉTABLISSEMENT**, 1
ristabilirsi **RÉTABLIR**, 1
ristagnare **STAGNER**, 1
ristagno **STAGNATION**, 1
ristorarsi **RESTAURER**, 1
ristrutturare **RÉAMÉNAGER**, 1; **REDRESSER**, 2; **RESTRUCTURER**, 1
ristrutturazione **RÉAMÉNAGEMENT**, 1; **RECONVERSION**, 2; **REDRESSEMENT**, 2; **RESTRUCTURATION**, 1
risultato **RÉSULTAT**, 1
risultato deludente **CONTRE-PERFORMANCE**, 1
ritenere alla fonte **PRÉCOMPTER**, 1
ritenuta **RETENUE**, 1
ritenuta a carico delle società **PRÉCOMPTE**, 2
ritenuta alla fonte **PRÉCOMPTE**, 1
ritirare **RETIRER**, 2
ritiro **CONTRACTION**, 1; **RETRAIT**, 2
ritoccare **RÉVISER**, 2
riunione **RÉUNION**, 1
riunire **FUSIONNER**, 1; **RÉUNIR**, 1
riunirsi **RÉUNIR**, 1
rivalorizzazione **REVALORISATION**, 1
rivalutare **RÉÉVALUER**, 1; **REVALORISER**, 1
rivalutazione **RÉÉVALUATION**, 1; **REVALORISATION**, 1
rivedere i conti **RÉVISER**, 1
rivedibile **RÉVISABLE**, 1
rivendere **REVENDRE**, 1
rivendicare **REVENDIQUER**, 1
rivendicazione **REVENDICATION**, 1
rivendita **REVENTE**, 1
rivenditore **REVENDEUR, REVENDEUSE**, 1; **SOLDEUR, SOLDEUSE**, 1
robot **ROBOT**, 1
robotica **ROBOTIQUE**, 1
robotizzare **ROBOTISER**, 1
robotizzazione **ROBOTISATION**, 1
rosso (conto in ~) **DÉCOUVERT**, 1
rosso (in ~) **ROUGE**, 1
rotazione **ROTATION**, 1
rotti (e ~) **POUSSIÈRES**, 1
rublo **ROUBLE**, 1
ruolo (far passare il ~) **TITULARISER**, 1
ruolo (passaggio di ~) **TITULARISATION**, 1
sabbatico (anno ~) **PAUSE-CARRIÈRE**, 1
sabbatico (periodo ~) **PAUSE-CARRIÈRE**, 1
sacchetto **SAC**, 1
saggio **ÉCHANTILLON**, 1
sala d'esposizione **SHOW(-)ROOM**, 1
salari (tabella dei ~) **BARÈME**, 1
salariale **SALARIAL, -ALE**, 1; 2
salariale (costo ~) **SALAIRE-COÛT**, 1
salariale (diminuzione della quota ~) **DÉSALARISATION**, 1
salariale (lavoratore percettore del ~ minimo) **SMICARD, SMICARDE**, 1
salariale (minimo ~) **MINIMEX**, 1
salariale (reddito ~) **REVENU**, 1; **SALAIRE-REVENU**, 1
salariali (pretese ~) **PRÉTENTIONS**, 1
salariato (conferire lo statuto di ~ lavatore dipendente) **SALARIER**, 2
salario **APPOINTEMENTS**, 1; **GAGES**, 1; **SALAIRE**, 1
salario fisso **FIXE**, 1
salario minimo garantito **SMIG**
salario (integrazione di ~) **SURSALAIRE**, 1
saldare **ACQUITTER**, 1; **CLÔTURER**, 2
saldare il conto **RÉGLER**, 1; **SOLDER**, 1
saldi **SOLDE**, 3
saldo **CLÔTURE**, 2; **RÈGLEMENT**, 2; **SOLDE**, 1; 2
saldo debitore **DÉCOMPTE**, 1
saldo (di un conto) **ARRÊTÉ**, 1
salire **FLAMBER**, 1; **GRIMPER**, 1
salita **MONTÉE**, 1
salone **BOURSE**, 3; **FOIRE**, 1; **SALON**, 1
salvadanaio **TIRELIRE**, 1
salvare finanziarmente **RENFLOUER**, 2
salvataggio **RENFLOUAGE**, 1; **RENFLOUEMENT**, 1
salvataggio finanziario **RENFLOUEMENT**, 2
SAPA (società in accomandita per azioni) **SCPA**
sarto **COUTURIER**, 1; **COUTURIÈRE**, 1
sartoria **COUTURE**, 1
SAS (società in accomandita semplice) **SCS**
saturazione **SATURATION**, 1
saturo **SATURÉ, -ÉE**, 1
sbocco **CRÉNEAU**, 2
sbocco (mercato di ~) **DÉBOUCHÉ**, 1
sborsare **DÉBOURSER**, 1
scadente **MÉDIOCRE**, 1
scadenza **ÉCHÉANCE**, 1; **EXPIRATION**, 1; **TERME**, 1
scadenziario **ÉCHÉANCIER**, 1
scadere **EXPIRER**, 1
scadute (quote non ancora ~) **EN(-)COURS**, 2
scaffale **ÉTAGÈRE**, 1; **RAYON**, 1
scaffale di supermercato **GONDOLE**, 1
scaffale (spazio sullo ~) **LINÉAIRE**, 1
scaglionare **ÉCHELONNER**, 1
scalatore di società **RAIDER**, 1
scambiabile **ÉCHANGEABLE**, 1
scambiare **ÉCHANGER**, 1
scambio **ÉCHANGE**, 1
scambio (libero ~) **LIBRE-ÉCHANGE**, 1
scambio (offerta pubblica di ~) (OPS) **OPE**
scaricare **DÉCHARGER**, 1
scarico **DÉCHARGEMENT**, 1
scarsamente **FAIBLEMENT**, 1
scarsità **PÉNURIE**, 1
scarso **DÉFICITAIRE**, 2
scarto **DÉCALAGE**, 1; **FOURCHETTE**, 1
scatola **BOÎTE**, 1
scellino **SHILLING**, 1
scendere **DESCENDRE**, 1
scheda **FICHE**, 2
schedario **FICHIER**, 1
schiacciamento **ÉCRASEMENT**, 1
schiacciare **ÉCRASER**, 1
schiarita **EMBELLIE**, 1
scienza delle finanze **FINANCE**, 4
scienze economiche **ÉCONOMIE**, 2
scioperante **GRÉVISTE**, 1
scioperante **GRÉVISTE**, 1
scioperare improvvisamente **DÉBRAYER**, 1
sciopero **GRÈVE**, 1
sciopero improvviso di breve durata **DÉBRAYAGE**, 1
scontabile **BANCABLE**, 1; **BANQUABLE**, 1; **ESCOMPTABLE**, 1
scontante **ESCOMPTEUR, -EUSE**, 1
scontante (banca ~) **ESCOMPTEUR, ESCOMPTEUSE**, 1
scontare **DÉCOMPTER**, 1; **ESCOMPTER**, 1; **RISTOURNER**, 2
scontati (vendere a prezzi ~) **DISCOUNTER**, 1
sconti (praticare forti ~) **DISCOMPTER**, 1
sconto **ABATTEMENT**, 2; **BONIFICATION**, 1; **DISCOMPTE**, 3; **DISCOUNT**, 3; **ESCOMPTE**, 1; 2; **RABAIS**, 1; **RÉDUCTION**, 1; **REMISE**, 1; **RISTOURNE**, 1
sconto (fare uno ~) **RISTOURNER**, 1
scontrino (fiscale) **TICKET**, 1
scoperto **DÉCOUVERT**, 1
scopo **OBJECTIF**, 1
scorporare un'impresa in filiali **FILIALISER**, 1
scorporo di un'impresa in filiali **FILIALISATION**, 1
scorta cuscinetto **STOCK(-)TAMPON**, 1
scorta per la continuità di fabbricazione tra due operazioni di diversa durata **STOCK(-)TAMPON**, 2
scorta (agente di ~) **CONVOYEUR, CONVOYEUSE**, 1
scorte (eliminazione delle ~) **DÉSTOCKAGE**, 1
scorte (liquidazione delle ~) **DÉSTOCKAGE**, 1
screen-saver **ÉCONOMISEUR**, 2
scrivania **BUREAU**, 4
secondario **ACCESSOIRE**, 1
secondario (settore ~) **SECONDAIRE**, 1
sede **BUREAU**, 3
sede legale **SIÈGE SOCIAL**, 1
segmentare **SEGMENTER**, 1
segmentazione **SEGMENTATION**, 1
segmento **SEGMENT**, 1
segretario **SECRÉTAIRE**, 1
segreteria **SECRÉTARIAT**, 1
self-service **LIBRE(-)SERVICE**, 1; **SELF-SERVICE**, 1
semestrale **SEMESTRIEL, -IELLE**, 1
semestre **SEMESTRE**, 1
semigratuito **SEMI-GRATUIT, -UITE**, 1
semilavorato (prodotto ~) **DEMI-PRODUIT**, 1; **SEMI-PRODUIT**, 1
seminario **SÉMINAIRE**, 1
sensibile **SENSIBLE**, 1
sensibilmente **SENSIBLEMENT**, 1
senza fissa dimora **SDF**
senza-lavoro (i senza-lavoro) **SANS-TRAVAIL**, 1
serrata **LOCK-OUT**, 1
server (di rete) **SERVEUR, SERVEUSE**, 2

servire **SERVIR**, 1; 2
servitù (riscatto dalla ~) **RACHAT**, 2
servizi telefonici bancari **PHONEBANKING**, 1
servizio **SERVICE**, 1; 3
servizio (offrire un ~) **LIVRER**, 2
settimanale **HEBDOMADAIRE**, 1
settimanale **HEBDOMADAIRE**, 1
settore **BRANCHE**, 1; **SECTEUR**, 1; 3
settore bancario **BANQUE**, 1
settore chiave **SECTEUR(-)CLÉ**, 1
settore economico **ÉCONOMIQUE**, 1
settore immobiliare **IMMOBILIER**, 1
settore istituzionale **SECTEUR**, 2
settore non commerciale **NON-MARCHAND**, 1
settore primario **PRIMAIRE**, 1
settore privato **PRIVÉ**, 1
settore pubblico **ADMINISTRATION**, 2; **PUBLIC**, 2
settore secondario **SECONDAIRE**, 1
settore terziario **TERTIAIRE**, 1
settori (diagramma a ~ circolari) **SECTEUR**, 4 ; **CAMEMBERT**, 1
settoriale **SECTORIEL, -IELLE**, 1; 2
sfavorevole (congiuntura ~) **DÉPRESSION**, 1
sfruttabile **EXPLOITABLE**, 1
sfruttamento **RENTABILISATION**, 1; 2
sfruttamento aziendale **EXPLOITATION**, 3
sfruttamento eccessivo **EXPLOITATION**, 4
sfruttare **EXPLOITER**, 2
sfruttare commercialmente **MARCHANDISER**, 1
sfruttatore **EXPLOITEUR, EXPLOITEUSE**, 1; **NÉGRIER**, 2
sfuso **VRAC**, 1
sgravare **DÉTAXER**, 1
sgravio **DÉCOTE**, 1
sgravio fiscale **DÉTAXATION**, 1
sgretolarsi **EFFRITER**, 1
show(-)room **SHOW(-)ROOM**, 1
SICAF (società d'investimento a capitale fisso) **SICAF**
SICAV (società d'investimento a capitale variabile) **SICAV**
sicurezza (stock di ~) **STOCK(-)OUTIL**, 1
siderurgia **SIDÉRURGIE**, 1; 2
siderurgico **SIDÉRURGIQUE**, 1; 2; **SIDÉRURGISTE**, 1
siderurgico (operaio ~) **SIDÉRURGISTE**, 1
sigarette (produttore di ~) **CIGARETTIER**, 1
sigarette (stecca di ~) **CARTOUCHE**, 1
significativo (non ~) **INSIGNIFIANT, -ANTE**, 1
silo **SILO**, 1
silvicolo **FORESTIER, -IÈRE**, 1; **SYLVICOLE**, 1
silvicoltore **SYLVICULTEUR, SYLVICULTRICE**, 1
silvicoltura **SYLVICULTURE**, 1
SIM (società di intermediazione mobiliare) **OPC; OPCVM**
sindacale **SYNDICAL, -ALE**, 1
sindacalismo **SYNDICALISME**, 1; 2; 3
sindacalista **SYNDICALISTE**, 1
sindacalistico **SYNDICALISTE**, 1; 2; 3
sindacalizzare **SYNDICALISER**, 1; **SYNDIQUER**, 1
sindacalizzazione **SYNDICALISATION**, 1
sindacalmente **SYNDICALEMENT**, 1
sindacati (fronte comune dei ~) **FRONT COMMUN**, 1
sindacato **SYNDICAT**, 1
sindacato (iscritto a un ~) **SYNDIQUÉ, SYNDIQUÉE**, 1
sindacato (riunirsi in ~) **SYNDIQUER**, 2
sindaco **AUDIT**, 2
sinergia **SYNERGIE**, 1
sinistrato **SINISTRÉ, SINISTRÉE**, 1
sinistro **SINISTRE**, 1; 2
Sistema monetario europeo (SME) **SME**
sistemare **AMÉNAGER**, 1
sistemazione **AMÉNAGEMENT**, 1
sito **SITE**, 1
sleale (concorrenza ~) **ANTICONCURRENTIEL, -IELLE**, 1
slittamento **DÉRAPAGE**, 1
slittare **DÉRAPER**, 1
slogan **SLOGAN**, 1
smaltimento **ÉCOULEMENT**, 1
smaltire **ÉCOULER**, 1
SME (Sistema monetario europeo) **SME**
smerciare **COLPORTER**, 1; **ÉCOULER**, 1
sminuire **CASSER**, 1
Snc (società in nome collettivo) **SNC**
sociali (contributi ~) **COTISATION**, 1
socialismo **SOCIALISME**, 1
socialista **SOCIALISTE**, 1
socialista **SOCIALISTE**, 1
società **COMPAGNIE**, 1; **SOCIÉTÉ**, 1; 2
società affiliata **SOCIÉTÉ(-)SŒUR**, 1
società a responsabilità limitata (Srl) **SARL; SPRL**
società cooperativa **COOPÉRATIVE**, 1
società d'investimento a capitale fisso (SICAF) **SICAF**
società d'investimento a capitale variabile (SICAV) **SICAV**
società di assicurazione **ASSURANCE**, 3
società di consulenza **AGENCE-CONSEIL**, 1
società di copertura **SOCIÉTÉ(-)ÉCRAN**, 1
società di intermediazione mobiliare (SIM) **OPC; OPCVM**
società di mutua assicurazione **MUTUALITÉ**, 1
società di spazi pubblicitari **AFFICHEUR**, 1; **RÉGIE**, 2
società fantasma **SOCIÉTÉ(-)ÉCRAN**, 1
società finanziaria di controllo **HOLDING**, 1
società in accomandita **COMMANDITE**, 1
società in accomandita per azioni (SAPA) **SCPA**
società in accomandita semplice (SAS) **SCS**
società in nome collettivo (Snc) **SNC**
società madre **SOCIÉTÉ(-)MÈRE**, 1
società per azioni (SpA) **SA**
società raffinatrice **RAFFINEUR**, 1
societario **SOCIÉTAIRE**, 1
societario **SOCIÉTAIRE**, 1
socio **ADHÉRENT, ADHÉRENTE**, 1; **ASSOCIÉ, ASSOCIÉE**, 1; **PARTENAIRE**, 1
socio accomandatario **COMMANDITAIRE**, 1
socio amministratore **ASSOCIÉ-GÉRANT, ASSOCIÉE-GÉRANTE**, 1
socio conferitore **APPORTEUR**, 1
socio contribuente **COTISANT, COTISANTE**, 2; 3
socio di cooperativa **COOPÉRATEUR, COOPÉRATRICE**, 1
socioeconomico **ÉCONOMICO-SOCIAL, -IALE**, 1; **SOCIOÉCONOMIQUE**, 1
socioprofessionale **SOCIOPROFESSIONNEL, -ELLE**, 1
software **LOGICIEL**, 1; **SOFTWARE**, 1
soglia **BARRE**, 1; **CAP**, 1; **SEUIL**, 1
soldi **SOUS**, 1
soldi contati **APPOINT**, 1
soldo **SOLDE**, 4
sollecitare **POSTULER**, 1; **RELANCER**, 3
sollecitazione **RELANCE**, 3
sollecito (lettera di ~) **RAPPEL**, 1
solvibile **SOLVABLE**, 1
solvibilità **LIQUIDITÉ**, 2; **SOLVABILITÉ**, 1
somma **SOMME**, 2
somma rimborsata alla resa del vuoto **CONSIGNE**, 1
somma stanziata **CRÉDIT**, 2
sommare **ADDITIONNER**, 1
sopperire (a un bisogno) **POURVOIR**, 1
soprattassa **SURTAXATION**, 1; **SURTAXE**, 1
soprattassa (imporre una ~) **SURTAXER**, 1
soprattassare **SURTAXER**, 1
sopravvalutare **SURÉVALUER**, 1
sopravvalutato **SURCOTÉ, -ÉE**, 1
sopravvalutazione **SURÉVALUATION**, 1
sorpasso **DÉPASSEMENT**, 1
sorpresa (buono ~) **CHÈQUE(-)SURPRISE**, 1
sostanza **MATIÈRE**, 1
sostenere **PATRONNER**, 1
sostentamento (mezzo di ~) **GAGNE-PAIN**, 1
sostenuto **SOUTENU, -UE**, 1
sottoccupato **SOUS-EMPLOYÉ, -ÉE**, 1
sottoccupazione **SOUS-EMPLOI**, 1; 2
sottoconsumo **SOUS-CONSOMMATION**, 1
sottomettere **ASSUJETTIR**, 1
sottopagare **SOUS-PAYER**, 1
sottoporre a imposizione **IMPOSER**, 1
sottoprodotto **SOUS-PRODUIT**, 1
sottoprodurre **SOUS-PRODUIRE**, 1
sottoproduttività **SOUS-PRODUCTIVITÉ**, 1
sottoproduzione **SOUS-PRODUCTION**, 1
sottoscrittore **PRENEUR, PRENEUSE**, 2; **SOUSCRIPTEUR, SOUSCRIPTRICE**, 1
sottoscrivere **SIGNER**, 1; **SOUSCRIRE**, 1; 2
sottoscrizione **SOUSCRIPTION**, 1
sottovalutazione **SOUS-VALEUR**, 1
sottrarre **SOUSTRAIRE**, 1
sottrarre indebitamente **DÉTOURNER**, 1
sottrazione **SOUSTRACTION**, 1
sovrabbondante **SURABONDANT, -ANTE**, 1
sovraccaricare **SURCHARGER**, 1
sovraccarico **SURCHARGE**, 1
sovraccosto **SURCOÛT**, 1
sovraindebitarsi **SURENDETTER**, 1
sovraoccupazione **SUREMPLOI**, 1
sovrappeso **SURCHARGE**, 1
sovrapprodurre **SURPRODUIRE**, 1
sovrapproduzione **SURPRODUCTION**, 1
sovraqualificazione **SURQUALIFICATION**, 1
sovrattassa **SURTAXE**, 1
sovvenzionare **AIDER**, 1; **SUBSIDIER**, 1; **SUBVENTIONNER**, 1
sovvenzionatore **SUBVENTIONNAIRE**, 1
sovvenzione **AIDE**, 1; **SUBSIDE**, 1; **SUBVENTION**, 1
SpA (società per azioni) **SA**
spaccio **DÉBIT**, 5

spazzatura (obbligazione ~) **JUNK(-)BOND**, 1
specializzato (operaio ~) **OS**
speculare **SPÉCULER**, 1
speculativo **SPÉCULATIF, -IVE**, 1
speculatore **SPÉCULATEUR, SPÉCULATRICE**, 1
speculatore (piccolo ~) **BOURSICOTEUR, BOURSICOTEUSE**, 1
speculazione **SPÉCULATION**, 1
spedire **ADRESSER**, 1; **ENVOYER**, 1; **EXPÉDIER**, 1
spedire un fax **FAXER**, 1
spedizione **ENVOI**, 1; **EXPÉDITION**, 1
spedizioniere **CHARGEUR**, 1
spendaccione **DÉPENSIER, -IÈRE**, 1
spendere **DÉPENSER**, 1
speranza di vita **ESPÉRANCE DE VIE**, 1
sperpero **GABEGIE**, 1; **GASPILLAGE**, 1
spesa **CHARGE**, 2; **DÉPENSE**, 1; 2; 3
spese **FRAIS**, 1
spese processuali (assicurazione per le ~) **CONTRE-ASSURANCE**, 2
spia **CLIGNOTANT**, 1
spiccioli **MITRAILLE**, 1; **MONNAIE**, 3; **SOUS**, 1
spinoff **SPIN-OFF**, 1
spirale (inflazionistica) **SPIRALE**, 1
sponsor **COMMANDITAIRE**, 3; **SPONSOR**, 1
sponsorizzare **COMMANDITER**, 2; **PARRAINER**, 1; **SPONSORER**, 1; **SPONSORISER**, 1
sponsorizzazione **COMMANDITE**, 2; **PARRAINAGE**, 1; **SPONSORAT**, 1; **SPONSORING**, 1
sportello **GUICHET**, 1
sportello automatico **BANCOMAT**, 1; **BILLETTERIE**, 1
sportello (impiegato allo ~) **GUICHETIER, GUICHETIÈRE**, 1
sposare **ÉPOUSER**, 1
sposo **ÉPOUX, ÉPOUSE**, 1
spot pubblicitario **SPOT**, 1
sprecare **DILAPIDER**, 1; **GASPILLER**, 1
spreco **DILAPIDATION**, 1; **GASPILLAGE**, 1
sprecone **DÉPENSIER, -IÈRE**, 1
sprecone **DILAPIDATEUR, DILAPIDATRICE**, 1; **GASPILLEUR, GASPILLEUSE**, 1
squadra **ÉQUIPE**, 1
squilibrare **DÉSÉQUILIBRER**, 1
squilibrio **DÉSÉQUILIBRE**, 1
Srl (società a responsabilità limitata) **SARL**; **SPRL**
stabile **FIXE**, 1; **STABLE**, 1
stabilimento **ÉTABLISSEMENT**, 1; 2; **FABRIQUE**, 1
stabilimento industriale **USINE**, 1
stabilità **STABILITÉ**, 1
stabilizzare **STABILISER**, 1; 2
stabilizzarsi **STABILISER**, 1
stabilizzazione **STABILISATION**, 1; 2
staccare il turno **DÉBRAYER**, 1
stage **STAGE**, 1
stagflazione **STAGFLATION**, 1
stagnare **PLACE** (faire du sur ~), 1; **STAGNER**, 1
standardizzare **NORMALISER**, 1
standardizzazione **NORMALISATION**, 1
stanziamento **AFFECTATION**, 1
stanziare **ALLOUER**, 1
stanziata (somma ~) **CRÉDIT**, 2
statale **ÉTATIQUE**, 1
statale (amministrazione ~) **FONCTION**, 3; **PUBLIC**, 1
statale (azienda autonoma ~) **RÉGIE**, 1
statalismo **ÉTATISME**, 1
statalizzare **ÉTATISER**, 1
Stato **ÉTAT**, 1
Stato assistenziale **ÉTAT-PROVIDENCE**, 1
Stato imprenditore **ÉTAT-PATRON**, 1
stazione di rifornimento **STATION-SERVICE**, 1
stecca (di sigarette) **CARTOUCHE**, 1
stella **ÉTOILE**, 1
stelle (andare alle ~) **ENVOLER**, 1
stile di vita **MODE DE VIE**, 1
stilista **COUTURIER**, 1; **COUTURIÈRE**, 1
stipendio di un dipendente pubblico **TRAITEMENT**, 1
stipendio richiesto **PRÉTENTIONS**, 1
stoccaggio **EMMAGASINAGE**, 1; **ENTREPOSAGE**, 1
stoccaggio dei dati **STOCKAGE**, 2
stoccare **EMMAGASINER**, 1; **STOCKER**, 1
stock **ACHALANDAGE**, 2; **RÉSERVE**, 2; **STOCK**, 1; 2
stock di sicurezza **STOCK(-)OUTIL**, 1
stock (eliminare dallo ~) **DÉSTOCKER**, 1
stop and go **STOP AND GO**, 1
stornare una voce di spesa dal bilancio dello Stato **DÉBUDGÉTISER**, 1
storno di una voce di spesa dal bilancio dello Stato **DÉBUDGÉTISATION**, 1
strada **ROUTE**, 1
stradale **ROUTIER, -IÈRE**, 1
strategia **STRATÉGIE**, 1
strategico **STRATÉGIQUE**, 1
stretta creditizia **ENCADREMENT**, 3
stringere **RESSERRER**, 1
striscione **BANDEAU**, 1; **BANDEROLE**, 1
stroncamento **JUGULATION**, 1
stroncare **JUGULER**, 1
strozzatura produttiva **GOULET D'ÉTRANGLEMENT**, 1; **GOULOT D'ÉTRANGLEMENT**, 1
strumento **INSTRUMENT**, 1
struttura **STRUCTURE**, 1
strutturale **STRUCTUREL, -ELLE**, 1
strutturalmente **STRUCTURELLEMENT**, 1
studente **ÉTUDIANT, ÉTUDIANTE**, 1
studente impiegato part-time **JOBISTE**, 1
studenti (indennità per gli ~) **PRÉSALAIRE**, 1
studiare **ÉTUDIER**, 1; 2
studio **CABINET**, 1; **ÉTUDE**, 1; 2
studio (di consulenza) **CABINET**, 2
subaffittare **SOUS-LOUER**, 1
subaffitto **SOUS-LOCATION**, 1
subaffittuario **SOUS-LOCATAIRE**, 1
subappaltare **EXTERNALISER**, 1; **SOUS-TRAITER**, 1
subappaltatore **SOUS-TRAITANT**, 1
subappalto **EXTERNALISATION**, 1; **IMPARTITION**, 1; **SOUS-TRAITANCE**, 1
subappalto (fabbricare in ~) **SOUS-TRAITER**, 2
sublocare **SOUS-LOUER**, 1
sublocatario **SOUS-LOCATAIRE**, 1
sublocazione **SOUS-LOCATION**, 1
subordinato (lavoratore ~) **SALARIÉ, SALARIÉE**, 1
succursale **FILIALE**, 1; **SUCCURSALE**, 1
superamento **DÉPASSEMENT**, 1
superare **DÉPASSER**, 1; **EXCÉDER**, 1
supermercato **SUPERMARCHÉ**, 1; **SURFACE**, 1
supermercato (piccolo ~) **SUPÉRETTE**, 1
superminimo **SURSALAIRE**, 1
superstrada dell'informazione **INFOROUTES**, 1
supervisore (personale ~) **ENCADREMENT**, 2
supplemento **PRIME**, 2
supplente **INTÉRIMAIRE**, 1
surriscaldamento (dell'economia) **SURCHAUFFE**, 1
sussidio **AIDE**, 1; **ALLOC**, 1; **ALLOCATION**, 1; **REVENU**, 3; **SUBSIDE**, 1
sussidio di disoccupazione **ALLOCATION(-)CHÔMAGE**, 1
svalutare **DÉVALUER**, 1; **PERDRE**, 2
svalutazione **DÉVALUATION**, 1
svendere **BRADER**, 1
svendita **BRADAGE**, 1; **BRADERIE**, 1
svenditore **BRADEUR, BRADEUSE**, 1
sviluppare **DÉVELOPPER**, 1
svilupparsi **DÉVELOPPER**, 1
sviluppo **DÉVELOPPEMENT**, 1
Sviluppo (Fondo europeo di ~) (FES) **FED**
Sviluppo (Organizzazione per la Cooperazione e lo ~ Economico) (OCSE) **OCDE**
sviluppo (paesi in via di ~) **PVD**
Sviluppo (Ricerca e ~) (R&S) **R(&)D**; **RECHERCHE ET (LE) DÉVELOPPEMENT**, 1
tabaccheria **TABAC**, 1
tabella **TABLEAU**, 1
tabella dei salari **BARÈME**, 1
tagli drastici **COUPES SOMBRES**, 1
tagliando di risposta **COUPON-RÉPONSE**, 1
tagliatore di diamanti **DIAMANTAIRE**, 1
taglio occupazionale **DÉGRAISSAGE**, 1
takeover **PRISE DE CONTRÔLE**, 1
tangente **DESSOUS(-)DE(-)TABLE**, 1
target **CIBLE**, 1
target (determinare il ~) **CIBLER**, 1
tariffa **TARIF**, 1
tariffa doganale **TARIF**, 3
tariffa esteriore comune (TEC) **TEC**
tariffa (sottoporre a ~) **TARIFER**, 1; **TARIFIER**, 1
tariffale **TARIFAIRE**, 1; 2
tariffare **TARIFER**, 1; **TARIFIER**, 1
tariffario **BARÉMIQUE**, 1; **TARIF**, 2; **TARIFAIRE**, 1; 2
tariffazione **TARIFICATION**, 1
tasca (di ~ propria) **DENIERS**, 1
tassa **TARIF**, 4; **TAXE**, 1
tassa automobilistica **VIGNETTE**, 1
tassa ecologica **ÉCOTAXES**, 1
tassabile **TAXABLE**, 1
tassare **TAXER**, 1
tassatore **TAXATEUR, TAXATRICE**, 1
tassatore **TAXATEUR, -TRICE**, 1; **TAXATOIRE**, 1
tassazione **FISCALISATION**, 1; **IMPOSITION**, 1; **TAXATION**, 1
tasse comprese **TTC**
tasse incluse **TTC**
tasso **TAUX**, 2
tasso centrale **TAUX(-)PIVOT**, 1
tasso di cambio **CHANGE**, 2
team **ÉQUIPE**, 1
TEC (tariffa esteriore comune) **TEC**
tecnica **TECHNIQUE**, 1
tecnicamente **TECHNIQUEMENT**, 1
tecnicità **TECHNICITÉ**, 1
tecnico **TECHNICIEN, TECHNICIENNE**, 1
tecnico **TECHNIQUE**, 1
tecnocrate **TECHNOCRATE**, 1
tecnocratico **TECHNOCRATIQUE**, 1
tecnocrazia **TECHNOCRATIE**, 1
tecnologia **TECHNOLOGIE**, 1

tecnologicamente **TECHNOLOGIQUEMENT**, 1
tecnologico **TECHNOLOGIQUE**, 1
telecomunicazioni **TÉLÉCOMMUNICATION**, 1; **TÉLÉCOMS**, 1
telefax **TÉLÉCOPIE**, 1; **TÉLÉCOPIEUR**, 1
telefonare **TÉLÉPHONER**, 1
telefonia **TÉLÉPHONE**, 1; **TÉLÉPHONIE**, 1
telefonici (servizi ~ bancari) **PHONE-BANKING**, 1
telefonico **TÉLÉPHONIQUE**, 1
telefonico (elenco ~) **ANNUAIRE**, 1
telefono **TÉLÉPHONE**, 2
telefono (acquisti via ~) **TÉLÉSHOPPING**, 1
telelavorare **TÉLÉTRAVAILLER**, 1
telelavoratore **TÉLÉTRAVAILLEUR, TÉLÉTRAVAILLEUSE**, 1
telelavoro **TÉLÉTRAVAIL**, 1
telematica **TÉLÉMATIQUE**, 1
televendite **TÉLÉ(-)VENTE**, 1
televendite (acquisti da ~) **TÉLÉ(-)ACHAT**, 1
televisione via cavo **TÉLÉDISTRIBUTION**, 1
televisione (distributore di ~ via cavo) **TÉLÉDISTRIBUTEUR**, 1
televisiva (industria ~) **AUDIOVISUEL**, 1
tempo determinato (lavoratore a ~) **CONTRACTUEL, CONTRACTUELLE**, 2
tempo parziale **MI-TEMPS**, 1
tendenza **TENDANCE**, 1
tenore di vita **NIVEAU DE VIE**, 1
terminale **TERMINAL**, 1; 2
termine **DÉLAI**, 1; **ÉCHÉANCE**, 2; **EXPIRATION**, 1; **TERME**, 1
terreno (guadagnare ~) **TERRAIN** (gagner du ~), 1
terreno (perdere ~) **TERRAIN** (céder du ~), 1; **TERRAIN** (perdre du ~), 1
terziario (settore ~) **TERTIAIRE**, 1
terziarizzarsi **TERTIARISER**, 1
terziarizzazione **TERTIAIRISATION**, 1; **TERTIARISATION**, 1
Terzo mondo **TIERS(-)MONDE**, 1
tesaurizzare **THÉSAURISER**, 1
tesaurizzazione **THÉSAURISATION**, 1
tesoriere **TRÉSORIER, TRÉSORIÈRE**, 1
Tesoro **TRÉSOR**, 1; **TRÉSOR**, 2
tesoro **TRÉSOR**, 3
Tesoro (obbligazione del ~) **OAT**; **OLO**
tessera (Bancomat) **CARTE**, 1
tessile **TEXTILE**, 1
tessile (industria ~) **TEXTILE**, 1
teste (cacciatore di ~) **CHASSEUR DE TÊTES, CHASSEUSE DE TÊTES**, 1
tetto **BARRE**, 1
ticket **TICKET MODÉRATEUR**, 1
ticket restaurant **CHÈQUE-REPAS**, 1; **CHÈQUE-RESTAURANT**, 1; **TICKET-REPAS**, 1; **TICKET-RESTAURANT**, 1
tigri asiatiche **DRAGONS**, 1
tirocinio **APPRENTISSAGE**, 1; **STAGE**, 1
tirocinio (impresa di ~ professionale) **EAP**
titolare **PORTEUR, PORTEUSE**, 1; **TITULAIRE**, 1
titolare di una concessione di vendita **CONCESSIONNAIRE**, 1
titoli (conto ~) **COMPTE-TITRES**, 1
titoli (portatore di ~) **PORTEUR, PORTEUSE**, 1
titolo **CERTIFICAT**, 1; **TITRE**, 1; **VALEUR**, 2
titolo a basso rischio **VALEUR(-)REFUGE**, 1
titolo a forte rendimento **BLUE CHIP**, 1
titolo di credito **CRÉANCE**, 2; **EFFET**, 2
titolo indicizzato all'oro **AURIFÈRE**, 1
tombola **TOMBOLA**, 1
tonnellata **TONNE**, 1
toro (mercato ' ~ ') **HAUSSIER, -IÈRE**, 1
totale **TOTAL**, 1
totale **TOTAL, -ALE**, 1
totalità **TOTALITÉ**, 1
totalizzare **TOTALISER**, 1
totalmente **TOTALEMENT**, 1
tour operator **TOUR-OPÉRATEUR**, 1
tracollo **DÉGRINGOLADE**, 1; **KRACH**, 1
traente **TIREUR**, 1
traente di cambiale **ÉMETTEUR, ÉMETTRICE**, 1
trafficante **TRAFIQUANT, TRAFIQUANTE**, 1
trafficare **BRASSER**, 2; **TRAFICOTER**, 1; **TRAFIQUER**, 1
trafficato (punto ~) **POINT CHAUD**, 1
traffico **TRAFIC**, 1; 2; 3
tranche **TRANCHE**, 1
transatlantico **PAQUEBOT**, 1
transazione **TRANSACTION**, 1
transazione commerciale **TRANSACTION**, 2
transitare **TRANSITER**, 1
transito **TRANSIT**, 1
trasferire **TRANSPORTER**, 1
trasferire mediante girata **ENDOSSER**, 1
trasformazione (catena di ~) **FILIÈRE**, 1
trasportabile **TRANSPORTABLE**, 1
trasportare **TRANSPORTER**, 1
trasportatore **FRÉTEUR, FRÉTEUSE**, 1; **TRANSPORTEUR, -EUSE**, 1
trasportatore **TRANSPORTEUR**, 1
trasportatore (meccanico) **TRANSPORTEUR**, 3
trasporti **TRANSPORT**, 2
trasporti (impresa di ~) **TRANSPORTEUR**, 2
trasporto **TRANSPORT**, 1
trasporto a collettame **GROUPAGE**, 1
trasporto merci **FRET**, 1
trasporto su ferro **RAIL**, 1
trasporto (costo di ~) **PORT**, 2
trasporto (di ~) **TRANSPORTEUR, -EUSE**, 1
trasporto (documento di ~) **BORDEREAU**, 1
tratta **TRAITE**, 1; 2
trattamento **TRAITEMENT**, 2
trattario **TIRÉ**, 1
trattenere alla fonte **PRÉCOMPTER**, 1
trattenuta alla fonte **PRÉCOMPTE**, 1
traveller's cheque **TRAVELLER'S CHEQUE**, 1
treno **TRAIN**, 1
Trentennio Glorioso **TRENTE GLORIEUSES**, 1
tributario **FISCAL, -ALE**, 1
tributo **IMPÔT**, 1
trimestrale **TRIMESTRIEL, -IELLE**, 1
trimestre **TRIMESTRE**, 1
tronco (licenziamento in ~) **LICENCIEMENT-MINUTE**, 1
truccare **MAQUILLER**, 1; **TRAFICOTER**, 1; **TRAFIQUER**, 2
trust **TRUST**, 1
tubetto **TUBE**, 1
tuffare **PLONGER**, 1
tuffo **PLONGEON**, 1
turismo **TOURISME**, 1; 2
turismo (ente del ~) **OFFICE DU TOURISME**, 1
turista **TOURISTE**, 1
turistica (industria ~) **TOURISME**, 2
turistico **TOURISTIQUE**, 1; 2
turistico (operatore ~) **TOUR-OPÉRATEUR**, 1; **VOYAGISTE**, 1
turni (lavoro a ~) **3X8**, 1
turnover **ROTATION**, 1; **TURN(-)OVER**, 1
uditore (alla Corte dei Conti) **AUDITEUR, AUDITRICE**, 2
UEM (Unione economica e monetaria) **UEM**
UEUC (Ufficio Europeo dei Consumatori) **BEUC**
ufficio **BOÎTE**, 2; **BUREAU**, 2; 3; 5; **DÉPARTEMENT**, 1; **SERVICE**, 2
ufficio di consulenza **CABINET**, 2
ufficio di vendita all'esportazione **COMPTOIR**, 2
Ufficio Europeo dei Consumatori (UEUC) **BEUC**
Ufficio Internazionale del Lavoro (UIL) **BIT**
uguaglianza **ÉGALITÉ**, 1
uguagliare **ÉGALER**, 1
uguale **ÉGAL, -ALE**, 1
UIL (Ufficio Internazionale del Lavoro) **BIT**
Unione economica e monetaria (UEM) **UEM**
unità produttiva **ÉTABLISSEMENT**, 1
universitario (diploma ~) **LICENCE**, 2
uomo d'affari **FINANCIER, FINANCIÈRE**, 1
uscita **SORTIE**, 1; 3
uso **USAGE**, 1
utensile **OUTIL**, 1
utensile (macchina ~) **MACHINE-OUTIL**, 1
utente **USAGER**, 1
utile **BÉNEF**, 1; 2; **BÉNÉFICE**, 1; 2; **PROFIT**, 1
utile (essere ~) **SERVIR**, 1
utile (quota di ~ distribuita ai soci di una cooperativa) **RISTOURNE**, 2
utile (versare una quota dell'~ ai soci di una cooperativa) **RISTOURNER**, 2
utili (compartecipazione agli ~) **INTÉRESSEMENT**, 1
utili (imposta sugli ~ delle società) **IS**
utili (partecipazione del management agli ~) **TANTIÈME**, 1
vacante **VACANT, -ANTE**, 1
vacanza **CONGÉ**, 1; **VACANCE**, 1
vacanze **VACANCE**, 2
vacanze (buono ~) **CHÈQUE(-)VACANCES**, 1
vacanzieri **VACANCIER, VACANCIÈRE**, 1
vagabondo **SDF**
vaglia cambiario **TRAITE**, 1
vaglia (postale) **MANDAT**, 2
vagone **WAGON**, 1
vagone (franco ~) **FOR**
valere **VALOIR**, 1
valle (a ~) **AVAL**, 1
valore **TITRE**, 1; **VALEUR**, 1; 2
valore di crescita **VALEUR(-)VEDETTE**, 1; **VEDETTE**, 1
valore indicizzato all'oro **AURIFÈRE**, 1
valore (imposta sul ~ aggiunto) (IVA) **TVA**
valorizzare **VALORISER**, 1; 2
valorizzazione **VALORISATION**, 1; 2
valuta **DEVISE**, 1
valutare **CHIFFRER**, 1; **MESURER**, 1
valutario **MONÉTAIRE**, 1
valutazione **NOTATION**, 1; **RATING**, 1
vampata **FLAMBÉE**, 1
vantaggio **AVANTAGE**, 1; **GAIN**, 1
vantaggio comparato **AVANTAGE**, 2
vantaggioso **AVANTAGEUX, -EUSE**, 1
vaporizzatore **BOMBE**, 1

variabile **VARIABLE**, 1
variabile **VARIABLE**, 1
variabilità **VARIABILITÉ**, 1
variare **VARIER**, 1
variazione **VARIATION**, 1
vaschetta **BARQUETTE**, 1
vasetto **POT**, 1
veicolo **VÉHICULE**, 1
veicolo commerciale **UTILITAIRE**, 1
vendere **CÉDER**, 1; **VENDRE**, 1
vendere a basso prezzo **BRADER**, 1
vendere a domicilio **DÉMARCHER**, 1
vendere a prezzi scontati **DISCOUNTER**, 1
vendere al dettaglio **DÉBITER**, 2; **DÉTAILLER**, 1
vendere meno del previsto **MÉVENDRE**, 1
vendibile **VENDABLE**, 1
vendita **VENTE**, 1
vendita a domicilio **COLPORTAGE**, 1; **DÉMARCHAGE**, 1; **PORTE-À-PORTE**, 1
vendita a rate **LOCATION-VENTE**, 1
vendita all'esportazione (ufficio di ~) **COMPTOIR**, 2
vendita ambulante **COLPORTAGE**, 1
vendita discount **DISCOUNT**, 1
vendita inferiore alle aspettative **MÉVENTE**, 1
vendita per corrispondenza **VÉPÉCISTE**, 1; **VPC**
vendita promozionale **VENTE-RÉCLAME**, 1
vendita (concessionario di ~) **CONCESSIONNAIRE**, 1
vendita (concessione di ~) **CONCESSION**, 1
vendita (contratto di compra~) **VENTE**, 2
vendita (offerta di ~) **OFFRE**, 2
vendita (offerta pubblica di ~) (OPV) **OPV**
vendita (promozione sul luogo di ~) **PLV**
venditore **BRADEUR, BRADEUSE**, 1; **VENDEUR, VENDEUSE**, 1; 2
venditore **VENDEUR, -EUSE**, 1; 2
venditore a domicilio **COLPORTEUR, COLPORTEUSE**, 1
venduto **VENDU**, 1; 2
ventilazione **VENTILATION**, 1
venture capital **CAPITAL(-)RISQUE**, 1
verifica **VÉRIFICATION**, 1
verifica di un conto **APUREMENT**, 1
verificare **APURER**, 1; **VÉRIFIER**, 1
verificare le consegne ricevute **RÉCEPTIONNER**, 1
verificatore **RÉCEPTIONNAIRE**, 1; **VÉRIFICATEUR, VÉRIFICATRICE**, 1
versamento **VERSEMENT**, 2; 3
versare **VERSER**, 2
versare i contributi **COTISER**, 1
versare il contributo associativo **COTISER**, 2
versare una quota dell'utile ai soci di una cooperativa **RISTOURNER**, 2
vertice delle confederazioni **INTERSYNDICALE**, 1
vetraio **VERRIER**, 1
vetrario **VERRIER, -IÈRE**, 1
vetrina **DEVANTURE**, 1; **ÉTALAGE**, 1; **VITRINE**, 1
vetro **VERRE**, 1
vettore **TRANSPORTEUR**, 1
viaggiare **VOYAGER**, 1
viaggiatore **VOYAGEUR, VOYAGEUSE**, 1
viaggio **VOYAGE**, 1
viaggio (assicurazione di ~) **ASSURANCE(-)VOYAGE**, 1
vice- **ADJOINT, ADJOINTE**, 1
vice- **ADJOINT, -OINTE**, 1
vice-dirigente **DIRECTEUR(-)ADJOINT, DIRECTRICE(-)ADJOINTE**, 1
vice-manager **DIRECTEUR(-)ADJOINT, DIRECTRICE(-)ADJOINTE**, 1
videotel **MINITEL**, 1
vigna **VIGNE**, 2
vino **VIN**, 1
vita (assicurato sulla ~) **ASSURÉ-VIE**, 1
vita (assicuratore sulla ~) **ASSUREUR-VIE**, 1
vita (assicurazione sulla ~) **ASSURANCE-VIE**, 1
vite **VIGNE**, 1
viticolo **VINICOLE**, 1; **VITICOLE**, 1
viticoltore **VIGNERON, -ONNE**, 1
viticoltore **VIGNERON, VIGNERONNE**, 1; **VITICULTEUR, VITICULTRICE**, 1
viticoltura **VITICULTURE**, 1
viveri **VIVRES**, 1
vizio **DÉFAUT**, 1
voce **ARTICLE**, 2
volatile **VOLATIL, -ILE**, 1
volatilità **VOLATILITÉ**, 1
volo (prendere il ~) **ENVOLER**, 1
volontariato **BÉNÉVOLAT**, 1; **VOLONTARIAT**, 1
volontario **BÉNÉVOLE**, 1
volontario **BÉNÉVOLE**, 1; **VOLONTAIRE**, 1
volume **VOLUME**, 1
vuoto a rendere (far pagare il ~) **CONSIGNER**, 2
vuoto (somma rimborsata alla resa del ~) **CONSIGNE**, 1
warrant **WARRANT**, 1
web **TOILE**, 1; **WEB**, 1
welfare state **ÉTAT-PROVIDENCE**, 1
yen **YEN**, 1
Zecca (funzionario della ~) **MONNAYEUR**, 1
zero-carte **ZÉRO PAPIER**, 1
zinco **ZINC**, 1
zona **ZONAGE**, 1; **ZONE**, 1; **ZONING**, 1

aak **PÉNICHE**, 1
aanbesteder **ADJUDICATEUR, ADJUDICATRICE**, 1
aanbesteding **ADJUDICATION**, 1
aanbetaling **ACOMPTE**, 1; **ARRHES**, 1
aanbieden **OFFRIR**, 1
aanbieder **OFFREUR, OFFREUSE**, 1
aanbieding (openbare ~ ter verkoop) **OPV**, 1
aanbieding (speciale ~) **ACTION**, 2
aanbod **OFFRE**, 1
aandeel **ACTION**, 1; **PART**, 1; **QUOTE-PART**, 1
aandeel in de winst uitkeren **RISTOURNER**, 3
aandeel (winst per ~) **BPA**
aandeelhouder **ACTIONNAIRE**, 1
aandeelhouderschap **ACTIONNARIAT**, 1
aangesloten **ADHÉRENT, -ENTE**, 1
aanhanger **ADHÉRENT, ADHÉRENTE**, 1
aanhangsel **AVENANT**, 1
aanhoudend **CONTINUELLEMENT**, 1
aankondiging **ANNONCE**, 2
aankoop **ACQUISITION**, 1; **EMPLETTES**, 1
aankoop- **ACHETEUR, -EUSE**, 1; **COÛTANT**, 2
aankoopbaar **ACHETABLE**, 1
aankoopverantwoordelijken **PRA**
aankopen **ACHETER**, 1
aankopen (het ~) **ACHAT**, 1
aankoper **ACHETEUR, ACHETEUSE**, 1
aanleren **APPRENDRE**, 1
aanleren (het ~) **APPRENTISSAGE**, 1
aanmunten **MONÉTISER**, 1; **MONNAYER**, 1
aanmunten (het ~) **MONÉTISATION**, 1; **MONNAYAGE**, 1
aanmunting **MONÉTISATION**, 1
aannemer **ENTREPRENEUR, ENTREPRENEUSE**, 2
aanpassen **AJUSTER**, 1; **ALIGNER**, 1; **RÉAJUSTER**, 1; **RÉVISER**, 2
aanpassing **AJUSTEMENT**, 1; **ALIGNEMENT**, 1; **RÉAJUSTEMENT**, 1
aanplakbiljet **AFFICHE**, 1
aanplakbiljet (klein ~) **AFFICHETTE**, 1
aanplakken **AFFICHER**, 1
aanplakken (het ~) **AFFICHAGE**, 1
aanplakker **AFFICHEUR**, 3
aanplakoppervlakte (firma die ~ verkoopt) **AFFICHEUR**, 1
aanrekenen **FACTURER**, 1
aanrekenen van statiegeld (het ~) **CONSIGNATION**, 3
aanscherpen **RENFORCER**, 1
aanslag **IMPOSITION**, 2
aanslag (vooruitbetaling van een derde van de voorlopige ~) **TIERS PROVISIONNEL**, 1
aanslag (wijziging van de ~) **REDRESSEMENT**, 4
aanslagbiljet **AVERTISSEMENT-EXTRAIT DE RÔLE**, 1
aansluiten bij **ADHÉRER**, 1
aansluiten bij (~, zich ~) **AFFILIER**, 1
aansluiting **AFFILIATION**, 1
aansprakelijkheid (éénmansbedrijf met beperkte ~) **EURL**
aanstelling (vaste ~) **TITULARISATION**, 1
aantal (onvoldoende ~) **DÉFICIT**, 2
aantal (onvoldoende in ~) **DÉFICITAIRE**, 2
aanvaller (vijandige ~) **PRÉDATEUR**, 1
aanvang **OUVERTURE**, 1
aanwerven **EMBAUCHER**, 1; **ENGAGER**, 1; **RECRUTER**, 1
aanwerver **EMBAUCHEUR, EMBAUCHEUSE**, 1; **RECRUTEUR, RECRUTEUSE**, 1
aanwerving **EMBAUCHAGE**, 1; **EMBAUCHE**, 1; **ENGAGEMENT**, 1; **RECRUTEMENT**, 1
aanwezig **PRÉSENT, -ENTE**, 1
aanwezigheid **PRÉSENCE**, 1
aanzienlijk **APPRÉCIABLE**, 1; **CONSIDÉRABLE**, 1; **CONSIDÉRABLEMENT**, 1; **IMPORTANT, -ANTE**, 1; **JOLI, -IE**, 1; **JOLIMENT**, 1
aanzienlijk (zeer ~) **BRUTAL, -ALE**, 1; **FULGURANT, -ANTE**, 1
aardolie **PÉTROLE**, 1
aarzelend **HÉSITANT, -ANTE**, 1
absenteïsme **ABSENTÉISME**, 1
acceleratie **ACCÉLÉRATION**, 1
accessoire **ACCESSOIRE**, 1
accijns **ACCISE**, 1
accijnsheffing **ACCISE**, 1
accountant **AUDIT**, 2; **AUDITEUR, AUDITRICE**, 1; **EXPERT-COMPTABLE, EXPERTE-COMPTABLE**, 1
accountantscontrole **AUDIT**, 1; **VÉRIFICATION**, 1
accumulatie **ACCUMULATION**, 1
accumuleren **ACCUMULER**, 1; **CUMULER**, 2
achterstallige interest **ARRÉRAGES**, 1
achterstallige schuld **ARRIÉRÉ**, 1
achteruitgaan **DÉCLINER**, 1; **RECULER**, 1; **RÉGRESSER**, 1
achteruitgang **CONTRACTION**, 2; **DÉCLIN**, 1; **RECUL**, 1; **RÉGRESSION**, 1
achterwinkel **ARRIÈRE-BOUTIQUE**, 1
acteur **ACTEUR**, 2
actief **ACTIF**, 1; 2; **ACTIF, -IVE**, 1
actief (niet ~) **INACTIF, -IVE**, 1
actieplan **PLAN**, 1; **PROGRAMME**, 1
actieve bevolking (lid van de ~) **ACTIF**, 3
actieve bevolking (niet ~) **INACTIF**, 1
activa (strategische ~) **JOYAUX (DE LA COURONNE)**, 1
activa (vaste ~) **IMMOBILISATIONS**, 1
activiteit **ACTIVITÉ**, 1
actualisering **ACTUALISATION**, 1
actuarieel **ACTUARIEL, -IELLE**, 1
adem (buiten ~ raken) **ESSOUFFLER**, 1
adem (het buiten ~ raken) **ESSOUFFLEMENT**, 1
adjunct **ADJOINT, ADJOINTE**, 1; **ATTACHÉ, ATTACHÉE**, 1
adjunct-directeur **DIRECTEUR(-)ADJOINT, DIRECTRICE(-)ADJOINTE**, 1
administratie **ADMINISTRATION**, 2
administratie (openbare ~) **PUBLIC**, 1
administratief **ADMINISTRATIF, -IVE**, 1
administratief (politiek ~) **POLITICO-ADMINISTRATIF, -IVE**, 1
administratieve entiteit **COLLECTIVITÉ**, 2
administratieve kracht **FONCTIONNEL**, 1
administratiezetel **SIÈGE ADMINISTRATIF**, 1
adres **ADRESSE**, 1
adverteerder **ANNONCEUR**, 1
advertentie **ANNONCE**, 1
adviesbureau **CABINET**, 2
adviseren **CONSEILLER**, 1
afbestellen **DÉCOMMANDER**, 1
afbetaling (maandelijkse ~) **MENSUALITÉ**, 1
afbieden **MARCHANDER**, 1
afbieder **MARCHANDEUR, MARCHANDEUSE**, 1
afbrokkelen **EFFRITER**, 1
afbrokkeling **EFFRITEMENT**, 1
afdanken **CONGÉDIER**, 1
afdeling **DIRECTION**, 4; **DIVISION**, 2; **RAYON**, 2; **SERVICE**, 2
afdelingshoofd **DIRECTEUR, DIRECTRICE**, 2
affiche **AFFICHE**, 1
afficheren **AFFICHER**, 1
affichering **AFFICHAGE**, 1
affichetekenaar **AFFICHISTE**, 1
afgedankte **LICENCIÉ, LICENCIÉE**, 1
afgerond cijfer **ARRONDI**, 1
afgevaardigde **DÉLÉGUÉ, DÉLÉGUÉE**, 1
afgewerkt (half ~ product) **DEMI-PRODUIT**, 1
afhouden **PRÉLEVER**, 1
afhouding **PRÉLÈVEMENT**, 1; **RETENUE**, 1
afkoop van erfdienstbaarheid **RACHAT**, 2
afkoopbaar **RACHETABLE**, 1
afkopen **RACHETER**, 2; 3
afkoper **RACHETEUR, RACHETEUSE**, 1
afloop van een termijn **EXPIRATION**, 1
aflopen **EXPIRER**, 1
aflosbaar **AMORTISSABLE**, 2; **RACHETABLE**, 1
aflosbaar (niet ~) **IRREMBOURSABLE**, 1
aflossen **AMORTIR**, 2; **REMBOURSER**, 1
aflossing **AMORTISSEMENT**, 2; **REMBOURSEMENT**, 1
afnemen **DÉCROÎTRE**, 1; **TOMBER**, 1
afnemend **DÉCROISSANT, -ANTE**, 1; **DÉGRESSIF, -IVE**, 1
afpersen **EXTORQUER**, 1
afpersing **EXTORSION**, 1
afprijzen **DÉMARQUER**, 1
afprijzing **DÉMARQUAGE**, 1
afrekening (nauwkeurige ~) **DÉCOMPTE**, 2
afremmen **FREINER**, 1
afremmen (het ~) **FREINAGE**, 1
afronden **ARRONDIR**, 1
afschaffing van het plafond **DÉPLAFONNEMENT**, 1
afschrijfbaar **AMORTISSABLE**, 1; 3
afschrijven **AMORTIR**, 1; 3
afschrijving **AMORTISSEMENT**, 1; 3
afslanking **DÉGRAISSAGE**, 1
afslankingskuur **CURE D'AMAIGRISSEMENT**, 1
afsluiten **CLÔTURER**, 2; **FERMER**, 1
afsluiten van een rekening (het ~) **ARRÊTÉ**, 1
afsluiting **CLÔTURE**, 1; 2
afspraak **RENDEZ-VOUS**, 1
afspraak (bindende ~) **ENTENTE**, 1
afspraak (plaats van ~) **RENDEZ-VOUS**, 2
afstaan **CÉDER**, 2
afstemmen op **ALIGNER**, 1
aftrek **DÉDUCTION**, 1
aftrekbaar **DÉDUCTIBLE**, 1
aftrekbaarheid **DÉDUCTIBILITÉ**, 1
aftrekken **DÉCOMPTER**, 1; **DÉDUIRE**, 1; **SOUSTRAIRE**, 1
aftrekking **SOUSTRACTION**, 1
afval **DÉCHET**, 1; **ORDURES**, 1; **RÉSIDU**, 1
afvalstoffen **DÉCHET**, 1
afvloeien (personeel doen ~) **DÉGRAISSER**, 1
afvloeiing **DÉGRAISSAGE**, 1
afwerken **MANUFACTURER**, 1
afwezig **ABSENT, -ENTE**, 1
afwezigheid **ABSENCE**, 1
afwikkelen **LIQUIDER**, 2

afzeggen **DÉCOMMANDER**, 1
afzender **EXPÉDITEUR, EXPÉDITRICE**, 1
afzet **ÉCOULEMENT**, 1; **PLACEMENT**, 3
afzetgebied **DÉBOUCHÉ**, 1
afzetmarkt **DÉBOUCHÉ**, 1; **MARCHÉ**, 2
afzetmoeilijkheden **MÉVENTE**, 1
afzetten **ÉCOULER**, 1
afzwakken **AFFAIBLIR**, 1
agent **ACTEUR**, 1; **AGENT**, 1; **COURTIER, COURTIÈRE**, 1
agentschap **AGENCE**, 2
aggregaat **AGRÉGAT**, 1
agio **AGIO**, 1
agrarisch **AGRICOLE**, 1; **FERMIER, -IÈRE**, 1
akkoord **ACCORD**, 1; **CONCORDAT**, 1
akkoord gaan met **ACCORDER**, 2
akte **CONTRAT**, 2
algemeen directeur **PDG, P-DG**
alliantie **ALLIANCE**, 1
aluminium **ALUMINIUM**, 1
ambachtelijk **ARTISANAL, -ALE**, 1; **ARTISANALEMENT**, 1
ambachtelijke (op ~ wijze) **ARTISANALEMENT**, 1
ambachtskunst **ARTISANAT**, 1
ambachtsman **ARTISAN, ARTISANE**, 1; **MAÎTRE-ARTISAN**, 1
ambitieuze (jonge ~ persoon) **LOUP**, 1
ambt **POSTE**, 2
ambtenaar **FONCTIONNAIRE**, 1
ambtenaar (belasting vaststellende ~) **TAXATEUR, TAXATRICE**, 1
ambtenaar (iemand ~ maken) **FONCTIONNARISER**, 1
ambtenaar (statuut van ~ geven) **FONCTIONNARISER**, 1
analist **ANALYSTE**, 1
analist-programmeur **PROGRAMMEUR, PROGRAMMEUSE**, 1
analytisch **ANALYTIQUE**, 1
anciënniteit **ANCIENNETÉ**, 1
annuïteit **ANNUITÉ**, 1
annuleren **ANNULER**, 1
annulering **ANNULATION**, 1
anticipatie **ANTICIPATION**, 1
anticiperen **ANTICIPER**, 1
antiekhandelaar **ANTIQUAIRE**, 1
anti-inflationistisch **ANTI-INFLATIONNISTE**, 1
antikapitalistisch **ANTICAPITALISTE**, 1
antiquair **ANTIQUAIRE**, 1
antiquiteiten **ANTIQUITÉS**, 1
antireclame **CONTRE-PUBLICITÉ**, 1
anti-syndicaal **ANTISYNDICAL, -ALE**, 1
antwoordcoupon **COUPON-RÉPONSE**, 1
apotheek **PHARMACIE**, 2
apotheker **PHARMACIEN, PHARMACIENNE**, 1
apparaat **APPAREIL**, 1
apparatuur **APPAREILLAGE**, 1
appreciatie **REVALORISATION**, 1
approximatief **APPROXIMATIF, -IVE**, 1
aquacultuur **AQUACULTURE**, 1
aquacultuur (van de ~) **AQUACOLE**, 1
aquacultuurbeoefenaar **AQUACULTEUR, AQUACULTRICE**, 1
arbeid **TRAVAIL**, 1; 6
arbeid in afzonderlijke ploegen **AUTOGESTION**, 2
arbeidend **OUVRIER, -IÈRE**, 1
arbeider **OUVRIER, OUVRIÈRE**, 1; **TRAVAILLEUR, TRAVAILLEUSE**, 1
arbeider (ongeschoolde ~) **OS**
arbeider- **OUVRIER, -IÈRE**, 1
arbeiders **COLS BLEUS**, 1; **OUVRIER, OUVRIÈRE**, 2; **TRAVAILLEUR, TRAVAILLEUSE**, 2
arbeidersmassa **TRAVAILLEUR, TRAVAILLEUSE**, 2
arbeidsbemiddelaar **PLACEUR, PLACEUSE**, 2; **REPLACEUR**, 1
Arbeidsbureau (Internationaal ~, IAB) **BIT**
arbeidsinkomen **REVENU**, 1; **SALAIRE-REVENU**, 1
arbeidsintensief **TRAVAILLISTIQUE**, 1
arbeidskrachten **MAIN-D'ŒUVRE**, 1
arbeidskrachten (tekort aan ~) **SUREMPLOI**, 1
arbeidsmarkt (krapte op de ~) **SUREMPLOI**, 1
arbeidsovereenkomst (collectieve ~, CAO) **CCT**
arbeidsplaats **POSTE**, 1
arbeidsrechtbank (lid van de ~) **PRUD'HOMME**, 1
arbitrage **ARBITRAGE**, 1
arbitrageant **ARBITRAGISTE**, 1
arbitrageur **ARBITRAGISTE**, 1
arm **DÉMUNI, -IE**, 1; **DÉSARGENTÉ, -ÉE**, 1; **DÉSHÉRITÉ, -ÉE**, 1; **PAUVRE**, 1
arme **PAUVRE**, 1
arme persoon **DÉSHÉRITÉ, DÉSHÉRITÉE**, 1
armoede **PAUVRETÉ**, 1
artikel **ARTICLE**, 1; **RÉFÉRENCE**, 2
artikel (publicitair ~) **PUBLIRÉDACTIONNEL**, 1; **PUBLIREPORTAGE**, 1
artikel (verkocht ~) **VENDU**, 1
assemblage **ASSEMBLAGE**, 1
assembleerprogramma **ASSEMBLEUR, ASSEMBLEUSE**, 1
assembleren **ASSEMBLER**, 1
assembleur **ASSEMBLEUR, ASSEMBLEUSE**, 1
assistent **ADJOINT, ADJOINTE**, 1
associatie **ASSOCIATION**, 1
associatie van merknamen **COGRIFFAGE**, 1
assortiment **ASSORTIMENT**, 1
assurantie **ASSURANCE**, 2
atelier **ATELIER**, 1
atoomenergie **NUCLÉAIRE**, 1
attaché **ATTACHÉ, ATTACHÉE**, 1
audiovisueel **AUDIOVISUEL, -ELLE**, 1
audit **AUDIT**, 1; **VÉRIFICATION**, 1
auditeur **AUDITEUR, AUDITRICE**, 2
autarchie **AUTARCIE**, 1
autarkie **AUTARCIE**, 1; **AUTOSUFFISANCE**, 1
autarkisch **AUTARCIQUE**, 1; **AUTOSUFFISANT, -ANTE**, 1
auto **AUTOMOBILE**, 1
auto- **AUTOMOBILE**, 1
autobus **AUTOBUS**, 1; **BUS**, 1
autofinanciering **AUTOFINANCEMENT**, 1
automaat **AUTOMATE**, 1; **DISTRIBUTEUR, DISTRIBUTRICE**, 2
automatie **AUTOMATISATION**, 1
automatisch **AUTOMATIQUE**, 1; **AUTOMATIQUEMENT**, 1; **MÉCANIQUEMENT**, 2
automatische productie **PRODUCTIQUE**, 1
automatiseren **AUTOMATISER**, 1
automatisering **AUTOMATION**, 1; **AUTOMATISATION**, 1
automatisme **AUTOMATISME**, 1
automobiel- **AUTOMOBILE**, 1
automobielsector **AUTOMOBILE**, 2
autosnelweg **AUTOROUTE**, 1
autosnelweg (van de ~) **AUTOROUTIER, -IÈRE**, 1
autoverzekering **ASSURANCE(-)AUTO(MOBILE)**, 1
averij **AVARIE**, 1
Aziatische Tijgers **DRAGONS**, 1
baan **BOULOT**, 1; **EMPLOI**, 3; **JOB**, 1; **POSTE**, 1
baan (halftijdse ~) **MI-TEMPS**, 1
baan (iemand een ~ bezorgen) **POURVOIR**, 2
baan (opnieuw aan een ~ helpen) **REPLACER**, 1; **RECASER**, 1
baantjesjager **CUMULARD, CUMULARDE**, 1
baar geld **CASH**, 1; **ESPÈCES**, 1; **LIQUIDE**, 1; **NUMÉRAIRE**, 1
baas **PATRON, PATRONNE**, 1
babyboom **BABY(-)BOOM**, 1
bagatelliseren **MINIMISER**, 1
baisse- **BAISSIER, -IÈRE**, 1
bakker **BOULANGER, BOULANGÈRE**, 1; 2
bakkerij **BOULANGERIE**, 1
balans **BALANCE**, 1; **BILAN**, 1
balans (passiefzijde van de ~) **PASSIF**, 2
balans (van de ~) **BILANCIEL, -IELLE**, 1; **BILANTAIRE**, 1
balanstekort **DÉFICIT**, 1
balie **COMPTOIR**, 1
balkencode **CODE(-)BARRE(S)**, 1
banenscheppende initiatieven voor werken van openbaar nut **TUC**
bank **BANQUE**, 1; 2; **CAISSE**, 5
Bank en Verzekeringen **BANCASSURANCE**, 1; **BANQUE-ASSURANCE**, 1
Bank voor Internationale Betalingen (BIB) **BRI**
Bank (Europese ~ voor Wederopbouw en Ontwikkeling, EBWO) **BERD**
Bank (Europese Centrale ~, ECB) **BCE**
Bank (Internationale ~ voor Heropbouw en Ontwikkeling, IBHO) **BIRD**
bank (op de ~ zetten) **DÉPOSER**, 1
bank (waar zich een ~ bevindt) **BANCABLE**, 2; **BANQUABLE**, 2
bankautomaat **BANCOMAT**, 1; **BILLETTERIE**, 1
bankbiljet **BILLET**, 1
banken (groeiende invloed van de ~) **BANCARISATION**, 1; **MARCHÉISATION**, 1
bankenconsortium **SYNDICAT**, 2
banketbakker **PÂTISSIER, PÂTISSIÈRE**, 1
banketbakkerij **PÂTISSERIE**, 2
bankidentiteitsbewijs **RIB**
bankier **BANQUIER, BANQUIÈRE**, 1; 2
bankieren (het telefonisch ~) **PHONE-BANKING**, 1; **TÉLÉBANKING**, 1; **TÉLÉBANQUE**, 1
bankinstelling **BANQUE**, 1
bankroet **BANQUEROUTE**, 1
banksector ontwikkelen **BANCARISER**, 1
bankverzekeraar **BANCASSUREUR**, 1
bankwezen (van het ~) **BANCAIRE**, 1
banner **BANDEAU**, 1
bar **BAR**, 1; **BUVETTE**, 1
barman **BARMAN**, 1
barmeisje **BARMAID**, 1
barnum- **TAPAGEUR, -EUSE**, 1
barometer **BAROMÈTRE**, 1
barrel **BARIL**, 2
basis **BASE**, 1
batig **BÉNÉFICIAIRE**, 2; 3; **EXCÉDENTAIRE**, 1
batig saldo **BONI**, 2
BBP (bruto binnenlands product) **PIB**
beambte **PRÉPOSÉ, PRÉPOSÉE**, 1
bebouwen **CULTIVER**, 1

becijferen **CHIFFRER**, 1
bediende **EMPLOYÉ, EMPLOYÉE**, 2
bedienden **COLS BLANCS**, 1
bedienen **SERVIR**, 2
bedorven (voedingswaren) **AVARIÉ, -IÉE**, 1
bedrag **MONTANT**, 1; **SOMME**, 1
bedrag opnemen **RETIRER**, 1
bedrag van de schuld **DÉBIT**, 2
bedrag (evenredig ~) **QUOTITÉ**, 1
bedrag (gestort ~) **VERSEMENT**, 3
bedrag (vast ~) **FORFAIT**, 1
bedrag (verschuldigde ~) **DÛ**, 1
bedrag (volledig ~) **TOTAL**, 1
bedragen **CHIFFRER**, 2; **ÉLEVER**, 2; **ÊTRE**, 1; **MONTER**, 2
bedragen (ongeveer ~) **AVOISINER**, 1
bedrieglijk **FRAUDULEUSEMENT**, 1; **FRAUDULEUX, -EUSE**, 1
bedrijf **BOÎTE**, 2; **COMPAGNIE**, 1; **EXPLOITATION**, 1; **FIRME**, 1
bedrijf (iemand die een ~ saneert) **REDRESSEUR**, 1
bedrijfseconomische samenwerking (groepering voor ~) **GIE**
bedrijfsleider **DIRECTEUR, DIRECTRICE**, 1; **DIRIGEANT, DIRIGEANTE**, 1; **FABRICANT, FABRICANTE**, 2; **MANAGER**, 1; **MANAGEUR, MANAGEUSE**, 1
bedrijfsleiderverzekering **ASSURANCE(-)DIRIGEANT**, 1
bedrijfsrevisor **AUDIT**, 2; **COMMISSAIRE-RÉVISEUR**, 1; **VÉRIFICATEUR, VÉRIFICATRICE**, 1
bedrijfssluiting **FERMETURE**, 2
bedrijfstak **BRANCHE**, 1
bedrijfsvoering **GESTION**, 1
bedrijfsvoertuig **UTILITAIRE**, 1
bedrijfsvoorraad **STOCK(-)TAMPON**, 2
bedrijfswereld **BUSINESS**, 1
bedrijven (spin-off ~) **ESSAIMAGE**, 1
bedrijvencomplex **COMPLEXE**, 1
beeldmedia (geluids- en ~) **AUDIOVISUEL**, 1
beeldmerk **LOGO**, 1
begeleiden van ontslagenen **OUTPLACER**, 1
begeleider **CONVOYEUR, CONVOYEUSE**, 1
begeleider van ontslagenen **OUTPLACEUR**, 1
begiftigde **DONATAIRE**, 1
begroten **BUDGÉTER**, 2; **BUDGÉTISER**, 2
begroten (het ~) **BUDGÉTISATION**, 2
begroting **BUDGET**, 1
begroting (in de ~ inschrijven) **IMPUTER**, 1
begroting (opnemen in de ~) **BUDGÉTER**, 1; **BUDGÉTISER**, 1
begroting (opneming in de ~) **BUDGÉTISATION**, 1
begunstigde **BÉNÉFICIAIRE**, 1; **CESSIONNAIRE**, 1; **INDEMNITAIRE**, 1; **PRESTATAIRE**, 1; **RENTIER, RENTIÈRE**, 3
beheer **ADMINISTRATION**, 1; **GESTION**, 2
beheer (gemeenschappelijk ~) **COGÉRANCE**, 1
beheerbaar **GÉRABLE**, 1
beheerder **ADMINISTRATEUR, ADMINISTRATRICE**, 1; **GÉRANT, GÉRANTE**, 1; 2; 3; 4; **SYNDIC**, 1
beheren **ADMINISTRER**, 1; **GÉRER**, 1; 2
beheren (zelf ~) **AUTOGÉRER**, 1
beherende vennoot **ASSOCIÉ-GÉRANT, ASSOCIÉE-GÉRANTE**, 1; **COMMANDITÉ, COMMANDITÉE**, 1
behoefte **BESOIN**, 1
behoorlijk ingevuld **DÛMENT REMPLI**, 1
behoud **MAINTIEN**, 1
beklant (goed ~) **ACHALANDÉ, -ÉE**, 1
bekwaam **EXPERT, -ERTE**, 1
bekwaamheid **CAPACITÉ**, 1
belachelijk laag **DÉRISOIRE**, 1
belangengemeenschap (economische ~) **GIE**
belangrijk **ÉNORME**, 1; **GRAND, GRANDE**, 1; **GROS, GROSSE**, 1; **IMPORTANT, -ANTE**, 1
belastbaar **IMPOSABLE**, 1; **TAXABLE**, 1
belastbaar inkomen **MATIÈRE**, 2
belastbaar maken **FISCALISER**, 1
belastbaar maken (het ~) **FISCALISATION**, 1
belasten **GREVER**, 1; **IMPOSER**, 1; **TAXER**, 1
belasten (extra ~) **SURTAXER**, 1
belasting **CONTRIBUTION**, 2; **IMPOSITION**, 1; **IMPÔT**, 1; **TAXE**, 1
belasting op de toegevoegde waarde (BTW) **TVA**
belasting vaststellende ambtenaar **TAXATEUR, TAXATRICE**, 1
belasting (aan een ~ onderwerpen) **IMPOSER**, 1
belasting (groene ~) **ÉCOTAXES**, 1
belasting (van ~ ontheffen) **DÉTAXER**, 1
belasting- **CONTRIBUTIF, -IVE**, 1; **TAXATEUR, -TRICE**, 1; **TAXATOIRE**, 1
belastingaanslag **TAXATION**, 1
belastingaftrek **ABATTEMENT**, 1
belastingbasis **ASSIETTE**, 1
belastingdruk **FISCALITÉ**, 2
belastingen **FISC**, 1
belastingen (financieren door ~) **FISCALISER**, 1
belastingen (financiering door ~) **FISCALISATION**, 1
belastingen (vrijstellen van ~) **DÉFISCALISER**, 1
belastingen (zonder ~) **HT**
belastinggrondslag **ASSIETTE**, 1
belastingheffing **TAXATION**, 1
belastingheffing (aan ~ onderwerpen) **ASSUJETTIR**, 1
belastinginkomsten **RECETTE**, 2
belastingontheffing **DÉTAXATION**, 1
belastingontvanger **PERCEPTEUR, PERCEPTRICE**, 1; **RECEVEUR**, 1
belastingpercentage **TARIF**, 4
belastingplichtig **REDEVABLE**, 2
belastingplichtige **ASSUJETTI, ASSUJETTIE**, 1; **CONTRIBUABLE**, 1; **REDEVABLE**, 1
belastingstelsel **IMPÔT**, 2
belastingverplichting **ASSUJETTISSEMENT**, 1
belastingvrijstelling **DÉFISCALISATION**, 1
beleggen **CAPITALISER**, 2; **ÉCONOMISER**, 2; **PLACER**, 1
beleggen (niet meer ~) **DÉSINVESTIR**, 1
belegger **PLACEUR, PLACEUSE**, 1
beleggers (institutionele ~) **ZINZINS**, 1
belegging **PLACEMENT**, 1; 2
beleggingen (instelling voor collectieve ~, ICB) **OPC**
belegging (instelling voor collectieve ~ in effecten, ICBE) **OPCVM**
beleggingsfonds **FCP**
beleggingsmaatschappij **FCP**
beleidsmaker (verantwoordelijke ~) **DÉCIDEUR, DÉCIDEUSE**, 1; **DÉCISIONNAIRE**, 1
belofte **ENGAGEMENT**, 2
belopen **CHIFFRER**, 2; **TOTALISER**, 1
bemiddelaar **INTERMÉDIAIRE**, 1
bemiddeld **AISÉ, -ÉE**, 1
bemiddeling **INTERMÉDIATION**, 1
benaderen **AVOISINER**, 1
benaderend **APPROXIMATIF, -IVE**, 1
benadering **APPROXIMATION**, 1
benadering (bij ~) **APPROXIMATIVEMENT**, 1
benodigdheden **FOURNITURE**, 3
benoemen (vast ~) **TITULARISER**, 1
benoeming (vaste ~) **TITULARISATION**, 1
benzine **ESSENCE**, 1
benzinebon **CHÈQUE(-)CARBURANT**, 1
benzinestation **STATION-SERVICE**, 1
beperken **COMPRIMER**, 1; **LIMITER**, 1; **MODÉRER**, 1; **RESSERRER**, 1; **RESTREINDRE**, 1
beperken (uitgaven ~) **ÉCONOMISER**, 1
beperking **LIMITATION**, 1; **RESSERREMENT**, 1; **RESTRICTION**, 1
beperkt **FAIBLEMENT**, 1
bereiken **ATTEINDRE**, 1
bereiken van een plafond (het ~) **PLAFONNEMENT**, 1
berekenen **CALCULER**, 1; **CHIFFRER**, 1; **COMPTER**, 1
berekening **CALCUL**, 1
bericht **ANNONCE**, 2
beroep **MÉTIER**, 1; **PROFESSION**, 1
beroep (lid van een vrij ~) **PROFESSIONNEL, PROFESSIONNELLE**, 2
beroeps- **PRO**, 1; **PROFESSIONNELLEMENT**, 1
beroepsbeoefenaar **PROFESSIONNEL, PROFESSIONNELLE**, 1
beroepservaring **SAVOIR-FAIRE**, 2
beroepsgroep **PROFESSION**, 2
beroepsmatig **PROFESSIONNELLEMENT**, 1
beroepsonderwijs (diploma secundair ~) **BEP**
beschadigd **AVARIÉ, -IÉE**, 1
beschadiging **DÉGÂT**, 1
bescheiden **MODESTE**, 1; **MODESTEMENT**, 1; **MODIQUE**, 1
bescherming **PATRONAGE**, 1
beschikbaar **DISTRIBUABLE**, 1
beslisser **DÉCIDEUR, DÉCIDEUSE**, 1
besloten vennootschap met beperkte aansprakelijkheid (bvba) **SARL**; **SPRL**
besnoeien **AMPUTER**, 1
besnoeiing **AMPUTATION**, 1
bespaarder **ÉCONOMISEUR**, 1
besparen **ÉCONOMISER**, 1
besparing **ÉPARGNE**, 1
besparingstoestel **ÉCONOMISEUR**, 1
bestand **FICHIER**, 2
bestedingen **EMPLOI**, 4
bestelformulier **COMMANDE**, 2
bestellen **COMMANDER**, 1
bestelling **COMMANDE**, 1; 3; **REMISE**, 3
bestemmeling **DESTINATAIRE**, 1
bestemming **DESTINATION**, 1
bestrijden **JUGULER**, 1
bestrijding **JUGULATION**, 1
bestuderen **ÉTUDIER**, 2
besturen **ADMINISTRER**, 1
besturend college **DIRECTOIRE**, 1
bestuur (dagelijks ~) **BUREAU**, 6
bestuurder (gedelegeerd ~) **ADMINISTRATEUR(-)DÉLÉGUÉ**, 1
betaalbaar **PAYABLE**, 1
betaalbewijs **FACTURETTE**, 1
betalen **ACQUITTER**, 1; **DÉBOURSER**, 1; **PAYER**, 1; **RÉGLER**, 1; **RÉTRIBUER**, 1; **VERSER**, 1

betalen van iemands kosten (het ~) **DÉFRAIEMENT**, 1
betalen van zijn schuld (het ~) **DÉSENDETTEMENT**, 1
betalen (bijdrage(n) ~) **COTISER**, 1; 2; 3
betalen (het uit de kas ~) **DÉCAISSER**, 1
betalen (maandelijks ~) **MENSUALISER**, 1
betalen (smeergeld ~) **PATTE**, 1
betalend **PAYANT, -ANTE**, 1; 2; **PAYEUR, -EUSE**, 1
betaler **PAYEUR, PAYEUSE**, 1; 2
betaling **ACQUITTEMENT**, 1; **PAIEMENT**, 1; **PAYEMENT**, 1; **RÈGLEMENT**, 2; **VERSEMENT**, 1
Betalingen (Bank voor Internationale ~, BIB) **BRI**
betalingsbewijs **FACTURETTE**, 1
betalingsmiddel **MONNAIE**, 1
betalingsmiddelen **LIQUIDITÉ**, 3; **TRÉSORERIE**, 1
betalingsopdracht (permanente ~) **INSTRUCTION PERMANENTE**, 1
betalingsuitstel **CRÉDIT**, 4
betalingsverplichting welke niet door de Staat gedekt is **DÉBENTURE**, 1
beteugelen **JUGULER**, 1
beteugeling **JUGULATION**, 1
betoelagen **SUBSIDIER**, 1; **SUBVENTIONNER**, 1
betoelagend **SUBVENTIONNAIRE**, 1
betrekking (halftijdse ~) **MI-TEMPS**, 1
betrokkene **TIRÉ**, 1
betrouwbaar **FIABLE**, 1
betrouwbaarheid **FIABILITÉ**, 1
BEUC (Europese Verbruikersorganisatie, Europese Consumentenorganisatie) **BEUC**
beurs **BOURSE**, 1; 2; 3; 4; **FOIRE**, 1; **SALON**, 1
beurs- **BOURSIER, -IÈRE**, 1; 2
beurskrach **KRACH**, 1
beursmakelaar **BOURSIER, BOURSIÈRE**, 2; **OPÉRATEUR, OPÉRATRICE**, 1
beursnotering **COTATION**, 1; **COTE**, 1
beursspeculant **BOURSIER, BOURSIÈRE**, 2
beursstudent **BOURSIER, BOURSIÈRE**, 1
beursvloer **CORBEILLE**, 1
bevaarbaar **NAVIGABLE**, 1
bevoegdheid **QUALIFICATION**, 1
bevolking **POPULATION**, 1
bevolking (inactieve ~) **NON-ACTIFS**, 1
bevolking (lid van de actieve ~) **ACTIF**, 3
bevolking (niet actieve ~) **INACTIF**, 1
bevolking (vergrijzing van de ~) **PAPY(-)BOOM**, 1
bevolkingsleer **DÉMOGRAPHIE**, 1
bevoorraad (goed ~) **ACHALANDÉ, -ÉE**, 2; **ASSORTI**, 1
bevoorraden **APPROVISIONNER**, 2; **RAVITAILLER**, 1
bevoorrading **APPROVISIONNEMENT**, 2; **RAVITAILLEMENT**, 1
bevoorradings- **RAVITAILLEUR, -EUSE**, 1
bevordering **PROMOTION**, 3
bevrachten **AFFRÉTER**, 1
bevrachter **AFFRÉTEUR, AFFRÉTEUSE**, 1; **CHARGEUR**, 1; **FRÉTEUR, FRÉTEUSE**, 1
bevrachting **AFFRÈTEMENT**, 1; **FRET**, 1
bevriezen **GELER**, 1
bevriezen (het ~) **GEL**, 1
bevuiler **POLLUEUR, POLLUEUSE**, 1
bewaarder **DÉPOSITAIRE**, 1; 2
bewaargeving **CONSIGNATION**, 2
bewaren **DÉPOSER**, 2
bewaring (in ~ geven) **CONSIGNER**, 1
bewaring (in ~ hebben) **DÉPOSER**, 2
bewerken **TRAVAILLER**, 2
bewerken (het ~) **MATRAQUAGE**, 1
bewerking (goederen in ~) **EN(-)COURS**, 1
bewijs van vordering **CRÉANCE**, 2
bezet (druk ~) **AFFAIRÉ, -ÉE**, 1
bezetten **OCCUPER**, 2
bezetting **OCCUPATION**, 2
bezit **AVOIR**, 1; **POSSESSION**, 1; **PROPRIÉTÉ**, 1
bezitten **POSSÉDER**, 1
bezitter **DÉTENTEUR, DÉTENTRICE**, 1; **POSSESSEUR**, 1
bezitting **PROPRIÉTÉ**, 2
bezoeker (vaste ~) **HABITUÉ, HABITUÉE**, 1
bezoldigen **RÉMUNÉRER**, 1; **RÉTRIBUER**, 1; **SALARIER**, 1
bezoldigen (onbezoldigd werknemer) **VOLONTAIRE**, 1
bezoldiging **APPOINTEMENTS**, 1; **ÉMOLUMENTS**, 1; **RÉMUNÉRATION**, 1; **RÉTRIBUTION**, 1
bezoldiging van huispersoneel **GAGES**, 1
bezorgen **FOURNIR**, 1
bezuinigen **COUPES SOMBRES**, 1
bezuinigings- **AUSTÉRITÉ**, 1
bezwaren **GREVER**, 1
BIB (Bank voor Internationale Betalingen) **BRI**
bieden **MARCHANDER**, 1
bieden (het ~) **MARCHANDAGE**, 1
bieder **MARCHANDEUR, MARCHANDEUSE**, 1
bieder (hoogste ~) **ADJUDICATAIRE**, 1
bijbaantjes hebben **CUMULER**, 1
bijdrage **APPORT**, 1; **CONTRIBUTION**, 1; **COTISATION**, 1; 2; **REDEVANCE**, 1
bijdrage (financiële ~ leveren) **CONTRIBUER**, 1
bijdrage (op een ~ berustend) **CONTRIBUTIF, -IVE**, 1
bijdrage(n) betalen **COTISER**, 1; 2; 3
bijdragebetaler **COTISANT, COTISANTE**, 1; 2; 3
bijdragen **COTISER**, 1; 2; 3
bijdragen (financieel ~) **CONTRIBUER**, 1
bijeenkomst **RÉUNION**, 1
bijkantoor **AGENCE**, 1; **BUREAU**, 1; **SUCCURSALE**, 1
bijkomend **ADDITIONNEL, -ELLE**, 1
bijkomend inkomen **RENTE**, 4
bijkomend loon **SURSALAIRE**, 1
bijkomende uitgaven **SURCOÛT**, 1
bijkomstig **ACCESSOIRE**, 1
bijlage **ANNEXE**, 1
bijlage (in ~) **ANNEXE**, 1
bijproduct **SOUS-PRODUIT**, 1
bijscholen **RECYCLER**, 1
bijscholing **RECYCLAGE**, 1
bijstand **AIDE**, 1
biljet **BILLET**, 1
bindende afspraak **ENTENTE**, 1
binnenvaartuig **PÉNICHE**, 1
bioscoop **CINÉMA**, 3
blik **CAN(N)ETTE**, 1
blikje **CAN(N)ETTE**, 1
blisterverpakking **BLISTER**, 1; **EMBALLAGE-BULLE**, 1
bloei **PROSPÉRITÉ**, 1
bloeien **PROSPÉRER**, 1
bloeiend **PROSPÈRE**, 1
bloem **FLEUR**, 1
bloemist **FLEURISTE**, 1
bloemkweker **FLEURISTE**, 1
blokkeren **BLOQUER**, 1; **GELER**, 1
blokkeren (het ~) **BLOCAGE**, 1; **GEL**, 1
BNP (bruto nationaal product) **PNB**
bod **OFFRE**, 1; 2
bod (hoger ~) **ENCHÈRE**, 1
bod (openbaar ~ tot omwisseling) **OPE**
bodemkoers **PLANCHER**, 1
bodemwaarde **PLANCHER**, 1
boeken **COMPTABILISER**, 1; **IMPUTER**, 1
boeken (te ~ op) **IMPUTABLE**, 1
boekhandel **LIBRAIRIE**, 1
boekhandelaar **LIBRAIRE**, 1
boekhouder **COMPTABLE**, 1
boekhouding **COMPTA**, 1; **COMPTABILITÉ**, 1; 2; 3; 4
boekhouding (dubbele ~) **ÉCRITURE**, 1
boekhouding (opneembaar in de ~) **COMPTABILISABLE**, 1
boekhoudkunde **COMPTABILITÉ**, 5
boekhoudkundig **COMPTABLE**, 1; 2
boekhoudkundig jaar **EXERCICE**, 1
boekhoudkundig plan (algemeen ~) **PCG**
boeking **COMPTABILISATION**, 1; **IMPUTATION**, 1
boekjaar **EXERCICE**, 1
boerderij **FERME**, 1
boetiek **BOUTIQUE**, 1
boetiekhouder **BOUTIQUIER, BOUTIQUIÈRE**, 1
bon **BON**, 1
bondgenoot **ALLIÉ, ALLIÉE**, 1
boni **BONI**, 1
bonificatie **BONIFICATION**, 1
bonus **BONUS**, 2
bonusaandeel **BONUS**, 1
boodschap **EMPLETTES**, 1
boodschappen **ACHAT**, 2; **COMMISSION**, 3; **COURSES**, 1; **EMPLETTES**, 2
boord (vrachtvrij aan ~) **FAB**
boord (vrij aan ~) **FOB**
boordtabel **TABLEAU DE BORD**, 1
boot **BATEAU**, 1
bord **PANNEAU**, 1
borderel **BORDEREAU**, 1
bordje **PANCARTE**, 1
borg **CAUTION**, 1; 2; **CAUTIONNÉ, CAUTIONNÉE**, 1
borg staan voor **CAUTIONNER**, 1
borgsom (als ~ aanrekenen) **CONSIGNER**, 2
borgsteller **CAUTION**, 2
borgstelling **CAUTIONNEMENT**, 1
bosbouw **SYLVICULTURE**, 1
bosbouw- **FORESTIER, -IÈRE**, 1; **SYLVICOLE**, 1
bosbouwer **SYLVICULTEUR, SYLVICULTRICE**, 1
bosbouwkundig- **FORESTIER, -IÈRE**, 1; **SYLVICOLE**, 1
boss **BOSS**, 1
bouw **BÂTIMENT**, 2; **CONSTRUCTION**, 1
bouwactiviteit **TRAVAIL**, 4
bouwen **BÂTIR**, 1; **CONSTRUIRE**, 1
bouwer **BÂTISSEUR, BÂTISSEUSE**, 1
bouwnijverheid **BÂTIMENT**, 2
bouwondernemer **ENTREPRENEUR, ENTREPRENEUSE**, 2
bouwpromotor **PROMOTEUR, PROMOTRICE**, 2; **PROMOTEUR, -TRICE**, 2
bouwwerf **CHANTIER**, 1
bovenop (er weer ~ helpen) **RENFLOUER**, 2
bovenop (het er weer ~ helpen) **RENFLOUAGE**, 1; **RENFLOUEMENT**, 1; 2
braderie **BRADERIE**, 1

branche **SECTEUR**, 3
brandkast **COFFRE(-FORT)**, 1
brandstof **CARBURANT**, 1; **COMBUSTIBLE**, 1
brandstofbespaarder **ÉCONOMISEUR**, 1
brandverzekering **ASSURANCE(-)INCENDIE**, 1
break-even punt **POINT MORT**, 1
brevet **BREVET**, 1
brief **LETTRE**, 1
briefwisseling **CORRESPONDANCE**, 1; 2; **COURRIER**, 1
briefwisseling voeren **CORRESPONDRE**, 1
brievenbusmaatschappij **SOCIÉTÉ(-) ÉCRAN**, 1
brochure **BROCHURE**, 1; **DÉPLIANT**, 1; **PLAQUETTE**, 1
bron **SOURCE**, 1
broodwinning **GAGNE-PAIN**, 1
brouwen **BRASSER**, 1
brouwer **BRASSEUR, BRASSEUSE**, 1
brouwerij **BRASSERIE**, 1
bruggepensioneerde **PRÉPENSIONNÉ, PRÉPENSIONNÉE**, 1; **PRÉRETRAITÉ, PRÉRETRAITÉE**, 1
brugpensioen **PRÉPENSION**, 1; **PRÉRETRAITE**, 1
bruto binnenlands product (BBP) **PIB**
bruto **BRUT, BRUTE**, 1
bruto nationaal product (BNP) **PNB**
bruusk **BRUSQUE**, 1; **BRUSQUEMENT**, 1
BTW (belasting op de toegevoegde waarde) **TVA**
budget **BUDGET**, 2; **CRÉDIT**, 3
budgettair **BUDGÉTAIRE**, 1; 2; **BUDGÉTAIREMENT**, 1; 2
budgetteren **BUDGÉTER**, 1; **BUDGÉTISER**, 1
budgettering **BUDGÉTISATION**, 1
budgetverslindend **BUDGÉTIVORE**, 1
buffervoorraad **STOCK(-)TAMPON**, 1
buitengewoon **FARAMINEUX, -EUSE**, 1
buitenlandse valuta **DEVISE**, 1
buitensporig **EXCESSIF, -IVE**, 1; **EXORBITANT, -ANTE**, 1
buitentarief (gemeenschappelijk ~, GBT) **TEC**
bulk **VRAC**, 1
bulkschip **VRAQUIER**, 1
bulletin **FORMULE**, 1
bundel **LIASSE**, 1
bureau **AGENCE**, 1; **BUREAU**, 2; 3; 4; 5; 6; **CABINET**, 2
bureaucraat **BUREAUCRATE**, 1
bureaucratie **BUREAUCRATIE**, 1; **FONCTIONNARISME**, 1
bureaucratiseren **BUREAUCRATISER**, 1
bureaucratisering **BUREAUCRATISATION**, 1
bursaal **BOURSIER, BOURSIÈRE**, 1
bus **AUTOCAR**, 1; **BIDON**, 1; **BUS**, 1
bvba (besloten vennootschap met beperkte aansprakelijkheid) **SARL**; **SPRL**
CAD (Computerondersteund ontwerp) **CAO**
cadeaubon **CHÈQUE(-)CADEAU(X)**, 1
café **BAR**, 1; **BISTRO(T)**, 1; **CAFÉ**, 1
call-optie **CALL**, 1
camion **CAMION**, 1; **POIDS LOURD**, 1
campagne **CAMPAGNE**, 1
CAO (collectieve arbeidsovereenkomst) **CCT**
capaciteit **CAPACITÉ**, 1
carrière **CARRIÈRE**, 1
carrièrejager **CARRIÉRISTE**, 1
cash **ARGENT**, 1; **CASH**, 1
cashflow **CASH(-)FLOW**, 1
cataloog **CATALOGUE**, 1
cd-rom **CD-ROM**, 1; **CÉDÉROM**, 1
cel **CELLULE**, 1
cement **CIMENT**, 1
cent **CENT**, 1; **EUROCENTIME**, 1
centen **OSEILLE**, 1
centiem **CENTIME**, 1
centrale **CENTRALE**, 1; **CONFÉDÉRATION**, 1
centrum **CENTRE**, 1
certificaat **CERTIFICAT**, 1; 2
cessionaris **CESSIONNAIRE**, 1
chartaal geld **PAPIER-MONNAIE**, 1
charter **CHARTER**, 1
chef **BOSS**, 1
chemie **CHIMIE**, 1
chemisch **CHIMIQUE**, 1
cheque **CHÈQUE**, 1
cheque (persoon die een ~ uitschrijft) **ÉMETTEUR, ÉMETTRICE**, 1
cheque (traveller's ~) **TRAVELLER'S CHEQUE**, 1
chequeboek **CHÉQUIER**, 1
chip **PUCE**, 1
c.i.f. (prijs, verzekering, vracht) **CAF**
cijfer **CHIFFRE**, 1
cijfer (afgerond ~) **ARRONDI**, 1
cijfers (in de rode ~ zitten) **ROUGE**, 1
cinema **CINÉMA**, 1; 2
cinematografisch **CINÉMATOGRAPHIQUE**, 1; 2; 3
cirkeldiagram **CAMEMBERT**, 1
clausule **CLAUSE**, 1
cliënteel **ACHALANDAGE**, 1; **CLIENTÈLE**, 1
cliëntelisme **CLIENTÉLISME**, 1
cliëntelistisch **CLIENTÉLISTE**, 1
cluster **GRAPPE**, 1
cobranding **COBRANDING**, 1
coëfficiënt **COEFFICIENT**, 1
cofinancieren **COFINANCER**, 1
cofinanciering **COFINANCEMENT**, 1
collectieve arbeidsovereenkomst (CAO) **CCT**
collectivisme **COLLECTIVISME**, 1
collectivistisch **COLLECTIVISTE**, 1
collega **COLLÈGUE**, 1
college (besturend ~) **DIRECTOIRE**, 1
colporteren **COLPORTER**, 1
colporteren (het ~) **COLPORTAGE**, 1; **PORTE-À-PORTE**, 1
colporteur **COLPORTEUR, COLPORTEUSE**, 1
comité **COMITÉ**, 1
commanditaire vennootschap **COMMANDITE**, 1
commanditaire vennootschap op aandelen (CVA) **SCPA**
commanditaris **COMMANDITAIRE**, 1
commercialiseerbaar **COMMERCIALISABLE**, 1; **VENDABLE**, 1
commercieel **COMMERCIAL, -IALE**, 2
commercieel exploiteren **MARCHANDISER**, 1
commercieel (vanuit ~ oogpunt) **COMMERCIALEMENT**, 1
commerciële exploitatie **MARCHANDISAGE**, 2; **MARCHANDISATION**, 1; **MERCHANDISING**, 1
commerciëlen **COMMERCIAL, COMMERCIALE**, 1
commissaris **COMMISSAIRE**, 1
commissie **COMMISSION**, 1; 2; **COURTAGE**, 2
commissionair **COMMISSIONNAIRE**, 1
communicatiedeskundige **COMMUNICATEUR, COMMUNICATRICE**, 1
communiceren **COMMUNIQUER**, 1
communisme **COMMUNISME**, 1
communist **COMMUNISTE**, 1
communistisch **COMMUNISTE**, 1
comparatief voordeel **AVANTAGE**, 2
compartiment **COMPARTIMENT**, 1
compensatie **COMPENSATION**, 1
compensatoir **COMPENSATOIRE**, 1
compenseren **COMPENSER**, 1; **COUVRIR**, 2
compenserend **COMPENSATOIRE**, 1
competitief **COMPÉTITIF, -IVE**, 1; **CONCURRENTIEL, -IELLE**, 1
competitiviteit **COMPÉTITIVITÉ**, 1
comptabiliteit **COMPTABILITÉ**, 5
computer **CALCULATEUR**, 1; **ORDINATEUR**, 1
computer (personal ~) **MICRO-ORDINATEUR**, 1
computergestuurde productie **FIO**
computergrafiek **INFOGRAPHIE**, 1
computernetwerk **RÉSEAU**, 3
Computerondersteund ontwerp (CAD) **CAO**
computerondersteunde fabricage **FAO**
computerprogramma **PROGRAMME**, 2
concentratie **CONCENTRATION**, 1
concentreren **CONCENTRER**, 1
concern **KONZERN**, 1
concessie **CONCESSION**, 1
concessionaris **CONCESSIONNAIRE**, 1
concordaat **CONCORDAT**, 1
concordatair **CONCORDATAIRE**, 1
concurrent **COMPÉTITEUR, COMPÉTITRICE**, 1; **CONCURRENT, CONCURRENTE**, 1
concurrentie **CONCURRENCE**, 1; 2
concurrentiebeperkend **ANTICONCURRENTIEL, -IELLE**, 1
concurrentievermogen **COMPÉTITIVITÉ**, 1
concurreren **CONCURRENCER**, 1
concurrerend **COMPÉTITIF, -IVE**, 2; **CONCURRENT, -ENTE**, 1; **CONCURRENTIEL, -IELLE**, 2
confectie **COUTURE**, 1
confectiekleding **PRÊT-À-PORTER**, 1
conform aan de overeenkomst **CONVENTIONNEL, -ELLE**, 1
conglomeraat **CONGLOMÉRAT**, 1
conjunctureel **CONJONCTUREL, -ELLE**, 1
conjunctuur **CONJONCTURE**, 1
conjunctuuranalist **CONJONCTURISTE**, 1
conjunctuuranalyse **CONJONCTURE**, 2
consignatie **CONSIGNATION**, 1
consignatie (in ~ geven) **CONSIGNER**, 1
consignatiehouder **CONSIGNATAIRE**, 1
consolidatie **CONSOLIDATION**, 1
consolideren **CONSOLIDER**, 1
consolidering **CONSOLIDATION**, 1
consortium **CONSORTIUM**, 1; **POOL**, 1
consortium- **SYNDICATAIRE**, 1
consortiumlid **SYNDICATAIRE**, 1
constant **CONSTANT, -ANTE**, 1
constructeur **CONSTRUCTEUR**, 1; **CONSTRUCTEUR, -TRICE**, 1
constructie **CONSTRUCTION**, 1
constructiedeel (geprefabriceerd ~) **PRÉFABRIQUÉ**, 1
consulent **CONSULTANT, CONSULTANTE**, 1
consultatiebureau **AGENCE-CONSEIL**, 1
consumeerbaar **CONSOMPTIBLE**, 1
Consumentenorganisatie (Europese ~, BEUC) **BEUC**
consumentenvereniging **CONSUMÉRISME**, 1

consumentenverenigings- **CONSUMÉRISTE**, 1
consumptie (niet voor ~ geschikt) **INCONSOMMABLE**, 1
consumptie (voor ~ geschikt) **CONSOMMABLE**, 1
contact (opnieuw ~ opnemen) **RELANCER**, 3
container **CONTENEUR**, 1
containerisatie **CONTENEURISATION**, 1
containers (in ~ laden) **CONTENEURISER**, 1
containers (in ~ opslaan) **CONTENEURISER**, 1
containerschip **PORTE-CONTENEURS**, 1
contant **CASH**, 1; **COMPTANT**, 1; 3; **LIQUIDE**, 1
contant geld **NUMÉRAIRE**, 1
contanten (in ~) **COMPTANT**, 2
contantmarkt **COMPTANT**, 4
contingent **CONTINGENT**, 1
contingenteren **CONTINGENTER**, 1
contingentering **CONTINGENTEMENT**, 1
continu **CONTINU, -UE**, 1
conto **FACTURE**, 2
contract **CONTRAT**, 1
contract afsluiten **CONTRACTER**, 1
contract (opzegging van het ~) **RÉSILIATION**, 1
contractant **CONTRACTANT, CONTRACTANTE**, 1
contracterende (partij) **CONTRACTANT, -ANTE**, 1
contractueel **CONTRACTUEL, -ELLE**, 1; **CONTRACTUELLEMENT**, 1
contractuele werknemer **CONTRACTUEL, CONTRACTUELLE**, 1; 2
contraproductief **CONTRE(-)PRODUCTIF, -IVE**, 1
controle **AUDIT**, 1; **VÉRIFICATION**, 1
controleren **AUDITER**, 1; **VÉRIFIER**, 1
controleren (in ontvangst nemen en ~) **RÉCEPTIONNER**, 1
controleur **COMMISSAIRE-RÉVISEUR**, 1; **VÉRIFICATEUR, VÉRIFICATRICE**, 1
conventie **CONVENTION**, 1
conventioneel **CONVENTIONNEL, -ELLE**, 1
converteerbaar **CONVERTIBLE**, 1
converteerbaarheid **CONVERTIBILITÉ**, 1
coöperatie **COOPÉRATION**, 1
coöperatie (lid van een ~) **COOPÉRATEUR, COOPÉRATRICE**, 1
coöperatief **COOPÉRATIF, -IVE**, 1
coöperatieve vereniging **COOPÉRATIVE**, 1
corporatie **CORPORATION**, 1
corporatisme **CORPORATISME**, 1
corporatistisch **CORPORATISTE**, 1
correctie **AJUSTEMENT**, 1
correspondent **CORRESPONDANT, CORRESPONDANTE**, 1
correspondentie **CORRESPONDANCE**, 1; 2
corresponderen **CORRESPONDRE**, 1
corrigeren **AJUSTER**, 1
corruptie **CORRUPTION**, 1
coupon **COUPON**, 1
coupure **COUPURE**, 1
couturier **COUTURIER**, 1
creatie **CRÉATION**, 1
creatief **CRÉATEUR, -TRICE**, 1; **CRÉATIF, -IVE**, 1
creativiteit **CRÉATIVITÉ**, 1
crediteren **BONIFIER**, 1; **CRÉDITER**, 1
crediteur **CRÉANCIER, CRÉANCIÈRE**, 1; **CRÉANCIER, -IÈRE**, 1; **CRÉDITEUR, CRÉDITRICE**, 1
creditsaldo **CRÉDITEUR, -TRICE**, 2
creëren **CRÉER**, 1
crisis **CRISE**, 1; 2
culmineren **CULMINER**, 1
cumulatie **CUMUL**, 1
cumuleren **CUMULER**, 1
curatele **CURATELLE**, 1
curator **CURATEUR, CURATRICE**, 1
curve **COURBE**, 1
CVA (commanditaire vennootschap op aandelen) **SCPA**
cyclisch **CYCLIQUE**, 1
cyclus **CYCLE**, 1; 2
cyclus (korte ~) **HYPOCYCLE**, 1
cyclus (lange ~) **HYPERCYCLE**, 1
dagblad **QUOTIDIEN**, 1
dagelijks bestuur **BUREAU**, 6
dagelijks **QUOTIDIEN, -IENNE**, 1; **QUOTIDIENNEMENT**, 1
dagorde **ORDRE**, 2
dakloze **SDF**
dalen **BAISSER**, 1; **DÉCROÎTRE**, 1; **DESCENDRE**, 1; **DÉTENDRE**, 1; **FLÉCHIR**, 1
dalen (evolutie met pieken en ~) **DENTS DE SCIE**, 1
dalen (opnieuw ~) **REDESCENDRE**, 1
dalen (plotseling ~) **PLONGER**, 1
dalen (sterk ~) **CHUTER**, 1; **DÉGRINGOLER**, 1
dalend **DÉCROISSANT, -ANTE**, 1; **DESCENDANT, -ANTE**, 1
daling **BAISSE**, 1; **DÉCRUE**, 1; **DÉGRADATION**, 1; **DÉTENTE**, 1; **FLÉCHISSEMENT**, 1; **REPLI**, 1
daling (plotselinge ~) **PLONGEON**, 1
daling (sterke ~) **CHUTE**, 1; **DÉGRINGOLADE**, 1
databank **BASE DE DONNÉES**, 1
dealer **TRAFIQUANT, TRAFIQUANTE**, 1
debet **DÉBET**, 1; **DÉBIT**, 1
debetzijde **DÉBIT**, 3
debiteren **DÉBITER**, 1
debiteur **DÉBITEUR, DÉBITRICE**, 1
debiteur- **DÉBITEUR, -TRICE**, 2
debudgettering **DÉBUDGÉTISATION**, 1
debutgetteren **DÉBUDGÉTISER**, 1
deelhebberschap **PARTENARIAT**, 1; **PARTNERSHIP**, 1
deelname **PARTICIPATION**, 2
deelname in de winst **RISTOURNE**, 3
deelnemen aan **PARTICIPER**, 2
deelnemen in **PARTICIPER**, 1
deelnemend **PARTICIPANT, -ANTE**, 1
deelnemer **PARTICIPANT, PARTICIPANTE**, 1
deelneming **PARTICIPATION**, 1
defect **DÉFAUT**, 1
defect (geen enkel ~) **ZÉRO PANNE**, 1
deficit **DÉFICIT**, 1; **MALI**, 1; **PERTE**, 2; **TROU**, 1
deficitair **DÉFICITAIRE**, 1
deflatie **DÉFLATION**, 1
deflationistisch **DÉFLATIONNISTE**, 1
deflatoir **DÉFLATOIRE**, 1
degressief **DÉGRESSIF, -IVE**, 1
dekken **COUVRIR**, 1; 2
dekking **COUVERTURE**, 1; 2; **PROVISION**, 1
delegatie **DÉLÉGATION**, 1
delgen **AMORTIR**, 2; **ÉPONGER**, 1
delging **AMORTISSEMENT**, 2
deling **DIVISION**, 1
delocalisatie **DÉLOCALISATION**, 1; **OUTSOURCING**, 1
delocaliseren **DÉLOCALISER**, 1
dematerialisatie **DÉMATÉRIALISATION**, 1
demo **DÉMONSTRATION**, 1
demografie **DÉMOGRAPHIE**, 1
demografisch **DÉMOGRAPHIQUE**, 1
demonstratie **DÉMONSTRATION**, 1
departement **BUREAU**, 3; **DÉPARTEMENT**, 1; **DIRECTION**, 4; **DIVISION**, 2; **FONCTION**, 2
deplafonneren **DÉPLAFONNER**, 1
deplafonnering **DÉPLAFONNEMENT**, 1
deponeren (het ~) **DÉPÔT**, 1
deposito **CONSIGNATION**, 1
depot **DÉPÔT**, 2
depreciatie **DÉPRÉCIATION**, 1
depreciëren **DÉPRÉCIER**, 1; **PERDRE**, 2
depressie (economische ~) **DÉPRESSION**, 1
Derde Wereld **TIERS(-)MONDE**, 1
dereguleren **DÉRÉGLEMENTER**, 1; **DÉRÉGULER**, 1
deregulering **DÉRÉGLEMENTATION**, 1; **DÉRÉGULATION**, 1
derivaat **SPIN-OFF**, 1
derven (gederfde winst) **MANQUE À GAGNER**, 2
design **DESIGN**, 1
desindexatie **DÉSINDEXATION**, 1
desindexeren **DÉSINDEXER**, 1
desindexering **DÉSINDEXATION**, 1
desindustrialiseren **DÉSINDUSTRIALISER**, 1
desindustrialisering **DÉSINDUSTRIALISATION**, 1
desinflatie **DÉSINFLATION**, 1
desinflatoir **DÉSINFLATIONNISTE**, 1
desintermediatie **DÉSINTERMÉDIATION**, 1
desinvesteren **DÉSINVESTIR**, 1
desinvestering **DÉSINVESTISSEMENT**, 1
deskundig **EXPERT, -ERTE**, 1
deskundige **EXPERT, EXPERTE**, 1
deskundigheid **EXPERTISE**, 1
desyndicalisatie **DÉSYNDICALISATION**, 1
detaillist **DÉBITANT, DÉBITANTE**, 1; **DÉTAILLANT, DÉTAILLANTE**, 1
detaxeren **DÉTAXER**, 1
detaxering **DÉTAXATION**, 1
deur (aan de ~ zetten) **BALANCER**, 1; **PORTE**, 1
deuren sluiten **FERMER**, 2
devaluatie **DÉVALUATION**, 1
devalueren **DÉVALUER**, 1
deviezen **DEVISE**, 1
diamant **DIAMANT**, 1
diamant- **DIAMANTAIRE**, 1
diamantair **DIAMANTAIRE**, 1
dienst **FONCTION**, 2; **SERVICE**, 1; 2; 3
dienst aanbieden **LIVRER**, 2; **SERVIR**, 1
dienst leveren **LIVRER**, 2; **SERVIR**, 1
dienst naverkoop **SAV**
dienst (openbare ~) **FONCTION**, 3
diensten aan derden toevertrouwen **EXTERNALISER**, 1
diensten (het aan derden toevertrouwen van ~) **EXTERNALISATION**, 1
dienstencheque **CHÈQUE EMPLOI(-)SERVICE**, 1; **CHÈQUE(-)SERVICE**, 1
dienstensector **TERTIAIRE**, 1
dienstensector (het uitbreiden van de ~) **TERTIARISER**, 1
dienstensector (toenemend belang van de ~) **TERTIAIRISATION**, 1; **TERTIARISATION**, 1
diensthoofd **CHEF**, 1

dienstlevering **PRESTATION**, 2
dienstregeling **HORAIRE**, 1
dienstverlener **PRESTATAIRE**, 2
diesel **DIESEL**, 1
dieselolie **DIESEL**, 1
diploma **BREVET**, 1; **CERTIFICAT**, 1; **DIPLÔME**, 1
diploma secundair beroepsonderwijs **BEP**
diploma (houder van een ~) **DIPLÔMÉ, DIPLÔMÉE**, 1; **DIPLÔMÉ, -ÉE**, 1
diploma's (instelling die gemakkelijk ~ aflevert) **FABRIQUE**, 2
directeur **ADMINISTRATEUR, ADMINISTRATRICE**, 1; **ADMINISTRATEUR(-)DÉLÉGUÉ**, 1; **CHEF**, 1; **DIRECTEUR, DIRECTRICE**, 2
directeur (algemeen ~) **PDG, P-DG**
directeur- **DIRECTEUR, -TRICE**, 1
directeurs- **DIRECTORIAL, -IALE**, 1
directie **DIRECTION**, 1
directie- **DIRECTORIAL, -IALE**, 1
directiefunctie **DIRECTION**, 3
directoire **DIRECTOIRE**, 1
dirigisme **DIRIGISME**, 1
dirigistisch **DIRIGISTE**, 1
discontabel **BANCABLE**, 1; **BANQUABLE**, 1; **ESCOMPTABLE**, 1
discontant **ESCOMPTEUR, ESCOMPTEUSE**, 1; **ESCOMPTEUR, -EUSE**, 1
disconteerbaar **BANCABLE**, 1; **BANQUABLE**, 1; **ESCOMPTABLE**, 1
disconteerder **ESCOMPTEUR, ESCOMPTEUSE**, 1; **ESCOMPTEUR, -EUSE**, 1
discontinu **DISCONTINU, -UE**, 1
disconto **ESCOMPTE**, 2
discount **DISCOMPTE**, 1; **DISCOUNT**, 1, **MINIMARGE**, 1
discountzaak **DISCOMPTE**, 2; **DISCOUNT**, 2; **MINIMARGE**, 1
discrepantie **DÉCALAGE**, 1
distribueren **DIFFUSER**, 1; **DISTRIBUER**, 1
distributeur **DIFFUSEUR**, 1; **DISTRIBUTEUR, DISTRIBUTRICE**, 1
distributie **DIFFUSION**, 1; **DISTRIBUTION**, 1; 2
distributie- **DISTRIBUTEUR, -TRICE**, 1
distributiekanaal **CANAL**, 1
distributieketen **RÉSEAU**, 1
diversificatie **DIVERSIFICATION**, 1
diversifiëren **DIVERSIFIER**, 1
dividend **DIVIDENDE**, 1
dochtermaatschappij **FILIALE**, 1
dochteronderneming **FILIALE**, 1
doctrine van de Engelse Labour Party **TRAVAILLISME**, 1
doelcliënteel **CLIENTÈLE-CIBLE**, 1
doelgericht management **DPO**
doelgroep **CIBLE**, 1
doelgroep bepalen **CIBLER**, 1
doelstelling **OBJECTIF**, 1
doeltreffend **EFFICACE**, 1
doeltreffendheid **EFFICACITÉ**, 1
doen opbrengen **GÉRER**, 2
doen vertragen **RALENTIR**, 1
dollar **DOLLAR**, 1; **PIASTRE**, 1
domiciliëren **DOMICILIER**, 1; 2
domiciliëring **DOMICILIATION**, 1; 2
donataris **DONATAIRE**, 1
donateur **DONATEUR, DONATRICE**, 1
doorlopend **CONTINU, -UE**, 1
doorsneecliënteel **CLIENTÈLE-TYPE**, 1
doorsneeklant **CLIENT-TYPE**, 1
doorvoer **TRANSIT**, 1
doorvoeren **TRANSITER**, 1
doos **BOÎTE**, 1; **CARTON**, 2
dossier **DOSSIER**, 1; 2
dotatie toekennen **DOTER**, 1
dotatie (van middelen) **DOTATION**, 1
douane **DOUANE**, 1
douane- **DOUANIER, -IÈRE**, 1
douanebeambte **DOUANIER, DOUANIÈRE**, 1
douanier **DOUANIER, DOUANIÈRE**, 1
drachme **DRACHME**, 1
drank **BOISSON**, 1
drankstalletje **BUVETTE**, 1
drastisch **CONSIDÉRABLEMENT**, 1
drempel **SEUIL**, 1
drempel overschrijden **CREVER**, 1
driemaandelijks **TRIMESTRIEL, -IELLE**, 1
drinker **BUVEUR, BUVEUSE**, 1
drinkgeld **POURBOIRE**, 1
droogleggen **ASSÉCHER**, 1
drooglegging **ASSÈCHEMENT**, 1
druk bezet **AFFAIRÉ, -ÉE**, 1
drukken **ÉCRASER**, 1
drukken (het ~) **ÉCRASEMENT**, 1
drukkingsgroep **LOBBY**, 1
drukkingsgroep (lid van een ~) **LOBBYISTE**, 1
dubbel **DOUBLE**, 1; **DOUBLEMENT**, 1
dubbele **DOUBLE**, 1
dubbele boekhouding **ÉCRITURE**, 1
duidelijk **NET, NETTE**, 2; **NETTEMENT**, 1
duik **PLONGEON**, 1
duik nemen **DÉGRINGOLER**, 1
dumping **DUMPING**, 1
duur **CHER, CHÈRE**, 1; **COÛTEUX, -EUSE**, 1; **ONÉREUX, -EUSE**, 1
duurder worden **RENCHÉRIR**, 1
dynamisch **ENTREPRENANT, -ANTE**, 1
dysfunctie **DYSFONCTIONNEMENT**, 1
EBWO (Europese Bank voor Wederopbouw en Ontwikkeling) **BERD**
ECB (Europese Centrale Bank) **BCE**
echtgenoot **CONJOINT, CONJOINTE**, 1; **ÉPOUX, ÉPOUSE**, 1
ecologie **ÉCOLOGIE**, 1; **ÉCOLOGIE**, 2
ecologisch **ÉCO**, 2; **ÉCOLOGIQUE**, 1; **ÉCOLOGISTE**, 1
ecologist **ÉCOLO**, 1
ecoloog **ÉCOLOGISTE**, 1
economaat **ÉCONOMAT**, 1
econometrie **ÉCONOMÉTRIE**, 1
econometrisch **ÉCONOMÉTRIQUE**, 1
economie **ÉCONOMIE**, 1; **ÉCONOMIQUE**, 1
economisch **ÉCO**, 1; **ÉCONOME**, 1; **ÉCONOMICO-**, 1; **ÉCONOMIQUE**, 1; **ÉCONOMIQUEMENT**, 1
economisch en financieel **ÉCONOMICO-FINANCIER, -IÈRE**, 1
economisch en politiek **ÉCONOMICO-POLITIQUE**, 1
economisch (zich (langzaam) ~ ontwikkelen) **DÉCOLLER**, 1
economische belangengemeenschap **GIE**
economische depressie **DÉPRESSION**, 1
Economische en Monetaire Unie (EMU) **UEM**
economische veroudering **OBSOLESCENCE**, 1
economische wetenschappen **ÉCONOMIE**, 2
Economische (Organisatie voor ~ Samenwerking en Ontwikkeling, OESO) **OCDE**
economisme **ÉCONOMISME**, 1
econoom **ÉCONOME**, 1; **ÉCONOMISTE**, 1
eenheden (in produktie zijnde ~) **EN(-)COURS**, 1
eenjaarlijks **ANNUEL, -ELLE**, 1
éénmansbedrijf met beperkte aansprakelijkheid **EURL**
eetbaar **COMESTIBLE**, 1; **MANGEABLE**, 1
effect **EFFET**, 1
effect (waardeloos ~) **NON-VALEUR**, 1
effecten **TITRE**, 1; **VALEUR**, 2
effecten (houder van ~) **PORTEUR, PORTEUSE**, 1
effecten (instelling voor collectieve belegging in ~, ICBE) **OPCVM**
effecten (levering van gekochte ~) **LIQUIDATION**, 3
effectenarbitrage **ARBITRAGE**, 1
effectenbeurs **BOURSE**, 1
effectenmakelaar **BROKER**, 1
effectenrekening **COMPTE-TITRES**, 1
efficiënt **EFFICIENT, -IENTE**, 1
efficiëntie **EFFICIENCE**, 1; **RENDEMENT**, 2
EIB (Europese Investeringsbank) **BEI**
eigenaar **POSSESSEUR**, 1; **PROPRIÉTAIRE**, 1
eigenarenvereniging (lid van de ~ in een flatgebouw) **SYNDICATAIRE**, 1
eigenarenverenigings- **SYNDICATAIRE**, 1
eigendom **POSSESSION**, 1; **PROPRIÉTÉ**, 1; 2
eigendom (gemeenschappelijke ~) **COPROPRIÉTÉ**, 1
eigendom (in ~ hebben) **POSSÉDER**, 1
eilandstelling **GONDOLE**, 1
eindejaarsreces **TRÊVE DES CONFISEURS**, 1
eindjes (moeite hebben om de ~ aan mekaar te knopen) **BOUTS**, 1; **FINS DE MOIS DIFFICILES**, 1
eindstation **TERMINAL**, 1; 2
eis **REVENDICATION**, 1
eisen **REVENDIQUER**, 1
elasticiteit **ÉLASTICITÉ**, 1
elektriciteit **ÉLECTRICITÉ**, 1
elektriciteitsproducent **ÉLECTRICIEN**, 1
elektrisch **ÉLECTRIQUE**, 1
elektrische huishoudapparaten **ÉLECTROMÉNAGER**, 1; **ÉLECTROMÉNAGER**, 1
elektrische (fabrikant van ~ huishoudapparaten) **ÉLECTROMÉNAGISTE**, 1
elektronica **ÉLECTRONIQUE**, 1
elektronisch **ÉLECTRONIQUE**, 1
elektronisch geld **MONÉTIQUE**, 1
elektronische post **COURRIEL**, 1; **MESSAGERIE**, 2
e-mail **COURRIEL**, 1
embargo **EMBARGO**, 1
EMI (Europees Monetair Instituut) **IME**
emissie- **ÉMETTEUR, -TRICE**, 1; **ÉMISSION**, 1
emittent **ÉMETTEUR, ÉMETTRICE**, 1
emolumenten **ÉMOLUMENTS**, 1
EMS (Europees monetair stelsel) **SME**
EMU (Economische en Monetaire Unie) **UEM**
endossant **ENDOSSEUR**, 1
endosseren **ENDOSSER**, 1
endossering **ENDOSSEMENT**, 1
energetisch **ÉNERGÉTIQUE**, 1
energie **ÉNERGIE**, 1
energie- **ÉNERGÉTIQUE**, 1
energiebron **SOURCE**, 2
engineering **ENGINEERING**, 1; **INGÉNIERIE**, 1
enorm **ÉNORME**, 1; **ÉNORMÉMENT**, 1; **FOUDROYANT, -ANTE**, 1
entiteit **CENTRE**, 1
entiteit (administratieve ~) **COLLECTIVITÉ**, 2
entrepot **ENTREPÔT**, 1

entrepothouder **ENTREPOSEUR**, 1
entrepreneurship **ENTREPRENEURIAT**, 1; **ENTREPRENEURSHIP**, 1
envelop **ENVELOPPE**, 1
enveloppe **ENVELOPPE**, 1; **ENVELOPPE**, 2
equivalent **ÉQUIVALENT, -ENTE**, 1
equivalent zijn **ÉQUIVALOIR**, 1
equivalentie **ÉQUIVALENCE**, 1
ereloon **HONORAIRES**, 1; **VACATION**, 1
erfdienstbaarheid (afkoop van ~) **RACHAT**, 2
erg **HAUTEMENT**, 1
ergonomie **ERGONOMIE**, 1
ergonomisch **ERGONOMIQUE**, 1
ergonoom **ERGONOME**, 1; **ERGONOMISTE**, 1
erosie **ÉROSION**, 1
erts **MINERAI**, 1
ervaren **EXPÉRIMENTÉ, -ÉE**, 1
ervaring **EXPÉRIENCE**, 1
etalage **ÉTALAGE**, 1
etalages (het bekijken van winkels en ~) **LÈCHE-VITRINE(S)**, 1; **MAGASINAGE**, 1
etalages (winkels en ~ bekijken) **MAGASINER**, 1
etatisme **ÉTATISME**, 1
eten **MANGER**, 1
eter **MANGEUR, MANGEUSE**, 1
euro **EURO**, 1
eurocent **CENT**, 1; **EUROCENT**, 1; **EUROCENTIME**, 1
eurocheque **EC**
Eurocheque **EUROCHÈQUE**, 1
Eurodeviezen **EURODEVISE**, 1
Euro-obligatie **EURO-OBLIGATION**, 1
Europees Monetair Instituut (EMI) **IME**
Europees monetair stelsel (EMS) **SME**
Europees Ontwikkelingsfonds **FED**
Europese Bank voor Wederopbouw en Ontwikkeling (EBWO) **BERD**
Europese Centrale Bank (ECB) **BCE**
Europese Consumentenorganisatie (BEUC) **BEUC**
Europese Investeringsbank (EIB) **BEI**
Europese Verbruikersorganisatie (BEUC) **BEUC**
Eurovaluta's **EURODEVISE**, 1
evenredig bedrag **QUOTITÉ**, 1
evenwicht **ÉQUILIBRE**, 1
evenwicht (het in ~ brengen) **ÉQUILIBRAGE**, 1
evenwicht (in ~ brengen) **ÉQUILIBRER**, 1
evenwicht (uit ~ brengen) **DÉSÉQUILIBRER**, 1
evolutie met pieken en dalen **DENTS DE SCIE**, 1
exemplaren (onverkochte ~) **INVENDU**, 1; 2
expansie **CROISSANCE**, 2; **ESSOR**, 1; **EXPANSION**, 1
expansionisme **EXPANSIONNISME**, 1
expansionistisch **EXPANSIONNISTE**, 1; **EXPANSIONNISTE**, 1
expediteur **EXPÉDITEUR, EXPÉDITRICE**, 1; **TRANSPORTEUR**, 1
expert **CADRE**, 2; **EXPERT, EXPERTE**, 1
expertise **EXPERTISE**, 1; 2
exploderen **EXPLOSER**, 1
exploitant **EXPLOITANT, EXPLOITANTE**, 1
exploitatie (commerciële ~) **MARCHANDISAGE**, 2; **MARCHANDISATION**, 1; **MERCHANDISING**, 1
exploitatierechten (het verlenen van exclusieve ~) **CONCESSION**, 2
exploiteren marktsegment (het te ~) **CRÉNEAU**, 2
exploiteren (commercieel ~) **MARCHANDISER**, 1
exploiteren (mijn-/bosbouw) **AMÉNAGER**, 1
explosie **EXPLOSION**, 1
exponentieel **EXPONENTIEL, -IELLE**, 1
export **EXPORT**, 1; **EXPORTATION**, 1; **SORTIE**, 2
export (verkoopkantoor voor ~) **COMPTOIR**, 2
exporteerbaar **EXPORTABLE**, 1
exporteren **EXPORTER**, 1
exporterend **EXPORTATEUR, -TRICE**, 1
exporteur **EXPORTATEUR, EXPORTATRICE**, 1; 2
exportfirma **EXPORTATEUR, EXPORTATRICE**, 2
exposant **EXPOSANT, EXPOSANTE**, 1
expositie **EXPOSITION**, 1
expositieruimte **SHOW(-)ROOM**, 1
expreskoerier **COURRIER(-)EXPRESS**, 1
expreskoerierdienst **COURRIER(-)EXPRESS**, 1
externaliteit **EXTERNALITÉ**, 1
extralegaal **EXTRA-LÉGAL, -ALE**, 1
extraprofessioneel **EXTRA-PROFESSIONNEL, -ELLE**, 1
fabricage **FABRICATION**, 1
fabricage (computerondersteunde ~) **FAO**
fabriceren **CONSTRUIRE**, 1; **FABRIQUER**, 1; **PRODUIRE**, 1
fabriek **FABRIQUE**, 1; **MANUFACTURE**, 1; **USINE**, 1
fabriek tijdelijk sluiten **LOCK-OUTER**, 1
fabriek (af ~) **EXW**
fabrieks- **MANUFACTURIER, -IÈRE**, 1
fabriekseigenaar **MANUFACTURIER**, 1
fabrieksmerk **TM**
fabrikant **CONSTRUCTEUR, -TRICE**, 1; **CONSTRUCTEUR**, 1; **FABRICANT, FABRICANTE**, 1
fabrikant van elektrische huishoudapparaten **ÉLECTROMÉNAGISTE**, 1
factoring **AFFACTURAGE**, 1; **FACTORING**, 1
factoring(s)maatschappij **AFFACTURAGE**, 1
factureerbaar **FACTURABLE**, 1
factureren **FACTURER**, 1
facturering **FACTURATION**, 1
factureringsafdeling **FACTURATION**, 2
facturist **FACTURIER, FACTURIÈRE**, 1
factuur **COMPTE**, 3; **FACTURE**, 1
factuur (het opmaken van een ~) **FACTURATION**, 1
factuurboek **FACTURIER**, 2
failliet **FAILLI, FAILLIE**, 1
faillietverklaring **FAILLITE**, 2
faillissement **FAILLITE**, 1
familie **FAMILLE**, 1
familie- **FAMILIAL, -IALE**, 1
fantastisch **FARAMINEUX, -EUSE**, 1
farmaceutisch **PHARMACEUTIQUE**, 1
farmacie **PHARMACIE**, 1
fax **FAX**, 1; **TÉLÉCOPIE**, 1
faxapparaat **FAX**, 3; **TÉLÉCOPIEUR**, 1
faxbericht **FAX**, 2
faxen **FAXER**, 1
federatie **FÉDÉRATION**, 1
feest- **FÉRIÉ, -IÉE**, 1
ferro- **FERREUX, -EUSE**, 1
fiche **FICHE**, 1; 2
filiaal **BUREAU**, 1; **SUCCURSALE**, 1
filialiseren **FILIALISER**, 1
filialisering **FILIALISATION**, 1
film **CINÉMA**, 2
financieel **FINANCIER, -IÈRE**, 1; 2; 3; **FINANCIÈREMENT**, 1; **PÉCUNIAIRE**, 1
financieel bijdragen **CONTRIBUER**, 1
financieel ondersteunen **COMMANDITER**, 2
financieel (economisch en ~) **ÉCONOMICO-FINANCIER, -IÈRE**, 1
financiële bijdrage leveren **CONTRIBUER**, 1
financiële ondersteuning **COMMANDITE**, 2
financiën **FINANCE**, 2; 4
Financiën (minister van ~) **ARGENTIER**, 1
Financiën (ministerie van ~) **FINANCE**, 3
financier **FINANCIER, FINANCIÈRE**, 1
financieren **FINANCER**, 1
financieren door belastingen **FISCALISER**, 1
financieren (met eigen middelen ~) **AUTOFINANCER**, 1
financiering **FINANCEMENT**, 1
financiering door belastingen **FISCALISATION**, 1
financiering (nieuwe ~) **RECAPITALISATION**, 1
financies **FINANCE**, 1
financiewezen **FINANCE**, 2; 4
firma **ENTREPRISE**, 1; 2; **FIRME**, 1; **MAISON**, 2; **SOCIÉTÉ**, 2
firma die aanplakoppervlakte verkoopt **AFFICHEUR**, 1
firmanaam **DÉNOMINATION SOCIALE**, 1; **ENSEIGNE**, 1; **RAISON SOCIALE**, 1
fiscaal **FISCAL, -ALE**, 1; **FISCALEMENT**, 1
fiscaal expert **FISCALISTE**, 1
fiscalist **FISCALISTE**, 1
fiscaliteit **FISCALITÉ**, 1
fiscus **CONTRIBUTION**, 3; **FISC**, 1; **TRÉSOR**, 2
flacon **FLACON**, 1
fles **BOUTEILLE**, 1
flesje **FLACON**, 1
flessenhals **GOULET D'ÉTRANGLEMENT**, 1; **GOULOT D'ÉTRANGLEMENT**, 1
flexibel **FLEXIBLE**, 1
flexibiliteit **FLEXIBILITÉ**, 1
fluctuatie **FLUCTUATION**, 1; **OSCILLATION**, 1
fluctueren **FLUCTUER**, 1; **OSCILLER**, 1; **VARIER**, 1
fokken **ÉLEVER**, 1
fokken (het ~) **ÉLEVAGE**, 1
folder **DÉPLIANT**, 1
follow-up **SUIVI**, 1
fonds **FONDS**, 4
Fonds (Internationaal Monetair ~, IMF) **FMI**
fondsen **ARGENT**, 2; **FONDS**, 3; **FONDS**, 5
fondsen (publieke ~) **DENIERS PUBLICS**, 1
fooi **SERVICE**, 4
forfaitair **FORFAITAIRE**, 1; **FORFAITAIREMENT**, 1
formulier **BORDEREAU**, 1; **FORMULAIRE**, 1; **FORMULE**, 1
fortuin **FORTUNE**, 1
foutief **DÉFECTUEUX, -EUSE**, 1
franchise **FRANCHISE**, 2
franchisegever **FRANCHISEUR**, 1
franchisenemer **FRANCHISÉ, FRANCHISÉE**, 1
franchising **FRANCHISAGE**, 1; **FRANCHISE**, 1; **FRANCHISING**, 1; **LOCATION-GÉRANCE**, 1

franchising toekennen **FRANCHISER**, 1
franco **FRANCO**, 1
franco op de kade **FOQ**
franco wagon **FOR**
frank **FRANC**, 1
fraude **FRAUDE**, 1
frauderen **FRAUDER**, 1
fraudeur **FRAUDEUR, FRAUDEUSE**, 1
frauduleus **FRAUDULEUSEMENT**, 1; **FRAUDULEUX, -EUSE**, 1
fuel **FUEL**, 1
functie **FONCTION**, 1; **POSITION**, 1; **POSTE**, 2
functionaris **FONCTIONNAIRE**, 1
functioneel **FONCTIONNEL, -ELLE**, 1
functioneren **FONCTIONNER**, 1
functioneren (het ~) **EXPLOITATION**, 3; **FONCTIONNEMENT**, 1
functioneren (het slecht ~) **DYSFONCTIONNEMENT**, 1
fuseren **FUSIONNER**, 1
fusie **FUSION**, 1
fusie aangaan met **FUSIONNER**, 1
fust **TONNEAU**, 1
futures **FUTURE**, 1
G(-)7 (Groep van zeven) **G(-)7**
G(-)8 (Groep van acht) **G(-)8**
gaanderij **GALERIE**, 2
gadget **GADGET**, 1
gage **CACHET**, 1
galerij **GALERIE**, 2
gamma **GAMME**, 1
garage **GARAGE**, 1
garagehouder **GARAGISTE**, 1
garanderen **GARANTIR**, 1
gas **GAZ**, 1
gat **TROU**, 1
GBT (gemeenschappelijk buitentarief) **TEC**
GCV (gewone commanditaire vennootschap) **SCS**
geadresseerde **DESTINATAIRE**, 1
gebak **PÂTISSERIE**, 1
gebakje **PÂTISSERIE**, 1
gebied **SITE**, 1; **ZONAGE**, 1; **ZONE**, 1; **ZONING**, 1
gebouw **BÂTIMENT**, 1
gebouw (onstabiel ~) **PRÉFABRIQUÉ**, 2
gebrek **DÉFAUT**, 1
gebrekkig **DÉFECTUEUX, -EUSE**, 1
gebruik **USAGE**, 1
gebruiker **USAGER**, 1
gedelegeerd bestuurder **ADMINISTRATEUR(-)DÉLÉGUÉ**, 1
gedematerialiseerd **DÉMATÉRIALISÉ, -ÉE**, 1
gediplomeerd **DIPLÔMÉ, -ÉE**, 1
gediplomeerde **DIPLÔMÉ, DIPLÔMÉE**, 1
geen enkel defect **ZÉRO PANNE**, 1
geen papier **ZÉRO PAPIER**, 1
geëndosseerde **ENDOSSATAIRE**, 1
gefabriceerd in **MADE IN ...**, 1
gefailleerd **FAILLI, -IE**, 1
gefailleerde **FAILLI, FAILLIE**, 1
gefortuneerd **FORTUNÉ, -ÉE**, 1
gegeven **DONNÉE**, 1
gegevensbank **BASE DE DONNÉES**, 1
gehalte **TAUX**, 2
geheel **TOTALITÉ**, 1
geheugen **MÉMOIRE**, 1
gekwalificeerd **QUALIFIÉ, -IÉE**, 1
geld **ARGENT**, 1; **CAPITAL**, 2; **FRIC**, 1; **NUMÉRAIRE**, 1; **SOUS**, 1
geld op een rekening plaatsen **APPROVISIONNER**, 3
geld op hypotheek opnemen **EMPRUNTER**, 1
geld steken in **COMMANDITER**, 1
geld (baar ~) **CASH**, 1; **ESPÈCES**, 1; **LIQUIDE**, 1
geld (chartaal ~) **PAPIER-MONNAIE**, 1
geld (contant ~) **NUMÉRAIRE**, 1
geld (elektronisch ~) **MONÉTIQUE**, 1
geld (gemunt ~) **NUMÉRAIRE**, 1
geld (gereed ~) **DISPONIBILITÉS**, 1; **ENCAISSE**, 1; **LIQUIDE**, 1
geld (het plaatsen van ~ op een rekening) **APPROVISIONNEMENT**, 3
geld (met zijn (eigen) ~) **DENIERS**, 1
geldautomaat **BANCOMAT**, 1; **BILLETTERIE**, 1
geldbeugel **BOURSE**, 5; **PORTE-MONNAIE**, 1
gelde (te ~ maken) **MONNAYER**, 1
geldelijk **PÉCUNIAIRE**, 1
gelden **FONDS**, 1
geldlade **TIROIR-CAISSE**, 1
geldmiddelen **ARGENT**, 2; **FONDS**, 2; **RESSOURCES**, 2
geldopvraging **RETRAIT**, 1
geldschieter **BAILLEUR, BAILLERESSE**, 2
geldstuk **MONNAIE**, 2
geldwisselaar **CHANGEUR, CHANGEUSE**, 1
geleidelijk **PROGRESSIVEMENT**, 1
geleider **CONVOYEUR, CONVOYEUSE**, 1
gelijk **ÉGAL, -ALE**, 1
gelijk zijn aan **ÊTRE**, 1
gelijk zijn (aan) **ÉGALER**, 1
gelijkheid **ÉGALITÉ**, 1
gelijkwaardig **ÉQUIVALENT, -ENTE**, 1
gelijkwaardig zijn **ÉQUIVALOIR**, 1
gelijkwaardigheid **ÉQUIVALENCE**, 1
geluids- en beeldmedia **AUDIOVISUEL**, 1
gemakswinkel **DÉPANNEUR**, 1
gemeenschap **COLLECTIVITÉ**, 1
gemeenschappelijk beheer **COGÉRANCE**, 1
gemeenschappelijk buitentarief (GBT) **TEC**
gemeenschappelijk vakbondsfront **FRONT COMMUN**, 1; **INTERSYNDICALE**, 1
gemeenschappelijke eigendom **COPROPRIÉTÉ**, 1
gemeenschappelijke sector **SECTEUR**, 2
gemengde vennootschap **JOINT(-)VENTURE**, 1
gemiddeld **MOYEN, -ENNE**, 1; **MOYENNEMENT**, 1
gemiddelde **MOYENNE**, 1
gemunt geld **NUMÉRAIRE**, 1
genieten van **BÉNÉFICIER**, 2; **PROFITER**, 2
gepensioneerd **RETRAITÉ, -ÉE**, 1
gepensioneerde **PENSIONNÉ, PENSIONNÉE**, 1; **RETRAITÉ, RETRAITÉE**, 1
gepeperde rekening **COUP DE BARRE**, 1; **COUP DE FUSIL**, 1; **DOULOUREUSE**, 1
gepingel (het ~) **MARCHANDAGE**, 1
gereed geld **DISPONIBILITÉS**, 1; **ENCAISSE**, 1; **LIQUIDE**, 1
gereedschap **OUTIL**, 1
geruchtentrommel **RADIO TROTTOIR**, 1
geschenkbon **CHÈQUE(-)CADEAU(X)**, 1; **CHÈQUE(-)SURPRISE**, 1
geschoolde **PRO**, 1
gesyndikeerd **SYNDIQUÉ, SYNDIQUÉE**, 1
getroffene **SINISTRÉ, SINISTRÉE**, 1
geval **DOSSIER**, 2
geven **CÉDER**, 2; **PROCURER**, 1
gever **DONNEUR, DONNEUSE**, 1
gevoelig **SENSIBLE**, 1; **SENSIBLEMENT**, 1
gevogelte- **AVICOLE**, 1
gevolg **EFFET**, 1
gevolmachtigde **MANDATAIRE**, 1
gevolmachtigde procuratiehouder **FONDÉ DE POUVOIR**, 1
geweigerde goederen **INVENDU**, 2
geweigerde waren **LAISSÉ(-)POUR(-)COMPTE**, 2
gewicht (dood ~) **POIDS MORT**, 1
gewone commanditaire vennootschap (GCV) **SCS**
gezamenlijk huren **COLOCATION**, 1
gezamenlijke onderneming **CO(-)ENTREPRISE**, 1
gezamenlijke pot **CAGNOTTE**, 2
gezinsquotiënt **QUOTIENT**, 2
gezondheidsindex **INDEX-SANTÉ**, 1; **INDICE-SANTÉ**, 1
gierig **AVARE**, 1
gierigaard **AVARE**, 1
gierigheid **AVARICE**, 1
gietijzer **FONTE**, 1
gift **CESSION**, 2; **DON**, 1
gigant **GÉANT**, 1
gigantisch **GIGANTESQUE**, 1
girorekening **CCP**
glas **VERRE**, 1;
glas- **VERRIER, -IÈRE**, 1
glazenier **VERRIER**, 1
goed **BIEN**, 1; **BON, BONNE**, 1; **MARCHANDISE**, 1
goederen **ACHALANDAGE**, 2; **BIEN**, 1; **MARCHANDISE**, 1
goederen in bewerking **EN(-)COURS**, 1
goederen (behandelen van ~) **MANUTENTIONNER**, 1
goederen (geweigerde ~) **INVENDU**, 2
goederenbehandeling **MANUTENTION**, 1
goedkoop van de hand doen **BRADER**, 1
golf **VAGUE**, 1
gondola **GONDOLE**, 1
goodwill **GOODWILL**, 1; 2; **SURVALEUR**, 1; **SURVALOIR**, 1
goud **OR**, 1
goudaandelen **AURIFÈRE**, 1
gouden handdruk **PRIME**, 3
goudgerande waarde **BLUE CHIP**, 1; **VALEUR(-)REFUGE**, 1
graad **TAUX**, 1
graan **BLÉ**, 1; **CÉRÉALE**, 1
graan- **CÉRÉALIER, -IÈRE**, 1
graangewassen **CÉRÉALE**, 1
graficus **AFFICHISTE**, 1
grafiek **GRAPHIQUE**, 1
grafische voorstelling **GRAPHIQUE**, 1
gratis **GRATUIT, -UITE**, 1; **GRATUITEMENT**, 1
gratis (het is niet ~) **DONNÉ**, 1
gratisaandeel **BONUS**, 1
grens **BARRE**, 1; **CAP**, 1
groei **CROISSANCE**, 1; 3
groeien **CROÎTRE**, 2
groeiwaarden **VALEUR(-)VEDETTE**, 1
groene belasting **ÉCOTAXES**, 1
groep **COLLECTIVITÉ**, 1; **GROUPE**, 1
Groep van acht (G(-)8) **G(-)8**
Groep van zeven (G(-)7) **G(-)7**
groepage **GROUPAGE**, 1
groepering **GROUPEMENT**, 1
groepering voor bedrijfseconomische samenwerking **GIE**
groepsverzekering **ASSURANCE(-)GROUPE**, 1
grond- **FONCIER, -IÈRE**, 1
groot **GRAND, GRANDE**, 1; **GROS, GROSSE**, 1; **MASSIF, -IVE**, 1
groot (zeer) **JUTEUX, -EUSE**, 1

groothandel **NÉGOCE**, 1
groothandelaar **GROSSISTE**, 1; **NÉGOCIANT, NÉGOCIANTE**, 1
grossier **GROSSISTE**, 1
gulden **FLORIN**, 1
gunstig **POSITIF, -IVE**, 2; **POSITIVEMENT**, 1
gunstkoopjes **SOLDE**, 3
half afgewerkt product **DEMI-PRODUIT**, 1; **SEMI-PRODUIT**, 1
halffabrikaat **DEMI-PRODUIT**, 1; **SEMI-PRODUIT**, 1
halfjaarlijks **SEMESTRIEL, -IELLE**, 1
halftijdse baan **MI-TEMPS**, 1
halftijdse betrekking **MI-TEMPS**, 1
hameren (het erin ~) **MATRAQUAGE**, 1
hand (goedkoop van de ~ doen) **BRADER**, 1
hand (het uit de ~ lopen) **DÉRAPAGE**, 1
hand (het van de ~ doen) **BRADAGE**, 1
hand (uit de ~ lopen) **DÉRAPER**, 1
handboek **MANUEL**, 1
handdruk (gouden ~) **PRIME**, 3
handel **AFFAIRE**, 3; **COMMERCE**, 1; 3; **NÉGOCE**, 1
handel drijven **COMMERCER**, 1
handel (het in de ~ brengen) **COMMERCIALISATION**, 1
handel (het uit de ~ nemen) **RETRAIT**, 2
handel (illegale ~) **TRAFIC**, 1; **TRAITE**, 2
handel (illegale ~ drijven) **TRAFIQUER**, 1
handel (in de ~ brengen) **COMMERCIALISER**, 1
handel (onzichtbare ~) **INVISIBLES**, 1
handelaar **COMMERÇANT, COMMERÇANTE**, 1; **NÉGOCIANT, NÉGOCIANTE**, 1; **TRADER**, 1
handelaar (illegale ~) **TRAFIQUANT, TRAFIQUANTE**, 1
handelaars **COMMERCE**, 2
handels- **COMMERÇANT, -ANTE**, 1; 2; **COMMERCIAL, COMMERCIALE**, 2; **COMMERCIAL, -IALE**, 1; 3; **MARCHAND, -ANDE**, 1
handelsmerk **TM**
handelsnaam **DÉNOMINATION SOCIALE**, 1; **ENSEIGNE**, 1; **RAISON SOCIALE**, 1
handelsnederzetting **COMPTOIR**, 2
handelspapier **EFFET**, 2; **WARRANT**, 2
handelsregister **RC**; **RCS**
handelsreiziger **VRP**
handelstermen (internationale ~) **TCI**
handelsvertegenwoordiger **PLACIER, PLACIÈRE**, 1
handhaven **MAINTENIR**, 1
handlanger **MANŒUVRE**, 1
handtekening **SIGNATURE**, 1
hapje eten **RESTAURER**, 1
hardware **HARDWARE**, 1; **MATÉRIEL**, 2
hausse **BOOM**, 1
haussespeculant **SPÉCULATEUR, SPÉCULATRICE**, 1
haven **PORT**, 1
headhunter **CHASSEUR DE TÊTES, CHASSEUSE DE TÊTES**, 1; **RECRUTEUR, RECRUTEUSE**, 1
hectare **HECTARE**, 1
heffing **IMPOSITION**, 1
heffingstoeslag **SURTAXE**, 1
heffingstoeslag (het opleggen van een ~) **SURTAXATION**, 1
helft **MOITIÉ**, 1
helpen **AIDER**, 1
herbevoorraden **RÉAPPROVISIONNER**, 1
herbevoorrading **RÉAPPROVISIONNEMENT**, 1
herdisconteren **RÉESCOMPTER**, 1
herdiscontering **RÉESCOMPTE**, 1
herfinanciering **REFINANCEMENT**, 1; 2
herinnering **RAPPEL**, 1; **RELANCE**, 3
herinneringsbrief **RAPPEL**, 1
herinschakeling **RECLASSEMENT**, 1; **REPLACEMENT**, 1
herinvesteren **RÉINVESTIR**, 1
herinvestering **RÉINVESTISSEMENT**, 1
herkapitalisatie **RECAPITALISATION**, 1
herkapitaliseren **RECAPITALISER**, 1
hernemen **REDÉMARRER**, 1
heropleven **REDÉMARRER**, 1
heropleving **ESSOR**, 1; **REDÉMARRAGE**, 1; **REDRESSEMENT**, 1
herordenen **RÉAMÉNAGER**, 1
heroriëntatie **RECENTRAGE**, 1
heroriënteren **RECENTRER**, 1
heroriëntering (strategische ~) **RECENTRAGE**, 1
herplafonneren **REPLAFONNER**, 1
herplafonnering **REPLAFONNEMENT**, 1
herschikken **RÉAJUSTER**, 1; **RÉALIGNER**, 1; **RÉAMÉNAGER**, 1; **RÉÉCHELONNER**, 1
herschikking **RÉAJUSTEMENT**, 1; **RÉALIGNEMENT**, 1; **RÉAMÉNAGEMENT**, 1; **RÉÉCHELONNEMENT**, 1
herstel **RELANCE**, 1; 2; **REMONTÉE**, 1; **REPRISE**, 3; **RÉTABLISSEMENT**, 1
herstellen **REDRESSER**, 1; **RELANCER**, 1; **RELANCER**, 2; **REMONTER**, 1
herstellen (~, zich ~) **RÉTABLIR**, 1
herstructureren **REDRESSER**, 2; **RESTRUCTURER**, 1
herstructurering **REDRESSEMENT**, 2; **RESTRUCTURATION**, 1
heruitvoer **RÉEXPORTATION**, 1
herverdelen **RÉALLOUER**, 1; **REDISTRIBUER**, 1
herverdelend **REDISTRIBUTEUR, -TRICE**, 1; **REDISTRIBUTIF, -IVE**, 1
herverdeling **RÉALLOCATION**, 1; **REDISTRIBUTION**, 1; 2
herverzekeraar **RÉASSUREUR**, 1
herverzekeren **RÉASSURER**, 1
herverzekering **RÉASSURANCE**, 1
herwaarderen **RÉALIGNER**, 1; **RÉÉVALUER**, 1; **REVALORISER**, 1
herwaardering **RÉALIGNEMENT**, 1; **REVALORISATION**, 1
herwerken **RETRAVAILLER**, 2
herzien **RÉVISER**, 2
herzienbaar **RÉVISABLE**, 1
hiërarchie **HIÉRARCHIE**, 1
hiërarchisch **HIÉRARCHIQUE**, 1; **HIÉRARCHIQUEMENT**, 1
histogram **HISTOGRAMME**, 1
hoekman **MARKET(-)MAKER**, 1
hoeveelheden (in kleine ~ verkopen) **DÉBITER**, 2; **DÉTAILLER**, 1
hoeveelheid **QUANTITÉ**, 1
hol (het op ~ slaan) **EMBALLEMENT**, 1
hol (op ~ slaan) **EMBALLER**, 2
holding **HOLDING**, 1
honorarium **CACHET**, 1; **HONORAIRES**, 1
hoofd **CHEF**, 1; **PATRON, PATRONNE**, 1
hoofdkantoor **MAISON-MÈRE**, 1; **SIÈGE SOCIAL**, 1
hoofdzetel **MAISON-MÈRE**, 1
hoog **ÉLEVÉ, -ÉE**, 1; **FORT, FORTE**, 1; **HAUT, HAUTE**, 1; **JOLI, -IE**, 1; **JOLIMENT**, 1
hoogstbiedende **OFFRANT**, 1
hoogtepunt (aan zijn ~ blijven hangen) **PLAFONNER**, 1
hot money **HOT MONEY**, 1
hotel **HÔTEL**, 1
hotel- **HÔTELIER, -IÈRE**, 1
hotelier **HÔTELIER, HÔTELIÈRE**, 1
houdbaar **STOCKABLE**, 1
houder **DÉPOSANT, DÉPOSANTE**, 1; **TENEUR, TENEUSE**, 1; **TITULAIRE**, 1
houder van een diploma **DIPLÔMÉ, DIPLÔMÉE**, 1; **DIPLÔMÉ, -ÉE**, 1
houder van effecten **DÉTENTEUR, DÉTENTRICE**, 1; **PORTEUR, PORTEUSE**, 1
hovenier **JARDINIER, JARDINIÈRE**, 1
hovenier- **JARDINIER, -IÈRE**, 1
huis **MAISON**, 1
huis (prefab ~) **PRÉFABRIQUÉ**, 1
huis-aan-huisverkoop **DÉMARCHAGE**, 1
huis-aan-huisverkopen **DÉMARCHER**, 1
huisgemaakt **MAISON**, 3
huishoudapparaten (elektrische ~) **ÉLECTROMÉNAGER**, 1; **ÉLECTROMÉNAGER**, 1
huishoudapparaten (fabrikant van elektrische ~) **ÉLECTROMÉNAGISTE**, 1
huishoudelijk **MÉNAGER, -ÈRE**, 1
huishouden **MÉNAGE**, 1
huispersoneel (bezoldiging van ~) **GAGES**, 1
huisvrouw **MÉNAGÈRE**, 1
hulp **AIDE**, 2
hulp- **ADJOINT, -OINTE**, 1
hulpkracht **AIDE**, 2
hulppersoneel **VACATAIRE**, 1
human resources management **DRH**
human resources manager **DRH**
huren **LOUER**, 2
huren (gezamenlijk ~) **COLOCATION**, 1
huren (het ~) **LOCATION**, 1
huur **BAIL**, 1; **LOYER**, 1
huur- **LOCATIF, -IVE**, 1
huurcontract **BAIL**, 1; **LOUAGE**, 1
huurder **LOCATAIRE**, 1; **PRENEUR, PRENEUSE**, 1
huurkoop **LOCATION-VENTE**, 1
huwen **ÉPOUSER**, 1
hyperconcurrentieel **HYPER(-)CONCURRENTIEL, -IELLE**, 1; 2
hyperinflatie **HYPERINFLATION**, 1
hypermarkt **HYPERMARCHÉ**, 1
hypothecair **HYPOTHÉCAIRE**, 1
hypotheek **HYPOTHÈQUE**, 1
hypotheek (geld op ~ opnemen) **EMPRUNTER**, 1
hypotheek (met ~ bezwaren) **HYPOTHÉQUER**, 1
hypothekeren **HYPOTHÉQUER**, 1
IAB (Internationaal Arbeidsbureau) **BIT**
IBHO (Internationale Bank voor Heropbouw en Ontwikkeling) **BIRD**
ICB (instelling voor collectieve beleggingen) **OPC**
ICBE (instelling voor collectieve belegging in effecten) **OPCVM**
ijzer **FER**, 1
ijzer- en staalindustrie **SIDÉRURGIE**, 1; 2
ijzer- en staalindustrie- **SIDÉRURGIQUE**, 1; 2; **SIDÉRURGISTE**, 1
ijzerhoudend **FERREUX, -EUSE**, 1
illegale handel **TRAFIC**, 1; 2
illegale handel drijven **TRAFIQUER**, 1

illegale handelaar **TRAFIQUANT, TRAFIQUANTE**, 1
IMF (Internationaal Monetair Fonds) **FMI**
immaterieel **IMMATÉRIEL, -IELLE**, 1
immobiliën **IMMOBILIER**, 1
import **ENTRÉE**, 2; **IMPORT**, 1; **IMPORTATION**, 1
importeren **IMPORTER**, 1
importeur **IMPORTATEUR, IMPORTATRICE**, 1; 2
import-export **IMPORT-EXPORT**, 1
inactief **INACTIF, -IVE**, 1
inactieve bevolking **NON-ACTIFS**, 1
inactieve persoon **NON-TRAVAILLEUR**, 1
inactiviteit **INACTIVITÉ**, 1
inbaar **ENCAISSABLE**, 1; 2; **RECOUVRABLE**, 1
inbreng **APPORT**, 1
inbrengen in de vennootschap **APPORTER**, 1
inbrenger **APPORTEUR**, 1
incassering **ENCAISSEMENT**, 1
inclusief **TTC**
incoterms **INCOTERM(E)S**, 1; **TCI**
index **INDEX**, 1
index- **INDICIEL, -IELLE**, 1
indexcijfer **INDICE**, 1
indexeren **INDEXER**, 1
indexering **INDEXATION**, 1
indexering opheffen **DÉSINDEXER**, 1
indicatief **INDICATIF, -IVE**, 1
indicator **AVERTISSEUR**, 1; **CLIGNOTANT**, 1; **INDICATEUR**, 1
indienstneming **EMBAUCHAGE**, 1; **EMBAUCHE**, 1
industrialiseren **INDUSTRIALISER**, 1
industrialisering **INDUSTRIALISATION**, 1
industrie **INDUSTRIE**, 1; 2
industrie (kleine en middelgrote ~) **PMI**
industrie (toeristische ~) **TOURISME**, 2
industriecomplex **COMPLEXE**, 1
industrieel **INDUSTRIEL, -IELLE**, 1; 2; **INDUSTRIELLEMENT**, 1
industrieel **INDUSTRIEL, INDUSTRIELLE**, 1
industrielanden (nieuwe ~) **NPI**
industriële vormgeving **DESIGN**, 1
ineenstorten **EFFONDRER**, 1
ineenstorting **CHUTE**, 1; **DÉGRINGOLADE**, 1; **EFFONDREMENT**, 1
inelasticiteit **INÉLASTICITÉ**, 1
inflatie **INFLATION**, 1
inflationistisch **INFLATIONNISTE**, 1
inflatoir **INFLATIONNISTE**, 2; **INFLATOIRE**, 1
informatica **INFORMATIQUE**, 1
informatica- **INFORMATIQUE**, 1
informaticus **INFORMATICIEN, INFORMATICIENNE**, 1
informatiseren **INFORMATISER**, 1
informatisering **INFORMATISATION**, 1
infosnelweg **AUTOROUTE**, 2; **INFOROUTES**, 1
infrastructuur **INFRASTRUCTURE**, 1
ingenieur **INGÉNIEUR, INGÉNIEURE**, 1
ingevoerde producten **IMPORTATION**, 2
ingevuld (behoorlijk ~) **DÛMENT REMPLI**, 1
inhameren (het ~) **TAPAGE**, 1
inkomen (belastbaar ~) **MATIÈRE**, 2
inkomen (bijkomend ~) **RENTE**, 4
inkomen (gewaarborgd minimum ~) **SMIG**
inkomen (welvaartsvast ~) **SMIC**
inkomensderving **MANQUE À GAGNER**, 1
inkomenssteun **REVENU**, 3
inkomsten **RECETTE**, 1
inkoop **RACHAT**, 1; **REPRISE**, 1
inkopen **ACHAT**, 2; **COMMISSION**, 3; **COURSES**, 1; **EMPLETTES**, 2
inkopen (het ~) **ACHAT**, 1
inkoper **ACHETEUR, ACHETEUSE**, 2
inkrimpen **AMPUTER**, 1; **RÉTRÉCIR**, 1; **TASSER**, 1
inkrimping **AMPUTATION**, 1; **CONTRACTION**, 1; **RESSERREMENT**, 1; **RÉTRÉCISSEMENT**, 1; **TASSEMENT**, 1
inktvulling **CARTOUCHE**, 1
inlegblad **ENCART**, 1
inleggen **DÉPOSER**, 1
inlegger **DÉPOSANT, DÉPOSANTE**, 1
innen **ENCAISSER**, 1; **ENRÔLER**, 1; **PERCEVOIR**, 1
inning **ENCAISSEMENT**, 1; **ENRÔLEMENT**, 1; **PERCEPTION**, 1
innovatie **INNOVATION**, 1; 2
innoveren **INNOVER**, 1
innoverend **INNOVANT, -ANTE**, 1; **INNOVATEUR, -TRICE**, 1; **NOVATEUR, -TRICE**, 1
inpakken **EMBALLER**, 1
inpakken (het ~) **EMBALLAGE**, 2
inpakker **EMBALLEUR, EMBALLEUSE**, 1
inpandgeving **NANTISSEMENT**, 1
inrichten **AMÉNAGER**, 1
inrichting **AMÉNAGEMENT**, 1
inschakelen (opnieuw ~) **RECLASSER**, 1
inschatten **MESURER**, 1
inschatten (het ~) **MESURE**, 2
inschrijven **SOUSCRIRE**, 1
inschrijver **SOUSCRIPTEUR, SOUSCRIPTRICE**, 1
inschrijving **SOUSCRIPTION**, 1
insolvabel **INSOLVABLE**, 1
insolvabiliteit **INSOLVABILITÉ**, 1
insolvent **INSOLVABLE**, 1
insolventie **INSOLVABILITÉ**, 1; **SURENDETTEMENT**, 1
instelling die gemakkelijk diploma's aflevert **FABRIQUE**, 2
instelling voor collectieve belegging in effecten (ICBE) **OPCVM**
instelling voor collectieve beleggingen (ICB) **OPC**
institutionele belegger **PLACEUR, PLACEUSE**, 1
institutionele beleggers **ZINZINS**, 1
instrument **INSTRUMENT**, 1
instrumentarium **APPAREILLAGE**, 1
intekenen op **SOUSCRIRE**, 2
intekening **SOUSCRIPTION**, 1
interbancair **INTERBANCAIRE**, 1
interest **INTÉRÊT**, 1; **RENTE**, 1
interest opbrengen **RÉMUNÉRER**, 2
interest (achterstallige ~) **ARRÉRAGES**, 1
interesten (schade(vergoeding) en ~) **DOMMAGES-INTÉRÊTS**, 1
interim **INTÉRIM**, 1; **INTÉRIMAIRE**, 1
interimaris **INTÉRIMAIRE**, 1
Internationaal Arbeidsbureau (IAB) **BIT**
Internationaal Monetair Fonds (IMF) **FMI**
Internationale Bank voor Heropbouw en Ontwikkeling (IBHO) **BIRD**
internationale handelstermen **TCI**
Internet **INTERNET**, 1
interprofessioneel **INTERPROFESSIONNEL, -ELLE**, 1
intersectorieel **INTERSECTORIEL, -IELLE**, 1
intersyndicaal **INTERSYNDICAL, -ALE**, 1
intranet **INTRANET**, 1
intrapreneur **INTRAPRENEUR, INTRAPRENEUSE**, 1
intrapreneuren **INTRAPRENDRE**, 1
intrapreneurship **INTRAPRENEURIAT**, 1; **INTRAPRENEURSHIP**, 1
invaliditeitsverzekering **ASSURANCE(-)INVALIDITÉ**, 1
inventaris **INVENTAIRE**, 1
inventariseren **INVENTORIER**, 1
investeerder **INVESTISSEUR, -EUSE**, 1; **INVESTISSEUR, INVESTISSEUSE**, 1
investeren **CAPITALISER**, 2; **INVESTIR**, 1; **PLACER**, 1
investering **INVESTISSEMENT**, 1; 2; 3; **PLACEMENT**, 1
Investeringsbank (Europese ~, EIB) **BEI**
investeringsmaatschappij met vast kapitaal **SICAF**
investeringsmaatschappij met veranderlijk kapitaal **SICAV**
invloedsgebied **CHALANDISE**, 1
invoer **ENTRÉE**, 2; **IMPORT**, 1; **IMPORTATION**, 1
invoerbaar **IMPORTABLE**, 1
invoerder **IMPORTATEUR, IMPORTATRICE**, 1; 2
invoeren **ENREGISTRER**, 1; **IMPORTER**, 1
invoerend **IMPORTATEUR, -TRICE**, 1
invorderbaar **ENCAISSABLE**, 2; **RECOUVRABLE**, 1
invorderen **RECOUVRER**, 1
invordering **ENCAISSEMENT**, 2; **RECOUVREMENT**, 1
invullen **LIBELLER**, 1
inzakking **TASSEMENT**, 1
inzamelen **COLLECTER**, 1
inzameling **COLLECTE**, 1
inzet **CAGNOTTE**, 3
jaar (boekhoudkundig ~) **EXERCICE**, 1
jaarbeurs **BOURSE**, 3; **FOIRE**, 1; **SALON**, 1
jaarboek **ANNUAIRE**, 2
jaarlijks **ANNUEL, -ELLE**, 1; **ANNUELLEMENT**, 1
job **BOULOT**, 1; **EMPLOI**, 3; **JOB**, 1; **MÉTIER**, 1
jobstudent **JOBISTE**, 1
joint venture **CO(-)ENTREPRISE**, 1; **JOINT(-)VENTURE**, 1
junk bond **JUNK(-)BOND**, 1
"just in time" productiestrategie **JIT**; **JUSTE(-)À(-)TEMPS**, 1; **JUST-IN-TIME**, 1
kaart **CARTE**, 1
kaartenbak **FICHIER**, 1
kaartje **BILLET**, 4
kaartsysteem **FICHIER**, 1
kabinet **CABINET**, 1
kade (franco op de ~) **FOQ**
kader **CADRE**, 1
kaderleden **ENCADREMENT**, 2
kaderlid **CADRE**, 1
kalmpjes aan doen (het ~) **TRAVAILLOTER**, 1
kalmte **ACCALMIE**, 1
kamer **CHAMBRE**, 1
kanaal **CANAL**, 2; **CHAÎNE**, 2
kandidaat **CANDIDAT, CANDIDATE**, 1
kandidaatstelling **CANDIDATURE**, 1
kantoor **AGENCE**, 1; **BUREAU**, 2; 5
kantoorautomatisering **BUREAUTIQUE**, 1
kapitaal **CAPITAL**, 1; 2; 3; **FONDS**, 1; **FONDS**, 2; **PRINCIPAL**, 1
kapitaal (investeringsmaatschappij met vast ~) **SICAF**
kapitaal (investeringsmaatschappij met veranderlijk ~) **SICAV**
kapitaal- **CAPITALISTIQUE**, 2

kapitaalintensief **CAPITALISTIQUE**, 1
kapitaalopbrengst **REVENU**, 2
kapitaalvlucht **REFLUX**, 1
kapitalisatie **CAPITALISATION**, 1
kapitaliseerbaar **CAPITALISABLE**, 1
kapitaliseren **CAPITALISER**, 1
kapitalisme **CAPITALISME**, 1; 2; 3
kapitalist **CAPITALISTE**, 1
kapitalistisch **CAPITALISTE**, 1
kartel **CARTEL**, 1; **ENTENTE**, 1
karton **CARTON**, 1; 2
Kas **CAISSE**, 4
kas **CAISSE**, 5
kas (het uit de ~ betalen) **DÉCAISSER**, 1
kasgeld **ENCAISSE**, 1
kassa **CAISSE**, 1; 3; **CAISSE**, 6
kassa-inhoud **CAISSE**, 2
kassier **CAISSIER, CAISSIÈRE**, 1
kasstroom **CASH(-)FLOW**, 1
kasticket **TICKET**, 1
kasuitgave(n) **SORTIE**, 1
kelner **GARÇON**, 1; **SERVEUR, SERVEUSE**, 1
kern **CELLULE**, 1
kern- **NUCLÉAIRE**, 1
kernenergie **NUCLÉAIRE**, 1
keten **CHAÎNE**, 1; 3; **RÉSEAU**, 1
keten (van) kortingzaken **DISCOMPTEUR**, 1; **DISCOUNTER**, 1
kilo **KILO**, 1
kilogram **KILO**, 1
kist **CAGEOT**, 1
kistje **CAGEOT**, 1
kladboek **BROUILLARD**, 1
klant **CHALAND, CHALANDE**, 1; **CLIENT, CLIENTE**, 1
klant **CLIENT, -ENTE**, 1
klant (beoogde ~) **CLIENT-CIBLE**, 1
klant (potentiële ~) **PROSPECT**, 1
klanten (actief ~ werven) **PROSPECTER**, 1
klantenareaal **CHALANDISE**, 1
klantenbezoeker **DÉMARCHEUR, DÉMARCHEUSE**, 1
klantenbinding **FIDÉLISATION**, 1
klantenbinding (aan ~ doen) **FIDÉLISER**, 1
klantenkring **ACHALANDAGE**, 1
klantenwerver (actieve ~) **PROSPECTEUR, PROSPECTRICE**, 1
klantenwerving (actieve ~) **PROSPECTION**, 1
klein **LÉGER, -ÈRE**, 1; **LÉGÈREMENT**, 1; **MAIGRE**, 1; **MÉDIOCRE**, 1; **PETIT, -ITE**, 1
klein (zeer ~) **MINIME**, 1
kleine en middelgrote industrie **PMI**
kleine en middelgrote onderneming (KMO) **PME**
kleingeld **MITRAILLE**, 1; **MONNAIE**, 3
kleinhandel **DÉBIT**, 4; **DÉTAIL**, 1
kleinhandelaar **DÉBITANT, DÉBITANTE**, 1; **DÉTAILLANT, DÉTAILLANTE**, 1
klim **ASCENSION**, 1; **GRIMPÉE**, 1; **MONTÉE**, 1
klim (plotselinge ~) **FLAMBÉE**, 1
klim (snelle ~) **ENVOL**, 1; **ENVOLÉE**, 1
klimmen **GRIMPER**, 1
klimmen (plotseling ~) **FLAMBER**, 1
KMO (kleine en middelgrote onderneming) **PME**
knelpunt **GOULET D'ÉTRANGLEMENT**, 1; **GOULOT D'ÉTRANGLEMENT**, 1
knelpunt **POINT CHAUD**, 1
knoeien met **FRAUDER**, 1
knoeier **FRAUDEUR, FRAUDEUSE**, 1
know how **SAVOIR-FAIRE**, 1; **KNOW(-)HOW**, 1
koekjesfabrikant **BISCUITIER**, 1
koers **COURS**, 1
koerslijst **COTE**, 2
kok **CUISINIER, CUISINIÈRE**, 1
koop (recht van ~) **CALL**, 1
koopbaar **ACHETABLE**, 1; **RACHETABLE**, 1
koopje **OCCASION**, 1; **SOLDE**, 3
koopjes (periode voor de ~) **PRÉSOLDE**, 1
koopman **MARCHAND, MARCHANDE**, 1; **TRADER**, 1
koopwaar **MARCHANDISE**, 1
kopen **ACHETER**, 1
kopen (opnieuw ~) **RACHETER**, 1
koper **ACHETEUR, ACHETEUSE**, 1; **ACQUÉREUR, ACQUÉREUSE**, 1; **ACQUÉREUR, -EUSE**, 1; **CUIVRE**, 1; **DEMANDEUR, DEMANDEUSE**, 1; **PRENEUR, PRENEUSE**, 3
kopers- **ACHETEUR, -EUSE**, 2
kopie **DOUBLE**, 2
koppel **COUPLE**, 1
koppelbaas **NÉGRIER**, 2
koppensneller **CHASSEUR DE TÊTES, CHASSEUSE DE TÊTES**, 1
korting **DÉCOMPTE**, 1; **ESCOMPTE**, 1; **RABAIS**, 1; **RISTOURNE**, 1
korting geven **RISTOURNER**, 1
kortingzaak **DISCOMPTE**, 2; **DISCOUNT**, 2; **MINIMARGE**, 1; **SOLDERIE**, 1
kortingzaken (keten (van) ~) **DISCOMPTEUR**, 1; **DISCOUNTER**, 1
kost **CHARGE**, 2; **COÛT**, 1
kost- **COÛTANT**, 1
kostbaar **CHER, CHÈRE**, 1; **ONÉREUX, -EUSE**, 1
kostelijk **COÛTEUX, -EUSE**, 1
kosteloos **GRATUIT, -UITE**, 1; **GRATUITEMENT**, 1
kosteloos (niet ~) **PAYANT, -ANTE**, 2
kosteloosheid **GRATUITÉ**, 1
kosten **CHARGE**, 2; **COÛT**, 1; 2; **FRAIS**, 1
kosten **COÛTER**, 1
kosten betalen **DÉFRAYER**, 1
kosten (het betalen van iemands ~) **DÉFRAIEMENT**, 1
kostencompetitiviteit **COMPÉTITIVITÉ-COÛT**, 1
krachten (productieve ~) **PRODUCTIF**, 1
krant **QUOTIDIEN**, 1
krapte op de arbeidsmarkt **SUREMPLOI**, 1
krediet **CRÉDIT**, 1
krediet (ongedekt ~) **DÉCOUVERT**, 1
krediet- **CRÉDITEUR, -TRICE**, 1
kredietgever **PRÊTEUR, PRÊTEUSE**, 1
kredietinstelling (openbare ~) **IPC**
kredietplafond **ENCADREMENT**, 3
kredietverzekeraar **ASSUREUR(-) CRÉDIT**, 1
kredietverzekering **ASSURANCE(-) CRÉDIT**, 1
kredietwaardig **SOLVABLE**, 1
kredietwaardigheid **SOLVABILITÉ**, 1
kredietzijde **CRÉDIT**, 5
krijgen **BÉNÉFICIER**, 2
krimpen **CONTRACTER**, 2
kromme **COURBE**, 1
kroon **COURONNE**, 1
kroonjuwelen **JOYAUX (DE LA COURONNE)**, 1
kruidenier **ÉPICIER, ÉPICIÈRE**, 1
kruidenierswinkel **ÉPICERIE**, 1
kunstgalerij **GALERIE**, 1
kunstnijverheid **ARTISANAT**, 1
kwakkelbedrijf **CANARD BOITEUX**, 1
kwalificatie **QUALIFICATION**, 1
kwalitatief **QUALITATIF, -IVE**, 1; 2
kwaliteit **QUALITÉ**, 1
kwaliteitsmerk **LABEL**, 1
kwantificeerbaar **QUANTIFIABLE**, 1
kwantificeren **QUANTIFIER**, 1
kwantitatief **QUANTITATIF, -IVE**, 1
kwantiteit **QUANTITÉ**, 1
kwartaal **TRIMESTRE**, 1
kwitantie **ACQUIT**, 1
laag **BAS, BASSE**, 1; **FAIBLE**, 1; **MODIQUE**, 1
laag (abnormaal ~) **GÂCHÉ, -ÉE**, 1
laag (belachelijk ~) **DÉRISOIRE**, 1
laagconjunctuur **DÉPRESSION**, 1
laan uitsturen **VIRER**, 2
label **GRIFFE**, 1; **LABEL**, 1
labeur **BESOGNE**, 1
Labour Party (doctrine van de Engelse ~) **TRAVAILLISME**, 1
Labour Party (van de ~) **TRAVAILLISTE**, 1
laden **CHARGER**, 1; 2
laden (het ~) **CHARGEMENT**, 1; 3
laden (in containers ~) **CONTENEURISER**, 1
lading **CARGAISON**, 1; **FRET**, 2
lanceren **LANCER**, 1
lancering **LANCEMENT**, 1
landbouw **AGRICULTURE**, 1
landbouw- **AGRICOLE**, 1; **FERMIER, -IÈRE**, 1
landbouwer **AGRICULTEUR, AGRICULTRICE**, 1; **CULTIVATEUR, CULTIVATRICE**, 1; **FERMIER, FERMIÈRE**, 1
langdurige verhuur **LEASING**, 1
langzaam **LENT, LENTE**, 1; **LENTEMENT**, 1
last **CHARGE**, 1
lasthebber **MANDATAIRE**, 1
lat **BARRE**, 1
leadership **LEADERSHIP**, 1
leasen **LEASER**, 1
leasing **CRÉDIT-BAIL**, 1; **LEASING**, 1; **LOCATION-FINANCEMENT**, 1; **LOCATION-VENTE**, 1
leeftijdspyramide **PYRAMIDE DES ÂGES**, 1
lege vennootschap **SOCIÉTÉ(-) ÉCRAN**, 1
leiden **MANAGER**, 1; **PRÉSIDER**, 1
leidend **DIRECTEUR, -TRICE**, 1
leider **DIRECTEUR, DIRECTRICE**, 1; **DIRIGEANT, DIRIGEANTE**, 1; **LEADER**, 1
leiderschap **LEADERSHIP**, 1
leiding geven **DIRIGER**, 1
leidinggevend personeel **ENCADREMENT**, 2
leidinggevend personeelslid **CADRE**, 1
leidinggevende **DIRIGEANT, DIRIGEANTE**, 1
leidraad **DIRECTIVE**, 1
lenen **EMPRUNTER**, 1; **PRÊTER**, 1
lening **CRÉDIT**, 2; **EMPRUNT**, 2; **PRÊT**, 1; 2
lening (het opnemen van een ~) **EMPRUNT**, 1
leningnemer **EMPRUNTEUR, EMPRUNTEUSE**, 1
leren **APPRENDRE**, 1
leren (het ~) **APPRENTISSAGE**, 1
leurder **COLPORTEUR, COLPORTEUSE**, 1; **DÉMARCHEUR, DÉMARCHEUSE**, 1
leuren **COLPORTER**, 1
leuren (het ~) **COLPORTAGE**, 1; **PORTE-À-PORTE**, 1
leurhandel **DÉMARCHAGE**, 1
levenscyclus (eerste fase van de ~ van een product) **SORTIE**, 3
levensmiddelen **COMESTIBLES**, 1; **VIVRES**, 1
levensstandaard **NIVEAU DE VIE**, 1

levensverwachting **ESPÉRANCE DE VIE**, 1
levensverzekeraar **ASSUREUR-VIE**, 1
levensverzekerde **ASSURÉ-VIE**, 1
levensverzekering **ASSURANCE-VIE**, 1
levenswijze **MODE DE VIE**, 1
leverancier **FOURNISSEUR, FOURNISSEUSE**, 1; **LIVREUR, LIVREUSE**, 1; **POURVOYEUR, POURVOYEUSE**, 1
leverbaar **LIVRABLE**, 1
leveren **FOURNIR**, 1; **LIVRER**, 1; **POURVOIR**, 1
levering **FOURNITURE**, 1; 2; **LIVRAISON**, 1; 2
levering van gekochte effecten **LIQUIDATION**, 3
liberaliseren **LIBÉRALISER**, 1
liberalisering **LIBÉRALISATION**, 1
licentie **LICENCE**, 1; 2
licht **LÉGER, -ÈRE**, 1; **LÉGÈREMENT**, 1
lichtjes **LÉGÈREMENT**, 1
lid **ADHÉRENT, ADHÉRENTE**, 1; **AFFILIÉ, AFFILIÉE**, 1
lid maken van een vakbond **SYNDIQUER**, 1
lid van de actieve bevolking **ACTIF**, 3
lid van de arbeidsrechtbank **PRUD'HOMME**, 1
lid van de eigenarenvereniging (in een flatgebouw) **SYNDICATAIRE**, 1
lid van een coöperatie **COOPÉRATEUR, COOPÉRATRICE**, 1
lid van een drukkingsgroep **LOBBYISTE**, 1
lid van een vrij beroep **PROFESSIONNEL, PROFESSIONNELLE**, 2
lid worden **ADHÉRER**, 1
lidmaatschap **ADHÉSION**, 1
lijfrente (schuldeiser van een ~) **CRÉDI(T)RENTIER, CRÉDI(T)RENTIÈRE**, 1
lijfrente (schuldenaar van een ~) **DÉBI(T)RENTIER, DÉBI(T)RENTIÈRE**, 1
limiet **CAP**, 1
liquide middelen **DISPONIBILITÉS**, 1; **LIQUIDITÉ**, 3
liquideren **LIQUIDER**, 2
liquiditeit **LIQUIDITÉ**, 1
liquiditeiten **TRÉSORERIE**, 1
lire **LIRE**, 1
lobby **LOBBY**, 1
lobbyen (het ~) **LOBBYING**, 1
lobbywerk **LOBBYING**, 1
lock-out **LOCK-OUT**, 1
logistiek **LOGISTIQUE**, 1
logistiek **LOGISTIQUE**, 1
logo **LOGO**, 1
loket **GUICHET**, 1
loketbediende **GUICHETIER, GUICHETIÈRE**, 1
lonend **RÉMUNÉRATEUR, -TRICE**, 1; **RÉMUNÉRATOIRE**, 1
lonend zijn **PAYER**, 2
loodgieter **PLOMBIER**, 1
loon **GAGES**, 1; **PAIE**, 1; **PAYE**, 1; **SALAIRE**, 1
loon (bijkomend ~) **SURSALAIRE**, 1
loon (gewenste ~) **PRÉTENTIONS**, 1
loon (vast ~) **FIXE**, 1
loon- **SALARIAL, -ALE**, 1
loonbriefje **PAIE**, 2; **PAYE**, 2
loonkosten **SALAIRE-COÛT**, 1
loonschaal **BARÈME**, 1
loonschaal (volgens de ~) **BARÉMIQUE**, 1
loontrekkend **SALARIAL, -ALE**, 2
loontrekkende **SALARIÉ, SALARIÉE**, 1
loontrekkende (statuut van ~ geven) **SALARIER**, 2
loontrekkende (veralgemening van het statuut van ~) **SALARISATION**, 1
loontrekkenden **SALARIAT**, 1; **SALARIÉ, SALARIÉE**, 2
loontrekkenden (dalend aandeel van de ~) **DÉSALARISATION**, 1
loonuittreksel **PAIE**, 2; **PAYE**, 2
loopbaan **CARRIÈRE**, 1
loopbaanonderbreking **PAUSE-CARRIÈRE**, 1
lossen **DÉCHARGER**, 1
lossing **DÉCHARGEMENT**, 1
lot **BILLET**, 3; **LOT**, 1
lucht- **AÉRIEN, -IENNE**, 1
luchthaven **AÉROPORT**, 1
luchtvaart **AÉRONAUTIQUE**, 1; **AVIATION**, 1
luchtvaart- **AÉRONAUTIQUE**, 1
lucratief **LUCRATIF, -IVE**, 1
maaltijdbon **CHÈQUE-REPAS**, 1; **CHÈQUE-RESTAURANT**, 1; **TICKET-REPAS**, 1; **TICKET-RESTAURANT**, 1
maaltijdcheque **CHÈQUE-REPAS**, 1; **CHÈQUE-RESTAURANT**, 1
maandelijks **MENSUEL, -ELLE**, 1; **MENSUELLEMENT**, 1
maandelijks betalen **MENSUALISER**, 1
maandelijks maken (het ~) **MENSUALISATION**, 1
maandelijkse afbetaling **MENSUALITÉ**, 1
maatregel **MESURE**, 1
maatschappij **COMPAGNIE**, 1; **SOCIÉTÉ**, 1
machine **MACHINE**, 1
machinerie **MACHINERIE**, 1
macro-economie **MACRO-ÉCONOMIE**, 1
macro-economisch **MACRO-ÉCONOMIQUE**, 1
magazijn **MAGASIN**, 2
magazijnbediende **MANUTENTIONNAIRE**, 1
magazijnchef **ÉCONOME**, 1
magazijnier **MAGASINIER, MAGASINIÈRE**, 1
magazine **HEBDOMADAIRE**, 1
mager **MAIGRE**, 1
magisch vierkant **CARRÉ MAGIQUE**, 1
magnaat **MAGNAT**, 1
mail **MÉL**, 1
mailing **MAILING**, 1; **PUBLIPOSTAGE**, 1
makelaar **BROKER**, 1; **CAMBISTE**, 1
makelaarsbemiddeling **COURTAGE**, 1
makelaarsloon **COURTAGE**, 2
malus **MALUS**, 1
man (aan de ~ brengen) **PLACER**, 2
management **DIRECTION**, 1; 2; **GESTION**, 1; **MANAGEMENT**, 1; 2
management buyout **MBO**
management (doelgericht ~) **DPO**
management (human resources ~) **DRH**
management- **MANAGÉRIAL, -IALE**, 1; 2
managementfunctie **DIRECTION**, 3
managen **DIRIGER**, 1: **MANAGER**, 1
manager **DIRECTEUR, DIRECTRICE**, 1: **GESTIONNAIRE**, 1; **GESTIONNAIRE**, 1; **MANAGER**, 1; **MANAGEUR, MANAGEUSE**, 1
manager (human resources ~) **DRH**
mand **CAGEOT**, 1
mandaat **MANDAT**, 1
mandje **BARQUETTE**, 1; **CAGEOT**, 1
manipuleren **TRAFICOTER**, 1; **TRAFIQUER**, 2
mantel **MANTEAU**, 1
manueel **MANUEL, -ELLE**, 1; **MANUELLEMENT**, 1
marge **FOURCHETTE**, 1; **MARGE**, 1
maritiem **MARITIME**, 1
mark **MARK**, 1
market maker **MARKET(-)MAKER**, 1
marketeer **MARKETEUR**, 1; **MARKETE(E)R**, 1; **MERCATICIEN, MERCATICIENNE**, 1
marketeers **COMMERCIAL, COMMERCIALE**, 1
marketing **MARKETING**, 1; **MERCATIQUE**, 1
marketing mix **MARCHÉAGE**, 1; **MARKETING-MIX**, 1
marketing-expert **MERCATICIEN, MERCATICIENNE**, 1
markt **MARCHÉ**, 1; 2
markt (dat men op de ~ kan brengen) **COMMERCIALISABLE**, 1
markt (het op de ~ brengen) **COMMERCIALISATION**, 1
markt (op de ~ brengen) **COMMERCIALISER**, 1
markt (uit de ~ nemen) **RETIRER**, 2
marktleider **LEADER**, 1
marktsegment **SEGMENT**, 1
marktsegment (het te exploiteren ~) **CRÉNEAU**, 2
marktsegmentering **SEGMENTATION**, 1
marktspeler **ACTEUR**, 1
marktverkenner **PROSPECTEUR, PROSPECTRICE**, 1
massaal **MASSIF, -IVE**, 1; **MASSIVEMENT**, 1
massagoed **PONDÉREUX**, 1
massagoederen **PONDÉREUX**, 1
mate (in grote ~) **MASSIVEMENT**, 1
materiaal **MATÉRIAU**, 1
materie **MATIÈRE**, 1
materieel **MATÉRIEL, -IELLE**, 1
materieel **MATÉRIEL**, 1
matig **MODÉRÉ, -ÉE**, 1; **MODÉRÉMENT**, 1; **RAISONNABLEMENT**, 1
matigen **MODÉRER**, 1
matiging **MODÉRATION**, 1
maturiteit **MATURITÉ**, 1
maximaal **MAXIMAL, -ALE**, 1; **MAXIMUM, MAXIMA**, 1
maximalisatie **MAXIMALISATION**, 1; **MAXIMISATION**, 1
maximum **MAXIMAL, -ALE**, 1; **MAXIMUM, MAXIMA**, 1
maximum **MAXIMUM**, 1; **PLAFOND**, 1
maximum (tot een ~ brengen) **MAXIMALISER**, 1; **MAXIMISER**, 1
maximumprijs **PRIX(-)PLAFOND**, 1
maximumquotum **QUOTA**, 1
mecenaat **MÉCÉNAT**, 1
mecenas **MÉCÈNE**, 1
mechanica **MÉCANIQUE**, 1
mechanisatie **MÉCANISATION**, 1
mechanisch **MÉCANIQUE**, 1; **MÉCANIQUEMENT**, 1
mechaniseren **MÉCANISER**, 1
mechanisme **MÉCANISME**, 1
medeaandeelhouder **COACTIONNAIRE**, 1
medebeheer **COGÉRANCE**, 1; **COGESTION**, 1
medebeheerder **COGÉRANT, COGÉRANTE**, 1
medebeheren **COGÉRER**, 1
medecontractant **COCONTRACTANT, COCONTRACTANTE**, 1
mede-eigenaar **COPROPRIÉTAIRE**, 1
medehuurder **COLOCATAIRE**, 1
medelid **SOCIÉTAIRE**, 1
medeverzekeraar **COASSUREUR**, 1
medeverzekeren **COASSURER**, 1
medeverzekering **COASSURANCE**, 1

medewerken **COLLABORER**, 1
medewerker **COLLABORATEUR, COLLABORATRICE**, 1
medewerking **COLLABORATION**, 1
media **MÉDIA**, 1
meedelen (het ~) **COMMUNICATION**, 1
meer (iets ~ dan) **POUSSIÈRES**, 1
meerderheid (verkrijging van de ~) **PRISE DE CONTRÔLE**, 1
meerkosten **SURCOÛT**, 1
meervoudig **MULTIPLE**, 1
meerwaarde **PLUS-VALUE**, 1; **VALORISATION**, 2
meerwaarde krijgen **APPRÉCIER**, 1
meester **MAÎTRE-ARTISAN**, 1
meetbaar **MESURABLE**, 1
megafusie **MÉGAFUSION**, 1
melkkoe **VACHE À LAIT**, 1
mercantiel **MERCANTILE**, 1
mercantilisme **MERCANTILISME**, 1
mercantilistisch **MERCANTILISTE**, 1
merchandiser **MARCHANDISEUR, MARCHANDISEUSE**, 1
merchandising **MARCHANDISAGE**, 1; **MERCHANDISING**, 1
merk **MARQUE**, 1
merk (zonder ~) **DÉGRIFFÉ, -ÉE**, 1
merknaam **GRIFFE**, 1
merknaam (van een ~ voorzien) **GRIFFÉ, -ÉE**, 1
merknamen (associatie van ~) **COGRIFFAGE**, 1
merknaam (zonder ~) **DÉGRIFFÉ, -ÉE**, 1
metaal **MÉTAL**, 1
metaal- **MÉTALLIQUE**, 1; 2; **MÉTALLURGISTE**, 1
metaalarbeider **MÉTALLO**, 1; **MÉTALLURGISTE**, 1
metaalbewerking **MÉTALLURGIE**, 1
metaalindustrie **MÉTALLURGIE**, 2
metaalindustrie (van de ~) **MÉTALLURGIQUE**, 1
metaalproducent **MÉTALLURGISTE**, 1
metallurgie **MÉTALLURGIE**, 2
metallurgisch **MÉTALLURGIQUE**, 1
meten **MESURER**, 1
meten (het ~) **MESURE**, 2
metselaar **MAÇON**, 1
micro-economie **MICRO-ÉCONOMIE**, 1
micro-economisch **MICRO-ÉCONOMIQUE**, 1
micro-informatica **MICRO-INFORMATIQUE**, 1
middel **INSTRUMENT**, 1
middelen **RESSOURCES**, 2
middelen (dotatie van ~) **DOTATION**, 1
middelen (liquide ~) **LIQUIDITÉ**, 3
middelen (met eigen ~ financieren) **AUTOFINANCER**, 1
middelen (rekening van ~ voorzien) **ALIMENTER**, 2
middelen (toewijzing van ~) **DOTATION**, 1
middelen (vastgelegde ~) **IMMOBILISATIONS**, 1
middelmatig **MÉDIOCRE**, 1; **MODÉRÉMENT**, 1; **MOYEN, -ENNE**, 1
middenkoers **TAUX(-)PIVOT**, 1
middenstand **CLASSES MOYENNES**, 1
mijn **MINE**, 1
mijn- **MINIER, -IÈRE**, 1
mijnwerker **MINEUR**, 1
milieu **ENVIRONNEMENT**, 1
milieu- **ÉCOLOGIQUE**, 2; **ENVIRONNEMENTAL, -ALE**, 1
milieuactivist **ÉCOLO**, 1; **ÉCOLOGISTE**, 2
milieubehoud **ÉCOLOGIE**, 2
milieuheffing **ÉCOTAXES**, 1
milieuverontreinigend product **POLLUANT**, 1
mindering **DÉCOMPTE**, 1
mindering (in ~ brengen) **DÉCOMPTER**, 1; **DÉDUIRE**, 1
miniem **MINIME**, 1
minimaal **MINIMAL, -ALE**, 1
minimaliseren **MINIMISER**, 1
minimalisering **MINIMISATION**, 1
minimum **MINIMUM, MINIMA**, 1
minimum **MINIMUM**, 1
minimumloner **SMICARD, SMICARDE**, 1
minimumloon **MINIMEX**, 1
minimumloontrekker **MINIMEXÉ, MINIMEXÉE**, 1
minimumpeil **PLANCHER**, 1
minimumprijs **PRIX(-)PLANCHER**, 1
minister van Financiën **ARGENTIER**, 1
ministerie van Financiën **FINANCE**, 3
minitel **MINITEL**, 1
minste (ten ~) **MINIMUM MINIMA**, 1
mobilair **MOBILIER, -IÈRE**, 1
model **MODÈLE**, 1
modeontwerper **COUTURIER**, 1
modeontwerpster **COUTURIÈRE**, 1
moedermaatschappij **SOCIÉTÉ(-)MÈRE**, 1
moeite hebben om de eindjes aan mekaar te knopen **BOUTS**, 1
mond aan mond reclame **BOUCHE À OREILLE**, 1
monetair **MONÉTAIRE**, 1
Monetair (Europees ~ Instituut, EMI) **IME**
monetair (Europees ~ stelsel, EMS) **SME**
Monetair (Internationaal ~ Fonds, IMF) **FMI**
Monetaire (Economische en ~ Unie, EMU) **UEM**
monetarisme **MONÉTARISME**, 1
monetarist **MONÉTARISTE**, 1
monetaristisch **MONÉTARISTE**, 1
monopolie **MONOPOLE**, 1
monopoliehouder **MONOPOLEUR, MONOPOLEUSE**, 1
monopolies (opheffing van ~) **DÉMONOPOLISATION**, 1
monopoliseren **MONOPOLISER**, 1
monopolisering **MONOPOLISATION**, 1
monopolist **MONOPOLEUR, MONOPOLEUSE**, 1
monopolistisch **MONOPOLISTE**, 1; **MONOPOLISTIQUE**, 1
monster **ÉCHANTILLON**, 1
montagebouw **PRÉFABRICATION**, 1
monteren **ASSEMBLER**, 1
monteur **MÉCANICIEN, MÉCANICIENNE**, 1; **MÉCANO**, 1
multimedia **MULTIMÉDIA**, 1
multinational **MULTINATIONALE**, 1
multinationale onderneming **MULTINATIONALE**, 1
multipack **MULTIPACK**, 1
munt **MONNAIE**, 1
munten **MONNAIE**, 2
munten (het ~) **MONNAYAGE**, 1
munter **MONNAYEUR**, 1
muntstuk **PIÈCE**, 2
mutualistisch **MUTUALISTE**, 1
naamloze vennootschap (NV) **SA**
nadruk **CONTREFAÇON**, 1
nadrukken **CONTREFAIRE**, 1
nadrukker **CONTREFACTEUR**, 1
NAFTA (Noordamerikaanse Vrijhandelsovereenkomst) **ALENA**
nakijken **RÉVISER**, 1
namaak **CONTREFAÇON**, 1; **SOUS-PRODUIT**, 2
namaakproduct **SOUS-PRODUIT**, 2
namaken **CONTREFAIRE**, 1
namaker **CONTREFACTEUR**, 1
naoorlogse (gouden ~ periode) **TRENTE GLORIEUSES**, 1
nationaliseren **ÉTATISER**, 1; **NATIONALISER**, 1
nationalisering **NATIONALISATION**, 1
natura (voordelen in ~) **AVANTAGE**, 3
natuurlijke persoon **PERSONNE PHYSIQUE**, 1
nauwkeurige afrekening **DÉCOMPTE**, 2
naverkoop- **APRÈS-VENTE**, 1
nazien en in orde bevinden van een rekening **APURER**, 1
nazien en in orde bevinden van een rekening (het ~) **APUREMENT**, 1
nederzetting **COMPTOIR**, 2
neertellen **DÉBOURSER**, 1
neerwaarts **BAISSIER, -IÈRE**, 1
negatief **NÉGATIF, -IVE**, 2; **NÉGATIVEMENT**, 1
negatief (met een ~ saldo) **DÉBITEUR, -TRICE**, 1
netto **NET, NETTE**, 1
netto binnenlands product **PIN**
nevenproduct **SOUS-PRODUIT**, 1
niche **CRÉNEAU**, 1; **NICHE**, 1
nichemarkt **NICHE**, 1
niet-betaling **NON-PAIEMENT**, 1; **NON-PAYEMENT**, 1
niet-concurrentie **NON-CONCURRENCE**, 1
nietig verklaren **ANNULER**, 1
nietigverklaring **ANNULATION**, 1
niet-incassering **NON-RECOUVREMENT**, 1
niet-indexering **NON-INDEXATION**, 1
niet-inning **NON-RECOUVREMENT**, 1
niet-levering **NON-LIVRAISON**, 1
niets voor niets **DONNANT DONNANT**, 1
niet-werkende **NON-TRAVAILLEUR**, 1
nieuwe industrielanden **NPI**
nominaal **NOMINAL, -ALE**, 1
non-profitsector **NON-MARCHAND**, 1
Noordamerikaanse Vrijhandelsovereenkomst (NAFTA) **ALENA**
norm **NORME**, 1
normalisatie **NORMALISATION**, 1
normaliseren **NORMALISER**, 1
normalisering **NORMALISATION**, 1
noteren **COTER**, 1
notering **COTATION**, 1; **COTE**, 1
nucleair **NUCLÉAIRE**, 1
NV (naamloze vennootschap) **SA**
ober **GARÇON**, 1
obligatie **OBLIGATION**, 1
obligatie (speculatieve ~) **JUNK(-) BOND**, 1
obligatie- **OBLIGATAIRE**, 1; 2
obligatiehouder **OBLIGATAIRE**, 1
occasie **OCCASION**, 1
occasie- **OCCASION**, 2
octrooi **BREVET**, 2
OESO (Organisatie voor Economische Samenwerking en Ontwikkeling) **OCDE**
oester- **OSTRÉICOLE**, 1
oesterkweker **OSTRÉICULTEUR, OSTRÉICULTRICE**, 1
oesterkwekerij **OSTRÉICULTURE**, 1
olie- **PÉTROLIER, -IÈRE**, 1
oliedollar **PÉTRODOLLARS**, 1
olietanker **PÉTROLIER**, 1
oligopolie **OLIGOPOLE**, 1
oligopolistisch **OLIGOPOLISTIQUE**, 1
omgaan met (geld) **BRASSER**, 2
omkaderen **ENCADRER**, 1
omkadering **ENCADREMENT**, 1
omkoopbaar **CORRUPTIBLE**, 1
omkopen **CORROMPRE**, 1

omkopen (omgekochte persoon) **VENDU**, 2
omkoper **CORRUPTEUR, CORRUPTRICE**, 1
omkoperij **CORRUPTION**, 1
omnium **OMNIUM**, 1
omniumverzekering **OMNIUM**, 1
omrekenen **CONVERTIR**, 1
omruilbaar **ÉCHANGEABLE**, 1
omschakelen **CONVERTIR**, 1; **RECONVERTIR**, 2
omschakeling **CONVERSION**, 1; **RECONVERSION**, 2
omscholen **RECONVERTIR**, 1
omscholing **RECONVERSION**, 1
omslag **ENVELOPPE**, 1
omwisselbaar (niet ~) **INCONVERTIBLE**, 1
omwisseling (openbaar bod tot ~) **OPE**
omzendbrief **CIRCULAIRE**, 1
omzet **CHIFFRE**, 2
omzetting **CONVERSION**, 1
onafgebroken **CONTINUELLEMENT**, 1
onbeduidend **INSIGNIFIANT, -ANTE**, 1
onbemiddeld **DÉMUNI, -IE**, 1; **DÉSARGENTÉ, -ÉE**, 1; **DÉSHÉRITÉ, -ÉE**, 1
onbemiddelde persoon **DÉSHÉRITÉ, DÉSHÉRITÉE**, 1
onbeslist **INDÉCIS, -ISE**, 1
onbetaalbaar **IMPAYABLE**, 1; **PROHIBITIF, -IVE**, 1
onbetaald **IMPAYÉ, -ÉE**, 1
onbetaalde rekeningen **IMPAYÉ**, 1
onbezoldigd **BÉNÉVOLE**, 1
onbezoldigde werknemer **BÉNÉVOLE**, 1
onder- **ADJOINT, -OINTE**, 1
onderaanbesteden **SOUS-TRAITER**, 1
onderaannemer **SOUS-TRAITANT**, 1
onderaannemer inschakelen **SOUS-TRAITER**, 1
onderaanneming **SOUS-TRAITANCE**, 1
onderaanneming (in ~ uitvoeren) **SOUS-TRAITER**, 2
onderbetalen **SOUS-PAYER**, 1
onderconsumptie **SOUS-CONSOMMATION**, 1
onderhoud **MAINTENANCE**, 1
onderhuren **SOUS-LOUER**, 1
onderhuur **SOUS-LOCATION**, 1
onderhuurder **SOUS-LOCATAIRE**, 1
ondernemen **ENTREPRENDRE**, 1
ondernemend **ENTREPRENANT, -ANTE**, 1
ondernemer **ENTREPRENEUR, ENTREPRENEUSE**, 1
onderneming **ENTREPRISE**, 1; 2; **EXPLOITATION**, 1
onderneming sluiten **CLEF SOUS LE PAILLASSON**, 1
onderneming (gezamenlijke ~) **CO(-)ENTREPRISE**, 1
onderneming (kleine en middelgrote ~, KMO) **PME**
onderneming (multinationale ~) **MULTINATIONALE**, 1
ondernemingen (die/dat betrekking heeft op verschillende ~) **INTERENTREPRISES**, 1
ondernemingszin (met ~) **ENTREPRENEURIAL, -IALE**, 1
onderproduceren **SOUS-PRODUIRE**, 1
onderproductie **SOUS-PRODUCTION**, 1
onderproductiviteit **SOUS-PRODUCTIVITÉ**, 1
ondersteunen (financieel ~) **COMMANDITER**, 2
ondersteuning (financiële ~) **COMMANDITE**, 2
ondertekenaar **SIGNATAIRE**, 1
ondertekenen **SIGNER**, 1
ondertekening **SIGNATURE**, 2
onderverdelen **VENTILER**, 1
onderverdeling **VENTILATION**, 1
onderverhuren **SOUS-LOUER**, 1
onderverhuur **SOUS-LOCATION**, 1
ondervoeding **SOUS-ALIMENTATION**, 1
onderwaardering **SOUS-VALEUR**, 1
Onderzoek en Ontwikkeling (R&D) **R(&)D RECHERCHE ET (LE) DÉVELOPPEMENT**, 1
onderzoek **ÉTUDE**, 3
onderzoeken **ÉTUDIER**, 2
oneconomisch **ANTIÉCONOMIQUE**, 1
onevenwicht **DÉSÉQUILIBRE**, 1
onevenwichtigheid **DÉSÉQUILIBRE**, 1
ongedekt krediet **DÉCOUVERT**, 1
ongeluk (zwaar/ernstig ~) **SINISTRE**, 2
ongeschoolde arbeider **OS**
ongeveer **APPROXIMATIVEMENT**, 1
ongeveer bedragen **AVOISINER**, 1
oninbaar **IRRECOUVRABLE**, 1; **IRRÉCOUVRABLE**, 1
oninvorderbaar **IRRECOUVRABLE**, 1; **IRRÉCOUVRABLE**, 1
oninwisselbaar **INCONVERTIBLE**, 1
onklopbaar **IMBATTABLE**, 1
onkosten **FRAIS**, 1
onkreukbaar **INCORRUPTIBLE**, 1
onmiddellijk ontslag **LICENCIEMENT-MINUTE**, 1
onproductief **IMPRODUCTIF, -IVE**, 1
onproductiviteit **IMPRODUCTIVITÉ**, 1
onregelmatig **IRRÉGULIER, -IÈRE**, 1; **IRRÉGULIÈREMENT**, 1
onroerend **IMMOBILIER, -IÈRE**, 1
onstabiel gebouw **PRÉFABRIQUÉ**, 2
ontginbaar **EXPLOITABLE**, 1
ontginnen **EXPLOITER**, 1
ontginning **EXPLOITATION**, 2
ontlenen **EMPRUNTER**, 1; 2
ontlener **EMPRUNTEUR, EMPRUNTEUSE**, 1; **EMPRUNTEUR, -EUSE**, 1
ontransporteerbaar **INTRANSPORTABLE**, 1
ontslaan **BALANCER**, 1; **CONGÉDIER**, 1; **DÉBAUCHER**, 2; **DÉMISSIONNER**, 2; **DÉSENGAGER**, 1; **LICENCIER**, 1; **RENVOYER**, 1; **VIRER**, 2
ontslaan (het ~) **DÉBAUCHAGE**, 2; **DÉSENGAGEMENT**, 1
ontslag **CONGÉDIEMENT**, 1; **DÉMISSION**, 1; **DÉMISSION**, 2; **LICENCIEMENT**, 1; **MISE À PIED**, 1
ontslag nemen **DÉMISSIONNER**, 1
ontslag (onmiddellijk ~) **LICENCIEMENT-MINUTE**, 1
ontslagenen (begeleiden van ~) **OUTPLACER**, 1
ontslagenen (begeleider van ~) **OUTPLACEUR**, 1
ontslagnemend **DÉMISSIONNAIRE**, 1
ontsparing **DÉSÉPARGNE**, 1
ontvangen **TOUCHER**, 1
ontvanger **CONSIGNATAIRE**, 1; **RÉCEPTIONNAIRE**, 1; **RECEVEUR**, 1
ontvanger van een vergoeding **INDEMNITAIRE**, 1
ontvangst **ENTRÉE**, 1; **RÉCEPTION**, 1; **RENTRÉE**, 1
ontvangst (in ~ nemen en controleren) **RÉCEPTIONNER**, 1
ontvang(st)bewijs **QUITTANCE**, 1; **RÉCÉPISSÉ**, 1; **REÇU**, 1
ontwaarding **ÉROSION**, 1
ontwerp **CONCEPTION**, 1
ontwerp (Computerondersteund ~, CAD) **CAO**
ontwerpen (het ~) **CRÉATION**, 1
ontwerper **BÂTISSEUR, BÂTISSEUSE**, 1; **CRÉATEUR, CRÉATRICE**, 1; **CRÉATIF**, 1
ontwikkelen (~, zich ~) **DÉVELOPPER**, 1
ontwikkeling **DÉVELOPPEMENT**, 1
Ontwikkeling (Onderzoek en ~, R&D) **R(&)D RECHERCHE ET (LE) DÉVELOPPEMENT**, 1
ontwikkeling (volkomen ~) **MATURITÉ**, 1
ontwikkelingsfase **DÉCOLLAGE**, 1
Ontwikkelingsfonds (Europees ~) **FED**
ontwikkelingslanden **PVD**
onverkocht **INVENDU, -UE**, 1
onverkochte exemplaren **INVENDU**, 1; 2
onverkoopbaar **INVENDABLE**, 1
onverkoopbare waren **LAISSÉ(-) POUR(-)COMPTE**, 1
onverpakt **VRAC**, 1
onvoldoende aantal **DÉFICIT**, 2
onvoldoende in aantal **DÉFICITAIRE**, 2
onvolledige tewerkstelling **SOUS-EMPLOI**, 1; 2
onzichtbare handel **INVISIBLES**, 1
oorsprong **SOURCE**, 1
opbrengen **BRASSER**, 3; **PRODUIRE**, 2; **RAPPORTER**, 1
opbrengen (doen ~) **TRAVAILLER**, 3
opbrengen (interest ~) **RÉMUNÉRER**, 2
opbrengst **PRODUIT**, 2, **RECETTE**, 1; **RENDEMENT**, 3; **RENTRÉE**, 1
opdrachtgever **COMMANDITAIRE**, 2; **MANDANT, MANDANTE**, 1; **TIREUR**, 1
OPEC (Organisatie der petroleumuitvoerende landen) **OPEP**
opeenhopen **ACCUMULER**, 1
opeenhoping **ACCUMULATION**, 1
openbaar bod tot omwisseling **OPE**
openbaar overnamebod **OPA**
openbare aanbieding ter verkoop **OPV**
openbare administratie **PUBLIC**, 1
openbare dienst **FONCTION**, 3
openbare kredietinstelling **IPC**
opendeurdag **PORTES OUVERTES**, 1
openen **OUVRIR**, 1; 2
openen (het ~) **OUVERTURE**, 2
opening **OUVERTURE**, 1; 2
openstaand **VACANT, -ANTE**, 1
operationeel **OPÉRATIONNEL, -ELLE**, 1; 2
opereren **OPÉRER**, 2
opgaand **HAUSSIER, -IÈRE**, 1
ophaling **COLLECTE**, 1
opheffing van monopolies **DÉMONOPOLISATION**, 1
opklaring **EMBELLIE**, 1
opklimmen tot **HISSER**, 1
opklimmend **ASCENDANT, -ANTE**, 1
opkoper **RACHETEUR, RACHETEUSE**, 1
opladen **CHARGER**, 1; 2
opladen (het ~) **CHARGEMENT**, 3
opleggen van een heffingstoeslag (het ~) **SURTAXATION**, 1
opleiden **FORMER**, 1
opleiding **FORMATION**, 1
opleving **ESSOR**, 1; **RELANCE**, 2
opmaken van een factuur (het ~) **FACTURATION**, 1
opneembaar in de boekhouding **COMPTABILISABLE**, 1
opnemen in de begroting **BUDGÉTER**, 1; **BUDGÉTISER**, 1
opnemen (een bedrag ~) **RETIRER**, 1

opnemen (het ~ van een lening) **EMPRUNT**, 1
opneming in de begroting **BUDGÉTISATION**, 1
oppotten **THÉSAURISER**, 1
oppotten (het ~) **THÉSAURISATION**, 1
opruimen **LIQUIDER**, 1; **SOLDER**, 2
opruiming **LIQUIDATION**, 1; **SOLDE**, 2
opschrift **BANDEAU**, 1
opslaan **EMMAGASINER**, 1; **ENTREPOSER**, 1; **STOCKER**, 1; 2
opslaan in een pakhuis (het ~) **MAGASINAGE**, 2
opslaan (het ~) **EMMAGASINAGE**, 1; **ENTREPOSAGE**, 1; **STOCKAGE**, 1; 2
opslaan (in containers ~) **CONTENEURISER**, 1
opslag **ENTREPOSAGE**, 1
opslagplaats **DÉPÔT**, 2; **ENTREPÔT**, 1; **RÉSERVE**, 2; **STOCK**, 2
opslorpen **ABSORBER**, 2; **RÉSORBER**, 1
opslorping **ABSORPTION**, 2; **RÉSORPTION**, 1
opsparen **THÉSAURISER**, 1
opsturen **ENVOYER**, 1
optellen **ADDITIONNER**, 1; **CUMULER**, 2
optelling **ADDITION**, 1; **CUMUL**, 2
optie **OPTION**, 1
opvatten **CONCEVOIR**, 1
opvolging **SUIVI**, 1
opvorderbaar **EXIGIBLE**, 1
opvraagbaar **EXIGIBLE**, 1
opwaarderen **RÉÉVALUER**, 1
opwaardering **RÉÉVALUATION**, 1
opzeggen **RÉSILIER**, 1
opzegging van het contract **RÉSILIATION**, 1
opzij zetten (het ~) **PLACEMENT**, 5
ordenen **RÉGLEMENTER**, 1
ordening **AMÉNAGEMENT**, 1
order **DIRECTIVE**, 2; **ORDRE**, 1
orderbriefje **BILLET**, 2
orderwoord **ORDRE**, 3
Organisatie der petroleumuitvoerende landen (OPEC) **OPEP**
organisatie **ORGANISATION**, 1; 2; 3; **STRUCTURE**, 1
Organisatie voor Economische Samenwerking en Ontwikkeling (OESO) **OCDE**
organisatie (overkoepelende ~) **CONFÉDÉRATION**, 1
organisatieschema **ORGANIGRAMME**, 1
organisme **CENTRALE**, 1; **ORGANISME**, 1
organogram **ORGANIGRAMME**, 1
ouderdomsverzekering **ASSURANCE(-)VIEILLESSE**, 1
ouderwets **OBSOLÈTE**, 1
outplacement **OUTPLACEMENT**, 1; **REPLACEMENT**, 1
outsourcing **IMPARTITION**, 1; **OUTSOURCING**, 1
overbelasten **SURCHARGER**, 1
overbetalen **SURPAYER**, 1
overbruggingskrediet **CRÉDIT(-)PONT**, 1
overdisponering **DÉCOUVERT**, 1
overdraagbaar **CESSIBLE**, 1
overdraagbaarheid **CESSIBILITÉ**, 1
overdracht **CAPITALISATION**, 2; **CESSION**, 1
overdragen **CAPITALISER**, 3
overdragende partij **CÉDANT, CÉDANTE**, 1
overdreven **EXCESSIVEMENT**, 1; **TAPAGEUR, -EUSE**, 1
overeengekomen terugbetaling **RISTOURNE**, 2
overeenkomen **ACCORDER**, 2
overeenkomst **ACCORD**, 1; **CONVENTION**, 1; **MARCHÉ**, 3; **TRANSACTION**, 2
overeenkomst (conform aan de ~) **CONVENTIONNEL, -ELLE**, 1
overgedisponeerd **DÉBITEUR, -TRICE**, 1
overgewaardeerd **SURCOTÉ, -ÉE**, 1
overgewicht **SURCHARGE**, 1
overheidsapparaat **FONCTION**, 3
overheidsbedrijf **RÉGIE**, 1
overheidslening **RENTE**, 3
overkoepelende organisatie **CONFÉDÉRATION**, 1
overkwalificatie **SURQUALIFICATION**, 1
overlijdensverzekering **ASSURANCE(-)DÉCÈS**, 1
overmaken **VIRER**, 1
overmaking **VIREMENT**, 1
overname **ABSORPTION**, 1; **REPRISE**, 1
overname (vennootschap vatbaar voor ~) **OPÉABLE**, 1; **OPÉISABLE**, 1
overnamebod (openbaar ~) **OPA**
overnamekandidaat **REPRENEUR**, 1
overnemen **ABSORBER**, 1; **REPRENDRE**, 1
overproduceren **SURPRODUIRE**, 1
overproductie **SURPRODUCTION**, 1
overschatten **SURÉVALUER**, 1
overschatting **SURÉVALUATION**, 1
overschot **EXCÉDENT**, 1; 2; **SURPLUS**, 1
overschrijden **EXCÉDER**, 1; **FRANCHIR**, 1
overschrijden (drempel ~) **CREVER**, 1
overschrijven **VIRER**, 1
overschrijving **VIREMENT**, 1
oversnelheid (het in ~ gaan) **EMBALLEMENT**, 1
overstijgen **DÉPASSER**, 1
overstijgen (het ~) **DÉPASSEMENT**, 1
overtollig **EXCÉDENTAIRE**, 2
overtreffen **DÉPASSER**, 1
overtreffen (het ~) **DÉPASSEMENT**, 1
oververhitting **SURCHAUFFE**, 1
overvloed **ABONDANCE**, 1
overvloedig **ABONDANT, -ANTE**, 1; **SURABONDANT, -ANTE**, 1
overwaarderen **SURÉVALUER**, 1
overwaardering **SURÉVALUATION**, 1
paar **COUPLE**, 1
packaging **CONDITIONNEMENT**, 1
pak **PAQUET**, 2; 3
pakhuis (het opslaan in een ~) **MAGASINAGE**, 2
pakhuis (het stockeren in een ~) **MAGASINAGE**, 2
pakhuisknecht **MAGASINIER, MAGASINIÈRE**, 1
pakje **PAQUET**, 2
pakket **COLIS**, 1; **PAQUET**, 1
palet **PALETTE**, 1
pan (de ~ uit rijzen) **ENVOLER**, 1
pandgeving **NANTISSEMENT**, 1
paneel **PANNEAU**, 1
panel **PANEL**, 1
papier (geen ~) **ZÉRO PAPIER**, 1
papiergeld **PAPIER-MONNAIE**, 1
parafiscaal **PARAFISCAL, -ALE**, 1
parafiscaliteit **PARAFISCALITÉ**, 1
parastataal **PARA-ÉTATIQUE**, 1; **PARASTATAL, -ALE**, 1
parastatale **PARASTATAL**, 1
pari **PAIR**, 1
pariteit **PARITÉ**, 1
particuliere sector **PRIVÉ**, 1
partij **LOT**, 1
partij (overdragende ~) **CÉDANT, CÉDANTE**, 1
partner **ALLIÉ, ALLIÉE**, 1; **PARTENAIRE**, 1
partnership **PARTENARIAT**, 1; **PARTNERSHIP**, 1
pasmunt **APPOINT**, 1; **MITRAILLE**, 1
passagier **PASSAGER, PASSAGÈRE**, 1
passagiersschip **PAQUEBOT**, 1
passief **PASSIF**, 1
passiefzijde van de balans **PASSIF**, 2
pasteibakker **PÂTISSIER, PÂTISSIÈRE**, 1
patrimonium **PATRIMOINE**, 1
patronaat **PATRON, PATRONNE**, 2; **PATRONAT**, 1
pauperisme **PAUPÉRISME**, 1
P.C. **MICRO-ORDINATEUR**, 1
pc-banking **PC-BANKING**, 1
peil (het op ~ houden) **MAINTIEN**, 1
peil (op ~ houden) **MAINTENIR**, 1
pendeldienst **NAVETTE**, 1
penningmeester **TRÉSORIER, TRÉSORIÈRE**, 1
pensioen **PENSION**, 1; 2; **RETRAITE**, 1
pensioen (vervroegd ~) **PRÉPENSION**, 1; **PRÉRETRAITE**, 1
pensioenspaarplan **REÉR**
pensioensparen (het ~) **ÉPARGNE-PENSION**, 1; **ÉPARGNE-RETRAITE**, 1
pensioensverzekering **ASSURANCE(-)PENSION**, 1
percent **CENT** (un pour ~), 1
percentage **POURCENTAGE**, 1; **TAUX**, 1
performant **PERFORMANT, -ANTE**, 1
periode voor de koopjes **PRÉSOLDE**, 1
periode (gouden naoorlogse ~) **TRENTE GLORIEUSES**, 1
permanente betalingsopdracht **INSTRUCTION PERMANENTE**, 1
personal computer **MICRO-ORDINATEUR**, 1
personeel **PERSONNEL**, 1
personeel doen afvloeien **DÉGRAISSER**, 1
personeel (leidinggevend ~) **ENCADREMENT**, 2
personeelsbezetting **EFFECTIF**, 1
personeelslid (leidinggevend ~) **CADRE**, 1
personeelsverloop **TURN(-)OVER**, 1
personenbelasting **IPP**; **IRPP**
personenwagen **VOITURE**, 1
persoon die een cheque uitschrijft **ÉMETTEUR, ÉMETTRICE**, 1
persoon (arme ~) **DÉSHÉRITÉ, DÉSHÉRITÉE**, 1
persoon (inactieve ~) **NON-TRAVAILLEUR**, 1
persoon (jonge ambitieuze ~) **LOUP**, 1
persoon (natuurlijke ~) **PERSONNE PHYSIQUE**, 1
persoon (omgekochte ~) **VENDU**, 2
persoon (onbemiddelde ~) **DÉSHÉRITÉ, DÉSHÉRITÉE**, 1
persoon (rijke ~) **RICHE**, 1
peseta **PESETA**, 1
petrochemie **PÉTROCHIMIE**, 1
petrochemisch **PÉTROCHIMIQUE**, 1
petrodollar **PÉTRODOLLARS**, 1
petroleum **PÉTROLE**, 1
petroleum- **PÉTROLIER, -IÈRE**, 1
petroleumuitvoerende (Organisatie der ~ landen, OPEC) **OPEP**
pieken (evolutie met ~ en dalen) **DENTS DE SCIE**, 1
pingelaar **MARCHANDEUR, MARCHANDEUSE**, 1
plaats **PLACE**, 1

plaatsen **PLACER**, 3
plaatsing **PLACEMENT**, 4
plafond **PLAFOND**, 1
plafond afschaffen **DÉPLAFONNER**, 1
plafond bereiken **PLAFONNER**, 1
plafond (afschaffing van het ~) **DÉPLAFONNEMENT**, 1
plafond (het bereiken van een ~) **PLAFONNEMENT**, 1
plan **CONCEPTION**, 1; **PLAN**, 1; 2
plan (algemeen boekhoudkundig ~) **PCG**
plannen **PLANIFIER**, 1
planning **PLANIFICATION**, 1; **PLANNING**, 1
planoloog **PLANIFICATEUR, PLANIFICATRICE**, 1
ploeg **ÉQUIPE**, 1
ploegbaas **CONTREMAÎTRE, CONTREMAÎTRESSE**, 1
ploegen (arbeid in afzonderlijke ~) **AUTOGESTION**, 2
ploegenarbeid **3X8**, 1
pluimvee- **AVICOLE**, 1
pluimveehouderij **AVICULTURE**, 1
pluimveekweker **AVICULTEUR, AVICULTRICE**, 1
pluimveekwekerij **AVICULTURE**, 1
poen **OSEILLE**, 1; **PÈZE**, 1; **POGNON**, 1
polis **POLICE**, 1
politico-financieel **POLITICO-FINANCIER, -IÈRE**, 1
politiek administratief **POLITICO-ADMINISTRATIF, -IVE**, 1
politiek (economisch en ~) **ÉCONOMICO-POLITIQUE**, 1
pollueren **POLLUER**, 1
polluerend **POLLUANT, -ANTE**, 1
polluerende stof **POLLUANT**, 1
pollutie **POLLUTION**, 1
pomphouder **POMPISTE**, 1
pond **LIVRE (STERLING)**, 1; **LIVRE**, 1
port **PORT**, 2
portefeuille **PORTEFEUILLE**, 1; 2
portemonnee **PORTE-MONNAIE**, 1
positie **POSITION**, 1
positief **POSITIF, -IVE**, 1; **POSITIVEMENT**, 1
positioneren **POSITIONNER**, 1
positionering **POSITIONNEMENT**, 1
post **ARTICLE**, 2; **COURRIER**, 2; **POSTE**, 3; 4
post (elektronische ~) **COURRIEL**, 1; **MESSAGERIE**, 2
postbeambte **POSTIER, POSTIÈRE**, 1
postchequerekening **CCP**
postindustrieel **POST(-)INDUSTRIEL, -IELLE**, 1
postkantoor **POSTE**, 4
postorderverkoop **VÉPÉCISTE**, 1; **VPC**
postwissel **MANDAT**, 2
pot **CAGNOTTE**, 1; 3; **POT**, 1
pot (gezamenlijke ~) **CAGNOTTE**, 2
potentiële klant **PROSPECT**, 1
PR **RELATIONS PUBLIQUES**, 1; **RP**
prefab huis **PRÉFABRIQUÉ**, 1
prefabricatie **PRÉFABRICATION**, 1
prefabriceren **PRÉFABRIQUER**, 1
prefabriceren (geprefabriceerd constructiedeel) **PRÉFABRIQUÉ**, 1
preïndustrieel **PRÉ(-)INDUSTRIEL, -IELLE**, 1
premie **BONUS**, 3; **PRIME**, 1; 2
president **PRÉSIDENT, PRÉSIDENTE**, 1
president-directeur **PDG, P-DG**
presidente **PÉDÉGÈRE**, 1
prestatie **PERFORMANCE**, 1; **PRESTATION**, 3
prestaties (hoge ~ leverend) **PERFORMANT, -ANTE**, 1
presteren **PERFORMER**, 1; **PRESTER**, 1; 2
prijs **PRIX**, 1; **TAUX**, 3; **VALEUR**, 1
prijs, verzekering, vracht (c.i.f.) **CAF**
prijs (tegen halve ~) **DEMI-TARIF**, 1
prijs (tegen sterk verminderde ~) **SEMI-GRATUIT, -UITE**, 1
prijselasticiteit **ÉLASTICITÉ-PRIX**, 1
prijslijst **TARIF**, 2
prijsstijging **RENCHÉRISSEMENT**, 1
prijstabel **BARÈME**, 1
prijsverlaging **DISCOMPTE**, 3; **DISCOUNT**, 3
prijsvermindering **RÉDUCTION**, 2
prijzen (verkopen tegen lage ~) **DISCOMPTER**, 1; **DISCOUNTER**, 1
prijzencompetitiviteit **COMPÉTITIVITÉ-PRIX**, 1
primafonds **BLUE CHIP**, 1
primaire sector **PRIMAIRE**, 1
principe ("vervuiler betaalt" ~) **POLLUEUR-PAYEUR**, 1
privatiseerbaar **PRIVATISABLE**, 1
privatiseren **PRIVATISER**, 1
privatisering **PRIVATISATION**, 1
privésector **PRIVÉ**, 1
procédé **PROCÉDÉ**, 1
proces **PROCESSUS**, 1
procuratiehouder (gevolmachtigde ~) **FONDÉ DE POUVOIR**, 1
producent **FABRICANT, FABRICANTE**, 1; 2; **PRODUCTEUR, PRODUCTRICE**, 1; **PRODUCTION**, 3
producent van uitrustingsgoederen **ÉQUIPEMENTIER**, 1
produceren **PRODUIRE**, 1; **TRAVAILLER**, 1
producerend **PRODUCTEUR, -TRICE**, 1
product **PRODUIT**, 1
product (bruto binnenlands ~, BBP) **PIB**
product (bruto nationaal ~, BNP) **PNB**
product (eerste fase van de levenscyclus van een ~) **SORTIE**, 3
product (half afgewerkt ~) **DEMI-PRODUIT**, 1; **SEMI-PRODUIT**, 1
product (milieuverontreinigend ~) **POLLUANT**, 1
producten (ingevoerde ~) **IMPORTATION**, 2
productgroep (zich tot één ~ beperkend) **MONO(-)PRODUIT**, 1
productie **PRODUCTION**, 1; 2; 3
productie (automatische ~) **PRODUCTIQUE**, 1
productie (computergestuurde ~) **FIO**
productie (in ~ zijnde eenheden) **EN(-)COURS**, 1
productie- **PRODUCTIF, -IVE**, 3
productieapparaat **APPAREIL**, 2
productiecapaciteit **PRODUCTIVITÉ**, 1
productie-eenheid **ÉTABLISSEMENT**, 1; **PRODUCTION**, 3
productief **PRODUCTIF, -IVE**, 1; 3
productieketen **FILIÈRE**, 1
productiepakket **GAMME**, 1
productiestrategie ("just in time" ~) **JIT**; **JUSTE(-)À(-)TEMPS**, 1; **JUST-IN-TIME**, 1
productieve krachten **PRODUCTIF**, 1
productivisme **PRODUCTIVISME**, 1
productivistisch **PRODUCTIVISTE**, 1
productiviteit **PRODUCTIVITÉ**, 1
proefwinkel **MAGASIN-PILOTE**, 1
professionaliseren **PROFESSIONNALISER**, 1
professionalisering **PROFESSIONNALISATION**, 1
professionalisme **PROFESSIONNALISME**, 1
professioneel **PROFESSIONNEL, -ELLE**, 1; 2; 3; **PROFESSIONNELLEMENT**, 2
professionele vormingsfirma **EAP**
profiel **PROFIL**, 1
profiteren van **PROFITER**, 1
programma **PROGRAMME**, 1
programmatuur **LOGICIEL**, 1
programmeur **PROGRAMMEUR, PROGRAMMEUSE**, 1
progressief **PROGRESSIF, -IVE**, 1
project **PROJET**, 1
projectie **CINÉMA**, 1
promesse **BON**, 1
promoten **PROMOTIONNER**, 1; **PROMOUVOIR**, 1
promotie **PROMO**, 1; **PROMOTION**, 1; 2; 3
promotioneel **PROMOTIONNEL, -ELLE**, 1
promotor **PROMOTEUR, PROMOTRICE**, 1; **PROMOTEUR, -TRICE**, 1
promoveren **PROMOUVOIR**, 2
prospecteren **PROSPECTER**, 1
prospectus (ingevoogd ~) **ENCART**, 1
protectionisme **PROTECTIONNISME**, 1
protectionistisch **PROTECTIONNISTE**, 1
prototype **PROTOTYPE**, 1
provisie **PROVISION**, 1; 2; 3
provisie aanleggen **PROVISIONNER**, 1
provisie (van ~ voorzien) **PROVISIONNER**, 2
PR-publicatie **PUBLIRÉDACTIONNEL**, 1; **PUBLIREPORTAGE**, 1
prullaria **CAMELOTE**, 1
public relations **RELATIONS PUBLIQUES**, 1; **RP**
publicatie **ÉDITION**, 1
publicitair artikel **PUBLIRÉDACTIONNEL**, 1; **PUBLIREPORTAGE**, 1
publicitair **PUBLICITAIRE**, 1; 2
publiciteit **PUB**, 1; 2; **PUBLICITÉ**, 1; 2; **RÉCLAME**, 1; 2
publiciteitsagent **PUBLICITAIRE**, 1
publieke fondsen **DENIERS PUBLICS**, 1
publieke sector **PUBLIC**, 2
quota **CONTINGENT**, 1
quotiënt **QUOTIENT**, 1
quotum **QUOTA**, 1
R&D (Onderzoek en Ontwikkeling) **R(&)D RECHERCHE ET (LE) DÉVELOPPEMENT**, 1
Raad **CONSEIL**, 1
raadgeven **CONSEILLER**, 1
raadgever **CONSEIL**, 2; **CONSEILLER, CONSEILLÈRE**, 1; **CONSULTANT, CONSULTANTE**, 1
raadsman **CONSEIL**, 2
raambiljet (klein ~) **AFFICHETTE**, 1
rabat **BONIFICATION**, 1
radio trottoir **RADIO TROTTOIR**, 1
raffinaderij **RAFFINERIE**, 1
raffinage **RAFFINAGE**, 1
raffinagespecialist **RAFFINEUR**, 1
raffineren **RAFFINER**, 1
raider **PRÉDATEUR**, 1; **RAIDER**, 1
ramp **SINISTRE**, 2
rampslachtoffer **SINISTRÉ, SINISTRÉE**, 1
rappel **RAPPEL**, 1
rappelbrief **RAPPEL**, 1
rating **NOTATION**, 1; **RATING**, 1
ratio **RATIO**, 1
rationalisatie **RATIONALISATION**, 1
rationaliseren **RATIONALISER**, 1
receptie **ENTRÉE**, 1; **RÉCEPTION**, 2
recessie **RÉCESSION**, 1
recht van koop **CALL**, 1
rechten **INTÉRÊT**, 2

rechthebbende **AYANT DROIT**, 1
rechtsbijstandsverzekering **CONTRE-ASSURANCE**, 2
rechtspersoon **PERSONNE MORALE**, 1
reclame **PUB**, 1; **PUBLICITÉ**, 1; **RÉCLAME**, 1
reclame (mond aan mond ~) **BOUCHE À OREILLE**, 1
reclame (schreeuwerige ~) **BATTAGE**, 1
reclameboodschap **PUB**, 2; **PUBLICITÉ**, 2; **RÉCLAME**, 2
reclamebureau **RÉGIE**, 2
reclamespot **SPOT**, 1
reclameverkoop **VENTE-RÉCLAME**, 1
reconversie **RECONVERSION**, 2
record **RECORD**, 1
recyclage **RECYCLAGE**, 2
recycleren **RECYCLER**, 2
redelijk **RAISONNABLE**, 1
reder **ARMATEUR**, 1
reduceren **ALLÉGER**, 1; **COMPRIMER**, 1; **DIMINUER**, 1; **DISCOMPTER**, 2; **LIMITER**, 1; **RÉDUIRE**, 1
reduceren (aanzienlijk ~) **CASSER**, 1
reductie **ABATTEMENT**, 2; **AFFAIBLISSEMENT**, 1; **ALLÉGEMENT**, 1; **COMPRESSION**, 1; **CONTRACTION**, 1; **DIMINUTION**, 1; **DISCOMPTE**, 3; **DISCOUNT**, 3; **ESCOMPTE**, 1; **LIMITATION**, 1; **RABAIS**, 1; **RÉDUCTION**, 1; **REMISE**, 1; **RISTOURNE**, 1
reductie (bijzonder grote ~) **GÂCHAGE**, 1
reëel **RÉEL, -ELLE**, 1
reengineering **RECONFIGURATION**, 1; **REENGINEERING**, 1
referentiewaarde **RÉFÉRENCE**, 1
regel **NORME**, 1; **RÈGLE**, 1
regelgeving **RÉGLEMENTATION**, 1
regelmatig **RÉGULIER, -IÈRE**, 1
registratie **COMPTABILISATION**, 2
registreren **COMPTABILISER**, 2
reglement **RÈGLEMENT**, 1
reglementair **RÉGLEMENTAIRE**, 1
reglementeren **RÉGLEMENTER**, 1
reglementering **RÉGLEMENTATION**, 1
regressie **RÉGRESSION**, 1
regressief **RÉGRESSIF, -IVE**, 1
reis **VOYAGE**, 1
reisbus **AUTOCAR**, 1
reischeque **TRAVELLER'S CHEQUE**, 1
reisorganisator **TOUR-OPÉRATEUR**, 1; **VOYAGISTE**, 1
reisverzekering **ASSURANCE(-) VOYAGE**, 1
reizen **VOYAGER**, 1
reiziger **VOYAGEUR, VOYAGEUSE**, 1
rek **ÉTAGÈRE**, 1; **RAYON**, 1
rekenen **CALCULER**, 1; **COMPTER**, 1; **FACTURER**, 1
rekening **ADDITION**, 2; **COMPTE**, 1; 2; 3; **FACTURE**, 2
rekening van middelen voorzien **ALIMENTER**, 2
rekening (geld op een ~ plaatsen) **APPROVISIONNER**, 3
rekening (gepeperde ~) **COUP DE BARRE**, 1; **COUP DE FUSIL**, 1; **DOULOUREUSE**, 1
rekening (het afsluiten van een ~) **ARRÊTÉ**, 1
rekening (het nazien en in orde bevinden van een ~) **APUREMENT**, 1
rekening (het plaatsen van geld op een ~) **APPROVISIONNEMENT**, 3
rekening (nazien en in orde bevinden van een ~) **APURER**, 1
rekeningen (onbetaalde ~) **IMPAYÉ**, 1
rekeningen (uitstaande ~) **IMPAYÉ**, 1
rekeninguittreksel **RELEVÉ**, 1
rekenmachine **CALCULATRICE**, 1
rekruteren **RECRUTER**, 1
rekrutering **EMBAUCHE**, 2; **RECRUTEMENT**, 1
remgeld **TICKET MODÉRATEUR**, 1
remmen **FREINER**, 1
remmen (het ~) **FREINAGE**, 1
rendabel **RENTABLE**, 1
rendement **PROFIT**, 1; **RÉMUNÉRATION**, 2; **RENDEMENT**, 1; 3; 4
renderend **RENTABLE**, 1
rendez-vous **RENDEZ-VOUS**, 1
rentabiliseren **RENTABILISER**, 1
rentabiliseren (het ~) **RENTABILISATION**, 1; 2
rentabiliteit **PROFITABILITÉ**, 1; **RENTABILITÉ**, 1
rente **RENTE**, 1; 2
rentenier **RENTIER, RENTIÈRE**, 4
renteontvanger **RENTIER, RENTIÈRE**, 1
repatriëren **RELOCALISER**, 1
repatriëring **RELOCALISATION**, 1
restbedrag **SOLDE**, 1
resultaat **RÉSULTAT**, 1
resultaat (slecht ~) **CONTRE-PERFORMANCE**, 1
retributie **REDEVANCE**, 1
return **RÉMUNÉRATION**, 2; **RENDEMENT**, 4; **RETURN**, 1
reus **GÉANT**, 1
reusachtig **FOUDROYANT, -ANTE**, 1; **GIGANTESQUE**, 1
revaluatie **RÉÉVALUATION**, 1
revisor **AUDIT**, 2; **COMMISSAIRE-RÉVISEUR**, 1; **RÉVISEUR**, 1
richtlijn **DIRECTIVE**, 1
ridder (witte ~) **CHEVALIER BLANC**, 1
ridder (zwarte ~) **CHEVALIER NOIR**, 1
rijk **FORTUNÉ, -ÉE**, 1; **NANTI, -IE**, 1; **RICHE**, 1; 2
rijkaard **RICHARD, RICHARDE**, 1; **RICHE**, 1
rijkdom **RICHESSE**, 1; 2
rijkdommen **RESSOURCES**, 1; **RICHESSE**, 3
rijke (persoon) **RICHE**, 1
rijksschatkist **TRÉSOR**, 1
rijtuig **VOITURE**, 1
risicokapitaal **CAPITAL(-)RISQUE**, 1
rivier- **FLUVIAL, -IALE**, 1
robot **ROBOT**, 1
robotica **ROBOTIQUE**, 1
robotiseren **ROBOTISER**, 1
robotisering **ROBOTISATION**, 1
rode cijfers (in de ~ zitten) **ROUGE**, 1
roebel **ROUBLE**, 1
roerend **MOBILIER, -IÈRE**, 1
rommel **PACOTILLE**, 1
rood (in het ~ zitten) **ROUGE**, 1
roulatie **ROTATION**, 1
routine **PROGRAMME**, 2
ruil **ÉCHANGE**, 1
ruilen **ÉCHANGER**, 1; **TROQUER**, 1
ruilhandel **TROC**, 1
rust **ACCALMIE**, 1
rust (op ~) **RETRAITÉ, -ÉE**, 1
salariaat **SALARIAT**, 2
salaris **APPOINTEMENTS**, 1; **SALAIRE**, 1
saldo **ARRÊTÉ**, 1; **SOLDE**, 1
saldo (batig ~) **BONI**, 2
saldo (met een negatief ~) **DÉBITEUR, -TRICE**, 1
salon **BOURSE**, 3; **SALON**, 1
samentellen **ADDITIONNER**, 1
samenwerken **COOPÉRER**, 1
samenwerking **COOPÉRATION**, 1
saneert (iemand die een bedrijf ~) **REDRESSEUR**, 1
saneren **ASSAINIR**, 1
sanering **ASSAINISSEMENT**, 1; **REDRESSEMENT**, 3
saturatie **SATURATION**, 1
schaalnadelen **DÉSÉCONOMIES**, 1
schaarste **PÉNURIE**, 1; **RARETÉ**, 1
schade **AVARIE**, 1; **DÉGÂT**, 1; **DOMMAGE**, 1; **SINISTRE**, 1
schadegeval **SINISTRE**, 1
schadeloos stellen **DÉDOMMAGER**, 1
schadeloos (wat ~ gesteld kan worden) **REMBOURSABLE**, 2.
schadeloosstellen **INDEMNISER**, 1
schadeloosstellend **INDEMNITAIRE**, 1
schadeloosstelling **INDEMNISATION**, 1; **INDEMNITÉ**, 2
schadevergoeding **DÉDOMMAGEMENT**, 1
schadevergoeding en interesten **DOMMAGES-INTÉRÊTS**, 1
schadeverzekering **ASSURANCE(-) DOMMAGES**, 1
schap **RAYON**, 1
schapruimte (aantal strekkende meters ~) **LINÉAIRE**, 1
schat **TRÉSOR**, 3
schatbewaarder **TRÉSORIER, TRÉSORIÈRE**, 1
schatkistobligatie **OLO**
schatkistpapier **OAT**
schatrijk **RICHISSIME**, 1
scheeps- **NAVAL, -ALE**, 1
scheepsbevrachter **CHARGEUR**, 1
scheepslading **CARGAISON**, 1
scheikunde **CHIMIE**, 1
scheikundig **CHIMIQUE**, 1
schenken **OFFRIR**, 2
schenker **DONATEUR, DONATRICE**, 1
schenking **DON**, 1; **DONATION**, 1
scheppend **CRÉATEUR, -TRICE**, 1; **CRÉATIF, -IVE**, 1
schepper **CRÉATEUR, CRÉATRICE**, 1
schets **PLAN**, 2
schijf **TRANCHE**, 1
schijfdiagram **CAMEMBERT**, 1
schip **NAVIRE**, 1
schommelen **FLUCTUER**, 1; **OSCILLER**, 1; **YOYO**, 1
schommeling **FLUCTUATION**, 1; **OSCILLATION**, 1
schommelingen (aan ~ onderhevig) **VOLATIL, -ILE**, 1
schrappen **COUPES SOMBRES**, 1
schreeuwerige reclame **BATTAGE**, 1
schrijnwerker **MENUISIER**, 1
schuld **DÉBIT**, 1; **DETTE**, 1; 2; **ENDETTEMENT**, 1
schuld (achterstallige ~) **ARRIÉRÉ**, 1
schuld (bedrag van de ~) **DÉBIT**, 2
schuld (het betalen van zijn ~) **DÉSENDETTEMENT**, 1
schuld (het voldoen van zijn ~) **DÉSENDETTEMENT**, 1
schuldeiser **CRÉANCIER, CRÉANCIÈRE**, 1; **CRÉANCIER, -IÈRE**, 1
schuldeiser van een lijfrente **CRÉDI(T)RENTIER, CRÉDI(T)RENTIÈRE**, 1
schulden **CRÉANCE**, 3; **ENDETTEMENT**, 2
schulden maken **ENDETTER**, 2
schulden (in ~ steken) **ENDETTER**, 1
schulden (met ~ overladen) **ENDETTER**, 1
schulden (zich in de ~ steken) **ENDETTER**, 2
schulden (zijn ~ terugbetalen) **DÉSENDETTER**, 1

schuldenaar **DÉBITEUR, DÉBITRICE**, 1; **ENDETTÉ, ENDETTÉE**, 1
schuldenaar- **DÉBITEUR, -TRICE**, 2
schuldenaar van een lijfrente **DÉBI(T)RENTIER, DÉBI(T)RENTIÈRE**, 1
schuldenlast **ENDETTEMENT**, 2
schuldenlast (te zware ~) **SURENDETTEMENT**, 1
schuldenlast (te zware ~ op zich nemen) **SURENDETTER**, 1
schuldherschikking **RÉÉCHELONNEMENT**, 1
schuldig **REDEVABLE**, 1
schuldpositie **ENDETTEMENT**, 1
schuldvordering **CRÉANCE**, 1; **DETTE**, 3
screen saver **ÉCONOMISEUR**, 2
secretariaat **SECRÉTARIAT**, 1
secretaris **SECRÉTAIRE**, 1
sector **BRANCHE**, 1; **SECTEUR**, 1; 3
sector (gemeenschappelijke ~) **SECTEUR**, 2
sector (particuliere ~) **PRIVÉ**, 1
sector (primaire ~) **PRIMAIRE**, 1
sector (publieke ~) **PUBLIC**, 2
sector (secundaire ~) **SECONDAIRE**, 1
sector (tertiaire ~) **TERTIAIRE**, 1
sectorieel **SECTORIEL, -IELLE**, 1; 2
secundaire sector **SECONDAIRE**, 1
segmenteren **SEGMENTER**, 1
seizoenopruiming **FINS DE SAISON**, 1
semester **SEMESTRE**, 1
semestrieel **SEMESTRIEL, -IELLE**, 1
seminarie **SÉMINAIRE**, 1
server **SERVEUR, SERVEUSE**, 2
shilling **SHILLING**, 1
sigarettenfabrikant **CIGARETTIER**, 1
silo **SILO**, 1
slachtoffer **SINISTRÉ, SINISTRÉE**, 1
slager **BOUCHER, BOUCHÈRE**, 1
slagerij **BOUCHERIE**, 1
slavendrijver **NÉGRIER**, 1
slecht **NÉGATIF, -IVE**, 1
sleutelgeld **PAS-DE-PORTE**, 1
sleutelsector **SECTEUR(-)CLÉ**, 1
slippen **DÉRAPER**, 1
slippen (het ~) **DÉRAPAGE**, 1
slof **CARTOUCHE**, 1
slogan **SLOGAN**, 1
sluiten **CLÔTURER**, 1; **FERMER**, 1
sluiten (de deuren ~) **FERMER**, 2
sluiten (fabriek tijdelijk ~) **LOCK-OUTER**, 1
sluiten (onderneming ~) **CLEF SOUS LE PAILLASSON**, 1
sluiting **CLÔTURE**, 1; **FERMETURE**, 1; 2
smeergeld **DESSOUS(-)DE(-)TABLE**, 1; **POT-DE-VIN**, 1
smeergeld betalen **PATTE**, 1
smokkel **TRAFIC**, 1
snel **RAPIDE**, 1; **RAPIDEMENT**, 1
snelgoedvervoer **MESSAGERIE**, 1
snelkoerier **COURRIER(-)EXPRESS**, 1
snelkoerierdienst **COURRIER(-)EXPRESS**, 1
sociaal-economisch **SOCIO-ÉCONOMIQUE**, 1
sociale woning **HLM**
socialisme **SOCIALISME**, 1
socialist **SOCIALISTE**, 1
socialistisch **SOCIALISTE**, 1
socio-economisch **ÉCONOMICOSOCIAL, -IALE**, 1
socio-professioneel **SOCIOPROFESSIONNEL, -ELLE**, 1
software **SOFTWARE**, 1
soldij **SOLDE**, 4
sollicitatie **SOLLICITATION**, 1
solliciteren **POSTULER**, 1; **SOLLICITER**, 1
solvabel **SOLVABLE**, 1
solvabiliteit **LIQUIDITÉ**, 2; **SOLVABILITÉ**, 1
som **MONTANT**, 1; **SOMME**, 2
sommen (gespaarde ~) **ÉCONOMIE**, 4
spaarcenten **BAS DE LAINE**, 2
spaarder **ÉPARGNANT, ÉPARGNANTE**, 1
spaargeld **CAGNOTTE**, 1; **ÉPARGNE**, 2
spaargelden **ÉCONOMIE**, 4
spaarkous **BAS DE LAINE**, 1
spaarpot **CAGNOTTE**, 1; **TIRELIRE**, 1
spaarrekening **COMPTE-ÉPARGNE**, 1
spaarvarken **TIRELIRE**, 1
spaarverzekering **ASSURANCE(-)ÉPARGNE**, 1
spaarzaam **ÉCONOMIQUE**, 2; **ÉCONOMIQUEMENT**, 2; **PARCIMONIEUSEMENT**, 1; **PARCIMONIEUX, -IEUSE**, 1
spaarzaamheid **ÉCONOMIE**, 3; **PARCIMONIE**, 1
spandoek **BANDEROLE**, 1
sparen **ÉCONOMISER**, 2; **ÉPARGNER**, 1
sparen (het ~) **ÉPARGNE**, 1
speciën **ESPÈCES**, 1
speculant **AFFAIRISTE**, 1; **SPÉCULATEUR, SPÉCULATRICE**, 1
speculant (kleine ~) **BOURSICOTEUR, BOURSICOTEUSE**, 1; **BOURSICOTIER, -IÈRE**, 1
speculatie **SPÉCULATION**, 1
speculatief **AFFAIRISTE**, 1; **SPÉCULATIF, -IVE**, 1
speculaties (kleine ~) **BOURSICOTAGE**, 1
speculatieve obligatie **JUNK(-)BOND**, 1
speculatiezucht **AFFAIRISME**, 1
speculeren **SPÉCULER**, 1
speculeren (in het klein ~) **BOURSICOTER**, 1
spilkoers **TAUX(-)PIVOT**, 1
spin-off **SPIN-OFF**, 1
spin-off bedrijven **ESSAIMAGE**, 1
spiraal **SPIRALE**, 1
sponsor **COMMANDITAIRE**, 3; **SPONSOR**, 1
sponsoren **PARRAINER**, 1; **PATRONNER**, 1; **SPONSORER**, 1; **SPONSORISER**, 1
sponsoring **PARRAINAGE**, 1; **SPONSORAT**, 1; **SPONSORING**, 1
spoor (per ~) **RAIL**, 1
spoorweg- **FERROVIAIRE**, 1
spoorwegarbeider **CHEMINOT**, 1
spoorwegnet- **FERROVIAIRE**, 1
spot **SPOT**, 1
spray **BOMBE**, 1
spreiden **ÉCHELONNER**, 1
spreiding **ÉCHELONNEMENT**, 1
springen **BONDIR**, 1
sprong **BOND**, 1
spullen **CAMELOTE**, 1
staal **ACIER**, 1; **ÉCHANTILLON**, 1
staalarbeider **SIDÉRURGISTE**, 1
staalfabriek **ACIÉRIE**, 1
staalindustrie (ijzer- en ~) **SIDÉRURGIE**, 1; 2
staalindustrie- (ijzer- en ~) **SIDÉRURGIQUE**, 1; 2; **SIDÉRURGISTE**, 1
staat **ÉTAT**, 1
staat als werkgever **ÉTAT-PATRON**, 1
staathuishoudkunde **ÉCONOMIE**, 2
staats- **ÉTATIQUE**, 1
staatsgelden **DENIERS PUBLICS**, 1
staatskas **TRÉSOR**, 1
stabiel **FIXE**, 1; **STABLE**, 1
stabiliseren (zich ~) **STABILISER**, 1; 2
stabilisering **STABILISATION**, 1; 2
stabiliteit **STABILITÉ**, 1
stadium (in een verder ~) **AVAL**, 1
stadium (in een vroeger ~) **AMONT**, 1
stage **STAGE**, 1
stagflatie **STAGFLATION**, 1
stagnatie **ESSOUFFLEMENT**, 1; **STAGNATION**, 1
stagneren **PLACE** (faire du sur ~), 1; **STAGNER**, 1
staken **DÉBRAYER**, 1
stakend(e) **GRÉVISTE**, 1
staker **GRÉVISTE**, 1
staking **DÉBRAYAGE**, 1; **GRÈVE**, 1
stakingsweigeraar **NON-GRÉVISTE**, 1
stamgast **HABITUÉ, HABITUÉE**, 1
standaardcontract **CONTRAT(-)TYPE**, 1
standaardiseren **NORMALISER**, 1
starten **OUVRIR**, 1
startfase **DÉCOLLAGE**, 1
statiegeld **CONSIGNE**, 1
statiegeld (het aanrekenen van ~) **CONSIGNATION**, 3
statuut van ambtenaar geven **FONCTIONNARISER**, 1
steekkaart **FICHE**, 1
steenkool **CHARBON**, 1
ster **ÉTOILE**, 1
sterk **FORT, FORTE**, 1; **SOUTENU, -UE**, 1
sterk (zeer ~) **FORTEMENT**, 1
sterproduct **ÉTOILE**, 1
steunen **PARRAINER**, 1
steuntrekker **RENTIER, RENTIÈRE**, 2
stijgen **HAUSSER**, 1; **MONTER**, 1
stijgen (in waarde doen ~) **VALORISER**, 2
stijgen (plotseling ~) **FLAMBER**, 1
stijgend **ASCENDANT, -ANTE**, 1; **PROGRESSIF, -IVE**, 1
stijging **ASCENSION**, 1; **HAUSSE**, 1; **PROGRESSION**, 1; **RENCHÉRISSEMENT**, 1
stijging (plotselinge ~) **FLAMBÉE**, 1
stille vennoot **COMMANDITAIRE**, 1
stille vennootschap **COMMANDITE**, 1
stilliggen **CHÔMER**, 2
stimuleren **RELANCER**, 1
stock **ACHALANDAGE**, 2; **RÉSERVE**, 1; **STOCK**, 1; 2; 3
stockeerbaar **STOCKABLE**, 1
stockeren **EMMAGASINER**, 1; **STOCKER**, 1
stockeren in een pakhuis (het ~) **MAGASINAGE**, 2
stockeren (het ~) **STOCKAGE**, 1
stof (polluerende ~) **POLLUANT**, 1
stookolie **FUEL**, 1; **MAZOUT**, 1
stop and go **STOP AND GO**, 1
stoppen met werken **CHÔMER**, 2
storten **VERSER**, 2
storten (gestort bedrag) **VERSEMENT**, 3
storting **DÉPÔT**, 1; **VERSEMENT**, 1; 2
stortingskaart **MANDAT**, 2
strategie **STRATÉGIE**, 1
strategisch **STRATÉGIQUE**, 1
strategische activa **JOYAUX (DE LA COURONNE)**, 1
strategische heroriëntering **RECENTRAGE**, 1
streber **CARRIÉRISTE**, 1
streepjescode **CODE(-)BARRE(S)**, 1
stroman **PRÊTE-NOM**, 1
stroom **FLEUVE**, 1; **FLUX**, 1
stroomafwaarts **AVAL**, 1
stroomopwaarts **AMONT**, 1
structureel **STRUCTUREL, -ELLE**, 1; **STRUCTURELLEMENT**, 1
structuur **STRUCTURE**, 1
student **ÉTUDIANT, ÉTUDIANTE**, 1
studeren **ÉTUDIER**, 1

studie **ÉTUDE**, 1; 2; 3
studiebeurs **BOURSE**, 4
studieloon **PRÉSALAIRE**, 1
studiewerk **ÉTUDE**, 1
studio **CABINET**, 1
stuk **PIÈCE**, 1
stukgoedvervoer **MESSAGERIE**, 1
sturen **ADRESSER**, 1; **ENVOYER**, 1; **EXPÉDIER**, 1
subsidie **AIDE**, 1; **SUBSIDE**, 1
substantie **MATIÈRE**, 1
superdividend **SUPER(-)DIVIDENDE**, 1
superette **SUPÉRETTE**, 1
supermarkt **HYPERMARCHÉ**, 1; **SUPERMARCHÉ**, 1
supermarkt (kleine ~) **SUPÉRETTE**, 1
surplus **SURPLUS**, 1
swapfutures **FUTURE**, 1
syndicaal **SYNDICAL, -ALE**, 1; **SYNDICALEMENT**, 1
syndicaat **SYNDICAT**, 1
syndicalisatie **SYNDICALISATION**, 1
syndicaliseren **SYNDICALISER**, 1
syndicalisme **SYNDICALISME**, 1; 2; 3
syndicalist **SYNDICALISTE**, 1
synergie **SYNERGIE**, 1
taakverruiming **ÉLARGISSEMENT DES TÂCHES**, 1
taartdiagram **SECTEUR**, 4
tabakswinkel **TABAC**, 1
tabel **TABLEAU**, 1
tak **BRANCHE**, 1
take off **TAKE(-)OFF**, 1
taks **TAXE**, 1
taksvrij **HT**
tank **CITERNE**, 1
tanker **RAVITAILLEUR**, 1
tankstation **STATION-SERVICE**, 1
tankvliegtuig **RAVITAILLEUR**, 1
tantième **TANTIÈME**, 1
tarief **TARIF**, 1; 3; **TAUX**, 3
tarief- **TARIFAIRE**, 1; 2
tariferen **TARIFER**, 1; **TARIFIER**, 1
tarifering **TARIFICATION**, 1
taxateur **COMMISSAIRE-PRISEUR**, 1; **ENCANTEUR, ENCANTEUSE**, 1
team **ÉQUIPE**, 1
techniciteit **TECHNICITÉ**, 1
technicus **TECHNICIEN, TECHNICIENNE**, 1
techniek **TECHNIQUE**, 1
technisch **TECHNIQUE**, 1; **TECHNIQUEMENT**, 1
technocraat **TECHNOCRATE**, 1
technocratie **TECHNOCRATIE**, 1
technocratisch **TECHNOCRATIQUE**, 1
technologie **TECHNOLOGIE**, 1
technologisch **TECHNOLOGIQUE**, 1; **TECHNOLOGIQUEMENT**, 1
teelt **ÉLEVAGE**, 1
tegemoet komen **AIDER**, 1
tegemoetkoming **ALLOCATION**, 1
tegenbod **CONTRE-OFFRE**, 1; **CONTRE-OPA**, 1
tegenverzekering **CONTRE-ASSURANCE**, 1
tegenwaarde **CONTRE-VALEUR**, 1
tegoed **DÉBET**, 1
tekenen (voor voldaan ~) **ACQUITTER**, 1
tekort **DÉFICIT**, 1; 2; **MALI**, 1; **PÉNURIE**, 1
tekort aan arbeidskrachten **SUREMPLOI**, 1
tele-arbeid **TÉLÉTRAVAIL**, 1
tele-arbeider **TÉLÉTRAVAILLEUR, TÉLÉTRAVAILLEUSE**, 1
telebankieren (het ~) **PHONEBANKING**, 1; **TÉLÉBANKING**, 1; **TÉLÉBANQUE**, 1
telecommunicatie **TÉLÉCOMMUNICATION**, 1; **TÉLÉCOMS**, 1
teledistributeur **TÉLÉDISTRIBUTEUR**, 1
teledistributie **TÉLÉDISTRIBUTION**, 1
telefoneren **TÉLÉPHONER**, 1
telefonie **TÉLÉPHONE**, 1; **TÉLÉPHONIE**, 1
telefonisch **TÉLÉPHONIQUE**, 1
telefonisch bankieren (het ~) **PHONEBANKING**, 1; **TÉLÉBANKING**, 1; **TÉLÉBANQUE**, 1
telefoon **TÉLÉPHONE**, 2
telefoonboek **ANNUAIRE**, 1
telefoongids **ANNUAIRE**, 1
telefoontoestel **TÉLÉPHONE**, 2
telematica **TÉLÉMATIQUE**, 1
teler **ÉLEVEUR, ÉLEVEUSE**, 1
televisiestation **CHAÎNE**, 2
telewerken **TÉLÉTRAVAILLER**, 1
telewinkelen (het ~) **TÉLÉSHOPPING**, 1; **TÉLÉ(-)ACHAT**, 1; **TÉLÉ(-)VENTE**, 1
tellen **COMPTER**, 1
tendens **TENDANCE**, 1
tentoonstellen **EXPOSER**, 1
tentoonstelling **EXPOSITION**, 1
termijn **DÉLAI**, 1; **ÉCHÉANCE**, 2; **TERME**, 1
termijn (afloop van een ~) **EXPIRATION**, 1
terminal **TERMINAL**, 1; 2
terrein verliezen **TERRAIN** (céder du ~), 1; **TERRAIN** (perdre du ~), 1
terrein winnen **TERRAIN** (gagner du ~), 1
tertiaire sector **TERTIAIRE**, 1
terugbetaalbaar **REMBOURSABLE**, 1
terugbetaalbaar (niet ~) **IRREMBOURSABLE**, 1
terugbetalen **REMBOURSER**, 1; 2
terugbetalen (zijn schulden ~) **DÉSENDETTER**, 1
terugbetaling **PAIEMENT**, 2; **PAYEMENT**, 2; **REMBOURSEMENT**, 1; **REMBOURSEMENT**, 2
terugbetaling (overeengekomen ~) **RISTOURNE**, 2
teruggang **REPLI**, 1
terugkoop **RACHAT**, 1
terugname **REPRISE**, 2
terugnemen **REPRENDRE**, 2
terugroepen **RETIRER**, 2
terugvallen **REPLIER**, 1
terugvorderbaar **REMBOURSABLE**, 1
terugvordering **REVENDICATION**, 1
testmarkt **MARCHÉ-TEST**, 1
tetrapak **BRIQUE**, 2
tewerkgesteld (niet volledig ~) **SOUS-EMPLOYÉ, -ÉE**, 1
tewerkstellen **EMPLOYER**, 1; **OCCUPER**, 1
tewerkstelling **EMPLOI**, 1; 2; **OCCUPATION**, 1
tewerkstelling (onvolledige ~) **SOUS-EMPLOI**, 1; 2
tewerkstelling (volledige ~) **PLEIN(-) EMPLOI**, 1
textiel **TEXTILE**, 1
textielindustrie **TEXTILE**, 1
thesaurier(-generaal) van een departement **TRÉSORIER-PAYEUR**, 1
thuisbankieren (het ~) **HOMEBANKING**, 1
ticket **BILLET**, 4
tijdelijk **INTÉRIMAIRE**, 1
tijdelijke werknemer **CONTRACTUEL, CONTRACTUELLE**, 2; **INTÉRIMAIRE**, 1
tijdschema **ÉCHÉANCIER**, 1
Tijgers (Aziatische ~) **DRAGONS**, 1
timmerman **MENUISIER**, 1
toebehoren **FOURNITURE**, 3
toegang **ENTRÉE**, 3
toegeven **ACCORDER**, 1; **CÉDER**, 3
toegevoegd **ADDITIONNEL, -ELLE**, 1; **ANNEXE**, 1
toekennen **ACCORDER**, 1; **ALLOUER**, 1; 2
toekennen (dotatie ~) **DOTER**, 1
toekenning **ALLOC**, 1
toekomstmogelijkheden **DÉBOUCHÉ**, 2
toelage **ALLOC**, 1; **ALLOCATION**, 1; **SUBSIDE**, 1; **SUBVENTION**, 1
toeleveren **SOUS-TRAITER**, 2
toename **ACCROISSEMENT**, 1; **AUGMENTATION**, 1; **CREUSEMENT**, 1; **GONFLEMENT**, 1
toenemen **AUGMENTER**, 1; **CREUSER**, 1; **CROÎTRE**, 1; **GONFLER**, 1
toenemen (~, doen ~) **ACCROÎTRE**, 1
toenemen (doen ~) **RAFFERMIR**, 1
toenemend belang van de dienstensector **TERTIAIRISATION**, 1; **TERTIARISATION**, 1
toerisme **TOURISME**, 2
toerismebureau **OFFICE DU TOURISME**, 1
toerist **TOURISTE**, 1
toeristisch **TOURISTIQUE**, 1; 2
toeristische industrie **TOURISME**, 2
toeslag **PÉCULE**, 1
toestaan **ALLOUER**, 1
toestel **APPAREIL**, 1
toestemming **PERMIS**, 1
toestroming **AFFLUX**, 1
toetreden tot een vakbond **SYNDIQUER**, 2
toevloeiing **AFFLUX**, 1
toevoer **APPROVISIONNEMENT**, 1
toewijzen **ADJUGER**, 1
toewijzen aan **AFFECTER**, 1
toewijzing **AFFECTATION**, 1
toewijzing (van middelen) **DOTATION**, 1
tol **PÉAGE**, 1
tol- **DOUANIER, -IÈRE**, 1
tolheffing **PÉAGE**, 1
tolstation **PÉAGE**, 2
tombola **TOMBOLA**, 1
ton **FÛT**, 1; **TONNE**, 1; **TONNEAU**, 1
toonbank **COMPTOIR**, 1
toonbanklade **TIROIR-CAISSE**, 1
toonzaal **SHOW(-)ROOM**, 1
totaal **AGRÉGAT**, 1; **SOMME**, 1
totaal **TOTAL, -ALE**, 1
totale som **TOTAL**, 1
totaliteit **TOTALITÉ**, 1
traag **LENT, LENTE**, 1; **LENTEMENT**, 1
transactie **AFFAIRE**, 1; **OPÉRATION**, 1; **TRANSACTION**, 1
transit **TRANSIT**, 1
transport **TRANSPORT**, 1
transporteren **TRANSPORTER**, 1
transporteur **TRANSPORTEUR, -EUSE**, 1; **TRANSPORTEUR**, 3
transportmiddelen **TRANSPORT**, 2
transportondernemer **TRANSPORTEUR**, 1
traveller's cheque **TRAVELLER'S CHEQUE**, 1
trein **TRAIN**, 1
trekken **TIRER**, 1
trekker **TIREUR**, 1
trend **TENDANCE**, 1
trimester **TRIMESTRE**, 1
trouw **FIDÉLITÉ**, 1
trouwen **ÉPOUSER**, 1
trust **TRUST**, 1
tube **TUBE**, 1
tuinbouw **HORTICULTURE**, 1; **JARDINAGE**, 1

tuinbouw- **HORTICOLE**, 1
tuinbouwer **HORTICULTEUR, HORTICULTRICE**, 1; **JARDINIER, JARDINIÈRE**, 1
tuinbouwer- **JARDINIER, -IÈRE**, 1
turnover **TURN(-)OVER**, 1
tussenpersoon **INTERMÉDIAIRE**, 1
tweedehands **OCCASION**, 2
tweevoud **DOUBLE**, 1
tweevoudig **DOUBLE**, 1
typecontract **CONTRAT(-)TYPE**, 1
uitbaten **EXPLOITER**, 1
uitbaten (het ~) **EXPLOITATION**, 2
uitbater **EXPLOITANT, EXPLOITANTE**, 1
uitbetalen **RISTOURNER**, 2
uitbetaling **DÉCAISSEMENT**, 1
uitbuiten **EXPLOITER**, 2
uitbuiter **EXPLOITEUR, EXPLOITEUSE**, 1
uitbuiting **EXPLOITATION**, 4
uitdenken **CONCEVOIR**, 1
uitdiensttreding **RETRAITE**, 2
uitgave **CHARGE**, 2; **DÉPENSE**, 1; 2; **ÉDITION**, 1; **SORTIE**, 1
uitgaven **DÉPENSE**, 3; **SORTIE**, 1
uitgaven beperken **ÉCONOMISER**, 1
uitgaven (bijkomende ~) **SURCOÛT**, 1
uitgeven **DÉPENSER**, 1; **ÉDITER**, 1; **ÉMETTRE**, 1
uitgeven (het ~) **DÉPENSE**, 2
uitgever **ÉDITEUR**, 1
uitgifte **ÉMISSION**, 1
uitgifte- **ÉMETTEUR, -TRICE**, 1
uithangbord **ENSEIGNE**, 2; **PANONCEAU**, 1
uitkeerbaar **DISTRIBUABLE**, 1
uitkeren (aandeel in de winst ~) **RISTOURNER**, 3
uitkering **INDEMNITÉ**, 1; **PRESTATION**, 1
uitkeringsgerechtigde **ALLOCATAIRE**, 1
uitladen **DÉCHARGER**, 1
uitlading **DÉCHARGEMENT**, 1
uitleenbaar **PRÊTABLE**, 1
uitlener **PRÊTEUR, -EUSE**, 1; **PRÊTEUR, PRÊTEUSE**, 1
uitmaken **TOTALISER**, 1
uitputten **ÉPUISER**, 1
uitputting **ÉPUISEMENT**, 1
uitrekenen **CALCULER**, 1
uitrusten **OUTILLER**, 1
uitrusten met **ÉQUIPER**, 1; **POURVOIR**, 1
uitrusting **ÉQUIPEMENT**, 1
uitrusting met werktuigen **OUTILLAGE**, 1
uitrustingsgoederen (producent van ~) **ÉQUIPEMENTIER**, 1
uitschrijven **ÉMETTRE**, 1; **LIBELLER**, 1
uitsparen **ÉCONOMISER**, 2
uitstaande rekeningen **IMPAYÉ**, 1
uitstalraam **DEVANTURE**, 1
uitsteken boven **CULMINER**, 1
uitstel **DÉLAI**, 2
uitverkoop **BRADERIE**, 1; **LIQUIDATION**, 1; **SOLDE**, 2
uitverkopen **LIQUIDER**, 1; **SOLDER**, 2
uitverkoper **BRADEUR, BRADEUSE**, 1
uitvlaggen **DÉLOCALISER**, 1
uitvlagging **DÉLOCALISATION**, 1
uitvoer **EXPORT**, 1; **EXPORTATION**, 1
uitvoerbaar **EXPORTABLE**, 1
uitvoerder **EXPORTATEUR, EXPORTATRICE**, 1
uitvoeren **EXPORTER**, 1; **OPÉRER**, 1
uitvoerend **EXPORTATEUR, -TRICE**, 1
uitvoergoed **EXPORTATION**, 2
uitvoergoederen **EXPORTATION**, 2
uitvoerproducten **EXPORTATION**, 2
uitwisselbaar **ÉCHANGEABLE**, 1
uitwisselen **ÉCHANGER**, 1
uitwisseling **ÉCHANGE**, 1
uitwissen **EFFACER**, 1
uurloon **MAIN-D'ŒUVRE**, 2
vacant **VACANT, -ANTE**, 1
vacatie **VACATION**, 1
vacature **VACANCE**, 1
vacatures die op het einde van de maand niet ingevuld zijn **DEFM**
vakantie **CONGÉ**, 1; **VACANCE**, 2
vakantiecheque **CHÈQUE(-)VACANCES**, 1
vakantieganger **VACANCIER, VACANCIÈRE**, 1
vakantiegeld **PÉCULE**, 1
vakantiereis **TOURISME**, 1
vakantietoeslag **PÉCULE**, 1
vakbond **SYNDICAT**, 1
vakbond (lid maken van een ~) **SYNDIQUER**, 1
vakbond (toetreden tot een ~) **SYNDIQUER**, 2
vakbonden (vergadering van verschillende ~) **INTERSYNDICALE**, 1
vakbonds- **SYNDICALISTE**, 1; 2; 3
vakbondsfront (gemeenschappelijk ~) **FRONT COMMUN**, 1; **INTERSYNDICALE**, 1
vakbondsman **SYNDICALISTE**, 1
vakman **PROFESSIONNEL, PROFESSIONNELLE**, 1
vallen **TOMBER**, 1
valorisatie **VALORISATION**, 1
valoriseren **VALORISER**, 1
valuta (buitenlandse ~) **DEVISE**, 1
valuta-arbitrage **ARBITRAGE**, 1
valutahandelaar **CAMBISTE**, 1
variabel **VARIABLE**, 1
variabele **VARIABLE**, 1
variabiliteit **VARIABILITÉ**, 1
variatie **VARIATION**, 1
variëren **VARIER**, 1
vast **FIXE**, 1; **FORFAITAIRE**, 1; **SOUTENU, -UE**, 1
vast bedrag **FORFAIT**, 1
vast loon **FIXE**, 1
vaste activa **IMMOBILISATIONS**, 1
vaste bezoeker **HABITUÉ, HABITUÉE**, 1
vastgelegde middelen **IMMOBILISATIONS**, 1
vastgoedsector **IMMOBILIER**, 1
vat **BARIL**, 1
vechter **BATTANT, BATTANTE**, 1
vedette **VEDETTE**, 1
veestapel **BÉTAIL**, 1
veeteelt **ÉLEVAGE**, 1
veeteler **ÉLEVEUR, ÉLEVEUSE**, 1
veilingmeester **COMMISSAIRE-PRISEUR**, 1; **ENCANTEUR, ENCANTEUSE**, 1
vennoot **ASSOCIÉ, ASSOCIÉE**, 1; **SOCIÉTAIRE**, 1
vennoot (beherende ~) **ASSOCIÉ-GÉRANT, ASSOCIÉE-GÉRANTE**, 1; **COMMANDITÉ, COMMANDITÉE**, 1
vennoot (stille ~) **COMMANDITAIRE**, 1
vennoot- **SOCIÉTAIRE**, 1
vennootschap **SOCIÉTÉ**, 1
vennootschap aangaan met **ASSOCIER**, 1
vennootschap onder firma (v.o.f.) **SNC**
vennootschap vatbaar voor overname **OPÉABLE**, 1; **OPÉISABLE**, 1
vennootschap (besloten ~ met beperkte aansprakelijkheid, bvba) **SARL**; **SPRL**
vennootschap (commanditaire ~) **COMMANDITE**, 1
vennootschap (commanditaire ~ op aandelen, CVA) **SCPA**
vennootschap (gemengde ~) **JOINT(-)VENTURE**, 1
vennootschap (gewone commanditaire ~, GCV) **SCS**
vennootschap (inbrengen in de ~) **APPORTER**, 1
vennootschap (lege ~) **SOCIÉTÉ(-)ÉCRAN**, 1
vennootschap (naamloze ~, NV) **SA**
vennootschap (stille ~) **COMMANDITE**, 1
vennootschappen (voorheffing verschuldigd door de ~ uit hoofde van uitgekeerde winsten) **PRÉCOMPTE**, 2
vennootschapsbelasting **IS**; **ISOC**
verankering **ANCRAGE**, 1
verantwoordelijke **CHARGÉ, CHARGÉE**, 1
verantwoordelijke beleidsmaker **DÉCIDEUR, DÉCIDEUSE**, 1; **DÉCISIONNAIRE**, 1
verarming **PAUPÉRISATION**, 1
verbeteren **AMÉLIORER**, 1; **REPRENDRE**, 3
verbetering **AMÉLIORATION**, 1; **REDRESSEMENT**, 1
verbinden (zich ~) **ALLIER**, 1; **ENGAGER**, 2
verbintenis **ALLIANCE**, 1; **CONTRAT**, 1; **ENGAGEMENT**, 2
verbintenis aangaan **CONTRACTER**, 1
verbintenissen **EN(-)COURS**, 2
verblijfplaats (zonder vaste ~) **DOMICILE FIXE**, 1; **SDF**
verbruik **CONSOMMATION**, 1; 2; 3
verbruik (eigen ~) **AUTOCONSOMMATION**, 1
verbruiken **CONSOMMER**, 1; 2; 3
verbruiken (zelf ~) **AUTOCONSOMMER**, 1
verbruiker **CONSOMMATEUR, CONSOMMATRICE**, 1; 2; **CONSOMMATEUR, -TRICE**, 1
Verbruikersorganisatie (Europese ~, BEUC) **BEUC**
verbruikersvereniging **CONSUMÉRISME**, 1
verdelen **DISTRIBUER**, 1; **DIVISER**, 1; **VENTILER**, 1
verdeler **DISTRIBUTEUR, DISTRIBUTRICE**, 1; 2
verdeling **DIVISION**, 1; **VENTILATION**, 1
verdisconteerbaar **BANCABLE**, 1; **BANQUABLE**, 1; **ESCOMPTABLE**, 1
verdisconteren **ESCOMPTER**, 1
verdragsluitende (partij) **CONTRACTANT, -ANTE**, 1
verdubbelen **DOUBLER**, 1
verdubbeling **DOUBLEMENT**, 1
verduisteren **DÉTOURNER**, 1
verduistering **DÉTOURNEMENT**, 1
vereffenaar **LIQUIDATEUR, LIQUIDATRICE**, 1
vereffenen **ÉPONGER**, 1; **RÉGLER**, 1; **SOLDER**, 1
vereffening **LIQUIDATION**, 2; 4; **RÈGLEMENT**, 2
vereniging **GROUPEMENT**, 1
vereniging zonder winstgevend doel **ASBL**; **OSBL**
vereniging zonder winstoogmerk (v.z.w.) **ASBL**; **OSBL**
vereniging (coöperatieve ~) **COOPÉRATIVE**, 1
verenigings- **ASSOCIATIF, -IVE**, 1
verergeren **AGGRAVER**, 1
verergering **AGGRAVATION**, 1; **DÉGRADATION**, 2
vergaderen **RÉUNIR**, 1
vergadering **RÉUNION**, 1

vergadering van verschillende vakbonden **INTERSYNDICALE**, 1
vergadering (algemene ~) **ASSEMBLÉE**, 1
vergoeden **DÉDOMMAGER**, 1; **INDEMNISER**, 1
vergoeding **DÉDOMMAGEMENT**, 1; **INDEMNISATION**, 1; **INDEMNITÉ**, 2
vergoeding (ontvanger van een ~) **INDEMNITAIRE**, 1
vergrijzing van de bevolking **PAPY(-)BOOM**, 1
vergunning **LICENCE**, 1; **PERMIS**, 1
verhandelbaar **MARCHAND, -ANDE**, 1
verhogen **ACCENTUER**, 1; **GRIMPER**, 1; **HAUSSER**, 1; **INTENSIFIER**, 1; **MAJORER**, 1; **MONTER**, 1; **PROGRESSER**, 1; **REHAUSSER**, 1; **RELEVER**, 1
verhogen (sterk ~) **ENVOLER**, 1
verhoging **ACCENTUATION**, 1; **GAIN**, 3; **HAUSSE**, 1; **INTENSIFICATION**, 1; **MAJORATION**, 1; **MONTÉE**, 1; **REHAUSSEMENT**, 1; **RELÈVEMENT**, 1
verhouding **RATIO**, 1
verhuren **LEASER**, 1; **LOUER**, 1
verhuring **LOCATION**, 1; **RENTING**, 1
verhuur (langdurige ~) **LEASING**, 1
verhuurder **BAILLEUR, BAILLERESSE**, 1; **LOUEUR, LOUEUSE**, 1
verkeer **TRAFIC**, 2; 3
verkeersnet **RÉSEAU**, 2
verkoop **ÉCOULEMENT**, 1; **PLACEMENT**, 3; **VENTE**, 1; 2
verkoop- **PROMOTIONNEL, -ELLE**, 1
verkoop met verlies **MÉVENTE**, 1
verkoop (openbare aanbieding ter ~) **OPV**
verkoopbaar **VENDABLE**, 1
verkoopcontract **VENTE**, 2
verkoopkantoor voor export **COMPTOIR**, 2
verkoopmeubel **PRÉSENTOIR(-DISTRIBUTEUR)**, 1
verkooppunt **DÉBIT**, 5
verkoops- **VENDEUR, -EUSE**, 2
verkoopsargumenten (lijst met ~) **ARGUMENTAIRE**, 1
verkoopspromotie ter plaatse **PLV**
verkopen **CÉDER**, 1; **ÉCOULER**, 1; **PLACER**, 2; **VENDRE**, 1
verkopen tegen lage prijzen **DISCOMPTER**, 1; **DISCOUNTER**, 1
verkopen (in kleine hoeveelheden ~) **DÉBITER**, 2; **DÉTAILLER**, 1
verkopen (moeilijk ~) **MÉVENDRE**, 1
verkopen (slecht ~) **MÉVENDRE**, 1
verkopen (verkocht artikel) **VENDU**, 1
verkoper **BRADEUR, BRADEUSE**, 1; **VENDEUR, -EUSE**, 1; **VENDEUR, VENDEUSE**, 1; **VENDEUR, VENDEUSE**, 2
verkrijgen **BÉNÉFICIER**, 1
verkrijging van de meerderheid **PRISE DE CONTRÔLE**, 1
verkwisten **DILAPIDER**, 1
verkwistend **DÉPENSIER, -IÈRE**, 1
verkwister **DILAPIDATEUR, DILAPIDATRICE**, 1
verkwisting **DILAPIDATION**, 1
verlader **CHARGEUR**, 1
verlagen **ABAISSER**, 1; **BAISSER**, 1; **DISCOMPTER**, 2
verlaging **ABAISSEMENT**, 1; **BAISSE**, 1; **FAIBLISSEMENT**, 1
verlener **DONNEUR, DONNEUSE**, 1
verlichten **ALLÉGER**, 1
verlichting **ALLÉGEMENT**, 1
verlies **PERTE**, 1
verlies (verkoop met ~) **MÉVENTE**, 1
verliezen **CÉDER**, 3; **PERDRE**, 1
verlof **CONGÉ**, 1
verlof nemen **CHÔMER**, 3
verloning **RÉMUNÉRATION**, 1
verloop **ROTATION**, 1
vermeerderen **AUGMENTER**, 1; **MAJORER**, 1
vermeerdering **AUGMENTATION**, 1; **MAJORATION**, 1
vermenigvuldigen **MULTIPLIER**, 1
vermenigvuldiging **MULTIPLICATION**, 1
verminderd (in waarde ~) **DÉCOTÉ, -ÉE**, 1
verminderde prijs (tegen sterk ~) **SEMI-GRATUIT, -UITE**, 1
verminderen **AFFAIBLIR**, 1; **DIMINUER**, 1; **RECULER**, 1; **RÉDUIRE**, 1; **RÉGRESSER**, 1; **RESTREINDRE**, 1; **RÉTRÉCIR**, 1
verminderen (in waarde ~) **DÉPRÉCIER**, 1; **PERDRE**, 2
verminderen (in waarde (doen) ~) **DÉVALORISER**, 1
vermindering **AFFAIBLISSEMENT**, 1; **DÉCRUE**, 1; **DÉGRADATION**, 1; **DIMINUTION**, 1; **EFFRITEMENT**, 1; **FLÉCHISSEMENT**, 1; **RALENTISSEMENT**, 1; **RECUL**, 1; **RÉDUCTION**, 1
vermogen **AVOIR**, 1; **CAPITAL**, 1; **FORTUNE**, 1
vermogend **AISÉ, -ÉE**, 1
vermogensbelasting **ISF**
vernieuwen **INNOVER**, 1
vernieuwend **INNOVATEUR, -TRICE**, 1; **NOVATEUR, -TRICE**, 1
vernieuwer **INNOVATEUR, INNOVATRICE**, 1; **NOVATEUR, NOVATRICE**, 1
verontreinigen **POLLUER**, 1
verontreinigend **POLLUANT, -ANTE**, 1
verontreiniger **POLLUEUR, POLLUEUSE**, 1
verontreiniging **POLLUTION**, 1
veroorloven (zich iets ~) **OFFRIR**, 3; **PAYER**, 3
verouderd **OBSOLÈTE**, 1
veroudering **OBSOLESCENCE**, 1
verpachting **BAIL**, 1
verpakken **CONDITIONNER**, 1; **EMBALLER**, 1
verpakker **EMBALLEUR, EMBALLEUSE**, 1
verpakking **CONDITIONNEMENT**, 2; **EMBALLAGE**, 1; **PACKAGING**, 1
verpanding **NANTISSEMENT**, 1
verplichting **OBLIGATION**, 2
verplichtingen **EN(-)COURS**, 2
verrassingsbon **CHÈQUE(-)SURPRISE**, 1
verrekenen **DÉCOMPTER**, 2; **LIQUIDER**, 3
verrijken (zich ~) **ENRICHIR**, 1
verrijking **ENRICHISSEMENT**, 1; 2
verschaffen **PROCURER**, 1
verschuldigd **REDEVABLE**, 1
verschuldigde (bedrag) **DÛ**, 1
verslechteren **AGGRAVER**, 1; **DÉGRADER**, 1; **DÉTÉRIORER**, 1
verslechtering **AGGRAVATION**, 1; **DÉGRADATION**, 2; **DÉTÉRIORATION**, 1
versnellen **ACCÉLÉRER**, 1
versnelling **ACCÉLÉRATION**, 1
verspillen **DILAPIDER**, 1; **GASPILLER**, 1
verspiller **DILAPIDATEUR, DILAPIDATRICE**, 1; **GASPILLEUR, GASPILLEUSE**, 1
verspilling **DILAPIDATION**, 1; **GASPILLAGE**, 1
verspreiden **DIFFUSER**, 1
verspreiding **DIFFUSION**, 1
verstaatsen **ÉTATISER**, 1
versterken **RAFFERMIR**, 1; **RENFORCER**, 1
versterking **RAFFERMISSEMENT**, 1; **RENFORCEMENT**, 1
vertegenwoordiger **PLACIER, PLACIÈRE**, 1; **REPRÉSENTANT, REPRÉSENTANTE**, 1; **SYNDIC**, 1
vertegenwoordiging **DÉLÉGATION**, 1; **REPRÉSENTATION**, 1
vertragen **RALENTIR**, 1
vertraging **DÉCÉLÉRATION**, 1; **RALENTISSEMENT**, 1
vertrek (vrijwillig ~) **DÉPART VOLONTAIRE**, 1
vertweevoudigen **DOUBLER**, 1
vervaardigen **FABRIQUER**, 1; **MANUFACTURER**, 1
vervaardiging **FABRICATION**, 1
verval **DÉCLIN**, 1
vervaldag **TERME**, 1
vervaldatum **ÉCHÉANCE**, 1
vervallen **DÉCLINER**, 1; **EXPIRER**, 1
vervalsen **MAQUILLER**, 1
vervalsing **CONTREFAÇON**, 2; **MAQUILLAGE**, 1
vervoer **TRANSPORT**, 1
vervoerbaar **TRANSPORTABLE**, 1
vervoerbedrijf **TRANSPORTEUR**, 2
vervoeren **TRANSPORTER**, 1
vervoerkosten **FRET**, 3
vervoermiddelen **TRANSPORT**, 2
vervroegd pensioen **PRÉPENSION**, 1; **PRÉRETRAITE**, 1
"vervuiler betaalt" principe **POLLUEUR-PAYEUR**, 1
verwerking **TRAITEMENT**, 2
verwerven **ACQUÉRIR**, 1; **PROCURER**, 2
verwerving **ACQUISITION**, 1
verzadigd **SATURÉ, -ÉE**, 1
verzadiging **SATURATION**, 1
verzamelen **COLLECTER**, 1
verzekeraar **ASSUREUR**, 1
verzekerbaar **ASSURABLE**, 1
verzekerde **ASSURÉ, ASSURÉE**, 1
verzekeren **ASSURER**, 1
verzekeren (zich ~) **ASSURER**, 2
verzekering **ASSURANCE**, 1; 2
verzekering (prijs, ~, vracht, c.i.f.) **CAF**
Verzekeringen (Bank en ~) **BANCASSURANCE**, 1; **BANQUE-ASSURANCE**, 1
verzekeringnemer **PRENEUR, PRENEUSE**, 2; **SOUSCRIPTEUR, SOUSCRIPTRICE**, 1
verzekeringsbranche **ASSURANCE**, 4
verzekeringscontract **ASSURANCE**, 2
verzekeringsmaatschappij **ASSURANCE**, 3
verzekeringsorganisme **ASSUREUR**, 1
verzekeringspremie **ASSURANCE**, 5
verzenden **ENVOYER**, 1; **EXPÉDIER**, 1
verzending **ENVOI**, 1; **EXPÉDITION**, 1
verzendingskosten **PORT**, 2
verzilverbaar **MONNAYABLE**, 1
verzilveren **ENCAISSER**, 2
verzorgingsstaat **ÉTAT-PROVIDENCE**, 1
verzwakken **FAIBLIR**, 1
verzwakking **FAIBLISSEMENT**, 1
verzwaren **ALOURDIR**, 1
verzwaring **ALOURDISSEMENT**, 1
vestiging **ÉTABLISSEMENT**, 1; 2
vestigingsplaats **SIÈGE SOCIAL**, 1
Vierde Wereld **QUART(-)MONDE**, 1; 2
vierkant (magisch ~) **CARRÉ MAGIQUE**, 1
vignet **VIGNETTE**, 1
vijandige aanvaller **PRÉDATEUR**, 1

vindingrijkheid **CRÉATIVITÉ**, 1
visserij **PÊCHE**, 1
vitrine **VITRINE**, 1
vliegtuig **AVION**, 1
vlot (opnieuw ~ trekken) **RENFLOUER**, 1
vlotten (het ~) **FLOTTEMENT**, 1
vlottend **FLOTTANT, -ANTE**, 1
vluchtkapitaal **HOT MONEY**, 1; **MONNAIE(-)REFUGE**, 1
voeden **ALIMENTER**, 1; **NOURRIR**, 1
voedings- **AGROALIMENTAIRE**, 1; **ALIMENTAIRE**, 1
voedingsindustrie **AGROALIMENTAIRE**, 1
voedingsmiddel **ALIMENT**, 1; **NOURRITURE**, 1
voedingswaren **DENRÉE**, 1
voedsel **ALIMENTATION**, 1
voedzaam **NOURRISSANT, -ANTE**, 1
voertuig **VÉHICULE**, 1
voet **TAUX**, 2
v.o.f. (vennootschap onder firma) **SNC**
volatiliteit **VOLATILITÉ**, 1
voldaan (voor ~ tekenen) **ACQUITTER**, 1
voldoen van zijn schuld (het ~) **DÉSENDETTEMENT**, 1
volkomen ontwikkeling **MATURITÉ**, 1
volledig **TOTALEMENT**, 1
volledig tewerkgesteld (niet ~) **SOUS-EMPLOYÉ, -ÉE**, 1
volledige tewerkstelling **PLEIN(-)EMPLOI**, 1
volmacht **MANDAT**, 1
voltrekken (zich ~) **OPÉRER**, 3
volume **VOLUME**, 1
voluntariaat **BÉNÉVOLAT**, 1; **VOLONTARIAT**, 1
voorafbetaald **PROVISIONNEL, -ELLE**, 1
voorafnemen **PRÉCOMPTER**, 1
vooraftrek **PRÉLÈVEMENT**, 1
voordeel **AVANTAGE**, 1; **GAIN**, 1
voordeel halen uit **PROFITER**, 1
voordeel (comparatief ~) **AVANTAGE**, 2
voordelen in natura **AVANTAGE**, 3
voordelig **AVANTAGEUX, -EUSE**, 1; **PROFITABLE**, 1
voorfinanciering **PRÉFINANCEMENT**, 1
voorheffing **PRÉCOMPTE**, 1
voorheffing verschuldigd door de vennootschappen uit hoofde van uitgekeerde winsten **PRÉCOMPTE**, 2
voorkennisdelict **DÉLIT D'INITIÉ**, 1
voorlopig **PROVISIONNEL, -ELLE**, 1
vooropzeg **PRÉAVIS**, 1
vooropzegperiode **PRÉAVIS**, 2
voorraad **RÉSERVE**, 1; **STOCK**, 1
voorraad verkleinen **DÉSTOCKER**, 1
voorraad (uit de ~ (weg)nemen) **DÉSTOCKER**, 1
voorraadvermindering **DÉSTOCKAGE**, 1
voorschieten **ANTICIPER**, 1; **AVANCER**, 1
voorschot **ACOMPTE**, 1; **ANTICIPATION**, 1; **ARRHES**, 1; **AVANCE**, 1
voorschot (gedeeltelijk ~) **PROVISION**, 3
voorschriften **RÉGLEMENTATION**, 2
voorstander van de vrijhandel **LIBRE-ÉCHANGISTE**, 1
voorstelling (grafische ~) **GRAPHIQUE**, 1
vooruitbetaling van een derde van de voorlopige aanslag **TIERS PROVISIONNEL**, 1
vooruitgaan **PROGRESSER**, 1
vooruitgang **PROGRESSION**, 1
vooruitspringen **BONDIR**, 1
voorzien van **APPROVISIONNER**, 1
voorziening **APPROVISIONNEMENT**, 1
voorzitster **PÉDÉGÈRE**, 1
voorzitten **PRÉSIDER**, 1
voorzitter **PRÉSIDENT, PRÉSIDENTE**, 1
voorzitterschap **PRÉSIDENCE**, 1
vordering **CRÉANCE**, 1; **DETTE**, 3; **REVENDICATION**, 1
vordering (bewijs van ~) **CRÉANCE**, 2
vormen **FORMER**, 1
vormgeving (industriële ~) **DESIGN**, 1
vorming **FORMATION**, 1
vormingsfirma (professionele ~) **EAP**
vormingsverlof **CONGÉ-FORMATION**, 1
vraag **DEMANDE**, 1
vracht **CHARGEMENT**, 2; **FRET**, 2
vracht (prijs, verzekering, ~, c.i.f.) **CAF**
vrachtschip **CARGO**, 1
vrachtvrij aan boord **FAB**
vrachtwagen **CAMION**, 1; **POIDS LOURD**, 1
vrachtwagenchauffeur **ROUTIER**, 1
vragen (naar) **DEMANDER**, 1
vrager **DEMANDEUR, DEMANDEUSE**, 1
vrek **AVARE**, 1
vrij aan boord **FOB**
vrij beroep (lid van een ~) **PROFESSIONNEL, PROFESSIONNELLE**, 2
vrijhandel **LIBRE-ÉCHANGE**, 1
vrijhandel (voorstander van de ~) **LIBRE-ÉCHANGISTE**, 1
vrijhandelspolitiek **LIBRE-ÉCHANGISME**, 1
vrijhouden **DÉFRAYER**, 1
vrijhouden (het ~) **DÉFRAIEMENT**, 1
vrijstellen van **EXEMPTER**, 1; **EXONÉRER**, 1
vrijstellen van belastingen **DÉFISCALISER**, 1
vrijstelling **EXEMPTION**, 1; **EXONÉRATION**, 1; **FRANCHISE**, 2; **IMMUNISATION**, 1; **REMISE**, 2
vrijwillig **BÉNÉVOLE**, 1; **BÉNÉVOLEMENT**, 1
vrijwillig vertrek **DÉPART VOLONTAIRE**, 1
vrijwilliger **BÉNÉVOLE**, 1; **VOLONTAIRE**, 1
vrijwilligerssysteem **BÉNÉVOLAT**, 1; **VOLONTARIAT**, 1
vruchtbaar **FÉCOND, -ONDE**, 1; **FERTILE**, 1
vruchtbaarheid **FERTILITÉ**, 1
vuil **ORDURES**, 1
vuilnis **ORDURES**, 1
vulling **CARTOUCHE**, 1
VVV-kantoor **OFFICE DU TOURISME**, 1
v.z.w. (vereniging zonder winstoogmerk) **ASBL**; **OSBL**
waar zich een bank bevindt **BANCABLE**, 2; **BANQUABLE**, 2
waarborg **CAUTION**, 3; **GARANTIE**, 1; 2
waarborgen **GARANTIR**, 1
waard zijn **VALOIR**, 1
waarde **VALEUR**, 1; 3
waarde verminderd (in ~) **DÉCOTÉ, -ÉE**, 1
waarde verminderen (in ~) **DÉPRÉCIER**, 1
waarde (belasting op de toegevoegde ~, BTW) **TVA**
waarde (goudgerande ~) **BLUE CHIP**, 1; **VALEUR(-)REFUGE**, 1
waarde (in ~ doen stijgen) **VALORISER**, 2
waarde (in ~ verhogen) **APPRÉCIER**, 1
waarde (in ~ verminderen) **PERDRE**, 2
waarde (in ~ (doen) verminderen) **DÉVALORISER**, 1
waardeloos effect **NON-VALEUR**, 1
waardepapieren **TITRE**, 1; **VALEUR**, 2
waardestijging **APPRÉCIATION**, 1; **VALORISATION**, 2
waardeverlies **MOINS-VALUE**, 1
waardevermeerdering **APPRÉCIATION**, 1
waardevermindering **AMORTISSEMENT**, 3; **DÉCOTE**, 1; **DÉPRÉCIATION**, 1; **DÉVALORISATION**, 1; **MOINS-VALUE**, 1; **PERTE**, 3
wagen **AUTOMOBILE**, 1; **VOITURE**, 1
wagon **WAGON**, 1
wagon (franco ~) **FOR**
wanbeheer **GABEGIE**, 1
waren (geweigerde ~) **LAISSÉ(-)POUR(-)COMPTE**, 2
waren (onverkoopbare ~) **LAISSÉ(-)POUR(-)COMPTE**, 1
warenhuis **SURFACE**, 1
warrant **WARRANT**, 1
web **WEB**, 1
wedde **TRAITEMENT**, 1
wederverkoop **REVENTE**, 1
wederverkopen **REVENDRE**, 1
wederverkoper **REVENDEUR, REVENDEUSE**, 1; **SOLDEUR, SOLDEUSE**, 1
weekblad **HEBDOMADAIRE**, 1
weelde **ABONDANCE**, 1
weelderig **ABONDANT, -ANTE**, 1
weg **ROUTE**, 1
weg- **ROUTIER, -IÈRE**, 1
wegen **RÉSEAU**, 2
wegen- **ROUTIER, -IÈRE**, 1
wegennet **RÉSEAU**, 2
wegkopen **DÉBAUCHER**, 1
wegkopen (het ~) **DÉBAUCHAGE**, 1
weinig **FAIBLEMENT**, 1
wekelijks **HEBDOMADAIRE**, 1
welgestelden **NANTIS**, 1
welstellend **ARGENTÉ, -ÉE**, 1; **NANTI, -IE**, 1
welvaart kennen **PROSPÉRER**, 1
welvaart **PROSPÉRITÉ**, 1; 2; **RICHESSE**, 1
welvaartsvast (~ inkomen) **SMIC**
welvarend **PROSPÈRE**, 1; 2
welzijn **BIEN-ÊTRE**, 1
Wereldhandelsorganisatie (WHO) **OMC**
wereldnetwerk **TOILE**, 1
werf **CHANTIER**, 1
werk **OUVRAGE**, 1; 2; **TRAVAIL**, 1; 2; 3; 5
werk hervatten **RETRAVAILLER**, 1
werk leveren **TRAVAILLER**, 1
werk neerleggen **DÉBRAYER**, 1
werk (het ~ hervatten) **EMBRAYER**, 1
werk (zonder ~ zijn) **CHÔMER**, 1
werkelijk **RÉEL, -ELLE**, 1
werken **FONCTIONNER**, 1
werken (banenscheppende initiatieven voor ~ van openbaar nut) **TUC**
werken (hard ~) **BOSSER**, 1
werken (stoppen met ~) **CHÔMER**, 2
werker (harde ~) **BOSSEUR, BOSSEUSE**, 1
werkgever **EMPLOYEUR, EMPLOYEUSE**, 1
werkgever (staat als ~) **ÉTAT-PATRON**, 1
werkgevers- **PATRONAL, -ALE**, 1
werking **FONCTIONNEMENT**, 1
werkloos **CHÔMEUR, -EUSE**, 1
werkloos zijn **CHÔMER**, 1
werkloosheid **CHÔMAGE**, 1; 2
werkloosheidsuitkering **ALLOCATION(-)CHÔMAGE**, 1

werkloosheidsverzekering **ASSURANCE(-)CHÔMAGE**, 1
werkloze **CHÔMEUR, CHÔMEUSE**, 1; **SANS-EMPLOI**, 1; **SANS-TRAVAIL**, 1
werkmeester **CONTREMAÎTRE, CONTREMAÎTRESSE**, 1
werknemer **EMPLOYÉ, EMPLOYÉE**, 1
werknemer (contractuele ~) **CONTRACTUEL, CONTRACTUELLE**, 1; 2
werknemer (onbezoldigde ~) **BÉNÉVOLE**, 1; **VOLONTAIRE**, 1
werknemer (tijdelijke ~) **CONTRACTUEL, CONTRACTUELLE**, 2; **INTÉRIMAIRE**, 1
werknemerschap **SALARIAT**, 2
werkplaats **ATELIER**, 1
werkplanning **PLANNING**, 1
werkrooster **HORAIRE**, 2
werkstudent **JOBISTE**, 1
werktuig **OUTIL**, 1
werktuigen **OUTILLAGE**, 1
werktuigen (van ~ voorzien) **OUTILLER**, 1
werktuigkundige **MÉCANICIEN, MÉCANICIENNE**, 1; **MÉCANO**, 1
werktuig-machine **MACHINE-OUTIL**, 1
werkverzekering **ASSURANCE(-)EMPLOI**, 1
werkvoorraad **STOCK(-)OUTIL**, 1
werkwijze **PROCÉDÉ**, 1
werkwillige **NON-GRÉVISTE**, 1
werkzaam **ACTIF, -IVE**, 1; **TRAVAILLEUR, -EUSE**, 1
werven (actief klanten ~) **PROSPECTER**, 1
wetenschappen (economische ~) **ÉCONOMIE**, 2
WHO (Wereldhandelsorganisatie) **OMC**
wieltrommel-display **AFFICHEUR**, 2
wijn **VIN**, 1
wijnbouw **VITICULTURE**, 1
wijnbouw- **VIGNERON, -ONNE**, 1; **VINICOLE**, 1; **VITICOLE**, 1
wijnbouwer **VIGNERON, VIGNERONNE**, 1; **VITICULTEUR, VITICULTRICE**, 1
wijngaard **VIGNE**, 2
wijnstok **VIGNE**, 1
wijziging van de aanslag **REDRESSEMENT**, 4
wimpel **BANDEROLE**, 1
winbaar **EXPLOITABLE**, 1
winkel **MAGASIN**, 1
winkel- **COMMERÇANT, -ANTE**, 1
winkelen (het ~) **SHOPPING**, 1
winkels en etalages bekijken **MAGASINER**, 1
winkels (het bekijken van ~ en etalages) **LÈCHE-VITRINE(S)**, 1; **MAGASINAGE**, 1
winkelzone (druk bezochte ~) **POINT CHAUD**, 1
winnen **GAGNER**, 1
winst **BÉNEF**, 1; 2; **BÉNÉFICE**, 1; 2; **GAIN**, 2; **PROFIT**, 1; 2
winst per aandeel **BPA**
winst (aandeel in de ~ uitkeren) **RISTOURNER**, 3
winst (deelname in de ~) **RISTOURNE**, 3
winst (gederfde ~) **MANQUE À GAGNER**, 2
winst (in de ~ laten delen) **INTÉRESSÉ, INTÉRESSÉE**, 1; **INTÉRESSER**, 1
winst (op ~ uit) **MERCANTILE**, 1
winstaandeel **TANTIÈME**, 1
winstbejag **MERCANTILISME**, 1
winstdeling **INTÉRESSEMENT**, 1
winsten (voorheffing verschuldigd door de vennootschappen uit hoofde van uitgekeerde ~) **PRÉCOMPTE**, 2
winstgevend **BÉNÉFICIAIRE**, 1; **COMMERCIAL, -IALE**, 4; **GÉRABLE**, 2; **JUTEUX, -EUSE**, 1; **LUCRATIF, -IVE**, 1; **PRODUCTIF, -IVE**, 2; **PROFITABLE**, 1; **RÉMUNÉRATEUR, -TRICE**, 1; **RÉMUNÉRATOIRE**, 1
winstgevend (vereniging zonder ~ doel) **ASBL**; **OSBL**
winstmarge **MARGE**, 2
winstoogmerk (vereniging zonder ~, v.z.w.) **ASBL**; **OSBL**
wissel **BILLET**, 2; **EFFET**, 2; **LETTRE**, 2; **TRAITE**, 1
wisselaar **CHANGEUR, CHANGEUSE**, 1
wisselbrief **LETTRE**, 2
wisselen **CHANGER**, 1; **ÉCHANGER**, 1
wisselen (het ~) **CHANGE**, 1
wisselgeld **APPOINT**, 1; **MONNAIE**, 3
wisselkoers **CHANGE**, 2; **COURS**, 1
wisselmakelaar **CAMBISTE**, 1
wisselprotest **PROTÊT**, 1
wisselverbintenissen **EN(-)COURS**, 2
wisselverplichtingen **EN(-)COURS**, 2
wissen **EFFACER**, 1
witte ridder **CHEVALIER BLANC**, 1
witwassen **BLANCHIR**, 1
witwassen (het ~) **BLANCHIMENT**, 1
woning (sociale ~) **HLM**
woonsparen (het ~) **ÉPARGNE-LOGEMENT**, 1
yen **YEN**, 1
zaak **AFFAIRE**, 1; 3; **MARCHÉ**, 3
zaakgelastigde **CHARGÉ, CHARGÉE**, 1
zaakvoerder **GÉRANT, GÉRANTE**, 1
zaakwaarneming **GÉRANCE**, 1
zak **SAC**, 1
zaken **AFFAIRE**, 2
zakenwereld **BUSINESS**, 1
zakken **DESCENDRE**, 1; **FLÉCHIR**, 1
zakrekenmachientje **CALCULETTE**, 1
zee **MER**, 1
zeer **HAUTEMENT**, 1; **LOURD**, 1; **LOURDEMENT**, 1
zegel **VIGNETTE**, 1
zelfbediening **LIBRE(-)SERVICE**, 1; **SELF-SERVICE**, 1
zelfbeheer **AUTOGESTION**, 1
zelfbestuur **AUTOGESTION**, 1
zelfconsumptie **AUTOCONSOMMATION**, 1
zelffinanciering **AUTOFINANCEMENT**, 1
zelfstandige **INDÉPENDANT, INDÉPENDANTE**, 1; **NON-SALARIÉ, NON-SALARIÉE**, 1
zelfstandig(e) **INDÉPENDANT, -ANTE**, 1
zenden **ADRESSER**, 1; **ENVOYER**, 1; **EXPÉDIER**, 1
zending **ENVOI**, 1
ziekenfonds **MUTUALITÉ**, 1; **MUTUELLE**, 1
ziekteverzekering **ASSURANCE(-)MALADIE**, 1
zilver **ARGENT**, 3
zink **ZINC**, 1
zitpenningen **JETONS DE PRÉSENCE**, 1
zone **ZONAGE**, 1; **ZONE**, 1; **ZONING**, 1
zuinig **ÉCONOME**, 1; **ÉCONOMIQUE**, 2; **ÉCONOMIQUEMENT**, 2
zuinigheid **ÉCONOMIE**, 3
zustermaatschappij **SOCIÉTÉ(-)SŒUR**, 1
zwaar **LOURD**, 1; **LOURD, LOURDE**, 1; **LOURDEMENT**, 1; **PONDÉREUX, -EUSE**, 1
zwak **FAIBLE**, 1
zwakheid **FAIBLESSE**, 1
zwakker worden **FAIBLIR**, 1
zwarte ridder **CHEVALIER NOIR**, 1
zweven **FLOTTER**, 1
zweven (het ~) **FLOTTEMENT**, 1
zwevend **FLOTTANT, -ANTE**, 1

Imprimé en France. - JOUVE, 11, bd de Sébastopol, 75001 PARIS
N° 425835F. - Dépôt légal : Avril 2007